序

　地方税は、全国に所在する千七百余の地方団体、すなわち、都道府県や市町村がその地域の住民の方々や関係のある企業等に対して負担を求めている税金です。

　地方団体は、その地域住民の日常生活に直接、間接にかかわりのある多岐にわたる仕事を幅広く行い、住民の福祉の向上を一歩でも進めるべく努めているところですが、地方税は、このように地方団体が行う仕事の貴重な財源の一部として使われています。

　地方税は、個々の地方団体がそれぞれ課税団体となり、その地域の関係者に負担を求める制度であることから、法制度的にも、また、考え方においても、国税の場合に比べて異なる部分が含まれたものとなっています。

　国税の場合には、国が課税権をもち、国の税務関係機関により税務行政が行われ、所得税、法人税等にみられるように、法制的にも課税、納税等の関係が国と納税者の間においてきわめて直接的であるのに対し、地方税の場合には、国全体の立場からみた地方税制度を念頭に置きながら、一方において地方自治、負担分任、各地方団体の課税権にも配慮が払われています。地方税法、政令、省令、諸通知等から地方税の法体系が成り立っている点は、国税の場合と同様ですが、それらの中にいま指摘した部分が含まれています。

　税は難解なものといわれているようですが、ひとつには、知りたいことがどこに規定されているかすべてを探すのに相当の時間と労力を費やすということではないかと思います。

　そこで、本書「地方税取扱いの手引」を発刊いたしました。本書は、地方税法を中心に、関係する政令、省令、通知などを見やすく整理して編集したもので、複雑、広範囲にわたる地方税法体系を調べるに際してこれを一覧することにより、容易にその目的が達せられることを期したものです。幸いご好評をいただき、毎年、税制改正事項を織り込んで改訂版を発刊いたしております。

　本書が、地方税の実務に携わる方々の手引書としていささかでもお役に立つならば、編者の望外のよろこびとするところです。

　令和6年9月

編者しるす

主要目次

第一編 総則

第一章　通則 …………………… 3
第二章　納税義務 ……………… 12
第三章　納税の告知等 ………… 24
第四章　地方税と他の債権との調整 …… 28
第五章　納税の猶予及び担保等 ……… 40
第六章　還付 …………………… 61
第七章　更正、決定等の期間制限及び消滅時効 …… 69
第八章　行政手続法との関係 ……… 74
第九章　不服審査及び訴訟 ……… 75
第十章　雑則 …………………… 79
第十一章　地方税関係手続用電子情報処理組織による地方税関係申告等の特例等 …… 113
第十二章　電子計算機を使用して作成する地方税関係帳簿書類等の保存方法等の特例 …… 123
第十三章　新型コロナウイルス感染症対策地方税減収補塡特別交付金 …… 134

第二編 道府県税

第一章　個人の道府県民税 ……… 139
第二章　法人の道府県民税 ……… 284
第三章　利子等、特定配当等及び特定株式等譲渡所得金額に係る道府県民税 …… 400
第四章　個人の事業税 …………… 447
第五章　法人の事業税 …………… 484
第六章　地方消費税 ……………… 650
第七章　不動産取得税 …………… 693
第八章　ゴルフ場利用税 ………… 778
第九章　軽油引取税 ……………… 790
第十章　自動車税 ………………… 863
第十一章　その他の道府県税の概要 …… 945

第三編 市町村税

第一章　個人の市町村民税 ……… 955
第二章　法人の市町村民税 ……… 1139
第三章　固定資産税 ……………… 1256
第四章　都市計画税 ……………… 1553
第五章　軽自動車税 ……………… 1560
第六章　事業所税 ………………… 1615
第七章　国民健康保険税 ………… 1664
第八章　その他の市町村税の概要 …… 1690

目　次

第一編　総　則

○「第一編　総則」に係る令和６年度改正事項･･･ 3

第一章　通　則

- 一　定　義 ･･ 4
    - 1　用語の意義 ･････････････････････ 4
    - 2　都及び特別区への準用 ･････････ 4
    - 3　都の市町村及び特別区への適用 ･･････ 5
    - 4　島における特例 ･････････････････ 5
- 二　地方団体の課税権 ･･ 5
    - 1　地方団体の課税権 ･･･････････････ 5
    - 2　地方税の賦課徴収に関する規定の形式 ･･ 5
    - 3　地方団体の長の権限の委任 ･････ 5
- 三　地方団体が課することができる税目 ･･ 5
    - 1　道府県が課することができる税目 ･････ 5
    - 2　市町村が課することができる税目 ･････ 6
    - 3　都等の特例 ･････････････････････ 7
- 四　課税免除、不均一課税及び一部課税 ･･ 8
    - 1　公益等による課税免除及び不均一課税 ･･ 8
    - 2　受益による不均一課税及び一部課税 ･･･ 8
- 五　関係地方団体の長の意見が異なる場合の措置 ･･･････････････････････････････････ 8
    - 1　総務大臣又は道府県知事に対する決定の申出 ･･････････････････････ 8
    - 2　総務大臣に対する裁決の申出 ････ 9
    - 3　決定又は裁決に違法がある場合の出訴 ･･ 9
- 六　課税権の承継 ･･ 9
    - 1　市町村の廃置分合があった場合の課税権の承継 ････････････････････ 9
    - 2　市町村の境界変更があった場合の課税権の承継 ･･････････････････ 10
    - 3　都道府県の境界変更があった場合の課税権の承継 ･････････････････ 11
    - 4　政令への委任 ･････････････････ 11

第二章　納税義務

- 一　納税義務の承継 ･･･ 12
    - 1　相続による納税義務の承継 ････ 12
    - 2　相続人からの徴収の手続 ･･････ 12
    - 3　法人の合併による納税義務の承継 ････ 13
    - 4　信託に係る納税義務の承継 ･････ 13
- 二　連帯納税義務等 ･･･ 14
    - 1　連帯納税義務についての民法の規定の準用 ･･････････････････････ 14
    - 2　共有物等に係る徴収金の連帯納税義務 ･ 14
    - 3　法人の合併等の無効判決に係る連帯納税義務 ･････････････････････ 15
    - 4　法人の分割に係る連帯納税の責任 ････ 15
- 三　第二次納税義務 ･･･ 16
    - 1　第二次納税義務の通則 ････････ 16
    - 2　合名会社等の社員の第二次納税義務 ･･･ 16
    - 3　清算人等の第二次納税義務 ････ 16
    - 4　同族会社の第二次納税義務 ････ 17
    - 5　実質課税額等の第二次納税義務 ･･････ 18
    - 6　共同的な事業者の第二次納税義務 ･････ 19
    - 7　事業を譲り受けた特殊関係者の第二次納税義務 ･････････････････ 19
    - 8　無償又は著しい低額の譲受人等の第二次納税義務 ･････････････････ 20
    - 9　偽りその他不正の行為により地方団体の徴収金を免れた株式会社の役員等の第二次納税義務 ･･･････････････ 20

　　　　10　所有権留保付自動車等の売主の第二次
　　　　　　納税義務・・・・・・・・・・・・・・・・・・・・・・・・・ 21
　　四　人格のない社団等の納税義務・・ 22
　　　　1　人格のない社団等・・・・・・・・・・・・・・・・ 22　　4　払戻し又は分配を受けた者の第二次納
　　　　2　人格のない社団等の納税義務の承継・・・ 22　　　　税義務・・・・・・・・・・・・・・・・・・・・・・・・・・・ 23
　　　　3　名義人の第二次納税義務・・・・・・・・・・・・ 22

第三章　納税の告知等

　　一　納付又は納入の告知・・・ 24
　　二　繰上徴収・・ 24
　　　　1　繰上徴収・・・・・・・・・・・・・・・・・・・・・・・・・・ 24　　2　繰上徴収の告知・・・・・・・・・・・・・・・・・・・・ 25
　　三　強制換価の場合の道府県たばこ税等の徴収・・・ 25
　　　　1　強制換価の場合の道府県たばこ税等の　　　3　法定外普通税又は法定外目的税におけ
　　　　　　優先徴収・・・・・・・・・・・・・・・・・・・・・・・・ 25　　　　る準用・・・・・・・・・・・・・・・・・・・・・・・・・・・ 26
　　　　2　徴収の通知・・・・・・・・・・・・・・・・・・・・・・・・ 26
　　四　指定納付受託者等が委託を受けた場合の徴収の特例・・・・・・・・・・・・・・・・・・・・・・・・・・・・・・・・・ 27
　　　　1　指定納付受託者等が委託を受けた場合　　　2　地方団体の徴収金に係る納税者又は特
　　　　　　の徴収の特例・・・・・・・・・・・・・・・・・・・・ 27　　　　別徴収義務者からの徴収・・・・・・・・・・・ 27

第四章　地方税と他の債権との調整

　　一　一般的優先の原則・・・ 28
　　　　1　地方税優先の原則・・・・・・・・・・・・・・・・・・ 28　　3　強制換価の場合の道府県たばこ税等の
　　　　2　共益費用の優先・・・・・・・・・・・・・・・・・・・・ 28　　　　優先・・・・・・・・・・・・・・・・・・・・・・・・・・・・・ 28
　　　　　　　　　　　　　　　　　　　　　　　　　　4　地方団体の徴収金のうちの優先順位・・・ 28
　　二　地方税の優先・・・ 29
　　　　1　差押先着手による地方税の優先・・・・・・ 29　　3　担保を徴した地方税の優先・・・・・・・・・・ 29
　　　　2　交付要求先着手による地方税の優先・・・ 29
　　三　地方税と被担保債権との調整・・・ 29
　　　　1　法定納期限等以前に設定された質権の　　　5　不動産保存の先取特権等の優先・・・・・・ 32
　　　　　　優先・・・・・・・・・・・・・・・・・・・・・・・・・・・・ 29　　6　法定納期限等以前にある不動産賃貸の
　　　　2　法定納期限等以前に設定された抵当権　　　　　先取特権等の優先・・・・・・・・・・・・・・・・ 33
　　　　　　の優先・・・・・・・・・・・・・・・・・・・・・・・・・・ 32　　7　留置権の優先・・・・・・・・・・・・・・・・・・・・・・ 34
　　　　3　譲受け前に設定された質権又は抵当権　　　8　担保権付財産が譲渡された場合の地方
　　　　　　の優先・・・・・・・・・・・・・・・・・・・・・・・・・・ 32　　　　税の徴収・・・・・・・・・・・・・・・・・・・・・・・・・ 34
　　　　4　質権及び抵当権の優先額の限度等・・・・・ 32
　　四　地方税と仮登記又は譲渡担保に係る債権との調整・・・・・・・・・・・・・・・・・・・・・・・・・・・・・・・・・・ 35
　　　　1　法定納期限等以前にされた仮登記によ　　　2　譲渡担保権者の物的納税責任・・・・・・・・ 36
　　　　　　り担保される債権の優先等・・・・・・・・ 35　　3　譲渡担保財産の換価の特例・・・・・・・・・・ 38
　　五　地方税及び国税等と私債権との競合の調整・・ 38

第五章　納税の猶予及び担保等

第一節　納税の猶予・・・ 40

　　一　納税猶予制度の目的・・・ 40
　　二　徴収猶予・・ 40
　　　　1　徴収猶予の要件等・・・・・・・・・・・・・・・・・・ 40　　3　徴収猶予の通知・・・・・・・・・・・・・・・・・・・・ 43
　　　　2　徴収猶予の申請手続等・・・・・・・・・・・・・・ 41　　4　徴収猶予の効果・・・・・・・・・・・・・・・・・・・・ 43

		5	徴収猶予の取消し・・・・・・・・・・・・・・・ 44	7	新型コロナウイルス感染症等に係る徴
		6	修正申告等に係る道府県民税、市町村民税又は事業税の徴収猶予・・・・・・・・・ 44		収猶予の特例・・・・・・・・・・・・・・・・・・・・ 46

- 三 職権による換価の猶予・・・ 48
    - 1 職権による換価の猶予の要件等・・・・・・ 48
    - 2 職権による換価の猶予の手続等・・・・・・ 49
    - 3 職権による換価の猶予の効果等・・・・・・ 49
- 四 申請による換価の猶予・・・ 50
    - 1 申請による換価の猶予の要件等・・・・・・ 50
    - 2 申請による換価の猶予の申請手続等・・・ 50
    - 3 申請による換価の猶予の効果等・・・・・・ 51
- 五 滞納処分の停止・・・ 51
    - 1 滞納処分の停止の要件等・・・・・・・・・・・・ 51
    - 2 滞納処分の停止の取消し・・・・・・・・・・・・ 52
- 六 納税の猶予等の場合の延滞金の特例・・ 52
    - 1 納税の猶予の場合の延滞金の免除・・・・ 52
    - 2 納期限の延長に係る延滞金の特例・・・・ 53

第二節 納税の猶予に伴う担保等・・・ 54

- 一 担保の徴取・・・ 54
- 二 納付又は納入の委託・・・ 55
- 三 保 全 担 保・・・ 56
    - 1 保全担保の徴取・・・・・・・・・・・・・・・・・・・・ 56
    - 2 保全担保の提供がない場合の抵当権の設定・・・・・・・・・・・・・・・・・・・・・・・・・・・・・・・・ 57
    - 3 担保の解除・・・・・・・・・・・・・・・・・・・・・・・・ 57
- 四 保全差押え・・ 57
    - 1 保全差押え・・・・・・・・・・・・・・・・・・・・・・・・ 57
    - 2 差押え又は担保の解除・・・・・・・・・・・・・・ 59
    - 3 国税について差押えがあった場合の準用・・・・・・・・・・・・・・・・・・・・・・・・・・・・・・・・・・ 59
- 五 担保の処分・・・ 59

第六章 還　　付

- 一 過誤納金の還付及び充当・・ 61
    - 1 過誤納金の還付・・・・・・・・・・・・・・・・・・・・ 61
    - 2 過誤納金の充当・・・・・・・・・・・・・・・・・・・・ 61
    - 3 還付金等の充当等の特例・・・・・・・・・・・・ 63
- 二 地方税の予納額の還付の特例・・・ 65
- 三 還付加算金・・・ 65
    - 1 過誤納金の還付加算金・・・・・・・・・・・・・・ 65
    - 2 無効行為等の取消しに伴う還付加算金 67
    - 3 還付加算金の計算・・・・・・・・・・・・・・・・・・ 68

第七章 更正、決定等の期間制限及び消滅時効

- 一 更正、決定等の期間制限・・ 69
    - 1 目　　的・・・・・・・・・・・・・・・・・・・・・・・・・・ 69
    - 2 更正、決定等の期間制限・・・・・・・・・・・・ 69
    - 3 更正、決定等の期間制限の特例・・・・・・ 70
- 二 消 滅 時 効・・ 71
    - 1 地方税の消滅時効・・・・・・・・・・・・・・・・・・ 71
    - 2 時効の中断及び停止・・・・・・・・・・・・・・・・ 72
    - 3 還付金の消滅時効・・・・・・・・・・・・・・・・・・ 73

第八章 行政手続法との関係

- 1 法令の規定による処分等についての行政手続法の適用除外・・・・・・・・・・・・・・・・・・ 74
- 2 徴収金の納付等に係る行政指導についての行政手続法の適用除外・・・・・・・・・・ 74

第九章　不服審査及び訴訟

一　不服審査 ··· 75
1　行政不服審査法との関係 ············ 75
2　徴税吏員がした処分 ················· 76
3　滞納処分についての審査請求期間の特例 ································· 77
4　審査請求の理由の制限 ··············· 77
5　審査請求があった場合等の通知 ······ 77
6　審査請求と賦課徴収との関係 ········ 77
7　差押動産等の搬出の制限 ············ 78
8　不動産等の売却決定等の取消しの制限 78

二　訴訟 ··· 78
1　行政事件訴訟法との関係 ············ 78
2　審査請求の前置 ······················ 78
3　滞納処分に関する出訴期間の特例 ···· 78
4　原告が行うべき証拠の申出 ·········· 78

第十章　雑則

1　書類の送達 ··························· 79
2　市町村が行う道府県税の賦課徴収及び徴収の嘱託 ···················· 80
3　課税標準、税額等の端数計算 ········ 80
4　期間及び期限 ························ 82
5　第三者の納付等と代位 ··············· 84
6　債権者の代位及び詐害行為の取消し ·· 85
7　供託 ·································· 88
8　地方税に関する相殺 ················· 89
9　修正申告等の効力 ···················· 89
10　更正の請求 ··························· 89
11　延滞金の計算及び免除 ··············· 91
12　延滞金及び還付加算金の割合等の特例 92
13　納税証明書の交付 ···················· 96
14　事業者等への協力要請 ··············· 97
15　預貯金者・口座管理機関の加入者等情報の管理 ························· 97
16　事務の区分 ··························· 98
17　罰則 ·································· 98
18　犯則事件の調査 ······················ 100
19　犯則事件の処分 ······················ 107

＜参考通知＞
○災害被害者に対する地方税の減免措置等について ··· 110

第十一章　地方税関係手続用電子情報処理組織による地方税関係申告等の特例等

一　地方税関係申告等の特例 ·· 113
二　地方税関係通知の特例 ·· 115
三　特定徴収金の収納の特例 ··· 116
四　機構指定納付受託者に対する納付等の委託 ·· 119
1　機構指定納付受託者に対する納付又は納入の委託 ······················ 119
2　機構指定納付受託者 ················· 119
3　機構指定納付受託者の指定の通知 ···· 120
4　名称、住所又は事務所の所在地の変更 120
5　納付等事務の委託 ···················· 120
6　機構指定納付受託者の納付又は納入 ·· 120
7　機構指定納付受託者の帳簿保存等の義務 ································ 121
8　機構指定納付受託者の指定の取消し ·· 121

第十二章　電子計算機を使用して作成する地方税関係帳簿書類等の保存方法等の特例

一　地方税関係帳簿等の電磁的記録による保存等 ······································ 123
1　地方税関係帳簿の電磁的記録による備付け及び保存 ···················· 123
2　地方税関係書類の電磁的記録による保存 ······························· 125
3　一定の装置により電磁的記録に記録する場合の地方税関係書類の電磁的記録による保存 ······························· 125

二　地方税関係帳簿等の電子計算機出力マイクロフィルムによる保存等･････････････････････128
　　　1　地方税関係帳簿の電子計算機出力マイクロフィルムによる備付け及び保存‥128
　　　2　地方税関係書類の電子計算機出力マイクロフィルムによる保存･･････････128
　　　3　地方税関係帳簿等の電子計算機出力マイクロフィルムによる保存･･････････129
　三　地方税関係書類の電磁的記録による徴収等･･129
　四　民間事業者等が行う書面の保存等における情報通信の技術の利用に関する法律の適用除外･･････････131
　五　地方税に関する法令の規定の適用･･131

第十三章　新型コロナウイルス感染症対策地方税減収補塡特別交付金

　一　新型コロナウイルス感染症対策地方税減収補塡特別交付金の交付････････････････････134
　　　1　特別交付金の種類････････････134
　　　2　特別交付金の総額････････････134
　　　3　各年度分の交付すべき特別交付金の額　134
　二　固定資産税減収補塡特別交付金の額･･134
　　　1　各年度分の各道府県に対して交付すべき固定資産税減収補塡特別交付金の額　134
　　　2　各年度分の各市町村に対して交付すべき固定資産税減収補塡特別交付金の額　134
　　　3　固定資産税減収補塡特別交付金総額と各道府県及び各市町村について算定した額との差額･････････135
　三　都市計画税減収補塡特別交付金の額･･135
　　　1　令和3年度分として各市町村に対して交付すべき都市計画税減収補塡特別交付金の額･･････････135
　　　2　都市計画税減収補塡特別交付金総額と各市町村について算定した額の合算額との差額･････････135
　四　特別交付金の算定等の時期等･･135
　　　1　特別交付金の交付時期･･････････135
　　　2　道府県の特別交付金の算定に用いる資料の提出･････････････135
　　　3　市町村の特別交付金の額の算定に用いる資料の提出･････････････135
　五　特別交付金の使途等･･135
　　　1　交付税及び譲与税配付金特別会計における特別交付金に係る繰入れ･････････135
　　　2　一般会計からの繰入金の取扱い･･････136
　六　基準財政収入額の算定方法等の特例等･･136
　　　1　地方公共団体における年度間の財源の調整の特例･･････････136
　　　2　特別区財政調整交付金の特例･････････136
　　　3　地方財政審議会の意見の聴取･･････136
　　　4　命令への委任･････････････136

第二編　道府県税

第一章　個人の道府県民税

　○令和6年度改正事項･･･139
第一節　通　　則･･139
　一　定　　義･･･139
　　　1　用語の意義････････････････139
　　　2　二以上の納税義務者がある場合の所属　142
　　　3　所得税法その他の所得税に関する法令を引用する場合の所得の意義･･････　143
　二　課税団体及び納税義務者･･143
　三　所得の帰属･･144

	1	法人課税信託の受託者に関する個人の道府県民税の規定の適用 ………… 144		3	信託財産に係る所得の帰属 ………… 144
	2	実質所得者課税の原則 ………… 144		4	公益信託に係る所得の帰属 ………… 145
				5	公益法人等に係る課税の特例 ………… 145

　四　非課税の範囲 …………………………………………………………………………… 146
　　　1　所得割及び均等割の非課税 …… 146　　3　均等割の非課税 …………………… 147
　　　2　道府県民税所得割の非課税の特例 …… 146
　五　納税管理人 …………………………………………………………………………… 147

第二節　所得割の課税標準及びその計算 …………………………………………………… 147

　一　所得割の課税標準 …………………………………………………………………… 147
　　　1　所得割の課税標準の算定 ………… 147　　2　総所得金額等の算定方法 ………… 147
　二　親族が事業から受ける対価 ………………………………………………………… 148
　　　1　青色事業専従者給与の必要経費算入等　148　　2　事業専従者がある場合の必要経費の特例 ………………………………………… 149
　三　損失の繰越控除 ……………………………………………………………………… 150
　　　1　青色申告者の純損失の繰越控除 …… 150　　6　特定居住用財産の譲渡損失の損益通算及び繰越控除 ………………………… 158
　　　2　変動所得の損失・被災事業用資産の損失・雑損失の繰越控除 ……………… 151　　7　東日本大震災に係る損失の繰越控除の特例 ……………………………………… 160
　　　3　被災事業用資産の損失の金額 …… 152
　　　4　純損失又は雑損失の繰越控除の順序 …… 153
　　　5　居住用財産の買換え等の場合の譲渡損失の損益通算及び繰越控除 ………… 154
　四　給与所得者の特定支出の控除の特例 ……………………………………………… 166
　五　特定配当等及び特定株式等譲渡所得金額 ………………………………………… 166
　　　1　特定配当等に係る所得の総所得金額からの除外 ………………………………… 166　　3　特定株式等譲渡所得金額に係る所得の総所得金額からの除外 ……………… 167
　　　2　特定配当等に係る所得を申告したときの総所得金額からの除外の不適用 …… 166　　4　特定株式等譲渡所得金額に係る所得を申告したときの総所得金額からの除外の不適用 …………………………… 167
　六　特定非常災害発生年純損失金額又は被災純損失金額を有する場合の特例 ……… 167
　　　1　特定非常災害発生年純損失金額又は被災純損失金額を有する場合の特例適用の要件 …………………………… 167　　3　所得割の納税義務者が被災純損失金額を有する場合の読替規定 ………… 168
　　　2　特定非常災害発生年特定純損失金額又は被災純損失金額を有する場合の読替規定 …………………………… 168　　4　所得割の納税義務者が特定雑損失金額を有する場合の読替規定 ………… 168
　　　　　　　　　　　　　　　　　　　　　　5　特定雑損失金額の意義 …………… 168

　＜参考通知＞
　○個人の住民税及び事業税における青色事業専従者及び事業専従者に関する取扱いについて ……… 169

第三節　所得控除 ……………………………………………………………………………… 172

　一　所得控除額 …………………………………………………………………………… 172
　　　1　雑損控除額 ………………………… 172　　9　ひとり親控除額 …………………… 187
　　　2　医療費控除額 ……………………… 175　　10　勤労学生控除額 …………………… 187
　　　3　社会保険料控除額 ………………… 176　　11　配偶者控除額 ……………………… 188
　　　4　小規模企業共済等掛金控除額 …… 176　　12　配偶者特別控除額 ………………… 188
　　　5　生命保険料控除額 ………………… 177　　13　扶養控除額 ………………………… 189
　　　6　地震保険料控除額 ………………… 184　　14　基礎控除額 ………………………… 189
　　　7　障害者控除額 ……………………… 187　　15　東日本大震災に係る雑損控除の特例 …… 189
　　　8　寡婦控除額 ………………………… 187
　二　扶養親族等の判定の時期等 ………………………………………………………… 191

		1	扶養親族等の判定の時期 ············ 191	2	所得割の納税義務者が再婚した場合における控除対象配偶者等の特例····· 193

- 三 所得控除の順序·· 193
    - 1 所得控除の順序 ·················· 193
    - 2 二以上の所得金額がある場合の所得控除の順序 ························ 193

第四節　税額の計算·· 194

- 一 税　率·· 194
    - 1 所得割の税率 ····················· 194
    - 2 均等割の標準税率 ················ 194
    - 3 調整控除
    - 4 道府県民税所得割の特例 ········ 196
    - 5 指定都市に対する交付 ·········· 196
- 二 税額控除·· 197
    - 1 配当控除 ·························· 197
    - 2 住宅借入金等特別税額控除 ······ 198
    - 3 寄附金税額控除 ·················· 203
    - 4 外国税額控除 ····················· 214
    - 5 配当割額又は株式等譲渡所得割額の控除 ······························ 217
    - 6 令和6年度分の個人の道府県民税の特別税額控除 ······················· 218
    - 7 令和7年度分の個人の道府県民税の特別税額控除 ······················· 218
- 三 肉用牛の売却による事業所得に係る課税の特例 ····································· 219
    - 1 売却した肉用牛がすべて免税対象飼育牛である場合の所得割の免除 ········ 219
    - 2 免税対象飼育牛以外の肉用牛の売却による所得がある場合の課税の特例··· 219

第五節　所得割に係る課税の特例·· 219

- 一 上場株式等に係る配当所得等の課税の特例·· 219
    - 1 上場株式等に係る配当所得等の分離課税に係る所得割 ·················· 219
    - 2 総合課税との選択適用 ·········· 220
- 二 土地の譲渡等に係る事業所得等の課税の特例··· 220
    - 1 土地の譲渡等に係る事業所得等の分離課税に係る所得割 ················ 220
    - 2 土地等に係る事業所得等の金額 ······ 220
    - 3 土地の譲渡等に係る事業所得等に対する上積所得割の額 ················ 221
    - 4 優良宅地等の適用除外 ·········· 221
    - 5 特例の適用停止 ·················· 221
- 三 土地建物等の長期譲渡所得の課税の特例··· 221
    - 1 長期譲渡所得の課税の特例 ······ 221
    - 2 優良住宅地の造成等のために土地等を譲渡した場合の長期譲渡所得の課税の特例 ··························· 223
    - 3 居住用財産を譲渡した場合の長期譲渡所得の課税の特例 ················ 227
- 四 土地建物等の短期譲渡所得の課税の特例··· 228
    - 1 短期譲渡所得の分離課税に係る所得割の額 ························· 228
    - 2 短期譲渡所得の金額の計算 ······ 228
    - 3 収用等の場合の短期譲渡所得の税率の軽減 ························· 229
- 五 株式等の譲渡所得等の課税の特例·· 229
    - 1 一般株式等の譲渡所得等の分離課税に係る所得割の額 ·················· 229
    - 2 上場株式等に係る譲渡所得等に係る道府県民税の課税の特例 ··········· 231
    - 3 特定管理株式等が価値を失った場合の株式等の譲渡所得等の課税の特例 ···· 232
    - 4 平成21年1月1日から平成25年12月31日までの間に行われる上場株式等の譲渡所得等の分離課税に係る所得割の額 233
    - 5 上場株式等に係る譲渡損失の損益通算及び繰越控除 ····················· 235
    - 6 特定口座内保管上場株式等の譲渡等に係る所得計算の特例 ··············· 238
    - 7 源泉徴収選択口座内配当等に係る所得計算等の特例 ····················· 239
    - 8 非課税口座内上場株式等の譲渡に係る所得計算の特例 ··················· 239

- 9 未成年者口座内上場株式等の譲渡に係る道府県民税の所得計算の特例 …… 241
- 六 特定中小会社が発行した株式に係る譲渡損失の繰越控除等及び譲渡所得等の課税の特例 ……… 242
  - 1 特定中小会社が発行した株式が価値を失った場合の損失の特例 …… 242
  - 2 特定株式に係る譲渡損失の繰越控除 …… 245
  - 3 払込みにより取得をした特定株式とその他の特定株式を譲渡した場合 …… 247
  - 4 特定分割等株式・特定無償割当て株式を有することとなった場合 …… 247
  - 5 給与所得以外の所得又は公的年金等に係る所得以外の所得を有しない者等に特定株式に係る譲渡損失の金額がある場合の申告 …… 248
- 七 先物取引に係る雑所得等の課税の特例 ……… 248
  - 1 先物取引に係る雑所得等の分離課税に係る所得割の額 …… 248
  - 2 先物取引の差金等決済に係る損失の繰越控除 …… 249
- 八 東日本大震災に係る土地建物等の譲渡所得の課税の特例 ……… 250
  - 1 東日本大震災に係る被災居住用財産に係る譲渡期限の延長等の特例 …… 250
  - 2 警戒区域設定指示等により相続人が居住の用に供することができなくなった家屋等の譲渡 …… 253
  - 3 東日本大震災に係る買換資産の取得期間等の延長の特例 …… 253

第六節 賦課徴収 ……… 254

- 一 賦課期日 ……… 254
- 二 賦課徴収 ……… 254
- 三 地方団体の徴収金の納付又は納入 ……… 255
  - 1 徴収金の納付又は納入 …… 255
  - 2 徴収金の払込み方法 …… 255
- 四 納税通知書 ……… 257
- 五 納期限の延長 ……… 258
- 六 租税条約に基づく申立てが行われた場合における個人の道府県民税の徴収猶予 ……… 258
- 七 延滞金額の減免 ……… 258
- 八 申告 ……… 259
  - 1 道府県民税の申告書 …… 259
  - 2 道府県民税の附属申告書 …… 262
  - 3 確定申告書 …… 263
  - 4 給与所得者の扶養親族等申告書 …… 264
  - 5 公的年金等受給者の扶養親族等申告書 …… 270
- 九 賦課徴収に関する報告等 ……… 274
- 十 徴収取扱費の交付 ……… 275
- 十一 徴収及び滞納処分の特例 ……… 275
  - 1 道府県の徴税吏員の徴収及び滞納処分 …… 275
  - 2 徴収の引継ぎ及び滞納処分の続行 …… 276
- 十二 滞納処分に関する罪等 ……… 277

第七節 退職所得の課税の特例 ……… 278

- 1 退職手当等に係る所得割 …… 278
- 2 分離課税に係る所得割の課税標準 …… 279
- 3 分離課税に係る所得割の税率 …… 279
- 4 納入申告書の提出 …… 279
- 5 特別徴収税額 …… 280
- 6 退職所得申告書 …… 280
- 7 退職所得申告書の電磁的方法による提供 …… 282
- 8 所得割の普通徴収税額 …… 282
- 9 特別徴収票 …… 283

第八節 都等の特例 ……… 283

- 1 都民税 …… 283
- 2 個人の道府県民税に関する規定の準用 283

第二章　法人の道府県民税

　〇令和6年度改正事項・・284

第一節　通　　則・・・284

　一　用語の意義・・284
　二　納税義務者等・・296
　　　1　納税義務者・・・・・・・・・・・・・・・・・・296　　2　収益事業の範囲・・・・・・・・・・・・・・・298
　三　所得の帰属・・298
　　　1　法人課税信託の受託者に関するこの章　　　3　信託財産に係る所得の帰属・・・・・・・・300
　　　　　の規定の適用・・・・・・・・・・・・・・・298　　4　公益信託に係る所得の帰属・・・・・・・・300
　　　2　実質所得者課税の原則・・・・・・・・・・300
　四　非課税の範囲・・301
　　　1　道府県民税の均等割の非課税・・・・301　　2　道府県民税の法人税割の非課税・・・302
　五　質問検査権及び検査拒否等に関する罪・・・・・・・・・・・・・・・・・・・・・・・・・・・・・・・・・・・・・・302
　　　1　徴税吏員の調査に係る質問検査権・・・・302　　2　検査拒否等に関する罪・・・・・・・・・・303
　六　納税管理人及び納税管理人に係る虚偽の申告に関する罪等・・・・・・・・・・・・・・・・・・・・303
　　　1　納税管理人・・・・・・・・・・・・・・・・・・303　　3　納税管理人に係る不申告に関する過料　303
　　　2　納税管理人に係る虚偽の申告等に関す
　　　　　る罪・・・・・・・・・・・・・・・・・・・・・・・・303

第二節　税　　率・・304

　　　1　法人税割の税率・・・・・・・・・・・・・・304　　2　法人の均等割の税率・・・・・・・・・・・・304

第三節　申告納付・・306

　一　申告納付・・306
　　　1　中間申告及び確定申告に係る申告納付　306　　5　期限後申告に係る申告納付・・・・・311
　　　2　中間申告書の提出がない場合の申告納　　　　6　納付税額に過不足額がある場合等の申
　　　　　付の特例・・・・・・・・・・・・・・・・・・・310　　　　　告納付・・・・・・・・・・・・・・・・・・・・・・・312
　　　3　通算親法人が協同組合等である通算子　　　　7　修正申告又は更正決定に係る申告納付　312
　　　　　法人の申告納付・・・・・・・・・・・・・310　　8　申告書等の様式・・・・・・・・・・・・・・・312
　　　4　公共法人等に係る申告納付・・・・・311
　二　確定申告書の提出期限の延長の特例・・313
　　　1　確定申告書の提出期限の延長の特例・・313　　2　災害等の場合の確定申告書の提出期限
　　　　　　　　　　　　　　　　　　　　　　　　　　　　の延長への乗換えと特例停止・・・・・・314
　三　地方税関係手続用電子情報処理組織による申告・・・・・・・・・・・・・・・・・・・・・・・・・・・・・314
　　　1　地方税関係手続用電子情報処理組織に　　　　2　地方税関係手続用電子情報処理組織に
　　　　　よる申告・・・・・・・・・・・・・・・・・・・314　　　　　よる申告が困難である場合の特例・・・315
　四　申告に関する罰則・・317
　　　1　故意不申告の罪・・・・・・・・・・・・・・317　　2　虚偽の申告に関する罪・・・・・・・・・・317

第四節　法人税額等の控除・加算及び還付等・・・・・・・・・・・・・・・・・・・・・・・・・・・・・・・・・・・・318

　一　法人税額等の控除・加算・・・318
　　　1　通算適用前欠損金額がある場合の控除　　　　4　通算対象所得金額がある場合の控除対
　　　　　対象通算適用前欠損調整額の控除・・・・318　　　　　象通算対象所得調整額の控除・・・・・336
　　　2　合併等前欠損金額がある場合の控除対　　　　5　被配賦欠損金控除額がある場合の加算
　　　　　象合併等前欠損調整額の控除・・・・330　　　　　対象被配賦欠損調整額の加算・・・・・339
　　　3　通算対象欠損金額がある場合の加算対　　　　6　配賦欠損金控除額がある場合の控除対
　　　　　象通算対象欠損調整額の加算・・・・336　　　　　象配賦欠損調整額の控除・・・・・・・・340

		7	欠損金の繰戻しによる還付がある場合の還付法人税額の控除 …………… 344			9	東日本大震災に係る法人の道府県民税の特例 ……………………………… 352
		8	還付対象欠損金額がある場合の控除対象還付対象欠損調整額の控除 …… 347			10	法人税額等からの控除・加算順序 …… 353

二 外国関係会社に対して課された所得税等の額の控除 ……………………………………………………… 354
    1 内国法人の外国関係会社に対して課された所得税等の額の控除 ………… 354
    2 特殊関係株主等である内国法人の外国関係会社に対して課された所得税等の額の控除 ……………………… 355

三 外国税額の控除 ……………………………………………………………………………………………………… 355
    1 外国の法人税等の額の控除 ……………… 355
    2 控除余裕額が生じた場合の繰越外国法人税額の控除 ……………………… 360
    3 外国子会社及び特定外国子会社等からの配当等に係る外国税額控除 …… 361
    4 道府県民税の控除限度額の計算 ……… 361
    5 控除限度超過額が生じた場合の繰越控除余裕額による外国税額の控除 …… 362
    6 合併法人等が適格合併等により事業の移転を受けた場合の控除限度超過額及び道府県民税の控除余裕額のみなし規定 ………………………………………… 363
    7 控除すべき年度 ……………………………… 366
    8 控除不足額の繰越控除 …………………… 366
    9 所得等申告法人が適格合併等により事業の移転を受けた場合の控除未済外国法人税額等のみなし規定 ………………… 366
    10 外国税額控除の申告 ………………………… 368

四 通算法人の過年度の外国税額控除額が当初申告税額控除額と異なることとなった場合の調整 ……… 369
    1 通算法人の適用事業年度における当初申告税額控除額の固定措置 ………… 369
    2 税額控除額と当初申告税額控除額との差額に係る対象事業年度での調整 …… 371
    3 当初申告税額控除額の固定措置又は当初申告税額控除不足額(超過額)相当額の固定措置の不適用 ……………………… 373
    4 通算法人が合併により解散した場合又は通算法人の残余財産が確定した場合の調整措置 ………………………………… 374
    5 通算法人が公益法人等に該当することとなった場合の調整措置 ……………… 374

五 仮装経理に基づく過大申告の場合の更正に伴う法人税割額の控除 ……………………………………… 374
六 租税条約の実施に係る還付すべき金額の控除 …………………………………………………………… 375
    1 法人税額に係る租税条約の実施に係る還付すべき金額の法人税割額からの控除 ……………………………………………… 375
    2 当初の更正に伴いその後の事業年度において法人税額等の減額更正があった場合 ……………………………………… 376
    3 法人が適格合併により解散をした後に更正があった場合 ……………………… 376

七 特定寄附金税額控除 ……………………………………………………………………………………………… 376
八 法人税割額からの控除順序 …………………………………………………………………………………… 378
九 仮装経理に基づく過大申告の場合の更正に伴う法人税割額の還付 …………………………………… 378
    1 法人税割額の還付の不適用 ……………… 378
    2 5年間の繰越控除適用期間終了後の法人税割額の還付 ……………………… 379
    3 一定の企業再生事由が生じた場合の法人税割額の還付 ……………………… 380

十 租税条約の実施に係る還付すべき金額の還付又は充当 ……………………………………………… 381
十一 中間納付額の還付又は充当 ………………………………………………………………………………… 382
十二 更正の請求の特例 …………………………………………………………………………………………… 384

第五節 二以上の道府県において事務所等を有する法人の申告納付 ……………………………………… 385

一 二以上の道府県において事務所等を有する法人の申告納付 ………………………………………… 385
    1 二以上の道府県において事務所等を有する法人の中間申告及び確定申告に係る申告納付 ……………………………… 385
    2 法人税額の課税標準の分割基準 …… 385
    3 新設・廃止事務所等の分割基準となる従業者数 ……………………………… 385

二 二以上の道府県において事務所等を有する法人の法人税額の分割基準となる従業者数の修正又は決定 … 386

1 従業者数が事実と異なる場合の修正‥386	5 従業者数の修正又は修正不要の決定‥386
2 中間申告・確定申告がない場合の従業者数の決定‥‥‥‥‥‥‥‥‥‥‥‥386	6 従業者数の修正・決定等の通知‥‥‥387
3 修正又は決定に係る従業者数の再修正 386	7 関係道府県知事の処分に不服がある場合の措置‥‥‥‥‥‥‥‥‥‥‥‥‥387
4 関係道府県知事の修正の請求‥‥‥‥386	

第六節　更正又は決定及び延滞金等‥‥‥‥‥‥‥‥‥‥‥‥‥‥‥‥‥‥‥‥‥‥‥‥‥‥387

一　更正又は決定‥‥‥‥‥‥‥‥‥‥‥‥‥‥‥‥‥‥‥‥‥‥‥‥‥‥‥‥‥‥‥‥‥‥‥‥387

1 更　　　正‥‥‥‥‥‥‥‥‥‥‥387	5 更正又は決定をした道府県民税額が中間納付額に満たない場合の還付又は充当‥‥‥‥‥‥‥‥‥‥‥‥‥‥‥‥‥388
2 決　　　定‥‥‥‥‥‥‥‥‥‥‥387	
3 再　更　正‥‥‥‥‥‥‥‥‥‥‥388	
4 更正又は決定の通知‥‥‥‥‥‥‥388	

二　租税条約の相手国との相互協議に係る徴収猶予‥‥‥‥‥‥‥‥‥‥‥‥‥‥‥‥‥‥388

1 租税条約に基づく申立てが行われた場合における徴収猶予‥‥‥‥‥‥‥‥388	2 徴収猶予に係る国税庁長官の通知‥‥　390

三　新型コロナウイルス感染症等に係る徴収猶予の特例‥‥‥‥‥‥‥‥‥‥‥‥‥‥‥‥391

四　不足税額及びその延滞金の徴収‥‥‥‥‥‥‥‥‥‥‥‥‥‥‥‥‥‥‥‥‥‥‥‥‥391

1 不足税額の徴収‥‥‥‥‥‥‥‥‥391	4 当初申告の減額更正後に修正申告があった場合の延滞金の計算期間の特例　392
2 延滞金の徴収‥‥‥‥‥‥‥‥‥‥391	
3 延滞金の計算の基礎となる期間の特例 391	5 延滞金の減免‥‥‥‥‥‥‥‥‥‥393

五　納期限後納付に係る延滞金‥‥‥‥‥‥‥‥‥‥‥‥‥‥‥‥‥‥‥‥‥‥‥‥‥‥‥393

1 納期限後納付の場合の延滞金‥‥‥393	3 納期限の延長に係る延滞金の特例‥‥395
2 納期限の延長の場合の延滞金‥‥‥395	

第七節　雑　　　　則‥‥‥‥‥‥‥‥‥‥‥‥‥‥‥‥‥‥‥‥‥‥‥‥‥‥‥‥‥‥‥‥‥‥‥395

1 天災その他特別の事情がある場合の減免‥‥‥‥‥‥‥‥‥‥‥‥‥‥‥‥395	2 脱税に関する罪‥‥‥‥‥‥‥‥‥395
	3 法人税に関する書類の供覧等‥‥‥‥396

第八節　督促、滞納処分‥‥‥‥‥‥‥‥‥‥‥‥‥‥‥‥‥‥‥‥‥‥‥‥‥‥‥‥‥‥‥‥‥397

一　督　　　促‥‥‥‥‥‥‥‥‥‥‥‥‥‥‥‥‥‥‥‥‥‥‥‥‥‥‥‥‥‥‥‥‥‥‥‥397

1 期限内納付がない場合の督促‥‥‥397	2 督促手数料の徴収‥‥‥‥‥‥‥‥397

二　滞納処分‥‥‥‥‥‥‥‥‥‥‥‥‥‥‥‥‥‥‥‥‥‥‥‥‥‥‥‥‥‥‥‥‥‥‥‥‥397

1 滞納処分‥‥‥‥‥‥‥‥‥‥‥‥397	4 国税徴収法の例による滞納処分に関する虚偽の陳述の罪‥‥‥‥‥‥‥‥‥399
2 滞納処分に関する罪‥‥‥‥‥‥‥398	
3 滞納処分に関する検査拒否等の罪‥398	

第三章　利子等、特定配当等及び特定株式等譲渡所得金額に係る道府県民税

第一節　通　　　　則‥‥‥‥‥‥‥‥‥‥‥‥‥‥‥‥‥‥‥‥‥‥‥‥‥‥‥‥‥‥‥‥‥‥‥400

一　定　　　義‥‥‥‥‥‥‥‥‥‥‥‥‥‥‥‥‥‥‥‥‥‥‥‥‥‥‥‥‥‥‥‥‥‥‥‥400

1 用語の意義‥‥‥‥‥‥‥‥‥‥‥400	2 所得税法その他の所得税に関する法令を引用する場合の所得の意義‥‥‥‥402

二　納税義務者等‥‥‥‥‥‥‥‥‥‥‥‥‥‥‥‥‥‥‥‥‥‥‥‥‥‥‥‥‥‥‥‥‥‥402

1 納税義務者‥‥‥‥‥‥‥‥‥‥‥402	2 利子等の支払又は取扱いをする者の営業所等‥‥‥‥‥‥‥‥‥‥‥‥‥‥403

三　非　課　税　等‥‥‥‥‥‥‥‥‥‥‥‥‥‥‥‥‥‥‥‥‥‥‥‥‥‥‥‥‥‥‥‥‥‥410

1 利子等の非課税の範囲‥‥‥‥‥‥410	3 信託に係る道府県民税の規定の適用‥411
2 質問検査権及び検査拒否等に関する罪 410	

第二節　利　子　割 … 412

一　課税標準及び税率 … 412
1. 利子割の課税標準 … 412
2. 利子割の税率 … 412
3. 国外一般公社債等の利子等又は国外私募公社債等運用投資信託等の配当等に係る外国税額控除 … 412
4. 特定寄附信託に係る利子等の課税の特例 … 413

二　徴　収 … 413
1. 利子割の徴収の方法 … 413
2. 利子割の特別徴収の手続 … 413
3. 利子割に係る更正又は決定 … 415
4. 利子割に係る不足金額及びその延滞金の徴収 … 415
5. 納期限後に申告納入する利子割に係る納入金の延滞金 … 416
6. 利子割に係る納入金の過少申告加算金及び不申告加算金 … 416
7. 利子割に係る納入金の重加算金 … 418
8. 利子割の脱税に関する罪 … 419

三　督促及び滞納処分 … 419
1. 利子割に係る督促 … 419
2. 利子割に係る滞納処分 … 420
3. 利子割に係る滞納処分に関する罪 … 420
4. 国税徴収法の例による利子割に係る滞納処分に関する検査拒否等の罪 … 421
5. 国税徴収法の例による滞納処分に関する虚偽の陳述の罪 … 421

四　市町村に対する交付 … 421

第三節　配　当　割 … 423

一　課税標準及び税率 … 423
1. 配当割の課税標準 … 423
2. 配当割の税率 … 423

二　徴　収 … 423
1. 配当割の徴収の方法 … 423
2. 配当割の特別徴収の手続 … 424
3. 配当割に係る更正又は決定 … 428
4. 配当割に係る不足金額及びその延滞金の徴収 … 428
5. 納期限後に申告納入する配当割に係る納入金の延滞金 … 428
6. 配当割に係る納入金の過少申告加算金及び不申告加算金 … 429
7. 配当割に係る納入金の重加算金 … 431
8. 配当割の脱税に関する罪 … 432

三　督促及び滞納処分 … 432
1. 配当割に係る督促 … 432
2. 配当割に係る滞納処分 … 432
3. 配当割に係る滞納処分に関する罪 … 433
4. 国税徴収法の例による配当割に係る滞納処分に関する検査拒否等の罪 … 434
5. 国税徴収法の例による滞納処分に関する虚偽の陳述の罪 … 434

四　市町村に対する交付 … 434

第四節　株式等譲渡所得割 … 436

一　課税標準及び税率 … 436
1. 株式等譲渡所得割の課税標準 … 436
2. 株式等譲渡所得割の税率 … 436

二　徴　収 … 436
1. 株式等譲渡所得割の徴収の方法 … 436
2. 株式等譲渡所得割の特別徴収の手続 … 436
3. 株式等譲渡所得割に係る更正又は決定 … 439
4. 株式等譲渡所得割に係る不足金額及び延滞金の徴収 … 439
5. 納期限後に申告納入する株式等譲渡所得割に係る納入金の延滞金 … 440
6. 株式等譲渡所得割に係る納入金の過少申告加算金及び不申告加算金 … 440
7. 株式等譲渡所得割に係る納入金の重加算金 … 442
8. 株式等譲渡所得割の脱税に関する罪 … 443

		三 督促及び滞納処分·································	443
	1	株式等譲渡所得割に係る督促······· 443	
	2	株式等譲渡所得割に係る滞納処分···· 444	
	3	株式等譲渡所得割に係る滞納処分に関する罪·· 444	
	4	国税徴収法の例による株式等譲渡所得割に係る滞納処分に関する検査拒否等の罪·· 445	
	5	国税徴収法の例による滞納処分に関する虚偽の陳述の罪······················· 445	
		四 市町村に対する交付···	445

第四章　個人の事業税

○令和6年度改正事項··· 447

第一節　通　　則··· 447

一　課税団体及び納税義務者··· 447
二　課 税 客 体··· 448
    1　第1種事業················ 448　　3　第3種事業·· 451
    2　第2種事業················ 450
三　所得の帰属··· 453
    1　実質所得者課税の原則········ 453　　2　信託の受益者課税······················ 454
四　非課税の範囲··· 454
五　雑　　則··· 455
    1　徴税吏員の調査に係る質問検査権···· 455　　2　納税管理人······························ 456

第二節　課税標準及び税率··· 457

一　課 税 標 準··· 457
二　課税標準の算定··· 457
    1　事業の所得の計算·········· 457　　3　外国税額の必要経費算入············ 460
    2　事業に専従する親族がある場合の所得の算定···························· 458　　4　所得の計算上控除されるもの········ 460
三　課税標準の算定の特例··· 465
    1　国外において事業を行うものの課税標準の特例···························· 465　　2　鉱物の掘採事業と精錬事業とを一貫して行う者の所得の算定·············· 466
四　外形課税の特例··· 467
五　税　　率··· 467
    1　標 準 税 率·············· 467　　2　制 限 税 率·· 468

第三節　賦課及び徴収等··· 468

一　徴収の方法··· 468
二　賦課の方法··· 468
    1　税務官署に対する申告等に基づく賦課 468
    2　申告がない場合の道府県知事の調査に基づく賦課···························· 468
    3　税務官署に対する更正の請求···· 469
    4　年の中途で事業を廃止した者に対する賦課···························· 469
    5　道府県知事の通知義務················ 469
    6　所得税又は道府県民税に関する書類の供覧等···························· 469
三　二以上の道府県において事務所等を設けて事業を行う個人の課税標準の決定··············· 469
    1　所得の総額及び按分額の決定······· 469　　3　按分額に不服がある場合の総務大臣に対する申出························ 471
    2　関係道府県に対する按分額の決定方法 470
四　納期及び徴収の手続··· 472
    1　納　　期················ 472　　2　徴収の手続·· 472
五　納期限後に納付する場合の延滞金··· 472

六 賦課徴収に関する申告又は報告の義務·················· 472
    1 申告の義務···················· 472
    2 損失の繰越控除等を受ける場合の申告 473
    3 二以上の道府県において事務所等を設
      けて事業を行う個人の申告··········· 473
    4 賦課徴収に関する事項の報告········ 473
    5 虚偽の申告又は不申告に対する罰則·· 473
    6 徴収猶予···················· 474
    7 徴収猶予に係る通知············ 476
  七 みなし申告·························· 477
    1 所得税又は道府県民税について確定申
      告書等を提出した場合のみなし申告·· 477
    2 所得税の確定申告書等に付記すべき事
      項························ 477

第四節 雑　　　則······················· 478
  1 脱税に関する罪················ 478
  2 減　　免···················· 478
  3 総務省の職員の調査に係る質問検査権
    等························ 479

第五節 督促及び滞納処分······················ 482
  1 督　　促···················· 482
  2 滞納処分···················· 482
  3 滞納処分に関する罪············ 483
  4 滞納処分に関する検査拒否等の罪··· 483

第五章　法人の事業税

○令和6年度改正事項·························· 484

第一節　通　　　則························· 486

一 用語の意義····························· 486
二 課税団体及び納税義務者等····················· 490
    1 課税団体及び納税義務者··········· 490
    2 人格のない社団等の納税義務········ 496
    3 みなし課税法人の納税義務········ 496
三 法人課税信託の受託者に関する取扱い················ 496
    1 信託資産等及び固定資産等ごとの規定
      の適用···················· 496
    2 特定法人課税信託等の併合又は分割·· 498
    3 法人課税特定信託等の受託法人の事業
      年度······················ 499
四 所得の帰属····························· 499
    1 実質所得者課税の原則············· 499
    2 信託の受益者課税············ 500
五 非課税の範囲··························· 501
    1 公共法人等に対する非課税········· 501
    2 特定の事業に対する非課税········· 501
    3 農事組合法人の行う農業に対する非課
      税························ 501
    4 公益法人等の非収益事業に係る所得等
      の非課税···················· 502
    5 人格のない社団等の非収益事業に係る
      所得の非課税················ 503
六 雑　　則······························ 503
    1 徴税吏員の調査に係る質問検査権···· 503
    2 納税管理人················ 504

第二節　課税標準及び税率等······················ 505

一 課税標準······························ 505
二 事業年度······························ 505
    1 事業年度の意義··············· 505
    2 事業年度等の定めがない場合········ 505
    3 事業年度の特例············ 506
三 付加価値割の課税標準の計算···················· 508
    1 報酬給与額の算定の方法··········· 509
    2 純支払利子の算定の方法··········· 514
    3 純支払賃借料の算定の方法········· 517
    4 単年度損益の算定の方法··········· 519
    5 国外において事業を行う内国法人の付
      加価値割の課税標準の算定········· 522

6　収益配分額のうちに報酬給与額の占める割合が高い法人の付加価値割の課税標準の算定……523
　　　7　付加価値割の課税標準の特例措置……523
　四　資本割の課税標準の計算……525
　五　所得割の課税標準の計算……535
　　　1　法人税の例による所得の計算……535
　　　2　法人税の所得計算の例によらないもの……538
　　　3　国外において事業を行う内国法人の所得割等の課税標準の算定……547
　六　各事業年度の収入金額の計算……548
　　　1　電気供給業等の収入金額……548
　　　2　生命保険業の収入金額……555
　　　3　損害保険業の収入金額……556
　　　4　少額短期保険業者の収入金額……558
　　　5　国外において事業を行う内国法人の収入割の課税標準の算定……558
　七　外形課税の特例及び課税標準の算定の特例……558
　　　1　外形課税の特例……558
　　　2　鉱物の掘採事業と精錬事業を一貫して行う法人の付加価値額等の算定……558
　八　税　　　率……560
　　　1　標　準　税　率……560
　　　2　制　限　税　率……563
　　　3　外形課税による場合の税率……563
　　　4　税率の適用区分……563
　九　仮装経理に基づく過大申告の場合の更正に伴う事業税額の控除及び還付……563
　　　1　仮装経理事業税額の控除……563
　　　2　仮装経理事業税額の還付又は充当の不適用……564
　　　3　5年間の繰越控除適用期間終了後の仮装経理事業税額の還付又は充当……565
　　　4　一定の企業再生事由が生じた場合の仮装経理事業税額の還付……565
　　　5　反射的更正があった場合のみなし仮装経理事業税額の控除及び還付……566
　十　租税条約の実施に係る還付すべき金額の控除……567
　　　1　租税条約の実施に係る還付すべき金額の事業税額からの控除……567
　　　2　当初の更正に伴いその後の事業年度において所得の減額更正があった場合……567
　　　3　法人が適格合併により解散をした後に更正があった場合……567
　　　4　控除不足額の還付又は充当……567
　　　5　事業税額からの控除順序……568
　十一　法人の事業税の特定寄附金税額控除……568

第三節　申告納付……570

　一　徴収の方法……570
　二　中間申告を要しない法人の申告納付……570
　　　1　確定申告納付……570
　　　2　確定申告期限の延長……573
　　　3　確定申告期限の延長の特例……574
　　　4　通算法人の確定申告期限の延長……576
　　　5　通算完全支配関係がある通算法人の確定申告期限の延長の特例……576
　　　6　納付税額がない場合の申告書の提出義務……578
　三　中間申告を要する法人等の申告納付……578
　　　1　中間申告納付……578
　　　2　確定申告納付……583
　　　3　中間納付額の還付又は充当……584
　四　清算中の法人の申告納付……585
　　　1　清算中の法人の各事業年度の申告納付……585
　　　2　通算子法人が事業年度の中途において解散をした場合等の申告の特例……587
　五　期限後申告及び修正申告納付……587
　　　1　期限後申告納付……587
　　　2　修正申告納付……588
　六　地方税関係手続用電子情報処理組織による申告……588
　　　1　地方税共同機構を経由して行う申告書記載事項の提供……588
　　　2　特定法人の定義……589
　　　3　みなし規定……589
　　　4　到達規定……589
　七　地方税関係手続用電子情報処理組織による申告が困難である場合の特例……589

　　　　1　地方税関係手続用電子情報処理組織を
　　　　　　使用することが困難であると認められ
　　　　　　る場合の特例‥‥‥‥‥‥‥‥‥‥589
　　　　2　道府県知事への申請書の提出‥‥‥‥589
　　　　3　承認申請の却下‥‥‥‥‥‥‥‥‥‥590
　　　　4　承認又は却下の通知‥‥‥‥‥‥‥‥590
　　　　5　みなし承認‥‥‥‥‥‥‥‥‥‥‥‥590
　　　　6　承認の取消し‥‥‥‥‥‥‥‥‥‥‥590
　　　　7　承認の取消しの通知‥‥‥‥‥‥‥‥590
　　　　8　適用をやめる場合の届出書の提出‥‥590
　　　　9　承認の取消し又は適用をやめる届出書
　　　　　　の提出があった翌日以後の規定の不適
　　　　　　用‥‥‥‥‥‥‥‥‥‥‥‥‥‥‥591
　　　　10　適用をやめる届出書の提出又は法人税
　　　　　　法の処分があった翌日以後の規定の不
　　　　　　適用‥‥‥‥‥‥‥‥‥‥‥‥‥‥591
　　　　11　総務大臣による期間の指定‥‥‥‥‥591
　　　　12　期間指定時の告示及び通知‥‥‥‥‥591
　　　　13　告示があったときの規定の不適用‥‥591
　　八　更正の請求の特例‥‥‥‥‥‥‥‥‥‥‥‥‥‥‥‥‥‥‥‥‥‥‥‥‥‥‥‥‥‥‥‥‥591
　　　　1　前事業年度分について更正等を受けた
　　　　　　場合の更正の請求‥‥‥‥‥‥‥‥‥591
　　　　2　法人税の課税標準について更正又は決
　　　　　　定を受けた場合の更正の請求‥‥‥‥591
　　九　申告書等の様式及び申告納付に関する雑則‥‥‥‥‥‥‥‥‥‥‥‥‥‥‥‥‥‥‥‥‥‥592
　　　　1　申告書等の様式‥‥‥‥‥‥‥‥‥‥592
　　　　2　貸借対照表等の提出‥‥‥‥‥‥‥‥592
　　　　3　不申告又は虚偽の申告納付等に関する
　　　　　　罪‥‥‥‥‥‥‥‥‥‥‥‥‥‥‥593
　　十　外形対象法人に係る徴収猶予‥‥‥‥‥‥‥‥‥‥‥‥‥‥‥‥‥‥‥‥‥‥‥‥‥‥‥‥593
　　　　1　徴収猶予の要件等‥‥‥‥‥‥‥‥‥593
　　　　2　徴収猶予の取消し‥‥‥‥‥‥‥‥‥595
　　　　3　延滞金額の一部免除‥‥‥‥‥‥‥‥595

第四節　更正及び決定‥‥‥‥‥‥‥‥‥‥‥‥‥‥‥‥‥‥‥‥‥‥‥‥‥‥‥‥‥‥‥‥‥‥‥‥‥596

　　一　法人税の課税標準に基づく所得割等の更正及び決定‥‥‥‥‥‥‥‥‥‥‥‥‥‥‥‥‥‥596
　　　　1　申告所得が基準課税標準と異なる場合
　　　　　　の更正‥‥‥‥‥‥‥‥‥‥‥‥‥596
　　　　2　申告書の提出がない場合の決定‥‥‥596
　　　　3　法人税の更正等があった場合の再更正　596
　　二　租税条約の相手国との相互協議に係る徴収猶予‥‥‥‥‥‥‥‥‥‥‥‥‥‥‥‥‥‥‥‥596
　　　　1　租税条約に基づく申立てが行われた場
　　　　　　合における徴収猶予‥‥‥‥‥‥‥‥596
　　　　2　徴収猶予に係る国税庁長官の通知‥‥599
　　三　税務官署に対する更正又は決定の請求‥‥‥‥‥‥‥‥‥‥‥‥‥‥‥‥‥‥‥‥‥‥‥‥599
　　四　道府県知事の調査による所得割等の更正及び決定‥‥‥‥‥‥‥‥‥‥‥‥‥‥‥‥‥‥‥600
　　　　1　更　　　　正‥‥‥‥‥‥‥‥‥‥‥600
　　　　2　決　　　　定‥‥‥‥‥‥‥‥‥‥‥600
　　　　3　再　更　正‥‥‥‥‥‥‥‥‥‥‥‥601
　　　　4　仮装経理に基づく過大申告に係る更正
　　　　　　の猶予‥‥‥‥‥‥‥‥‥‥‥‥‥601
　　五　道府県知事の調査による付加価値割等の更正及び決定‥‥‥‥‥‥‥‥‥‥‥‥‥‥‥‥‥601
　　　　1　更　　　　正‥‥‥‥‥‥‥‥‥‥‥601
　　　　2　申告書の提出がない場合の決定‥‥‥601
　　　　3　再　更　正‥‥‥‥‥‥‥‥‥‥‥‥601
　　　　4　仮装経理に基づく過大申告に係る更正
　　　　　　の猶予‥‥‥‥‥‥‥‥‥‥‥‥‥601
　　六　所得割の決定と付加価値割及び資本割の決定との関係等‥‥‥‥‥‥‥‥‥‥‥‥‥‥‥‥601
　　　　1　所得及び所得割額の決定と申告書の提
　　　　　　出がない場合の決定との関係‥‥‥‥601
　　　　2　収入金額及び収入割額の決定と申告書
　　　　　　の提出がない場合の決定との関係‥‥602
　　　　3　所得及び所得割額の決定と収入金額及
　　　　　　び収入割額の決定をする場合‥‥‥‥602
　　七　更正等に基づく中間納付額等の還付又は充当等‥‥‥‥‥‥‥‥‥‥‥‥‥‥‥‥‥‥‥‥602
　　　　1　更正又は決定による中間納付額の還付　602
　　　　2　中間納付額に係る延滞金の免除‥‥‥603
　　八　同族会社等の行為又は計算の否認等‥‥‥‥‥‥‥‥‥‥‥‥‥‥‥‥‥‥‥‥‥‥‥‥‥603
　　　　1　同族会社の行為又は計算の否認‥‥‥603
　　　　2　特定の法人の行為又は計算の否認‥‥604
　　　　3　移転法人、取得法人又はこれらの法人
　　　　　　の株主等である法人の行為又は計算の
　　　　　　否認‥‥‥‥‥‥‥‥‥‥‥‥‥‥605
　　九　更正等の通知及び不足税額等の徴収‥‥‥‥‥‥‥‥‥‥‥‥‥‥‥‥‥‥‥‥‥‥‥‥‥605
　　　　1　更正又は決定の通知‥‥‥‥‥‥‥‥605
　　　　2　不足税額の徴収‥‥‥‥‥‥‥‥‥‥605

				3　不足税額に対する延滞金の徴収‥‥‥605

第五節　二以上の道府県において事務所等を設けて事業を行う法人の申告納付、更正及び決定‥‥‥607

　一　二以上の道府県において事務所等を設けて事業を行う法人の申告納付‥‥‥607
　　　1　申告納付‥‥‥607
　　　2　中間申告納付‥‥‥608
　　　3　分割基準‥‥‥609
　二　二以上の道府県において事務所等を設けて事業を行う法人の更正、決定等‥‥‥616
　　　1　主たる事務所等所在地の道府県知事による更正、決定等‥‥‥616
　　　2　二以上の道府県において事務所等を設けて事業を行う法人の更正の請求‥‥‥617
　　　3　関係道府県知事の更正、決定等の請求‥‥‥617
　　　4　関係道府県知事の更正、決定等の請求を受けた場合の処理‥‥‥618
　　　5　外国法人に対する適用‥‥‥618

　　＜参考通知＞
　　○資本金の額又は出資金の額が1億円以上の製造業を行う法人の事業税の分割基準である工場の従業者の取扱いについて‥‥‥619

第六節　延滞金及び加算金‥‥‥621

　一　納期限後に納付する場合の延滞金‥‥‥621
　二　納期限の延長の場合の延滞金‥‥‥622
　三　過少申告加算金及び不申告加算金‥‥‥623
　四　重加算金‥‥‥627

第七節　雑　則‥‥‥630

　一　虚偽の更正の請求に関する罪‥‥‥630
　二　法人税に関する書類の供覧等‥‥‥630
　三　脱税に関する罪‥‥‥630
　四　減免‥‥‥631
　五　総務省の職員の質問検査権‥‥‥631
　　　1　総務省の職員の調査に係る質問検査権‥‥‥631
　　　2　総務省の職員の調査の事前通知等‥‥‥632
　　　3　総務省の職員の調査の終了の際の手続‥‥‥633
　　　4　総務省の職員の行う検査拒否等に関する罪‥‥‥634

第八節　督促及び滞納処分‥‥‥634

　一　督促‥‥‥634
　二　滞納処分‥‥‥635
　　　1　滞納処分‥‥‥635
　　　2　滞納処分に関する罪‥‥‥635
　　　3　滞納処分に関する検査拒否等の罪‥‥‥636
　三　法人の事業税の市町村に対する交付‥‥‥636

第九節　特別法人事業税‥‥‥639

　一　総則‥‥‥639
　　　1　定義‥‥‥639
　　　2　人格のない社団等に対する適用‥‥‥639
　　　3　納税義務者‥‥‥639
　　　4　課税の対象‥‥‥639
　二　課税標準‥‥‥639
　三　税額の計算‥‥‥639
　四　申告及び納付等‥‥‥640
　　　1　賦課徴収‥‥‥640
　　　2　申告‥‥‥640
　　　3　納付等‥‥‥640
　　　4　還付等‥‥‥640
　　　5　還付金等の国への払込額からの控除等‥‥‥641
　　　6　延滞金等の計算‥‥‥641
　　　7　充当等の特例‥‥‥641
　　　8　納税管理人‥‥‥642
　　　9　処分に関する不服審査等‥‥‥642
　　　10　犯則事件の調査及び処分‥‥‥643

		11	賦課徴収又は申告納付に関する報告等 643		

　　五　雜　　　則··643
　　　　1　申告の特例·················643　　3　事業の区分·················643
　　　　2　収納の特例·················643
　　六　罰　　　則··643
　　　　1　検査拒否等に関する罪·······643　　5　滞納処分に関する罪··········645
　　　　2　故意不申告の罪·············644　　6　滞納処分に関する検査拒否等の罪···646
　　　　3　虚偽の中間申告納付に関する罪···644　　7　滞納処分に関する虚偽の陳述の罪···646
　　　　4　脱税に関する罪·············644　　8　秘密漏えいに関する罪········646

第十節　特別法人事業譲与税··646
　　　　1　総　　　則·················646　　4　譲与すべき額の算定に錯誤があった場
　　　　2　毎年度の譲与額·············647　　　　合の措置····················649
　　　　3　譲与時期及び各譲与時期の譲与額···647　　5　地方財政審議会の意見の聴取····649
　　　　　　　　　　　　　　　　　　　　　6　特別法人事業譲与税の使途······649

第六章　地方消費税

　○令和6年度改正事項···650

第一節　通　　　則··650
　　一　地方消費税に関する用語の意義···650
　　二　地方消費税の納税義務者等··651
　　　　1　納税義務者·················651　　5　税務署長又は税関長が消費税を徴収す
　　　　2　譲渡割を課する道府県·······651　　　　る場合の特例················653
　　　　3　人格のない社団等の納税義務···653　　6　外国貨物の保税地域からの引取りとみ
　　　　4　国又は地方公共団体の行う一般会計又　　　　なして消費税法の規定を適用する場合
　　　　　　は特別会計に係る事業の特例···653　　　　の特例······················654
　　三　課税資産の譲渡等又は特定課税仕入れを行った者が名義人である場合の実質判定·············654
　　　　1　課税資産の譲渡等を行った者が名義人　　2　特定課税仕入れを行った者が名義人で
　　　　　　である場合··················654　　　　ある場合····················654
　　四　信託財産に対する課税··654
　　　　1　譲渡割と信託財産···········654　　3　特定法人課税信託等の併合又は分割···656
　　　　2　法人課税信託の受託者に関するこの章　　4　公益信託に係る所得の帰属····656
　　　　　　の規定の適用················655
　　五　課税免除の特例··657
　　六　課税標準額··657
　　七　税　　　率··657
　　八　徴税吏員の譲渡割に関する調査に係る質問検査権···657
　　九　譲渡割に係る検査拒否等に関する罪···658

第二節　譲　渡　割··658
　　一　譲渡割の徴収の方法··658
　　二　譲渡割の中間申告納付··659
　　　　1　年11回の中間申告···········659　　3　年1回の中間申告············660
　　　　2　年3回の中間申告···········660
　　三　譲渡割の確定申告納付··661
　　　　1　譲渡割の確定申告···········661　　3　中間納付額の還付又は充当····662
　　　　2　譲渡割の還付申告···········662
　　四　譲渡割の期限後申告及び修正申告納付···663

	1	譲渡割の期限後申告 ……… 663	11	みなし承認 ……… 664
	2	譲渡割の修正申告納付 ……… 663	12	承認の取消し ……… 664
	3	先に確定申告又は還付申告をした事業者について生じた税額の申告納付 … 663	13	承認の取消しの通知 ……… 664
	4	地方税関係手続用電子情報処理組織による申告の特例 ……… 663	14	適用をやめる場合の届出書の提出 … 664
	5	みなし規定 ……… 663	15	承認の取消し又は適用をやめる届出書の提出があった翌日以後の規定の不適用 ……… 664
	6	到 達 規 定 ……… 663	16	適用をやめる届出書の提出又は法人税法の処分があった翌日以後の規定の不適用 ……… 665
	7	地方税関係手続用電子情報処理組織による申告が困難である場合の特例 … 664		
	8	道府県知事への申請書の提出 ……… 664	17	総務大臣による期間の指定 ……… 665
	9	承認申請の却下 ……… 664	18	期間指定時の告示及び通知 ……… 665
	10	承認又は却下の通知 ……… 664	19	告示があったときの規定の不適用 … 665

　五　更正の請求の特例 ……………………………………………………………………………… 665
　六　譲渡割に係る虚偽中間申告の罪 ……………………………………………………………… 665
　七　譲渡割に係る故意不申告の罪 ………………………………………………………………… 665
　八　譲渡割の更正及び決定等 ……………………………………………………………………… 666

	1	譲渡割の確定申告又は還付申告に係る更正 ……… 666	4	再 更 正 ……… 666
	2	譲渡割の中間納付額の更正 ……… 666	5	更正又は決定をした場合の通知 … 666
	3	確定申告書の提出がない場合の譲渡割の決定 ……… 666	6	更正又は決定により不足税額が生じた場合の徴収 ……… 666

　九　課税資産の譲渡等及び特定課税仕入れに係る消費税に関する書類の供覧等 …………… 666

	1	消費税に関する書類の供覧等 ……… 666	2	政府が更正又は決定をした場合の通知 667

　十　譲渡割の脱税に関する罪 ……………………………………………………………………… 667

第三節　貨　物　割 …………………………………………………………………………………… 668

　一　貨物割の賦課徴収等 …………………………………………………………………………… 668
　二　貨物割の申告 …………………………………………………………………………………… 668
　三　貨物割に係る故意不申告の罪 ………………………………………………………………… 668
　四　貨物割の納付等 ………………………………………………………………………………… 669

	1	貨物割の納付 ……… 669	3	貨物割の納付があった場合の道府県への払込み ……… 669
	2	貨物割及び消費税の納付があった場合のあん分 ……… 669		

　五　貨物割の還付等 ………………………………………………………………………………… 669

	1	貨物割の還付 ……… 669	3	貨物割の還付金等の還付の方式 ……… 670
	2	貨物割に係る過誤納金の還付 ……… 670		

　六　貨物割に係る還付金等の道府県への払込額からの控除等 ………………………………… 670

	1	貨物割に係る還付金等の道府県への払込額からの控除 ……… 670	2	還付金等の返納額等の道府県への払込額への加算 ……… 670

　七　貨物割に係る延滞税等の計算 ………………………………………………………………… 670

	1	延滞税等の計算 ……… 670	3	端 数 計 算 ……… 671
	2	還付加算金の計算 ……… 670		

　八　貨物割に係る充当等の特例 …………………………………………………………………… 671
　九　貨物割に係る処分に関する不服審査等の特例 ……………………………………………… 672
　十　貨物割の脱税に関する罪 ……………………………………………………………………… 673
　十一　貨物割の不正還付に関する罪 ……………………………………………………………… 673
　十二　貨物割に係る犯則事件の調査及び処分の特例 …………………………………………… 674
　十三　貨物割の賦課徴収又は申告納付に関する報告等 ………………………………………… 674

	1	道府県知事に対する報告 ……… 674	2	税関長に対する書類の閲覧等の請求 … 674

		3 道府県知事及び市町村長に対する協力の要請 ………………………… 675	
	十四	貨物割に係る徴収取扱費の支払 …………………………………………………………	675

第四節　清算及び交付 …………………………………………………………………………… 676

一	地方消費税の清算 …………………………………………………………………………		676
	1 地方消費税の清算 ………… 676	2 地方消費税の清算の時期等 ……… 679	
二	地方消費税の市町村に対する交付 ………………………………………………………		680
三	地方消費税の使途等 ………………………………………………………………………		683

第五節　譲渡割の特例 …………………………………………………………………………… 683

一	譲渡割の賦課徴収の特例等 ………………………………………………………………		683
	1 譲渡割の賦課徴収の特例 …… 683	2 譲渡割に係る延滞税及び加算税 … 683	
二	譲渡割の申告の特例 ………………………………………………………………………		683
三	譲渡割の納付の特例等 ……………………………………………………………………		685
	1 譲渡割の納付の特例 ………… 685	3 譲渡割の納付があった場合の道府県への払込み ………………………… 685	
	2 譲渡割及び消費税の納付があった場合のあん分 ……………… 685		
四	譲渡割の還付の特例等 ……………………………………………………………………		686
五	譲渡割に係る還付金等の道府県への払込額からの控除等 ……………………………		686
	1 譲渡割に係る還付金等の道府県への払込額からの控除 ……… 686	3 譲渡割の納付額がある場合の貨物割に係る還付金等の控除の特例 ……… 686	
	2 還付金等の返納額等の道府県への払込額への加算 …………… 686		
六	譲渡割に係る延滞税等の計算の特例 ……………………………………………………		687
	1 延滞税等の計算 …………… 687	3 端数計算 ……………………… 687	
	2 還付加算金の計算 ………… 687		
七	譲渡割に係る充当等の特例 ………………………………………………………………		687
八	譲渡割に係る処分に関する不服審査等の特例 …………………………………………		689
九	譲渡割に係る犯則取締りの特例 …………………………………………………………		689
十	譲渡割の賦課徴収又は申告納付に関する報告等 ………………………………………		690
	1 道府県知事に対する報告 …… 690	3 道府県知事及び市町村長に対する協力の要請 ………………………… 690	
	2 税務署長に対する書類の閲覧等の請求 690		
十一	譲渡割に係る徴収取扱費の支払 …………………………………………………………		690
十二	地方消費税の清算等の特例 ………………………………………………………………		691

第七章　不動産取得税

○令和6年度改正事項 ……………………………………………………………………………… 693

第一節　通　　　則 ……………………………………………………………………………… 694

一	用語の意義 …………………………………………………………………………………		694
二	納税義務者 …………………………………………………………………………………		696
三	不動産の取得等 ……………………………………………………………………………		697
	1 新築等による家屋の取得 …… 697	4 家屋の附帯設備の取得 ……… 699	
	2 家屋の改築による取得 ……… 697	5 土地区画整理事業等に係る土地の仮換地等又は保留地予定地等の取得 …… 700	
	3 区分所有家屋の取得 ………… 697		
四	非課税の範囲 ………………………………………………………………………………		700
	1 国等に対する不動産取得税の非課税 … 700	3 外国の政府が取得する不動産の非課税 716	
	2 用途による非課税 …………… 701	4 公共用地の非課税 …………… 717	

－（目次20）－

- 5 土地開発公社の不動産の取得等の非課税‥‥‥‥‥‥‥‥‥‥‥‥‥‥‥ 717
- 6 土地改良事業の施行に伴う換地の取得等に対する非課税‥‥‥‥‥‥‥‥ 717
- 7 形式的な所有権の移転等の場合の非課税‥‥‥‥‥‥‥‥‥‥‥‥‥‥‥ 718
- 8 協定銀行が破綻金融機関の事業の譲受け又は資産の買取りにより不動産を取得した場合の非課税‥‥‥‥‥‥‥‥‥ 721
- 9 新幹線の営業開始に伴い廃止された鉄道事業に係る不動産を取得した場合の非課税‥‥‥‥‥‥‥‥‥‥‥‥‥‥‥ 721
- 10 協定銀行が保険契約者保護機構の委託を受けて行う破綻保険会社等の資産の買取りにより不動産を取得する場合の非課税‥‥‥‥‥‥‥‥‥‥‥‥‥‥‥‥‥ 722
- 11 高速道路株式会社が事業の用に供する不動産を取得した場合等の非課税‥‥ 722
- 12 マンション建替事業者又はマンション敷地売却組合が事業の用に供する不動産を取得した場合の非課税‥‥‥‥‥ 722
- 13 鉄道事業者が鉄道事業の用に供する不動産を取得した場合の非課税‥‥‥‥ 722
- 14 都市緑化支援機構が対象土地を取得した場合の非課税‥‥‥‥‥‥‥‥‥‥ 723
- 15 特定移行一般社団法人等が直接その用に供する不動産を取得した場合等の非課税‥‥‥‥‥‥‥‥‥‥‥‥‥‥‥‥‥ 723
- 16 令和7年に開催される国際博覧会の用に供する家屋等を取得した場合の特例 724

五 雑　　則‥‥ 725
- 1 徴税吏員の調査に係る質問検査権‥‥ 725
- 2 質問検査等に関する罪‥‥‥‥‥‥‥ 726
- 3 納税管理人‥‥‥‥‥‥‥‥‥‥‥‥ 726

第二節　課税標準及び税率‥‥‥‥‥‥‥‥‥‥‥‥‥‥‥‥‥‥‥‥‥‥‥‥‥‥‥‥‥‥‥‥‥‥ 726

一 課 税 標 準‥‥‥‥‥‥‥‥‥‥‥‥‥‥‥‥‥‥‥‥‥‥‥‥‥‥‥‥‥‥‥‥‥‥‥‥‥‥ 726
- 1 不動産取得税の課税標準‥‥‥‥‥‥ 726
- 2 家屋の改築の場合の課税標準‥‥‥‥ 726
- 3 不動産の価格‥‥‥‥‥‥‥‥‥‥‥ 727
- 4 課税標準の特例‥‥‥‥‥‥‥‥‥‥ 728
- 5 宅地評価土地の取得に対して課する不動産取得税の課税標準の特例‥‥‥‥ 748
- 6 東日本大震災による被災家屋の代替家屋等の取得に係る不動産取得税の課税標準の特例‥‥‥‥‥‥‥‥‥‥‥‥ 748
- 7 東日本大震災に係る津波により被害を受けた区域における換地の取得に対して課する不動産取得税の課税標準の特例‥‥‥‥‥‥‥‥‥‥‥‥‥‥‥‥‥‥ 752

二 税　　率‥‥ 752
- 1 標 準 税 率‥‥‥‥‥‥‥‥‥‥ 752
- 2 不動産取得税の税率の特例‥‥‥‥‥ 752

三 免 税 点‥‥‥‥‥‥‥‥‥‥‥‥‥‥‥‥‥‥‥‥‥‥‥‥‥‥‥‥‥‥‥‥‥‥‥‥‥‥ 753

第三節　賦課及び徴収‥‥‥‥‥‥‥‥‥‥‥‥‥‥‥‥‥‥‥‥‥‥‥‥‥‥‥‥‥‥‥‥‥‥‥‥ 753

一 納　　期‥‥ 753
二 徴収の方法‥‥‥‥‥‥‥‥‥‥‥‥‥‥‥‥‥‥‥‥‥‥‥‥‥‥‥‥‥‥‥‥‥‥‥‥‥‥ 753
三 賦課徴収に関する申告又は報告の義務‥‥‥‥‥‥‥‥‥‥‥‥‥‥‥‥‥‥‥‥‥‥‥‥‥‥ 754
四 脱税に関する罪‥‥‥‥‥‥‥‥‥‥‥‥‥‥‥‥‥‥‥‥‥‥‥‥‥‥‥‥‥‥‥‥‥‥‥‥ 754
五 減　　免‥‥‥‥‥‥‥‥‥‥‥‥‥‥‥‥‥‥‥‥‥‥‥‥‥‥‥‥‥‥‥‥‥‥‥‥‥‥‥ 755
六 延 滞 金‥‥‥‥‥‥‥‥‥‥‥‥‥‥‥‥‥‥‥‥‥‥‥‥‥‥‥‥‥‥‥‥‥‥‥‥‥‥ 755
七 督促及び滞納処分‥‥‥‥‥‥‥‥‥‥‥‥‥‥‥‥‥‥‥‥‥‥‥‥‥‥‥‥‥‥‥‥‥‥ 755
- 1 督　　促‥‥‥‥‥‥‥‥‥‥‥‥ 755
- 2 滞納処分‥‥‥‥‥‥‥‥‥‥‥‥‥ 756

第四節　減額、納税義務の免除及び徴収猶予‥‥‥‥‥‥‥‥‥‥‥‥‥‥‥‥‥‥‥‥‥‥‥‥‥ 757

一 減　　額‥‥‥‥‥‥‥‥‥‥‥‥‥‥‥‥‥‥‥‥‥‥‥‥‥‥‥‥‥‥‥‥‥‥‥‥‥‥‥ 757
- 1 住宅の用に供する土地の取得に対する減額等‥‥‥‥‥‥‥‥‥‥‥‥‥‥‥‥ 757
- 2 被収用不動産等の代替不動産の取得に対する減額等‥‥‥‥‥‥‥‥‥‥‥‥ 764
- 3 高齢者の居住の安定確保に関する法律のサービス付き高齢者向け住宅を新築等した場合の減額‥‥‥‥‥‥‥‥‥‥ 765

4　宅地建物取引業者の改修工事対象住宅
　　　　の取得に対する減額……………… 765
　　二　納税義務の免除及び徴収猶予
　　　1　譲渡担保財産の取得に係る納税義務の
　　　　免除等………………………………… 767
　　　2　再開発会社の第二種市街地再開発事業
　　　　の施行に伴う建設施設部分の取得に係
　　　　る納税義務の免除等………………… 768
　　　3　農地利用集積円滑化団体等の農地の取
　　　　得に係る納税義務の免除等………… 768

　　　5　宅地建物取引業者の改修工事対象住宅
　　　　の敷地の用に供する土地の取得に対す
　　　　る減額………………………………… 767
　　　　　　　　　　　　　　　　　　　　　 767
　　　4　土地改良区の換地の取得に係る納税義
　　　　務の免除等…………………………… 769
　　　5　独立行政法人都市再生機構の譲渡する
　　　　土地又は住宅に係る課税の特例…… 770
　　　6　農地等の生前贈与による取得に係る徴
　　　　収猶予等……………………………… 770

第八章　ゴルフ場利用税

第一節　納税義務者等及び税率 …………………………………………………………………………… 778
　一　納税義務者等 …………………………………………………………………………………………… 778
　　　1　納税義務者………………………… 778　　　2　非　課　税………………………… 778
　二　税　　　率 ……………………………………………………………………………………………… 779
　　　1　標 準 税 率………………………… 779　　　3　ゴルフ場の整備状況等に応ずる税率‥ 779
　　　2　制 限 税 率………………………… 779　　　4　税率の決定に当たっての留意事項‥‥ 779

第二節　質問検査権・納税管理人等 ……………………………………………………………………… 779
　　　1　徴税吏員の調査に係る質問検査権‥‥ 779　　4　納税管理人に係る虚偽の申告等に関す
　　　2　検査拒否等に関する罪……………… 780　　　　る罪…………………………………… 781
　　　3　納税管理人………………………… 781　　　5　納税管理人に係る不申告に関する過料 781

第三節　賦課及び徴収 ……………………………………………………………………………………… 781
　一　徴収の方法 ……………………………………………………………………………………………… 781
　二　特別徴収の手続等 ……………………………………………………………………………………… 781
　　　1　特別徴収義務者の指定……………… 781　　4　特別徴収義務者としての登録等…… 782
　　　2　特別徴収義務者の申告納入………… 782　　5　特別徴収義務者の登録等に関する罪‥ 783
　　　3　納税者に対する求償権……………… 782
　三　脱税に関する罪 ………………………………………………………………………………………… 783
　四　更正又は決定 …………………………………………………………………………………………… 784
　　　1　更　　　正………………………… 784　　　3　再　更　正………………………… 784
　　　2　決　　　定………………………… 784　　　4　更正又は決定の通知……………… 784
　五　延滞金及び加算金等 …………………………………………………………………………………… 784
　　　1　不足金額及びその延滞金の徴収…… 784　　3　加　算　金………………………… 785
　　　2　期限後納入に係る延滞金…………… 784　　4　重 加 算 金………………………… 787

第四節　督促・滞納処分 …………………………………………………………………………………… 788
　　　1　督　　　促………………………… 788　　　2　滞 納 処 分………………………… 788

第五節　ゴルフ場所在市町村に対する交付 ……………………………………………………………… 789

第九章　軽油引取税

　〇令和6年度改正事項 …………………………………………………………………………………………… 790

第一節　通　　　則 ………………………………………………………………………………………… 790
　一　用語の意義 ……………………………………………………………………………………………… 790

- 二 納税義務者等‥‥‥792
    - 1 軽油の引取りを行う者に対する課税‥792
    - 2 納入を伴う引取りを行う者に対するみなし課税‥‥‥‥‥‥‥‥‥‥‥‥‥‥‥793
    - 3 燃料炭化水素油を自動車の燃料として販売した者に対する課税‥‥‥‥‥‥‥793
    - 4 混和軽油等を販売した石油製品販売業者に対する課税‥‥‥‥‥‥‥‥‥‥‥794
    - 5 炭化水素油を燃料とする自動車の保有者に対する課税‥‥‥‥‥‥‥‥‥‥‥794
    - 6 特別徴収義務が消滅した者が所有する軽油に対する課税‥‥‥‥‥‥‥‥‥‥795
- 三 みなし課税‥‥‥‥‥‥‥‥‥‥‥‥‥‥‥‥‥‥‥‥‥‥‥‥‥‥‥‥‥‥‥‥‥‥‥‥‥‥‥796
    - 1 軽油の消費、譲渡又は輸入をする者に対するみなし課税‥‥‥‥‥‥‥‥‥‥796
    - 2 軽油以外の炭化水素油の製造に係る軽油の消費の適用除外‥‥‥‥‥‥‥‥‥797
- 四 補完的納税義務‥‥‥‥‥‥‥‥‥‥‥‥‥‥‥‥‥‥‥‥‥‥‥‥‥‥‥‥‥‥‥‥‥‥‥‥‥798
- 五 課税免除‥‥‥798
    - 1 輸出又は二重課税の排除のための課税免除‥‥‥‥‥‥‥‥‥‥‥‥‥‥‥‥798
    - 2 用途による課税免除等‥‥‥‥‥‥799
- 六 元売業者の指定‥‥‥‥‥‥‥‥‥‥‥‥‥‥‥‥‥‥‥‥‥‥‥‥‥‥‥‥‥‥‥‥‥‥‥‥‥813
    - 1 元売業者の指定‥‥‥‥‥‥‥‥‥813
    - 2 元売業者の指定の取消し‥‥‥‥‥818
- 七 特約業者の指定等‥‥‥‥‥‥‥‥‥‥‥‥‥‥‥‥‥‥‥‥‥‥‥‥‥‥‥‥‥‥‥‥‥‥‥‥819
    - 1 仮特約業者の指定等‥‥‥‥‥‥‥819
    - 2 特約業者の指定等‥‥‥‥‥‥‥‥822
- 八 税率及び税率の特例‥‥‥‥‥‥‥‥‥‥‥‥‥‥‥‥‥‥‥‥‥‥‥‥‥‥‥‥‥‥‥‥‥‥‥825
    - 1 税率‥‥‥‥‥‥‥‥‥‥‥‥‥‥825
    - 2 税率の特例‥‥‥‥‥‥‥‥‥‥‥825
    - 3 揮発油価格高騰時における軽油引取税の税率の特例規定の適用停止‥‥‥‥825
- 九 徴税吏員の質問検査権等‥‥‥‥‥‥‥‥‥‥‥‥‥‥‥‥‥‥‥‥‥‥‥‥‥‥‥‥‥‥‥‥‥826
    - 1 徴税吏員の調査に係る質問検査権‥826
    - 2 検査拒否等に関する罪‥‥‥‥‥‥827

第二節 徴収‥‥828

- 一 徴収の方法‥‥‥‥‥‥‥‥‥‥‥‥‥‥‥‥‥‥‥‥‥‥‥‥‥‥‥‥‥‥‥‥‥‥‥‥‥‥‥828
- 二 特別徴収等‥‥‥‥‥‥‥‥‥‥‥‥‥‥‥‥‥‥‥‥‥‥‥‥‥‥‥‥‥‥‥‥‥‥‥‥‥‥‥828
    - 1 特別徴収義務者の指定及び登録等‥828
    - 2 特別徴収義務者の申告納入義務‥‥830
    - 3 保全担保の徴取‥‥‥‥‥‥‥‥‥831
- 三 申告納付‥‥832
- 四 徴収猶予‥‥833
- 五 徴収不能額等の還付又は納入義務の免除‥‥‥‥‥‥‥‥‥‥‥‥‥‥‥‥‥‥‥‥‥‥‥‥‥835
- 六 軽油を返還した場合及び引取り後に免税用途に供した場合の措置‥‥‥‥‥‥‥‥‥‥‥‥‥836
    - 1 軽油を返還した場合の措置‥‥‥‥836
    - 2 引取り後に免税用途に供した場合の措置‥‥‥‥‥‥‥‥‥‥‥‥‥‥‥‥837
    - 3 還付加算金の計算‥‥‥‥‥‥‥‥838
- 七 製造等の承認を受ける義務等‥‥‥‥‥‥‥‥‥‥‥‥‥‥‥‥‥‥‥‥‥‥‥‥‥‥‥‥‥‥838
    - 1 製造等の承認を受ける義務等‥‥‥838
    - 2 製造等の承認を受ける義務等に関する罪‥‥‥‥‥‥‥‥‥‥‥‥‥‥‥‥842
- 八 事業の開廃等の届出‥‥‥‥‥‥‥‥‥‥‥‥‥‥‥‥‥‥‥‥‥‥‥‥‥‥‥‥‥‥‥‥‥‥843
    - 1 事業の開廃等の届出‥‥‥‥‥‥‥843
    - 2 軽油の継続的供給を行う販売契約を締結した場合の届出‥‥‥‥‥‥‥‥‥‥844
    - 3 届出事項に異動を生じた場合の届出‥844
    - 4 関係道府県知事に対する通知‥‥‥844
- 九 軽油の引取りの報告等‥‥‥‥‥‥‥‥‥‥‥‥‥‥‥‥‥‥‥‥‥‥‥‥‥‥‥‥‥‥‥‥‥845
    - 1 軽油の引取り等の報告義務‥‥‥‥845
    - 2 元売業者が特約業者の指図に基づき納入を行った場合の通知‥‥‥‥‥‥‥‥848
    - 3 軽油の引取りを行った者の特別徴収義務者への書類の提出‥‥‥‥‥‥‥‥849
- 十 帳簿記載義務‥‥‥‥‥‥‥‥‥‥‥‥‥‥‥‥‥‥‥‥‥‥‥‥‥‥‥‥‥‥‥‥‥‥‥‥‥849
- 十一 事業の開廃等に係る虚偽の届出等に関する罪‥‥‥‥‥‥‥‥‥‥‥‥‥‥‥‥‥‥‥‥‥850
- 十二 更正及び決定等‥‥‥‥‥‥‥‥‥‥‥‥‥‥‥‥‥‥‥‥‥‥‥‥‥‥‥‥‥‥‥‥‥‥‥851

	1	更正及び決定 ······ 851	2	更正等に伴う不足金額及びその延滞金の徴収 ······ 851	
十三	延滞金及び各種加算金 ······ 852				
	1	納期限後の申告納入又は納付に係る延滞金 ······ 852	2	過少申告加算金及び不申告加算金 ······ 852	
			3	重加算金 ······ 854	
十四	雑　則 ······ 855				
	1	総務省の職員の質問検査権等及び罰則 855	4	減　免 ······ 859	
	2	道府県間の協力 ······ 858	5	関税等に関する書類の供覧等 ······ 859	
	3	脱税に関する罪 ······ 859			

第三節　督促、滞納処分 ······ 860

　一　督　促 ······ 860
　二　滞納処分 ······ 860
　　　1　滞納処分 ······ 860　　2　滞納処分に関する罪 ······ 861

第四節　交付及び使途 ······ 862

第十章　自動車税

第一節　通　則 ······ 863

	1	用語の意義 ······ 863	4	非課税の範囲 ······ 866
	2	納税義務者等 ······ 864	5	徴税吏員の質問検査権等 ······ 887
	3	自動車税のみなし課税 ······ 865	6	種別割の納税管理人等 ······ 888

第二節　環境性能割 ······ 889

　一　環境性能割の課税標準及び税率 ······ 889
　　　1　環境性能割の課税標準 ······ 889　　3　環境性能割の賦課徴収の特例 ······ 908
　　　2　税　率 ······ 893
　二　申告納付並びに更正及び決定等 ······ 909

	1	環境性能割の徴収の方法 ······ 909	7	自動車の返還があった場合の環境性能割の納税義務の免除等 ······ 912
	2	環境性能割の申告納付 ······ 909	8	雑　則 ······ 913
	3	環境性能割の期限後申告及び修正申告納付 ······ 910	9	環境性能割の更正及び決定 ······ 913
	4	環境性能割の納付の方法 ······ 911	10	環境性能割の不足税額及びその延滞金の徴収 ······ 914
	5	環境性能割に係る不申告等に関する過料 ······ 911	11	環境性能割の過少申告加算金及び不申告加算金 ······ 914
	6	譲渡担保財産に対して課する環境性能割の納税義務の免除等 ······ 911	12	環境性能割の重加算金 ······ 916

　三　督促及び滞納処分 ······ 917

	1	環境性能割に係る督促 ······ 917	5	国税徴収法の例による環境性能割に係る滞納処分に関する検査拒否等の罪 ······ 919
	2	環境性能割に係る督促手数料 ······ 918		
	3	環境性能割に係る滞納処分 ······ 918	6	国税徴収法の例による環境性能割に係る滞納処分に関する虚偽の陳述の罪 ······ 919
	4	環境性能割に係る滞納処分に関する罪 918		

　四　交　付 ······ 919

第三節　種別割 ······ 926

　一　税　率 ······ 926
　　　1　種別割の標準税率 ······ 926　　2　種別割の税率の特例 ······ 929
　二　賦課及び徴収 ······ 938
　　　1　種別割の賦課期日 ······ 938　　2　種別割の納期 ······ 938

　　　　3　種別割の納税義務の発生、消滅等に伴う賦課････････938
　　　　4　種別割の徴収の方法････････939
　　　　5　種別割の賦課徴収に関する申告又は報告の義務････････940
　　　　6　申告等に関する罪････････941
　　　　7　雑　　則････････941
　　三　督促及び滞納処分････････････････････････942
　　　　1　種別割に係る督促････････942
　　　　2　種別割に係る滞納処分････････942
　　　　3　種別割に係る滞納処分に関する罪････943
　　　　4　種別割に係る滞納処分に関する検査拒否等の罪････････943
　　　　5　国税徴収法の例による種別割に係る滞納処分に関する虚偽の陳述の罪････944
　　四　種別割の賦課徴収の特例････････････････944
　　　　1　窒素酸化物の排出量又はエネルギー消費効率についての基準に該当するかどうかの判断････････944
　　　　2　納付すべき自動車税の種別割の額について不足額があった場合････････944
　　　　3　不足額があった場合の納付すべき自動車の種別割の額････････944
　　　　4　読　替　規　定････････944
　　　　5　読　替　規　定････････944

第十一章　その他の道府県税の概要

　　一　道府県たばこ税････････････････････945
　　二　鉱　区　税････････････････････948
　　三　狩　猟　税････････････････････949
　　四　道府県法定外普通税････････････････951
　　五　水利地益税及び法定外目的税････････952

第三編　市町村税

第一章　個人の市町村民税

　〇令和6年度改正事項････････････････････955

第一節　通　　則････････････････956

　　一　定　　義････････････････956
　　　　1　用語の意義････････956
　　　　2　二以上の納税義務者がある場合の所属　959
　　　　3　所得税法その他の所得税に関する法令を引用する場合の所得の意義････960
　　二　課税団体及び納税義務者････････････960
　　三　所得の帰属････････････････961
　　　　1　法人課税信託の受託者に関する個人の市町村民税の規定の適用････961
　　　　2　実質所得者課税の原則････961
　　　　3　信託財産に係る所得の帰属　961
　　　　4　公益信託に係る所得の帰属　962
　　　　5　公益法人等に係る課税の特例････962
　　四　非課税の範囲････････････････963
　　　　1　所得割及び均等割の非課税････963
　　　　2　市町村民税所得割の非課税の特例････963
　　　　3　均等割の非課税　964
　　五　質問検査権及び納税管理人････････････964
　　　　1　徴税吏員の調査に係る質問検査権････964
　　　　2　検査拒否等に関する罪････965
　　　　3　納税管理人及び納税管理人に係る申告に関する罪等････966

第二節　所得割の課税標準及びその計算････････966

　　一　所得割の課税標準････････････････966

		1	所得割の課税標準の算定 ･････ 966	2	総所得金額等の算定方法 ･･････ 966
二	親族が事業から受ける対価 ･･ 969
		1	青色事業専従者給与の必要経費算入等 969	2	事業専従者がある場合の必要経費の特例 ･････････････････････ 970
三	損失の繰越控除 ･･･ 971
		1	青色申告者の純損失の繰越控除 ･･･ 971	5	居住用財産の買換え等の場合の譲渡損失の損益通算及び繰越控除 ･･････ 975
		2	変動所得の損失・被災事業用資産の損失・雑損失の繰越控除 ･････････ 972	6	特定居住用財産の譲渡損失の損益通算及び繰越控除 ･･･････････ 979
		3	被災事業用資産の損失の金額 ･･･ 973
		4	純損失又は雑損失の繰越控除の順序 ･･ 974	7	東日本大震災に係る損失の繰越控除の特例 ･････････････････････ 981
四	給与所得者の特定支出の控除の特例 ･･･････････････････････････････ 987
五	特定配当等及び特定株式等譲渡所得金額 ･･･････････････････････････ 987
		1	特定配当等に係る所得の総所得金額からの除外 ･････････････････ 987	3	特定株式等譲渡所得金額に係る所得の総所得金額からの除外 ･････････ 988
		2	特定配当等に係る所得を申告したときの総所得金額除外の不適用 ･･････ 988	4	特定株式等譲渡所得金額に係る所得を申告したときの総所得金額除外の不適用 ･･････････････････････････ 988
六	特定非常災害発生年純損失金額又は被災純損失金額を有する場合の特例 ･･････ 988
		1	特定非常災害発生年純損失金額又は被災純損失金額を有する場合の特例適用の要件 ･･･････････････････････ 988	3	所得割の納税義務者が被災純損失金額を有する場合の読替規定 ･･･ 989
				4	所得割の納税義務者が特定雑損失金額を有する場合の読替規定 ･･･ 989
		2	特定非常災害発生年特定純損失金額又は被災純損失金額を有する場合の読替規定 ･･･････････････････････ 989	5	特定雑損失金額の意義 ･･････････ 989

第三節　所得控除 ･･ 990

一	所得控除額 ･･･ 990
		1	雑損控除額 ･･･････････････････ 990	9	ひとり親控除額 ･･････････････ 1006
		2	医療費控除額 ･････････････････ 993	10	勤労学生控除額 ･･････････････ 1006
		3	社会保険料控除額 ･････････････ 994	11	配偶者控除額 ････････････････ 1007
		4	小規模企業共済等掛金控除額 ･･･ 994	12	配偶者特別控除額 ････････････ 1007
		5	生命保険料控除額 ･････････････ 995	13	扶養控除額 ･･････････････････ 1007
		6	地震保険料控除額 ････････････ 1002	14	基礎控除額 ･･････････････････ 1008
		7	障害者控除額 ････････････････ 1005	15	東日本大震災に係る雑損控除の特例 1008
		8	寡婦控除額 ･･････････････････ 1005
二	扶養親族等の判定の時期等 ･･････････････････････････････････････ 1010
		1	扶養親族等の判定の時期 ･･････ 1010	2	所得割の納税義務者が再婚した場合における同一生計配偶者等の特例 ･････ 1012
三	所得控除の順序 ･･ 1012
		1	所得控除の順序 ･･････････････ 1012	2	二以上の所得金額がある場合の所得控除の順序 ････････････････････ 1012

第四節　税額の計算 ･･ 1012

一	税　　率 ･･･ 1012
		1	均等割の税率 ････････････････ 1012	3	調整控除 ････････････････････ 1013
		2	所得割の税率 ････････････････ 1013	4	市町村民税所得割の特例 ･･････ 1015
二	税額控除 ･･ 1015
		1	配　当　控　除 ･･････････････ 1015	3	寄附金税額控除 ･･････････････ 1021
		2	住宅借入金等特別税額控除 ････ 1016	4	外国税額控除 ････････････････ 1032

- 5 配当割額又は株式等譲渡所得割額の控除 …… 1035
- 6 令和6年度分の個人の市町村民税の特別税額控除 …… 1036
- 7 令和7年度分の個人の市町村民税の特別税額控除 …… 1040
- 三 肉用牛の売却による事業所得に係る課税の特例 …… 1040
  - 1 売却した肉用牛がすべて免除対象飼育牛である場合の所得割の免除 …… 1040
  - 2 免税対象飼育牛以外の肉用牛の売却による所得がある場合の課税の特例 …… 1040
- 四 市町村による所得の計算 …… 1041
  - 1 市町村の自主調査決定に基づく所得割の算定 …… 1041
  - 2 所得の計算が著しく適正を欠く場合の自主調査決定 …… 1041
  - 3 市町村による所得の計算の通知 …… 1041

第五節　所得割に係る課税の特例 …… 1041

- 一 上場株式等に係る配当所得等の課税の特例 …… 1041
  - 1 上場株式等に係る配当所得等の分離課税に係る所得割 …… 1041
  - 2 総合課税との選択適用 …… 1042
- 二 土地の譲渡等に係る事業所得等の課税の特例 …… 1042
  - 1 土地の譲渡等に係る事業所得等の分離課税に係る所得割 …… 1042
  - 2 土地等に係る事業所得等の金額 …… 1043
  - 3 土地の譲渡等に係る事業所得等に対する上積所得割の額 …… 1043
  - 4 優良宅地等の適用除外 …… 1043
  - 5 特例の適用停止 …… 1043
- 三 土地建物等の長期譲渡所得の課税の特例 …… 1043
  - 1 長期譲渡所得の課税の特例 …… 1043
  - 2 優良住宅地の造成等のために土地等を譲渡した場合の長期譲渡所得の課税の特例 …… 1045
  - 3 居住用財産を譲渡した場合の長期譲渡所得の課税の特例 …… 1049
- 四 土地建物等の短期譲渡所得の課税の特例 …… 1049
  - 1 短期譲渡所得の分離課税に係る所得割の額 …… 1049
  - 2 短期譲渡所得の金額の計算 …… 1050
  - 3 収用等の場合の短期譲渡所得の税率の軽減 …… 1050
- 五 株式等の譲渡所得等の課税の特例 …… 1051
  - 1 一般株式等の譲渡所得等の分離課税に係る所得割の額 …… 1051
  - 2 上場株式等に係る譲渡所得等に係る市町村民税の課税の特例 …… 1053
  - 3 特定管理株式等が価値を失った場合の株式等の譲渡所得等の課税の特例 …… 1054
  - 4 平成21年1月1日から平成25年12月31日までの間に行われる上場株式等の譲渡所得等の分離課税に係る所得割の額 …… 1055
  - 5 上場株式等に係る譲渡損失の損益通算及び繰越控除 …… 1057
  - 6 特定口座内保管上場株式等の譲渡等に係る所得計算の特例 …… 1059
  - 7 源泉徴収選択口座内配当等に係る所得計算等の特例 …… 1061
  - 8 非課税口座内上場株式等の譲渡に係る所得計算の特例 …… 1061
  - 9 未成年者口座内上場株式等の譲渡に係る市町村民税の所得計算の特例 …… 1063
- 六 特定中小会社が発行した株式に係る譲渡損失の繰越控除等及び譲渡所得等の課税の特例 …… 1064
  - 1 特定中小会社が発行した株式が価値を失った場合の損失の特例 …… 1064
  - 2 特定株式に係る譲渡損失の繰越控除 …… 1066
  - 3 払込みにより取得をした特定株式とその他の特定株式を譲渡した場合 …… 1068
  - 4 特定分割等株式・特定無償割当て株式を有することとなった場合 …… 1069
  - 5 給与所得以外の所得又は公的年金等に係る所得以外の所得を有しない者等に特定株式に係る譲渡損失の金額がある場合の申告 …… 1069
- 七 先物取引に係る雑所得等の課税の特例 …… 1070

　　　　1　先物取引に係る雑所得等の分離課税に係る所得割の額‥‥‥‥‥‥‥‥ 1070
　　　　2　先物取引の差金等決済に係る損失の繰越控除 ‥‥‥‥‥‥‥‥‥‥‥ 1071
　　八　東日本大震災に係る土地建物等の譲渡所得の課税の特例 ‥‥‥‥‥‥‥‥‥‥‥‥‥‥‥‥ 1072
　　　　1　東日本大震災に係る被災居住用財産に係る譲渡期限の延長等の特例 ‥‥‥ 1072
　　　　2　警戒区域設定指示等により相続人が居住の用に供することができなくなった家屋等の譲渡 ‥‥‥‥‥‥‥‥‥‥ 1074
　　　　3　東日本大震災に係る買換資産の取得期間等の延長の特例 ‥‥‥‥‥‥‥ 1075

第六節　申告義務 ‥‥‥‥‥‥‥‥‥‥‥‥‥‥‥‥‥‥‥‥‥‥‥‥‥‥‥‥‥‥‥‥‥‥ 1076
　　　　1　市町村民税の申告書 ‥‥‥‥‥‥‥ 1076
　　　　2　確定申告書 ‥‥‥‥‥‥‥‥‥‥‥ 1080
　　　　3　申告書等の様式 ‥‥‥‥‥‥‥‥‥ 1082
　　　　4　給与所得者の扶養親族等申告書 ‥‥ 1084
　　　　5　公的年金等受給者の扶養親族等申告書 1089
　　　　6　給与支払報告書及び公的年金等支払報告書 ‥‥‥‥‥‥‥‥‥‥‥‥‥‥ 1094
　　　　7　申告に関する罰則 ‥‥‥‥‥‥‥‥ 1096

第七節　賦課及び徴収 ‥‥‥‥‥‥‥‥‥‥‥‥‥‥‥‥‥‥‥‥‥‥‥‥‥‥‥‥‥‥‥ 1097
　　一　賦課期日 ‥‥‥‥‥‥‥‥‥‥‥‥‥‥‥‥‥‥‥‥‥‥‥‥‥‥‥‥‥‥‥‥‥‥‥ 1097
　　二　徴収の方法 ‥‥‥‥‥‥‥‥‥‥‥‥‥‥‥‥‥‥‥‥‥‥‥‥‥‥‥‥‥‥‥‥‥ 1097
　　三　普通徴収 ‥‥‥‥‥‥‥‥‥‥‥‥‥‥‥‥‥‥‥‥‥‥‥‥‥‥‥‥‥‥‥‥‥‥ 1097
　　　　1　普通徴収の手続 ‥‥‥‥‥‥‥‥‥ 1097
　　　　2　納　期 ‥‥‥‥‥‥‥‥‥‥‥‥‥ 1097
　　　　3　納期前の納付 ‥‥‥‥‥‥‥‥‥‥ 1098
　　　　4　賦課税額の変更・決定及び延滞金の徴収 ‥‥‥‥‥‥‥‥‥‥‥‥‥‥‥ 1098
　　四　給与所得に係る特別徴収 ‥‥‥‥‥‥‥‥‥‥‥‥‥‥‥‥‥‥‥‥‥‥‥‥‥‥ 1100
　　　　1　給与所得者に対する特別徴収 ‥‥‥ 1100
　　　　2　給与所得に係る特別徴収義務者の指定等 ‥‥‥‥‥‥‥‥‥‥‥‥‥‥‥ 1101
　　　　3　給与所得に係る特別徴収税額の納入義務等 ‥‥‥‥‥‥‥‥‥‥‥‥‥‥ 1103
　　　　4　給与所得に係る特別徴収税額の納期の特例 ‥‥‥‥‥‥‥‥‥‥‥‥‥‥ 1105
　　　　5　給与所得に係る特別徴収税額の変更 ‥ 1106
　　　　6　給与所得に係る特別徴収税額の普通徴収税額への繰入れ ‥‥‥‥‥‥‥ 1107
　　五　公的年金等に係る所得に係る特別徴収 ‥‥‥‥‥‥‥‥‥‥‥‥‥‥‥‥‥‥‥ 1107
　　　　1　特別徴収対象年金所得者に対する特別徴収 ‥‥‥‥‥‥‥‥‥‥‥‥‥‥ 1107
　　　　2　年金保険者による市町村に対する通知 1109
　　　　3　特別徴収義務者 ‥‥‥‥‥‥‥‥‥ 1109
　　　　4　年金所得に係る特別徴収税額の通知等 1110
　　　　5　年金所得に係る特別徴収税額の納入の義務 ‥‥‥‥‥‥‥‥‥‥‥‥‥‥ 1110
　　　　6　年金所得に係る特別徴収税額の納入の義務を負わない場合等 ‥‥‥‥‥ 1110
　　　　7　年金所得に係る特別徴収税額の変更があった場合の取扱い ‥‥‥‥‥‥ 1111
　　　　8　年金所得に係る仮特別徴収税額等 ‥‥ 1112
　　　　9　年金所得に係る仮特別徴収税額の変更があった場合の取扱い ‥‥‥‥‥ 1113
　　　　10　年金所得に係る特別徴収税額等の普通徴収税額への繰入れ ‥‥‥‥‥‥ 1115
　　　　11　市町村長と年金保険者との間における通知の方法 ‥‥‥‥‥‥‥‥‥‥ 1115
　　六　租税条約に基づく申立てが行われた場合の徴収猶予等 ‥‥‥‥‥‥‥‥‥‥‥ 1116
　　　　1　租税条約に基づく申立てが行われた場合における個人の市町村民税の徴収猶予 ‥‥‥‥‥‥‥‥‥‥‥‥‥‥‥ 1116
　　　　2　個人の市町村民税の徴収猶予に係る国税庁長官の通知 ‥‥‥‥‥‥‥‥‥ 1118
　　七　地方団体の徴収金の納付又は納入 ‥‥‥‥‥‥‥‥‥‥‥‥‥‥‥‥‥‥‥‥‥ 1119
　　　　1　徴収金の納付又は納入 ‥‥‥‥‥‥ 1119
　　　　2　徴収金の払込み方法 ‥‥‥‥‥‥‥ 1120

第八節　納期限後納付に係る延滞金 ‥‥‥‥‥‥‥‥‥‥‥‥‥‥‥‥‥‥‥‥‥‥‥‥ 1122
　　　　1　延滞金の徴収 ‥‥‥‥‥‥‥‥‥‥ 1122
　　　　2　延滞金の減免 ‥‥‥‥‥‥‥‥‥‥ 1122

第九節　雑　　則 ‥‥‥‥‥‥‥‥‥‥‥‥‥‥‥‥‥‥‥‥‥‥‥‥‥‥‥‥‥‥‥‥‥ 1123
　　　　1　天災等の場合の減免 ‥‥‥‥‥‥‥ 1123
　　　　2　脱税に関する罪 ‥‥‥‥‥‥‥‥‥ 1123

　　　　3　所得税に関する書類の供覧‥‥‥‥1124

第十節　退職所得の課税の特例‥‥‥‥‥‥‥‥‥‥‥‥‥‥‥‥‥‥‥‥‥‥‥‥‥‥‥‥‥‥‥‥‥1124

　　　　1　退職手当等に係る所得割‥‥‥‥1124
　　　　2　分離課税に係る所得割の課税標準‥‥1124
　　　　3　分離課税に係る所得割の税率‥‥1125
　　　　4　分離課税に係る所得割の徴収‥‥1125
　　　　5　特別徴収の手続‥‥‥‥‥‥‥‥1125
　　　　6　特別徴収義務者の納期の特例‥‥1125
　　　　7　特別徴収税額‥‥‥‥‥‥‥‥‥1127
　　　　8　退職所得申告書‥‥‥‥‥‥‥‥1127
　　　　9　退職所得申告書の電磁的方法による提供‥‥1129
　　　　10　更正又は決定及び延滞金・加算金等‥‥1130
　　　　11　分離課税に係る所得割の普通徴収‥‥1133
　　　　12　特別徴収票‥‥‥‥‥‥‥‥‥‥1134
　　　　13　脱税、虚偽記載等の罪‥‥‥‥‥1134

第十一節　督促、滞納処分‥‥‥‥‥‥‥‥‥‥‥‥‥‥‥‥‥‥‥‥‥‥‥‥‥‥‥‥‥‥‥‥‥‥‥1135

　　一　市町村民税に係る督促‥‥‥‥‥‥‥‥‥‥‥‥‥‥‥‥‥‥‥‥‥‥‥‥‥‥‥‥‥‥‥‥‥‥1135
　　　　1　期限内納付がない場合の督促‥‥1135
　　　　2　督促手数料の徴収‥‥‥‥‥‥‥1135
　　二　市町村民税に係る滞納処分‥‥‥‥‥‥‥‥‥‥‥‥‥‥‥‥‥‥‥‥‥‥‥‥‥‥‥‥‥‥‥‥1135
　　　　1　滞納処分‥‥‥‥‥‥‥‥‥‥‥1135
　　　　2　滞納処分に関する罪‥‥‥‥‥‥1136
　　　　3　滞納処分に関する検査拒否等の罪‥‥1137
　　三　国税徴収法の例による市町村民税に係る滞納処分に関する虚偽の陳述の罪‥‥‥‥‥‥‥‥‥‥‥1137

第十二節　都等の特例‥‥‥‥‥‥‥‥‥‥‥‥‥‥‥‥‥‥‥‥‥‥‥‥‥‥‥‥‥‥‥‥‥‥‥‥‥1137

　　　　1　特別区における特例‥‥‥‥‥‥1137
　　　　2　特別区民税‥‥‥‥‥‥‥‥‥‥1137

第二章　法人の市町村民税

　〇令和6年度改正事項‥‥‥‥‥‥‥‥‥‥‥‥‥‥‥‥‥‥‥‥‥‥‥‥‥‥‥‥‥‥‥‥‥‥‥‥‥1139

第一節　通　　則‥‥‥‥‥‥‥‥‥‥‥‥‥‥‥‥‥‥‥‥‥‥‥‥‥‥‥‥‥‥‥‥‥‥‥‥‥‥‥1139

　　一　用語の意義‥‥‥‥‥‥‥‥‥‥‥‥‥‥‥‥‥‥‥‥‥‥‥‥‥‥‥‥‥‥‥‥‥‥‥‥‥‥‥1139
　　二　納税義務者等‥‥‥‥‥‥‥‥‥‥‥‥‥‥‥‥‥‥‥‥‥‥‥‥‥‥‥‥‥‥‥‥‥‥‥‥‥‥1150
　　　　1　納税義務者‥‥‥‥‥‥‥‥‥‥1150
　　　　2　収益事業の範囲‥‥‥‥‥‥‥‥1152
　　三　所得の帰属‥‥‥‥‥‥‥‥‥‥‥‥‥‥‥‥‥‥‥‥‥‥‥‥‥‥‥‥‥‥‥‥‥‥‥‥‥‥‥1152
　　　　1　法人課税信託の受託者に関するこの章の規定の適用‥‥‥‥‥‥‥‥‥1152
　　　　2　実質所得者課税の原則‥‥‥‥‥1154
　　　　3　信託財産に係る所得の帰属‥‥‥1154
　　　　4　公益信託に係る所得の帰属‥‥‥1154
　　四　非課税の範囲‥‥‥‥‥‥‥‥‥‥‥‥‥‥‥‥‥‥‥‥‥‥‥‥‥‥‥‥‥‥‥‥‥‥‥‥‥‥1155
　　　　1　市町村民税の均等割の非課税‥‥1155
　　　　2　市町村民税の法人税割の非課税‥‥1155
　　五　質問検査権及び検査拒否等の罪‥‥‥‥‥‥‥‥‥‥‥‥‥‥‥‥‥‥‥‥‥‥‥‥‥‥‥‥‥‥1155
　　　　1　徴税吏員の調査に係る質問検査権‥‥1155
　　　　2　検査拒否等に関する罪‥‥‥‥‥1156
　　六　納税管理人及び納税管理人に係る虚偽の申告に関する罪等‥‥‥‥‥‥‥‥‥‥‥‥‥‥‥‥‥‥1157
　　　　1　納税管理人に関する罪等‥‥‥‥1157
　　　　2　納税管理人に係る虚偽の申告等に関する罪‥‥‥‥‥‥‥‥‥‥‥‥‥1157
　　　　3　納税管理人に係る不申告に関する過料‥‥1157

第二節　税　　率‥‥‥‥‥‥‥‥‥‥‥‥‥‥‥‥‥‥‥‥‥‥‥‥‥‥‥‥‥‥‥‥‥‥‥‥‥‥‥1157

　　　　1　法人の均等割の税率‥‥‥‥‥‥1157
　　　　2　法人税割の税率‥‥‥‥‥‥‥‥1161

第三節　申告納付‥‥‥‥‥‥‥‥‥‥‥‥‥‥‥‥‥‥‥‥‥‥‥‥‥‥‥‥‥‥‥‥‥‥‥‥‥‥‥1161

　　一　申告納付‥‥1161
　　　　1　中間申告及び確定申告に係る申告納付‥‥1161
　　　　2　中間申告書の提出がない場合の申告納付の特例‥‥‥‥‥‥‥‥‥‥‥1165

　　　　3　通算親法人が協同組合等である通算子
　　　　　法人の申告納付 ･････････････････ 1165
　　　　4　公共法人等に係る申告納付 ･･･････ 1166
　　　　5　期限後申告に係る申告納付 ･･･････ 1167
　　　　6　納付税額に過不足額がある場合等の申
　　　　　告納付 ･･･････････････････････ 1167
　　　　7　修正申告又は更正決定に係る申告納付 1167
　　　　8　申告書等の様式 ･･･････････････ 1167
　　二　確定申告書の提出期限の延長の特例･･ 1168
　　三　地方税関係手続用電子情報処理組織による申告 ････････････････････････････ 1168
　　　　1　地方税関係手続用電子情報処理組織に
　　　　　よる申告 ･････････････････････ 1168
　　　　2　地方税関係手続用電子情報処理組織に
　　　　　よる申告が困難である場合の特例 ･･ 1169
　　四　申告に関する罰則 ･･ 1171
　　　　1　故意不申告の罪 ･･････････････ 1171
　　　　2　虚偽の申告に関する罪 ････････ 1171
　　五　新たに納税義務者に該当することとなった場合の申告 ････････････････････････ 1172
　第四節　法人税額等の控除・加算及び還付等 ･････････････････････････････････････ 1172
　　一　法人税額等の控除・加算･･ 1172
　　　　1　通算適用前欠損金がある場合の控除
　　　　　対象通算適用前欠損調整額の控除 ･･･ 1172
　　　　2　合併等前欠損金額がある場合の控除対
　　　　　象合併等前欠損調整額の控除 ･･････ 1182
　　　　3　通算対象欠損金額がある場合の加算対
　　　　　象通算対象欠損調整額の加算 ･･････ 1185
　　　　4　通算対象所得金額がある場合の控除対
　　　　　象通算対象所得調整額の控除 ･･････ 1186
　　　　5　被配賦欠損金控除額がある場合の加算
　　　　　対象被配賦欠損調整額の加算 ･･････ 1189
　　　　6　配賦欠損金控除額がある場合の控除対
　　　　　象配賦欠損調整額の控除 ･･･････ 1190
　　　　7　欠損金の繰戻しによる還付がある場合
　　　　　の還付法人税額の控除 ･･･････････ 1193
　　　　8　還付対象欠損金額がある場合の控除対
　　　　　象還付対象欠損調整額の控除 ･･････ 1197
　　　　9　東日本大震災に係る法人の市町村民税
　　　　　の特例 ･････････････････････ 1202
　　　10　法人税額等からの控除・加算順序 ･･ 1202
　　二　外国関係会社に対して課された所得税等の額の控除 ････････････････････････ 1203
　　　　1　内国法人の外国関係会社に対して課さ
　　　　　れた所得税等の額の控除 ････････ 1203
　　　　2　特殊関係株主等である内国法人の外国
　　　　　関係会社に対して課された所得税等の
　　　　　額の控除 ･････････････････････ 1204
　　三　外国税額の控除 ･･ 1205
　　　　1　外国の法人税等の額の控除 ･････ 1205
　　　　2　控除余裕額が生じた場合の繰越外国法
　　　　　人税額の控除 ･････････････････ 1209
　　　　3　外国子会社及び特定外国子会社等から
　　　　　の配当等に係る外国税額控除 ････ 1210
　　　　4　市町村民税の控除限度額の計算 ･･ 1210
　　　　5　控除限度超過額が生じた場合の繰越控
　　　　　除余裕額による外国税額の控除 ･･ 1211
　　　　6　合併法人等が適格合併等により事業の
　　　　　移転を受けた場合の控除限度超過額及
　　　　　び市町村民税の控除余裕額のみなし規
　　　　　定 ･･･････････････････････ 1211
　　　　7　控除すべき年度 ･･････････････ 1215
　　　　8　控除不足額の繰越控除 ････････ 1215
　　　　9　所得等申告法人が適格合併等により事
　　　　　業の移転を受けた場合の控除未済外国
　　　　　法人税等額のみなし規定 ･･･････ 1215
　　　10　外国税額控除の申告 ･･･････････ 1217
　　四　通算法人の過年度の外国税額控除額が当初申告税額控除額と異なることとなった場合の調整 ････ 1218
　　　　1　通算法人の適用事業年度における当初
　　　　　申告税額控除額の固定措置 ･･･････ 1218
　　　　2　税額控除額と当初申告税額控除額との
　　　　　差額に係る対象事業年度での調整 ･･･ 1220
　　　　3　当初申告税額控除額の固定措置又は当
　　　　　初申告税額控除不足額（超過額）相当額
　　　　　の固定措置の不適用 ･････････････ 1222
　　　　4　通算法人が合併により解散した場合又
　　　　　は通算法人の残余財産が確定した場合
　　　　　の調整措置 ･････････････････ 1223
　　　　5　通算法人が公益法人等に該当すること
　　　　　となった場合の調整措置 ･･･････ 1223
　　五　仮装経理に基づく過大申告の場合の更正に伴う法人税割額の控除 ････････････････ 1223
　　六　租税条約の実施に係る還付すべき金額の控除 ････････････････････････････････ 1224

        1　法人税額に係る租税条約の実施に係る還付すべき金額の法人税割額からの控除･････････････････････････ 1224
        2　当初の更正に伴いその後の事業年度において法人税額等の減額更正があった場合･････････････････････････ 1225
        3　法人が適格合併により解散をした後に更正があった場合････････････････ 1225
    七　特定寄附金税額控除･･･ 1225
    八　法人税割額からの控除順序････････････････････････････････････ 1227
    九　仮装経理に基づく過大申告の場合の更正に伴う法人税割額の還付･･･････････････ 1227
        1　法人税割額の還付の不適用･･･････ 1227
        2　５年間の繰越控除適用期間終了後の法人税割額の還付････････････････ 1228
        3　一定の企業再生事由が生じた場合の法人税割額の還付･････････････ 1229
    十　租税条約の実施に係る還付すべき金額の還付又は充当･････････････････････ 1230
    十一　中間納付額の還付又は充当･････････････････････････････････ 1231
        1　中間納付額の還付又は充当及びその手続等･････････････････････ 1231
        2　市町村の廃置分合又は境界変更に伴う承継市町村又は新市町村が行う中間納付額の還付等･･････････ 1233
    十二　更正の請求の特例･･･ 1234

第五節　二以上の市町村において事務所等を有する法人の申告納付･･････････････････ 1234

    一　二以上の市町村において事務所等を有する法人の申告納付･････････････････ 1234
        1　二以上の市町村において事務所等を有する法人の中間申告及び確定申告に係る申告納付････････････ 1234
        2　法人税額の課税標準の分割基準････ 1235
        3　新設・廃止事務所等の分割基準となる従業者数････････････････････ 1236
    二　二以上の市町村において事務所等を有する法人の法人税額の分割基準となる従業者数の修正又は決定･ 1237
        1　従業者数が事実と異なる場合の修正･ 1237
        2　中間申告・確定申告がない場合の従業者数の決定･･････････････････ 1237
        3　修正又は決定に係る従業者数の再修正 1237
        4　関係市町村長の修正の請求･･････････ 1237
        5　従業者数の修正又は修正不要の決定 1237
        6　従業者数の修正・決定等の通知････ 1237
        7　関係市町村長の処分に不服がある場合の措置････････････････････ 1237

第六節　更正又は決定及び延滞金等･････････････････････････････････ 1238

    一　更正又は決定･･･ 1238
        1　更　　　正･･････････････････････ 1238
        2　決　　　定･･････････････････････ 1239
        3　再　更　正･･････････････････････ 1239
        4　更正又は決定の通知･･････････････ 1239
        5　更正又は決定をした市町村民税額が中間納付額に満たない場合の還付又は充当･････････ 1239
    二　租税条約の相手国との相互協議に係る徴収猶予････････････････････････ 1239
    三　新型コロナウイルス感染症等に係る徴収猶予の特例････････････････････ 1241
    四　不足税額及びその延滞金の徴収･････････････････････････････････ 1241
        1　不足税額の徴収･･････････････････ 1241
        2　延滞金の徴収････････････････････ 1241
        3　延滞金の計算の基礎となる期間の特例 1241
        4　当初申告の減額更正後に修正申告があった場合の延滞金の計算期間の特例･ 1242
        5　延滞金の減免････････････････････ 1243
    五　納期限後納付に係る延滞金･････････････････････････････････････ 1243
        1　納期限後納付の場合の延滞金･･････ 1243
        2　納期限の延長の場合の延滞金･･････ 1245
        3　納期限の延長に係る延滞金の特例････ 1245

第七節　雑　　　則･･･ 1245

        1　天災その他特別の事情がある場合の減免･････････････････････････ 1245
        2　脱税に関する罪･･････････････････ 1246
        3　所得税又は法人税に関する書類の供覧 1246

第八節　督促、滞納処分 …… 1247

一　督　促 …… 1247
1　期限内納付がない場合の督促 …… 1247
2　督促手数料の徴収 …… 1247

二　滞納処分 …… 1247
1　滞納処分 …… 1247
2　滞納処分に関する罪 …… 1248
3　滞納処分に関する検査拒否等の罪 …… 1248
4　国税徴収法の例による滞納処分に関する虚偽の陳述の罪 …… 1249

第九節　都等の特例 …… 1249
1　法人の都民税 …… 1249
2　法人の市町村民税に関する規定の準用 …… 1249
3　特別区及び指定都市の区に関する特例 …… 1254
4　申告書等の様式 …… 1254

第三章　固定資産税
○令和6年度改正事項 …… 1256

第一節　通　則 …… 1259

一　用語の意義 …… 1259

二　課税団体 …… 1261
1　固定資産税の課税団体 …… 1261
2　船舶、車両等の課税団体 …… 1261

三　納税義務者等 …… 1261
1　固定資産の所有者に対する課税 …… 1261
2　固定資産の使用者等に対する課税 …… 1274

四　非課税の範囲 …… 1278
1　国等に対する非課税 …… 1278
2　用途による非課税 …… 1278
3　目的外使用に係る固定資産への課税 …… 1300
4　特定の法人が所有し、使用する事務所及び倉庫の非課税 …… 1300
5　旅客会社等が借受け等をする固定資産の非課税 …… 1300
6　非課税独立行政法人及び国立大学法人等が所有する固定資産の非課税 …… 1301
7　特定の非課税独立行政法人が公益社団法人又は公益財団法人から無償で借り受けて業務の用に供する土地の非課税 …… 1301
8　地方独立行政法人が所有する固定資産の非課税 …… 1302
9　外国の政府が所有する大使館等の用に供する固定資産の非課税 …… 1302
10　高速道路株式会社等の事業用固定資産に対する非課税 …… 1303
11　非課税資産が課税資産になった場合の納税義務者への通知 …… 1303
12　令和7年に開催される国際博覧会の用に供する家屋等を取得した場合の特例 …… 1304

五　雑　則 …… 1304
1　徴税吏員等の調査に係る質問検査権 …… 1304
2　検査拒否等に関する罪 …… 1305
3　所得税又は法人税に関する書類の閲覧等 …… 1306
4　納税管理人 …… 1306
5　納税管理人に係る虚偽の申告等に関する罪 …… 1306
6　納税管理人に係る不申告に関する過料 …… 1306
7　脱税に関する罪 …… 1306
8　行政手続等における情報通信の技術の利用に関する法律の適用除外 …… 1307

第二節　課税標準、税率及び免税点 …… 1307

一　課税標準 …… 1307
1　土地又は家屋の課税標準 …… 1307
2　償却資産の課税標準 …… 1308
3　用途による課税標準の特例 …… 1308
4　日本国有鉄道の改革に伴う固定資産税等の課税標準の特例 …… 1355
5　住宅用地に対する課税標準の特例 …… 1357
6　被災住宅用地等に対する課税標準の特例 …… 1359
7　大規模償却資産に係る課税標準の特例 …… 1366

8　新設大規模償却資産に係る課税標準の
　　　　　特例···1368
　二　税　　　率···1371
　　　1　標 準 税 率·····································1371
　　　2　税率の変更等に当たって納税義務者の
　　　　　意見の聴取を必要とする場合·······1371
　　　3　震災等により滅失等した家屋に代わる
　　　　　家屋等に対する固定資産税の減額···1371
　　　4　新築住宅等に対する固定資産税の減額1372
　三　免　税　点···1433
　　〈参考通知〉
　○住宅建替え中の土地に係る固定資産税及び都市計画税の課税について·············1434
　○住宅建替え中の土地に係る固定資産税及び都市計画税についての具体的運用について·······1434
　○固定資産税の課税のために利用する目的で保有する空家等の所有者に関する情報の内部利用等について···1436
　○空家法の施行に伴う改正地方税法の施行について·······························1437
　○地方税法第349条の3の2の規定における住宅用地の認定について·············1437

第三節　賦課及び徴収···1440
　一　賦課期日及び納期··1440
　　　1　賦 課 期 日·····································1440
　　　2　納　　　　期·································1440
　二　徴収の方法等···1440
　　　1　徴収の方法·····································1440
　　　2　納税通知書に記載すべき課税標準額·1440
　　　3　課税明細書の交付·························1440
　　　4　仮算定税額の徴収·························1442
　　　5　納税通知書・課税明細書の交付期限1443
　　　6　都市計画税の徴収·························1443
　三　納期前の納付···1443
　四　減　　　免···1444
　五　不足税額及び延滞金···1444
　　　1　登記の不申請又は不申告等による不足
　　　　　税額及び延滞金の徴収·················1444
　　　2　期限後納付に係る延滞金···············1444
　六　督促及び滞納処分···1445
　　　1　督　　　　促·································1445
　　　2　滞　納　処　分·······························1445
　　　3　滞納処分に関する罪·····················1446

第四節　固定資産課税台帳···1447
　一　固定資産課税台帳の備付け··1447
　二　固定資産課税台帳の登録事項··1447
　　　1　登 録 事 項·····································1447
　　　2　登記の修正等の申出·····················1448
　　　3　仮換地等の所有者とみなされる者に係
　　　　　る登録事項の添付等·····················1449
　　　4　土地課税台帳等の登録事項等の特例1449
　三　登記所の通知義務及び固定資産課税台帳への登録···············1450
　　　1　登記所の通知義務·························1450
　　　2　固定資産課税台帳への登記事項の記載1451
　四　固定資産課税台帳の閲覧··1452
　五　固定資産の申告···1454
　　　1　償却資産に係る申告·····················1454
　　　2　住宅用地の所有者に係る申告·······1454
　　　3　住宅用地から非住宅用地への変更に係
　　　　　る申告···1454
　　　4　被災住宅用地等に対する課税標準の特
　　　　　例の適用を受ける場合の申告·······1454
　　　5　現所有者の住所及び氏名又は名称その
　　　　　他固定資産税の賦課徴収に関し必要な
　　　　　事項の申告·····································1455
　　　6　固定資産の申告に関する罪···········1455
　六　土地名寄帳及び家屋名寄帳···1455

第五節　固定資産の評価及び価格の決定································1456
　一　総務大臣及び道府県知事の任務···1456

－(目次33)－

		1	総務大臣の任務‥‥‥‥‥‥‥‥ 1456	4	総務大臣及び道府県知事の任務に関す
		2	道府県知事の任務‥‥‥‥‥‥‥ 1456		る規定の解釈‥‥‥‥‥‥‥‥‥ 1457
		3	道府県固定資産評価審議会‥‥‥‥ 1457		

　二　道府県知事又は総務大臣による固定資産の評価等‥‥‥‥‥‥‥‥‥‥‥‥‥‥‥‥‥‥‥‥‥‥ 1457
　三　市町村長による固定資産の評価‥‥‥‥‥‥‥‥‥‥‥‥‥‥‥‥‥‥‥‥‥‥‥‥‥‥‥‥‥ 1463

		1	市町村長による固定資産の評価‥‥‥ 1463	8	道府県知事に対する固定資産の価格等
		2	固定資産評価員‥‥‥‥‥‥‥‥ 1463		の概要調書の送付‥‥‥‥‥‥‥ 1468
		3	固定資産の価格等の決定等‥‥‥‥ 1466	9	固定資産の価格等の修正に関する道府
		4	固定資産の価格等の登録‥‥‥‥‥ 1467		県知事の勧告‥‥‥‥‥‥‥‥‥ 1469
		5	土地価格等縦覧帳簿及び家屋価格等縦	10	総務大臣に対する固定資産の価格等の
			覧帳簿‥‥‥‥‥‥‥‥‥‥‥‥ 1467		概要調書の送付‥‥‥‥‥‥‥‥ 1470
		6	固定資産の価格等のすべてを登録した	11	固定資産の価格の修正に関する総務大
			旨の公示の日以後における価格等の決		臣の指示‥‥‥‥‥‥‥‥‥‥‥ 1470
			定又は修正等‥‥‥‥‥‥‥‥‥ 1468	12	土地又は家屋の基準年度の価格又は比
		7	道府県知事等の価格決定及び価格配分		準価格の登記所への通知‥‥‥‥‥ 1470
			の通知後における価格等の決定及び修		
			正‥‥‥‥‥‥‥‥‥‥‥‥‥‥ 1468		

　四　固定資産の価格に係る不服審査‥‥‥‥‥‥‥‥‥‥‥‥‥‥‥‥‥‥‥‥‥‥‥‥‥‥‥‥‥ 1470

		1	固定資産評価審査委員会の設置、選任	3	固定資産評価審査委員会の審査手続 1473
			等‥‥‥‥‥‥‥‥‥‥‥‥‥‥ 1470	4	固定資産評価審査委員会に関する条例
		2	固定資産課税台帳に登録された価格に		又は規程事項‥‥‥‥‥‥‥‥‥ 1475
			関する審査の申出‥‥‥‥‥‥‥‥ 1472		

第六節　土地に対する固定資産税及び都市計画税の負担調整措置‥‥‥‥‥‥‥‥‥‥‥‥‥ 1475

　一　令和6年度分から令和8年度分までの特例に関する用語の意義‥‥‥‥‥‥‥‥‥‥‥‥‥‥‥‥ 1475
　二　令和7年度又は令和8年度における土地の価格の特例‥‥‥‥‥‥‥‥‥‥‥‥‥‥‥‥‥‥‥ 1478

		1	令和7年度分又は令和8年度分の固定	2	令和7年度分の固定資産税について課
			資産税の課税標準の修正‥‥‥‥‥ 1478		税標準の修正がないこととなる令和7
					年度適用土地又は令和7年度類似適用
					土地の課税標準‥‥‥‥‥‥‥‥ 1480

　三　平成29年度以降の勧告遊休農地の価格の特例‥‥‥‥‥‥‥‥‥‥‥‥‥‥‥‥‥‥‥‥‥‥ 1481

		1	平成29年度以降の第二年度又は第三年	2	平成29年度以降の第二年度又は第三年
			度に係る賦課期日において特別の事情		度に係る賦課期日において市町村の廃
			がある勧告遊休農地に対して課する第		置分合若しくは境界変更等の事情があ
			二年度分の固定資産税の課税標準‥‥ 1481		る勧告遊休農地に対して課する第二年
					度分の固定資産税の課税標準‥‥‥‥ 1483

　四　宅地等に対する令和6年度分から令和8年度分までの負担調整措置‥‥‥‥‥‥‥‥‥‥‥‥‥‥ 1484

		1	固定資産税の負担調整措置‥‥‥‥‥ 1484	2	都市計画税の負担調整措置‥‥‥‥‥ 1490

　五　農地に対する令和6年度分から令和8年度分までの負担調整措置‥‥‥‥‥‥‥‥‥‥‥‥‥‥‥ 1494

		1	固定資産税の負担調整措置‥‥‥‥‥ 1494	2	都市計画税の負担調整措置‥‥‥‥‥ 1494

　六　市街化区域農地に対する負担調整措置‥‥‥‥‥‥‥‥‥‥‥‥‥‥‥‥‥‥‥‥‥‥‥‥‥ 1495

		1	固定資産税の負担調整措置‥‥‥‥‥ 1495	2	都市計画税の負担調整措置‥‥‥‥‥ 1511

　七　商業地等に対する令和6年度分から令和8年度分までの特例‥‥‥‥‥‥‥‥‥‥‥‥‥‥‥‥ 1512

		1	商業地等に対して課する令和6年度か	2	商業地等に対して課する令和6年度か
			ら令和8年度までの各年度分の固定資		ら令和8年度までの各年度分の都市計
			産税の減額‥‥‥‥‥‥‥‥‥‥ 1512		画税の減額‥‥‥‥‥‥‥‥‥‥ 1512

　八　住宅用地等に対する令和6年度分から令和8年度分までの特例‥‥‥‥‥‥‥‥‥‥‥‥‥‥‥ 1512

		1	住宅用地等に対して課する令和6年度	2	住宅用地等に対して課する令和6年度
			から令和8年度までの各年度分の固定		から令和8年度までの各年度分の都市
			資産税の減額‥‥‥‥‥‥‥‥‥ 1512		計画税の減額‥‥‥‥‥‥‥‥‥ 1515

- 九　市街化区域農地等に係る固定資産税及び都市計画税の減額・徴収猶予・納税義務の免除等 ⋯⋯⋯ 1518
  - 1　市街化区域農地が市街化区域農地以外の農地となった場合における固定資産税及び都市計画税の減額 ⋯⋯⋯⋯ 1518
  - 2　市街化区域農地に対して課する固定資産税及び都市計画税の徴収猶予 ⋯⋯ 1518
  - 3　宅地化農地に対して課する固定資産税及び都市計画税の納税義務の免除等 1519
  - 4　特定市街化区域農地以外の市街化区域農地への適用除外 ⋯⋯⋯⋯⋯⋯ 1524
- 十　負担調整措置の実施に伴う関係規定の調整 ⋯⋯⋯⋯⋯⋯⋯⋯⋯⋯⋯⋯⋯⋯⋯ 1527

第七節　固定資産税の特例 ⋯⋯⋯⋯⋯⋯⋯⋯⋯⋯⋯⋯⋯⋯⋯⋯⋯⋯⋯⋯⋯⋯⋯⋯ 1528

- 1　大規模償却資産に対する道府県の課税権 ⋯⋯⋯⋯⋯⋯⋯⋯⋯⋯⋯⋯⋯ 1528
- 2　道府県が課する固定資産税の税率 ⋯⋯ 1528
- 3　大規模償却資産の指定等 ⋯⋯⋯⋯⋯ 1528
- 4　大規模償却資産の価格の決定等 ⋯⋯ 1528
- 5　道府県が課する固定資産税の賦課徴収等 ⋯⋯⋯⋯⋯⋯⋯⋯⋯⋯⋯⋯⋯⋯⋯ 1529
- 6　指定都市の指定があった年の特例 ⋯ 1529

第八節　都等の特例 ⋯⋯⋯⋯⋯⋯⋯⋯⋯⋯⋯⋯⋯⋯⋯⋯⋯⋯⋯⋯⋯⋯⋯⋯⋯⋯⋯ 1530

- 1　都における普通税の特例 ⋯⋯⋯⋯ 1530
- 2　都における目的税の特例 ⋯⋯⋯⋯ 1530
- 3　特別区における特例 ⋯⋯⋯⋯⋯⋯ 1530
- 4　特別区及び指定都市の区に関する特例 1530

第九節　特定の災害に係る固定資産税及び都市計画税の特例 ⋯⋯⋯⋯⋯⋯⋯⋯⋯ 1531

- 1　原子力発電所の事故に関して住民に対し避難指示等を行うことの指示の対象となった区域内の土地及び家屋に係る固定資産税及び都市計画税の課税免除等 ⋯⋯⋯⋯⋯⋯⋯⋯⋯⋯⋯⋯⋯⋯⋯ 1531
- 2　東日本大震災に係る被災住宅用地等に対する固定資産税及び都市計画税の特例 ⋯⋯⋯⋯⋯⋯⋯⋯⋯⋯⋯⋯⋯⋯⋯ 1532
- 3　新型コロナウイルス感染症等に係る中小事業者等の家屋及び償却資産に対する固定資産税及び都市計画税の課税標準の特例 ⋯⋯⋯⋯⋯⋯⋯⋯⋯⋯⋯⋯ 1551
- 4　固定資産税の課税標準に係る課税明細書の記載事項の特例 ⋯⋯⋯⋯⋯ 1552
- 5　固定資産課税台帳の登録事項の特例 1552

第四章　都市計画税

- 1　課税客体等 ⋯⋯⋯⋯⋯⋯⋯⋯⋯⋯ 1553
- 2　課税標準及び納税義務者 ⋯⋯⋯⋯ 1553
- 3　非課税の範囲 ⋯⋯⋯⋯⋯⋯⋯⋯⋯ 1553
- 4　住宅用地等に対する課税標準の特例 1553
- 5　税　　　率 ⋯⋯⋯⋯⋯⋯⋯⋯⋯⋯ 1554
- 6　震災等により滅失等した家屋に代わる家屋等に対する都市計画税の減額 ⋯ 1554
- 7　納税管理人 ⋯⋯⋯⋯⋯⋯⋯⋯⋯⋯ 1555
- 8　賦課期日 ⋯⋯⋯⋯⋯⋯⋯⋯⋯⋯⋯ 1556
- 9　納　　　期 ⋯⋯⋯⋯⋯⋯⋯⋯⋯⋯ 1556
- 10　賦課徴収等 ⋯⋯⋯⋯⋯⋯⋯⋯⋯⋯ 1556
- 11　都市計画税に関する取扱い ⋯⋯⋯ 1557

第五章　軽自動車税

第一節　通　　則 ⋯⋯⋯⋯⋯⋯⋯⋯⋯⋯⋯⋯⋯⋯⋯⋯⋯⋯⋯⋯⋯⋯⋯⋯⋯⋯⋯⋯ 1560

- 1　用語の意義 ⋯⋯⋯⋯⋯⋯⋯⋯⋯⋯ 1560
- 2　納税義務者等 ⋯⋯⋯⋯⋯⋯⋯⋯⋯ 1561
- 3　非課税の範囲 ⋯⋯⋯⋯⋯⋯⋯⋯⋯ 1563
- 4　徴税吏員の軽自動車税に関する調査に係る質問検査権等 ⋯⋯⋯⋯⋯⋯⋯ 1583

第二節　環境性能割 ⋯⋯⋯⋯⋯⋯⋯⋯⋯⋯⋯⋯⋯⋯⋯⋯⋯⋯⋯⋯⋯⋯⋯⋯⋯⋯⋯ 1584

- 一　課税標準及び税率 ⋯⋯⋯⋯⋯⋯⋯⋯⋯⋯⋯⋯⋯⋯⋯⋯⋯⋯⋯⋯⋯⋯⋯⋯⋯ 1584
  - 1　環境性能割の課税標準 ⋯⋯⋯⋯⋯ 1584
  - 2　環境性能割の税率 ⋯⋯⋯⋯⋯⋯⋯ 1585
- 二　申告納付並びに更正及び決定等 ⋯⋯⋯⋯⋯⋯⋯⋯⋯⋯⋯⋯⋯⋯⋯⋯⋯⋯⋯ 1590

		1	環境性能割の徴収の方法 ………… 1590	7	三輪以上の軽自動車の返還があった場
		2	環境性能割の申告納付 …………… 1591		合の環境性能割の納税義務の免除等 1593
		3	環境性能割の期限後申告及び修正申告	8	雑　　　則 ………………………… 1594
			納付 ……………………………… 1591	9	環境性能割の更正及び決定 ……… 1594
		4	環境性能割の納付の方法 ………… 1592	10	環境性能割の不足税額及びその延滞金
		5	環境性能割に係る不申告等に関する過		の徴収 …………………………… 1595
			料 ………………………………… 1592	11	環境性能割の過少申告加算金及び不申
		6	譲渡担保財産に対して課する環境性能		告加算金 ………………………… 1595
			割の納税義務の免除等 …………… 1592	12	環境性能割の重加算金 …………… 1597

　　三　督促及び滞納処分 ……………………………………………………………………………………… 1598

		1	環境性能割に係る督促 …………… 1598	5	国税徴収法の例による環境性能割に係
		2	環境性能割に係る督促手数料 …… 1599		る滞納処分に関する検査拒否等の罪 1600
		3	環境性能割に係る滞納処分 ……… 1599	6	国税徴収法の例による環境性能割に係
		4	環境性能割に係る滞納処分に関する罪1599		る滞納処分に関する虚偽の陳述の罪 1600

　　四　環境性能割の特例 ……………………………………………………………………………………… 1600

		1	環境性能割の賦課徴収の特例 …… 1600	6	軽自動車税の環境性能割に係る犯則事
		2	環境性能割の減免の特例 ………… 1602		件の調査及び処分の特例 ………… 1603
		3	環境性能割の申告等の特例 ……… 1602	7	軽自動車税の環境性能割の賦課徴収又
		4	環境性能割に係る地方団体の徴収金の		は申告納付に関する報告等 ……… 1603
			納付の特例等 …………………… 1602	8	軽自動車税の環境性能割に係る徴収取
		5	環境性能割の還付の特例 ………… 1603		扱費の交付 ……………………… 1603

第三節　種　別　割 ……………………………………………………………………………………… 1604

　一　税　　　　率 ………………………………………………………………………………………… 1604

		1	種別割の標準税率 ………………… 1604	3	標準税率の区分により難い軽自動車等
		2	制 限 税 率 ………………………… 1605		の税率 …………………………… 1605
				4	軽自動車税の種別割の税率の特例… 1606

　二　賦課及び徴収 …………………………………………………………………………………………… 1609

		1	種別割の賦課期日及び納期 ……… 1609	4	種別割の賦課徴収に関する申告又は報
		2	種別割の賦課徴収の特例 ………… 1609		告の義務 ………………………… 1610
		3	種別割の徴収の方法 ……………… 1610	5	種別割に係る申告等に関する罪 … 1611
				6	雑　　　則 ………………………… 1612

　三　督促及び滞納処分 ……………………………………………………………………………………… 1612

		1	督　　　促 ………………………… 1612	4	滞納処分に関する検査拒否等の罪 … 1614
		2	滞 納 処 分 ………………………… 1613	5	国税徴収法の例による種別割に係る滞
		3	滞納処分に関する罪 ……………… 1613		納処分に関する虚偽の陳述の罪 … 1614

第六章　事　業　所　税

○令和６年度改正事項 …………………………………………………………………………………………… 1615

第一節　通　　　　則 …………………………………………………………………………………… 1615

　一　課税団体及び目的等 …………………………………………………………………………………… 1615

		1	課税団体及び目的 ………………… 1615	3	指定都市等に該当しなくなった場合等
		2	新たに指定都市等となった場合等の事		の事業所税に関する規定の適用 … 1616
			業所税に関する規定の適用 ……… 1615		

　二　用語の意義 ……………………………………………………………………………………………… 1616
　三　納税義務者 ……………………………………………………………………………………………… 1618

		1	納税義務者及び課税客体 ………… 1618	3	人格のない社団等に対する適用 … 1620
		2	特殊関係者の行う事業の通算 …… 1619		

		4	事業を行う者が名義人である場合の事業所税の納税義務者 ………… 1620		

　　四　非課税の範囲 …………………………………………………………………………… 1620
　　　　1　国等及び公共法人の非課税 …… 1620　　3　用途による非課税 …………… 1621
　　　　2　公益法人等及び人格のない社団等の非収益事業に係る非課税 …………… 1620　　4　収益事業と収益事業以外の事業とを行う場合の非課税規定の適用の範囲等　1633
　　五　雑　　則 ………………………………………………………………………………… 1633
　　　　1　徴税吏員の調査に係る質問検査権 … 1633　　3　納税管理人 …………………… 1635
　　　　2　質問検査等に関する罪 ………… 1634

第二節　課税標準、税率及び免税点 ……………………………………………………………… 1636
　　一　課税標準 ………………………………………………………………………………… 1636
　　　　1　課　税　標　準 ………………… 1636　　3　附則による課税標準の特例 … 1645
　　　　2　課税標準の特例 ………………… 1637
　　二　税　　率 ………………………………………………………………………………… 1650
　　三　免　税　点 ……………………………………………………………………………… 1650
　　　　1　事業所税の免税点 ……………… 1650　　4　二以上の市町村にわたって所在する事業所等に対する免税点の適用 … 1652
　　　　2　免税点の判定時期 ……………… 1651　　5　共同事業者に対する免税点の適用 … 1652
　　　　3　従業者数に著しい変動がある事業所等に対する免税点の適用 ……… 1651

第三節　申告納付、更正又は決定等 ……………………………………………………………… 1652
　　一　徴収の方法 ……………………………………………………………………………… 1652
　　二　申　告　納　付 ………………………………………………………………………… 1652
　　　　1　申　告　納　付 ………………… 1652　　3　賦課徴収に関する申告の義務 … 1654
　　　　2　期限後申告及び修正申告 ……… 1653
　　三　更正又は決定と不足税額の徴収 ……………………………………………………… 1654
　　　　1　更正又は決定 …………………… 1654　　2　不足税額の徴収 ……………… 1655
　　四　延滞金及び加算金 ……………………………………………………………………… 1655
　　　　1　更正又は決定の場合の延滞金 … 1655　　4　不申告加算金 ………………… 1656
　　　　2　期限後納付の場合の延滞金 …… 1655　　5　重加算金 ……………………… 1657
　　　　3　過少申告加算金 ………………… 1655
　　五　雑　　則 ………………………………………………………………………………… 1659
　　　　1　所得税又は法人税に関する書類の閲覧等 …………………………… 1659　　2　脱税に関する罪 ……………… 1659
　　　　　　　　　　　　　　　　　　　　　　　3　減　　免 ……………………… 1659
　　六　督促及び滞納処分 ……………………………………………………………………… 1660
　　　　1　督　　促 ………………………… 1660　　2　滞納処分 ……………………… 1660

第四節　事業所税の使途 …………………………………………………………………………… 1662
第五節　都等の特例 ………………………………………………………………………………… 1662
　　　　1　都における目的税の特例 ……… 1662　　2　特別区に関する特例 ………… 1663

第七章　国民健康保険税

○令和6年度改正事項 ………………………………………………………………………………… 1664
　　一　課税団体及び納税義務者 ……………………………………………………………… 1664
　　二　課　税　額 ……………………………………………………………………………… 1665
　　三　基礎課税額 ……………………………………………………………………………… 1665
　　　　1　標準基礎課税総額の意義 ……… 1665　　3　基礎課税額の算定 …………… 1666
　　　　2　標準基礎課税総額に対する標準割合　1666　　4　基礎課税額の制限 …………… 1667

四	後期高齢者支援金等課税額 ································· 1667				
	1	標準後期高齢者支援金等課税総額の意義 ························ 1667	3	後期高齢者支援金等課税額の算定 ··· 1667	
	2	標準後期高齢者支援金等課税総額に対する標準割合 ·················· 1667	4	後期高齢者支援金等課税額の制限 ··· 1668	
五	介護納付金課税額 ································· 1668				
	1	標準介護納付金課税総額の意義 ···· 1668	3	介護納付金課税額の算定 ········· 1668	
	2	標準介護納付金課税総額に対する標準割合 ·················· 1668	4	介護納付金課税額の制限 ········· 1669	
六	みなし課税 ································· 1669				
七	減　　額 ································· 1669				
	1	所得基準による被保険者均等割額又は世帯別平等割額の減額 ·················· 1669	2	特例対象被保険者等に係る国民健康保険税の課税の特例 ··············· 1672	
八	質問検査権 ································· 1672				
	1	徴税吏員の調査に係る質問検査権 ··· 1672	2	検査拒否等に関する罪 ··········· 1673	
九	納税管理人 ································· 1673				
	1	納税管理人 ···················· 1673	3	納税管理人に係る不申告等に関する過料 ················· 1674	
	2	納税管理人に係る虚偽の申告等に関する罪 ···················· 1673			
十	賦 課 徴 収 ································· 1674				
	1	賦課期日及び納期 ··············· 1674	4	普通徴収の手続 ················· 1676	
	2	徴収の方法 ···················· 1674	5	特別徴収の手続等 ··············· 1676	
	3	徴収の特例 ···················· 1675			
十一	課税の特例 ································· 1680				
	1	公的年金等に係る所得がある場合の課税の特例 ·················· 1680	4	分離長期・短期譲渡所得がある場合の課税の特例 ················· 1680	
	2	上場株式等に係る配当所得がある場合の課税の特例 ··············· 1680	5	株式等に係る譲渡所得等がある場合の課税の特例 ················· 1681	
	3	土地の譲渡等に係る事業所得等がある場合の課税の特例 ············· 1680	6	先物取引に係る雑所得等がある場合の課税の特例 ················· 1681	
			7	病床転換支援金等に係る特例 ······ 1681	
十二	申　　告 ································· 1682				
	1	申告又は報告義務 ··············· 1682	3	不申告等に関する過料 ··········· 1682	
	2	虚偽の申告等に関する罪 ·········· 1682			
十三	減　　免 ································· 1682				
十四	更正又は決定及び延滞金等 ································· 1682				
	1	更正又は決定 ··················· 1682	4	重 加 算 金 ·················· 1685	
	2	不足金額及びその延滞金の徴収 ···· 1683	5	期限後納入等に係る延滞金 ········ 1686	
	3	過少申告加算金及び不申告加算金 ··· 1683			
十五	脱税に関する罪 ································· 1686				
	1	納税者に対する懲罰 ············· 1686	2	特別徴収義務者に対する懲罰 ······ 1686	
十六	督促及び滞納処分 ································· 1687				
	1	督　　促 ···················· 1687	3	滞納処分に関する罪 ············· 1688	
	2	滞納処分 ···················· 1687	4	滞納処分に関する検査拒否等の罪 ··· 1688	
十七	都等の特例 ································· 1689				

第八章　その他の市町村税の概要

一　特別土地保有税 ································· 1690
二　市町村たばこ税 ································· 1703

三	鉱　産　税	1706
四	市町村法定外普通税	1706
五	入　湯　税	1707
六	水利地益税	1708
七	共同施設税	1708
八	宅地開発税	1709
九	法定外目的税	1710

〔凡　例〕

本書における法令・通知等の略語は次による。

法…………地方税法
法附………地方税法附則
令…………地方税法施行令
令附………地方税法施行令附則
規…………地方税法施行規則
規附………地方税法施行規則附則
県通………地方税法の施行に関する取扱いについて（道府県税関係）（平22総税都第16号）
市通………地方税法の施行に関する取扱いについて（市町村税関係）（平22総税市第16号）
個通………地方税個別通知（発遣番号はそれぞれの個別通知に附記）

令6改法附…地方税法等の一部を改正する法律（令和6年法律第4号）附則
令6改令附…地方税法施行令の一部を改正する政令（令和6年政令第136号）附則
令6改規附…地方税法施行規則及び航空機燃料譲与税法施行規則の一部を改正する省令（令和6年総務省令第37号）附則

＜引用例＞
　法292①二　………………　地方税法第292条第1項第2号
　県通1-3(1)………………上記県通第一章三《税率》(1)

（注）　本書の内容は、令和6年8月1日現在の法令・通知等による。

第一編
総　　　則

第一篇

唄　　　　　　論

◆「第一編　総　則」に係る令和６年度改正事項◆

令和６年度の税制改正においては、現下の経済情勢等を踏まえ、次の点をはじめとする地方税制の改正を行うこととした。
（１）　令和６年度分の個人住民税の特別税額控除を実施することとした。
（２）　法人事業税の外形標準課税に係る適用対象法人の見直しを行うこととした。
（３）　令和６年度の評価替えに伴い、現行の土地に係る固定資産税及び都市計画税の負担調整措置等を継続することとした。
（４）　森林環境譲与税の譲与基準の見直しを行うこととした。

その他次の改正を行うこととした。
１　偽りその他不正の行為により地方団体の徴収金を免れ、又は地方団体の徴収金の還付を受けた株式会社等がその地方団体の徴収金を納付し、又は納入していない場合において、徴収不足であると認められるときは、その偽りその他不正の行為をしたその株式会社の役員等は、一定の額を限度として、その滞納に係る地方団体の徴収金の第二次納税義務を負うこととした。（法11の９、令６の２）
２　保全差押金額を限度とした差押え等に係る地方団体の徴収金について、その納付し、又は納入すべき額の確定がない場合における当該差押え等を解除しなければならない期限を、その保全差押金額をその者に通知をした日から１年（現行６月）を経過した日までとすることとした。（法16の４④⑫）
３　重加算金の適用対象に、隠蔽し、又は仮装された事実に基づき更正請求書を提出していた場合を加えることとした。
（法71の15①②、71の36①②、71の56①②、72の47①②、74の24①②、91①②、144の48①②、172①②、279①②、328の12①②、463の４①②、484①②、537①②、610①②、689①②、701の13①②、701の62①②、722①②、733の19①②）

第一章　通　則

一　定　義

１　用語の意義

地方税法において、次の各号に掲げる用語の意義は、当該各号に掲げるところによる。（法１①）

(一)	地方団体	道府県又は市町村をいう。
(二)	地方団体の長	道府県知事又は市町村長をいう。
(三)	徴税吏員	道府県知事若しくはその委任を受けた道府県職員又は市町村長若しくはその委任を受けた市町村職員をいう。
(四)	地方税	道府県税又は市町村税をいう。
(五)	標準税率	地方団体が課税する場合に通常よるべき税率でその財政上その他の必要があると認める場合においては、これによることを要しない税率をいい、総務大臣が地方交付税の額を定める際に基準財政収入額の算定の基礎として用いる税率とする。
(六)	納税通知書	納税者が納付すべき地方税について、その賦課の根拠となった法律及び当該地方団体の条例の規定、納税者の住所及び氏名、課税標準額、税率、税額、納期、各納期における納付額、納付の場所並びに納期限までに税金を納付しなかった場合において執られるべき措置及び賦課に不服がある場合における救済の方法を記載した文書で当該地方団体が作成するものをいう。
(七)	普通徴収	徴税吏員が納税通知書を当該納税者に交付することによって地方税を徴収することをいう。
(八)	申告納付	納税者がその納付すべき地方税の課税標準額及び税額を申告し、及びその申告した税金を納付することをいう。

(九)	特別徴収	地方税の徴収について便宜を有する者にこれを徴収させ、かつ、その徴収すべき税金を納入させることをいう。
(十)	特別徴収義務者	特別徴収によって地方税を徴収し、かつ、納入する義務を負う者をいう。
(十一)	申告納入	特別徴収義務者がその徴収すべき地方税の課税標準額及び税額を申告し、及びその申告した税金を納入することをいう。
(十二)	納入金	特別徴収義務者が徴収し、かつ、納入すべき地方税をいう。
(十三)	証紙徴収	地方団体が納税通知書を交付しないでその発行する証紙をもって地方税を払い込ませることをいう。
(十四)	地方団体の徴収金	地方税並びにその督促手数料、延滞金、過少申告加算金、不申告加算金、重加算金及び滞納処分費をいう。

(事務所等の定義)
注 事務所又は事業所の定義及び範囲は次による。(県通1-6、市通1-6)
(一) 事務所又は事業所 (以下この注において「**事務所等**」という。) とは、それが自己の所有に属するものであるか否かにかかわらず、事業の必要から設けられた人的及び物的設備であって、そこで継続して事業が行われる場所をいうものであること。この場合において事務所等において行われる事業は、当該個人又は法人の本来の事業の取引に関するものであることを必要とせず、本来の事業に直接、間接に関連して行われる付随的事業であっても社会通念上そこで事業が行われていると考えられるものについては、事務所等として取り扱って差し支えないものであるが、宿泊所、従業員詰所、番小屋、監視所等で番人、小使等のほかに別に事務員を配置せず、専ら従業員の宿泊、監視等の内部的、便宜的目的のみに供されるものは、事務所等の範囲に含まれないものであること。
(二) 事務所等と認められるためには、その場所において行われる事業がある程度の継続性をもったものであることを要するから、たまたま2、3か月程度の一時的な事業の用に供する目的で設けられる現場事務所、仮小屋等は事務所等の範囲に入らないものであること。

2 都及び特別区への準用

地方税法中道府県に関する規定は都に、市町村に関する規定は特別区に準用する。この場合においては、次の各号の左欄に掲げる用語は、それぞれ各号の右欄に掲げるものに読み替える。(法1②)

(一)	道府県	都	(七)	市町村	特別区
(二)	道府県税	都税	(八)	市町村税	特別区税
(三)	道府県民税	都民税	(九)	市町村民税	特別区民税
(四)	道府県たばこ税	都たばこ税	(十)	市町村たばこ税	特別区たばこ税
(五)	道府県知事	都知事	(十一)	市町村長	特別区長
(六)	道府県職員	都職員	(十二)	市町村職員	特別区職員

(特別区税等の特例)
(1) 特別区税及び都の特別区の存する区域における都税並びにその賦課徴収に関し、地方税法の規定をそのまま適用することが困難である事項については政令で、特別の定を設けることができる。(法739)

(道府県及び市町村に関する地方税法施行令の都及び特別区への準用)
(2) 地方税法施行令中道府県に関する規定は都に、市町村に関する規定 (法人の市町村民税並びに固定資産税、特別土地保有税、事業所税及び都市計画税に関する規定を除く。) は特別区に準用する。この場合において、「道府県」、「道府県民税」、「道府県たばこ税」又は「道府県知事」とあるのは、それぞれ「都」、「都民税」、「都たばこ税」又は「都知事」と、「市町村」、「市町村民税」、「市町村たばこ税」又は「市町村長」とあるのは、それぞれ「特別区」、「特別区民税」、「特別区たばこ税」又は「特別区長」と読み替えるものとする。(令1)

(道府県及び市町村に関する地方税法施行規則の都及び特別区への準用等)
（3） 地方税法施行規則中道府県に関する規定は都に、市町村に関する規定（法人（法第294条第8項《法人とみなされる人格のない社団等》において法人とみなされるもの（以下「**法人とみなされる人格のない社団等**」という。）を含む。））に対して課する市町村民税並びに固定資産税、特別土地保有税、事業所税及び都市計画税に関する規定を除く。）は特別区に準用する。この場合において、「道府県」、「道府県民税」、「道府県たばこ税」又は「道府県知事」とあるのは、それぞれ「都」、「都民税」、「都たばこ税」又は「都知事」と、「市町村」、「市町村民税」、「市町村たばこ税」又は「市町村長」とあるのは、それぞれ「特別区」、「特別区民税」、「特別区たばこ税」又は「特別区長」と読み替えるものとする。（規1①）

3　都の市町村及び特別区への適用
　都の市町村及び特別区に対する地方税法の適用については、「道府県知事」とあるのは、「都知事」と読み替えるものとする。（法1③）

　　（都の市町村に対する地方税法施行規則の適用）
　注　都の市町村に対する地方税法施行規則の適用については、「道府県知事」とあるのは、「都知事」と読み替えるものとする。（規1②）

4　島における特例
　島における地方税及びその賦課徴収に関し、地方税法の規定をそのまま適用することが困難である事項については、政令で特別の定を設けることができる。（法738）

二　地方団体の課税権

1　地方団体の課税権
　地方団体は、地方税法の定めるところによって、地方税を賦課徴収することができる。（法2）

2　地方税の賦課徴収に関する規定の形式
①　条例に基づく賦課徴収
　地方団体は、その地方税の税目、課税客体、課税標準、税率その他賦課徴収について定をするには、当該地方団体の条例によらなければならない。（法3①）

②　地方団体の長の規則制定権
　地方団体の長は、①の条例の実施のための手続その他その施行について必要な事項を規則で定めることができる。（法3②）

3　地方団体の長の権限の委任
　地方団体の長は、地方税法で定めるその権限の一部を、当該地方団体の条例の定めるところによって、地方自治法第155条第1項《支庁、地方事務所等の設置》の規定によって設ける支庁若しくは地方事務所、同法第252条の20第1項《指定都市における区の設置》の規定によって設ける市の区の事務所又は同法第156条第1項《行政機関の設置》の規定によって条例で設ける税務に関する事務所の長に委任することができる。（法3の2）

三　地方団体が課することができる税目

1　道府県が課することができる税目

①　道府県税の種類
　道府県税は、普通税及び目的税とする。（法4①）

②　道府県の法定普通税
　道府県は、普通税として、次に掲げるものを課するものとする。ただし、徴収に要すべき経費が徴収すべき税額に比し

て多額であると認められるものその他特別の事情があるものについては、この限りでない。(法4②)

(一)	道府県民税
(二)	事業税
(三)	地方消費税
(四)	不動産取得税
(五)	道府県たばこ税
(六)	ゴルフ場利用税
(七)	軽油引取税
(八)	自動車税
(九)	鉱区税

③ 道府県の法定外普通税
　道府県は、②各号に掲げるものを除くほか、別に税目を起こして、普通税を課することができる。(法4③)

④ 道府県の法定目的税
　道府県は、目的税として、狩猟税を課するものとする。(法4④)

　　　（水利地益税の課税）
　注　道府県は、④に規定するものを除くほか、目的税として、水利地益税を課することができる。(法4⑤)

⑤ 道府県の法定外目的税
　道府県は、④及び同注に規定するものを除くほか、別に税目を起こして、目的税を課することができる。(法4⑥)

2　市町村が課することができる税目

① 市町村税の種類
　市町村税は、普通税及び目的税とする。(法5①)

② 市町村の法定普通税
　市町村は、普通税として、次に掲げるものを課するものとする。ただし、徴収に要すべき経費が徴収すべき税額に比して多額であると認められるものその他特別の事情があるものについては、この限りでない。(法5②)

(一)	市町村民税
(二)	固定資産税
(三)	軽自動車税
(四)	市町村たばこ税
(五)	鉱産税
(六)	特別土地保有税

③ 市町村の法定外普通税
　市町村は、②に掲げるものを除くほか、別に税目を起こして、普通税を課することができる。(法5③)

④ 市町村の法定目的税
　鉱泉浴場所在の市町村は、目的税として、入湯税を課するものとする。(法5④)
　指定都市等（第三編第六章第一節二《事業所税の用語の意義》の表の(一)の指定都市等をいう。）は、目的税として、

事業所税を課するものとする。（法5⑤）

　　（市町村の任意課税の目的税）
　注　市町村は、④に規定するものを除くほか、目的税として、次に掲げるものを課することができる。（法5⑥）
　　（一）　都市計画税
　　（二）　水利地益税
　　（三）　共同施設税
　　（四）　宅地開発税
　　（五）　国民健康保険税

⑤　市町村の法定外目的税
　　市町村は、④に規定するもの及び④の注の各号に掲げるものを除くほか、別に税目を起こして、目的税を課することができる。（法5⑦）

3　都等の特例

① 都における普通税の特例
　　都は、その特別区の存する区域において、普通税として、1の②に掲げるものを課するほか、一の2にかかわらず、固定資産税及び特別土地保有税を課するものとする。この場合においては、都を市とみなして第三編第三章《固定資産税》及び第八章一《特別土地保有税》の規定を準用する。（法734①）

　　（特別区における都民税の特例）
　注　都は、その特別区の存する区域内において、一の2にかかわらず、都民税として次に掲げるものを課するものとする。（法734②）
　　（一）　道府県民税のうち個人に対して課するもの
　　（二）　道府県民税及び市町村民税のうち、それぞれ法人に対して課するもの

② 都における目的税の特例
　　都は、その特別区の存する区域において、目的税として、道府県が課することができる目的税を課することができるほか、一の2にかかわらず、事業所税及び都市計画税を課することができる。この場合においては、都を市（事業所税については、指定都市等）とみなして地方税法中市町村の目的税に関する部分の規定を準用する。（法735①）

　　（法定外目的税の課税）
（1）　都は、その特別区の存する区域において、②に掲げるものを除くほか、別に税目を起こして、目的税を課することができる。この場合においては、都を市とみなして、法第4章第8節《法定外目的税》の規定を準用する。（法735②）

　　（固定資産税、特別土地保有税、事業所税及び都市計画税に関する規定の都への準用）
（2）　①及び②の規定により都がその特別区の存する区域内において課する固定資産税、特別土地保有税、事業所税及び都市計画税については、一の2の(2)の規定にかかわらず、令第3章第2節《固定資産税》及び第5節《特別土地保有税》、第3章の4《事業所税》並びに第3章の5《都市計画税》の規定を準用する。（令57の3）

③ 特別区における特例
　　一の2によって地方税法中市町村に関する規定を特別区に準用する場合においては、2の②の表は次表のとおり読み替えるものとする。（法736①）

（一）	特別区民税
（二）	軽自動車税
（三）	特別区たばこ税

(四)	鉱産税

　　　　(市町村の任意課税の目的税についての読替え)
（1）　一の2によって地方税法中市町村に関する規定を特別区に準用する場合においては、2の④の注に掲げるものは、次のとおり読み替えるものとする。（法736①）
　　（一）　水利地益税
　　（二）　共同施設税
　　（三）　宅地開発税
　　（四）　国民健康保険税

　　　　(事業所税の規定の不適用)
（2）　2の④の規定（事業所税に係る部分に限る。）は、一の2の規定にかかわらず特別区に準用しないものとする。（法736②）

④　特別区及び指定都市の区に関する特例
　道府県民税、市町村民税及び固定資産税に関する規定の都及び地方自治法第252条の19第1項《指定都市の特例》の市（以下「指定都市」という。）に対する準用及び適用については、特別区並びに指定都市の区の区域は、一の市の区域とみなし、なお、特別の必要がある場合においては、政令で特別の定を設けることができる。（法737①）

四　課税免除、不均一課税及び一部課税

1　公益等による課税免除及び不均一課税
　地方団体は、公益上その他の事由により課税を不適当とする場合においては、課税をしないことができる。（法6①）
　地方団体は、公益上その他の事由により必要がある場合においては、不均一の課税をすることができる。（法6②）

2　受益による不均一課税及び一部課税
　地方団体は、その一部に対して特に利益がある事件に関しては、不均一の課税をし、又はその一部に課税をすることができる。（法7）

五　関係地方団体の長の意見が異なる場合の措置

1　総務大臣又は道府県知事に対する決定の申出
　地方団体の長は、課税権の帰属その他地方税法の規定の適用について他の地方団体の長と意見を異にし、その協議がととのわない場合においては、住民基本台帳法第33条《関係市町村長の意見が異なる場合の措置》の規定の適用がある場合を除き、総務大臣（関係地方団体が一の道府県の区域内の市町村である場合においては、道府県知事）に対し、その決定を求める旨を申し出なければならない。（法8①）
　総務大臣又は道府県知事は、上記の決定を求める旨の申出を受けた日から60日以内に決定をし、遅滞なく、その旨を関係地方団体の長に通知しなければならない。（法8②）

　　　　(申出及び決定の文書主義)
（1）　1の申出及び決定は、文書をもってしなければならない。（法8③）

　　　　(通知を受けた日の判定)
（2）　1の後段の通知を郵便又は民間事業者による信書の送達に関する法律第2条第6項に規定する一般信書便事業者若しくは同条第9項に規定する特定信書便事業者による同条第2項に規定する信書便（以下「信書便」という。）をもって発送した場合においてその到達した日が明らかでないときは、その発送した日から4日を経過した日をもって1の後段の通知を受けた日とみなす。この場合において、市町村長が到達した日を立証し得るときは、その立証に係る日をもって通知を受けた日とみなす。（法8⑤）

　　　　（地方財政審議会の意見の聴取）
（3）　総務大臣は、1の決定又は2の採決をしようとするときは、地方財政審議会の意見を聴かなければならない。（法8⑨）

2　総務大臣に対する裁決の申出
　1の規定による道府県知事の決定に不服がある市町村長は、1の通知を受けた日から30日以内に総務大臣に裁決を求める旨を申し出ることができる。（法8④）
　総務大臣は、上記の申出を受けた場合においては、その日から60日以内にその裁決をしなければならない。（法8⑦）
　（注）　2の裁決については、1の（3）を参照。（編者）

　　　　（申出期間の算定）
（1）　2の申出に関する書類を郵便又は信書便をもって差し出す場合においては、送付に要した日数は、2の期間に算入しない。（法8⑥）

　　　　（関係地方団体に対する通知）
（2）　総務大臣は、2の裁決をした場合においては、遅滞なく、その旨を関係地方団体の長に通知しなければならない。（法8⑧）

3　決定又は裁決に違法がある場合の出訴
　1の規定による総務大臣の決定又は2の規定による総務大臣の裁決について違法があると認める関係地方団体の長は、その決定又は裁決の通知を受けた日から30日以内に裁判所に出訴することができる。（法8⑩）

六　課税権の承継

1　市町村の廃置分合があった場合の課税権の承継
　市町村の廃置分合があった場合（2本文の規定に該当する場合を除く。）においては、当該廃置分合により消滅した市町村（以下1において「消滅市町村」という。）に係る地方団体の徴収金の徴収を目的とする権利（以下1において「**消滅市町村の徴収金に係る権利**」という。）は、当該消滅市町村の地域が新たに属することとなった市町村（以下1において「**承継市町村**」という。）の区域によって、当該承継市町村が承継する。この場合において、消滅市町村の徴収金に係る権利について、消滅市町村がした賦課徴収その他の手続及び消滅市町村に対してした申告、審査請求その他の手続は、それぞれ承継市町村がした賦課徴収その他の手続及び承継市町村に対してした申告、審査請求その他の手続とみなす。（法8の2①）

　　　　（道府県知事等に対する決定の申出）
（1）　1の規定によって消滅市町村の徴収金に係る権利を承継する承継市町村が二以上ある場合において、当該承継市町村がそれぞれ承継すべき当該消滅市町村の徴収金に係る権利について当該承継市町村の長の間において意見を異にし、その協議がととのわないときは、道府県知事（当該承継市町村が二以上の道府県の区域にわたる場合においては、総務大臣）に対し、その決定を求める旨を申し出なければならない。（法8の2②）

　　　　（消滅市町村の過誤納に係る地方団体の徴収金の取扱い）
（2）　1の規定によって消滅市町村の徴収金に係る権利を承継する承継市町村が二以上ある場合において、当該消滅市町村の過納又は誤納に係る地方団体の徴収金があるときは、当該承継市町村の長が協議して、還付し、又は未納に係る承継市町村に係る地方団体の徴収金に充当するものとし、その協議がととのわないときは、道府県知事（当該承継市町村が二以上の道府県の区域にわたる場合においては、総務大臣）に対し、その決定を求める旨を申し出なければならない。（令1の5①）

　　　　（決定の申出に係る準用）
（3）　五の1後段から同3までの規定は、（1）及び（2）の申出及び当該申出に係る道府県知事又は総務大臣の決定について準用する。（法8の2③、令1の5②）

(承継した徴収金に対する消滅市町村の条例等の適用)
(4) 1、(1)及び(3)の規定によって承継市町村が消滅市町村の徴収金に係る権利を承継する場合においては、当該承継市町村が条例で別段の定めをしない限り、その承継すべき当該消滅市町村に係る地方団体の徴収金の賦課徴収に関しては、当該消滅市町村に係る地方団体の徴収金の賦課徴収に関して定められている消滅市町村の条例、規則その他の定めの例によるものとする。(法8の2④前段)

(重複して法定外税を課すこととなる場合の取扱い)
(5) (4)の場合において、承継市町村が三の2の③の規定によって課する普通税又は同2の⑤の規定によって課する目的税(以下(5)において「**法定外税**」という。)を課すこととしており、かつ、当該承継市町村が承継する当該消滅市町村に係る地方団体の徴収金のうちにこれらと課税客体を同じくする同種の法定外税があるため、同種の法定外税を重複して課すこととなるときは、当該消滅市町村に係る法定外税の納税義務者に対しては、当該承継市町村は、当該承継市町村の条例の定めるところによって、これらの法定外税のうちいずれか一を課するものとしなければならない。(法8の2④後段)

(承継市町村の条例による特別の定め)
(6) 承継市町村が消滅市町村の徴収金に係る権利を承継する場合においては、その徴収金に係る権利の行使については、別段の定めをしない限り、消滅市町村の条例、規則その他の定めの例によるものとされているが、必要に応じ、承継市町村の条例等で消滅市町村の条例等について特別の定めをすることは、もとより妨げないものであること。(県通・市通1-4(1)要約)

(消滅市町村のした賦課徴収等の効力)
(7) (6)の場合において、消滅市町村がした賦課徴収その他の手続は承継市町村がした賦課徴収その他の手続と、消滅市町村に対してした申告、審査請求その他の手続は承継市町村に対してした申告、審査請求その他の手続とみなされるものとされているので、承継市町村は消滅市町村の地方団体の徴収金で消滅市町村に収入されていないものを徴収することができるとともに既に消滅市町村に収入された地方団体の徴収金で過納又は誤納に係るものについては、承継市町村がこれを還付することとなるものであることに留意すること。(県通・市通1-4(2)要約)

(法定外普通税又は法定外目的税を引き続いて課税する場合の協議制度の不適用)
(8) 承継市町村が消滅市町村の徴収金に係る権利を承継する場合において、消滅市町村が市町村法定外普通税又は法定外目的税を設定しているときは、承継市町村は、当該消滅市町村の区域に限り、当該消滅市町村に係る法定外普通税又は法定外目的税を引き続いて課税するのには第三編第八章**四**の1《市町村法定外普通税の新設・変更》又は同章**九**の1《法定外目的税の新設・変更》による総務大臣への協議を要しないものであること。(県通・市通1-4(3))

2　市町村の境界変更があった場合の課税権の承継

　市町村の境界変更があったとき、又は市町村の廃置分合があった場合で当該廃置分合により新たに設置された市町村の地域の全部若しくは一部が従来属していた市町村がなお存続するときは、当該境界変更があった区域又は新たに設置された市町村の地域の全部若しくは一部が従来属していた市町村(以下2において「**旧市町村**」という。)の当該区域又は地域に係る地方団体の徴収金で次の各号に掲げるもの((二)に掲げる地方税に係る地方団体の徴収金にあっては、当該境界変更又は廃置分合のあった日の属する年度分以後の年度分として課されるべきものに限る。)の徴収を目的とする権利は、当該区域又は地域によって、当該区域又は地域が新たに属することとなった市町村(以下2において「**新市町村**」という。)が承継する。ただし、旧市町村と新市町村が協議の上これと異なる定をしたときは、その定めたところによることができる。
(法8の3①)

(一)	申告納付又は申告納入の方法によって徴収する地方税に係る地方団体の徴収金にあっては、当該境界変更又は廃置分合があった日前に納期限の到来しないもので当該旧市町村に収入されていないもの
(二)	(一)以外の地方税に係る地方団体の徴収金にあっては、当該境界変更又は廃置分合があった日前に当該旧市町村に収入されていないもの

(廃置分合による承継の場合の規定の準用)
(1) 1後段並びに同(1)及び(3)から(5)までの規定は、2本文の規定によって新市町村が旧市町村の地方団体の徴

収金に係る権利を承継する場合について、1後段並びに1の(4)・(5)の規定は、2ただし書の規定による協議によって新市町村が旧市町村の地方団体の徴収金に係る権利を承継する場合について準用する。(法8の3②)

　　(旧市町村の協力義務)
(2)　2及び(1)の規定によって新市町村が旧市町村の地方団体の徴収金に係る権利を承継した場合において、当該徴収金を賦課徴収しようとするときは、旧市町村は、新市町村の求めに応じ必要な便宜を提供しなければならない。(法8の3③)

　　(新市町村の条例による特別の定め)
(3)　新市町村が旧市町村の徴収金に係る権利を承継する場合においては、その徴収金に係る権利の行使については、別段の定めをしない限り、旧市町村の条例、規則その他の定の例によるものとされているが、必要に応じ、新市町村の条例等で旧市町村の条例等について特別の定をすることはもとより妨げないものであること。(県通・市通1-4(1)要約)

　　(旧市町村がした賦課徴収等の効力)
(4)　(3)の場合において、旧市町村がした賦課徴収その他の手続は新市町村がした賦課徴収その他の手続と、旧市町村に対してした申告、審査請求その他の手続は新市町村に対してした申告、審査請求その他の手続とみなされるものとされているので、新市町村は旧市町村の地方団体の徴収金で旧市町村に収入されていないものを徴収することができるとともに、既に旧市町村に収入された地方団体の徴収金で過納又は誤納に係るものについては、新市町村がこれを還付することとなるものであることに留意すること。(県通・市通1-4(2)要約)

　　(申告納付等に係る徴収金の承継の取扱い)
(5)　新市町村が旧市町村の徴収金に係る権利を承継する場合において、申告納付又は申告納入の方法によって徴収される地方税に係る地方団体の徴収金にあっては、境界変更又は廃置分合があった日前に納期限の到来しないもので旧市町村に収入されていないものに限り、新市町村に承継されることとなるのであるから、既に納期限の到来しているもの又は納期限は到来しないが、既に旧市町村に収入されているものは新市町村に承継されないものであること。この場合において、納期限は、法令に定められた納期限をいうものであるから、法令の規定に基づき納期限が延長されているときは、その延長された納期限によるが、第五章第一節二の1の規定に基づく徴収猶予をしている場合においては、その徴収猶予期間は納期限の延長とは認められないので、所定の納期限によることとなるものであること。
　　なお、特別徴収の方法によって徴収する個人の市町村民税は、申告納入の方法によって徴収する地方税には含まれないので、旧市町村に収入されていないものに限り、新市町村に承継されるものであること。(県通・市通1-4(4))

3　都道府県の境界変更があった場合の課税権の承継
　都道府県の境界にわたって市町村の設置又は境界の変更があったため都道府県の境界に変更があった場合における当該境界変更のあった区域に係る都道府県の地方団体の徴収金の徴収を目的とする権利の承継については、1及び2に規定する方法に準じて関係都道府県が協議して定めるものとする。(法8の4①)

　　(他の規定の準用)
注　五の規定は3の協議がととのわない場合について、1の後段及び同(4)・(5)の規定は3の協議によって境界変更のあった区域に係る都道府県の地方団体の徴収金の徴収を目的とする権利の承継があった場合について準用する。(法8の4②)

4　政令への委任
　1から3までに定めるもののほか、市町村の廃置分合若しくは境界変更があった場合又は都道府県の境界にわたって市町村の設置若しくは境界の変更があったため都道府県の境界に変更があった場合における課税権の承継について必要な事項は、政令で定める。(法8の5)
　　(注)　上記の政令で定める事項には1の(2)及び(3)に掲げるもののほか、次のような事項がある。(編者)
　　　　(一)　市町村の廃置分合等があった場合における市町村民税の特別徴収税額等の通知(令1の2)
　　　　(二)　市町村の廃置分合があった場合における法人等の市町村民税の均等割の承継(令1の3)
　　　　(三)　市町村の廃置分合があった場合における市町村民税の法人税割の承継(令1の4)

第二章　納税義務

一　納税義務の承継

1　相続による納税義務の承継

　相続（包括遺贈を含む。以下同じ。）があった場合には、その相続人（包括受遺者を含む。以下同じ。）又は民法第951条《相続財産法人》の法人は、被相続人（包括遺贈者を含む。以下同じ。）に課されるべき、又は被相続人が納付し、若しくは納入すべき地方団体の徴収金（以下「**被相続人の地方団体の徴収金**」という。）を納付し、又は納入しなければならない。ただし、限定承認をした相続人は、相続によって得た財産を限度とする。（法9①）

　　　（相続分による徴収金のあん分納付）
（1）　1の場合において、相続人が2人以上あるときは、各相続人は、被相続人の地方団体の徴収金を民法第900条《法定相続分》から第902条《遺言による相続分の指定》までの規定によるその相続分によりあん分して計算した額を納付し、又は納入しなければならない。（法9②）

　　　（相続財産価額があん分税額を超える者の納税義務）
（2）　(1)の場合において、相続人のうちに相続によって得た財産の価額が(1)により納付し、又は納入すべき地方団体の徴収金の額を超えている者があるときは、その相続人は、その超える価額を限度として、他の相続人が(1)により納付し、又は納入すべき地方団体の徴収金を納付し、又は納入する責に任ずる。（法9③）

　　　（申告義務等の承継）
（3）　1から(2)までによって承継する義務は、当該義務に係る申告又は報告の義務を含むものとする。（法9④）

2　相続人からの徴収の手続

①　賦課徴収等についての相続人の代表者の指定

　納税者又は特別徴収義務者（以下第一編（第三章一《納付又は納入の告知》を除く。）においては、三の1の①《第二次納税義務者に対する告知》に規定する第二次納税義務者及び第五章第二節一の（六）《保証人の保証》に規定する保証人を含むものとする。）につき相続があった場合において、その相続人が2人以上あるときは、これらの相続人は、そのうちから被相続人の地方団体の徴収金の賦課徴収（滞納処分を除く。）及び還付に関する書類を受領する代表者を指定することができる。この場合において、その指定をした相続人は、その旨を地方団体の長に届け出なければならない。（法9の2①）

　　　（相続人の代表者の指定等に当たっての留意事項）
（1）　①の規定による相続人の代表者は、その被相続人の死亡時の住所又は居所と同一の住所又は居所を有する相続人その他その被相続人の地方団体の徴収金の納付又は納入につき便宜を有する者のうちから定めなければならない。（令2①）

　　　（相続人の代表者を指定した場合の届出）
（2）　①後段の届出は、次の各号に掲げる事項を記載し、かつ、①後段の相続人が連署した文書でしなければならない。（令2②）
　　（一）　被相続人の氏名、死亡時の住所又は居所及び死亡年月日
　　（二）　各相続人の氏名（法人にあっては、名称。以下同じ。）、住所又は居所（法人にあっては、事務所又は事業所の所在地。以下同じ。）、被相続人との続柄及び1の(1)に規定する相続分
　　（三）　相続人の代表者の氏名、住所又は居所
　　（四）　(二)及び(三)に掲げる相続人のうち法人番号を有する法人にあっては、当該相続人の法人番号

　　　　（相続人の代表者の変更）
（３）　①後段の規定により届出をした相続人は、地方団体の長に届出て、その指定した代表者を変更することができる。この場合においては、（２）の規定を準用する。（令２⑥）

　　　　（留意事項）
（４）　納税者又は特別徴収義務者につき相続の開始があった場合においてこれらの者に送達すべき書類は、各相続人の承継額につき個別に送達するのが原則であるが、地方団体及び納税者等相互間の徴税及び納税手続の便宜を考慮し、相続人は、地方団体の徴収金の賦課徴収（滞納処分を除く。）及び還付に関する書類を受領する代表者を定め、この旨を地方団体の長に届出たときは、その代表者がこれらの処分に関する書類を受領することができるものであること。
　　　　なお、すべての相続人又は相続分のうちに明らかでないものがあり、かつ、相当の期間内に上記の届出がないときは、②により地方団体の長は、相続人の１人を指定し、その者を代表者とすることができるものであること。（県通１－10、市通１－10）

② 地方団体の長による相続人の代表者の指定
　地方団体の長は、①前段の場合において、すべての相続人又はその相続分のうちに明らかでないものがあり、かつ、相当の期間内に①後段の届出がないときは、相続人の１人を指定し、その者を①に規定する代表者とすることができる。この場合において、その指定をした地方団体の長は、その旨を相続人に通知しなければならない。（法９の２②）

　　　　（一部の相続人について届出がない場合の指定）
（１）　②前段に規定する届出がないときには、一部の相続人について①後段の届出がないときを含むものとする。この場合においては、地方団体の長は、その届出がない一部の相続人について②前段の指定をすることができる。（令２③）

　　　　（相続人の代表者の指定に関する規定の準用）
（２）　①の（１）の規定は、地方団体の長が②前段の規定により相続人の代表者を指定する場合について準用する。（令２④）

　　　　（通知書の記載事項）
（３）　②後段の通知は、次に掲げる事項を記載した文書でしなければならない。（令２⑤）
　（一）　被相続人の氏名及び死亡時の住所又は居所
　（二）　各相続人の氏名、住所又は居所及び被相続人との続柄
　（三）　相続人の代表者の氏名及び住所又は居所

③ 被相続人名義でされた処分の効力
　被相続人の地方団体の徴収金につき、被相続人の死亡後その死亡を知らないでその者の名義でした賦課徴収又は還付に関する処分で書類の送達を要するものは、その相続人の１人にその書類が送達された場合に限り、当該被相続人の地方団体の徴収金につきすべての相続人に対してされたものとみなす。（法９の２④）

３　法人の合併による納税義務の承継
　法人が合併した場合には、合併後存続する法人又は合併により設立した法人は、合併により消滅した法人（以下「**被合併法人**」という。）に課されるべき、又は被合併法人が納付し、若しくは納入すべき地方団体の徴収金を納付し、又は納入しなければならない。（法９の３①）

　　　　（申告義務等の承継）
　注　３によって承継する義務は、当該義務に係る申告又は報告の義務を含むものとする。（法９の３②）

４　信託に係る納税義務の承継
　信託法第56条第１項《受託者の任務の終了事由》各号に掲げる事由により受託者の任務が終了した場合において、新たな受託者（以下４及び（５）において「新受託者」という。）が就任したときは、当該新受託者は当該受託者に課されるべき、又は当該受託者が納付し、若しくは納入すべき地方団体の徴収金（その納付し、又は納入する義務が**信託財産責任負担債務**（同法第２条第９項に規定する信託財産責任負担債務をいう。以下同じ。）となるものに限る。以下４において同じ。）

を納付し、又は納入する義務を承継する。（法9の4①）

　　　（受託者が2人以上ある信託に係る納税義務の承継）
（1）　受託者が2人以上ある信託において、その1人の任務が信託法第56条第1項各号に掲げる事由により終了した場合には、4の規定にかかわらず、他の受託者のうち、当該任務が終了した受託者（以下（1）及び（4）において「任務終了受託者」という。）から信託事務の引継ぎを受けた受託者は、当該任務終了受託者に課されるべき、又は当該任務終了受託者が納付し、若しくは納入すべき地方団体の徴収金を納付し、又は納入する義務を承継する。（法9の4②）

　　　（受託者である個人が死亡した場合の信託財産法人による納税義務の承継）
（2）　信託法第56条第1項第1号に掲げる事由〔受託者である個人の死亡〕により受託者の任務が終了した場合には、同法第74条第1項に規定する法人は、当該受託者に課されるべき、又は当該受託者が納付し、若しくは納入すべき地方団体の徴収金を納付し、又は納入する義務を承継する。（法9の4③）

　　　（受託者である法人が分割をした場合の納税義務の承継）
（3）　受託者である法人が分割をした場合における分割により受託者としての権利義務を承継した法人は、当該分割をした受託者である法人に課されるべき、又は当該分割をした受託者である法人が納付し、若しくは納入すべき地方団体の徴収金を納付し、又は納入する義務を承継する。（法9の4④）

　　　（受託者であった者の納税義務履行責任）
（4）　4又は（1）の規定により地方団体の徴収金を納付し、又は納入する義務が承継された場合にも、4の受託者又は任務終了受託者は、自己の固有財産をもって、その承継された地方団体の徴収金を納付し、又は納入する義務を履行する責任を負う。ただし、当該地方団体の徴収金を納付し、又は納入する義務について、信託法第21条第2項の規定により、信託財産に属する財産のみをもってその履行の責任を負うときは、この限りでない。（法9の4⑤）

　　　（新受託者の納税義務履行責任）
（5）　新受託者は、4の規定により地方団体の徴収金を納付し、又は納入する義務を承継した場合には、信託財産に属する財産のみをもって、その承継された地方団体の徴収金を納付し、又は納入する義務を履行する責任を負う。（法9の4⑥）

二　連帯納税義務等

1　連帯納税義務についての民法の規定の準用
　地方団体の徴収金を連帯して納付し、又は納入する義務については、民法第436条、第437条及び第441条から第445条までの規定を準用する。（法10）

2　共有物等に係る徴収金の連帯納税義務
　共有物等に係る徴収金の納税義務については、次による。（法10の2①②）

(一)	共有物、共同使用物、共同事業、共同事業により生じた物件又は共同行為に対する地方団体の徴収金は、納税者が連帯して納付する義務を負う。
(二)	共有物、共同使用物、共同事業又は共同行為に係る地方団体の徴収金は、特別徴収義務者である共有者、共同使用者、共同事業者又は共同行為者が連帯して納入する義務を負う。

　　　（経営者が名義人にすぎない場合の連帯納税義務者）
　注　事業の法律上の経営者が単なる名義人であって、当該経営者の親族その他当該経営者と特殊の関係のある個人で次に掲げるもの（以下（1）において「**親族等**」という。）が事実上当該事業を経営していると認められる場合においては、2表の（二）の規定の適用については、当該経営者と当該親族等とは、共同事業者とみなす。（法10の2③、令3）
　　（一）　経営者の配偶者（婚姻の届出をしていないが、事実上婚姻関係と同様の事情にある者を含む。以下同じ。）、直系血族及び兄弟姉妹

- (二) (一)に掲げる者以外の経営者の親族で、経営者と生計を一にし、又は経営者から受ける金銭その他の財産により生計を維持しているもの
- (三) (一)及び(二)に掲げる者以外の経営者の使用人その他の個人で、経営者から受ける特別の金銭その他の財産により生計を維持しているもの
- (四) 経営者に特別の金銭その他の財産を提供してその生計を維持させている個人((一)及び(二)に掲げる者を除く。)及びその者と(一)から(三)までの一に該当する関係がある個人
- (五) 経営者が法人税法第2条第10号《同族会社》に規定する会社に該当する会社(以下「**同族会社**」という。)である場合には、その判定の基礎となった株主又は社員である個人及びその者と(一)から(四)までの一に該当する関係がある個人

3 法人の合併等の無効判決に係る連帯納税義務

合併又は分割(以下「合併等」という。)を無効とする判決が確定した場合には、当該合併等をした法人は、合併後存続する法人若しくは合併により設立した法人又は分割により事業を承継した法人の当該合併等の日以後に納付し、又は納入する義務の成立した地方団体の徴収金について、連帯して納付し、又は納入する義務を負う。(法10の3)

(留意事項)

注 合併又は分割(以下「合併等」という。)を無効とする判決が確定した場合には、当該合併等をした法人は、合併後存続する法人若しくは合併により設立した法人又は分割により事業を承継した法人の当該合併等の日以後に納付し、又は納入する義務の成立した地方団体の徴収金について、連帯して納付し、又は納入する義務を負うものであること。(県通1-11の2、市通1-11の2)

4 法人の分割に係る連帯納税の責任

法人が分割(法人税法第2条第12号の10に規定する分社型分割を除く。以下4において同じ。)をした場合には、当該分割により事業を承継した法人(第四章三の1の①《法定納期限等以前に設定された質権の優先》の表の(八)において「分割承継法人」という。)は、当該分割をした法人の次に掲げる地方税(当該地方税に係る督促手数料、延滞金、過少申告加算金、不申告加算金、重加算金及び滞納処分費を含み、その納付し、又は納入する義務が一の4の(3)の規定により受託者としての権利義務を承継した法人に承継されたもの及びその納付し、又は納入する義務が信託財産限定責任負担債務(信託法第154条に規定する信託財産限定責任負担債務をいう。第六章一の2の①において同じ。)となるものを除く。)について、連帯して納付し、又は納入する責めに任ずる。ただし、当該分割をした法人から承継した財産(当該分割をした法人から承継した信託財産に属する財産を除く。)の価額を限度とする。(法10の4①)

(一)	分割の日前に納付し、又は納入する義務の成立した地方税(第二編第十一章一の6《徴収の方法》及び第三編第八章二の6《徴収の方法》の規定により申告納付の方法によって徴収される道府県たばこ税及び市町村たばこ税((二)において「申告納付に係るたばこ税」という。)を除く。)
(二)	分割の日の属する月の前月末日までに納付する義務の成立した申告納付に係るたばこ税

(注) 法人税法第2条第12号の10に規定する分社型分割とは、分割により分割法人が交付を受ける分割対価資産がその分割の日において当該分割法人の株主等に交付されない場合の当該分割をいう。(編者)

(法定外普通税又は法定外目的税のうち条例で定めるものに対する適用)

(1) 第一章三の1の③《道府県の法定外普通税》の規定により課する普通税(以下「道府県法定外普通税」という。)若しくは同2の③《市町村の法定外普通税》の規定により課する普通税(以下「市町村法定外普通税」という。)又は同1の⑤《道府県の法定外目的税》若しくは同2の⑤《市町村の法定外目的税》の規定により課する目的税(以下「法定外目的税」という。)のうち4の規定により難いものとして当該地方団体の条例で定めるものに対する(1)の規定の適用については、3の表の(一)中「分割の日前」とあるのは、「分割の日前の日で地方団体の条例で定める日まで」とする。(法10の4②)

(留意事項)

(2) 法人が分割をした場合には、当該分割により事業を承継した法人が、当該分割をした法人から承継した財産の価額を限度として、当該分割をした法人の地方税について連帯して納付し、又は納入する責任を負うものであること。この場合において、次の諸点に留意すること。(県通1-11の3、市通1-11の3)

(一) 連帯して納付し、又は納入する責任は、特段の手続をとることなく法人の分割により当然に発生するものであること。
(二) 承継した財産の価額とは積極財産の価額をいうものであり、負債を差し引いた額とは異なるものであること。
(三) 連帯して納付し、又は納入する責任の対象となる地方税には、当該地方税に係る督促手数料、延滞金等を含むものとされていることから、例えば分割の日から後に納期限が到来したが納付又は納入が行われなかった地方税に係る督促手数料、延滞金等についても、当該分割により営業を承継した法人が連帯して納付し、又は納入する責任を負う範囲に含まれるものであること。

三 第二次納税義務

1 第二次納税義務の通則

① **第二次納税義務者に対する告知**
　地方団体の長は、納税者又は特別徴収義務者の地方団体の徴収金を2から10まで又は四の3若しくは4の規定により第二次納税義務を有する者（以下「**第二次納税義務者**」という。）から徴収しようとするときは、その者に対し、納付又は納入すべき金額、納付又は納入の期限及び納付又は納入の場所その他必要な事項を記載した納付又は納入の通知書により告知しなければならない。（法11①）

　　　（催告書による督促）
　注　第二次納税義務者が地方団体の徴収金を①の納付又は納入の期限までに完納しないときは、地方団体の長は、第三章二《繰上徴収》の規定により繰上徴収をする場合を除き、その期限後20日以内に納付又は納入の催告書を発して督促しなければならない。（法11②）

② **第二次納税義務者の財産の換価**
　第二次納税義務者の財産の換価は、その財産の価額が著しく減少するおそれがあるときを除き、①の納税者又は特別徴収義務者の財産を換価に付した後でなければ、することができない。（法11③）

　　　（訴訟係属期間中の換価の制限）
　注　第二次納税義務者が①の告知、①の注の督促又はこれらに係る地方団体の徴収金に関する滞納処分につき出訴したときは、その訴の係属する間は、その財産の換価をすることができない。（法11④）

③ **第二次納税義務者の求償権**
　2から10まで並びに四の3及び4の規定は、第二次納税義務者から①の納税者又は特別徴収義務者に対してする求償権の行使を防げない。（法11⑤）

2 合名会社等の社員の第二次納税義務

　合名会社若しくは合資会社又は税理士法人、弁護士法人、外国法事務弁護士法人、監査法人、特許業務法人、司法書士法人、行政書士法人、社会保険労務士法人若しくは土地家屋調査士法人が地方団体の徴収金を滞納した場合において、その財産につき滞納処分をしてもなおその徴収すべき額に不足すると認められるときは、その社員（合資会社及び監査法人にあっては、無限責任社員）は、当該滞納に係る地方団体の徴収金の第二次納税義務を負う。この場合において、その社員は、連帯してその責めに任ずる。（法11の2）

3 清算人等の第二次納税義務

　法人が解散した場合において、その法人に課されるべき、又はその法人が納付し、若しくは納入すべき地方団体の徴収金を納付し、又は納入しないで残余財産の分配又は引渡しをしたときは、その法人に対し滞納処分をしてもなおその徴収すべき額に不足すると認められる場合に限り、清算人及び残余財産の分配又は引渡しを受けた者（2の規定の適用を受ける者を除く。以下3において同じ。）は、当該滞納に係る地方団体の徴収金につき第二次納税義務を負う。ただし清算人は分配又は引渡しをした財産の価額を限度として、残余財産の分配又は引渡しを受けた者はその受けた財産の価額を限度として、それぞれその責めに任ずる。（法11の3①）

(信託に係る清算受託者等の第二次納税義務)
注　信託法第175条に規定する信託が終了した場合において、その信託に係る清算受託者（同法第177条に規定する清算受託者をいう。以下注において同じ。）に課されるべき、又はその清算受託者が納付し、若しくは納入すべき地方団体の徴収金（その納付し、又は納入する義務が信託財産責任負担債務となるものに限る。以下注において同じ。）を納付しないで信託財産に属する財産を残余財産受益者等（同法第182条第2項に規定する残余財産受益者等をいう。以下注において同じ。）に給付をしたときは、その清算受託者に対し滞納処分をしてもなおその徴収すべき額に不足すると認められる場合に限り、清算受託者（信託財産に属する財産のみをもって当該地方団体の徴収金を納付し、又は納入する義務を履行する責任を負う清算受託者に限る。以下注において「特定清算受託者」という。）及び残余財産受益者等は、その滞納に係る地方団体の徴収金につき第二次納税義務を負う。ただし、特定清算受託者は給付をした財産の価額の限度において、残余財産受益者等は給付を受けた財産の価額の限度において、それぞれの責めに任ずる。（法11の3②）

4　同族会社の第二次納税義務

　滞納者がその者を判定の基礎となる株主又は社員として選定した場合に同族会社の株式又は出資を有する場合において、その株式又は出資につき次に掲げる理由があり、かつ、その者の財産（当該株式又は出資を除く。）につき滞納処分をしてもなお徴収すべき地方団体の徴収金に不足すると認められるときは、その者の有する当該株式又は出資（当該滞納に係る地方団体の徴収金の法定納期限（地方税法又はこれに基づく条例の規定により地方税を納付し、又は納入すべき期限（修正申告、期限後申告、更正若しくは決定、繰上徴収又は徴収の猶予に係る期限その他政令で定める期限を除く。）をいい、地方税で納期を分けているものの第2期以降の分については、その第1期分の納期限をいい、督促手数料、延滞金、過少申告加算金、不申告加算金、重加算金及び滞納処分費については、その徴収の基因となった地方税の当該期限をいう。以下第一編において同じ。）の1年前までに取得したものを除く。）の価額を限度として、当該会社は、当該滞納に係る地方団体の徴収金の第二次納税義務を負う。（法11の4①）

(一)	その株式又は出資を再度換価に付してもなお買受人がないこと。
(二)	その株式若しくは出資の譲渡につき法律若しくは定款に制限があり、又は株券の発行がないため、これらを譲渡することにつき支障があること。

　　（政令で定める法定納期限とならない期限）
（1）　4の政令で定める期限は、次に掲げる期限とする。（令3の2）
　　（一）　普通徴収の方法により徴収する地方税の賦課もれ又は追徴に係る賦課決定に係る期限
　　（二）　換価の猶予に係る期限
　　（三）　中間申告を要しない法人の災害等による法人事業税の申告期限の延長、中間申告を要しない法人の会計監査を受けなければならないこと等による法人事業税の申告期限の延長又はこれらの理由により当該法人との間に連結完全支配関係がある連結法人・連結親法人の申告期限の延長〚法第72条の25第2項から第4項まで〛（これらの規定を中間申告を要する法人の確定申告納付についての準用規定〚法第72条の28第2項又は第72条の29第2項〛において準用する場合を含む。）又は法第72条の25第5項（法第72条の28第2項又は第72条の29第2項若しくは第6項において準用する場合を含む。）の規定による期限
　　（四）　道府県たばこ税の納期限の延長〚法第74条の11第1項〛の規定による期限
　　（五）　市町村たばこ税の納期限の延長〚法第474条第1項〛の規定による期限

　　（同族会社の株式又は出資の価額）
（2）　4の同族会社の株式又は出資の価額は、1の①の納付又は納入の通知書を発する時における当該会社の資産の総額から負債の総額を控除した額をその株式又は出資の数で除した額を基礎として計算した額による。（法11の4②）

　　（同族会社の判定の時期）
（3）　4の同族会社であるかどうかの判定は、1の①の納付又は納入の通知書を発する時の現況による。（法11の4③）

5　実質課税額等の第二次納税義務

①　実質課税額等の第二次納税義務

　滞納者の次の各号のイ欄に掲げる地方団体の徴収金につき滞納処分をしてもなおその徴収すべき額に不足すると認められるときは、各号のロ欄に定める者は、それぞれハ欄に定める財産又は金額を限度として、それぞれその滞納に係る地方団体の徴収金の第二次納税義務を負う。(法11の5)

	イ　徴　収　金	ロ　第二次納税義務者	ハ　限　度　額
(一)	道府県民税の実質課税の原則〖法第24条の2の2〗若しくは市町村民税の実質課税の原則〖法第294条の2の2〗の規定により課された道府県民税若しくは市町村民税の所得割に係る地方団体の徴収金、道府県民税若しくは市町村民税の法人税割で法人税法第11条《実質所得者課税の原則》の規定により課された法人税の課税に基づいて課されたものに係る地方団体の徴収金又は事業税の実質課税の原則〖法第72条の2の3〗の規定により課された事業税に係る地方団体の徴収金	イの道府県民税若しくは市町村民税の所得割、法人税又は事業税の賦課の基因となった収益が法律上帰属するとみられる者	ロに規定する収益が生じた財産(その財産の異動により取得した財産及びこれらの財産に基因して取得した財産(以下5及び6において「取得財産」という。)を含む。)
(二)	地方消費税の実質課税〖法第72条の79〗の規定により課された地方消費税の譲渡割(消費税法第2条第1項第8号に規定する貸付けに係る部分に限る。)に係る地方団体の徴収金	その地方消費税の譲渡割の賦課の基因となった当該貸付けを法律上行ったとみられる者	貸付けに係る財産(取得財産を含む。)
(三)	所得税法第157条《同族会社等の行為又は計算の否認》の規定による計算がなされた所得に基づいて課された道府県民税若しくは市町村民税の所得割に係る地方団体の徴収金若しくは個人の事業税に係る地方団体の徴収金、法人税法第132条《同族会社等の行為又は計算の否認》、第132条の2《組織再編成に係る行為又は計算の否認》若しくは第132条の3《連結法人に係る行為又は計算の否認》の規定による計算がなされた所得に基づいて課された道府県民税若しくは市町村民税の法人税割に係る地方団体の徴収金若しくは法人の事業税に係る地方団体の徴収金又は同族会社の行為又は計算の否認の規定《法第72条の43》により課された法人の事業税に係る地方団体の徴収金	イの規定により否認された納税者の行為(否認された計算の基礎となった行為を含む。)につき利益を受けたものとされる者	受けた利益の額
(四)	事業所税の実質課税の原則〖法第701条の33〗の規定により課された事業所税に係る地方団体の徴収金	イの事業所税の賦課の基因となった事業を法律上行うとみられる者	ロに規定する事業の用に供する財産(取得財産を含む。)

②　実質課税額等の第二次納税義務を負わせる地方税の計算

　滞納者の地方団体の徴収金のうちに、①の表のイに掲げる地方団体の徴収金(以下「**実質課税額等**」という。)が含まれている場合には、実質課税額等の額は、次に掲げる区分に応じ各号に掲げる算式により計算した額とする。(令4①)

(一)	道府県民税若しくは市町村民税の所得割、事業税又は事業所税に係る実質課税額等	滞納者の地方団体の徴収金の額 ×	当該滞納者の地方団体の徴収金の課税標準額から実質課税額等がないものとした場合の課税標準額を控除した額 / 当該滞納者の地方団体の徴収金の課税標準額
(二)	道府県民税又は市町村民税の法人税割に係る実質課税額等	滞納者の地方団体の徴収金の額 ×	当該滞納者の地方団体の徴収金の課税の基礎となった法人税に係る課税標準額から国税徴収法第36条《実質課税額等の第二次納税義務》各号に掲げる法人税の課税標準額がないものとした場合の課税標準額を控除した額 / 当該滞納者の法人税の課税標準額

(徴収金の一部について納付等があった場合)
注 ②において、滞納者の地方団体の徴収金の一部につき納付若しくは納入、充当又は免除があったときは、まず、その地方団体の徴収金の額のうち②に定める額以外の部分の額につき納付若しくは納入、充当又は免除があったものとする。(令4②)

6 共同的な事業者の第二次納税義務

次の各号に掲げる者が納税者又は特別徴収義務者の事業の遂行に欠くことができない重要な財産を有し、かつ、当該財産に関して生ずる所得が納税者又は特別徴収義務者の所得となっている場合において、その納税者又は特別徴収義務者がその供されている事業に係る地方団体の徴収金を滞納し、その地方団体の徴収金につき滞納処分をしてもなおその徴収すべき額に不足すると認められるときは、当該各号に掲げる者は、当該財産(取得財産を含む。)を限度として、当該滞納に係る地方団体の徴収金の第二次納税義務を負う。(法11の6)

(一)	納税者又は特別徴収義務者が個人である場合	その者と生計を一にする配偶者その他の親族で納税者又は特別徴収義務者の経営する事業から所得を受けているもの
(二)	納税者又は特別徴収義務者がその事実があった時の現況において同族会社である場合	その判定の基礎となった株主又は社員

(第二次納税義務に係る地方税の計算等についての準用)
注 5の②及び同注の規定は、6及び7に規定する事業に係る地方団体の徴収金について準用する。この場合において5の②の表の左欄の部分は、次のとおり読み替えるものとする。(令4③)

(一)	道府県民税又は市町村民税の法人税割に係る地方団体の徴収金以外の地方団体の徴収金
(二)	道府県民税又は市町村民税の法人税割に係る地方団体の徴収金

7 事業を譲り受けた特殊関係者の第二次納税義務

納税者又は特別徴収義務者が生計を一にする親族その他納税者又は特別徴収義務者と特殊の関係にある個人又は被支配会社(当該納税者を判定の基礎となる株主又は社員として選定した場合に法人税法第67条第2項に規定する会社に該当する会社をいい、これに類する法人を含む。)で次に掲げるものに事業を譲渡し、かつ、その譲受人が同一又は類似の事業を営んでいる場合において、納税者又は特別徴収義務者の当該事業に係る地方団体の徴収金につき滞納処分をしてもなおその徴収すべき額に不足すると認められるときは、その譲受人は、譲受財産の価額の限度において、当該滞納に係る地方団体の徴収金の第二次納税義務を負う。ただし、その譲渡が当該滞納に係る地方団体の徴収金の法定納期限より1年以上前にされている場合は、この限りでない。(法11の7、令5①)

(一)	納税者又は特別徴収義務者の配偶者その他の親族で、納税者若しくは特別徴収義務者と生計を一にし、又は納税者若しくは特別徴収義務者から受ける金銭その他の財産により生計を維持しているもの
(二)	(一)に掲げる者以外の納税者又は特別徴収義務者の使用人その他の個人で、納税者又は特別徴収義務者から受ける特別の金銭その他の財産により生計を維持しているもの
(三)	納税者又は特別徴収義務者に特別の金銭その他の財産を提供してその生計を維持させている個人((一)に掲げる者を除く。)及びその者と(一)又は(二)のいずれかに該当する関係がある個人
(四)	納税者又は特別徴収義務者が法人税法第67条第2項に規定する会社に該当する会社(以下「被支配会社」という。)である場合には、その判定の基礎となった株主又は社員である個人及びその者と(一)から(三)のいずれかに該当する関係がある個人
(五)	納税者又は特別徴収義務者を判定の基礎として被支配会社に該当する会社
(六)	納税者又は特別徴収義務者が被支配会社である場合において、その判定の基礎となった株主又は社員(これらの者と(一)から(三)までに該当する関係がある個人及びこれらの者を判定の基礎として被支配会社に該当する他の会社を含む。)の全部又は一部を判定の基礎として被支配会社に該当する他の会社

(親族その他の特殊関係者の判定の時期)
(1) 7の規定を適用する場合において、表の各号に掲げる者であるかどうかの判定は、納税者又は特別徴収義務者がその事業を譲渡した時の現況による。(令5②)

(第二次納税義務に係る地方税の計算等についての準用)
(2)……6の注参照

8 無償又は著しい低額の譲受人等の第二次納税義務

滞納者の地方団体の徴収金につき滞納処分をしてもなおその徴収すべき額に不足すると認められる場合において、その不足すると認められることが、当該地方団体の徴収金の法定納期限の1年前の日以後に滞納者がその財産につき行った政令で定める無償又は著しく低い額の対価による譲渡(担保の目的でする譲渡を除く。)、債務の免除その他第三者に利益を与える処分に基因すると認められるときは、これらの処分により権利を取得し、又は義務を免れた者は、これらの処分により受けた利益が現に存する限度(これらの者がその処分の時にその滞納者の親族その他滞納者と特殊の関係のある個人又は同族会社(これに類する法人を含む。)で(2)で定めるものであるときは、これらの処分により受けた利益の限度)において、当該滞納に係る地方団体の徴収金の第二次納税義務を負う。(法11の8)

(政令で定める無償又は著しい低額の譲渡等の範囲)
(1) 8に規定する政令で定める処分は、国及び法人税法第2条第5号《公共法人の定義》の公共法人以外の者に対する処分で無償又は著しく低い額の対価によるものとする。(令6①)

(滞納者の親族その他滞納者と特殊な関係のある個人又は同族会社で政令で定めるもの)
(2) 8に規定する滞納者の親族その他滞納者と特殊な関係のある個人又は同族会社で(2)で定めるものは、次に掲げる者とする。(令6②)
  (一) 滞納者の配偶者、直系血族及び兄弟姉妹
  (二) (一)に掲げる者以外の滞納者の親族で、滞納者と生計を一にし、又は滞納者から受ける金銭その他の財産により生計を維持しているもの
  (三) (一)及び(二)に掲げる者以外の滞納者の使用人その他の個人で、滞納者から受ける特別の金銭その他の財産により生計を維持しているもの
  (四) 滞納者に特別の金銭その他の財産を提供してその生計を維持させている個人((一)及び(二)に掲げる者を除く。)及びその者と(一)から(三)のいずれかに該当する関係がある個人
  (五) 滞納者が同族会社である場合には、その判定の基礎となった株主又は社員である個人及びその者と(一)から(四)のいずれかに該当する関係がある個人
  (六) 滞納者を判定の基礎として同族会社に該当する会社
  (七) 滞納者が同族会社である場合において、その判定の基礎となった株主又は社員(これらの者と(一)から(四)までに該当する関係がある個人及びこれらの者を判定の基礎として同族会社に該当する他の会社を含む。)の全部又は一部を判定の基礎として同族会社に該当する他の会社

9 偽りその他不正の行為により地方団体の徴収金を免れた株式会社の役員等の第二次納税義務

偽りその他不正の行為により地方団体の徴収金を免れ、又は地方団体の徴収金の還付を受けた株式会社、合資会社又は合同会社がその地方団体の徴収金を納付し、又は納入していない場合において、その株式会社、合資会社又は合同会社に対し滞納処分をしてもなおその徴収すべき額に不足すると認められるとき(合資会社にあっては、2の無限責任社員に対し滞納処分をしてもなおその徴収すべき額に不足すると認められる場合に限る。)は、その偽りその他不正の行為をしたその株式会社の役員又はその合資会社若しくは合同会社の業務を執行する有限責任社員(その役員又は有限責任社員を判定の基礎となる株主又は社員として選定した場合にその株式会社、合資会社又は合同会社が法人税法第67条第2項に規定する会社に該当する場合におけるその役員又は有限責任社員に限る。以下9において「特定役員等」という。)は、その偽りその他不正の行為により免れ、若しくは還付を受けた地方団体の徴収金の額又はその株式会社、合資会社若しくは合同会社の財産のうち、その偽りその他不正の行為があった時以後に、その特定役員等が移転を受けたもの及びその特定役員等が移転をしたもの(その株式会社、合資会社又は合同会社の取引の内容その他の事情を勘案して、当該取引の相手方との間で通常の取引の条件に従って行われたと認められるその株式会社、合資会社又は合同会社の各事業年度の収益に係る売上原価、販売費又は一般管理費の額の基因となる取引その他の注で定める取引として移転をしたものを除く。)の価額のい

ずれか低い額を限度として、当該滞納に係る地方団体の徴収金の第二次納税義務を負う。（法11の9）
 (注) 9を追加する令和6年度改正規定は、令和7年1月1日以後に偽りその他不正の行為により免れ、又は還付を受けた地方団体の徴収金について適用する。（令6改法附1二、2）

  （株式会社等の取引の範囲）
<u>注 9に規定する注で定める取引は、次に掲げる取引とする。（令6の2）</u>
<u> (一) 各事業年度の収益に係る売上原価、完成工事原価その他これらに準ずる原価の額の基因となる取引</u>
<u> (二) 各事業年度の販売費又は一般管理費の額の基因となる取引</u>
<u> (三) (一)及び(二)に掲げるもののほか、9の株式会社、合資会社又は合同会社の事業の状況その他の事情を勘案して、その事業を遂行するために通常必要と認められる取引</u>
  (注) 9中注を追加する令和6年度改正規定は、令和7年1月1日以後適用する。（令6改令附1一）

10 所有権留保付自動車等の売主の第二次納税義務

① 所有権留保付自動車等の売主の第二次納税義務
 所有権留保付自動車〚第二編第十章第一節の2〛又は所有権留保付軽自動車等〚第三編第五章第一節の2②〛（以下10において「**自動車等**」という。）の買主が当該自動車等に対して課する自動車税又は軽自動車税（以下10において「**自動車税等**」という。）に係る地方団体の徴収金を滞納した場合において、その者の財産につき滞納処分をしてもなおその徴収すべき額に不足すると認められるときは、当該自動車等の売主は、当該自動車等の引渡しと同時にその代金の全額の受渡しを行うものとした場合の価額を限度として、当該滞納に係る地方団体の徴収金の第二次納税義務を負う。（<u>法11の9①、令6の2</u>）
 (注) ①中____部分「法11の9①、令6の2」を「法11の10①、令6の2の2」に改める令和6年度改正規定は、令和7年1月1日以後適用する。（令6改法附1二、令6改令附1一）

  （第二次納税義務の告知についての留意事項）
（1） 売主に対する所有権留保付自動車等（①の自動車等をいう。以下10において同じ。）に係る第二次納税義務の告知は、当該自動車等について売主が所有権を留保している間に限り行うことができるものであること。（県通1－19(2)本文、市通1－19(2)）

  （賦払金等が完済されている所有権留保付自動車の第二次納税義務の免除）
（2） 所有権留保付自動車の売主が自動車の登録上所有者とされている場合であっても既に当該自動車に係る賦払金等が完済されているときは、売主に対し、当該自動車に係る第二次納税義務を課さないものとすることが適当であること。（県通1－19(2)なお書）

② 第二次納税義務の免除
 道府県又は市町村は、自動車等の所在及び買主の住所又は居所が不明である場合において、当該自動車等の売主が当該自動車等の売買に係る代金の全部又は一部を受け取ることができなくなったと認められるときは、当該受け取ることができなくなったと認められる額を限度として、当該自動車等の売主の①の規定による第二次納税義務に係る地方団体の徴収金の納付の義務を免除するものとする。（<u>法11の9②</u>）
 (注) ②中____部分「法11の9②」を「法11の10②」に改める令和6年度改正規定は、令和7年1月1日以後適用する。（令6改法附1二）

  （「受け取ることができなくなったと認められるとき」の意義）
（1） ②の「受け取ることができなくなったと認められるとき」とは、一般的には、当該受け取ることができなくなった賦払金について税務計算上損金又は必要経費として処理された場合をいうものであること。
  なお、売主からの申出により税務計算上損金又は必要経費として処理するまでに相当の日時を要すると認められる場合は、納付の催告書の発付を留保する等適切な措置を講ずることが適当であること。（県通1－19(4)、市通1－19(4)）

  （納付義務の免除の適用要件）
（2） ②の規定は、自動車等の売主から②の規定の適用があるべき旨の申告があり、当該申告が真実であると認められるときに限り、適用する。（<u>法11の9③</u>）

(注) (2)中＿＿部分「法11の9③」を「法11の10③」に改める令和6年度改正規定は、令和7年1月1日以後適用する。(令6改法附1二)

(納付義務の免除の申告に当たっての提出書類)
(3) 売主が(2)の規定により第二次納税義務に係る地方団体の徴収金の納付義務の免除の規定の適用があるべき旨の申告をするに当たっては、免除の事由に該当する事実等を記載した書面を提出させるとともに、これと併せて、次に掲げるような免除の認定に関し必要と認められる書類又はその写しを提出させることが適当であること。(県通1－19(5)、市通1－19(5))
(一) 当該自動車等に係る売買契約書
(二) 当該自動車等の所在についての調査記録等当該自動車等の所在が不明であることを証する書類
(三) 返戻された買主あて自動車等の代金払込催告書に係る配達証明郵便物等買主の住所又は居所が不明であることを証する書類
(四) 支払いを拒絶された手形及び貸倒損失に関する会計上の記録等自動車等の代金の全部又は一部を売主が受け取ることができないことを証する書類

四 人格のない社団等の納税義務

1 人格のない社団等

法人でない社団又は財団で代表者又は管理人の定があるもの（以下第一編において「**人格のない社団等**」という。）は、法人とみなして、地方税法の総則〚第一編〛中法人に関する規定をこれに適用する。(法12)

(人格のない社団等の納税義務)
(1) 法人でない社団又は財団で代表者又は管理人の定めがあり、かつ、収益事業又は法人課税信託（第二編第二章第一節二の1の表の(三)に規定する法人課税信託をいう。）の引受けを行うものに対しては、法人とみなして住民税、事業税及び事業所税を課する場合があるのであるが、この場合において次の各号のいずれか一に該当するときは代表者又は管理人の定めのあるものと認められるものであること。(県通1－20(1)、市通1－20(1))
(一) 法人でない社団又は財団の規約、規則等において代表者又は管理人を置くものとし、その規約、規則等に基づいて代表者又は管理人が定められているとき。
(二) 当該規約、規則等に基づかないものであっても法人でない社団又は財団の事業活動を代表する者又は管理する者が定められていると認められるとき。
(三) (一)及び(二)のいずれにも該当しないが、例えば、その経理の収支が法人でない社団又は財団の一定の者の名においてのみ行われ、又は一定の者が法人でない社団又は財団の行為として行ったものが通常その法人でない社団又は財団の行為として認められる等外部的にみてその社団又は財団を代表し又は管理する者があると認められるとき。

(組合契約等による事業に対する課税)
(2) 二以上の個人が組合契約等により共同して事業を経営する場合においても、代表者又は管理人の定があるときは、法人でない社団又は財団とすること。(県通1－20(2)、市通1－20(2))

2 人格のない社団等の納税義務の承継

法人が人格のない社団等の財産に属する権利義務を包括して承継する場合（一の3の規定の適用がある場合を除く。）には、その法人は、その人格のない社団等に課されるべき、又はその人格のない社団等が納付し、若しくは納入すべき地方団体の徴収金（その承継が権利義務の一部であるときは、その額にその承継の時における人格のない社団等の財産のうちにその法人が承継した財産の占める割合を乗じて計算して得た額の地方団体の徴収金）を納付し、又は納入する義務を負う。(法12の2①)

3 名義人の第二次納税義務

人格のない社団等が地方団体の徴収金を滞納した場合において、これに属する財産（第三者が名義人となっているため、当該第三者に法律上帰属するとみられる財産を除く。）につき滞納処分をしてもなおその徴収すべき額に不足すると認められるときは、当該第三者は、その法律上帰属するとみられる財産を限度として、当該滞納に係る地方団体の徴収金の第二次納税義務を負う。(法12の2②)

4　払戻し又は分配を受けた者の第二次納税義務

　滞納者である人格のない社団等の財産の払戻し又は分配をした場合（三の3の規定の適用がある場合を除く。）において、当該人格のない社団等（3に規定する第三者を含む。）につき滞納処分をしてもなお徴収すべき額に不足すると認められるときは、当該払戻し又は分配を受けた者は、その受けた財産の価額を限度として、当該滞納に係る地方団体の徴収金の第二次納税義務を負う。ただし、その払戻し又は分配が当該滞納に係る地方団体の徴収金の法定納期限より1年以上前にされている場合は、この限りでない。（法12の2③）

第三章　納税の告知等

一　納付又は納入の告知

　地方団体の長は、納税者又は特別徴収義務者から地方団体の徴収金（滞納処分費を除く。）を徴収しようとするときは、これらの者に対し、文書により納付又は納入の告知をしなければならない。この場合においては、当該文書には、この法律に特別の定がある場合のほか、その納付又は納入すべき金額、納付又は納入の期限及び納付又は納入の場所その他必要な事項を記載するものとする。（法13①）

　　　　（滞納処分費に係る納付の告知）
（１）　地方団体の徴収金（滞納処分費を除く。）が完納された場合において、滞納処分費につき滞納者の財産を差押さえようとするときは、地方団体の長は、（２）で定めるところにより、滞納者に対し、納付の告知をしなければならない。（法13②）

　　　　（滞納処分費の納付の告知の手続）
（２）　（１）の規定による納付の告知は、次に掲げる事項を記載した文書でしなければならない。ただし、滞納処分費につき直ちに滞納処分をしなければならないときは、徴税吏員に口頭で行わせることができる。（令６の２の２）
　（一）　滞納処分費の徴収の基因となった地方団体の徴収金の年度及び税目
　（二）　納付すべき金額
　（三）　納期限
　（四）　納付場所
　（注）　（２）中＿＿＿部分「令６の２の２」を「令６の２の３」に改める令和６年度改正規定は、令和７年１月１日以後適用する。（令６改令附１一）

　　　　（金融機関の指定）
（３）　道府県税又は市町村税は、会計管理者若しくは出納職員又は指定金融機関、指定代理金融機関若しくは収納代理金融機関（個人の市町村民税の特別徴収義務者が他の市町村の金融機関に納入する場合〚法第321条の５第４項〛（退職所得の特別徴収税額の申告納入〚法第328条の５第３項〛において準用する場合を含む。）の納入金にあっては、その金融機関を含む。以下同じ。）に納付又は納入するのであるが、道府県税又は市町村は、道府県税又は市町村税を納付又は納入する者の便宜を図るため、指定代理金融機関又は収納代理金融機関をできるだけ多く指定するよう配慮すること。（県通１－７、市通１－７）

　　　　（口座振替による納付又は納入）
（４）　申告納付又は申告納入に係る道府県税又は市町村税が、口座振替の方法により一定の日までに納付され又は納入された場合には、その納付又は納入が納期限後である場合においても、納期限においてされたものとみなして、延滞金に関する規定を適用するものとされているものであること。（県通１－８、市通１－８）

二　繰上徴収

１　繰上徴収

　地方団体の長は、次の各号のいずれかに該当するときは、既に納付又は納入の義務の確定した地方団体の徴収金（（三）に該当する場合においては、その納付し、又は納入する義務が信託財産責任負担債務であるものを除く。）でその納期限においてその全額を徴収することができないと認められるものに限り、その納期限前においても、その繰上徴収をすることができる。（法13の２①）

(一)	納税者又は特別徴収義務者の財産につき滞納処分（その例による処分を含む。）、強制執行、担保権の実行としての競売、企業担保権の実行手続又は破産手続（以下「**強制換価手続**」という。）が開始されたとき（仮登記担保契約に関する法律第2条第1項（同法第20条において準用する場合を含む。）の規定による通知がされたときを含む。）。
(二)	納税者又は特別徴収義務者につき相続があった場合において、相続人が限定承認をしたとき。
(三)	法人である納税者又は特別徴収義務者が解散したとき。
(四)	その納付し、又は納入する義務が信託財産責任負担債務である地方団体の徴収金に係る信託が終了したとき（信託法第163条第5号に掲げる事由によって終了したときを除く。）。
(五)	納税者又は特別徴収義務者が納税管理人を定めないで当該地方団体の区域内に住所、居所、事務所又は事業所を有しないこととなるとき（納税管理人を定めることを要しない場合を除く。）。
(六)	納税者又は特別徴収義務者が不正に地方団体の徴収金の賦課徴収を免れ、若しくは免れようとし、又は地方団体の徴収金の還付を受け、若しくは受けようとしたと認められたとき。

　　　　（納付又は納入の義務の確定した地方団体の徴収金）
（1）　1に規定する既に納付又は納入の義務の確定した地方団体の徴収金とは、次に掲げるものとする。（法13の2②）
　　（一）　納付又は納入の告知（第二次納税義務者に対する告知〘第二章三の1①〙（これを準用する場合を含む。）の規定による告知を含む。）をした地方団体の徴収金
　　（二）　申告又は更正若しくは決定の通知があった申告納付に係る地方税
　　（三）　特別徴収義務者が徴収した個人の市町村民税（これと併せて課する個人の道府県民税を含む。）
　　（四）　課税すべき売渡し又は消費その他の処分があった道府県たばこ税及び市町村たばこ税
　　（五）　課税すべき行為又は事実があった特別徴収の方法によって徴収される道府県税及び市町村税

　　　　（留意事項）
（2）　繰上徴収とは、既に納付又は納入の義務の確定している者について、その租税債権の納期限の到来を待っては徴収すべき地方団体の徴収金の全額を徴収することができないと認められる特定の事情が生じた場合には、直ちに地方団体の徴収金を徴収することをいうものであること。
　　なお、上の納付又は納入の義務の確定している地方団体の徴収金とは、次に掲げるものであること。（県通1－22、市通1－22）
　　（一）　納付又は納入の告知をした地方団体の徴収金
　　（二）　申告又は更正若しくは決定の通知があった申告納付に係る地方税
　　（三）　特別徴収義務者が徴収した個人の住民税
　　（四）　課税すべき売渡し又は消費その他の処分があった道府県たばこ税及び市町村たばこ税
　　（五）　課税すべき行為又は事実があった特別徴収の方法によって徴収される地方税

2　繰上徴収の告知

　地方団体の長は、1の規定により繰上徴収をしようとするときは、その旨を納税者又は特別徴収義務者に告知しなければならない。この場合において、既に納付又は納入の告知をしているときは、納期限の変更を告知しなければならない。（法13の2③）

　　　　（繰上徴収の告知の手続）
　注　2の規定による告知は、1の規定により繰上徴収をする旨を一の文書に記載してしなければならない。ただし、既に納付又は納入の告知をしている場合及び納付又は納入の告知をすることを要しない場合には、納期限を変更する旨を記載した文書でしなければならない。（令6の2の3）
　　　（注）　注中＿＿部分「令6の2の3」を「令6の2の4」に改める令和6年度改正規定は、令和7年1月1日以後適用する。（令6改令附1一）

三　強制換価の場合の道府県たばこ税等の徴収

1　強制換価の場合の道府県たばこ税等の優先徴収

　地方団体の長は、道府県たばこ税若しくは市町村たばこ税が課される製造たばこ又は軽油引取税が課される軽油が、強

制換価手続により換価された場合において、当該製造たばこ又は軽油につき道府県たばこ税若しくは市町村たばこ税又は軽油引取税の納税義務が成立するときは、その売却代金のうちから当該道府県たばこ税若しくは市町村たばこ税又は軽油引取税を徴収することができる。(法13の3①)

　　　(留意事項)
　注　道府県たばこ税(市町村たばこ税)等の課税対象となる製造たばこ等について強制換価手続により換価される場合においては、新たな課税原因が発生することとなり、またこの場合の道府県たばこ税額(市町村たばこ税額)等は売買価格の一部を構成しているところから、このような場合には、その道府県たばこ税額(市町村たばこ税額)等をその強制換価を行った執行機関等から直接徴収することができる途が開かれているものであること。この場合において、その道府県たばこ税額(市町村たばこ税額)等は、他のすべての地方団体の徴収金、国税及びその他の債権に優先して徴収するものであること。(県通1-22本文、市通1-22本文)

2　徴収の通知

　地方団体の長は、1の規定により道府県たばこ税若しくは市町村たばこ税又は軽油引取税を徴収しようとするときは、あらかじめ、執行機関(滞納処分を執行する行政機関その他の者(以下第一編において「**行政機関等**」という。)、裁判所(民事執行法第167条の2第2項に規定する少額訴訟債権執行にあっては、裁判所書記官)、執行官及び破産管財人をいう。以下同じ。)及び特別徴収義務者又は納税者に対し、1の規定により徴収すべき税額その他必要な事項を通知しなければならない。(法13の3②)

　　　(執行機関に対する通知の記載事項)
(1)　2の規定による執行機関(2に規定する執行機関をいう。以下同じ。)に対する通知は、次に掲げる事項を記載した文書でしなければならない。(令6の3①)
　(一)　特別徴収義務者又は納税者の氏名及び住所又は居所
　(二)　強制換価手続が行われている道府県たばこ税若しくは市町村たばこ税又は軽油引取税の課される製造たばこ又は軽油の名称、数量、性質及び所在並びにその手続が滞納処分以外の手続であるときは、その手続に係る事件の表示
　(三)　(二)の製造たばこ又は軽油につき徴収すべき道府県たばこ税若しくは市町村たばこ税又は軽油引取税の金額

　　　(特別徴収義務者等に対する通知の記載事項)
(2)　2の規定による特別徴収義務者又は納税者に対する通知は、次に掲げる事項を記載した文書でしなければならない。(令6の3②)
　(一)　執行機関の名称
　(二)　(1)の(二)及び(三)に掲げる事項

　　　(換価がされた場合の徴収の通知の効力)
(3)　1の換価がされたときは、執行機関に対する2の通知は交付要求として、特別徴収義務者又は納税者に対する2の通知は納入又は納付の告知としてそれぞれされたものとみなす。(法13の3③)

3　法定外普通税又は法定外目的税における準用

　1及び2の規定は、道府県法定外普通税若しくは市町村法定外普通税又は法定外目的税のうちその課税客体が売渡し又は引取りに係る物件等道府県たばこ税若しくは市町村たばこ税又は軽油引取税の課税客体に類するもので総務大臣が指定するものについて準用する。(法13の3④、令6の3③)

　　　(留意事項)
　注　法定外普通税又は法定外目的税のうち、その課税客体が、売渡し又は引取りに係る物件等道府県たばこ税(市町村たばこ税)等に類するもので、三を適用しようとするときは、あらかじめ総務大臣に申請してその指定を受けることを要するものであること。(県通1-23なお書、市通1-23なお書)

四　指定納付受託者等が委託を受けた場合の徴収の特例

1　指定納付受託者等が委託を受けた場合の徴収の特例

　地方自治法第231条の2の3第1項に規定する指定納付受託者又は第十一章四の2に規定する機構指定納付受託者(以下四において「指定納付受託者等」という。)が同法第231条の2の2の規定又は第十一章四の1の規定による委託を受けた場合において、当該指定納付受託者等が同法第231条の2の5第1項の規定又は第十一章四の6の規定により納付し、又は納入すべき地方団体の徴収金をこれらの規定に規定する指定する日までに完納しないときは、地方団体の長は、地方団体の徴収金の保証人に関する徴収の例により.その地方団体の徴収金を当該指定納付受託者等から徴収するものとする。(法13の4①)

2　地方団体の徴収金に係る納税者又は特別徴収義務者からの徴収

　地方団体の長は、地方自治法第231条の2の5第1項の規定又は第十一章四の6の規定により指定納付受託者等が納付し、又は納入すべき地方団体の徴収金については、当該指定納付受託者等に対して滞納処分をしてもなお徴収すべき残余がある場合でなければ、その残余の額について当該地方団体の徴収金に係る納税者又は特別徴収義務者から徴収することができない。(法13の4②)

第四章　地方税と他の債権との調整

一　一般的優先の原則

1　地方税優先の原則

　地方団体の徴収金は、納税者又は特別徴収義務者の総財産について、本章に別段の定がある場合を除き、すべての公課（滞納処分の例により徴収することができる債権に限り、かつ、地方団体の徴収金並びに国税及びその滞納処分費（以下「**国税**」という。）を除く。以下同じ。）その他の債権に先だって徴収する。（法14）

　　　（留意事項）
　　注　地方団体の徴収金の徴収順位は、国税と全く同順位であり、国税及び地方団体の徴収金以外の他の一切の公課及び債権に対して優先するものであること。ただし、近代担保制度における公示の原則を尊重する趣旨から、地方団体の徴収金と担保付債権との優先劣後を決定する時期を原則として法定納期限とするとともに、質権、抵当権のほかに私法が担保制度として認めている先取特権又は留置権についてもそれに応じた優先権を認めている反面、担保的作用を営む仮登記及び譲渡担保についてはそれに応じた効力の制限が附されていることに留意すること。（県通1－24、市通1－24）

2　共益費用の優先

①　強制換価手続の費用の優先

　納税者又は特別徴収義務者の財産につき強制換価手続が行われた場合において、地方団体の徴収金の交付要求をしたときは、その地方団体の徴収金は、その手続により配当すべき金銭（以下「**換価代金**」という。）につき、当該強制換価手続に係る費用に次いで徴収する。（法14の2）

②　直接の滞納処分費の優先

　納税者又は特別徴収義務者の財産を地方団体の徴収金の滞納処分により換価したときは、その滞納処分に係る滞納処分費（督促手数料を含む。4の注及び**五**において同じ。）は、3、二の3、三の1から3まで及び5から7まで若しくは**四**の1の規定にかかわらず、その換価代金につき、他の地方団体の徴収金、国税その他の債権に先立って徴収する。（法14の3）

　　　（留意事項）
　　注　強制換価手続の費用及び直接の滞納処分費（督促手数料を含む。）は、共益費用優先の原則に従い、優先権が与えられているものであること。（県通1－25、市通1－25）

3　強制換価の場合の道府県たばこ税等の優先

　強制換価の場合の道府県たばこ税等の徴収『第三章三』の規定により徴収する地方団体の徴収金は、二の1から3まで及び三の1から3まで及び5から7までの規定にかかわらず、その徴収の基因となった売渡し又は引取り等に係る物件の換価代金につき、他の地方団体の徴収金、国税その他の債権に先立って徴収する。（法14の4）

4　地方団体の徴収金のうちの優先順位

　地方団体の徴収金を滞納処分により徴収する場合において、当該地方団体の徴収金に配当された金銭を地方税及び当該地方税の延滞金、過少申告加算金、不申告加算金又は重加算金に充てるべきときは、その金銭は、まず地方税に充てるものとする。（法14の5①）

　　　（滞納処分費の優先配当等）
　　注　滞納処分費については、その徴収の基因となった地方団体の徴収金に先立って配当し、又は充当する。（法14の5②）

二　地方税の優先

1　差押先着手による地方税の優先

①　差押えに係る地方団体の徴収金の優先
　納税者又は特別徴収義務者の財産につき地方団体の徴収金の滞納処分による差押えをした場合において、他の地方団体の徴収金又は国税の交付要求があったときは、当該差押えに係る地方団体の徴収金は、その換価代金につき、当該交付要求に係る地方団体の徴収金又は国税に先だって徴収する。（法14の6①）

②　交付要求に係る地方団体の徴収金の劣後
　納税者又は特別徴収義務者の財産につき他の地方団体の徴収金又は国税の滞納処分による差押えがあった場合において、地方団体の徴収金の交付要求をしたときは、当該交付要求に係る地方団体の徴収金は、その換価代金につき、当該差押えに係る地方団体の徴収金又は国税（一の2の①の規定の適用を受ける費用を除く。）に次いで徴収する。（法14の6②）

2　交付要求先着手による地方税の優先
　納税者又は特別徴収義務者の財産につき強制換価手続（破産手続を除く。）が行われた場合において、地方団体の徴収金及び国税の交付要求があったときは、その換価代金につき、先にされた交付要求に係る地方団体の徴収金は、後にされた交付要求に係る地方団体の徴収金又は国税に先だって徴収し、後にされた交付要求に係る地方団体の徴収金は、先にされた交付要求に係る地方団体の徴収金又は国税に次いで徴収する。（法14の7）

3　担保を徴した地方税の優先
　地方団体の徴収金につき徴した担保財産があるときは、1及び2の規定にかかわらず、当該地方団体の徴収金は、その換価代金につき、他の地方団体の徴収金及び国税に先だって徴収する。（法14の8）

三　地方税と被担保債権との調整

1　法定納期限等以前に設定された質権の優先

①　法定納期限等以前に設定された質権の優先
　納税者又は特別徴収義務者がその財産上に質権を設定している場合において、その質権が地方団体の徴収金の法定納期限等（次の各号に掲げる地方税については、それぞれ当該各号に定める日とし、当該地方税に係る督促手数料、延滞金、過少申告加算金、不申告加算金、重加算金及び滞納処分費については、その徴収の基因となった地方税に係る当該各号に定める日とし、その他の地方税に係る地方団体の徴収金については、法定納期限とする。以下同じ。）以前に設定されているものであるときは、その地方団体の徴収金は、その換価代金につき、その質権により担保される債権に次いで徴収する。（法14の9①）

(一)	法定納期限後にその納付し、又は納入すべき税額が確定した地方税	その納付又は納入の告知書を発した日（申告により税額が確定されたものについては、その申告があった日）
(二)	法定納期限前に繰上徴収に係る告知がされた地方税	その告知により指定された納期限
(三)	随時に課する地方税	その納付の告知書を発した日
(四)	四の2の①の（1）又は保全差押金額の通知〚第五章第二節四の1（1）〛（国税において差押えがされた場合の準用の規定〚第五章第二節四の3〛において準用する場合を含む。）の規定により告知し、又は通知した金額の地方税	これらの規定による告知書又は通知書を発した日
(五)	相続人の固有の財産から徴収する被相続人の地方税及び相続財産から徴収する相続人の固有の地方税（相続があった日前にその納付し、又は納入すべき税額が確定したものに限る。）	その相続があった日
(六)	被合併法人に属していた財産から徴収する合併後存続する法人又は当該合併に係る他の被合併法人の固有の地方税及び合併後存続する法人の固有の財産から徴収する被合併法人の地方税（合併のあった日前にその納付し、又は納入すべき税額が確定したものに限る。）	その合併のあった日

(七)	分割を無効とする判決の確定により当該分割をした法人（以下「分割法人」という。）に属することとなった財産から徴収する分割法人の固有の地方税及び分割法人の固有の財産から徴収する分割法人の第二章二の3に規定する連帯して納付し、又は納入する義務に係る地方税（当該判決が確定した日前にその納付し、又は納入すべき税額が確定したものに限る。）	当該判決が確定した日
(八)	分割承継法人〖第二章二の3参照〗の当該分割をした法人から承継した財産（以下(八)において「承継財産」という。）から徴収する分割承継法人の固有の地方税、分割承継法人の固有の財産から徴収する分割承継法人の第二章二の3《法人の分割に係る連帯納税の責任》に規定する連帯して納付し、又は納入する責任（以下(八)において「連帯納税責任」という。）に係る地方税及び分割承継法人の承継財産から徴収する分割承継法人の連帯納税責任に係る当該分割に係る他の分割をした法人の地方税（分割のあった日前にその納付し、又は納入すべき税額が確定したものに限る。）	その分割のあった日
(九)	第二次納税義務者又は保証人として納付し、又は納入すべき地方税	第二次納税義務者に対する告知〖第二章三の1の①〗（これを準用する場合を含む。）の納付又は納入の通知書を発した日

　　　　（質権の設定の事実の証明）
（１）　①の規定は、登記（登録及び電子記録債権法第２条第１項に規定する電子記録を含む。以下同じ。）をすることができる質権以外の質権については、その質権者が、強制換価手続において、その執行機関に対し、その設定の事実を証明した場合に限り適用する。この場合において、有価証券を目的とする質権以外の質権については、その証明は、次の各号に掲げる書類によってしなければならない。（法14の9③）
　　（一）　公正証書
　　（二）　登記所又は公証人役場において日付のある印章が押されている私署証書
　　（三）　郵便法第48条第1項《内容証明》の規定により内容証明を受けた証書
　　（四）　民法施行法第７条第１項において準用する公証人法第62条ノ７第４項の規定により交付を受けた書面

　　　　（優先質権等の証明手続）
（２）　滞納処分における（１）前段、3の（１）前段又は7の（１）の規定による証明は、これらの規定に規定する事実を証する文書又はその事実を証するに足りる事項を記載した文書を地方団体の長に提出することによってしなければならない。（令6の4①）

　　　　（有価証券を目的とする質権以外の質権の設定の事実の証明手続）
（３）　滞納処分における（１）後段（3の（１）後段において準用する場合を含む。）の規定による証明は、地方団体の長に対し、（１）各号に掲げる書類を提出すること又はこれを呈示するとともにその写を提出することによってしなければならない。（令6の4②）

　　　　（証明の期限）
（４）　滞納処分における（２）及び（３）の証明は、売却決定の日の前日（金銭による取立の方法により換価する場合には、配当計算書の作成の日の前日）までにしなければならない。（令6の4③）

　　　　（設定の事実が証明された質権の設定の日）
（５）　（１）各号の規定により証明された質権は、①の規定の適用については、民法施行法第５条《確定日付のある証書》の規定により確定日付があるものとされた日に設定されたものとみなす。（法14の9④）

　　　　（質権の設定の証明をしなかった者の優先権の排除）
（６）　①の質権を有する者は、（１）の証明をしなかったため地方団体の徴収金におくれる金額の範囲内においては、①の規定により地方団体の徴収金に優先する後順位の質権者に対して優先権を行うことができない。（法14の9⑤）

　　　　（留意事項）
（７）　質権又は抵当権の証明は、登記又は登録されている質権及び抵当権については、登記簿等により設定の事実が確認できるから、この証明は要しないものであること。また、登記又は登録制度のない質権については、取引慣行を尊重して証明手続の簡素化を図るため、公正証書のほか、登記所若しくは公証人役場において日付のある印章が押され

ている私署証書、又は内容証明郵便によることもできるとともに、有価証券を目的とする質権については、その設定の事実の証明で足りるものであること。なお、質権者は、適法に証明しなかったため地方団体の徴収金に劣後する金額の範囲内においては、地方団体の徴収金に優先する後順位の質権者に対して優先権を行使することができないものであること。（県通1－29、市通1－29）

② 住民税、事業税等に係る法定納期限等の特例
　次の各号に掲げる地方税について①、2、6、8、四の1の①、同2の①の(11)及び五の表の(二)の規定を適用する場合には、当該地方税に係る法定納期限等は、それぞれ当該各号に定める期限又は日とし、当該地方税に係る督促手数料、延滞金、過少申告加算金、不申告加算金、重加算金及び滞納処分費については、その徴収の基因となった地方税に係る当該各号に定める期限又は日とする。（法14の9②）

(一)	法人税の課税に基づいて課する道府県民税又は市町村民税の法人税割（これらと併せて課する均等割を含む。）　　当該法人税の国税徴収法第15条第1項《法定納期限等以前に設定された質権の優先》に規定する法定納期限等	
(二)	法人税の課税標準を基準として課する事業税の所得割（これと併せて課する付加価値割及び資本割又は収入割を含む。）　　当該法人税の国税徴収法第15条第1項に規定する法定納期限等	
(三)	所得税の課税標準を基準として課する事業税　　当該所得税の国税徴収法第15条第1項に規定する法定納期限等	
(四)	消費税の課税に基づいて課する地方消費税　　当該消費税の国税徴収法第15条第1項に規定する法定納期限等	
(五)	個人の市町村民税（これと併せて課する個人の道府県民税を含む。以下(五)において同じ。）　　次に掲げる個人の市町村民税の区分に応じそれぞれ次に定める期限又は日	
	イ	所得税の課税標準を基準として課する普通徴収の方法によって徴収する個人の市町村民税（これと併せて課する均等割を含む。）　　当該所得税の国税徴収法第15条第1項に規定する法定納期限等
	ロ	給与所得者に対する特別徴収〚第三編第一章第七節四の1〛の規定により特別徴収の方法によって徴収する個人の市町村民税　　納税義務者に対する通知〚同2②〛に規定する期限（当該期限後にされた通知に係る特別徴収税額については、当該通知があった日）
	ハ	公的年金等に係る所得に係る特別徴収〚第三編第一章第七節五の1①②〛並びに年金所得に係る仮特別徴収税額等〚同7〛の規定により特別徴収の方法によって徴収する個人の市町村民税　　年金所得に係る特別徴収税額の通知等〚同4〛（特別徴収に係る規定の適用〚同7(2)〛において準用する場合を含む。）に規定する年金保険者に対する通知の期限
(六)	国民健康保険税の特別徴収対象被保険者に対する特別徴収〚第三編第七章十の2②③〛、既に特別徴収対象被保険者であった者に係る仮徴収〚同十の5⑦(1)〛及び新たに特別徴収対象被保険者となった者に係る仮徴収〚同5⑧〛の規定により特別徴収の方法によって徴収する国民健康保険税　　特別徴収税額の通知等〚同5③〛（特別徴収の手続規定の準用の規定〚同5⑥、⑦(2)、⑧(2)〛において準用する場合を含む。）に規定する年金保険者に対する通知の期限	

（留意事項）
注　納税者又は特別徴収義務者がその財産上に質権又は抵当権を設定している場合において、その質権又は抵当権が地方団体の徴収金の法定納期限等以前に設定されているものであるときは、その地方団体の徴収金は、その換価代金につき、その質権又は抵当権により担保される債権に次いで徴収するものであること。
　この場合において、法定納期限等とは、納税者又は特別徴収義務者の財産上に質権又は抵当権を設定しようとする第三者がその地方団体の徴収金の存在を認識することができる時期を定めたものであって、原則として法定納期限をいうものであるが、期限後申告、更正及び決定等に係る地方団体の徴収金又は国税の所得税及び法人税の課税に基づいて課税される住民税及び事業税に係る地方団体の徴収金については、次のような特例が規定されていることに留意すること。（県通1－28、市通1－28）
　(一)　法定納期限後にその納付し、又は納入すべき税額が確定した地方税その他法定納期限において地方団体の徴収金の存在が明らかでないものについては、これが明らかになる日
　(二)　国税の所得税又は法人税の課税に基づいて課税される住民税及び事業税については、所得税又は法人税の存在が明らかになる日において同時に明らかとなるから、その住民税及び事業税については、国税徴収法第15条第1項

第一編第四章《地方税と他の債権との調整》

《法定納期限等以前に設定された質権の優先》に定められている所得税又は法人税の法定納期限等

2 法定納期限等以前に設定された抵当権の優先

納税者又は特別徴収義務者が地方団体の徴収金の法定納期限等以前にその財産上に抵当権を設定しているときは、その地方団体の徴収金は、その換価代金につき、その抵当権により担保される債権に次いで徴収する。(法14の10)

(注) 留意事項については、1の①の(7)及び②の注を参照。(編者)

3 譲受け前に設定された質権又は抵当権の優先

納税者又は特別徴収義務者が質権又は抵当権の設定されている財産を譲り受けたときは、地方団体の徴収金は、その換価代金につき、その質権又は抵当権により担保される債権に次いで徴収する。(法14の11①)

(譲受け前に質権が設定された事実の証明手続)

(1) 3の規定は、登記をすることができる質権以外の質権については、その質権者が、強制換価手続において、その執行機関に対し、3の譲受け前にその質権が設定されている事実を証明した場合に限り適用する。この場合においては、1の①の(1)後段及び同(5)の規定を準用する。(法14の11②)

(注) (1)の証明手続については、1の①の(2)から(4)までに規定されていることに留意。(編者)

(留意事項)

(2) 納税者又は特別徴収義務者が質権又は抵当権の設定されている財産を譲り受けたときは、その財産の譲受人である納税者又は特別徴収義務者の地方団体の徴収金は、その換価代金につき、その質権又は抵当権により担保される債権に次いで徴収するものであること。(県通1－30(1)、市通1－30(1))

4 質権及び抵当権の優先額の限度等

① 優先額の限度等

1から3までの規定に基づき地方団体の徴収金に先だつ質権又は抵当権により担保される債権の元本の金額は、その質権者又は抵当権者がその地方団体の徴収金に係る差押え又は交付要求の通知を受けた時における債権額を限度とする。ただし、その地方団体の徴収金に優先する他の債権を有する者の権利を害することとなるときは、この限りでない。(法14の12①)

(根質等の優先額の限度)

注 根質又は根抵当が地方団体の徴収金の法定納期限等以前に設定されている場合においては、私法上の制度によれば換価時における債権額の全額がその地方団体の徴収金に優先するのであるが、一般の質権又は抵当権との調整を図る趣旨からその優先する範囲は原則として、滞納処分による差押え又は交付要求の通知を受けた時における債権額を限度とするものであること。(県通1－31前段、市通1－31前段)

② 債権額等の増加登記があった場合の取扱い

質権又は抵当権により担保される債権額又は極度額を増加する登記がされた場合には、その登記がされた時において、その増加した債権額又は極度額につき新たに質権又は抵当権が設定されたものとみなして、1から3までの規定を適用する。(法14の12②)

(留意事項)

注 根質金又は根抵当の極度金額を増額した場合には、その増額分の根質又は根抵当権は、地方団体の徴収金との関係においては、増額の登記がされた時において新たに設定したものとみなして、その優先順位を定めるものであること。(県通1－31後段、市通1－31後段)

5 不動産保存の先取特権等の優先

次に掲げる先取特権が納税者又は特別徴収義務者の財産上にあるときは、地方団体の徴収金は、その換価代金につき、その先取特権により担保される債権に次いで徴収する。(法14の13①)

(一)	不動産保存の先取特権
(二)	不動産工事の先取特権
(三)	立木の先取特権に関する法律第1項《立木の先取特権》の先取特権
(四)	商法第802条《救助者の先取特権》若しくは第842条《船舶債権者の先取特権》の先取特権 船舶の所有者等の責任の制限に関する法律第95条第1項《船舶先取特権》の先取特権 船舶油濁等損害賠償保障法第55条第1項《船舶先取特権》の先取特権
(五)	地方団体の徴収金に優先する債権のため又は地方団体の徴収金のために動産を保存した者の先取特権

(不動産工事の先取特権に関する増価額の評価等)
（1） 5の表の(二)に掲げる先取特権がある財産を滞納処分により換価するときは、当該先取特権に係る工事によって生じた不動産の増価額は、地方団体の長が評価するものとする。この場合において、地方団体の長は、必要があると認めるときは、鑑定人にその評価を委託し、その評価額を参考とすることができる。（令6の5①）

(優先規定の適用要件)
（2） 5の表の(三)から(五)までの規定（同表の(三)に掲げる先取特権で登記をしたものに係る部分を除く。）は、その先取特権者が、強制換価手続において、その執行機関に対し、その先取特権がある事実を証明した場合に限り適用する。（法14の13②）

(先取特権がある事実の証明手続)
（3） 1の①の(2)及び同(4)の規定は、(2)（6の(1)において準用する場合を含む。）の規定による証明について準用する。（令6の5②）

(留意事項)
（4） 先取特権のうち、不動産保存の先取特権及び不動産工事の先取特権等財産の価値保存又は増価等を行ったものの先取特権が納税者又は特別徴収義務者の財産上にあるときはその成立時期にかかわらずその地方団体の徴収金は、その換価代金につき、その先取特権により担保される債権に次いで徴収するものであること。（県通1－32本文、市通1－32本文）

6　法定納期限等以前にある不動産賃貸の先取特権等の優先

　次に掲げる先取特権が納税者又は特別徴収義務者の財産上に地方団体の徴収金の法定納期限等以前からあるとき、又は納税者若しくは特別徴収義務者がその先取特権のある財産を譲り受けたときは、その地方団体の徴収金は、その換価代金につき、その先取特権により担保される債権に次いで徴収する。（法14の14①）

(一)	不動産賃貸の先取特権その他質権と同一の順位又はこれらに優先する順位の動産に関する特別の先取特権（5の表の(三)から(五)までに掲げる先取特権を除く。）
(二)	不動産売買の先取特権
(三)	借地借家法第12条《借地権設定者の先取特権》又は接収不動産に関する借地借家臨時処理法第7条《賃貸人及び譲渡人の先取特権》に規定する先取特権
(四)	登記をした一般の先取特権

(優先規定の適用要件)
（1） 5の(2)の規定は、6の表の(一)に掲げる先取特権について準用する。（法14の14②）
　（注）　法定納期限等の特例については1の②に、先取特権がある事実の証明手続については5の(3)に規定があることに留意。（編者）

(留意事項)
（2） 不動産賃貸の先取特権その他質権と同一又はこれに優先する権利を有する動産に関する特別の先取特権、不動産売買の先取特権及び登記された一般の先取特権等により担保される債権については、質権又は抵当権により担保され

る債権に準じて（1の②の注参照）地方団体の徴収金との優先順位が定められているものであること。（県通1－32なお書、市通1－32なお書）

7　留置権の優先

留置権が納税者又は特別徴収義務者の財産上にある場合において、その財産を滞納処分により換価したときは、その地方団体の徴収金は、その換価代金につき、その留置権により担保されていた債権に次いで徴収する。この場合において、その債権は、質権、抵当権、先取特権又は四の1の①に規定する担保のための仮登記により担保される債権に先立って配当するものとする。（法14の15①）

　　　（優先規定の適用要件）
（1）　7の規定は、その留置権者が、滞納処分の手続において、その行政機関等に対し、その留置権がある事実を証明した場合に限り適用する。（法14の15②）
　　（注）　優先留置権の証明手続については、1の①の(2)及び(4)に規定されていることに留意。（編者）

　　　（留意事項）
（2）　留置権が納税者又は特別徴収義務者の財産上にある場合において、その財産を滞納処分により換価したときは、その成立の時期にかかわらずその地方団体の徴収金は、その換価代金につき、その留置権により担保されていた債権に次いで徴収するものであること。（県通1－33、市通1－33）

8　担保権付財産が譲渡された場合の地方税の徴収

納税者又は特別徴収義務者が他に地方団体の徴収金に充てるべき十分な財産がない場合において、その者がその地方団体の徴収金の法定納期限等後に登記した質権又は抵当権を設定した財産を譲渡したときは、納税者又は特別徴収義務者の財産につき滞納処分をしてもなおその地方団体の徴収金に不足すると認められるときに限り、その地方団体の徴収金は、その質権者又は抵当権者から、これらの者がその譲渡に係る財産の強制換価手続においてその質権又は抵当権によって担保される債権につき配当を受けるべき金額のうちから徴収することができる。（法14の16①）
（注）　法定納期限等の特例については、1の②に規定があることに留意。（編者）

　　　（徴収限度額）
（1）　8の規定により徴収することができる金額は、（一）に掲げる金額から（二）に掲げる金額を控除した額を超えることができない。（法14の16②）
　（一）　8の譲渡に係る財産の換価代金から8に規定する債権が配当を受けるべき金額
　（二）　（一）の財産を納税者又は特別徴収義務者の財産とみなし、その財産の換価代金につき8の地方団体の徴収金の交付要求があったものとした場合に8の債権が配当を受けるべき金額

　　　（地方団体の質権等の代位権）
（2）　地方団体の長は、8の規定により地方団体の徴収金を徴収するため、8の質権者又は抵当権者に代位してその質権又は抵当権を実行することができる。（法14の16③）

　　　（質権者等に対する徴収の通知）
（3）　地方団体の長は、8の規定により地方団体の徴収金を徴収しようとするときは、その旨を質権者又は抵当権者に通知しなければならない。（法14の16④）

　　　（徴収の通知の手続）
（4）　（3）の規定による通知は、次に掲げる事項を記載した文書でしなければならない。（令6の6①）
　（一）　納税者又は特別徴収義務者の氏名及び住所又は居所
　（二）　滞納に係る地方団体の徴収金の年度、税目、納期限及び金額
　（三）　8に規定する譲渡に係る財産の名称、数量、性質及び所在
　（四）　（二）の金額のうち8の規定により徴収しようとする金額

　　　　（徴収金についての交付要求）
（５）　地方団体の長は、8の譲渡に係る財産につき強制換価手続が行われた場合には、8の規定により徴収することができる金額の地方団体の徴収金につき、執行機関に対し、交付要求をすることができる。（法14の16⑤）

　　　　（交付要求の手続）
（６）　（５）の規定による交付要求は、8に規定する質権者又は抵当権者の氏名及び住所又は居所並びに（５）の規定により交付要求をする旨を交付要求書に記載してしなければならない。（令6の6②）

四　地方税と仮登記又は譲渡担保に係る債権との調整

１　法定納期限等以前にされた仮登記により担保される債権の優先等

① 　担保のための仮登記により担保される債権の優先
　地方団体の徴収金の法定納期限等以前に納税者又は特別徴収義務者の財産につき、その者を登記義務者（登録義務者を含む。）として、仮登記担保契約に関する法律第１条に規定する仮登記担保契約に基づく仮登記又は仮登録（以下１において「**担保のための仮登記**」という。）がされているときは、その地方団体の徴収金は、その換価代金につき、その担保のための仮登記により担保される債権に次いで徴収する。（法14の17①）
　　（注）　特定の地方税について、①の規定を適用する場合には、三の１の②に法定納期限等の特例があることに留意。（編者）

② 　清算金に係る換価代金についての地方税の劣後
　担保のための仮登記がされている納税者又は特別徴収義務者の財産上に、三の５の表の各号に掲げる先取特権があるとき、地方団体の徴収金の法定納期限等以前から三の６の表の各号に掲げる先取特権があるとき、又は地方団体の徴収金の法定納期限等以前に質権若しくは抵当権が設定され、若しくは担保のための仮登記がされているときは、その地方団体の徴収金は、仮登記担保契約に関する法律第３条第１項（同法第20条《土地等の所有権以外の権利を目的とする契約への準用》において準用する場合を含む。）に規定する清算金に係る換価代金につき、同法第４条第１項《物上代位》（同法第20条において準用する場合を含む。）の規定により権利が行使されたこれらの先取特権、質権及び抵当権並びに同法第４条第２項《後順位の担保仮登記の権利者についての物上代位の規定の準用》（同法第20条において準用する場合を含む。）において準用する同法第４条第１項の規定により権利が行使された同条第２項に規定する後順位の担保仮登記により担保される債権に次いで徴収する。（法14の17②）

　　　　（留意事項）
注　担保のための仮登記がされた財産の上に、先取特権、抵当権、質権又は担保のための仮登記がある場合における清算金に係る換価代金についての、これらにより担保される債権と地方団体の徴収金との優先劣後の関係は、次によるものであること。（県通１-34(2)、市通１-34(2)）
　（一）　清算金の支払請求権に対して物上代位権の行使をした三の５の表の各号に掲げる先取特権により担保される債権は、清算金に係る換価代金につき、常に地方団体の徴収金に優先するものであること。
　（二）　清算金の支払請求権に対して物上代位権の行使をした三の６の表の各号に掲げる先取特権の登記（仮登記を含む。）が地方団体の徴収金の法定納期限等以前にされているときは、その先取特権により担保される債権は、清算金に係る換価代金につき、地方団体の徴収金に優先するものであること。
　（三）　清算金の支払請求権に対して物上代位権の行使をした質権若しくは抵当権の登記（仮登記を含む。）又は担保のための仮登記が地方団体の徴収金の法定納期限等以前にされているときは、その質権、抵当権又は担保のための仮登記により担保される債権は、清算金に係る換価代金につき、地方団体の徴収金に優先するものであること。

③ 　納税者等が担保のための仮登記のされた財産を譲受け又は譲渡した場合
　三の３の規定は、納税者又は特別徴収義務者が担保のための仮登記がされている財産を譲り受けたときについて、三の８（同(2)を除く。）の規定は、納税者又は特別徴収義務者が他に地方団体の徴収金に充てるべき十分な財産がない場合において、その者がその地方団体の徴収金の法定納期限等後に担保のための仮登記をした財産を譲渡したときについて、それぞれ準用する。（法14の17③）

　　　　　（担保付財産が譲渡された場合の徴収手続の準用）
（1）　三の8の（4）及び（6）の規定は、③において準用する三の8の（3）又は（5）の規定による通知又は交付要求をする場合について準用する。この場合において、同8の（6）中「8に規定する質権者又は抵当権者」とあるのは「四の1の①に規定する担保のための仮登記の権利者」と、「（5）の規定により」とあるのは「四の1の③において準用する三の8の（5）の規定により」と読み替えるものとする。（令6の6③）

　　　　　（担保のための仮登記がされた財産を譲受けた場合の留意事項）
（2）　納税者又は特別徴収義務者が担保のための仮登記がなされた財産を譲り受けたときは、その財産の譲受人である納税者又は特別徴収義務者の地方団体の徴収金は、その換価代金につき、その担保のための仮登記により担保される債権に次いで徴収するものであること。（県通1－34（3）、市通1－34（3））

　　　　　（担保のための仮登記がされた財産を譲渡した場合の留意事項）
（3）　納税者又は特別徴収義務者に、他に十分な財産がない場合において、その者が地方団体の徴収金に劣後する担保のための仮登記がされている財産を第三者に譲渡したときは、納税者又は特別徴収義務者の財産につき滞納処分をしてもなお地方団体の徴収金に不足すると認められるときに限り、担保のための仮登記の権利者がその財産の強制換価手続において配当を受けるべき金額のうちから、その地方団体の徴収金を徴収することができるものであること。
　　　なお、担保のための仮登記の権利者は、競売を請求する権利を有していないため、担保のための仮登記に関しては、抵当権又は質権が設定されている場合のように地方団体の長がその権利を代位して実行をするという制度はないものであること。（県通1－34（4）、市通1－34（4））

④　**根担保仮登記の効力**
　仮登記担保契約で、消滅すべき金銭債務がその契約の時に特定されていないものに基づく仮登記及び仮登録は、地方団体の徴収金の滞納処分においては、その効力を有しない。（法14の17④）

2　譲渡担保権者の物的納税責任

①　**譲渡担保財産からの徴収金の徴収**
　納税者又は特別徴収義務者が地方団体の徴収金を滞納した場合において、その者が譲渡した財産でその譲渡により担保の目的となっているもの（以下「**譲渡担保財産**」という。）があるときは、その者の財産につき滞納処分をしてもなお徴収すべき地方団体の徴収金に不足すると認められるときに限り、譲渡担保財産から納税者又は特別徴収義務者の地方団体の徴収金を徴収することができる。（法14の18①）

　　　　　（譲渡担保権者に対する告知及び納税者等に対する通知）
（1）　地方団体の長は、①の規定により徴収しようとするときは、譲渡担保財産の権利者（以下「**譲渡担保権者**」という。）に対し、次に掲げる事項を記載した文書により告知しなければならない。この場合においては、納税者又は特別徴収義務者に対し、その旨を通知しなければならない。（法14の18②、令6の7①）
　（一）　納税者又は特別徴収義務者の氏名及び住所又は居所
　（二）　滞納に係る地方団体の徴収金の年度、税目、納期限及び金額
　（三）　譲渡担保財産の名称、数量、性質及び所在
　（四）　（二）の金額のうち①の規定により徴収しようとする金額

　　　　　（納税者等に対する通知手続）
（2）　（1）後段の規定による通知は、次に掲げる事項を記載した文書でしなければならない。（令6の7②）
　（一）　（1）の（二）から（四）までに掲げる事項
　（二）　譲渡担保権者の氏名及び住所又は居所
　（三）　（1）の告知書を発した年月日

　　　　　（譲渡担保権者に対する滞納処分）
（3）　（1）の告知書を発した日から10日を経過した日までにその徴収しようとする金額が完納されていないときは、徴税吏員は、譲渡担保権者を第二次納税義務者とみなして、その譲渡担保財産につき滞納処分をすることができる。（法

14の18③)

(譲渡担保権者に対する滞納処分についての準用)
(4) 第二次納税義務者の財産の換価〖第二章三の1②〗、第二次納税義務者の求償権〖同③〗及び繰上徴収〖第三章二〗の規定は、(3)の場合について準用する。(法14の18④)

(繰上徴収の告知の手続の準用)
(5) 繰上徴収の告知の手続〖第三章二の2注〗の規定は、(4)において準用する繰上徴収の告知〖第三章二の2〗の規定による告知について準用する。(令6の7④)

(譲渡担保財産に対する差押え)
(6) 譲渡担保財産を①の納税者又は特別徴収義務者の財産としてした差押えは、①の要件に該当する場合に限り、(3)の規定による差押えとして滞納処分を続行することができる。この場合において、地方団体の長は、遅滞なく(1)の告知及び通知をしなければならない。(法14の18⑤)

(譲渡担保財産に対する差押えの場合の第三者等への通知)
(7) 地方団体の長は、(6)の規定により滞納処分を続行する場合において、譲渡担保財産が次の各号に掲げる財産であるときは、当該各号に定める者に対し、納税者又は特別徴収義務者の財産としてした差押えを(3)の規定による差押えとして滞納処分を続行する旨を通知しなければならない。(法14の18⑥)

(一)	第三者が占有する動産(国税徴収法第24条第5項《譲渡担保財産に対する滞納処分を続行する場合の第三債務者等への通知》第1号に規定する動産をいう。以下(一)において同じ。)又は有価証券	動産又は有価証券を占有する第三者
(二)	国税徴収法第62条《差押えの手続及び効力発生時期》又は第73条《電話加入権等の差押えの手続及び効力発生時期》の規定の適用を受ける財産(これらの財産の権利の移転につき登記を要するものを除く。)	第三債務者又はこれに準ずる者(第五章第一節二の4の③及び同章第二節四の1の(6)において「**第三債務者等**」という。)

(譲渡担保財産に対する差押えの場合の知れている者への通知)
(8) 地方団体の長は、(6)の規定により滞納処分を続行する場合において、国税徴収法第55条第1号又は第3号に掲げる者のうち知れている者があるときは、これらの者に対し、納税者又は特別徴収義務者の財産としてした差押えを(3)の規定による差押えとして滞納処分を続行する旨を通知しなければならない。(法14の18⑦)

(第三者等への通知手続)
(9) (7)及び(8)の規定による通知は、次に掲げる事項を記載した文書でしなければならない。(令6の7③)
  (一) (1)各号に掲げる事項
  (二) (2)の(二)及び(三)に掲げる事項
  (三) ①の納税者又は特別徴収義務者の財産として差押えをした年月日(国税徴収法に規定する滞納処分の例により差押えのために債権差押通知書又は差押通知書の送達を行う場合には、これらの発送年月日)

(被担保債権が消滅した場合)
(10) (1)の規定による告知又は(6)の規定の適用を受ける差押えをした後、納税者又は特別徴収義務者の財産の譲渡により担保される債権が債務不履行その他弁済以外の理由により消滅した場合(譲渡担保財産につき買戻し、再売買の予約その他これらに類する契約を締結している場合において、期限の経過その他その契約の履行以外の理由によりその契約が効力を失ったときを含む。)においても、なお譲渡担保財産として存続するものとみなして、(3)の規定を適用する。(法14の18⑧)

(法定納期限等以前に権利移転の登記がある場合等の適用除外)
(11) ①の規定は、地方団体の徴収金の法定納期限等以前に、担保の目的でされた譲渡に係る権利の移転の登記がある

場合又は譲渡担保権者が地方団体の徴収金の法定納期限等以前に譲渡担保財産となっている事実を、その財産の売却決定の前日までに証明した場合には、適用しない。この場合においては、三の1の①の(1)後段及び同(5)の規定を準用する。(法14の18⑨)

(注) 特定の地方税について、(11)の規定を適用する場合には、三の1の②に法定納期限等の特例があることに留意。(編者)

(適用除外の証明手続についての規定の準用)
(12) 三の1の①の(2)の規定は、(11)前段の規定による証明について、三の1の①の(3)の規定は、(11)後段において準用する三の1の①の(1)後段の規定による証明について準用する。(令6の7⑤)

(金銭の取立ての方法により換価する場合の適用除外の証明)
(13) (11)の規定による証明は、譲渡担保財産が金銭による取立ての方法により換価するものであるときは、その取立ての日の前日までに行われたものによる。(令6の7⑥)

(譲渡担保権者に対する罰則の適用)
(14) ①の規定の適用を受ける譲渡担保権者は、地方税法中滞納処分に関する罪及び滞納処分に関する検査拒否等の罪に関する規定の適用については、納税者又は特別徴収義務者とみなす。(法14の18⑩)

② 譲渡担保財産から徴収する地方税及び国税の調整の特例

イ 設定者の地方税に係る差押えの優先
①の規定により譲渡担保財産から徴収する地方団体の徴収金(以下②において「**設定者の地方税**」という。)が、譲渡担保権者が納付し、又は納入すべき地方団体の徴収金又は国税(①の規定により徴収する地方団体の徴収金及び国税徴収法第24条第1項《譲渡担保権者の物的納税責任》の規定により徴収する国税を除く。以下②において「**担保権者の地方税等**」という。)と競合する場合において、その財産が担保権者の地方税等につき差し押えられているときは、二の1の規定の適用については、その差押えがなかったものとみなし、設定者の地方税(設定者の地方税の交付要求が二以上あるときは、最も先に交付要求をした設定者の地方税)につきその財産が差し押えられたものとみなす。この場合においては、その担保権者の地方税等につき交付要求(他の担保権者の地方税等の交付要求があるときは、これよりも先にされた交付要求)があったものとみなす。(令6の8①)

ロ 設定者の地方税に係る交付要求の優先
イの場合において、担保権者の地方税等の交付要求(イの規定によりあったものとみなされる担保権者の地方税等の交付要求を含む。以下ロにおいて同じ。)の後にされた設定者の地方税の交付要求(イの規定の適用を受ける設定者の地方税の交付要求を除く。以下ロにおいて同じ。)があるときは、二の2の規定の適用については、その設定者の地方税の交付要求は、担保権者の地方税等の交付要求よりも先にされたものとみなす。この場合において、設定者の地方税の交付要求が二以上あるときは、これらの交付要求の先後の順位に変更がないものとする。(令6の8②)

3 譲渡担保財産の換価の特例
買戻しの特約がある売買の登記、再売買の予約の請求権の保全のための仮登記(仮登録を含む。)その他これに類する登記(以下「**買戻権の登記等**」という。)がされている譲渡担保財産のその買戻権の登記等の権利者が滞納者であるときは、その差し押えた買戻権の登記等に係る権利及び2の①の(3)の規定により差し押えたその買戻権の登記等のある譲渡担保財産を一括して換価することができる。(法14の19①)

五 地方税及び国税等と私債権との競合の調整

強制換価手続において地方団体の徴収金が国税、他の地方団体の徴収金又は公課(以下「**国税等**」という。)及びその他の債権(以下「**私債権**」という。)と競合する場合において、第四章又は国税徴収法その他の法律の規定により、地方団体の徴収金が国税等に先だち、私債権がその国税等におくれ、かつ、当該地方団体の徴収金に先だつとき、又は地方団体の徴収金が国税等におくれ、私債権がその国税等に先だち、かつ、当該地方団体の徴収金におくれるときは、換価代金の配当については、次に定めるところによる。(法14の20)

(一)	一の2に規定する費用若しくは滞納処分費〖一の2の②参照〗、一の3に規定する地方団体の徴収金（国税徴収法第11条《強制換価の場合の消費税等の優先》に規定する国税を含む。）、三の7の規定の適用を受ける債権、地方税法においてその例によるものとされる国税徴収法第59条第3項《引渡命令を受けた第三者等の権利の保護》若しくは第4項（同法第71条第4項《徴収職員に自動車等を占有させる場合の準用》において準用する場合を含む。）の規定の適用を受ける債権又は三の5の規定の適用を受ける債権があるときは、これらの順序に従い、それぞれこれらに充てる。
(二)	地方団体の徴収金及び国税等並びに私債権（（一）の規定の適用を受けるものを除く。）につき、法定納期限等（国税又は公課のこれに相当する納期限等を含む。）又は設定、登記、譲渡若しくは成立の時期の古いものからそれぞれ順次に第四章又は国税徴収法その他の法律の規定を適用して地方団体の徴収金及び国税等並びに私債権に充てるべき金額の総額をそれぞれ定める。
(三)	(二)の規定により定めた地方団体の徴収金及び国税等に充てるべき金額の総額を一の1若しくは二の規定又は国税徴収法その他の法律のこれらに相当する規定により、順次地方団体の徴収金及び国税等に充てる。
(四)	(二)の規定により定めた私債権に充てるべき金額の総額を民法その他の法律の規定により順次私債権に充てる。

(注) 特定の地方税について、上表の(二)の規定を適用する場合には、三の1の②に法定納期限等の特例があることに留意。（編者）

（留意事項）

注　地方税及び国税等と私債権との三者間の優先順位が競合する場合におけるこれの調整方法は、（一）まず強制換価手続の費用、直接の滞納処分費及び不動産保存の先取特権等特別の優先権をもつ債権の金額を定め、（二）次に地方税、国税と私債権との関係において、地方税、国税の差押先着手主義又は交付要求先着手主義にかかわりなく地方税、国税の法定納期限等と担保権の設定時期（担保のための仮登記にあっては、仮登記又は仮登録の時期）とにより地方税、国税に充てるべき金額の総額と私債権に充てるべき金額の総額を定め、（三）次に、地方税、国税に充てるべき金額の総額については、地方税、国税の差押先着手主義及び交付要求先着手主義の順位により配当順位を定め、私債権に充てるべき金額の総額については民法その他の法律の規定により順次私債権に充てるものであること。（県通1－36、市通1－36）

第五章　納税の猶予及び担保等

第一節　納税の猶予

一　納税猶予制度の目的

　納税の猶予制度は、納税者の申請又は届出による猶予、特別徴収義務者の申請による猶予及び地方団体の長の職権による猶予とがあり、いずれも納税者又は特別徴収義務者の個別的、具体的な事情に即応して地方税の徴収を緩和することをその目的とするものであること。また、法において認められている納税の猶予は、徴収の猶予、換価の猶予及び滞納処分の停止に限るものであり、これらの猶予に該当しない事実上の猶予は、法の認めるところではないことに留意すること。
（県通1－37、市通1－37）

二　徴　収　猶　予

1　徴収猶予の要件等

① 災害、事業の廃止等による徴収の猶予
　地方団体の長は、次の各号のいずれかに該当する事実がある場合において、その該当する事実に基づき、納税者又は特別徴収義務者が当該地方団体に係る地方団体の徴収金を一時に納付し、又は納入することができないと認められるときは、その納付し、又は納入することができないと認められる金額を限度として、その者の申請に基づき、1年以内の期間を限り、その徴収を猶予することができる。（法15①）

(一)	納税者又は特別徴収義務者がその財産につき、震災、風水害、火災その他の災害を受け、又は盗難にかかったとき。
(二)	納税者若しくは特別徴収義務者又はこれらの者と生計を一にする親族が病気にかかり、又は負傷したとき。
(三)	納税者又は特別徴収義務者がその事業を廃止し、又は休止したとき。
(四)	納税者又は特別徴収義務者がその事業につき著しい損失を受けたとき。
(五)	前各号のいずれかに該当する事実に類する事実があったとき。

② 確定手続等が遅延した場合の徴収猶予
　地方団体の長は、納税者又は特別徴収義務者につき、当該地方団体に係る地方団体の徴収金の法定納期限（随時に課する地方税については、その地方税を課することができることとなった日）から1年を経過した日以後にその納付し、又は納入すべき額が確定した場合において、その納付し、又は納入すべき当該地方団体の徴収金を一時に納付し、又は納入することができない理由があると認められるときは、その納付し、又は納入することができないと認められる金額を限度として、当該地方団体の徴収金の納期限内にされたその者の申請に基づき、その納期限から1年以内の期間を限り、その徴収を猶予することができる。（法15②）

③ 徴収猶予に係る徴収金の一部納付等
　地方団体の長は、①及び②の規定による徴収の猶予（以下「徴収の猶予」という。）をする場合には、当該徴収の猶予に係る地方団体の徴収金の納付又は納入について、当該地方団体の条例で定めるところにより、当該徴収の猶予をする金額を当該徴収の猶予をする期間内において、当該徴収の猶予を受ける者の財産の状況その他の事情からみて合理的かつ妥当なものに分割して納付し、又は納入させることができる。（法15③）

④ 徴収猶予期間の延長
　地方団体の長は、徴収の猶予をした場合において、当該徴収の猶予をした期間内に当該徴収の猶予をした金額を納付し、又は納入することができないやむを得ない理由があると認めるときは、当該徴収の猶予を受けた者の申請に基づき、その期間を延長することができる。ただし、その期間は、既にその者につき徴収の猶予をした期間と合わせて２年を超えることができない。（法15④）

　　　（留意事項）
　注　納税者又は特別徴収義務者に災害、疾病、事業の休廃止等納税を困難とさせる法定の事由が発生した場合においては、その申請により１年以内の期間を限って徴収を猶予することができるものとされ、また地方団体の徴収金の法定納期限から１年を経過した後にその納付し、又は納入すべき地方団体の徴収金の額が確定した場合においては、その申請により当該地方団体の徴収金の納期限から、１年以内の期間を限って徴収を猶予することができるものであるが、この場合においては、法に定める担保を徴しなければならないものであること（第二節参照）。
　　　なお、この徴収の猶予の期間は、納税者又は特別徴収義務者にやむを得ない特別の理由があるときは、更に１年以内の期間に限り、徴収の猶予の期間を延長することができるものであること。したがって、その運営については、徴収確保の見地から濫用することがないよう十分留意すること。（県通１－38（１）、市通１－38（１））

⑤ 徴収の猶予期間の延長に係る地方団体の徴収金の分割納付又は分割納入
　地方団体の長は、④の規定による徴収の猶予をした期間の延長（以下「徴収の猶予期間の延長」という。）をする場合には、当該徴収の猶予期間の延長に係る地方団体の徴収金の納付又は納入について、当該地方団体の条例で定めるところにより、当該徴収の猶予をする金額を当該徴収の猶予期間の延長をする期間内において、当該徴収の猶予期間の延長を受ける者の財産の状況その他の事情からみて合理的かつ妥当なものに分割して納付し、又は納入させることができる。（法15⑤）

2　徴収猶予の申請手続等

① 徴収の猶予の申請
　徴収の猶予（１の①の規定によるものに限る。）の申請をしようとする者は、１の①の各号のいずれかに該当する事実があること及びその該当する事実に基づき当該徴収の猶予に係る地方団体の徴収金を一時に納付し、又は納入することができない事情の詳細、当該徴収の猶予を受けようとする金額及びその期間その他の当該地方団体の条例で定める事項を記載した申請書に、当該該当する事実を証するに足りる書類、財産目録、担保の提供に関する書類その他の当該地方団体の条例で定める書類を添付し、これを当該地方団体の長に提出しなければならない。（法15の２①）

② 徴収の猶予に係る申請書等の提出
　徴収の猶予（１の②の規定によるものに限る。）の申請をしようとする者は、当該徴収の猶予に係る地方団体の徴収金を一時に納付し、又は納入することができない事情の詳細、当該徴収の猶予を受けようとする金額及びその期間その他の当該地方団体の条例で定める事項を記載した申請書に、財産目録、担保の提供に関する書類その他の当該地方団体の条例で定める書類を添付し、これを当該地方団体の長に提出しなければならない。（法15の２②）

③ 徴収の猶予期間の延長の申請
　徴収の猶予期間の延長を申請しようとする者は、徴収の猶予を受けた期間内に当該徴収の猶予を受けた金額を納付し、又は納入することができないやむを得ない理由、徴収の猶予期間の延長を受けようとする期間その他の当該地方団体の条例で定める事項を記載した申請書に、財産目録、担保の提供に関する書類その他の当該地方団体の条例で定める書類を添付し、これを当該地方団体の長に提出しなければならない。（法15の２③）

④ 徴収の猶予の申請又は徴収の猶予期間の延長の申請に係る添付書類
　①又は③の規定により添付すべき書類（地方団体の条例で定める書類を除く。）については、これらの規定にかかわらず、１の①（（一）、（二）又は（五）（（一）又は（二）に該当する事実に類する事実に係る部分に限る。）に係る部分に限る。）の規定による徴収の猶予（以下④及び六の１の①において「災害等による徴収の猶予」という。）又は当該災害等による徴収の猶予をした期間の延長をする場合において、当該災害等による徴収の猶予又は当該災害等による徴収の猶予をした期間の延長を受けようとする者が当該添付すべき書類を提出することが困難であると地方団体の長が認めるときは、添付するこ

とを要しない。(法15の2④)

⑤ 徴収の猶予等の申請に対する猶予等の決定等
　地方団体の長は、①から③までの規定による申請書の提出があった場合には、当該申請に係る事項について調査を行い、徴収の猶予若しくは徴収の猶予期間の延長をし、又は徴収の猶予若しくは徴収の猶予期間の延長を認めないものとする。(法15の2⑤)

⑥ 徴収の猶予等の申請書の記載不備等に対する訂正等
　地方団体の長は、①から③までの規定による申請書の提出があった場合において、これらの申請書についてその記載に不備があるとき、又はこれらの申請書に添付すべき書類についてその記載に不備があるとき、若しくはその提出がないときは、当該申請書を提出した者に対して当該申請書の訂正又は当該添付すべき書類の訂正若しくは提出を求めることができる。(法15の2⑥)

⑦ 徴収の猶予等の申請書の記載不備等に係る申請者に対する通知
　地方団体の長は、⑥の規定により申請書の訂正又は添付すべき書類の訂正若しくは提出を求める場合には、その旨を記載した書面により、これを当該申請書を提出した者に通知するものとする。(法15の2⑦)

⑧ 申請書の記載不備等の訂正
　⑥の規定により申請書の訂正又は添付すべき書類の訂正若しくは提出を求められた者は、⑦の規定による通知を受けた日から当該地方団体の条例で定める期間内に当該申請書の訂正又は当該添付すべき書類の訂正若しくは提出をしなければならない。この場合において、当該期間内に当該申請書の訂正又は当該添付すべき書類の訂正若しくは提出をしなかったときは、当該申請書の訂正又は添付すべき書類の訂正若しくは提出を求められた者は、当該期間を経過した日において当該申請を取り下げたものとみなす。(法15の2⑧)

⑨ 徴収の猶予又は徴収の猶予期間の延長を認めない事由
　地方団体の長は、①から③までの規定による申請書の提出があった場合において、当該申請書を提出した者について1の①、②又は④の規定に該当すると認められるときであっても、次の各号のいずれかに該当するときは、徴収の猶予又は徴収の猶予期間の延長を認めないことができる。(法15の2⑨)

(一)	5の表中の(一)に掲げる場合に該当するとき。
(二)	当該申請書を提出した者が、⑩の規定による質問に対して答弁せず、若しくは偽りの答弁をし、⑩の規定による検査を拒み、妨げ、若しくは忌避し、又は⑩の規定による物件の提示若しくは提出の要求に対し、正当な理由がなくこれに応じず、若しくは偽りの記載若しくは記録をした帳簿書類(その作成又は保存に代えて電磁的記録(電子的方式、磁気的方式その他人の知覚によっては認識することができない方式で作られる記録であって、電子計算機による情報処理の用に供されるものをいう。以下同じ。)の作成又は保存がされている場合における当該電磁的記録を含む。⑩において同じ。)その他の物件(その写しを含む。)を提示し、若しくは提出したとき。
(三)	不当な目的で徴収の猶予又は徴収の猶予期間の延長の申請がされたとき、その他その申請が誠実にされたものでないとき。
(四)	(一)から(三)までに掲げるもののほか、これらに類する場合として当該地方団体の条例で定める場合に該当するとき。

⑩ 徴収の猶予又は徴収の猶予期間の延長の申請についての質問検査
　地方団体の長は、⑤の規定による調査をするため必要があると認めるときは、その必要な限度で、その徴税吏員に、当該申請書を提出した者に質問させ、その者の帳簿書類その他の物件を検査させ、当該物件(その写しを含む。)の提示若しくは提出を求めさせ、又は当該調査において提出された物件を留め置かせることができる。(法15の2⑩)

　　(徴税吏員の徴収猶予に関する調査に係る提出物件の留置き)
　(1) ⑩の徴税吏員(以下「徴税吏員」という。)は、⑩の規定により物件を留め置く場合には、当該物件の名称又は種類及びその数量、当該物件の提出年月日並びに当該物件を提出した者の氏名及び住所又は居所その他当該物件の留置

きに関し必要な事項を記載した書面を作成し、当該物件を提出した者にこれを交付しなければならない。(令6の9①)

　　　(徴税吏員の徴収猶予に関する調査に係る提出物件の返還)
（２）　徴税吏員は、⑩の規定により留め置いた物件につき留め置く必要がなくなったときは、遅滞なく、これを返還しなければならない。(令6の9②)

　　　(徴税吏員の徴収猶予に関する調査に係る提出物件の管理)
（３）　徴税吏員は、前項に規定する物件を善良な管理者の注意をもって管理しなければならない。(令6の9③)

⑪　質問検査を行う徴税吏員の身分証明書の携帯等
　⑩の規定により質問、検査又は提示若しくは提出の要求を行う徴税吏員は、その身分を示す証明書を携帯し、関係人の請求があったときは、これを提示しなければならない。(法15の2⑪)

⑫　質問検査権の制限
　⑩の規定による地方団体の徴税吏員の権限は、犯罪捜査のために認められたものと解してはならない。(法15の2⑫)

3　徴収猶予の通知

①　徴収の猶予又は徴収の猶予期間の延長の通知
　地方団体の長は、徴収の猶予をし、又は徴収の猶予期間の延長をしたときは、その旨、猶予をする金額、猶予をする期間その他必要な事項を当該徴収の猶予又は当該徴収の猶予期間の延長を受けた者に通知しなければならない。(法15の2の2①)

②　徴収の猶予又は徴収の猶予期間の延長を認めない場合の通知
　地方団体の長は、2の①から③までの規定による申請書の提出があった場合において、徴収の猶予又は徴収の猶予期間の延長を認めないときは、その旨を当該申請書を提出した者に通知しなければならない。(法15の2の2②)

4　徴収猶予の効果

① 徴収猶予に係る徴収金についての滞納処分等の禁止
　地方団体の長は、徴収の猶予をしたときは、当該徴収の猶予をした期間内は、当該徴収の猶予に係る地方団体の徴収金について、新たに督促及び滞納処分（交付要求を除く。）をすることができない。(法15の2の3①)

② 徴収猶予に係る徴収金についての差押えの解除
　地方団体の長は、徴収の猶予をした場合において、当該徴収の猶予に係る地方団体の徴収金について差し押さえた財産があるときは、当該徴収の猶予を受けた者の申請により、その差押えを解除することができる。(法15の2の3②)

③ 差押財産について果実等が生じた場合の充当
　地方団体の長は、徴収の猶予をした場合において、当該徴収の猶予に係る地方団体の徴収金について差し押さえた財産のうちに果実を生ずるもの又は有価証券、債権若しくは**無体財産権等**（国税徴収法第72条第1項《特許権等の差押えの手続》に規定する無体財産権等をいう。第二節四の1の(6)において同じ。）があるときは、①の規定にかかわらず、その取得した果実又は**第三債務者等**〘第四章四の2の①の(7)参照〙から給付を受けた財産で金銭以外のものについて滞納処分を執行し、その財産に係る換価代金等（同法第129条第1項に規定する換価代金等をいう。第九章一の3の表中(四)において同じ。）を当該徴収の猶予に係る地方団体の徴収金に充てることができる。(法15の2の3③)

④ 果実等が金銭以外の財産である場合の換価代金等の充当
　③の場合において、③の第三債務者等から給付を受けた財産のうちに金銭があるときは、①の規定にかかわらず、当該金銭を当該徴収の猶予に係る地方団体の徴収金に充てることができる。(法15の2の3④)

5　徴収猶予の取消し

　徴収の猶予を受けた者が次の各号のいずれかに該当する場合には、地方団体の長は、当該徴収の猶予を取り消し、当該徴収の猶予に係る地方団体の徴収金を一時に徴収することができる。(法15の3①)

(一)	第三章二の1の表中の各号のいずれかに該当する事実がある場合において、その者が当該徴収の猶予に係る地方団体の徴収金を当該徴収の猶予を受けた期間内に完納することができないと認められるとき。
(二)	1の③又は⑤の規定により分割して納付し、又は納入することを認めた地方団体の徴収金をその期限までに納付し、又は納入しないとき （地方団体の長がやむを得ない理由があると認めるときを除く。）。
(三)	当該徴収の猶予に係る地方団体の徴収金につき提供された担保について地方団体の長が第二節一の(2)の規定により行った求めに応じないとき。
(四)	新たに当該徴収の猶予に係る当該地方団体の徴収金以外に、当該地方団体に係る地方団体の徴収金を滞納したとき（新たに当該地方団体の条例で定める当該地方団体の債権（地方自治法第240条第1項に規定する債権をいう。四の1の②において同じ。）に係る債務の不履行が生じたときを含み、地方団体の長がやむを得ない理由があると認めるときを除く。）。
(五)	偽りその他不正の手段により当該徴収の猶予又は徴収の猶予期間の延長の申請がされ、その申請に基づき当該徴収の猶予をし、又は徴収の猶予期間の延長をしたことが判明したとき。
(六)	徴収の猶予を受けた者の財産の状況その他の事情の変化により当該徴収の猶予を継続することが適当でないと認められるとき。
(七)	(一)から(六)までに掲げるもののほか、これらに類する場合として当該地方団体の条例で定める場合に該当するとき。

　(弁明の聴取)
(1)　地方団体の長は、5の規定により徴収の猶予を取り消す場合には、第三章二の1《繰上徴収》の各号のいずれかに該当する事実があるときを除き、あらかじめ、当該徴収の猶予を受けた者の弁明を聞かなければならない。ただし、その者が正当な理由がなくその弁明をしないときは、この限りでない。(法15の3②)

　(取消しの通知)
(2)　地方団体の長は、5の規定により徴収の猶予を取り消したときは、その旨を当該徴収の猶予の取消しを受けた者に通知しなければならない。(法15の3③)

6　修正申告等に係る道府県民税、市町村民税又は事業税の徴収猶予

　地方団体の長は、次の各号に掲げる場合において、当該各号の申告書、修正申告書若しくは更正に係る道府県民税及び事業税の額の合計額又は(一)若しくは(二)の申告書若しくは更正に係る市町村民税の額が2,000円に満たないときは、これらの税額につき、偽りその他不正の行為により道府県民税、市町村民税又は事業税を免れた場合その他政令で定める場合を除き、当該申告書若しくは修正申告書を提出した日後又は当該更正に係る納期限後最初に到来する道府県民税、市町村民税又は事業税（6の規定によりその徴収を猶予されるものを除く。）に係る納付に関する期限まで、その徴収を猶予するものとする。(法15の4①、令6の9の2①)

(一)	二以上の道府県又は市町村において事務所又は事業所を有する法人が道府県民税又は市町村民税の納付税額に過不足額がある場合等の申告納付〘第二編第二章第三節一の6・第三編第二章第三節一の6〙の規定による申告書を提出した場合
(二)	(一)の法人が道府県民税の更正若しくは再更正〘第二編第二章第六節一の1・3〙又は市町村民税の更正若しくは再更正〘第三編第二章第六節一の1・3〙の規定による更正（二以上の道府県において事務所等を有する法人の法人税額の分割の基準となる従業者数の修正又は決定〘第二編第二章第五節二〙又は二以上の市町村において事務所又は事業所を有する法人の法人税額の分割の基準となる従業者数の修正又は決定〘第三編第二章第五節二〙の規定による修正に基づくものに限る。）を受けた場合
(三)	二以上の道府県において事務所又は事業所を設けて事業を行う法人が修正申告納付〘第二編第五章第三節五の2

①〕又は法人税の課税標準について更正又は決定を受けたときの修正申告納付〖第二編第五章第三節**五**の２②〗の規定による修正申告書を提出した場合

　　　（政令で定める徴収猶予が認められない場合）
（１）　６に規定する政令で定める場合は、次に掲げる場合とする。（令６の９の２②）
　（一）　６の表の各号のいずれかに該当する場合において、同表の（一）の申告書若しくは同（三）の修正申告書の提出があった時まで又は同（二）の更正の通知を受けた日までに、当該申告書、修正申告書又は更正に係る事業年度に係る次に掲げる申告書に係る税額が完納されていないとき。
　　イ　法第53条第１項若しくは第２項《法人の道府県民税の申告納付》の申告書
　　ロ　法第321条の８第１項若しくは第２項《法人の市町村民税の申告納付》の申告書
　　ハ　法第72条の25第８項から第12項まで《中間申告を要しない法人の事業税の申告納付》（これらの規定を72の28第２項又は第72条の29第２項、第４項若しくは第６項において準用する場合を含む。）若しくは第72条の26第４項《法人事業税の中間申告書》の申告書（（四）において「事業税の申告書」という。）
　（二）　６の表の（一）に該当する場合において、同号の申告書の提出があった時までに当該申告書に係る事業年度に係る（一）のイ又はロに掲げる申告書が提出されていないとき。
　（三）　６の表の（二）（道府県民税に係る部分に限る。）に該当する場合において、同号の更正の通知を受けた日までに当該更正に係る事業年度に係る事業税につき修正申告納付〖第二編第五章第三節**五**の２①〗に規定する修正申告書（当該事業税に係る法人事業税の分割基準〖第二編第五章第五節**一**の２〗に規定する分割基準である従業者の数に誤りがあったことによるものに限る。）が提出されていないとき。
　（四）　６の表の（三）に該当する場合において、同（三）の修正申告書の提出があった時までに当該修正申告書に係る事業年度に係る事業税の申告書が提出されていないとき、又は修正申告納付の規定による修正申告書の提出が法人税の課税標準について更正又は決定を受けたときの修正申告納付〖第二編第五章第三節**五**の２②〗の規定による修正申告書を提出しなかったことに基づくとき。

　　　（徴収猶予の適用を受ける手続）
（２）　６の規定の適用を受けようとする法人は、６の申告書若しくは修正申告書又は更正に係る税額の納期限までに、その事務所又は事業所所在の地方団体の長に対し、総務省令で定める届出書を提出しなければならない。（法15の４②）

　　　（届出書の様式）
（３）　（２）に規定する総務省令で定める届出書は、第１号様式とする。（規１の４①）
　　（注）　様式は省略した。（編者）

　　　（届出書の提出の免除）
（４）　６の表の（一）の申告書又は同（三）の修正申告書に係る税額につき６の規定の適用を受けようとする法人は、これらの申告書又は修正申告書に必要な事項を記載することによって（３）の届出書に代えることができる。（規１の４②）

　　　（道府県民税又は事業税についての留意事項）
（５）　二以上の道府県において事務所又は事業所を有する法人が道府県民税又は事業税の修正申告書を提出した場合等において、その道府県民税及び事業税の額の合計額が2,000円未満であるときは、次の納付に関する期限まで徴収を猶予するものとされているが、その運用に当たっては、次の諸点に留意すること。（県通１－38(2)）
　（一）　（１）の（一）の「税額が完納されていないとき」には、１の規定による徴収の猶予によって未納となっている場合も含まれるものであること。
　（二）　徴収を猶予するのは、二以上の道府県において事務所又は事業所を有する法人から届出書（（４）の規定により届出書に代わるものを含む。）の提出があった場合に限るものであること。

　　　（市町村民税についての留意事項）
（６）　二以上の市町村において事務所又は事業所を有する法人が、６の表の（一）に掲げる市町村民税の修正の申告の規定による申告書を提出した場合又は６の表の（二）に掲げる市町村民税の更正若しくは再更正の規定による更正（法人

税額の分割の基準となる従業者数が事実と異なることによる更正に限る。）を受けた場合において、その申告又は更正により納付すべき市町村民税の額が2,000円未満であるときは、次の納付に関する期限まで徴収を猶予するものとされているが、その運用に当たっては、次の諸点に留意すること。（市通1-38（2））
（一）　省略（（5）の（一）に同じ。）
（二）　省略（（5）の（二）に同じ。）

7　新型コロナウイルス感染症等に係る徴収猶予の特例

　地方団体の長は、新型コロナウイルス感染症（病原体がベータコロナウイルス属のコロナウイルス（令和2年1月に、中華人民共和国から世界保健機関に対して、人に伝染する能力を有することが新たに報告されたものに限る。）である感染症をいう。以下同じ。）及びそのまん延防止のための措置の影響により令和2年2月1日以後に納税者又は特別徴収義務者の事業につき相当な収入の減少であって（1）で定める事実があったことその他これに類する事実（（8）において「新型コロナウイルス感染症等の影響による事業収入の減少等の事実」という。）がある場合において、これらの者が特定日（徴収の猶予の対象となる地方団体の徴収金の期日として（2）で定める日をいう。（一）において同じ。）までに納付し、又は納入すべき地方団体の徴収金で次に掲げるものの全部又は一部を一時に納付し、又は納入することが困難であると認められるときは、（3）で定めるところにより、その地方団体の徴収金の納期限内にされたこれらの者の申請（地方団体の長においてやむを得ない理由があると認める場合には、その地方団体の徴収金の納期限後にされた申請を含む。）に基づき、その納期限から1年以内の期間（（二）に掲げる地方団体の徴収金については、（4）で定める期間）を限り、その地方団体の徴収金の全部又は一部の徴収を猶予することができる。（法附59①）
（一）　特定日以前に納税義務又は特別徴収義務の成立した地方税（（5）で定めるものを除く。）に係る地方団体の徴収金で、納期限が令和2年2月1日以後に到来するもののうち、その申請の日以前に納付し、又は納入すべき税額の確定したもの
（二）　（6）で定める地方税に係る地方団体の徴収金でその納期限が令和2年2月1日以後に到来するもの

　　　　（総務省令で定める事実）
（1）　7に規定する（1）で定める事実は、新型コロナウイルス感染症及びそのまん延防止のための措置の影響により令和2年2月1日から7の規定による徴収の猶予を受けようとする地方団体の徴収金の納期限までの間（地方税法等の一部を改正する法律（令和2年法律第26号）の施行の日から2月を経過した日前に納付し、又は納入すべき地方団体の徴収金にあっては、同年2月1日から同法の施行の日から2月を経過する日までの間）における連続する1月以上の期間の収入金額（納税者又は特別徴収義務者の事業に係る収入金額をいう。以下（1）において同じ。）を当該期間の初日の1年前の日から当該期間の末日の1年前の日までの期間の収入金額で除して得た割合がおおむね100分の80以下となったこととする。（規附27）

　　　　（新型コロナウイルス感染症等に係る徴収猶予の特例の対象となる地方団体の徴収金の期日等）
（2）　7に規定する（2）で定める日は、令和3年2月1日とする。（令附36①）

　　　　（徴収の猶予期間の決定）
（3）　地方団体の長は、7の規定による徴収の猶予の申請があった場合には、その申請をした納税者又は特別徴収義務者の新型コロナウイルス感染症等の影響による事業収入の減少等の事実（7に規定する新型コロナウイルス感染症等の影響による事業収入の減少等の事実をいう。（9）及び（10）において同じ。）の状況及びその地方団体の徴収金の全部又は一部を一時に納付し、又は納入することが困難である状況を勘案して、その猶予期間を定めるものとする。（令附36②）

　　　　（政令で定める期間）
（4）　7に規定する（4）で定める期間は、次に掲げる地方税の区分に応じ当該各号に定める期間以内の期間とする。（令附36③）
（一）　（6）の（一）に掲げる道府県民税又は市町村民税　　その事業年度の第二編第二章《法人の道府県民税》第三節《申告納付》一の1若しくは第三編第二章《法人の市町村民税》第三節《申告納付》一の1の規定による申告書（法人税法第74条第1項、第89条（同法第145条の5において準用する場合を含む。）又は第144条の6第1項の規定による法人税の申告書に係るものに限る。）の提出期限又はその連結事業年度の第二編第二章第三節一の3の③若しくは第三編第二章第三節一の3の③の規定による申告書の提出期限までの期間

（二）　（6）の（二）に掲げる事業税　　その事業年度の第二編第五章第三節三の２の規定による申告書の提出期限までの期間

　　　　（7の（一）に規定する政令で定める地方税）
（5）　7の（一）に規定する（5）で定める地方税は、第一章一の１の表の（十三）に規定する証紙徴収に係る地方税とする。（令附36④）

　　　　（7の（二）に規定する政令で定める地方税）
（6）　7の（二）に規定する（6）で定める地方税は、次に掲げる地方税とする。（令附36⑤）
　　（一）　第二編第二章第三節一の１若しくは第三編第二章第三節一の１の規定による申告書（法人税法第71条第１項（同法第72条第１項の規定が適用される場合を含む。）、第88条（同法第145条の５において準用する場合を含む。以下（一）において同じ。）又は第144条の３第１項（同法第144条の４第１項の規定が適用される場合を含む。）の規定による法人税の申告書に係るものに限る。）若しくは第二編第二章第三節一の３の①若しくは第三編第二章第三節一の３の①の規定による申告書の提出、第二編第二章第三節一の２若しくは同節一の３の②若しくは第三編第二章第三節一の２若しくは同節一の３の②の規定により申告書の提出があったものとみなされること又は第二編第二章第三節一の１若しくは第三編第二章第三節一の１の規定による申告書（法人税法第88条の規定による法人税の申告書に係るものに限る。）の提出がなかったことによる第二編第二章第六節一の２若しくは第三編第二章第六節一の２の規定による決定により納付すべき道府県民税又は市町村民税及び当該道府県民税又は市町村民税に係る第二編第二章第三節一の６若しくは第三編第二章第三節一の６の規定による申告書の提出又は第二編第二章第六節一の１若しくは同節一の３若しくは第三編第二章第六節一の１若しくは同節一の３の規定による更正により納付すべき道府県民税又は市町村民税
　　（二）　第二編第五章《法人の事業税》第三節三の１の①の規定による申告書の提出又は同①の（3）の規定により申告書の提出があったものとみなされることにより納付すべき事業税及び当該事業税に係る第二編第五章第三節五の２の①若しくは同③の規定による修正申告書の提出又は第二編第五章第四節一の１若しくは同３、第二編第五章第四節四の１若しくは同３若しくは第二編第五章第四節五の１若しくは同３の規定による更正により納付すべき事業税

　　　　（7の規定による徴収の猶予）
（7）　7の規定による徴収の猶予は、二の１の①（（一）に係る部分に限り、地方税法等の一部を改正する等の法律（平成28年法律第13号）附則第31条第２項の規定によりなおその効力を有するものとされた同法第９条の規定による廃止前の地方法人特別税等に関する暫定措置法（平成20年法律第25号）第10条の規定によりその例によることとされる場合及び特別法人事業税及び特別法人事業譲与税に関する法律（平成31年法律第４号）第８条の規定によりその例によることとされる場合を含む。）の規定による徴収の猶予とみなして、第６条の14第１項（第４号に係る部分に限る。）、地方税法施行令等の一部を改正する等の政令（平成28年政令第133号）附則第16条の規定によりなおその効力を有するものとされた同令第９条の規定による廃止前の地方法人特別税等に関する暫定措置法施行令（平成20年政令第154号）第７条（第４号に係る部分に限る。）及び特別法人事業税及び特別法人事業譲与税に関する法律施行令（平成31年政令第89号）第７条（第４号に係る部分に限る。）の規定を適用する。（令附36⑥）

　　　　（徴収猶予の申請書類の提出）
（8）　7の規定による徴収の猶予の申請をしようとする者は、新型コロナウイルス感染症等の影響による事業収入の減少等の事実があること及びその地方団体の徴収金の全部又は一部を一時に納付し、又は納入することが困難である事情の詳細、当該猶予を受けようとする金額及びその期間その他の（9）で定める事項を記載した申請書に、当該新型コロナウイルス感染症等の影響による事業収入の減少等の事実を証するに足りる書類、財産目録その他の（10）で定める書類を添付し、これを地方団体の長に提出しなければならない。（法附59②）

　　　　（申請書類の政令で定める事項）
（9）　（8）に規定する（9）で定める事項は、次に掲げる事項及び7の申請をやむを得ない理由によりその地方団体の徴収金の納期限後にする場合にはその理由とする。（令附37①）
　　（一）　新型コロナウイルス感染症等の影響による事業収入の減少等の事実があること及び地方団体の徴収金の全部又は一部を一時に納付し、又は納入することが困難である事情の詳細
　　（二）　納付し、又は納入すべき地方団体の徴収金の年度、税目、納期限及び金額

　　　　（三）　（二）の金額のうち当該猶予を受けようとする金額
　　　　（四）　当該猶予を受けようとする期間

　　　　（政令で定める書類）
(10)　（8）に規定する(10)で定める書類は、次に掲げる書類とする。(令附37②)
　　　　（一）　新型コロナウイルス感染症等の影響による事業収入の減少等の事実を証するに足りる書類
　　　　（二）　財産目録その他の資産及び負債の状況を明らかにする書類
　　　　（三）　猶予を受けようとする日前の収入及び支出の実績並びに同日以後の収入及び支出の見込みを明らかにする書類

　　　　（読替規定）
(11)　2（同①から③までを除く。）、3から5まで並びに六の1の①及び同②の規定は、7の規定による徴収の猶予並びに(8)の規定による申請書の提出及び(8)の規定により添付すべき書類について準用する。この場合において、六の1の①中「災害等による徴収の猶予若しくは」とあるのは、「災害等による徴収の猶予、二の7の規定による徴収の猶予若しくは」と読み替えるものとする。(法附59③)

　　　　（みなし規定）
(12)　7の規定による徴収の猶予は、1の③に規定する徴収の猶予とみなして、三の1の①、四の1の①及び同②、第二節二、第七章二の2の③並びに第十章の4の③の規定を適用する。(法附59④)

　　　　（読替規定）
(13)　7の規定による徴収の猶予をした場合における二の1の①の規定の適用については、二の1の①中「場合」とあるのは、「場合（7の規定の適用を受ける場合を除く。）」とする。(法附59⑤)

三　職権による換価の猶予

1　職権による換価の猶予の要件等

① 　換価の猶予
　地方団体の長は、滞納者が次の各号のいずれかに該当すると認められる場合において、その者が当該地方団体に係る地方団体の徴収金の納付又は納入について誠実な意思を有すると認められるときは、その納付し、又は納入すべき地方団体の徴収金（徴収の猶予又は四の1の①の規定による換価の猶予（以下「申請による換価の猶予」という。）を受けているものを除く。）につき滞納処分による財産の換価を猶予することができる。ただし、その猶予の期間は、1年を超えることができない。(法15の5①)

（一）	その財産の換価を直ちにすることによりその事業の継続又はその生活の維持を困難にするおそれがあるとき。
（二）	その財産の換価を猶予することが、直ちにその換価をすることに比して、滞納に係る地方団体の徴収金及び最近において納付し、又は納入すべきこととなる他の地方団体の徴収金の徴収上有利であるとき。

② 　徴収猶予の規定の準用
　二の1の③から⑤までの規定は、①の規定による換価の猶予（以下「職権による換価の猶予」という。）について準用する。この場合において、次の表の左欄に掲げる規定中同表の中欄に掲げる字句は、それぞれ同表の右欄に掲げる字句に読み替えるものとする。(法15の5②)

二の1の③	金額	金額（その納付又は納入を困難とする金額として(1)で定める額を限度とする。）
	ことができる	ものとする
二の1の④	当該徴収の猶予を受けた者の申請に基づき、その	その
二の1の⑤	ことができる	ものとする

(換価の猶予をする金額の限度額)
（１）　②において読み替えて準用する二の１の③に規定する政令で定める額は、(一)に掲げる額から(二)に掲げる額を控除した残額とする。（令６の９の３①）

(一)		納付し、又は納入すべき地方団体の徴収金の額
(二)		地方団体の長が①の規定による換価の猶予をしようとする日の前日において当該換価の猶予を受けようとする者が有する現金、預貯金その他換価の容易な財産の価額に相当する金額から次に掲げるその者の区分に応じ、それぞれ次に定める額を控除した残額
	イ　法人	その事業の継続のために当面必要な運転資金の額
	ロ　個人	その者及びその者と生計を一にする配偶者その他の親族（その者と婚姻の届出をしていないが事実上婚姻関係と同様の事情にある者及び当該事情にある者の親族を含む。）の生活の維持のために通常必要とされる費用に相当する金額（その者が負担すべきものに限る。）並びにその者の事業の継続のために当面必要な運転資金の額

(読替規定)
（２）　（１）の規定は、四の１の③において読み替えて準用する二の１の③に規定する政令で定める額について準用する。この場合において、（１）の(二)中「①」とあるのは、「四の１の①」と読み替えるものとする。（令６の９の３②）

２　職権による換価の猶予の手続等

①　職権による換価の猶予の場合の必要書類の提出
　地方団体の長は、職権による換価の猶予をする場合において、必要があると認めるときは、滞納者に対し、財産目録、担保の提供に関する書類その他の当該地方団体の条例で定める書類の提出を求めることができる。（法15の５の２①）

②　職権による換価の猶予の期間延長の場合の必要書類の提出
　地方団体の長は、１の②において読み替えて準用する二の１の④の規定により職権による換価の猶予をした期間を延長する場合において、必要があると認めるときは、当該職権による換価の猶予を受けた者に対し、財産目録、担保の提供に関する書類その他の当該地方団体の条例で定める書類の提出を求めることができる。（法15の５の２②）

③　徴収猶予の通知の規定の準用
　二の３の①の規定は、職権による換価の猶予について準用する。（法15の５の２③）

３　職権による換価の猶予の効果等

①　職権による換価の猶予の場合の差押えの猶予又は解除
　地方団体の長は、職権による換価の猶予をする場合において、必要があると認めるときは、差押えにより滞納者の事業の継続又は生活の維持を困難にするおそれがある財産の差押えを猶予し、又は解除することができる。（法15の５の３①）

②　徴収猶予の規定の準用
　二の４の③及び④並びに二の５（(五)を除く。）及び同（２）の規定は、職権による換価の猶予について準用する。この場合において、次の表の左欄に掲げる規定中同表の中欄に掲げる字句は、それぞれ同表の右欄に掲げる字句に読み替えるものとする。（法15の５の３②）

二の４の③	①の規定にかかわらず、その	その
二の４の④	①の規定にかかわらず、当該	当該
二の５	次の	１の①の規定に該当しないこととなった場合又は次の
二の５の(二)	二の１の③	１の②において読み替えて準用する二の１の③

四　申請による換価の猶予

1　申請による換価の猶予の要件等

①　申請による換価の猶予

　地方団体の長は、職権による換価の猶予によるほか、滞納者が当該地方団体に係る地方団体の徴収金を一時に納付し、又は納入することによりその事業の継続又はその生活の維持を困難にするおそれがあると認められる場合において、その者が当該地方団体の徴収金の納付又は納入について誠実な意思を有すると認められるときは、当該地方団体の徴収金の納期限から当該地方団体の条例で定める期間内にされたその者の申請に基づき、1年以内の期間を限り、その納付し、又は納入すべき地方団体の徴収金（徴収の猶予を受けているものを除く。）につき滞納処分による財産の換価を猶予することができる。（法15の6①）

②　申請による換価の猶予の不適用

　①の規定は、当該申請に係る地方団体の徴収金以外に、当該地方団体に係る地方団体の徴収金（次の各号に掲げるものを除く。）の滞納がある場合（当該地方団体の条例で定める当該地方団体の債権に係る債務の不履行がある場合を含む。）その他申請による換価の猶予をすることが適当でない場合として当該地方団体の条例で定める場合には、適用しないことができる。（法15の6②）

(一)	徴収の猶予又は申請による換価の猶予を申請中の地方団体の徴収金
(二)	徴収の猶予、職権による換価の猶予又は申請による換価の猶予を受けている地方団体の徴収金（二の5の(四)（三の3の②又は3の②において準用する場合を含む。）に該当し、徴収の猶予、職権による換価の猶予又は申請による換価の猶予が取り消されることとなる場合の当該地方団体の徴収金を除く。）

③　徴収猶予の規定の準用

　二の1の③から⑤までの規定は、申請による換価の猶予について準用する。この場合において、次の表の左欄に掲げる規定中同表の中欄に掲げる字句は、それぞれ同表の右欄に掲げる字句に読み替えるものとする。（法15の6③）

二の1の③	金額	金額（その納付又は納入を困難とする金額として政令で定める額を限度とする。）
	ことができる	ものとする
二の1の⑤	ことができる	ものとする

2　申請による換価の猶予の申請手続等

①　申請による換価の猶予の場合の必要書類の提出

　申請による換価の猶予の申請をしようとする者は、当該申請による換価の猶予に係る地方団体の徴収金を一時に納付し、又は納入することによりその事業の継続又はその生活の維持が困難となる事情の詳細、納付又は納入が困難である金額、当該申請による換価の猶予を受けようとする期間その他の当該地方団体の条例で定める事項を記載した申請書に、財産目録、担保の提供に関する書類その他の当該地方団体の条例で定める書類を添付し、これを当該地方団体の長に提出しなければならない。（法15の6の2①）

②　申請による換価の猶予の期間延長の場合の必要書類の提出

　1の③において準用する二の④の規定により申請による換価の猶予をした期間の延長を申請しようとする者は、申請による換価の猶予を受けた期間内に当該申請による換価の猶予を受けた金額を納付し、又は納入することができないやむを得ない理由、申請による換価の猶予をした期間の延長を受けようとする期間その他の当該地方団体の条例で定める事項を記載した申請書に、財産目録、担保の提供に関する書類その他の当該地方団体の条例で定める書類を添付し、これを当該地方団体の長に提出しなければならない。（法15の6の2②）

③　徴収猶予の規定の準用

　二の2の⑤から⑨まで及び二の3の規定は、申請による換価の猶予について準用する。この場合において、次の表の左

欄に掲げる規定中同表の中欄に掲げる字句は、それぞれ同表の右欄に掲げる字句に読み替えるものとする。(法15の6の2③)

二の2の⑤及び⑥	二の2の①から③まで	①又は②
二の2の⑨	二の2の①から③まで	①又は②
	二の1の①、②又は④	1の①又は③において準用する二の1の④
二の2の⑨の(一)	二の5の(一)	3の②において準用する二の5の(一)
二の2の⑨の(二)	⑩の規定による	国税徴収法第141条の規定の例により行う徴税吏員の
	⑩の規定による検査	⑩の規定の例により行う徴税吏員の検査
	又は⑩の規定による	又は⑩の規定の例により行う徴税吏員の
	含む。⑩において同じ	含む
二の3の②	二の1の①から③まで	①又は②

3　申請による換価の猶予の効果等

① 申請による換価の猶予の場合の差押えの猶予又は解除

　地方団体の長は、申請による換価の猶予をする場合において、必要があると認めるときは、差押えにより滞納者の事業の継続又は生活の維持を困難にするおそれがある財産の差押えを猶予し、又は解除することができる。(法15の6の3①)

② 徴収猶予の規定の準用

　二の4の③及び④並びに二の5及び同(2)の規定は、申請による換価の猶予について準用する。この場合において、次の表の左欄に掲げる規定中同表の中欄に掲げる字句は、それぞれ同表の右欄に掲げる字句に読み替えるものとする。(法15の6の3②)

二の4の③	二の4の①の規定にかかわらず、その	その
二の4の④	二の4の①の規定にかかわらず、当該	当該
二の5の(二)	二の1の③	1の③において読み替えて準用する二の1の③

五　滞納処分の停止

1　滞納処分の停止の要件等

① 滞納処分の停止

　地方団体の長は、滞納者につき次の各号のいずれかに該当する事実があると認めるときは、滞納処分の執行を停止することができる。(法15の7①)

(一)	滞納処分をすることができる財産がないとき。
(二)	滞納処分をすることによってその生活を著しく窮迫させるおそれがあるとき。
(三)	その所在及び滞納処分をすることができる財産がともに不明であるとき。

　　　(滞納者に対する通知)
（１）　地方団体の長は、①の規定により滞納処分の執行を停止したときは、その旨を滞納者に通知しなければならない。(法15の7②)

　　　(納税義務の消滅)
（２）　①の規定により滞納処分の執行を停止した地方団体の徴収金を納付し、又は納入する義務は、その執行の停止が３年間継続したときは、消滅する。(法15の7④)

（限定承認等に係る徴収金の納税義務の消滅）
　（3）　①の表の（一）の規定により滞納処分の執行を停止した場合において、その地方団体の徴収金が限定承認に係るものであるとき、その他その地方団体の徴収金を徴収することができないことが明らかであるときは、地方団体の長は、（2）の規定にかかわらず、その地方団体の徴収金を納付し、又は納入する義務を直ちに消滅させることができる。（法15の7⑤）

② 滞納処分の執行停止による差押えの解除
　地方団体の長は、①の表の（二）の規定により滞納処分の執行を停止した場合において、その停止に係る地方団体の徴収金について差し押さえた財産があるときは、その差押えを解除しなければならない。（法15の7③）

2　滞納処分の停止の取消し
　地方団体の長は、1の①の表の各号の規定により滞納処分の執行を停止した後3年以内に、その停止に係る滞納者につきそれらの号に該当する事実がないと認めるときは、その執行の停止を取り消さなければならない。（法15の8①）

　　（滞納処分の停止の取消しの通知）
　注　地方団体の長は、2の規定により滞納処分の執行の停止を取り消したときは、その旨を滞納者に通知しなければならない。（法15の8②）

六　納税の猶予等の場合の延滞金の特例

1　納税の猶予の場合の延滞金の免除

① 徴収猶予等の場合の延滞金の免除
　災害等による徴収の猶予若しくは五の1の①の規定による滞納処分の執行の停止をした場合又は事業の廃止等による徴収の猶予（徴収の猶予のうち災害等による徴収の猶予以外のものをいう。以下①において同じ。）若しくは職権による換価の猶予《三の1》若しくは申請による換価の猶予《四の1》をした場合には、その猶予又は停止をした地方税に係る延滞金額のうち、それぞれ、当該災害等による徴収の猶予若しくは執行の停止をした期間に対応する部分の金額に相当する金額又は当該事業の廃止等による徴収の猶予若しくは職権による換価の猶予若しくは申請による換価の猶予をした期間（延滞金が年14.6パーセントの割合により計算される期間に限る。）に対応する部分の金額の2分の1に相当する金額は、免除する。ただし、二の5（三の3の②及び四の3の②において読み替えて準用する場合を含む。）、又は五の2の規定による取消しの基因となるべき事実が生じた場合には、その生じた日以後の期間に対応する部分の金額については、地方団体の長は、その免除をしないことができる。（法15の9①）
　　（注）　①の規定により免除される延滞金の金額については、特例規定が設けられているので、第十章12の③《徴収の猶予等をした地方税に係る延滞金の免除金額の特例》を参照。（編者）

② 財産の状況が著しく不良の場合等の延滞金の免除
　徴収の猶予《二の1》、職権による換価の猶予《三の1》又は申請による換価の猶予《四の1》換価の猶予をした場合において、納税者又は特別徴収義務者が次の各号のいずれかに該当するときは、地方団体の長は、その猶予をした地方税に係る延滞金（①の規定による免除に係る部分を除く。）につき、猶予した期間（当該地方税を当該期間内に納付し、又は納入しなかったことについてやむを得ない理由があると地方団体の長が認める場合には、猶予の期限の翌日から当該やむを得ない理由がなくなった日までの期間を含む。）に対応する部分の金額でその納付又は納入が困難と認められるものを限度として免除することができる。（法15の9②）

（一）	納税者又は特別徴収義務者の財産の状況が著しく不良で、納期又は弁済期の到来した他の地方団体に係る地方団体の徴収金、国税、公課又は債務について軽減又は免除をしなければ、その事業の継続又は生活の維持が著しく困難になると認められる場合において、その軽減又は免除がされたとき。
（二）	納税者若しくは特別徴収義務者の事業又は生活の状況によりその延滞金額の納付又は納入を困難とするやむを得ない理由があると認められるとき。

③　更正の請求に係る徴収の猶予の場合の延滞金の免除
　第十章10の⑤の注《更正の請求と徴収猶予》ただし書の規定により徴収を猶予した場合には、その猶予をした地方税に係る延滞金につき、その猶予をした期間（延滞金が年14.6パーセントの割合により計算される期間に限るものとし、①及び②の規定により延滞金の免除がされた場合には、当該免除に係る期間に該当する期間を除く。）に対応する部分の金額の２分の１に相当する金額は、免除する。（法15の９③）
　　（注）　③の規定により免除される延滞金の金額については、特例規定が設けられているので、第十章12の③《徴収の猶予等をした地方税に係る延滞金の免除金額の特例》を参照。（編者）

④　差押え又は担保の提供に係る地方税についての延滞金の免除
　地方団体の長は、滞納に係る地方団体の徴収金の全額を徴収するために必要な財産につき差押えをした場合又は納付し、若しくは納入すべき地方団体の徴収金の額に相当する担保の提供を受けた場合には、その差押え又は担保の提供に係る地方税を計算の基礎とする延滞金につき、その差押え又は担保の提供がされている期間（延滞金が年14.6パーセントの割合により計算される期間に限るものとし、①から③までの規定により延滞金の免除がされた場合には、当該免除に係る期間に該当する期間を除く。）に対応する部分の金額の２分の１に相当する金額を限度として、免除することができる。（法15の９④）
　　（注）　④の規定により免除される延滞金の金額については、特例規定が設けられているので、第十章12の③《徴収の猶予等をした地方税に係る延滞金の免除金額の特例》を参照。（編者）

2　納期限の延長に係る延滞金の特例

　当分の間、租税特別措置法第66条の３《確定申告書の提出期限の延長の特例に係る利子税の特例》に規定する期間に相当する期間として政令で定める期間内は、政令で定めるところにより、法第65条《法人の道府県民税に係る納期限の延長の場合の延滞金》第１項、第72条の45の２《法人の事業税に係る納期限の延長の場合の延滞金》第１項及び第327条《法人の市町村民税に係る納期限の延長の場合の延滞金》第１項に規定する延滞金の年7.3パーセントの割合は、これらの規定及び第十章12の②《納期限の延長の場合の延滞金の割合の特例》の規定にかかわらず、日本銀行法第15条第１項第１号の規定により定められる商業手形の基準割引率の引上げに応じ、年12.775パーセントの割合の範囲内で定める割合とする。（法附３の２の２）

　　　　（政令で定める期間）
（1）　２に規定する政令で定める期間は、日本銀行法第15条第１項第１号の規定により定められる商業手形の基準割引率が年5.5パーセントを超えて定められる日からその後年5.5パーセント以下に定められる日の前日までの期間（当該期間内に第十章12の②《納期限の延長の場合の延滞金の割合の特例》の規定により第二編第二章《法人の道府県民税》第六節五の２《納期限の延長の場合の延滞金》、第二編第五章《法人の事業税》第六節二《納期限の延長の場合の延滞金》、第三編第二章《法人の市町村民税》第六節五の２《納期限の延長の場合の延滞金》に規定する延滞金の割合を第十章12の②に規定する加算した割合とする年に含まれる期間がある場合には、当該期間を除く。以下(1)、(2)において「**特例期間**」という。）とする。
　　ただし、法人税法第75条の２第１項《確定申告書の提出期限の延長の特例》（同法第144条の８において準用する場合を含む。）の規定により延長された法第53条第１項《法人の道府県民税の申告納付》若しくは第321条の８第１項《法人の市町村民税の申告納付》に規定する申告書の提出期限又は法第72条の25第３項（法第72条の28第２項及び第72条の29第２項において準用する場合を含む。以下(1)において同じ。）若しくは第５項《会計監査等の理由による事業税の申告納付期限の延長》（これらの規定を法第72条の28第２項並びに第72条の29第２項及び第６項において準用する場合を含む。以下(1)において同じ。）の規定により延長された法第72条の25第３項若しくは第５項に規定する申告書の提出期限が当該年5.5パーセント以下に定められる日以後に到来することとなる道府県民税若しくは市町村民税又は事業税に係る**申告基準日**（法人税額の課税標準の算定期間の末日又は事業年度終了の日後２月を経過した日の前日（その日が民法第142条に規定する休日、土曜日又は12月29日、同月30日若しくは同月31日に該当するときは、これらの日の翌日）をいう。以下(2)までにおいて同じ。）が特例期間内に到来する場合には、これらの道府県民税若しくは市町村民税又は事業税に係る法第65条、第72条の45の２又は第327条の規定による延滞金にあっては、当該年5.5パーセントを超えて定められる日からこれらの延長された申告書の提出期限までの期間とする。（令附３の２の２①、令６の18②）

(政令で定める延滞金の割合)
(2) 特例期間内にその申告基準日の到来する道府県民税若しくは市町村民税又は事業税に係る法第65条《法人の道府県民税に係る納期限の延長の場合の延滞金》第１項、第72条の45の２《法人の事業税に係る納期限の延長の場合の延滞金》第１項及び第327条《法人の市町村民税に係る納期限の延長の場合の延滞金》第１項に規定する延滞金の年7.3パーセントの割合は、これらの規定にかかわらず、当該年7.3パーセントの割合と当該申告基準日における(1)に規定する商業手形の基準割引率のうち年5.5パーセントの割合を超える部分の割合を年0.25パーセントの割合で除して得た数を年0.73パーセントの割合に乗じて計算した割合とを合計した割合（当該合計した割合が年12.775パーセントの割合を超える場合には、年12.775パーセントの割合）とする。（令附３の２の２②）

$$7.3\% + 0.73\% \times \frac{\text{申告基準日における商業手形の基準割引率（年利建て）} - \text{年}5.5\%}{0.25\%} \cdots\cdots 12.775\%\text{を限度とする。}$$

第二節　納税の猶予に伴う担保等

一　担保の徴取

　地方団体の長は、徴収の猶予《第一節二の１》、職権による換価の猶予《第一節三の１》又は申請による換価の猶予《第一節四の１》をする場合には、その猶予に係る金額に相当する担保で次に掲げるものを徴さなければならない。ただし、その猶予に係る金額、期間その他の事情を勘案して担保を徴する必要がない場合として当該地方団体の条例で定める場合は、この限りでない。（法16①）

(一)	国債及び地方債
(二)	地方団体の長が確実と認める社債（特別の法律により設立された法人が発行する債券を含む。）その他の有価証券
(三)	土地
(四)	保険に付した建物、立木、船舶、航空機、自動車及び建設機械
(五)	鉄道財団、工場財団、鉱業財団、軌道財団、運河財団、漁業財団、港湾運送事業財団、道路交通事業財団及び観光施設財団
(六)	地方団体の長が確実と認める保証人の保証

(徴収金に係る差押財産がある場合の担保の額)
(1) 一の規定により担保を徴する場合において、その猶予に係る地方団体の徴収金につき差し押さえた財産があるときは、その担保の額は、その猶予をする金額からその財産の価額を控除した額を限度とする。（法16②）

(増担保、保証人の変更等の要求)
(2) 地方団体の長は、一の規定により担保を徴した場合において、担保財産の価額若しくは保証人の資力の減少その他の理由により猶予に係る金額の納付若しくは納入を担保することができないと認めるとき、又は第一節二の４の②《徴収猶予に係る徴収金についての差押えの解除》、同三の３の①《職権による換価の猶予の場合の差押えの猶予又は解除》若しくは同節四の３の①《申請による換価の猶予の場合の差押えの猶予又は解除》の規定により差押えを解除したときは、納税者又は特別徴収義務者に対し、増担保の提供、保証人の変更その他担保を確保するため必要な行為を求めることができる。（法16③）

(国債等の担保の提供手続)
(3) 一の表の(一)又は(二)に掲げる担保のうち振替株式等（社債、株式等の振替に関する法律第２条第１項第12号から第21号までに掲げる社債等で同条第２項に規定する振替機関が取り扱うものをいう。(6)において同じ。）以外のもの（社債、株式等の振替に関する法律第278条第１項に規定する振替債にあっては、(4)で定めるもの）を提供しようとする者は、これを供託してその供託書の正本を地方団体の長に提出しなければならない。ただし、登録国債につい

ては、その登録を受け、登録済通知書を地方団体の長に提出しなければならない。(令6の10①)

　　　(供託することができる振替債)
(4)　(3)に規定する振替債は、振替国債(その権利の帰属が社債、株式等の振替に関する法律の規定による振替口座簿の記載又は記録により定まるものとされる国債をいう。)とする。(規1の4の2)

　　　(社債その他の有価証券の担保の提供手続)
(5)　一の表の(二)に掲げる担保のうち振替株式等を提供しようとする者は、振替株式等の種類に応じ、当該振替株式等について、社債、株式等の振替に関する法律に規定する振替口座簿の地方団体の長の口座の質権欄に増加又は増額の記載又は記録をするための振替の申請をしなければならない。(令6の10②)

　　　(土地等の担保の提供手続)
(6)　一の表の(三)から(五)までに掲げる担保を提供しようとする者は、抵当権を設定するために必要な文書を地方団体の長に提出しなければならない。この場合において、その提出を受けた地方団体の長は、抵当権の設定の登記(登録を含む。)を関係機関に嘱託しなければならない。(令6の10③)

　　　(保証による担保の提供手続)
(7)　一の表の(六)に掲げる担保を提供しようとする者は、保証人の保証を証する文書を地方団体の長に提出しなければならない。(令6の10④)

二　納付又は納入の委託

　納税者又は特別徴収義務者が次に掲げる地方団体の徴収金を納付し、又は納入するため、地方団体の長が定める有価証券(地方自治法第231条の2第3項《証券による納付》又は第5項《証券の取立て及び納付の委託》の規定により地方団体の歳入の納付に使用することができる証券を除く。)を提供して、その証券の取立てとその取り立てた金銭による当該地方団体の徴収金の納付又は納入を委託しようとする場合には、徴税吏員は、その証券が最近において確実に取り立てることができるものであると認められるときに限り、その委託を受けることができる。この場合において、その証券の取立てにつき費用を要するときは、その委託をしようとする者は、その費用の額に相当する金額を併せて提供しなければならない。(法16の2①)

(一)	徴収の猶予《第一節二の1》、職権による換価の猶予《第一節三の1》又は申請による換価の猶予《第一節四の1》に係る地方団体の徴収金
(二)	納付又は納入の委託をしようとする有価証券の支払期日以後に納期限の到来する地方団体の徴収金
(三)	滞納に係る地方団体の徴収金((一)に掲げるものを除く。)で、その納付又は納入につき納税者又は特別徴収義務者が誠実な意思を有し、かつ、その納付又は納入の委託を受けることが地方団体の徴収金の徴収上有利と認められるもの

　　　(納付受託証書等の交付)
(1)　徴税吏員は、二の委託を受けたときは、(2)で定める様式による納付受託証書又は納入受託証書を納税者又は特別徴収義務者に交付しなければならない。(法16の2②)

　　　(納付受託証書又は納入受託証書の様式)
(2)　(1)の納付受託証書又は納入受託証書の様式は、第1号の2様式によるものとする。(規1の6)
　　　(注)　様式は省略した。(編者)

　　　(取立て及び納付等の再委託)
(3)　徴税吏員は、二の委託を受けた場合において、必要があるときは、確実と認める金融機関にその取立て及び納付又は納入の再委託をすることができる。(法16の2③)

(委託に係る有価証券の提供による担保)
(4) 二の委託があった場合において、その委託に係る有価証券の提供により二の表の(一)に掲げる地方団体の徴収金につき一の表の各号に掲げる担保の提供の必要がないと認められるに至ったときは、その認められる限度において当該担保の提供があったものとすることができる。(法16の2④)

三　保全担保

1　保全担保の徴取

次に掲げる地方税の納税者又は特別徴収義務者がこれらの地方税に係る地方団体の徴収金を滞納した場合において、その後その者に課されるべきこれらの地方団体の徴収金の徴収を確保することができないと認められるときは、地方団体の長は、その地方団体の徴収金の担保として、金額及び期限を指定して、その者に一の表の各号に掲げるもの又は金銭の提供を命ずることができる。(法16の3①)

(一)	道府県たばこ税
(二)	ゴルフ場利用税
(三)	軽油引取税
(四)	市町村たばこ税
(五)	入湯税
(六)	特別徴収の方法によって徴収する道府県法定外普通税若しくは市町村法定外普通税又は法定外目的税

(担保の指定金額の限度額)
(1) 1の規定により指定する金額は、その提供を命ずる月の前月分の当該地方団体の徴収金の額の3倍に相当する金額(その金額が前年におけるその提供を命ずる月に対応する月分及びその後2月分の当該地方団体の徴収金として納入し、又は納付すべき金額に満たないときは、その金額)を限度とする。(法16の3②)

(金銭を担保とする場合の供託)
(2) 1の規定により提供を命ぜられる担保として金銭を提供しようとする者は、これを供託してその供託書の正本を地方団体の長に提出しなければならない。(令6の11④)

(保全担保の提供命令等の手続)
(3) 1の規定による命令は、次に掲げる事項を記載した文書でしなければならない。(令6の11①)
　(一)　担保されるべき地方団体の徴収金の税目及び金額
　(二)　提供すべき担保の種類
　(三)　担保を提供すべき期限

(保全担保の提供期限の繰上げ)
(4) (3)の(三)に掲げる期限は、(3)の文書を発する日から起算して7日を経過した日以後の日としなければならない。ただし、納税者又は特別徴収義務者につき第三章二の1《繰上徴収》の表の各号のいずれかに該当する事実が生じたときは、この期限を繰り上げることができる。(令6の11②)

(担保の提供手続の規定の準用)
(5) 一の(3)及び(5)から(7)までの規定は、1の規定により提供を命ぜられる一の表の各号に掲げる担保の提供手続について準用する。(令6の11③)

(増担保、保証人の変更等の要求の規定の準用)
(6) 一の(2)の規定は、1の規定による担保について準用する。(法16の3③)

2 保全担保の提供がない場合の抵当権の設定

地方団体の長は、1の規定により地方団体の徴収金の担保の提供を命じた場合において、納税者又は特別徴収義務者がその指定された期限までにその命ぜられた担保の提供をしないときは、その地方団体の徴収金に関し、その者の財産で抵当権の目的となるものにつき、1の規定により指定した金額を限度として抵当権を設定することを文書で納税者又は特別徴収義務者に通知することができる。(法16の3④)

　　　(抵当権のみなし設定及び登記の嘱託)
(1)　2の通知があったときは、その通知を受けた納税者又は特別徴収義務者は、2の抵当権を設定したものとみなす。この場合において、地方団体の長は、抵当権の設定の登記を関係機関に嘱託しなければならない。(法16の3⑤)

　　　(嘱託登記の手続)
(2)　(1)の後段の場合((3)に規定する場合を除く。)においては、その嘱託に係る書面には、2の文書が納税者又は特別徴収義務者に到達したことを証する書面を添付しなければならない。(法16の3⑥)

　　　(文書到達情報の提供)
(3)　(1)の後段の場合において、不動産登記法第16条第2項(他の法令において準用する場合を含む。)において準用する同法第18条の規定による嘱託をするときは、その嘱託情報と併せて2の文書が2の納税者又は特別徴収義務者に到達したことを証する情報を提供しなければならない。この場合においては、同法第116条第1項の規定にかかわらず、登記義務者の承諾を得ることを要しない。(法16の3⑦)

3 担保の解除

地方団体の長は、1の規定による担保の提供又は2の(1)の規定による抵当権の設定(以下「**担保の提供等**」という。)があった場合において、1の命令に係る地方団体の徴収金の滞納がない期間が継続して3月に達したときは、その担保を解除しなければならない。(法16の3⑧)

　　　(事情変更による即時解除)
注　地方団体の長は、担保の提供等があった納税者又は特別徴収義務者の資力その他の事情の変化により担保の提供等の必要がなくなったと認めるときは、上記の規定にかかわらず、直ちにその解除をすることができる。(法16の3⑨)

四 保全差押え

1 保全差押え

地方団体の徴収金につき納付又は納入の義務があると認められる者が、不正に地方団体の徴収金を免れ、又は地方団体の徴収金の還付を受けたことの嫌疑に基づき、第十章の18の規定による差押え、第十章の17の②に規定する記録命令付差押え若しくは領置又は刑事訴訟法の規定による押収、領置若しくは逮捕を受けた場合において、その処分に係る地方団体の徴収金の納付し、又は納入すべき額の確定(納付若しくは納入の告知、申告、更正又は決定による確定をいう。以下**四**において同じ。)後においては当該地方団体の徴収金の徴収を確保することができないと認められるときは、地方団体の長は、当該地方団体の徴収金の納付し、又は納入すべき額の確定前に、その確定をすると見込まれる地方団体の徴収金の金額のうちその徴収を確保するためあらかじめ滞納処分をすることを要すると認める金額(以下四において「**保全差押金額**」という。)を決定することができる。この場合においては、徴税吏員は、その金額を限度として、その者の財産を直ちに差し押さえることができる。(法16の4①)

　　　(保全差押金額の通知)
(1)　地方団体の長は、1の規定により保全差押金額を決定するときは、当該保全差押金額を1に規定する納付又は納入の義務があると認められる者に文書で通知しなければならない。(法16の4②)

　　　(通知文書の記載事項)
(2)　(1)の文書には、次の各号に掲げる事項を記載しなければならない。(令6の12①)
　(一)　1の規定により決定した金額
　(二)　(一)の金額の決定の基因となった地方団体の徴収金の年度及び税目

（担保等の提供があった場合の差押えの禁止）
（３）　（１）の通知をした場合において、その納付又は納入の義務があると認められる者がその通知に係る保全差押金額に相当する担保として一の表の各号に掲げるもの又は金銭を提供してその差押えをしないことを求めたときは、徴税吏員は、その差押えをすることができない。（法16の４③）

　　　（換価の制限）
（４）　１の規定により差し押さえた財産は、その差押えに係る地方団体の徴収金の納付し、又は納入すべき額の確定後でなければ、換価することができない。（法16の４⑧）

　　　（差押えに代る交付要求）
（５）　１の場合において、差し押さえるべき財産に不足があると認められるときは、地方団体の長は、差押えに代えて交付要求をすることができる。この場合においては、その交付要求であることを明らかにしなければならない。（法16の４⑨）

　　　（徴収金の額が確定しない場合の差押金銭の供託）
（６）　地方団体の長は、１の規定により差し押さえた金銭（有価証券、債権又は無体財産権等〚第一節二の４の③参照〛の差押えにより第三債務者等〚第四章四の２の①の（７）参照〛から給付を受けた金銭を含む。）がある場合において、その差押えに係る地方団体の徴収金の納付し、又は納入すべき額の確定をしていないときは、これを供託しなければならない。（法16の４⑩）

　　　（差押えにより生じた損害の賠償）
（７）　１に規定する地方団体の徴収金の納付し、又は納入すべき額として確定をした金額が保全差押金額に満たない場合において、その差押えを受けた者がその差押えにより損害を受けたときは、地方団体は、その損害を賠償する責めに任ずる。この場合において、その額は、その差押えにより通常生ずべき損失の額とする。（法16の４⑪）

　　　（徴収金の額が確定した場合の金銭担保の充当）
（８）　（３）又は２の表の（一）の規定により担保として金銭を提供した者は、１に規定する地方団体の徴収金の納付し、又は納入すべき額が確定したときは、その金銭をもってその地方団体の徴収金の納付又は納入に充てることができる。（令６の12④）

　　　（充当の手続）
（９）　（８）の規定により担保として提供した金銭をもって地方団体の徴収金の納付又は納入に充てようとする者は、その旨を記載した文書を地方団体の長に提出しなければならない。（令６の12⑤）

　　　（充当の申出書が提出された場合のみなし規定）
（10）　（９）の文書の提出があったときは、その担保として提供された金銭の額（その額が納付し、又は納入すべき地方団体の徴収金の額を超えるときは、その地方団体の徴収金の額）に相当する地方団体の徴収金を徴収したものとみなす。（令６の12⑥）

　　　（差押えに係る徴収金の額が確定した場合のみなし規定）
（11）　１の規定による差押え又は（３）若しくは２の表の（一）の担保の提供があった場合において、その差押え又は担保の提供に係る地方団体の徴収金の納付し、又は納入すべき額の確定がされたときは、その差押え又は担保の提供は、その地方団体の徴収金を徴収するためにされたものとみなす。（法16の４⑥）

　　　（担保の徴取に関する規定の準用）
（12）　一の（１）及び（２）の規定は、（３）又は２の表の（一）の規定により提供される担保について準用する。（法16の４⑦）

　　　（担保の提供手続についての規定の準用）
（13）　一の（３）及び（５）から（７）までの規定は、（３）又は２の表の（一）の規定により提供する一の表の各号に掲げる担

保の提供手続について準用する。（令6の12②）

　　　（金銭を担保とする場合の供託規定の準用）
（14）　三の1の（2）の規定は、（3）又は2の表の（一）の規定により提供する担保としての金銭の提供手続について準用する。（令6の12③）

2　差押え又は担保の解除

徴税吏員は、（一）又は（二）に該当するときは1の規定による差押えを、（三）に該当するときは（三）に規定する担保を、それぞれ解除しなければならない。（法16の4④）

（一）	1の規定による差押えを受けた者が1の（3）に規定する担保を提供して、その差押えの解除を請求したとき。
（二）	1の（1）の通知をした日から6月を経過した日までに、その差押えに係る地方団体の徴収金の納付し、又は納入すべき額の確定がされないとき。
（三）	1の（1）の通知をした日から6月を経過した日までに、保全差押金額について提供されている担保に係る地方団体の徴収金の納付し、又は納入すべき額の確定がされないとき。

（注1）　上表の（一）に規定する担保については、1の（8）から（14）までに規定があることに留意。（編者）
（注2）　2中「6月」を「1年」に改める令和6年度改正規定は、令和7年1月1日以後にされる1の規定による決定について適用し、同日前にされた1の規定による改正前の1の規定による決定については、なお従前の例による。（令6改法附1二、3）

　　　（事情変更による差押え又は担保の解除）
　　注　徴税吏員は、1の規定による差押えを受けた者又は同（3）若しくは2の表の（一）の担保の提供をした者につき、その資力その他の事情の変化により、その差押え又は担保の徴取の必要がなくなったと認められることとなったときは、その差押え又は担保を解除することができる。（法16の4⑤）

3　国税について差押えがあった場合の準用

1及び2の規定は、所得税、法人税又は消費税について国税通則法第38条第3項《繰上請求の事由に該当する場合の保全差押え》の規定による差押えがされた場合において、当該所得税の課税標準を基準として課する個人の道府県民税若しくは市町村民税の所得割（これらと併せて課する均等割を含む。）、当該法人税の課税に基づいて課する法人の道府県民税若しくは市町村民税の法人税割（これらと併せて課する均等割を含む。）、当該所得税の課税標準を基準として課する個人の行う事業に対する事業税、当該法人税の課税標準を基準として課する法人の行う事業に対する事業税の所得割（これと併せて課する付加価値割及び資本割又は収入割を含む。）又は当該消費税の課税に基づいて課する地方消費税につき、これらに係る納付義務の確定後においてはこれらの徴収を確保することができないと認められるときについて準用する。<u>この場合において、2の（二）及び（三）中「1年」とあるのは、「6月」と読み替えるものとする。</u>（法16の4⑫、令6の12⑦）

　　（注）　3中___部分を追加する令和6年度改正規定は、令和7年1月1日以後適用する（令6改法附1二）

五　担保の処分

徴収の猶予《第一節二の1》、職権による換価の猶予《第一節三の1》又は申請による換価の猶予《第一節四の1》を受けた者がその猶予に係る地方団体の徴収金をその猶予の期限までに納付若しくは納入をせず、又は地方団体の長が同節二の3《徴収猶予の取消し》（第一節三の3の②及び同節四の3の②において読み替えて準用する場合を含む。）の規定によりその猶予を取り消したことによって、その猶予に係る地方団体の徴収金を徴収する場合において、その地方団体の徴収金について徴した担保があるときは、地方団体の長は、滞納処分の例によりその担保財産を処分して、その徴収すべき地方団体の徴収金及び担保財産の処分費に充て、又は保証人にその地方団体の徴収金を納付し、若しくは納入させる。（法16の5①）

　　　（処分の代金が徴収金等の額に不足する場合の滞納処分）
（1）　五の場合において、地方団体の長は、担保財産の処分の代金が五の地方団体の徴収金及び担保財産の処分費に充ててなお不足があると認めるときは、滞納者の他の財産について滞納処分をし、また、保証人がその納付し、又は納入すべき金額を完納しないときは、まず滞納者に対して滞納処分をし、なお不足があるとき、又は不足があると認めるときは、保証人に対して滞納処分をする。（法16の5②）

（保全担保又は保全差押えに係る徴収金についての準用）
（２）　**五**及び(１)の規定は、**三**又は**四**の１の(３)若しくは同２の表の(一)（**四**の３において準用する場合を含む。）の担保の提供があった場合において、その担保に係る地方団体の徴収金を徴収するときについて準用する。この場合において、その担保が金銭であるときは、直ちにその地方団体の徴収金に充てる。（法16の５③）

　　　（第二次納税義務の規定の準用）
（３）　第二章三の１《第二次納税義務の通則》の規定は、**五**又は(１)（これらの規定を(２)において準用する場合を含む。）の規定により保証人から地方団体の徴収金を徴収する場合について準用する。（法16の５④）

第六章　還　　付

一　過誤納金の還付及び充当

1　過誤納金の還付
　地方団体の長は、過誤納に係る地方団体の徴収金（以下「過誤納金」という。）があるときは、次により、遅滞なく還付しなければならない。（法17）

① 　過誤納金の還付等における第二次納税義務者の優先
　納税者又は特別徴収義務者及びこれらの者の地方団体の徴収金に係る第二次納税義務者が納付し、又は納入した地方団体の徴収金の一部につき過誤納が生じた場合には、その過誤納金の還付又は充当に関しては、まず、第二次納税義務者が納付し、又は納入した額につきその過誤納が生じたものとする。（令6の13①）

　　（還付又は充当の通知）
　注　地方団体の長は、①の規定の適用を受ける還付又は充当をしたときは、その旨を納税者又は特別徴収義務者に通知しなければならない。（令6の13②）

② 　第二次納税義務者の納付に係る過納金の取扱い
　第二次納税義務者が納付し又は納入した地方団体の徴収金の額につき生じた過納金は、三の1の表の(一)に掲げる過納金とみなして、三の1の規定を適用する。（令6の13③）

2　過誤納金の充当

① 　納付すべき徴収金がある場合の充当
　地方団体の長は、1の規定により還付すべき場合において、その還付を受けるべき者につき納付し、又は納入すべきこととなった地方団体の徴収金（その納付し、又は納入する義務が信託財産責任負担債務〖第二章一の4参照〗である地方団体の徴収金に係る過誤納金である場合にはその納付し、又は納入する義務が当該信託財産責任負担債務である地方団体の徴収金に限るものとし、その納付し、又は納入する義務が信託財産責任負担債務である地方団体の徴収金に係る過誤納金でない場合にはその納付し、又は納入する義務が信託財産限定責任負担債務〖第二章二の3参照〗である地方団体の徴収金以外の地方団体の徴収金に限る。以下2において同じ。）があるときは、1の規定にかかわらず、過誤納金をその地方団体の徴収金に充当しなければならない。（法17の2①）
　(注)　第二次納税義務者についての充当に関しては、1の①を参照。（編者）

　　（充当の通知）
　注　地方団体の長は、①から③までの規定による充当をしたときは、その旨を納税者又は特別徴収義務者に通知しなければならない。（法17の2⑤）

② 　併せて徴収する個人の道府県民税又は市町村民税について過誤納金がある場合の充当
　道府県が個人の道府県民税に係る徴収及び滞納処分の特例〖第二編第一章第六節十一の1又は同(1)〗（これらの規定を第二編第一章第六節十一の1(9)において準用する場合を含む。）の規定により当該道府県の個人の道府県民税に係る地方団体の徴収金と併せて徴収した個人の市町村民税に係る地方団体の徴収金又は市町村が個人の道府県民税の賦課徴収〖第二編第一章第六節二〗の規定により当該市町村の個人の市町村民税に係る地方団体の徴収金と併せて徴収した個人の道府県民税に係る地方団体の徴収金に係る納税者又は特別徴収義務者の過誤納金があるときは、道府県知事又は市町村長は、当該過誤納金をそれぞれ当該道府県又は市町村の地方団体の徴収金に係る過誤納金とみなして、それぞれ当該納税者又は特別徴収義務者の納付し、又は納入すべきこととなった道府県又は市町村の地方団体の徴収金に充当しなければなら

③ 延滞金があるときの充当

①及び②の場合において、その地方団体の徴収金のうちに延滞金があるときは、その過誤納金は、まず延滞金の額の計算の基礎となる地方税に充当しなければならない。（法17の2③）
  （注）　充当の通知については、①の注を参照。（編者）

④ 過誤納金の充当適状

①から③までの規定による充当は、政令で定める充当をするに適することとなった時にさかのぼってその効力を生ずる。（法17の2④）

　　　　　　（政令で定める過誤納金等の充当適状のとき）
（1）　④（固定資産税における本算定税額の確定による清算〖第三編第三章第三節二の4①（2）〗及び国民健康保険税の不足税額の徴収及び過納額の還付又は充当〖第三編第七章十の3②〗の規定においてその例による場合を含む。）に規定する政令で定める充当をするに適することとなった時は、納付し、又は納入すべき地方団体の徴収金の法定納期限（次の各号に掲げる地方団体の徴収金については、当該各号に定める時とし、（一）から（四）までに掲げる地方税に係る延滞金については、その徴収の基因となった地方税に係る当該各号に定める時とする。）と過誤納金が生じた時（還付加算金については、その計算の基礎となった過誤納金が生じた時）とのいずれか遅い時とする。（令6の14①、令附14の5⑧、16の2⑥、16の2の3⑥）
　（一）　法定納期限後にその納付し、又は納入すべき税額が確定した地方税　　その納付又は納入の告知書を発した時（申告により税額が確定されたものについては、その申告があった時）
　（二）　納期を分けている地方税　　法又はこれに基づく条例の規定による納期限
　（三）　繰上徴収の告知〖第三章二の2〗の規定により告知がされた地方税　　その告知により指定された納期限
　（四）　地方税法に定める徴収の猶予（法第15条第1項第1号の規定による徴収の猶予（盗難にかかったことによるものを除く。）又は法第44条の2、法第55条の2第1項、第72条の38の2第1項若しくは第6項、第72条の39の2第1項、法第72条の57の2第1項、第73条の25第1項、第144条の29第1項、法第321条の7の13第1項、第321条の11の2第1項、第601条第3項若しくは第4項（これらの規定を法第602条第2項、第603条の2の2第2項又は附則第31条の3の3第3項において準用する場合を含む。）、第603条第3項、第603条の2第5項、第629条第5項若しくは附則第29条の5第7項若しくは第8項若しくは附則第31条の3の3第2項若しくは附則第31条の3の4第2項、第4項若しくは第5項の規定による徴収の猶予をいう。）に係る地方税　　その徴収の猶予の期限
　（五）　督促手数料、過少申告加算金、不申告加算金又は重加算金　　その納付又は納入の告知書を発した時
　（六）　滞納処分費　　その確定した時
　（七）　第二次納税義務者又は保証人として納付し、又は納入すべき地方団体の徴収金　　その告知に関する文書を発した時

　　　　　　（充当適状の規定の準用）
（2）　（1）の規定は、次に掲げる規定による充当について準用する。（令6の14②、令附16の2⑥、16の2の3⑥）
　（一）　法第73条の2第9項《附帯設備に係る不動産取得税の還付金の充当》（法第73条の27第2項《住宅新築用土地の取得に係る不動産取得税の還付金の充当》又は第73条の27の4第5項《譲渡担保財産の取得に係る不動産取得税の還付金の充当》において準用する場合を含む。）
　（二）　法第74条の14第3項《道府県たばこ税の還付金の充当》又は第477条第3項《市町村たばこ税の還付金の充当》
　（三）　法第144条の30第2項《軽油引取税の徴収不能額等の還付金の充当》又は附則第31条の3の4第9項《特別土地保有税の還付金の充当》
　（四）　法第601条第8項《納税義務の免除等に係る特別土地保有税の還付金の充当》（法第602条第2項、第603条第4項、第603条の2第6項、第603条の2の2第2項、第629条第8項又は附則第31条の3の3第3項において準用する場合を含む。）

3 還付金等の充当等の特例

① 還付金等の充当

2の規定並びに第二編第六章第二節三の2及び3、第二編第七章第一節三の4の(3)(第二編第七章第四節一の1の⑥の(2)及び同二の1の(4)において準用する場合を含む。)、第二編第九章第二節五の(1)、第二編第十章《自動車税》第二節《環境性能割》二の6の(6)(第二編第十章《自動車税》第二節《環境性能割》二の7の(3)において準用する場合を含む。)、第三編第三章第三節二の4の①の(2)(第三編第三章第七節5の①において準用する場合を含む。)、第三編第五章第二節二の6の(6)(第三編第五章第二節二の7の(3)において準用する場合を含む。)、第三編第七章十の3の②並びに第三編第七章《国民健康保険税》十の5の⑩の注ただし書の規定(これらの規定中充当に係る部分に限る。)その他注で定める規定は、次の各号のいずれかに該当する還付金又は過誤納金(以下この条において「還付金等」という。)については、適用しない。(法17の2の2①)

(一) 道府県が地方税法第739条の5第1項又は第2項の規定により併せて徴収した個人の道府県民税(第二編第一章第一節二の(二)に掲げる者に対して課する均等割及び第二編第一章第七節の1の規定により課する所得割を除く。(二)から(四)までにおいて同じ。)に係る地方団体の徴収金、個人の市町村民税(第三編第一章第一節二の(二)に掲げる者に対して課する均等割及び第三編第一章第十節の1の規定により課する所得割を除く。(二)から(四)までにおいて同じ。)に係る地方団体の徴収金及び森林環境税に係る徴収金(森林環境税及び森林環境譲与税に関する法律第2条第5号に規定する森林環境税に係る徴収金をいう。(二)から(四)までにおいて同じ。)に係る過誤納金(以下(一)及び②において「道府県徴収金関係過誤納金」という。)の還付を受けるべき者につき納付し、又は納入すべきこととなった当該道府県に係る地方団体の徴収金がある場合における当該道府県徴収金関係過誤納金

(二) 市町村が徴収した個人の市町村民税に係る地方団体の徴収金、第二編第一章第六節二の規定によりこれと併せて徴収した個人の道府県民税に係る地方団体の徴収金及び森林環境税及び森林環境譲与税に関する法律第7条第1項の規定によりこれらと併せて徴収した森林環境税に係る徴収金に係る過誤納金(以下(二)及び③において「市町村徴収金関係過誤納金」という。)の還付を受けるべき者につき納付し、又は納入すべきこととなった当該市町村に係る地方団体の徴収金がある場合における当該市町村徴収金関係過誤納金

(三) 道府県が徴収した地方団体の徴収金に係る還付金等((一)に該当するものを除く。)の還付を受けるべき者につき納付し、又は納入すべきこととなった当該道府県が地方税法第739条の5第1項又は第2項の規定により併せて徴収すべき個人の道府県民税に係る地方団体の徴収金、個人の市町村民税に係る地方団体の徴収金及び森林環境税に係る徴収金(②及び④において「道府県未納徴収金」という。)がある場合における当該還付金等

(四) 市町村が徴収した地方団体の徴収金に係る還付金等((二)に該当するものを除く。)の還付を受けるべき者につき納付し、又は納入すべきこととなった当該市町村が徴収すべき個人の市町村民税に係る地方団体の徴収金、第二編第一章第六節二の規定によりこれと併せて徴収すべき個人の道府県民税に係る地方団体の徴収金及び森林環境税及び森林環境譲与税に関する法律第7条第1項の規定によりこれらと併せて徴収すべき森林環境税に係る徴収金(③及び⑤において「市町村未納徴収金」という。)がある場合における当該還付金等

(充当に係る法の規定の適用除外)

注 ①に規定する注で定める規定は、第三編第三章第六節九の注及び第三編第三章第六節九の3の⑧の(1)並びに第三編第八章一の10の⑥の(2)及び同⑦の(2)において準用する地方税法法第601条第8項並びに地方税法附則第31条の3の4第9項の規定(これらの規定中充当に係る部分に限る。)とする。(令6の14の2)

② 道府県徴収金関係過誤納金の還付

①の(一)に規定する場合には、道府県徴収金関係過誤納金の還付を受けるべき者は、当該還付をすべき道府県知事に対し、当該道府県徴収金関係過誤納金(道府県未納徴収金に係る金額又は納付し、若しくは納入すべきこととなっているその他の当該道府県の地方団体の徴収金に係る金額に相当する額を限度とする。)により道府県未納徴収金又は納付し、若しくは納入すべきこととなっているその他の当該道府県の地方団体の徴収金を納付し、又は納入することを委託したものとみなす。(法17の2の2②)

③ 市町村徴収金関係過誤納金の還付

①の(二)に規定する場合には、市町村徴収金関係過誤納金の還付を受けるべき者は、当該還付をすべき市町村長に対し、当該市町村徴収金関係過誤納金(市町村未納徴収金に係る金額又は納付し、若しくは納入すべきこととなっているその他の当該市町村の地方団体の徴収金に係る金額に相当する額を限度とする。)により市町村未納徴収金又は納付し、若しくは

第一編第六章《還付》

納入すべきこととなっているその他の当該市町村の地方団体の徴収金を納付し、又は納入することを委託したものとみなす。(法17の2の2③)

④ 道府県未納徴収金の納付
　①の(三)に規定する場合には、①の(三)の還付金等の還付を受けるべき者は、当該還付をすべき道府県知事に対し、当該還付金等(道府県未納徴収金に係る金額に相当する額を限度とする。)により道府県未納徴収金を納付し、又は納入することを委託したものとみなす。(法17の2の2④)

⑤ 市町村未納徴収金の納付
　①の(四)に規定する場合には、①の(四)の還付金等の還付を受けるべき者は、当該還付をすべき市町村長に対し、当該還付金等(市町村未納徴収金に係る金額に相当する額を限度とする。)により市町村未納徴収金を納付し、又は納入することを委託したものとみなす。(法17の2の2⑤)

⑥ 委託納付等の時期
　②から⑤までの規定が適用される場合には、これらの規定による委託納付又は委託納入をするのに適することとなった時として注で定める時に、その委託納付又は委託納入に相当する額の還付及び納付又は納入があったものとみなす。(法17の2の2⑥)

　　　(委託納付又は委託納入をするのに適することとなった時)
注　⑥に規定する注で定める委託納付又は委託納入をするのに適することとなった時は、未納地方税等(①の(三)に規定する道府県未納徴収金、①の(四)に規定する市町村未納徴収金、②に規定する納付し、若しくは納入すべきこととなっているその他の道府県の地方団体の徴収金又は③に規定する納付し、若しくは納入すべきこととなっているその他の市町村の地方団体の徴収金をいう。以下注において同じ。)の法定納期限(次の各号に掲げる未納地方税等については、当該各号に定める時とし、(一)から(四)までに掲げる地方税又は森林環境税に係る延滞金については、その徴収の基因となった地方税又は森林環境税に係る当該各号に定める時とする。)と①の各号に該当する還付金等(①に規定する還付金等をいう。以下注において同じ。)が生じた時(還付加算金については、その計算の基礎となった①の各号に該当する還付金等が生じた時)とのいずれか遅い時とする。(令6の14の3)
　(一)　法定納期限後にその納付し、又は納入すべき税額が確定した地方税又は森林環境税　その納付又は納入の告知書を発した時(申告により税額が確定されたものについては、その申告があった時)
　(二)　納期を分けている地方税又は森林環境税　法(森林環境税及び森林環境譲与税に関する法律第7条第1項の規定によりその例によることとされる場合を含む。)又はこれに基づく条例の規定による納期限
　(三)　第三章二の2 (森林環境税及び森林環境譲与税に関する法律第7条第1項の規定によりその例によることとされる場合を含む。)の規定により告知がされた地方税又は森林環境税　その告知により指定された納期限
　(四)　第五章第一節二の1の①((一)に係る部分に限り、森林環境税及び森林環境譲与税に関する法律第7条第1項の規定によりその例によることとされる場合を含む。)の規定による徴収の猶予(盗難にかかったことによるものを除く。)又は第二編第一章第六節六、第二編第四章第三節六の6の①、第二編第七章第四節一の1の⑤、第二編第九章第二節四、第三編第一章第七節六の1の①、第三編第八章一の10の①の(2)(これらの規定を第三編第八章一の10の②の(2)又は同⑤の(2)において準用する場合を含む。)、同③の(3)、同④の(2)若しくは地方税法第629条第5項若しくは森林環境税及び森林環境譲与税に関する法律第10条の規定による徴収の猶予に係る地方税又は森林環境税　その徴収の猶予の期限
　(五)　督促手数料、過少申告加算金、不申告加算金又は重加算金　その納付又は納入の告知書を発した時
　(六)　滞納処分費　その確定した時
　(七)　第二次納税義務者又は保証人として納付し、又は納入すべき未納地方税等　その告知に関する文書を発した時

⑦ 納付等の通知
　②から⑤までの規定が適用される場合には、これらの規定による納付又は納入をした道府県知事又は市町村長は、遅滞なく、その旨をこれらの規定により委託したものとみなされた者に通知しなければならない。(法17の2の2⑦)

二　地方税の予納額の還付の特例

　納税者又は特別徴収義務者は、その申出により次に掲げる地方団体の徴収金として納付し、又は納入した金額があるときは、その還付を請求することができない。（法17の3①）

(一)	納付し、又は納入すべき額が確定しているが、その納期が到来していない地方団体の徴収金
(二)	最近において納付し、又は納入すべき額の確定が確実であると認められる地方団体の徴収金

　　　　（予納額の納付を要しないこととなった場合の還付又は充当）
（1）　二各号に掲げる地方団体の徴収金として納付し、又は納入された地方団体の徴収金の全部又は一部につき、法律又は条例の改正その他の理由によりその納付又は納入の必要がないこととなったときは、その時において過誤納金が納付され、又は納入されたものとみなして、一の規定を適用する。（法17の3②）

　　　　（留意事項）
（2）　納税の便宜を図るため、納税者又は特別徴収義務者は、納付し、又は納入すべき額が確定している地方団体の徴収金でその納期が到来していないもの又は最近において納付し、若しくは納入すべき額の確定が確実であると認められる地方団体の徴収金については、あらかじめ納付し、又は納入することができるものであること。（県通1－46、市通1－46）

三　還付加算金

1　過誤納金の還付加算金

　地方団体の長は、過誤納金を一の規定により還付し、又は充当する場合には、次の各号に掲げる過誤納金の区分に従い当該各号に定める日の翌日から地方団体の長が還付のための支出を決定した日又は充当をした日（同日前に充当をするのに適することとなった日がある場合には、当該適することとなった日）までの期間の日数に応じ、その金額に年7.3パーセントの割合〘（注1）参照〙を乗じて計算した金額（以下「還付加算金」という。）をその還付又は充当をすべき金額に加算しなければならない。（法17の4①、令6の15①）

(一)	更正、決定若しくは賦課決定（普通徴収の方法によって徴収する地方税の税額を確定する処分をいい、特別徴収の方法によって徴収する個人の道府県民税及び市町村民税並びに国民健康保険税に係る特別徴収税額を確定する処分を含む。以下同じ。）、法人等の道府県民税の期限後申告に係る申告納付〘第二編第二章第三節一の6若しくは8〙若しくは法人等の市町村民税の期限後申告に係る申告納付〘第三編第二章第三節一の6若しくは8〙の規定による申告書（法人税に係る更正又は決定により納付すべき法人税額を課税標準として算定した道府県民税又は市町村民税の法人税割額に係るものに限る。）、法人の事業税の期限後申告及び修正申告納付〘第二編第五章第三節五の1若しくは2①〙の規定による申告書（収入割のみを申告納付すべき法人以外の法人が当該申告に係る事業税の計算の基礎となった事業年度に係る法人税の課税標準について税務官署の更正又は決定を受けた場合において、当該更正又は決定に係る法人税の課税標準を基礎として計算した事業税に係るものに限る。）、法人の事業税の法人税の課税標準について更正又は決定を受けた場合の修正申告納付〘第二編第五章第三節五の2②〙の規定による修正申告書、地方消費税の譲渡割の期限後申告〘第二編第六章第二節四の1若しくは3〙の規定に	当該過納金に係る地方団体の徴収金の納付又は納入があった日

	よる申告書（消費税に係る更正又は決定により納付すべき消費税額を課税標準として算定した地方消費税の譲渡割額に係るものに限る。）の提出又は過少申告加算金、不申告加算金若しくは重加算金（以下この章において「加算金」という。）の決定により納付し、又は納入すべき額が確定した地方団体の徴収金（当該地方団体の徴収金に係る地方税に係る延滞金を含む。）に係る過納金（(二)及び(三)に掲げるものを除く。）	
(二)	更正の請求に基づく更正（当該請求に対する処分に係る審査請求又は訴えについての裁決又は判決を含む。）により納付し、又は納入すべき額が減少した地方税（当該地方税に係る延滞金を含む。(三)において同じ。）に係る過納金	その更正の請求があった日の翌日から起算して３月を経過する日と当該更正があった日の翌日から起算して１月を経過する日とのいずれか早い日
(三)	所得税の更正（更正又は決定により納付すべき税額が確定した所得税額につき行われた更正にあっては、更正の請求に基づくものに限る。以下(三)及び2において同じ。）又は所得税の申告書（所得税法第２条第１項第37号に規定する確定申告書及び同項第39号に規定する修正申告書をいう。(三)及び2において同じ。）の提出に基因してされた賦課決定により、納付し、又は納入すべき額が減少した地方税に係る過納金	当該賦課決定の基因となった所得税の更正の通知が発せられた日の翌日から起算して１月を経過する日又は所得税の申告書の提出がされた日の翌日から起算して１月を経過する日
(四)	(一)から(三)までに掲げる過納金以外の地方団体の徴収金に係る過誤納金	その過誤納となった日として次に掲げる区分に応じ、それぞれに掲げる日の翌日から起算して１月を経過する日

	イ	申告書の提出により納付し又は納入すべき額が確定した地方税（当該地方税に係る延滞金を含む。）に係る過納金でその納付し又は納入すべき額を減少させる更正（更正の請求に基づく更正を除く。）により生じたもの　その更正があった日
	ロ	(四)に掲げる過誤納金のうち、イに掲げる過納金以外のもの　その納付又は納入があった日

(注１)　1に規定する「年7.3パーセントの割合」については特例規定が設けられているので、第十章12の④《過誤納金の還付加算金の割合の特例》を参照。（編者）

(注２)　第二次納税義務者が納付した徴収金に係る過納金については、一の1の②により表中(一)に該当する過納金とみなされる。（編者）

　　　　（還付加算金の計算対象期間から控除する期間）
(１)　1の場合において、次の各号のいずれかに該当するときは、当該各号に定める期間を1に規定する期間から控除しなければならない。（法17の４②）
　(一)　地方団体の長が過誤納金があることを納税者又は特別徴収義務者に通知した場合において、その通知を発した日から30日を経過する日までにその過誤納金の還付を請求しないとき　その経過する日の翌日から還付の請求があった日までの期間
　(二)　過誤納金の返還請求権につき民事執行法の規定による差押命令又は差押処分が発せられたとき　その差押命令又は差押処分の送達を受けた日の翌日から１週間を経過した日までの期間
　(三)　過誤納金の返還請求権につき仮差押えがされたとき　その仮差押えがされている期間

　　　　（二以上の納期等に係る徴収金に過誤納が生じた場合）
(２)　二以上の納期又は２回以上の分割納付若しくは分割納入に係る地方団体の徴収金につき過誤納を生じた場合には、その過誤納金については、その過誤納金の額に相当する地方団体の徴収金に達するまで、納付又は納入の日の順序に従い最後に納付又は納入された金額から順次遡って求めた金額からなるものとみなして、1の規定を適用する。（法17

(法律等の規定の変更により過納となった場合)
（３）　適法に納付され、又は納入された地方団体の徴収金が、その適法な納付又は納入に影響を及ぼすことなくその納付し、又は納入すべき額を変更する法律又は条例の規定に基づき過納となったときは、その過納金については、これを１の表の(四)に掲げる過誤納金と、その過納となった日を同(四)に定める日とそれぞれみなして、１の規定を適用する。（法17の４④）

(留意事項)
（４）　過誤納金を還付し、又は充当する場合に加算すべき還付加算金の計算に当たっては、過誤納金を過納金と誤納金とに区分するとともに、過納金については原則として過納に係る地方団体の徴収金の額が地方団体の更正、決定若しくは賦課決定によって確定したものであるか納税者の申告によって確定したものであるかによって区分し、それぞれその計算期間の始期を異ならせることとされているものであること。((二)に該当する場合を除く。)
　なお、還付加算金の計算に当たっては次の諸点に留意すること。（県通１－45(１)、市通１－45(１)）
（一）　１の表の(一)の更正により納付し、又は納入すべき額が確定した地方団体の徴収金に係る過納金とは、増額の更正により納付し、又は納入すべきことが確定した増加額について減額の更正があったことにより生じた過納金をいうものであること。
　なお、第二次納税義務者が納付し、又は納入した地方団体の徴収金の額につき生じた過納金は、１の表の(一)の過納金とみなされているものであること。
（二）　１の表の(三)の所得税の更正又は所得税の申告書の提出に基因してされた賦課決定により納付し、又は納入すべき額が減少した地方税に係る過納金とは、所得税の課税標準である所得を基準として課した道府県民税若しくは市町村民税の所得割又は個人の事業税につき、所得税における減額の更正（更正又は決定により納付すべき税額が確定した所得税額につき行われた更正にあっては、更正の請求に基づくものに限る。）に基因して減額の賦課決定がなされたことにより生じた過納金をいうものであり、これら以外の税目（国民健康保険税等）につき減額の賦課決定がなされたことにより生じた過納金は含まれないものであること。この場合における過納金に係る還付加算金については、これらの税が所得税の課税標準である所得を基準として課したものであることにかんがみ、所得税の更正の通知が発せられた日の翌日から起算して１か月を経過する日又は所得税の申告書の提出がされた日の翌日から起算して１か月を経過する日の翌日をもってその計算期間の始期とされているものであること。
（三）　地方団体の徴収金に係る誤納金はすべて１の表の(四)の規定の適用を受けるものであること。

2　無効行為等の取消しに伴う還付加算金

　地方団体の徴収金の納付又は納入があった場合において、その課税標準の計算の基礎となった事実のうちに含まれていた無効な行為により生じた経済的成果がその行為の無効であることに基因して失われたこと、当該事実のうちに含まれていた取消しうべき行為が取り消されたことその他次に掲げる理由に基づき、その地方税について更正（更正の請求に基づく更正を除く。）又は賦課決定（所得税の更正又は所得税の申告書の提出に基因してされた賦課決定を除く。）が行われたときは、その更正又は賦課決定により過納となった金額に相当する地方団体の徴収金については、その更正又は賦課決定の日の翌日から起算して１月を経過する日（普通徴収の方法によって徴収する地方税について、当該賦課決定前にこれらの理由に基づき納付すべき税額が過納となる旨の申出があった場合には、当該１月を経過する日と当該申出のあった日の翌日から起算して３月を経過する日とのいずれか早い日）を１の表の各号に定める日とみなして、１の規定を適用する。（法17の４⑤、令６の15②）

(一)	第十章10の③《決定を受けた場合の更正の請求》の表の(一)又は(三)の規定に該当することとなる事実が当該地方税の法定納期限後に生じたこと。
(二)	国税通則法施行令第24条第４項《還付加算金の計算期間の特例に係る理由》に規定する理由（所得税に係るものに限る。）

(留意事項)
注　２の規定の適用がある場合において普通徴収に係る地方税について減額の賦課決定前に納税者から税額が過納となる旨の申出があったときは、減額の賦課決定の遅延によって納税者に不利になることを避けるためその申出の日を還

付加算金の計算期間の始期の基準とすることとされているものであるが、この場合における申出については、申出の日が明確になるよう文書により行うよう措置することが適当であること。(県通1-45(2)、市通1-45(2))

3 還付加算金の計算

1の規定により、個人の市町村民税(第三編第一章第一節二の(二)に掲げる者に対して課する均等割及び第三編第一章第十節の1の規定により課する所得割を除く。以下3において同じ。)、第三編第三章第五節三の3の規定によりこれと併せて賦課徴収を行う個人の道府県民税(第二編第一章第一節二の(二)に掲げる者に対して課する均等割及び第二編第一章第七節の1の規定により課する所得割を除く。以下3において同じ。)及び森林環境税及び森林環境譲与税に関する法律第7条第1項の規定によりこれらと併せて賦課徴収を行う森林環境税に係る還付加算金の計算をする場合には、個人の市町村民税、個人の道府県民税及び森林環境税に係る過誤納金の合算額により行うものとする。(法17の4⑥)

第七章　更正、決定等の期間制限及び消滅時効

一　更正、決定等の期間制限

1　目　　的
　租税債権を確定させる処分をすることができる地方団体の権利は、地方団体の徴収金の徴収を目的とする地方団体の権利と性質が異なるので両者を明確に区別するとともに、租税債権は、納税者、地方団体の双方にとってできる限り速やかに確定することが望ましいので、租税債権を確定させる処分をすることができる期間を制限したものであること。（県通1－46本文、市通1－46本文）

2　更正、決定等の期間制限

①　更正又は決定の期間制限
　更正又は決定は、法定納期限（随時に課する地方税については、その地方税を課することができることとなった日。以下2及び二の1において同じ。）の翌日から起算して5年を経過した日以後においては、することができない。加算金の決定をすることができる期間についても、また同様とする。（法17の5①）

②　更正の請求に係る更正の期間制限
　①の規定により更正をすることができないこととなる日前6月以内にされた第十章10の②の規定による更正の請求に係る更正は、①の規定にかかわらず、当該更正の請求があった日から6月を経過する日まで、することができる。当該更正に伴う加算金の決定をすることができる期間についても、同様とする。（法17の5②）

③　賦課決定の期間制限
　賦課決定は、法定納期限の翌日から起算して3年を経過した日以後においては、することができない。（法17の5③）

④　課税標準又は税額を減少させる賦課決定の期間制限
　地方税の課税標準又は税額を減少させる賦課決定は、③の規定にかかわらず、法定納期限の翌日から起算して5年を経過する日まですることができる。（法17の5④）

⑤　不動産取得税、固定資産税又は都市計画税に係る賦課決定の期間制限
　不動産取得税、固定資産税又は都市計画税に係る賦課決定は、③及び④の規定にかかわらず、法定納期限の翌日から起算して5年を経過した日以後においては、することができない。（法17の5⑤）

⑥　不申告加算金についてする決定の期間制限
　①の規定により決定をすることができないこととなる日前3月以内にされた申告納付又は申告納入に係る地方税の申告書の提出に伴って行われることとなる不申告加算金（第二編第三章第二節二の6の表の（二）の（4）、同章第三節二の6の②の表の（三）、同章第四節二の6の②の表の（三）、第二編第五章第六節三の表の（二）の（4）（（ⅰ）に係る部分に限る。）、第二編第八章五の3の⑥、第二編第九章第二節十三の2の表の（二）の（4）、第二編第十章二の11の（5）、第三編第一章第十節の9の③の（4）、第三編第五章第二節二の11の（5）、第三編第六章第三節四の4の（4）、第三編第七章十四の3の⑥の規定の適用があるものに限る。）についてする決定は、①の規定にかかわらず、当該申告書の提出があった日から3月を経過する日まで、することができる。（法17の5⑥）

⑦　不正行為等に係る更正等の期間制限

　偽りその他不正の行為により、その全部若しくは一部の税額を免れ、若しくはその全部若しくは一部の税額の還付を受けた地方税についての更正、決定若しくは賦課決定又は当該地方税に係る加算金の決定は、①から⑤までの規定にかかわらず、法定納期限の翌日から起算して7年を経過する日まですることができる。（法17の5⑦）

3　更正、決定等の期間制限の特例

① 不服申立て等に係る決定等があった場合の更正等の期間制限の特例

　更正、決定若しくは賦課決定又は加算金の決定で次の各号に掲げるものは、当該各号に掲げる期間の満了する日が、2の規定により更正、決定若しくは賦課決定又は加算金の決定をすることができる期間の満了する日後に到来するときは、2の規定にかかわらず、当該各号に掲げる期間においても、することができる。（法17の6①、令6の16）

(一)	更正、決定若しくは賦課決定に係る審査請求についての裁決（道府県民税の法人税割に係る総務大臣等の決定〘第二編第二章第五節二の7（二）〙、個人の事業税に係る総務大臣の決定〘第二編第四章第三節三の3（1）〙若しくは市町村民税の法人税割に係る道府県知事等の決定〘第三編第二章第五節二の7（二）〙の規定による決定又は市町村民税の法人税割に係る総務大臣の裁決〘第三編第二章第五節二の7（五）〙の規定による裁決を含む。）又は更正、決定若しくは賦課決定に係る訴えについての判決（以下(一)において「**裁決等**」という。）による原処分の異動に伴って課税標準又は税額に異動を生ずべき地方税（当該裁決等に係る地方税の属する税目に属するものに限る。）で当該裁決等を受けた者に係るものについての更正、決定若しくは賦課決定又は当該更正若しくは決定に伴う当該地方税に係る加算金の決定	当該裁決等があった日の翌日から起算して6月間
(二)	関係地方団体の長の意見が異なる場合の決定の申出《第一章五の1》（都道府県の境界変更に伴う課税権の承継における準用規定〘第一章六の3の注〙において準用する場合を含む。）又は市町村の廃置分合に伴う課税権の承継の場合の決定の申出〘第一章六の1の（1）〙（市町村の境界変更等に伴う課税権の承継における準用規定〘第一章六の2の（1）〙において準用する場合を含む。）の規定による申出に係る決定、裁決又は判決に基づいてする更正、決定又は賦課決定	当該決定、裁決又は判決があった日の翌日から起算して6月間
(三)	地方税につきその課税標準の計算の基礎となった事実のうちに含まれていた無効な行為により生じた経済的成果がその行為の無効であることに基因して失われたこと、当該事実のうちに含まれていた取消しうべき行為が取消されたことその他第六章三の2《無効行為等の取消しに伴う還付加算金》の表の各号に規定する理由に基づいてする更正若しくは賦課決定（その地方税の課税標準又は税額を減少させるものに限る。）又は当該更正に伴う当該地方税に係る加算金の決定	当該理由が生じた日の翌日から起算して3年間
(四)	更正の請求をすることができる期限について休日等に該当する場合の期限の特例（第十章4の①ロ）又は災害等による期限の延長（同②）の適用がある場合における当該更正の請求に係る更正又は当該更正に伴う加算金の決	当該更正の請求があった日の翌日から起算して6月間

	定	

(裁決等を受けた者に含まれるもの)

注 ①の表の(一)に規定する当該裁決等を受けた者には、当該受けた者が分割等(分割、現物出資、法人税法第2条第12号の5の2に規定する現物分配又は同法第61条の11第1項の規定の適用を受ける同項に規定する譲渡損益調整資産の譲渡をいう。以下この注において同じ。)に係る分割法人等(同法第2条第12号の2に規定する分割法人、同条第12号の4に規定する現物出資法人、同条第12号の5の2に規定する現物分配法人又は同法第61条の11第1項に規定する譲渡損益調整資産を譲渡した法人をいう。以下この注において同じ。)である場合には当該分割等に係る分割承継法人等(同法第2条第12号の3に規定する分割承継法人、同条第12号の5に規定する被現物出資法人、同条第12号の5の3に規定する被現物分配法人又は同法第61条の11第2項に規定する譲受法人をいう。以下この注において同じ。)を含むものとし、当該受けた者が分割等に係る分割承継法人等である場合には当該分割等に係る分割法人等を含むものとし、当該受けた者が同法第2条第12号の7の2に規定する通算法人(以下注において「通算法人」という。)である場合には他の通算法人を含むものとする。(法17の6②)

② **所得税又は法人税の更正等に伴う更正等の期間制限の特例**

道府県民税若しくは市町村民税の所得割(所得税の課税標準を基準として課するものに限る。)若しくは法人税割、事業税(収入金額を課税標準として課するもの及び法人税が課されない法人に対して課するもの並びに個人の事業税における調査に基づく賦課(自主決定)〖第二編第四章第三節二の2〗の規定により課するものを除く。)又は地方消費税に係る更正、決定又は賦課決定で次の各号に掲げる場合においてするものは、当該各号に定める日の翌日から起算して2年を経過する日が②又は①の規定により更正、決定又は賦課決定をすることができる期間の満了する日後に到来するときは、これらの規定にかかわらず、当該各号に定める日の翌日から起算して2年間においても、することができる。当該所得割若しくは法人税割と併せて課する均等割に係る更正、決定若しくは賦課決定又は当該事業税若しくは地方消費税に係る加算金の決定についても、また同様とする。(法17の6③)

(一)	所得税、法人税又は消費税について更正(国税通則法第70条第2項に規定する更正で同条第1項第1号に定める期限から5年を経過した日以後において行われるものを除く。)又は決定があった場合	当該更正又は決定の通知が発せられた日
(二)	所得税、法人税又は消費税に係る期限後申告書(所得税法第120条第1項に規定する所得税の額の合計額が配当控除の額を超えるときで、同項に規定する控除しきれなかった外国税額控除の額、控除しきれなかった源泉徴収税額又は控除しきれなかった予納税額がある場合において同法第122条第1項、第125条第2項又は第127条第2項の規定により提出する申告書を含む。)又は修正申告書の提出があった場合	当該提出があった日
(三)	所得税、法人税又は消費税に係る不服申立て又は訴えについての決定、裁決又は判決(以下(三)において「**裁決等**」という。)があった場合(当該裁決等に基づいて当該所得税、法人税又は消費税について更正又は決定があった場合を除く。)	当該裁決等があった日

二 消滅時効

1 地方税の消滅時効

地方団体の徴収金の徴収を目的とする地方団体の権利(以下二において「地方税の徴収権」という。)は、法定納期限(次の各号に掲げる地方団体の徴収金については、それぞれ当該各号に定める日)の翌日から起算して5年間行使しないことによって、時効により消滅する。(法18①)

(一)	一の2の②又は3の①の表の(一)、(二)若しくは(四)若しくは同②の規定の適用がある地方税若しくは加算金又は当該地方税に係る延滞金	一の2の②の更正若しくは決定があった日又は3の①の表の(一)の裁決等があった日、(二)の決定、裁決若しくは判決があった日若しくは(四)の更正若しくは決定があった日若しくは同3の②の表の各号に定める日
(二)	一の2の⑥の規定の適用がある不申告加算金	一の2の⑥の決定があった日
(三)	督促手数料又は滞納処分費	その地方税の徴収権を行使することができる日

　　　　(時効利益の放棄の禁止等)
（１）　1の場合には、時効の援用を要せず、また、その利益を放棄することができないものとする。（法18②）

　　　　(徴収権の時効についての民法の準用)
（２）　地方税の徴収権の時効については、二に別段の定めがあるものを除き、民法の規定を準用する。（法18③）

2　時効の中断及び停止

①　告知等による時効の中断

　地方税の徴収権の時効は、次の各号に掲げる処分に係る部分の地方団体の徴収金については、当該各号に定める期間は完成せず、その期間を経過した時から新たにその進行を始める。（法18の2①）

(一)	納付又は納入に関する告知	その告知に指定された納付又は納入に関する期限までの期間
(二)	督促	督促状又は督促のための納付若しくは納入の催告書を発した日から起算して10日を経過した日（同日前に第三章二の1《繰上徴収》の表の各号の一に該当する事実が生じた場合において、差押えがされた場合には、そのされた日）までの期間
(三)	交付要求	その交付要求がされている期間（地方税法においてその例によるものとされる国税徴収法第82条第2項《交付要求の通知》の規定による通知がされていない期間があるときは、その期間を除く。）

　　　　(強制換価手続が取り消された場合の時効中断の効力)
（１）　①の表の(三)に掲げる交付要求に係る強制換価手続が取り消された場合においても、同(三)の規定による時効の完成猶予及び更新は、その効力を妨げられない。（法18の2②）

　　　　(延滞金に係る徴収権の時効の中断)
（２）　地方税についての地方税の徴収権の時効が完成せず、又は新たにその進行を始めるときは、その完成せず、又は新たにその進行を始める部分の地方税に係る延滞金についての地方税の徴収権の時効は、完成せず、又は新たにその進行を始める。（法18の2⑤）

　　　　(延滞金に係る徴収権の時効の進行)
（３）　地方税が納付されたときは、その納付された部分の地方税に係る延滞金についての地方税の徴収権の時効は、その納付の時から新たに進行を始める。（法18の2⑥）

　　　　(留意事項)
（４）　地方税の徴収権の時効は、納付若しくは納入に関する告知、督促又は交付要求に係る地方団体の徴収金については、納付又は納入に関する期限までの期間等それぞれ所定の期間は完成せず、その期間を経過した時から新たにその進行を始めるものであること。また、徴収の猶予又は差押財産の換価の猶予がされている期間内は進行しないものであること。（県通１-48(2)、市通１-48(2)）

②　不正行為等の場合の徴収権の時効の停止

　地方税の徴収権で、偽りその他不正の行為によりその全部若しくは一部の税額を免れ、又はその全部若しくは一部の税

額の還付を受けた地方税（当該地方税に係る延滞金及び加算金を含む。以下②において同じ。）に係るものの時効は、当該地方税の１に規定する法定納期限の翌日から起算して２年間は、進行しない。ただし、当該法定納期限の翌日から同日以後２年を経過する日までの期間内に次の各号に掲げる処分又は行為があった場合においては当該各号に掲げる処分又は行為の区分に応じ当該処分又は行為に係る部分の地方税ごとに当該各号に定める日の翌日から、当該法定納期限までに当該処分又は行為があった場合においては当該処分又は行為に係る部分の地方税ごとに当該法定納期限の翌日から進行する。（法18の２③）

(一)	納付又は納入に関する告知（延滞金及び加算金に係るものを除く。）	当該告知に係る文書が発せられた日
(二)	申告納付又は申告納入に係る地方税の申告書の提出	当該申告書が提出された日

③　徴収の猶予又は換価の猶予による時効の停止
　　地方税の徴収権の時効は、徴収の猶予、職権による換価の猶予又は申請による換価の猶予に係る部分の地方団体の徴収金につき、その猶予がされている期間内は、進行しない。（法18の２④）

３　還付金の消滅時効
　　地方団体の徴収金の過誤納により生ずる地方団体に対する請求権及び地方税法の規定による還付金に係る地方団体に対する請求権（第十章８において「還付金に係る債権」という。）は、その請求をすることができる日から５年を経過したときは、時効により消滅する。（法18の３①）

　　　　（地方税の消滅時効の規定の準用）
　注　１の(1)及び(2)の規定は、３の場合について準用する。（法18の３②）

第八章　行政手続法との関係

1　法令の規定による処分等についての行政手続法の適用除外

　行政手続法第3条《適用除外》又は第4条第1項《国の機関等に対する処分等の適用除外》に定めるもののほか、地方税に関する法令の規定による処分その他公権力の行使に当たる行為については、同法第2章《申請に対する処分》(第8条を除く。)及び第3章《不利益処分》(第14条を除く。)の規定は、適用しない。(法18の4①)

2　徴収金の納付等に係る行政指導についての行政手続法の適用除外

　行政手続法第3条《適用除外》、第4条第1項《国の機関等に対する処分等の適用除外》又は第35条第4項《行政指導の方式の適用除外》に定めるもののほか、地方団体の徴収金を納付し、又は納入する義務の適正な実現を図るために行われる行政指導(同法第2条第6号に規定する行政指導をいう。)については、同法第35条第3項《行政指導の趣旨等を記載した書面の交付》及び第36条《複数の者を対象とする行政指導をする場合の内容の公表》の規定は、適用しない。(法18の4②)

　　　　（行政指導の定義――行政手続法第2条第6号）
（1）　行政指導とは、行政機関がその任務又は所掌事務の範囲内において一定の行政目的を実現するため特定の者に一定の作為又は不作為を求める指導、勧告、助言その他の行為であって処分に該当しないものをいう。

　　　　（行政指導の方式――行政手続法第35条）
（2）　第1項　　行政指導に携わる者は、その相手方に対して、当該行政指導の趣旨及び内容並びに責任者を明確に示さなければならない。
　　　第2項　　行政指導に携わる者は、当該行政指導をする際に、行政機関が許認可等をする権限又は許認可等に基づく処分をする権限を行使し得る旨を示すときは、その相手方に対して、次に掲げる事項を示さなければならない。
　　　　（一）　当該権限を行使し得る根拠となる法令の条項
　　　　（二）　（一）に規定する要件
　　　　（三）　当該権限の行使が（二）の要件に適合する理由
　　　第3項　　行政指導が口頭でされた場合において、その相手方から前項に規定する事項を記載した書面の交付を求められたときは、当該行政指導に携わる者は、行政上特別の支障がない限り、これを交付しなければならない。
　　　第4項　　前項の規定は、次に掲げる行政指導については、適用しない。
　　　　（一）　相手方に対しその場において完了する行為を求めるもの
　　　　（二）　既に文書（前項の文書を含む。）又は電磁的記録（電子的方式、磁気的方式その他人の知覚によっては認識することができない方式で作られる記録であって、電子計算機による情報処理の用に供されるものをいう。）によりその相手方に通知されている事項と同一の内容を求めるもの

第九章　不服審査及び訴訟

一　不服審査

1　行政不服審査法との関係

　地方団体の徴収金に関する次の各号に掲げる処分についての審査請求については、一その他地方税法に特別の定めがあるものを除くほか、行政不服審査法の定めるところによる。（法19、規1の7）

(一)	更正若しくは決定（（五）に掲げるものを除く。）又は賦課決定
(二)	督促又は滞納処分
(三)	道府県民税法人税割の分割基準の修正又は決定〔第二編第二章第五節二の1〜3・5〕又は市町村民税法人税割の分割基準の修正又は決定〔第三編第二章第五節二の1〜3・5〕の規定による分割の基準となる従業者数の修正又は決定
(四)	道府県民税法人税割に関する総務大臣の決定〔第二編第二章第五節二の7（二）〕又は市町村民税法人税割に係る道府県知事等の決定若しくは総務大臣の裁決〔第三編第二章第五節二の7（二）（五）〕の規定による分割の基準となる従業者数についての決定又は裁決
(五)	法人事業税に係る二以上の道府県において事務所等を設けて事業を行う法人の課税標準額の総額の更正、決定〔第二編第五章第五節二の1①〕の規定による課税標準額の総額の更正若しくは決定又は法人事業税に係る分割基準の修正又は決定〔第二編第五章第五節二の1②〕の規定による分割基準の修正若しくは決定
(六)	個人事業税の分割に係る所得の総額の決定〔第二編第四章第三節三の1①〕の規定による課税標準とすべき所得の総額の決定又は個人事業税の分割に係る関係道府県に対するあん分額の決定及び通知〔第二編第四章第三節三の1②〕前段の規定による課税標準とすべき所得の決定
(七)	個人事業税に係る総務大臣の決定〔第二編第四章第三節三の3（1）〕の規定による課税標準とすべき所得についての決定
(八)	固定資産税における二以上の市町村にわたって使用され、又は所在する固定資産の評価及び価格配分〔第三編第三章第五節二①〕、道府県知事等の価格決定及び価格配分の通知後における価格等の決定及び修正〔第三編第三章第五節三の7〕又は大規模償却資産の価格の決定等若しくは決定した価格等の修正と通知〔第三編第三章第八節4・同（1）〕の規定による価格等の決定若しくは配分又はこれらの修正
(九)	前各号に掲げるもののほか、次の各号に掲げる処分
	イ　納付又は納入すべき金額及び納付又は納入の期限の告知
	ロ　徴収の猶予、換価の猶予及び滞納処分の執行停止に関する処分
	ハ　担保の徴取及び担保の処分に関する処分
	ニ　還付又は充当に関する処分
	ホ　減免に関する処分
	ヘ　過少申告加算金、不申告加算金及び重加算金の決定
	ト　第二次納税義務者に対する告知〔第二章三の1①〕（これを準用する場合を含む。）の規定による告知
	チ　繰上徴収の告知〔第三章二の2〕（譲渡担保権者に対する滞納処分についての準用〔第四章四の2の①（4）〕において準用する場合を含む。）の規定による告知
	リ　強制換価の場合の道府県たばこ税等の徴収の通知〔第三章三の2〕の規定による通知
	ヌ　担保付財産が譲渡された場合の質権者等に対する徴収の通知〔第四章三の8（3）〕の規定による通知に係る

		処分
ル		譲渡担保権者に対する徴収の告知〘第四章四の2①（1）〙の規定による告知
ヲ		保全差押え〘第五章第二節四〙の規定による保全差押えに関する処分
ワ		災害等による期限の延長〘第十章4②〙の規定による期限の延長に関する処分
カ		更正の請求を受けた場合の地方団体の長の措置〘第十章10⑤〙の規定による通知に係る処分
ヨ		道府県民税又は市町村民税において提出期限内に給与支払報告書又は公的年金等支払報告書が提出されなかった場合の申告〘第二編第一章第六節八の1②又は第三編第一章第六節1②〙の規定による処分
タ		第二編第二章第三節三の2の（4）若しくは同（7）又は第三編第二章第三節三の2の（4）若しくは同（7）の規定による通知
レ		災害等により決算が確定しない場合の中間申告を要しない法人の事業税の確定申告期限の延長又は会計監査人の監査を受けなければならないこと等により決算が確定しない場合の中間申告を要しない法人の事業税の確定申告期限の延長の特例〘第二編第五章第三節二の2～4〙（これらの規定を中間申告を要する法人の事業税における準用の規定〘第二編第五章第三節三の2（1）〙又は第二編第五章第三節四の1の（1）において準用する場合を含む。）又は第二編第五章第三節四の1の（4）（第二編第五章第三節三の2の（1）又は第二編第五章第三節四の1の（1）若しくは第二編第五章第三節四の1の（5）において準用する場合を含む。）の規定による承認に関する処分
ソ		第二編第五章第三節七の4又は同7の規定による通知
ツ		道府県たばこ税の納期限の延長〘法第74条の11第1項〙に関する処分
ネ		市町村民税における特別徴収義務者の指定及び特別徴収税額の徴収〘第三編第一章第七節四の2①〙（給与所得者が異動した場合の特別徴収義務者等の指定〘同④〙の（注）において準用する場合を含む。）又は特別徴収税額の変更〘同節四の5〙の規定による通知
ナ		市町村たばこ税の納期限の延長〘法第474条第1項〙に関する処分
ラ		恒久的な施設の用に供する土地に係る特別土地保有税の納税義務の免除の規定による通知〘第三編第八章一の10④（1）〙
ム		遊休土地に対して課する特別土地保有税の納税義務の免除等に係る市町村長の認定等の通知〘法第629条第4項〙の規定による通知
ウ		固定資産税の納税義務の免除の対象となる宅地化農地に係る市町村長の確認等の通知の規定〘第三編第三章第六節九の3④（3）〙による通知
ヰ		市町村民税における特別徴収税額の納期の特例の承認申請があった場合の取消しの通知（退職手当等に係る特別徴収税額の納期の特例において準用する場合を含む。）〘第三編第一章第十節6の②（1）〙の規定による通知

2　徴税吏員がした処分

　審査請求に関しては、地方団体の長の権限の委任〘第一章二の3〙に規定する支庁、地方事務所、市の区の事務所、市の総合区の事務所又は税務に関する事務所に所属する徴税吏員がした処分はその者の所属する支庁等の長がした処分と、その他の徴税吏員がした処分はその者の所属する地方団体の長がした処分とみなす。（法19の2）

(注)　2により審査請求先と方法は次のようになる。（編者）

	処分庁又は不作為庁	不服申立て先と方法
処分	徴税吏員	地方団体の長に対する審査請求
	支庁等の長	地方団体の長に対する審査請求
	地方団体の長	地方団体の長に対する異議申立て
	総務大臣	総務大臣に対する異議申立て
不作為	徴税吏員	徴税吏員に対する異議申立て又は支庁等の長に対する審査請求
	支庁等の長	支庁等の長に対する異議申立て又は地方団体の長に対する審査請求
	地方団体の長	地方団体の長に対する異議申立て

3　滞納処分についての審査請求期間の特例

　滞納処分について、次の各号に掲げる処分に関し欠陥があること（（一）に掲げる処分については、これに関する通知が到達しないことを含む。）を理由としてする審査請求は、当該各号に規定する日又は期限後は、することができない。（法19の4）

(一)	督促	差押えに係る通知を受けた日（その通知がないときは、その差押えがあったことを知った日）の翌日から起算して3月を経過した日
(二)	不動産等（国税徴収法第104条の2第1項《次順位買受申込者の決定》に規定する不動産等をいう。（三）において同じ。）についての差押え	その公売期日等（国税徴収法第111条《動産等の売却決定》に規定する公売期日等をいう。）
(三)	不動産等についての公告（国税徴収法第171条第1項第3号《滞納処分に関する不服申立て等の期限の特例》に掲げる公告をいう。）から売却決定までの処分	換価財産の買受代金の納付の期限
(四)	換価代金等の配当	換価代金等の交付期日

4　審査請求の理由の制限

　1の表の（三）から（八）までに掲げる処分に基づいてされた更正、決定又は賦課決定についての審査請求においては、同（三）から（八）までに掲げる処分についての不服を当該更正、決定又は賦課決定についての不服の理由とすることができない。（法19の5）

5　審査請求があった場合等の通知

　1の表の（三）から（八）までに掲げる処分についての審査請求があった場合においては、その審査請求に対する裁決の権限を有する者は、関係地方団体の長に対し、審査請求があった旨その他必要な事項を通知しなければならない。この場合においては、審査請求があった旨その他必要な事項を官報に登載することによって、当該通知に代えることができる。（法19の6①）

　　　　（決定又は裁決をした場合における通知規定の準用）
　注　5の規定は、5に規定する審査請求に対する裁決の権限を有する者が当該審査請求に対する裁決をした場合に準用する。（法19の6②）

6　審査請求と賦課徴収との関係

①　審査請求があった場合の換価の制限等

　審査請求は、その目的となった処分に係る地方団体の徴収金の賦課又は徴収の続行を妨げない。ただし、その地方団体の徴収金の徴収のために差し押さえた財産（国税徴収法第89条の2第4項に規定する特定参加差押不動産を含む。）の滞納処分（その例による処分を含む。以下6において同じ。）による換価は、その財産の価額が著しく減少するおそれがあるとき、又は審査請求をした者から別段の申出があるときを除き、その審査請求に対する決定又は裁決があるまで、することができない。（法19の7①）

②　審査請求に係る徴収金について担保の提供があった場合の差押えの解除等

　審査請求の目的となった処分に係る地方団体の徴収金について徴収の権限を有する地方団体の長は、審査請求をした者が第五章第二節一《担保の徴取》の表の各号に掲げる担保を提供して、その地方団体の徴収金につき、滞納処分による差押えをしないこと又はすでにされている滞納処分による差押えを解除することを求めた場合において、相当と認めるときは、その差押えをせず、又はその差押えを解除することができる。（法19の7②）

　　（注）　第二章三の1《第二次納税義務の通則》、第五章第二節一の（2）から（6）まで《増担保の提供等》及び同節五及び五の（1）《担保の処分等》の規定は、②の規定による担保について準用する。（法19の7③）

7 差押動産等の搬出の制限

国税徴収法第58条第2項《第三者が占有する動産等の引渡命令》の規定の例による引渡しの命令を受けた第三者が、その命令に係る財産が滞納者の所有に属していないことを理由として、その命令につき審査請求をしたときは、その審査請求の係属する間は、当該財産の搬出をすることができない。(法19の8)

8 不動産等の売却決定等の取消しの制限

3の表の(三)に掲げる処分に欠陥があることを理由として滞納処分についての審査請求があった場合において、その処分は違法ではあるが、次に掲げる場合に該当するときは、地方団体の長は、その審査請求を棄却することができる。(法19の10①)

(一)	その審査請求に係る処分に続いて行われるべき処分(以下(一)において「後行処分」という。)がすでに行われている場合において、その審査請求に係る処分の違法が軽微なものであり、その後行処分に影響を及ぼさせることが適当でないと認められるとき。
(二)	換価した財産が公共の用に供されている場合その他審査請求に係る処分を取り消すことにより公の利益に著しい障害を生ずる場合で、その審査請求をした者の受ける損害の程度、その損害の賠償の程度及び方法その他一切の事情を考慮してもなおその処分を取り消すことが公共の福祉に適合しないと認められるとき。

(棄却理由等の明示)
(1) 8の規定による審査請求の棄却の裁決には、処分が違法であること及び審査請求を棄却する理由を明示しなければならない。(法19の10②)

(損害賠償の請求)
(2) 8の規定は、地方団体に対する損害賠償の請求を妨げない。(法19の10③)

二 訴 訟

1 行政事件訴訟法との関係

一の1に規定する処分に関する訴訟については、二その他地方税法に特別の定めがあるものを除くほか、行政事件訴訟法その他の一般の行政事件訴訟に関する法律の定めるところによる。(法19の11)

2 審査請求の前置

一の1に規定する処分の取消しの訴えは、当該処分についての審査請求に対する裁決を経た後でなければ、提起することができない。(法19の12)

3 滞納処分に関する出訴期間の特例

一の3の規定は、行政事件訴訟法第8条第2項第2号又は第3号の規定による訴えの提起について準用する。(法19の13)

4 原告が行うべき証拠の申出

一の1の表の(一)、(三)、(五)若しくは(六)に掲げる処分又は加算金の決定に係る行政事件訴訟法第3条第2項に規定する処分の取消しの訴えにおいては、その訴えを提起した者が必要経費又は損金の額の存在その他これに類する自己に有利な事実につきその処分の基礎とされた事実と異なる旨を主張しようとするときは、相手方当事者である地方団体がその処分の基礎となった事実を主張した日以後遅滞なくその異なる事実を具体的に主張し、併せてその事実を証明すべき証拠の申出をしなければならない。ただし、当該訴えを提起した者が、その責めに帰することができない理由によりその主張又は証拠の申出を遅滞なくすることができなかったことを証明したときは、この限りでない。(法19の14①)

(規定に違反して行った主張又は証拠の申出)
注 4の訴えを提起した者が4の規定に違反して行った主張又は証拠の申出は、民事訴訟法第157条第1項の規定の適用に関しては、同項に規定する時機に後れて提出した攻撃又は防御の方法とみなす。(法19の14②)

第十章　雑　　則

1　書類の送達

①　郵便等又は交付による送達

　地方団体の徴収金の賦課徴収又は還付に関する書類は、郵便若しくは信書便による送達又は交付送達により、その送達を受けるべき者の住所、居所、事務所又は事業所に送達する。ただし、納税管理人があるときは、地方団体の徴収金の賦課徴収（滞納処分を除く。）又は還付に関する書類については、その住所、居所、事務所又は事業所に送達する。（法20①）

　（注）「信書便」については、第一章五の１の（２）を参照。（編者）

　　　　（通常の場合の交付送達の方法）
（１）　交付送達は、地方団体の職員が、①の規定により送達すべき場所において、その送達を受けるべき者に書類を交付して行う。ただし、その者に異議がないときは、その他の場所において交付することができる。（法20②）

　　　　（特別の場合の交付送達の方法）
（２）　次の各号に掲げる場合には、交付送達は、（１）の規定による交付に代え、当該各号に掲げる行為により行うことができる。（法20③）
　（一）　送達すべき場所において書類の送達を受けるべき者に出会わない場合　その使用人その他の従業者又は同居の者で書類の受領について相当のわきまえのあるものに書類を交付すること。
　（二）　書類の送達を受けるべき者その他（一）に規定する者が送達すべき場所にいない場合又はこれらの者が正当な理由がなく書類の受取を拒んだ場合　送達すべき場所に書類を差し置くこと。

　　　　（郵便等による送達の到達時期）
（３）　通常の取扱いによる郵便又は信書便により①に規定する書類を発送した場合には、地方税法に特別の定めがある場合を除き、その郵便物又は民間事業者による信書の送達に関する法律第２条第３項に規定する信書便物（４の③及び17の③において「信書便物」という。）は、通常到達すべきであった時に送達があったものと推定する。（法20④）

　　　　（郵便による送達の記録）
（４）　地方団体の長は、（３）に規定する場合には、その書類の名称、その送達を受けるべき者の氏名、宛先及び発送の年月日を確認するに足りる記録を作成しておかなければならない。（法20⑤）

　　　　（留意事項）
（５）　地方団体の徴収金の賦課徴収又は還付に関する書類は、郵便又は民間事業者による信書の送達に関する法律第２条第６項に規定する一般信書便事業者若しくは同条第９項に規定する特定信書便事業者による同条第２項に規定する信書便（以下「信書便」という。）による送達又は交付送達により、その送達を受けるべき者の住所、居所、事務所又は事業所に送達するものであること。ただし、納税管理人があるときは、地方団体の徴収金の賦課徴収（滞納処分を除く。）又は還付に関する書類に限り、その住所、居所、事務所又は事業所に送達することができるものであること。
　　（県通１－52、市通１－52）

②　公示送達

　地方団体の長は、①の規定により送達すべき書類について、その送達を受けるべき者の住所、居所、事務所及び事業所が明らかでない場合又は外国においてすべき送達につき困難な事情があると認められる場合には、その送達に代えて公示送達をすることができる。（法20の２①）

(公示送達の方法)
(1) 公示送達は、地方団体の長が送達すべき書類を保管し、いつでも送達を受けるべき者に交付する旨を地方団体の掲示場に掲示して行う。(法20の2②)

　(注) (1)を以下のように改める令和5年度改正規定は、公布の日(令和5年3月31日)から起算して3年3月を超えない範囲内において政令で定める日以後にする公示送達について適用し、同日前にした公示送達については、なお従前の例による。(令5改法附1十二、3)
　公示送達は、送達すべき書類を特定するために必要な情報、その送達を受けるべき者の氏名及び地方団体の長がその書類を保管し、いつでも送達を受けるべき者に交付する旨(以下(1)において「公示事項」という。)を総務省令で定める方法により不特定多数の者が閲覧することができる状態に置く措置をとるとともに、公示事項が記載された書面を地方団体の掲示場に掲示し、又は公示事項を地方団体の事務所に設置した電子計算機の映像面に表示したものの閲覧をすることができる状態に置く措置をとることによってする。

(公示送達の到達の時期)
(2) (1)の場合において、掲示を始めた日から起算して7日を経過したときは、書類の送達があったものとみなす。(法20の2③)

　(注) (2)中＿＿部分を「(1)の規定による措置を開始した」に改める令和5年度改正規定は、公布の日(令和5年3月31日)から起算して3年3月を超えない範囲内において政令で定める日以後にする公示送達について適用し、同日前にした公示送達については、なお従前の例による。(令5改法附1十二、3)

2　市町村が行う道府県税の賦課徴収及び徴収の嘱託

①　市町村が行う道府県税の賦課徴収

道府県は、道府県税(個人の道府県民税を除く。以下①において同じ。)の賦課徴収に関する事務を市町村に処理させてはならない。ただし、次の各号のいずれかに該当する場合においては、市町村が処理することとすることができる。(法20の3①)

(一)	道府県税の納税義務者又は特別徴収義務者の住所、居所、家屋敷、事務所、事業所又は財産が当該道府県の徴税吏員による賦課徴収を著しく困難とする地域に在ること。
(二)	市町村が道府県税の賦課徴収に関する事務の一部を処理することに同意したこと。

(費用の補償)
(1) 道府県は、①のただし書の規定によって道府県税の賦課徴収に関する事務の一部を市町村が処理することとした場合においては、当該市町村においてその事務を行うために要する費用を補償しなければならない。(法20の3②)

(補償の期限)
(2) (1)の補償は、市町村の請求があった日から、遅くとも、30日以内にしなければならない。(法20の3③)

②　他の地方団体への徴収の嘱託

地方団体の徴収金を納付し、又は納入すべき者が当該地方団体外に住所、居所、家屋敷、事務所若しくは事業所を有し、又はその者の財産が当該地方団体外に在る場合においては、当該地方団体は、その者の住所、居所、家屋敷、事務所若しくは事業所又はその者の財産の所在地の地方団体にその徴収を嘱託することができる。(法20の4①)

(嘱託に係る徴収のよるべき方法)
(1) ②の場合における徴収は、嘱託を受けた地方団体における徴収の例による。(法20の4②)

(嘱託に係る費用又は手数料等の帰属)
(2) ②の規定によって徴収を嘱託した場合においては、嘱託に係る事務及び送金に要する費用は、嘱託を受けた地方団体の負担とし、嘱託に係る事務に伴う督促手数料及び滞納処分費は、嘱託を受けた地方団体の収入とする。(法20の4③)

3　課税標準、税額等の端数計算

地方税の課税標準、税額等についての端数計算は次による。(法20の4の2①～⑤、令6の17)

(一)	課税標準額	その額に1,000円未満の端数があるとき、又はその全額が1,000円未満であるときは、その端数金額又はその全額を切り捨てる。ただし、次に掲げる地方税については、この限りでない。
		<table><tr><td>イ</td><td>利子等に係る道府県民税</td></tr><tr><td>ロ</td><td>特定配当等に係る道府県民税</td></tr><tr><td>ハ</td><td>特定株式等譲渡所得金額に係る道府県民税</td></tr><tr><td>ニ</td><td>道府県法定外普通税若しくは市町村法定外普通税又は法定外目的税であって、条例で指定するもの</td></tr></table>
(二)	延滞金又は加算金の計算の基礎となる税額	その税額に1,000円未満の端数があるとき、又はその税額の全額が2,000円未満であるときは、その端数金額又はその全額を切り捨てる。
(三)	地方税の確定金額	その確定金額に100円未満の端数があるとき、又はその全額が100円未満であるときは、その端数金額又はその全額を切り捨てる。ただし、次に掲げる地方税の確定金額については、その額に1円未満の端数があるとき、又はその全額が1円未満であるときは、その端数金額又はその全額を切り捨てる。
		<table><tr><td>イ</td><td>利子等に係る道府県民税</td></tr><tr><td>ロ</td><td>特定配当等に係る道府県民税</td></tr><tr><td>ハ</td><td>特定株式等譲渡所得金額に係る道府県民税</td></tr><tr><td>ニ</td><td>道府県たばこ税</td></tr><tr><td>ホ</td><td>ゴルフ場利用税</td></tr><tr><td>ヘ</td><td>軽油引取税</td></tr><tr><td>ト</td><td>市町村たばこ税</td></tr><tr><td>チ</td><td>入湯税</td></tr><tr><td>リ</td><td>道府県法定外普通税若しくは市町村法定外普通税又は法定外目的税であって、条例で指定するもの</td></tr></table>
(四)	滞納処分費の確定金額	その確定金額に100円未満の端数があるとき、又はその全額が100円未満であるときは、その端数金額又はその全額を切り捨てる。
(五)	延滞金又は加算金の確定金額	その確定金額に100円未満の端数があるとき、又はその全額が1,000円未満であるときは、その端数金額又はその全額を切り捨てる。

　　　（地方税の確定金額を分割して納付する場合の端数処理）
（１）　地方税の確定金額を、二以上の納期限を定め、一定の金額に分割して納付し、又は納入することとされている場合において、その納期限ごとの分割金額に1,000円未満の端数があるとき、又はその分割金額の全額が1,000円未満であるときは、その端数金額又はその全額は、すべて最初の納期限に係る分割金額に合算するものとする。ただし、地方団体が当該地方団体の条例でこれと異なる定めをしたときは、この限りでない。（法20の４の２⑥）

　　　（還付加算金の端数計算における準用）
（２）　３の表の（二）及び（五）の規定は、還付加算金について準用する。この場合において、（二）中「税額」とあるのは、「過誤納金又は地方税法の規定による還付金の額」と読み替えるものとする。（法20の４の２⑦）

　　　（二つの地方税を併せて徴収する場合の端数計算）
（３）　３の表の（二）、（三）（地方税の確定金額の全額が100円未満であるときにおいて、その全額を切り捨てる部分に限る。）及び（五）、（１）及び（２）の規定の適用については、個人の市町村民税、第二編第一章第六節二の規定によりこれと併せて徴収する個人の道府県民税及び森林環境税及び森林環境譲与税に関する法律第７条第１項の規定によりこれらと併せて賦課徴収を行う森林環境税又は固定資産税及び第三編第四章の10の規定によりこれと併せて徴収する都市

計画税については、それぞれ一の地方税とみなす。この場合において、特別徴収の方法によって徴収する個人の市町村民税、個人の道府県民税及び森林環境税に対する（1）の規定の適用については、（1）中「1,000円」とあるのは、「100円」とする。（法20の4の2⑧）

　　　（特別徴収の方法によって徴収する国民健康保険税の端数計算）
（4）　特別徴収の方法によって徴収する国民健康保険税については、（1）中「1,000円」とあるのは、「100円」とする。（法20の4の2⑨）

　　　（留意事項）
（5）　地方団体の徴収金の端数計算については、地方税法に完結的に規定され、国等の債権債務等の金額の端数計算に関する法律の適用はないものであること。（県通1－53、市通1－53）

4　期間及び期限

①　期間の計算及び期限の特例

イ　期間の計算についての民法の準用

地方税に関する法令又はこれに基づく条例に定める期間の計算については、民法第139条から第141条まで及び第143条に定めるところによる。（法20の5①、令6の19①、規1の5①）

　　　（期間の起算）
（1）　時間によって期間を定めたときは、その期間は、即時から起算する。（民法139）
　　　日、週、月又は年によって期間を定めたときは、期間の初日は、算入しない。ただし、その期間が午前零時から始まるときは、この限りでない。（民法140）

　　　（期間の満了）
（2）　前条の場合には、期間は、その末日の終了をもって満了する。（民法141）

　　　（暦による期間の計算）
（3）　週、月又は年によって期間を定めたときは、その期間は、暦に従って計算する。（民法143①）

　　　（年の始めから起算しない場合等の満了日）
（4）　週、月又は年の初めから期間を起算しないときは、その期間は、最後の週、月又は年においてその起算日に応当する日の前日に満了する。ただし、月又は年によって期間を定めた場合において、最後の月に応当する日がないときは、その月の末日に満了する。（民法143②）

ロ　休日等に該当する場合の期限の特例

地方税に関する法令又はこれに基づく条例の規定により定められている期限（次に掲げる期限を除く。）が民法第142条に規定する休日、土曜日又は12月29日、同月30日若しくは同月31日に該当するときは、これらの法令又は当該条例の規定にかかわらず、これらの日の翌日をその期限とみなす。（法20の5②、令6の18、6の19②、規1の5②）

(一)	譲渡担保権者の物的納税責任の適用除外の規定〚第四章四の2の①(11)〛に規定する期限
(二)	法人の事業税における残余財産の一部を分配する場合の申告納付〚第二編第五章第三節四の2〛に規定する残余財産の最後の分配又は引渡しが行われる日の前日をもって定めた期限
(三)	個人の市町村民税における特別徴収税額の納税義務者に対する通知〚第三編第一章第七節四の2②〛に規定する期限
(四)	個人の市町村民税における給与所得者が異動した場合の特別徴収義務者の指定〚第三編第一章第七節四の2④〛に規定する4月30日をもって定めた期限
(五)	固定資産税における仮算定税額に係る滞納処分における換価の制限〚第三編第三章第三節六の2(5)〛（道府県が

課する固定資産税の賦課徴収等における準用規定〚第三編第三章第八節5①〛において準用する場合を含む。）又は国民健康保険税における税額確定日までの間の財産換価手続の禁止〚第三編第七章**十六**の2（5）〛に規定する期限

　　（留意事項）
　注　期間の計算については、民法第139条から第141条まで及び第143条の規定が準用されるものであること。また、期限が休日、土曜日又は12月29日、同月30日若しくは同月31日に該当するときは、民法の期間の計算に関する規定によって律することができないので、これらの日の翌日をもってその期限とみなされるものであること。（県通1－54、市通1－54）

② **災害等による期限の延長**
　地方団体の長は、災害その他やむを得ない理由により、地方税法又はこれに基づく条例に定める申告、申請、請求その他書類の提出（審査請求に関するものを除く。）又は納付若しくは納入に関する期限までに、これらの行為をすることができないと認めるときは、（1）の規定の適用がある場合を除き、当該地方団体の条例の定めるところにより、当該期限を延長することができる。（法20の5の2①）

　　（地方税関係手続用電子情報処理組織等の故障等を理由とする期限の延長）
（1）　総務大臣は、地方税法第790条の2の規定による報告があった場合において、地方税関係手続用電子情報処理組織（地方税法第762条第1号に規定する地方税関係手続用電子情報処理組織をいう。以下（1）において同じ。）又は特定徴収金手続用電子情報処理組織（地方税法第790条の2に規定する特定徴収金手続用電子情報処理組織をいう。以下（1）において同じ。）の故障その他やむを得ない理由により、②に規定する期限までに②に規定する行為をすべき者であって、当該期限までに当該行為のうち、地方税関係手続用電子情報処理組織を使用し、かつ、地方税共同機構（（2）において「機構」という。）を経由して行う同号イに掲げる通知又は特定徴収金手続用電子情報処理組織を使用して行う特定徴収金（第十一章三の（1）に規定する特定徴収金をいう。）の納付若しくは納入の全部又は一部を行うことができないと認める者が多数に上ると認めるときは、対象となる行為、対象者の範囲及び期日を指定して当該期限を延長することができる。この場合において、延長後の期限は、当該理由がなくなった日から2月を超えてはならない。（法20の5の2②）

　　（地方団体の長及び機構への通知）
（2）　総務大臣は、（1）の規定による指定をしたときは、直ちに、その旨を告示するとともに、地方団体の長及び機構に通知しなければならない。（法20の5の2③）

　　（留意事項）
（3）　災害その他やむを得ない理由により、期限内に書類の提出又は納付若しくは納入をすることができないと認められるときには、（1）の規定の適用がある場合を除き、条例で定めるところによって、地方団体の長は、これらの期限を延長することができるものであること。この場合において、条例には、地方団体の長が職権によって又は申請に基づいてこれらの期限を延長することができる旨を規定することが適当であること。
　なお、審査請求に関する書類の提出期限については行政不服審査法に規定されているので②の規定の適用はないものであること。（県通1－55、市通1－55）
　　　（注）　災害を受けた場合の地方税の期限の延長、減免措置等については、参考通知「災害被害者に対する地方税の減免措置等について」（個通平12自税企12）を参照。（編者）

③ **郵送等に係る書類の提出時期の特例**
　地方税法又はこれに基づく条例の規定により一定の期限までになすべきものとされている申告、徴収の猶予若しくは申請による換価の猶予の申請又は更正の請求に関する書類その他総務省令で定める書類が郵便又は信書便により提出されたときは、その郵便物又は信書便物〚1の①の（3）参照〛の通信日付印により表示された日（その表示がないとき、又はその表示が明らかでないときは、その郵便物又は信書便物について通常要する送付日数を基準としたときにその日に相当するものと認められる日）にその提出がされたものとみなす。（法20の5の3）

(留意事項)
注　地方団体の徴収金に関する書類の提出については、到達主義をもって原則とするが納税者の便宜を考慮し、申告、徴収の猶予の申請又は更正の請求に関する書類が郵便又は信書便により提出されたときには、特例的に発信主義を認めることとしたものであること。この場合において、徴収の猶予の申請に関する書類には、修正申告等に係る道府県民税、市町村民税又は事業税の徴収猶予を受ける場合の届出書〖第五章第一節二の６（２）〗も含めて取扱うこととすること。

　なお、税金が郵送等によって納付又は納入された場合（現金の送付があった場合のほか当地払いの小切手、郵便為替証書等の送付があった場合を含む。）には、郵便又は信書便による書類の提出について発信主義がとられたことと関連して、その郵便物又は民間事業者による信書の送達に関する法律第２条第３項に規定する信書便物（以下「信書便物」という。）の通信日付印により表示された日（その表示がないとき、又はその表示が明らかでないときは、その郵便物又は信書便物について通常要する送付日数を基準としたときにその日に相当するものと認められる日）が納期限（期限内申告、修正申告（法人の事業税の修正申告〖第二編第五章第三節五の２②〗の規定によるものに限る。）に係る納期限又は納税通知書に指定された納期限をいう。）前であれば、その到達の日が納期限後であっても、その税金に係る延滞金額はこれを徴収しないこと。（県通１－56、市通１－56）

④　口座振替に係る納期限の特例
　申告納付又は申告納入に係る地方税の申告書が当該申告書の提出期限までに提出され、当該申告書の提出により納付し又は納入すべき額の確定した地方団体の徴収金で当該提出期限と同時に納期限の到来するものが、口座振替の方法により政令で定める日までに納付され又は納入された場合には、その納付又は納入の日が納期限後である場合においても、その納付又は納入は納期限においてされたものとみなして、延滞金に関する規定を適用する。（法20の５の４）

　　（政令で定める日）
（１）④に規定する政令で定める日は、④に規定する地方団体の徴収金の口座振替の方法による納付又は納入のために地方団体が地方自治法施行令第155条に規定する金融機関に送付する納付書又は納入書が当該金融機関に到達した日から２取引日を経過した最初の取引日（災害その他やむを得ない理由によりその日までに納付し、又は納入することができないと地方団体の長が認める場合には、その承認する日）とする。（令６の18の２①）

　　（取引日の意義）
（２）（１）に規定する取引日とは、当該金融機関の休日以外の日をいう。（令６の18の２②）

　　（口座振替の方法により納付等をする場合の手続）
（３）④に規定する地方団体の徴収金を口座振替の方法により納付し、又は納入しようとする者は、地方自治法施行令第155条の規定による金融機関への請求を、当該地方団体を経由して行わなければならない。（令６の18の２③）

5　第三者の納付等と代位

①　第三者の納付又は納入
　地方団体の徴収金は、その納税者又は特別徴収義務者のために第三者が納付し、又は納入することができる。（法20の６①）

②　地方団体の徴収金を納付した第三者の代位
　地方団体の徴収金の納付若しくは納入について正当な利益を有する第三者又は納税者若しくは特別徴収義務者の同意を得た第三者が納税者又は特別徴収義務者に代ってこれを納付し、又は納入した場合において、その地方団体の徴収金を担保するため抵当権が設定されていたときは、これらの者は、その納付又は納入により、その抵当権につき地方団体に代位することができる。ただし、その抵当権が根抵当である場合において、その担保すべき元本の確定前に納付又は納入があったときは、この限りでない。（法20の６②）

　　（第三者による一部納付があった場合）
（１）②の場合において、第三者が納税者又は特別徴収義務者の地方団体の徴収金の一部を納付し、又は納入したときは、その残余の地方団体の徴収金は、②の規定により代位した第三者の債権に先だって徴収する。（法20の６③）

　　　　　（第三者の代位の手続）
（２）　①の規定により地方団体の徴収金を納付し、又は納入した第三者は、②の規定により地方団体に代位しようとする場合には、地方団体の徴収金の納付又は納入について正当な利益を有すること又は納税者若しくは特別徴収義務者の同意を得たことを証する文書をその地方団体の徴収金の納付又は納入の日の翌日までに地方団体の長に提出しなければならない。（令6の20）

　　　　　（留意事項）
（３）　地方団体の徴収金は、納税者又は特別徴収義務者のために、第三者は、何らの条件を必要とせず納付し、又は納入することができるものであること。なお、地方団体の徴収金の納付若しくは納入について正当な利益を有する第三者又は納税者若しくは特別徴収義務者の同意を得た第三者が納税者又は特別徴収義務者に代ってこれを納付し又は納入した場合において、その地方団体の徴収金を担保するため抵当権が設定されていたときは、これらの者は、その納付又は納入により、その抵当権が根抵当である場合においてその担保すべき元本の確定前に納付又は納入があったときを除き、その抵当権につき地方団体に代位することができることに留意すること。（県通1－57、市通1－57）

6　債権者の代位及び詐害行為の取消し

　民法第三編第一章第二節第二款《債権者代位権》及び第三款《詐害行為取消権》の規定は、地方団体の徴収金の徴収について準用する。（法20の7）

　　　　　（債権者代位権）
（１）　債権者は、自己の債権を保全するため必要があるときは、債務者に属する権利（以下「被代位権利」という。）を行使することができる。ただし、債務者の一身に専属する権利及び差押えを禁じられた権利は、この限りでない。（民法423①）

　　　　　（債権の期限が到来していない場合の代位）
（２）　債権者は、その債権の期限が到来しない間は、被代位権利を行使することができない。ただし、保存行為は、この限りでない。（民法423②）

　　　　　（被代位権利を行使できない場合）
（３）　債権者は、その債権が強制執行により実現することのできないものであるときは、被代位権利を行使することができない。（民法423③）

　　　　　（代位行使の範囲）
（４）　債権者は、被代位権利を行使する場合において、被代位権利の目的が可分であるときは、自己の債権の額の限度においてのみ、被代位権利を行使することができる。（民法423の2）

　　　　　（債権者への支払又は引渡し）
（５）　債権者は、被代位権利を行使する場合において、被代位権利が金銭の支払又は動産の引渡しを目的とするものであるときは、相手方に対し、その支払又は引渡しを自己に対してすることを求めることができる。この場合において、相手方が債権者に対してその支払又は引渡しをしたときは、被代位権利は、これによって消滅する。（民法423の3）

　　　　　（相手方の抗弁）
（６）　債権者が被代位権利を行使したときは、相手方は、債務者に対して主張することができる抗弁をもって、債権者に対抗することができる。（民法423の4）

　　　　　（債務者の取立てその他の処分の権限等）
（７）　債権者が被代位権利を行使した場合であっても、債務者は、被代位権利について、自ら取立てその他の処分をすることを妨げられない。この場合においては、相手方も、被代位権利について、債務者に対して履行をすることを妨げられない。（民法423の5）

(被代位権利の行使に係る訴えを提起した場合の訴訟告知)
(8)　債権者は、被代位権利の行使に係る訴えを提起したときは、遅滞なく、債務者に対し、訴訟告知をしなければならない。(民法423の6)

　　　(登記又は登録の請求権を保全するための債権者代位権)
(9)　登記又は登録をしなければ権利の得喪及び変更を第三者に対抗することができない財産を譲り受けた者は、その譲渡人が第三者に対して有する登記手続又は登録手続をすべきことを請求する権利を行使しないときは、その権利を行使することができる。この場合においては、前三条の規定を準用する。(民法423の7)

　　　(詐害行為取消権)
(10)　債権者は、債務者が債権者を害することを知ってした行為の取消しを裁判所に請求することができる。ただし、その行為によって利益を受けた者(以下「受益者」という。)がその行為の時において債権者を害することを知らなかったときは、この限りでない。(民法424①)

　　　(財産権を目的としない法律行為に対する不適用)
(11)　前項の規定は、財産権を目的としない行為については、適用しない。(民法424②)

　　　(詐害行為取消請求)
(12)　債権者は、その債権が第1項に規定する行為の前の原因に基づいて生じたものである場合に限り、同項の規定による請求(以下「詐害行為取消請求」という。)をすることができる。(民法424③)

　　　(強制執行により実現することのできない債権)
(13)　債権者は、その債権が強制執行により実現することのできないものであるときは、詐害行為取消請求をすることができない。(民法424④)

　　　(相当の対価を得てした財産の処分行為の特則)
(14)　債務者が、その有する財産を処分する行為をした場合において、受益者から相当の対価を取得しているときは、債権者は、次に掲げる要件のいずれにも該当する場合に限り、その行為について、詐害行為取消請求をすることができる。(民法424の2)
　(一)　その行為が、不動産の金銭への換価その他の当該処分による財産の種類の変更により、債務者において隠匿、無償の供与その他の債権者を害することとなる処分(以下「隠匿等の処分」という。)をするおそれを現に生じさせるものであること。
　(二)　債務者が、その行為の当時、対価として取得した金銭その他の財産について、隠匿等の処分をする意思を有していたこと。
　(三)　受益者が、その行為の当時、債務者が隠匿等の処分をする意思を有していたことを知っていたこと。

　　　(特定の債権者に対する担保の供与等の特則)
(15)　債務者がした既存の債務についての担保の供与又は債務の消滅に関する行為について、債権者は、次に掲げる要件のいずれにも該当する場合に限り、詐害行為取消請求をすることができる。(民法424の3①)
　(一)　その行為が、債務者が支払不能(債務者が、支払能力を欠くために、その債務のうち弁済期にあるものにつき、一般的かつ継続的に弁済することができない状態をいう。次項第1号において同じ。)の時に行われたものであること。
　(二)　その行為が、債務者と受益者とが通謀して他の債権者を害する意図をもって行われたものであること。

　　　(詐害行為取消請求をすることができる場合)
(16)　前項に規定する行為が、債務者の義務に属せず、又はその時期が債務者の義務に属しないものである場合において、次に掲げる要件のいずれにも該当するときは、債権者は、同項の規定にかかわらず、その行為について、詐害行為取消請求をすることができる。(民法424の3②)
　(一)　その行為が、債務者が支払不能になる前30日以内に行われたものであること。
　(二)　その行為が、債務者と受益者とが通謀して他の債権者を害する意図をもって行われたものであること。

（過大な代物弁済等の特則）
(17)　債務者がした債務の消滅に関する行為であって、受益者の受けた給付の価額がその行為によって消滅した債務の額より過大であるものについて、第424条に規定する要件に該当するときは、債権者は、前条第1項の規定にかかわらず、その消滅した債務の額に相当する部分以外の部分については、詐害行為取消請求をすることができる。（民法424の4）

　　　（転得者に対する詐害行為取消請求）
(18)　債権者は、受益者に対して詐害行為取消請求をすることができる場合において、受益者に移転した財産を転得した者があるときは、次の各号に掲げる区分に応じ、それぞれ当該各号に定める場合に限り、その転得者に対しても、詐害行為取消請求をすることができる。（民法424の5）
　（一）　その転得者が受益者から転得した者である場合　　その転得者が、転得の当時、債務者がした行為が債権者を害することを知っていたとき。
　（二）　その転得者が他の転得者から転得した者である場合　　その転得者及びその前に転得した全ての転得者が、それぞれの転得の当時、債務者がした行為が債権者を害することを知っていたとき。

　　　（受益者に対する財産の返還又は価額の償還の請求）
(19)　債権者は、受益者に対する詐害行為取消請求において、債務者がした行為の取消しとともに、その行為によって受益者に移転した財産の返還を請求することができる。受益者がその財産の返還をすることが困難であるときは、債権者は、その価額の償還を請求することができる。（民法424の6①）

　　　（転得者に対する財産の返還又は価額の償還の請求）
(20)　債権者は、転得者に対する詐害行為取消請求において、債務者がした行為の取消しとともに、転得者が転得した財産の返還を請求することができる。転得者がその財産の返還をすることが困難であるときは、債権者は、その価額の償還を請求することができる。（民法424の6②）

　　　（被告）
(21)　詐害行為取消請求に係る訴えについては、次の各号に掲げる区分に応じ、それぞれ当該各号に定める者を被告とする。（民法424の7①）
　（一）　受益者に対する詐害行為取消請求に係る訴え　　受益者
　（二）　転得者に対する詐害行為取消請求に係る訴え　　その詐害行為取消請求の相手方である転得者

　　　（訴訟告知）
(22)　債権者は、詐害行為取消請求に係る訴えを提起したときは、遅滞なく、債務者に対し、訴訟告知をしなければならない。（民法424の7②）

　　　（詐害行為の取消しの範囲）
(23)　債権者は、詐害行為取消請求をする場合において、債務者がした行為の目的が可分であるときは、自己の債権の額の限度においてのみ、その行為の取消しを請求することができる。（民法424の8①）

　　　（価額の償還を請求する場合）
(24)　債権者が第424条の6第1項後段又は第2項後段の規定により価額の償還を請求する場合についても、前項と同様とする。（民法424の8②）

　　　（債権者への支払又は引渡し）
(25)　債権者は、第424条の6第1項前段又は第2項前段の規定により受益者又は転得者に対して財産の返還を請求する場合において、その返還の請求が金銭の支払又は動産の引渡しを求めるものであるときは、受益者に対してその支払又は引渡しを、転得者に対してその引渡しを、自己に対してすることを求めることができる。この場合において、受益者又は転得者は、債権者に対してその支払又は引渡しをしたときは、債務者に対してその支払又は引渡しをすることを要しない。（民法424の9①）

　　　　（受益者又は転得者に対して価額の償還を請求する場合）
(26)　債権者が第424条の6第1項後段又は第2項後段の規定により受益者又は転得者に対して価額の償還を請求する場合についても、前項と同様とする。（民法424の9②）

　　　　（認容判決の効力が及ぶ者の範囲）
(27)　詐害行為取消請求を認容する確定判決は、債務者及びその全ての債権者に対してもその効力を有する。（民法425）

　　　　（債務者の受けた反対給付に関する受益者の権利）
(28)　債務者がした財産の処分に関する行為（債務の消滅に関する行為を除く。）が取り消されたときは、受益者は、債務者に対し、その財産を取得するためにした反対給付の返還を請求することができる。債務者がその反対給付の返還をすることが困難であるときは、受益者は、その価額の償還を請求することができる。（民法425の2）

　　　　（受益者の債権の回復）
(29)　債務者がした債務の消滅に関する行為が取り消された場合（第424条の4の規定により取り消された場合を除く。）において、受益者が債務者から受けた給付を返還し、又はその価額を償還したときは、受益者の債務者に対する債権は、これによって原状に復する。（民法425の3）

　　　　（詐害行為取消請求を受けた転得者の権利）
(30)　債務者がした行為が転得者に対する詐害行為取消請求によって取り消されたときは、その転得者は、次の各号に掲げる区分に応じ、それぞれ当該各号に定める権利を行使することができる。ただし、その転得者がその前者から財産を取得するためにした反対給付又はその前者から財産を取得することによって消滅した債権の価額を限度とする。（民法425の4）
　（一）　第425条の2に規定する行為が取り消された場合　その行為が受益者に対する詐害行為取消請求によって取り消されたとすれば同条の規定により生ずべき受益者の債務者に対する反対給付の返還請求権又はその価額の償還請求権
　（二）　前条に規定する行為が取り消された場合（第424条の4の規定により取り消された場合を除く。）　その行為が受益者に対する詐害行為取消請求によって取り消されたとすれば前条の規定により回復すべき受益者の債務者に対する債権

　　　　（詐害行為取消権の期間の制限）
(31)　詐害行為取消請求に係る訴えは、債務者が債権者を害することを知って行為をしたことを債権者が知った時から2年を経過したときは、提起することができない。行為の時から10年を経過したときも、同様とする。（民法426）

7　供　　託
　民法第494条並びに第495条第1項及び第3項の規定は、地方税法又はこれに基づく条例の規定により債権者、納税者、特別徴収義務者その他の者に金銭その他の物件を交付し、又は引渡すべき場合について準用する。（法20の8）

　　　　（供　託）
(1)　弁済者は、次に掲げる場合には、債権者のために弁済の目的物を供託することができる。この場合においては、弁済者が供託をした時に、その債権は、消滅する。（民法494①）
　（一）　弁済の提供をした場合において、債権者がその受領を拒んだとき。
　（二）　債権者が弁済を受領することができないとき。

　　　　（弁済者が債権者を確知することができないとき）
(2)　弁済者が債権者を確知することができないときも、前項と同様とする。ただし、弁済者に過失があるときは、この限りでない。（民法494②）

　　　　（供託の方法）
(3)　前条の規定による供託は、債務の履行地の供託所にしなければならない。（民法495①）

（供託の通知）
（4） 前条の規定により供託をした者は、遅滞なく、債権者に供託の通知をしなければならない。（民法495③）

8　地方税に関する相殺

地方団体の徴収金と地方団体に対する債権で金銭の給付を目的とするものとは、法律の別段の規定によらなければ、相殺することができない。還付金に係る債権〚第七章二の3参照〛と地方団体に対する債務で金銭の給付を目的とするものとについても、また同様とする。（法20の9）

9　修正申告等の効力

次の各号に掲げる修正申告、更正等は、当該各号に掲げる納付又は納入の義務に影響を及ぼさない。（法20の9の2①～④）

(一)	修正申告	既に確定した納付すべき税額に係る部分の地方税についての納付義務
(二)	既に確定した納付し、又は納入すべき税額を増加させる更正	既に確定した納付し、又は納入すべき税額に係る部分の地方税についての納付又は納入の義務
(三)	既に確定した納付し、又は納入すべき税額を減少させる更正	その更正により減少した税額に係る部分以外の部分の地方税についての納付又は納入の義務
(四)	更正又は決定を取り消す処分又は判決	その処分又は判決により減少した税額に係る部分以外の部分の地方税についての納付又は納入の義務

（賦課決定又は加算金の決定についての準用）
注　9の表の(二)から(四)までの規定は、賦課決定又は加算金の決定について準用する。（法20の9の2⑤）

10　更正の請求

①　用語の意義

10において、次の各号に掲げる用語の意義は、当該各号に定めるところによる。（法20の9の3⑥）

(一)	課税標準等	②から⑤までに規定する課税標準等とは、課税標準（地方税法又はこれに基づく条例に課税標準額又は課税標準となる数量の定めがある地方税については、課税標準額又は課税標準となる数量）及びこれから控除する金額並びに欠損金額等（この法律若しくはこれに基づく政令の規定により当該事業年度後の事業年度分の道府県民税若しくは市町村民税の法人税割の課税標準となる法人税額の計算上順次繰り越して控除することができる第二編第二章第四節一の3の②若しくは第三編第二章第四節一の3の②に規定する控除対象通算適用前欠損調整額、第二編第二章第四節一の4の③若しくは第三編第二章第四節一の4の③に規定する控除対象合併等前欠損調整額、第二編第二章第四節一の6の(1)若しくは第三編第二章第四節一の6の(1)に規定する控除対象通算対象所得調整額、第二編第二章第四節一の8の(1)若しくは第三編第二章第四節一の8の(1)に規定する控除対象配賦欠損調整額、第二編第二章第四節一の9の(一)若しくは第三編第二章第四節一の9の(一)に規定する内国法人の控除対象還付法人税額、第二編第二章第四節一の9の(二)若しくは第三編第二章第四節一の9の(二)に規定する外国法人の恒久的施設帰属所得に係る控除対象還付法人税額、第二編第二章第四節一の9の(三)若しくは第三編第二章第四節一の9の(三)に規定する外国法人の恒久的施設非帰属所得に係る控除対象還付法人税額若しくは第二編第二章第四節一の11の(1)若しくは第三編第二章第四節一の11の(1)に規定する控除対象還付対象欠損調整額又はこの法律若しくはこれに基づく政令の規定により当該事業年度後の事業年度分の法人の行う事業に対して課する事業税の所得割の課税標準となる所得の計算上順次繰り越して控除することができる欠損金額をいう。）をいい、これらの項に規定する税額等とは、納付し又は納入すべき税額及びその計算上控除する金額並びに申告書に記載すべきこの法律の規定による還付金の額に相当する税額及びその計算の基礎となる税額をいう。

(二)	税額等	納付し、又は納入すべき税額及びその計算上控除する金額並びに申告書（②の申告書をいう。）に記載すべき地方税法の規定による還付金の額に相当する税額及びその計算の基礎となる税額をいう。

② **申告書を提出した者の更正の請求**

　申告納付又は申告納入に係る地方税の申告書（以下10において「**申告書**」という。）を提出した者は、当該申告書に記載した課税標準等若しくは税額等の計算が地方税に関する法令の規定に従っていなかったこと又は当該計算に誤りがあったことにより、次の各号のいずれかに該当する場合には、当該申告書に係る地方税の法定納期限から５年以内に限り、地方団体の長に対し、その申告に係る課税標準等又は税額等（当該課税標準等又は税額等に関し更正があった場合には、当該更正後の課税標準等又は税額等）につき更正をすべき旨の請求をすることができる。（法20の９の３①）

(一)	当該申告書の提出により納付し、又は納入すべき税額（当該税額に関し更正があった場合には、当該更正後の税額）が過大であるとき。
(二)	当該申告書に記載した欠損金額等（当該金額等に関し更正があった場合には、当該更正後の金額等）が過少であるとき、又は当該申告書（当該申告書に関し更正があった場合には、当該更正に係る通知書）に欠損金額等の記載がなかったとき。
(三)	当該申告書に記載した地方税法の規定による還付金の額に相当する税額（当該税額に関し更正があった場合には、当該更正後の税額）が過少であるとき、又は当該申告書（当該申告書に関し更正があった場合には、当該更正に係る通知書）に当該還付金の額に相当する税額の記載がなかったとき。

（留意事項）

注　申告納付又は申告納入に係る地方税について申告書を提出した者は、原則として法定納期限から５年以内に限り更正の請求をすることができるものであるが、その運用については次の諸点に留意すること。（県通１－59(1)(2)、市通１－59(1)(2)）

　(一)　②の規定による更正の請求は、申告に係る課税標準等又は税額等に関し更正があった場合には、当該更正後においてもすることができるものであるが、この場合においても申告書に記載した課税標準等又は税額等についてのみ更正の請求をすることができるものであること。

　(二)　②の表の(三)に規定する「当該申告書に記載した地方税法の規定による還付金」とは、道府県民税若しくは市町村民税の法人税割の中間納付額に係る還付金又は法人事業税の中間納付額に係る還付金をいうものであること。

③ **決定を受けた場合の更正の請求**

　申告書を提出した者又は申告書に記載すべき課税標準等若しくは税額等につき決定を受けた者は、次の各号のいずれかに該当する場合（申告書を提出した者については、当該各号に掲げる期間の満了する日が②に規定する期間の満了する日後に到来する場合に限る。）には、②の規定にかかわらず、当該各号に掲げる期間において、その該当することを理由として②の規定による更正の請求（第二編第五章《法人の事業税》第五節二の２《二以上の道府県において事務所等を設けて事業を行う法人の更正の請求》の(1)及び同第四章《個人の事業税》第三節二の３《税務官署に対する更正の請求》を除き、以下「**更正の請求**」という。）をすることができる。（法20の９の３②、令６の20の２）

(一)		その申告、更正又は決定に係る課税標準等又は税額等の計算の基礎となった事実に関する訴えについての判決（判決と同一の効力を有する和解その他の行為を含む。）により、その事実が当該計算の基礎としたところと異なることが確定したとき。	その確定した日の翌日から起算して２月以内
(二)		その申告、更正又は決定に係る課税標準等又は税額等の計算に当たってその申告をし、又は決定を受けた者に帰属するものとされていた所得その他課税物件が他の者に帰属するものとする当該他の者に係る地方税の更正、決定又は賦課決定があったとき。	当該更正、決定又は賦課決定があった日の翌日から起算して２月以内
(三)		その他当該地方税の法定納期限後に生じた次に掲げる理由があるとき。	当該理由が生じた日の翌日から起算して２月以内
	イ	申告納付又は申告納入に係る地方税につき、その申告、更正又は決定に係る課税標準等又は税額等の計算の基礎となった事実のうちに含まれていた行為の効力に係る官公署の許可その他の処分が取り消されたこと。	

ロ	申告納付又は申告納入に係る地方税につき、その申告、更正又は決定に係る課税標準等又は税額等の計算の基礎となった事実に係る契約が、解除権の行使により若しくは当該契約の成立後生じたやむを得ない事情によって解除され、又は取り消されたこと。
ハ	帳簿書類の押収その他やむを得ない事情により、課税標準等又は税額等の計算の基礎となるべき帳簿書類その他の記録に基づいて課税標準等又は税額等を計算することができなかった場合において、その後、当該事情が消滅したこと。
ニ	申告納付又は申告納入に係る地方税につき、その申告、更正又は決定に係る課税標準等又は税額等の計算の基礎となった事実に係る地方税に関する条例の解釈が、更正又は決定に係る訴えについての判決に伴って変更され、変更後の解釈が地方税に関する法令の解釈として総務大臣により公表されたことにより、当該課税標準等又は税額等が異なることとなる取扱いを受けることとなったことを知ったこと。

(留意事項)
注 ③の表の各号に規定する後発的な理由がある場合は、②の更正の請求期間経過後においても更正の請求をすることができるものであるが、この場合においては申告書に記載した課税標準等又は税額等のみならず更正又は決定に係る課税標準等又は税額等についても更正の請求をすることができるものであること。(県通1－59(3)、市通1－59(3))

④ 更正請求書の地方団体の長への提出
　更正の請求をしようとする者は、その請求に係る更正後の課税標準等又は税額等、その更正の請求をする理由、当該請求をするに至った事情の詳細、当該請求に係る更正前の納付し、又は納入すべき税額及び申告書に記載すべきこの法律の規定による還付金の額に相当する税額その他参考となるべき事項を記載した更正請求書を地方団体の長に提出しなければならない。(法20の9の3③)

　　(更正請求書の様式)
　注　法人が更正の請求をしようとする場合において、④及び第二編第五章第五節一の3の③に規定する更正請求書は、道府県民税又は事業税若しくは特別法人事業税については第10号の3様式、市町村民税については第10号の4様式によるものとする。(規6の5)

⑤ 更正の請求を受けた場合の地方団体の長の措置
　地方団体の長は、更正の請求があった場合には、その請求に係る課税標準等又は税額等につき調査して、更正をし、又は更正をすべき理由がない旨をその請求をした者に通知しなければならない。(法20の9の3④)

　　(更正の請求と徴収猶予)
　注　更正の請求があった場合においても、地方団体の長は、その請求に係る地方税に係る地方団体の徴収金の徴収を猶予しない。ただし、地方団体の長において相当の理由があると認めるときは、当該地方団体の徴収金の全部又は一部の徴収を猶予することができる。(法20の9の3⑤)

11　延滞金の計算及び免除

① 一部納付又は納入があった場合の延滞金の額の計算
　地方税法の規定により延滞金の額を計算する場合において、その計算の基礎となる地方税の一部が納付され、又は納入されているときは、その納付又は納入の日の翌日以後の期間に係る延滞金の額の計算の基礎となる税額は、その納付され、又は納入された税額を控除した金額とする。(法20の9の4①)

② 納付又は納入した金額の本税充当
　地方税法の規定により納税者又は特別徴収義務者が延滞金をその額の計算の基礎となる地方税に加算して納付し、又は納入すべき場合において、納税者又は特別徴収義務者が納付し、又は納入した金額がその延滞金の額の計算の基礎となる地方税の額に達するまでは、その納付し、又は納入した金額は、まずその計算の基礎となる地方税に充てられたものとする。（法20の９の４②）

③ 期限を延長した場合の延滞金の免除
　４の②《災害等による期限の延長》又は同（１）の規定により地方税の納付又は納入に関する期限を延長した場合には、その地方税に係る延滞金のうちその延長した期間に対応する部分の金額は、免除する。（法20の９の５①）

④ 納付の委託等により納付された徴収金に係る延滞金の免除
　地方団体の長は、次の各号のいずれかに該当する場合には、その地方税に係る延滞金（第五章第一節六の１《納税の猶予等の場合の延滞金の特例》の規定による免除に係る部分を除く。）につき、当該各号に定める期間に対応する部分の金額を限度として、免除することができる。（法20の９の５②、令６の20の３）

(一)	第五章第二節二の（３）《取立て及び納付等の再委託》の規定による有価証券の取立て及び地方団体の徴収金の納付又は納入の再委託を受けた金融機関が当該有価証券の取立てをすべき日後に当該地方団体の徴収金に係る地方税の納付又は納入をした場合（同日後にその納付又は納入があったことにつき納税者又は特別徴収義務者の責めに帰すべき事由がある場合を除く。）	同日の翌日からその納付又は納入があった日までの期間
(二)	納税貯蓄組合法第６条第１項《租税納付の委託》の規定による地方税の納付又は納入の委託を受けた同法第２条第２項《納税貯蓄組合預金の定義》に規定する指定金融機関（地方税の収納をすることができるものを除く。）がその委託を受けた日後に当該地方税の納付又は納入をした場合（同日後にその納付又は納入があったことにつき納税者又は特別徴収義務者の責めに帰すべき事由がある場合を除く。）	同日の翌日からその納付又は納入があった日までの期間
(三)	地方団体の徴収金についてした交付要求により交付を受けた金銭を当該交付要求に係る地方団体の徴収金に充てた場合	当該交付要求を受けた執行機関が強制換価手続において当該金銭を受領した日の翌日からその充てた日までの期間
(四)	差し押さえた不動産（国税徴収法第89条の２第１項に規定する換価執行決定（以下「換価執行決定」という。）がされたものに限る。）の売却代金につき交付を受けた金銭を当該差押えに係る地方団体の徴収金に充てた場合	当該換価執行決定をした第三章三の２に規定する行政機関等が滞納処分において当該売却代金を受領した日の翌日からその充てた日までの期間

12　延滞金及び還付加算金の割合等の特例

① 延滞金の割合の特例
　当分の間、次に掲げる規定に規定する延滞金の年14.6パーセントの割合及び年7.3パーセントの割合は、これらの規定にかかわらず、各年の**延滞金特例基準割合**（平均貸付割合（租税特別措置法第93条第２項に規定する平均貸付割合をいう。②から④までにおいて同じ。）に年１パーセントの割合を加算した割合をいう。以下①及び⑤において同じ。）が年7.3パーセントの割合に満たない場合には、その年中においては、年14.6パーセントの割合にあってはその年における延滞金特例基準割合に年7.3パーセントの割合を加算した割合とし、年7.3パーセントの割合にあっては当該延滞金特例基準割合に年１パーセントの割合を加算した割合（当該加算した割合が年7.3パーセントの割合を超える場合には、年7.3パーセントの割合）とする。（法附３の２①）

(一)	法第56条第2項（第二編第二章《法人の道府県民税》第六節四の2《延滞金の徴収》）
(二)	法第64条第1項（第二編第二章《法人の道府県民税》第六節五の1の①《延滞金》）
(三)	法第71条の12第2項（第二編第三章《利子等、特定配当等及び特定株式等譲渡所得金額に係る道府県民税》第二節二の4の②《延滞金の徴収》）
(四)	法第71条の13第1項（第二編第三章《利子等、特定配当等及び特定株式等譲渡所得金額に係る道府県民税》第二節二の5の①《延滞金の納入義務》）
(五)	法第71条の33第2項（第二編第三章《利子等、特定配当等及び特定株式等譲渡所得金額に係る道府県民税》第三節二の4の②《延滞金の徴収》）
(六)	法第71条の34第1項（第二編第三章《利子等、特定配当等及び特定株式等譲渡所得金額に係る道府県民税》第三節二の5の①《延滞金の納入義務》）
(七)	法第71条の53第2項（第二編第三章《利子等、特定配当等及び特定株式等譲渡所得金額に係る道府県民税》第四節二の4の②《延滞金の徴収》）
(八)	法第71条の54第1項（第二編第三章《利子等、特定配当等及び特定株式等譲渡所得金額に係る道府県民税》第四節二の5の①《延滞金の納入》）
(九)	法第72条の44第2項（第二編第五章《法人の事業税》第四節九の3《不足税額に対する延滞金の徴収》）
(十)	法第72条の45第1項（第二編第五章《法人の事業税》第六節一《納期限後に納付する場合の延滞金》）
(十一)	法第72条の53第1項（第二編第四章《個人の事業税》第三節五《納期限後に納付する場合の延滞金》）
(十二)	法第73条の32第1項（第二編第七章《不動産取得税》第三節六《延滞金》）
(十三)	法第74条の21第2項《道府県たばこ税の不足税額に係る延滞金の徴収》
(十四)	法第74条の22第1項及び第2項《納期限後に納付する道府県たばこ税の延滞金》
(十五)	法第88条第2項（第二編第八章《ゴルフ場利用税》第三節五の1の②《延滞金の徴収》）
(十六)	法第89条第1項（第二編第八章《ゴルフ場利用税》第三節五の2の①《納期限後納入の延滞金》）
(十七)	法第144条の45第2項（第二編第九章《軽油引取税》第二節十二の2の②《不足税額に係る延滞金の徴収》）
(十八)	法第144条の46第1項（第二編第九章《軽油引取税》第二節十三の1《納期限後の申告納入又は納付に係る延滞金》）
(十九)	法第169条第2項（第二編第十章《自動車税》第二節二の10の（1）《不足税額に係る延滞金》）
(二十)	法第170条第1項（第二編第十章《自動車税》第二節二の10の（3）《納期限後納付に係る延滞金》）
(二十一)	法第177条の18第1項及び第2項（第二編第十章《自動車税》第三節一の7の③のイ及びロ《延滞金》）
(二十二)	法第196条第1項《納期限後に納付する鉱区税の延滞金》
(二十三)	法第277条第2項《道府県法定外普通税に係る不足金額の延滞金の徴収》
(二十四)	法第280条第1項《納期限後に納付し、又は申告納入する道府県法定外普通税の延滞金》
(二十五)	法第321条の2第2項（第三編第一章《個人の市町村民税》第七節三の4の②《延滞金の徴収》）
(二十六)	法第321条の12第2項（第三編第二章《法人の市町村民税》第六節四の2《延滞金の徴収》）
(二十七)	法第326条第1項（第三編第一章《個人の市町村民税》第八節1《延滞金の徴収》又は同編第二章《法人の市町村民税》第六節四の2《延滞金》）
(二十八)	法第328条の10第2項（第三編第一章《個人の市町村民税》第十節9の②の（1）《延滞金の加算》）
(二十九)	法第328条の13第2項（第三編第一章《個人の市町村民税》第十節10の（1）《延滞金の加算》）
(三十)	法第368条第2項（第三編第三章《固定資産税》第三節五の1の（1）《不足税額に係る延滞金の徴収》）（同章第八節5の②《虚偽の申告があった場合等の不足税額の徴収》において準用する場合を含む。）
(三十一)	法第369条第1項（第三編第三章《固定資産税》第三節五の2《納期限後納付に係る延滞金》）（同章第八節5の①《市町村の課する固定資産税関係規定の準用》において準用する場合を含む。）
(三十二)	法第463条第2項（第三編第五章《軽自動車税》第二節二の10の（1）《不足税額に係る延滞金》）

(三十三)	法第463条の2第1項（第三編第五章《軽自動車税》第二節二の10の（3）《納期限後に申告納付する環境性能割の延滞金》）
(三十四)	法第463条の24第1項（第三編第五章《軽自動車税》第三節二の5の③《納期限後に納付する種別割の延滞金》）
(三十五)	法第481条第2項《市町村たばこ税の不足税額に係る延滞金の徴収》
(三十六)	法第482条第1項及び第2項《納期限後に納付する市町村たばこ税の延滞金》
(三十七)	法第534条第2項《鉱産税の不足税額に係る延滞金の徴収》
(三十八)	法第535条第1項《納期限後に申告納付する鉱産税の延滞金》
(三十九)	法第607条第2項《特別土地保有税の更正又は決定の場合の延滞金》（第627条《土地に対して課する特別土地保有税に関する規定の準用》において準用する場合を含む。）
(四十)	法第608条第1項《期限後納付の場合の特別土地保有税の延滞金》（第627条《土地に対して課する特別土地保有税に関する規定の準用》において準用する場合を含む。）
(四十一)	法第687条第2項《市町村法定外普通税に係る不足税額の延滞金の徴収》
(四十二)	法第690条第1項《納期限後に納付し、又は申告納入する市町村法定外普通税の延滞金》
(四十三)	法第700条の63第1項《納期限後に納付する狩猟税の延滞金》
(四十四)	法第701条の10第2項《入湯税に係る不足金額の延滞金》
(四十五)	法第701条の11第1項《納期限後に申告納入する入湯税に係る納入金の延滞金》
(四十六)	法第701条の59第2項（第三編第六章《事業所税》第三節四の1《更正又は決定の場合の延滞金》）
(四十七)	法第701条の60第1項（第三編第六章《事業所税》第三節四の2《期限後納付の場合の延滞金》）
(四十八)	法第720条第2項（第三編第七章《国民健康保険税》十四の2の②《延滞金の徴収》）
(四十九)	法第723条第1項（第三編第七章《国民健康保険税》十四の5《期限後納入等に係る延滞金》）
(五十)	法第733条の17第2項《法定外目的税に係る不足金額の延滞金》
(五十一)	法第733条の20第1項《納期限後に納付し、又は申告納入する法定外目的税の延滞金》

② **納期限の延長の場合の延滞金の割合の特例**

　当分の間、法第65条（第二編第二章《法人の道府県民税》第六節五の2《納期限の延長の場合の延滞金》）第1項、法第72条の45の2（第二編第五章《法人の事業税》第六節二《納期限の延長の場合の延滞金》）第1項及び法第327条（第三編第二章《法人の市町村民税》第六節五の2《納期限の延長の場合の延滞金》）第1項に規定する延滞金の年7.3パーセントの割合は、これらの規定にかかわらず、各年の平均貸付割合に年0.5パーセントの割合を加算した割合が年7.3パーセントの割合に満たない場合には、その年中においては、その年における当該加算した割合とする。（法附3の2②）

③ **徴収の猶予等をした地方税に係る延滞金の免除金額の特例**

　当分の間、第五章第一節六の1の①《徴収猶予等の場合の延滞金の免除》、③《更正の請求に係る徴収の猶予の場合の延滞金の免除》及び④《差押え又は担保の提供に係る地方税についての延滞金の免除》並びに第二編第五章《法人の事業税》第三節八《徴収猶予》の3に規定する延滞金（以下③において「徴収の猶予等をした地方税に係る延滞金」という。）につきこれらの規定により免除し、又は免除することができる金額の計算の基礎となる期間を含む年の猶予特例基準割合（平均貸付割合に年0.5パーセントの割合を加算した割合をいう。）が年7.3パーセントの割合に満たない場合には、当該期間であってその年に含まれる期間に対応する徴収の猶予等をした地方税に係る延滞金についてのこれらの規定の適用については、第五章第一節六の1の①中「期間（延滞金が年14.6パーセントの割合により計算される期間に限る。）」とあるのは「期間」と、「の2分の1」とあるのは「のうち当該延滞金の割合が猶予特例基準割合（第十章の12の③に規定する猶予特例基準割合をいう。）であるとした場合における当該延滞金の額（第五章第一節六の1の③及び④並びに第二編第五章第三節九の3において「特例延滞金額」という。）を超える部分の金額」と、第五章第一節六の1の③及び④中「期間（延滞金が年14.6パーセントの割合により計算される期間に限るものとし、」とあるのは「期間（」と、「の2分の1」とあるのは「のうち特例延滞金額を超える部分の金額」と、第二編第五章第三節八の3中「期間（延滞金が年14.6パーセントの割合により計算される期間に限る。（1）において同じ。）」とあるのは「期間」と、「の2分の1」とあるのは「のうち特例延滞金額を超える部分の金額」と、第二編第五章第三節九の3の（1）中「の2分の1」とあるのは「のうち特例延滞金額を超える部分の金額」とする。（法附3の2③）

第一編第十章《雑則》

④ 過誤納金の還付加算金の割合の特例

　当分の間、各年の還付加算金特例基準割合（平均貸付割合に年0.5パーセントの割合を加算した割合をいう。）が年7.3パーセントの割合に満たない場合には、第六章《還付》三の1《過誤納金の還付加算金》に規定する還付加算金の計算の基礎となる期間であってその年に含まれる期間に対応する還付加算金についての同1の規定の適用については、同1中「年7.3パーセントの割合」とあるのは、「第十章12の④に規定する還付加算金特例基準割合」とする。（法附3の2④）

⑤ 延滞金及び還付加算金の計算において加算した割合が年0.1パーセント未満の場合

　①から④のいずれかの規定の適用がある場合における延滞金及び還付加算金の額の計算において、①から④に規定する加算した割合（延滞金特例基準割合を除く。）が年0.1パーセント未満の割合であるときは年0.1％の割合とする。（法附3の2⑤）

⑥ 還付加算金の割合の特例

　当分の間、次に掲げる規定に規定する還付加算金の年7.3パーセントの割合は、これらの規定にかかわらず、各年の特例基準割合（①に規定する特例基準割合をいう。以下⑥において同じ。）が年7.3パーセントの割合に満たない場合には、その年中においては、当該年における特例基準割合とする。（令附3の2①）

（一）	令第9条の5第1項（令第48条の12第1項において準用する場合を含む。）（第二編第二章《法人の道府県民税》第四節十の④《中間納付額を還付する場合の還付加算金の計算》及び（第三編第二章《法人の市町村民税》第四節八の1の④《中間納付額を還付する場合の還付加算金の計算》）
（二）	令第9条の8の4第1項（第二編第二章《法人の道府県民税》第四節八の2の②《仮装経理法人税割額を還付する場合の還付加算金の計算》）
（三）	令第9条の9第1項（第二編第二章《法人の道府県民税》第四節八の3の②の(2)《還付請求書の提出により仮装経理法人税割額を還付する場合の還付加算金の計算》）
（四）	令第9条の9の3第1項（第二編第二章《法人の道府県民税》第四節九の②《租税条約の実施に係る控除不足額を還付する場合の還付加算金の計算》）（第三編第二章《法人の市町村民税》第九節2の(2)《法人等の市町村民税に関する規定の都への準用等》で準用する場合を含む。）
（五）	令第24条の2の4第1項（第二編第五章《法人の事業税》第二節十の3の(2)《仮装経理事業税額を還付する場合の還付加算金の計算》）
（六）	令第24条の2の7第1項（第二編第五章《法人の事業税》第二節十の4の(5)《仮装経理事業税額を還付する場合の還付加算金の計算》）
（七）	令第24条の2の9第1項（第二編第五章《法人の事業税》第二節十二の4の②《控除不足額を還付する場合の還付加算金の計算》）
（八）	令第28条第1項（第二編第五章《法人の事業税》第三節三の3の(6)《中間納付額を還付する場合の還付加算金の計算》）（同章第四節六の1の②《決定による事業税額が中間納付額に満たない場合の還付》の(注)において準用する場合を含む。）
（九）	令第48条の9の5第1項（第三編第一章《個人の市町村民税》第四節二の4の(7)《配当割額又は株式等譲渡所得割額の還付金等の額に係る還付加算金の計算》）
（十）	令第48条の14の4第1項（第三編第二章《法人の市町村民税》第四節七の2の②《仮装経理法人税割額を還付する場合の還付加算金の計算》）
（十一）	令第48条の14の7第1項（第三編第二章《法人の市町村民税》第四節七の3の②の(2)《還付請求書の提出により仮装経理法人税割額を還付する場合の還付加算金の計算》）
（十二）	令第48条の15の2第1項（第三編第二章《法人の市町村民税》第四節七の②《租税条約の実施に係る控除不足額を還付する場合の還付加算金の計算》）（同章第九節2の(2)《法人等の市町村民税に関する規定の都への準用等》で準用する場合を含む。）
（十三）	令第56条の88第1項《宅地開発税の課税免除による還付をする場合の還付加算金》

⑦　計算過程における端数処理

　①から⑥までのいずれかの規定の適用がある場合における延滞金及び還付加算金の額の計算において、その計算の過程における金額に１円未満の端数が生じたときは、これを切り捨てる。（法附３の２⑥、令附３の２③）

13　納税証明書の交付

　地方団体の長は、地方団体の徴収金と競合する債権に係る担保権の設定その他の目的で、地方団体の徴収金の納付又は納入すべき額その他地方団体の徴収金に関する事項（地方税法又はこれに基づく政令の規定により地方団体の徴収金に関して地方団体が備えなければならない帳簿に登録された事項を含む。）のうち次に掲げるものについての証明書の交付を請求する者があるときは、その者に関するものに限り、これを交付しなければならない。（法20の10、令６の21①、規１の９）

(一)		請求に係る地方団体の徴収金の納付し、又は納入すべき額として確定した額並びにその納付し、又は納入した額及び未納の額（これらの額のないことを含む。）
(二)		(一)の地方団体の徴収金に係る第四章三の１の①《法定納期限等以前に設定された質権の優先》に規定する法定納期限等（同①の表の(五)《相続》及び(六)《合併》に定めるものを除く。）又は同②《住民税、事業税等に係る法定納期限等の特例》に規定する法定納期限等（国税徴収法第15条第１項《法定納期限等以前に設定された質権の優先》第７号《相続》及び第８号《合併》及び第９号《分割》及び第10号《納付通知》に定める日に係るものを除く。）
(三)		保全差押金額の通知『第五章第二節四の１(1)』の規定により通知した金額
(四)		固定資産課税台帳に登録された事項
(五)		地方団体の徴収金につき滞納処分を受けたことがないこと。
(六)		前各号に定めるもののほか、次に掲げる事項
	イ	第二編第二章第四節一の３後段の前事業年度以前の法人税割の課税標準となる法人税額について控除されなかった同３の(2)に規定する控除対象通算適用前欠損調整額、同一の４の②後段の前事業年度以前の法人税割の課税標準となる法人税額について控除されなかった同４の③に規定する控除対象合併等前欠損調整額、同一の６後段の前事業年度以前の法人税割の課税標準となる法人税額について控除されなかった同６の(1)に規定する控除対象通算対象所得調整額、同一の８後段の前事業年度以前の法人税割の課税標準となる法人税額について控除されなかった同８の(1)に規定する控除対象配賦欠損調整額、同一の９の(注２)の(一)後段の前事業年度以前の法人税割の課税標準となる法人税額について控除されなかった同(一)に規定する内国法人の控除対象還付法人税額、同(注２)の(二)後段の前事業年度以前の法人税割の課税標準となる法人税額について控除されなかった同(二)に規定する外国法人の恒久的施設帰属所得に係る控除対象還付法人税額、同(注２)の(三)後段の前事業年度以前の法人税割の課税標準となる法人税額について控除されなかった同(三)に規定する外国法人の恒久的施設非帰属所得に係る控除対象還付法人税額、同一の11後段の前事業年度以前の法人税割の課税標準となる法人税額について控除されなかった同11の(1)に規定する控除対象還付対象欠損調整額その他第四章三の１の②の表の各号に掲げる地方税の額の算出のために必要な事項
	ロ	イに掲げるもののほか条例で定める事項

　（証明事項に該当しないもの）
（１）　次に掲げる地方団体の徴収金に関する事項は、上表の各号（(五)を除く。）に掲げる事項に該当しないものとする。（令６の21②）
　　（一）　地方団体が発行する証紙をもって払込む地方団体の徴収金（証紙に代えて、証紙代金収納計器で表示させることにより、又は現金で納付される地方団体の徴収金を含む。）のうち自動車税の種別割に係るもの以外のもの
　　（二）　法定納期限が13の規定により請求する日の３年前の日の属する会計年度前の会計年度に係る地方団体の徴収金（13の表の(一)の規定の適用については、未納の地方団体の徴収金を除く。）

　（地方団体の徴収金につき滞納処分を受けたことがないことに該当しないもの）
（２）　13の規定により請求する日の３年前の日の属する会計年度前の会計年度において地方団体の徴収金につき滞納処分を受けたことがないことは、13の表の(五)に掲げる事項に該当しないものとする。（令６の21③）

（手数料の徴収）
（3）　納税証明書の交付に係る手数料は、地方自治法第227条の規定に基づき徴収することができるものであること。
　　　（県通1－61なお書、市町1－61なお書）

14　事業者等への協力要請

　徴税吏員は、地方税法に特別の定めがあるものを除くほか、地方税に関する調査について必要があるときは、事業者（特別の法律により設立された法人を含む。）又は官公署に、当該調査に関し参考となるべき簿書及び資料の閲覧又は提供その他の協力を求めることができる。（法20の11）

　　　（留意事項）
　注　徴税吏員は、地方税に関する調査について必要があるときは、事業者等に簿書及び資料の閲覧又は提供その他の協力を求めることができるものであるが、その運用については次の諸点に留意すること。（県通1－62、市通1－62）
　（一）　14の規定は、事業者等に対する徴税吏員の協力要請に法的根拠を与えるものであること。
　（二）　14に規定する「特別の定め」とは、法第46条第4項及び第5項、第63条第1項、第72の59、第144条の43、第325条、第354条の2、第605条及び第701条の55の規定をいうものであること。
　（三）　14の規定は、地方公務員法等に規定されている守秘義務を解除するものではないが、この規定により地方団体が協力を求められた場合には、できるだけ協力していくべきものであること。

15　預貯金者・口座管理機関の加入者等情報の管理

①　預貯金者等情報の管理

　金融機関等（預金保険法第2条第1項各号に掲げる者及び農水産業協同組合貯金保険法第2条第1項に規定する農水産業協同組合をいう。以下①において同じ。）は、（1）で定めるところにより、預貯金者等情報（預貯金者等（預金保険法第2条第3項に規定する預金者等及び農水産業協同組合貯金保険法第2条第3項に規定する貯金者等をいう。以下①において同じ。）の氏名（法人にあっては、名称。②及び③において同じ。）及び住所又は居所（法人にあっては、事務所又は事業所の所在地。②及び③において同じ。）その他預貯金等（預金保険法第2条第2項に規定する預金等及び農水産業協同組合貯金保険法第2条第2項に規定する貯金等をいう。）の内容に関する事項であって（2）で定めるものをいう。）を当該金融機関等が保有する預貯金者等の個人番号（行政手続における特定の個人を識別するための番号の利用等に関する法律第2条第5項に規定する個人番号をいう。②及び③において同じ。）（法人にあっては、法人番号（同条第15項に規定する法人番号をいう。）。②及び③において同じ。）により検索することができる状態で管理しなければならない。（法20の11の2）

　　　（預貯金者等情報の記録事項）
（1）　金融機関等（①に規定する金融機関等をいう。以下（1）において同じ。）は、預貯金者等情報（①に規定する預貯金者等情報をいう。以下同じ。）に関するデータベース（預貯金者等情報に係る情報の集合物であって、それらの情報を電子計算機を用いて検索することができるように体系的に構成したものをいう。）における各預貯金等（①に規定する預貯金等をいう。）に係る電磁的記録（第五章第一節二の2の⑨の（二）に規定する電磁的記録をいう。以下同じ。）に当該金融機関等が保有する預貯金者等（①に規定する預貯金者等をいう。）の個人番号（①に規定する個人番号をいう。以下同じ。）又は法人番号を記録しなければならない。（令6の21の2）

　　　（預貯金等の内容に関する事項）
（2）　①に規定する（2）で定める事項は、①に規定する預貯金者等の顧客番号並びに同条に規定する預貯金等の口座番号、口座開設日、種目、元本の額、利率、預入日及び満期日とする。（規1の9の3）

②　口座管理機関の加入者情報の管理

　口座管理機関（社債、株式等の振替に関する法律（平成13年法律第75号）第2条第4項に規定する口座管理機関（同法第44条第1項第13号に掲げる者を除く。）をいう。以下②において同じ。）は、（1）で定めるところにより、加入者情報（当該口座管理機関の加入者（同法第2条第3項に規定する加入者をいう。以下②及び③において同じ。）の氏名及び住所又は居所その他社債等（同法第2条第1項に規定する社債等をいう。③において同じ。）の内容に関する事項であって（2）で定めるものをいう。）を当該口座管理機関が保有する当該加入者の個人番号により検索することができる状態で管理しなければならない。（法20の11の3）

　　　　（口座管理機関の加入者情報の記録事項）
（１）　口座管理機関（②に規定する口座管理機関をいう。以下（１）において同じ。）は、加入者情報（②に規定する加入者情報をいう。以下（１）において同じ。）に関するデータベース（加入者情報に係る情報の集合物であって、それらの情報を電子計算機を用いて検索することができるように体系的に構成したものをいう。）における各社債等（②に規定する社債等をいう。）に係る電磁的記録に当該口座管理機関が保有する当該口座管理機関の加入者（同条に規定する加入者をいう。③の（１）において同じ。）の個人番号又は法人番号を記録しなければならない。（令６の21の３）

　　　　（社債等の内容に関する事項）
（２）　②に規定する（２）で定める事項は、②に規定する口座管理機関の加入者（②に規定する加入者をいう。③の（３）において同じ。）の顧客番号又は口座番号並びに②に規定する社債等の種類、銘柄及びその銘柄ごとの数又は金額とする。（規１の９の４）

③　振替機関の加入者情報の管理
　振替機関（社債、株式等の振替に関する法律第２条第２項に規定する振替機関をいう。以下③において同じ。）は、（１）で定めるところにより、加入者情報（当該振替機関又はその下位機関（同法第２条第９項に規定する下位機関をいう。）の加入者の氏名及び住所又は居所その他株式等（社債等のうち（２）で定めるものをいう。）の内容に関する事項であって（３）で定めるものをいう。）を当該振替機関が保有する当該加入者の個人番号により検索することができる状態で管理しなければならない。（法20の11の４）

　　　　（振替機関の加入者情報の記録事項）
（１）　振替機関（③に規定する振替機関をいう。以下（１）において同じ。）は、加入者情報（③に規定する加入者情報をいう。以下（１）において同じ。）に関するデータベース（加入者情報に係る情報の集合物であって、それらの情報を電子計算機を用いて検索することができるように体系的に構成したものをいう。）における各株式等（③に規定する株式等をいう。）に係る電磁的記録に当該振替機関が保有する当該振替機関又はその下位機関（③に規定する下位機関をいう。）の加入者の個人番号又は法人番号を記録しなければならない。（令６の21の４）

　　　　（株式等の内容に関する事項）
（２）　③に規定する（２）で定める社債等は、社債、株式等の振替に関する法律第２条第１項第８号、第10号の２又は第12号から**第17号の２**までに掲げるもののうち、社債、株式等の振替に関する命令（平成14年内閣府・法務省令第５号）第62条の規定により振替機関（③に規定する振替機関をいう。（３）において同じ。）が同令第62条に規定する業務規程で定めるものとする。（規１の９の５①）
　　　（注）　（２）中＿＿部分「第17号の２」を「第17号の３」に改める令和６年度改正規定は、情報通信技術の進展等の環境変化に対応するための社債、株式等の振替に関する法律等の一部を改正する法律（令和５年法律第80号）の施行の日以後適用する。（令６改規附１四）

　　　　（総務省令で定める事項）
（３）　③に規定する（３）で定める事項は、振替機関又はその下位機関（③に規定する下位機関をいう。）の加入者の③に規定する株式等の種類、銘柄及びその銘柄ごとの数又は金額を特定するために当該振替機関が定める当該加入者の記号又は番号とする。（規１の９の５②）

16　事務の区分
　地方税法の規定により道府県が処理することとされている事務のうち、第三編第三章《固定資産税》第五節一の１の①《固定資産評価基準の制定》の規定により同①に規定する固定資産評価基準の細目を定める事務、同節三の９《固定資産の価格等の修正に関する道府県知事の勧告》に規定する事務及び第十三章四の３後段に規定する事務は、地方自治法第２条第９項第１号に規定する第１号法定受託事務とする。（法20の13）

17　罰　　　則

① 不納せん動に関する罪
　納税義務者又は特別徴収義務者がすべき課税標準額の申告（これらの申告の修正を含む。以下①において「**申告**」と総称する。）をしないこと、虚偽の申告をすること、税金の徴収若しくは納付をしないこと、又は納入金の納入をしないこと

をせん動した者は、3年以下の懲役又は20万円以下の罰金に処する。(法21①)

　　　(虚偽の申告等をさせるため暴行又は脅迫を加えた者の罪)
　注　申告をさせないため、虚偽の申告をさせるため、税金の徴収若しくは納付をさせないため、又は納入金の納入をさせないために、暴行又は脅迫を加えた者も、また、①の懲役又は罰金に処する。(法21②)

② 秘密漏えいに関する罪
　地方税に関する調査(不服申立てに係る事件の審理のための調査及び地方税の犯則事件の調査を含む。)若しくは租税条約等の実施に伴う所得税法、法人税法及び地方税法の特例等に関する法律(昭和44年法律第46号)の規定に基づいて行う情報の提供のための調査に関する事務又は地方税の徴収に関する事務に従事している者又は従事していた者は、これらの事務に関して知り得た秘密を漏らし、又は窃用した場合においては、2年以下の懲役又は100万円以下の罰金に処する。(法22)

　　　(秘密を守る義務)
(1)　職員は、職務上知り得た**秘密**を漏らしてはならない。その職を退いた後も、また、同様とする。(地方公務員法34①)

　　　(地方税に関する事務に従事する職員の秘密義務)
(2)　地方税に関する事務に従事する職員の秘密義務については、地方公務員法及び地方税法に定められているところであるが、今後は下記の通り取扱うことが適当であると考えられるので、その運用に当って慎重を期し、遺憾のないようにされたい。(個通昭49自府159)
(一)　(1)の「秘密」とは、一般に知られておらず、他人に知られないことについて客観的に相当の利益を有する事実で職務上知り得たものをいうものであり、②の「秘密」とは、これらのもののうち、地方税に関する調査に関する事務に関して知り得たものをいうものであること。従って、一般に、収入額又は所得額、税額等は、(1)及び②の「秘密」のいずれにも該当し、滞納者名及び滞納税額の一覧等は、地方税に関する調査に関する事務に関して知り得たものでないので、②の「秘密」には該当しないが、(1)の「秘密」に該当するものであること。
(二)　従って、滞納者名及び滞納税額の一覧であっても、納税者等の利益を保護し、行政の円滑な運営を確保するため、一般に公表すべきでないことは勿論であるが、議会の審議の場においてその開示を求められた場合においても、原則として開示すべきではないものであり、議会から地方自治法第100条《議会の調査権に基づく記録提出請求》等の規定に基づきその開示を求められた場合においては、議会の審議における必要性と納税者等の利益の保護、行政の円滑な運営確保の必要性等とを総合的に勘案した結果その要請に応ずべきものと判断したときを除き、開示すべきではないものであること。
　　　なお、開示する場合であっても、議会に対し秘密会で審議することを要請する等適切な配慮をすること。

③ 虚偽の更正の請求に関する罪
　10の④に規定する更正請求書に偽りの記載をして地方団体の長に提出したときは、その違反行為をした者は、1年以下の懲役又は50万円以下の罰金に処する。(法22の2①)

　　　(法人の代表者等が更正請求書に虚偽の記載をした場合の罪)
(1)　法人の代表者(人格のない社団等の管理人を含む。)又は法人若しくは人の代理人、使用人その他の従業者が、その法人又は人の業務又は財産に関して③の違反行為をしたときは、その行為者を罰するほか、その法人又は人に対して③の罰金刑を科する。(法22の2②)

　　　(人格のない社団等の代表者等が更正請求書に虚偽の記載をした場合の刑事訴訟に関する法律の規定の準用)
(2)　人格のない社団等について(1)の規定の適用がある場合には、その代表者又は管理人がその訴訟行為につきその人格のない社団等を代表するほか、法人を被告人又は被疑者とする場合の刑事訴訟に関する法律の規定を準用する。(法22の2③)

18　犯則事件の調査

①　質問、検査又は領置等

当該徴税吏員（地方団体の長がその職務を定めて指定する徴税吏員をいう。以下18、19において同じ。）は、地方税に関する犯則事件（⑤を除き、以下18において「犯則事件」という。）を調査するため必要があるときは、犯則嫌疑者若しくは参考人（以下①及び②において「犯則嫌疑者等」という。）に対して出頭を求め、犯則嫌疑者等に対して質問し、犯則嫌疑者等が所持し、若しくは置き去った物件を検査し、又は犯則嫌疑者等が任意に提出し、若しくは置き去った物件を領置することができる。（法22の3①）

　　　　（領置物件等の封印等）
（1）　当該徴税吏員（①に規定する当該徴税吏員をいう。以下同じ。）は、物件の領置、差押え又は記録命令付差押え（②に規定する記録命令付差押えをいう。以下同じ。）をしたときは、これに封印をし、又はその他の方法により、領置、差押え又は記録命令付差押えをしたことを明らかにしなければならない。（令6の22の2）

　　　　（必要な事項の報告）
（2）　当該徴税吏員は、犯則事件の調査について、官公署又は公私の団体に照会して必要な事項の報告を求めることができる。（法22の3②）

②　臨検、捜索又は差押え等

当該徴税吏員は、犯則事件を調査するため必要があるときは、その所属する地方団体の事務所の所在地を管轄する地方裁判所又は簡易裁判所の裁判官があらかじめ発する許可状により、臨検、犯則嫌疑者等の身体、物件若しくは住居その他の場所の捜索、証拠物若しくは没収すべき物件と思料するものの差押え又は記録命令付差押え（電磁的記録を保管する者その他電磁的記録を利用する権限を有する者に命じて必要な電磁的記録を記録媒体に記録させ、又は印刷させた上、当該記録媒体を差し押さえることをいう。以下18、19において同じ。）をすることができる。ただし、参考人の身体、物件又は住居その他の場所については、差し押さえるべき物件の存在を認めるに足りる状況のある場合に限り、捜索をすることができる。（法22の4①）

　　　　（差し押さえるべき物件が電子計算機であるとき）
（1）　当該徴税吏員は、差し押さえるべき物件が電子計算機であるときは、当該電子計算機に電気通信回線で接続している記録媒体であって、当該電子計算機で作成若しくは変更をした電磁的記録又は当該電子計算機で変更若しくは消去をすることができることとされている電磁的記録を保管するために使用されていると認めるに足りる状況にあるものから、その電磁的記録を当該電子計算機又は他の記録媒体に複写した上、当該電子計算機又は当該他の記録媒体を差し押さえることができる。（法22の4②）

　　　　（急速を要するとき）
（2）　当該徴税吏員は、②又は（1）の場合において、急速を要するときは、臨検すべき物件若しくは場所、捜索すべき身体、物件若しくは場所、差し押さえるべき物件又は電磁的記録を記録させ、若しくは印刷させるべき者の所在地を管轄する地方裁判所又は簡易裁判所の裁判官があらかじめ発する許可状により、②及び（1）の処分をすることができる。（法22の4③）

　　　　（許可状の請求）
（3）　当該徴税吏員は、②又は（2）の許可状（⑰の（3）及び（5）を除き、以下18において「許可状」という。）を請求する場合には、犯則事件が存在すると認められる資料を提供しなければならない。（法22の4④）

　　　　（臨検等に係る許可状請求書の記載事項等）
（4）　（3）に規定する許可状（以下「許可状」という。）の請求は、次に掲げる事項を記載した書面でしなければならない。（令6の22の3①）
　　（一）　犯則嫌疑者の氏名
　　（二）　罪名及び犯則事実の要旨
　　（三）　臨検すべき物件若しくは場所、捜索すべき身体、物件若しくは場所、差し押さえるべき物件又は記録させ、若

しくは印刷させるべき電磁的記録及びこれを記録させ、若しくは印刷させるべき者
　（四）　請求者の官職氏名
　（五）　許可状が7日を超える有効期間を必要とするときは、その旨及び事由
　（六）　（1）の場合には、差し押さえるべき電子計算機に電気通信回線で接続している記録媒体であって、その電磁的記録を複写すべきものの範囲
　（七）　日没から日出までの間に臨検、捜索、差押え又は記録命令付差押えをする必要があるときは、その旨及び事由

　　　（捜索のための許可状請求時の資料の提供）
（5）　当該徴税吏員は、参考人の身体、物件又は住居その他の場所の捜索のための許可状を請求する場合には、差し押さえるべき物件の存在を認めるに足りる状況があることを認めるべき資料を提供しなければならない。（令6の22の3②）

　　　（差押え請求時の資料の提供）
（6）　当該徴税吏員は、郵便物、1の①の（3）に規定する信書便物又は電信についての書類で法令の規定に基づき通信事務を取り扱う者が保管し、又は所持するもの（犯則嫌疑者から発し、又は犯則嫌疑者に対して発したものを除く。）の差押えのための許可状を請求する場合には、その物件が犯則事件（①に規定する犯則事件をいう。**19**の⑦及び**19**の⑦の注において同じ。）に関係があると認めるに足りる状況があることを認めるべき資料を提供しなければならない。（令6の22の3③）

　　　（許可状の記載事項）
（7）　地方裁判所又は簡易裁判所の裁判官は、（3）の規定による請求があった場合には、犯則嫌疑者の氏名（法人については、名称）、罪名並びに臨検すべき物件若しくは場所、捜索すべき身体、物件若しくは場所、差し押さえるべき物件又は記録させ、若しくは印刷させるべき電磁的記録及びこれを記録させ、若しくは印刷させるべき者並びに請求者の官職氏名、有効期間、その期間経過後は執行に着手することができずこれを返還しなければならない旨、交付の年月日及び裁判所名を記載し、自己の記名押印した許可状を当該徴税吏員に交付しなければならない。（法22の4⑤）

　　　（電気計算機の許可状の記載事項）
（8）　地方裁判所又は簡易裁判所の裁判官は、（3）又は（7）の場合においては、許可状に、（7）に規定する事項のほか、差し押さえるべき電子計算機に電気通信回線で接続している記録媒体であって、その電磁的記録を複写すべきものの範囲を記載しなければならない。（法22の4⑥）

　　　（許可状の交付）
（9）　当該徴税吏員は、許可状をその所属する地方団体の他の当該徴税吏員に交付して、臨検、捜索、差押え又は記録命令付差押えをさせることができる。（法22の4⑦）

③　通信事務を取り扱う者に対する差押え
　当該徴税吏員は、犯則事件を調査するため必要があるときは、許可状の交付を受けて、犯則嫌疑者から発し、又は犯則嫌疑者に対して発した郵便物、信書便物又は電信についての書類で法令の規定に基づき通信事務を取り扱う者が保管し、又は所持するものを差し押さえることができる。（法22の5①）

　　　（犯則事件に関係があると認められるものの差押え）
（1）　当該徴税吏員は、③の規定に該当しない郵便物、信書便物又は電信についての書類で法令の規定に基づき通信事務を取り扱う者が保管し、又は所持するものについては、犯則事件に関係があると認めるに足りる状況があるものに限り、許可状の交付を受けて、これを差し押さえることができる。（法22の5②）

　　　（事件の調査が妨げられるおそれがある場合）
（2）　当該徴税吏員は、③又は（1）の規定による処分をした場合には、その旨を発信人又は受信人に通知しなければならない。ただし、通知により犯則事件の調査が妨げられるおそれがある場合は、この限りでない。（法22の5③）

④ 通信履歴の電磁的記録の保全要請

　当該徴税吏員は、差押え又は記録命令付差押えをするため必要があるときは、電気通信を行うための設備を他人の通信の用に供する事業を営む者又は自己の業務のために不特定若しくは多数の者の通信を媒介することのできる電気通信を行うための設備を設置している者に対し、その業務上記録している電気通信の送信元、送信先、通信日時その他の通信履歴の電磁的記録のうち必要なものを特定し、30日を超えない期間を定めて、これを消去しないよう、書面で求めることができる。この場合において、当該電磁的記録について差押え又は記録命令付差押えをする必要がないと認めるに至ったときは、当該求めを取り消さなければならない。(法22の6①)

　　　(通信記録の電磁的記録の保全期間の延長要請)
　(1)　当該徴税吏員は、④の規定により消去しないよう求める期間については、特に必要があるときは、30日を超えない範囲内で延長することができる。ただし、消去しないよう求める期間は、通じて60日を超えることができない。(法22の6②)

　　　(保全要請の漏洩防止)
　(2)　当該徴税吏員は、④の規定による求めを行う場合において、必要があるときは、みだりに当該求めに関する事項を漏らさないよう求めることができる。(法22の6③)

⑤ 現行犯事件の臨検、捜索又は差押え

　当該徴税吏員は、間接地方税(軽油引取税その他の政令で定める地方税をいう。以下18、19において同じ。)に関する犯則事件について、現に犯則を行い、又は現に犯則を行い終わった者がある場合において、その証拠となると認められるものを集取するため必要であって、かつ、急速を要し、許可状の交付を受けることができないときは、その犯則の現場において②の臨検、捜索又は差押えをすることができる。(法22の7①)

　　　(間接地方税の範囲)
　(1)　⑤に規定する地方税は、次に掲げる地方税とする。(令6の22の4)
　　(一)　道府県たばこ税
　　(二)　ゴルフ場利用税
　　(三)　軽油引取税
　　(四)　市町村たばこ税
　　(五)　入湯税
　　(六)　(一)から(五)に掲げる地方税に類する道府県法定外普通税若しくは市町村法定外普通税又は法定外目的税であって、条例で指定するもの

　　　(犯則を行ってから間がなく緊急性が高いと認められる場合の臨検等)
　(2)　当該徴税吏員は、間接地方税に関する犯則事件について、現に犯則に供した物件若しくは犯則により得た物件を所持し、又は顕著な犯則の跡があって犯則を行ってから間がないと明らかに認められる者がある場合において、その証拠となると認められるものを集取するため必要であって、かつ、急速を要し、許可状の交付を受けることができないときは、その者の所持する物件に対して②の臨検、捜索又は差押えをすることができる。(法22の7②)

⑥ 電磁的記録に係る記録媒体の差押えに代わる処分

　当該徴税吏員は、差し押さえるべき物件が電磁的記録に係る記録媒体であるときは、その差押えに代えて次に掲げる処分をすることができる。(法22の8)
(一)　差し押さえるべき記録媒体に記録された電磁的記録を他の記録媒体に複写し、印刷し、又は移転した上、当該他の記録媒体を差し押さえること。
(二)　差押えを受ける者に差し押さえるべき記録媒体に記録された電磁的記録を他の記録媒体に複写させ、印刷させ、又は移転させた上、当該他の記録媒体を差し押さえること。

⑦ 臨検、捜索又は差押え等に際しての必要な処分

　当該徴税吏員は、臨検、捜索、差押え又は記録命令付差押えをするため必要があるときは、錠をはずし、封を開き、その他必要な処分をすることができる。(法22の9①)

（領置物件、差押物件又は記録命令付差押物件の処分）
　注　⑦の処分は、領置物件、差押物件又は記録命令付差押物件についても、することができる。（法22の9②）

⑧　処分を受ける者に対する協力要請
　当該徴税吏員は、臨検すべき物件又は差し押さえるべき物件が電磁的記録に係る記録媒体であるときは、臨検又は捜索若しくは差押えを受ける者に対し、電子計算機の操作その他の必要な協力を求めることができる。（法22の10）

⑨　許可状の提示
　当該徴税吏員は、臨検、捜索、差押え又は記録命令付差押えの許可状を、これらの処分を受ける者に提示しなければならない。（法22の11）

⑩　身分の証明
　当該徴税吏員は、18の規定により質問、検査、領置、臨検、捜索、差押え又は記録命令付差押えをするときは、その身分を証明する証票を携帯し、関係人の請求があったときは、これを提示しなければならない。（法22の12）

⑪　警察官の援助
　当該徴税吏員は、臨検、捜索、差押え又は記録命令付差押えをするに際し必要があるときは、警察官の援助を求めることができる。（法22の13）

⑫　所有者等の立会い
　当該徴税吏員は、人の住居又は人の看守する邸宅若しくは建造物その他の場所で臨検、捜索、差押え又は記録命令付差押えをするときは、その所有者若しくは管理者（これらの者の代表者、代理人その他これらの者に代わるべき者を含む。）又はこれらの者の使用人若しくは同居の親族で成年に達した者を立ち会わせなければならない。（法22の14①）

　　　（所有者又は管理者等を立ち会わせることができない場合）
　（1）　当該徴税吏員は、⑫の場合において、⑫に規定する者を立ち会わせることができないときは、その隣人で成年に達した者又はその地の警察官若しくは地方公共団体（当該徴税吏員の所属する地方団体を除く。）の職員を立ち会わせなければならない。（法22の14②）

　　　（急速を要する臨検等を行う場合）
　（2）　当該徴税吏員は、⑤の規定により臨検、捜索又は差押えをする場合において、急速を要するときは、⑫又は（1）の規定によることを要しない。（法22の14③）

　　　（女子の身体について捜索をするとき）
　（3）　当該徴税吏員は、女子の身体について捜索をするときは、成年の女子を立ち会わせなければならない。ただし、急速を要する場合は、この限りでない。（法22の14④）

⑬　領置目録等の作成等
　当該徴税吏員は、領置、差押え又は記録命令付差押えをしたときは、その目録を作成し、領置物件、差押物件若しくは記録命令付差押物件の所有者、所持者若しくは保管者（⑥の規定による処分を受けた者を含む。）又はこれらの者に代わるべき者にその謄本を交付しなければならない。（法22の15）

　　　（領置目録等の記載事項）
　注　当該徴税吏員は、⑬の規定により作成する領置目録、差押目録又は記録命令付差押目録に、領置、差押え又は記録命令付差押えをした物件の品名及び数量、その日時及び場所並びに当該物件の所持者の氏名及び住所又は居所を記載しなければならない。（令6の22の5）

⑭　領置物件等の処置
　当該徴税吏員は、運搬又は保管に不便な領置物件、差押物件又は記録命令付差押物件を、その所有者又は所持者その他当該徴税吏員が適当と認める者に、その承諾を得て、保管証を徴して保管させることができる。（法22の16①）

(領置物件等の処置)
(1) 当該徴税吏員は、⑭の規定により領置物件、差押物件又は記録命令付差押物件をその所有者その他当該徴税吏員が適当と認める者に保管させたときは、その旨を領置、差押え又は記録命令付差押えの際における当該物件の所持者に通知しなければならない。(令6の22の6①)

(領置物件等が腐敗、変質したとき)
(2) 地方団体の長は、領置物件又は差押物件が腐敗し、若しくは変質したとき、又は腐敗若しくは変質のおそれがあるときは、政令で定めるところにより、公告した後これを公売に付し、その代金を供託することができる。(法22の16②)

(公告事項)
(3) 地方団体の長は、(2)の規定により領置物件又は差押物件(以下「領置物件等」という。)を公売に付するときは、次に掲げる事項を公告しなければならない。(令6の22の6②)
(一) 公売に付そうとする領置物件等の品名及び数量
(二) 公売の日時、場所、方法及び事由
(三) 買受代金の納付の期限
(四) 保証金に関する事項
(五) (一)から(四)に掲げるもののほか、公売に関し必要な事項

(公売の規定)
(4) (2)の規定による公売については、(3)に規定するもののほか、その性質に反しない限り、国税徴収法第5章第3節第2款(第96条を除く。)の規定の例による。(令6の22の6③)

(公売に付される領置物件等についての買受禁止規定)
(5) (2)の規定により公売に付される領置物件等については、徴税吏員及びその所有者は、直接であると間接であるとを問わず、買い受けることができない。(令6の22の6④)

(領置物件等の売却代金を供託した際の通知)
(6) 地方団体の長は、(2)の規定により領置物件等の売却代金を供託したときは、当該供託に係る領置物件等の知れている所有者、所持者その他の利害関係者にその旨を通知するものとする。(令6の22の6⑤)

⑮ 領置物件等の還付等
当該徴税吏員は、領置物件、差押物件又は記録命令付差押物件について留置の必要がなくなったときは、その返還を受けるべき者にこれを還付しなければならない。(法22の17①)

(返還を受けるべき者の住所若しくは居所がわからない場合)
(1) 地方団体の長は、⑮の領置物件、差押物件又は記録命令付差押物件について、その返還を受けるべき者の住所若しくは居所がわからないため、又はその他の事由によりこれを還付することができない場合には、その旨を公告しなければならない。(法22の17②)

(還付の公告等)
(2) (1)の規定による公告は、次に掲げる事項についてするものとする。(令6の22の7①)
(一) (1)に規定する領置物件、差押物件又は記録命令付差押物件(以下「還付物件」という。)を還付することができない旨
(二) 還付物件の品名及び数量
(三) 領置、差押え又は記録命令付差押えの年月日及び場所
(四) 還付物件の所持者の氏名及び住所又は居所
(五) 公告の日から6月を経過しても還付の請求がないときは、還付物件は、還付物件を領置、差押え又は記録命令付差押えをした当該徴税吏員の所属する地方団体に帰属する旨

(公告の日から6月を経過しても還付の請求がない場合)
(3) (1)の公告に係る領置物件、差押物件又は記録命令付差押物件について公告の日から6月を経過しても還付の請求がないときは、これらの物件は、これらの物件を領置、差押え又は記録命令付差押えをした当該徴税吏員の所属する地方団体に帰属する。(法22の17③)

⑯ 移転した上で差し押さえた記録媒体の交付等
　当該徴税吏員は、⑥の規定により電磁的記録を移転し、又は移転させた上差し押さえた記録媒体について留置の必要がなくなった場合において、差押えを受けた者と当該記録媒体の所有者、所持者又は保管者とが異なるときは、当該差押えを受けた者に対し、当該記録媒体を交付し、又は当該電磁的記録の複写を許さなければならない。(法22の18①)

　　　(準用規定)
(1) ⑮の(1)の規定は、⑯の規定による交付又は複写について準用する。(法22の18②)

　　　(準用規定)
(2) (1)において準用する⑮の(1)の規定による公告は、次に掲げる事項についてするものとする。(令6の22の7②)
(一) ⑯に規定する記録媒体(以下「交付等物件」という。)を交付し、又は当該交付等物件に記録された電磁的記録を複写させることができない旨
(二) 交付等物件の品名及び数量
(三) 差押えの年月日及び場所
(四) 差押えを受けた者の氏名及び住所又は居所
(五) 公告の日から6月を経過しても⑯の規定による交付又は複写の請求がないときは、交付等物件を交付し、又は当該交付等物件に記録された電磁的記録を複写をさせることを要しない旨

　　　(準用規定による公告の日から6月を経過しても交付又は複写の請求がない場合)
(3) ⑯において準用する⑮の(1)の規定による公告の日から6月を経過しても⑯の規定による交付又は複写の請求がないときは、その交付をし、又は複写をさせることを要しない。(法22の18③)

⑰ 鑑定等の嘱託
　当該徴税吏員は、犯則事件を調査するため必要があるときは、学識経験を有する者に領置物件、差押物件若しくは記録命令付差押物件についての鑑定を嘱託し、又は通訳若しくは翻訳を嘱託することができる。(法22の19①)

　　　(鑑定に係る物件の破壊)
(1) ⑰の規定による鑑定の嘱託を受けた者((3)及び(5)において「鑑定人」という。)は、⑰の当該徴税吏員の所属する地方団体の事務所の所在地を管轄する地方裁判所又は簡易裁判所の裁判官の許可を受けて、当該鑑定に係る物件を破壊することができる。(法22の19②)

　　　(破壊許可の請求)
(2) (1)の許可の請求は、当該徴税吏員がしなければならない。(法22の19③)

　　　(許可状の記載事項)
(3) 地方裁判所又は簡易裁判所の裁判官は、(2)の請求があった場合において、当該請求を相当と認めるときは、犯則嫌疑者の氏名(法人については、名称)、罪名、破壊すべき物件及び鑑定人の氏名並びに請求者の官職氏名、有効期間、その期間経過後は執行に着手することができずこれを返還しなければならない旨、交付の年月日及び裁判所名を記載し、自己の記名押印した許可状を当該徴税吏員に交付しなければならない。(法22の19④)

　　　(鑑定に係る許可状請求書の記載事項)
(4) (3)に規定する許可状((六)において「許可状」という。)の請求は、次に掲げる事項を記載した書面でしなければならない。(令6の22の8)
(一) 犯則嫌疑者の氏名

（二）　罪名及び犯則事実の要旨
　　　（三）　破壊すべき物件
　　　（四）　鑑定人の氏名及び職業
　　　（五）　請求者の官職氏名
　　　（六）　許可状が7日を超える有効期間を必要とするときは、その旨及び事由

　　　　（処分を受ける者への許可状の表示）
　（5）　鑑定人は、（1）の処分を受ける者に（3）の許可状を示さなければならない。（法22の19⑤）

⑱　臨検、捜索又は差押え等の夜間執行の制限
　当該徴税吏員は、許可状に夜間でも執行することができる旨の記載がなければ、日没から日出までの間には、臨検、捜索、差押え又は記録命令付差押えをしてはならない。ただし、⑤の規定により処分をする場合及び軽油引取税その他の政令で定める地方税について夜間でも公衆が出入りすることができる場所でその公開した時間内にこれらの処分をする場合は、この限りでない。（法22の20①）

　　　　（夜間執行の制限を受けない地方税）
　（1）　⑱ただし書に規定する（1）で定める地方税は、次に掲げる地方税とする。（令6の22の9）
　　　（一）　ゴルフ場利用税
　　　（二）　軽油引取税
　　　（三）　入湯税
　　　（四）　道府県法定外普通税若しくは市町村法定外普通税又は法定外目的税であって、条例で指定するもの

　　　　（臨検等の継続）
　（2）　当該徴税吏員は、必要があると認めるときは、日没前に開始した臨検、捜索、差押え又は記録命令付差押えを、日没後まで継続することができる。（法22の20②）

⑲　処分中の出入りの禁止
　当該徴税吏員は、18の規定により質問、検査、領置、臨検、捜索、差押え又は記録命令付差押えをする間は、何人に対しても、許可を受けないでその場所に出入りすることを禁止することができる。（法22の21）

⑳　執行を中止する場合の処分
　当該徴税吏員は、臨検、捜索、差押え又は記録命令付差押えの許可状の執行を中止する場合において、必要があるときは、執行が終わるまでその場所を閉鎖し、又は看守者を置くことができる。（法22の22）

㉑　捜索証明書の交付
　当該徴税吏員は、捜索をした場合において、証拠物又は没収すべき物件がないときは、捜索を受けた者の請求により、その旨の証明書を交付しなければならない。（法22の23）

㉒　調書の作成
　当該徴税吏員は、18の規定により質問をしたときは、その調書を作成し、質問を受けた者に閲覧させ、又は読み聞かせて、誤りがないかどうかを問い、質問を受けた者が増減変更の申立てをしたときは、その陳述を調書に記載し、質問を受けた者とともにこれに署名押印しなければならない。ただし、質問を受けた者が署名押印せず、又は署名押印することができないときは、その旨を付記すれば足りる。（法22の24①）

　　　　（調書への署名押印）
　（1）　当該徴税吏員は、18の規定により検査又は領置をしたときは、その調書を作成し、これに署名押印しなければならない。（法22の24②）

　　　　（立会人の署名押印）
　（2）　当該徴税吏員は、18の規定により臨検、捜索、差押え又は記録命令付差押えをしたときは、その調書を作成し、

立会人に示し、立会人とともにこれに署名押印しなければならない。ただし、立会人が署名押印せず、又は署名押印することができないときは、その旨を付記すれば足りる。(法22の24③)

　　　(調書の記載事項)
（３）　当該徴税吏員は、㉒、(1)、(2)に規定する調書に、質問、検査、領置、臨検、捜索、差押え又は記録命令付差押えの事実、日時及び場所並びに質問の調書にあっては答弁の要領及び㉒の申立てに係る陳述を記載しなければならない。(令6の22の10)

㉓　他の地方団体の長への調査の嘱託
　地方団体の長は、その地方団体の区域外において犯則事件の調査を必要とするときは、これをその地の地方団体の長に嘱託することができる。(法22の25)

19　犯則事件の処分

① 　間接地方税以外の地方税に関する犯則事件についての告発
　当該徴税吏員は、間接地方税以外の地方税に関する犯則事件の調査により犯則があると思料するときは、検察官に告発しなければならない。(法22の26)

② 　間接地方税に関する犯則事件についての報告等
　当該徴税吏員は、間接地方税に関する犯則事件の調査を終えたときは、その調査の結果をその所属する地方団体の長に報告しなければならない。ただし、次の(一)から(三)のいずれかに該当する場合には、直ちに検察官に告発しなければならない。(法22の27)
(一)　犯則嫌疑者の居所が明らかでないとき。
(二)　犯則嫌疑者が逃走するおそれがあるとき。
(三)　証拠となると認められるものを隠滅するおそれがあるとき。

③ 　間接地方税に関する犯則事件についての通告処分等
　地方団体の長は、間接地方税に関する犯則事件の調査により犯則の心証を得たときは、その理由を明示し、罰金に相当する金額、没収に該当する物件、追徴金に相当する金額並びに書類の送達並びに差押物件又は記録命令付差押物件の運搬及び保管に要した費用を指定の場所に納付すべき旨を書面により通告しなければならない。この場合において、没収に該当する物件については、納付の申出のみをすべき旨を通告することができる。(法22の28①)

　　　(通告の方法等)
（１）　③の規定による通告(以下「通告」という。)は、通告を受けるべき者に使送、配達証明郵便又は民間事業者による信書の送達に関する法律(平成14年法律第99号)第2条第6項に規定する一般信書便事業者若しくは同条第9項に規定する特定信書便事業者による同条第2項に規定する信書便の役務のうち配達証明郵便に準ずるものとして総務省令で定めるものの方法により③に規定する書面を送達して行う。この場合において、使送の方法によるときは、その受領証を徴さなければならない。(令6の22の11①)

　　　(書面の記載事項)
（２）　(1)の書面には、③に規定する理由及び納付すべき旨のほか、通告を受けるべき者の氏名及び住所又は居所、犯則についての詳細な事実並びに同項の規定により納付すべき期間及び場所を記載しなければならない。(令6の22の11②)

　　　(読替規定)
（３）　③、(1)、(2)の規定は、(6)の規定による更正を行う場合について準用する。この場合において、(2)中「場所」とあるのは、「場所並びに(6)の規定による更正の内容及び理由」と読み替えるものとする。(令6の22の11③)

　　　(当該物件を納付する旨の申出書の提出をもって納付とする場合)
（４）　③に規定する没収に該当する物件が当該徴税吏員又は18の⑭の規定により当該徴税吏員が適当と認めて保管させ

た者の保管しているものである場合には、③の規定による納付は、当該物件を納付する旨の申出書の提出をもって足りる。（令6の22の11④）

　　　（直ちに検察官に告発しなければならない場合）
（5）　地方団体の長は、③の場合において、次の（一）、（二）のいずれかに該当すると認めるときは、③の規定にかかわらず、直ちに検察官に告発しなければならない。（法22の28②）
　（一）　情状が懲役の刑に処すべきものであるとき。
　（二）　犯則者が通告の旨を履行する資力がないとき。

　　　（通告の更正）
（6）　地方団体の長は、③の規定による通告に計算違い、誤記その他これらに類する明白な誤りがあるときは、犯則者が当該通告の旨を履行し、又は（5）若しくは④の規定により告発するまでの間、職権で、当該通告を更正することができる。（法22の28③）

　　　（通告による時効の停止）
（7）　③の規定により通告があったときは、公訴の時効は、その進行を停止し、犯則者が当該通告を受けた日の翌日から起算して20日を経過した時からその進行を始める。（法22の28④）

　　　（同一事件の公訴）
（8）　犯則者は、③の通告の旨（（6）の規定による更正があった場合には、当該更正後の通告の旨。（9）及び④において同じ。）を履行した場合には、同一事件について公訴を提起されない。（法22の28⑤）

　　　（没収に該当する物件の保管義務）
（9）　犯則者は、③後段の通告の旨を履行した場合において、没収に該当する物件を所持するときは、公売その他の必要な処分がされるまで、これを保管する義務を負う。ただし、その保管に要する費用は、請求することができない。（法22の28⑥）

④　**間接地方税に関する犯則事件についての通告処分の不履行**
　　地方団体の長は、犯則者が前条第1項の通告（③の（6）の規定による更正があった場合には、当該更正。以下「通告等」という。）を受けた場合において、当該通告等を受けた日の翌日から起算して20日以内に当該通告の旨を履行しないときは、検察官に告発しなければならない。ただし、当該期間を経過しても告発前に履行した場合は、この限りでない。（法22の29①）

　　　（通告等をすることができない場合）
　注　犯則者の居所が明らかでないため、若しくは犯則者が通告等に係る書類の受領を拒んだため、又はその他の事由により通告等をすることができないときも、④と同様とする。（法22の29②）

⑤　**検察官への引継ぎ**
　　間接地方税に関する犯則事件は、②ただし書の規定による当該徴税吏員の告発又は③の（5）若しくは④の規定による地方団体の長の告発を待って論ずる。（法22の30①）

　　　（調書、領置目録等の検察官への引継ぎ）
（1）　①の規定による告発又は④の告発は、書面をもって行い、18の㉒及び同（1）（2）に規定する調書を添付し、領置物件、差押物件又は記録命令付差押物件があるときは、これを領置目録、差押目録又は記録命令付差押目録とともに検察官に引き継がなければならない。（法22の30②）

　　　（保管証の引継ぎと通知）
（2）　（1）の領置物件、差押物件又は記録命令付差押物件が18の⑭の規定による保管に係るものである場合には、18の⑭の保管証をもって引き継ぐとともに、その旨を同項の規定により当該物件を保管させた者に通知しなければならない。（法22の30③）

（みなし規定）
（３）（１）及び（２）の規定により領置物件、差押物件又は記録命令付差押物件が引き継がれたときは、当該物件は、刑事訴訟法の規定により検察官によって押収されたものとみなす。（法22の30④）

　　　（告発の取消し不可）
（４）⑤の告発は、取り消すことができない。（法22の30⑤）

⑥　犯則の心証を得ない場合の通知等
　地方団体の長は、間接地方税に関する犯則事件を調査し、犯則の心証を得ない場合には、その旨を犯則嫌疑者に通知しなければならない。この場合において、物件の領置、差押え又は記録命令付差押えがあるときは、その解除を命じなければならない。（法22の31）

　　　（犯則の心証を得ない場合の供託書の交付）
　注　地方団体の長は、⑥の規定により犯則の心証を得ない旨を犯則嫌疑者に通知する場合において、18の⑭の（２）の規定により供託した金銭があるときは、供託書の正本に供託金を受け取るべき事由を証する書面を添付し、これを領置又は差押えの際における領置物件等の所持者に交付しなければならない。（令６の22の12）

⑦　書類の作成要領
　犯則事件の調査及び処分に関する書類（18の②若しくは18の②の（２）、18の③若しくは18の③の（１）又は18の⑰の（３）の許可状の請求に関する書類を除く。）には、毎葉に契印しなければならない。ただし、その謄本又は抄本を作成するときは、契印に代えて、これに準ずる措置をとることができる。（令６の22の13①）

　　　（犯則事件の調査及び処分に関する書類の訂正）
　注　犯則事件の調査及び処分に関する書類について文字を加え、削り、又は欄外に記入したときは、その範囲を明らかにして、訂正した部分に認印しなければならない。ただし、削った部分は、これを読むことができるように字体を残さなければならない。（令６の22の13②）

参　考　通　知

○災害被害者に対する地方税の減免措置等について（個通平成12年自税企12、最終改正令和3年総税企第44号）

　災害が発生した場合において地方税法及びこれに基づく条例により地方団体の長がとりうる措置としては、期限の延長、徴収の猶予及び減免がありますので、それぞれの制度の趣旨を御理解いただき、それぞれの事態に応じて、適切に対応されるようよろしくお願いします。

　これらの措置については、従前の取扱い等にかんがみ別添に掲げる取扱い例を適宜参考として、税務における災害被害者の救済対策について適切に取り扱われるようお願いします。

　なお、「災害被害者に対する地方税の減免措置等について」（昭和39年11月7日自治府第119号各都道府県知事あて自治事務次官通知）は廃止します。

　また、貴都道府県内市町村に対してもこの旨周知されるようよろしくお願いします。

【別添】　災害被害者に対する地方税の減免措置等の取扱い例

第1　期限の延長に関する取扱い例

1　地方税法（昭和25年法律第226号。以下「法」という。）第20条の5の2の規定に基づき、地方団体の長が期限の延長を行うに当たりよるべき条例を定める場合には、次によることとする。

　（1）災害により、法第20条の5の2に規定する期限までに同条に規定する申告等の行為をすることができないと認められる者が地方団体の全部又は一部の地域にわたり広範囲に生じたと認める場合には、地方団体の長は、職権により地域及び災害がやんだ日から2月以内の期日を指定して画一的にその期限を延長することができるものとする。

　（2）（1）の場合を除き、個別的事例ないし、狭い範囲内の事例については、地方団体の長は、納税者又は特別徴収義務者の申請に基づき、災害がやんだ日から2月以内の期日を指定してその期限を延長することができるものとする。

2　1の（1）の取扱いについては、地方団体の長が判断して行うものであるが、国税通則法施行令第3条第1項の規定により、国税庁長官が地域及び期日を指定して画一的に期限を延長する場合には、地方団体の長は、その国税に係る期限の延長の措置に準じて画一的に期限を延長する。

3　分割法人で、その主たる事務所又は事業所の所在地に災害が発生し、その所在地の地方団体の長により期限の延長を認められたものが、その主たる事務所又は事業所の所在地以外の地方団体の長に対し、期限の延長の申請をしたときは、その主たる事務所又は事業所の所在地の地方団体の長が認めた措置に準じて、その期限を延長する。

第2　徴収の猶予に関する取扱い例

　納税者又は特別徴収義務者がその財産について災害を受けた場合において、その事実に基づき、その地方団体の徴収金を一時に納付し、又は納入することができないと認められるときは、地方団体の長は、法第15条の規定により、その者の申請に基づき、適宜その徴収を猶予する。なお、法人の道府県民税、事業税及び市町村民税については、減免をしないこととし、徴収の猶予の措置によるものとする。また、固定資産税については、固定資産そのものの損害を生じない冷害、凍霜害等の農作物に係る災害を受けた場合には、その性格にかんがみ、原則として、徴収猶予の措置を講ずる。

第3　減免に関する取扱い例

　災害が地方団体の区域内に広範囲に発生した場合には、地方団体の長は、法第72条の62、第323条等の規定に基づき、その都度条例を定めて減免することとする。その条例を定める場合には、被害者が納付すべき当該年度分の税額のうち災害を受けた日以後に納期の末日の到来するものについて、次の基準により減免の措置を講ずることとする。

1　道府県税関係

　（1）個人の事業税（法72の62）

　　（ア）その者の所有に係る事業用資産につき災害により受けた損害の金額（保険金、損害賠償金等により補てんされるべき金額を除く。）がその資産の価格の2分の1以上である者で、前年中の法第72条の49の12第1項から第5項までの規定によって計算した事業の所得が1,000万円以下であるものに対しては、次の区分により軽減又は免除する。

事　業　所　得	軽　減　又　は　免　除　の　割　合
500万円以下であるとき	全　部
750万円以下であるとき	2分の1
750万円を超えるとき	4分の1

参考通知《災害被害者に対する地方税の減免措置等について》

(イ) (ア)に該当するもののほか、その者(法第23条第1項第7号に規定する同一生計配偶者又は同項第9号に規定する扶養親族を含む。)の所有に係る住宅又は家財について災害により受けた損害の金額(保険金、損害賠償金等により補てんされるべき金額を除く。)が甚大である者で、前年中の法第23条第1項第13号に規定する合計所得金額(法附則第33条の2第1項に規定する上場株式等に係る配当所得等の金額、法附則第33条の3第1項に規定する土地等に係る事業所得等の金額、法附則第34条第1項に規定する課税長期譲渡所得金額(法第34条の規定の適用がある場合には、その適用前の金額とする。)、法附則第35条第1項に規定する課税短期譲渡所得金額(法第34条の規定の適用がある場合は、その適用前の金額とする。)、法附則第35条の2第1項に規定する一般株式等に係る譲渡所得等の金額、法附則第35条の2の2第1項に規定する上場株式等に係る譲渡所得等の金額又は法附則第35条の4第1項に規定する先物取引に係る雑所得等の金額がある場合には、当該金額を含む。以下同じ。)が500万円以下であるものに対しても、軽減することができる。

(2) 自動車税(法162)

その者の所有に係る自動車につき災害により損害を受け、相当の修繕費(その損害につき保険金、損害賠償金等により補てんされるべき金額を除く。)を要すると認められる者に対しては、損害の程度に応じて2分の1以下の税額を軽減することができる。

2 市町村税関係

(1) 個人の市町村民税及び個人の道府県民税(法323、45)

(ア) 災害により次の事由に該当することとなった者に対しては、次の区分により軽減し、又は免除する。

事　　　　　　　　由	軽減又は免除の割合
死亡した場合	全　部
生活保護法の規定による生活扶助を受けることとなった者	全　部
障害者(法第292条第1項第10号に規定する障害者をいう。)となった場合	10分の9

(イ) その者(納税義務者の法第292条第1項第7号に規定する同一生計配偶者又は法第292条第1項第9号に規定する扶養親族を含む。)の所有に係る住宅又は家財につき災害により受けた損害の金額(保険金、損害賠償金等により補てんされるべき金額を除く。)がその住宅又は家財の価格の10分の3以上であるもので、前年中の法第292条第1項第13号に規定する合計所得金額(法附則第33条の2第5項に規定する上場株式等に係る配当所得等の金額、法附則第33条の3第5項に規定する土地等に係る事業所得等の金額、法附則第34条第4項に規定する課税長期譲渡所得金額(法第314条の2の規定の適用がある場合には、その適用前の金額とする。)、法附則第35条第5項に規定する課税短期譲渡所得金額(法第314条の2の規定の適用がある場合には、その適用前の金額とする。)、法附則第35条の2第5項に規定する一般株式等に係る譲渡所得等の金額、法附則第35条の2の2第5項に規定する上場株式等に係る譲渡所得等の金額又は法附則第35条の4第4項に規定する先物取引に係る雑所得等の金額がある場合には、当該金額を含む。以下同じ。)が1,000万円以下であるものに対しては、次の区分により軽減し、又は免除する。

損害程度 合計所得金額	軽　減　又　は　免　除　の　割　合	
	10分の3以上10分の5未満のとき	10分の5以上のとき
500万円以下であるとき	2分の1	全　部
750万円以下であるとき	4分の1	2分の1
750万円を超えるとき	8分の1	4分の1

(ウ) 冷害、凍霜害、干害等にあっては、(ア)及び(イ)によらず、農作物の減収による損失額の合計額(農作物の減収価額から農業保険法(昭和22年法律第185号)によって支払われるべき農作物共済金額を控除した金額)が、平年における当該農作物による収入額の10分の3以上であるもので、前年中の法第292条第1項第13号に規定する合計所得金額が1,000万円以下であるもの(当該合計所得金額のうち農業所得以外の所得が400万円を超えるものを除く。)に対しては、農業所得に係る市町村民税の所得割の額(当該年度分の市町村民税の所得割の額を前年中における農業所得の金額と農業所得以外の金額とにあん分して得た額)について次の区分により軽減し、又は免除する。

合　　　計　　　所　　　得　　　金　　　額	軽減又は免除の割合
300万円以下であるとき	全　部

400万円以下であるとき	10分の8
550万円以下であるとき	10分の6
750万円以下であるとき	10分の4
750万円を超えるとき	10分の2

(エ) 市町村長が個人の市町村民税を減免した場合においては、当該納税者に係る個人の道府県民税についても当該市町村民に対する減免額の割合と同じ割合によって減免されたものとする。

(2) 固定資産税（法367）

(ア) その者の所有に係る固定資産につき災害により損害を受けた者に対しては、次の区分により軽減し、又は減免する。

(i) 農地又は宅地

損　害　の　程　度	軽減又は免除の割合
被害面積が当該土地の面積の10分の8以上であるとき	全　部
被害面積が当該土地の面積の10分の6以上10分の8未満であるとき	10分の8
被害面積が当該土地の面積の10分の4以上10分の6未満であるとき	10分の6
被害面積が当該土地の面積の10分の2以上10分の4未満であるとき	10分の4

(ii) 家　屋

損　害　の　程　度	軽減又は免除の割合
全壊、流失、埋没等により家屋の原形をとどめないとき又は復旧不能のとき	全　部
主要構造部分が著しく損傷し、大修理を必要とする場合で、当該家屋の価格の10分の6以上の価値を減じたとき	10分の8
屋根、内装、外壁、建具等に損傷を受け、居住又は使用目的を著しく損じた場合で、当該家屋の価格の10分の4以上10分の6未満の価値を減じたとき	10分の6
下壁、畳等に損傷を受け居住又は使用目的を損じ、修理又は取替を必要とする場合で、当該家屋の10分の2以上10分の4未満の価格を減じたとき	10分の4

(イ) その者の所有に係る固定資産につき、災害により損害を受けた者に対しては、次の区分により軽減し、又は免除することができる。

(i) 農地又は宅地以外の土地　(ア)の(i)
(ii) 償却資産　(ア)の(ii)に準ずる。

※上記1及び2の取扱い例によるほか、大規模災害時に迅速な減免認定を行う必要がある場合等においては、災害対策基本法（昭和36年法律第223号）第90条の2に規定する罹災証明書における住宅被害の程度を踏まえた減免基準を設けることも考えられる。

第十一章 地方税関係手続用電子情報処理組織による地方税関係申告等の特例等

一 地方税関係申告等の特例

　地方税関係申告等のうち、この法律又はこれに基づく命令若しくは条例若しくは規則（以下「地方税関係法令」という。）の規定において書面等（書面、書類、文書その他文字、図形等人の知覚によって認識することができる情報が記載された紙その他の有体物をいう。以下同じ。）により行うことその他のその方法が規定されているもの（以下「書面等地方税関係申告等」という。）については、当該方法により行う場合又は情報通信技術を活用した行政の推進等に関する法律第6条第1項の規定により同項に規定する電子情報処理組織を使用する方法により行う場合を除き、地方税関係法令の規定にかかわらず、総務省令で定めるところにより、地方税関係手続用電子情報処理組織を使用し、かつ、地方税共同機構（以下「機構」という。）を経由する方法により行うことができる。（法747の2①）

　（注1） 地方税共同機構（機構）は、地方団体が共同して運営する組織として、機構処理税務事務を行うとともに、地方団体に対してその地方税に関する事務に関する支援を行い、もって地方税に関する事務の合理化並びに納税義務者及び特別徴収義務者の利便の向上に寄与することを目的とする。（法761）
　（注2） 機構についての詳しい内容は法762～803参照。（筆者）

　（読替規定）
（1） 情報通信技術を活用した行政の推進等に関する法律第6条第2項から第4項まで及び第6項の規定は、一の地方税関係手続用電子情報処理組織を使用し、かつ、機構を経由する方法により行われた書面等地方税関係申告等について準用する。この場合において、次の表の左欄に掲げる同条の規定中同表の中欄に掲げる字句は、それぞれ同表の右欄に掲げる字句に読み替えるものとする。（法747の2②）

第2項	当該申請等に関する他の法令	地方税関係法令（地方税法第747条の2第1項に規定する地方税関係法令をいう。以下この項及び第4項において同じ。）
	法令その他の当該申請等	地方税関係法令その他の当該書面等地方税関係申告等（同条第1項に規定する書面等地方税関係申告等をいう。）
第3項	当該申請等を受ける行政機関等	地方税法第762条第1号の地方税共同機構（第6項において「機構」という。）
	当該行政機関等	同号イに規定する地方団体の長
第4項	当該申請等に関する他の法令	地方税関係法令
	当該法令	当該地方税関係法令
	主務省令	総務省令
第6項	第1項の電子情報処理組織を使用する	地方税法第747条の2第1項の同法第762条第1号に規定する地方税関係手続用電子情報処理組織を使用し、かつ、機構を経由する
	主務省令	総務省令
	前各項	同項及び第2項から第4項まで
	前項	地方税法第747条の2第1項
	第5項	第4項

第一編第十一章《地方税関係手続用電子情報処理組織による地方税関係申告等の特例等》

　　　（機構を経由して行う申告）
（２）　地方税関係申告等のうち、地方税関係法令の規定において書面等により行うことその他のその方法が規定されているもの以外のもの（（８）において「書面等以外地方税関係申告等」という。）については、地方税関係法令の規定にかかわらず、（３）で定めるところにより、地方税関係手続用電子情報処理組織を使用し、かつ、機構を経由する方法により行うことができる。（法747の３①）

　　　（機構を経由して行う場合の基準）
（３）　地方団体の長は、書面等地方税関係申告等（一に規定する書面等地方税関係申告等をいう。以下同じ。）又は書面等以外地方税関係申告等（（２）に規定する書面等以外地方税関係申告等をいう。以下同じ。）を地方税関係手続用電子情報処理組織を使用し、かつ、機構を経由して行わせる場合には、情報通信の技術の利用における安全性及び信頼性を確保するために必要な基準として総務大臣が定める基準に従って行わせるものとする。（規24の39①）

　　　（記載事項）
（４）　一の規定により地方税関係手続用電子情報処理組織を使用して書面等地方税関係申告等を行う者は、書面等地方税関係申告等を書面等により行うときに記載すべきこととされている事項を、書面等地方税関係申告等を行う者の使用に係る電子計算機から入力して、書面等地方税関係申告等を行わなければならない。（規24の39②）

　　　（通知事項）
（５）　（２）の規定により地方税関係手続用電子情報処理組織を使用して書面等以外地方税関係申告等を行う者は、書面等以外地方税関係申告等を行うときに通知すべきこととされている事項を、書面等以外地方税関係申告等を行う者の使用に係る電子計算機から入力して、書面等以外地方税関係申告等を行わなければならない。（規24の39③）

　　　（電子署名等の送信）
（６）　（４）の規定により書面等地方税関係申告等を行う者又は（５）の規定により書面等以外地方税関係申告等を行う者は、当該書面等地方税関係申告等又は書面等以外地方税関係申告等の情報に電子署名（当該書面等地方税関係申告等又は書面等以外地方税関係申告等を行う者が法人である場合であって、当該法人の代表者があらかじめ機構を通じて地方団体の長に当該書面等地方税関係申告等又は書面等以外地方税関係申告等の提出の委任に関する届出を行った場合には、当該委任を受けた者（当該法人の役員及び職員に限る。）の電子署名を含む。以下同じ。）を行い、当該電子署名を行った者を確認するために必要な事項を証する電子証明書と併せてこれを送信しなければならない。ただし、総務大臣の指定する方法により当該書面等地方税関係申告等又は書面等以外地方税関係申告等を行った者を確認するための措置を講ずる場合は、この限りでない。（規24の39④）

　　　（用語の意義）
（７）　（６）において、次に掲げる用語の意義は、それぞれ当該各号に定めるところによる。（規24の39⑤）
　（一）　電子署名　電子署名等に係る地方公共団体情報システム機構の認証業務に関する法律第２条第１項又は電子署名及び認証業務に関する法律第２条第１項に規定する電子署名をいう。
　（二）　電子証明書　次に掲げるものをいう。
　　（イ）　電子署名等に係る地方公共団体情報システム機構の認証業務に関する法律第３条第１項に規定する署名用電子証明書
　　（ロ）　電子署名及び認証業務に関する法律第８条に規定する認定認証事業者が作成した電子証明書（電子署名及び認証業務に関する法律施行規則第４条第１号に規定する電子証明書をいう。）
　　（ハ）　商業登記法第12条の２第１項及び第３項の規定に基づき登記官が作成した電子証明書
　　（ニ）　その他総務大臣が定めるもの

　　　（みなし規定）
（８）　（２）の規定により行われた書面等以外地方税関係申告等は、機構の使用に係る電子計算機（入出力装置を含む。）に備えられたファイルへの記録がされた時に地方税法第762条第１号に規定する地方団体の長に到達したものとみなす。（法747の３②）

二　地方税関係通知の特例

　行政機関の長は、他の行政機関の長に対して行う地方税関係通知のうち、地方税関係法令の規定において書面等により行うこととしているもので（1）で定めるもの（以下「特定書面等地方税関係通知」という。）については、地方税関係法令の規定にかかわらず、（3）で定めるところにより、地方税関係手続用電子情報処理組織を使用し、かつ、機構を経由する方法により行うことができる。（法747の4①）

　　（特定書面等地方税関係通知及び特定地方税関係通知）
（1）　二に規定する（1）で定めるものは、次に掲げるもののうち、地方税関係法令の規定により書面等により行うことその他の方法が規定されているものとする。（規24の40①）
　（一）　第十章の14の規定による資料の提供
　（二）　第二編第一章第六節九の（五）、第二編第二章第七節の3、第二編第五章第七節二、第二編第四章第三節二の6の①、第三編第一章第九節の3、第三編第三章第一節五の3、第三編第八章一の8の②及び第三編第六章第三節五の1の①の規定による関係書類の閲覧又は記録
　（三）　第二編第二章第三節二の1の（1）及び同（2）の規定による通知
　（四）　第二編第二章第五節二の6の規定による通知
　（五）　第二編第二章第七節の3の（2）及び同（3）の規定による通知
　（六）　第二編第五章第五節二の4の②及び同1の③の規定による通知
　（七）　第三編第一章第一節二の（2）の規定による通知
　（八）　第三編第一章第四節四の3の規定による通知
　（九）　第三編第二章第五節二の6の規定による通知
　（十）　申告特例通知書の送付
　（十一）　第二編第五章第三節二の2の（7）（第二編第五章第三節二の3の（8）、第二編第五章第三節二の4の（1）、第二編第五章第三節二の5の（3）及び第二編第五章第三節二の3の（9）において準用する場合を含む。）の規定による通知

　　（読替規定）
（2）　情報通信技術を活用した行政の推進等に関する法律第7条第2項から第5項までの規定は、二の規定により行われた特定書面等地方税関係通知について準用する。この場合において、次の表の左欄に掲げる同条の規定中同表の中欄に掲げる字句は、それぞれ同表の右欄に掲げる字句に読み替えるものとする。（法747の4②）

第2項	当該処分通知等に関する他の法令	地方税関係法令（地方税法第747条の2第1項に規定する地方税関係法令をいう。以下この項及び第4項において同じ。）
	法令その他の当該処分通知等	地方税関係法令その他の当該特定書面等地方税関係通知（同法第747条の4第1項に規定する特定書面等地方税関係通知をいう。次項において同じ。）
第3項	、当該	、地方税法第762条第1号の
第4項	当該処分通知等に関する他の法令	地方税関係法令
	当該法令	当該地方税関係法令
	主務省令	総務省令
第5項	第1項の電子情報処理組織を使用する	地方税法第747条の4第1項の同法第762条第1号に規定する地方税関係手続用電子情報処理組織を使用し、かつ、地方税共同機構を経由する
	主務省令	総務省令
	前各項	同項及び前3項
	前項	地方税法第747条の4第1項

第一編第十一章《地方税関係手続用電子情報処理組織による地方税関係申告等の特例等》

　　　（機構を経由して行う通知）
（３）　他の行政機関の長に対して行う地方税関係通知のうち地方税関係法令の規定において書面等により行うこととしているもの以外のもので（４）で定めるもの及び相続税法第58条第２項の規定による通知（以下「特定地方税関係通知等」という。）については、地方税関係法令及び相続税法第58条第２項の規定にかかわらず、（５）で定めるところにより、地方税関係手続用電子情報処理組織を使用し、かつ、機構を経由して行うことができる。（法747の５①）
　　　（注）　（３）中＿＿部分を加える令和５年度改正規定は、令和９年１月１日以後適用する。（令５改法附１十一）

　　　（通知の詳細）
（４）　（３）に規定する（４）で定めるものは、（１）に掲げるもののうち、地方税関係法令の規定により書面等により行うことその他の方法が規定されているもの以外のものをいう。（規24の40②）

　　　（機構を経由して行う場合の基準）
（５）　行政機関の長は、特定書面等地方税関係通知又は特定地方税関係通知等を地方税関係手続用電子情報処理組織を使用し、かつ、機構を経由して行う場合には、次に定める基準に従って行うものとする。（規24の40③）
　（一）　次の（イ）から（ハ）までの順序に従い、それぞれ（イ）から（ハ）までに定めるところにより行うこと。
　　（イ）　機構の使用に係る電子計算機に、行政機関の長の使用に係る電子計算機に備えられたファイルに記録された特定書面等地方税関係通知又は特定地方税関係通知等を行うときに通知すべきこととされている事項（（ロ）及び（ハ）において「通知事項」という。）を送信すること。
　　（ロ）　機構の使用に係る電子計算機において、通知事項に係る通信の交換が行われ、他の行政機関の長の使用に係る電子計算機に伝送されること。
　　（ハ）　当該他の行政機関の長の使用に係る電子計算機に備えられたファイルに通知事項が記録されること。
　（二）　（一）の事務の実施に必要な電気通信回線その他の電気通信設備は、総務大臣が定める技術基準に適合するものであること。
　（三）　（一）及び（二）に掲げるもののほか、情報通信の技術の利用における安全性及び信頼性を確保するために必要な事項について、総務大臣が定める基準に適合するものであること。

　　　（みなし規定）
（６）　（３）の規定により行われた特定地方税関係通知等は、地方税法第762条第１号の当該特定地方税関係通知等を受ける者の使用に係る電子計算機に備えられたファイルへの記録がされた時に当該特定地方税関係通知等を受ける者に到達したものとみなす。（法747の５②）

三　特定徴収金の収納の特例
　地方団体は、特定徴収金の収納の事務については、政令で定めるところにより、機構に行わせるものとする。（法747の６①）

　　　（特定徴収金）
（１）　三の「特定徴収金」とは、地方税に係る地方団体の徴収金のうち、納税義務者又は特別徴収義務者が（８）で定める方法により納付し、又は納入するものをいう。（法747の６②）

　　　（特定徴収金の収納）
（２）　機構は、特定徴収金（（１）に規定する特定徴収金をいう。以下同じ。）の納付又は納入に関する事項として（３）で定める事項が記載された書類（当該書類に記載すべき事項を記録した電磁的記録（第十章18の②に規定する電磁的記録をいう。）を含む。）に基づかなければ、特定徴収金の収納をすることができない。（令57の５①）

　　　（特定徴収金の納付又は納入に関する事項）
（３）　（２）に規定する（３）で定める事項は、次の各号に掲げる地方団体の徴収金に応じ、それぞれ当該各号に掲げる事項とする。（規24の41）
　（一）　（８）の（一）に規定する方法により納付し、又は納入する地方団体の徴収金　　　（８）の（一）に規定する符号
　（二）　（８）の（二）に規定する方法により納付し、又は納入する地方団体の徴収金　　　（８）の（二）柱書に規定する符号

(特定徴収金の納付及び通知)
(4) 機構は、その収納した特定徴収金に関する事項として(5)で定める事項を、地方税関係手続用電子情報処理組織(地方税法第762条第1号に規定する地方税関係手続用電子情報処理組織をいう。)を使用する方法その他総務省令で定める方法により、当該特定徴収金を納付し、又は納入すべき地方団体の長に通知するとともに、総務省令で定めるところにより、当該特定徴収金を、当該地方団体の会計管理者又は地方自治法施行令第168条第6項に規定する当該地方団体の指定金融機関、指定代理金融機関、収納代理金融機関若しくは収納事務取扱金融機関に払い込まなければならない。(令57の5②)

(特定徴収金に関する事項)
(5) (4)に規定する特定徴収金に関する事項で(5)で定めるものは、次に掲げる事項とする。(規24の42①)
 (一) 特定徴収金の納付又は納入を行った者の名称
 (二) 特定徴収金の納付又は納入が行われた日
 (三) 特定徴収金の収納を行った(10)に規定する特定金融機関等又は特定徴収金の納付若しくは納入の委託を受けた四の2に規定する機構指定納付受託者(以下「機構指定納付受託者」という。)の名称その他のこれらの者を識別するための事項
 (四) 特定徴収金の税目(税目を識別するための符号その他の事項を含む。)及び金額
 (五) (3)の(一)又は(二)に規定する符号
 (六) その他参考となるべき事項

(機構が収納した特定徴収金の払込み)
(6) (4)に規定する機構が収納した特定徴収金については、(4)に規定する地方団体の会計管理者又は地方自治法施行令第168条第6項に規定する当該地方団体の指定金融機関、指定代理金融機関、収納代理金融機関若しくは収納事務取扱金融機関のうち地方団体が指定したものに払い込むものとする。(規24の42②)

(総務大臣が定める基準)
(7) (4)に規定する通知及び払込みは、特定徴収金及び特定徴収金に関する情報の取扱いにおける安全性及び信頼性を確保するために必要な基準として総務大臣が定める基準に従って行うものとする。(規24の42③)

(総務省令で定める方法)
(8) (1)に規定する(8)で定める方法は、次の各号のいずれかに該当する方法とする。(規24の43①)
 (一) 機構の使用に係る電子計算機と電気通信回線を通じて通信できる機能を備えた電子計算機から、地方団体の徴収金の納付若しくは納入の手続に利用することができる入出力用プログラム又はこれと同様の機能を有するものを使用して地方団体の徴収金の納付又は納入に関する書類に記載すべきこととされている事項を機構の使用に係る電子計算機に送信した上で、機構から得た個々の納付又は納入を識別するために当該事項に基づき機構が割り当てる符号を用いて納付し、又は納入する方法
 (二) 地方団体の徴収金の納付又は納入に関する書類であって次に掲げる符号が記載されているもの又は次に掲げる符号を用いて納付し、又は納入する方法
  イ ロに掲げる符号を電気通信回線を通じて機構の使用に係る電子計算機に送信するための符号
  ロ 個々の納付又は納入を識別するために地方団体が割り当てる符号

(機構への届出事項)
(9) (8)各号に掲げる方法のいずれかにより地方団体の徴収金の納付又は納入を行おうとする者のうち、地方団体の徴収金の納付若しくは納入の手続に利用することができる入出力用プログラム又はこれと同様の機能を有するもののみを使用して地方団体の徴収金の納付又は納入の手続を行おうとするものは、次に掲げる事項をあらかじめ機構に届け出なければならない。(規24の43②)
 (一) 氏名、住所又は居所
 (二) 地方団体の徴収金の納付又は納入の手続に利用する預金口座又は貯金口座のある金融機関の名称並びに当該口座の種別及び口座番号
 (三) その他参考となるべき事項

第一編第十一章《地方税関係手続用電子情報処理組織による地方税関係申告等の特例等》

(特定金融機関等への委託)
(10) 機構は、三の規定により行う特定徴収金の収納の事務の一部を、(11)で定めるところにより、特定金融機関等(第十章15に規定する金融機関等のうち、特定徴収金の収納の事務を適切かつ確実に遂行することができるものとして(12)で定める基準に適合するものをいう。)に委託することができる。(法747の6③)

(特定徴収金の収納の委託)
(11) 機構は、(10)の規定により(10)に規定する特定徴収金の収納の事務の一部を特定金融機関等((10)に規定する特定金融機関等をいう。以下同じ。)に委託したときは、その旨を総務大臣及び各地方団体に通知するとともに、遅滞なく、これを公表しなければならない。当該委託を廃止し、又は変更したときも、同様とする。(令57の5の2①)
 (注) 特定金融機関等は、納付事項記載書類等に基づかなければ、特定徴収金の収納をすることができない。(令57の5の2②)

(総務省令で定める基準)
(12) (10)に規定する(12)で定める基準は、地方団体の徴収金の収納の事務を行うための総務大臣が定める役務を提供することができることとする。(規24の44)

(読替規定)
(13) 特定金融機関等は、その収納した特定徴収金に関する事項として(14)で定める事項を機構に通知するとともに、当該特定徴収金を機構に払い込まなければならない。この場合における(4)の規定の適用については、(4)中「その収納した」とあるのは、「収納の事務の一部を四の2の(1)に規定する特定金融機関等に委託して収納した」とする。(令57の5の2③)

(特定徴収金に関する事項)
(14) (13)に規定する特定徴収金に関する事項で(14)で定めるものは、(5)の(二)から(六)までに規定する事項とする。(規24の45)

(特定徴収金に係る納付書等の様式)
(15) 納税義務者又は特別徴収義務者は、次の表の中欄に掲げる地方税に係る地方団体の徴収金及び森林環境税に係る徴収金(森林環境税及び森林環境譲与税に関する法律第2条第5号に規定する森林環境税に係る徴収金をいう。)を(8)の(二)に規定する方法により納付し、又は納入する場合には、それぞれ同表の右欄に掲げる様式を添えて納付し、又は納入するものとする。(規38)

(一)	給与所得に係る個人の道府県民税、市町村民税及び森林環境税(特別徴収の方法により納入するものに限る。)	第5号の15の2様式
(二)	法人の道府県民税若しくは第一章三の3の①の注の(二)及び第三編第二章第九節の1の規定により都がその特別区の存する区域内において法人に対して課する都民税又は法人の事業税及び特別法人事業税	第12号の2の2様式
(三)	利子等に係る道府県民税	第12号の6の2様式
(四)	特定配当等に係る道府県民税((六)に掲げるものを除く。)	第12号の9の2様式
(五)	特定株式等譲渡所得金額に係る道府県民税	第12号の12の2様式
(六)	特定配当等に係る道府県民税(第二編第三章第三節二の2の③又は同④の規定の適用がある場合に限る。)	第12号の15の2様式
(七)	道府県たばこ税(申告納付の方法により納付するものに限る。)	第16号の4の2様式
(八)	法人の市町村民税	第22号の4の2様式
(九)	市町村たばこ税(申告納付の方法により納付するものに限る。)	第34号の2の5の2様式

四　機構指定納付受託者に対する納付等の委託

1　機構指定納付受託者に対する納付又は納入の委託

特定徴収金を納付し、又は納入しようとする者は、電子情報処理組織を使用して行う機構指定納付受託者（2に規定する機構指定納付受託者をいう。以下同じ。）に対する通知で（1）で定めるものに基づき納付し、又は納入しようとするときは、機構指定納付受託者に納付又は納入を委託することができる。（法747の7）

（機構指定納付受託者に対する通知）
（1）　1に規定する（1）で定めるものは、次に掲げる事項の通知とする。（規24の46）
　（一）　地方団体の徴収金の納付若しくは納入に関する書類に記載すべきこととされている事項又は記載されている事項その他の当該徴収金を特定するために必要な事項（三の（8）の（一）又は（二）柱書に規定する符号を含む。）
　（二）　次に掲げるいずれかの事項
　　イ　クレジットカードの番号及び有効期限その他当該クレジットカードを使用する方法による決済に関し必要な事項
　　ロ　電子情報処理組織を使用して番号、記号その他の符号を通知する方法（イに規定する方法を除く。）による決済に関し必要な事項

（納付又は納入の受託の手続）
（2）　機構指定納付受託者は、1の規定により特定徴収金を納付し、又は納入しようとする者の委託を受けたときは、当該特定徴収金を納付し、又は納入しようとする者に、その旨を電子情報処理組織を使用して通知するものとする。（規24の48①）

（電磁的記録の保存）
（3）　（2）の機構指定納付受託者は、（2）に規定する委託を受けた特定徴収金に係る（1）の（一）に掲げる事項が記録された電磁的記録（電子的方式、磁気的方式その他の人の知覚によっては認識することができない方式で作られる記録であって、電子計算機による情報処理の用に供されるものをいう。）を保存するものとする。（規24の48②）

2　機構指定納付受託者

特定徴収金の納付又は納入に関する事務（以下「納付等事務」という。）を適切かつ確実に遂行することができる者として（1）で定める者のうち機構が（2）で定めるところにより指定するもの（以下「機構指定納付受託者」という。）は、総務省令で定めるところにより、特定徴収金を納付し、又は納入しようとする者の委託を受けて、納付等事務を行うことができる。（法747の8①）

（機構指定納付受託者等の要件）
（1）　2に規定する（1）で定める者は、次の各号に掲げる要件のいずれにも該当する者とする。（令57の5の3）
　（一）　納付等事務を適切かつ確実に遂行することができる財産的基礎を有すること。
　（二）　その人的構成等に照らして、納付等事務を適切かつ確実に遂行することができる知識及び経験を有し、かつ、十分な社会的信用を有すること。

（機構指定納付受託者の指定の手続）
（2）　2の規定による機構の指定を受けようとする者は、その名称、住所又は事務所の所在地その他機構が必要と認める事項を記載した申出書を機構に提出しなければならない。（規24の47①）

（通知事項）
（3）　機構は、（2）の申出書の提出があった場合において、その申出につき指定をしたときはその旨を、指定をしないこととしたときはその旨及びその理由を、当該申出書を提出した者に通知するものとする。（規24の47②）

（留意事項）
（4）　地方団体は、2の規定による指定に関し必要があると認めるときは、機構に対し意見を述べることができる。（法747の8⑤）

第一編第十一章《地方税関係手続用電子情報処理組織による地方税関係申告等の特例等》

(注) 地方団体が(4)の規定により意見を述べたときは、機構は、当該意見を尊重して必要な措置をとるようにしなければならない。(法747の8⑥)

3　機構指定納付受託者の指定の通知

機構は、2の規定による指定をしたときは、機構指定納付受託者の名称、住所又は事務所の所在地その他注で定める事項を総務大臣及び各地方団体に通知するとともに、遅滞なく、これを公表しなければならない。(法747の8②)

(機構指定納付受託者の指定に係る通知事項等)
注　3に規定する注で定める事項は、機構が2の規定による指定をした日とする。(規24の49)

4　名称、住所又は事務所の所在地の変更

機構指定納付受託者は、その名称、住所又は事務所の所在地を変更しようとするときは、(1)で定めるところにより、あらかじめ、その旨を機構に届け出なければならない。(法747の8③)

(機構指定納付受託者の名称等の変更の届出)
(1)　機構指定納付受託者は、その名称、住所又は事務所の所在地を変更しようとするときは、4の規定により機構が定める日までに、その旨を記載した届出書を機構に提出しなければならない。(規24の50)

(機構指定納付受託者の名称等の変更の通知)
(2)　機構は、4の規定による届出があったときは、当該届出に係る事項を総務大臣及び各地方団体に通知するとともに、遅滞なく、これを公表しなければならない。(法747の8④)

5　納付等事務の委託

1の規定により特定徴収金を納付し、又は納入しようとする者の委託を受けた機構指定納付受託者は、当該委託を受けた納付等事務の一部を、納付等事務を適切かつ確実に遂行することができる者として注で定める者に委託することができる。(法747の9)

(機構指定納付受託者等の要件)
注　5に規定する注で定める者は、次の各号に掲げる要件のいずれにも該当する者とする。(令57の5の3)
(一)　納付等事務を適切かつ確実に遂行することができる財産的基礎を有すること。
(二)　その人的構成等に照らして、納付等事務を適切かつ確実に遂行することができる知識及び経験を有し、かつ、十分な社会的信用を有すること。

6　機構指定納付受託者の納付又は納入

機構指定納付受託者は、1の規定により特定徴収金を納付し、又は納入しようとする者の委託を受けたときは、機構が指定する日までに当該委託を受けた特定徴収金を機構に付し、又は納入しなければならない。(法747の10①)

(機構への報告義務)
(1)　機構指定納付受託者は、1の規定により特定徴収金を納付し、又は納入しようとする者の委託を受けたときは、遅滞なく、(2)で定めるところにより、その旨及び当該委託を受けた年月日を機構に報告しなければならない。(法747の10②)

(機構指定納付受託者の報告)
(2)　機構指定納付受託者は、(1)の規定により、次に掲げる事項を機構に報告しなければならない。(規24の51)
(一)　報告の対象となった期間並びに当該期間において1の規定により特定徴収金を納付し、又は納入しようとする者の委託を受けた件数、合計額及び納付年月日
(二)　(一)の期間において受けた(一)の委託に係る次に掲げる事項
　イ　1の(1)の(一)に掲げる事項
　ロ　特定徴収金を納付し、又は納入しようとする者から1の規定により委託を受けた年月日

(特定徴収金の納付又は通知)
（３）　機構は、（１）の規定による報告を受けたときは、速やかに、（４）で定めるところにより、当該報告に係る事項を当該報告に係る特定徴収金を納付し、又は納入すべき地方団体に通知しなければならない。（法747の10③）

(機構指定納付受託者が受けた委託に関する事項の地方団体への通知)
（４）　機構は、（３）の規定により、（２）各号に掲げる事項及び（２）の報告を行った機構指定納付受託者の名称その他の当該者を識別するための事項を（３）に規定する地方団体に通知しなければならない。（規24の52）

(納付日又は納入日)
（５）　６の場合において、当該機構指定納付受託者が６の指定する日までに当該特定徴収金を機構に納付し、又は納入したときは、当該委託を受けた日に当該特定徴収金の納付又は納入がされたものとみなす。（法747の10④）

7　機構指定納付受託者の帳簿保存等の義務
　機構指定納付受託者は、総務省令で定めるところにより、帳簿を備え付け、これに納付等事務に関する事項を記載し、及びこれを保存しなければならない。（法747の11①）

(機構指定納付受託者への報告要請)
（１）　機構は、２から７までの規定を施行するため必要があると認めるときは、その必要な限度で、（２）で定めるところにより、機構指定納付受託者に対し、報告をさせることができる。（法747の11②）

(機構指定納付受託者に対する報告の徴求)
（２）　機構は、機構指定納付受託者に対し、（１）の報告を求めるときは、報告すべき事項、報告の期限その他必要な事項を明示するものとする。（規24の53）

(機構指定納付受託者の帳簿書類の検査)
（３）　機構は、２から７までの規定を施行するため必要があると認めるときは、その必要な限度で、その職員に、機構指定納付受託者の事務所に立ち入り、機構指定納付受託者の帳簿書類（その作成又は保存に代えて電磁的記録（電子的方式、磁気的方式その他の人の知覚によっては認識することができない方式で作られる記録であって、電子計算機による情報処理の用に供されるものをいう。以下（３）において同じ。）の作成又は保存がされている場合における当該電磁的記録を含む。）その他必要な物件を検査させ、又は関係者に質問させることができる。（法747の11③）
　　(注)　（３）に規定する権限は、犯罪捜査のために認められたものと解してはならない。（法747の11⑤）

(証明書の携帯及び提示)
（４）　（３）の規定により立入検査を行う職員は、その身分を示す証明書を携帯し、かつ、関係者の請求があるときは、これを提示しなければならない。（法747の11④）

8　機構指定納付受託者の指定の取消し
　機構は、機構指定納付受託者が次の各号のいずれかに該当するときは、（１）で定めるところにより、２の規定による指定を取り消すことができる。（法747の12①）
（一）　２に規定する（１）で定める者に該当しなくなったとき。
（二）　６の（１）又は７の（１）の規定による報告をせず、又は虚偽の報告をしたとき。
（三）　７の規定に違反して、帳簿を備え付けず、帳簿に記載せず、若しくは帳簿に虚偽の記載をし、又は帳簿を保存しなかったとき。
（四）　７の（３）の規定による立入り若しくは検査を拒み、妨げ、若しくは忌避し、又は７の（３）の規定による質問に対して陳述をせず、若しくは虚偽の陳述をしたとき。

(機構指定納付受託者の指定取消の通知)
（１）　機構は、８の規定による指定の取消しをしたときは、その旨及びその理由を当該指定の取消しを受けた者に通知するものとする。（規24の54）

第一編第十一章《地方税関係手続用電子情報処理組織による地方税関係申告等の特例等》

(指定取消の通知・公表)
(2) 機構は、8の規定により指定を取り消したときは、その旨を総務大臣及び各地方団体に通知するとともに、遅滞なく、これを公表しなければならない。(法747の12②)

第十二章　電子計算機を使用して作成する地方税関係帳簿書類等の保存方法等の特例

一　地方税関係帳簿等の電磁的記録による保存等

1　地方税関係帳簿の電磁的記録による備付け及び保存

　次の各号に掲げる者は、それぞれ当該各号に定める**地方税関係帳簿**（法第74条の17《道府県たばこ税における卸売販売業者又は小売販売業者の帳簿記載義務》、第三編第九章第二節七の１の③又は同節十の規定により備付け及び保存をしなければならない帳簿をいう。以下この章において同じ。）の全部又は一部について、自己が最初の記録段階から一貫して電子計算機を使用して作成する場合には、（1）で定めるところにより、当該地方税関係帳簿に係る**電磁的記録**（電子的方式、磁気的方式その他の人の知覚によっては認識することができない方式で作られる記録であって、電子計算機による情報処理の用に供されるものをいう。以下この章において同じ。）の備付け及び保存をもって当該地方税関係帳簿の備付け及び保存に代えることができる。（法748①）

（一）　地方税法第74条の17に規定する卸売販売業者等又は小売販売業者　　同条に規定する帳簿

（二）　第二編第九章第二節七の１の③に規定する同１の①《製造等の承認を受ける義務》の承認を受けた者　　同１の③に規定する帳簿

（三）　第二編第九章第二節十に規定する元売業者、特約業者、石油製品販売業者又は軽油製造業者等　　同十に規定する帳簿

　　　　（地方税関係帳簿の電磁的記録による保存等の要件）
（1）　１の規定により地方税関係帳簿に係る電磁的記録の備付け及び保存をもって当該地方税関係帳簿の備付け及び保存に代えようとする１の各号に掲げる者は、次に掲げる要件（当該者が特定要件に従って当該電磁的記録の備付け及び保存を行っている場合には、（三）に掲げる要件を除く。）に従って当該電磁的記録の備付け及び保存をしなければならない。（規25①）

（一）	当該地方税関係帳簿に係る電磁的記録の備付け及び保存に併せて、次に掲げる書類（当該地方税関係帳簿に係る電子計算機処理（電子計算機を使用して行われる情報の入力、蓄積、編集、加工、修正、更新、検索、消去、出力又はこれらに類する処理をいう。以下（1）、（2）及び三の（3）〜（5）までにおいて同じ。）に当該１の各号に掲げる者が開発したプログラム（電子計算機に対する指令であって、一の結果を得ることができるように組み合わされたものをいう。以下（1）及び３の（2）の（四）において同じ。）以外のプログラムを使用する場合にはイ及びロに掲げる書類を除くものとし、当該地方税関係帳簿に係る電子計算機処理を他の者（当該電子計算機処理に当該者が開発したプログラムを使用する者を除く。）に委託している場合にはハに掲げる書類を除くものとする。）の備付けを行うこと。 イ　当該地方税関係帳簿に係る電子計算機処理システム（電子計算機処理に関するシステムをいう。以下（1）、（2）及び三の（3）の（三）において同じ。）の概要を記載した書類 ロ　当該地方税関係帳簿に係る電子計算機処理システムの開発に際して作成した書類 ハ　当該地方税関係帳簿に係る電子計算機処理システムの操作説明書 ニ　当該地方税関係帳簿に係る電子計算機処理並びに当該地方税関係帳簿に係る電磁的記録の備付け及び保存に関する事務手続を明らかにした書類（当該電子計算機処理を他の者に委託している場合には、その委託に係る契約書並びに当該地方税関係帳簿に係る電磁的記録の備付け及び保存に関する事務手続を明らかにした書類）
（二）	当該地方税関係帳簿に係る電磁的記録の備付け及び保存をする場所に当該電磁的記録の電子計算機処理の用に供することができる電子計算機、プログラム、ディスプレイ及びプリンタ並びにこれらの操作説明書を備え付

| (三) | 地方税に関する法令の規定による当該地方税関係帳簿に係る電磁的記録の提示又は提出の要求に応じることができるようにしておくこと。 |

(特定要件の意義)
(2) (1)に規定する特定要件とは、次の各号に掲げる者の区分に応じ当該各号に定める要件をいう。(規25②)
(一) 1の規定により地方税関係帳簿に係る電磁的記録の備付け及び保存をもって当該地方税関係帳簿の備付け及び保存に代えようとする1の各号に掲げる者　次に掲げる要件（当該者が地方税に関する法令の規定による当該地方税関係帳簿に係る電磁的記録の提示又は提出の要求に応じることができるようにしている場合には、ハ（(ロ)及び(ハ)に係る部分に限る。）に掲げる要件を除く。）
イ　当該地方税関係帳簿に係る電子計算機処理に、次に掲げる要件を満たす電子計算機処理システムを使用すること。
(イ)　当該地方税関係帳簿に係る電磁的記録の記録事項について訂正又は削除を行った場合には、これらの事実及び内容を確認することができること。
(ロ)　当該地方税関係帳簿に係る記録事項の入力をその業務の処理に係る通常の期間を経過した後に行った場合には、その事実を確認することができること。
ロ　当該地方税関係帳簿に係る電磁的記録の記録事項と関連地方税関係帳簿（当該地方税関係帳簿に関連する地方税関係帳簿をいう。ロにおいて同じ。）の記録事項（当該関連地方税関係帳簿が、1の規定により当該関連地方税関係帳簿に係る電磁的記録の備付け及び保存をもって当該関連地方税関係帳簿に係る電磁的記録の備付け及び保存に代えられているもの又は二の1若しくは二の3の規定により当該電磁的記録の備付け及び当該電磁的記録の電子計算機出力マイクロフィルム（二の1に規定する電子計算機出力マイクロフィルムをいう。以下(2)、二の1の注、同2の注、同3の(1)(2)において同じ。）による保存をもって当該関連地方税関係帳簿の備付け及び保存に代えられているものである場合には、当該電磁的記録又は当該電子計算機出力マイクロフィルムの記録事項）との間において、相互にその関連性を確認することができるようにしておくこと。
ハ　当該地方税関係帳簿に係る電磁的記録の記録事項の検索をすることができる機能（次に掲げる要件を満たすものに限る。）を確保しておくこと。
(イ)　取引年月日、取引金額及び取引先（(ロ)及び(ハ)において「記録項目」という。）を検索の条件として設定することができること。
(ロ)　日付又は金額に係る記録項目については、その範囲を指定して条件を設定することができること。
(ハ)　2以上の任意の記録項目を組み合わせて条件を設定することができること。
(二) 二の1の規定により地方税関係帳簿に係る電磁的記録の備付け及び当該電磁的記録の電子計算機出力マイクロフィルムによる保存をもって当該地方税関係帳簿の備付け及び保存に代えようとする1の各号に掲げる者　次に掲げる要件
イ　(一)に定める要件
ロ　二の1の注の(一)のロの(イ)の電磁的記録に、(一)のイの(イ)及び(ロ)に規定する事実及び内容に係るものが含まれていること。
ハ　当該電子計算機出力マイクロフィルムの保存に併せて、地方税関係帳簿の種類及び取引年月日その他の日付を特定することによりこれらに対応する電子計算機出力マイクロフィルムを探し出すことができる索引簿の備付けを行うこと。
ニ　当該電子計算機出力マイクロフィルムごとの記録事項の索引を当該索引に係る電子計算機出力マイクロフィルムに出力しておくこと。
ホ　当該地方税関係帳簿の保存期間（地方税に関する法令の規定により地方税関係帳簿の保存をしなければならないこととされている期間をいう。）の初日から当該地方税関係帳簿に係る地方税の法定納期限（第二章三の4に規定する法定納期限をいう。）後3年を経過する日までの間（当該1の各号に掲げる者が当該地方税関係帳簿に係る地方税の納税義務者でない場合には、当該者が当該納税義務者であるとした場合における当該期間に相当する期間）、当該電子計算機出力マイクロフィルムの保存に併せて(1)の(二)及び(一)のハに掲げる要件（当該者が地方税に関する法令の規定による当該地方税関係帳簿に係る電磁的記録の提示又は提出の要求に応じることができるようにしている場合には、同ハ（(ロ)及び(ハ)に係る部分に限る。）に掲げる要件を除く。）に従って当該電子計

算機出力マイクロフィルムに係る電磁的記録の保存をし、又は当該電子計算機出力マイクロフィルムの記録事項の検索をすることができる機能（同ハに規定する機能（当事者が地方税に関する法令の規定による当該地方税関係帳簿に係る電磁的記録の提示又は提出の要求に応じることができるようにしている場合には、同ハの(イ)に掲げる要件を満たす機能）に相当するものに限る。）を確保しておくこと。

2　地方税関係書類の電磁的記録による保存

次の各号に掲げる者は、それぞれ当該各号に定める地方税関係書類（地方税法第74条の2第3項若しくは第4項、第二編第十一章一の5の②、第二編第九章第二節七の1の④、同第二節九の3の(3)、第465条第3項若しくは第4項又は第三編第八章二の5の②の規定により保存することとされている書類をいう。以下この章において同じ。）の全部又は一部について、自己が一貫して電子計算機を使用して作成する場合には、注の総務省令で定めるところにより、当該地方税関係書類に係る電磁的記録の保存をもって当該地方税関係書類の保存に代えることができる。（法748②）

（一）　第二編第十一章一の1の①に規定する卸売販売業者等　　第二編第十一章一の5の②に規定する書類
（二）　第三編第八章二の1の①に規定する卸売販売業者等　　第三編第八章二の5の②に規定する書類

注　1の(1)の規定は、2の規定により地方税関係書類に係る電磁的記録の保存をもって当該地方税関係書類の保存に代えようとする2の各号に掲げる者の当該電磁的記録の保存について準用する。この場合において、1の(1)中「特定要件に従って当該電磁的記録の備付け及び」とあるのは、「当該電磁的記録の記録事項の検索をすることができる機能（取引年月日その他の日付を検索の条件として設定すること及びその範囲を指定して条件を設定することができるものに限る。）を確保して当該電磁的記録の」と読み替えるものとする。（規25③）

3　一定の装置により電磁的記録に記録する場合の地方税関係書類の電磁的記録による保存

2に規定するもののほか、次の表の各号の左欄に掲げる者は、それぞれ当該各号の右欄に掲げる地方税関係書類の全部又は一部について、当該地方税関係書類に記載されている事項を(1)で定める装置により電磁的記録に記録する場合には、(2)で定めるところにより、当該地方税関係書類に係る電磁的記録の保存をもって当該地方税関係書類の保存に代えることができる。この場合において、当該地方税関係書類に係る電磁的記録の保存が当該(2)で定めるところに従って行われていないとき（当該地方税関係書類の保存が行われている場合を除く。）は、当該者は、当該電磁的記録を保存すべき期間その他の(6)で定める要件を満たして当該電磁的記録を保存しなければならない。（法748③）

（一）	地方税法第74条の2第1項に規定する卸売販売業者等	同条第3項に規定する書類
		同条第4項に規定する書類
		第二編第十一章一の5の②に規定する書類
（二）	第二編第九章第二節七の1の①の(三)に係る承認を受けた者	同1の④に規定する自動車用炭化水素油譲渡証の写し
（三）	第二編第九章第二節九の3の③の特別徴収義務者	同③に規定する書類
（四）	第三編第八章二の1の①に規定する卸売販売業者等	第465条第3項に規定する書類
		同条第4項に規定する書類
		第三編第八章二の5の②に規定する書類

　　（総務省令で定める装置）
（1）　3に規定する(1)で定める装置は、スキャナとする。（規25④）

　　（総務省令で定める保存要件）
（2）　3の規定により地方税関係書類（3に規定する地方税関係書類に限る。以下(2)から(6)までにおいて同じ。）に係る電磁的記録の保存をもって当該地方税関係書類の保存に代えようとする3の表の各号の左欄に掲げる者は、次に掲げる要件（当該者が地方税に関する法令の規定による当該電磁的記録の提示又は提出の要求に応じることができるようにしている場合には、（五）（ロ及びハに係る部分に限る。）に掲げる要件を除く。）に従って当該電磁的記録の保存をしなければならない。（規25⑤）
（一）　次に掲げる方法のいずれかにより入力すること。

第一編第十二章《電子計算機を使用して作成する地方税関係帳簿書類等の保存方法等の特例》

　　　イ　当該地方税関係書類に係る記録事項の入力をその作成又は受領後、速やかに行うこと。
　　　ロ　当該地方税関係書類に係る記録事項の入力をその業務の処理に係る通常の期間を経過した後、速やかに行うこと（当該地方税関係書類の作成又は受領から当該入力までの各事務の処理に関する規程を定めている場合に限る。）。
　（二）　（一）の入力に当たっては、次に掲げる要件（当該者が（一）のイ又はロに掲げる方法により当該地方税関係書類に係る記録事項を入力したことを確認することができる場合にあっては、ロに掲げる要件を除く。）を満たす電子計算機処理システムを使用すること。
　　　イ　スキャナ（次に掲げる要件を満たすものに限る。）を使用する電子計算機処理システムであること。
　　　　（イ）　解像度が、日本産業規格（産業標準化法第20条第１項に規定する日本産業規格をいう。以下（２）及び二の１の注の（二）において同じ。）Ｚ6016附属書ＡのＡ.1.2に規定する一般文書のスキャニング時の解像度である25.4ミリメートル当たり200ドット以上で読み取るものであること。
　　　　（ロ）　赤色、緑色及び青色の階調がそれぞれ256階調以上で読み取るものであること。
　　　ロ　当該地方税関係書類の作成又は受領後、速やかに一の入力単位ごとの電磁的記録の記録事項に総務大臣が認定する時刻認証業務（電磁的記録に記録された情報にタイムスタンプを付与する役務を提供する業務をいう。）に係るタイムスタンプ（次に掲げる要件を満たすものに限る。以下（二）及び三の（３）において「タイムスタンプ」という。）を付すこと（当該地方税関係書類の作成又は受領から当該タイムスタンプを付すまでの各事務の処理に関する規程を定めている場合にあっては、その業務の処理に係る通常の期間を経過した後、速やかに当該記録事項に当該タイムスタンプを付すこと）。
　　　　（イ）　当該記録事項が変更されていないことについて、当該地方税関係書類の保存期間（地方税に関する法令の規定により地方税関係書類の保存をしなければならないこととされている期間をいう。）を通じ、当該業務を行う者に対して確認する方法その他の方法により確認することができること。
　　　　（ロ）　課税期間（地方税に関する法令の規定により地方税の課税標準の計算の基礎となる期間をいう。）中の任意の期間を指定し、当該期間内に付したタイムスタンプについて、一括して検証することができること。
　　　ハ　当該地方税関係書類に係る電磁的記録の記録事項について、次に掲げる要件のいずれかを満たす電子計算機処理システムであること。
　　　　（イ）　当該地方税関係書類に係る電磁的記録の記録事項について訂正又は削除を行った場合には、これらの事実及び内容を確認することができること。
　　　　（ロ）　当該地方税関係書類に係る電磁的記録の記録事項について訂正又は削除を行うことができないこと。
　（三）　当該地方税関係書類に係る電磁的記録の記録事項と当該地方税関係書類に関連する地方税関係帳簿の記録事項（当該地方税関係帳簿が、１の規定により当該地方税関係帳簿に係る電磁的記録の備付け及び保存をもって当該地方税関係帳簿の備付け及び保存に代えられているもの又は二の１若しくは二の３の規定により当該電磁的記録の備付け及び当該電磁的記録の電子計算機出力マイクロフィルムによる保存をもって当該地方税関係帳簿の備付け及び保存に代えられているものである場合には、当該電磁的記録又は当該電子計算機出力マイクロフィルムの記録事項）との間において、相互にその関連性を確認することができるようにしておくこと。
　（四）　当該地方税関係書類に係る電磁的記録の保存をする場所に当該電磁的記録の電子計算機処理の用に供することができる電子計算機、プログラム、映像面の最大径が35センチメートル以上のカラーディスプレイ及びカラープリンタ並びにこれらの操作説明書を備え付け、当該電磁的記録をカラーディスプレイの画面及び書面に、次のような状態で速やかに出力することができるようにしておくこと。
　　　イ　整然とした形式であること。
　　　ロ　当該地方税関係書類と同程度に明瞭であること。
　　　ハ　拡大又は縮小して出力することが可能であること。
　　　ニ　地方団体の長が定めるところにより日本産業規格Ｚ8305に規定する４ポイントの大きさの文字を認識することができること。
　（五）　当該地方税関係書類に係る電磁的記録の記録事項の検索をすることができる機能（次に掲げる要件を満たすものに限る。）を確保しておくこと。
　　　イ　取引年月日その他の日付、取引金額及び取引先（ロ及びハにおいて「記録項目」という。）を検索の条件として設定することができること。
　　　ロ　日付又は金額に係る記録項目については、その範囲を指定して条件を設定することができること。
　　　ハ　２以上の任意の記録項目を組み合わせて条件を設定することができること。
　（六）　１の（１）の（一）の規定は、３の規定により地方税関係書類に係る電磁的記録の保存をもって当該地方税関係書

第一編第十二章《電子計算機を使用して作成する地方税関係帳簿書類等の保存方法等の特例》

類の保存に代えようとする3の表の各号の左欄に掲げる者の当該電磁的記録の保存について準用する。

(宥恕規定)
(3) 3の表の各号の左欄に掲げる者が、災害その他やむを得ない事情により、3の前段に規定する(2)で定めるところに従って3の前段の地方税関係書類に係る電磁的記録の保存をすることができなかったことを証明した場合には、(2)の規定にかかわらず、当該電磁的記録の保存をすることができる。ただし、当該事情が生じなかったとした場合において、当該(2)で定めるところに従って当該電磁的記録の保存をすることができなかったと認められるときは、この限りでない。(規25⑥)

(過去分書類に係る電磁的記録の保存)
(4) 3の規定により地方税関係書類に係る電磁的記録の保存をもって当該地方税関係書類の保存に代えている次の表の各号の左欄に掲げる者は、当該地方税関係書類のうち当該地方税関係書類の保存に代える日((二)において「基準日」という。)前に作成又は受領をした当該各号の中欄に掲げる書類(以下(4)及び(5)において「過去分書類」という。)に記載されている事項を電磁的記録に記録する場合において、あらかじめ、その記録する事項に係る過去分書類の種及び次に掲げる事項を記載した届出書(以下(4)において「適用届出書」という。)を、それぞれ当該各号の右欄に掲げる地方団体の長に提出したとき(従前において当該過去分書類と同一の種類の書類に係る適用届出書を当該地方団体の長に提出していない場合に限る。)は、(2)の(一)に掲げる要件にかかわらず、当該電磁的記録の保存に併せて、当該電磁的記録の作成及び保存に関する事務の手続を明らかにした書類(当該事務の責任者が定められているものに限る。)の備付けを行うことにより、当該過去分書類(当該地方団体に係るものに限る。)に係る電磁的記録の保存をすることができる。この場合において、(2)の規定の適用については、(2)の(二)のロ中「の作成又は受領後、速やかに」とあるのは「をスキャナで読み取る際に、」と、「こと(当該地方税関係書類の作成又は受領から当該タイムスタンプを付すまでの各事務の処理に関する規程を定めている場合にあっては、その業務の処理に係る通常の期間を経過した後、速やかに当該記録事項に当該タイムスタンプを付すこと)」とあるのは「こと」とする。(規25⑦)
(一) 届出者の氏名又は名称、住所若しくは居所又は本店若しくは主たる事務所の所在地及び法人番号(行政手続における特定の個人を識別するための番号の利用等に関する法律第2条第15項に規定する法人番号をいう。以下(一)において同じ。)(法人番号を有しない者にあっては、氏名又は名称及び住所若しくは居所又は本店若しくは主たる事務所の所在地)
(二) 基準日
(三) その他参考となるべき事項

(一) 法第74条の2第1項に規定する卸売販売業者等	同条第3項に規定する書類	同項の小売販売業者の営業所所在地の道府県知事
	同条第4項に規定する書類	同項の小売販売業者である卸売販売業者等の営業所所在地の道府県知事
	第二編第十一章一の5の②に規定する書類	法第74条の2第1項の小売販売業者の営業所所在地の道府県知事又は同条第2項の卸売販売業者等の事務所若しくは事業所で当該売渡し若しくは消費等に係る製造たばこを直接管理するものの所在地の道府県知事
(二) 第二編第九章第二節七の1の①の(三)に係る承認を受けた者	同1の④に規定する自動車用炭化水素油譲渡証の写し	同①に規定する道府県知事
(三) 第二編第九章第二節九の3の③の特別徴収義務者	同③に規定する書類	第二編第九章第一節二の1に規定する軽油の納入地所在地の道府県知事
(四) 第三編第八章二の1の①に規定する卸売販売業者等	地方税法第465条第3項に規定する書類	同項の小売販売業者の営業所所在地の市町村長
	同条第4項に規定する書類	同項の小売販売業者である卸売販売業者等の営業所所在地の市町村長

第一編第十二章《電子計算機を使用して作成する地方税関係帳簿書類等の保存方法等の特例》

	第三編第八章二の5の②に規定する書類	第三編第八章二の1の①の小売販売業者の営業所所在地の市町村長又は同条第2項の卸売販売業者等の事務所若しくは事業所で当該売渡し若しくは消費等に係る製造たばこを直接管理するものの所在地の市町村長

　　　（宥恕規定）
　（5）（4）の規定により過去分書類に係る電磁的記録の保存をする3の表の各号の左欄に掲げる者が、災害その他やむを得ない事情により、3の前段に規定する(2)で定めるところに従って当該電磁的記録の保存をすることができないこととなったことを証明した場合には、(4)の規定にかかわらず、当該電磁的記録の保存をすることができる。ただし、当該事情が生じなかったとした場合において、当該(2)で定めるところに従って当該電磁的記録の保存をすることができないこととなったと認められるときは、この限りでない。（規25⑧）

　　　（保存要件）
　（6）3の後段に規定する(6)で定める要件は、3の後段の地方税関係書類に係る電磁的記録について、当該地方税関係書類の保存場所に、地方税に関する法令の規定により当該地方税関係書類の保存をしなければならないこととされている期間、保存が行われることとする。（規25⑨）

二　地方税関係帳簿等の電子計算機出力マイクロフィルムによる保存等

1　地方税関係帳簿の電子計算機出力マイクロフィルムによる備付け及び保存

　一の1の各号に掲げる者は、それぞれ当該各号に定める地方税関係帳簿の全部又は一部について、自己が最初の記録段階から一貫して電子計算機を使用して作成する場合には、注で定めるところにより、当該地方税関係帳簿に係る電磁的記録の備付け及び当該電磁的記録の電子計算機出力マイクロフィルム（電子計算機を用いて電磁的記録を出力することにより作成するマイクロフィルムをいう。）による保存をもって当該地方税関係帳簿の備付け及び保存に代えることができる。（法749①）

　　　（地方税関係帳簿の電子計算機出力マイクロフィルムによる保存等の要件）
　注　1の規定により地方税関係帳簿に係る電磁的記録の備付け及び当該電磁的記録の電子計算機出力マイクロフィルムによる保存をもって当該地方税関係帳簿の備付け及び保存に代えようとする一の1の各号に掲げる者は、一の1の(1)の各号に掲げる要件（当該者が一の1の(2)に規定する特定要件に従って当該電磁的記録の備付け及び当該電磁的記録の電子計算機出力マイクロフィルムによる保存を行っている場合には、一の(1)の(三)に掲げる要件を除く。）及び次に掲げる要件に従って当該電磁的記録の備付け及び当該電磁的記録の電子計算機出力マイクロフィルムによる保存をしなければならない。（規26①）
　（一）当該電子計算機出力マイクロフィルムの保存に併せて、次に掲げる書類の備付けを行うこと。
　　イ　当該電子計算機出力マイクロフィルムの作成及び保存に関する事務手続を明らかにした書類
　　ロ　次に掲げる事項が記載された書類
　　（イ）一の1の各号に掲げる者（その者が法人である場合には、当該法人の地方税関係帳簿の保存に関する事務の責任者である者）の当該地方税関係帳簿に係る電磁的記録が真正に出力され、当該電子計算機出力マイクロフィルムが作成された旨を証する記載及びその氏名
　　（ロ）当該電子計算機出力マイクロフィルムの作成責任者の氏名
　　（ハ）当該電子計算機出力マイクロフィルムの作成年月日
　（二）当該電子計算機出力マイクロフィルムの保存をする場所に、日本産業規格B7186に規定する基準を満たすマイクロフィルムリーダプリンタ及びその操作説明書を備え付け、当該電子計算機出力マイクロフィルムの内容を当該マイクロフィルムリーダプリンタの画面及び書面に、整然とした形式及び明瞭な状態で、速やかに出力することができるようにしておくこと。

2　地方税関係書類の電子計算機出力マイクロフィルムによる保存

　一の2の各号に掲げる者は、それぞれ当該各号に定める地方税関係書類の全部又は一部について、自己が一貫して電子計算機を使用して作成する場合には、注で定めるところにより、当該地方税関係書類に係る電磁的記録の電子計算機出力

第一編第十二章《電子計算機を使用して作成する地方税関係帳簿書類等の保存方法等の特例》

マイクロフィルムによる保存をもって当該地方税関係書類の保存に代えることができる。（法749②）

　　（読替え規定）
　注　1の注の規定は、2の規定により地方税関係書類に係る電磁的記録の電子計算機出力マイクロフィルムによる保存をもって当該地方税関係書類の保存に代えようとする一の2の各号に掲げる者の当該電磁的記録の電子計算機出力マイクロフィルムによる保存について準用する。この場合において、1の注中「一の1の(1)の各号」とあるのは「一の1の(1)の(一)及び(三)」と、「特定要件に従って当該電磁的記録の備付け及び」とあるのは「特定要件（一の1の(2)の(二)のハからホまでに掲げるものに限る。）に従って」と、「及び次に」とあるのは「並びに次に」と読み替えるものとする。（規26②）

3　地方税関係帳簿等の電子計算機出力マイクロフィルムによる保存

　一の1の規定により一の1の各号に定める地方税関係帳簿に係る電磁的記録の備付け及び保存をもって当該地方税関係帳簿の備付け及び保存に代えている当該各号に掲げる者又は一の2の規定により一の2の各号に定める地方税関係書類に係る電磁的記録の保存をもって当該地方税関係書類の保存に代えている当該各号に掲げる者は、（1）で定める場合には、当該地方税関係帳簿又は当該地方税関係書類の全部又は一部について、（2）で定めるところにより、当該地方税関係帳簿又は当該地方税関係書類に係る電磁的記録の電子計算機出力マイクロフィルムによる保存をもって当該地方税関係帳簿又は当該地方税関係書類に係る電磁的記録の保存に代えることができる。（法749③）

　　（総務省令で定める場合）
（1）　3に規定する（1）で定める場合は、一の1の規定により地方税関係帳簿に係る電磁的記録の備付け及び保存をもって当該地方税関係帳簿の備付け及び保存に代えている一の1の各号に掲げる者の当該地方税関係帳簿又は一の2の規定により地方税関係書類に係る電磁的記録の保存をもって当該地方税関係書類の保存に代えている一の2の各号に掲げる者の当該地方税関係書類の全部又は一部について、その保存期間（地方税に関する法令の規定により地方税関係帳簿又は地方税関係書類の保存をしなければならないこととされている期間をいう。）の全期間（電子計算機出力マイクロフィルムによる保存をもってこれらの電磁的記録の保存に代えようとする日以後の期間に限る。）につき電子計算機出力マイクロフィルムによる保存をもってこれらの電磁的記録の保存に代えようとする場合とする。（規26③）

　　（承認を受けている地方税関係帳簿の電子計算機出力マイクロフィルムによる保存の要件）
（2）　1の注及び2の注の規定は、3の規定により地方税関係帳簿又は地方税関係書類に係る電磁的記録の電子計算機出力マイクロフィルムによる保存をもって当該地方税関係帳簿又は地方税関係書類に係る電磁的記録の保存に代えようとする一の1の各号に掲げる者又は一の2の各号に掲げる者の当該地方税関係帳簿又は地方税関係書類に係る電磁的記録の電子計算機出力マイクロフィルムによる保存について準用する。（規26④）

三　地方税関係書類の電磁的記録による徴収等

　次の表の各号の左欄に掲げる者は、それぞれ当該各号の右欄に掲げる地方税関係書類に記載すべき事項に係る電磁的記録の提供を受けることをもって当該地方税関係書類の徴収に代えることができる。（法750①）

（一）	第74条の2第1項に規定する卸売販売業者等	同条第3項に規定する書類
		同条第4項に規定する書類
（二）	第三編第八章二の1の①に規定する卸売販売業者等	第465条第3項に規定する書類
		同条第4項に規定する書類

　　（軽油の引取りを行った者の電磁的記録の提供）
（1）　第二編第九章第一節二の1又は同二の2に規定する軽油の引取りを行った者は、第二編第九章第二節九の3に規定する書類に記載すべき事項に係る電磁的記録の提供をもって当該書類の提出に代えることができる。（法750②）

　　（電磁的記録の提供を受けた者の電磁的記録の保存）
（2）　三の規定により三に規定する地方税関係書類に記載すべき事項に係る電磁的記録の提供を受けた者及び（1）の規定により（1）に規定する書類に記載すべき事項に係る電磁的記録の提供を受けた者は、（3）で定めるところにより、

第一編第十二章《電子計算機を使用して作成する地方税関係帳簿書類等の保存方法等の特例》

その提供を受けた電磁的記録を保存しなければならない。(法750③)

((2)の電磁的記録の保存)
(3) 三に規定する地方税関係書類に記載すべき事項又は(1)に規定する書類に記載すべき事項(以下(3)から(5)において「記載事項」という。)に係る電磁的記録の提供を受けた者(以下(3)及び(5)において「保存義務者」という。)は、当該電磁的記録を、当該地方税関係書類の徴収若しくは当該書類の提出が書面により行われたとした場合又は書面により行われその写しが作成されたとした場合に、地方税に関する法令の規定により、当該書面を保存すべきこととなる場所に、当該書面を保存すべきこととなる期間、次に掲げる措置のいずれかを行い、一の1の(1)の(二)及び一の3の(2)の(五)並びに一の3の(2)の(六)において準用する一の1の(1)の(一)(イに係る部分に限る。)に掲げる要件(当該保存義務者が地方税に関する法令の規定による当該電磁的記録の提示又は提出の要求(以下(3)において「電磁的記録の提示等の要求」という。)に応じることができるようにしている場合には、一の3の(2)の(五)(ロ及びハに係る部分に限る。)に掲げる要件(当該保存義務者が、その判定期間に係る基準期間における売上高が5,000万円以下である事業者である場合又は地方税に関する法律の規定による当該電磁的記録を出力することにより作成した書面で整然とした形式及び明瞭な状態で出力され、取引年月日その他の日付及び取引先ごとに整理されたものの提示若しくは提出の要求に応じることができるようにしている場合であって、当該電磁的記録の提示等の要求に応じることができるようにしているときは、一の3の(2)の(六)に掲げる要件)を除く。)に従って保存しなければならない。(規27①)
(一) 当該電磁的記録の記録事項にタイムスタンプが付された後、当該記載事項の授受を行うこと。
(二) 次に掲げる方法のいずれかにより、当該電磁的記録の記録事項にタイムスタンプを付すこと。
　イ 当該電磁的記録の記録事項にタイムスタンプを付すことを当該記載事項の授受後、速やかに行うこと。
　ロ 当該電磁的記録の記録事項にタイムスタンプを付すことをその業務の処理に係る通常の期間を経過した後、速やかに行うこと(当該記載事項の授受から当該記録事項にタイムスタンプを付すまでの各事務の処理に関する規程を定めている場合に限る。)。
(三) 次に掲げる要件のいずれかを満たす電子計算機処理システムを使用して当該記載事項の授受及び当該電磁的記録の保存を行うこと。
　イ 当該電磁的記録の記録事項について訂正又は削除を行った場合には、これらの事実及び内容を確認することができること。
　ロ 当該電磁的記録の記録事項について訂正又は削除を行うことができないこと。
(四) 当該電磁的記録の記録事項について正当な理由がない訂正及び削除の防止に関する事務処理の規程を定め、当該規程に沿った運用を行い、当該電磁的記録の保存に併せて当該規程の備付けを行うこと。

(用語の意義)
(4) (3)及び(4)において、次の各号に掲げる用語の意義は、当該各号に定めるところによる。(規27②)

(一)	事業者	個人事業者(業務を行う個人をいう。以下(4)において同じ。)及び法人をいう。
(二)	判定期間	次に掲げる事業者の区分に応じそれぞれ次に定める期間をいう。 イ 個人事業者　当該電磁的記録の提供を受けた日の属する年の1月1日から12月31日までの期間 ロ 法人　当該電磁的記録の提供を受けた日の属する事業年度(法人税法第13条及び第14条に規定する事業年度をいう。(三)において同じ。)
(三)	基準期間	個人事業者についてはその年の前々年をいい、法人についてはその事業年度の前々事業年度(当該前々事業年度が1年未満である法人については、その事業年度開始の日の2年前の日の前日から同日以後1年を経過する日までの間に開始した各事業年度を合わせた期間)をいう。

(宥恕規定)
(5) 次の表の各号の左欄に掲げる保存義務者が、災害その他やむを得ない事情により、(2)に規定する(3)で定めるところに従って当該各号の中欄に掲げる書類に記載すべき事項に係る電磁的記録の保存をすることができなかったことを証明したとき、又はそれぞれ当該各号の右欄に掲げる地方団体の長が当該(3)で定めるところに従って当該電磁的記録の保存をすることができなかったことについて相当の理由があると認め、かつ、当該保存義務者が地方税に関

する法律の規定による当該電磁的記録及び当該電磁的記録を出力することにより作成した書面（整然とした形式及び明瞭な状態で出力されたものに限る。）の提示若しくは提出の要求に応じることができるようにしているときは、（3）の規定にかかわらず、当該電磁的記録の保存をすることができる。ただし、当該事情が生じなかったとした場合又は当該理由がなかったとした場合において、当該（3）で定めるところに従って当該電磁的記録の保存をすることができなかったと認められるときは、この限りでない。（規27③）

第二編第十一章一の1の①に規定する卸売販売業者等	地方税法第74条の2第3項に規定する書類	地方税法第74条の2第3項の小売販売業者の営業所所在地の道府県知事
	地方税法第74条の2第4項に規定する書類	地方税法第74条の2第4項の小売販売業者である卸売販売業者等の営業所所在地の道府県知事
第二編第九章第二節九の3に規定する特別徴収義務者	第二編第九章第二節九の3に規定する書類	第二編第九章第一節二の1に規定する軽油の納入地所在地の道府県知事
第三編第八章二の1の①に規定する卸売販売業者等	地方税法第465条第3項に規定する書類	地方税法第465条第3項の小売販売業者の営業所所在地の市町村長
	地方税法第465条第4項に規定する書類	地方税法第465条第4項の小売販売業者である卸売販売業者等の営業所所在地の市町村長

四 民間事業者等が行う書面の保存等における情報通信の技術の利用に関する法律の適用除外

　地方税関係帳簿及び地方税関係書類については、民間事業者等が行う書面の保存等における情報通信の技術の利用に関する法律（平成16年法律第149号）第3条、第4条及び第6条の規定《電磁的記録による帳簿の作成及び保存》は、適用しない。（法755）

五 地方税に関する法令の規定の適用

　次に掲げる電磁的記録又は電子計算機出力マイクロフィルムに対する地方税に関する法令の規定の適用については、次に定めるところによる。

（一）	一の1、一の2若しくは一の3前段、二の1から3まで又は三の(2)のいずれかに規定する総務省令で定めるところに従って備付け及び保存が行われている地方税関係帳簿又は保存が行われている地方税関係書類に係る電磁的記録又は電子計算機出力マイクロフィルムに対する地方税に関する法令の規定の適用については、当該電磁的記録又は電子計算機出力マイクロフィルムを当該地方税関係帳簿又は当該地方税関係書類とみなす。（法756①）
（二）	電子計算機を使用して作成する国税関係帳簿書類の保存方法等の特例に関する法律（平成10年法律第25号）第4条第1項、第2項若しくは第3項前段又は第5条各項のいずれかの規定により備付け又は保存が行われている電磁的記録又は電子計算機出力マイクロフィルムに対する地方税に関する法令の規定（帳簿又は書類の備付け又は保存に係る規定を除く。）の適用については、当該電磁的記録又は電子計算機出力マイクロフィルムを帳簿又は書類とみなす。（法756②）
（三）	電子計算機を使用して作成する国税関係帳簿書類の保存方法等の特例に関する法律第7条の規定により保存が行われている電磁的記録に対する地方税に関する法令の規定（帳簿又は書類の備付け又は保存に係る規定を除く。）の適用については、当該電磁的記録を書類とみなす。（法756③）
（四）	一の3前段に規定する総務省令で定めるところに従って保存が行われている一の3の表の(一)の右欄に掲げる地方税関係書類に係る電磁的記録若しくは一の3後段の規定により保存が行われている当該電磁的記録又は三の規定により提供が行われた三の表の(一)の右欄に掲げる地方税関係書類に係る電磁的記録に記録された事項に関し第74条の24第3項第1号に規定する申告書の提出期限後のその提出、修正申告書の提出又は更正若しくは決定（以下（四）において「期限後申告等」という。）があった場合において、同条第1項又は第2項の規定に該当するときは、同条第1項又は第2項の重加算金額は、これらの規定にかかわらず、これらの規定により計算した金額に、次の各号に掲げる場合の区分に応じ、当該各号に定める金額（その金額の計算の基礎となるべき事実で当該期限後申告等の基因となるこれらの電磁的記録に記録された事項に係るもの（隠蔽し、又は仮装された事実に係るものに限る。以下（四）において「電磁的記録に記録された事項に係る事実」という。）以外のものがあるときは、当該電磁的記録に記録された事項に係る事実に基づく金額として(1)で定めるところにより計算した金額）に100分の10の割合を乗じて

計算した金額を加算した金額とする。（法756④）
(一)　第74条の24第1項の規定に該当する場合　　同項に規定する計算の基礎となるべき更正による不足税額又は修正申告により増加した税額
(二)　第74条の24第2項の規定に該当する場合　　同項に規定する計算の基礎となるべき税額

　　（加重された重加算金が課される部分の金額の計算）
(1)　（四）に規定する電磁的記録に記録された事項に係る事実に基づく金額として(1)で定めるところにより計算した金額は、法第74条の23の過少申告加算金額又は不申告加算金額の計算の基礎となるべき税額のうち、同項に規定する電磁的記録に記録された事項に係る事実のみに基づいて同項に規定する期限後申告等があったものとした場合における当該期限後申告等に基づき納付すべき税額とする。（令58①）

　　（加重された重加算金が課される場合の過少申告加算金額の取扱い）
(2)　（四）の規定の適用がある場合における第39条の15の規定の適用については、同条中「又は第3項（」とあるのは「若しくは第3項（」と、「）の」とあるのは「）又は第756条第4項（法第74条の24第1項の重加算金に係る部分に限る。以下この条において同じ。）」と、「又は第3項の」とあるのは「若しくは第3項又は第756条第4項の」とする。（令59①）

(五)	一の3前段に規定する総務省令で定めるところに従って保存が行われている一の3の表の（二）若しくは（三）の右欄に掲げる地方税関係書類に係る電磁的記録若しくは一の3後段の規定により保存が行われている当該電磁的記録又は三の(2)の規定により提供が行われた三の(2)に規定する書類に係る電磁的記録に記録された事項に関し第二編第九章第二節十三の3の（二）の(1)の（一）に規定する申告書の提出期限後のその提出又は更正若しくは決定（以下（五）において「期限後申告等」という。）があった場合において、同3の（一）又は同3の（二）の規定に該当するときは、同（一）又は同（二）の重加算金額は、これらの規定にかかわらず、これらの規定により計算した金額に、次の各号に掲げる場合の区分に応じ、当該各号に定める金額（その金額の計算の基礎となるべき事実で当該期限後申告等の基因となるこれらの電磁的記録に記録された事項に係るもの（隠蔽し、又は仮装された事実に係るものに限る。以下（五）において「電磁的記録に記録された事項に係る事実」という。）以外のものがあるときは、当該電磁的記録に記録された事項に係る事実に基づく金額として(1)で定めるところにより計算した金額）に100分の10の割合を乗じて計算した金額を加算した金額とする。（法756⑤） (一)　第二編第九章第二節十三の3の（一）の規定に該当する場合　　同（一）に規定する計算の基礎となるべき更正による不足金額 (二)　第二編第九章第二節十三の3の（二）の規定に該当する場合　　同（二）に規定する計算の基礎となるべき税額 　　（加重された重加算金が課される部分の金額の計算） (1)　（五）に規定する電磁的記録に記録された事項に係る事実に基づく金額として(1)で定めるところにより計算した金額は、第二編第九章第二節十三の2の過少申告加算金額又は不申告加算金額の計算の基礎となるべき金額のうち、（五）に規定する電磁的記録に記録された事項に係る事実のみに基づいて（五）に規定する期限後申告等があったものとした場合における当該期限後申告等に基づき納入し、又は納付すべき金額とする。（令58②） 　　（加重された重加算金が課される場合の過少申告加算金額の取扱い） (2)　（五）の規定の適用がある場合における第二編第九章第二節十三の3の(1)の注の規定の適用については、同注中「又は（二）の(1)（」とあるのは「若しくは（二）の(1)（」と、「）の」とあるのは「）又は第一編第十二章十の（五）（（一）の重加算金に係る部分に限る。以下3において同じ。）の」と、「又は（二）の(1)の」とあるのは「若しくは（二）の(1)又は第一編第十二章十の（五）の」と、「（一）又は（二）の(1)」とあるのは「（一）若しくは（二）の(1)又は第一編第十二章十の（五）の（一）」とする。（令59②）
(六)	一の3前段に規定する総務省令で定めるところに従って保存が行われている一の3の表の（四）の右欄に掲げる地方税関係書類に係る電磁的記録若しくは一の3後段の規定により保存が行われている当該電磁的記録又は三の規定により提供が行われた三の表の（二）の右欄に掲げる地方税関係書類に係る電磁的記録に記録された事項に関し第484条第3項第1号に規定する申告書の提出期限後のその提出、修正申告書の提出又は更正若しくは決定（以下（六）において「期限後申告等」という。）があった場合において、同条第1項又は第2項の規定に該当するときは、同条第1項又は第2項の重加算金額は、これらの規定にかかわらず、これらの規定により計算した金額に、次の各号に掲

げる場合の区分に応じ、当該各号に定める金額（その金額の計算の基礎となるべき事実で当該期限後申告等の基因となるこれらの電磁的記録に記録された事項に係るもの（隠蔽し、又は仮装された事実に係るものに限る。以下（六）において「電磁的記録に記録された事項に係る事実」という。）以外のものがあるときは、当該電磁的記録に記録された事項に係る事実に基づく金額として（１）で定めるところにより計算した金額）に100分の10の割合を乗じて計算した金額を加算した金額とする。（法756⑥）

（一）　第484条第１項の規定に該当する場合　　同項に規定する計算の基礎となるべき更正による不足税額又は修正申告により増加した税額

（二）　第484条第２項の規定に該当する場合　　同項に規定する計算の基礎となるべき税額

　　　（加重された重加算金が課される部分の金額の計算）
（１）　（六）に規定する電磁的記録に記録された事項に係る事実に基づく金額として（１）で定めるところにより計算した金額は、法第483条の過少申告加算金額又は不申告加算金額の計算の基礎となるべき税額のうち、同項に規定する電磁的記録に記録された事項に係る事実のみに基づいて同項に規定する期限後申告等があったものとした場合における当該期限後申告等に基づき納付すべき税額とする。（令58③）

　　　（加重された重加算金が課される場合の過少申告加算金額の取扱い）
（２）　（六）の規定の適用がある場合における第53条の６の規定の適用については、同条中「又は第３項（」とあるのは「若しくは第３項（」と、「）の」とあるのは「）又は第756条第６項（法第484条第１項の重加算金に係る部分に限る。以下この条において同じ。）の」と、「又は第３項の」とあるのは「若しくは第３項又は第756条第６項の」とする。（令59③）

(注)　（四）の（１）、（２）、（五）の（１）、（２）、（六）の（１）、（２）に定めるもののほか、（四）から（六）までの規定の適用に関し必要な事項は、総務省令で定める。（令60）

第十三章　新型コロナウイルス感染症対策地方税減収補塡特別交付金

一　新型コロナウイルス感染症対策地方税減収補塡特別交付金の交付

　国は、固定資産税及び都市計画税の収入が第三編第三章第九節の３並びに地方税法等の一部を改正する法律（令和３年法律第７号。以下一において「地方税法等改正法」という。）附則第12条第９項の規定によりなお従前の例によることとされた地方税法等改正法第１条の規定による改正前の第三編第三章第九節の４及び地方税法等改正法附則第13条第１項の規定によりなお従前の例によることとされた地方税法等改正法第２条の規定による改正前の同４の規定による課税標準の特例（以下一から三までにおいて「課税標準特例」という。）により減少することに伴う道府県及び市町村（第一章三の３の①後段及び同３の②後段の規定により市とみなされる都を含む。四の３を除き、以下同じ。）の減収を補塡するため、令和３年度から令和８年度までの間、道府県及び市町村に対して、新型コロナウイルス感染症対策地方税減収補塡特別交付金（以下「特別交付金」という。）を交付する。（法附65①）

１　特別交付金の種類
　特別交付金の種類は、固定資産税減収補塡特別交付金（固定資産税の課税標準特例による減収額を埋めるために令和３年度から令和８年度までの各年度において交付する交付金をいう。３及び二において同じ。）及び都市計画税減収補塡特別交付金（都市計画税の課税標準特例による減収額を埋めるために令和３年度において交付する交付金をいう。以下同じ。）とする。（法附65②）

２　特別交付金の総額
　令和３年度から令和８年度までの各年度分として交付すべき特別交付金の総額は、令和３年度にあっては当該年度における二に規定する固定資産税減収補塡特別交付金総額及び三に規定する都市計画税減収補塡特別交付金総額の合算額とし、令和４年度から令和８年度までの各年度にあっては当該年度における二に規定する固定資産税減収補塡特別交付金総額とする。（法附65③）

３　各年度分の交付すべき特別交付金の額
　令和３年度から令和８年度までの各年度分として各道府県又は各市町村に対して交付すべき特別交付金の額は、令和３年度にあっては当該年度における二の１から同３までの規定により交付すべき固定資産税減収補塡特別交付金の額並びに三の１及び同２の規定により交付すべき都市計画税減収補塡特別交付金の額の合算額とし、令和４年度から令和８年度までの各年度にあっては当該年度における二の１から同３までの規定により交付すべき固定資産税減収補塡特別交付金の額とする。（法附65④）

二　固定資産税減収補塡特別交付金の額

　令和３年度から令和８年度までの各年度分として交付すべき固定資産税減収補塡特別交付金の総額は、各道府県及び各市町村における当該年度の固定資産税の課税標準特例による減収見込額の合算額に相当する額として予算で定める額（３において「固定資産税減収補塡特別交付金総額」という。）とする。（法附66①）

１　各年度分の各道府県に対して交付すべき固定資産税減収補塡特別交付金の額
　令和３年度から令和８年度までの各年度分として各道府県に対して交付すべき固定資産税減収補塡特別交付金の額は、各道府県における当該年度の固定資産税の課税標準特例による減収額に相当する額として総務省令で定めるところにより算定した額とする。（法附66②）

２　各年度分の各市町村に対して交付すべき固定資産税減収補塡特別交付金の額
　令和３年度から令和８年度までの各年度分として各市町村に対して交付すべき固定資産税減収補塡特別交付金の額は、

各市町村における当該年度の固定資産税の課税標準特例による減収額に相当する額として総務省令で定めるところにより算定した額とする。（法附66③）

3　固定資産税減収補塡特別交付金総額と各道府県及び各市町村について算定した額との差額

固定資産税減収補塡特別交付金総額と、当該年度において1及び2の規定により各道府県及び各市町村について算定した固定資産税減収補塡特別交付金の額の合算額との間に差額があるときは、総務省令で定めるところにより、その差額を各道府県及び各市町村の固定資産税減収補塡特別交付金の額で按分し、当該按分した額に相当する額をそれぞれ当該道府県又は当該市町村の固定資産税減収補塡特別交付金の額に加算し、又はこれから減額する。（法附66④）

三　都市計画税減収補塡特別交付金の額

令和3年度分として交付すべき都市計画税減収補塡特別交付金の総額は、各市町村における当該年度の都市計画税の課税標準特例による減収見込額の合算額に相当する額として予算で定める額（2において「都市計画税減収補塡特別交付金総額」という。）とする。（法附67①）

1　令和3年度分として各市町村に対して交付すべき都市計画税減収補塡特別交付金の額

令和3年度分として各市町村に対して交付すべき都市計画税減収補塡特別交付金の額は、各市町村における当該年度の都市計画税の課税標準特例による減収額に相当する額として総務省令で定めるところにより算定した額とする。（法附67②）

2　都市計画税減収補塡特別交付金総額と各市町村について算定した額の合算額との差額

都市計画税減収補塡特別交付金総額と、当該年度において1の規定により各市町村について算定した都市計画税減収補塡特別交付金の額の合算額との間に差額があるときは、総務省令で定めるところにより、その差額を各市町村の都市計画税減収補塡特別交付金の額で按分し、当該按分した額に相当する額をそれぞれ当該市町村の都市計画税減収補塡特別交付金の額に加算し、又はこれから減額する。（法附67③）

四　特別交付金の算定等の時期等

総務大臣は、一の3の規定により各道府県又は各市町村に交付すべき特別交付金の額を、令和3年度から令和8年度までの各年度の3月中に決定し、これを当該道府県又は当該市町村に通知しなければならない。（法附68）

1　特別交付金の交付時期

特別交付金は、令和3年度から令和8年度までの各年度の3月に交付する。（法附69）

2　道府県の特別交付金の算定に用いる資料の提出

道府県知事は、総務省令で定めるところにより、当該道府県の特別交付金の額の算定に用いる資料を総務大臣に提出しなければならない。（法附70①）

3　市町村の特別交付金の額の算定に用いる資料の提出

市町村長は、総務省令で定めるところにより、当該市町村の特別交付金の額の算定に用いる資料を道府県知事に提出しなければならない。この場合において、道府県知事は、当該資料を審査し、総務大臣に送付しなければならない。（法附70②）

五　特別交付金の使途等

市町村は、交付を受けた特別交付金の額のうち都市計画税減収補塡特別交付金の額を、第三編第四章の1に規定する費用に充てるものとする。（法附71）

1　交付税及び譲与税配付金特別会計における特別交付金に係る繰入れ

一の2に規定する特別交付金の総額は、特別会計に関する法律（平成19年法律第23号）第6条の規定にかかわらず、一

般会計から交付税及び譲与税配付金特別会計に繰り入れるものとする。（法附72①）

2　一般会計からの繰入金の取扱い

特別会計に関する法律第23条及び附則第11条の規定によるほか、1の規定による一般会計からの繰入金は令和3年度から令和8年度までの各年度における交付税及び譲与税配付金特別会計の歳入とし、特別交付金は当該各年度における同会計の歳出とする。（法附72②）

六　基準財政収入額の算定方法等の特例等

各道府県及び各市町村に対して交付すべき普通交付税の額の算定に用いる基準財政収入額を算定する場合における地方交付税法第14条第1項の規定の適用については、令和3年度から令和8年度までの間、同項中「当該道府県の普通税」とあるのは「地方税法附則第63条第1項並びに地方税法等の一部を改正する法律（令和3年法律第7号。以下「地方税法等改正法」という。）附則第12条第9項の規定によりなお従前の例によることとされた地方税法等改正法第1条の規定による改正前の地方税法（以下六において「旧地方税法」という。）附則第64条及び地方税法等改正法附則第13条第1項の規定によりなお従前の例によることとされた地方税法等改正法第2条の規定による改正前の地方税法（以下六において「5年旧地方税法」という。）附則第64条の規定の適用がないものとした場合における当該道府県の普通税」と、「当該市町村の普通税」とあるのは「地方税法附則第63条第1項並びに地方税法等改正法附則第12条第9項の規定によりなお従前の例によることとされた旧地方税法附則第64条及び地方税法等改正法附則第13条第1項の規定によりなお従前の例によることとされた5年旧地方税法附則第64条の規定の適用がないものとした場合における当該市町村の普通税」と、「当該指定市の普通税」とあるのは「地方税法附則第63条第1項並びに地方税法等改正法附則第12条第9項の規定によりなお従前の例によることとされた旧地方税法附則第64条及び地方税法等改正法附則第13条第1項の規定によりなお従前の例によることとされた5年旧地方税法附則第64条の規定の適用がないものとした場合における当該指定市の普通税」とする。（法附73）

1　地方公共団体における年度間の財源の調整の特例

地方財政法（昭和23年法律第109号）第4条の3第1項の規定の適用については、令和3年度から令和8年度までの間、同項中「普通税」とあるのは、「普通税、固定資産税減収補塡特別交付金」とする。（法附74）

2　特別区財政調整交付金の特例

地方自治法第282条第2項の規定の適用については、令和3年度から令和8年度までの間、同項中「係る額」とあるのは、「係る額と地方税法附則第66条第3項の規定により交付すべき固定資産税減収補塡特別交付金の額」とする。（法附75）

（令和3年度から令和8年度までの各年度における特別区財政調整交付金の特例）
注　2の規定により地方自治法第282条第2項の規定を読み替えて適用する場合における地方自治法施行令第210条の10の規定の適用については、令和3年度から令和8年度までの間、同条中「係る額」とあるのは、「係る額と地方税法附則第66条第3項の規定により交付すべき固定資産税減収補塡特別交付金の額」とする。（令附39）

3　地方財政審議会の意見の聴取

総務大臣は、特別交付金の交付に関する命令の制定又は改廃の立案をしようとする場合及び四の規定により各道府県又は各市町村に交付すべき特別交付金の額を決定しようとする場合には、地方財政審議会の意見を聴かなければならない。（法附76）

4　命令への委任

一から六の3までに定めるもののほか、特別交付金の算定及び交付その他これらの規定の適用に関し必要な事項は、命令で定める。（法附77）

第二編
道府県税

第二編

直觀景詩

第一章　個人の道府県民税

◆令和6年度改正事項◆

（1）居住用財産の買換え等の場合の譲渡損失の繰越控除等の適用期限を令和7年12月31日まで延長することとした。（法附4①一）
（2）特定居住用財産の譲渡損失の繰越控除等の適用期限を令和7年12月31日まで延長することとした。（法附4の2①一）
（3）個人の道府県民税について、定額による特別税額控除を次により実施することとした。
　ア　令和6年度分の個人の道府県民税に限り、次の措置を講ずることとした。（法附5の8①～③）
　　①　前年の合計所得金額が1,805万円以下である所得割の納税義務者（イにおいて「特別税額控除対象納税義務者」という。）の所得割の額から道府県民税特別税額控除額を控除すること。
　　②　都道府県等に対する寄附金に係る寄附金税額控除における特例控除額の控除限度額の算定の基礎となる令和6年度分の所得割の額について、特別税額控除前の所得割の額とすること。
　イ　令和7年度分の個人の道府県民税に限り、特別税額控除対象納税義務者（同一生計配偶者（控除対象配偶者及びこの法律の施行地に住所を有しない者を除く。）を有するものに限る。）の所得割の額から道府県民税特別税額控除額を控除することとした。（法附5の12①②）
（4）新たな公益信託制度の創設に伴い、公益信託の信託財産とするために支出された当該公益信託に係る信託事務に関連する寄附金を寄附金税額控除の対象とする等の措置を講ずることとした。（法37の2①三、法附3の2の3①③、令附3の2の3①）
（5）特定中小会社が発行した株式に係る譲渡損失の繰越控除等について、特定株式の譲渡等の範囲を明確化することとした。（令附18の6⑦～⑨）
（6）新たな公益信託制度の創設に伴い、公益信託の信託財産について生ずる所得について、公益信託の委託者等が当該公益信託の信託財産に属する資産及び負債を有するものとみなすこととする特例措置を廃止することとした。（旧法附3の2の3）
（7）令和6年能登半島地震災害の被災者の負担の軽減を図るため、令和6年能登半島地震災害によりその者の有する資産について受けた損失の金額については、所得割の納税義務者の選択により、令和5年において生じた損失の金額として、令和6年度以後の年度分の個人の道府県民税の雑損控除額の控除及び雑損失の金額の控除の特例を適用することができることとした（法附4の4、令附4の5、4の6）。

第一節　通　　　則

一　定　　義

1　用語の意義

個人の道府県民税について、次の各号に掲げる用語の意義は、それぞれ当該各号に定めるところによる。（法23①一、二、五～十三）

(一)	均等割	均等の額により課する個人の道府県民税をいう。
(二)	所得割	所得により課する個人の道府県民税をいう。
(三)	給与所得	所得税法第28条第1項《給与所得》に規定する給与所得をいう。

(四)	退職手当等	所得税法第30条第1項《退職所得》に規定する退職手当等（同法第31条《退職手当等とみなす一時金》において退職手当等とみなされる一時金及び租税特別措置法第29条の4《退職勤労者が弁済を受ける未払賃金に係る課税の特例》において退職手当等とみなされる金額を含む。）をいう。
(五)	同一生計配偶者	個人の道府県民税の納税義務者の配偶者でその納税義務者と生計を一にするもの（第二節二の1《青色事業専従者給与の必要経費算入等》に規定する青色事業専従者に該当するもので同1に規定する給与の支払を受けるもの及び同2の①《事業専従者控除額の必要経費算入》に規定する事業専従者に該当するものを除く。）のうち、当該年度の初日の属する年の前年（以下この章において「前年」という。）の合計所得金額〘(十二)参照〙が48万円以下である者をいう。
(六)	控除対象配偶者	同一生計配偶者のうち、前年の合計所得金額が1,000万円以下である道府県民税の納税義務者の配偶者をいう。
(七)	扶養親族	道府県民税の納税義務者の親族（その納税義務者の配偶者を除く。）並びに児童福祉法第27条第1項第3号《児童を里親に委託することについての道府県知事のとるべき措置》の規定により同法第6条の4第1項に規定する里親に委託された児童及び老人福祉法第11条第1項第3号《老人を養護受託者に委託することについての都道府県知事のとるべき措置》の規定により同号に規定する養護受託者に委託された老人でその納税義務者と生計を一にするもの（第二節二の1《青色事業専従者給与の必要経費算入等》に規定する青色事業専従者に該当するもので同1に規定する給与の支払を受けるもの及び同2の①《事業専従者控除額の必要経費算入》に規定する事業専従者に該当するものを除く。）のうち、前年の合計所得金額〘(十二)参照〙が48万円以下である者をいう。
(八)	障害者	精神上の障害により事理を弁識する能力を欠く常況にある者、失明者その他の精神又は身体に障害がある者で次に掲げるものをいう。（令7） 　イ　精神上の障害により事理を弁識する能力を欠く常況にある者又は児童相談所、知的障害者福祉法第9条第6項に規定する知的障害者更生相談所、精神保健及び精神障害者福祉に関する法律第6条第1項に規定する精神保健福祉センター若しくは精神保健指定医の判定により知的障害者とされた者 　ロ　イに掲げる者のほか、精神保健及び精神障害者福祉に関する法律第45条第2項の規定により精神障害者保健福祉手帳の交付を受けている者 　ハ　身体障害者福祉法第15条第4項《身体障害者手帳の交付》の規定により交付を受けた身体障害者手帳に身体上の障害がある者として記載されている者 　ニ　イからハまでに掲げる者のほか、戦傷病者特別援護法第4条《戦傷病者手帳の交付》の規定により戦傷病者手帳の交付を受けている者 　ホ　ハ又はニに掲げる者のほか、原子爆弾被爆者に対する援護に関する法律第11条第1項《認定》の規定による厚生労働大臣の認定を受けている者 　ヘ　イからホまでに掲げる者のほか、常に就床を要し、複雑な介護を要する者 　ト　イからヘまでに掲げる者のほか、精神又は身体に障害のある年齢65歳以上の者で、その障害の程度がイ又はハに掲げる者に準ずるものとして市町村長（社会福祉法に定める福祉に関する事務所が老人福祉法第5条の4第2項各号に掲げる業務を行っている場合には、当該福祉に関する事務所の長。(九)のへにおいて「市町村長等」という。）の認定を受けている者
(九)	特別障害者	障害者のうち、精神又は身体に重度の障害がある者で次に掲げるものをいう。（令7の15の7） 　イ　(八)のイに掲げる者のうち、精神上の障害により事理を弁識する能力を欠く常況にある者又は児童相談所、知的障害者福祉法第9条第6項に規定する知的障害者更生相談所、精神保健及び精神障害者福祉に関する法律第6条第1項に規定する精神保健福祉センター若しくは精神保健指定医の判定により重度の知的障害者とされた者 　ロ　(八)のロに掲げる者のうち、同ロの精神障害者保健福祉手帳に精神保健及び精神障害者福祉に関する法律施行令第6条第3項に規定する障害等級が1級である者として記載されている者 　ハ　(八)のハに掲げる者のうち、同ハの身体障害者手帳に身体上の障害の程度が1級又は2級である者として記載されている者 　ニ　(八)のニに掲げる者のうち、同ニの戦傷病者手帳に精神上又は身体上の障害の程度が恩給法

		別表第一号表の2の特別項症から第3項症までである者として記載されている者 ホ　(八)のホ又はへに掲げる者 へ　(八)のトに掲げる者のうち、その障害の程度がイ又はハに掲げる者に準ずるものとして市町村長等の認定を受けている者
(十)	寡　婦	次に掲げる者でひとり親に該当しないものをいう。 イ　夫と離婚した後婚姻をしていない者のうち、次に掲げる要件を満たすもの 　(イ)　扶養親族を有すること。 　(ロ)　前年の合計所得金額が500万円以下であること。 　(ハ)　その者と事実上婚姻関係と同様の事情にあると認められる者として(2)で定めるものがいないこと。 ロ　夫と死別した後婚姻をしていない者又は夫の生死の明らかでない者で(1)で定めるもののうち、イの(ロ)及び(ハ)に掲げる要件を満たすもの 　　　　　(夫の生死が明らかでない寡婦の範囲) (1)　(十)のロに規定する夫の生死が明らかでない者は、次に掲げる者の妻とする。(令7の2) 　イ　太平洋戦争の終結の当時もとの陸海軍に属していた者で、まだ法の施行地内に帰らないもの 　ロ　イに掲げる者以外の者で、太平洋戦争の終結の当時法の施行地外にあってまだ法の施行地内に帰らず、かつ、その帰らないことについてイに掲げる者と同様の事情があると認められるもの 　ハ　船舶が沈没し、転覆し、滅失し、若しくは行方不明となった際現にその船舶に乗っていた者若しくは船舶に乗っていてその船舶の航行中に行方不明となった者又は航空機が墜落し、滅失し、若しくは行方不明となった際現にその航空機に乗っていた者若しくは航空機に乗っていてその航空機の航行中に行方不明となった者で、3月以上その生死が明らかでないもの 　ニ　ハに掲げる者以外の者で、死亡の原因となるべき危難に遭遇した者のうちその危難が去った後1年以上その生死が明らかでないもの 　ホ　イからニまでに掲げる者を除くほか、3年以上その生死が明らかでない者 　　　　　(事実上婚姻関係と同様の事情にあると認められる者の範囲) (2)　(十)のイの(ハ)に規定する(2)で定める者は、次の各号に掲げる場合の区分に応じ当該各号に定める者とする。(規1の9の7) 　イ　その者が住民票に世帯主と記載されている者である場合　　その者と同一の世帯に属する者の住民票に住民基本台帳法(昭和42年法律第81号)第7条第4号に掲げる世帯主との続柄(ロ及び(十一)の(3)において「世帯主との続柄」という。)が世帯主の未届の夫である旨その他の世帯主と事実上婚姻関係と同様の事情にあると認められる続柄である旨の記載がされた者 　ロ　その者が住民票に世帯主と記載されている者でない場合　　その者の住民票に世帯主との続柄が世帯主の未届の妻である旨その他の世帯主と事実上婚姻関係と同様の事情にあると認められる続柄である旨の記載がされているときのその世帯主
(十一)	ひとり親	現に婚姻をしていない者又は配偶者の生死の明らかでない者で(1)で定めるもののうち、次に掲げる要件を満たすものをいう。 イ　その者と生計を一にする子で(2)で定めるものを有すること。 ロ　前年の合計所得金額が500万円以下であること。 ハ　その者と事実上婚姻関係と同様の事情にあると認められる者として(3)で定めるものがいないこと。

		(ひとり親の範囲) (1) (十一)に規定する配偶者の生死が明らかでない者で(1)で定めるものは、(十)の(1)の各号に掲げる者の配偶者とする。(令7の2の2①) (政令で定める子) (2) (十一)のイに規定する(2)で定める子は、当該年度の初日の属する年の前年の第二節一の1の総所得金額、退職所得金額及び山林所得金額の合計額が48万円以下の子(他の者の同一生計配偶者又は扶養親族とされている者を除く。)とする。(令7の2の2②) (総務省令で定める者) (3) (十一)のハに規定する(3)で定める者は、次の各号に掲げる場合の区分に応じ当該各号に定める者とする。(規1の9の8) 　イ　その者が住民票に世帯主と記載されている者である場合　　その者と同一の世帯に属する者の住民票に世帯主との続柄が世帯主の未届の夫又は未届の妻である旨その他の世帯主と事実上婚姻関係と同様の事情にあると認められる続柄である旨の記載がされた者 　ロ　その者が住民票に世帯主と記載されている者でない場合　　その者の住民票に世帯主との続柄が世帯主の未届の夫又は未届の妻である旨その他の世帯主と事実上婚姻関係と同様の事情にあると認められる続柄である旨の記載がされているときのその世帯主
(十二)	合計所得金額	第二節三の1《青色申告者の純損失の繰越控除》及び2《変動所得の損失・被災事業用資産の損失・雑損失の繰越控除》並びに5の⑤《居住用財産の買換え等の場合の譲渡損失の繰越控除》又は6の④《特定居住用財産の譲渡損失の繰越控除》の規定による控除前の同節一の1《所得割の課税標準の算定》の総所得金額等、退職所得金額及び山林所得金額の合計額をいう。(法附4⑦一、4の2⑦一、33の2③一、33の3③一、34③一、35④一、35の2④一、35の2の2④、35の4②一) (注)「総所得金額等」の意義は、第二節一の1を参照。(編者)

2　二以上の納税義務者がある場合の所属

①　二以上の納税義務者がある場合の同一生計配偶者の所属

　道府県民税の納税義務者の配偶者がその納税義務者の同一生計配偶者に該当し、かつ、他の道府県民税の納税義務者の扶養親族にも該当する場合には、その配偶者は、これらのうちいずれか一にのみ該当するものとみなす。(法23②)

　　　　　(二以上の納税義務者がある場合の同一生計配偶者の所属)
(1)　①に規定する配偶者が①に規定する同一生計配偶者又は扶養親族のいずれに該当するかは、道府県内に住所を有する個人で3月15日までに道府県民税に関する申告書を提出する義務を有する者《第六節八の1の①》にあっては当該申告書、給与支払報告書又は公的年金等支払報告書を提出する義務がある者《第三編第一章第六節6の①又は④》から1月1日現在において俸給、給料、賃金、歳費及び賞与並びにこれらの性質を有する給与(以下「**給与**」と総称する。)又は所得税法第35条第3項に規定する公的年金等(以下(1)において「**公的年金等**」という。)の支払を受けている者で前年中において1の(三)に掲げる給与所得以外の所得又は公的年金等に係る所得以外の所得を有しなかったもの(第六節八の1の②《提出期限内に給与支払報告書又は公的年金等支払報告書が提出されなかった場合の申告》の規定により同①の道府県民税に関する申告書を提出する義務を有する者を除く。以下(1)及び②の(1)において「給与所得等以外の所得を有しなかった者」という。)にあっては当該給与支払報告書又は公的年金等支払報告書に記載されたところによる。ただし、給与所得等以外の所得を有しなかった者が、自己の同一生計配偶者又は扶養親族とする者の氏名その他必要な事項を記載した申請書を賦課期日現在の住所所在地の市町村長に提出したときは、当該申請書に記載されたところによる。(令7の3の3①)

　　　　　(二以上の納税義務者につき同一生計配偶者又は扶養親族として申告したとき等の所属)
(2)　(1)の場合において、二以上の納税義務者につき同一人が同一生計配偶者又は扶養親族として(1)の申告書、給与支払報告書若しくは公的年金等支払報告書又は申請書に記載されたとき、その他(1)の規定により同一生計配偶者

又は扶養親族のいずれに該当するかを定められないときは、その夫又は妻である道府県民税の納税義務者の同一生計配偶者とする。(令7の3の3②)

② 二以上の納税義務者がある場合の扶養親族の所属
　二以上の道府県民税の納税義務者の扶養親族に該当する者がある場合には、その者は、これらの納税義務者のうちいずれか一の納税義務者の扶養親族にのみ該当するものとみなす。(法23③)

　　　(二以上の納税義務者がある場合の扶養親族の所属)
(1)　②に規定する二以上の道府県民税の納税義務者の扶養親族に該当する者をいずれの納税義務者の扶養親族とするかは、道府県内に住所を有する個人で3月15日までに道府県民税に関する申告書を提出する義務を有する者〚第六節八の1の①〛にあっては当該申告書、給与所得等以外の所得を有しなかった者にあっては給与支払報告書又は公的年金等支払報告書〚第三編第一章第六節6〛に記載されたところによる。ただし、給与所得等以外の所得を有しなかった者が、自己の扶養親族とする者の氏名その他必要な事項を記載した申請書を賦課期日現在の住所所在地の市町村長に提出したときは、当該申請書に記載されたところによる。(令7の3の4①)

　　　(二以上の納税義務者につき同一人が扶養親族として申告書に記載されたとき等の所属)
(2)　(1)の場合において、二以上の納税義務者につき同一人が扶養親族として(1)の申告書、給与支払報告書若しくは公的年金等支払報告書又は申請書に記載されたとき、その他(1)の規定によっていずれの納税義務者の扶養親族とするかを定められないときは、当該二以上の納税義務者のうち前年の第二節一の1《所得割の課税標準の算定》の総所得金額等(上場株式等に係る配当所得等の金額は、第五節五の5の①又は②の適用後の金額とし、同節一の1の(2)の規定により適用される場合を含む。一般株式等に係る譲渡所得等の金額は第五節六の2の①の適用後の金額とする。上場株式等に係る譲渡所得等の金額は、同節五の5の②及び同節六の2の①の適用後の金額とし、同節五の3の規定により適用される場合を含む。先物取引に係る雑所得等の金額は同節七の2の適用後の金額とする。)、退職所得金額及び山林所得金額の合計額が最も大きいものの扶養親族とする。(令7の3の4②、令附16の2の11①、16の3③、17②、17の3④、18⑤、18の5⑩⑪、18の6⑯、18の7③、18の7の2⑦、平20改令附3⑧⑬)

3 所得税法その他の所得税に関する法令を引用する場合の所得の意義
　第一章の道府県民税について所得税法その他の所得税に関する法令を引用する場合(退職手当等〚1(四)〛及び退職所得の課税の特例〚第七節〛において引用する場合を除く。)においては、これら法令は、前年の所得について適用されたものをいうものとする。(法23④)

二　課税団体及び納税義務者

　道府県民税は、(一)に掲げる者に対しては均等割額及び所得割額の合算額により、(二)に掲げる者に対しては均等割額により課する。(法24①一、二)
(一)　道府県内に住所を有する個人
(二)　道府県内に事務所、事業所又は家屋敷を有する個人で当該事務所、事業所又は家屋敷を有する市町村内に住所を有しない者
　(注)　法人課税信託の引受けを行うことにより法人税を課される個人に関しては、第二章《法人の道府県民税》を参照。(編者)

　　　(「道府県内に住所を有する個人」の意義)
(1)　(一)の道府県内に住所を有する個人とは、住民基本台帳法の適用を受ける者については、その道府県の区域内の市町村の住民基本台帳に記録されている者(当該市町村の住民基本台帳に記録されていないが当該市町村内に住所を有する者を当該住民基本台帳に記録されている者とみなしてその者に市町村民税を課した者を含み、その者が記録されている住民基本台帳に係る他の市町村で課税されない者を除く。)をいう。(法24②)

　　　(事務所等の所在地と住所地の市町村が異なる場合の課税団体)
(2)　(二)に掲げる者については、市町村民税を均等割により課する市町村ごとに一の納税義務があるものとして道府県民税を課する。(法24⑦)

第二編第一章《個人の道府県民税》第一節《通則（納税義務者・所得の帰属）》

　　　　（賦課徴収・納税義務者の範囲に関する取扱い）
（3）　個人の道府県民税の賦課徴収は、市町村長が当該市町村における市町村民税の賦課徴収の例によって行うものであるから、納税義務者の住所の認定、非課税規定の適用等については、道府県又は市町村が特に法第6条《公益等による課税免除及び不均一課税》又は法第7条《受益による不均一課税及び一部課税》の規定による課税免除等の措置を講じている場合を除き、道府県民税と市町村民税との間に異なる取扱いをすることはできないものであること。従って、均等割の納税義務者の範囲は市町村民税における均等割の納税義務者の範囲と一致するものであること。（県通2－1）

　　　　（住所を有する市町村以外の市町村に事務所等を有する個人の納税義務）
（4）　住所を有する市町村以外の市町村に事務所、事業所又は家屋敷を有する個人は、当該事務所等を有する市町村においてもその市町村ごとに道府県民税の均等割の納税義務を有するものであること。（県通2－4）

三　所得の帰属

1　法人課税信託の受託者に関する個人の道府県民税の規定の適用

　法人課税信託の受託者は、各法人課税信託の信託資産等（信託財産に属する資産及び負債並びに当該信託財産に帰せられる収益及び費用をいう。以下1及び（1）において同じ。）及び固有資産等（法人課税信託の信託資産等以外の資産及び負債並びに収益及び費用をいう。1及び（1）において同じ。）ごとに、それぞれ別の者とみなして、この章（二、2、3、五、第六節十一及び同節十二を除く。（2）において同じ。）の規定を適用する。（法24の2①）

　　　　（法人課税信託の信託資産等の帰属）
（1）　1の場合において、各法人課税信託の信託資産等及び固有資産等は、1の規定によりみなされた各別の者にそれぞれ帰属するものとする。（法24の2②）

　　　　（所得税法の規定の準用）
（2）　所得税法第6条の3《法人課税信託の受託法人等に関する所得税法の適用》の規定は、1及び（1）の規定をこの章の規定中個人の道府県民税に関する規定において適用する場合について準用する。（法24の2③）
　　（注）　法人課税信託の受託者又は受益者についての道府県民税に関する規定の適用については、第二章第一節三の1《法人課税信託の受託者に関する法人の道府県民税の規定の適用》の（3）から（8）までを参照。（編者）

2　実質所得者課税の原則

　資産又は事業から生ずる収益が法律上帰属するとみられる者が単なる名義人であって、当該収益を享受せず、その者以外の者が当該収益を享受する場合においては、当該収益に係る道府県民税は、当該収益を享受する者に課するものとする。（法24の2の2）

3　信託財産に係る所得の帰属

　信託財産について生ずる所得については、信託の受益者（受益者としての権利を現に有するものに限る。）が当該信託の信託財産に属する資産及び負債を有するものとみなして、この章の規定を適用する。ただし、集団投資信託（所得税法第13条第3項第1号に規定する集団投資信託をいう。）、退職年金等信託（同項第2号に規定する退職年金等信託をいう。）又は法人課税信託の信託財産について生ずる所得については、この限りでない。（法24の3①）

　　　　（受益者とみなす者）
（1）　信託の変更をする権限（軽微な変更をする権限として（2）で定めるものを除く。）を現に有し、かつ、当該信託の信託財産の給付を受けることとされている者（受益者を除く。）は、3に規定する受益者とみなして、3の規定を適用する。（法24の3②）

　　　　（軽微な変更をする権限）
（2）　（1）に規定する権限は、信託の目的に反しないことが明らかである場合に限り信託の変更をすることができる権限とする。（令7の4の4①）

　　　　（信託を変更する権限に含むもの）
（３）　（１）に規定する信託の変更をする権限には、他の者との合意により信託の変更をすることができる権限を含むものとする。（令７の４の４②）

　　　　（停止条件が付された信託財産の給付を受ける権利を有する者）
（４）　停止条件が付された信託財産の給付を受ける権利を有する者は、（１）に規定する信託財産の給付を受けることとされている者に該当するものとする。（令７の４の４③）

　　　　（受益者が二以上ある場合の適用）
（５）　３に規定する受益者（（１）の規定により３に規定する受益者とみなされる者を含む。以下（５）において同じ。）が二以上ある場合における３の規定の適用については、３の信託の信託財産に属する資産及び負債の全部をそれぞれの受益者がその有する権利の内容に応じて有するものとする。（令７の４の４④）

４　公益信託に係る所得の帰属
　当分の間、公益信託（公益信託ニ関スル法律第１条に規定する公益信託（法人税法第37条第６項に規定する特定公益信託を除く。）をいう。以下４において同じ。）の信託財産について生ずる所得については、公益信託の委託者又はその相続人その他の一般承継人が当該公益信託の信託財産に属する資産及び負債を有するものとみなして、この章の規定を適用する。（法附３の２の３①）
　　（注）　４及び注を削除する令和６年度改正規定は、公益信託に関する法律（令和６年法律第30号）の施行の日以後適用する。（令６改法附１十）

　　　（公益信託と法人課税信託の関係）
　　注　公益信託は、法人課税信託に該当しないものとする。（法附３の２の３②）

５　公益法人等に係る課税の特例
　道府県は、当分の間、租税特別措置法第40条第３項後段（同条第６項から第10項まで及び第11項（同条第12項において準用する場合を含む。以下５において同じ。）の規定によりみなして適用する場合を含む。）の規定の適用を受けた同条第３項に規定する公益法人等（同条第６項から第11項までの規定により特定贈与等に係る公益法人等とみなされる法人を含む。）を同条第３項に規定する贈与又は遺贈を行った個人とみなして、（１）で定めるところにより、これに同項に規定する財産（同条第６項から第11項までの規定により特定贈与等に係る財産とみなされる資産を含む。）に係る山林所得の金額、譲渡所得の金額又は雑所得の金額に係る道府県民税の所得割を課する。（法附３の２の４①）
　　（注）　５を以下のように改める令和６年度改正規定は、公益信託に関する法律（令和６年法律第30号）の施行の日の属する年の翌年の１月１日以後適用する。（令６改法附１十一）
　　　　道府県は、当分の間、租税特別措置法第40条第３項後段（同条第６項から第12項まで及び第13項（同条第14項において準用する場合を含む。以下５において同じ。）の規定によりみなして適用する場合を含む。）の規定の適用を受けた同条第３項に規定する公益法人等（同条第６項から第13項までの規定により特定贈与等に係る公益法人等とみなされる者を含む。）を同条第３項に規定する贈与又は遺贈を行った個人とみなして、（１）で定めるところにより、これに同項に規定する財産（同条第６項から第13項までの規定により特定贈与等に係る財産とみなされる資産を含む。）に係る山林所得の金額、譲渡所得の金額又は雑所得の金額に係る道府県民税の所得割を課する。（法附３の２の３①）

　　　　（公益法人等に係る住所の特例）
（１）　５の規定により５の規定する公益法人等に道府県民税の所得割を課する場合における当該公益法人等の住所は、当該公益法人等の主たる事務所又は事業所の所在地にあるものとする。（令附３の２の３①）
　　（注）　（１）を以下のように改める令和６年度改正規定は、公益信託に関する法律（令和６年法律第30号）の施行の日の属する年の翌年の１月１日以後適用する。（令６政令第138号附二）
　　（１）　５の規定により５の規定する公益法人等（（３）の（三）の規定の適用がある場合には、（３）の（三）に規定する主宰受託者）に道府県民税の所得割を課する場合における当該公益法人等（個人を除く。）の住所は、当該公益法人等の本店又は主たる事務所若しくは事業所の所在地にあるものとする。（令附３の２の３①）

　　　　（留意事項）
（２）　公益法人等に対して財産を寄附した場合の譲渡所得等の非課税の特例の対象となる法人が寄附を受けた財産が公益目的事業の用に供されなくなったこと等一定の事由により非課税承認が取り消された場合には、当該寄附を受けた公益法人等に対して、寄附時の譲渡所得等に係る個人住民税の所得割を課するものであること。
　　なお、この場合における当該公益法人等（個人を除く。）の住所は、当該公益法人等の主たる事務所又は事業所の所

在地にあるものとすること。(県通2－5)
- (注) (2)中＿＿部分を加え、＿＿部分「法人」を「者」に、「主たる事務所又は」を「本店又は主たる事務所若しくは」に改める令和6年度改正規定は、公益信託に関する法律(令和6年法律第30号)の施行の日の属する年の翌年の4月1日が属する年度以後の年度分の個人の道府県民税に適用する。(令6総税都第10号記二)

(法人税法の規定の適用)
(3) 5の規定の適用を受けた5に規定する公益法人等に対する法人税法の規定の適用については、同法第38条第2項第2号中「係るもの」とあるのは、「係るもの及び同法附則第3条の2の4第1項又は第2項の規定によるもの(当該道府県民税又は市町村民税に係るこれらの規定に規定する財産の価額がこれらの規定に規定する当該公益法人等の各事業年度の所得の金額の計算上益金の額に算入された場合における当該道府県民税又は市町村民税に限る。)」とする。(法附3の2の4③)
- (注) (3)を以下のように改める令和6年度改正規定は、公益信託に関する法律(令和6年法律第30号)の施行の日の属する年の翌年の1月1日以後適用する。(令6改法附十一)

　5の規定の適用がある場合には、次に定めるところによる。(法附3の2の3③)
　(一)　5の規定の適用を受けた公益法人等(租税特別措置法第40条第1項第1号に掲げる者に限る。)に対する法人税法の規定の適用については、同法第38条第2項第2号中「係るもの」とあるのは、「係るもの及び同法附則第3条の2の3第1項又は第2項の規定によるもの(当該道府県民税又は市町村民税に係るこれらの規定に規定する財産の価額がこれらの規定に規定する当該公益法人等の各事業年度の所得の金額の計算上益金の額に算入された場合における当該道府県民税又は市町村民税に限る。)」とする。
　(二)　5の規定の適用を受けた公益法人等(租税特別措置法第40条第1項第2号に掲げる者に限る。)に対する第9条の4の規定の適用については、同条第1項及び第2項中「事由」とあるのは、「事由又は公益信託に関する法律(令和6年法律第30号)第33条第3項の規定により読み替えて適用する信託法第56条第1項に規定する特定終了事由」とする。
　(三)　5の規定の適用を受ける公益法人等が租税特別措置法第40条第1項第2号に規定する公益信託の受託者である場合において、当該公益信託の受託者が2以上あるときは、当該公益信託の信託事務を主宰する受託者(以下(三)において「主宰受託者」という。)を5に規定する個人とみなしてこれらの規定を適用する。この場合において、当該主宰受託者に課するこれらの規定の財産に係る道府県民税又は市町村民税の所得割については、当該主宰受託者以外の受託者は、その道府県民税又は市町村民税の所得割について、連帯納付の責めに任ずる。

四　非課税の範囲

1　所得割及び均等割の非課税

　道府県は、次の各号のいずれかに該当する者に対しては、道府県民税の均等割及び所得割((二)に該当する者にあっては、退職所得の課税の特例《第七節》により課する所得割(以下「**分離課税に係る所得割**」という。)を除く。)を課することができない。ただし、この法律の施行地に住所を有しない者については、この限りでない。(法24の5①)
(一)　生活保護法の規定による生活扶助を受けている者
(二)　障害者、未成年者、寡婦又はひとり親(これらの者の前年の合計所得金額が135万円を超える場合を除く。)
- (注) 「**合計所得金額**」の意義は、一の1の(十二)を参照。(編者)

(分離課税に係る所得割の非課税対象者の判定)
　注　分離課税に係る所得割につき1の(一)の規定を適用する場合における同(一)に掲げる者であるかどうかの判定は、退職手当等の支払を受けるべき日の属する年の1月1日の現況によるものとする。(法24の5②)

2　道府県民税所得割の非課税の特例

　道府県は、当分の間、道府県民税の所得割を課すべき者のうち、その者の当該年度の初日の属する年の前年(以下この章において「前年」という。)の所得について第二節一の1《所得割の課税標準の算定》の規定により算定した総所得金額等、退職所得金額及び山林所得金額の合計額が、35万円にその者の同一生計配偶者及び扶養親族(年齢16歳未満の者及び第三節一の13に規定する控除対象扶養親族に限る。)の数に1を加えた数を乗じて得た金額に10万円を加算した金額(その者が同一生計配偶者又は扶養親族を有する場合には、当該金額に32万円を加算した金額)以下である者に対しては、二の規定にかかわらず、道府県民税の所得割(分離課税に係る所得割を除く。)を課することができない。(法附3の3①、33の2③五、33の3③五、34③五、35④五、35の2④五、35の2の2④、35の4②五)
- (注) 総所得金額等に含まれる上場株式等に係る配当所得等の金額は、第五節五の5《上場株式等に係る譲渡損失の損益通算及び繰越控除》の①又は②の適用後の金額とし、一般株式等に係る譲渡所得等の金額は、同節六の2の①《特定株式に係る譲渡損失の繰越控除》の適用後の金額とし、上場株式等に係る譲渡所得等の金額は、同節五の5の②《上場株式等に係る譲渡損失の繰越控除》及び同節六の2の①《特定株式に係る譲渡損失の繰越控除》の適用後の金額とし、先物取引に係る雑所得等の金額は、同節七の2《先物取引の差金等決済に係る損失の繰越控除》

の適用後の金額とする。(令附18の5⑦⑧、18の6⑯、18の7の2⑦)

3　均等割の非課税

　道府県は、注の規定により個人の市町村民税の均等割を課することができないこととされる者に対しては、当該均等割と併せて賦課徴収すべき個人の道府県民税の均等割を課することができない。(法24の5③)

　　(個人の市町村民税の均等割の非課税)
　注　市町村は、地方税法の施行地に住所を有する者で均等割のみを課すべきもののうち、前年の合計所得金額が政令で定める基準に従い当該市町村の条例で定める金額以下である者に対しては、均等割を課することができない。(法295③)

　　　(注)　個人の市町村民税の均等割を課することができないこととされる者については、第三編第一章第一節四の3を参照。(編者)

五　納税管理人

　第三編第一章第一節五の2の①《納税管理人》の規定により定められた個人の市町村民税の納税管理人は、当該納税義務者に係る個人の道府県民税の納税管理人として、納税に関する一切の事項を処理しなければならない。(法28)

　　(個人の市町村民税の納税管理人と個人の道府県民税の納税管理人の関係)
　注　個人の市町村民税の納税管理人は法律上当然に個人の道府県民税の納税管理人となるものであり、別に申告等の手続をすることを要しないものであること。なお、同一人が二以上の市町村において市町村民税の納税管理人を定めた場合においては、それらの者は、それぞれ当該市町村を通じて納付すべき道府県民税について納税管理人となるものであること。(県通2－7)

第二節　所得割の課税標準及びその計算

一　所得割の課税標準

1　所得割の課税標準の算定

　所得割の課税標準は、前年の所得について算定した総所得金額並びに上場株式等に係る配当所得等の金額、土地等に係る事業所得等の金額、長期譲渡所得の金額、短期譲渡所得の金額、一般株式等に係る譲渡所得等の金額、上場株式等に係る譲渡所得等の金額及び先物取引に係る雑所得等の金額(以下これらを第一章において「**総所得金額等**」という。)、退職所得金額及び山林所得金額とする。(法32①、法附33の2③二、33の3③二、34③二、35④二、35の2④二、35の2の2④、35の4②二)

　　(市町村民税の所得割の課税標準と道府県民税の所得割の課税標準との関係)
　注　所得割の課税標準の基礎となる総所得金額等、退職所得金額又は山林所得金額の計算及び所得控除の計算《第三節》は、市町村民税の場合と全く同様であり、これと異なる計算を行うことはできないものであること。したがって、課税総所得金額、課税退職所得金額又は課税山林所得金額は、市町村民税の場合と同額となるものであること。(県通2－8)

2　総所得金額等の算定方法

　1の総所得金額等、退職所得金額又は山林所得金額は、この法律又はこれに基づく政令で特別の定めをする場合を除くほか、それぞれ所得税法その他の所得税に関する法令の規定による所得税法第22条第2項又は第3項《総所得金額等の計算》の総所得金額、退職所得金額又は山林所得金額の計算の例により算定するものとする。ただし、同法第60条の2から第60条の4までの規定《国外転出をする場合の譲渡所得等の特例、贈与等により非居住者に資産が移転した場合の譲渡所得等の特例及び外国転出時課税の規定の適用を受けた場合の譲渡所得等の特例》の例によらないものとする。(法32②、法附33の2③二、33の3③二、34③二、35④二、35の2④二、35の4②二)

(総所得金額の算定の特例)
(1) 2の規定により1の総所得金額を算定する場合には、所得税法第35条第4項第1号中「第2条第1項第30号（定義）に規定する合計所得金額」とあるのは「地方税法第23条第1項第13号に規定する合計所得金額」と、租税特別措置法第41条の3の3第4項第3号中「所得税法第2条第1項第34号に規定する扶養親族」とあるのは「地方税法第23条第1項第9号に規定する扶養親族」と、同項第4号中「所得税法第2条第1項第33号に規定する同一生計配偶者」とあるのは「地方税法第23条第1項第7号に規定する同一生計配偶者」と、同法第41条の15の3第1項中「同条第4項（同法第165条第1項において適用する場合を含む。）」とあるのは「地方税法第32条第2項の規定によりその例によることとされる所得税法第35条第4項」と、「については、同法」とあるのは「については、地方税法施行令第7条の10の5の規定により読み替えられた同法」として、これらの規定の例によるものとする。（令7の10の5）

　　(注)　(1)中＿＿部分「第41条の3の3」を「第41条の3の11」に改める令和6年度改正規定は、令和7年1月1日以後適用する。（令6改令附1一）

(非居住者期間を有する所得割の納税義務者の課税標準の算定)
(2) 前年中に所得税法第2条第1項第5号《非居住者の定義》に規定する非居住者であった期間を有する者の同法第7条第1項第1号及び第2号《居住者の課税所得の範囲》に規定する所得並びに同法第164条《非居住者に対する課税の方法》に規定する国内源泉所得に係る1の総所得金額等（上場株式等に係る配当所得等の金額は、第五節五の5の①又は②の適用後の金額とし、一般株式等に係る譲渡所得等の金額は、同節六の2の①の適用後の金額とし、上場株式等に係る譲渡所得等の金額は、同節五の5の②又は同節六の2の①の適用後の金額とし、先物取引に係る雑所得等の金額は同節七の2の適用後の金額とする。）、退職所得金額又は山林所得金額は、法又は法に基づく政令で特別の定めをする場合を除くほか、所得税法その他の所得税に関する法令の規定による同法第165条《非居住者に対する総合課税に係る所得税の課税標準、税額等の計算》及び所得税法施行令第258条《年の中途で非居住者が居住者となった場合の税額の計算》の所得税の課税標準の計算の例によって算定するものとする。（令7の11①、令附16の2の11①、16の3③、17②、17の3④、18⑤、18の5⑩四、⑪四、18の6⑯、18の7③、18の7の2⑦）

(読替規定)
(3) (2)の規定により(2)の総所得金額を算定する場合には、所得税法第165条の規定により準ずることとされる同法第35条第4項第1号中「第2条第1項第30号（定義）に規定する合計所得金額」とあるのは「地方税法第23条第1項第13号に規定する合計所得金額」と、租税特別措置法第41条の3の3第4項第3号中「所得税法第2条第1項第34号に規定する扶養親族」とあるのは「地方税法第23条第1項第9号に規定する扶養親族」と、同項第4号中「所得税法第2条第1項第33号に規定する同一生計配偶者」とあるのは「地方税法第23条第1項第7号に規定する同一生計配偶者」と、同法第41条の15の3第1項中「同条第4項（同法第165条第1項において適用する場合を含む。）」とあるのは「同法第165条の規定により準ずることとされる同法第35条第4項」と、「については、同法」とあるのは「については、地方税法施行令第7条の11第2項の規定により読み替えられた同法」と、所得税法施行令第258条第2項中「法第35条第4項」とあるのは「地方税法施行令第7条の11第2項の規定により読み替えられた法第35条第4項」として、これらの規定の例によるものとする。（令7の11②）

　　(注)　(3)中＿＿部分「第41条の3の3」を「第41条の3の11」に改める令和6年度改正規定は、令和7年1月1日以後適用する。（令6改令附1一）

二　親族が事業から受ける対価

1　青色事業専従者給与の必要経費算入等

　所得税法第2条第1項第40号《青色申告書の定義》に規定する青色申告書（三及び六の1において「**青色申告書**」という。）を提出することにつき国の税務官署の承認を受けている所得割の納税義務者と生計を一にする配偶者その他の親族（年齢15歳未満である者を除く。）で、専ら当該納税義務者の営む同法第56条《事業から対価を受ける親族がある場合の必要経費の特例》に規定する事業に従事するもの（以下1において「**青色事業専従者**」という。）が、当該事業から同法第57条第2項《青色事業専従者給与に関する届出書》の書類に記載されている方法に従いその記載されている金額の範囲内において給与の支払を受けた場合には、同条第1項《青色事業専従者給与額》の規定による計算の例により当該納税義務者の不動産所得の金額、事業所得の金額又は山林所得の金額及び当該青色事業専従者の給与所得の金額を算定するものとする。前年分の所得税につき納税義務を負わないと認められたことその他前年分の所得税につき青色事業専従者を所得税法第2条第1項第33号《同一生計配偶者の定義》の同一生計配偶者又は同項第34号《扶養親族の定義》の扶養親族としたこ

とにより青色事業専従者給与に関する届出書を提出しなかった所得割の納税義務者に係る青色事業専従者が当該事業から給与の支払を受けた場合において、青色事業専従者給与額（所得税法第57条第１項の規定による計算の例によって算定した同項の必要経費に算入される金額をいう。）に関する事項を記載した道府県民税に関する申告書（第六節八の１の④の(1)《前年前３年内に生じた居住用財産の買換え等の場合の通算後譲渡損失の金額の繰越控除の適用がある場合の読替え》又は(3)《前年前３年内に生じた特定居住用財産の通算後譲渡損失の金額の繰越控除の適用がある場合の読替え》の規定により読み替えて適用される同④の規定、第五節五の４の②のロ《前年前３年内に生じた上場株式等に係る譲渡損失の繰越控除の適用がある場合の準用》において準用する第六節八の１の④の規定、第五節六の５において準用する第六節八の１の④の規定及び第五節七の２の③において準用する第六節八の１の④の規定による申告書を含む。）（当該事項の記載がないことについてやむを得ない事情があると市町村長が認めるものを含む。）を提出しているとき（その提出期限後において道府県民税の納税通知書が送達される時までに提出しているときを含む。）及び同１の①《申告書の記載事項》のただし書の規定により道府県民税に関する申告書を提出する義務がないときも、同様とする。（法32③、令７の５③、令附４⑬、４の２⑫、18の５⑫、18の６⑰、18の７の２⑧）

(注)　１の規定は、一の２に掲げる非居住者に係る総所得金額等、退職所得金額又は山林所得金額の算定について準用する。（令７の11②、令附16の２の11①、16の３③、17②、17の３④、18⑤、18の５⑩⑪、18の６⑯、18の７③、18の７の２⑦、平20改令附３⑧⑬）

　　　（事業に専ら従事する親族の範囲）
（１）　１及び２の所得割の納税義務者と生計を一にする配偶者その他の親族で専ら当該納税義務者の経営する事業に従事するものとは、その年を通じて６月を超える期間当該納税義務者の経営する所得税法第56条《事業から対価を受ける親族がある場合の必要経費の特例》に規定する事業に専ら従事する者をいう。ただし、１の場合において、次の各号のいずれかに該当するときは、当該事業に従事することができると認められる期間を通じてその２分の１に相当する期間を超える期間当該事業に専ら従事すれば足りるものとする。（令７の５①）
（一）　当該事業が年の中途における開業、廃業、休業又はその所得割の納税義務者の死亡、当該事業が季節営業であることその他の理由によりその年中を通じて営まれなかったこと。
（二）　当該事業に従事する者の死亡、長期にわたる病気、婚姻その他相当の理由によりその年中を通じてその所得割の納税義務者と生計を一にする親族として当該事業に従事することができなかったこと。

　　　（事業に専ら従事する者に該当しないもの）
（２）　（１）の場合において、次の各号のいずれかに該当する者は、（１）の事業に従事していても、その該当する者である期間は、当該事業に専ら従事する者に該当しないものとする。（令７の５②）
（一）　学校教育法第１条《学校の範囲》、第82条の２《専修学校》又は第83条《各種学校》の学校の学生又は生徒である者（夜間において授業を受ける者で昼間を主とする当該事業に従事するもの、昼間において授業を受ける者で夜間を主とする当該事業に従事するもの、同法第82条の２又は第83条の学校の生徒で常時修学しないものその他事業に専ら従事することが妨げられないと認められる者を除く。）
（二）　他に職業を有する者（その職業に従事する時間が短い者その他事業に専ら従事することが妨げられないと認められる者を除く。）
（三）　老衰その他心身の障害により事業に従事する能力が著しく阻害されている者

　　　（親族の年齢が15歳未満であるかどうかの判定）
（３）　１又は２の場合において、親族の年齢が15歳未満であるかどうかの判定は、前年の12月31日（前年の中途においてその者が死亡した場合には、死亡当時）の現況によるものとする。（法32⑦）

２　事業専従者がある場合の必要経費の特例

①　事業専従者控除額の必要経費算入

　所得割の納税義務者（１に該当する者を除く。）が所得税法第56条に規定する事業を経営している場合において、その納税義務者と生計を一にする配偶者その他の親族（年齢15歳未満である者を除く。）で専ら当該事業に従事するもの（以下「**事業専従者**」という。）があるときは、各事業専従者について、次の各号に掲げる金額のうちいずれか低い金額を当該事業に係る不動産所得の金額、事業所得の金額又は山林所得の金額の計算上必要経費とみなす。（法32④）

　上記により必要経費とみなされた金額（以下「**事業専従者控除額**」という。）は、事業専従者の給与所得に係る収入金額とみなす。（法32⑤）

(一)	次に掲げる事業専従者の区分に応じそれぞれ次に定める金額 イ　当該納税義務者の配偶者である事業専従者　　86万円 ロ　イに掲げる者以外の事業専従者　　50万円
(二)	当該事業に係る不動産所得の金額、事業所得の金額又は山林所得の金額（①の規定を適用しないで計算した金額とする。）を事業専従者の数に1を加えた数で除して得た金額

(注)　①の規定は、一の2の注に掲げる非居住者に係る総所得金額等、退職所得金額又は山林所得金額の算定について準用する。（令7の11②、令附16の2の11①、16の3③、17②、17の3④、18⑤、18の5⑩⑪、18の6⑯、18の7③、18の7の2⑦、平20改令附3⑧⑬）

　　　　（事業専従者控除額の計算上の事業所得の金額）
（1）　①の表の（二）の不動産所得の金額、事業所得の金額又は山林所得の金額は、それぞれ所得税法第26条第2項《不動産所得の金額》に規定する不動産所得の金額、同法第27条第2項《事業所得の金額》に規定する事業所得の金額又は同法第32条第3項《山林所得の特別控除額》に規定する残額とする。（令7の6）

　　　　（事業が二以上ある場合における事業専従者控除額の計算）
（2）　所得割の納税義務者が不動産所得、事業所得又は山林所得のうち二以上の所得を生ずべき事業（①の事業専従者の従事する事業に限る。）を経営する場合における①の表の（二）の適用については、当該事業に係る同（二）の不動産所得の金額、事業所得の金額又は山林所得の金額の合計額及び当該事業に従事するすべての事業専従者の数を基礎として同（二）の規定による金額を計算するものとする。（令7の7）

　　　　（事業専従者が二以上の事業に従事した場合の事業専従者控除額の配分）
（3）　所得割の納税義務者が不動産所得、事業所得又は山林所得のうち二以上の所得を生ずべき事業を経営し、かつ、同一の事業専従者が二以上の当該事業に従事する場合には、当該事業に係る①の事業専従者控除額は、当該事業専従者に係る事業専従者控除額を当該事業専従者のそれぞれの事業に従事した分量に応じて配分して計算した金額とする。ただし、その分量が明らかでない場合は、それぞれの事業に均等に従事したものとして計算した金額によるものとする。（令7の8）

② **申告書への記載等**

　①の前段の規定は、道府県民税に関する申告書（その提出期限後において道府県民税の納税通知書が送達される時までに提出されたもの及びその時までに提出された第六節八の1の④の(1)《前年前3年内に生じた居住用財産の買換え等の場合の通算後譲渡損失の金額の繰越控除の適用がある場合の読替え》又は(3)《前年前3年内に生じた特定居住用財産の通算後譲渡損失の金額の繰越控除の適用がある場合の読替え》の規定により読み替えて適用される同④の規定、第五節五の5の②のロ《前年前3年内に生じた上場株式等に係る譲渡損失の繰越控除の適用がある場合の準用》において準用する第六節八の1の④の規定、第五節六の5において準用する第六節八の1の④の規定及び第五節七の2の③において準用する第六節八の1の④の規定による申告書を含む。）に事業専従者控除額に関する事項の記載がない場合には、適用しない。ただし、第六節八の1の①《申告書の記載事項等》のただし書の規定により道府県民税に関する申告書を提出する義務がない場合又は当該申告書に当該事項の記載がないことについてやむを得ない事情があると市町村長が認める場合は、この限りでない。（法32⑥、令附4⑬、4の2⑫、18の5⑫、18の6⑰、18の7の2⑧）

三　損失の繰越控除

1　青色申告者の純損失の繰越控除

　一及び二の規定により所得割の納税義務者の総所得金額等、退職所得金額又は山林所得金額を算定する場合において、当該納税義務者の前年前3年間における総所得金額等、退職所得金額又は山林所得金額の計算上生じた所得税法第2条第1項第25号《純損失の金額の定義》の純損失の金額（1の規定により前年前において控除されたものを除く。）は、当該純損失の金額が生じた年分の所得税につき青色申告書を提出し、かつ、当該純損失の金額の生じた年の末日の属する年度の翌々年度以後の年度分の道府県民税について連続して第六節八の1の①《申告書の記載事項等》又は③《給与所得以外の所得又は公的年金等に係る所得以外の所得を有しない者が雑損控除等の控除を受ける場合の申告》の規定による道府県民税に関する申告書（同1の④の(1)《前年前3年内に生じた居住用財産の買換え等の場合の通算後譲渡損失の金額の繰越控除の適用がある場合の読替え》又は(3)《前年前3年内に生じた特定居住用財産の通算後譲渡損失の金額の繰越控除の

適用がある場合の読替え》の規定により読み替えて適用される同④の規定、第五節五の5の②のロ《前年前3年内に生じた上場株式等に係る譲渡損失の繰越控除の適用がある場合の準用》において準用する第六節八の1の④の規定、第五節六の5において準用する第六節八の1の④の規定及び第五節七の2の③において準用する第六節八の1の④の規定による申告書を含む。)を連続して提出しているときに限り、当該納税義務者の総所得金額等、退職所得金額又は山林所得金額の計算上控除する。(法32⑧、法附33の3③三、令附4⑬、4の2⑫、18の5⑫、18の6⑰、18の7の2⑧)

(注1) 総所得金額等のうちに上場株式等に係る配当所得等の金額、土地建物等の長期譲渡所得・短期譲渡所得の金額、一般株式等に係る譲渡所得等の金額、上場株式等に係る譲渡所得等の金額又は先物取引に係る雑所得等の金額がある場合には、これらの金額からは、1に規定する純損失の金額を控除することができない(法附33の2③三、34③三、35④三、35の2④三、35の2の2④、35の4②三、平20改法附3⑳)ことに留意する。(編者)

(注2) 東日本大震災に係る損失の繰越控除の特例については、7を参照。(編者)

(居住用財産の買換え等の場合の譲渡損失に係る純損失の金額がある場合の適用)

(1) 道府県民税の所得割の納税義務者の前年前3年間において生じた純損失の金額のうちに特定純損失の金額(適用期間内に行った譲渡資産の特定譲渡による譲渡所得の金額の計算上生じた損失の金額に係る純損失の金額として(2)で定めるところにより計算した金額をいう。)がある場合における1の規定の適用については、1中「控除されたもの」とあるのは、「控除されたもの及び(1)に規定する特定純損失の金額」とする。(法附4⑤)

(注) 「適用期間」、「譲渡資産」及び「特定譲渡」については、5の③を参照。(編者)

(買換え等の場合の譲渡資産の特定譲渡により生じた損失の金額に係る純損失の金額)

(2) (1)に規定する(2)で定めるところにより計算した金額は、所得税法その他の所得税に関する法令の規定の例により計算したその年における譲渡資産の特定譲渡(5の③に規定する適用期間内に行ったものに限る。)による譲渡所得の金額の計算上生じた損失の金額に係る居住用財産の譲渡損失の金額のうち、その年において生じた純損失の金額から当該純損失の金額が生じた年分の所得税法その他の所得税に関する法令の規定の例により計算した不動産所得の金額、事業所得の金額、山林所得の金額又は譲渡所得の金額(第五節三の1の①に規定する長期譲渡所得の金額及び同節四の1に規定する短期譲渡所得の金額を除く。)の計算上生じた損失の金額の合計額(当該合計額が当該純損失の金額を超える場合には、当該純損失の金額に相当する金額)を控除した金額に達するまでの金額とする。(令附4⑧)

(注) 「譲渡資産」及び「特定譲渡」については、5の③の(2)を参照。(編者)

(特定居住用財産の譲渡損失に係る純損失の金額がある場合の適用)

(3) 道府県民税の所得割の納税義務者の前年前3年間において生じた純損失の金額のうちに特定純損失の金額(適用期間内に行った譲渡資産の特定譲渡による譲渡所得の金額の計算上生じた損失の金額に係る純損失の金額として(4)で定めるところにより計算した金額をいう。)がある場合における1の規定の適用については、1中「控除されたもの」とあるのは、「控除されたもの及び(3)に規定する特定純損失の金額」とする。(法附4の2⑤)

(注) 「適用期間」、「譲渡資産」及び「特定譲渡」については、6の③を参照。(編者)

(特定居住用財産の特定譲渡により生じた損失の金額に係る純損失の金額)

(4) (3)に規定する(4)で定めるところにより計算した金額は、所得税法その他の所得税に関する法令の規定の例により計算したその年における譲渡資産の特定譲渡(6の③に規定する適用期間内に行ったものに限る。)による譲渡所得の金額の計算上生じた損失の金額に係る特定居住用財産の譲渡損失の金額のうち、その年において生じた純損失の金額から当該純損失の金額が生じた年分の所得税法その他の所得税に関する法令の規定の例により計算した不動産所得の金額、事業所得の金額、山林所得の金額又は譲渡所得の金額(第五節三の1の①に規定する長期譲渡所得の金額及び同節四の1に規定する短期譲渡所得の金額を除く。)の計算上生じた損失の金額の合計額(当該合計額が当該純損失の金額を超える場合には、当該純損失の金額に相当する金額)を控除した金額に達するまでの金額とする。(令附4の2⑦)

(注) 「譲渡資産」及び「特定譲渡」については、6の③の(2)を参照。(編者)

2 変動所得の損失・被災事業用資産の損失・雑損失の繰越控除

1の適用がない場合においても、所得割の納税義務者の前年前3年内の各年における総所得金額等、退職所得金額若しくは山林所得金額の計算上各年に生じた1の純損失の金額(1の規定により前年前において控除されたものを除く。)のうち、当該各年に生じた変動所得(漁獲から生ずる所得、著作権の使用料に係る所得その他の所得で年々の変動の著しいもののうち漁獲若しくはのりの採取から生ずる所得、はまち、まだい、ひらめ、かき、うなぎ、ほたて貝若しくは真珠(真

第二編第一章《個人の道府県民税》第二節《所得割の課税標準及びその計算》

珠貝を含む。）の養殖から生ずる所得、原稿若しくは作曲の報酬に係る所得又は著作権の使用料に係る所得をいう。）の金額の計算上生じた損失の金額若しくは被災事業用資産の損失の金額に達するまでの金額（既に２の規定により前年前において控除されたものを除く。）又は当該納税義務者の前年前３年内の各年に生じた雑損失の金額（第三節一の１《雑損控除額》の表のイ、ロ又はハに掲げる場合の区分に応じ、それぞれ同イ、ロ又はハに定める金額を超える場合におけるその超える金額をいい、２又は第三節一《所得控除額》の規定により前年前において控除されたものを除く。）は、当該純損失又は雑損失の金額の生じた年の末日の属する年度の翌年度の道府県民税について第六節八の１の①又は③の規定による道府県民税に関する申告書（第六節八の１の④の（１）《前年前３年内に生じた居住用財産の買換え等の場合の通算後譲渡損失の金額の繰越控除の適用がある場合の読替え》又は（３）《前年前３年内に生じた特定居住用財産の通算後譲渡損失の金額の繰越控除の適用がある場合の読替え》の規定により読み替えて適用される同④の規定による申告書、第五節五の４の②のロ《前年前３年内に生じた上場株式等に係る譲渡損失の繰越控除の適用がある場合の準用》において準用する第六節八の１の④の規定による申告書、第五節六の５《特定株式の譲渡損失の金額がある場合の申告》において準用する第六節八の１の④の規定による申告書及び第五節七の２の③《先物取引の差金等決済に係る損失の繰越控除を受ける場合の申告》において準用する第六節八の１の④の規定による申告書を含む。）を提出し、かつ、その後の年度分の道府県民税について連続してこれらの申告書を提出しているときに限り、当該納税義務者の総所得金額等、退職所得金額又は山林所得金額の計算上控除するものとする。（法32⑨、法附33の３③三、令７の９の２、７の９の３、令附４⑬、４の２⑫、18の５⑨、18の６⑮、18の７の２⑥）

(注１)　総所得金額等のうちに上場株式等に係る配当所得等の金額、土地建物等の長期譲渡所得・短期譲渡所得の金額、一般株式等に係る譲渡所得等の金額、上場株式等に係る譲渡所得等の金額又は先物取引に係る雑所得等の金額がある場合には、これらの金額からは、雑損失の金額のみを控除することができる。（法附33の２③三、34③三、35④三、35の２④三、35の２の２④、35の４②三、平20改法附３⑳）（編者）

(注２)　東日本大震災に係る損失の繰越控除の特例については、７を参照。(編者)

３　被災事業用資産の損失の金額

２の「被災事業用資産の損失の金額」とは、たな卸資産（事業所得を生ずべき事業に係る商品、製品、半製品、仕掛品、原材料その他の資産（有価証券及び山林を除く。）でたな卸をすべきものとして(１)で定めるものをいう。）、不動産所得、事業所得若しくは山林所得を生ずべき事業の用に供される固定資産その他これに準ずる資産で(２)で定めるもの又は山林の災害（震災、風水害、火災その他(３)で定める災害をいう。以下同じ。）による損失の金額（その災害に関連するやむを得ない支出で次に掲げるものの金額を含むものとし、保険金、損害賠償金その他これらに類するものにより埋められた部分の金額を除く。）で２の変動所得の金額の計算上生じた損失の金額に該当しないものをいう。（法32⑩、令７の10の４）

(一)	災害により３に規定する資産（以下「事業用資産」という。）が滅失し、損壊し、又はその価値が減少したことによる当該事業用資産の取壊し又は除去のための費用その他の付随費用
(二)	災害により事業用資産が損壊し、又はその価値が減少した場合その他災害により当該事業用資産を業務の用に供することが困難となった場合において、その災害のやんだ日の翌日から１年を経過する日（大規模な災害の場合その他やむを得ない事情がある場合には、３年を経過する日）までに支出する次に掲げる費用その他これらに類する費用 　イ　災害により生じた土砂その他の障害物を除去するための費用 　ロ　当該事業用資産の原状回復のための修繕費 　ハ　当該事業用資産の損壊又はその価値の減少を防止するための費用
(三)	災害により事業用資産につき現に被害が生じ、又はまさに被害が生ずるおそれがあると見込まれる場合において、当該事業用資産に係る被害の拡大又は発生を防止するため緊急に必要な措置を講ずるための費用

(たな卸資産の範囲)
(１)　３のたな卸をすべきものとされる資産は、次に掲げる資産とする。（令７の10）
　イ　商品又は製品（副産物及び作業くずを含む。）
　ロ　半製品
　ハ　仕掛品（半成工事を含む。）
　ニ　主要原材料
　ホ　補助原材料
　ヘ　消耗品で貯蔵中のもの
　ト　イからヘまでに掲げる資産に準ずるもの

(固定資産に準ずる資産の範囲)
(2) 3の固定資産に準ずる資産は、不動産所得、事業所得又は山林所得を生ずべき事業に係る所得税法第2条第1項第20号《繰延資産の定義》に規定する繰延資産のうちまだ必要経費に算入されていない部分とする。(令7の10の2)

(災害の範囲)
(3) 3のその他の災害は、冷害、雪害、干害、落雷、噴火その他の自然現象の異変による災害並びに鉱害、火薬類の爆発その他の人為による異常な災害及び害虫、害獣その他の生物による異常な災害とする。(令7の10の3)

4　純損失又は雑損失の繰越控除の順序

1又は2による損失の金額の控除に関しては、次に定めるところによる。(令7の9①、令附16の2の11①、16の3③、17②、17の3④、18⑤、18の5⑩⑪、18の6⑯、18の7③、18の7の2⑦、平20改令附3⑧⑬)

(一)	控除する損失の金額が前年前3年間（六の1から4までの規定の適用がある場合には、前年前5年間。(二)において同じ。）の2以上の年に生じたものであるときは、これらの年のうち最も前の年に生じた損失の部分の金額から順次控除を行う。	
(二)	前年前3年間の一の年において生じた損失の金額の控除については、次に定めるところによる	
	イ	純損失の金額のうちに総所得金額等の計算上の損失の部分の金額（一の2《所得割の総所得金額等の算出方法》により所得税法施行令第198条第1号から第5号まで《損益通算の順序》の規定による計算の例によってもなお控除することができない損失の金額をいう。以下4において同じ。）があるときは、これをまず総所得金額等から控除する。
	ロ	純損失の金額のうちに山林所得金額の計算上の損失の部分の金額（一の2の規定により所得税法施行令第198条第6号《山林所得の金額の損益通算》の規定による計算の例によってもなお控除することができない損失の金額をいう。以下4において同じ。）があるときは、これをまず山林所得金額から控除する。
	ハ	イによってもなお控除することができない総所得金額等の計算上の損失の部分の金額は、山林所得金額（ロによる控除が行われる場合には、当該控除後の金額）から控除し、次に退職所得金額から控除する。
	ニ	ロによってもなお控除することができない山林所得金額の計算上の損失の部分の金額は、総所得金額等（イによる控除が行われる場合には、当該控除後の金額）から控除し、次に退職所得金額（ハによる控除が行われる場合には、当該控除後の金額）から控除する。
	ホ	雑損失の金額で前年前において控除されなかった部分に相当する金額があるときは、これを総所得金額等、山林所得金額、退職所得金額（イからニまでによる控除が行われる場合には、それぞれこれらの控除後の金額）の順序に従い、順次その金額から控除する。
(三)	前年の所得の金額の計算上の損失の金額があるときは、まず一の2《所得割の総所得金額等の算定方法》の規定により所得税法第69条《損益通算》の規定の例による控除を行った後、1又は2による控除を行う。	

(注1)　総所得金額等のうちに上場株式等に係る配当所得、土地建物等の長期譲渡所得・短期譲渡所得の金額、一般株式等に係る譲渡所得等の金額、上場株式等に係る譲渡所得等の金額又は先物取引に係る雑所得等の金額がある場合には、1の(注)及び2の(注)を参照。(編者)
(注2)　東日本大震災に係る損失の繰越控除の特例については、7を参照。(編者)

(他の純損失金額の生じた年が特例対象純損失金額の生じた年又はその翌年である場合の控除)
(1)　4（1又は2の規定による純損失の金額の控除に係る部分に限る。以下(1)において同じ。）の規定の適用がある場合において、その者の有する他の純損失金額（六の1から3までに規定する特定非常災害発生年純損失金額、被災純損失金額及び特定非常災害発生年特定純損失金額（以下(1)及び(2)において「特例対象純損失金額」という。）以外の純損失の金額をいう。以下(1)及び(2)において同じ。）の生じた年がその者の有する特例対象純損失金額の生じた年又はその翌年であるときは、当該他の純損失金額は当該特例対象純損失金額よりも前の年に生じたものとして4の規定による控除を行う。(令7の9②)

(他の雑損失金額又は他の純損失金額の生じた年がその者の有する特例対象純損失金額又は特定雑損失金額の生じた年又はその翌年である場合の控除)
(2)　4（2の規定による雑損失の金額の控除に係る部分に限る。以下(2)において同じ。）の規定の適用がある場合に

おいて、その者の有する他の雑損失金額（六の４に規定する特定雑損失金額（以下（２）及び第三節一の１の（７）において「特定雑損失金額」という。）以外の雑損失の金額をいう。以下（２）及び第三節一の１の（７）において同じ。）又は他の純損失金額の生じた年がその者の有する特例対象純損失金額又は特定雑損失金額の生じた年又はその翌年であるときは、当該他の雑損失金額又は当該他の純損失金額は当該特例対象純損失金額又は当該特定雑損失金額よりも前の年に生じたものとして４の規定による控除を行う。（令７の９③）

５　居住用財産の買換え等の場合の譲渡損失の損益通算及び繰越控除

①　損益通算の適用の特例
　道府県民税の所得割の納税義務者の平成17年度以後の各年度分の道府県民税に係る譲渡所得の金額の計算上生じた居住用財産の譲渡損失の金額がある場合には、当該居住用財産の譲渡損失の金額については、第五節三の１の②《長期譲渡所得の損益通算の不適用》の規定は、適用しない。ただし、当該納税義務者が前年前３年内の年において生じた当該居住用財産の譲渡損失の金額以外の居住用財産の譲渡損失の金額につき①の規定の適用を受けているときは、この限りでない。（法附４②）

②　申告要件
　①の規定は、当該居住用財産の譲渡損失の金額が生じた年の末日の属する年度の翌年度分の第六節八の１の①《申告書の記載事項》又は③《給与所得以外の所得又は公的年金等に係る所得以外の所得を有しない者が雑損控除等の控除を受ける場合の申告》の規定による申告書（その提出期限後において道府県民税の納税通知書が送達される時までに提出されたもの及びその時までに提出された同節八の３の①の確定申告書を含む。）に①の規定の適用を受けようとする旨の記載があるとき（これらの申告書にその記載がないことについてやむを得ない理由があると市町村長が認めるときを含む。）に限り、適用する。（法附４③）

③　居住用財産の譲渡損失の金額の意義
　道府県民税の所得割の納税義務者が、平成11年１月１日から令和７年12月31日までの期間（以下５において「**適用期間**」という。）内に、租税特別措置法第41条の５《居住用財産の買換え等の場合の譲渡損失の損益通算及び繰越控除》第７項第１号に規定する譲渡資産（以下５において「**譲渡資産**」という。）の同号に規定する特定譲渡（以下５において「**特定譲渡**」という。）をした場合（当該納税義務者がその年の前年若しくは前々年における資産の譲渡につき同法第31条の３第１項《居住用財産を譲渡した場合の長期譲渡所得の課税の特例》、第35条第１項《居住用財産の譲渡所得の特別控除》（同条第３項《空き家に係る譲渡所得の特別控除の特例》の規定により適用する場合を除く。）、第36条の２若しくは第36条の５《特定の居住用財産の買換え・交換の場合の長期譲渡所得の課税の特例》の規定の適用を受けている場合又は当該納税義務者がその年若しくはその年の前年以前３年内における資産の譲渡につき６の①の規定の適用を受け、若しくは受けている場合を除く。）において、平成11年１月１日（当該特定譲渡の日が平成12年１月１日以後であるときは、当該特定譲渡の日の属する年の前年１月１日）から当該特定譲渡の日の属する年の翌年12月31日（特定非常災害の被害者の権利利益の保全等を図るための特別措置に関する法律第２条第１項の規定により特定非常災害として指定された非常災害に基因するやむを得ない事情により、同日までに同号に規定する買換資産（以下５において「**買換資産**」という。）の同号に規定する取得（以下５において「**取得**」という。）をすることが困難となった場合において、同日後２年以内に買換資産の取得をする見込みであり、かつ、（３）で定めるところにより市町村長の承認を受けたとき（同号の税務署長の承認を受けたときを含む。）は、同日の属する年の翌々年12月31日。④において「取得期限」という。）までの間に、買換資産の取得をして当該取得をした日の属する年の12月31日において当該買換資産に係る住宅借入金等の金額を有し、かつ、当該取得の日から当該取得の日の属する年の翌年12月31日までの間に当該納税義務者の居住の用に供したとき、又は供する見込みであるときにおける当該譲渡資産の特定譲渡（その年において当該特定譲渡が二以上ある場合には、当該納税義務者が（１）で定めるところにより選定した一の特定譲渡に限る。）による譲渡所得の金額の計算上生じた損失の金額のうち、当該特定譲渡をした日の属する年の末日の属する年度の翌年度分の道府県民税に係る第五節三の１の①に規定する長期譲渡所得の金額又は同節四の１に規定する短期譲渡所得の金額の計算上控除してもなお控除することができない部分の金額として（２）で定めるところにより計算した金額をいう。（法附４①一）

　　　（特定譲渡の選定）
（１）　③の選定は、③に規定する納税義務者が、②の規定により提出すべき③に掲げる居住用財産の譲渡損失の金額が生じた年の末日の属する年度の翌年度の道府県民税の申告書に、総務省令で定める附属申告書《特定の居住用財産の

譲渡損失明細書》を添付し、当該附属申告書に一の特定譲渡（③に規定する特定譲渡をいう。以下同じ。）に係る居住用財産の譲渡損失の金額の控除に関する事項を記載することにより行うものとする。（令附４①）

   （控除しきれない部分の金額）
（２）　③に規定する（２）で定めるところにより計算した金額は、所得税法その他の所得税に関する法令の規定の例により計算した③に規定する譲渡資産の特定譲渡（その年において当該特定譲渡が二以上ある場合には、当該納税義務者が（１）の規定により選定した一の特定譲渡に限る。以下５において同じ。）による譲渡所得の金額の計算上生じた損失の金額のうち、当該特定譲渡をした日の属する年の末日の属する年度の翌年度分の道府県民税に係る第五節三の１（同２又は同３の規定により適用される場合を含む。以下５において同じ。）に規定する長期譲渡所得の金額の計算上生じた損失の金額（当該長期譲渡所得の金額の計算上生じた損失の金額のうちに同節四の１の規定により同１に規定する短期譲渡所得の金額の計算上控除する金額がある場合には、当該長期譲渡所得の金額の計算上生じた損失の金額から当該控除する金額に相当する金額を控除した金額）に達するまでの金額とする。（令附４②）

   （居住用財産の買換え等の場合の譲渡損失の損益通算及び繰越控除）
（３）　③に規定する市町村長の承認を受けようとする納税義務者は、③に規定する取得期限の属する年の翌年３月15日までに、特定譲渡をした譲渡資産について③の承認を受けようとする旨、③の特定非常災害として指定された非常災害に基因するやむを得ない事情により買換資産の取得をすることが困難であると認められる事情の詳細、取得をする予定の買換資産の取得予定年月日及びその取得価額の見積額その他の明細を記載した申請書に、当該非常災害に基因するやむを得ない事情により買換資産の取得をすることが困難であると認められる事情を証する書類を添付して、当該市町村長に提出しなければならない。ただし、市町村長においてやむを得ない事情があると認める場合には、当該書類を添付することを要しない。（規附２①）

④　買換資産を取得しない場合等の申告
 ①の規定の適用を受けた者は、取得期限までに買換資産の取得をしない場合、買換資産の取得をした日の属する年の12月31日において当該買換資産に係る住宅借入金等の金額を有しない場合又は買換資産の取得をした日の属する年の翌年12月31日までに当該買換資産をその者の居住の用に供しない場合には、取得期限又は同日から４月を経過する日までに（１）で定めるところにより、その旨を市町村長に申告しなければならない。（法附４⑭）

   （申告の手続）
（１）　④の規定による申告は、次の各号に掲げる場合の区分に応じ当該各号に掲げる事項を記載した様式によってしなければならない。（規附２③）
 （一）　特定譲渡の日の属する年の翌年12月31日までに買換資産の取得をしない場合
  イ　譲渡資産の所在地及び当該譲渡の年月日
  ロ　当該買換資産の取得をしないこととなった旨
  ハ　当該納税義務者の氏名及び住所
  ニ　その他参考となるべき事項
 （二）　買換資産の取得をした日の属する年の12月31日において当該買換資産に係る⑥の（二）に規定する住宅借入金等（以下「住宅借入金等」という。）の金額を有しない場合
  イ　（一）のイ、ハ及びニに掲げる事項
  ロ　取得をした買換資産の所在地及び当該取得の年月日
  ハ　当該買換資産に係る住宅借入金等の金額を有しないこととなった旨
 （三）　買換資産の取得をした日の属する年の翌年12月31日までに当該買換資産をその者の居住の用に供しない場合
  イ　（二）のイ及びロに掲げる事項
  ロ　当該買換資産を居住の用に供しないこととなった旨

   （賦課決定等の期間制限又は消滅時効の特例）
（２）　④に定める場合に課されることとなる道府県民税の所得割については、第一編第七章一の２の③《賦課決定の期間制限》及び④《課税標準又は税額を減少させる賦課決定の期間制限》並びに同章二の１《地方税の消滅時効》中「法定納期限」とあるのは、「第二編第一章第二節三の５の④《買換資産を取得しない場合等の申告》に規定する申告の期限」とする。（法附４⑯一）

⑤　繰越控除の適用の特例
　道府県民税の所得割の納税義務者の前年前３年内の年に生じた通算後譲渡損失の金額（⑤の規定により前年前において控除されたものを除く。）は、当該納税義務者が前年12月31日において当該通算後譲渡損失の金額に係る買換資産に係る住宅借入金等の金額を有する場合において、居住用財産の譲渡損失の金額の生じた年の末日の属する年度の翌年度の道府県民税について②の申告書を提出した場合であって、その後の年度分の道府県民税について連続して通算後譲渡損失の金額の控除に関する事項を記載した第六節八の１の①又は③の規定による申告書（その提出期限後において道府県民税の納税通知書が送達される時までに提出されたもの及びその時までに提出された同④の（１）の規定により読み替えて適用される同④《給与所得以外の所得又は公的年金等に係る所得以外の所得を有しない者等に純損失又は雑損失の金額がある場合の申告》の規定による申告書を含む。以下⑤において同じ。）を提出しているときに限り、第五節三の１の②の規定にかかわらず、（１）で定めるところにより、当該納税義務者の当該連続して提出された申告書に係る各年度分の道府県民税に係る同１の①に規定する長期譲渡所得の金額、同節四の１に規定する短期譲渡所得の金額、総所得金額、同節二の１に規定する土地等に係る事業所得等の金額、退職所得金額又は山林所得金額の計算上控除する。ただし、当該納税義務者の前年の合計所得金額が3,000万円を超える年度分の道府県民税の所得割については、この限りでない。（法附４④、33の２③一、33の３③一、34③一、35④一、35の２④一、35の２の２④、35の４②一、令附４⑨、平20改法附３⑬、⑳）
　　（注）　「合計所得金額」の意義は、第一節一の１の（十二）を参照。（編者）

　　　　（通算後譲渡損失の金額の控除順序）
（１）　⑤に規定する通算後譲渡損失の金額に相当する金額は、第五節三の１に規定する長期譲渡所得の金額、同節四の１に規定する短期譲渡所得の金額、総所得金額、同節二の１に規定する土地等に係る事業所得等の金額、山林所得金額又は退職所得金額から順次控除する。（令附４⑤⑩）

　　　　（他の損失の金額がある場合の控除順序）
（２）　道府県民税の所得割の納税義務者の当該年度の初日の属する年の前年の所得の金額の計算上生じた損失の金額がある場合又は１若しくは２の規定による控除が行われる場合には、まず一の２《所得割の総所得金額等の算定方法》の規定による所得税法第69条《損益通算》の規定の例による控除並びに１及び２（純損失の金額に係る部分に限る。）の規定による控除を行い、次に⑤の規定による控除及び２（雑損失の金額に係る部分に限る。）の規定による控除を順次行う。この場合において、控除する純損失の金額及び控除する雑損失の金額が前年前３年間（六の１から４までの規定の適用がある場合には、前年前５年間）の２以上の年に生じたものであるときは、これらの年のうち最も前の年に生じた損失の部分の金額から順次控除を行う。（令附４⑥）

　　　　（通算後譲渡損失の金額の生じた年がその者の有する特例対象純損失金額等の生じた年又はその翌年である場合の控除）
（３）　（２）の規定の適用がある場合において、その者の有する⑥に規定する通算後譲渡損失の金額の生じた年がその者の有する４の（１）に規定する特例対象純損失金額若しくは４の（２）に規定する特定雑損失金額の生じた年又はその翌年であるときは、当該通算後譲渡損失の金額は当該特例対象純損失金額又は当該特定雑損失金額よりも前の年に生じたものとして、（２）の規定による控除を行う。（令附４⑦）

　　　　（繰越控除の規定の適用がある場合の附属申告書の添付）
（４）　前年中に生じた⑥の表の（一）に規定する通算後譲渡損失の金額について、⑤の規定によって、その損失の生じた年の末日の属する年度の翌々年度以降の年度分の道府県民税の第五節三に規定する長期譲渡所得の金額、同節四に規定する短期譲渡所得の金額、総所得金額、退職所得金額又は山林所得金額の計算上控除を受けようとする道府県民税の納税義務者は、第六節八の１の①《申告書の記載事項等》の申告書又は同③《給与所得以外の所得又は公的年金等に係る所得以外の所得を有しない者が雑損控除等の控除を受ける場合の申告》の申告書（同④の（１）の規定により読み替えて適用される同④の規定による申告書を含む。）に、第55号様式による附属申告書を添付しなければならない。（規附２⑤）

⑥　用語の意義
　５において、次の各号に掲げる用語の意義は、当該各号に定めるところによる。（法附４①二、三）

| （一） | 通算後譲渡損失の金額 | 当該道府県民税の所得割の納税義務者のその年において生じた１に規定する純損失の金額 |

		(以下5において「純損失の金額」という。)のうち、居住用財産の譲渡損失の金額に係るもの（当該居住用財産の譲渡損失の金額に係る譲渡資産のうちに土地又は土地の上に存する権利で（1）で定める面積が500平方メートルを超えるものが含まれている場合には、当該土地又は土地の上に存する権利のうち当該500平方メートルを超える部分に相当する金額を除く。）として（2）で定めるところにより計算した金額をいう。
(二)	住宅借入金等	租税特別措置法第41条の5第7項第4号に規定する住宅借入金等をいう。

(注)　「居住用財産の譲渡損失の金額」については、③を参照。（編者）

　　　（土地又は土地の上に存する権利の面積）
（1）⑥の表の（一）に規定する面積は、土地にあっては当該土地の面積（租税特別措置法施行令第26条の7第6項第2号に掲げる家屋については、その1棟の家屋の敷地の用に供する土地の面積に当該家屋の床面積のうちにその者の区分所有する同号に規定する独立部分の床面積の占める割合を乗じて計算した面積。以下（1）において同じ。）とし、土地の上に存する権利にあっては当該土地の面積とする。（令附4③）

　　　（通算後譲渡損失の金額の計算）
（2）⑥の表の（一）の通算後譲渡損失の金額として計算した金額は、居住用財産の譲渡損失の金額のうち、その年において生じた純損失の金額（次の各号に掲げる場合に該当する場合には、当該金額から、当該各号に掲げる場合の区分に応じ当該各号に定める金額を控除した金額）に達するまでの金額（当該居住用財産の譲渡損失の金額に係る譲渡資産のうちに土地又は土地の上に存する権利（以下（2）において「土地等」という。）で⑥の表の（一）に規定する（1）で定める面積（以下（2）において「面積」という。）が500平方メートルを超えるものが含まれている場合には、当該金額から、当該金額に当該居住用財産の譲渡損失の金額のうちに所得税法その他の所得税に関する法令の規定の例により計算した当該土地等の特定譲渡による譲渡所得の金額の計算上生じた損失の金額の占める割合を乗じて計算した金額に超過面積割合（当該土地等に係る面積のうちに当該500平方メートルを超える部分に係る当該面積の占める割合をいう。）を乗じて計算した金額を控除した金額）とする。（令附4④）

(一)	当該居住用財産の譲渡損失の金額が生じた年（その年分の所得税につき所得税法第2条第1項第40号に規定する青色申告書を提出する年に限る。）において、その年分の同法その他の所得税に関する法令の規定の例により計算した不動産所得の金額、事業所得の金額、山林所得の金額又は譲渡所得の金額（第五節三の1に規定する長期譲渡所得の金額及び同節四の1に規定する短期譲渡所得の金額を除く。）の計算上生じた損失の金額がある場合	当該損失の金額の合計額（当該合計額がその年において生じた純損失の金額を超えるときは、当該純損失の金額に相当する金額）
(二)	当該居住用財産の譲渡損失の金額が生じた年において生じた2に規定する変動所得の金額の計算上生じた損失の金額又は被災事業用資産の損失の金額がある場合（（一）に掲げる場合を除く。）	当該損失の金額の合計額（当該合計額がその年において生じた純損失の金額を超えるときは、当該純損失の金額に相当する金額）

⑦　買換資産を居住の用に供しない場合の申告
　⑤の規定の適用を受けた者は、当該適用に係る買換資産の取得をした日の属する年の翌年12月31日までに、当該買換資産をその者の居住の用に供しない場合には、同日から4月を経過する日までに、（1）で定めるところにより、その旨を市町村長に申告しなければならない。（法附4⑮）

　　　（申告の手続）
（1）⑦の規定による申告は、次に掲げる事項を記載した書類によってしなければならない。（規附2④）
　（一）　譲渡資産の所在地及び当該譲渡の年月日
　（二）　取得をした買換資産の所在地及び当該取得の年月日
　（三）　当該買換資産を居住の用に供しないこととなった旨

　　　　（四）　当該納税義務者の氏名及び住所
　　　　（五）　その他参考となるべき事項

　　　　（更正決定等の期間制限又は消滅時効の特例）
　　（2）　⑦に定める場合に課されることとなる道府県民税の所得割については、第一編第七章一の2の①《更正、決定又は賦課決定の期間制限》及び②《課税標準、税額を減少させる更正等の期間制限》並びに同章二の1《地方税の消滅時効》中「法定納期限」とあるのは、「第二編第一章第二節三の5の⑦《買換資産を居住の用に供しない場合の申告》に規定する申告の期限」とする。（法附4⑯一）

6　特定居住用財産の譲渡損失の損益通算及び繰越控除

①　損益通算の適用の特例
　道府県民税の所得割の納税義務者の平成17年度以後の各年度分の道府県民税に係る譲渡所得の金額の計算上生じた特定居住用財産の譲渡損失の金額がある場合には、当該特定居住用財産の譲渡損失の金額については、第五節三の1の②《長期譲渡所得の損益通算の不適用》の規定は、適用しない。ただし、当該納税義務者が前年前3年内の年において生じた当該特定居住用財産の譲渡損失の金額以外の特定居住用財産の譲渡損失の金額につき①の規定の適用を受けているときは、この限りでない。（法附4の2②）

②　申告要件
　①の規定は、当該特定居住用財産の譲渡損失の金額が生じた年の末日の属する年度の翌年度分の第六節八の1の①《申告書の記載事項》又は③《給与所得以外の所得又は公的年金等に係る所得以外の所得を有しない者が雑損控除等の控除を受ける場合の申告》の規定による申告書（その提出期限後において道府県民税の納税通知書が送達される時までに提出されたもの及びその時までに提出された同節八の3の①の確定申告書を含む。）に①の規定の適用を受けようとする旨の記載があるとき（これらの申告書にその記載がないことについてやむを得ない理由があると市町村長が認めるときを含む。）に限り、適用する。（法附4の2③）

③　特定居住用財産の譲渡損失の金額の意義
　道府県民税の所得割の納税義務者が、平成16年1月1日から令和7年12月31日までの期間（以下6において「**適用期間**」という。）内に、租税特別措置法第41条の5の2《特定居住用財産の譲渡損失の損益通算及び繰越控除》第7項第1号に規定する譲渡資産（以下6において「**譲渡資産**」という。）の同条第7項第1号に規定する特定譲渡（以下6において「**特定譲渡**」という。）をした場合（当該納税義務者が当該特定譲渡に係る契約を締結した日の前日において当該譲渡資産に係る住宅借入金等の金額を有する場合に限るものとし、当該納税義務者がその年の前年若しくは前々年における資産の譲渡につき同法第31条の3第1項《居住用財産を譲渡した場合の長期譲渡所得の課税の特例》、第35条第1項《居住用財産の譲渡所得の特別控除》（同条第3項《空き家に係る譲渡所得の特別控除の特例》の規定により適用する場合を除く。）、第36条の2若しくは第36条の5《特定の居住用財産の買換え・交換の場合の長期譲渡所得の課税の特例》の規定の適用を受けている場合又は当該納税義務者がその年若しくはその年の前年以前3年内における資産の譲渡につき5の①の規定の適用を受け、若しくは受けている場合を除く。）において、当該譲渡資産の特定譲渡（その年において当該特定譲渡が二以上ある場合には、当該納税義務者が（1）で定めるところにより選定した一の特定譲渡に限る。）による譲渡所得の金額の計算上生じた損失の金額のうち、当該特定譲渡をした日の属する年の末日の属する年度の翌年度分の道府県民税に係る第五節三の1の①に規定する長期譲渡所得の金額又は同節四の1に規定する短期譲渡所得の金額の計算上控除してもなお控除することができない部分の金額として（2）で定めるところにより計算した金額（当該特定譲渡に係る契約を締結した日の前日における当該譲渡資産に係る住宅借入金等の金額の合計額から当該譲渡資産の譲渡の対価の額を控除した残額を限度とする。）をいう。（法附4の2①一）

　　　　（特定譲渡の選定）
　　（1）　③の選定は、③に規定する納税義務者が、②の規定により提出すべき③に掲げる特定居住用財産の譲渡損失の金額が生じた年の末日の属する年度の翌年度の道府県民税の申告書に、総務省令で定める附属申告書を添付し、当該附属申告書に一の特定譲渡（③に規定する特定譲渡をいう。以下同じ。）に係る特定居住用財産の譲渡損失の金額の控除に関する事項を記載することにより行うものとする。（令附4の2①）

(控除しきれない部分の金額)
(2) ③に規定する(2)で定めるところにより計算した金額は、所得税法その他の所得税に関する法令の規定の例により計算した③に規定する譲渡資産の特定譲渡(その年において当該特定譲渡が二以上ある場合には、当該納税義務者が(1)の規定により選定した一の特定譲渡に限る。)による譲渡所得の金額の計算上生じた損失の金額のうち、当該特定譲渡をした日の属する年の末日の属する年度の翌年度分の道府県民税に係る第五節三の1(同2又は同3の規定により適用される場合を含む。以下6において同じ。)に規定する長期譲渡所得の金額の計算上生じた損失の金額(当該長期譲渡所得の金額の計算上生じた損失の金額のうちに同節四の1の規定により同1に規定する短期譲渡所得の金額の計算上控除する金額がある場合には、当該長期譲渡所得の金額の計算上生じた損失の金額から当該控除する金額に相当する金額を控除した金額)に達するまでの金額とする。(令附4の2②)

④ 繰越控除の適用の特例
道府県民税の所得割の納税義務者の前年前3年内の年に生じた通算後譲渡損失の金額(④の規定により前年前において控除されたものを除く。)は、特定居住用財産の譲渡損失の金額の生じた年の末日の属する年度の翌年度の道府県民税について②の申告書を提出した場合であって、その後の年度分の道府県民税について連続して通算後譲渡損失の金額の控除に関する事項を記載した第六節八の1の①又は③の規定による申告書(その提出期限後において道府県民税の納税通知書が送達される時までに提出されたもの及びその時までに提出された同節八の1の④の(3)の規定により読み替えて適用される同節八の1の④《給与所得以外の所得又は公的年金等に係る所得以外の所得を有しない者等に純損失又は雑損失の金額がある場合の申告》の規定による申告書を含む。以下④において同じ。)を提出しているときに限り、第五節三の1の②の規定にかかわらず、(1)で定めるところにより、当該納税義務者の当該連続して提出された申告書に係る各年度分の道府県民税に係る同節三の1の①に規定する長期譲渡所得の金額、同節四の1に規定する短期譲渡所得の金額、総所得金額、第五節二の1に規定する土地等に係る事業所得等の金額、退職所得金額又は山林所得金額の計算上控除する。ただし、当該納税義務者の前年の合計所得金額が3,000万円を超える年度分の道府県民税の所得割については、この限りでない。(法附4の2④、33の2③一、33の3③一、34③一、35④一、35の2④一、35の2の2④、35の4②一、令附4の2⑧、平20改法附3⑬、⑳)
(注)「合計所得金額」の意義は、第一節一の1の(十二)を参照。(編者)

(通算後譲渡損失の金額の控除順序)
(1) ④に規定する通算後譲渡損失の金額に相当する金額は、第五節三の1に規定する長期譲渡所得の金額、同節四の1に規定する短期譲渡所得の金額、総所得金額、同節二の1に規定する土地等に係る事業所得等の金額、山林所得金額又は退職所得金額から順次控除する。(令附4の2④⑨)

(他の損失の金額がある場合の控除順序)
(2) 道府県民税の所得割の納税義務者の前年の所得の金額の計算上生じた損失の金額がある場合又は1若しくは2の規定による控除が行われる場合には、まず一の2《所得割の総所得金額等の算定方法》の規定による所得税法第69条《損益通算》の規定の例による控除並びに1及び2(純損失の金額に係る部分に限る。)の規定による控除を行い、次に④の規定による控除及び2(雑損失の金額に係る部分に限る。)の規定による控除を順次行う。この場合において、控除する純損失の金額及び控除する雑損失の金額が前年前3年間(六の1から4までの規定の適用がある場合には、前年前5年間)の2以上の年に生じたものであるときは、これらの年のうち最も前の年に生じた損失の部分の金額から順次控除を行う。(令附4の2⑤)

(通算後譲渡損失の金額の生じた年がその者の有する特例対象純損失金額等の生じた年又はその翌年である場合の控除)
(3) (2)の規定の適用がある場合において、その者の有する⑤に規定する通算後譲渡損失の金額の生じた年がその者の有する4の(1)に規定する特例対象純損失金額若しくは4の(2)に規定する特定雑損失金額の生じた年又はその翌年であるときは、当該通算後譲渡損失の金額は当該特例対象純損失金額又は当該特定雑損失金額よりも前の年に生じたものとして、(2)の規定による控除を行う。(令附4の2⑥)

(繰越控除の規定の適用がある場合の附属申告書の添付)
(4) 前年中に生じた⑤の表の(一)に規定する通算後譲渡損失の金額について、④の規定によって、その損失の生じた年の末日の属する年度の翌々年度以降の年度分の道府県民税の第五節三に規定する長期譲渡所得の金額、同節四に規

定する短期譲渡所得の金額、総所得金額、退職所得金額又は山林所得金額の計算上控除を受けようとする道府県民税の納税義務者は、第六節八の１の①《申告書の記載事項等》の申告書又は同③《給与所得以外の所得又は公的年金等に係る所得以外の所得を有しない者が雑損控除等の控除を受ける場合の申告》の申告書（同④の（３）の規定により読み替えて適用される同④の規定による申告書を含む。）に、第55号の２様式による附属申告書を添付しなければならない。（規附２の２②）

⑤ **用語の意義**
　６において、次の各号に掲げる用語の意義は、当該各号に定めるところによる。（法附４の２①二、三）

(一)	通算後譲渡損失の金額	当該道府県民税の所得割の納税義務者のその年において生じた１に規定する純損失の金額（以下６において「純損失の金額」という。）のうち、特定居住用財産の譲渡損失の金額に係るものとして注で定めるところにより計算した金額をいう。
(二)	住宅借入金等	租税特別措置法第41条の５の２第７項第４号に規定する住宅借入金等をいう。

（注）　「特定居住用財産の譲渡損失の金額」については、③を参照。（編者）

　　（通算後譲渡損失の金額の計算）
注　⑤の表の(一)に規定する注で定めるところにより計算した金額は、特定居住用財産の譲渡損失の金額のうち、その年において生じた純損失の金額（次の表の各号に掲げる場合に該当する場合には、当該金額から、当該各号に掲げる場合の区分に応じ当該各号に定める金額を控除した金額）に達するまでの金額とする。（令附４の２③）

(一)	当該特定居住用財産の譲渡損失の金額が生じた年（その年分の所得税につき所得税法第２条第１項第40号に規定する青色申告書を提出する年に限る。）において、その年分の同法その他の所得税に関する法令の規定の例により計算した不動産所得の金額、事業所得の金額、山林所得の金額又は譲渡所得の金額（第五節三の１に規定する長期譲渡所得の金額及び同節四の１に規定する短期譲渡所得の金額を除く。）の計算上生じた損失の金額がある場合	当該損失の金額の合計額（当該合計額がその年において生じた純損失の金額を超えるときは、当該純損失の金額に相当する金額）
(二)	当該特定居住用財産の譲渡損失の金額が生じた年において生じた２に規定する変動所得の金額の計算上生じた損失の金額又は被災事業用資産の損失の金額がある場合（(一)に掲げる場合を除く。）	当該損失の金額の合計額（当該合計額がその年において生じた純損失の金額を超えるときは、当該純損失の金額に相当する金額）

7　東日本大震災に係る損失の繰越控除の特例

① **東日本大震災に係る雑損失の繰越控除の特例**
　所得割の納税義務者が**特定雑損失金額**（２に規定する雑損失の金額のうち、特例損失金額〔第三節一の15参照〕に係るものをいう。以下①において同じ。）を有する場合には、当該特定雑損失金額の生じた年の末日の属する年度の翌々年度以後５年度内の各年度分の個人の道府県民税に係る第二節の規定の適用については、２中「金額をいい、」とあるのは「金額をいう。）で特定雑損失金額（７の①に規定する特定雑損失金額をいう。以下２において同じ。）以外のもの（」と、「除く。」とあるのは「除く。）及び当該納税義務者の前年前５年内において生じた特定雑損失金額（２又は第三節一の規定により前年前において控除されたものを除く。）は」とする。（法附43①）

　　（純損失又は雑損失の繰越控除の順序の規定の適用）
（１）　①の規定により第二節の規定を適用する場合における４《純損失又は雑損失の繰越控除の順序》の規定の適用については、４の表の(一)及び(二)中「前年前３年間」とあるのは、「前年前５年間」とする。（令附26①）

(他の雑損失金額又は他の純損失金額の生じた年が特定雑損失金額の生じた年又はその翌年である場合の繰越控除の順序)
（２） （１）の規定の適用がある場合において、その者の有する他の雑損失金額〔第三節―の15の①の（６）参照〕又は②のイの（３）に規定する他の純損失金額の生じた年がその者の有する特定雑損失金額の生じた年又はその翌年であるときは、当該他の雑損失金額又は当該他の純損失金額は当該特定雑損失金額よりも前の年に生じたものとして、４の規定を適用する。（令附26②）

(居住用財産の買換え等の場合の譲渡損失又は特定居住用財産の譲渡損失の損益通算及び繰越控除の規定の適用)
（３） ①の規定の適用がある場合における５《居住用財産の買換え等の場合の譲渡損失の損益通算及び繰越控除》及び６《特定居住用財産の譲渡損失の損益通算及び繰越控除》の規定の適用については、５の⑤の（２）及び６の④の（２）《他の損失の金額がある場合の控除順序》中「若しくは２」とあるのは「若しくは２（７の①の規定により読み替えて適用される場合を含む。以下（２）において同じ。）」と、「前年前３年間」とあるのは「前年前５年間」とする。（令附26③）

(通算後譲渡損失の金額の生じた年が特定雑損失金額の生じた年又はその翌年である場合の規定の適用)
（４） （３）の規定の適用がある場合において、その者の有する５の⑥の表の（一）又は６の⑤の表の（一）《用語の意義》に規定する通算後譲渡損失の金額の生じた年がその者の有する特定雑損失金額の生じた年又はその翌年であるときは、当該通算後譲渡損失の金額は当該特定雑損失金額よりも前の年に生じたものとして、５及び６の規定を適用する。（令附26④）

② 東日本大震災に係る純損失の繰越控除の特例

イ 平成23年純損失金額又は被災純損失金額を有する場合
　所得割の納税義務者のうち次に掲げる要件のいずれかを満たす者（平成23年分の所得税につき青色申告書（所得税法第２条《定義》第１項第40号に規定する青色申告書をいう。）を提出している者に限る。）が**平成23年純損失金額**（その者の平成23年において生じた１《青色申告者の純損失の繰越控除》の純損失の金額をいう。以下イにおいて同じ。）又は**被災純損失金額**（東日本大震災の被災者等に係る国税関係法律の臨時特例に関する法律（以下「震災特例法」という。）第７条第４項《純損失の繰越控除の特例》第３号に規定する被災純損失金額をいい、同年において生じたものを除く。以下イにおいて同じ。）を有する場合には、当該平成23年純損失金額又は当該被災純損失金額の生じた年の末日の属する年度の翌々年度以後５年度内の各年度分の個人の道府県民税に係る第二節の規定の適用については、１中「純損失の金額（」とあるのは「純損失の金額で平成23年純損失金額（７の②のイに規定する平成23年純損失金額をいう。以下１において同じ。）及び被災純損失金額（７の②のイに規定する被災純損失金額をいう。２において同じ。）以外のもの（」と、「を除く。）」とあるのは「を除く。）並びに当該納税義務者の前年前５年間において生じた平成23年純損失金額（１の規定により前年前において控除されたものを除く。）」と、２中「純損失の金額」とあるのは「純損失の金額で被災純損失金額以外のもの」と、「又は著作権の使用料に係る所得」とあるのは「又は著作権の使用料に係る所得及び当該納税義務者の前年前５年内において生じた被災純損失金額（２の規定により前年前において控除されたものを除く。）」とする。（法附44①）
（一） 事業資産震災損失額（震災特例法第７条第４項第４号に規定する事業資産震災損失額をいう。）の当該納税義務者の有する事業用固定資産（土地及び土地の上に存する権利以外の震災特例法第６条《被災事業用資産の損失の必要経費算入に関する特例等》第２項に規定する固定資産等をいう。（二）において同じ。）でその者の営む事業所得を生ずべき事業の用に供されるものの価額として（１）で定める金額に相当する金額の合計額のうちに占める割合が10分の１以上であること。
（二） 不動産等震災損失額（震災特例法第７条第４項第５号に規定する不動産等震災損失額をいう。）の当該納税義務者の有する事業用固定資産でその者の営む不動産所得又は山林所得を生ずべき事業の用に供されるものの価額として（１）で定める金額に相当する金額の合計額のうちに占める割合が10分の１以上であること。

(事業所得、不動産所得又は山林所得を生ずべき事業の用に供されるものの価額)
（１） イの（一）又は（二）に規定する金額は、次の各号に掲げる資産の区分に応じ当該各号に定める金額とする。（令附27①）
（一） 固定資産（所得税法第２条《定義》第１項第18号に規定する固定資産をいう。）　東日本大震災（第三節―の15《東日本大震災に係る雑損控除の特例》に規定する東日本大震災をいう。以下同じ。）による損失が生じた日にその資産の譲渡があったものとみなして同法第38条《譲渡所得の金額の計算上控除する取得費》第１項又は第２項の

規定を適用した場合にその資産の取得費とされる金額に相当する金額
　（二）　繰延資産（所得税法第2条《定義》第1項第20号に規定する繰延資産をいう。）　その繰延資産の額からその償却費として同法第50条《繰延資産の償却費の計算及びその償却の方法》の規定により東日本大震災による損失が生じた日の属する年の前年以前の各年分の不動産所得の金額、事業所得の金額又は山林所得の金額の計算上必要経費に算入される金額の累積額を控除した金額

　　　（純損失又は雑損失の繰越控除の順序の規定の適用）
（2）　イからハまでの規定により第二節の規定を適用する場合における4《純損失又は雑損失の繰越控除の順序》の規定の適用については、4の表の（一）及び（二）中「前年前3年間」とあるのは、「前年前5年間」とする。（令附27②）

　　　（他の純損失金額又は他の雑損失金額の生じた年が特例対象純損失金額の生じた年又はその翌年である場合の繰越控除の順序）
（3）　（2）の規定の適用がある場合において、その者の有する他の純損失金額（イからハまでに規定する平成23年純損失金額、被災純損失金額及び平成23年特定純損失金額（（3）及び（5）において「特例対象純損失金額」という。）以外の純損失の金額をいう。以下（3）において同じ。）又は第三節一15の①の（6）《特例損失金額と他の損失金額とがある場合の控除の順序》に規定する他の雑損失金額の生じた年がその者の有する特例対象純損失金額の生じた年又はその翌年であるときは、当該他の純損失金額又は当該他の雑損失金額は当該特例対象純損失金額よりも前の年に生じたものとして、4の規定を適用する。（令附27③）

　　　（居住用財産の買換え等の場合の譲渡損失又は特定居住用財産の譲渡損失の損益通算及び繰越控除の規定の適用）
（4）　イからハまでの規定の適用がある場合における5《居住用財産の買換え等の場合の譲渡損失の損益通算及び繰越控除》及び6《特定居住用財産の譲渡損失の損益通算及び繰越控除》の規定の適用については、5の⑤の（2）及び6の④の（2）《他の損失の金額がある場合の控除順序》中「若しくは2」とあるのは「若しくは2（7の②のイからハまでの規定により読み替えて適用される場合を含む。以下（2）において同じ。）」と、「前年前3年間」とあるのは「前年前5年間」とする。（令附27④）

　　　（通算後譲渡損失の金額の生じた年が特例対象純損失金額の生じた年又はその翌年である場合の規定の適用）
（5）　（4）の規定の適用がある場合において、その者の有する5の⑥の表の（一）又は6の⑤の表の（一）《用語の意義》に規定する通算後譲渡損失の金額の生じた年がその者の有する特例対象純損失金額の生じた年又はその翌年であるときは、当該通算後譲渡損失の金額は当該特例対象純損失金額よりも前の年に生じたものとして、5及び6の規定を適用する。（令附27⑤）

ロ　**平成23年特定純損失金額又は被災純損失金額を有する場合**
　所得割の納税義務者のうちイの各号に掲げる要件のいずれかを満たす者（イの規定の適用を受ける者を除く。）が**平成23年特定純損失金額**（震災特例法第7条第4項第6号に規定する平成23年特定純損失金額をいう。以下ロにおいて同じ。）又は**被災純損失金額**（同条第4項第3号に規定する被災純損失金額をいい、平成23年において生じたものを除く。以下ロにおいて同じ。）を有する場合には、当該平成23年特定純損失金額又は当該被災純損失金額の生じた年の末日の属する年度の翌々年度以後5年度内の各年度分の個人の道府県民税に係る第二節の規定の適用については、1中「純損失の金額（」とあるのは「純損失の金額で被災純損失金額（7の②のロに規定する被災純損失金額をいう。2において同じ。）以外のもの（」と、2中「純損失の金額（1」とあるのは「純損失の金額で平成23年特定純損失金額（7の②のロに規定する平成23年特定純損失金額をいう。以下2において同じ。）及び被災純損失金額以外のもの（1」と、「又は著作権の使用料に係る所得」とあるのは「又は著作権の使用料に係る所得並びに当該納税義務者の前年前5年内において生じた平成23年特定純損失金額（2の規定により前年前において控除されたものを除く。）及び被災純損失金額（2の規定により前年前において控除されたものを除く。）」とする。（法附44②）
　（注）　ロ、ハの適用については、イの（2）から（5）までを参照。（編者）

ハ　**被災純損失金額を有する場合**
　所得割の納税義務者（イ又はロの規定の適用を受ける者を除く。）が**被災純損失金額**（震災特例法第7条第4項第3号に規定する被災純損失金額をいう。以下ハにおいて同じ。）を有する場合には、当該被災純損失金額の生じた年の末日の属する年度の翌々年度以後5年度内の各年度分の個人の道府県民税に係る第二節の規定の適用については、1中「純損失の金

額(」とあるのは「純損失の金額で被災純損失金額(7の②のハに規定する被災純損失金額をいう。2において同じ。)以外のもの(」と、2中「純損失の金額」とあるのは「純損失の金額で被災純損失金額以外のもの」と、「又は著作権の使用料に係る所得」とあるのは「又は著作権の使用料に係る所得及び当該納税義務者の前年前5年内において生じた被災純損失金額(2の規定により前年前において控除されたものを除く。)」とする。(法附44③)

③　東日本大震災に係る純損失の繰越控除の対象期間の特例
　その有する事業用資産(震災特例法第7条第7項に規定する事業用資産をいう。以下同じ。)が東日本大震災により損壊し、又はその価値が減少した場合その他東日本大震災により当該事業用資産を業務の用に供することが困難となった場合において、東日本大震災に関連する次に掲げる費用その他これらに類する費用(以下「震災関連原状回復費用」という。)について東日本大震災からの復興のための事業の状況その他のやむを得ない事情によりその災害のやんだ日の翌日から3年を経過した日の前日までにその支出をすることができなかった道府県民税の所得割の納税義務者が、当該事情がやんだ日の翌日から3年を経過した日の前日までに震災関連原状回復費用の支出をしたときは、当該支出をした金額は3《被災事業用資産の損失の金額》に規定する表の(一)から(三)までに掲げる災害に関連するやむを得ない支出の金額とみなして、3の規定を適用する。(法附44④)
(一)　災害により生じた土砂その他の障害物を除去するための費用
(二)　当該事業用資産の原状回復のための修繕費
(三)　当該事業用資産の損壊又はその価値の減少を防止するための費用

④　東日本大震災に係る被災居住用財産に係る譲渡期限の延長等の特例
　その有する家屋でその居住の用に供していたものが警戒区域設定指示等(震災特例法第11条の7第3項に規定する警戒区域設定指示等をいう。以下同じ。)が行われた日において当該警戒区域設定指示等の対象区域内に所在し、当該警戒区域設定指示等が行われたことによりその居住の用に供することができなくなった道府県民税の所得割の納税義務者が、当該居住の用に供することができなくなった家屋又は当該家屋及び当該家屋の敷地の用に供されている土地等(震災特例法第11条の7第1項に規定する土地等をいう。以下同じ。)の譲渡(震災特例法第11条の4第6項に規定する譲渡をいう。以下同じ。)をした場合には、次の表の左欄に掲げる規定中同表の中欄に掲げる字句は、それぞれ同表の右欄に掲げる字句として、5、6、第五節三の1から3まで、同節四の1の規定を適用する。(法附44の2①)

5の③	租税特別措置法第41条の5第7項第1号	東日本大震災の被災者等に係る国税関係法律の臨時特例に関する法律第11条の7第1項の規定により読み替えて適用される租税特別措置法第41条の5第7項第1号
	同法	租税特別措置法
	第36条の5	第36条の5(これらの規定が東日本大震災の被災者等に係る国税関係法律の臨時特例に関する法律第11条の7第1項の規定により適用される場合を含む。次条第1項第1号において同じ。)
6の③	租税特別措置法第41条の5の2第7項第1号	東日本大震災の被災者等に係る国税関係法律の臨時特例に関する法律第11条の7第1項の規定により読み替えて適用される租税特別措置法第41条の5の2第7項第1号
	同法	租税特別措置法
第五節三の1の①、②	第35条第1項	第35条第1項(東日本大震災の被災者等に係る国税関係法律の臨時特例に関する法律第11条の7第1項の規定により適用される場合を含む。)
	同法第31条第1項	租税特別措置法第31条第1項
第五節三の2の③	第35条の3まで、第36条の2、第36条の5	第34条の3まで、第35条(東日本大震災の被災者等に係る国税関係法律の臨時特例に関する法律第11条の7第1項の規定により適用される場合を含む。)、第35条の2、第35条の3、第36条の2若しくは第36条の5(これらの規定が東日本大震災の被災者等に係る国税関係法律の臨時特例に関する法律第11条の7第1項の規定により適用される場合を含む。)
第五節三の3	租税特別措置法第31条の3第1項	東日本大震災の被災者等に係る国税関係法律の臨時特例に関する法律第11条の7第1項の規定により適用される租税特別措置法第31条の3第1項

| 第五節四の1 | 第35条第1項 | 第35第1項（東日本大震災の被災者等に係る国税関係法律の臨時特例に関する法律第11条の7第一項の規定により適用される場合を含む。） |
| | 同法第32条第1項 | 租税特別措置法第32条第1項 |

（警戒区域設定指示等により相続人が居住の用に供することができなくなった家屋等の譲渡）
（1）　その有していた家屋でその居住の用に供していたものが警戒区域設定指示等が行われた日において当該警戒区域設定指示等の対象区域内に所在し、当該警戒区域設定指示等が行われたことによりその居住の用に供することができなくなった道府県民税の所得割の納税義務者（以下（1）において「被相続人」という。）の相続人（震災特例法第11条の7第2項に規定する相続人をいう。以下（1）において同じ。）が、当該居住の用に供することができなくなった家屋又は当該家屋及び当該家屋の敷地の用に供されている土地等の譲渡をした場合（当該譲渡の時までの期間当該家屋及び当該家屋の敷地の用に供されている土地等を当該相続人の居住の用に供していない場合に限る。以下（1）において同じ。）における当該家屋及び当該家屋の敷地の用に供されている土地等（当該家屋及び当該家屋の敷地の用に供されている土地等のうちにその居住の用に供することができなくなった時の直前において当該家屋に居住していた者以外の者が所有していた部分があるときは、当該家屋及び当該家屋の敷地の用に供されている土地等のうち当該部分以外の部分に係るものに限る。以下（1）において同じ。）の譲渡については、当該相続人は、当該家屋を当該被相続人がその取得をした日として（5）で定める日から引き続き所有していたものと、当該直前において当該家屋の敷地の用に供されている土地等を所有していたものとそれぞれみなして、（1）の規定により読み替えられた5、6、第五節三の1から3まで、同節四の1の規定を適用する。（法附44の2②）

（東日本大震災により滅失した家屋の敷地の用に供されていた土地等を譲渡した場合の特例）
（2）　その有していた家屋でその居住の用に供していたものが東日本大震災により滅失（震災特例法第11条の7第4項に規定する滅失をいう。以下同じ。）をしたことによりその居住の用に供することができなくなった道府県民税の所得割の納税義務者が、当該滅失をした当該家屋の敷地の用に供されていた土地等の譲渡をした場合には、次の表の左欄に掲げる規定中同表の中欄に掲げる字句は、それぞれ同表の右欄に掲げる字句として、5、6、第四節二の2、第五節三の1から3まで、同節四の1の規定を適用する。（法附44の2③）

5の③	租税特別措置法第41条の5第7項第1号	東日本大震災の被災者等に係る国税関係法律の臨時特例に関する法律第11条の7第4項の規定により読み替えて適用される租税特別措置法第41条の5第7項第1号
	同法	租税特別措置法
	第36条の5	第36条の5（これらの規定が東日本大震災の被災者等に係る国税関係法律の臨時特例に関する法律第11条の7第4項の規定により適用される場合を含む。次条第1項第1号において同じ。）
6の③	租税特別措置法第41条の5の2第7項第1号	東日本大震災の被災者等に係る国税関係法律の臨時特例に関する法律第11条の7第4項の規定により読み替えて適用される租税特別措置法第41条の5の2第7項第1号
	同法	租税特別措置法
第四節二の2①イの（ニ）ロ	第31条の3	第31条の3（東日本大震災の被災者等に係る国税関係法律の臨時特例に関する法律第11条の7第4項の規定により適用される場合を含む。）
第五節三の1の①、②	第35条第1項	第35条第1項（東日本大震災の被災者等に係る国税関係法律の臨時特例に関する法律第11条の7第4項の規定により適用される場合を含む。）
	同法第31条第1項	租税特別措置法第31条第1項
第五節三の2の③	第35条の3まで、第36条の2、第36条の5	第34条の3まで、第35条（東日本大震災の被災者等に係る国税関係法律の臨時特例に関する法律第11条の7第4項の規定により適用される場合を含む。）、第35条の2、第35条の3、第36条の2若しくは第36条の5（これらの規定が東日本大震災の被災者等に係る国税関係法律の臨時特例に関する法律第11条の7第4項の規定により適用される場合を含む。）

第五節三の3	租税特別措置法第31条の3第1項	東日本大震災の被災者等に係る国税関係法律の臨時特例に関する法律第11条の7第4項の規定により適用される租税特別措置法第31条の3第1項
第五節四の1	第35条第1項	第35条第1項（東日本大震災の被災者等に係る国税関係法律の臨時特例に関する法律第11条の7第4項の規定により適用される場合を含む。）
	同法第32条第1項	租税特別措置法第32条第1項

（相続人が滅失した旧家屋の敷地の用に供されていた土地等の譲渡をした場合）
（3）　その有していた家屋でその居住の用に供していたものが東日本大震災により滅失をしたことによってその居住の用に供することができなくなった道府県民税の所得割の納税義務者（以下（1）において「被相続人」という。）の相続人（震災特例法第11条の6第2項に規定する相続人をいう。以下（1）において同じ。）が、当該滅失をした旧家屋（同条第2項に規定する旧家屋をいう。以下（1）において同じ。）の敷地の用に供されていた土地等の譲渡をした場合（当該譲渡の時までの期間当該土地等を当該相続人の居住の用に供する家屋の敷地の用に供していない場合に限る。）における当該土地等（当該土地等のうちにその居住の用に供することができなくなった時の直前において旧家屋に居住していた者以外の者が所有していた部分があるときは、当該土地等のうち当該部分以外の部分に係るものに限る。以下（1）において同じ。）の譲渡については、当該相続人は、当該旧家屋を当該被相続人がその取得をした日として（5）で定める日から引き続き所有していたものと、当該直前において当該旧家屋の敷地の用に供されていた土地等を所有していたものとそれぞれみなして、④の規定により読み替えられた5、6、第四節二の2、第五節三の1から3まで、同節四の1の規定を適用する。（法附44の2④）

（特例の適用要件）
（4）　④及び（1）の規定は、これらの規定の適用を受けようとする年度分の第六節八の1《道府県民税の申告書》の①又は④の規定による申告書（その提出期限後において道府県民税の納税通知書が送達される時までに提出されたもの及びその時までに提出された同3《確定申告書》の①の確定申告書を含む。）に、これらの規定の適用を受けようとする旨の記載があるとき（これらの申告書にその記載がないことについてやむを得ない理由があると市町村長が認めるときを含む。）に限り、適用する。（法附44の2⑤）

（政令で定める日）
（5）　（1）及び（3）に規定する（5）で定める日は、（1）に規定する居住の用に供することができなくなった家屋又は（3）に規定する旧家屋（以下（5）において「居住不能家屋等」という。）を（1）又は（3）の被相続人がその取得（建設を含む。以下（5）において同じ。）をした日とする。ただし、当該居住不能家屋等が当該被相続人に係る次の各号に掲げる家屋に該当するものである場合には、当該各号に定める日とする。（令附27の2②）

(一)	交換により取得した家屋で所得税法第58条第1項の規定の適用を受けたもの	当該交換により譲渡をした家屋の取得をした日
(二)	昭和47年12月31日以前に所得税法の一部を改正する法律（昭和48年法律第8号）による改正前の所得税法第60条第1項各号に該当する贈与、相続、遺贈又は譲渡により取得した家屋	当該贈与をした者、当該相続に係る被相続人、当該遺贈に係る遺贈者又は当該譲渡をした者が当該家屋の取得をした日
(三)	昭和48年1月1日以後に所得税法第60条第1項各号に該当する贈与、相続、遺贈又は譲渡により取得した家屋	当該贈与をした者、当該相続に係る被相続人、当該遺贈に係る遺贈者又は当該譲渡をした者が当該家屋の取得をした日

⑤　**東日本大震災に係る買換資産の取得期間等の延長の特例**
　5の①の規定の適用を受ける道府県民税の所得割の納税義務者（平成22年1月1日から平成23年3月11日までの間に同③に規定する譲渡資産の譲渡をした者に限る。）が、東日本大震災に起因するやむを得ない事情により、同③に規定する買換資産を同③に規定する特定譲渡の日の属する年の前年1月1日から当該特定譲渡の日の属する年の翌年12月31日までの期間（以下⑤において「取得期間」という。）内に取得（同③に規定する取得をいう。以下⑤において同じ。）をすることが困難となった場合において、当該取得期間の初日から当該取得期間を経過した日以後2年以内の日で政令で定める日〔平

成25年12月31日〕までの期間内に当該買換資産の取得をする見込みであり、かつ、注で定めるところにより市町村長の承認を受けたとき（震災特例法第12条の2第2項の税務署長の承認を受けたときを含む。）は、当該取得期間の初日から当該政令で定める日までの期間を取得期間とみなして、5の規定を適用する。（法附44の3①、令附27の3①）

(注) ⑤中＿＿部分「第12条の2」を「第12条」に改める令和6年度改正規定は、令和6年4月1日以後適用する。（令6改法附1）

　　　（適用手続）
　注　⑤に規定する市町村長の承認を受けようとする道府県民税の所得割の納税義務者は、平成24年3月15日までに、5の③に規定する特定譲渡をした同③に規定する譲渡資産について⑤の規定の適用を受けようとする旨、東日本大震災に起因するやむを得ない事情により同③に規定する買換資産の取得が困難であると認められる事情の詳細、取得をする予定の当該買換資産についての取得予定年月日及びその取得価額の見積額その他の明細を記載した申請書に、東日本大震災に起因するやむを得ない事情により同③に規定する買換資産の取得が困難であると認められる事情を証する書類を添付して、⑤に規定する市町村長に提出しなければならない。ただし、市町村長においてやむを得ない事情があると認める場合には、当該書類を添付することを要しない。（規附22の2①）

四　給与所得者の特定支出の控除の特例

　前年分の所得税につき納税義務を負わない所得割の納税義務者について、前年中の所得税法第57条の2《給与所得者の特定支出の控除の特例》第2項に規定する特定支出の額の合計額が同法第28条第2項に規定する給与所得控除額の2分の1に相当する金額を超える場合には、四の規定の適用を受ける旨及び当該特定支出の額の合計額を記載した第六節八の1の①の規定による申告書（同④の(1)《前年前3年内に生じた居住用財産の買換え等の場合の通算後譲渡損失の金額の繰越控除の適用がある場合の読替え》又は(3)《前年前3年内に生じた特定居住用財産の通算後譲渡損失の金額の繰越控除の適用がある場合の読替え》の規定により読み替えて適用される同④の規定、第五節五の4の②のロ《前年前3年内に生じた上場株式等に係る譲渡損失の繰越控除の適用がある場合の準用》において準用する第六節八の1の④の規定、第五節六の5において準用する第六節八の1の④の規定及び第五節七の2の③において準用する第六節八の1の④の規定による申告書を含む。）が、当該特定支出に関する明細書その他の注で定める必要な書類を添付して提出されているときに限り、同法第57条の2第1項の規定の例により、当該納税義務者の給与所得の計算上当該超える部分の金額を控除するものとする。（法32⑪、令附4⑬、4の2⑫、18の5⑫、18の6⑰、18の7の2⑧）

　　　（添付書類）
　注　四に規定する必要な書類は、次の各号に掲げるものとする。（規1の12）
　（一）　所得税法施行令第167条の4《特定支出に関する明細書の記載事項》に掲げる事項を記載した特定支出に関する明細書
　（二）　所得税法施行令第167条の5《特定支出の支出等を証する書類》に規定する書類

五　特定配当等及び特定株式等譲渡所得金額

1　特定配当等に係る所得の総所得金額からの除外

　特定配当等に係る所得を有する者に係る総所得金額は、当該特定配当等に係る所得の金額を除外して算定するものとする。（法32⑫）

(注)「特定配当等」については、第三章第一節第一の1《用語の意義》の（五）を参照。（編者）

2　特定配当等に係る所得を申告したときの総所得金額からの除外の不適用

　1の規定は、前年分の所得税に係る第六節八の3の①に規定する確定申告書に特定配当等に係る所得の明細に関する事項その他注で定める事項の記載があるときは、当該特定配当等に係る所得の金額については、適用しない。（法32⑬）

　　　（総務省令で定める事項）
　注　2に規定する注で定める事項は、次の各号に掲げるものとする。（規1の12の2①）
　（一）　第四節二の5《配当割額又は株式等譲渡所得割額の控除》の規定により所得割額から控除する配当割額
　（二）　その他参考となるべき事項

(注)（一）に掲げる事項は、第六節八の3の③の確定申告書に付記しなければならない事項とする。（規1の12の2②）

3　特定株式等譲渡所得金額に係る所得の総所得金額からの除外

特定株式等譲渡所得金額に係る所得を有する者に係る総所得金額は、当該特定株式等譲渡所得金額に係る所得の金額を除外して算定するものとする。(法32⑭)

(注)　「特定株式等譲渡所得金額」については、第三章第一節一の1の(六)を参照。(編者)

4　特定株式等譲渡所得金額に係る所得を申告したときの総所得金額からの除外の不適用

3の規定は、前年分の所得税に係る第六節八の3の①に規定する確定申告書に特定株式等譲渡所得金額に係る所得の明細に関する事項その他注で定める事項の記載があるときは、当該特定株式等譲渡所得金額に係る所得の金額については、適用しない。(法32⑮)

(総務省令で定める事項)
注　4に規定する注で定める事項は、次の各号に掲げるものとする。(規1の12の3①)
(一)　第四節二の5の規定により所得割額から控除する株式等譲渡所得割額
(二)　その他参考となるべき事項
(注)　(一)に掲げる事項は、第六節八の3の③の確定申告書に付記しなければならない事項とする。(規1の12の3②)

六　特定非常災害発生年純損失金額又は被災純損失金額を有する場合の特例

1　特定非常災害発生年純損失金額又は被災純損失金額を有する場合の特例適用の要件

所得割の納税義務者のうち次に掲げる要件のいずれかを満たす者(特定非常災害の被害者の権利利益の保全等を図るための特別措置に関する法律(平成8年法律第85号)第2条第1項の規定により特定非常災害として指定された非常災害(5において「特定非常災害」という。)に係る同条第1項の特定非常災害発生日の属する年(以下1及び2において「特定非常災害発生年」という。)の年分の所得税につき青色申告書を提出している者に限る。)が特定非常災害発生年純損失金額(その者の当該特定非常災害発生年において生じた三の1の純損失の金額をいう。)又は被災純損失金額(所得税法第70条の2第4項第1号に規定する被災純損失金額をいい、当該特定非常災害発生年において生じたものを除く。以下1において同じ。)を有する場合には、当該特定非常災害発生年純損失金額又は当該被災純損失金額の生じた年の末日の属する年度の翌々年度以後5年度内の各年度分の個人の道府県民税に係る地方税法第32条の規定の適用については、三の1中「純損失の金額(」とあるのは「純損失の金額で特定非常災害発生年純損失金額(六の1に規定する特定非常災害発生年純損失金額をいう。以下1において同じ。)及び被災純損失金額(六の1に規定する被災純損失金額をいう。2において同じ。)以外のもの(」と、「を除く。)」とあるのは「を除く。)並びに当該納税義務者の前年前5年間において生じた特定非常災害発生年純損失金額(1の規定により前年前において控除されたものを除く。)」と、三の2中「純損失の金額」とあるのは「純損失の金額で被災純損失金額以外のもの」と、「で政令で定めるもの」とあるのは「で政令で定めるもの及び当該納税義務者の前年前5年内において生じた被災純損失金額(2の規定により前年前において控除されたものを除く。)」とする。(法33①)

(一)　事業資産特定災害損失額(所得税法第70条の2第4項第2号に規定する事業資産特定災害損失額をいう。)の当該納税義務者の有する事業用固定資産(同項第3号に規定する事業用固定資産をいう。(二)において同じ。)でその者の営む事業所得を生ずべき事業の用に供されるものの価額として注で定める金額に相当する金額の合計額のうちに占める割合が10分の1以上であること。

(二)　不動産等特定災害損失額(所得税法第70条の2第4項第4号に規定する不動産等特定災害損失額をいう。)の当該納税義務者の有する事業用固定資産でその者の営む不動産所得又は山林所得を生ずべき事業の用に供されるものの価額として注で定める金額に相当する金額の合計額のうちに占める割合が10分の1以上であること。

(政令で定める金額)
注　1の各号に規定する注で定める金額は、次の各号に掲げる資産の区分に応じ当該各号に定める金額とする。(令7の12①)
(一)　固定資産(所得税法第2条第1項第18号に規定する固定資産をいう。)　1に規定する特定非常災害((二)において「特定非常災害」という。)による損失が生じた日にその資産の譲渡があったものとみなして所得税法第38条第1項又は第2項の規定を適用した場合にその資産の取得費とされる金額に相当する金額
(二)　繰延資産(所得税法第2条第1項第20号に規定する繰延資産をいう。)　その繰延資産の額からその償却費として同法第50条の規定により特定非常災害による損失が生じた日の属する年の前年以前の各年分の不動産所得の金

額、事業所得の金額又は山林所得の金額の計算上必要経費に算入される金額の累積額を控除した金額

2 特定非常災害発生年特定純損失金額又は被災純損失金額を有する場合の読替規定

　所得割の納税義務者のうち1の各号に掲げる要件のいずれかを満たす者（1の規定の適用を受ける者を除く。）が特定非常災害発生年特定純損失金額（所得税法第70条の2第4項第5号に規定する特定非常災害発生年特定純損失金額をいう。）又は被災純損失金額（同条第4項第1号に規定する被災純損失金額をいい、特定非常災害発生年において生じたものを除く。以下2において同じ。）を有する場合には、当該特定非常災害発生年特定純損失金額又は当該被災純損失金額の生じた年の末日の属する年度の翌々年度以後5年度内の各年度分の個人の道府県民税に係る地方税法第32条の規定の適用については、三の1中「純損失の金額（」とあるのは「純損失の金額で被災純損失金額（六の2に規定する被災純損失金額をいう。2において同じ。）以外のもの（」と、三の2中「純損失の金額（1」とあるのは「純損失の金額で特定非常災害発生年特定純損失金額（六の2に規定する特定非常災害発生年特定純損失金額をいう。以下2において同じ。）及び被災純損失金額以外のもの（1」と、「又は当該納税義務者の前年前3年内の各年に生じた雑損失の金額」とあるのは「並びに当該納税義務者の前年前5年内において生じた特定非常災害発生年特定純損失金額（2の規定により前年前において控除されたものを除く。）及び被災純損失金額（2の規定により前年前において控除されたものを除く。）又は当該納税義務者の前年前3年内の各年に生じた雑損失の金額」とする。（法33②）

3 所得割の納税義務者が被災純損失金額を有する場合の読替規定

　所得割の納税義務者（1及び2の規定の適用を受ける者を除く。）が被災純損失金額（所得税法第70条の2第4項第1号に規定する被災純損失金額をいう。以下3において同じ。）を有する場合には、当該被災純損失金額の生じた年の末日の属する年度の翌々年度以後5年度内の各年度分の個人の道府県民税に係る地方税法第32条の規定の適用については、三の1中「純損失の金額（」とあるのは「純損失の金額で被災純損失金額（六の3に規定する被災純損失金額をいう。2において同じ。）以外のもの（」と、三の2中「純損失の金額」とあるのは「純損失の金額で被災純損失金額以外のもの」と、「又は当該納税義務者の前年前3年内の各年に生じた雑損失の金額」とあるのは「及び当該納税義務者の前年前5年内において生じた被災純損失金額（2の規定により前年前において控除されたものを除く。）又は当該納税義務者の前年前3年内の各年に生じた雑損失の金額」とする。（法33③）

4 所得割の納税義務者が特定雑損失金額を有する場合の読替規定

　所得割の納税義務者が特定雑損失金額を有する場合には、当該特定雑損失金額の生じた年の末日の属する年度の翌々年度以後5年度内の各年度分の個人の道府県民税に係る地方税法第32条の規定の適用については、三の2中「金額をいい、」とあるのは「金額をいう。）で特定雑損失金額（六の4に規定する特定雑損失金額をいう。以下2において同じ。）以外のもの（」と、「除く。）は」とあるのは「除く。）及び当該納税義務者の前年前5年内において生じた特定雑損失金額（2又は第三節一の規定により前年前において控除されたものを除く。）は」とする。（法33④）

5 特定雑損失金額の意義

　4に規定する特定雑損失金額とは、雑損失の金額のうち、納税義務者又はその者と生計を一にする配偶者その他の親族で政令で定めるものの有する第三節一の1に規定する資産について特定非常災害により生じた損失の金額（当該特定非常災害に関連するやむを得ない支出で（2）で定めるものの金額を含み、保険金、損害賠償金その他これらに類するものにより埋められた部分の金額を除く。）に係るものをいう。（法33⑤）

　　　　　（読替規定）
（1）　地方税法施行令第7条の13の規定は、5に規定する政令で定める親族について準用する。この場合において、地方税法施行令第7条の13第1項中「納税義務者の」とあるのは「納税義務者と生計を一にする」と、「する。」とあるのは「する。この場合において、納税義務者と生計を一にする配偶者その他の親族に該当するかどうかの判定は、地方税法第33条第5項の特定非常災害が発生した日の現況による。」と、地方税法施行令第7条の13第2項中「第34条第1項（第1号に係る部分に限る。）」とあるのは「第33条第4項」と読み替えるものとする。（令7の12②）

　　　　　（やむを得ない支出で政令で定めるもの）
（2）　5に規定するやむを得ない支出で（2）で定めるものは、地方税法施行令第7条の13の3第1項第1号から第3号までに掲げる支出とする。（令7の12③）

参考通知

○個人の住民税及び事業税における青色事業専従者及び事業専従者に関する取扱いについて（個通昭和44年自治府65…最終改正平成16年総税都15）

標記について、下記のとおり通達するから、今後はこれにより処理されたい。

なお、管下市町村に対してもこの旨示達されたい。

おって「個人事業税に係る事業専従者控除の取扱いについて（昭38自丙府58）」は、廃止する。

記

（親族の範囲）

（一） 地方税法第32条第3項及び第4項、第72条の49の8第2項及び第3項並びに第313条第3項及び第4項に規定する「親族」とは、民法の規定に従い、配偶者、6親等内の血族及び3親等内の姻族をいうものであること。従って、内縁の配偶者は、これに含まれないものであること。

（生計を一にするの意義）

（二） 法第32条第3項及び第4項、第72条の49の8第2項及び第3項並びに第313条第3項及び第4項に規定する「生計を一にする」とは、日常生活の資を共通にしていることをいい、必ずしも同一家屋に起居しているかどうかを問わないものであること。

（15歳未満であるかどうかの判定）

（三） 事業を行う個人と生計を一にする親族（以下「親族」という。）の年齢が15歳未満であるかどうかは、当該年度の初日の属する年の前年の12月31日（年の中途において、当該親族の死亡又は当該事業の廃止があった場合には、当該死亡又は廃止の時）の現況によるものであること。従って、死亡又は事業の廃止による場合を除き、前年の中途において、その事業に従事しなくなった場合においても、前年の12月31日現在において判定するものであること。

（事業に専ら従事する者の判定）

（四） 生計を一にする親族が、事業に専ら従事しているかどうかの判定は、次によるものであること。

イ その者の年齢、他の職業の有無、その従事する仕事の内容、従事時間等を総合勘案して、社会通念上専らその事業に従事しているとみられるかどうかにより判定すること。なお、2種以上の事業又は課税事業と非課税事業とにわたって従事している者については、これらの事業を通じて判定するものとすること。

ロ 配偶者については、家族におけるその特別な地位にかえりみ、例えばその配偶者が他に勤務することを本務としており、帰宅後たまたま事業に従事するにすぎない等、明らかに手伝いの程度を出ないと認められる場合を除き、育児その他の家事にも従事している場合であっても、原則として専ら事業に従事しているものとすること。

（五） 青色事業専従者又は事業専従者となるには、1年のうち6月を超える期間その個人の行う事業に専ら従事することが必要であるが、特に青色事業専従者については、その従事期間が6月以下であっても、次に該当する場合には、その者が事業に従事することができると認められる期間のうち2分の1を超える期間その事業に従事していれば青色事業専従者となるものであること。

イ 年の中途における開業、廃業、休業又は納税義務者の死亡、その事業が季節営業であること等の理由により、その事業がその年中を通じて営まれなかったこと。

ロ その事業に従事する者の死亡、長期にわたる病気、婚姻、その他相当の理由によりその年中を通じて事業を行う個人と生計を一にする親族としてその事業に従事することができなかったこと。なお、この場合の「その他相当の理由」とは、縁組、離婚、就職、入学などにより身分関係に異動のあったこと、身体に重大な障害を受けたこと、その他これらに準ずる理由によって、納税義務者と生計を一にする親族としてその事業に従事することができなくなった場合のその理由をいうものであること。

（六） 学生又は生徒である者、他に職業を有する者等で、地方税法施行令第7条の5第2項（同令第35条の3の8及び第48条の2の2で準用する場合を含む。）の規定により事業に専ら従事する者に該当しないものとされるものの判定については、次の諸点に留意すること。

参考通知《住民税・事業税における青色事業専従者及び事業専従者の取扱い》

　イ　学生又は生徒である者については、夜間学生で昼間を主とする事業に従事する者、昼間学生で夜間を主とする事業に従事する者のほか、週一、二日程度修学する洋裁学校の学生又は生徒、いわゆる通信教育を受ける学生又は生徒などは、事業に専ら従事することが妨げられないと認められるものであること。
　ロ　他に職業を有する者については、例えば、非常勤の委員、週一、二回程度出張教授するにすぎない諸芸師匠等は、事業に専ら従事することが妨げられないと認められるものであること。
　ハ　老衰その他心身の障害により事業に従事する能力が著しく阻害されている者であるかどうかは、老齢、精神薄弱などのため、その親族のその仕事に従事する能力がその仕事に通常従事する者が備えるべき能力に比し著しく劣っているかどうかにより判定するものであること。従って、例えば、同じような老年者であっても、たばこの販売業に従事するような場合には著しく阻害されていないことになり、肉体労働を主とする事業に従事するような場合には著しく阻害されていることになることがあり得ることに留意すること。

　　（青色事業専従者給与額の必要経費算入）
(七)　青色事業専従者の給与額を必要経費に算入するに当たっては、次の諸点に留意すること。
　イ　法第32条第3項、第72条の49の8第2項及び第313条第3項に規定する「給与」とは、所得税法第28条の規定により給与所得の収入金額となるべき給料、賞与、手当等、青色事業専従者がその事業に従事している間に支給を受けるべきものに限られ、同法第30条の規定により退職所得の収入金額となるべき退職給与、青色事業専従者でなくなった後に支給を受ける退職年金等は、これに含まれないものであること。
　　なお、この場合の給与には現物給与も含まれるものであること。
　ロ　青色申告者（前年分の所得税につき納税義務を負わないと認められる者を除く。）につき、所得税において必要経費に算入されている青色事業専従者の給与額は、個人の住民税又は事業税においても、その額を必要経費に算入するものとすること。
　ハ　前年分の所得税につき納税義務を負わないと認められた者又は前年度分の所得税につき青色事業専従者を控除対象配偶者若しくは扶養親族とした者については、個人の住民税又は事業税の申告がある場合（法第45条の3、第72条の55の2及び第317条の3の規定により申告がされたとみなされる場合を含む。）に限り、その申告に基づいて青色事業専従者の給与額を必要経費に算入することが認められているが、給与の支給の事実及びその支給額の認定は、原則として帳簿書類に記帳経理がなされている給与の支給に関する事項を基として認定するものであること。この場合において、その額が妥当であるかどうかは所得税法第57条第1項及び所得税法施行令第164条第1項の規定の例によって判定することとすること。
　　なお、まかない費等については、一般の使用人に対して現物給与としてまかない費等を支給しており、青色事業専従者も使用人と同じような形態で食事をとっているような場合など相当の理由があるときは、その青色事業専従者が事業から現物給与の支給を受けていると判定して差支えないものであること。
　ニ　同一の青色事業専従者が、2種以上の事業又は課税事業と非課税事業とにわたって従事している場合の青色事業専従者の給与額の算定については、その事業を通じて支給した給与の金額をそれぞれの事業に従事した分量に応じて配分して計算した金額によるものであること。この場合において、その事業に従事した分量が明らかでない場合においては、それぞれの事業に均等に従事したものとして計算して差支えないものであること。
　　なお、医業等に係る社会保険診療等の特例の適用のある青色事業専従者給与額の算定についても同様に取扱うものであること。この場合において、所得税において社会保険診療等に係る分として青色事業専従者の給与額を区分しているときは、個人の住民税及び事業税においても、その区分と同一の基準により区分するものであること。

　　（事業専従者控除額の必要経費算入）
(八)　事業専従者の控除額の算定に当たっては、次の諸点に留意すること。
　イ　事業専従者の控除額は、50万円（納税義務者の配偶者である場合は86万円）又は事業の所得の金額を事業専従者の数に1を加えた数で除して得た金額のいずれか低い金額とされているが、この場合の事業の所得の金額は、個人の住民税にあっては純損失の金額、変動所得の金額の計算上生じた損失の金額、被災事業用資産の損失の金額及び雑損失の金額の各繰越控除を、個人の事業税にあっては損失の金額、被災事業用資産の損失の金額及び事業用資産の譲渡損失の各繰越控除並びに事業用資産の譲渡損失の控除をそれぞれ行う前の金額であること。
　ロ　同一の事業専従者が、2種以上の事業又は課税事業と非課税事業とにわたって従事している場合の事業専従者の控除額の算定については、(七)のニに準ずるものであること。なお、医業等に係る社会保険診療等の特例の適用のある事業専従者の控除額の算定についても同様であること。

参考通知《住民税・事業税における青色事業専従者及び事業専従者の取扱い》

　　　（控除の順位）
（九）　青色事業専従者給与額又は事業専従者控除額は、個人の住民税にあっては、法第32条第8項及び第9項並びに第313条第8項及び第9項の控除額を、個人の事業税にあっては法第72条の49の8第6項、第7項、第9項及び第10項の控除額をそれぞれ控除する前に必要経費に算入することに留意すること。

　　　（繰越控除との関係）
（十）　青色事業専従者の給与の金額を必要経費に算入することにより損失が生じた場合には、当該損失の額は繰越控除されるものであること。

第三節　所得控除

一　所得控除額

　道府県は、所得割の納税義務者が次の各項の表の左欄に掲げる者に該当する場合には、それぞれ当該各項の表の右欄に定める金額をその者の前年の所得について算定した総所得金額等、退職所得金額又は山林所得金額から控除するものとする。（法34①、法附33の２③三、33の３③三、34③三、35④三、35の２④三、35の２の２④、35の４②三、平20改法附３⑳）

　（注）　上記の総所得金額等に含める上場株式等に係る配当所得等の金額は、第五節五の５《上場株式等に係る譲渡損失の損益通算及び繰越控除》の①又は②の適用後の金額とし、一般株式等に係る譲渡所得等の金額は、第五節六の２の①《特定株式に係る譲渡損失の繰越控除》の適用後の金額とし、上場株式等に係る譲渡所得等の金額は、同節五の５の②《上場株式等に係る譲渡損失の繰越控除》及び同節六の２の①《特定株式に係る譲渡損失の繰越控除》の適用後の金額とし、先物取引に係る雑所得等の金額は、同節七の２《先物取引の差金等決済に係る損失の繰越控除》の適用後の金額とする。（令附18の５⑩⑪、18の６⑯、18の７の２⑦）

1　雑損控除額

　次の規定によって控除すべき金額を雑損控除額という。（法34①一、⑥、令７の13①、令附16の２の11①、16の３③、17②、17の３④、18⑤、18の５⑦⑧、18の６⑯、18の７③、18の７の２⑦）

前年中に災害又は盗難若しくは横領（以下１において「**災害等**」という。）により自己又は自己と生計を一にする配偶者その他の親族で前年の総所得金額等、退職所得金額及び山林所得金額の合計額が48万円以下であるものの有する資産（被災事業用資産『第二節三の３』及び生活に通常必要でない資産として（２）で定める資産を除く。）について損失を受けた場合（当該災害等に関連して（３）で定めるやむを得ない支出をした場合を含む。）において、当該損失の金額（当該支出をした金額を含み、保険金、損害賠償金その他これらに類するものにより埋められた部分の金額を除く。以下１において「**損失の金額**」という。）の合計額が、次に掲げる場合の区分に応じ、それぞれ次に定める金額を超える所得割の納税義務者 イ　損失の金額に含まれる災害関連支出の金額（損失の金額のうち災害に直接関連して支出した金額として（４）で定める金額をいう。以下１において同じ。）が５万円以下である場合（災害関連支出の金額がない場合を含む。）　当該納税義務者の前年の総所得金額等、退職所得金額及び山林所得金額の合計額の10分の１に相当する金額 ロ　損失の金額に含まれる災害関連支出の金額が５万円を超える場合　損失の金額の合計額から災害関連支出の金額のうち５万円を超える部分の金額を控除した金額とイに定める金額とのいずれか低い金額 ハ　損失の金額が全て災害関連支出の金額である場合　５万円とイに定める金額とのいずれか低い金額	左欄に掲げる場合の区分に応じ、それぞれ左欄に定める金額を超える場合におけるその超える金額

（注）　東日本大震災に係る雑損控除の特例については、15を参照。（編者）

（親族と生計を一にする所得割の納税義務者が２人以上ある場合）
（１）　１に規定する親族と生計を一にする所得割の納税義務者が２人以上ある場合における１の規定の適用については、当該親族は、これらの納税義務者のうちいずれか一の納税義務者の親族にのみ該当するものとし、その親族がいずれの納税義務者の親族に該当するかについては、次の各号に掲げる場合の区分に応じ、当該各号に定める所得割の納税義務者の親族とする。（令７の13②、令附16の２の11①、16の３③、17②、17の３④、18⑤、18の５⑦⑧、18の６⑮、18の７③、18の７の２⑦、平20改令附３⑧⑬）
　イ　その親族が同一生計配偶者又は扶養親族に該当する場合　その者を自己の同一生計配偶者又は扶養親族としている所得割の納税義務者
　ロ　その親族が同一生計配偶者又は扶養親族に該当しない場合　次の（イ）又は（ロ）に掲げる場合の区分に応じ、それぞれ（イ）又は（ロ）に定める所得割の納税義務者
　　（イ）　その親族が配偶者に該当する場合　その夫又は妻である所得割の納税義務者
　　（ロ）　その親族が配偶者以外の親族に該当する場合　これらの納税義務者のうち前年の総所得金額、退職所得金

額及び山林所得金額の合計額が最も大きいもの

　　(生活に通常必要でない資産の範囲)
(2)　1の「生活に通常必要でない資産」は、次に掲げる資産とする。（令7の13の2）
　イ　競走馬（その規模、収益の状況その他の事情に照らし事業と認められるものの用に供されるものを除く。）その他射こう的行為の手段となる動産
　ロ　通常自己及び自己と生計を一にする親族が居住の用に供しない家屋で主として趣味、娯楽又は保養の用に供する目的で所有するものその他主として趣味、娯楽、保養又は鑑賞の目的で所有する資産（イ又はハに掲げる動産を除く。）
　ハ　生活の用に供する動産で所得税法施行令第25条《譲渡所得について非課税とされる生活用動産の範囲》の規定に該当しないもの

　　(雑損控除額の対象となるやむを得ない支出)
(3)　1に規定する「やむを得ない支出」は、次に掲げる支出とする。（令7の13の3①）
　イ　災害により1に規定する資産（以下(3)において「住宅家財等」という。）が滅失し、損壊し、又はその価値が減少したことによる当該住宅家財等の取壊し又は除去のための支出その他の災害に付随する支出
　ロ　災害により住宅家財等が損壊し、又はその価値が減少した場合その他災害により当該住宅家財等を使用することが困難となった場合において、その災害のやんだ日の翌日から1年を経過する日（大規模な災害の場合その他やむを得ない事情がある場合には、3年を経過する日）までにした次に掲げる支出その他これらに類する支出
　　(イ)　災害により生じた土砂その他の障害物を除去するための支出
　　(ロ)　当該住宅家財等の原状回復のための支出（当該災害により生じた当該住宅家財等の(5)の規定により計算される損失の金額に相当する部分の支出を除く。ニにおいて同じ。）
　　(ハ)　当該住宅家財等の損壊又はその価値の減少を防止するための支出
　ハ　災害により住宅家財等につき現に被害が生じ、又はまさに被害が生ずるおそれがあると見込まれる場合において、当該住宅家財等に係る被害の拡大又は発生を防止するため緊急に必要な措置を講ずるための支出
　ニ　盗難又は横領による損失が生じた住宅家財等の原状回復のための支出その他これに類する支出

　　(災害に直接関連して支出した金額)
(4)　1のイに規定する災害に直接関連して支出した金額は、前年中における(3)のイからハまでに掲げる支出の金額（保険金、損害賠償金その他これらに類するものにより埋められた部分の金額を除く。）とする。（令7の13の3②）

　　(雑損控除額の控除の対象となる雑損失の金額の計算)
(5)　1の規定を適用する場合において、1に規定する資産について受けた損失の金額は、当該損失を生じた時の直前におけるその資産の価額（その資産が次の各号に掲げる資産である場合には、当該価額又は当該各号に掲げる資産の区分に応じ当該各号に定める金額）を基礎として計算するものとする。（令7の13の4①）
　(一)　所得税法第38条第2項に規定する資産（(二)及び(三)に掲げるものを除く。）　当該損失の生じた日にその資産の譲渡があったものとみなして同項の規定（その資産が次に掲げる資産である場合には、次に掲げる資産の区分に応じそれぞれ次に定める規定）を適用した場合にその資産の取得費とされる金額に相当する金額
　　イ　昭和27年12月31日以前から引き続き所有していた資産　　所得税法第61条第3項の規定
　　ロ　所得税法第60条第1項第1号に掲げる相続又は遺贈により取得した配偶者居住権の目的となっている建物　　同条第2項の規定
　　ハ　所得税法第60条第1項第1号に掲げる相続又は遺贈により取得した配偶者居住権を有する者がその後において取得した当該配偶者居住権の目的となっていた建物　　所得税法施行令第169条の2第7項の規定
　(二)　所得税法第60条第1項第1号に掲げる相続又は遺贈により取得した配偶者居住権　　当該損失の生じた日に当該配偶者居住権の消滅があったものとみなして同条第3項の規定を適用した場合に当該配偶者居住権の取得費とされる金額に相当する金額
　(三)　所得税法第60条第1項第1号に掲げる相続又は遺贈により取得した配偶者居住権の目的となっている建物の敷地の用に供される土地（土地の上に存する権利を含む。）を当該配偶者居住権に基づき使用する権利　　当該損失の生じた日に当該権利の消滅があったものとみなして同条第3項の規定を適用した場合に当該権利の取得費とされる金額に相当する金額

第二編第一章《個人の道府県民税》第三節《所得控除》

(注1) 上記のかっこ書中の資産が所得税法第38条第2項に規定する使用又は期間の経過により減価する資産である場合における同項の規定を基礎として計算した金額とは、その資産の取得費から次のⅰ及びⅱの合計額を控除した金額をいう。(所得税法38②、同法施行令85)(編者)
　ⅰ　その資産が不動産所得、事業所得、山林所得又は雑所得を生ずべき業務の用に供されていた期間にあっては、これらの金額の計算上、必要経費に算入されるその資産の減価償却費の額の累積額
　ⅱ　ⅰ以外の期間にあっては、当該資産の同種の減価償却資産に係る耐用年数に1.5を乗じて計算した年数により旧定額法に準じて計算した金額に、当該資産の当該期間に係る年数を乗じて計算した金額

(注2) 上記のかっこ書中の資産が昭和27年12月31日以前から引き続き所有していたものである場合であって、所得税法第61条第3項の規定を適用した場合に、その資産の取得費とされる金額とは、その資産の昭和28年1月1日における現況に応じ、同日においてその資産につき相続税及び贈与税の課税標準の計算に用いるべきものとして国税庁長官が定めて公表した方法により計算した価額をいう。(所得税法61③、同法施行令172)(編者)

(特定非常災害により生じた損失の金額と他の損失金額とがある場合)
(6) その年において生じた1に規定する損失の金額のうちに第二節六の5に規定する特定非常災害により生じた損失の金額(以下(6)において「特定非常災害により生じた損失の金額」という。)と他の損失金額(当該特定非常災害により生じた損失の金額以外の1に規定する損失の金額をいう。)とがある場合におけるその年において生じた雑損失の金額は、当該特定非常災害により生じた損失の金額から順次成るものとする。(令7の13の4②)

(雑損失の金額のうちに特定雑損失金額と他の雑損失金額とがある場合)
(7) (6)の場合において、雑損失の金額のうちに特定雑損失金額と他の雑損失金額とがあるときは、一の規定による控除については、当該他の雑損失金額から順次控除する。(令7の13の4③)

(令和6年能登半島地震災害に係る雑損控除額等の特例)
(8) 道府県は、所得割の納税義務者の選択により、令和6年能登半島地震災害(令和6年1月1日に発生した令和6年能登半島地震による災害をいう。以下(8)において同じ。)により1に規定する資産について受けた損失の金額(令和6年能登半島地震災害に関連するやむを得ない支出で(9)で定めるもの(以下(8)において「災害関連支出」という。)の金額を含み、保険金、損害賠償金その他これらに類するものにより埋められた部分の金額を除く。以下(8)において「特例損失金額」という。)がある場合には、特例損失金額(災害関連支出がある場合には、(10)に規定する申告書の提出の日の前日までに支出したものに限る。以下(8)において「損失対象金額」という。)について、令和5年において生じた1に規定する損失の金額として、第二節三の2(第二節六の4の規定により読み替えて適用する場合を含む。)及び一の規定を適用することができる。この場合において、これらの規定により控除された金額に係る当該損失対象金額は、その者の令和7年度以後の年度分で当該損失対象金額が生じた年の末日の属する年度の翌年度分の個人の道府県民税に関する規定の適用については、当該損失対象金額が生じた年において生じなかったものとみなす。(法附4の4①)

(令和6年能登半島地震災害に係る雑損控除額の特例の対象となる雑損失の範囲等)
(9) (8)に規定するやむを得ない支出で(9)で定めるものは、(3)のイからハまでに掲げる支出とする。(令附4の5①)

(記載要件)
(10) (8)の規定は、令和6年度分の第六節八の1の①又は同③の規定による申告書(その提出期限後において道府県民税の納税通知書が送達される時までに提出されたもの及びその時までに提出された第六節八の3の①の確定申告書を含む。)に(8)の規定の適用を受けようとする旨の記載がある場合(これらの申告書にその記載がないことについてやむを得ない理由があると市町村長が認める場合を含む。)に限り、適用する。(法附4の4②)

(読替規定)
(11) (8)の規定により一の規定が適用される場合における(4)の規定の適用については、(4)中「支出」とあるのは、「支出((10)に規定する申告書の提出の日の前日までにしたものに限る。)」とする。(令附4の5②)

(準用規定)
(12) (5)の規定は、(8)に規定する特例損失金額を計算する場合について準用する。(令附4の5③)

(みなし規定)
(13) 道府県民税の所得割の納税義務者が(8)の規定の適用を受けた場合において、一の規定の適用により控除された金額に係る(8)に規定する損失対象金額のうちにその者と生計を一にする1に規定する親族の有する(8)に規定する資産について受けた損失の金額（以下(13)において「親族資産損失額」という。）があるときは、当該親族資産損失額は、当該親族の令和7年度以後の年度分で当該親族資産損失額が生じた年の末日の属する年度の翌年度分の個人の道府県民税に関する規定の適用については、当該親族資産損失額が生じた年において生じなかったものとみなす。（令附4の6①）

2　医療費控除額

次の規定により控除すべき金額を医療費控除額という。（法34①二、⑥、法附33の2③三、33の3③三、34③三、35④三、35の2④三、35の2の2④、35の4②三）

前年中に自己又は自己と生計を一にする配偶者その他の親族に係る医療費（医師又は歯科医師による診療又は治療、治療又は療養に必要な医薬品の購入その他医療又はこれに関連する人的役務の提供の対価のうち通常必要であると認められるものをいう。）を支払い、その支払った医療費の金額（保険金、損害賠償金その他これらに類するものにより埋められた部分の金額を除く。）の合計額が、前年の総所得金額等、退職所得金額及び山林所得金額の合計額の100分の5に相当する金額（その金額が10万円を超える場合には、10万円）を超える所得割の納税義務者	その超える金額（その金額が200万円を超える場合には、200万円）

(医療費の範囲)
（1）医療費とは、医師又は歯科医師による診療又は治療、治療又は療養に必要な医薬品の購入その他医療又はこれに関連する人的役務の提供の対価のうち通常必要であると認められる次に掲げるものの対価のうち、その病状その他総務省令で定める状況に応じて一般的に支出される水準を著しく超えない部分の金額とする。（令7の14）
　イ　医師又は歯科医師による診療又は治療
　ロ　治療又は療養に必要な医薬品の購入
　ハ　病院、診療所（これに準ずるものとして総務省令で定めるものを含む。）又は助産所へ収容されるための人的役務の提供
　ニ　あん摩マッサージ指圧師、はり師、きゅう師等に関する法律第3条の2に規定する施術者（同法第12条の2第1項の規定に該当する者を含む。）又は柔道整復師法第2条第1項に規定する柔道整復師による施術
　ホ　保健師、看護師又は准看護師による療養上の世話
　ヘ　助産師による分娩の介助
　ト　介護福祉士による社会福祉士及び介護福祉士法第2条第2項に規定する喀痰吸引等又は同法附則第10条第1項に規定する認定特定行為業務従事者による同項に規定する特定行為

(総務省令で定める状況)
（2）（1）に規定する総務省令で定める状況は、次に掲げる状況とする。（規1の13①）
　（一）指定介護老人福祉施設（介護保険法第48条第1項第1号に規定する指定介護老人福祉施設をいう。（3）において同じ。）及び指定地域密着型介護老人福祉施設（同法第42条の2第1項に規定する指定地域密着型サービスに該当する同法第8条第22項に規定する地域密着型介護老人福祉施設入所者生活介護の事業を行う同項に規定する地域密着型介護老人福祉施設をいう。（3）において同じ。）における（1）各号に掲げるものの提供の状況
　（二）高齢者の医療の確保に関する法律第18条第1項に規定する特定健康診査の結果に基づき同項に規定する特定保健指導（当該特定健康診査を行った医師の指示に基づき行われる積極的支援（特定健康診査及び特定保健指導の実施に関する基準（平成19年厚生労働省令第157号。以下（二）において「実施基準」という。）第8条第1項に規定する積極的支援をいう。）により行われるものに限る。）を受ける者のうちその結果が次のいずれかの基準に該当する者のその状態
　　イ　実施基準第1条第1項第5号に掲げる血圧の測定の結果が高血圧症と同等の状態であると認められる基準
　　ロ　実施基準第1条第1項第7号に規定する血中脂質検査の結果が脂質異常症と同等の状態であると認められる基準
　　ハ　実施基準第1条第1項第8号に掲げる血糖検査の結果が糖尿病と同等の状態であると認められる基準

(診療所に準ずるものとして総務省令で定めるもの)
(3) (1)のハに規定する総務省令で定めるものは、指定介護老人福祉施設及び指定地域密着型介護老人福祉施設とする。(規1の13②)

(特定一般用医薬品等購入費を支払った場合の医療費控除の特例)
(4) 道府県は、平成30年度から令和9年度までの各年度分の個人の道府県民税に限り、医療保険各法等(高齢者の医療の確保に関する法律第7条第1項に規定する医療保険各法及び高齢者の医療の確保に関する法律をいう。)の規定により療養の給付として支給される薬剤との代替性が特に高い一般用医薬品等(医薬品、医療機器等の品質、有効性及び安全性の確保等に関する法律(昭和35年法律第145号)第4条第5項第3号に規定する要指導医薬品及び同項第4号に規定する一般用医薬品をいう。)及びその使用による医療保険療養給付費(医療保険各法等の規定による療養の給付に要する費用をいう。)の適正化の効果が著しく高いと認められる一般用医薬品等の使用を推進する観点から、所得割の納税義務者が前年中に自己又は自己と生計を一にする配偶者その他の親族に係る特定一般用医薬品等購入費(租税特別措置法第41条の17第1項《特定一般用医薬品等購入費を支払った場合の医療費控除の特例》に規定する特定一般用医薬品等購入費をいう。)を支払った場合において当該所得割の納税義務者が前年中に健康の保持増進及び疾病の予防への取組として(5)で定める取組を行っているときにおける前年の総所得金額、退職所得金額及び山林所得金額に係る2の規定による控除については、その者の選択により、2中「前年中」とあるのは「前年(平成29年から令和8年までの各年に限る。)中」と、「医療費(医師又は歯科医師による診療又は治療、治療又は療養に必要な医薬品の購入その他医療又はこれに関連する人的役務の提供の対価のうち通常必要であると認められるもの」とあるのは「特定一般用医薬品等購入費(租税特別措置法第41条の17第1項《特定一般用医薬品等購入費を支払った場合の医療費控除の特例》に規定する特定一般用医薬品等購入費」と、「医療費の」とあるのは「特定一般用医薬品等購入費の」と、「前年の総所得金額、退職所得金額及び山林所得金額の合計額の100分の5に相当する金額(その金額が10万円を超える場合には、10万円)」とあるのは「12,000円」と、「200万円」とあるのは「88,000円」として、2の規定を適用することができる。(法附4の4①)

(政令で定める事項)
(5) (4)に規定する(5)で定める取組は、租税特別措置法施行令第26条の27の2第1項《特定一般用医薬品等購入費を支払った場合の医療費控除の特例》に規定する取組とする。(令附4の5①)

3　社会保険料控除額
次の規定により控除すべき金額を社会保険料控除額という。(法34①三、⑥)

前年中に自己又は自己と生計を一にする配偶者その他の親族の負担すべき社会保険料(所得税法第74条第2項《社会保険料の定義》に規定する社会保険料(租税特別措置法第41条の7第2項において社会保険料とみなされる金銭の額を含む。)をいう。)を支払った、又は給与から控除される所得割の納税義務者	その支払った、又は給与から控除される金額

4　小規模企業共済等掛金控除額
次の規定により控除すべき金額を小規模企業共済等掛金控除額という。(法34①四、⑥)

前年中に次に掲げる掛金を支払った所得割の納税義務者 イ　小規模企業共済法第2条第2項に規定する共済契約((1)で定めるものを除く。)に基づく掛金 ロ　確定拠出年金法第3条第3項第7号の2に規定する企業型年金加入者掛金又は同法第55条第2項第4号に規定する個人型年金加入者掛金 ハ　条例の規定により地方公共団体が精神又は身体に障害のある者に関して実施する共済制度で(2)に掲げる心身障害者共済制度に係る契約に基づく掛金	その支払った金額の合計額

(小規模企業共済等掛金控除額の控除の対象とならない共済契約)
(1) 4のイに規定する共済契約は、小規模企業共済法及び中小企業事業団法の一部を改正する法律(平成7年法律第44号)附則第5条第1項の規定により読み替えられた小規模企業共済法第9条第1項各号に掲げる事由により共済金

が支給されることとなる契約とする。(令7の14の2)

　　　　(小規模企業共済等掛金控除額の控除の対象となる心身障害者共済制度に係る契約の範囲)
(2)　4のハの心身障害者共済制度は、地方公共団体の条例において精神又は身体に障害のある者(以下この(2)において「心身障害者」という。)を扶養する者を加入者とし、その加入者が地方公共団体に掛金を納付し、当該地方公共団体が心身障害者の扶養のための給付金を定期に支給することを定めている制度(脱退一時金(加入者が当該制度から脱退する場合に支給される一時金をいう。)の支給に係る部分を除く。)で、次に掲げる要件を備えているものとする。(令7の14の3)
(イ)　心身障害者の扶養のための給付金(その給付金の支給開始前に心身障害者が死亡した場合に加入者に対して支給される弔慰金を含む。)のみを支給するものであること。
(ロ)　(イ)の給付金の額は、心身障害者の生活のために通常必要とされる費用を満たす金額((イ)の弔慰金にあっては、掛金の累積額に比して相当と認められる金額)を超えず、かつ、その額について、特定の者につき不当に差別的な取扱いをしないこと。
(ハ)　(イ)の給付金((イ)の弔慰金を除く。(ニ)において同じ。)の支給は、加入者の死亡、重度の障害その他地方公共団体の長が認定した特別の事故を原因として開始されるものであること。
(ニ)　(イ)の給付金の受取人は、心身障害者又は(ハ)の事故発生後において心身障害者を扶養する者とするものであること。
(ホ)　(イ)の給付金に関する経理は、他の経理と区分して行い、かつ、掛金その他の資金が銀行その他の金融機関に対する運用の委託、生命保険への加入その他これらに準ずる方法を通じて確実に運用されるものであること。

5　生命保険料控除額

①　平成25年度以後の年度分に適用される生命保険料控除
次の規定によって控除すべき金額を生命保険料控除という。(法34①五、⑥)

前年中にイに規定する新生命保険料若しくは旧生命保険料、ロに規定する介護医療保険料又はハに規定する新個人年金保険料若しくは旧個人年金保険料を支払った所得割の納税義務者		次のイからハまでに掲げる場合の区分に応じ、それぞれ(イ)から(ハ)までに定める金額の合計額(当該合計額が7万円を超える場合には、7万円)	
イ	新生命保険契約等に係る保険料若しくは掛金(②の(一)のイからハまでに掲げる契約に係るものにあっては生存又は死亡に基因して一定額の保険金、共済金その他の給付金(以下①及び②において「保険金等」という。)を支払うことを約する部分(ハにおいて「生存死亡部分」という。)に係るものその他(2)で定めるものに限るものとし、ロに規定する介護医療保険料及びハに規定する新個人年金保険料を除く。以下イ及びロにおいて「新生命保険料」という。)又は旧生命保険契約等に係る保険料若しくは掛金(ハに規定する旧個人年金保険料その他(3)で定めるものを除く。以下イにおいて「旧生命保険料」という。)を支払った場合	イ	次に掲げる場合の区分に応じ、それぞれ次に定める金額 (イ)　新生命保険料を支払った場合((ハ)に掲げる場合を除く。)　次に掲げる場合の区分に応じ、それぞれ次に定める金額 　(ⅰ)　前年中に支払った新生命保険料の金額の合計額(前年中において新生命保険契約等に基づく剰余金の分配若しくは割戻金の割戻しを受け、又は新生命保険契約等に基づき分配を受ける剰余金若しくは割戻しを受ける割戻金をもって新生命保険料の払込みに充てた場合には、当該剰余金又は割戻金の額(新生命保険料に係る部分の金額として(4)で定めるところにより計算した金額に限る。)を控除した残額。以下(イ)及び(ハ)(ⅰ)において同じ。)が12,000円以下である場合　　当該合計額 　(ⅱ)　前年中に支払った新生命保険料の金額の合計額が12,000円を超え32,000円以下である場合　　12,000円と当該合計額から12,000円を控除した金額の2分の1に相当する金額との合計額 　(ⅲ)　前年中に支払った新生命保険料の金額の合計額が32,000円を超え56,000円以下である場合　　22,000円と当該合計額から32,000円を控除した金額の4分の1に相当する金額との合計額 　(ⅳ)　前年中に支払った新生命保険料の金額の合計額が56,000円を超える場合　　28,000円 (ロ)　旧生命保険料を支払った場合((ハ)に掲げる場合を除く。)　次

			に掲げる場合の区分に応じ、それぞれ次に定める金額 （ⅰ）　前年中に支払った旧生命保険料の金額の合計額（前年中において旧生命保険契約等に基づく剰余金の分配若しくは割戻金の割戻しを受け、又は旧生命保険契約等に基づき分配を受ける剰余金若しくは割戻しを受ける割戻金をもって旧生命保険料の払込みに充てた場合には、当該剰余金又は割戻金の額（旧生命保険料に係る部分の金額に限る。）を控除した残額。以下（ロ）及び（ハ）（ⅱ）において同じ。）が15,000円以下である場合　　当該合計額 （ⅱ）　前年中に支払った旧生命保険料の金額の合計額が15,000円を超え40,000円以下である場合　　15,000円と当該合計額から15,000円を控除した金額の２分の１に相当する金額との合計額 （ⅲ）　前年中に支払った旧生命保険料の金額の合計額が40,000円を超え70,000円以下である場合　　27,500円と当該合計額から40,000円を控除した金額の４分の１に相当する金額との合計額 （ⅳ）　前年中に支払った旧生命保険料の金額の合計額が70,000円を超える場合　　35,000円 （ハ）　新生命保険料及び旧生命保険料を支払った場合　　その支払った次に掲げる保険料の区分に応じ、それぞれ次に定める金額の合計額（当該合計額が28,000円を超える場合には、28,000円） （ⅰ）　新生命保険料　　前年中に支払った新生命保険料の金額の合計額の（イ）（ⅰ）から（ⅳ）までに掲げる場合の区分に応じ、それぞれ（イ）（ⅰ）から（ⅳ）までに定める金額 （ⅱ）　旧生命保険料　　前年中に支払った旧生命保険料の金額の合計額の（ロ）（ⅰ）から（ⅳ）までに掲げる場合の区分に応じ、それぞれ（ロ）（ⅰ）から（ⅳ）までに定める金額
ロ	介護医療保険契約等に係る保険料又は掛金（病院又は診療所に入院して２に規定する医療費を支払ったことその他の(5)で定める事由（②の（二）及び（三）において「医療費等支払事由」という。）に基因して保険金等を支払うことを約する部分に係るものその他(6)で定めるものに限るものとし、新生命保険料を除く。以下ロにおいて「介護医療保険料」という。）を支払った場合	ロ	次に掲げる場合の区分に応じ、それぞれ次に定める金額 （イ）　前年中に支払った介護医療保険料の金額の合計額（前年中において介護医療保険契約等に基づく剰余金の分配若しくは割戻金の割戻しを受け、又は介護医療保険契約等に基づき分配を受ける剰余金若しくは割戻しを受ける割戻金をもって介護医療保険料の払込みに充てた場合には、当該剰余金又は割戻金の額（介護医療保険料に係る部分の金額として(7)で定めるところにより計算した金額に限る。）を控除した残額。以下ロにおいて同じ。）が12,000円以下である場合　　当該合計額 （ロ）　前年中に支払った介護医療保険料の金額の合計額が12,000円を超え32,000円以下である場合　　12,000円と当該合計額から12,000円を控除した金額の２分の１に相当する金額との合計額 （ハ）　前年中に支払った介護医療保険料の金額の合計額が32,000円を超え56,000円以下である場合　　22,000円と当該合計額から32,000円を控除した金額の４分の１に相当する金額との合計額 （ニ）　前年中に支払った介護医療保険料の金額の合計額が56,000円を超える場合　　28,000円
ハ	新個人年金保険契約等に係る保険料若しくは掛金（生存死亡部分に係るものに限る。以下ハにおいて「新個人年金保険料」という。）又は旧個人年金保険契約等に係る保険料若しくは掛金（その者の疾病又は身体の傷害その他これらに類する事由に基因	ハ	次に掲げる場合の区分に応じ、それぞれ次に定める金額 （イ）　新個人年金保険料を支払った場合（（ハ）に掲げる場合を除く。）　　次に掲げる場合の区分に応じ、それぞれ次に定める金額 （ⅰ）　前年中に支払った新個人年金保険料の金額の合計額（前年中において新個人年金保険契約等に基づく剰余金の分配若しくは割戻金の割戻しを受け、又は新個人年金保険契約等に基づき分配を受ける剰余金若しくは割戻しを受ける割戻金をもって新個人年金保険料の

して保険金等を支払う旨の特約が付されている契約にあっては、当該特約に係る保険料又は掛金を除く。以下ハにおいて「旧個人年金保険料」という。）を支払った場合

払込みに充てた場合には、当該剰余金又は割戻金の額（新個人年金保険料に係る部分の金額として（8）で定めるところにより計算した金額に限る。）を控除した残額。以下（イ）及び（ハ）（ⅰ）において同じ。）が12,000円以下である場合　　　当該合計額

（ⅱ）　前年中に支払った新個人年金保険料の金額の合計額が12,000円を超え32,000円以下である場合　　　12,000円と当該合計額から12,000円を控除した金額の2分の1に相当する金額との合計額

（ⅲ）　前年中に支払った新個人年金保険料の金額の合計額が32,000円を超え56,000円以下である場合　　　22,000円と当該合計額から32,000円を控除した金額の4分の1に相当する金額との合計額

（ⅳ）　前年中に支払った新個人年金保険料の金額の合計額が56,000円を超える場合　　　28,000円

（ロ）　旧個人年金保険料を支払った場合（（ハ）に掲げる場合を除く。）　次に掲げる場合の区分に応じ、それぞれ次に定める金額

（ⅰ）　前年中に支払った旧個人年金保険料の金額の合計額（前年中において旧個人年金保険契約等に基づく剰余金の分配若しくは割戻金の割戻しを受け、又は旧個人年金保険契約等に基づき分配を受ける剰余金若しくは割戻しを受ける割戻金をもって旧個人年金保険料の払込みに充てた場合には、当該剰余金又は割戻金の額（旧個人年金保険料に係る部分の金額に限る。）を控除した残額。以下（ロ）及び（ハ）（ⅱ）において同じ。）が15,000円以下である場合　　　当該合計額

（ⅱ）　前年中に支払った旧個人年金保険料の金額の合計額が15,000円を超え40,000円以下である場合　　　15,000円と当該合計額から15,000円を控除した金額の2分の1に相当する金額との合計額

（ⅲ）　前年中に支払った旧個人年金保険料の金額の合計額が40,000円を超え70,000円以下である場合　　　27,500円と当該合計額から40,000円を控除した金額の4分の1に相当する金額との合計額

（ⅳ）　前年中に支払った旧個人年金保険料の金額の合計額が70,000円を超える場合　　　35,000円

（ハ）　新個人年金保険料及び旧個人年金保険料を支払った場合　　　その支払った次に掲げる保険料の区分に応じ、それぞれ次に定める金額の合計額（当該合計額が28,000円を超える場合には、28,000円）

（ⅰ）　新個人年金保険料　　　前年中に支払った新個人年金保険料の金額の合計額の（イ）（ⅰ）から（ⅳ）までに掲げる場合の区分に応じ、それぞれ（イ）（ⅰ）から（ⅳ）までに定める金額

（ⅱ）　旧個人年金保険料　　　前年中に支払った旧個人年金保険料の金額の合計額の（ロ）（ⅰ）から（ⅳ）までに掲げる場合の区分に応じ、それぞれ（ロ）（ⅰ）から（ⅳ）までに定める金額

　　（勤労者財産形成貯蓄保険契約等に係る保険料等の適用除外）
（1）　租税特別措置法第4条の4第1項に規定する勤労者財産形成貯蓄保険契約等に係る生命保険若しくは損害保険の保険料又は生命共済の共済掛金については、①及び6の規定は、適用しない。（法34⑤）

　　（新生命保険料の対象となる保険料又は掛金）
（2）　①の表のイに規定する新生命保険料の対象となる新生命保険契約等に係る保険料又は掛金は、次に掲げる保険料又は掛金とする。（令7の15）
　（一）　②の（一）のイに掲げる契約の内容と同（三）のイに掲げる契約の内容とが一体となって効力を有する一の保険契約のうち、所得税法施行令第208条の3第1項第1号の規定により定められたもの（（6）において「特定介護医療保険契約」という。）以外のものに係る保険料

（二）　②の（一）のハに掲げる契約の内容と同（三）のロに掲げる生命共済契約等の内容とが一体となって効力を有する一の共済に係る契約のうち、所得税法施行令第208条の３第１項第２号の規定により定められたもの（（６）において「特定介護医療共済契約」という。）以外のものに係る掛金

　　（旧生命保険料の対象とならない保険料）
（３）　①の表のイに規定する旧生命保険料の対象とならない旧生命保険契約等に係る保険料又は掛金は、次に掲げる保険料とする。（令７の15の２）
　　（一）　一定の偶然の事故によって生ずることのある損害をてん補する旨の特約（②の（二）のニに掲げる契約又は①の表のイに規定する保険金等（（５）及び②の（２）において「保険金等」という。）の支払事由が身体の傷害のみに基因することとされているもの（（二）において「傷害保険契約」という。）を除く。）が付されている保険契約に係る保険料のうち、当該特約に係る保険料
　　（二）　②の（二）のニに掲げる契約の内容と６の（１）のイに掲げる契約（傷害保険契約を除く。）の内容とが一体となって効力を有する一の保険契約に係る保険料

　　（新生命保険料の金額から控除する剰余金等の額）
（４）　①の表のイの（イ）の（ⅰ）に規定する新生命保険料に係る部分の金額として計算した金額は、前年において②の（一）に規定する新生命保険契約等（当該新生命保険契約等が他の保険契約（共済に係る契約を含む。以下（４）において同じ。）に附帯して締結したものである場合には、当該他の保険契約及び当該他の保険契約に附帯して締結した当該新生命保険契約等以外の保険契約を含む。以下（４）において同じ。）に基づき分配を受けた剰余金の額及び割戻しを受けた割戻金の額並びに当該新生命保険契約等に基づき分配を受けた剰余金又は割戻しを受けた割戻金をもって当該新生命保険契約等に係る保険料又は掛金の払込みに充てた金額の合計額に、前年中に支払った当該新生命保険契約等に係る保険料又は掛金の金額の合計額のうちに当該新生命保険契約等に係る①の表のイに規定する新生命保険料の金額の占める割合を乗じて計算した金額とする。（令７の15の３①）

　　（介護医療保険契約等に係る保険金等の支払事由の範囲）
（５）　①の表のロに規定する事由は、次に掲げる事由とする。（令７の15の４）
　　（一）　疾病にかかったこと又は身体の傷害を受けたことを原因とする人の状態に基因して生ずる①の表のロに規定する医療費その他の費用を支払ったこと。
　　（二）　疾病若しくは身体の傷害又はこれらを原因とする人の状態（②の（三）に規定する介護医療保険契約等に係る約款に、これらの事由に基因して一定額の保険金等を支払う旨の定めがある場合に限る。）
　　（三）　疾病又は身体の傷害により就業することができなくなったこと。

　　（介護医療保険料の対象となる保険料又は掛金）
（６）　①の表のロに規定する介護医療保険料の対象となる保険料又は掛金は、次に掲げる保険料又は掛金とする。（令７の15の５）
　　（一）　②の（一）のイに掲げる契約の内容と同（三）のイに掲げる契約の内容とが一体となって効力を有する一の保険契約のうち、特定介護医療保険契約に係る保険料
　　（二）　②の（一）のハに掲げる契約の内容と同（三）のロに掲げる生命共済契約等の内容とが一体となって効力を有する一の共済に係る契約のうち、特定介護医療共済契約に係る掛金

　　（介護医療保険料の金額から控除する剰余金等の額）
（７）　①の表のロの（イ）に規定する介護医療保険料に係る部分の金額として計算した金額は、前年において②の（三）に規定する介護医療険契約等（当該介護医療保険契約等が他の保険契約（共済に係る契約を含む。以下（７）において同じ。）に附帯して締結したものである場合には、当該他の保険契約及び当該他の保険契約に附帯して締結した当該介護医療保険契約等以外の保険契約を含む。以下（７）において同じ。）に基づき分配を受けた剰余金の額及び割戻しを受けた割戻金の額並びに当該介護医療保険契約等に基づき分配を受けた剰余金又は割戻しを受けた割戻金をもって当該介護医療保険契約等に係る保険料又は掛金の払込みに充てた金額の合計額に、前年中に支払った当該介護医療保険契約等に係る保険料又は掛金の金額の合計額のうちに当該介護医療保険契約等に係る①の表のロに規定する介護医療保険料の金額の占める割合を乗じて計算した金額とする。（令７の15の３②）

(新個人年金保険料の金額から控除する剰余金等の額)
(8) ①の表のハの(イ)(ⅰ)に規定する新個人年金保険料に係る部分の金額として計算した金額は、前年において②の(四)に規定する新個人年金保険契約等(当該新個人年金保険契約等が他の保険契約(共済に係る契約を含む。以下(8)において同じ。)に附帯して締結したものである場合には、当該他の保険契約及び当該他の保険契約に附帯して締結した当該新個人年金保険契約等以外の保険契約を含む。以下(8)において同じ。)に基づき分配を受けた剰余金の額及び割戻しを受けた割戻金の額並びに当該新個人年金保険契約等に基づき分配を受けた剰余金又は割戻しを受けた割戻金をもって当該新個人年金保険契約等に係る保険料又は掛金の払込みに充てた金額の合計額に、前年中に支払った当該新個人年金保険契約等に係る保険料又は掛金の金額の合計額のうちに当該新個人年金保険契約等に係る①の表のハに規定する新個人年金保険料の金額の占める割合を乗じて計算した金額とする。(令7の15の3③)

② **保険契約等の意義**(平成25年度以後の年度分に適用される生命保険料控除に係る保険契約等)

①において、次の各号に掲げる用語の意義は、当該各号に定めるところによる。この場合において、平成24年1月1日以後に(二)に規定する旧生命保険契約等又は(五)に規定する旧個人年金保険契約等に附帯して(一)、(三)又は(四)に規定する新契約を締結したときは、当該旧生命保険契約等又は旧個人年金保険契約等は、同日以後に締結した契約とみなす。(法34⑦一〜五)

(一)	新生命保険契約等	平成24年1月1日以後に締結した次に掲げる契約(失効した同日前に締結した当該契約が同日以後に復活したものを除く。以下(一)において「新契約」という。)若しくは他の保険契約(共済に係る契約を含む。(三)及び(四)において同じ。)に附帯して締結した新契約又は同日以後に確定給付企業年金法第3条第1項第1号その他(1)イの政令で定める規定((二)において「承認規定」という。)の承認を受けたニに掲げる規約若しくは同項第2号その他(1)ロの政令で定める規定((二)において「認可規定」という。)の認可を受けた同項第2号に規定する基金((二)において「基金」という。)のニに掲げる規約(以下(一)及び(二)において「新規約」と総称する。)のうち、これらの新契約又は新規約に基づく保険金等の受取人の全てをその保険料若しくは掛金の払込みをする者又はその配偶者その他の親族とするもの イ 保険業法第2条第3項に規定する生命保険会社又は同条第8項に規定する外国生命保険会社等の締結した保険契約のうち生存又は死亡に基因して一定額の保険金等が支払われるもの(保険期間が5年に満たない保険契約で(2)イで定めるもの((二)において「特定保険契約」という。)及び当該外国生命保険会社等がこの法律の施行地外において締結したものを除く。) ロ 郵政民営化法等の施行に伴う関係法律の整備等に関する法律第2条の規定による廃止前の簡易生命保険法第3条に規定する簡易生命保険契約((二)及び(三)において「旧簡易生命保険契約」という。)のうち生存又は死亡に基因して一定額の保険金等が支払われるもの ハ 農業協同組合法第10条第1項第10号の事業を行う農業協同組合の締結した生命共済に係る契約(共済期間が5年に満たない生命共済に係る契約で(2)ロで定めるものを除く。)その他(3)で定めるこれに類する共済に係る契約((二)及び(三)において「生命共済契約等」という。)のうち生存又は死亡に基因して一定額の保険金等が支払われるもの ニ 確定給付企業年金法第3条第1項に規定する確定給付企業年金に係る規約又はこれに類する退職年金に関する契約で(4)で定めるもの
(二)	旧生命保険契約等	平成23年12月31日以前に締結した次に掲げる契約(失効した同日以前に締結した当該契約が同日後に復活したものを含む。)又は同日以前に承認規定の承認を受けたホに掲げる規約若しくは認可規定の認可を受けた基金のホに掲げる規約(新規約を除く。)のうち、これらの契約又は規約に基づく保険金等の受取人の全てをその保険料若しくは掛金の払込みをする者又はその配偶者その他の親族とするもの イ (一)のイに掲げる契約 ロ 旧簡易生命保険契約 ハ 生命共済契約等 ニ (一)のイに規定する生命保険会社若しくは外国生命保険会社等又は保険業法第2条第4項に規定する損害保険会社若しくは同条第9項に規定する外国損害保険会社等の締結した疾病又は身体の傷害その他これらに類する事由に基因して保険金等が支払われる保険契約(イに掲げるもの、保険金等の支払事由が身体の傷害のみに基因することとされているもの、特定保険契約、当該外国生命保険会社等又は当該外国損害保険会社等がこの法律の施行地外において締結したものその他(2)ハで定め

		るものを除く。）のうち、医療費等支払事由に基因して保険金等が支払われるもの ホ　（一）のニに掲げる規約又は契約
（三）	介護医療保険契約等	平成24年1月1日以後に締結した次に掲げる契約（失効した同日前に締結した当該契約が同日以後に復活したものを除く。以下（三）において「新契約」という。）又は他の保険契約に附帯して締結した新契約のうち、これらの新契約に基づく保険金等の受取人の全てをその保険料若しくは掛金の払込みをする者又はその配偶者その他の親族とするもの イ　（二）のニに掲げる契約 ロ　疾病又は身体の傷害その他これらに類する事由に基因して保険金等が支払われる旧簡易生命保険契約又は生命共済契約等（（一）のロ及びハに掲げるもの、保険金等の支払事由が身体の傷害のみに基因するものその他（2）ニで定めるものを除く。）のうち医療費等支払事由に基因して保険金等が支払われるもの
（四）	新個人年金保険契約等	平成24年1月1日以後に締結した（一）のイからハまでに掲げる契約（年金を給付する定めのあるもので（5）で定めるもの（（五）において「年金給付契約」という。）に限るものとし、失効した同日前に締結した当該契約が同日以後に復活したものを除く。以下（四）において「新契約」という。）又は他の保険契約に附帯して締結した新契約のうち、次に掲げる要件の定めのあるもの イ　当該契約に基づく年金の受取人は、ロの保険料若しくは掛金の払込みをする者又はその配偶者が生存している場合にはこれらの者のいずれかとするものであること。 ロ　当該契約に基づく保険料又は掛金の払込みは、年金支払開始日前10年以上の期間にわたって定期に行うものであること。 ハ　当該契約に基づくイに定める個人に対する年金の支払は、当該年金の受取人の年齢が60歳に達した日以後の日で当該契約で定める日以後10年以上の期間又は当該受取人が生存している期間にわたって定期に行うものであることその他の（7）で定める要件
（五）	旧個人年金保険契約等	平成23年12月31日以前に締結した（二）のイからハまでに掲げる契約（年金給付契約に限るものとし、失効した同日以前に締結した当該契約が同日後に復活したものを含む。）のうち、（四）のイからハまでに掲げる要件の定めのあるもの

　　　（承認規定等の範囲）
（1）イ　②の（一）に規定する確定給付企業年金法第3条第1項第1号その他政令で定める規定は、同法第6条第1項(同法第79条第1項若しくは第2項、第81条第2項、第107条第1項、第110条の2第3項、第111条第2項又は附則第25条第1項に規定する権利義務の移転又は承継に伴う同法第3条第1項に規定する確定給付企業年金に係る規約（ロにおいて「規約」という。）の変更について承認を受ける場合に限る。）、第74条第4項及び第75条第2項の規定とする。（令7の15の8①）
　　ロ　②の（一）に規定する確定給付企業年金法第3条第1項第2号その他政令で定める規定は、同法第16条第1項(同法第76条第4項、第77条第5項、第79条第1項若しくは第2項、第80条第2項、第107条第1項、第110条の2第3項又は附則第25条第1項に規定する権利義務の移転又は承継に伴う規約の変更について認可を受ける場合に限る。）、第76条第1項、第77条第1項及び第112条第1項の規定とする。（令7の15の8②）

　　　（生命保険料控除額の控除の対象とならない保険契約等）
（2）イ　②の（一）のイに規定する保険契約は、保険期間が5年に満たない保険業法第2条第3項に規定する生命保険会社又は同条第8項に規定する外国生命保険会社等の締結した保険契約のうち、被保険者が保険期間満了の日に生存している場合に限り保険金等を支払う定めのあるもの又は被保険者が保険期間満了の日に生存している場合及び当該期間中に災害、感染症の予防及び感染症の患者に対する医療に関する法律第6条第2項若しくは第3項に規定する一類感染症若しくは二類感染症その他これらに類する特別の理由により死亡した場合に限り保険金等『①の(3)の（一）参照』を支払う定めのあるものとする（令7の15の9①）
　　ロ　②の（一）のハに規定する生命共済に係る保険契約は、共済期間が5年に満たない生命共済に係る契約のうち、被共済者が共済期間の満了の日に生存している場合に限り保険金等を支払う定めのあるもの又は被共済者が共済期間の満了の日に生存している場合及び当該期間中に災害、イに規定する感染症その他これらに類する特別の理由により死亡した場合に限り保険金等を支払う定めのあるものとする。（令7の15の9②）

ハ　②の(二)のニに規定する保険契約は、外国への旅行のために住居を出発した後、住居に帰着するまでの期間（ニにおいて「海外旅行期間」という。）内に発生した疾病又は身体の傷害その他これらに類する事由に基因して保険金等が支払われる保険契約とする。（令7の15の9③）

ニ　②の(三)のロに規定する生命共済契約等は、海外旅行期間内に発生した疾病又は身体の傷害その他これらに類する事由に基因して保険金等が支払われる(一)のハに規定する生命共済契約等とする。（令7の15の9④）

（生命共済契約等の範囲）
（3）　②の(一)のハに規定する生命共済に係る契約に類する共済に係る契約は、次に掲げる契約とする。（令7の15の10）
　(一)　農業協同組合法第10条第1項第10号の事業を行う農業協同組合連合会の締結した生命共済に係る契約
　(二)　水産業協同組合法第11条第1項第12号若しくは第93条第1項第6号の2の事業を行う漁業協同組合若しくは水産加工業協同組合又は共済水産業協同組合連合会の締結した生命共済に係る契約（漁業協同組合又は水産加工業協同組合の締結した契約にあっては、所得税法施行令第210条第2号に規定する要件を備えているものに限る。）
　(三)　消費生活協同組合法第10条第1項第4号の事業を行う消費生活協同組合連合会の締結した生命共済に係る契約
　(四)　中小企業等協同組合法第9条の2第7項に規定する共済事業を行う同項に規定する特定共済組合、同法第9条の9第1項第3号に掲げる事業を行う協同組合連合会又は同条第4項に規定する特定共済組合連合会の締結した生命共済に係る契約
　(五)　法律の規定に基づく共済に関する事業を行う法人の締結した生命共済に係る契約で、所得税法施行令第210条第5号《財務大臣が指定した共済事業法人の生命共済契約》の規定により指定されたもの

（退職年金に関する契約の範囲）
（4）　②の(一)のニに規定する退職年金に関する契約は、法人税法附則第20条第3項に規定する適格退職年金契約とする。（令7の15の11）

（年金給付契約の対象となる契約の範囲）
（5）　②の(四)に規定する年金を給付する定めのある契約は、次に掲げる契約とする。（令7の15の12）
　(一)　②の(一)のイに掲げる契約で年金の給付を目的とするもの（退職年金の給付を目的とするものを除く。）のうち、当該契約の内容（①のハに規定する特約が付されている契約又は他の保険契約に附帯して締結した契約にあっては、当該特約又は他の保険契約の内容を除く。）が次に掲げる要件を満たすもの
　　イ　当該契約に基づく年金以外の金銭の支払（剰余金の分配及び解約返戻金の支払を除く。）は、当該契約で定める被保険者が死亡し、又は重度の障害に該当することとなった場合に限り行うものであること。
　　ロ　当該契約で定める被保険者が死亡し、又は重度の障害に該当することとなった場合に支払う金銭の額は、当該契約の締結の日以後の期間又は支払保険料の総額に応じて逓増的に定められていること。
　　ハ　当該契約に基づく年金の支払は、当該年金の支払期間を通じて年1回以上定期に行うものであり、かつ、当該契約に基づき支払うべき年金の額（年金の支払開始日から一定の期間内に年金受取人が死亡してもなお年金を支払う旨の定めのある契約にあっては、当該一定の期間内に支払うべき年金の額とする。）の一部を一括して支払う旨の定めがないこと。
　　ニ　当該契約に基づく剰余金の金銭による分配（当該分配を受ける剰余金をもって当該契約に係る保険料の払込みに充てられる部分を除く。）は、年金の支払開始日前において行わないもの又は当該剰余金の分配をする日の属する年において払い込むべき当該保険料の金額の範囲内の額とするものであること。
　(二)　②の(一)のロに規定する旧簡易生命保険契約で年金の給付を目的とするもの（退職年金の給付を目的とするものを除く。）のうち、当該契約の内容（①の表のハに規定する特約が付されている契約にあっては、当該特約の内容を除く。）が(一)のイからニまでに掲げる要件を満たすもの
　(三)　②の(一)のハに規定する農業協同組合の締結した生命共済に係る契約又は(3)の(一)若しくは(二)に掲げる生命共済に係る契約で、年金の給付を目的とするもの（退職年金の給付を目的とするものを除く。(四)において同じ。）のうち、当該契約の内容（①の表のハに規定する特約が付されている契約又は他の生命共済に係る契約に附帯して締結した契約にあっては、当該特約又は他の生命共済に係る契約の内容を除く。）が(一)のイからニまでに掲げる要件に相当する要件その他の(6)で定める要件を満たすもの
　(四)　(3)の(三)又は(五)に掲げる生命共済に係る契約で年金の給付を目的とするもののうち、所得税法施行令第211条第4号《財務大臣が指定した共済事業法人の生命共済契約》の規定により指定されたもの

(年金給付契約の対象となる共済に係る契約の要件の細目)
（６）（５）の（三）に定める要件は、次に掲げる要件とする。（規１の14）
　（一）　（５）の（三）に規定する生命共済に係る契約で年金の給付を目的とするもの（退職年金の給付を目的とするものを除く。以下（６）において「年金共済契約」という。）を締結する組合（農業協同組合法第10条第１項第10号の事業を行う農業協同組合若しくは農業協同組合連合会又は水産業協同組合法第11条第１項第11号若しくは第93条第１項第６号の２の事業を行う漁業協同組合若しくは水産加工業協同組合若しくは共済水産業協同組合連合会をいう。（二）において同じ。）の定める当該年金共済契約に係る共済規程は、当該年金共済契約に係る約款を全国連合会（農業協同組合法第10条第１項第10号の事業を行う農業協同組合連合会又は共済水産業協同組合連合会のうちその業務が全国の区域に及ぶものをいう。以下（６）において同じ。）が農林水産大臣の承認を受けて定める約款と同一の内容のものとする旨の定めがあるものであること（全国連合会の締結する年金共済契約に係る共済規程にあっては、農林水産大臣の承認を受けたものであること。）。
　（二）　当該年金共済契約を締結する組合（全国連合会を除く。）が当該年金共済契約により負う共済責任は、当該組合がその全部を当該組合を会員とする全国連合会の共済に付していること又は当該組合が当該組合を会員とする全国連合会と連帯して負担していること（当該全国連合会との契約により当該組合がその共済責任についての当該負担部分を有しない場合に限る。）。
　（三）　当該年金共済契約に基づく金銭の支払は、次に掲げる要件を満たすものであること。
　　イ　当該年金共済契約に基づく年金以外の金銭の支払（割戻金の割戻し及び解約返戻金の支払を除く。）は、当該年金共済契約で定める被共済者が死亡し、又は重度の障害に該当することとなった場合に限り行うものであること。
　　ロ　当該年金共済契約で定める被共済者が死亡し、又は重度の障害に該当することとなった場合に支払う金銭の額は、当該年金共済契約の締結の日以後の期間又は支払掛金の総額に応じて逓増的に定められていること。
　　ハ　当該年金共済契約に基づく年金の支払は、当該年金の支払期間を通じて年１回以上定期に行うものであり、かつ、当該年金共済契約に基づき支払うべき年金の額（年金の支払開始日から一定の期間内に年金受取人が死亡してもなお年金を支払う旨の定めのある年金共済契約にあっては、当該一定の期間内に支払うべき年金の額とする。）の一部を一括して支払う旨の定めがないこと。
　　ニ　当該年金共済契約に基づく割戻金の金銭による割戻し（当該割戻しを受ける割戻金をもって当該年金共済契約に係る掛金の払込みに充てられる部分を除く。）は、年金の支払開始日前において行わないもの又は当該割戻金の割戻しをする日の属する年において払い込むべき当該掛金の金額の範囲内の額とするものであること。

(生命保険料控除額の控除の対象となる年金給付契約の要件)
（７）　②の（四）のハに規定する要件は、（５）各号に掲げる契約に基づく②の（四）のイに規定する者に対する年金の支払を次のいずれかとするものであることとする。（令７の15の13）
　（一）　当該年金の受取人の年齢が60歳に達した日の属する年の１月１日以後の日（60歳に達した日が同年の１月１日から６月30日までの間である場合にあっては、同年の前年７月１日以後の日）で当該契約で定める日以後10年以上の期間にわたって定期に行うものであること。
　（二）　当該年金の受取人が生存している期間にわたって定期に行うものであること。
　（三）　（一）に定める年金の支払のほか、当該契約に係る被保険者又は被共済者の重度の障害を原因として年金の支払を開始し、かつ、当該年金の支払開始日以後10年以上の期間にわたって、又はその者が生存している期間にわたって定期に行うものであること。

6　地震保険料控除額

次の規定によって控除すべき金額を地震保険料控除額という。（法34①五の三、⑥）

| 前年中に、自己若しくは自己と生計を一にする配偶者その他の親族の有する家屋で常時その居住の用に供するもの又はこれらの者の有する所得税法第９条第１項第９号《生活用資産》に規定する資産を保険又は共済の目的とし、かつ、地震若しくは噴火又はこれらによる津波を直接又は間接の原因とする火災、損壊、埋没又は流失による損害（以下６において「**地震等損害**」という。）によりこれらの資産について生じた損失の額を塡補する保険金又は共済金が支払わ | 前年中に支払った地震保険料の金額の合計額（前年中において損害保険契約等に基づく剰余金の分配若しくは割戻金の割戻しを受け、又は損害保険契約等に基づき分配を受けた剰余金若しくは割戻しを受ける割戻金をもって地震保険料の払込みに充てた場合には、当該剰余金又は割戻金の額（地震保険料に係る部分の金額に限る。）を控除した残額）の２分の１に相当する金額（その金額が25,000円を超える場合には、25,000円） |

れる損害保険契約等に係る地震等損害部分の保険料又は掛金（(2)で定めるものを除く。以下6において「**地震保険料**」という。）を支払った所得割の納税義務者

(注) 勤労者財産形成貯蓄保険契約等に係る保険料については、5の①のイの（5）及び同②の（1）を参照。（編者）

　　（損害保険契約等の意義）
（１）　6に規定する損害保険契約等とは、次に掲げる保険契約に附帯して締結されるもの又は当該契約と一体となって効力を有する一の保険契約若しくは共済に係る契約をいう。（法34⑦六）
　　イ　保険業法第２条第４項に規定する損害保険会社又は同条第９項に規定する外国損害保険会社等の締結した保険契約のうち一定の偶然の事故によって生ずることのある損害を填補するもの（5の②の（二）のニに掲げるもの及び当該外国損害保険会社等が地方税法の施行地外において締結したものを除く。）
　　ロ　農業協同組合法第10条第１項第10号の事業を行う農業協同組合の締結した建物更生共済又は火災共済に係る契約その他（3）で定めるこれらに類する共済に係る契約

　　（地震保険料控除額の控除の対象とならない保険料又は掛金）
（２）　6に規定する控除の対象から除かれる保険料又は掛金は、6に規定する損害保険契約等に係る地震等損害部分の保険料又は掛金のうち、次に掲げる保険料又は掛金とする。（令7の15の6）
　　（一）　6に規定する地震等損害（（二）において「地震等損害」という。）により臨時に生ずる費用、6に規定する資産（（二）において「家屋等」という。）の取壊し又は除去に係る費用その他これに類する費用に対して支払われる保険金又は共済金に係る保険料又は掛金
　　（二）　6に規定する損害保険契約等（当該損害保険契約等においてイに掲げる額が地震保険に関する法律施行令第２条に規定する金額以上とされているものを除く。）においてイに掲げる額のロに掲げる額に対する割合が100分の20未満とされている場合における当該損害保険契約等に係る地震等損害部分の保険料又は掛金（（一）に掲げるものを除く。）
　　　イ　地震等損害により家屋等について生じた損失の額をてん補する保険金又は共済金の額（当該保険金又は共済金の額の定めがない場合にあっては、当該地震等損害により支払われることとされている保険金又は共済金の限度額）
　　　ロ　火災（地震若しくは噴火又はこれらによる津波を直接又は間接の原因とするものを除く。）による損害により家屋等について生じた損失の額をてん補する保険金又は共済金の額（当該保険金又は共済金の額の定めがない場合にあっては、当該火災による損害により支払われることとされている保険金又は共済金の限度額）

　　（共済に係る契約）
（３）　（1）のロに規定する共済に係る契約は、次に掲げる契約とする。（令7の15の14）
　　イ　農業協同組合法第10条第１項第10号の事業を行う農業協同組合連合会の締結した建物更生共済又は火災共済に係る契約
　　ロ　農業保険法第97条第１項第６号又は第163条第２項の事業を行う農業共済組合又は農業共済組合連合会の締結した火災共済その他建物を共済の目的とする共済に係る契約
　　ハ　水産業協同組合法第11条第１項第12号若しくは第93条第１項第６号の２の事業を行う漁業協同組合若しくは水産加工業協同組合又は共済水産業協同組合連合会の締結した建物若しくは動産の共済期間中の耐存を共済事故とする共済又は火災共済に係る契約（漁業協同組合又は水産加工業協同組合の締結した契約にあっては、（4）で定める要件を備えているものに限る。）
　　ニ　中小企業等協同組合法第９条の９第３項に規定する火災等共済組合の締結した火災共済に係る契約
　　ホ　消費生活協同組合法第10条第１項第４号の事業を行う消費生活協同組合連合会の締結した火災共済又は自然災害共済に係る契約
　　ヘ　法律の規定に基づく共済に関する事業を行う法人の締結した火災共済又は自然災害共済に係る契約で、所得税法施行令第214条第６号の規定により指定されたもの

　　（地震保険料控除額の控除の対象となる共済に係る契約の要件の細目）
（４）　（3）のハに規定する（4）で定める要件は、同ハに規定する漁業協同組合又は水産加工業協同組合（以下（4）において「組合」という。）が、その締結した建物若しくは動産の共済期間中の耐存を共済事故とする共済又は火災共済

に係る契約により負う共済責任を当該組合を会員とする共済水産業協同組合連合会（その業務が全国の区域に及ぶものに限る。）との契約により連帯して負担していること（当該契約により当該組合はその共済責任についての当該負担部分を有しない場合に限る。）とする。（規１の15）

《長期損害保険契約等に係る損害保険料を支払った場合の経過措置》

① 個人の道府県民税の所得割の納税義務者が、平成19年以後の各年において、平成18年12月31日までに締結した長期損害保険契約等（平成18年改正前の地方税法第34条第１項第５号の３《損害保険料控除額》に規定する損害保険契約等であって、当該損害保険契約等が保険期間又は共済期間の満了後満期返戻金を支払う旨の特約のある契約その他政令で定めるこれに準ずる契約（建物又は動産の共済期間中の耐存を共済事故とする共済に係る契約とする。）でこれらの期間が10年以上のものであり、かつ、平成19年１月１日以後に当該損害保険契約等の変更をしていないものに限るものとし、当該損害保険契約等の保険期間又は共済期間の始期（これらの期間の定めのないものにあっては、その効力を生ずる日）が平成19年１月１日以後であるものを除く。以下①及び②において同じ。）に係る損害保険料（同号に規定する損害保険料をいう。以下①において同じ。）を支払った場合には、６の規定により控除する金額は、６の規定にかかわらず、次表の各号に掲げる場合の区分に応じ当該各号に定める金額として、６の規定を適用する。この場合において、６中「保険又は共済」とあるのは「保険若しくは共済」と、「保険金又は共済金」とあるのは「保険金若しくは共済金」と、「又は掛金」とあるのは「若しくは掛金」と、「を支払った」とあるのは「又は《長期損害保険契約等に係る損害保険料を支払った場合の経過措置》①に規定する長期損害保険契約等に係る同①に規定する損害保険料を支払った」とする。（平18改法附５⑤、平18改令附２⑥）

(一)	前年中に支払った地震保険料等（６に規定する地震保険料（以下①において「地震保険料」という。）及び長期損害保険契約等に係る損害保険料（以下①において「旧長期損害保険料」という。）をいう。以下①において同じ。）に係る契約のすべてが６に規定する損害保険契約等（以下①及び②において「損害保険契約等」という。）に該当するものである場合	その支払った当該損害保険契約等に係る地震保険料の金額の合計額（前年中において損害保険契約等に基づく剰余金の分配若しくは割戻金の割戻しを受け、又は損害保険契約等に基づき分配を受ける剰余金若しくは割戻しを受ける割戻金をもって地震保険料の払込みに充てた場合には、当該剰余金又は割戻金の額（地震保険料に係る部分の金額に限る。）を控除した残額。(三)において同じ。）の２分の１に相当する金額（その金額が25,000円を超える場合には、25,000円）
(二)	前年中に支払った地震保険料等に係る契約のすべてが長期損害保険契約等に該当するものである場合	その支払った旧長期損害保険料の金額の合計額（前年中において長期損害保険契約等に基づく剰余金の分配若しくは割戻金の割戻しを受け、又は長期損害保険契約等に基づき分配を受ける剰余金若しくは割戻しを受ける割戻金をもって旧長期損害保険料の払込みに充てた場合には、当該剰余金又は割戻金の額を控除した残額。以下(二)及び(三)において同じ。）が5,000円以下である場合にあっては当該旧長期損害保険料の金額の合計額、当該旧長期損害保険料の金額の合計額が5,000円を超える場合にあっては5,000円にその超える金額（その金額が１万円を超えるときは、１万円）の２分の１に相当する金額を加算した金額
(三)	前年中に支払った地震保険料等に係る契約のうちに(一)に規定する契約と(二)に規定する契約とがある場合	その支払った(一)に規定する契約に係る地震保険料の金額の合計額につき(一)の規定に準じて計算した金額と、その支払った(二)に規定する契約に係る旧長期損害保険料の金額の合計額につき(二)の規定に準じて計算した金額との合計額（当該合計額が25,000円を超える場合には、25,000円）

② ①の表の各号に掲げる金額を計算する場合において、一の損害保険契約等又は一の長期損害保険契約等が①の表の(一)又は(二)に規定する契約のいずれにも該当するときは、注で定めるところにより、いずれか一の契約のみに該当するものとして、①の規定を適用する。（平18改法附５⑥）

（損害保険契約等が①の表の(一)又は(二)のいずれにも該当する場合）

注 ②の場合において、一の損害保険契約等又は一の長期損害保険契約等が①の表の(一)又は(二)に規定する契約のいずれに該当するかは、道府県民税に関する申告書を提出する義務を有する者にあっては当該申告書、第一節一の２の

①の(1)に規定する給与所得等以外の所得を有しなかった者にあっては給与支払報告書又は公的年金等支払報告書に記載されたところによる。(平18改令附2⑦)

7　障害者控除額

次の規定によって控除すべき金額を障害者控除額という。(法34①六、③、⑥)

障害者である所得割の納税義務者又は障害者である同一生計配偶者若しくは扶養親族を有する所得割の納税義務者	(一)	各障害者につき26万円（その者が**特別障害者**（障害者のうち、精神又は身体に重度の障害がある者で第一節一の1の(九)に掲げるものをいう。(二)及び二の1《扶養親族等の判定の時期》並びに第四節一の3《調整控除》において同じ。）である場合には、30万円
	(二)	所得割の納税義務者の有する同一生計配偶者又は扶養親族が特別障害者で、かつ、当該納税義務者又は当該納税義務者の配偶者若しくは当該納税義務者と生計を一にするその他の親族のいずれかとの同居を常況としている者（第四節一の3において「同居特別障害者」という。）である場合には、当該特別障害者については53万円

8　寡婦控除額

次の規定により控除すべき金額を寡婦控除額という。(法34①八、⑥)

寡婦である所得割の納税義務者	26万円

9　ひとり親控除額

次の規定により控除すべき金額をひとり親控除額という。(法34①八の二、⑥)

ひとり親である所得割の納税義務者	30万円

10　勤労学生控除額

次の規定により控除すべき金額を勤労学生控除額という。(法34①九、⑥)

勤労学生である所得割の納税義務者	26万円

（勤労学生の意義）
注　勤労学生とは、次に掲げる者で、自己の勤労に基づいて得た事業所得、給与所得、退職所得又は雑所得（以下「給与所得等」という。）を有するもののうち、当該年度の初日の属する年の前年（以下「前年」という。）の合計所得金額（第一節一の1の(十二)に規定する合計所得金額をいう。以下同じ。）が75万円（所得税法の改正（H30改正））以下であり、かつ、前年の合計所得金額のうち給与所得等以外の所得に係る部分の金額が10万円以下であるものをいう（第四節一の3において同じ。）。(法34⑨、所得税法2①三十二)

イ		学校教育法第1条《学校の範囲》に規定する学校の学生、生徒又は児童
ロ		国、地方公共団体又は私立学校法第3条《定義》に規定する学校法人、同法第64条第4項《私立専修学校及び私立各種学校》の規定により設立された法人若しくはこれらに準ずるものとして次の(イ)に掲げる者の設置した学校教育法第124条《専修学校》に規定する専修学校又は同法第134条第1項《各種学校》に規定する各種学校の生徒で次の(ロ)に掲げる課程を履修するもの（所得税法施行令11の3）
	(イ) A	独立行政法人国立病院機構、独立行政法人労働者健康福祉機構、日本赤十字社、商工会議所、健康保険組合、健康保険組合連合会、国民健康保険団体連合会、国家公務員共済組合連合会、社会福祉法人、宗教法人、一般社団法人及び一般財団法人並びに農業協同組合法第10条第1項第11号《事業》に掲げる事業を行う農業協同組合連合会及び医療法人
	B	学校教育法第124条《専修学校》に規定する専修学校又は同法第134条第1項《各種学校》に規定する各種学校のうち、教育水準を維持するための教員の数その他の文部科学大臣が定める基準を満たすものを設置する者（Aに掲げる者を除く。）

	A 専修学校の高等課程及び専門課程等	＜イ＞	職業に必要な技術の教授をすること。
		＜ロ＞	その修業期間が１年以上であること。
		＜ハ＞	その１年の授業時間数が800時間以上であること（夜間その他特別な時間において授業を行う場合には、その１年の授業時間数が450時間以上であり、かつ、その修業期間を通ずる授業時間数が800時間以上であること。）
		＜ニ＞	その授業が年２回を超えない一定の時期に開始され、かつ、その終期が明確に定められていること。
(ロ)	B Aに掲げる課程以外の課程	＜イ＞	職業に必要な技術の教授をすること。
		＜ロ＞	その修業期間（普通科、専攻科その他これらに類する区別された課程があり、それぞれの修業期間が１年以上であって一の課程に他の課程が継続する場合には、これらの課程の修業期間を通算した期間）が２年以上であること。
		＜ハ＞	その１年の授業時間数（普通科、専攻科その他これらに類する区別された課程がある場合には、それぞれの課程の授業時間数）が680時間以上であること。
		＜ニ＞	その授業が年２回を超えない一定の時期に開始され、かつ、その終期が明確に定められていること。
ハ	職業訓練法人の行う職業能力開発促進法第24条第３項《職業訓練の認定》に規定する認定職業訓練を受ける者でロの(ロ)のBに掲げる課程を履修するもの		

11　配偶者控除額

次の規定によって控除すべき金額を配偶者控除額という。（法34①十、⑥）

控除対象配偶者を有する所得割の納税義務者	(一)	当該納税義務者の前年の合計所得金額が900万円以下である場合	33万円（その控除対象配偶者が老人控除対象配偶者（控除対象配偶者のうち、年齢70歳以上の者をいう。）である場合には、38万円）
	(二)	当該納税義務者の前年の合計所得金額が900万円を超え950万円以下である場合	22万円（その控除対象配偶者が老人控除対象配偶者である場合には、26万円）
	(三)	当該納税義務者の前年の合計所得金額が950万円を超え1,000万円以下である場合	11万円（その控除対象配偶者が老人控除対象配偶者である場合には、13万円）

12　配偶者特別控除額

次の規定によって控除すべき金額を配偶者特別控除額という。（法34①十の二、⑥）

自己と生計を一にする配偶者（第二節二の１に規定する青色事業専従者に該当するもので同１に規定する給与の支払を受けるもの及び同２の①に規定する事業専従者に該当するものを除き、前年の合計所得金額が133万円以下であるものに限る。）で控除対象配偶者に該当しないものを有する所得割の納税義務者（その配偶者が11又は12に規定する所得割の納税義務者として12の規定の適用を受けているものを除き、前年の合計所得金額が1,000万円以下であるものに限る。）	(一)	当該納税義務者の前年の合計所得金額が900万円以下である場合　当該配偶者の次に掲げる区分に応じ、それぞれ次に定める金額 （イ）前年の合計所得金額が100万円以下である配偶者　33万円 （ロ）前年の合計所得金額が100万円を超え130万円以下である配偶者　38万円から当該配偶者の前年の合計所得金額のうち930,001円を超える部分の金額（当該超える部分の金額が５万円の整数倍の金額から３万円を控除した金額でないときは、５万円の整数倍の金額から３万円を控除した金額で当該超える部分の金額に満たないもののうち最も多い金額とする。）を控除した金額 （ハ）前年の合計所得金額が130万円を超える配偶者　３万円
	(二)	当該納税義務者の前年の合計所得金額が900万円を超え950万円以下である場合　当該配偶者の(一)の(イ)から(ハ)までに掲げる区分に応じ、それぞれ(一)の(イ)から(ハ)までに定める金額の３分の２に相当する金額（当該金額に１万円未満の端数がある場合には、これを切り上げた金額）
	(三)	当該納税義務者の前年の合計所得金額が950万円を超え1,000万円以下である場合　当該配偶者の(一)の(イ)から(ハ)までに掲げる区分に応じ、それぞれ(一)の(イ)から(ハ)までに定める金額の３分の１に相当する金額（当該金額に

| | | 1万円未満の端数がある場合には、これを切り上げた金額) |

(注1) 「合計所得金額」の意義は、第一節一の1の(十二)を参照。(編者)
(注2) 12中____部分を加え、____部分「12の」を「これらの」に改める令和5年度改正規定は、令和8年1月1日以後適用する。改正後の規定は、令和8年度以後の年度分の個人の道府県民税について適用し、令和7年度分までの個人の道府県民税については、なお従前の例による。
(令5改法附1五、5)

13　扶養控除額

次の規定によって控除すべき金額を扶養控除額という。(法34①十一、④、⑥)

| 控除対象扶養親族（扶養親族のうち、(一)に掲げる者の区分に応じそれぞれ(一)に定める者をいう。以下同じ。）を有する所得割の納税義務者 | (一) | 各控除対象扶養親族につき33万円（その者が特定扶養親族（控除対象扶養親族のうち、年齢19歳以上23歳未満の者をいう。二の1《扶養親族等の判定の時期》及び第四節一の3《調整控除》において同じ。）である場合には、45万円、その者が老人扶養親族（控除対象扶養親族のうち、年齢70歳以上の者をいう。(二)及び二の1並びに第四節一の3において同じ。）である場合には38万円）
イ　所得税法第2条第1項第3号に規定する居住者　　年齢16歳以上の者
ロ　所得税法第2条第1項第5号に規定する非居住者　　年齢16歳以上30歳未満の者及び年齢70歳以上の者並びに年齢30歳以上70歳未満の者であって次に掲げる者のいずれかに該当するもの
　(イ)　留学によりこの法律の施行地に住所及び居所を有しなくなった者
　(ロ)　障害者
　(ハ)　その道府県民税の納税義務者から前年において生活費又は教育費に充てるための支払を38万円以上受けている者 |
| | (二) | 所得割の納税義務者の有する老人扶養親族が当該納税義務者又は当該納税義務者の配偶者の直系尊属で、かつ、当該納税義務者又は当該配偶者のいずれかとの同居を常況としている者（第四節一の3において「同居直系尊属」という。）である場合には、当該老人扶養親族については、45万円 |

14　基礎控除額

道府県は、前年の合計所得金額が2,500万円以下である所得割の納税義務者については、その者の前年の所得について算定した総所得金額、退職所得金額又は山林所得金額から、次の各号に掲げる場合の区分に応じ、当該各号に定める金額を控除するものとする。この規定により控除すべき金額を基礎控除額という。(法34②⑥、法附33の2③三、34③三、35④三、35の2④三、35の2の2④、35の4②三)

(一)　当該納税義務者の前年の合計所得金額が2,400万円以下である場合　　　43万円
(二)　当該納税義務者の前年の合計所得金額が2,400万円を超え2,450万円以下である場合　　29万円
(三)　当該納税義務者の前年の合計所得金額が2,450万円を超え2,500万円以下である場合　　15万円

15　東日本大震災に係る雑損控除の特例

①　東日本大震災に係る雑損控除の特例

道府県は、所得割の納税義務者の選択により、**東日本大震災**（平成23年3月11日に発生した東北地方太平洋沖地震及びこれに伴う原子力発電所の事故による災害をいう。以下同じ。）により1に規定する資産について受けた損失の金額（東日本大震災に関連するやむを得ない支出で(2)で定めるもの（以下15において「**災害関連支出**」という。）の金額を含み、保険金、損害賠償金その他これらに類するものにより埋められた部分の金額を除く。以下15及び第二節三の7の①《東日本大震災に係る雑損失の繰越控除の特例》において「**特例損失金額**」という。）がある場合には、特例損失金額（災害関連支出がある場合には、(1)に規定する申告書の提出の日の前日までに支出したものに限る。以下15において「**損失対象金額**」という。）について、平成22年において生じた1に規定する損失の金額として、第二節三の2《変動所得の損失・被災事業用資産の損失・雑損失の繰越控除》及び一《所得控除額》の規定を適用することができる。この場合において、これらの規定により控除された金額に係る当該損失対象金額は、その者の平成24年度以後の年度分で当該損失対象金額が生じた年の末日の属する年度の翌年度分の個人の道府県民税に関する規定の適用については、当該損失対象金額が生じた年において生じなかったものとみなす。(法附42①)

　　　　　（特例の適用要件）
（1）　15の規定は、平成23年度分の第六節八の1《道府県民税の申告書》の①又は③の規定による申告書（その提出期限後において道府県民税の納税通知書が送達される時までに提出されたもの及びその時までに提出された同3《確定申告書》の①の確定申告書を含む。）に15の規定の適用を受けようとする旨の記載がある場合（これらの申告書にその記載がないことについてやむを得ない理由があると市町村長が認める場合を含む。）に限り、適用する。（法附42②）

　　　　　（東日本大震災に関連するやむを得ない支出）
（2）　15に規定するやむを得ない支出は、1の(3)イからハまでに掲げる支出とする。（令附24①）

　　　　　（災害に直接関連して支出した金額）
（3）　15の規定により一の規定が適用される場合における1の(4)の規定の適用については、同(4)中「支出」とあるのは、「支出（15の(1)に規定する申告書の提出の日の前日までにしたものに限る。）」とする。（令附24②）

　　　　　（雑損控除額の控除の対象となる雑損失の金額の計算）
（4）　1の(5)の規定は、特例損失金額を計算する場合について準用する。（令附24③）

　　　　　（特例損失金額と他の損失金額とがある場合）
（5）　その年において生じた1に規定する損失の金額のうちに特例損失金額と他の損失金額（特例損失金額以外の1に規定する損失の金額をいう。(6)において同じ。）とがある場合におけるその年において生じた雑損失の金額は、特例損失金額から順次成るものとする。（令附24④）

　　　　　（特例損失金額と他の損失金額とがある場合の控除の順序）
（6）　(5)の場合において、雑損失の金額のうちに特例損失金額に係るものと他の損失金額に係るもの（以下(6)及び第二節三の7の①の(2)において「他の雑損失金額」という。）とがあるときは、一の規定による控除については、当該他の雑損失金額から順次控除する。（令附24⑤）

　　　　　（親族資産損失額がある場合の適用）
（7）　道府県民税の所得割の納税義務者が15の規定の適用を受けた場合において、一の規定の適用により控除された金額に係る15に規定する損失対象金額のうちにその者と生計を一にする1の表の左欄に規定する親族の有する15に規定する資産について受けた損失の金額（以下(7)において「**親族資産損失額**」という。）があるときは、当該親族資産損失額は、当該親族の平成24年度以後の年度分の個人の道府県民税に関する規定の適用については、当該親族資産損失額が生じた年において生じなかったものとみなす。（令附25①）

② **東日本大震災に係る雑損控除の対象期間の特例**
　道府県民税の所得割の納税義務者又は1に規定する親族の有する1に規定する資産が東日本大震災により損壊し、又はその価値が減少した場合その他東日本大震災により当該資産を使用することが困難となった場合において、東日本大震災に関連する次に掲げる支出その他これらに類する支出（以下「震災関連原状回復支出」という。）について東日本大震災からの復興のための事業の状況その他のやむを得ない事情によりその災害のやんだ日の翌日から3年を経過した日の前日までにすることができなかった道府県民税の所得割の納税義務者が、当該事情がやんだ日の翌日から3年を経過した日の前日までに震災関連原状回復支出をしたときは、当該震災関連原状回復支出をした場合は1の(3)のイからハまでに規定するやむを得ない支出をした場合と、当該震災関連原状回復支出をした金額は1の(4)に規定する支出をした金額と、当該震災関連原状回復支出をした金額（保険金、損害賠償金その他これらに類するものにより埋められた部分の金額を除く。）は1の表中のイに規定する災害関連支出の金額とそれぞれみなして、一（1に限る。）の規定を適用する。（法附42③）
（一）　災害により生じた土砂その他の障害物を除去するための支出
（二）　当該資産の原状回復のための支出（当該災害により生じた当該資産に係る損失の金額として計算される金額に相当する部分の支出を除く。）
（三）　当該資産の損壊又はその価値の減少を防止するための支出

　　　　　（②の(二)のかっこ書の損失の金額として計算される金額）
　注　②の(二)のかっこ書の損失の金額として計算される金額は、(二)の損失を生じた時の直前における(二)の資産の価

額(その資産が所得税法第38条第2項に規定する資産である場合には、当該価額又は当該損失の生じた日にその資産の譲渡があったものとみなして同項の規定(その資産が昭和27年12月31日以前から引き続き所有していたものである場合には、同法第61条第3項の規定)を適用した場合にその資産の取得費とされる金額に相当する金額)を基礎として計算した金額とする。(令附24⑥)

(注1) 上記のかっこ書中の資産が所得税法第38条第2項に規定する使用又は期間の経過により減価する資産である場合における同項の規定を基礎として計算した金額とは、その資産の取得費から次のⅰ及びⅱの合計額を控除した金額をいう。(所得税法38②、同法施行令85)(編者)

　ⅰ　その資産が不動産所得、事業所得、山林所得又は雑所得を生ずべき業務の用に供されていた期間にあっては、これらの金額の計算上、必要経費に算入されるその資産の減価償却費の額の累積額

　ⅱ　ⅰ以外の期間にあっては、当該資産の同種の減価償却資産に係る耐用年数に1.5を乗じて計算した年数により旧定額法に準じて計算した金額に、当該資産の当該期間に係る年数を乗じて計算した金額

(注2) 上記のかっこ書中の資産が昭和27年12月31日以前から引き続き所有していたものである場合であって、所得税法第61条第3項の規定を適用した場合に、その資産の取得費とされる金額とは、その資産の昭和28年1月1日における現況に応じ、同日においてその資産につき相続税及び贈与税の課税標準の計算に用いるべきものとして国税庁長官が定めて公表した方法により計算した価額をいう。(所得税法61③、同法施行令172)(編者)

二　扶養親族等の判定の時期等

1　扶養親族等の判定の時期

一、一の7の(二)、一の13の(二)の場合において、特別障害者若しくはその他の障害者、寡婦、ひとり親若しくは勤労学生であるかどうか又は所得割の納税義務者の一の7の(二)の規定に該当する同一生計配偶者、老人控除対象配偶者若しくはその他の控除対象配偶者若しくはその他の同一生計配偶者若しくは一の12に規定する生計を一にする配偶者若しくは特定扶養親族、一の7の(二)の規定に該当する扶養親族、一の13の(二)の規定に該当する老人扶養親族若しくはその他の老人扶養親族若しくはその他の控除対象扶養親族若しくはその他の扶養親族であるかどうかの判定は、前年の12月31日(前年の中途においてその者が死亡した場合には、その死亡の時)の現況によるものとする。ただし、その所得割の納税義務者の子が同日前に既に死亡している場合には、当該子がその所得割の納税義務者の第一節一の1の(十一)《ひとり親》の(2)に定める子に該当するかどうかの判定は、その死亡の時の現況によるものとする。(法34⑧)

　　　(附属申告書等)
(1)　1及び第三編第一章第三節二の1の規定による判定をするときの現況において所得税法第2条第1項第5号に規定する非居住者である者(以下「国外居住者」という。)に係る障害者控除額、配偶者控除額又は配偶者特別控除額の控除に関する事項を記載した第六節八の1の①及び第三編第一章第六節1の①の申告書を提出する者は、当該国外居住者に係る所得税法施行規則第47条の2第5項及び第6項に規定する書類を当該申告書に添付し、又は市町村長に提示しなければならない。ただし、所得税法の規定に基づいて所得税の確定申告書に添付し、若しくは税務署長に提示し、若しくは同法<u>第194条第4項、第195条第4項</u>、第195条の2第2項若しくは第203条の6第3項の規定により提出し、若しくは提示し、又は第六節八の3の③(注1)若しくは同(注2)、第六節八の4の(10)、同(11)若しくは同(13)若しくは第六節八の5の①の(10)、同(11)若しくは同(13)の規定により提出した当該国外居住者に係るものについては、この限りでない。(規2の2④)

　　(注)　(1)中___部分「第194条第4項、第195条第4項」を「第194条第5項、第195条第5項」に改める令和5年度改正規定は、令和7年1月1日以後適用する。(令5改規附1三)

　　　(国外居住者に係る扶養控除額の控除に関する事項を記載した申告書の添付書類)
(2)　国外居住者に係る扶養控除額の控除に関する事項を記載した第六節八の1の①及び第三編第一章第六節一の1の①の申告書を提出する者は、次の各号に掲げる場合の区分に応じ当該各号に定める書類を当該申告書に添付し、又は市町村長に提示しなければならない。ただし、所得税法の規定に基づいて所得税の確定申告書に添付し、若しくは税務署長に提示し、又は同法<u>第194条第4項、第195条第4項</u>若しくは第203条の6第3項の規定により提出し、若しくは提示した当該国外居住者に係るものについては、この限りでない。(規2の2⑤)

(一)　(二)及び(三)に掲げる場合以外の場合　　当該国外居住者に係る次に掲げる書類
　　イ　所得税法施行規則第47条の2第7項に規定する書類
　　ロ　所得税法施行規則第47条の2第8項に規定する書類
(二)　当該国外居住者が一の13の(一)のロの(イ)及び第三編第三節一の13の(一)のロの(イ)に掲げる者に該当するものとして扶養控除額の控除に関する事項を記載する場合　　当該国外居住者に係る次に掲げる書類

イ　(一)のイに掲げる書類
ロ　(一)のロに掲げる書類
ハ　所得税法施行規則第47条の２第９項に規定する書類
(三)　当該国外居住者が一の13の(一)のロの(ハ)及び第三編第三節一の13の(一)のロの(ハ)に掲げる者に該当するものとして扶養控除額の控除に関する事項を記載する場合　　当該国外居住者に係る次に掲げる書類
イ　(一)のイに掲げる書類
ロ　所得税法施行規則第47条の２第10項に規定する書類
(注)　(2)中___部分「第194条第４項、第195条第４項」を「第194条第５項、第195条第５項」に改める令和５年度改正規定は、令和７年１月１日以後適用する。(令５改規附１三)

(控除対象外国外扶養親族)
(３)　国外居住者である扶養親族のうち１及び第三編第一章第三節二の１の規定による判定をするときの現況において年齢16歳未満である者(以下「控除対象外国外扶養親族」という。)に係る扶養親族に関する事項又は国外居住者である同一生計配偶者(控除対象配偶者を除く。以下「控除対象外国外同一生計配偶者」という。)に関する事項を記載した第六節八の１の①及び第三編第一章第六節１の①の申告書を提出する者(以下(３)及び(４)において「申告者」という。)が第一節四の３及び第三編第一章第一節四の３又は第一節四の２及び第三編第一章第一節四の２の規定の適用を受ける者(第一節四の２及び第三編第一章第一節四の２並びに同節四の３の表中(一)の同一生計配偶者及び扶養親族の数から当該控除対象外国外扶養親族又は当該控除対象外国外同一生計配偶者の数を除いた場合においても第一節四の３及び第三編第一章第一節四の３又は第一節四の２及び第三編第一章第一節四の２の規定の適用を受けることとなる者を除く。以下「非課税限度額制度適用者」という。)である場合にあっては、当該申告者は、当該控除対象外国外扶養親族に係る国外扶養親族証明書類又は当該控除対象外国外同一生計配偶者に係る国外配偶者証明書類を当該申告書に添付し、又は市町村長に提示しなければならない。ただし、第六節八の３の③の(注３)、同節八の４の①の(12)若しくは(13)又は同節八の５の①の(12)若しくは(13)の規定により提出した当該控除対象外国外扶養親族に係る国外扶養親族証明書類及び第六節八の３の③の(注２)の規定により提出した当該控除対象外国外同一生計配偶者に係る国外配偶者証明書類については、この限りでない。(規２の２⑥)

(国外扶養親族証明書類)
(４)　(３)の国外扶養親族証明書類とは、次に掲げる書類(当該書類が外国語で作成されている場合には、その翻訳文を含む。)をいう。(規２の２⑦)

(一)	控除対象外国外扶養親族に係る次に掲げるいずれかの書類であって、当該控除対象外国外扶養親族が申告者の親族である旨を証するもの
	イ　戸籍の附票の写しその他の国又は地方公共団体が発行した書類及び旅券(出入国管理及び難民認定法(昭和26年政令第319号)第２条第５号に規定する旅券をいう。)の写し
	ロ　外国政府又は外国の地方公共団体が発行した書類(当該控除対象外国外扶養親族の氏名、生年月日及び住所又は居所の記載があるものに限る。)
(二)	その年において申告者から控除対象外国外扶養親族の生活費又は教育費に充てるための支払が、必要の都度、行われたことを明らかにする書類で次に掲げるもの
	イ　内国税の適正な課税の確保を図るための国外送金等に係る調書の提出等に関する法律(平成９年法律第110号)第２条第３号に規定する金融機関の書類又はその写しで、当該金融機関が行う為替取引によって当該申告者から当該控除対象外国外扶養親族に支払をしたことを明らかにするもの
	ロ　所得税法施行規則第47条の２第６項第２号に規定するクレジットカード等購入あっせん業者の書類又はその写しで、同号に規定するクレジットカード等を当該控除対象外国外扶養親族が提示し又は通知して、特定の販売業者から商品若しくは権利を購入し、又は特定の同号に規定する役務提供事業者から有償で役務の提供を受けたことにより支払うこととなる当該商品若しくは権利の代金又は当該役務の対価に相当する額の金銭を当該申告者から受領し、又は受領することとなることを明らかにするもの

(国外配偶者証明書類)
(５)　(３)の国外配偶者証明書類とは、次に掲げる書類(当該書類が外国語で作成されている場合には、その翻訳文を

含む。）をいう。（規２の２⑧）

（一）		控除対象外国外同一生計配偶者に係る次に掲げるいずれかの書類であって、当該控除対象外国外同一生計配偶者が申告者の親族である旨を証するもの
	イ	戸籍の附票の写しその他の国又は地方公共団体が発行した書類及び旅券（出入国管理及び難民認定法第２条第５号に規定する旅券をいう。）の写し
	ロ	外国政府又は外国の地方公共団体が発行した書類（当該控除対象外国外同一生計配偶者の氏名、生年月日及び住所又は居所の記載があるものに限る。）
（二）		その年において申告者から控除対象外国外同一生計配偶者の生活費又は教育費に充てるための支払が、必要の都度、行われたことを明らかにする書類で次に掲げるもの
	イ	内国税の適正な課税の確保を図るための国外送金等に係る調書の提出等に関する法律第２条第３号に規定する金融機関の書類又はその写しで、当該金融機関が行う為替取引によって当該申告者から当該控除対象外国外同一生計配偶者に支払をしたことを明らかにするもの
	ロ	所得税法施行規則第47条の２第６項第２号に規定するクレジットカード等購入あっせん業者の書類又はその写しで、同号に規定するクレジットカード等を当該控除対象外国外同一生計配偶者が提示し又は通知して、特定の販売業者から商品若しくは権利を購入し、又は特定の同号に規定する役務提供事業者から有償で役務の提供を受けたことにより支払うこととなる当該商品若しくは権利の代金又は当該役務の対価に相当する額の金銭を当該申告者から受領し、又は受領することとなることを明らかにするもの

２　所得割の納税義務者が再婚した場合における控除対象配偶者等の特例

　前年の中途において所得割の納税義務者の配偶者が死亡し、前年中にその納税義務者が再婚した場合におけるその納税義務者の同一生計配偶者又は一の12に規定する生計を一にする配偶者に該当する者は、その死亡した配偶者又は再婚した配偶者のうち１人に限るものとする。（法34⑩、令７の16）

三　所得控除の順序

１　所得控除の順序

　一の規定による控除に当たっては、まず雑損控除額を控除し、次に医療費控除額、社会保険料控除額、小規模企業共済等掛金控除額、生命保険料控除額、地震保険料控除額、障害者控除額、寡婦控除額、ひとり親控除額、勤労学生控除額、配偶者控除額、配偶者特別控除額、扶養控除額又は基礎控除額を控除するものとする。（法34⑪前段）

２　二以上の所得金額がある場合の所得控除の順序

　前年中の総所得金額、上場株式等に係る配当所得の金額、土地等に係る事業所得等の金額、分離課税の短期譲渡所得の金額、分離課税の長期譲渡所得の金額、株式等に係る譲渡所得等の金額、先物取引に係る雑所得等の金額、山林所得金額及び退職所得金額のうち、二以上の所得金額がある場合には、所得控除の金額は、まず総所得金額から差し引き、次に土地等に係る事業所得等の金額、分離課税の短期譲渡所得の金額、分離課税の長期譲渡所得の金額、上場株式等に係る配当所得等の金額、一般株式等に係る譲渡所得等の金額、上場株式等に係る譲渡所得等の金額及び先物取引に係る雑所得等の金額の順、更に山林所得金額から差し引き、なお引ききれない控除額があるときは最後に退職所得金額から差し引くものとする。（法34⑪、法附33の２③三、33の３③三、34③三、35④三、35の２④三、35の２の２④、35の４②三、平20改法附３⑳、令附17の３③）

　　（注１）　上記の各種所得金額は、いずれも損益通算及び損失の繰越控除『第二節三参照』の規定の適用後の金額をいい、分離課税の譲渡所得については特別控除額控除後の金額をいう。ただし、上場株式等に係る配当所得の金額（申告分離課税の適用を受けようとするものに限る。）土地建物等の長期譲渡所得・短期譲渡所得の金額、一般株式等に係る譲渡所得等の金額、上場株式等に係る譲渡所得等の金額及び先物取引に係る雑所得等の金額は、損益通算及び純損失の繰越控除の対象とならない。（編者）
　　（注２）　所得金額から雑損控除の金額を差し引くことができない場合には、その控除不足額を繰越雑損失の金額として翌年以後３年間に繰り越し、翌年以降の所得の金額の計算に際して差し引くことが認められている。この場合の控除の方法については、雑損失の繰越控除『第二節三の４』を参照。（編者）

第四節　税額の計算

一　税　率

1　所得割の税率

所得割の額は、課税総所得金額、課税退職所得金額及び課税山林所得金額の合計額に、**100分の4**（所得割の納税義務者が地方自治法第252条の19第1項の市（3及び二の3において「指定都市」という。）の区域内に住所を有する場合には、100分の2）の標準税率によって定める率を乗じて得た金額とする。この場合において、当該定める率は、同一の標準税率ごとに一の率でなければならない。（法35①）

（課税総所得金額、課税退職所得金額又は課税山林所得金額の意義）

注　1の「課税総所得金額」、「課税退職所得金額」又は「課税山林所得金額」とは、それぞれ第三節《所得控除》の規定による控除後の前年の総所得金額、退職所得金額又は山林所得金額をいう。（法35②）

2　均等割の標準税率

個人の均等割の標準税率は、**1,000円**とする。（法38）

（注）令和6年度から、個人の市町村民税の均等割及び個人の道府県民税の均等割と併せて、森林環境税（国税）として年額1,000円が課税される（森林環境税及び森林環境譲与税に関する法律5、7）

3　調整控除

道府県は、前年の合計所得金額が2,500万円以下である所得割の納税義務者については、その者の1の規定による所得割の額並びに第五節一から五の4まで及び七に規定する上場株式等に係る配当所得等の課税の特例、土地等の譲渡等に係る事業所得等の課税の特例、分離長期・短期譲渡所得の課税の特例、一般株式等の譲渡所得等の課税の特例、上場株式等に係る譲渡所得等の金額、先物取引に係る雑所得等の課税の特例に係る道府県民税の所得割の額（4において「**所得割の額等**」という。）から、次の各号に掲げる場合の区分に応じ、当該各号に定める金額を控除するものとする。（法37、法附4⑦一、4の2⑦一、33の2③一、四、33の3③一、四、34③一、四、35④一、四、35の2④一、四、35の2の2④、35の4②一、四、平20改法附3⑬、⑳、令7の16の2①②）

① 当該納税義務者の1の注に規定する課税総所得金額、課税退職所得金額及び課税山林所得金額の合計額（以下3において「合計課税所得金額」という。）が200万円以下である場合　次に掲げる金額のうちいずれか少ない金額の100分の2（当該納税義務者が指定都市の区域内に住所を有する場合には、100分の1）に相当する金額

イに掲げる金額　｜
ロに掲げる金額　｜　いずれか少ない金額×2％

イ　5万円に、当該納税義務者が次の表の左欄に掲げる者に該当する場合には、当該納税義務者に係る同表の右欄に掲げる金額を合算した金額を加算した金額

(1)	障害者である所得割の納税義務者又は障害者である同一生計配偶者若しくは扶養親族（同居特別障害者である同一生計配偶者及び扶養親族を除く。）を有する所得割の納税義務者	（ⅰ）（ⅱ）に掲げる場合以外の場合　当該障害者1人につき1万円 （ⅱ）当該障害者が特別障害者である場合　当該特別障害者1人につき10万円
(2)	同居特別障害者である同一生計配偶者又は扶養親族を有する所得割の納税義務者	当該同居特別障害者1人につき22万円
(3)	寡婦又はひとり親で父である者である所得割の納税義務者	1万円
(4)	ひとり親で母である者である所得割の納税義務者	5万円
(5)	勤労学生である所得割の納税義務者	1万円
(6)	控除対象配偶者を有する所得割の納税義務者	（ⅰ）（ⅱ）に掲げる場合以外の場合　5万円

		(当該納税義務者の前年の合計所得金額が900万円を超え950万円以下である場合には４万円、当該納税義務者の前年の合計所得金額が950万円を超え1,000万円以下である場合には２万円) （ⅱ）当該控除対象配偶者が老人控除対象配偶者である場合　10万円（当該納税義務者の前年の合計所得金額が900万円を超え950万円以下である場合には６万円、当該納税義務者の前年の合計所得金額が950万円を超え1,000万円以下である場合には３万円）
(7)	自己と生計を一にする第三節―の12に規定する配偶者（前年の合計所得金額が55万円未満である者に限る。）で控除対象配偶者に該当しないものを有する所得割の納税義務者（当該配偶者が同12に規定する所得割の納税義務者として同12の規定の適用を受けているものを除き、前年の合計所得金額が1,000万円以下であるものに限る。）	（ⅰ）（ⅱ）に掲げる場合以外の場合　５万円 （当該納税義務者の前年の合計所得金額が900万円を超え950万円以下である場合には４万円、当該納税義務者の前年の合計所得金額が950万円を超え1,000万円以下である場合には２万円） （ⅱ）当該配偶者の前年の合計所得金額が50万円以上55万円未満である場合　３万円（当該納税義務者の前年の合計所得金額が900万円を超え950万円以下である場合には２万円、当該納税義務者の前年の合計所得金額が950万円を超え1,000万円以下である場合には１万円）
(8)	控除対象扶養親族（同居直系尊属である老人扶養親族を除く。）を有する所得割の納税義務者	（ⅰ）（ⅱ）及び（ⅲ）に掲げる場合以外の場合　当該控除対象扶養親族１人につき５万円 （ⅱ）当該控除対象扶養親族が特定扶養親族である場合　当該特定扶養親族１人につき18万円 （ⅲ）当該控除対象扶養親族が老人扶養親族である場合　当該老人扶養親族１人につき10万円
(9)	同居直系尊属である老人扶養親族を有する所得割の納税義務者	当該老人扶養親族１人につき13万円

　ロ　当該納税義務者の合計課税所得金額
②　当該納税義務者の合計課税所得金額が200万円を超える場合　イに掲げる金額からロに掲げる金額を控除した金額（当該金額が５万円を下回る場合には、５万円とする。）の100分の２（当該納税義務者が指定都市の区域内に住所を有する場合には、100分の１）に相当する金額

$$\left.\begin{array}{c}(イに掲げる金額－ロに掲げる金額) \\ ５万円\end{array}\right\} いずれか多い金額 × ２\%$$

　イ　５万円に、当該納税義務者が①のイの表の左欄に掲げる者に該当する場合には、当該納税義務者に係る同表の右欄に掲げる金額を合算した金額を加算した金額
　ロ　当該納税義務者の合計課税所得金額から200万円を控除した金額
　　（注）「合計所得金額」の意義は、第一節―の１の(十二)を参照。（編者）

　　（留意事項）
　注　調整控除の適用に当たっては、次の諸点に留意すること。（県通２－12）
　　（一）合計課税所得金額は、課税総所得金額、課税退職所得金額及び課税山林所得金額の合計額であり、土地等に係

る課税事業所得等の金額、課税長期譲渡所得金額、課税短期譲渡所得金額、一般株式等に係る課税譲渡所得等の金額、上場株式等に係る課税譲渡所得等の金額又は先物取引に係る課税雑所得等の金額を含まないものであること。
　（二）　この控除の額は、他の税額控除に先立ち、税率適用後の所得割の額から控除するものであること。

4　道府県民税所得割の特例

　道府県は、当分の間、35万円に道府県民税の所得割の納税義務者の同一生計配偶者及び扶養親族の数に1を加えた数を乗じて得た金額に10万円を加算した金額（その者が同一生計配偶者又は扶養親族を有する場合には、当該金額に32万円を加算した金額）が、（一）に掲げる額から（二）に掲げる額と（三）に掲げる額との合計額を控除した金額を超えることとなるときは、当該超える金額に（二）に掲げる額を同（二）に掲げる額と（三）に掲げる額との合計額で除して得た数値を乗じて得た金額を、当該納税義務者の1及び3の規定を適用した場合の所得割の額等から控除するものとする。（法附3の3②、6③、⑥、33の2③五、33の3③五、34③五、35④五、35の2④五、35の2の2④、35の4②五）

（一）	当該納税義務者の前年の所得について第二節《所得割の課税標準及びその計算》の規定により算定した総所得金額等、退職所得金額及び山林所得金額の合計額 　（注）　総所得金額等に含まれる上場株式等に係る配当所得等の金額は、第五節五の5《上場株式等に係る譲渡損失の損益通算及び繰越控除》の①又は②の適用後の金額とし、一般株式等に係る譲渡所得等の金額は、同節六の2の①《特定株式に係る譲渡損失の繰越控除》の適用後の金額とし、上場株式等に係る譲渡所得等の金額は、同5の②《上場株式等に係る譲渡損失の繰越控除》及び同節六の2の①《特定株式に係る譲渡損失の繰越控除》の適用後の金額とし、先物取引に係る雑所得等の金額は、同節七の2《先物取引の差金等決済に係る損失の繰越控除》の適用後の金額とする。（令附18の5⑦⑧、18の6⑯、18の7の2⑦）
（二）	当該納税義務者の1、3及び二の1から4まで並びに三の2の規定を適用して計算した場合の所得割の額等
（三）	当該納税義務者の第三編第一章第四節一《税率》の2、同3及び同節二《税額控除》の1から4まで並びに同節三の2の規定を適用して計算した場合の所得割の額及び同章第五節一から五の4まで及び同節七に規定する上場株式等に係る配当所得の課税の特例、土地の譲渡に係る事業所得等の課税の特例、分離長期・短期譲渡所得の課税の特例、株式等の譲渡所得等の課税の特例、先物取引に係る雑所得等の課税の特例に係る市町村民税の所得割の額

5　指定都市に対する交付

　地方自治法第252条の19第1項の市（以下「指定都市」という。）の区域を包括する都道府県は、当該指定都市に係る平成28年度分及び平成29年度分の道府県民税の所得割（第七節の1の規定により課する所得割を除き、平成29年度改正規定の改正前の1に規定する標準税率に係る部分に限る。）に係る地方団体の徴収金の額（同年度又は平成30年度に当該都道府県に払い込まれる収入額のうち、（1）で定めるものに限る。）の2分の1に相当する額を、（2）で定めるところにより、当該指定都市に対し交付するものとする。（平29改法附5⑦）

　　　（政令で定める交付額）
（1）　5に規定する平成29年度又は平成30年度に指定都市の区域を包括する都道府県に払い込まれる収入額のうち（1）で定めるものは、各指定都市ごとに、次に掲げる金額の合計額とする。（平29改令附2③）
　（一）　平成29年度において収入する平成28年度分の道府県民税の所得割（5に規定する道府県民税の所得割をいう。以下同じ。）のうち、二の規定によりその例によることとされる第三編第一章第七節四の3の①の規定により徴収されるもの（第三編第一章第七節四の2の①の特別徴収義務者（（1）において「特別徴収義務者」という。）が平成29年4月及び5月に給与の支払をする際徴収すべきものに限る。）に係る地方団体の徴収金の収入額
　（二）　平成29年度において収入する同年度分の道府県民税の所得割に係る地方団体の徴収金の収入額
　（三）　平成30年4月から7月までの間に収入する平成29年度分の道府県民税の所得割のうち、二の規定によりその例によることとされる第三編第一章第七節四の3の①の規定により徴収されるもの（特別徴収義務者が平成30年4月及び5月に給与の支払をする際徴収すべきものに限る。）に係る地方団体の徴収金の収入額

　　　（交付時期と交付額）
（2）　指定都市の区域を包括する都道府県は、5の規定により5に規定する額を当該指定都市に対し交付する場合には、次の表の左欄に掲げる交付時期に、それぞれ同表の右欄に掲げる額を交付するものとする。（平29改令附2④）

交付時期	交付時期ごとに交付すべき額
平成29年8月及び12月並びに平成30年3月	次に掲げる金額の合計額のそれぞれ3分の1に相当する額 (一) (1)の(一)に掲げる金額のうち平成29年4月から7月までの間に収入するものの2分の1に相当する額 (二) イに掲げる額にロに掲げる数値を乗じて得た額の2分の1に相当する額 　イ 平成29年度分の道府県民税の所得割の課税額が最初に納付され、又は納入されるべき期限の到来する月の末日現在において算定した当該指定都市の同年度の収入額となるべき同年度分の道府県民税の所得割の課税額の合計額 　ロ 当該指定都市に係る平成28年度において収入した同年度の収入額となるべき道府県民税の所得割の額の合計額を、平成29年3月31日現在において算定した当該指定都市に係る平成28年度の収入額となるべき道府県民税の所得割の課税額の合計額で除して得た数値
平成30年8月	(1)の(一)及び同(二)に掲げる額のうち当該指定都市の区域を包括する都道府県に払い込まれたものの2分の1に相当する額と(2)の規定により平成29年8月及び12月並びに平成30年3月に当該都道府県から当該指定都市に対し交付した額の合計額との差額を、(1)の(三)に掲げる額の2分の1に相当する額に加算し、又はこれから減額した額

(各交付時期に交付できなかった金額があるとき)
(3) (2)に規定する各交付時期(平成30年8月を除く。)に交付することができなかった金額があるとき、又は当該交付時期において交付すべき額を超えて交付した金額があるときは、それぞれこれらの金額を、その次の交付時期に交付すべき額に加算し、又はこれから減額するものとする。(平29改令附2⑤)

(交付した額の算定に錯誤があった場合)
(4) (2)の規定により指定都市に対して交付すべき額の交付(平成30年8月の交付を除く。)をした後において、その交付した額の算定に錯誤があったため、交付した額を増加し、又は減少する必要が生じた場合には、当該錯誤に係る額を、当該錯誤を発見した日以後に到来する交付時期において交付すべき額に加算し、又はこれから減額するものとする。(平29改令附2⑥)

(端数処理)
(5) (2)に規定する各交付時期に指定都市に対し交付すべき額として(2)の規定を適用して計算する場合において、当該計算した金額に1,000円未満の端数金額があるときは、その端数金額を控除した金額をもって、当該交付時期に交付すべき額とする。(平29改令附2⑦)

(交付した額を増加し若しくは減少する必要が生じたとき)
(6) 平成30年8月に交付することができなかった金額があるとき、若しくは同月において交付すべき額を超えて交付した金額があるとき、又は同月に指定都市に対して交付すべき額を交付した後において、その交付した額の算定に錯誤があったため、交付した額を増加し、若しくは減少する必要が生じたときは、それぞれこれらの金額を、第七節1の(3)の規定により平成31年3月以後に交付すべき額に加算し、又は減額するものとする。(平29改令附2⑧)

二　税額控除

1　配当控除

　道府県は、当分の間、所得割の納税義務者の前年の総所得金額のうちに、配当所得(剰余金の配当(所得税法第92条第1項に規定する剰余金の配当をいう。以下1において同じ。)、利益の配当(同項に規定する利益の配当をいう。以下1において同じ。)、剰余金の分配(同項に規定する剰余金の分配をいう。以下1において同じ。)、金銭の分配(同項に規定する金銭の分配をいう。以下1において同じ。)又は証券投資信託(同法第2条第1項第13号に規定する証券投資信託をいう。以下1において同じ。)の収益の分配(同法第9条第1項第11号《非課税とされるオープン型の証券投資信託の収益の分配》に掲げるものを含まないものとする。以下1において同じ。)に係る同法第24条に規定する配当所得(地方税法の施行地に主たる事務所又は事業所を有する法人から受けるこれらの金額に係るものに限るものとし、租税特別措置法第9条第1項各号《配当控除の対象とならない配当等》に掲げる配当等に係るもの及び第五節一の1《上場株式等に係る配当所得の分

離課税に係る所得割》に規定する上場株式等の配当等に係る配当所得（同１の規定の適用を受けようとするものに限る。）を除く。）をいう。以下１において同じ。）があるときは、次に掲げる金額の合計額を、その者の一の１《所得割の税率》及び３《調整控除》の規定を適用した場合の所得割の額並びに第五節一から五の５まで及び同節七に規定する上場株式等に係る配当所得の課税の特例、土地等の譲渡等に係る事業所得等の課税の特例、分離長期・短期譲渡所得の課税の特例、一般株式等に係る譲渡所得等の課税の特例、上場株式等に係る譲渡所得等の課税の特例、先物取引に係る雑所得等の課税の特例に係る道府県民税の所得割の額（２から５までにおいて「**所得割の額等**」という。）から控除するものとする。（法附５①、33の２③四、33の３③四、34③四、35④四、35の２④四、35の２の２④、35の４②四）

(一)	剰余金の配当、利益の配当、剰余金の分配、金銭の分配又は特定株式投資信託（租税特別措置法第３条の２に規定する特定株式投資信託をいう。以下１において同じ。）の収益の分配に係る配当所得については、当該配当所得の金額の100分の1.2（当該納税義務者が地方自治法第252条の19第１項の市（以下「指定都市」という。）の区域内に住所を有する場合には、100分の0.56）（課税総所得金額、上場株式等に係る課税配当所得の金額、土地の譲渡等に係る課税事業所得等の金額、課税長期譲渡所得の金額、課税短期譲渡所得の金額、一般株式等に係る課税譲渡所得等の金額、上場株式等に係る課税譲渡所得等の金額及び先物取引に係る課税雑所得等の金額の合計額（以下、第一章において「**課税総所得金額等**」という。）から特定株式投資信託以外の証券投資信託の収益の分配に係る配当所得の金額を控除した金額が1,000万円を超える場合には、当該剰余金の配当、利益の配当、剰余金の分配、金銭の分配又は特定株式投資信託の収益の分配に係る配当所得の金額のうちその超える金額に相当する金（当該配当所得の金額がその超える金額に満たないときは、当該配当所得の金額）については、100分の0.6（当該納税義務者が指定都市の区域内に住所を有する場合には、100分の0.28））に相当する金額
(二)	特定株式投資信託以外の証券投資信託の収益の分配に係る配当所得（租税特別措置法第９条第４項に規定する一般外貨建等証券投資信託の収益の分配（以下１において「一般外貨建等証券投資信託の収益の分配」という。）に係るものを除く。以下(二)において「証券投資信託に係る配当所得」という。）については、当該証券投資信託に係る配当所得の金額の100分の0.6（当該納税義務者が指定都市の区域内に住所を有する場合には、100分の0.28）（課税総所得金額等から一般外貨建等証券投資信託の収益の分配に係る配当所得の金額を控除した金額が1,000万円を超える場合には、当該証券投資信託に係る配当所得の金額のうちその超える金額に相当する金額（当該証券投資信託に係る配当所得の金額がその超える金額に満たないときは、当該証券投資信託に係る配当所得の金額）については、100分の0.3（当該納税義務者が指定都市の区域内に住所を有する場合には、100分の0.14））に相当する金額
(三)	一般外貨建等証券投資信託の収益の分配に係る配当所得については、当該配当所得の金額の100分の0.3（当該納税義務者が指定都市の区域内に住所を有する場合には、100分の0.14）（課税総所得金額等が1,000万円を超える場合には、当該配当所得の金額のうちその超える金額に相当する金額（当該配当所得の金額がその超える金額に満たないときは、当該配当所得の金額）については、100分の0.15（当該納税義務者が指定都市の区域内に住所を有する場合には、100分の0.07））に相当する金額

２　住宅借入金等特別税額控除

① 税源移譲に伴う住宅借入金等特別税額控除　（平成11年から平成18年までの居住分に適用）

イ　住宅借入金等特別税額控除額

　道府県は、平成20年度から平成28年度までの各年度分の個人の道府県民税に限り、所得割の納税義務者が前年分の所得税につき租税特別措置法第41条《住宅借入金等を有する場合の所得税額の特別控除》又は第41条の２の２《年末調整に係る住宅借入金等を有する場合の所得税額の特別控除》の規定の適用を受けた場合（同法第41条第１項に規定する居住年（以下２の①、②及び③において「居住年」という。）が平成11年から平成18年までの各年である場合に限る。）において、(一)に掲げる金額と(二)に掲げる金額とのいずれか少ない金額から(三)に掲げる金額を控除した金額（当該金額が零を下回る場合には、零とする。）の５分の２に相当する金額（ロ及び同(４)において「道府県民税の住宅借入金等特別税額控除額」という。）を、当該納税義務者の一の１《所得割の税率》及び３《調整控除》の規定を適用した場合の所得割の額等〖１参照〗から控除するものとする。（法附５の４①、33の２③四、33の３③四、34③四、35④四、35の２④四、35の２の２④、35の４②四）

(一)	当該納税義務者の前年分の所得税に係る租税特別措置法第41条第２項から第４項まで若しくは第41条の２又は阪神・淡路大震災の被災者等に係る国税関係法律の臨時特例に関する法律第16条第１項から第３項までの規定を適用

	して計算した租税特別措置法第41条第１項に規定する住宅借入金等特別税額控除額（平成19年以後の居住年に係る同項に規定する住宅借入金等の金額を有する場合には、当該金額がなかったものとしてこれらの規定を適用して計算した同項に規定する住宅借入金等特別税額控除額）
(二)	イに掲げる金額とロに掲げる金額とを合計した金額からハに掲げる金額を控除した金額 イ　当該納税義務者の前年分の所得税に係る所得税法第89条第２項に規定する課税総所得金額、課税退職所得金額又は課税山林所得金額につき所得税法等の一部を改正する等の法律（平成18年法律第10号。以下イにおいて「平成18年所得税法等改正法」という。）第14条の規定による廃止前の経済社会の変化等に対応して早急に講ずべき所得税及び法人税の負担軽減措置に関する法律第４条の規定により読み替えられた平成18年所得税法等改正法第１条の規定による改正前の所得税法第二編第三章第一節《税率》の規定を適用して計算した所得税の額 ロ　当該納税義務者の前年分の租税特別措置法第８条の４第１項（所得税法等の一部を改正する法律（平成20年法律第23号。以下ロにおいて「平成20年所得税法等改正法」という。）附則第32条第１項の規定により適用される場合を含む。）、第25条第２項、第28条の４第１項、第31条第１項（同法第31条の２又は第31条の３の規定により適用される場合を含む。）、第32条第１項若しくは第２項、第37条の10第１項（平成20年所得税法等改正法附則第43条第２項の規定により適用される場合を含む。）若しくは第41条の14第１項又は租税条約等の実施に伴う所得税法、法人税法及び地方税法の特例等に関する法律第３条の２第16項、第18項、第20項、第22項若しくは第24項の規定による所得税の額の合計額 ハ　当該納税義務者の前年分の所得税に係る租税特別措置法第25条の規定による免除額、所得税法第92条の規定による控除額、租税特別措置法第10条から第10条の５の４まで及び第10条の６（東日本大震災の被災者等に係る国税関係法律の臨時特例に関する法律（以下「**震災特例法**」という。）第10条の４《所得の額から控除される特別控除額の特例》の規定により読み替えて適用される場合を含む。）の規定による控除額並びに震災特例法第10条の２から第10条の３の３までの規定による控除額の合計額
(三)	当該納税義務者の前年分の所得税の額（前年分の所得税について、租税特別措置法第41条、第41条の２の２、第41条の18、第41条の18の２第２項、第41条の18の３若しくは第41条の19の２から第41条の19の４まで、災害被害者に対する租税の減免、徴収猶予等に関する法律第２条又は所得税法第95条の規定の適用があった場合には、これらの規定の適用がなかったものとして計算した金額）

ロ　特別税額控除の適用要件

　イの規定は、道府県民税の所得割の納税義務者が、当該年度の初日の属する年の３月15日までに、(1)で定めるところにより、イの規定の適用を受けようとする旨及び道府県民税の住宅借入金等特別税額控除額の控除に関する事項を記載した道府県民税住宅借入金等特別税額控除申告書（その提出期限後において道府県民税の納税通知書が送達される時までに提出されたものを含む。）を、市町村民税住宅借入金等特別税額控除申告書と併せて、当該年度の初日の属する年の１月１日現在における住所所在地の市町村長に提出した場合に限り、適用する。（法附５の４③）
　（注１）　ロの申告書の提出があった場合には、市町村長は、当該市町村の区域を管轄する税務署長に対し、遅滞なく、当該申告書に記載された事項を通知し、当該記載された事項について確認を求めるものとする。（法附５の４⑪）
　（注２）　税務署長は、（注１）の確認を求められた事項について、国の税務官署の保有する情報と異なるとき又は誤りがあることを発見したときは、遅滞なく、その内容を当該確認を求めた市町村長に通知するものとする。（法附５の４⑫）

　　　（申告書の提出）
（１）　ロの申告書の様式は、次の各号に掲げる区分に応じ、当該各号に定めるところによるものとする。（規附２の３①）

(一)	所得税法第190条の規定の適用を受け、かつ、第六節八の１の①《道府県民税の申告書》の申告書を提出しない者	第55号の３様式
(二)	(一)に掲げる者以外の者	第55号の４様式

　　（注）　上表の(一)に掲げる者は、同(一)に定める様式による申告書に所得税法第226条第１項に規定する源泉徴収票を添付しなければならない。（規附２の３②）

　　　（確定申告書を提出する場合の申告書の取扱い）
（２）　道府県民税の所得割の納税義務者が第六節八の３の①の確定申告書を提出する場合には、当該納税義務者は、ロの申告書を、税務署長を経由してロに規定する市町村長に提出することができる。（法附５の４④）

　　　　（申告書のみなし提出）
（３）　（２）の場合において、ロの申告書がその提出の際経由するすることができる税務署長に受理されたときは、当該申告書は、その受理された時にロに規定する市町村長に提出されたものとみなす。（法附５の４⑤）

　　　　（虚偽記載をした申告書を提出した者の罰則）
（４）　ロの申告書に道府県民税の住宅借入金等特別税額控除額の控除に関する事項に関し虚偽の記載をして提出した者は、１年以下の懲役又は50万円以下の罰金に処する。（法附５の４⑬）

　　　　（留意事項）
（５）　①の規定に基づく住宅借入金等特別税額控除の適用に当たっては、次の諸点に留意すること。（県通２－13の３（３）～（６））
　イ　この控除の適用を受けようとする所得割の納税義務者は、適用を受けようとする年度ごとに、賦課期日現在における住所所在地の市町村長に適用を受けようとする旨及び道府県民税の住宅借入金等特別税額控除額に関する事項を記載した道府県民税住宅借入金等特別税額控除申告書を提出する必要があること。したがって、年末調整によって所得税における住宅借入金等特別税額控除の適用を受けた所得割の納税義務者についても、道府県民税住宅借入金等特別税額控除申告書を提出する必要があるものであること。
　ロ　所得税の確定申告をする所得割の納税義務者は、税務署長を経由して、イの道府県民税住宅借入金等特別税額控除申告書を提出することができるものであること。
　ハ　当該道府県民税住宅借入金等特別税額控除申告書は、毎年３月15日までに提出される必要があるが、その提出期限後においても道府県民税の納税通知書が送達される時までに提出された場合には、この控除の適用を受けることができるものである。
　ニ　市町村長は、当該市町村の区域を管轄する税務署長に対し、イの申告書に記載された事項について確認を求め、控除すべき額を決定するものであること。

② 平成11年から平成18年まで又は平成21年から令和７年までの各年に居住の用に供した場合の住宅借入金等特別税額控除

イ　住宅借入金等特別税額控除額
　道府県は、平成22年度から令和20年度までの各年度分の個人の道府県民税に限り、所得割の納税義務者が前年分の所得税につき租税特別措置法第41条《住宅借入金等を有する場合の所得税額の特別控除》又は第41条の２の２《年末調整に係る住宅借入金等を有する場合の所得税額の特別控除》の規定の適用を受けた場合（居住年が平成11年から平成18年まで又は平成21年から令和７年までの各年である場合に限る。）において、①のイの規定の適用を受けないときは、（一）に掲げる金額から（二）に掲げる金額を控除した金額（当該金額が零を下回る場合には、零とする。）の５分の２（当該納税義務者が指定都市の区域内に住所を有する場合には、５分の１）に相当する金額（以下イにおいて「控除額」という。）を、当該納税義務者の一の１《所得割の税率》及び３《調整控除》の規定を適用した場合の所得割の額等〖１参照〗から控除するものとする。この場合において、当該控除額が当該納税義務者の前年分の所得税に係る所得税法第89条第２項に規定する課税総所得金額、課税退職所得金額及び課税山林所得金額の合計額の100分の２（当該納税義務者が指定都市の区域内に住所を有する場合には、100分の１）に相当する金額（当該金額が39,000円（当該納税義務者が指定都市の区域内に住所を有する場合には、19,500円）を超える場合には、39,000円（当該納税義務者が指定都市の区域内に住所を有する場合には、19,500円）。以下イにおいて「控除限度額」という。）を超えるときは、当該控除額は、当該控除限度額に相当する金額とする。（法附５の４の２①、33の２③四、33の３③四、34③四、35④四、35の２④四、35の２の２④、35の４②四）

（一）	当該納税義務者の前年分の所得税に係る租税特別措置法第41条第２項から第５項まで若しくは第10項から第19項まで若しくは第41条の２又は阪神・淡路大震災の被災者等に係る国税関係法律の臨時特例に関する法律第16条第１項から第３項までの規定を適用して計算した租税特別措置法第41条第１項に規定する住宅借入金等特別税額控除額 　（平成19年又は平成20年の居住年に係る同項に規定する住宅借入金等の金額を有する場合には、当該金額がなかったものとしてこれらの規定を適用して計算した同項に規定する住宅借入金等特別税額控除額）
（二）	当該納税義務者の前年分の所得税の額（前年分の所得税について、租税特別措置法第41条、第41条の２の２、第41条の18、第41条の18の２第２項、第41条の18の３若しくは第41条の19の２から第41条の19の４まで、災害被害者に対する租税の減免、徴収猶予等に関する法律第２条又は所得税法第95条若しくは第165条の６の規定の適用があった

場合には、これらの規定の適用がなかったものとして計算した金額）

(注) イ中____部分「第19項」を「第21項」に改める令和6年度改正規定は、令和7年1月1日以後適用する。（令6改法附1二）

（留意事項）
注 ②の規定に基づく住宅借入金等特別税額控除の適用に当たっては、次の諸点に留意すること。（県通2－13の3の2）
  イ この控除は、居住年が平成18年以前又は平成21年から令和7年までの各年である所得割の納税義務者を対象とするものであり、居住年が平成19年又は平成20年である所得割の納税義務者は対象とならないものであること。また、二以上の居住年に係る住宅借入金等を有する所得割の納税義務者については、その居住年が平成18年以前又は平成21年から令和7年までの各年である住宅借入金等のみを対象とし、居住年が平成19年又は平成20年である住宅借入金等はないものとして、控除すべき額を計算するものであること。
  ロ この控除は、①の規定に基づく住宅借入金等特別税額控除の適用を受けた場合には適用されないものであること。
  ハ イの(一)には、前年分の所得税に係る住宅借入金等特別税額控除額が規定されているものであるが、この控除額は、租税特別措置法第41条の3の2の規定（特定の増改築等に係る住宅借入金等特別税額控除に係る控除額の特例の規定）については適用しないで計算するものであること。
  ニ イの(二)には、前年分の所得税額が規定されているものであるが、この金額は、住宅借入金等特別税額控除を行う前の段階の所得税額であること。
  ホ 市町村は、給与支払報告書等の記載により、控除額を算出するために必要な情報を把握するものであること。

ロ 平成26年から令和3年までの各年に居住の用に供した場合の住宅借入金等特別税額控除
　所得割の納税義務者が、居住年が平成26年から令和3年までであって、かつ、租税特別措置法第41条第5項に規定する特定取得又は同条第14項に規定する特別特定取得に該当する同条第1項に規定する住宅の取得等に係る同項に規定する住宅借入金等の金額を有する場合における第1項の規定の適用については、同項中「100分の2」とあるのは「100分の2.8」と、「100分の1」とあるのは「100分の1.4」と、「39,000円」とあるのは「54,600円」と、「19,500円」とあるのは「27,300円」とする。（法附5の4の2③）

(注) ロ中____部分「同条第14項」を「同条第16項」に改める令和6年度改正規定は、令和7年1月1日以後適用する。（令6改法附1二）

ハ 新型コロナウイルス感染症等に係る住宅借入金等特別税額控除の居住供用期間の特例
　道府県民税の所得割の納税義務者が前年分の所得税につき新型コロナウイルス感染症特例法第6条の2第1項の規定の適用を受けた場合におけるロ及び③のハの規定の適用については、これらの規定中「令和3年」とあるのは、「令和4年」とする。（法附61①）

③ 東日本大震災に係る住宅借入金等特別税額控除の適用期間等の特例

イ 居住の用に供することができなくなった場合の適用期間の特例
　道府県民税の所得割の納税義務者が前年分の所得税につき震災特例法第13条《住宅借入金等を有する場合の所得税額の特別控除等の適用期間に係る特例》第1項の規定の適用を受けた場合における①及び②の規定の適用については、次の表の左欄に掲げる規定中同表の中欄に掲げる字句は、同表の右欄に掲げる字句とする。（法附45①）

①のイ	租税特別措置法第41条又は第41条の2の2	東日本大震災の被災者等に係る国税関係法律の臨時特例に関する法律（平成23年法律第29号）第13条第1項の規定により読み替えて適用される租税特別措置法第41条又は同項の規定により適用される租税特別措置法第41条の2の2
①のイの表の(一)	租税特別措置法第41条第2項から第4項まで若しくは第41条の2	東日本大震災の被災者等に係る国税関係法律の臨時特例に関する法律第13条第1項の規定により読み替えて適用される租税特別措置法第41条第2項から第4項まで若しくは東日本大震災の被災者等に係る国税関係法律の臨時特例に関する法律第13条第1項の規定により読み替えて適用される租税特別措置法第41条の2
①のイの表の(三)	租税特別措置法第41条、第41条の2の2、	東日本大震災の被災者等に係る国税関係法律の臨時特例に関する法律第13条第1項の規定により読み替えて適用される租税特別措置法第41条、同項の規定に

		より適用される租税特別措置法第41条の2の2若しくは租税特別措置法
②のイ	租税特別措置法第41条又は第41条の2の2	東日本大震災の被災者等に係る国税関係法律の臨時特例に関する法律第13条第1項の規定により読み替えて適用される租税特別措置法第41条又は同項の規定により適用される租税特別措置法第41条の2の2
②のイの表の（一）	租税特別措置法第41条第2項から第5項まで若しくは第10項から第19項まで若しくは第41条の2	東日本大震災の被災者等に係る国税関係法律の臨時特例に関する法律第13条第1項の規定により読み替えて適用される租税特別措置法第41条第2項から第5項まで若しくは第10項から第19項まで若しくは東日本大震災の被災者等に係る国税関係法律の臨時特例に関する法律第13条第1項の規定により適用される租税特別措置法第41条の2
②のイの表の（二）	租税特別措置法第41条、第41条の2の2	東日本大震災の被災者等に係る国税関係法律の臨時特例に関する法律第13条第1項の規定により読み替えて適用される租税特別措置法第41条、同項の規定により適用される租税特別措置法第41条の2の2若しくは租税特別措置法

　（注）　イ中＿＿＿部分「第19項」を「第21項」に改める令和6年度改正規定は、令和6年4月1日以後適用する。（令6改法附1）

ロ　住宅の再取得等の場合の特例

　道府県民税の所得割の納税義務者が前年分の所得税につき震災特例法第13条《住宅借入金等を有する場合の所得税額の特別控除等の適用期間等に係る特例》第3項若しくは第4項又は第13条の2《住宅借入金等を有する場合の所得税額の特別控除の控除額に係る特例》第1項から第4項まで若しくは第6項から第10項までの規定の適用を受けた場合における①及び②の規定の適用については、次の表の左欄に掲げる規定中同表の中欄に掲げる字句は、それぞれ同表の右欄に掲げる字句とし、①のハの規定は、適用しない。（法附45②）

①のイの表の（一）	阪神・淡路大震災の被災者等に係る国税関係法律の臨時特例に関する法律（平成7年法律第11号）第16条第1項から第3項まで	、阪神・淡路大震災の被災者等に係る国税関係法律の臨時特例に関する法律（平成7年法律第11号）第16条第1項から第3項まで又は東日本大震災の被災者等に係る国税関係法律の臨時特例に関する法律（平成23年法律第29号）第13条第3項若しくは第4項若しくは第13条の2第1項から第9項まで
	住宅借入金等の金額	住宅借入金等の金額（東日本大震災の被災者等に係る国税関係法律の臨時特例に関する法律第13条第3項又は第4項の規定の適用を受ける者の有する平成23年から平成27年までの居住年に係る同条第5項第1号に規定する新規住宅借入金等の金額を除く。）
	当該金額	当該住宅借入金等の金額
	これらの規定	租税特別措置法第41条第2項から第4項まで若しくは第41条の2、阪神・淡路大震災の被災者等に係る国税関係法律の臨時特例に関する法律第16条第1項から第3項まで又は東日本大震災の被災者等に係る国税関係法律の臨時特例に関する法律第13条第3項若しくは第4項若しくは第13条の2第1項から第9項までの規定
	計算した同項	計算した租税特別措置法第41条第1項
②のイの表の（一）	又は阪神・淡路大震災の被災者等に係る国税関係法律の臨時特例に関する法律第16条第1項から第3項まで	、阪神・淡路大震災の被災者等に係る国税関係法律の臨時特例に関する法律第16条第1項から第3項まで又は東日本大震災の被災者等に係る国税関係法律の臨時特例に関する法律第13条第3項若しくは第4項若しくは第13条の2第1項から第4項まで若しくは第6項から第10項まで

　（注）　ロ中＿＿＿部分「第4項まで若しくは第6項から第10項まで」を「第5項まで若しくは第7項から第11項まで」に、「第9項」を「第10項」に改める令和6年度改正規定は、令和6年4月1日以後適用する。（令6改法附1）

ハ　平成26年から令和3年までの各年に居住の用に供した場合の住宅借入金等特別税額控除

　ロの場合において、当該納税義務者が平成26年から令和3年までの居住年に係る租税特別措置法第41条第1項に規定す

る住宅借入金等(居住年が平成26年である場合には、その同項に規定する居住日が平成26年4月1日から同年12月31日までの期間内の日であるものに限る。)の金額を有するときは、ロの規定により読み替えて適用される②のイ中「100分の2」とあるのは「100分の2.8」と、「100分の1」とあるのは「100分の1.4」と、「39,000円」とあるのは「54,600円」と、「19,500円」とあるのは「27,300円」とする。(法附45③)

3 寄附金税額控除

① 寄附金税額控除

道府県は、所得割の納税義務者が、前年中に次に掲げる寄附金を支出し、当該寄附金の額の合計額(当該合計額が前年の総所得金額、退職所得金額及び山林所得金額並びに上場株式等に係る配当所得等の金額、土地等に係る事業所得等の金額、長期譲渡所得の金額、短期譲渡所得の金額、一般株式等に係る譲渡所得等の金額、上場株式等に係る譲渡所得等の金額及び先物取引に係る雑所得等の金額の合計額の100分の30に相当する金額を超える場合には、当該100分の30に相当する金額)が2,000円を超える場合には、その超える金額の100分の4(当該納税義務者が指定都市の区域内に住所を有する場合には、100分の2)に相当する金額(当該納税義務者が前年中に特例控除対象寄附金又は(一)に掲げる寄附金(令和元年6月1日前に支出したものに限る。)を支出し、これらの寄附金の額の合計額が2,000円を超える場合には、当該100分の4(当該納税義務者が指定都市の区域内に住所を有する場合には、100分の2)に相当する金額に**特例控除額**を加算した金額。以下①において「控除額」という。)を当該納税義務者の一の1《所得割の税率》及び3《調整控除》の規定を適用した場合の所得割の額等から控除するものとする。この場合において、当該控除額が当該所得割の額等〘1参照〙の合計額を超えるときは、当該控除額は、当該所得割の額等の合計額に相当する金額とする。(法37の2①、法附33の2③四、33の3③四、34③四、35④四、35の2④四、35の2の4④、35の4②四)

(一)	都道府県、市町村又は特別区(以下「都道府県等」という。)に対する寄附金(当該納税義務者がその寄附によって設けられた設備を専属的に利用することその他特別の利益が当該納税義務者に及ぶと認められるものを除く。)
(二)	社会福祉法第113条第2項に規定する共同募金会(その主たる事務所を当該納税義務者に係る賦課期日現在における住所所在の道府県内に有するものに限る。)に対する寄附金又は日本赤十字社に対する寄附金(当該納税義務者に係る賦課期日現在における住所所在の道府県内に事務所を有する日本赤十字社の支部において収納されたものに限る。)で、(1)で定めるもの
(三)	所得税法第78条第2項《特定寄附金の範囲》第2号及び第3号に掲げる寄附金(同条第3項《特定公益信託の信託財産とするための支出》の規定により特定寄附金とみなされるものを含む。)並びに租税特別措置法第41条の18の2第2項《認定特定非営利活動法人に寄附をした場合の所得税額の特別控除》に規定する特定非営利活動に関する寄附金((四)に掲げる寄附金を除く。)のうち、住民の福祉の増進に寄与する寄附金として当該道府県の条例で定めるもの
(四)	特定非営利活動促進法第2条第2項《特定非営利活動法人の定義》に規定する特定非営利活動法人(以下(四)及び⑥において「特定非営利活動法人」という。)に対する当該特定非営利活動法人の行う同条第1項に規定する特定非営利活動に係る事業に関連する寄附金のうち、住民の福祉の増進に寄与する寄附金として当該道府県の条例で定めるもの(特別の利益が当該納税義務者に及ぶと認められるものを除く。)

(注1) 特定非営利活動促進法の一部を改正する法律(平23年法律第70号)附則第10条第6項の規定によりみなして適用する場合における旧認定特定非営利活動法人に対する新租税特別措置法第41条の18の2第2項に規定する特定非営利活動に関する寄附金については、①の表の(三)に規定する特定非営利活動に関する寄附金とみなして、同①の規定を適用する。(平23法第70号附11、12②)

(注2) ①中____部分「及び第3号に掲げる寄附金(同条第3項《特定公益信託の信託財産とするための支出》の規定により特定寄附金とみなされるものを含む。)並びに」を「2号から第4号までに掲げる寄附金及び」に改める令和6年度改正規定は、公益信託に関する法律(令和6年法律第30号)の施行の日の属する年の翌年の1月1日以後適用する。(令6改法附十一)

(注3) (注2)の規定の適用については、①の表の(三)中「寄附金及び」とあるのは、「寄附金(所得税法等の一部を改正する法律(令和6年法律第8号)附則第3条第1項の規定によりなおその効力を有するものとされる同法第1条の規定による改正前の所得税法第78条第3項の規定により特定寄附金とみなされるものを含む。)及び」とする。(令6改法附5)

(寄附金税額控除の対象となる共同募金会又は日本赤十字社に対する寄附金の範囲)
(1) ①の表の(二)に規定する寄附金は、次に掲げる寄附金とする。(令7の17)
イ 社会福祉法第113条第2項に規定する共同募金会(以下イ及びロにおいて「共同募金会」という。)に対して同法第112条の規定により厚生労働大臣が定める期間内に支出された寄附金で、当該共同募金会がその募集に当たり総務

大臣の承認を受けたもの
ロ　社会福祉法第2条第1項に規定する社会福祉事業又は更生保護事業法第2条第1項に規定する更生保護事業に要する経費に充てるために共同募金会に対して支出された寄附金（イに該当するものを除く。）で総務大臣が定めるもの
ハ　日本赤十字社に対して支出された寄附金で、日本赤十字社が当該寄附金の募集に当たり総務大臣の承認を受けたもの
　　（注）　(1)のイの総務大臣の承認及び同ハの総務大臣の承認は、それぞれ平成24年総務省告示第128号及び平成25年総務省告示第149号による。
　　　　　　（編者）

（寄附金税額控除の対象となる寄附金の特例）
(2)　租税特別措置法第40条第1項《国等に対して財産を寄附した場合の譲渡所得等の非課税》の規定の適用を受ける財産の贈与又は遺贈がある場合における①及び⑤の規定の適用については、①中「次に掲げる寄附金」とあるのは「次に掲げる寄附金（租税特別措置法第40条第1項の規定の適用を受けるもののうち、①に規定する財産の贈与又は遺贈に係る所得税法第32条第3項に規定する山林所得の金額若しくは同法第33条第3項に規定する譲渡所得の金額で同法第32条第3項に規定する山林所得の特別控除額若しくは同法第33条第3項に規定する譲渡所得の特別控除額を控除しないで計算した金額又は同法第35条第2項に規定する雑所得の金額に相当する部分を除く。）」と、「に特例控除対象寄附金」とあるのは「に特例控除対象寄附金（租税特別措置法第40条第1項の規定の適用を受けるもののうち、同項に規定する財産の贈与又は遺贈に係る所得税法第32条第3項に規定する山林所得の金額若しくは同法第33条第3項に規定する譲渡所得の金額で同法第32条第3項に規定する山林所得の特別控除額若しくは同法第33条第3項に規定する譲渡所得の特別控除額を控除しないで計算した金額又は同法第35条第2項に規定する雑所得の金額に相当する部分を除く。）」と、⑤中「特例控除対象寄附金」とあるのは「特例控除対象寄附金（租税特別措置法第40条第1項の規定の適用を受けるもののうち、同項に規定する財産の贈与又は遺贈に係る所得税法第32条第3項に規定する山林所得の金額若しくは同法第33条第3項に規定する譲渡所得の金額で同法第32条第3項に規定する山林所得の特別控除額若しくは同法第33条第3項に規定する譲渡所得の特別控除額を控除しないで計算した金額又は同法第35条第2項に規定する雑所得の金額に相当する部分を除く。）」とする。（令7の18）

（寄附金税額控除額の控除の対象となる寄附金の範囲）
(3)　道府県は、所得割の納税義務者が、前年中に次に掲げる寄附金（ハからトに掲げるものに関しては、それぞれ当該道府県の条例で定めるものに限る。）を支出し、当該寄附金の額の合計額（当該合計額が前年の総所得金額、退職所得金額及び山林所得金額の合計額の100分の30に相当する金額を超える場合には、当該100分の30に相当する金額）が2,000円を超える場合には、その超える金額の100分の4（当該納税義務者が地方自治法第252条の19第1項の市（以下「指定都市」という。）の区域内に住所を有する場合は、100分の2）に相当する金額（当該納税義務者が前年中に②に規定する特例控除対象寄附金（以下「特例控除対象寄附金」という。）を支出し、当該特例控除対象寄附金の額の合計額が2千円を超える場合には、当該100分の4（当該納税義務者が指定都市の区域内に住所を有する場合には、100分の2）に相当する金額に⑤に規定する特例控除額を加算した金額）を当該納税義務者の一の1及び3の規定を適用した場合の所得割の額から控除するものであること。この場合において、当該控除額が当該所得割の額を超えるときは、当該控除額は、当該所得割の額に相当する金額とすること。（県通2－12の2）
イ　都道府県、市町村又は特別区に対する寄附金（当該納税義務者がその寄附によって設けられた設備を専属的に利用することその他特別の利益が当該納税義務者に及ぶと認められるものを除く。）
ロ　社会福祉法第113条第2項に規定する共同募金会（その主たる事務所を当該納税義務者に係る賦課期日現在における住所所在の道府県内に有するものに限る。）に対する寄附金又は日本赤十字社に対する寄附金（当該納税義務者に係る賦課期日現在における住所所在の道府県内に事務所を有する日本赤十字社の支部において収納されたものに限る。）で、(1)各号の規定により定められたもの
ハ　所得税法第78条第2項第2号の規定に基づき財務大臣が指定した寄附金
ニ　次に掲げる法人に対する当該法人の主たる目的である業務に関連する寄附金（出資に関する業務に充てられることが明らかなものを除く。）
　（イ）　所得税法施行令第217条第1号に規定する独立行政法人
　（ロ）　所得税法施行令第217条第1号の2に規定する地方独立行政法人（地方独立行政法人法第21条第1号又は第3号から第6号までに掲げる業務を主たる目的とするものに限る。）
　（ハ）　所得税法施行令第217条第2号に規定する法人（（ロ）に掲げるものを除く。）

　　　　　　　　　　第二編第一章《個人の道府県民税》第四節《税額の計算》

　　　（ニ）　所得税法施行令第217条第3号に規定する公益社団法人及び公益財団法人
　　　（ホ）　所得税法施行令第217条第4号に規定する学校法人
　　　（ヘ）　所得税法施行令第217条第5号に規定する社会福祉法人
　　　（ト）　所得税法施行令第217条第6号に規定する更生保護法人
　　ホ　<u>所得税法第78条第3項に規定する特定公益信託の信託財産とするために支出した金銭</u>
　　ヘ　租税特別措置法第41条の18の2第2項に規定する特定非営利活動に関する寄附金（その寄附をした者に特別の利益が及ぶと認められるもの、出資に関する業務に充てられることが明らかなもの及びトに掲げる寄附金を除く。）
　　ト　特定非営利活動促進法第2条第2項に規定する特定非営利活動法人（以下「特定非営利活動法人」という。）に対する当該特定非営利活動法人の行う同条第1項に規定する特定非営利活動に係る事業に関連する寄附金（特別の利益が当該納税義務者に及ぶと認められるものを除く。）
　　　（注）　(3)中___部分「所得税法第78条第3項に規定する特定公益信託の信託財産とするために支出した金銭」を「所得税法第78条第2項第4号に規定する公益信託の信託財産とするために支出した当該公益信託に係る信託事務に関連する寄附金」に改める令和6年度改正規定は、公益信託に関する法律（令和6年法律第30号）の施行の日の属する年の翌年の4月1日が属する年度以後の年度分の個人の道府県民税に適用する。（令6総税都第10号記ニ）

　　　（留意事項）
（4）　①又は⑤の規定に基づく寄附金税額控除の適用に当たっては、次の諸点に留意すること。（県通2－12の4）
　イ　特例控除対象寄附金であるかどうかの判定は、所得割の納税義務者が①の(一)に掲げる寄附金を支出した時に当該寄附金を受領した都道府県、市町村又は特別区が②の規定による指定をされているかどうかにより行うものであり、②の規定による指定を受けていた都道府県、市町村又は特別区が③の(1)の規定により指定を取り消された日以後に当該都道府県、市町村又は特別区に対して支出した寄附金については、特例控除対象寄附金とはならないものであること。
　ロ　共同募金会又は日本赤十字社に対する寄附金で寄附金税額控除の対象となるのは、賦課期日現在の住所所在の都道府県内に主たる事務所を有する共同募金会に対する寄附金又は賦課期日現在の住所所在の都道府県内に事務所を有する日本赤十字社の支部において収納された寄附金に限られ、住所地以外の都道府県共同募金会及び中央共同募金会に対する寄附金並び住所地以外の日本赤十字社の支部及び日本赤十字社の本社において収納された寄附金は対象とならないこと。
　ハ　金銭以外の財産により寄附がなされた場合においては、所得税における寄附金控除と同様、その財産の取得費等必要経費に相当する金額が、寄附金税額控除の対象となる金額となるものであること。
　ニ　平成26年度から令和20年度までの各年度分の個人の道府県民税についての①及び⑤並びに⑦（これらの規定を⑨の規定に読み替えて適用する場合を含む。）の規定については、⑧の規定により読み替えて適用すること。
　ホ　特定寄附信託の委託者が、当該特定寄附信託契約に基づき寄附金税額控除の対象となる公益法人等に対して寄附した金額のうち、非課税となった利子所得に相当する金額に係る部分は、寄附金税額控除は適用しないこととすること。なお、非課税となった利子所得に相当する金額は、前年中の非課税となっている特定寄附信託に係る利子等の金額に、同年中に特定寄附信託の信託財産から支出した道府県民税の寄附金税額控除の対象となる寄附金の合計額の同年中に当該信託財産から支出した所得税の寄附金控除の対象となる寄附金の合計額に対する割合を乗じて得た金額（当該金額に1円未満の端数があるとき、又は当該金額の全額が1円未満であるときは、その端数金額又はその全額を切り捨てた金額）とすること。

②　**特例控除対象寄附金**
　①の特例控除対象寄附金とは、①の(一)に掲げる寄附金（以下「第一号寄附金」という。）であって、(一)、(四)及び(五)に掲げる基準（都道府県等が返礼品等（都道府県等が第一号寄附金の受領に伴い当該第一号寄附金を支出した者に対して提供する物品、役務その他これらに類するものとして総務大臣が定めるものをいう。以下②において同じ。）を提供する場合には、次に掲げる基準）に適合する都道府県等として総務大臣が指定するものに対するものをいう。（法37の2②）
（一）　都道府県等による第一号寄附金の募集の適正な実施に係る基準として総務大臣が定める基準に適合するものであること。
（二）　都道府県等が個別の第一号寄附金の受領に伴い提供する返礼品等の調達に要する費用の額として総務大臣が定めるところにより算定した額が、いずれも当該都道府県等が受領する当該第一号寄附金の額の100分の30に相当する金額以下であること。
（三）　都道府県等が提供する返礼品等が当該都道府県等の区域内において生産された物品又は提供される役務その他これ

らに類するものであって、総務大臣が定める基準に適合するものであること。
(四) 都道府県等が②の規定により受けようとする指定の効力を生ずる日前1年以内（当該都道府県等が②の規定による指定（以下「指定」という。）を受けていた期間に限る。(五)において「特定期間」という。）において(一)から(三)に掲げる基準のうち適合すべきこととされていたものに適合していたこと。
(五) 特定期間において行われた④の規定による報告の求めに対し、報告をしなかったことがなく、かつ、虚偽の報告をしたことがないこと。
　(注) 令和5年4月1日から令和6年3月31日までの間に効力を生ずる②の規定の適用については、②の(四)中「②の規定により受けようとする指定の効力を生ずる日前1年以内」とあるのは、「令和5年4月1日から②の規定により受けようとする指定の効力を生ずる日の前日までの間」とする。（令5改法附1、4②）

③　総務大臣に提出する申出書
　指定を受けようとする都道府県等は、(1)で定めるところにより、第一号寄附金の募集の適正な実施に関し(5)で定める事項を記載した申出書に、②に規定する基準に適合していることを証する書類を添えて、これを総務大臣に提出しなければならない。（法37の2③）

　　　　（申出書の提出方法）
(1) ②の規定による指定を受けようとする都道府県等は、指定対象期間の初日の属する年の7月1日から同月31日までの間に、③に規定する申出書及び書類（以下「申出書等」という。）を総務大臣に（市町村又は特別区にあっては、都道府県知事を経由して総務大臣に）提出するものとする。（規1の16①）

　　　　（指定対象期間）
(2) (1)に規定する指定対象期間は、毎年10月1日から翌年9月30日までの期間とする。（規1の16②）

　　　　（指定を受けていない都道府県等の申出書等の提出）
(3) 指定を受けていない都道府県等（(2)の指定対象期間において既に(3)の規定により申出書等を提出した都道府県等及び④の(1)の規定により指定を取り消された都道府県等を除く。）は、(1)の規定にかかわらず、(2)の指定対象期間の初日の属する年の翌年の4月1日から同年8月31日までの間に、申出書等を総務大臣に（市町村又は特別区にあっては、都道府県知事を経由して総務大臣に）提出することができる。（規1の16③）

　　　　（指定を取り消された都道府県等の申告書等の提出）
(4) ④の(1)の規定により指定を取り消された都道府県等（既に(4)の規定により申出書等を提出した都道府県等を除く。）は、①の規定にかかわらず、当該取消しの日から起算して2年を経過する日の属する月の初日から末日までの間に、申出書等を総務大臣に（市町村又は特別区にあっては、都道府県知事を経由して総務大臣に）提出することができる。（規1の16④）

　　　　（(3)又は(4)の規定により申出書等を提出した都道府県等の指定対象期間）
(5) (3)又は(4)の規定により申出書等を提出した都道府県等が指定を受ける場合における指定対象期間は、当該指定をした旨の④の(2)の規定による告示をした日から(2)の指定対象期間の末日までの期間とする。（規1の16⑤）

　　　　（申出書の記載事項等）
(6) ③に規定する第一号寄附金の募集の適正な実施に関し(5)で定める事項は、次に掲げる事項（②に規定する返礼品等（(7)の(四)において「返礼品等」という。）を提供しない場合には、(一)及び(四)から(六)に掲げる事項）とする。（規1の17①）
(一) ②の(一)に掲げる基準に適合する旨
(二) ②の(二)に掲げる基準に適合する旨
(三) ②の(三)に掲げる基準に適合する旨
(四) ②の(四)に掲げる基準に適合する旨
(五) ②の(五)に掲げる基準に適合する旨
(六) (一)から(五)に掲げるもののほか、指定に関し必要な事項

　　　　（申出書の添付書類）
（７）　③に規定する申出書に添えるこれらの規定に規定する書類は、次に掲げる書類とする。（規１の17②）
　（一）　都道府県等が（２）に規定する指定対象期間（（３）又は（４）の規定により申出書等を提出する都道府県等にあっては、（５）に規定する指定対象期間。（三）及び（四）において「指定対象期間」という。）に受領する①に掲げる寄附金（（二）及び（三）において「第一号寄附金」という。）の額の見込額及びその募集に要する費用の額の見込額に関する書類
　（二）　都道府県等が前年度（（２）に規定する指定対象期間の初日の属する年度の前年度をいう。）に受領した第一号寄附金の額及びその募集に要した費用の額に関する書類
　（三）　都道府県等が指定対象期間に行おうとする第一号寄附金の募集の取組の内容に関する書類
　（四）　都道府県等が指定対象期間に提供する返礼品等の内容に関する書類
　（五）　（一）から（四）に掲げるもののほか、指定に関し必要な書類

　　　　（書類の省略）
（８）　総務大臣は、都道府県等の指定に関し支障がないと認める場合には、当該都道府県等について、（６）に掲げる書類の一部又は全部を省略させることができる。（規１の17③）

④　総務大臣の指定及び指定の取消し
　総務大臣は、指定をした都道府県等に対し、第一号寄附金の募集の実施状況その他必要な事項について報告を求めることができる。（法37の２⑤）

　　　　（指定の取消し）
（１）　総務大臣は、指定をした都道府県等が②に規定する基準のいずれかに適合しなくなった若しくは適合していなかったと認めるとき、又は③の規定による報告をせず、若しくは虚偽の報告をしたときは、指定を取り消すことができる。（法37の２⑥）

　　　　（指定取消しの告示）
（２）　総務大臣は、指定をし、又は（１）の規定による指定の取消し（（４）において「指定の取消し」という。）をしたときは、直ちにその旨を告示しなければならない。（法37の２⑦）

　　　　（指定取消しを受けた場合）
（３）　（１）の規定により指定を取り消され、その取消しの日から起算して２年を経過しない都道府県等は、指定を受けることができない。（法37の２④）

　　　　（指定取消しに係る地方財政審議会の意見）
（４）　総務大臣は、②に規定する基準若しくは②の規定による定めの設定、変更若しくは廃止又は指定若しくは指定の取消しについては、地方財政審議会の意見を聴かなければならない。（法37の２⑧）

　　　　（特例控除対象寄附金の判定）
（５）　①の場合において、②に規定する特例控除対象寄附金（⑤において「特例控除対象寄附金」という。）であるかどうかの判定は、所得割の納税義務者が第一号寄附金を支出した時に当該第一号寄附金を受領した都道府県等が指定をされているかどうかにより行うものとする。（法37の２⑨）

⑤　特例控除額
　①の特例控除額は、①の所得割の納税義務者が前年中に支出した特例控除対象寄附金の額の合計額のうち2,000円を超える金額に、次の表の各号に掲げる場合の区分に応じ、当該各号に定める割合を乗じて得た金額の５分の２（当該納税義務者が指定都市の区域内に住所を有する場合には、５分の１）に相当する金額（当該金額が当該納税義務者の一の１《所得割の税率》及び３《調整控除》の規定を適用した場合の所得割の額等の合計額の100分の20に相当する金額を超えるときは、当該100分の20に相当する金額）とする。（法37の２⑪、法附33の２③四、33の３③四、34③四、35④四、35の２④四、35の２の２④、35の４②四）

(一)	当該納税義務者が一の1の注《課税総所得金額等の意義》に規定する課税総所得金額（以下⑤において「課税総所得金額」という。）を有する場合において、当該課税総所得金額から当該納税義務者に係る一の3《調整控除》の①のイに掲げる金額（以下⑤において「人的控除差調整額」という。）を控除した金額が零以上であるとき	当該控除後の金額について、次の表の左欄に掲げる金額の区分に応じ、それぞれ同表の右欄に掲げる割合	
		195万円以下の金額	100分の85
		195万円を超え330万円以下の金額	100分の80
		330万円を超え695万円以下の金額	100分の70
		695万円を超え900万円以下の金額	100分の67
		900万円を超え1,800万円以下の金額	100分の57
		1,800万円を超え4,000万円以下の金額	100分の50
		4,000万円を超える金額	100分の45
(二)	当該納税義務者が課税総所得金額を有する場合において、当該課税総所得金額から当該納税義務者に係る人的控除差調整額を控除した金額が零を下回るときであって、当該納税義務者が一の1の注に規定する課税山林所得金額（以下(三)において「課税山林所得金額」という。）及び一の1の注に規定する課税退職所得金額（以下(三)において「課税退職所得金額」という。）を有しないとき	100分の90	
(三)	当該納税義務者が課税総所得金額を有する場合において当該課税総所得金額から当該納税義務者に係る人的控除差調整額を控除した金額が零を下回るとき又は当該納税義務者が課税総所得金額を有しない場合であって、当該納税義務者が課税山林所得金額又は課税退職所得金額を有するとき	次のイ又はロに掲げる場合の区分に応じ、それぞれイ又はロに定める割合（イ及びロに掲げる場合のいずれにも該当するときは、当該イ又はロに定める割合のうちいずれか低い割合） イ　課税山林所得金額を有する場合　　当該課税山林所得金額の5分の1に相当する金額について、(一)の右欄の表の左欄に掲げる金額の区分に応じ、それぞれ同表の右欄に掲げる割合 ロ　課税退職所得金額を有する場合　　当該課税退職所得金額について、(一)の右欄の表の左欄に掲げる金額の区分に応じ、それぞれ同表の右欄に掲げる割合	

(注)　租税特別措置法第40条第1項の規定の適用がある場合における⑤の規定の適用については、①の(2)を参照。（編者）

⑥　特定非営利活動法人に対する寄附金の適用要件

イ　道府県の条例の定め
　①の表の(四)の規定による道府県の条例の定めは、当該寄附金を受け入れる特定非営利活動法人（以下⑥において「控除対象特定非営利活動法人」という。）からの申出があった場合において適切と認められるときに行うものとし、当該条例においては、当該控除対象特定非営利活動法人の名称及び主たる事務所の所在地を明らかにしなければならない。（法37の2⑫）

　（注）　平成21年度から平成26年度までの各年度分の個人の道府県民税についての③の適用については、①の(注1)を参照。（編者）

　（留意事項）
注　①の表の(四)の規定に基づく寄附金（以下「控除対象寄附金」という。）については、次の諸点に留意すること。（県通2－12の3）
　イ　控除対象寄附金を受け入れる法人（以下「控除対象特定非営利活動法人」という。）に対しては、寄附者名簿（各事業年度に当該法人が受け入れた寄附金の支払者ごとに当該支払者の氏名又は名称及びその住所又は事務所の所在地並びにその寄附金の額及び受け入れた年月日を記載した書類をいう。以下同じ。）の保存義務など一定の義務が課せられるため、法人からの申出があった場合において適切と認められるときに条例において定めるものであること。
　ロ　控除対象寄附金を支出する住民及び控除対象特定非営利活動法人並びに認定特定非営利活動法人及び特例認定特定非営利活動法人（以下「認定特定非営利活動法人」という。）の認定機関等が各地方団体による指定の状況を確認

できる必要があること、また控除対象特定非営利活動法人が認定特定非営利活動法人等となった場合、その影響は国税である所得税及び法人税、更には他の地方団体にも及ぶため、より慎重な手続きが求められるとともに、住民の福祉の増進に寄与するものであることを当該地方団体の団体意思として明確にする必要があるため、条例において控除対象特定非営利活動法人の名称及び主たる事務所の所在地を明らかにしなければならないものであること。
　ハ　控除対象特定非営利活動法人は、寄附者名簿を控除対象寄附金の受入れをした事業年度ごとに作成し、当該事業年度終了の日の翌日以後3月を経過する日から5年間その主たる事務所の所在地に保存しなければならないものであること。
　　　なお、寄附者名簿の作成・保存義務は認定特定非営利活動法人等と同様のものであるが、認定特定非営利活動法人等は認定の有効期間内の日を含む各事業年度に作成することとされているが、控除対象特定非営利活動法人には認定期間がないため寄附金の受入れをした事業年度ごとに作成するものであること。
　ニ　道府県知事は、控除対象寄附金による控除すべき金額の計算のために必要があると認められるときには、控除対象特定非営利活動法人に対し、控除対象寄附金の受入れに関し報告又は寄附者名簿その他の資料の提出をさせることができるものであること。

ロ　寄附者名簿の備付け等
　控除対象特定非営利活動法人は、注で定めるところにより、寄附者名簿（各事業年度に当該法人が受け入れた寄附金の支払者ごとに当該支払者の氏名又は名称及びその住所又は事務所の所在地並びにその寄附金の額及び受け入れた年月日を記載した書類をいう。ハにおいて同じ。）を備え、これを保存しなければならない。（法37の2⑬）

　　（寄附者名簿の作成及び保存）
　注　ロの寄附者名簿は、①の表の（四）に掲げる寄附金の受入れをした事業年度ごとに作成するものとし、当該事業年度終了の日の翌日以後3月を経過する日から5年間その主たる事務所の所在地に保存しなければならない。（規1の18）

ハ　道府県知事への資料の提出
　道府県知事は、①（表の（四）に掲げる寄附金に係る部分に限る。）の規定により控除すべき金額の計算のために必要があると認めるときは、控除対象特定非営利活動法人に対し、同（四）に掲げる寄附金の受入れに関し報告又は寄附者名簿その他の資料の提出をさせることができる。（法37の2⑭）

⑦　寄附金税額控除における特例控除額の特例
　①から⑥までの規定の適用を受ける道府県民税の所得割の納税義務者が、⑤の表の（二）若しくは（三）に掲げる場合に該当する場合又は一の1の注《課税総所得金額等の意義》に規定する課税総所得金額、課税退職所得金額及び課税山林所得金額を有しない場合であって、当該納税義務者の前年中の所得について、第五節一の1《上場株式等に係る配当所得等の分離課税》、同節二の1《土地の譲渡等に係る事業所得等の分離課税》、同節三の1《土地建物等の長期譲渡所得の分離課税》、同節四の1《土地建物等の短期譲渡所得の分離課税》、同節五の1《一般株式等の譲渡所得等の分離課税》、同節五の2《上場株式等に係る課税所得等に係る道府県民税の課税の特例》又は同節七の1《先物取引に係る雑所得等の分離課税》の規定の適用を受けるときは、⑤に規定する特例控除額は、⑤の表の（二）及び（三）の規定にかかわらず、当該納税義務者が前年中に支出した①の表の（一）に掲げる寄附金の額の合計額のうち2,000円を超える金額に、次の表の各号に掲げる場合の区分に応じ、当該各号に定める割合（当該各号に掲げる場合の二以上に該当するときは、当該各号に定める割合のうち最も低い割合）を乗じて得た金額の5分の2（当該納税義務者が指定都市の区域内に住所を有する場合には、5分の1）に相当する金額（当該金額が当該納税義務者の一の1《所得割の税率》及び3《調整控除》の規定を適用した場合の所得割の額の100分の20に相当する金額を超えるときは、当該100分の20に相当する金額）とする。（法附5の5①、法附33の2③四、33の3③四、34③四、35④四、35の2④四、35の2の2④、35の4②四）

（一）	一の1の注に規定する課税山林所得金額を有する場合	当該課税山林所得金額の5分の1に相当する金額について、⑤の表の（一）の右欄の表の左欄に掲げる金額の区分に応じ、それぞれ同表の右欄に掲げる割合
（二）	一の1の注に規定する課税退職所得金額を有する場合	当該課税退職所得金額について、⑤の表の（一）の右欄の表の左欄に掲げる金額の区分に応じ、それぞれ同表の右欄に掲げる割合

(三)	前年中の所得について第五節二の1の規定の適用を受ける場合	100分の50
(四)	前年中の所得について第五節四の1の規定の適用を受ける場合	100分の60
(五)	前年中の所得について第五節一の1、同節三の1、同節五の1、同節五の2又は同節七の1の規定の適用を受ける場合	100分の75

（寄附金税額控除額の控除の対象となる寄附金の特例の適用がある場合における特例控除額の特例の規定の適用に関する読替え）
注　①の(2)（第三編第一章第四節二の3の①の(2)において準用する場合を含む。）の規定の適用がある場合における⑦の規定の適用については、⑦中「特例控除対象寄附金」とあるのは、「特例控除対象寄附金（租税特別措置法第40条第1項の規定の適用を受けるもののうち、同項に規定する財産の贈与又は遺贈に係る所得税法第32条第3項に規定する山林所得の金額若しくは同法第33条第3項に規定する譲渡所得の金額で同法第32条第3項に規定する山林所得の特別控除額若しくは同法第33条第3項に規定する譲渡所得の特別控除額を控除しないで計算した金額又は同法第35条第2項に規定する雑所得の金額に相当する部分を除く。）」とする。（令附4の7①）

⑧　復興特別所得税の創設に伴う寄附金税額控除における特別控除額における特例
　平成26年度から令和20年度までの各年度分の個人の道府県民税についての①《寄附金税額控除》、⑤《特例控除額》及び⑦《寄附金税額控除における特例控除額の特例》（これらの規定を⑨《寄附金税額控除の対象となる寄附金の特例》）の規定により読み替えて適用する場合を含む。）の規定の適用については、⑤の表中の(一)の右欄に掲げる割合である次の表の中欄に掲げる割合は、同表の右欄に掲げる割合とする。（法附5の6①）

195万円以下の金額	100分の85	100分の84.895
195万円を超え330万円以下の金額	100分の80	100分の79.79
330万円を超え695万円以下の金額	100分の70	100分の69.58
695万円を超え900万円以下の金額	100分の67	100分の66.517
900万円を超え1,800万円以下の金額	100分の57	100分の56.307
1,800万円を超え4,000万円以下の金額	100分の50	100分の49.16
4,000万円を超える金額	100分の45	100分の44.055

また、⑦の表中の(三)から(五)までの割合である次の表の左欄に掲げる割合は、同表の右欄に掲げる割合とする。（法附5の6①）

100分の50	100分の49.16
100分の60	100分の59.37
100分の75	100分の74.685

⑨　寄附金税額控除の対象となる寄附金の特例
　租税特別措置法第4条の5第1項の規定の適用がある場合における①及び⑤並びに⑦の規定の適用については、①中「次に掲げる寄附金」とあるのは「次に掲げる寄附金（租税特別措置法第4条の5第1項の規定の適用を受けた同項に規定する利子等の金額のうち当該寄附金の支出に充てられたものとして政令で定めるところにより計算した金額に相当する部分を除く。）」と、「に特例控除対象寄附金」とあるのは「に特例控除対象寄附金（同項の規定の適用を受けた同項に規定する利子等の金額のうち当該特例控除対象寄附金の支出に充てられたものとして政令で定めるところにより計算した金額に相当する部分を除く。）」と、⑤及び⑦中「特例控除対象寄附金」とあるのは「特例控除対象寄附金（租税特別措置法第4条の5第1項の規定の適用を受けた同項に規定する利子等の金額のうち当該特例控除対象寄附金の支出に充てられたものとして政令で定めるところにより計算した金額に相当する部分を除く。）」とする。（法附5の7①）

(寄附金税額控除の対象となる寄附金の金額)
注　⑨の規定により読み替えて適用される①に規定する①の表の各号に掲げる寄附金の支出に充てられたものとして計算した金額は、前年中に寄附された租税特別措置法第４条の５第１項の規定の適用を受けた同項に規定する利子等の金額に、前年中に同項に規定する特定寄附信託の信託財産から支出した①の表の各号に掲げる寄附金の額の合計額の同年中に当該信託財産から支出した租税特別措置法第４条の５第２項に規定する対象特定寄附金の額の合計額に対する割合を乗じて得た金額（当該金額に１円未満の端数があるとき、又は当該金額の全額が１円未満であるときは、その端数金額又はその全額を切り捨てた金額）とする。(令附４の６①)

⑩　寄附金税額控除に係る申告の特例等

②に規定する特例控除対象寄附金（以下⑩から(2)まで及び(5)において「特例控除対象寄附金」という。）を支出する者（特例控除対象寄附金を支出する年の年分の所得税について所得税法第120条第１項の規定による申告書を提出する義務がないと見込まれる者又は同法第121条（第１項ただし書を除く。）の規定の適用を受けると見込まれる者であって、特例控除対象寄附金について①（①の表中（一）に係る部分に限る。）及び⑤の規定によって控除すべき金額（以下⑩において「寄附金税額控除額」という。）の控除を受ける目的以外に、特例控除対象寄附金を支出する年の翌年の４月１日の属する年度分の道府県民税の所得割について第六節ハの１の規定による申告書の提出（同節ハの３の①の規定により同節ハの１の①から④までの規定による申告書が提出されたものとみなされる同法第２条第１項第37号に規定する確定申告書の提出を含む。(5)の表中（二）において同じ。）を要しないと見込まれるものに限る。(1)から(3)までにおいて「申告特例対象寄附者」という。）は、当分の間、寄附金税額控除額の控除を受けようとする場合には、同節ハの１の③の規定による申告書の提出（同節ハの３の①の規定により当該申告書が提出されたものとみなされる同法第２条第１項第37号に規定する確定申告書の提出を含む。）に代えて、特例控除対象寄附金を支出する際、総務省令で定めるところにより、特例控除対象寄附金を受領する都道府県の知事又は市町村若しくは特別区の長（以下「都道府県知事等」という。）に対し、第三編第一章第四節二の３の⑩のイの規定による市町村民税に関する申告特例通知書の送付の求めと併せて、当該都道府県知事等から賦課期日現在における住所所在地の市町村長に寄附金税額控除額の控除に関する事項を記載した書面（(1)、(4)及び(5)において「申告特例通知書」という。）を送付することを求めることができる。(法附７①)

(申告特例通知書の送付の求め)
(1)　⑩の規定による申告特例通知書の送付の求め（以下(1)から(5)までにおいて「申告特例の求め」という。）は、申告特例対象寄附者が当該申告特例の求めに係る特例控除対象寄附金を支出する年（(3)から(5)までにおいて「申告特例対象年」という。）に支出する特例控除対象寄附金について申告特例の求めを行う都道府県知事等の数が５以下であると見込まれる場合に限り、行うことができる。(法附７②)

(申告特例申請書の記載事項)
(2)　申告特例の求めは、総務省令で定めるところにより、次に掲げる事項を記載した申請書により行わなければならない。(法附７③)

(一)	当該申告特例の求めを行う者の氏名、住所及び生年月日
(二)	当該申告特例の求めを行う者が申告特例対象寄附者である旨
(三)	当該申告特例の求めに係る特例控除対象寄附金の額
(四)	(1)に規定する要件に該当する旨
(五)	その他総務省令で定める事項

(注１)　道府県民税の寄附金税額控除に係る申告特例申請書（(2)の申請書）の様式は、第55号の５様式によるものとする。(規附２の４(一))
(注２)　表中(五)に規定する総務省令で定める事項は、表中(三)に掲げる地方団体に対する寄附金の額を支出した年月日その他参考となるべき事項とする。(規附２の５)

(申告特例申請事項変更届出書)
(3)　申告特例の求めを行った申告特例対象寄附者は、当該申告特例の求めを行った日から賦課期日までの間にハの表中（一）に掲げる事項に変更があったときは、申告特例対象年の翌年の１月10日までに、当該申告特例の求めを行った都道府県知事等に対し、総務省令で定めるところにより、第三編第一章第四節３の⑦の二の規定による市町村民税に関する変更の届出と併せて、当該変更があった事項その他総務省令で定める事項を届け出なければならない。(法附７

④
　(注)　道府県民税の寄附金税額控除に係る申告特例申請事項変更届出書((3)の変更届出)の様式は、第55号の6様式によるものとする。(規附2の4(二))

　　(申告特例通知書の送付)
(4)　都道府県知事等は、申告特例の求めがあったときは、申告特例対象年の翌年の1月31日までに、(2)の規定により申請書に記載された当該申告特例の求めを行った者の住所(二の規定により当該住所の変更の届出があったときは、当該変更後の住所)の所在地の市町村長に対し、総務省令で定めるところにより、第三編第一章第四節3の③のホの規定による市町村民税に関する申告特例通知書と併せて、申告特例通知書を送付しなければならない。(法附7⑤)
　(注)　道府県民税の寄附金税額控除に係る申告特例通知書((4)の申告特例通知書)の様式は、第55号の7様式によるものとする。(規附2の4(三))

　　(申告特例の求めを行った者に対する通知その他の必要措置)
(5)　申告特例の求めを行った者が、次の各号のいずれかに該当する場合には、当該申告特例の求めを行った者が申告特例対象年に支出した特例控除対象寄附金に係る申告特例の求め及び(4)の規定による申告特例通知書の送付((四)に該当する場合にあっては、(四)に係るものに限る。)については、いずれもなかったものとみなす。この場合において、当該申告特例通知書の送付を受けた市町村長は、当該申告特例の求めを行った者に対し、その旨の通知その他の必要な措置を講ずるものとする。(法附7⑥)

(一)	当該申告特例対象年の年分の所得税について所得税法第121条の規定の適用を受けないこととなったとき。
(二)	当該申告特例対象年の翌年の4月1日の属する年度分の道府県民税の所得割について第六節八の1の規定による申告書の提出をしたとき。
(三)	当該申告特例対象年に支出した特例控除対象寄附金について、(4)の規定により申告特例通知書を送付した都道府県知事等の数が5を超えたとき。
(四)	当該申告特例対象年に支出した特例控除対象寄附金について、(4)の規定により申告特例通知書の送付を受けた市町村長が賦課期日現在における住所所在地の市町村長と異なったとき。

　　(寄附金税額控除に係る申告の特例の適用に当たっての留意事項)
(6)　⑩及び⑪の規定の適用に当たっては、次の諸点に留意すること。(県通2－12の5)
　イ　申告特例対象寄附者とは、特例控除対象寄附金を支出する者のうち、次に掲げる事項に該当すると見込まれる者をいうこと。
　　(イ)　特例控除対象寄附金を支出する年の年分の所得税について所得税法第120条第1項の規定による申告書を提出する義務がない者又は同法第121条(第1項ただし書を除く。)の規定の適用を受ける者
　　(ロ)　特例控除対象寄附金を支出する年の翌年の4月1日の属する年度分の道府県民税の所得割について、当該寄附金に係る寄附金税額控除額の控除を受ける目的以外に、第六節八の1の規定による申告書の提出(当該申告書の提出がされたものとみなされる確定申告書の提出を含む。)を要しない者
　ロ　申告特例の求めは、特例控除対象寄附金を支出する際行うことができるものであること。
　ハ　申告特例申請書の提出を受ける地方団体は、当該申請書に記載された事項が申告特例通知書により通知され課税資料となることに鑑み、適切に対応すること。
　ニ　申告特例対象寄附者が同一年に同一の地方団体に対して複数回寄附金を支出する場合、これらの寄附金に係る寄附金税額控除を受けるためには、寄附金を支出する毎に申告特例の求めを行う必要がある。この場合の申告特例の求めを行う都道府県知事等の数は、同一年に同一の都道府県知事等に対して行われた申告特例の求めについては、一であること。
　ホ　申告特例申請書及び申告特例申請事項変更届出書の様式は、総務省令に定められているので、この様式に従って道府県において作成された申請書により提出するものであること。これらの様式を総務省令で定めることとしたのは、できる限り納税義務者の負担を避けるため、全国的に統一した様式によろうとするものであるから、道府県は必ず法定された様式によらなければならないものであること。
　　また、当該申請書に基づき寄附金税額控除が適用されるものであることから、総務省令で定められた様式にあるとおり、当該申請書の提出に当たっては、納税義務者の記名が必要であり、当該申請書は書面(正本に限る。)によらなければならないものであること。

ただし、情報通信技術を活用した行政の推進等に関する法律第6条第1項の規定により電子情報処理組織を使用する場合は、当該申請書の提出が書面により行われたものとみなすものであること。この場合、当該電子情報処理組織を使用する申告特例対象寄附者は、当該申請書を書面により提出するときに記載すべきこととされている事項を、申告特例対象寄附者の使用に係る電子計算機から入力することにより申請しなければならないこと。
　ヘ　申告特例の求めを受けた都道府県知事等は、申告特例対象年の翌年1月10日までは申告特例申請事項変更届出書が提出される可能性があるため、申告特例通知書は申告特例対象年の翌年1月11日以降1月31日までに送付すること。
　　　また、同一年に同一の申告特例対象者から複数の申告特例の求めを受けた都道府県知事等は、これらの申告特例の求めに係る特例控除対象寄附金の額については、一の通知においてその合計額を通知するものとすること。
　ト　申告特例通知書の様式は、総務省令に定められているので、この様式に従って道府県において作成されたものを送付するものであること。
　　　なお、これらの様式を総務省令で定めることとしたのは、できる限り申告特例通知書の送付を受ける市町村の負担を避けるため、全国的に統一した様式によろうとするものであるから、道府県は必ず法定された様式によらなければならないものであること。
　チ　申告特例の求めを行った者が、申告特例対象年の翌年の4月1日の属する年度分の道府県民税の所得割について申告書の提出（当該申告書の提出がされたものとみなされる確定申告書の提出を含む。以下チからヲまでにおいて同じ。）をしたときは、当該申告書の記載内容及び提出時期にかかわらず、当該申告特例の求めを行った者が申告特例対象年に支出した特例控除対象寄附金に係る申告特例の求め及び申告特例通知書の送付については全てなかったものとみなされ、当該通知書の送付に基づく控除は適用されなくなるものであること。
　リ　申告特例の求めを行った者が申告特例対象年に支出した特例控除対象寄附金について、申告特例通知書を送付した都道府県知事等の数が5を超えた場合は、申告特例の求め及び申告特例通知書の送付は、5を超えた部分に限らず全てなかったものとみなされ、当該通知書の送付に基づく控除は適用されなくなるものであること。
　ヌ　チ又はリ等の場合において、申告特例通知書の送付を受けていた市町村長は、申告特例の求め及び申告特例通知書の送付がなかったものとみなされた者について、当該通知書の送付に基づく控除が適用されなくなるものであること及び当該申告特例通知書に係る寄附金についての控除の適用は寄附金控除に関する事項を記載した申告書の提出等によって受けることとなることに鑑み、当該納税義務者が改めて必要な手続を行う契機等となるよう、申告特例の求め及び申告特例通知書の送付がなかったものとされた旨の通知その他必要な措置（寄附金控除を受けるための手続に関する解説等）を講ずるべきものであること。
　ル　申告特例の求めを行った者が申告特例控除額の控除を受けていた場合については、地方税の税額を増加させる賦課決定であっても、法定納期限の翌日から起算して5年を経過する日まですることができるものであること。
　ヲ　⑩に規定する事務の遂行に当たっては、これらの事務が申告書の提出に代えて行われるものであることに鑑み、納税義務者の個人情報を厳格に管理すること。

⑪　申告特例通知書の送付があった場合の申告特例控除額の所得割額からの控除
　道府県は、当分の間、所得割の納税義務者が前年中に②に規定する特例控除対象寄附金を支出し、かつ、当該納税義務者について⑩の（4）の規定による申告特例通知書の送付があった場合には、申告特例控除額を当該納税義務者の①及び⑤の規定を適用した場合の所得割の額から控除するものとする。（法附7の2①）

　　　（申告特例控除額）
（1）⑪の申告特例控除額は、⑤に規定する特例控除額に、次の表の左欄に掲げる一の1の注に規定する課税総所得金額から①の表中（一）のイに掲げる金額を控除した金額の区分に応じ、それぞれ同表の右欄に掲げる割合を乗じて得た金額とする。（法附7の2②）

195万円以下の金額	85分の5
195万円を超え330万円以下の金額	80分の10
330万円を超え695万円以下の金額	70分の20
695万円を超え900万円以下の金額	67分の23
900万円を超える金額	57分の33

(規定の適用)
（2） ⑪の規定の適用がある場合における第一編第七章一の2の③の規定の適用については、同③中「3年」とあるのは、「5年」とする。(法附7の2③)

⑫ **復興特別所得税に関係する寄附金税額控除の特例控除額の特例**
平成28年度から令和20年度までの各年度分の個人の道府県民税についての⑧及び同（1）の規定の適用については、（1）の表中「85分の5」とあるのは「84.895分の5.105」と、「80分の10」とあるのは「79.79分の10.21」と、「70分の20」とあるのは「69.58分の20.42」と、「67分の23」とあるのは「66.517分の23.483」と、「57分の33」とあるのは「56.307分の33.693」とする。(法附7の3①)

（ふるさと納税に関する事務の遂行に当たっての留意事項）
注　ふるさと納税に関する事務の遂行に当たっては、次の諸点に留意すること。(県通2－12の6)
イ　ふるさと納税に関する寄附金の募集については、②に規定する基準に適合するよう行われるべきものであり、その詳細な取扱いについては、別途「ふるさと納税に係る指定制度の運用について」（令和5年6月27日付総税市第65号）及び「ふるさと納税に係る指定制度の運用についてのQ＆Aについて」（令和5年7月21日付総税市第80号）を参照されたいこと。
　　このほか、ふるさと納税に関する事務の遂行に当たっての留意事項については、別途「ふるさと納税に係る返礼品の送付等について」（平成29年4月1日付総税市第28号）及び「ふるさと納税に係る返礼品の送付等について」（平成30年4月1日付総税市第37号）に示されている事項についても参照し、その趣旨を踏まえた適切な対応を行うべきものであること。
ロ　各地方団体においては、自団体がふるさと納税の対象であるかどうか（②の規定による指定を受けているかどうか）について、ふるさと納税を行おうとする所得割の納税義務者が、明確に把握できるよう適切な措置を講ずること。

⑬ **新型コロナウイルス感染症等に係る寄附金税額控除の特例**
道府県民税の所得割の納税義務者が、新型コロナウイルス感染症等の影響に対応するための国税関係法律の臨時特例に関する法律（令和2年法律第25号。以下「新型コロナウイルス感染症特例法」という。）第5条第4項に規定する指定行事の同条第1項に規定する中止等により生じた同条第1項に規定する入場料金等払戻請求権（注において「入場料金等払戻請求権」という。）の全部又は一部の放棄のうち住民の福祉の増進に寄与するものとして当該道府県の条例で定めるもの（注において「道府県払戻請求権放棄」という。）を同条第1項に規定する指定期間（注において「指定期間」という。）内にした場合には、当該納税義務者がその放棄をした日の属する年中に道府県放棄払戻請求権相当額の①の（三）に掲げる寄附金を支出したものとみなして、道府県民税に関する規定を適用する。(法附60①)

（道府県放棄払戻請求権相当額の計算）
注　⑬に規定する道府県放棄払戻請求権相当額とは、⑬の納税義務者がその年の指定期間内において道府県払戻請求権放棄をした部分の入場料金等払戻請求権の価額に相当する金額（①の各号に掲げる寄附金の額及びその放棄をした者に特別の利益が及ぶと認められるものの金額を除く。）の合計額（当該合計額が20万円を超える場合には、20万円）をいう。(法附60②)

4　外国税額控除

① **外国税額控除**
道府県は、所得割の納税義務者が、外国の法令により課される所得税又は道府県民税の所得割、利子割、配当割及び株式等譲渡所得割若しくは市町村民税の所得割に相当する税（所得税法第2条第1項第5号に規定する非居住者であった期間を有する者の当該期間内に生じた所得につき課されるものにあっては、同法第161条第1項第1号に掲げる国内源泉所得につき外国の法令により課されるものに限る。以下「**外国の所得税等**」という。）を課された場合において、当該外国の所得税等の額のうち所得税法第95条第1項《外国税額控除》の控除限度額及び同法第165条の6第1項の控除限度額の合計額を超える額があるときは、②で定めるところにより計算した額を限度として、政令で定めるところにより、当該超える金額（政令で定める金額に限る。）をその者の一《税率》の1、同3及び二《税額控除》の1から3までの規定を適用した場合の所得割の額等〔1参照〕から控除するものとする。(法37の3、法附5②、5の4②、5の4の2③、33の2③四、33

の3③四、34③四、35④四、35の2④四、35の2の2④、35の4②四)

（「外国の所得税等」の範囲等）
（1）　①に規定する外国の所得税等の範囲については所得税法施行令第221条の規定を準用し、外国の所得税等の額については所得税法第95条第1項に規定する控除対象外国所得税の額の計算の例による。（令7の19①）

《参考》　所得税法施行令第221条〈抜粋〉
　一　所得税法第95条第1項《外国税額控除》に規定する外国の法令により課される所得税に相当する税で政令で定めるものは、外国の法令に基づき外国又はその地方公共団体により個人の所得を課税標準として課される税（以下「外国所得税」という。）とする。
　二　外国又はその地方公共団体により課される次に掲げる税は、外国所得税に含まれるものとする。
　　イ　超過所得税その他個人の所得の特定の部分を課税標準として課される税
　　ロ　個人の所得又はその特定の部分を課税標準として課される税の附加税
　　ハ　個人の所得を課税標準として課される税と同一の税目に属する税で、個人の特定の所得につき、徴税上の便宜のため、所得に代えて収入金額その他これに準ずるものを課税標準として課されるもの
　　ニ　個人の特定の所得につき、所得を課税標準とする税に代え、個人の収入金額その他これに準ずるものを課税標準として課される税
　三　外国又はその地方公共団体により課される次に掲げる税は、外国所得税に含まれないものとする。
　　イ　税を納付する者が、当該税の納付後、任意にその金額の全部又は一部の還付を請求することができる税
　　ロ　税の納付が猶予される期間を、その税の納付をすることとなる者が任意に定めることができる税
　　ハ　複数の税率の中から税の納付をすることとなる者と外国若しくはその地方公共団体又はこれらの者により税率の合意をする権限を付与された者との合意により税率が決定された税（当該複数の税率のうち最も低い税率（当該最も低い税率が当該合意がないものとした場合に適用されるべき税率を上回る場合には当該適用されるべき税率）を上回る部分に限る。）
　　ニ　外国所得税に附帯して課される附帯税に相当する税その他これに類する税

　所得税法第95条第1項
　　居住者が各年において外国所得税（外国の法令により課される所得税に相当する税で政令で定めるものをいう。以下この項及び第4項において同じ。）を納付することとなる場合には、所得税法第89条から第92条まで（税率及び配当控除）の規定により計算したその年分の所得税の額のうち、その年において生じた所得でその源泉が国外にあるものに対応するものとして政令で定めるところにより計算した金額（以下「控除限度額」という。）を限度として、その外国所得税の額（居住者の通常行われる取引と認められないものとして政令で定める取引に基因して生じた所得に対して課される外国所得税の額、居住者の所得税に関する法令の規定により所得税が課されないこととなる金額を課税標準として外国所得税に関する法令により課されるものとして政令で定める外国所得税の額その他政令で定める外国所得税の額を除く。以下この条において「控除対象外国所得税の額」という。）をその年分の所得税の額から控除する。

（外国の所得税の額を控除する年度）
（2）　①の規定による外国の所得税等の額の控除は、所得税法第95条の規定により同条の外国の所得税の額を控除する年度の翌年度分の所得割の額についてするものとする。（令7の19⑦）

② 控除限度額の計算
　①の規定により外国の所得税等の額を控除する場合における限度額は、国税の控除限度額に100分の12（所得割の納税義務者が地方自治法第252条の19第1項の市（以下この節において「指定都市」という。）の区域内に住所を有する場合には、100分の6）を乗じて計算する。（令7の19③）

$$控除限度額 = \left\{ その年分の所得税の額 \times \frac{当該年分の国外所得総額}{その年分の所得総額} \right\} \times \frac{12}{100}$$

③ 繰越外国所得税額の控除
　当該年において課された外国の所得税等の額が当該年の所得税法第95条第1項《外国税額控除》に規定する控除限度額（以下4において「**国税の控除限度額**」という。）及び②の規定により計算した額（以下「**道府県民税の控除限度額**」という。）の合計額に満たない場合において、当該年の前年以前3年内の各年（これらの年のうちにその課された外国の所得税等の額を所得割の課税標準である所得の計算上必要な経費に算入した年があるときは、当該必要な経費に算入した年以前の年を除く。以下4において「**前年以前3年内の各年**」という。）において課された外国の所得税等の額のうち所得税法第95条、①及び市町村民税の外国税額控除〘第三編第一章第四節二の4①〙の規定により控除することができた額を超える部分の額があるときは、当該超える部分の額を、その最も古い年のものから順次当該年に係る国税の控除限度額及び道府県民税の控除限度額の合計額から当該年において課された外国の所得税等の額を控除した残額に充てるものとした場合に当該充てられることとなる当該超える部分の額は、①の規定の適用については、当該年において課された外国の所得税等の額とみなす。（令7の19②）

④　繰越控除限度額による外国税額控除

　当該年において課された外国の所得税等の額が当該年の国税の控除限度額、道府県民税の控除限度額及び市町村民税の控除限度額〘第三編第一章第四節二の４②〙の合計額を超える場合において、前年以前３年内の各年において課された外国の所得税等の額で①の規定により控除することができたもののうちに当該前年以前３年内の各年の道府県民税の控除限度額に満たないものがあるときは、当該年に係る①の規定により外国の所得税等の額を控除する場合における限度額は、②の規定にかかわらず、当該年の道府県民税の控除限度額に、前年以前３年内の各年の所得税法施行令第224条第４項《国税の控除余裕額》に規定する国税の控除余裕額（同令第225条第３項《控除余裕額に充てられた控除限度額と当該控除余裕額の取扱い》の規定によりないものとみなされた額を除く。以下④において「**国税の控除余裕額**」という。）、外国の所得税等のうち①の規定により控除することができた額が道府県民税の控除限度額に満たない場合における当該道府県民税の控除限度額から当該控除することができた額を控除した残額（以下④において「**道府県民税の控除余裕額**」という。）又は外国の所得税等のうち市町村民税の外国税額控除〘第三編第一章第四節二の４〙の規定により控除することができた額が市町村民税の控除限度額に満たない場合における当該市町村民税の控除限度額から当該控除することができた額を控除した残額（以下④において「**市町村民税の控除余裕額**」という。）を前年以前３年内の各年のうち最も古い年のものから順次に、かつ、同一の年のものについては、国税の控除余裕額、道府県民税の控除余裕額及び市町村民税の控除余裕額の順に、当該年において課された外国の所得税等の額のうち当該年の国税の控除限度額、道府県民税の控除限度額及び市町村民税の控除限度額の合計額を超える部分の額に充てるものとした場合に当該超える部分の額に充てられることとなる道府県民税の控除余裕額の合計額に相当する額を加算して計算する。この場合において、前年以前３年内の各年においてこの項の規定により当該前年以前３年内の各年の当該超える部分の額に充てられることとなる国税の控除余裕額、道府県民税の控除余裕額及び市町村民税の控除余裕額は、この項の規定の適用については、ないものとみなす。（令７の19④）

⑤　指定都市の区域内に住所を有する場合

　所得割の納税義務者が賦課期日現在において指定都市の区域内に住所を有する場合には、前年以前３年内の各年（その翌年の１月１日に指定都市以外の市町村の区域内に住所を有した年に限る。以下⑤において同じ。）の④に規定する道府県民税の控除余裕額は、④の規定にかかわらず、④の規定により計算した額から当該前年以前３年内の各年の国税の控除限度額の100分の６に相当する額を控除した額（当該額が零に満たない場合には、零）とし、前年以前３年内の各年の④に規定する市町村民税の控除余裕額は、④の規定にかかわらず、④の規定により計算した額に当該前年以前３年内の各年の国税の控除限度額の100分の６に相当する額（当該額が当該前年以前３年内の各年の④の規定により計算した④に規定する道府県民税の控除余裕額を超える場合には、当該道府県民税の控除余裕額）を加算した額とする。（令７の19⑤）

⑥　指定都市以外の市町村の区域内に住所を有する場合

　所得割の納税義務者が賦課期日現在において指定都市以外の市町村の区域内に住所を有する場合において、前年以前３年内の各年（その翌年の１月１日に指定都市の区域内に住所を有した年に限る。以下⑥において同じ。）の④の規定により計算した④に規定する市町村民税の控除余裕額が当該前年以前３年内の各年の国税の控除限度額の100分の18に相当する額を超えるときは、当該前年以前３年内の各年の④に規定する道府県民税の控除余裕額は、④の規定にかかわらず、④の規定により計算した額に当該超える部分の額を加算した額とし、当該前年以前３年内の各年の④に規定する市町村民税の控除余裕額は、④の規定にかかわらず、当該前年以前３年内の各年の国税の控除限度額の100分の18に相当する額とする。（令７の19⑥）

⑦　所得割額を超えるため控除されなかった部分の控除

　所得割の納税義務者の当該年度の前年度以前３年度内の各年度における所得割額の計算上①の規定により控除することとされた外国の所得税等の額のうち、当該所得割額を超えることとなるため控除することができなかった額でこれらの各年度の所得割について控除されなかった部分の額は、当該納税義務者の所得割の額等から控除するものとする。（令７の19⑧）

　　　（控除することができなかった額が前年度以前３年度内の二以上の年度に生じたものからなる場合の控除順序）
　　注　①の規定の適用に当たっては、次の諸点に留意すること。（県通２－13）
　　　イ　所得割の納税義務者が、外国において外国の所得税等を課された場合には、当該外国において課された外国の所得税等の額のうち、所得税法第95条第１項《外国税額控除》の控除限度額（当該年において同法第２条第１項第５号に規定する非居住者であった期間を有する者が、当該期間内に生じた所得に対して外国の所得税等を課された場合にあっては、当該年の所得税法施行令第258条第４項第１号に規定する控除限度額）を超える額があるときは、当

該国税の控除限度額に100分の12（当該納税義務者が指定都市の区域内に住所を有する場合は、100分の6）を乗じて得た額以内の額について所得割の額等から税額控除が認められているものであるが、その運用に当たっては法人等の道府県民税に係る外国税額控除〘第二章第四節**二**〙を参照すること。ただし、前年以前3年内の各年のうち翌年の1月1日に非居住者であるため所得割を課されない年に課された外国の所得税等の額は、繰り越して控除することができないこと。

ロ　外国の所得税等の額のうち所得割の額等を超えるため控除することができなかった額があるときは、所得税の場合と異なり、その控除することができなかった額を還付することなく、その額を3年度に限って繰越控除することとなるが、この場合において控除することができなかった額が前年度以前3年度内の二以上の年度に生じたものからなるときは、これらの年度のうち最も前の年度に生じた額から順次控除するものであること。

ハ　控除余裕額は、次に掲げる場合には、前年以前3年内の各年の住所地にかかわらず、当該課税年度の賦課期日現在の住所地により計算するものであること。

（イ）所得割の納税義務者が賦課期日現在において指定都市に住所を有する場合で、前年以前3年内の各年のうちに、その翌年の1月1日に指定都市以外の市町村に住所を有した年があるとき。

（ロ）所得割の納税義務者が賦課期日現在において指定都市以外の市町村に住所を有する場合で、前年以前3年内の各年のうちに、その翌年の1月1日に指定都市に住所を有した年があるとき。

⑧　外国税額控除の適用要件

①の規定による外国の所得税等の額の控除に関する規定は、道府県民税に関する申告書（第六節**八**の1の④の（1）《前年前3年内に生じた居住用財産の買換え等の場合の通算後譲渡損失の金額の繰越控除の適用がある場合の読替え》又は（3）《前年前3年内に生じた特定居住用財産の通算後譲渡損失の金額の繰越控除の適用がある場合の読替え》の規定により読み替えて適用される同④の規定、第五節**五**の4の②の**ロ**《前年前3年内に生じた上場株式等に係る譲渡損失の繰越控除の適用がある場合の準用》において準用する第六節**八**の1の④の規定、第五節**六**の5において準用する第六節**八**の1の④の規定及び第五節**七**の2の③において準用する第六節**八**の1の④の規定による申告書を含む。）に外国の所得税等の額の控除に関する明細書を添付して提出した場合（③、④又は⑦の規定については、当該申告書を提出し、かつ、当該規定の適用を受けようとする金額の生じた年以後の各年について連続して当該金額に関する事項の記載がある当該明細書を提出している場合）に限り適用するものとし、①の規定により控除されるべき金額の計算の基礎となる当該年において課された外国の所得税等の額その他の総務省令で定める金額は、当該明細書に当該計算の基礎となる金額として記載された金額を限度とする。ただし、市町村長において特別の事情があると認めるときは、この限りでない。（令7の19⑨、令附4⑬、4の2⑫、18の5⑫、18の6⑰、18の7の2⑧）

（総務省令で定める金額）

注　⑧に規定する総務省令で定める金額は、①の規定による控除をしようとする年において課されたこれらの規定に規定する外国の所得税等（以下「外国の所得税等」という。）の額とする。ただし、次の各号に掲げる規定に係る部分の金額については、当該各号に定める金額とする。（規1の19）

（一）	③若しくは④	③に規定する超える部分の額又は④に規定する国税の控除余裕額、④に規定する道府県民税の控除余裕額若しくは④に規定する市町村民税の控除余裕額に係る年のうち最も古い年以後の各年の③に規定する国税の控除限度額、③に規定する道府県民税の控除限度額若しくは③に規定する市町村民税の控除限度額の合計額並びに当該年において課された外国の所得税等の額
（二）	⑦	⑦に規定する控除されなかった額に係る年度のうち最も古い年度以後の各年度における所得割額の計算上①の規定により控除することとされた外国の所得税等の額

5　配当割額又は株式等譲渡所得割額の控除

道府県は、所得割の納税義務者が、第二節**五**の2《特定配当等に係る所得を申告したときの総所得金額除外の不適用》に規定する確定申告書に記載した特定配当等に係る所得の金額の計算の基礎となった特定配当等の額について第三章第三節《配当割》の規定により配当割額を課された場合又は第二節**五**の4《特定株式等譲渡所得金額に係る所得を申告したときの総所得金額除外の不適用》に規定する確定申告書に記載した特定株式等譲渡所得金額に係る所得の金額の計算の基礎となった特定株式等譲渡所得金額について第三章第四節《株式等譲渡所得割》の規定により株式等譲渡所得割額を課された場合には、当該配当割額又は当該株式等譲渡所得割額に5分の2を乗じて得た金額を、その者の**一**《税率》の1、3及

び4、二《税額控除》の1から4まで並びに三《肉用牛の売却による事業所得に係る課税の特例》の2の規定を適用した場合の所得割の額等〔1参照〕から控除するものとする。(法37の4、法附3の3③、5②、5の4②、5の4の2③、6③、33の2③四、33の3③四、34③四、35④四、35の2④四、35の2の2④、35の4②四)

6　令和6年度分の個人の道府県民税の特別税額控除

　道府県は、令和6年度分の個人の道府県民税に限り、道府県民税に係る令和6年度分特別税額控除額を、前年の合計所得金額が1,805万円以下である所得割の納税義務者（以下「特別税額控除対象納税義務者」という。）の一の1、同3及び同4、二の1、同2の②のイ、同3の①～⑦及び同⑪の規定を適用した場合の所得割の額から控除する。(法附5の8①)

(注)　6から7までを追加する令和6年度改正規定は、令和6年4月1日以後適用する。(令6改法附1)

　　　（令和6年度分の個人の道府県民税の特別税額控除額）
(1)　6の道府県民税に係る令和6年度分特別税額控除額は、(一)に掲げる額と(二)に掲げる額との合計額（以下(1)及び第三編第一章第四節二の6の(1)において「個人の住民税の所得割の額」という。）が1万円（特別税額控除対象納税義務者が控除対象配偶者又は扶養親族（第三節二の1の規定による判定をするときの現況においてこの法律の施行地に住所を有しない者を除く。以下「控除対象配偶者等」という。）を有する場合には、1万円に当該控除対象配偶者等1人につき1万円を加算した金額）を超える場合には1万円（特別税額控除対象納税義務者が控除対象配偶者等を有する場合には、1万円に当該控除対象配偶者等1人につき1万円を加算した金額）に(一)に掲げる額を個人の住民税の所得割の額で除して得た数値を乗じて得た金額（当該金額に1円未満の端数があるとき、又は当該金額の全額が1円未満であるときは、その端数金額又はその全額を切り上げた金額。第三編第一章第四節二の6の(1)において「道府県民税特別税額控除額」という。）とし、個人の住民税の所得割の額が1万円（特別税額控除対象納税義務者が控除対象配偶者等を有する場合には、1万円に当該控除対象配偶者等1人につき1万円を加算した金額）を超えない場合には(一)に掲げる額に相当する金額とする。(法附5の8②)
(一)　特別税額控除対象納税義務者の一の1、同3及び同4、二の1、同2の②のイ、同3の①～⑦及び同⑪の規定を適用して計算した場合の所得割の額
(二)　特別税額控除対象納税義務者の第三編第一章第四節一の2及び同注、同節一の3及び同4、同節二の1、同2の②のイ、同3の①～⑦及び同⑪の規定を適用して計算した場合の所得割の額

　　　（読替規定）
(2)　6及び(1)の規定の適用がある場合における3の⑤及び3の⑦の規定の適用については、これらの規定中「所得割の額」とあるのは、「所得割の額（6及び(1)の規定の適用を受ける前のものをいう。）」とする。(法附5の8③)

7　令和7年度分の個人の道府県民税の特別税額控除

　道府県は、令和7年度分の個人の道府県民税に限り、道府県民税に係る令和7年度分特別税額控除額を、特別税額控除対象納税義務者（同一生計配偶者（控除対象配偶者及び第三節二の1の規定による判定をするときの現況においてこの法律の施行地に住所を有しない者を除く。）を有するものに限る。）の一の1、同3及び同4、二の1、同2の②のイ、同3の①～⑦及び同⑪の規定を適用した場合の所得割の額から控除する。(法附5の12①)

　　　（個人の住民税の所得割の額が1万円を超える場合）
注　7の道府県民税に係る令和7年度分特別税額控除額は、(一)に掲げる額と(二)に掲げる額との合計額（以下注及び第三編第一章第四節二の7の注において「個人の住民税の所得割の額」という。）が1万円を超える場合には1万円に(一)に掲げる額を個人の住民税の所得割の額で除して得た数値を乗じて得た金額（当該金額に1円未満の端数があるとき、又は当該金額の全額が1円未満であるときは、その端数金額又はその全額を切り上げた金額。第三編第一章第四節二の7の注において「道府県民税特別税額控除額」という。）とし、個人の住民税の所得割の額が1万円を超えない場合には同号に掲げる額に相当する金額とする。(法附5の12②)
(一)　特別税額控除対象納税義務者の一の1、同3及び同4、二の1、同2の②のイ、同3の①～⑦及び同⑪の規定を適用して計算した場合の所得割の額
(二)　特別税額控除対象納税義務者の第三編第一章第四節一の2及び同注、同節一の3及び同4、同節二の1、同2の②のイ、同3の①～⑦及び同⑪の規定を適用して計算した場合の所得割の額

三　肉用牛の売却による事業所得に係る課税の特例

1　売却した肉用牛がすべて免税対象飼育牛である場合の所得割の免除

　道府県は、昭和57年度から令和9年度までの各年度分の個人の道府県民税に限り、所得割の納税義務者が前年中に租税特別措置法第25条第1項《肉用牛の売却による農業所得の課税の特例》各号に掲げる売却の方法により当該各号に定める肉用牛を売却し、かつ、その売却した肉用牛が全て同項に規定する免税対象飼育牛（2において「免税対象飼育牛」という。）である場合（その売却した肉用牛の頭数の合計が1,500頭以内である場合に限る。）において、道府県民税に関する申告書（その提出期限後において道府県民税の納税通知書が送達される時までに提出されたもの及びその時までに提出された前年分の所得税に係る確定申告書を含む。2において同じ。）にその肉用牛の売却に係る同法第25条第1項に規定する事業所得の明細に関する事項の記載があるとき（これらの申告書にその記載がないことについてやむを得ない理由があると市町村長が認めるときを含む。2において同じ。）は、当該事業所得に係る道府県民税の所得割の額（前年の総所得金額に係る道府県民税の所得割の額から、前年において生じた1の事業所得がなかったものとして計算した場合における前年の総所得金額に係る道府県民税の所得割の額を控除した金額をいう。）を免除するものとする。（法附6①、令附5①）

2　免税対象飼育牛以外の肉用牛の売却による所得がある場合の課税の特例

　道府県は、1に規定する各年度分の個人の道府県民税に限り、所得割の納税義務者が前年中に租税特別措置法第25条第1項各号に掲げる売却の方法により当該各号に定める肉用牛を売却し、かつ、その売却した肉用牛のうちに免税対象飼育牛に該当しないもの又は免税対象飼育牛に該当する肉用牛の頭数の合計が1,500頭を超える場合の当該超える部分の免税対象飼育牛が含まれている場合（その売却した肉用牛が全て免税対象飼育牛に該当しないものである場合を含む。）において、道府県民税に関する申告書にその肉用牛の売却に係る同法第25条第2項第2号に規定する事業所得の明細に関する事項の記載があるときは、その者の前年の総所得金額に係る道府県民税の所得割の額は、第二節から第四節二まで（第四節一の2及び4並びに同節二の3の⑤及び5の規定を除く。）の規定にかかわらず、次に掲げる金額の合計額とすることができる。（法附6②）

（一）	租税特別措置法第25条第2項第1号に規定する売却価額の合計額に100分の0.6（当該納税義務者が指定都市の区域内に住所を有する場合には、100分の0.3）を乗じて計算した金額
（二）	租税特別措置法第25条第2項第2号に規定する事業所得の金額がないものとみなして計算した場合における前年の総所得金額につき、第二節から第四節二まで（第四節一の2及び4並びに同節二の3の⑤及び5の規定を除く。）の規定により計算した所得割の額に相当する金額

第五節　所得割に係る課税の特例

一　上場株式等に係る配当所得等の課税の特例

1　上場株式等に係る配当所得等の分離課税に係る所得割

　道府県は、当分の間、道府県民税の所得割の納税義務者が前年中に租税特別措置法第8条の4第1項《上場株式等に係る配当所得の課税の特例》に規定する上場株式等の配当等（以下一において「上場株式等の配当等」という。）を有する場合には、当該上場株式等の配当等に係る利子所得及び配当所得については、第二節一の1《所得割の課税標準の算定》及び2《所得割の総所得金額等の算定方法》並びに第四節一の1《所得割の税率》の規定にかかわらず、他の所得と区分し、前年中の当該上場株式等の配当等に係る利子所得の金額及び配当所得の金額として政令で定めるところにより計算した金額（五の5《上場株式等に係る譲渡損失の損益通算及び繰越控除》の①又は②の規定の適用がある場合には、その適用後の金額。以下1において「上場株式等に係る配当所得等の金額」という。）に対し、上場株式等に係る課税配当所得等の金額（上場株式等に係る配当所得等の金額（総所得金額からの所得控除の控除不足額がある場合には、第三節三の2《二以上の所得金額がある場合の所得控除の順序》で定めるところにより当該控除不足額を控除した後の金額）をいう。）の100分の2（当該納税義務者が指定都市の区域内に住所を有する場合には、100分の1）に相当する金額に相当する道府県民税の所得割を課する。（法附33の2①前段、③三、35の2の6④、⑦）

(配当控除の不適用)
(1) 1の場合において、当該上場株式等の配当等に係る配当所得については、第四節二の1《配当控除》の規定は、適用しない。(法附33の2①後段)

(平成21年1月1日から平成25年12月31日までの間に支払を受けるべき上場株式等の配当等に係る経過措置)
(2) 道府県民税の所得割の納税義務者が、平成21年1月1日から平成25年12月31日までの間に支払を受けるべき1に規定する上場株式等の配当等を有する場合には、当該上場株式等の配当等に係る配当所得については、1の規定により、上場株式等に係る課税配当所得の金額(1に規定する上場株式等に係る課税配当所得の金額をいう。以下(2)において同じ。)に対して課する道府県民税の所得割の額は、1の規定にかかわらず、当該上場株式等に係る課税配当所得の金額の100分の1.2に相当する額とする。(平20改法附3⑫、⑭、平23改法附2)

(留意事項)
(3) 道府県民税の所得割の納税義務者が、平成28年1月1日以後に支払を受けるべき租税特別措置法第8条の4第1項に規定する上場株式等の配当等に係る配当所得を有する場合、前年分の所得税につき分離課税を選択した場合に限り、道府県民税につき分離課税の適用があるものとし、当該上場株式等の配当等に係る配当所得の金額の100分の2(当該納税義務者が指定都市の区域内に住所を有する場合は、100分の1)に相当する金額の所得割を課するものであること。
なお、この場合において次の諸点に留意すること。(県通2-33の2)
イ 申告分離課税を選択した場合には、配当控除は適用されないことに留意すること。
ロ 当該納税義務者が支払を受けるべき上場株式等の配当等に係る配当所得の金額について、前年分の所得税につき総合課税の適用を受けた場合には、申告分離課税は適用しないこと。
ハ 平成21年1月1日から平成25年12月31日までの間に支払を受けるべき上場株式等の配当等に係る配当所得の金額に対して課する所得割の額は、当該上場株式等の配当等に係る配当所得の金額の100分の1.2に相当する金額とされているものであること。

2 総合課税との選択適用

1の規定のうち、租税特別措置法第8条の4第2項に規定する特定上場株式等の配当等(以下「特定上場株式等の配当等」という。)に係る配当所得に係る部分は、道府県民税の所得割の納税義務者が前年分の所得税について当該特定上場株式等の配当等に係る配当所得につき同条第1項の規定の適用を受けた場合に限り適用する。(法附33の2②)

二 土地の譲渡等に係る事業所得等の課税の特例 (令和8年3月31日までの間の土地の譲渡等については適用停止)

1 土地の譲渡等に係る事業所得等の分離課税に係る所得割

道府県は、当分の間、道府県民税の所得割の納税義務者が前年中に租税特別措置法第28条の4第1項《土地の譲渡等に係る事業所得等の課税の特例》に規定する事業所得又は雑所得を有する場合には、当該事業所得及び雑所得については、第二節一の1《所得割の課税標準の算定》及び2《所得割の総所得金額等の算定方法》並びに第四節一の1《所得割の税率》の規定にかかわらず、他の所得と区分し、前年中の当該事業所得及び雑所得の金額として2で定めるところにより計算した金額(以下二において「土地等に係る事業所得等の金額」という。)に対し、次に掲げる金額のうちいずれか多い金額に相当する道府県民税の所得割を課する。(法附33の3①、③三)

(一)	土地等に係る事業所得等の金額(総所得金額からの所得控除の控除不足額がある場合には第三節三の2《二以上の所得金額がある場合の所得控除の順序》で定めるところにより当該控除不足額を控除した後の金額。(二)において「土地等に係る課税事業所得等の金額」という。)の100分の4.8(当該納税義務者が指定都市の区域内に住所を有する場合には、100分の2.4)に相当する金額
(二)	土地等に係る課税事業所得等の金額につき1の規定の適用がないものとした場合に算出される道府県民税の所得割の額として3《上積所得割の額》で定めるところにより計算した金額の100分の110に相当する金額

2 土地等に係る事業所得等の金額

1に規定する土地等に係る事業所得等の金額は、1に規定する事業所得又は雑所得に係る租税特別措置法施行令第19条第4項《土地等に係る事業所得等の計算》の規定による収入金額から当該事業所得又は雑所得に係る同項の規定による原

価等の額を控除した金額の合計額(道府県民税の所得割の課税標準の計算上その例によることとされている所得税法の規定による損益通算、損失の繰越控除の適用又は総所得金額からの所得控除の控除不足額がある場合には、その適用後又は控除不足額控除後の金額)とする。(令附16の3①)

3　土地の譲渡等に係る事業所得等に対する上積所得割の額

1の表の(二)に規定する3で定めるところにより計算した金額は、同(二)に規定する土地等に係る課税事業所得等の金額と当該年度分の課税総所得金額との合計額を当該課税総所得金額とみなして計算した場合の所得割の額から、当該年度分の課税総所得金額に係る所得割の額を控除した金額とする。(令附16の3②)

4　優良宅地等の適用除外

1の規定は、1に規定する事業所得又は雑所得で、その基因となる土地の譲渡等(租税特別措置法第28条の4第1項《土地の譲渡等に係る事業所得等の課税の特例》に規定する土地の譲渡等をいう。以下二において同じ。)が同条第3項各号に掲げる譲渡に該当することにつき総務省令で定めるところにより証明がされたものについては、適用しない。(法附33の3②)

(適用除外の証明書)
注　4に規定する総務省令で定めるところにより証明がされた譲渡は、次の各号に掲げる譲渡の区分に応じ当該各号に掲げる書類を第六節八の1《道府県民税の申告書》の①の規定による申告書(その提出期限後において道府県民税の納税通知書が送達される時までに提出されたもの及びその時までに提出された同3《確定申告書》の①に規定する確定申告書を含む。)に添付することにより証明がされた譲渡とする。(規附13①)

(一)	租税特別措置法第28条の4第3項《優良宅地供給等の適用除外》第1号、第2号又は第4号から第8号までに掲げる譲渡	それぞれ租税特別措置法施行規則第11条第1項第1号、第2号又は第4号から第8号までに掲げる書類
(二)	租税特別措置法第28条の4第3項第3号に掲げる譲渡	次に掲げる書類 イ　租税特別措置法施行規則第14条第5項各号《収用等に伴い代替資産を取得した場合の課税の特例の適用を受ける場合の申告書添付書類》に掲げる資産の区分に応じ当該各号に掲げる書類 ロ　当該土地等の譲渡が租税特別措置法施行令第19条第10項に規定する譲渡に該当し、かつ、当該譲渡に係る土地等の面積が1,000平方メートル以上である場合には、租税特別措置法施行規則第11条第1項第4号ロ(1)から(4)までに掲げる場合の区分に応じ、それぞれ同号ロ(1)から(4)までに掲げる書類

5　特例の適用停止

1の規定は、1に規定する事業所得又は雑所得で、その基因となる土地の譲渡等が平成10年1月1日から令和8年3月31日までの間に行われたものについては、適用しない。(法附33の3④)

三　土地建物等の長期譲渡所得の課税の特例

1　長期譲渡所得の課税の特例

①　長期譲渡所得の分離課税に係る所得割の額

道府県は、当分の間、道府県民税の所得割の納税義務者が前年中に租税特別措置法第31条第1項《長期譲渡所得の課税の特例》に規定する譲渡所得を有する場合には、当該譲渡所得については、第二節一の1《所得割の課税標準の算定》及び2《所得割の総所得金額等の算定方法》並びに第四節一の1《所得割の税率》の規定にかかわらず、他の所得と区分し、前年中の長期譲渡所得の金額に対し、**長期譲渡所得の金額**(同法第33条の4第1項若しくは第2項《収用交換等の場合の

譲渡所得等の特別控除》、第34条第1項《特定土地区画整理事業等の譲渡所得の特別控除》、第34条の2第1項《特定住宅地造成事業等の譲渡所得の特別控除》、第34条の3第1項《農地保有合理化等の農地等の譲渡所得の特別控除》、第35条第1項《居住用財産の譲渡所得の特別控除》、第35条の2第1項《特定の土地等の長期譲渡所得の特別控除》、第35条の3第1項又は第36条《譲渡所得の特別控除額の特例等》の規定に該当する場合には、これらの規定の適用により同法第31条第1項に規定する長期譲渡所得の金額から控除する金額を控除した金額とし、これらの金額につき総所得金額からの所得控除の控除不足額がある場合には第三節三の2《二以上の所得金額がある場合の所得控除の順序》で定めるところにより、当該控除不足額を控除した金額。以下3までにおいて「**課税長期譲渡所得金額**」という。）の100分の2（当該納税義務者が指定都市の区域内に住所を有する場合には、100分の1）に相当する金額に相当する道府県民税の所得割を課する。（法附34①前段、③三）

　　（注）　東日本大震災に係る土地建物等の譲渡所得の課税の特例については、八を参照。（編者）

② 　損益通算の不適用

　①の場合において、長期譲渡所得の金額の計算上生じた損失の金額があるときは、道府県民税に関する規定の適用については、当該損失の金額は生じなかったものとみなす。（法附34①後段）

③ 　長期譲渡所得の金額の計算

　①に規定する長期譲渡所得の金額とは、①に規定する譲渡所得について所得税法その他の所得税に関する法令の規定の例により計算した同法第33条第3項《譲渡所得の計算》の譲渡所得の金額（同項に規定する譲渡所得の特別控除額の控除をしないで計算したところによる。）をいい、四の1に規定する短期譲渡所得の金額の計算上生じた損失の金額があるときは、同1の注の規定にかかわらず、当該計算した金額を限度として当該損失の金額を控除した後の金額とする。（法附34②）

　　　　（短期譲渡所得の損失を長期譲渡所得の金額から控除する場合の順序）
（1）　③の規定により四の1に規定する短期譲渡所得の金額の計算上生じた損失の金額を控除する場合において、①に規定する長期譲渡所得の金額のうちに租税特別措置法第33条の4第1項、第34条第1項、第34条の2第1項、第34条の3第1項、第35条第1項、第35条の2第1項又は第35条の3第1項の規定の適用に係る部分の金額とその他の部分の金額とがあるときは、当該損失の金額は、まず当該他の部分の金額から控除し、なお控除することができない当該損失の金額があるときは、これを順次同項又は同法第34条の3第1項、第35条の2第1項、第34条の2第1項、第34条第1項、第35条第1項若しくは第33条の4第1項の規定の適用に係る部分の金額から控除する。（令附17①）

　　　　（長期譲渡所得の課税に当たっての留意点）
（2）　長期譲渡所得に係る所得割の課税に当たっては、次の諸点に留意すること。
　イ　長期譲渡所得の金額は、所得税法その他の所得税に関する法令の規定の例により計算するものであるが、短期譲渡所得の金額の計算上生じた損失の金額があるときは、当該計算した金額を限度として当該損失の金額を控除した後の金額とされているものであること。（県通2－38（1））
　ロ　長期譲渡所得に係る所得割の額は、長期譲渡所得の金額に係る課税長期譲渡所得金額の100分の2（所得割の納税義務者が指定都市の区域内に住所を有する場合は、100分の1）に相当する金額とされているが、課税長期譲渡所得金額の計算に当たっては、租税特別措置法第33条の4第1項若しくは第2項、第34条第1項、第34条の2第1項、第34条の3第1項、第35条第1項、第35条の2第1項、第35条の3第1項又は第36条の規定に該当する場合には、イの長期譲渡所得の金額から、これらの規定により同法第31条第1項の長期譲渡所得の金額から控除すべき金額を控除した金額とされているものであること。（県通2－38（2））
　ハ　長期譲渡所得の金額の計算上生じた損失の金額（短期譲渡所得の金額があるときは当該短期譲渡所得の金額を限度として当該損失の金額を控除してもなお控除することができない部分の金額）があるときは、道府県民税に関する規定の適用については、当該損失の金額は生じなかったものとみなされ、当該損失の金額と他の所得との通算及び当該損失の金額の翌年度以降への繰越しを行うことはできないものであること。また、長期譲渡所得以外の所得の金額の計算上生じた損失の金額は、長期譲渡所得の金額との通算はできないものであること。ただし、長期譲渡所得の金額の計算上生じた損失の金額が居住用財産の譲渡損失の金額又は特定居住用財産の譲渡損失の金額である場合には、一定の要件の下で、当該損失の金額と他の所得との通算及び当該損失の金額の翌年度以降への繰越しを行うことができるものであること。（県通2－38（5））

2 優良住宅地の造成等のために土地等を譲渡した場合の長期譲渡所得の課税の特例

① 優良住宅地等のための譲渡がある場合の所得割の額

　昭和63年度から令和８年度までの各年度分の個人の道府県民税に限り、所得割の納税義務者が前年中に１の①に規定する譲渡所得の基因となる土地等（租税特別措置法第31条第１項《長期譲渡所得の課税の特例》に規定する土地等をいう。以下２、３、四及び八の２において同じ。）の譲渡（同法第31条第１項に規定する譲渡をいう。以下２、３、四及び八の２において同じ。）をした場合において、当該譲渡が**優良住宅地等のための譲渡**（同法第31条の２第２項各号《優良住宅地等のための譲渡に該当する譲渡》に掲げる譲渡に該当することにつき総務省令で定めるところにより証明がされたものをいう。）に該当するときにおける１の①に規定する譲渡所得（３の規定の適用を受ける譲渡所得を除く。②において同じ。）に係る課税長期譲渡所得金額に対して課する道府県民税の所得割の額は、１の①の規定にかかわらず、次の各号に掲げる場合の区分に応じ、当該各号に定める金額に相当する額とする。（法附34の２①）

(一)	課税長期譲渡所得金額が2,000万円以下である場合	当該課税長期譲渡所得金額の100分の1.6（当該納税義務者が指定都市の区域内に住所を有する場合には、100分の0.8）に相当する金額
(二)	課税長期譲渡所得金額が2,000万円を超える場合	次に掲げる金額の合計額 イ　32万円（当該納税義務者が指定都市の区域内に住所を有する場合には、16万円） ロ　当該課税長期譲渡所得金額から2,000万円を控除した金額の100分の２（当該納税義務者が指定都市の区域内に住所を有する場合には、100分の１）に相当する金額

　（注）東日本大震災に係る土地建物等の譲渡所得の課税の特例については、八を参照。（編者）

　　　　（総務省令で定めるところにより証明がされた土地等の譲渡）
　注　①に規定する総務省令で定めるところにより証明がされた土地等の譲渡は、租税特別措置法施行規則第13条の３第１項各号に掲げる土地等の譲渡の区分に応じ、当該各号に定める書類（同条第２項に規定する書類を含む。）を第六節八の１の①《申告書の記載事項等》の規定による申告書（その提出期限後において道府県民税の納税通知書が送達される時までに提出されたもの及びその時までに提出された同３の①《所得税の確定申告書と道府県民税の申告書との関係》に規定する確定申告書を含む。以下２において同じ。）に添付することにより証明がされた土地等の譲渡とする。
　　（規附13の３①）

② 確定優良住宅地等予定地のための譲渡がある場合の所得割の額

　①の規定は、昭和63年度から令和８年度までの各年度分の個人の道府県民税に限り、所得割の納税義務者が前年中に１の①に規定する譲渡所得の基因となる土地等の譲渡をした場合において、当該譲渡が**確定優良住宅地等予定地のための譲渡**（その譲渡の日から同日以後２年を経過する日の属する年の12月31日までの期間（住宅建設の用に供される宅地の造成に要する期間が通常２年を超えることその他の**政令で定めるやむを得ない事情**がある場合には、その譲渡の日から**政令で定める日**までの期間。(8)において「予定期間」という。）内に租税特別措置法第31条の２第２項第13号から第16号までに掲げる土地等の譲渡に該当することとなることが確実であると認められることにつき総務省令で定めるところにより証明がされたものをいう。）に該当するときにおける１の①に規定する譲渡所得に係る課税長期譲渡所得金額に対して課する道府県民税の所得割について準用する。（法附34の２②）

　　　　（政令で定めるやむを得ない事情）
（１）　②に規定する住宅建設の用に供される宅地の造成に要する期間が通常２年を超えることその他の**政令で定めるやむを得ない事情**は、②の譲渡に係る土地等の買取りをする租税特別措置法第31条の２第２項第13号若しくは第14号の造成又は同項第15号若しくは第16号の建設に関する事業（以下②において「確定優良住宅地造成等事業」という。）を行う個人又は法人が、(7)で定めるところにより、当該確定優良住宅地造成等事業につき、次の各号に掲げる事業の区分に応じ当該各号に定める事由により②に規定する２年を経過する日の属する年の12月31日までの期間内に租税特別措置法第31条の２第２項第13号に規定する開発許可、同項第14号ハの都道府県知事の認定、同項第15号ニの都道府県知事若しくは市町村長の認定又は同項第16号に規定する住宅若しくは中高層の耐火共同住宅に係る建築基準法第７

条第５項若しくは第７条の２第５項に規定する検査済証の交付（以下（３）までにおいて「開発許可等」という。）を受けることが困難であると認められるとして**市町村長の承認を受けた事情**（当該土地等の譲渡について、租税特別措置法施行令第20条の２第23項の税務署長の承認を受けた事情がある場合には、当該事情）とする。（令附17の２①）

イ	租税特別措置法施行令第20条の２第23項第１号から第３号までに掲げる事業	当該各号に定める事由
ロ	確定優良住宅地造成等事業（イに掲げる事業でイに定める事由があるものを除く。）	当該事業につき災害その他の次に掲げる事情（（３）において「災害等」という。）が生じたことにより当該事業に係る開発許可等を受けるために要する期間が通常２年を超えることとなると見込まれること（規附13の３⑦） （イ）　租税特別措置法施行規則第13条の３第11項第１号及び第２号に掲げる事情 （ロ）　（イ）に掲げる事情のほか、土地等の買取りをする者の責に帰せられない事由で、かつ、当該土地等の買取りをする日においては予測できなかった事由に該当するものとして市町村長が認めた事情が生じたこと。

　　　（政令で定める日）
（２）　②に規定する**政令で定める日**は、②に規定する２年を経過する日の属する年の12月31日までの期間の末日から同日以後２年（租税特別措置法施行令第20条の２第23項第１号又は第２号に掲げる事業（その造成に係る住宅建設の用に供される一団の宅地の面積が10ヘクタール以上であるものに限る。）にあっては、４年）を経過する日までの期間内の日で当該事業につき開発許可等を受けることができると見込まれる日として市町村長が認定した日（当該事業について、租税特別措置法施行令第20条の２第24項の税務署長の認定した日がある場合には、その日）の属する年の12月31日（（３）において「**当初認定日の属する年の末日**」という。）とする。（令附17の２②）

　　　（大規模住宅地等開発事業に係る政令で定める日）
（３）　（１）のイに掲げる事業（当該事業につき同イに定める事由により（１）の承認を受けた事情があるものに限る。）につき、災害等が生じたことにより、又は当該事業が租税特別措置法施行令第20条の２第25項に規定する大規模住宅地等開発事業であることにより、当初認定日の属する年の末日までに当該事業に係る開発許可等を受けることが困難であると認められるとして総務省令で定めるところにより市町村長の承認を受けた事情（当該事業について、同項の税務署長の承認を受けた事情がある場合には、当該事情）があるときは、②に規定する政令で定める日は、（２）の規定にかかわらず、当該当初認定日の属する年の末日から同日以後２年を経過する日までの期間内の日で当該事業につき開発許可等を受けることができると見込まれる日として市町村長が認定した日（当該事業について、租税特別措置法施行令第20条の２第25項の税務署長の認定した日がある場合には、その日）の属する年の12月31日とする。（令附17の２③）

　　　（総務省令で定めるところにより証明がされた土地等の譲渡）
（４）　②に規定する総務省令で定めるところにより証明がされた土地等の譲渡は、②に規定する土地等の譲渡の次の各号に掲げる区分に応じ当該各号に定める書類を第六節八の１の①《申告書の記載事項等》の規定による申告書に添付することにより証明がされた土地等の譲渡とする。（規附13の３②）

イ	租税特別措置法第31条の２第２項第13号から第15号までに係る土地等の譲渡（（二）に掲げるものを除く。）	当該土地等の買取りをする同項第13号若しくは第14号の造成又は同項第15号の建設を行うこれらの規定に規定する個人又は法人（以下イにおいて「土地等の買取りをする者」という。）から交付を受けた次に掲げる書類 （イ）　租税特別措置法施行規則第13条の３第８項第１号イ及びロに掲げる書類 （ロ）　土地等の買取りをする者の当該買い取った土地等を②に規定する２年を経過する日の属する年の12月31日までに、租税特別措置法第31条の２第２項、第13号若しくは第14号の一団の宅地又は同項第15号の一団の住宅若しくは中高層の耐火共同住宅の用に供することを約する書類（既に（１）に規定する市町村長の（１）又は（３）若しくは（11）の承認を受けて（２）又は（３）に規定する市町村長が認定した日の通知を受けている場合（租税特別措置法施行令

		第20条の2第22項に規定する所轄税務署長の同項又は同条第24項若しくは第25項の承認を受けて同条第23項又は第24項に規定する所轄税務署長が認定した日の通知を受けている場合を含む。ロの（ロ）及びハの（ロ）において「認定日の通知を受けている場合」という。）には、当該通知に係る文書の写し（ロの（ロ）及びハの（ロ）において「通知書の写し」という。）
ロ	租税特別措置法第31条の2第2項第14号に係る土地等の譲渡（同号の一団の宅地の造成を土地区画整理法による土地区画整理事業として行うこれらの規定に規定する個人又は法人に対するものに限る。）	当該土地等の買取りをする当該一団の宅地の造成を行う当該個人又は法人（以下ロにおいて「土地等の買取りをする者」という。）から交付を受けた次に掲げる書類 （イ）　租税特別措置法施行規則第13条の3第8項第2号イからハまでに掲げる書類 （ロ）　土地等の買取りをする者の当該買い取った土地等を②に規定する2年を経過する日の属する年の12月31日までに、租税特別措置法第31条の2第2項第14号の一団の宅地の用に供することを約する書類（認定日の通知を受けている場合には、通知書の写し）
ハ	租税特別措置法第31条の2第2項第16号に係る土地等の譲渡	当該土地等の買取りをする同号の住宅又は中高層の耐火共同住宅の建設を行う同号に規定する個人又は法人（以下ニにおいて「土地等の買取りをする者」という。）から交付を受けた次に掲げる書類 （イ）　租税特別措置法施行規則第13条の3第8項第3号イ及びハに掲げる書類 （ロ）　土地等の買取りをする者の当該買い取った土地等を②に規定する2年を経過する日の属する年の12月31日までに、租税特別措置法第31条の2第2項第16号の住宅又は中高層の耐火共同住宅の用に供することを約する書類（認定日の通知を受けている場合には、通知書の写し）

　　　（申告書提出後に市町村長が認定した日の通知を受けた場合等のみなし規定）
（5）　（4）の場合において、（4）各号に掲げる書類を添付した第六節八の1の①の規定による申告書が提出された後、②の規定の適用を受けた譲渡に係る土地等の買取りをした者が（2）又は（3）に規定する市町村長が認定した日の通知を受けたときは、（4）各号に規定する2年を経過する日の属する年の12月31日は、当該通知に係る市町村長が認定した日の属する年の12月31日であったものとし、当該土地等の譲渡について租税特別措置法施行令第20条の2第23項又は第24項に規定する所轄税務署長が認定した日の通知に関する文書の写しが納税地の所轄税務署長に提出されたときは、（4）各号に規定する2年を経過する日の属する年の12月31日は、当該通知に係る所轄税務署長が認定した日の属する年の12月31日であったものとする。（規附13の3③）

　　　（申告書提出後に税務署長が認定した日の通知に関する文書の交付を受けた場合）
（6）　（4）各号に掲げる書類を添付して第六節八の1の①の規定による申告書を提出した者が、当該申告書を提出した後、租税特別措置法施行令第20条の2第23項又は第24項に規定する所轄税務署長が認定した日の通知に関する文書の交付を受けた場合には、当該通知に関する文書の写しを、遅滞なく、市町村長に提出しなければならない。（規附13の3④）

　　　（確定優良住宅地造成等事業につき市町村長の承認を受ける場合の手続）
（7）　確定優良住宅地造成等事業を行う個人又は法人が、当該確定優良住宅地造成等事業につき、（1）又は（3）に規定する**市町村長の承認**を受けようとする場合には、（1）に規定する2年を経過する日の属する年の12月31日（（3）の承認にあっては、（2）に規定する当初認定日の属する年の末日）の翌日から15日を経過する日までに、イに掲げる事項を記載した申請書にロに掲げる書類を添付して、市町村長に提出しなければならない。（規附13の3⑥）

イ		次に掲げる事項
	（イ）	申請者の氏名又は名称、住所又は本店若しくは主たる事務所の所在地及び個人番号又は法人番号並びに当該確定優良住宅地造成等事業に係る事務所、事業所その他これらに準ずるものの名称、所在地及びその代表者その他の責任者の氏名

	(ロ)	当該確定優良住宅地造成等事業につき（1）のイ又はロに定める事由がある旨及び当該事由の詳細（（3）の承認にあっては、（3）に定める事由がある旨及び当該事由の詳細並びに（2）に規定する市町村長が認定した日の年月日）
	(ハ)	当該承認を受けようとする確定優良住宅地造成等事業の着工予定年月日及び完成予定年月日
	(ニ)	当該承認を受けようとする確定優良住宅地造成等事業につき（1）に規定する開発許可等を受けることができると見込まれる年月日及び（2）又は（3）に規定する市町村長の認定を受けようとする年月日
ロ	租税特別措置法施行規則第13条の３第10項第２号に掲げる書類	

　　　　（②の規定の適用を受けた土地等の譲渡が①の特例適用譲渡となった場合の証明書類の交付）
（８）　②の規定の適用を受けた者から②の規定の適用を受けた譲渡に係る土地等の買取りをした租税特別措置法第31条の２第２項第13号及び第14号の造成又は同項第15号若しくは第16号の建設を行う個人又は法人は、当該譲渡の全部又は一部が②に規定する予定期間内に同項第13号から第16号までに掲げる土地等の譲渡に該当することとなった場合には、当該②の規定の適用を受けた者に対し、遅滞なく、その該当することとなった当該譲渡についてその該当することとなったことを証する総務省令で定める書類を交付しなければならない。（法附34の２⑦）
　　　（注）（８）に規定する総務省令で定める書類は、租税特別措置法施行規則第13条の３第12項に規定する書類とする。（規附13の３⑧）

　　　　（①の特例適用譲渡に該当することとなったことを証する書類の提出）
（９）　②の規定の適用を受けた者は、②の規定の適用を受けた譲渡に係る（８）に規定する書類の交付を受けた場合には、遅滞なく、次に掲げる事項を記載した書類に当該交付を受けた書類（第六節八の１の①の規定による申告書に添付しているものを除く。）を添付して、市町村長に提出しなければならない。（法附34の２⑧、規附13の３⑨）

イ	②の適用を受けた譲渡に係る土地等のその譲渡をした年月日、当該土地等の面積及び所在地
ロ	当該土地等の買取りをした者の氏名又は名称及び住所又は本店若しくは主たる事務所の所在地
ハ	イに規定する譲渡に係る土地等のうち、当該交付を受けた書類を提出することにより租税特別措置法第31条の２第２項第13号から第16号までに掲げる土地等の譲渡に該当することとなったものの面積及び所在地
ニ	その他参考となるべき事項

　　　　（やむを得ない事情により②に規定する予定期間内の譲渡が困難な場合の特例）
（10）　②の規定の適用を受けた土地等の譲渡の全部又は一部が、特定非常災害の被害者の権利利益の保全等を図るための特別措置に関する法律第２条第１項の規定により特定非常災害として指定された非常災害に基因するやむを得ない事情により、②に規定する予定期間内に租税特別措置法第31条の２第２項第13号から第16号までに掲げる土地等の譲渡に該当することが困難となった場合で(11)で定める場合において、当該予定期間の初日から当該予定期間の末日後２年以内の日で(11)で定める日までの間に当該譲渡の全部又は一部が同項第13号から第16号までに掲げる土地等の譲渡に該当することとなることが確実であると認められることにつき(13)で定めるところにより証明がされたときは、②、（８）及び(14)の規定の適用については、②に規定する予定期間は、当該初日から(11)で定める日までの期間とする。（法附34の２⑨）

　　　　（予定期間内に開発許可等を受けることが困難であるとして市町村長の承認を受けた場合）
（11）　(10)に規定する(11)で定める場合は、確定優良住宅地造成等事業を行う個人又は法人が、(12)で定めるところにより、当該確定優良住宅地造成等事業につき(10)に規定する特定非常災害として指定された非常災害に基因するやむを得ない事情により②に規定する予定期間内に開発許可等を受けることが困難であると認められるとして市町村長の承認を受けた場合（租税特別措置法施行令第20条の２第26項の税務署長の承認を受けた場合を含む。）とし、(10)に規定する(11)で定める日は、②に規定する予定期間の末日から同日以後２年を経過する日までの期間内の日で当該確定優良住宅地造成等事業につき開発許可等を受けることができると見込まれる日として市町村長が認定した日（当該確定優良住宅地造成等事業について、租税特別措置法施行令第20条の２第26項の税務署長の認定した日がある場合には、その日）の属する年の12月31日とする。（令附17の２④）

(市町村長の承認を受ける際に提出する書類の記載事項)
(12) 確定優良住宅地造成等事業を行う個人が、当該確定優良住宅地造成等事業につき、(11)に規定する市町村長の承認を受けようとする場合には、(11)に規定する予定期間の末日の属する年の翌年1月15日までに、次に掲げる事項を記載した申請書に(7)の表のロに掲げる書類を添付して、当該市町村長に提出しなければならない。(規附13の3⑩)

イ	(7)の表のイの(イ)に掲げる事項
ロ	当該確定優良住宅地造成等事業について、(10)の特定非常災害として指定された非常災害により(10)に規定する予定期間内に(11)に規定する開発許可等を受けることが困難となった事情の詳細
ハ	当該承認を受けようとする確定優良住宅地造成等事業の完成予定年月日
ニ	当該承認を受けようとする確定優良住宅地造成等事業につき(11)に規定する開発許可等を受けることができると見込まれる年月日
ホ	当該承認を受けようとする確定優良住宅地造成等事業につき(1)、(3)又は(11)の承認を受けたことがある場合には、その承認に係る(2)、(3)及び(11)に規定する市町村長が認定した日

(総務省令で定める証明)
(13) (12)の場合において、(4)に規定する書類を添付して第六節八の1の①の規定による申告書を提出した者が、当該申告書を提出した後、②の規定の適用を受けた譲渡に係る土地等の買取りをした者から当該土地等につき(11)に規定する市町村長が認定した日の通知に関する文書の写しの交付を受けたとき(租税特別措置法施行令第20条の2第25項に規定する税務署長の承認に係る通知書の写しの交付を受けたときを含む。)は、当該通知に関する文書の写しを、遅滞なく、市町村長に提出するものとし、当該通知に関する文書の写しの提出(当該申告書に添付した場合を含む。)があった場合には、(11)に規定する市町村長が認定した日は当該通知に係る市町村長が認定した日であったものと、当該土地等の譲渡は(10)に規定する(13)で定めるところにより証明がされたものとする。(規附13の3⑪)

(当該期間内に①の特例適用譲渡に該当しないこととなった場合の申告)
(14) ②の規定の適用を受けた者は、②の規定の適用を受けた譲渡の全部又は一部が②に規定する予定期間内に租税特別措置法第31条の2第2項第13号から第16号までに掲げる土地等の譲渡に該当しないこととなった場合には、当該予定期間を経過した日から4月以内に、次に掲げる事項を記載した書類により、その旨を市町村長に申告しなければならない。(法附34の2⑩、規附13の3⑫)

イ	②の規定の適用を受けた譲渡に係る土地等のその譲渡をした年月日、当該土地等の面積及び所在地
ロ	当該土地等の買取りをした者の氏名又は名称及び住所又は本店若しくは主たる事務所の所在地
ハ	イに掲げる譲渡に係る土地等のうち、租税特別措置法第31条の2第2項第13号から第16号までに掲げる土地等の譲渡に該当しないこととなったもの
ニ	その他参考となるべき事項

(注1) (14)に定める場合には、その該当しないこととなった譲渡は、②の規定にかかわらず、②の規定に規定する確定優良住宅地等予定地のための譲渡ではなかったものとみなす。(法附34の2⑪)
(注2) (注1)の規定により課されることとなる道府県民税の所得割については、第一編第七章一の2の③《賦課決定の期間制限》及び④《課税標準又は税額を減少させる賦課決定の期間期限》並びに同章二の1《地方税の消滅時効》の規定中「法定納期限」とあるのは、「第二編第一章第五節三の2の②の(14)に規定する申告の期限」とする。(法附34の2⑫一)

③ 譲渡所得の課税の特例の適用を受ける場合の不適用
 ①(②において準用する場合を含む。)の場合において、所得割の納税義務者が、その有する土地等につき、租税特別措置法第33条から第33条の4まで、第34条から第35条の3まで、第36条の2、第36条の5、第37条、第37条の4から第37条の6まで、第37条の8の規定の適用を受けるときは、当該土地等の譲渡は、①に規定する優良住宅地等のための譲渡又は②に規定する確定優良住宅地等予定地のための譲渡に該当しないものとみなす。(法附34の2⑬)

3　居住用財産を譲渡した場合の長期譲渡所得の課税の特例
 道府県民税の所得割の納税義務者が前年中に租税特別措置法第31条の3第1項《居住用財産を譲渡した場合の長期譲渡所得の課税の特例》に規定する譲渡所得を有する場合には、当該譲渡所得については、1の①の規定により当該譲渡所得

に係る課税長期譲渡所得金額に対し課する道府県民税の所得割の額は、1の①の規定にかかわらず、次の各号に掲げる場合の区分に応じ当該各号に定める金額に相当する額とする。（法附34の3①）

(一)	課税長期譲渡所得金額が6,000万円以下である場合	当該課税長期譲渡所得金額の100分の1.6（当該納税義務者が指定都市の区域内に住所を有する場合には、100分の0.8）に相当する金額
(二)	課税長期譲渡所得金額が6,000万円を超える場合	次に掲げる金額の合計額 イ　96万円（当該納税義務者が指定都市の区域内に住所を有する場合には、48万円） ロ　当該課税長期譲渡所得金額から6,000万円を控除した金額の100分の2（当該納税義務者が指定都市の区域内に住所を有する場合には、100分の1）に相当する金額

（注）　東日本大震災に係る土地建物等の譲渡所得の課税の特例については、八を参照。（編者）

　　　　（特例適用に必要な要件）
　注　3の規定は、3の規定の適用を受けようとする年度分の道府県民税の申告書〘第六節八の1の①〙（その提出期限後において道府県民税の納税通知書が送達される時までに提出されたもの及びその時までに提出された確定申告書〘同3の①〙を含む。）に3の譲渡所得の明細に関する事項の記載があるとき（これらの申告書にその記載がないことについてやむを得ない理由があると市町村長が認めるときを含む。）に限り、適用する。（法附34の3②）

四　土地建物等の短期譲渡所得の課税の特例

1　短期譲渡所得の分離課税に係る所得割の額

　道府県は、当分の間、所得割の納税義務者が前年中に租税特別措置法第32条第1項《短期譲渡所得の課税の特例》に規定する譲渡所得（同条第2項に規定する譲渡による所得を含む。）を有する場合には、当該譲渡所得については、第二節一の1《所得割の課税標準の算定》及び2《所得割の総所得金額等の算定方法》並びに第四節一の1《所得割の税率》の規定にかかわらず、他の所得と区分し、前年中の短期譲渡所得の金額に対し、**課税短期譲渡所得金額（短期譲渡所得の金額**（同法第33条の4第1項若しくは第2項《収用交換等の場合の譲渡所得の特別控除》、第34条第1項《特定土地区画整理事業等の譲渡所得の特別控除》、第34条の2第1項《特定住宅地造成事業等の譲渡所得の特別控除》、第34条の3第1項《農地保有合理化等の農地等の譲渡所得の特別控除》、第35条第1項《居住用財産の譲渡所得の特別控除》又は第36条《譲渡所得の特別控除額の特例等》の規定に該当する場合には、これらの規定の適用により同法第32条第1項に規定する短期譲渡所得の金額から控除する金額を控除した金額とし、これらの金額につき総所得金額からの所得控除の控除不足額がある場合には第三節三の2《二以上の所得金額がある場合の所得控除の順序》で定めるところにより当該控除不足額を控除した金額）をいう。）の100分の3.6（当該納税義務者が指定都市の区域内に住所を有する場合には、100分の1.8）に相当する金額に相当する道府県民税の所得割を課する。（法附35①前段、④三）

（注）　東日本大震災に係る土地建物等の譲渡所得の課税の特例については、八を参照。（編者）

　　　　（損益通算の不適用）
　注　1の場合において、短期譲渡所得の金額の計算上生じた損失の金額があるときは、道府県民税に関する規定の適用については、当該損失の金額は生じなかったものとみなす。（法附35①後段）

2　短期譲渡所得の金額の計算

　1に規定する短期譲渡所得の金額とは、1に規定する譲渡所得について所得税法その他の所得税に関する法令の規定の例により計算した同法第33条第3項《譲渡所得の計算》の譲渡所得の金額（同項に規定する譲渡所得の特別控除額の控除をしないで計算したところによる。）をいい、三の1の①に規定する長期譲渡所得の金額の計算上生じた損失の金額があるときは、同②の規定にかかわらず、当該計算した金額を限度として当該損失の金額を控除した後の金額とする。（法附35②）

(長期譲渡所得の損失を短期譲渡所得の金額から控除する場合の順序)
(1) 2の規定により三の1の①に規定する長期譲渡所得の金額の計算上生じた損失の金額を控除する場合において、1に規定する短期譲渡所得の金額のうちに租税特別措置法第33条の4第1項、第34条第1項、第34条の2第1項、第34条の3第1項又は第35条第1項の規定の適用に係る部分の金額とその他の部分の金額とがあるときは、当該損失の金額は、まず当該他の部分の金額から控除し、なお控除することができない当該損失の金額があるときは、これを順次同法第34条の3第1項、第34条の2第1項、第34条第1項、第35条第1項又は第33条の4第1項の規定の適用に係る部分の金額から控除する。(令附17の3②)

(短期譲渡所得の課税に当たっての留意点)
(2) 短期譲渡所得に係る所得割の課税に当たっては、次の諸点に留意すること。
イ 短期譲渡所得の金額は、所得税法その他の所得税に関する法令の規定の例により計算するものであるが、長期譲渡所得の金額の計算上生じた損失の金額があるときは、当該計算した金額を限度として当該損失の金額を控除した後の金額とされているものであること。(県通2－39(1))
ロ 短期譲渡所得に係る所得割の額は、短期譲渡所得の金額に係る課税短期譲渡所得金額の100分の3.6(所得割の納税義務者が指定都市の区域内に住所を有する場合は、100分の1.8)に相当する金額とされているが、課税短期譲渡所得金額の計算に当たっては、租税特別措置法第33条の4第1項若しくは第2項、第34条第1項、第34条の2第1項、第34条の3第1項、第35条第1項又は第36条の規定に該当する場合には、イの短期譲渡所得の金額から、これらの規定により同法第32条第1項の短期譲渡所得の金額から控除すべき金額を控除した金額とされているものであること。(県通2－39(2))
ハ 短期譲渡所得の金額の計算上生じた損失の金額(長期譲渡所得の金額があるときは当該長期譲渡所得の金額を限度として当該損失の金額を控除してもなお控除することができない部分の金額)があるときは、道府県民税に関する規定の適用については、当該損失の金額は生じなかったものとみなされ、当該損失の金額と他の所得との通算及び当該損失の金額の翌年度以降への繰越しを行うことはできないものであること。また、短期譲渡所得以外の所得の金額の計算上生じた損失の金額は、短期譲渡所得の金額との通算はできないものであること。(県通2－39(4))

3 収用等の場合の短期譲渡所得の税率の軽減
1に規定する譲渡所得で、その基因となる土地等の譲渡が租税特別措置法第28条の4第3項第1号から第3号まで《土地の譲渡等に係る事業所得等の課税の特例》に掲げる譲渡に該当することにつき総務省令で定めるところにより証明がされたもの《軽減税率対象土地等》に係る1の規定の適用については、1中「100分の3.6」とあるのは「100分の2」と、「100分の1.8」とあるのは「100分の1」とする。(法附35③)

(短期譲渡所得に軽減税率対象土地等に係る部分とその他の部分がある場合の計算)
(1) 1の場合において、1に規定する課税短期譲渡所得金額のうちに3に規定する土地等の譲渡に係る部分の金額とその他の部分の金額とがあるときは、これらの金額を区分してそのそれぞれにつき1の計算を行うものとする。(令附17の3①)

(軽減税率対象土地等の証明書)
(2) 二の4の注《適用除外の証明書》(租税特別措置法第28条の4第3項第1号から第3号までに掲げる譲渡に関する部分に限る。)の規定は、3に規定する総務省令で定めるところにより証明がされた譲渡について準用する。(規附14)

五 株式等の譲渡所得等の課税の特例

1 一般株式等の譲渡所得等の分離課税に係る所得割の額
道府県は、当分の間、道府県民税の所得割の納税義務者が前年中に租税特別措置法第37条の10第1項《一般株式等に係る譲渡所得等の課税の特例》に規定する一般株式等に係る譲渡所得等を有する場合には、当該一般株式等に係る譲渡所得等については、第二節一の1《所得割の課税標準の算定》及び2《総所得金額等の算定方法》並びに第四節一の1《所得割の税率》の規定にかかわらず、他の所得と区分し、前年中の当該一般株式等に係る譲渡所得等の金額として政令で定めるところにより計算した金額(以下1において「**一般株式等に係る譲渡所得等の金額**」という。)に対し、一般株式等に係る課税譲渡所得等の金額(一般株式等に係る譲渡所得等の金額(総所得金額等からの所得控除の控除不足額がある場合には、

第三節三の２《二以上の所得金額がある場合の所得控除の順序》で定めるところにより、当該控除不足額を控除した金額）をいう。）の100分の２（当該納税義務者が指定都市の区域内に住所を有する場合には、100分の１）に相当する金額に相当する道府県民税の所得割を課する。

　この場合において、一般株式等に係る譲渡所得等の金額の計算上生じた損失の金額があるときは、道府県民税に関する規定の適用については、当該損失の金額は生じなかったものとみなす。（法附35の２①、④三、35の２の６⑦、35の３⑤）

① **一般株式等に係る譲渡所得等に係る収入金額とみなされる金額**

　租税特別措置法第37条の10第１項に規定する一般株式等を有する道府県民税の所得割の納税義務者が当該一般株式等につき交付を受ける同条第３項及び第４項並びに同法第37条の14の３第１項及び第２項の規定により所得税法及び租税特別措置法第２章の規定の適用上同法第37条の10第３項及び第４項並びに第37条の14の３第１項及び第２項に規定する一般株式等に係る譲渡所得等に係る収入金額とみなされる金額は、１に規定する一般株式等に係る譲渡所得等に係る収入金額とみなして、道府県民税に関する規定を適用する。（法附35の２②）

　　（留意事項）
（１）　株式等の譲渡による譲渡所得については、一般株式等に係る譲渡所得等と上場株式等に係る譲渡所得等との区分を行い、それぞれ総所得金額から分離して所得割が課税されるものであること。（県通２－40）

　　（留意事項）
（２）　一般株式等に係る所得割の課税に当たっては、次の諸点に留意すること。（県通２－40の２）
　イ　一般株式等に係る譲渡所得等に係る所得割の額は、１の規定により政令で定めるところにより計算した金額に係る一般株式等に係る課税譲渡所得等の金額の100分の２（所得割の納税義務者が指定都市の区域内に住所を有する場合は、100分の１）に相当する金額とされているが、１の政令で定めるところにより計算した金額とは、所得税法その他の所得税に関する法令の規定（租税特別措置法施行令第25条の12第７項及び第８項、第25条の12の２第７項並びに第26条の28の３第６項の規定を除く。）の例により計算した一般株式等の譲渡による事業所得の金額、譲渡所得の金額及び雑所得の金額の合計額であること。
　ロ　一般株式等に係る譲渡所得等の金額の計算上生じた損失の金額は、一般株式等の譲渡による所得の金額からは控除できるが、それ以外の他の所得から控除できないこととされ、また、一般株式等の譲渡による所得以外の所得の金額の計算上生じた損失の金額は、一般株式等の譲渡による事業所得、譲渡所得及び雑所得の金額から控除できないものであること。
　ハ　地方税法等の一部を改正する法律（平成20年法律第21号。以下「平成20年改正法」という。）の公布の日（平成20年４月30日）前までに払込みにより取得した特定株式の譲渡（平成20年改正法第１条の規定による改正前の法附則第35条の３第18項各号に定める譲渡に該当するものであって、その譲渡の日において当該特定株式の所有期間が３年を超える場合に限る。）に係る一般株式等に係る譲渡所得等の金額は、当該特定株式に係る譲渡所得等の金額の２分の１に相当する金額であること。

② **一般株式等に係る譲渡所得等の金額の計算**

　１に規定する一般株式等に係る譲渡所得等の金額として政令で定めるところにより計算した金額は、１に規定する一般株式等に係る譲渡所得等の基因となる一般株式等の１の①に規定する譲渡（以下②において「一般株式等の譲渡」という。）による事業所得、譲渡所得及び雑所得について所得税法その他の所得税に関する法令の規定（租税特別措置法施行令第25条の12《特定中小会社の発行株式に係る取得費控除の適用を受けた場合の取得価額の圧縮》第７項及び第８項、第25条の12の２第７項並びに第26条の28の３《特定中小会社が発行した株式を取得した場合の課税の特例》第６項の規定を除く。六までにおいて同じ。）の例により計算した当該一般株式等の譲渡に係る事業所得の金額、譲渡所得の金額及び雑所得の金額の合計額とする。この場合において、これらの金額の計算上生じた損失の金額があるときは、当該損失の金額は、当該損失の金額が生じた年において、次の各号に掲げる損失の金額の区分に応じ、当該各号に定めるところにより控除する。
（令附18①）

(一)	当該一般株式等の譲渡に係る事業所得の金額の計算上生じた損失の金額	当該損失の金額は、当該一般株式等の譲渡に係る譲渡所得の金額及び雑所得の金額から控除する。

(二)	当該一般株式等の譲渡に係る譲渡所得の金額の計算上生じた損失の金額	当該損失の金額は、当該一般株式等の譲渡に係る事業所得の金額及び雑所得の金額から控除する。
(三)	当該一般株式等の譲渡に係る雑所得の金額の計算上生じた損失の金額	当該損失の金額は、当該一般株式等の譲渡に係る事業所得の金額及び譲渡所得の金額から控除する。

③　一般株式等に係る譲渡所得等の金額の計算明細書の添付

　前年中において１に規定する一般株式等に係る譲渡所得等を有する道府県内に住所を有する個人が、第六節八の１《道府県民税の申告書》の①に規定する申告書を提出する場合には、租税特別措置法施行規則第18条の９第２項に掲げる項目を記載した一般株式等に係る譲渡所得等の金額（１に規定する一般株式等に係る譲渡所得等の金額をいう。）の計算に関する明細書を当該申告書に添付しなければならない。（令附18②、規附15①）

　　（特定株式の譲渡所得等を有する場合の申告書添付書類）
　注　③の者が租税特別措置法第29条の２第４項に規定する特定株式又は同項に規定する承継特定株式に係る１に規定する一般株式等に係る譲渡所得等を有する場合における③の規定の適用については、③中「明細書」とあるのは、「明細書及び租税特別措置法施行規則第11条の３第６項各号に規定する事項を記載した書類」とする。（令附18③、規附15②）
　　（注）③の注中____部分「第６項」を「第10項」に改める令和６年度改正規定は、令和７年１月１日以後適用する。（令６改規附１一）

2　上場株式等に係る譲渡所得等に係る道府県民税の課税の特例

　道府県は、当分の間、道府県民税の所得割の納税義務者が前年中に租税特別措置法第37条の11第１項に規定する上場株式等に係る譲渡所得等を有する場合には、当該上場株式等に係る譲渡所得等については、第二節一の１及び２並びに第四節一の１の規定にかかわらず、他の所得と区分し、前年中の当該上場株式等に係る譲渡所得等の金額として①で定めるところにより計算した金額（当該道府県民税の所得割の納税義務者が特定株式等譲渡所得金額に係る所得を有する場合には、当該特定株式等譲渡所得金額に係る所得の金額（第二節五の４の規定により第二節五の３の規定の適用を受けないものを除く。）を除外して算定するものとする。以下「上場株式等に係る譲渡所得等の金額」という。）に対し、上場株式等に係る課税譲渡所得等の金額（上場株式等に係る譲渡所得等の金額をいう。）の100分の２（当該納税義務者が指定都市の区域内に住所を有する場合には、100分の１）に相当する金額に相当する道府県民税の所得割を課する。この場合において、上場株式等に係る譲渡所得等の金額の計算上生じた損失の金額があるときは、道府県民税に関する規定の適用については、当該損失の金額は生じなかったものとみなす。（法附35の２の２①）

①　上場株式等に係る譲渡所得等の金額の計算

　２に規定する上場株式等に係る譲渡所得等の金額として①で定めるところにより計算した金額は、２に規定する上場株式等に係る譲渡所得等の基因となる上場株式等の租税特別措置法第37条の11第１項に規定する譲渡（以下「上場株式等の譲渡」という。）による事業所得、譲渡所得及び雑所得について所得税法その他の所得税に関する法令の規定の例により計算した当該上場株式等の譲渡に係る事業所得の金額、譲渡所得の金額及び雑所得の金額の合計額とする。この場合において、これらの金額の計算上生じた損失の金額があるときは、当該損失の金額は、当該損失の金額が生じた年において、次の各号に掲げる損失の金額の区分に応じ当該各号に定めるところにより控除する。（令附18の２①）

(一)	当該上場株式等の譲渡に係る事業所得の金額の計算上生じた損失の金額	当該損失の金額は、当該上場株式等の譲渡に係る譲渡所得の金額及び雑所得の金額から控除する。
(二)	当該上場株式等の譲渡に係る譲渡所得の金額の計算上生じた損失の金額	当該損失の金額は、当該上場株式等の譲渡に係る事業所得の金額及び雑所得の金額から控除する。
(三)	当該上場株式等の譲渡に係る雑所得の金額の計算上生じた損失の金額	当該損失の金額は、当該上場株式等の譲渡に係る事業所得の金額及び譲渡所得の金額から控除する。

② **上場株式等に係る譲渡所得等の金額の計算明細書の添付**
　前年中において2に規定する上場株式等に係る譲渡所得等を有する第一節二の(一)の者が、第六節八の1の①に規定する申告書を提出する場合には、租税特別措置法施行規則第18条の10第2項において準用する同令第18条の9第2項に掲げる項目を記載した上場株式等に係る譲渡所得等の金額（2に規定する上場株式等に係る譲渡所得等の金額をいう。）の計算に関する明細書を当該申告書に添付しなければならない。（令附18の2②、規附16①）

③ **上場株式等に係る譲渡所得等を有する場合の申告書添付書類**
　②の者が租税特別措置法第29条の2第4項に規定する特定株式又は②に規定する承継特定株式に係る2に規定する上場株式等に係る譲渡所得等を有する場合における②の規定の適用については、②中「明細書」とあるのは、「明細及び租税特別措置法施行規則第11条の3第6項各号に規定する事項を記載した書類」とする。（令附18の2③、規附16②）
　（注）　③中___部分「第6項」を「第10項」に改める令和6年度改正規定は、令和7年1月1日以後適用する。（令6改規附1一）

④ **上場株式等に係る譲渡所得等に係る収入金額とみなされる金額**
　租税特別措置法第37条の11第2項に規定する上場株式等を有する道府県民税の所得割の納税義務者が当該上場株式等につき交付を受ける同法第4条の4第3項、第37条の11第3項及び第4項並びに第37条の14の4第1項及び第2項の規定により所得税法及び租税特別措置法第2章の規定の適用上同法第4条の4第3項、第37条の11第3項及び第4項並びに第37条の14の4第1項及び第2項に規定する上場株式等に係る譲渡所得等に係る収入金額とみなされる金額は、2に規定する上場株式等に係る譲渡所得等に係る収入金額とみなして、道府県民税に関する規定を適用する。（法附35の2の2②）

　　　（留意事項）
　注　上場株式等に係る所得割の課税に当たっては、次の諸点に留意すること。（県通2－40の3(1)(2)）
　　イ　上場株式等に係る譲渡所得等に係る所得割の額は、①の規定により政令で定めるところにより計算した金額に係る上場株式等に係る課税譲渡所得等の金額の100分の2（所得割の納税義務者が指定都市の区域内に住所を有する場合は、100分の1）に相当する金額とされているが、①の政令で定めるところにより計算した金額とは、所得税法その他の所得税に関する法令の規定の例により計算した上場株式等の譲渡による事業所得の金額、譲渡所得の金額及び雑所得の金額の合計額であること。
　　ロ　上場株式等に係る譲渡所得等の金額の計算上生じた損失の金額は、上場株式等の譲渡による所得の金額からは控除できるが、それ以外の他の所得から控除できないこととされ、また、上場株式等の譲渡による所得以外の所得の金額の計算上生じた損失の金額は、上場株式等の譲渡による事業所得、譲渡所得及び雑所得の金額から控除できないものであること。

3　特定管理株式等が価値を失った場合の株式等の譲渡所得等の課税の特例

① **みなし譲渡損失の特例**
　道府県民税の所得割の納税義務者について、その有する租税特別措置法第37条の11の2第1項《特定管理株式等が価値を失った場合の株式等に係る譲渡所得等の課税の特例》に規定する特定管理株式等（以下3において「**特定管理株式等**」という。）又は同項に規定する特定口座内公社債（以下3において「**特定口座内公社債**」という。）が株式又は同法第37条の10第2項第7号に規定する公社債としての価値を失ったことによる損失が生じた場合として同法第37条の11の2第1項各号に掲げる事実が発生したときは、当該事実が発生したことは当該特定管理株式等又は特定口座内社債の譲渡をしたことと、当該損失の金額として政令で定める金額は5の①のイに規定する上場株式等の譲渡をしたことにより生じた損失の金額とそれぞれみなして、2、3及び5の規定その他の道府県民税に関する規定を適用する。（法附35の2の3①）

　　　（損失の金額とみなされる金額）
　注　①に規定する損失の金額として政令で定める金額は、次の各号に掲げる株式の区分に応じ、当該各号に定める金額とする。（令附18の3①）
　　（一）　特定管理株式等　当該特定管理株式等につき①に規定する事実が発生した日において②の注の定めるところにより当該特定管理株式等に係る1株又は1単位当たりの金額に相当する金額を算出した場合における当該金額に当該事実の発生の直前において有する当該特定管理株式等の数を乗じて計算した金額
　　（二）　特定口座内公社債　①に規定する事実が発生した特定口座内公社債につき当該事実が発生した日において6の①の注に定めるところにより当該特定口座内公社債に係る一単位当たりの金額に相当する金額を算出した場合に

おける当該金額に当該事実の発生の直前において有する当該特定口座内公社債の数を乗じて計算した金額

② **特定管理株式の譲渡所得等の金額の区分計算**
　道府県民税の所得割の納税義務者が前年中に租税特別措置法第37条の11の2第1項に規定する特定管理口座（その者が二以上の特定管理口座を有する場合には、それぞれの特定管理口座。以下②において「特定管理口座」という。）に係る同条第1項に規定する振替口座簿（6の①において「振替口座簿」という。）に記載若しくは記録がされ、又は特定管理口座に保管の委託がされている特定管理株式等の**譲渡**（同法第37条の11の2第2項に規定する譲渡をいう。以下同じ。）をした場合には、政令で定めるところにより、当該特定管理株式等の譲渡による事業所得の金額、譲渡所得の金額又は雑所得の金額と当該特定管理株式等の譲渡以外の同法第37条の10第2項に規定する**株式等**（6及び8において「株式等」という。）の譲渡による事業所得の金額、譲渡所得の金額又は雑所得の金額とを区分して、これらの金額を計算するものとする。（法附35の2の3②）

　　　（特定管理株式の譲渡による所得の区分計算）
　　注　特定管理株式の譲渡（②に規定する譲渡をいう。以下②において同じ。）による事業所得の金額、譲渡所得の金額又は雑所得の金額は、道府県民税の所得割の納税義務者が有するそれぞれの特定管理口座（②に規定する特定管理口座をいう。以下②において同じ。）ごとに、当該特定管理口座に係る特定管理株式の譲渡による事業所得、譲渡所得又は雑所得と当該特定管理株式の譲渡以外の株式等の譲渡による事業所得、譲渡所得又は雑所得とを区分して、所得税法その他の所得税に関する法令の規定の例により計算するものとする。（令附18の3②）

③ **適用手続**
　①の規定は、（注）で定めるところにより、①に規定する事実が発生した年の末日の属する年度の翌年度分の第六節八の1《道府県民税の申告書》の①又は③の規定による申告書（その提出期限後において道府県民税の納税通知書が送達される時までに提出されたもの及びその時までに提出された同節八の3の確定申告書を含む。）に①の規定の適用を受けようとする旨の記載があるとき（これらの申告書にその記載がないことについてやむを得ない理由があると市町村長が認めるときを含む。）に限り、適用する。（法附35の2の3③）
　　（注）　①の規定の適用を受けようとする道府県民税の所得割の納税義務者は、③の申告書に、①の規定の適用を受けようとする旨の記載をしなければならない。ただし、当該申告書にその記載がないことについてやむを得ない理由があると市町村長が認めるときは、この限りでない。（令附18の3③）

4　平成21年1月1日から平成25年12月31日までの間に行われる上場株式等の譲渡所得等の分離課税に係る所得割の額

　道府県民税の所得割の納税義務者が、平成21年1月1日から平成25年12月31日までの間に5の①のイに規定する上場株式等（以下4において「**上場株式等**」という。）の譲渡（3の②に規定する譲渡をいう。）のうち租税特別措置法第37条の12の2第2項《上場株式等に係る譲渡損失の金額》各号に掲げる上場株式等の譲渡をした場合には、当該上場株式等の譲渡による事業所得、譲渡所得及び雑所得（同法第32条第2項《土地等の譲渡に類する株式等の譲渡所得の分離課税》の規定に該当する譲渡所得を除く。）については、株式等に係る譲渡所得等の金額のうち当該上場株式等の譲渡に係る事業所得の金額、譲渡所得の金額及び雑所得の金額として計算した金額（5の②《上場株式等に係る譲渡損失の繰越控除》又は六の2の①《特定株式に係る譲渡損失の繰越控除》の規定の適用がある場合には、その適用後の金額。以下4において「**上場株式等に係る譲渡所得等の金額**」という。）に対して課する道府県民税の所得割の額は、1前段の規定にかかわらず、上場株式等に係る課税譲渡所得等の金額（上場株式等に係る譲渡所得等の金額（総所得金額からの所得控除の控除不足額がある場合には、第三節三の2《二以上の所得金額がある場合の所得控除の順序》で定めるところにより当該控除不足額を控除した後の金額）をいう。）の100分の1.2に相当する金額とする。（平20改法附3⑲㉑㉒、平23改法附2）

　　　（上場株式等の譲渡に係る事業所得等の金額の計算）
　(1)　4に規定する計算した金額は、4に規定する事業所得、譲渡所得及び雑所得の基因となる上場株式等（4に規定する上場株式等をいう。以下(1)、(3)及び(4)において同じ。）の譲渡（4の規定の適用がある4に規定する譲渡をいう。以下(1)、(3)及び(4)において同じ。）による事業所得、譲渡所得及び雑所得について所得税法その他の所得税に関する法令の規定の例により計算した当該上場株式等の譲渡に係る事業所得の金額、譲渡所得の金額及び雑所得の金額の合計額とする（平20改令附3⑨）

(準用規定)
(2) (1)の場合において、1の②の注の規定は、1に規定する株式等に係る譲渡所得等の金額の計算上生じた損失の金額があるときについて準用する。この場合において、1の②の注の表は次のとおりとする。(平20改令附3⑩)

(一)	当該株式等の譲渡に係る事業所得の金額の計算上生じた損失の金額	当該損失の金額は、当該株式等の譲渡に係る譲渡所得の金額及び雑所得の金額から控除する。この場合において、当該株式等に譲渡に係る譲渡所得の金額又は雑所得の金額のうちに、公開等特定株式に係る譲渡所得の金額((4)の(四)に規定する公開等特定株式に係る譲渡所得の金額をいう。以下同じ。)若しくは公開等特定株式に係る雑所得の金額(同(七)に規定する公開等特定株式に係る雑所得の金額をいう。以下同じ。)又は上場株式等に係る譲渡所得の金額(同(五)に規定する上場株式等に係る譲渡所得の金額をいう。以下同じ。)若しくは上場株式等に係る雑所得の金額(同(八)に規定する上場株式等に係る雑所得の金額をいう。以下同じ。)があるときは、当該損失の金額は、まず、公開等特定株式に係る譲渡所得の金額及び公開等特定株式に係る雑所得の金額から控除し、なお控除することができない損失の金額があるときは、上場株式等に係る譲渡所得の金額及び上場株式等に係る雑所得の金額から控除するものとする。
(二)	当該株式等の譲渡に係る譲渡所得の金額の計算上生じた損失の金額	当該損失の金額は、当該株式等の譲渡に係る事業所得の金額及び雑所得の金額から控除する。この場合において、当該株式等の譲渡に係る事業所得の金額又は雑所得の金額のうちに、公開等特定株式に係る事業所得の金額((4)の(一)に規定する公開等特定株式に係る事業所得の金額をいう。以下同じ。)若しくは公開等特定株式に係る雑所得の金額又は上場株式等に係る事業所得の金額(同(二)に規定する上場株式等に係る事業所得の金額をいう。以下同じ。)若しくは上場株式等に係る雑所得の金額があるときは、当該損失の金額は、まず、公開等特定株式に係る事業所得の金額及び公開等特定株式に係る雑所得の金額から控除し、なお控除することができない損失の金額があるときは、上場株式等に係る事業所得の金額及び上場株式等に係る雑所得の金額から控除するものとする。
(三)	当該株式等の譲渡に係る雑所得の金額の計算上生じた損失の金額	当該損失の金額は、当該株式等の譲渡に係る事業所得の金額及び譲渡所得の金額から控除する。この場合において、当該株式等の譲渡に係る事業所得の金額又は譲渡所得の金額のうちに、公開等特定株式に係る事業所得の金額若しくは公開等特定株式に係る譲渡所得の金額又は上場株式等に係る事業所得の金額若しくは上場株式等に係る譲渡所得の金額があるときは、当該損失の金額は、まず、公開等特定株式に係る事業所得の金額及び公開等特定株式に係る譲渡所得の金額から控除し、なお控除することができない損失の金額があるときは、上場株式等に係る事業所得の金額及び上場株式等に係る譲渡所得の金額から控除するものとする。

(株式等に係る譲渡所得等の金額の計算における損失金額の控除の順序)
(3) 道府県民税の所得割の納税義務者が前年中にした株式等の譲渡(租税特別措置法第37条の10第3項又は第4項《株式等に係る譲渡所得等の課税の特例における収入金額の範囲》の規定によりその額及び価額の合計額が同条第1項に規定する株式等に係る譲渡所得等に係る収入金額とみなされる金銭及び金銭以外の資産の交付の基因となった同条第3項又は第4項に規定する事由に基づく株式等についての当該金銭の額及び当該金銭以外の資産の価額に対応する権利の移転又は消滅を含む。以下(3)及び(4)において「株式等の譲渡」という。)のうち上場株式等の譲渡がある場合において、次の表の各号に掲げる損失の金額があるときは、当該損失の金額は、(2)の規定により読み替えて適用される1の②の注の規定により読み替えて適用される株式等の譲渡に係る事業所得の金額、譲渡所得の金額及び雑所得の金額並びに(1)に規定する上場株式等の譲渡に係る事業所得の金額、譲渡所得の金額及び雑所得の金額の計算上、当該各号に定めるところにより控除する。(平20改令附3⑪)
(一) 次に掲げる事業所得の金額の計算上生じた損失の金額　それぞれ次に定めるところによる。
　イ　公開等特定株式に係る事業所得の金額の計算上生じた損失の金額　当該損失の金額は、まず、上場株式等に係る事業所得の金額から控除し、なお控除することができない損失の金額があるときは、一般株式等に係る事業所得の金額から控除する。
　ロ　上場株式等に係る事業所得の金額の計算上生じた損失の金額　当該損失の金額は、まず、公開等特定株式に係る事業所得の金額から控除し、なお控除することができない損失の金額があるときは、一般株式等に係る事業所得の金額から控除する。

ハ　一般株式等に係る事業所得の金額の計算上生じた損失の金額　　当該損失の金額は、まず、公開等特定株式に係る事業所得の金額から控除し、なお控除することができない損失の金額があるときは、上場株式等に係る事業所得の金額から控除する。
　（二）　次に掲げる譲渡所得の金額の計算上生じた損失の金額　　それぞれ次に定めるところによる。
　　　イ　公開等特定株式に係る譲渡所得の金額の計算上生じた損失の金額　　当該損失の金額は、まず、上場株式等に係る譲渡所得の金額から控除し、なお控除することができない損失の金額があるときは、一般株式等に係る譲渡所得の金額から控除する。
　　　ロ　上場株式等に係る譲渡所得の金額の計算上生じた損失の金額　　当該損失の金額は、まず、公開等特定株式に係る譲渡所得の金額から控除し、なお控除することができない損失の金額があるときは、一般株式等に係る譲渡所得の金額から控除する。
　　　ハ　一般株式等に係る譲渡所得の金額の計算上生じた損失の金額　　当該損失の金額は、まず、公開等特定株式に係る譲渡所得の金額から控除し、なお控除することができない損失の金額があるときは、上場株式等に係る譲渡所得の金額から控除する。
　（三）　次に掲げる雑所得の金額の計算上生じた損失の金額　　それぞれ次に定めるところによる。
　　　イ　公開等特定株式に係る雑所得の金額の計算上生じた損失の金額　　当該損失の金額は、まず、上場株式等に係る雑所得の金額から控除し、なお控除することができない損失の金額があるときは、一般株式等に係る雑所得の金額から控除する。
　　　ロ　上場株式等に係る雑所得の金額の計算上生じた損失の金額　　当該損失の金額は、まず、公開等特定株式に係る雑所得の金額から控除し、なお控除することができない損失の金額があるときは、一般株式等に係る雑所得の金額から控除する。
　　　ハ　一般株式等に係る雑所得の金額の計算上生じた損失の金額　　当該損失の金額は、まず、公開等特定株式に係る雑所得の金額から控除し、なお控除することができない損失の金額があるときは、上場株式等に係る雑所得の金額から控除する。

　　（用語の意義）
　(4)　(3)において、次の各号に掲げる用語の意義は、当該各号に定めるところによる。(平20改令附3⑫)
　（一）　公開等特定株式に係る事業所得の金額　　六の6の(注)の規定によりなおその効力を有するものとされる六の6の①の規定の適用がある株式等の譲渡（以下(4)において「公開等特定株式の譲渡」という。）による事業所得の金額をいう。
　（二）　上場株式等に係る事業所得の金額　　上場株式等の譲渡（公開等特定株式の譲渡に該当するものを除く。以下(4)において同じ。）による事業所得の金額をいう。
　（三）　一般株式等に係る事業所得の金額　　株式等の譲渡（公開等特定株式の譲渡に該当するもの及び上場株式等の譲渡に該当するものを除く。以下(4)において「一般株式等の譲渡」という。）による事業所得の金額をいう。
　（四）　公開等特定株式に係る譲渡所得の金額　　公開等特定株式の譲渡による譲渡所得の金額をいう。
　（五）　上場株式等に係る譲渡所得の金額　　上場株式等の譲渡による譲渡所得の金額をいう。
　（六）　一般株式等に係る譲渡所得の金額　　一般株式等の譲渡による譲渡所得の金額をいう。
　（七）　公開等株式等に係る雑所得の金額　　公開等株式等の譲渡による雑所得の金額をいう。
　（八）　上場株式等に係る雑所得の金額　　上場株式等の譲渡による雑所得の金額をいう。
　（九）　一般株式等に係る雑所得の金額　　一般株式等の譲渡による雑所得の金額をいう。

5　上場株式等に係る譲渡損失の損益通算及び繰越控除

①　譲渡損失の損益通算

　道府県民税の所得割の納税義務者の平成29年度分以後の各年度分の上場株式等に係る譲渡損失の金額は、当該上場株式等に係る譲渡損失の金額の生じた年分の所得税について上場株式等に係る譲渡損失の金額の控除に関する事項を記載した所得税法第2条第1項第37号の確定申告書（租税特別措置法第37条の12の2第9項（同法第37条の13の2第10項において準用する場合を含む。）において準用する所得税法第123条第1項の規定による申告書を含む。以下①において「確定申告書」という。）を提出した場合（租税特別措置法第37条の12の2第1項の規定の適用がある場合に限る。）に限り、2後段の規定にかかわらず、当該納税義務者の一の1に規定する上場株式等に係る配当所得等の金額を限度として、当該上場株式等に係る配当所得等の金額の計算上控除する。（法附35の2の6①）

イ　上場株式等に係る譲渡損失の金額

　①に規定する上場株式等に係る譲渡損失の金額とは、当該道府県民税の所得割の納税義務者が、租税特別措置法第37条の12の２第２項《上場株式等に係る譲渡損失の金額》第１号から第10号までに掲げる上場株式等の譲渡（同法第32条第２項《土地等の譲渡に類する株式等の譲渡所得の分離課税》の規定に該当するものを除く。②の**イ**において「上場株式等の譲渡」という。）をしたことにより生じた損失の金額として(1)で定めるところにより計算した金額のうち、当該納税義務者の当該譲渡をした年の末日の属する年度の翌年度の道府県民税に係る２に規定する株式等に係る譲渡所得等の金額の計算上控除してもなお控除することができない部分の金額として(2)で定めるところにより計算した金額をいう。（法附35の２の６②）

　　　（上場株式等の譲渡損失の金額の計算）
(1)　**イ**に規定する上場株式等の譲渡をしたことにより生じた損失の金額として計算した金額は、次の各号に掲げる場合の区分に応じ、当該各号に定める金額とする。（令附18の５①）
　(一)　当該損失の金額が、事業所得又は雑所得の基因となる上場株式等の譲渡（**イ**に規定する上場株式等の譲渡をいう。以下(1)から(4)まで及び②の**イ**(1)において同じ。）をしたことにより生じたものである場合　　所得税法その他の所得税に関する法令の規定の例により計算した当該上場株式等の譲渡による事業所得の金額又は雑所得の金額の計算上生じた損失の金額として総務省令で定めるところにより計算した金額
　(二)　当該損失の金額が、譲渡所得の基因となる上場株式等の譲渡をしたことにより生じたものである場合　　所得税法その他の所得税に関する法令の規定の例により計算した当該上場株式等の譲渡による譲渡所得の金額の計算上生じた損失の金額

　　　（総務省令で定めるところにより計算した金額）
(2)　(1)の(一)に規定する総務省令で定めるところにより計算した金額は、上場株式等の譲渡による事業所得又は雑所得と当該上場株式等以外の株式等（３の②に規定する株式等をいう。以下同じ。）の譲渡による事業所得又は雑所得とを区分して当該上場株式等の譲渡に係る事業所得の金額又は雑所得の金額を計算した場合にこれらの金額の計算上生ずる損失の金額に相当する金額とする。この場合において、当該上場株式等の譲渡をした日の属する年分の株式等の譲渡に係る事業所得の金額又は雑所得の金額の計算上必要経費に算入されるべき金額のうちに当該上場株式等の譲渡と当該上場株式等以外の株式等の譲渡の双方に関連して生じた金額（以下「共通必要経費の額」という。）があるときは、当該共通必要経費の額は、これらの所得を生ずべき業務に係る収入金額その他の基準のうち当該業務の内容及び費用の性質に照らして合理的と認められるものにより当該上場株式等の譲渡に係る必要経費の額と当該上場株式等以外の株式等の譲渡に係る必要経費の額とに配分するものとする。（規附19①）

　　　（控除しきれない部分の金額の計算）
(3)　**イ**に規定する控除することができない部分の金額として計算した金額は、上場株式等の譲渡をした年の末日の属する年度の翌年度の道府県民税に係る**イ**に規定する株式等に係る譲渡所得等の金額（②の(1)の表の(二)及び②の**イ**の(1)において「株式等に係る譲渡所得等の金額」という。）の計算上生じた損失の金額のうち、特定譲渡損失の金額の合計額に達するまでの金額とする。（令附18の５②）

　　　（特定譲渡損失の金額の意義）
(4)　(3)に規定する特定譲渡損失の金額とは、上場株式等の譲渡をした年中の上場株式等の譲渡による事業所得、譲渡所得又は雑所得について、所得税法その他の所得税に関する法令の規定の例により計算した当該株式等の譲渡に係る事業所得の金額の計算上生じた損失の金額、譲渡所得の金額の計算上生じた損失の金額又は雑所得の金額の計算上生じた損失の金額のうち、それぞれの所得の基因となる上場株式等の譲渡に係る(1)各号に掲げる金額の合計額に達するまでの金額をいう。（令附18の５③）

　　　（留意事項）
(5)　上場株式等に係る所得割の課税に当たっては、次の諸点に留意すること。（県通２-40の３(4)）
　　イに規定する上場株式等に係る譲渡損失の金額については、上場株式等に係る配当所得等の金額を限度として損益通算が認められるものであること。

② 譲渡損失の繰越控除
　道府県民税の所得割の納税義務者の前年前3年内の各年に生じた上場株式等に係る譲渡損失の金額（②の規定により前年前において控除されたものを除く。）は、当該上場株式等に係る譲渡損失の金額の生じた年分の所得税について確定申告書を提出した場合において、その後の年分の所得税について連続して確定申告書を提出しているとき（租税特別措置法第37条の12の2第5項の規定の適用があるときに限る。）に限り、2の後段の規定にかかわらず、(1)で定めるところにより、当該納税義務者の1に規定する上場株式等に係る譲渡所得等の金額及び一の1に規定する上場株式等に係る配当所得等の金額（①の規定の適用がある場合には、その適用後の金額。以下②において同じ。）を限度として、当該上場株式等に係る譲渡所得等の金額及び上場株式等に係る配当所得等の金額の計算上控除する。（法附35の2の6④）

　　（上場株式等に係る譲渡損失の控除方法）
（1）②の規定による上場株式等に係る譲渡損失の金額（イに規定する上場株式等に係る譲渡損失の金額をいう。以下5において同じ。）の控除については、次に定めるところによる。（令附18の5④）

(一)	控除する上場株式等に係る譲渡損失の金額が前年前3年内の二以上の年に生じたものである場合には、これらの年のうち最も前の年に生じた上場株式等に係る譲渡損失の金額から順次控除する。
(二)	前年前3年内の一の年において生じた上場株式等に係る譲渡損失の金額の控除をする場合において、前年の上場株式等に係る譲渡所得等の金額（六の1の(8)及び六の2の①の規定の適用がある場合には、その適用後の金額）及び一の1に規定する上場株式等に係る配当所得等の金額（以下(二)において「上場株式等に係る配当所得等の金額」という。）があるときは、当該上場株式等に係る譲渡損失の金額は、まず、当該株式等に係る譲渡所得等の金額から控除し、なお控除することができない損失の金額があるときは、当該上場株式等に係る配当所得等の金額から控除する。
(三)	第二節三の2（雑損失の金額に係る部分に限る。）の規定による控除が行われる場合には、まず、②の規定による控除を行った後、同2（雑損失の金額に係る部分に限る。）の規定による控除を行う。

　　（読替規定）
（2）②の規定の適用がある場合における第二節二の1及び第六節八の1の①(八)の規定の適用については、第二節二の1中「所得税法第2条第1項第40号」とあるのは「租税特別措置法施行令第25条の11の2第19項第1号又は第25条の12の2第23項第1号の規定により読み替えて適用される所得税法第2条第1項第40号」と、同号中「前各号に掲げるもののほか、」とあるのは「附則第35条の2の6第4項に規定する上場株式等に係る譲渡損失の金額の控除に関する事項その他」とする。（令附18の5⑨）

イ　上場株式等に係る譲渡損失の金額
　②に規定する上場株式等に係る譲渡損失の金額とは、当該道府県民税の所得割の納税義務者が、上場株式等の譲渡（①イ参照）をしたことにより生じた損失の金額として①のイの(1)で定めるところにより計算した金額のうち、当該納税義務者の当該譲渡をした年の末日の属する年度の翌年度の道府県民税に係る1に規定する株式等に係る譲渡所得等の金額の計算上控除してもなお控除することができない部分の金額として(1)で定めるところにより計算した金額（①の規定の適用を受けて控除されたものを除く。）をいう。（法附35の2の6⑤、令附18の5⑤）
　（注）　上場株式等については、3を参照。（編者）

　　（控除することができない部分の金額の計算）
（1）イに規定する控除することができない部分の金額として計算した金額は、上場株式等の譲渡をした年の末日の属する年度の翌年度の道府県民税に係る株式等に係る譲渡所得等の金額の計算上生じた損失の金額のうち、①のイの(4)に規定する特定譲渡損失の金額の合計額に達するまでの金額とする。（令附18の5⑥）

　　（留意事項）
（2）上場株式等に係る所得割の課税に当たっては、次の諸点に留意すること。（県通2－40の3(5)）
　　前年前3年内に生じたイに規定する上場株式等に係る譲渡損失の金額については、上場株式等に係る譲渡所得等の金額及び上場株式等に係る配当所得の金額を限度として繰越控除が認められるものであり、当該控除額については、所得税における繰越控除額と一致するものであること。

なお、この場合における上場株式等の譲渡損失の金額については、②の(1)の規定により順次控除するものであること。

6　特定口座内保管上場株式等の譲渡等に係る所得計算の特例

①　特定口座内保管上場株式等の譲渡をした場合

　道府県民税の所得割の納税義務者が前年中に租税特別措置法第37条の11の3第3項第2号に規定する上場株式等保管委託契約に基づき、同項第1号に規定する**特定口座**（その者が二以上の特定口座を有する場合には、それぞれの特定口座。以下①及び②において「特定口座」という。）に係る振替口座簿に記載若しくは記録がされ、又は特定口座に保管の委託がされている同法第37条の11の2第1項に規定する上場株式等（以下①において「**特定口座内保管上場株式等**」という。）の譲渡をした場合には、政令で定めるところにより、当該特定口座内保管上場株式等の譲渡による事業所得の金額、譲渡所得の金額又は雑所得の金額と当該特定口座内保管上場株式等の譲渡以外の株式等の譲渡による事業所得の金額、譲渡所得の金額又は雑所得の金額とを区分して、これらの金額を計算するものとする。（法附35の2の4①）

　（注）　「振替口座簿」、「譲渡」及び「株式等」については、3の②を参照。（編者）

　　　　（特定口座内保管上場株式等の譲渡に係る所得計算の特例）
　注　①に規定する特定口座内保管上場株式等の譲渡による事業所得の金額、譲渡所得の金額又は雑所得の金額の計算は、道府県民税の所得割の納税義務者が有するそれぞれの特定口座ごとに、当該特定口座に係る特定口座内保管上場株式等の譲渡による事業所得、譲渡所得又は雑所得と当該特定口座内保管上場株式等の譲渡以外の株式等（3の②に規定する株式等をいう。以下6において同じ。）の譲渡による事業所得、譲渡所得又は雑所得とを区分して、所得税法その他の所得税に関する法令の規定の例により当該特定口座内保管上場株式等の譲渡による事業所得の金額、譲渡所得の金額又は雑所得の金額を計算することにより行うものとする。（令附18の4①）

②　上場株式等の信用取引等を特定口座で処理した場合

　信用取引等（租税特別措置法第37条の11の3第2項《信用取引等に係る上場株式等の譲渡等の所得計算の特例》に規定する信用取引等をいう。以下②において同じ。）を行う道府県民税の所得割の納税義務者が前年中に同条第3項第3号に規定する上場株式等信用取引等契約に基づき同条第2項に規定する上場株式等の信用取引等を特定口座において処理した場合には、政令で定めるところにより、当該特定口座において処理した同項に規定する信用取引等に係る上場株式等の譲渡（以下②において「信用取引等に係る上場株式等の譲渡」という。）による事業所得の金額又は雑所得の金額と当該信用取引等に係る上場株式等の譲渡以外の株式等の譲渡による事業所得の金額又は雑所得の金額とを区分して、これらの金額を計算するものとする。（法附35の2の4②）

　　　　（特定口座で処理した信用取引等に係る上場株式等の譲渡に係る所得計算の特例）
　注　②に規定する信用取引等に係る上場株式等の譲渡による事業所得の金額又は雑所得の金額の計算は、道府県民税の所得割の納税義務者が有するそれぞれの特定口座ごとに、当該特定口座に係る信用取引等に係る上場株式等の譲渡による事業所得又は雑所得と当該信用取引等に係る上場株式等の譲渡以外の株式等の譲渡による事業所得又は雑所得とを区分して、所得税法その他の所得税に関する法令の規定の例により当該信用取引等に係る上場株式等の譲渡による事業所得の金額又は雑所得の金額を計算することにより行うものとする。（令附18の4②）

③　所得税の負担を減少させる結果となる場合

　租税特別措置法施行令第25条の10の2《特定口座内保管上場株式等の譲渡等に係る所得計算等の特例》第22項第3号の規定の適用がある場合における同号に規定する当該割当株式を受け入れた特定口座に係る特定株式等譲渡所得金額に係る所得の金額については、第二節五の3《特定株式等譲渡所得金額に係る所得の総所得金額からの除外》及び4《特定株式等譲渡所得金額に係る所得を申告したときの総所得金額からの除外の不適用》の規定は、適用しない。この場合における1の規定の適用については、1中「第二節五の4の規定により同3」とあるのは、「6の③の規定により第二節五の3」とする。（令附18の4③）

④　特定口座年間取引報告書等の申告書への添付

　前年中において1に規定する株式等に係る譲渡所得等を有する道府県内に住所を有する個人である道府県民税の納税義務者で租税特別措置法第37条の11の3第3項第1号に規定する金融商品取引業者等の営業所（国内にあるものに限る。）に

特定口座を開設していたものが第六節八の１《道府県民税の申告書》の①又は③に規定する申告書（六の５において準用する第六節八の１の④の規定による申告書を含む。以下④において同じ。）を提出する場合において、前年中に、①に規定する特定口座内保管上場株式等の譲渡による事業所得、譲渡所得若しくは雑所得又は②に規定する信用取引等に係る上場株式等の譲渡による事業所得若しくは雑所得の基因となる上場株式等（①に規定する上場株式等をいう。）の譲渡以外の株式等の譲渡がないときは、当該申告書を提出する場合における１の③の規定の適用については、租税特別措置法施行令第25条の10の10第２項に規定する特定口座年間取引報告書若しくはその写し又は当該特定口座年間取引報告書に記載すべき事項を記録した所得税法施行令第262条第２項に規定する電子証明書等に係る同条第１項に規定する電磁的記録印刷書面（以下④において「**特定口座年間取引報告書等**」という。）（二以上の特定口座を有する場合には、当該二以上の特定口座に係る特定口座年間取引報告書等及びこれらの合計表（総務省令で定める事項を記載したものをいう。））の添付をもって１の③に規定する明細書の添付に代えることができる。（令附18の４④）

（特定口座年間取引報告書等の申告書への添付）
（１）　第六節八の１の①の申告書又は同③の申告書（六の５において準用する第六節八の１の④の規定による申告書を含む。）に１の③に規定する明細書を添付すべき道府県民税の納税義務者は、当該申告書にこれらの明細書と併せて租税特別措置法施行令第25条の10の10第２項に規定する特定口座年間取引報告書若しくはその写し又は当該特定口座年間取引報告書に記載すべき事項を記録した所得税法施行令第262条第２項に規定する電子証明書等に係る同条第１項に規定する電磁的記録印刷書面（以下④において「特定口座年間取引報告書等」という。）（二以上の①に規定する特定口座（前年において租税特別措置法第37条の11の４第１項の規定の適用があるものを除く。以下（１）において「特定口座」という。）を有する場合には、当該二以上の特定口座に係る特定口座年間取引報告書等及びこれらの合計表（④に規定する合計表をいう。））の添付をする場合には、当該明細書には、１の③の規定にかかわらず、当該添付をする特定口座年間取引報告書等に記載がされた上場株式等に係るこれらの規定による記載は、要しない。（規附17①）

（特定口座年間取引報告書等の合計表の記載事項）
（２）　④に規定する総務省令で定める事項は、次に掲げる事項とする。（規附17②）
（一）　④の申告書を提出する者の氏名及び住所
（二）　当該申告書に添付する特定口座年間取引報告書等に記載されている租税特別措置法施行規則第18条の13の５第２項第６号イからハまでに掲げる金額、同項第７号イからハまでに掲げる金額及び同条第４項各号に掲げる金額のそれぞれの合計額
（三）　その他参考となるべき事項

7　源泉徴収選択口座内配当等に係る所得計算等の特例

道府県民税の所得割の納税義務者が支払を受ける源泉徴収選択口座内配当等については、注で定めるところにより、源泉徴収選択口座内配当等に係る利子所得の金額及び配当所得の金額と当該源泉徴収選択口座内配当等以外の利子等及び配当等（所得税法第24条第１項《配当所得の意義》に規定する配当等をいう。）に係る利子所得の金額及び配当所得の金額とを区別して、これらの金額を計算するものとする。（法附35の２の５①）
　（注）　源泉徴収選択口座内配当等に係る配当割の額の計算の特例については、第三章第三節二の２の③を参照。（編者）

（源泉徴収選択口座内配当等に係る配当所得の金額の計算）
注　道府県民税の所得割に係る源泉徴収選択口座内配当等（①に規定する源泉徴収選択口座内配当等をいう。）に係る配当所得の金額の計算は、当該所得割の納税義務者が有するそれぞれの源泉徴収選択口座〖５①ロ参照〗ごとに、源泉徴収選択口座に係る源泉徴収選択口座内配当等に係る配当所得の金額と当該源泉徴収選択口座内配当等以外の配当等（所得税法第24条第１項に規定する配当等をいう。）に係る配当所得の金額とを区分して、所得税法その他の所得税に関する法令の規定の例により源泉徴収選択口座内配当等に係る配当所得の金額を計算することにより行うものとする。（令附18の４の２①）

8　非課税口座内上場株式等の譲渡に係る所得計算の特例

①　非課税口座内上場株式等を譲渡した場合
道府県民税の所得割の納税義務者が、前年中に租税特別措置法第37条の14《非課税口座内の少額上場株式等に係る譲渡所得等の非課税》第５項第２号に規定する非課税上場株式等管理契約（以下８において「**非課税上場株式等管理契約**」と

いう。)、同項第4号に規定する非課税累積投資契約(以下8において「非課税累積投資契約」という。)又は同項第6号に規定する特定非課税累積投資契約(以下「特定非課税累積投資契約」という。)に基づき同法第37条の14第1項に規定する非課税口座内上場株式等(以下8において「非課税口座内上場株式等」という。)(その者が二以上の同法第37条の14第5項第1号に規定する非課税口座(以下8において**非課税口座**という。)を有する場合には、それぞれの非課税口座に係る非課税口座内上場株式等。以下8において同じ。)の譲渡をした場合には、注で定めるところにより、当該非課税口座内上場株式等の譲渡による事業所得の金額、譲渡所得の金額又は雑所得の金額と当該非課税口座内上場株式等以外の上場株式等の譲渡による事業所得の金額、譲渡所得の金額又は雑所得の金額とを区分して、これらの金額を計算するものとする。(法附35の3の2①)

(注) 「株式等」については2の②を参照。(編者)

(非課税口座内上場株式等の譲渡による所得の区分計算)
注 道府県民税の所得割の納税義務者が、①に規定する非課税口座内上場株式等(以下注において「非課税口座内上場株式等」という。)及び当該非課税口座内上場株式等以外の株式等(2の②に規定する株式等をいう。以下7において同じ。)を有する場合には、当該非課税口座内上場株式等の譲渡(①に規定する譲渡をいう。以下7において同じ。)による事業所得の金額、譲渡所得の金額又は雑所得の金額と当該非課税口座内上場株式等以外の株式等の譲渡による事業所得の金額、譲渡所得の金額又は雑所得の金額とを区分して、所得税法その他の所得税に関する法令の規定の例によりこれらの金額を計算するものとする。(令附18の6の2①)

② **非課税口座からの非課税口座内上場株式等の払出しがあった場合**
租税特別措置法第37条の14第4項各号に掲げる事由により、同条第5項第3号に規定する非課税管理勘定(以下8において「非課税管理勘定」という。)、同条第5項第5号に規定する累積投資勘定(以下8において「累積投資勘定」という。)、同条第5項第7号に規定する特定累積投資勘定(以下②において「特定累積投資勘定」という。)又は同条第5項第8号に規定する特定非課税管理勘定(以下②において「特定非課税管理勘定」という。)からの非課税口座内上場株式等の一部又は全部の払出し(振替によるものを含む。以下②において同じ。)があった場合には、当該払出しがあった非課税口座内上場株式等については、その事由が生じた時に、その時における価額として注で定める金額(以下②において「払出し時の金額」という。)により非課税上場株式等管理契約、非課税累積投資契約又は特定非課税累積投資契約に基づく譲渡があったものと、同条第4項第1号に掲げる移管、返還又は廃止による非課税口座内上場株式等の払出しがあった非課税管理勘定、累積投資勘定、特定累積投資勘定又は特定非課税管理勘定が設けられている非課税口座を開設し、又は開設していた道府県民税の所得割の納税義務者については、当該移管、返還又は廃止による払出しがあった時に、その払出し時の金額をもって当該移管、返還又は廃止による払出しがあった非課税口座内上場株式等の数に相当する数の当該非課税口座内上場株式等と同一銘柄の株式等を取得したものと、同項第2号に掲げる贈与又は相続若しくは遺贈により払出しがあった非課税口座内上場株式等を取得した道府県民税の所得割の納税義務者については、当該贈与又は相続若しくは遺贈の時に、その払出し時の金額をもって当該非課税口座内上場株式等と同一銘柄の株式等を取得したものとそれぞれみなして、①及び1の規定その他の道府県民税に関する規定を適用する。(法附35の3の2②)

(払出し時の金額の計算)
注 ②に規定するその事由が生じた時における価額として定める金額は、次の各号に掲げる株式等の区分に応じ当該各号に定める金額をその株式等の一単位当たりの価額として計算した金額とする。(令附18の6の2②)

(一)	取引所売買株式等(その売買が主として金融商品取引所(金融商品取引法第2条第16項に規定する金融商品取引所及びこれに類するもので外国の法令に基づき設立されたものをいう。以下(一)において同じ。)において行われている株式等をいう。以下(一)において同じ。)	金融商品取引所において公表された②に規定する事由(以下注において「払出事由」という。)が生じた日における当該取引所売買株式等の最終の売買の価格(公表された同日における最終の売買の価格がない場合には、公表された同日における最終の気配相場の価格とし、その最終の売買の価格及びその最終の気配相場の価格のいずれもない場合には、同日前の最終の売買の価格又は最終の気配相場の価格が公表された日で当該払出事由が生じた日に最も近い日におけるその最終の売買の価格又はその最終の気配相場の価格とする。)に相当する金額
(二)	店頭売買株式等(租税特別措置法施行令第25条の8第9項第2号に規定する店頭	金融商品取引法第67条の19の規定により公表された払出事由が生じた日における当該店頭売買株式等の最終の売買の価格(公表された

	売買登録銘柄として登録された株式等をいう。以下(二)において同じ。)	同日における最終の売買の価格がない場合には、公表された同日における最終の気配相場の価格とし、その最終の売買の価格及びその最終の気配相場の価格のいずれもない場合には、同日前の最終の売買の価格又は最終の気配相場の価格が公表された日で当該払出事由が生じた日に最も近い日におけるその最終の売買の価格又はその最終の気配相場の価格とする。)に相当する金額
(三)	その他価格公表株式等((一)及び(二)に掲げる株式等以外の株式等のうち、価格公表者(株式等の売買の価格又は気配相場の価格を継続的に公表し、かつ、その公表する価格がその株式等の売買の価格の決定に重要な影響を与えている場合におけるその公表をする者をいう。以下(三)において同じ。)によって公表された売買の価格又は気配相場の価格があるものをいう。以下(三)において同じ。)	価格公表者によって公表された払出事由が生じた日における当該その他価格公表株式等の最終の売買の価格(公表された同日における最終の売買の価格がない場合には、公表された同日における最終の気配相場の価格とし、その最終の売買の価格及びその最終の気配相場の価格のいずれもない場合には、同日前の最終の売買の価格又は最終の気配相場の価格が公表された日で当該払出事由が生じた日に最も近い日におけるその最終の売買の価格又はその最終の気配相場の価格とする。)に相当する金額
(四)	(一)から(三)までに掲げる株式等以外の株式等	その株式等の払出事由が生じた日における価額として合理的な方法により計算した金額

9　未成年者口座内上場株式等の譲渡に係る道府県民税の所得計算の特例

①　未成年者口座内上場株式等の譲渡をした場合

　道府県民税の所得割の納税義務者が、前年中に租税特別措置法第37条の14の2第5項第2号に規定する未成年者口座管理契約(以下9において「未成年者口座管理契約」という。)に基づき同法第37条の14の2第1項各号に規定する未成年者口座内上場株式等(以下9において「未成年者口座内上場株式等」という。)の譲渡をした場合には、政令で定めるところにより、当該未成年者口座内上場株式等の譲渡による事業所得の金額、譲渡所得の金額又は雑所得の金額と当該未成年者口座内上場株式等以外の上場株式等の譲渡による事業所得の金額、譲渡所得の金額又は雑所得の金額とを区分して、これらの金額を計算するものとする。(法附35の3の3①)

　　(注)　8の①の注の規定は、道府県民税の所得割の納税義務者が9の①に規定する未成年者口座管理契約に基づき9の①に規定する未成年者口座内上場株式等の譲渡をした場合について準用する。この場合において、8の①の注中「8の①」とあるのは「9の①」と、「非課税口座内上場株式等」とあるのは「未成年者口座内上場株式等」と読み替えるものとする。(令附18の6の3①)

②　みなし規定

　租税特別措置法第37条の14の2第4項各号に掲げる事由により、同条第5項第3号に規定する非課税管理勘定(以下9において「非課税管理勘定」という。)又は同項第4号に規定する継続管理勘定(以下9において「継続管理勘定」という。)からの未成年者口座内上場株式等の一部又は全部の払出し(振替によるものを含む。以下9において同じ。)があった場合には、当該払出しがあった未成年者口座内上場株式等については、その事由が生じた時に、その時における価額として政令で定める金額(以下9において「払出し時の金額」という。)により未成年者口座管理契約に基づく譲渡があったものと、同法第37条の14の2第4項第1号に掲げる移管若しくは返還又は同項第3号イに掲げる廃止による未成年者口座内上場株式等の払出しがあった非課税管理勘定又は継続管理勘定が設けられている未成年者口座を開設し、又は開設していた道府県民税の所得割の納税義務者については、当該移管若しくは返還又は廃止による払出しがあった時に、その払出し時の金額をもって当該移管若しくは返還又は廃止による払出しがあった未成年者口座内上場株式等の数に相当する数の当該未成年者口座内上場株式等と同一銘柄の株式等を取得したものと、同項第2号に掲げる相続若しくは遺贈又は同項第3号ロに掲げる贈与により払出しがあった未成年者口座内上場株式等を取得した道府県民税の所得割の納税義務者については、当該相続若しくは遺贈又は贈与の時に、その払出し時の金額をもって当該未成年者口座内上場株式等と同一銘柄の株式等を取得したものとそれぞれみなして、①並びに1、同①及び同②の規定その他の道府県民税に関する規定を適用する。(法附35の3の3②)

　　(注)　8の②の注の規定は、9の②に規定する政令で定める金額について準用する。この場合において、8の②の注中「8の②」とあるのは「9の②」と、「規定する事由」とあるのは「規定する事由又は第三章第四節二の2の④に規定する契約不履行等事由」と読み替えるものとする。(令附18の6の3②)

③ 契約不履行等事由が生じた場合

未成年者口座及び租税特別措置法第37条の14の2第5項第5号に規定する課税未成年者口座（第三編第一章第五節五の9の③において「課税未成年者口座」という。）を開設する道府県民税の所得割の納税義務者の同条第4項第3号に規定する基準年の前年12月31日又は令和5年12月31日のいずれか早い日までに契約不履行等事由が生じた場合には、次に定めるところにより、道府県民税に関する規定を適用する。この場合には、政令で定めるところにより、第1号から第3号までの規定による未成年者口座内上場株式等の譲渡による事業所得の金額、譲渡所得の金額及び雑所得の金額と当該未成年者口座内上場株式等以外の株式等の譲渡による事業所得の金額、譲渡所得の金額及び雑所得の金額とを区分して、これらの金額を計算するものとする。（法附35の3の3③）

(一)	当該未成年者口座の設定の時から契約不履行等事由が生じた時までの間にした未成年者口座内上場株式等の譲渡による事業所得、譲渡所得又は雑所得については、当該契約不履行等事由が生じた時に、当該未成年者口座内上場株式等の未成年者口座管理契約において定められた方法に従って行われる譲渡以外の譲渡があったものとみなす。
(二)	当該未成年者口座の設定の時から契約不履行等事由が生じた時までの間に租税特別措置法第37条の14の2第4項第1号に規定する他の保管口座又は非課税管理勘定若しくは継続管理勘定への移管（同条第5項第2号ヘ(1)に規定する政令で定める事由による移管を除く。以下同じ。）があった未成年者口座内上場株式等については②の規定の適用がなかったものとし、かつ、当該契約不履行等事由が生じた時に、その移管があった時における払出し時の金額により未成年者口座管理契約において定められた方法に従って行われる譲渡以外の譲渡があったものとみなす。
(三)	契約不履行等事由の基因となった未成年者口座内上場株式等及び契約不履行等事由が生じた時における当該未成年者口座に係る未成年者口座内上場株式等については、当該契約不履行等事由が生じた時に、その時における払出し時の金額により未成年者口座管理契約において定められた方法に従って行われる譲渡以外の譲渡があったものとみなす。
(四)	(二)の規定の適用を受ける当該未成年者口座を開設していた道府県民税の所得割の納税義務者については、(二)の移管があった時に、その時における払出し時の金額をもって当該移管による払出しがあった未成年者口座内上場株式等の数に相当する数の当該未成年者口座内上場株式等と同一銘柄の株式等の取得をしたものとみなす。
(五)	(三)の規定の適用を受ける当該未成年者口座を開設していた道府県民税の所得割の納税義務者については、当該契約不履行等事由が生じた時に、その時における払出し時の金額をもって(三)の未成年者口座内上場株式等（租税特別措置法第37条の14の2第5項第2号ヘ(2)に規定する譲渡又は贈与がされたものを除く。）の数に相当する数の当該未成年者口座内上場株式等と同一銘柄の株式等の取得をしたものと、(三)の未成年者口座内上場株式等を贈与により取得した者については、当該契約不履行等事由が生じた時に、その時における払出し時の金額をもって当該未成年者口座内上場株式等と同一銘柄の株式等の取得をしたものとそれぞれみなす。

(注) 8の①の注の規定は、第三章第三節二の2の③に規定する未成年者口座及び9の③に規定する課税未成年者口座を開設する道府県民税の所得割の納税義務者の9の③に規定する基準年の前年12月31日又は令和5年12月31日のいずれか早い日までに第三章第四節二の2の④に規定する契約不履行等事由が生じた場合に、9の③の表中(一)から(三)までの規定により未成年者口座内上場株式等の譲渡があったものとみなされたときについて準用する。この場合において、8の①の注中「、8の①」とあるのは「、9の①」と、「非課税口座内上場株式等」とあるのは「未成年者口座内上場株式等」と、「場合には、当該」とあるのは「場合には、9の③の表中(一)から(三)までの規定による」と、「①」とあるのは「(9の①」と読み替えるものとする。（令附18の6の3③）

④ 譲渡による収入金額が取得費等に満たない場合

③の場合において、③の表中(一)から(三)までの規定により譲渡があったものとみなされる未成年者口座内上場株式等に係る収入金額が所得税法第33条第3項の規定の例によって算定した当該未成年者口座内上場株式等の取得費及びその譲渡に要した費用の額の合計額又はその譲渡に係る必要経費に満たない場合におけるその不足額は、道府県民税に関する法令の規定の適用については、ないものとみなす。（法附35の3の3④）

六 特定中小会社が発行した株式に係る譲渡損失の繰越控除等及び譲渡所得等の課税の特例

1 特定中小会社が発行した株式が価値を失った場合の損失の特例

道府県民税の所得割の納税義務者（租税特別措置法第37条の13第1項に規定する特定中小会社（以下1において「**特定中小会社**」という。）の同条第1項に規定する特定株式（以下**六**において「**特定株式**」という。）を払込み（当該株式の発行に際してするものに限る。以下**六**において同じ。）により取得（同法第29条の2第1項本文《特定の取締役等が受ける新株予約権等の行使による株式の取得に係る経済的利益の非課税》の規定の適用を受けるものを除く。以下**六**において同じ。）

をしたもの（当該取得をした日においてその者を判定の基礎となる株主として選定した場合に当該特定中小会社が法人税法第２条第10号に規定する会社に該当することとなるときにおける当該株主その他の（１）で定める者であったものを除く。）又は租税特別措置法第37条の13の２第１項に規定する株式会社の同項に規定する設立特定株式を払込みにより取得をしたもの（当該株式会社の発起人であることその他の（６）で定める要件を満たすものに限る。）に限る。２において同じ。）について、租税特別措置法第37条の13の３第１項に規定する適用期間《当該特定中小会社の設立の日から当該特定中小会社が発行した株式の上場等の日の前日までの期間をいう。》（２の②において「適用期間」という。）内に、その有する当該払込みにより取得をした特定株式が株式としての価値を失ったことによる損失が生じた場合として同条第１項各号に掲げる事実《当該特定株式の発行会社が解散（合併による解散を除く。）をし、清算が結了したこと又は当該特定株式の発行会社が破産の宣告を受けたことをいう。》が発生したときは、同項各号に掲げる事実が発生したことは当該特定株式の譲渡をしたことと、当該損失の金額として（６）で定める金額は当該特定株式の譲渡をしたことにより生じた損失の金額とそれぞれみなして、**六**及び**五**の１の規定その他の道府県民税に関する規定を適用する。（法附35の３①）

（適用除外）
（１） １の特例の対象となる所得割の納税義務者から除かれる者は、次に掲げる者とする。（令附18の６①）

（一）	１に規定する特定株式を払込み（１に規定する払込みをいう。以下同じ。）により取得（１に規定する取得をいう。以下同じ。）をした日として（２）で定める日において、（３）で定める方法により判定した場合に当該特定株式を発行した特定中小会社（１に規定する特定中小会社をいう。以下同じ。）が法人税法第２条第10号に規定する会社に該当することとなるときにおける当該判定の基礎となる株主として（４）で定める者
（二）	当該特定株式を発行した特定中小会社の設立に際し、当該特定中小会社に自らが営んでいた事業の全部を承継させた個人（以下（１）において「特定事業主であった者」という。）
（三）	特定事業主であった者の親族
（四）	特定事業主であった者とまだ婚姻の届出をしていないが事実上婚姻関係と同様の事情にある者
（五）	特定事業主であった者の使用人
（六）	（三）から（五）までに掲げる者以外の者で、特定事業主であった者から受ける金銭その他の資産によって生計を維持しているもの
（七）	（四）から（六）までに掲げる者と生計を一にするこれらの者の親族
（八）	（一）から（七）までに掲げる者以外の者で、特定中小会社との間で当該特定株式に係る投資に関する条件を定めた契約として（５）で定める契約を締結していないもの

（総務省令で定める日）
（２） （１）の（一）に規定する（２）で定める日は、次の各号に掲げる特定株式の区分に応じ当該各号に定める日とする。（規附20①）
　（一）　特定中小会社の設立の際に発行された特定株式　　当該特定中小会社の成立の日
　（二）　特定中小会社の設立の日後に発行された特定株式　　当該特定株式の払込期日

（総務省令で定める方法）
（３） （１）の（一）に規定する（３）で定める方法は、会社が法人税法第２条第10号に規定する会社（（４）において「同族会社」という。）に該当するかどうかを判定する場合におけるその判定の方法とする。（規附20②）

（総務省令で定める者）
（４） （１）の（一）に規定する（４）で定める者は、当該特定株式を発行した特定中小会社（同族会社に該当するものに限る。）の株主のうち、その者を法人税法施行令第71条第１項の役員であるとした場合に同項第４号イに掲げる要件を満たすこととなる当該株主とする。（規附20③）

（総務省令で定める契約）
（５） （１）の（八）に規定する（５）で定める契約は、特定中小会社との間で締結する特定株式に係る投資に関する条件を定めた契約で中小企業等経営強化法施行規則第11条第２項第３号ロに規定する投資に関する契約に該当するものとす

　　　　（政令で定める要件）
(6)　1に規定する(6)で定める要件は、次に掲げる要件とする。（令附18の6②）
一　租税特別措置法第37条の13の2第1項に規定する株式会社（以下「特定株式会社」という。）の同条第1項に規定する設立特定株式（以下「設立特定株式」という。）を払込みにより取得をした道府県民税の所得割の納税義務者が当該特定株式会社の発起人であること。
二　当該道府県民税の所得割の納税義務者が次に掲げる者に該当しないこと。
　イ　当該設立特定株式を発行した特定株式会社の設立に際し、当該特定株式会社に自らが営んでいた事業の全部を承継させた個人（以下「特定事業主であった者」という。）
　ロ　特定事業主であった者の親族
　ハ　特定事業主であった者と婚姻の届出をしていないが事実上婚姻関係と同様の事情にある者
　ニ　特定事業主であった者の使用人
　ホ　ロからニまでに掲げる者以外の者で、特定事業主であった者から受ける金銭その他の資産により生計を維持しているもの
　ヘ　ハからホまでに掲げる者と生計を一にするこれらの者の親族

　　　　（損失の金額）
(7)　1に規定する損失の金額は、次の各号に掲げる場合の区分に応じ、当該各号に定める金額とする。（令附18の6③）

(一)	払込みにより取得をした1に規定する租税特別措置法第37条の13の3第1項各号に掲げる事実（以下(7)において「事実」という。）の発生に係る特定株式（以下(7)において「価値喪失株式」という。）が事業所得の基因となる株式である場合	当該事実が発生した日を所得税法施行令第105条第1項に規定するその年12月31日とみなして同項第1号に掲げる方法により当該価値喪失株式に係る1株当たりの取得価額に相当する金額を算出した場合における当該金額に当該事実の発生の直前において有する当該価値喪失株式の数を乗じて計算した金額
(二)	価値喪失株式が譲渡所得又は雑所得の基因となる株式である場合	当該事実が発生した時を所得税法施行令第118条第1項に規定する譲渡の時とみなして同項に定める方法により当該価値喪失株式に係る1株当たりの金額に相当する金額を算出した場合における当該金額に当該事実の発生の直前において有する当該価値喪失株式の数を乗じて計算した金額

　　　　（適用の手続）
(8)　1の規定は、（注）で定めるところにより、1に規定する事実が発生した年の末日の属する年度の翌年度分の第六節八の1《道府県民税の申告書》の①又は③の規定による申告書（その提出期限後において道府県民税の納税通知書が送達される時までに提出されたもの及びその時までに提出された同3《確定申告書》の①の確定申告書を含む。）に1の規定の適用を受けようとする旨の記載があるとき（これらの申告書にその記載がないことについてやむを得ない理由があると市町村長が認めるときを含む。）に限り、適用する。（法附35の3②）
　　（注）　1の規定の適用を受けようとする者は、(8)の申告書（5において準用する第六節八の1の④の規定による申告書（その提出期限後において道府県民税の納税通知書が送達される時までに提出されたもの及びその時までに提出された租税特別措置法第37条の13の2第7項において準用する同法第37条の12の2第11項において準用する所得税法第123条第1項の規定による申告書を含む。）を含む。）に、1の規定の適用を受けようとする旨を記載しなければならない。ただし、これらの申告書にその旨の記載がないことについてやむを得ない理由があると市町村長が認めるときは、この限りでない。（令附18の6④）

　　　　（上場株式等に係る譲渡所得等の控除金額）
(9)　道府県民税の所得割の納税義務者の特定株式に係る譲渡損失の金額は、当該特定株式に係る譲渡損失の金額の生じた年の末日の属する年度の翌年度分の第六節八の1の①又は同③の規定による申告書（その提出期限後において道府県民税の納税通知書が送達される時までに提出されたもの及びその時までに提出された第六節八の3の①の確定申告書を含む。）に当該特定株式に係る譲渡損失の金額の控除に関する事項について記載があるとき（これらの申告書にその記載がないことについてやむを得ない理由があると市町村長が認めるときを含む。）に限り、五の1後段の規定に

かかわらず、当該納税義務者の五の２に規定する上場株式等に係る譲渡所得等の金額を限度として、当該上場株式等に係る譲渡所得等の金額の計算上控除する。（法附35の３③）

　　　（読替規定）
(10)　（９）の規定の適用がある場合における五の２の規定の適用については、五の２中「計算した金額（」とあるのは、「計算した金額（（９）の規定の適用がある場合には、その適用後の金額とし、」とする。（法附35の３④）

２　特定株式に係る譲渡損失の繰越控除

①　譲渡損失の繰越控除

　道府県民税の所得割の納税義務者の前年前３年内の各年に生じた特定株式に係る譲渡損失の金額（１の(９)又は①の規定により前年前において控除されたものを除く。）は、当該特定株式に係る譲渡損失の金額の生じた年の末日の属する年度の翌年度の道府県民税について特定株式に係る譲渡損失の金額の控除に関する事項を記載した第六節八の１の①又は③の規定による申告書（５において準用する同節八の１の④の規定による申告書を含む。以下①において同じ。）を提出した場合（市町村長においてやむを得ない事情があると認める場合には、これらの申告書をその提出期限後において道府県民税の納税通知書が送達される時までに提出した場合を含む。）において、その後の年度分の道府県民税について連続してこれらの申告書（その提出期限後において道府県民税の納税通知書が送達される時までに提出されたものを含む。）を提出しているときに限り、**五の１**の後段の規定にかかわらず、(１)で定めるところにより、当該納税義務者の同１に規定する一般株式等に係る譲渡所得等の金額及び五の２に規定する上場株式等に係る譲渡所得等の金額（１の(９)の規定の適用がある場合には、その適用後の金額。以下①において同じ。）を限度として、当該一般株式等に係る譲渡所得等の金額及び上場株式等に係る譲渡所得等の金額の計算上控除する。（法附35の３⑤）

　　　（特定株式に係る譲渡損失の控除順序）
(１)　①の規定による特定株式に係る譲渡損失の金額（②に規定する特定株式に係る譲渡損失の金額をいう。以下(１)及び５の(１)において同じ。）の控除については、次に定めるところによる。（令附18の６⑤、平20改令附３⑮）
　（一）　控除する特定株式に係る譲渡損失の金額が前年前３年内の２以上の年に生じたものである場合には、これらの年のうち最も前の年に生じた特定株式に係る譲渡損失の金額から順次控除するものとし、前年前３年内の一の年において生じた特定株式に係る譲渡損失の金額の控除をする場合において、前年の①に規定する株式等に係る譲渡所得等の金額のうちに五の３に規定する上場株式等に係る譲渡所得等の金額があるときは、当該特定株式に係る譲渡損失の金額は、まず、当該株式等に係る譲渡所得等の金額から当該上場株式等に係る譲渡所得等の金額を控除した残額から控除し、なお控除することができない損失の金額があるときは、当該上場株式等に係る譲渡所得等の金額から控除する。
　（二）　第二節三の２《変動所得の損失・被災事業用資産の損失・雑損失の繰越控除》（雑損失の金額に係る部分に限る。）の規定による控除が行われる場合には、まず、①の規定による控除を行った後、同２（雑損失の金額に係る部分に限る。）の規定による控除を行う。

　　　（特定投資株式の譲渡損失明細書の添付）
(２)　前年中に生じた②に規定する特定株式に係る譲渡損失の金額について、①の規定によって、その損失の生じた年の末日の属する年度の翌々年度以降の年度分の五の１に規定する一般株式等に係る譲渡所得等の金額の計算上控除を受けようとする道府県民税の納税義務者は、第六節八の１の①の申告書又は③の申告書（５において準用する第六節八の１の④の規定による申告書を含む。）に、第53号様式による附属申告書《特定投資株式の譲渡損失明細書》を添付しなければならない。（規附20⑦）

　　　（特定投資株式の譲渡損失繰越控除明細書の添付）
(３)　前年前３年内の各年に生じた②に規定する特定株式に係る譲渡損失の金額（①の規定により前年前において控除されたものを除く。）について、①の規定によって、五の１に規定する株式等に係る譲渡所得等の金額の計算上控除を受けようとする道府県民税の納税義務者は、第六節八の１の①の申告書又は③の申告書（５において準用する第六節八の１の④の規定による申告書を含む。）に、第54号様式による附属申告書《特定投資株式の譲渡損失繰越控除明細書》を添付しなければならない。（規附20⑧）

② 特定株式に係る譲渡損失の金額

　1の(9)及び①に規定する特定株式に係る譲渡損失の金額とは、当該道府県民税の所得割の納税義務者が、適用期間〚1参照〛内に、その払込みにより取得をした特定株式の譲渡（租税特別措置法第37条の13の3第8項に規定する譲渡をいう。）をしたことにより生じた損失の金額として(1)で定めるところにより計算した金額のうち、当該納税義務者の当該譲渡をした年の末日の属する年度の翌年度の道府県民税に係る**五**の1に規定する一般株式等に係る譲渡所得等の金額の計算上控除してもなお控除することができない部分の金額として(3)で定めるところにより計算した金額をいう。（法附35の3⑥）

　　（特定株式の譲渡をしたことにより生じた損失の金額として計算した金額）
（1）　②に規定する特定株式の譲渡をしたことにより生じた損失の金額として計算した金額は、次の各号に掲げる場合の区分に応じ、当該各号に定める金額とする。（令附18の6⑥）

(一)	当該損失の金額が、②に規定する適用期間（(二)において「適用期間」という。）内に、払込みにより取得をした特定株式で事業所得又は雑所得の基因となるものの譲渡（②に規定する譲渡をいう。以下(一)及び(二)において同じ。）をしたことにより生じたものである場合（(三)に掲げる場合を除く。）	所得税法その他の所得税に関する法令の規定の例により計算した当該特定株式の譲渡による事業所得の金額又は雑所得の金額の計算上生じた損失の金額として総務省令で定めるところにより計算した金額
(二)	当該損失の金額が、適用期間内に、払込みにより取得をした特定株式で譲渡所得の基因となるものの譲渡をしたことにより生じたものである場合（(三)に掲げる場合を除く。）	所得税法その他の所得税に関する法令の規定の例により計算した当該特定株式の譲渡による譲渡所得の金額の計算上生じた損失の金額
(三)	当該損失の金額が1の規定により1の特定株式の譲渡をしたことにより生じたものとみなされたものである場合	1の(7)各号に掲げる場合の区分に応じ、当該各号に定めるところにより計算した金額

　　（総務省令で定めるところにより計算した金額）
（2）　(1)の(一)の右欄に規定する総務省令で定めるところにより計算した金額は、特定株式の譲渡（(1)の(一)に規定する譲渡をいう。）による事業所得又は雑所得と当該特定株式以外の一般株式等の譲渡による事業所得又は雑所得とを区分して当該特定株式の譲渡に係る事業所得の金額又は雑所得の金額を計算した場合にこれらの金額の計算上生ずる損失の金額に相当する金額とする。この場合において、当該特定株式の譲渡をした日の属する年分の一般株式等の譲渡に係る事業所得の金額又は雑所得の金額の計算上必要経費に算入されるべき金額のうちに当該特定株式の譲渡と当該特定株式以外の一般株式等の譲渡の双方に関連して生じた金額（以下(2)において「共通必要経費の額」という。）があるときは、当該共通必要経費の額は、これらの所得を生ずべき業務に係る収入金額その他の基準のうち当該業務の内容及び費用の性質に照らして合理的と認められるものにより当該特定株式の譲渡に係る必要経費の額と当該特定株式以外の一般株式等の譲渡に係る必要経費の額とに配分するものとする。（規附20⑤）
　　（注）　(2)中___部分を加える令和6年度改正規定は、令和7年1月1日以後適用する。（令6改規附1一）

　　（控除することができない部分の金額として計算した金額）
（3）　②に規定する控除することができない部分の金額として計算した金額は、特定株式の譲渡をした年の末日の属する年度の翌年度の道府県民税に係る②に規定する株式等に係る譲渡所得等の金額の計算上生じた損失の金額（当該損失の金額のうちに五の4の①のイに規定する上場株式等に係る譲渡損失の金額がある場合には、当該上場株式等に係る譲渡損失の金額を控除した金額）のうち、特定譲渡損失の金額の合計額に達するまでの金額とする。（令附18の6⑦）
　　（注）　(3)中___部分「譲渡」を「②に規定する譲渡（(4)において「特定株式の譲渡」という。）」に改める令和6年度改正規定は、令和7年1月1日以後適用する。（令6改令附1一）

　　（特定譲渡損失の金額）
（4）　(3)に規定する特定譲渡損失の金額とは、特定株式の譲渡をした年中の一般株式等（五の1の①に規定する一般株式等をいう。）の譲渡による事業所得、譲渡所得又は雑所得について、所得税法その他の所得税に関する法令の規定の例により計算した当該株式等の譲渡に係る事業所得の金額の計算上生じた損失の金額、譲渡所得の金額の計算上生

じた損失の金額又は雑所得の金額の計算上生じた損失の金額のうち、それぞれその所得の基因となる特定株式の譲渡に係る(1)各号に掲げる金額の合計額に達するまでの金額をいう。(令附18の6⑧)
(注) (4)中＿＿部分を削る令和6年度改正規定は、令和7年1月1日以後適用する。(令6改令附1一)

3　払込みにより取得をした特定株式とその他の特定株式を譲渡した場合

特定株式を払込みにより取得をした道府県民税の所得割の納税義務者が、当該払込みにより取得をした特定株式、払込み以外の方法により取得をした当該特定株式又は当該特定株式と同一銘柄の株式で特定株式に該当しないものの譲渡(**五の3の①に規定する譲渡をいう。以下同じ。**)をした場合（当該譲渡の時の直前において当該道府県民税の所得割の納税義務者に当該払込みにより取得をした特定株式に係る特定残株数がある場合に限る。）には、これらの株式（以下「同一銘柄株式」という。）の譲渡については、当該譲渡をした当該同一銘柄株式のうち当該譲渡の時の直前における当該払込みにより取得をした当該特定株式に係る特定残株数に達するまでの部分に相当する数の株式が当該払込みにより取得をした当該特定株式に該当するものとみなして、**六**その他の道府県民税に関する規定を適用する。(令附18の6⑨)
(注) 3中＿＿部分を加える令和6年度改正規定は、令和7年1月1日以後適用する。(令6改令附1一)

（特定残株数）
注　3及び4に規定する特定残株数は、同一銘柄の株式に係る(一)に掲げる数から当該同一銘柄の株式に係る(二)に掲げる数を控除した数をいうものとし、特定分割等株式を有することとなったことがある場合又は特定無償割当て株式を有することとなったことがある場合においてこれらの号に掲げる数の算出をするときは、当該特定分割等株式又は特定無償割当て株式を有することとなった時（当該特定分割等株式又は特定無償割当て株式を有することとなった時が二以上ある場合には、最後の当該特定分割等株式又は特定無償割当て株式を有することとなった時）以後にされた特定株式の払込みによる取得又は株式の譲渡若しくは贈与を基礎として計算するものとする。(令附18の6⑫)
(一)　払込みにより取得をした特定株式の数（払込みによる取得が二以上ある場合には、当該二以上の払込みによる取得をした特定株式の数の合計数）
(二)　特定株式の払込みによる取得の時（払込みによる取得が二以上ある場合には、最初の払込みによる取得の時）以後に譲渡又は贈与をした株式の数

4　特定分割等株式・特定無償割当て株式を有することとなった場合

① 特定分割等株式を有することとなった場合

特定株式を払込みにより取得をした道府県民税の所得割の納税義務者が、その有する当該特定株式に係る同一銘柄株式につき所得税法施行令第110条第1項に規定する分割又は併合後の所有株式（以下**六**において「特定分割等株式」という。）を有することとなった場合（当該特定分割等株式を有することとなった時の直前において当該道府県民税の所得割の納税義務者に当該同一銘柄株式に係る特定残株数がある場合に限る。）には、当該特定分割等株式のうち当該特定分割等株式の数に(一)に掲げる数のうちに(二)に掲げる数の占める割合を乗じて得た数（1未満の端数があるときは、これを切り捨てる。）に相当する株式を有することとなったことはその有することとなった時において当該割合を乗じて得た数に相当する特定株式を払込みにより取得をしたこととみなして、**六**その他の道府県民税に関する規定を適用する。(令附18の6⑩)
(一)　当該特定分割等株式を有することとなった時の直前において有する当該同一銘柄株式の数
(二)　当該特定分割等株式を有することとなった時の直前における当該特定株式に係る特定残株数
(注) 4の①及び②の特定残株数については、3の(1)を参照。(編者)

② 特定無償割当て株式を有することとなった場合

特定株式を払込みにより取得をした道府県民税の所得割の納税義務者が、その有する当該特定株式に係る同一銘柄株式につき所得税法施行令第111条第2項に規定する株式無償割当て後の所有株式（以下**六**において「特定無償割当て株式」という。）を有することとなった場合（当該特定無償割当て株式を有することとなった時の直前において当該道府県民税の所得割の納税義務者に当該同一銘柄株式に係る特定残株数がある場合に限る。）には、当該特定無償割当て株式のうち当該特定無償割当て株式の数に(一)に掲げる数のうち(二)に掲げる数の占める割合を乗じて得た数（1未満の端数があるときは、これを切り捨てる。）に相当する株式を有することとなったことはその有することとなった時において当該割合を乗じて得た数に相当する特定株式を払込みにより取得をしたこととみなして、**六**の規定その他の道府県民税に関する規定を適用する。(令附18の6⑪)
(一)　当該特定無償割当て株式を有することとなった時の直前において有する当該同一銘柄株式の数

(二) 当該特定無償割当て株式を有することとなった時の直前における当該特定株式に係る特定残株数

5 給与所得以外の所得又は公的年金等に係る所得以外の所得を有しない者等に特定株式に係る譲渡損失の金額がある場合の申告

　第六節八の1の④《給与所得以外の所得又は公的年金等に係る所得以外の所得を有しない者等に純損失又は雑損失の金額がある場合の申告》の規定は、同1の①ただし書に規定する者（同1の②の規定により同①の申告書を提出する義務を有する者を除く。）が、当該年度の翌年度以後の年度において2の①の規定の適用を受けようとする場合であって、当該年度の道府県民税について第六節八の1の③の規定による申告書を提出すべき場合及び同④の規定により同①の申告書を提出することができる場合のいずれにも該当しない場合について準用する。この場合において、同④中「純損失又は雑損失の金額」とあるのは「第五節六の2の②に規定する特定株式に係る譲渡損失の金額」と、「3月15日までに①の」とあるのは「3月15日までに、総務省令の定めるところにより、同2の①に規定する特定株式に係る譲渡損失の金額の控除に関する事項その他の政令で定める事項を記載した」と読み替える。（法附35の3⑧）

　　（注）　5において準用する第六節八の1の④の規定による申告書の様式は、第5号の4様式によるものとする。（規附20⑥）

　　　（政令で定める事項）
（1）　5において読み替えて準用する第六節八の1の④に規定する政令で定める事項は、次に掲げる事項とする。（令附18の6⑬⑭）
　　（一）　前年の総所得金額、退職所得金額、山林所得金額、土地等に係る事業所得等の金額、長期譲渡所得の金額、短期譲渡所得の金額又は先物取引に係る雑所得等の金額
　　（二）　2の①に規定する特定株式に係る譲渡損失の金額の控除に関する事項
　　（三）　（一）及び（二）に掲げるもののほか、道府県民税の賦課徴収について必要な事項

　　　（留意事項）
（2）　前年前3年内に生じた5に規定する特定株式に係る譲渡損失の金額は、一般株式等に係る譲渡所得等の金額及び上場株式等に係る譲渡所得等の金額を限度として繰越控除が認められるものであること。（県通2－40の4）

七　先物取引に係る雑所得等の課税の特例

1　先物取引に係る雑所得等の分離課税に係る所得割の額

　道府県は、当分の間、道府県民税の所得割の納税義務者が前年中に租税特別措置法第41条の14第1項《先物取引に係る雑所得等の課税の特例》に規定する事業所得、譲渡所得又は雑所得を有する場合には、当該事業所得、譲渡所得及び雑所得については、第二節一の1《所得割の課税標準の算定》、2《所得割の総所得金額等の算定方法》並びに第四節一の1《所得割の税率》の規定にかかわらず、他の所得と区分し、前年中の当該事業所得の金額、譲渡所得の金額及び雑所得の金額として①で定めるところにより計算した金額（2の規定の適用がある場合には、その適用後の金額。以下1において「**先物取引に係る雑所得等の金額**」という。）に対し、先物取引に係る課税雑所得等の金額（先物取引に係る雑所得等の金額（総所得金額からの所得控除の控除不足額がある場合には、第三節三の2《二以上の所得金額がある場合の所得控除の順序》で定めるところにより、当該控除不足額を控除した額）をいう。）の100分の2（当該納税義務者が指定都市の区域内に住所を有する場合には、100分の1）に相当する金額に相当する道府県民税の所得割を課する。この場合において、先物取引に係る雑所得等の金額の計算上生じた損失の金額があるときは、道府県民税に関する規定の適用については、当該損失の金額は生じなかったものとみなす。（法附35の4①、②三、35の4の2③）

① 先物取引に係る雑所得等の金額の計算

　1に規定する事業所得の金額、譲渡所得の金額及び雑所得の金額として計算した金額は、1に規定する事業所得、譲渡所得及び雑所得（②において「先物取引に係る雑所得等」という。）の基因となる先物取引（租税特別措置法第41条の14第1項に規定する先物取引をいう。以下①において同じ。）による事業所得、譲渡所得及び雑所得について所得税法その他の所得税に関する法令の規定の例により計算した当該先物取引による事業所得の金額、譲渡所得の金額及び雑所得の金額の合計とする。この場合において、これらの金額の計算上生じた損失の金額があるときは、当該損失の金額は、当該損失の金額が生じた年において、次の各号に掲げる損失の金額の区分に応じ、当該各号に定める所得の金額から控除する。（令附18の7①）

　（一）　当該先物取引による事業所得の金額の計算上生じた損失の金額　　当該先物取引による譲渡所得の金額及び雑所得

の金額
(二) 当該先物取引による譲渡所得の金額の計算上生じた損失の金額　当該先物取引による事業所得の金額及び雑所得の金額
(三) 当該先物取引による雑所得の金額の計算上生じた損失の金額　当該先物取引による事業所得の金額及び譲渡所得の金額

(注) 次の諸点に留意すること。（県通２－41なお書）
　イ　先物取引に係る雑所得等の金額の計算上生じた損失の金額は、先物取引に係る所得の金額からは控除できるが、それ以外の他の所得の金額から控除できないこととされ、また、先物取引に係る所得の金額の計算上生じた損失の金額は、先物取引に係る事業所得、譲渡所得及び雑所得の金額から控除できないことに留意すること。
　ロ　前年前３年内に生じた２の①に規定する先物取引の差金等決済に係る損失の金額については、先物取引に係る雑所得等の金額を限度として繰越控除が認められるものであること。

② 先物取引に係る雑所得等の金額の計算明細書の添付
　前年中において先物取引に係る雑所得等を有する第一節二《課税団体及び納税義務者》の(一)《道府県内に住所を有する個人》の者が、第六節八の１の①《申告書の記載事項等》に規定する申告書を提出する場合には、総務省令で定めるところにより、当該先物取引に係る雑所得等の金額の計算に関する明細書を当該申告書に添付しなければならない。（令附18の７②）

(注) ②に規定する総務省令で定める明細書は、租税特別措置法施行規則第19条の７第１項に掲げる項目を記載した先物取引に係る雑所得等の金額の計算に関する明細書とする。（規附21）

２　先物取引の差金等決済に係る損失の繰越控除

　道府県民税の所得割の納税義務者の前年前３年内の各年に生じた先物取引の差金等決済に係る損失の金額（２の規定により前年前において控除されたものを除く。）は、当該先物取引の差金等決済に係る損失の金額の生じた年の末日の属する年度の翌年度の道府県民税について先物取引の差金等決済に係る損失の金額の控除に関する事項を記載した第六節八の１の①《申告書の記載事項等》又は③《給与所得以外の所得又は公的年金等に係る所得を有しない者が雑損控除等の控除を受ける場合の申告》の規定による申告書（③において準用する同八の１の④の規定による申告書を含む。以下２において同じ。）を提出した場合（市町村長においてやむを得ない事情があると認める場合には、これらの申告書をその提出期限後において道府県民税の納税通知書が送達される時までに提出した場合を含む。）において、その後の年度分の道府県民税について連続してこれらの申告書（その提出期限後において道府県民税の納税通知書が送達される時までに提出されたものを含む。）を提出しているときに限り、１の後段の規定にかかわらず、②で定めるところにより、当該納税義務者の１に規定する先物取引に係る雑所得等の金額を限度として、当該先物取引に係る雑所得等の金額の計算上控除する。（法附35の４の２①）

① 先物取引の差金等決済に係る損失の金額
　２に規定する先物取引の差金等決済に係る損失の金額とは、当該道府県民税の所得割の納税義務者が、租税特別措置法第41条の14第１項に規定する先物取引の同項に規定する差金等決済をしたことにより生じた損失の金額として(1)で定めるところにより計算した金額のうち、当該納税義務者の当該差金等決済をした年の末日の属する年度の翌年度の道府県民税に係る１に規定する先物取引に係る雑所得等の金額の計算上控除してもなお控除することができない部分の金額として(2)で定めるところにより計算した金額をいう。（法附35の４の２②）

　　（差金等決済をしたことにより生じた損失の金額）
(1) ①に規定する先物取引の差金等決済をしたことにより生じた損失の金額として計算した金額は、所得税法その他の所得税に関する法令の規定の例により計算した①に規定する先物取引の①に規定する差金等決済（(2)において「先物取引の差金等決済」という。）による事業所得の金額、譲渡所得の金額又は雑所得の金額の計算上生じた損失の金額とする。（令附18の７の２②）

　　（控除することができない部分の金額）
(2) ①に規定する控除することができない部分の金額として計算した金額は、先物取引の差金等決済をした年の末日の属する年度の翌年度の道府県民税に係る①に規定する先物取引に係る雑所得等の金額の計算上生じた損失の金額とする。（令附18の７の２③）

② 控除の方法
　2の規定による先物取引の差金等決済に係る損失の金額（①に規定する先物取引の差金等決済に係る損失の金額をいう。(一)及び③の注の(二)において同じ。）の控除については、次に定めるところによる。（令附18の7の2①）
(一) 控除する先物取引の差金等決済に係る損失の金額が前年前3年内の2以上の年に生じたものである場合には、これらの年のうち最も前の年に生じた先物取引の差金等決済に係る損失の金額から順次控除する。
(二) 第二節三の2《変動所得の損失・被災事業用資産の損失・雑損失の繰越控除》（雑損失の金額に係る部分に限る。）の規定による控除が行われる場合には、まず、2の規定による控除を行った後、同節三の2（雑損失の金額に係る部分に限る。）の規定による控除を行う。

　　　（先物取引の差金等決済に係る損失明細書の添付）
（1）前年中に生じた①に規定する先物取引の差金等決済に係る損失の金額について、2の規定によって、その損失の生じた年の末日の属する年度の翌々年度以降の年度分の1に規定する先物取引に係る雑所得等の金額の計算上控除を受けようとする道府県民税の納税義務者は、第六節八の1の①の申告書又は同③の申告書（③において準用する第六節八の1の④の規定による申告書を含む。）に、第58号様式による附属申告書を添付しなければならない。（規附21の2②）

　　　（先物取引の差金等決済に係る損失の繰越控除明細書の添付）
（2）前年前3年内の各年に生じた①に規定する先物取引の差金等決済に係る損失の金額（2の規定により前年前において控除されたものを除く。）について、2の規定によって、1に規定する先物取引に係る雑所得等の金額の計算上控除を受けようとする道府県民税の納税義務者は、第六節八の1の①の申告書又は同③の申告書（③において準用する第六節八の1の④の規定による申告書を含む。）に、第59号様式による附属申告書を添付しなければならない。（規附21の2③）

③ 給与所得以外の所得又は公的年金等に係る所得以外の所得を有しない者等が先物取引の差金等決済に係る損失の繰越控除を受ける場合の申告
　第六節八の1の④《給与所得以外の所得又は公的年金等に係る所得以外の所得を有しない者等に純損失又は雑損失の金額がある場合の申告》の規定は、同1の①ただし書に規定する者（同1の②の規定によって同1の①の申告書を提出する義務を有する者を除く。）が、当該年度の翌年度以後の年度において2の規定の適用を受けようとする場合であって、当該年度の道府県民税について第六節八の1の③の規定による申告書を提出すべき場合及び同1の④の規定によって同1の①の申告書を提出することができる場合のいずれにも該当しない場合について準用する。この場合において、同1の④中「純損失又は雑損失の金額」とあるのは「第五節七の2の①に規定する先物取引の差金等決済に係る損失の金額」と、「3月15日までに①の」とあるのは「3月15日までに、総務省令の定めるところによって、同2に規定する先物取引の差金等決済に係る損失の金額の控除に関する事項その他の政令で定める事項を記載した」と、「市町村民税に関する申告書」とあるのは「第三編第一章第五節七の2の③において準用する市町村民税に関する申告書」と読み替えるものとする。（法附35の4の2④）
　（注）③において準用する第六節八の1の④の規定による申告書の様式は、第5号の4様式によるものとする。（規附21の2①）

　　　（政令で定める事項）
　注　③において読み替えて準用する第六節八の1の④に規定する政令で定める事項は、次に掲げる事項とする。（令附18の7の2④⑤）
(一) 前年の総所得金額、退職所得金額、山林所得金額、上場株式等に係る配当所得の金額、土地等に係る事業所得等の金額、長期譲渡所得の金額、短期譲渡所得の金額又は株式等に係る譲渡所得等の金額
(二) 2に規定する先物取引の差金等決済に係る損失の金額の控除に関する事項
(三) 前2号に掲げるもののほか、道府県民税の賦課徴収について必要な事項

八　東日本大震災に係る土地建物等の譲渡所得の課税の特例

1　東日本大震災に係る被災居住用財産に係る譲渡期限の延長等の特例
　その有する家屋でその居住の用に供していたものが警戒区域設定指示等（震災特例法第11条の7第3項に規定する警戒区域設定指示等をいう。以下同じ。）が行われた日において当該警戒区域設定指示等の対象区域内に所在し、当該警戒区域

設定指示等が行われたことによりその居住の用に供することができなくなった道府県民税の所得割の納税義務者が、当該居住の用に供することができなくなった家屋又は当該家屋及び当該家屋の敷地の用に供されている土地等(震災特例法第11条の7第1項に規定する土地等をいう。以下同じ。)の譲渡(震災特例法第11条の4第6項に規定する譲渡をいう。以下同じ。)をした場合には、次の表の左欄に掲げる規定中同表の中欄に掲げる字句は、それぞれ同表の右欄に掲げる字句として、第二節三の5、同6、三の1から3まで、四の1の規定を適用する。(法附44の2①)

第二節三の5の③	租税特別措置法第41条の5第7項第1号	東日本大震災の被災者等に係る国税関係法律の臨時特例に関する法律第11条の7第1項の規定により読み替えて適用される租税特別措置法第41条の5第7項第1号
	同法	租税特別措置法
	第36条の5	第36条の5 (これらの規定が東日本大震災の被災者等に係る国税関係法律の臨時特例に関する法律第11条の7第1項の規定により適用される場合を含む。次条第1項第1号において同じ。)
第二節三の6の③	租税特別措置法第41条の5の2第7項第1号	東日本大震災の被災者等に係る国税関係法律の臨時特例に関する法律第11条の7第1項の規定により読み替えて適用される租税特別措置法第41条の5の2第7項第1号
	同法	租税特別措置法
三の1の①、②	第35条第1項	第35条第1項(東日本大震災の被災者等に係る国税関係法律の臨時特例に関する法律第11条の7第1項の規定により適用される場合を含む。)
	同法第31条第1項	租税特別措置法第31条第1項
三の2の③	第35条の3まで、第36条の2、第36条の5	第34条の3まで、第35条(東日本大震災の被災者等に係る国税関係法律の臨時特例に関する法律第11条の7第1項の規定により適用される場合を含む。)、第35条の2、第35条の3、第36条の2若しくは第36条の5(これらの規定が東日本大震災の被災者等に係る国税関係法律の臨時特例に関する法律第11条の7第1項の規定により適用される場合を含む。)
三の3	租税特別措置法第31条の3第1項	東日本大震災の被災者等に係る国税関係法律の臨時特例に関する法律第11条の7第1項の規定により適用される租税特別措置法第31条の3第1項
四の1	第35条第1項	第35条第1項(東日本大震災の被災者等に係る国税関係法律の臨時特例に関する法律第11条の7第1項の規定により適用される場合を含む。)
	同法第32条第1項	租税特別措置法第32条第1項

(東日本大震災により滅失した家屋の敷地の用に供されていた土地等を譲渡した場合の特例)
(1) その有していた家屋でその居住の用に供していたものが東日本大震災により滅失(東日本大震災の被災者等に係る国税関係法律の臨時特例に関する法律(以下「**震災特例法**」という。)第11条の7第4項に規定する滅失をいう。以下1において同じ。)をしたことによってその居住の用に供することができなくなった道府県民税の所得割の納税義務者が、当該滅失をした当該家屋の敷地の用に供されていた土地等の譲渡をした場合には、次の表の左欄に掲げる規定中同表の中欄に掲げる字句は、それぞれ同表の右欄に掲げる字句として、第二節三の5、6、第四節二の2、三の1から3まで、四の1の規定を適用する。(法附44の2③)

第二節三の5の③	租税特別措置法第41条の5第7項第1号	東日本大震災の被災者等に係る国税関係法律の臨時特例に関する法律(平成23年法律第29号)第11条の7第4項の規定により読み替えて適用される租税特別措置法第41条の5第7項第1号
	同法	租税特別措置法
	第36条の5	第36条の5 (これらの規定が東日本大震災の被災者等に係る国税関係法律の臨時特例に関する法律第11条の7第4項の規定により適用される場合を含む。次条第1項第1号において同じ。)

第二節三の6の③	租税特別措置法第41条の5の2第7項第1号	東日本大震災の被災者等に係る国税関係法律の臨時特例に関する法律第11条の7第4項の規定により読み替えて適用される租税特別措置法第41条の5の2第7項第1号
	同法	租税特別措置法
第四節二の2の①のイの表の(二)のロ	第31条の3	第31条の3（東日本大震災の被災者等に係る国税関係法律の臨時特例に関する法律第11条の7第4項の規定により適用される場合を含む。）
三の1の①	第35条第1項	第35条第1項（東日本大震災の被災者等に係る国税関係法律の臨時特例に関する法律第11条の7第4項の規定により適用される場合を含む。）
	同法第31条第1項	租税特別措置法第31条第1項
三の2の③	第35条の3まで、第36条の2、第36条の5	第34条の3まで、第35条（東日本大震災の被災者等に係る国税関係法律の臨時特例に関する法律第11条の7第4項の規定により適用される場合を含む。）、第35条の2、第35条の3、第36条の2若しくは第36条の5（これらの規定が東日本大震災の被災者等に係る国税関係法律の臨時特例に関する法律第11条の7第4項の規定により適用される場合を含む。）
三の3	租税特別措置法第31条の3第1項	東日本大震災の被災者等に係る国税関係法律の臨時特例に関する法律第11条の7第4項の規定により適用される租税特別措置法第31条の3第1項
四の1	第35条第1項	第35条第1項（東日本大震災の被災者等に係る国税関係法律の臨時特例に関する法律第11条の7第4項の規定により適用される場合を含む。）
	同法第32条第1項	租税特別措置法第32条第1項

（注）　表の中欄の条文の字句で法律名が付されていないものは、全て租税特別措置法である。（編者）

　　　（特例の適用要件）
（2）　1、同（1）及び2、同（1）の規定は、これらの規定の適用を受けようとする年度分の第六節八の1《道府県民税の申告書》の①又は③の規定による申告書（その提出期限後において道府県民税の納税通知書が送達される時までに提出されたもの及びその時までに提出された同3《確定申告書》の①の確定申告書を含む。）に、これらの規定の適用を受けようとする旨の記載があるとき（これらの申告書にその記載がないことについてやむを得ない理由があると市町村長が認めるときを含む。）に限り、適用する。（法附44の2⑤）

　　　（政令の読替規定）
（3）　1又は（1）（2の規定により適用される場合を含む。）の規定により三の1又は四の規定が適用される場合における地方税法施行令附則第17条又は同附則第17条の3の規定の適用については、令附則第17条第1項中「第34条の3第1項、第35条の2第1項」とあるのは「第34条の3第1項、第35条の2第1項（東日本大震災の被災者等に係る国税関係法律の臨時特例に関する法律第11条の7第4項又は2（(2)の規定により適用される場合を含む。）の規定により適用される場合を含む。以下この項において同じ。）」と、「同法」とあるのは「租税特別措置法」と、同条第2項の表法第45条の2第1項第1号中「第35条第1項」とあるのは「第35条第1項（東日本大震災の被災者等に係る国税関係法律の臨時特例に関する法律第11条の7第4項（同条第2項の規定により適用される場合を含む。）又は2（(2)の規定により適用される場合を含む。）の規定により適用される場合を含む。）」と、「同法」とあるのは「租税特別措置法」と、附則第17条の3第2項中「又は第35条第1項」とあるのは「又は第35条第1項（東日本大震災の被災者等に係る国税関係法律の臨時特例に関する法律第11条の7第4項（同条第2項の規定により適用される場合を含む。）又は2（(2)の規定により適用される場合を含む。）の規定により適用される場合を含む。以下この項において同じ。）」と、「同法」とあるのは「租税特別措置法」と、同条第4項の表法第45条の2第1項第1号中「第35条第1項」とあるのは「第35条第1項（東日本大震災の被災者等に係る国税関係法律の臨時特例に関する法律第11条の7第4項（同条第2項の規定により適用される場合を含む。）又は2（(2)の規定により適用される場合を含む。）の規定により適用される場合を含む。）」と、「同法」とあるのは「租税特別措置法」とする。（令附27の2①）

2 警戒区域設定指示等により相続人が居住の用に供することができなくなった家屋等の譲渡

　その有していた家屋でその居住の用に供していたものが警戒区域設定指示等が行われた日において当該警戒区域設定指示等の対象区域内に所在し、当該警戒区域設定指示等が行われたことによりその居住の用に供することができなくなった道府県民税の所得割の納税義務者（以下2において「被相続人」という。）の相続人（震災特例法第11条の7第2項に規定する相続人をいう。以下2において同じ。）が、当該居住の用に供することができなくなった家屋又は当該家屋及び当該家屋の敷地の用に供されている土地等の譲渡をした場合（当該譲渡の時までの期間当該家屋及び当該家屋の敷地の用に供されている土地等を当該相続人の居住の用に供していない場合に限る。以下2において同じ。）における当該家屋及び当該家屋の敷地の用に供されている土地等（当該家屋及び当該家屋の敷地の用に供されている土地等のうちにその居住の用に供することができなくなった時の直前において当該家屋に居住していた者以外の者が所有していた部分があるときは、当該家屋及び当該家屋の敷地の用に供されている土地等のうち当該部分以外の部分に係るものに限る。以下2において同じ。）の譲渡については、当該相続人は、当該家屋を当該被相続人がその取得をした日として(2)で定める日から引き続き所有していたものと、当該直前において当該家屋の敷地の用に供されている土地等を所有していたものとそれぞれみなして、1の規定により読み替えられた第二節三の5、同6、三の1から3まで、四の1の規定を適用する。（法附44の2②）

　　　　（東日本大震災に係る被災居住用財産の敷地に係る譲渡期限の延長等の特例）
（1）　その有していた家屋でその居住の用に供していたものが東日本大震災により滅失をしたことによりその居住の用に供することができなくなった道府県民税の所得割の納税義務者（以下(1)において「被相続人」という。）の相続人（震災特例法第11条の7第5項に規定する相続人をいう。以下(1)において同じ。）が、当該滅失をした旧家屋（同条5項に規定する旧家屋をいう。以下(1)において同じ。）の敷地の用に供されていた土地等の譲渡をした場合（当該譲渡の時までの期間当該土地等を当該相続人の居住の用に供する家屋の敷地の用に供していない場合に限る。）における当該土地等（当該土地等のうちにその居住の用に供することができなくなった時の直前において旧家屋に居住していた者以外の者が所有していた部分があるときは、当該土地等のうち当該部分以外の部分に係るものに限る。以下(1)において同じ。）の譲渡については、当該相続人は、当該旧家屋を当該被相続人がその取得をした日として注で定める日から引き続き所有していたものと、当該直前において当該旧家屋の敷地の用に供されていた土地等を所有していたものとそれぞれみなして、2により読み替えられた第二節三の5、6、第四節二の2、三の1から3まで、四の1の規定を適用する。（法附44の2④）

　　　　（政令で定める日）
（2）　2及び(1)に規定する政令で定める日は、2に規定する居住の用に供することができなくなった家屋又は(1)旧家屋（以下(2)において「居住不能家屋等」という。）を2又は(1)の被相続人がその取得（建設を含む。以下注において同じ。）をした日とする。ただし、当該居住不能家屋等が当該被相続人に係る次の各号に掲げる家屋に該当するものである場合には、当該各号に定める日とする。（令附27の2②）
　（一）　交換により取得した家屋で所得税法第58条第1項の規定の適用を受けたもの　　当該交換により譲渡をした家屋の取得をした日
　（二）　昭和47年12月31日以前に所得税法の一部を改正する法律（昭和48年法律第8号）による改正前の所得税法第60条第1項各号に該当する贈与、相続、遺贈又は譲渡により取得した家屋　　当該贈与をした者、当該相続に係る被相続人、当該遺贈に係る遺贈者又は当該譲渡をした者が当該家屋の取得をした日
　（三）　昭和48年1月1日以後に所得税法第60条第1項各号に該当する贈与、相続、遺贈又は譲渡により取得した家屋　　当該贈与をした者、当該相続に係る被相続人、当該遺贈に係る遺贈者又は当該譲渡をした者が当該家屋の取得をした日

3　東日本大震災に係る買換資産の取得期間等の延長の特例

　三の2の②《確定優良住宅地等予定地のための譲渡がある場合の所得割の額》の規定の適用を受けた土地等の譲渡〔三の2の①参照〕の全部又は一部が、東日本大震災に起因するやむを得ない事情により、同②に規定する期間（その末日が平成23年12月31日であるものに限る。）内に租税特別措置法第31条の2第2項第13号から第16号までに掲げる土地等の譲渡に該当することが困難となった場合で(1)で定める場合において、平成24年1月1日から起算して2年以内の日で政令で定める日〔平成25年12月31日〕までの期間内に当該譲渡の全部又は一部がこれらの規定に掲げる土地等の譲渡に該当することとなることが確実であると認められることにつき(2)で定めるところにより証明がされたときは、当該譲渡の日から当該政令で定める日までの期間を三の2の②に規定する期間とみなして、三の2の規定を適用する。（法附44の3②、令附27の3③）

(土地等の譲渡に該当することが困難となった場合)
(1) 3に規定する(1)で定める場合は、租税特別措置法第31条の2第2項第13号若しくは第14号の造成又は同項第15号若しくは第16号の建設に関する事業に係る三の2の②に規定する期間の末日が平成23年12月31日である場合(同②の規定の適用により同②に規定する政令で定める日までの期間その延長が認められる場合を除く。)であって、当該事業を行う個人又は法人が、(3)で定めるところにより、当該事業につき東日本大震災による被害により同月31日までに同②の(1)に規定する開発許可等を受けることが困難であると認められるとして市町村長の承認を受けた場合(東日本大震災の被災者等に係る国税関係法律の臨時特例に関する法律施行令第14条の2第1項の税務署長の承認を受けた場合を含む。)とする。(令附27の3②)

(注) (1)中___部分「第14条の2」を「第14条」に改める令和6年度改正規定は、令和7年1月1日以後適用する。(令6改令附1一)

(確定優良住宅地等予定地のための譲渡に該当することが確実である旨の証明)
(2) 三の2の②の(4)に規定する書類を添付して第六節八の1《道府県民税の申告書》の①の規定による申告書(その提出期限後において道府県民税の納税通知書が送達される時までに提出されたもの及びその時までに提出された同3《確定申告書》の①に規定する確定申告書を含む。以下(2)において同じ。)を提出した者が、当該申告書を提出した後、三の2の②の規定の適用を受けた譲渡に係る土地等の買取りをした者から当該土地等につき(1)に規定する市町村長の承認に係る通知書の写しの交付を受けたとき(当該土地等につき東日本大震災の被災者等に係る国税関係法律の臨時特例に関する法律施行令第14条の2第1項に規定する税務署長の承認に係る通知書の写しの交付を受けたときを含む。)は、当該通知書の写しを、遅滞なく、市町村長に提出するものとし、当該通知書の写しの提出があった場合には、当該土地等の譲渡は2に規定する証明がされたものとする。(規附22の2②)

(注) (2)中___部分「第14条の2」を「第14条」に改める令和6年度改正規定は、令和7年1月1日以後適用する。(令6改規附1一)

第六節　賦課徴収

一　賦課期日

個人の道府県民税の賦課期日は、当該年度の初日の属する年の1月1日とする。(法39)

二　賦課徴収

個人の道府県民税の賦課徴収は、特別の定めがある場合を除くほか、当該道府県の区域内の市町村が、当該市町村の個人の市町村民税の賦課徴収(均等割の税率の軽減を除く。)の例により、当該市町村の個人の市町村民税の賦課徴収と併せて行うものとする。この場合において、還付加算金、納期前の納付に対する報奨金、普通徴収に係る個人の市町村民税の賦課額の変更又は決定に係る延滞金、納期限後に納付し又は納入する市町村民税に係る延滞金、個人の市町村民税の退職所得の分離課税に係る所得割の不足金額に係る延滞金若しくは分離課税に係る所得割の普通徴収の規定に基づく延滞金、個人の市町村民税の退職所得の分離課税に係る所得割の納入金に係る過少申告加算金若しくは不申告加算金又は個人の市町村民税の分離課税に係る所得割の納入金に係る重加算金の計算については、道府県民税及び市町村民税の額の合算額によって当該各項の規定を適用するものとする。(法41①)

(市町村民税に係る法令の準用)
(1) 法第317条の4《虚偽の申告に関する罪》(法第317条の2《市町村民税の申告書》第1項から第5項までの規定によって提出すべき申告書に虚偽の記載をして提出した者に係る部分に限る。)、法第324条《市町村民税の脱税に関する罪》、法第328条の16第1項及び第3項から第6項まで《特別徴収義務者の脱税に関する罪》、法第332条《滞納処分に関する罪》並びに法第333条《滞納処分に関する検査拒否等の罪》、第334条《国税徴収法の例による市町村民税に係る滞納処分に関する虚偽の陳述の罪》の規定は、二の規定によって市町村が個人の市町村民税の賦課徴収の例により賦課徴収を行う個人の道府県民税について準用する。(法41②)

(市町村民税に関する条例・規則の適用)
(2) 個人の道府県民税の賦課徴収は、法が特に例外と認めた場合を除いては、あたかも道府県民税と市町村民税とが

一つの税であるかのように、両者を併せて賦課徴収すべきものであり、特別徴収の方法によるかどうか、普通徴収の納期をどのように定めるか、納期前納付に対して交付する報奨金の額（個人の道府県民税及び個人の市町村民税の額の合算額により計算したもの。）をどのように定めるか等の事項については、道府県民税についてこれを規定するまでもなく、市町村で定めた市町村民税に関する条例や規則の規定の例によるものであること。（県通2-17(1)）

（道府県の市町村に対する援助）
（3）　道府県は、市町村が二の規定によって行う個人の道府県民税の賦課徴収に関する事務の執行について、市町村に対し、必要な援助をするものとする。（法41③）

三　地方団体の徴収金の納付又は納入

1　徴収金の納付又は納入
　個人の道府県民税の納税義務者又は特別徴収義務者は、その道府県民税に係る地方団体の徴収金を、個人の市町村民税に係る地方団体の徴収金の納付又は納入の例により、これと併せて納付し、又は納入しなければならない。（法42①）

（徴収金の納付又は納入があった場合）
注　個人の道府県民税及び市町村民税に係る地方団体の徴収金の納付又は納入があった場合においては、その納付額又は納入額から督促手数料及び滞納処分費を控除した額を道府県民税及び市町村民税の額にあん分した額に相当する道府県民税又は市町村民税に係る地方団体の徴収金の納付又は納入があったものとする。（法42②）

2　徴収金の払込み方法
　市町村は、個人の道府県民税に係る地方団体の徴収金の納付又は納入があった場合においては、当該納付又は納入があった月の翌月10日までに、これを道府県に払い込むものとする。（法739の4②）

（徴収金の額の按分）
（1）　市町村が2の規定により毎月道府県に払い込むべき個人の道府県民税に係る地方団体の徴収金の額は、前月中に納付又は納入のあった個人の道府県民税に係る地方団体の徴収金、個人の市町村民税に係る地方団体の徴収金及び森林環境税に係る徴収金の合算額（督促手数料及び滞納処分費を除く。以下2において同じ。（5）において「前月の徴収金の合計額」という。）を、当該市町村の当該年度の収入額となるべき個人の道府県民税の課税額（市町村の廃置分合又は境界変更があった場合における当該廃置分合又は境界変更後存続する市町村（以下2において「存続市町村」という。）にあっては、当該存続市町村が当該年度において徴収すべき額のうち当該年度の収入額となるべきものとして課されたものをいう。以下（1）において同じ。）の合計額、当該年度の収入額となるべき個人の市町村民税の課税額の合計額及び当該年度の収入額となるべき森林環境税の課税額の合計額の割合（以下2において「按分率」という。）で按分して算定した額とする。（令57の4の2①）

（按分率の算定日）
（2）　（1）の按分率は、当該年度の3月31日現在において算定した率によるものとする。（令57の4の2②）

（特定按分率による算定等）
（3）　（1）の規定により、当該年度の4月から6月までの月において払い込む場合には、当該年度の前年度の3月31日現在において算定した按分率により、当該年度の7月から3月までの月において払い込む場合には、当該年度分の個人の道府県民税、市町村民税及び森林環境税の課税額が最初に納付又は納入されるべき期限の到来する月（以下2において「最初の納期限の月」という。）の末日現在において算定した当該市町村の当該年度の収入額となるべき個人の道府県民税（第七節《退職所得の課税の特例》の規定により課する所得割を除く。）の課税額の合計額、当該年度の収入額となるべき個人の市町村民税（市町村民税に係る退職所得の課税の特例《第三編第一章第十節》の規定により課する所得割を除く。）の課税額の合計額及び当該年度の収入額となるべき森林環境税の課税額の合計額の割合（（4）において「特定按分率」という。）によることができるものとし、当該年度の収入額となるべき分として市町村に納付又は納入のあった個人の道府県民税に係る地方団体の徴収金、個人の市町村民税に係る地方団体の徴収金及び森林環境税に係る地方団体の徴収金の合算額のうち当該年度の3月31日現在において算定した按分率により道府県に払い込むべき個人の道府県民税に係る地方団体の徴収金の額と既に払い込んだ個人の道府県民税に係る地方団体の徴収金の

額(十一の1《道府県の徴税吏員の徴収及び滞納処分》又は同1の(2)(これらの規定を同1の(9)において準用する場合を含む。同1の(6)において同じ。)の規定により道府県が徴収した個人の道府県民税に係る地方団体の徴収金がある場合には、当該徴収金の額を含む。)との間に過不足がある場合には、当該年度の翌年度の4月から6月までの月において払い込むべき額で清算するものとする。(令57の4の2③)

(特定按分率に著しい変動を生ずる場合等)
(4) (3)の場合において、最初の納期限の月が当該年度の7月以降の月となる市町村が当該年度の7月又は7月から最初の納期限の月までの月において払い込むときは、当該年度の前年度の3月31日現在において算定した按分率によるものとし、最初の納期限の月の翌月以降において市町村の廃置分合又は境界変更その他の理由により特定按分率に著しい変動を生ずることとなった場合には、当該著しい変動を生ずることとなった月の末日現在において算定した特定按分率により当該月の翌月から当該年度の3月までの月に払い込むことができるものとする。(令57の4の2④)

(市町村の廃置分合があった場合)
(5) 市町村の廃置分合があった場合において、存続市町村が当該廃置分合があった日の属する月の翌月から当該存続市町村の最初の納期限の月までの月において払い込むべき個人の道府県民税に係る地方団体の徴収金の額は、前月の徴収金と合算額に、当該廃置分合があった日の属する年度の前年度の3月31日現在において算定した当該廃置分合前の市町村の前年度の収入額となるべき個人の道府県民税の課税額の合計額の合算額、前年度の収入額となるべき個人の市町村民税の課税額の合計額の合算額及び前年度の収入額となるべき森林環境税の課税額の合算額の割合を乗じて算定する。(令57の4の2⑤)

(指定都市以外の市町村の区域の全部又は一部が指定都市の区域の全部又は一部となった場合)
(6) 指定都市以外の市町村の区域の全部又は一部が指定都市の区域の全部又は一部となった場合には、市町村が税率変更年度(指定都市以外の市町村の区域の全部又は一部が指定都市の区域の全部又は一部となった日(以下(6)及び(7)において「移行日」という。)の属する年度の翌年度(移行日が4月1日である場合には、移行日の属する年度)をいう。以下(6)において同じ。)から5年度間の各月において2の規定により道府県に払い込むべき個人の道府県民税に係る地方団体の徴収金のうち、特定滞納道府県民税に係る地方団体の徴収金(賦課期日現在において移行区域(移行日に指定都市以外の市町村の区域の全部又は一部から指定都市の区域の全部又は一部となった区域をいう。以下(6)において同じ。)に住所を有した納税義務者に対して税率変更前年度(税率変更年度の前年度をいう。(一)において同じ。)以前の年度の収入となるべきものとして課された個人の道府県民税((二)において「特定道府県民税」という。)に係る地方団体の徴収金のうち、税率変更年度以後の収入となるべき分として市町村に納付又は納入のあったものをいう。以下(6)において同じ。)の額は、(1)から(5)の規定にかかわらず、(一)に掲げる合算額を(二)に掲げる割合で按分して算定した額とする。ただし、移行日後に移行区域の全部又は一部が指定都市以外の市町村の区域の全部又は一部となった場合における(8)の規定の適用を受ける特定滞納道府県民税に係る地方団体の徴収金の額については、この限りでない。(令57の4の2⑥)
(一) 当該各月の前月中に納付又は納入のあった特定滞納道府県民税に係る地方団体の徴収金と特定滞納市町村民税に係る地方団体の徴収金(賦課期日現在において移行区域に住所を有した納税義務者に対して税率変更前年度以前の年度の収入となるべきものとして課された個人の市町村民税((二)において「特定市町村民税」という。)に係る地方団体の徴収金のうち、税率変更年度以後の収入となるべき分として市町村に納付又は納入のあったものをいう。)及び特定滞納森林環境税に係る徴収金の合算額(督促手数料及び滞納処分費を除く。)
(二) 税率変更年度の4月1日現在において算定した指定都市が徴収すべき特定道府県民税の課税額の合計額と指定都市が徴収すべき特定市町村民税の課税額の合計額及び指定都市が徴収すべき特定森林環境税の課税額の合計額の割合

(読替規定)
(7) 移行日が同一の計算期間(毎年4月2日から翌年4月1日までの期間をいう。(9)において同じ。)内に2以上ある場合における(6)の規定の適用については、(6)中「(指定都市」とあるのは「(同一の(8)に規定する計算期間内の移行日(指定都市」と、「日(」とあるのは「日をいう。」と、「「移行日」という。)」とあるのは「同じ。)のうち最も早い日」と、「翌年度(移行日が4月1日である場合には、移行日の属する年度)」とあるのは「翌年度」と、「移行日に」とあるのは「当該計算期間内の移行日に」と、「移行日後に」とあるのは「当該計算期間内の各移行日後に当該移行日に係る」とする。(令57の4の2⑦)

(指定都市の区域の全部又は一部が指定都市以外の市町村の区域の全部又は一部となった場合)
（８）　指定都市の区域の全部又は一部が指定都市以外の市町村の区域の全部又は一部となった場合には、市町村が税率変更年度（指定都市の区域の全部又は一部が指定都市以外の市町村の区域の全部又は一部となった日（以下（８）及び（９）において「移行日」という。）の属する年度の翌年度（移行日が４月１日である場合には、移行日の属する年度）をいう。以下（８）において同じ。）から５年度間の各月において２の規定により道府県に払い込むべき個人の道府県民税に係る地方団体の徴収金のうち、特定滞納道府県民税に係る地方団体の徴収金（賦課期日現在において移行区域（移行日に指定都市の区域の全部又は一部から指定都市以外の市町村の区域の全部又は一部となった区域をいう。以下（８）において同じ。）に住所を有した納税義務者に対して税率変更前年度（税率変更年度の前年度をいう。（一）において同じ。）以前の年度の収入となるべきものとして課された個人の道府県民税（（二）において「特定道府県民税」という。）に係る地方団体の徴収金のうち、税率変更年度以後の収入となるべき分として市町村に納付又は納入のあったものをいう。以下（８）において同じ。）の額は、（１）から（５）までの規定にかかわらず、（一）に掲げる合算額を（二）に掲げる割合で按分して算定した額とする。ただし、移行日後に移行区域の全部又は一部が指定都市の区域の全部又は一部となった場合における（６）の規定の適用を受ける特定滞納道府県民税に係る地方団体の徴収金の額については、この限りでない。（令57の４の２⑧）
（一）　当該各月の前月中に納付又は納入のあった特定滞納道府県民税に係る地方団体の徴収金と特定滞納市町村民税に係る地方団体の徴収金（賦課期日現在において移行区域に住所を有した納税義務者に対して税率変更前年度以前の年度の収入となるべきものとして課された個人の市町村民税（（二）において「特定市町村民税」という。）に係る地方団体の徴収金のうち、税率変更年度以後の収入となるべき分として市町村に納付又は納入のあったものをいう。）及び特定滞納森林環境税に係る徴収金の合算額（督促手数料及び滞納処分費を除く。）
（二）　税率変更年度の４月１日現在において算定した指定都市以外の市町村が徴収すべき特定道府県民税の課税額の合計額と指定都市以外の市町村が徴収すべき特定市町村民税の課税額の合計額及び指定都市以外の市町村が徴収すべき特定森林環境税の課税額の合計額の割合

　　　　（読替規定）
（９）　移行日が同一の計算期間内に２以上ある場合における（８）の規定の適用については、（８）中「（指定都市」とあるのは「（同一の（７）に規定する計算期間内の移行日（指定都市」と、「日（」とあるのは「日をいう。」と、「「移行日」という。）」とあるのは「同じ。）のうち最も早い日」と、「翌年度（移行日が４月１日である場合には、移行日の属する年度）」とあるのは「翌年度」と、「移行日に」とあるのは「当該計算期間内の移行日に」と、「移行日後に」とあるのは「当該計算期間内の各移行日後に当該移行日に係る」とする。（令57の４の２⑨）

四　納税通知書

　二《賦課徴収》の規定によって道府県民税を賦課徴収する市町村が当該道府県民税の賦課徴収に用いる納税通知書、納期限変更告知書、特別徴収義務者及び特別徴収に係る納税義務者に交付する特別徴収の方法によって徴収する旨の通知書、督促状その他の文書は、当該市町村の市町村民税の賦課徴収に用いるそれらの文書と併せて、次に掲げる様式に準じて作成するものとする。（法43、規２①③）

		文書・申告書等の種類	様　式
（一）通知書等の文書の種類	イ	市町村民税・道府県民税・森林環境税 税額決定納税通知書	第１号の３様式
	ロ	市町村民税 道府県民税 納税通知書（分離課税に係る所得割分）	第１号の４様式
	ハ	納期限変更告知書	第２号様式
	ニ	給与所得等に係る特別徴収義務者及び特別徴収に係る納税義務者に交付する特別徴収の方法によって徴収する旨の通知書	第３号様式（別表）
	ホ	督促状	第４号様式又は第４号の２様式
	ヘ	市町村民税 道府県民税 更正（決定）通知書	第５号の２様式

(二) 申告書及び申請書の種類	イ	市町村民税 道府県民税 申告書	第5号の4様式（別表）
	ロ	給与所得者・公的年金等受給者用雑損控除・医療費控除申告書	第5号の5様式
	ハ	寄附金税額控除申告書（一）	第5号の5の2様式
	ニ	寄附金税額控除申告書（二）	第5号の5の3様式
	ホ	給与所得者・公的年金等受給者用繰越控除申告書	第5号の6様式
	ヘ	配偶者控除・扶養控除申請書	第5号の7様式
	ト	市町村民税 道府県民税 納入申告書	第5号の8様式
	チ	退職所得申告書	第5号の9様式

（注1） 上表の（二）のイの申告書について第三編第一章第六節の1の①《市町村民税の申告書の記載事項等》の申告書を提出すべき者のうち当該市町村の条例で定めるものが提出すべき申告書として市町村長が別に簡易な様式を定めたとき及び同表の（二）のヘに掲げる申告書について当該欄に掲げる様式によることができないやむを得ない事情があると認める場合において総務大臣が別に様式を定めたときは、それぞれ当該様式によることができる。（規2④ただし書）
（注2） 様式は省略した。（編者）

　　　（文書作成上の留意事項）
（1）　納税通知書、納期限変更告知書、特別徴収義務者及び特別徴収に係る納税義務者に交付する特別徴収の方法によって徴収する旨の通知書、督促状その他の文書については、道府県民税に関する文書と市町村民税に関する文書とを一の文書として作成するものとすること。（県通2－17(2)）

　　　（納税通知書への経費分担の記載）
（2）　納税通知書には、納税者に対し道府県の経費を分担する旨を明らかにするために、総額については市町村民税の額と道府県民税の額とを明示するが、各納期ごとに徴収すべき額については、事務の簡素化を図る見地から、これを区別することを要しないものとしてあること。（県通2－18）

五　納期限の延長

　市町村長が個人の市町村民税の納期限を延長した場合においては、当該納税者又は特別徴収義務者に係る個人の道府県民税の納期限についても、同一期間延長されたものとする。（法44）

六　租税条約に基づく申立てが行われた場合における個人の道府県民税の徴収猶予

　第三編第一章第七節六の1の規定により市町村長が個人の市町村民税の徴収を猶予した場合には、当該市町村民税の納税義務者に係る個人の道府県民税の徴収についても当該市町村民税に対する当該猶予に係る市町村民税の割合と同じ割合により猶予されたものとする。（法44の2）

七　延滞金額の減免

　市町村長が個人の市町村民税又はその延滞金額を減免した場合においては、当該納税者又は特別徴収義務者に係る個人の道府県民税又はその延滞金額についても当該市町村民税又は延滞金額に対する減免額の割合と同じ割合によって減免されたものとする。（法45）

八　申　告

1　道府県民税の申告書

①　申告書の記載事項等

　道府県内に住所を有する道府県民税の納税義務者は、3月15日までに、総務省令で定めるところにより、次に掲げる事項を記載した申告書を、市町村民税に関する申告書と併せて賦課期日現在における住所所在地の市町村長に提出しなければならない。ただし、給与支払報告書又は公的年金等支払報告書を提出する義務がある者《第三編第一章第六節6①④参照》から1月1日現在において俸給、給料、賃金、歳費及びに賞与並びにこれらの性質を有する給与（以下第一章において「**給与**」と総称する。）又は所得税法第35条第3項に規定する公的年金等（以下1において「**公的年金等**」という。）の支払を受けている者で前年中において給与所得以外の所得又は公的年金等に係る所得以外の所得を有しなかったもの（公的年金等に係る所得以外の所得を有しなかったもので社会保険料控除額（所得税法第203条の5第1号の規定により公的年金等から控除される同号に規定する社会保険料の金額を除く。）、小規模企業共済等掛金控除額、生命保険料控除額、地震保険料控除額、勤労学生控除額、配偶者特別控除額（所得割の納税義務者（前年の合計所得金額が900万円以下であるものに限る。）の第三節一の12に規定する自己と生計を一にする配偶者（前年の合計所得金額が95万円以下であるものに限る。）で控除対象配偶者に該当しないものに係るものを除く。）若しくは第三節一の13の(二)に規定する扶養控除額の控除又はこれらと併せて雑損控除額若しくは医療費控除額の控除、第二節三の1に規定する純損失の金額の控除、同2に規定する純損失若しくは雑損失の金額の控除、同5の⑤に規定する通算後譲渡損失の金額又は同6の④に規定する通算後譲渡損失の金額の控除、第四節二の3の①（同①の表の(四)に掲げる寄附金（特定非営利活動促進法第2条第3項に規定する認定特定非営利活動法人及び同条第4項に規定する仮認定特定非営利活動法人に対するものを除く。⑤において同じ。）に係る部分を除く。）及び第四節二の3の⑤の規定により控除すべき金額（以下1において「寄附金税額控除額」という。）、第五節五の4の②に規定する上場株式等に係る譲渡損失の金額の控除、同節六の2の①に規定する特定株式に係る譲渡損失の金額の控除若しくは同節七の2に規定する先物取引の差金等決済に係る損失の金額の控除を受けようとするものを除く。）並びに所得割の納税義務を負わないと認められる者のうち当該市町村の条例で定める者については、この限りでない。（法45の2①、令8の2、令附4⑬、4の2⑪、16の2の11①、16の3③、17②、17の3④、18⑤、18の5⑩三、⑪三、⑫、18の6⑮、⑯、18の7③、18の7の2⑦⑧）

(一)	前年の総所得金額、退職所得金額、山林所得金額、上場株式等に係る配当所得等の金額（第五節五の4の①又は②の適用後の金額）、土地等に係る事業所得等の金額、長期譲渡所得の金額（租税特別措置法第33条の4第1項若しくは第2項《収用交換等の場合の譲渡所得等の特別控除》、第34条第1項《特定土地区画整理事業等の譲渡所得の特別控除》、第34条の2第1項《特定住宅地造成事業等の譲渡所得の特別控除》、第34条の3第1項《農地保有合理化等の農地等の譲渡所得の特別控除》、第35条第1項《居住用財産の譲渡所得の特別控除》、第35条の2第1項《特定の土地等の長期譲渡所得の特別控除》又は第36条《譲渡所得の特別控除額の特例等》の規定に該当する場合には、これらの規定の適用により同法第31条第1項に規定する長期譲渡所得の金額から控除する金額を控除した金額）、短期譲渡所得の金額（租税特別措置法第33条の4第1項若しくは第2項、第34条第1項、第34条の2第1項、第34条の3第1項、第35条第1項又は第36条の規定に該当する場合には、これらの規定の適用により同法第32条第1項に規定する短期譲渡所得の金額から控除する金額を控除した金額）、一般株式等に係る譲渡所得等の金額（第五節六の2の①の適用後の金額）、上場株式等に係る譲渡所得等の金額（同節五の5の②又は同六の2の①適用後の金額）、先物取引に係る雑所得等の金額（同節七の2の適用後の金額）
(二)	青色専従者給与額（所得税法第57条第1項《青色事業専従者給与額》の規定による計算の例によって算定した同項の必要経費に算入される金額をいう。）又は事業専従者控除額に関する事項
(三)	第二節三の1に規定する純損失の金額の控除に関する事項
(四)	第二節三の2に規定する純損失又は雑損失の金額の控除に関する事項
(五)	雑損控除額、医療費控除額、社会保険料控除額、小規模企業共済等掛金控除額、生命保険料控除額、地震保険料控除額、障害者控除額、寡婦控除額、ひとり親控除額、勤労学生控除額、配偶者控除額、配偶者特別控除額又は扶養控除額の控除に関する事項
(六)	寄附金税額控除額の控除に関する事項
(七)	扶養親族に関する事項

(八)	当該道府県民税に関する申告書を提出する者が単身児童扶養者に該当する場合には、その旨
(九)	第二節三の5の⑤に規定する通算後譲渡損失の金額又は同6の④に規定する通算後譲渡損失の金額の控除に関する事項、第五節五の4の②に規定する上場株式等に係る譲渡損失の金額の控除に関する事項、同節六の2の①に規定する特定株式に係る譲渡損失の金額の控除に関する事項又は同節七の2に規定する先物取引の差金等決済に係る損失の金額の控除に関する事項その他道府県民税の賦課徴収について必要な事項

(注) 令和3年度分の個人の道府県民税に係る申告書の提出に係る①の規定の適用については、①ただし書中「地震保険料控除額」とあるのは「地震保険料控除額、ひとり親控除額（地方税法等の一部を改正する法律（令和2年法律第5号）第1条の規定による改正前の地方税法（以下①において「旧地方税法」という。）第23条第1項第11号に規定する寡婦（旧地方税法第34条第3項の規定に該当するものに限る。）又は旧地方税法第23条第1項第12号に規定する寡夫である第24条第1項第1号に掲げる者に係るものを除く。）」と、「同法」とあるのは「所得税法」とする。（令2改法附4③）

② 提出期限内に給与支払報告書又は公的年金等支払報告書が提出されなかった場合の申告

市町村長は、給与支払報告書又は公的年金等支払報告書が1月31日までに提出されなかった場合において、道府県民税の賦課徴収について必要があると認めるときは、給与支払報告書又は公的年金等支払報告書を提出する義務がある者から1月1日現在において給与又は公的年金等の支払を受けている者で前年中において給与所得以外の所得又は公的年金等に係る所得以外の所得を有しなかったものを指定し、その者に、①の道府県民税に関する申告書を、市町村民税に関する申告書と併せて市町村長の指定する期限までに提出させることができる。（法45の2②）

(注) 給与支払報告書及び公的年金等支払報告書の電子的提出の場合の申告書のみなす提出については、第三編第一章第六節6の⑤のニを参照。（編者）

③ 給与所得以外の所得又は公的年金等に係る所得以外の所得を有しない者が雑損控除等の控除を受ける場合の申告

給与支払報告書又は公的年金等支払報告書を提出する義務がある者から1月1日現在において給与又は公的年金等の支払を受けている者で前年中において給与所得以外の所得又は公的年金等に係る所得以外の所得を有しなかったもの（①又は②の規定により①の道府県民税に関する申告書を提出する義務を有する者を除く。）は、雑損控除額若しくは医療費控除額の控除、第二節三の1《純損失の繰越控除》に規定する純損失の金額の控除、同2《被災事業用資産の雑損失等の繰越控除》に規定する純損失若しくは雑損失の金額の控除、同5の⑤に規定する通算後譲渡損失の金額又は同6の④に規定する通算後譲渡損失の金額の控除、寄附金税額控除額の控除、第五節五の4の②に規定する上場株式等に係る譲渡損失の金額の控除、同節六の2の①に規定する特定株式に係る譲渡損失の金額の控除又は同節七の2に規定する先物取引の差金等決済に係る損失の金額の控除を受けようとする場合には、3月15日までに、総務省令で定めるところにより、これらの控除に関する事項を記載した申告書を、市町村民税に関する申告書と併せて賦課期日現在における住所所在地の市町村長に提出しなければならない。（法45の2③、令附4⑬、4の2㉑、18の5⑫、18の6⑯、18の7の2⑧）

④ 給与所得以外の所得又は公的年金等に係る所得以外の所得を有しない者等に純損失又は雑損失の金額がある場合の申告

①のただし書に規定する者（②の規定により①の道府県民税に関する申告書を提出する義務を有する者を除く。）は、前年中において純損失又は雑損失の金額がある場合には、3月15日までに①の道府県民税に関する申告書を、市町村民税に関する申告書と併せて提出することができる。（法45の2④）

（前年前3年内に生じた居住用財産の買換え等の場合の通算後譲渡損失の金額の繰越控除の適用がある場合の読替え）
（1） 第二節三の5の⑤《繰越控除の適用の特例》の規定の適用がある場合の④の規定の適用については、④中「純損失又は雑損失の金額」とあるのは「純損失若しくは雑損失の金額又は第二節三の5の⑤に規定する通算後譲渡損失の金額」と、「3月15日までに①の道府県民税に関する申告書」とあるのは「3月15日までに、①の道府県民税に関する申告書又は総務省令の定めるところによって同5の⑤に規定する通算後譲渡損失の金額の控除に関する事項その他の政令で定める事項を記載した道府県民税に関する申告書」と、「市町村民税に関する申告書」とあるのは「第三編第一章第六節1の④の(1)の規定により読み替えて適用される同④の市町村民税に関する申告書」とする。（法附4⑦二）

(注) (1)の規定により読み替えて適用される④の規定による申告書の様式は、第5号の4様式によるものとする。（規附2②）

（(1)の政令で定める事項）
（2） (1)の規定により読み替えて適用される④に規定する政令で定める事項は次に掲げる事項とする。（令附4⑩、⑪）

(一) 前年の第二節一の1《所得割の課税標準の算定》の総所得金額、退職所得金額、山林所得金額、土地等に係る事業所得等の金額、長期譲渡所得の金額、短期譲渡所得の金額、株式等に係る譲渡所得等の金額又は先物取引に係る雑所得等の金額
(二) 第二節三の5の⑤《繰越控除の適用の特例》に規定する通算後譲渡損失の金額の控除に関する事項
(三) (一)及び(二)に掲げるもののほか、道府県民税の賦課徴収について必要な事項

(前年前3年内に生じた特定居住用財産の買換え等の場合の通算後譲渡損失の金額の繰越控除の適用がある場合の読替え)
(3) 第二節三の6の④《繰越控除の適用の特例》の規定の適用がある場合の④の規定の適用については、④中「純損失又は雑損失の金額」とあるのは「純損失若しくは雑損失の金額又は第二節三の6の④に規定する通算後譲渡損失の金額」と、「3月15日までに①の道府県民税に関する申告書」とあるのは「3月15日までに、①の道府県民税に関する申告書又は総務省令の定めるところによって、同6の④に規定する通算後譲渡損失の金額の控除に関する事項その他の政令で定める事項を記載した道府県民税に関する申告書」と、「市町村民税に関する申告書」とあるのは「第三編第一章第六節1の④の(3)の規定により読み替えて適用される同④の市町村民税に関する申告書」とする。(法附4の2⑦二)
(注) (3)の規定により読み替えて適用される④の規定による申告書の様式は、第5号の4様式によるものとする。(規附2の2①)

((3)の政令で定める事項)
(4) (3)の規定により読み替えて適用される④に規定する政令で定める事項は、次に掲げる事項とする。(令附4の2⑨、⑩)
(一) 前年の第二節一の1の総所得金額、退職所得金額、山林所得金額、土地等に係る事業所得等の金額、長期譲渡所得の金額、短期譲渡所得の金額、株式等に係る譲渡所得等の金額又は先物取引に係る雑所得等の金額
(二) 第二節三の6の④《繰越控除の適用の特例》に規定する通算後譲渡損失の金額の控除に関する事項
(三) (一)及び(二)に掲げるもののほか、道府県民税の賦課徴収について必要な事項

⑤ **特定非営利活動法人に対する寄附金税額控除の適用手続**
道府県内に住所を有する道府県民税の納税義務者は、第四節二の3の①《寄附金税額控除》(同①の表の(四)に掲げる寄附金に係る部分に限る。)の規定により控除すべき金額の控除を受けようとする場合には、3月15日までに、注で定めるところにより、当該寄附金の額その他必要な事項を記載した申告書を、第三編第一章第六節1の⑤《市町村民税に係る特定非営利活動法人に対する寄附金税額控除の適用手続》に規定する申告書〔寄附金税額控除申告書(二)〕と併せて賦課期日現在における住所所在地の市町村長に提出しなければならない。(法45の2⑤)

(特定非営利活動法人に対する寄附金税額控除の添付書類等)
注 ⑤の申告書を提出する者は、**四の表の(二)《申告書及び申請書の種類》のニに掲げる申告書**〔寄附金税額控除申告書(二)〕に、第四節二の3の①の表の(四)に掲げる寄附金を受領した同③《特定非営利活動法人に対する寄附金の適用要件》のイに規定する控除対象特定非営利活動法人の受領した旨(当該寄附金が当該控除対象特定非営利活動法人の行う特定非営利活動促進法第2条第1項に規定する特定非営利活動に係る事業に関連する寄附金である旨を含む。)、当該寄附金の額及びその受領した年月日を証する書類又は電磁的記録印刷書面(所得税法施行令第262条第1項《確定申告書に関する書類の提出又は提示》に規定する電磁的記録印刷書面をいう。)を添付しなければならない。(規2の2⑨)

⑥ **前年に支払を受けた給与がある者が申告書を提出する場合**
①又は④の場合において、前年において支払を受けた給与で所得税法第190条の規定の適用を受けたものを有する第一節二の(一)に掲げる者が、①の道府県民税に関する申告書を提出するときは、①の各号に掲げる事項のうち(1)で定めるものについては、(2)で定める記載によることができる。(法45の2⑥)

(総務省令で定める事項)
(1) ⑥に規定する(1)で定める事項は、第一節二の(一)に掲げる者(所得税法第120条第1項後段の規定の適用を受けた者に限る。)のその年度分の個人の道府県民税に係る第三節一の3から5まで、同6、同7及び同8から13までの規定による控除のうちこれらの控除に相当する前年分の所得税に係る所得税に関する法令の規定による控除が所得税法施行規則第47条第1項に規定する同額である控除であるものに係る当該控除の金額、当該控除の金額の計算の基礎及び

①の(五)及び(七)に掲げる事項並びに第三節一の14の規定による控除の額とする。(規2⑤)

(総務省令で定める申告書の記載)
(2) ⑥の規定による①の道府県民税に関する申告書の記載は、(1)に規定する第三節一の3から5まで、同6、同7及び同8から13までの規定による控除並びに同14の規定による控除については、これらの控除の額(所得税法施行規則第47条第2項に規定する場合にあっては、当該控除の額の合計額)の記載とする。(規2⑥)

2　道府県民税の附属申告書

道府県民税の納税義務者で次の表の左欄に掲げるものは、1の①の道府県民税の申告書に、それぞれその右欄に掲げる附属申告書を添付しなければならない。(規2の2①)

納税義務者	附属申告書の種類
(一)　当該年度の初日の属する年の前年(以下道府県民税について「前年」という。)中に生じた純損失の金額のうちに変動所得の金額の計算上生じた損失の金額又は被災事業用資産の損失の金額がある場合において、その金額についてその損失の生じた年の末日の属する年度の翌々年度以降の年度分の道府県民税の総所得金額等、退職所得金額又は山林所得金額の計算上控除を受けようとする納税義務者	第5号の10様式の損失明細書
(二)　第二節三の1《純損失の繰越控除》の規定によって前年前3年間における総所得金額等、退職所得金額又は山林所得金額の計算上生じた純損失の金額又は第二節三の2《被災事業用資産の雑損失等の繰越控除》の規定によって前年前3年内の各年に生じた変動所得の金額の計算上生じた損失の金額若しくは被災事業用資産の損失の金額若しくは前年前3年内の各年に生じた雑損失の金額について総所得金額等、退職所得金額又は山林所得金額の計算上控除を受けようとする納税義務者(1の③《給与所得以外の所得又は公的年金等に係る所得以外の所得を有しない者が雑損控除等の控除を受ける場合の申告》の規定によって、第二節三の1《純損失の繰越控除》に規定する純損失の金額の控除又は同三の2《被災事業用資産の雑損失等の繰越控除》に規定する純損失若しくは雑損失の金額の控除に関する申告書を提出しようとする納税義務者を除く。)	第5号の11様式の繰越控除明細書
(三)　第四節二の4《外国税額控除》の規定によって外国の所得税等の額の控除を受けようとする納税義務者	第5号の13様式の外国の所得税等の額の控除に関する明細書

(賦課徴収に必要と認められるものの添付等)
(1)　市町村長は、1の①及び③の申告書を提出する者に対して、所得税法第120条第3項、第4項、第6項及び第7項に規定する書類その他の書類又は電磁的記録印刷書面(所得税法施行令第262条第1項《確定申告書に関する書類の提出又は提示》に規定する電磁的記録印刷書面をいう。)で所得税に関する法令の規定に基づいて所得税の確定申告書に添付しなければならないこととなっているもの又は税務署長が提示させ、若しくは提出させることができることとなっているもの(所得税の確定申告書に添付し、又は税務署長に提示し、若しくは提出したものを除く。)のうち道府県民税及び市町村民税の賦課徴収に必要と認めるものを当該申告書に添付させ、又は市町村長に提示し、若しくは提出させることができる。(規2の2②)

(医療費控除に関する事項を証する書類の提示等)
(2)　市町村長は、医療費控除額の控除に関する事項を記載した1の①及び同③の申告書の提出があった場合において、必要があると認めるときは、当該申告書を提出した者に対し、第一編第二章三の4に規定する法定納期限の翌日から起算して5年を経過する日までの間、所得税法第120条第4項第1号に掲げる書類に記載された医療費につきこれを領収した者のその領収を証する書類(税務署長に提示し、又は提出したものを除く。)を市町村長に提示し、又は提出させることができる。(規2の2③)

3　確定申告書

①　所得税の確定申告書と道府県民税の申告書との関係

　道府県内に住所を有する個人の道府県民税の納税義務者が前年分の所得税につき所得税法第2条第1項第37号《確定申告書の定義》の確定申告書（租税特別措置法第37条の12の2第11項（同法第37条の13の2第7項において準用する場合を含む。）において準用する所得税法第123条第1項の規定による申告書、租税特別措置法第37条の13の2第7項において準用する同法第37条の12の2第11項において準用する所得税法第123条第1項の規定による申告書、租税特別措置法第41条の5第12項第3号の規定又は同法第41条の5の2第12項第3号の規定により読み替えて適用される所得税法第123条第1項の規定による申告書及び租税特別措置法第41条の15第5項において準用する所得税法第123条第1項の規定による申告書を含む。以下3において「確定申告書」という。）を提出した場合（政令で定める場合を除く。）には、第一章の規定の適用については、当該確定申告書が提出された日に1の①から④まで、同④の（1）若しくは（3）の規定により読み替えて適用される同④又は第五節五の5の②のロ、同節六の5若しくは同節七の2の③において準用する1の④の規定による申告書が提出されたものとみなす。ただし、同日前に当該申告書が提出された場合は、この限りでない。（法45の3①、法附4⑦三、4の2⑦三、35の2の6⑨、35の3⑦、35の4の2⑤）

②　確定申告書の記載事項

　①本文の場合には、当該申告書に記載された事項（③の表の（三）に掲げる事項の記載があった場合における当該記載された者に係る配偶者控除又は扶養控除に関する事項を除く。）のうち1の①又は③に規定する事項に相当するもの及び次の③の規定により付記された事項（総務省令で定める事項を除く。）は、1の①から④まで、同④の（1）若しくは（3）の規定により読み替えて適用される同④又は第五節五の5の②のロ、同節六の5若しくは同節七の2の③において準用する1の④の規定による申告書に記載されたものとみなす。（法45の3②、法附4⑦三、4の2⑦三、35の2の6⑨、35の3⑦、35の4の2⑤、規2の3①）

③　確定申告書の付記事項

　①本文の場合には、確定申告書を提出する者は、当該確定申告書に道府県民税の賦課徴収につき必要な次に掲げる事項を付記しなければならない。（法45の3③、規1の12の2、1の12の3、2の3②）

（一）	当該年度の初日の属する年の1月1日現在の住所
（二）	給与所得以外（第三編第一章第七節四の1の②の注《個人の市町村民税における老齢等年金給付の支払を受けている年齢65歳以上の者に対する特別徴収》に規定する場合にあっては、給与所得及び公的年金等に係る所得以外）の所得に係る道府県民税及び市町村民税の徴収の方法
（三）	前年分の所得税につき控除対象配偶者又は扶養親族とした者を道府県民税及び市町村民税につき青色事業専従者とする場合においては、その者の氏名、個人番号（行政手続における特定の個人を識別するための番号の利用等に関する法律（平成25年法律第27号）第2条第5項に規定する個人番号をいう。以下道府県民税について同じ。）及び青色専従者給与額
（四）	前年中に所得税法第2条第1項第5号《非居住者の定義》に規定する非居住者であった期間を有する場合においては、同法第164条第2項各号《非居住者に対する所得税の分離課税》に掲げる国内源泉所得の金額
（五）	前年分の所得税につき控除対象配偶者、扶養親族、青色事業専従者又は事業専従者とした者のうち、別居している者の氏名、住所及び個人番号（個人番号を有しない者にあっては、氏名及び住所）
（六）	租税特別措置法第8条の5第1項《確定申告を要しない配当所得》第1号に掲げる配当等（同法第9条の3第1項《上場株式等の配当等に係る源泉徴収税率等の特例》第1号の配当等に該当するものを除く。）のうち前年分の所得税につき同法第8条の5第1項の適用を受けるものを有する場合においては、当該適用を受ける配当等に係る配当所得の金額
（七）	1の①の表の（六）に掲げる寄附金税額控除額の控除に関する事項
（七の二）	道府県民税又は市町村民税の納税義務者（前年の合計所得金額が1,000万円以下であるものに限る。）の第三節一の12に規定する自己と生計を一にする配偶者（退職手当等（第七節の1に規定する退職手当等に限る。（七の三）、4及び5において同じ。）に係る所得を有する者であって、前年の合計所得金額が133万円以下であるものに限る。）（イにおいて「申告対象配偶者」という。）の次に掲げる事項

	イ　氏名、生年月日及び個人番号並びにその者の前年の合計所得金額（個人番号を有しない者にあっては、氏名及び生年月日並びにその者の前年の合計所得金額）並びに申告者と別居している申告対象配偶者については、当該申告対象配偶者の住所並びに国外居住者である申告対象配偶者については、その旨 ロ　その他参考となるべき事項
（七の三）	扶養親族（退職手当等に係る所得を有するものに限る。イにおいて同じ。）の次に掲げる事項 イ　氏名、申告者との続柄、生年月日及び個人番号（個人番号を有しない者にあっては、氏名、申告者との続柄及び生年月日）並びに申告者と別居している扶養親族については、当該扶養親族の住所並びに国外居住者である扶養親族については、その旨 ロ　その他参考となるべき事項
（八）	扶養親族（年齢16歳未満のもの又は（七の三）に掲げるものに限る。以下（八）において同じ。）の氏名、申告者との続柄、生年月日及び個人番号（個人番号を有しない者にあっては、氏名、申告者との続柄及び生年月日）並びに申告者と別居している扶養親族については、当該扶養親族の住所並びに控除対象外国外扶養親族である場合には、その旨
（九）	同一生計配偶者（控除対象配偶者を除く。以下（九）において同じ。）の氏名、生年月日及び個人番号（個人番号を有しない者にあっては、氏名及び生年月日）並びに申告者と別居している同一生計配偶者については、当該同一生計配偶者の住所並びに控除対象外国同一生計配偶者である場合には、その旨並びにその他参考となるべき事項

(注1)　国外居住者に係る③の（七の二）又は（七の三）に掲げる事項を記載した③の確定申告書を提出する者が当該国外居住者に係る障害者控除額、配偶者控除額又は配偶者特別控除額の控除を受けようとする場合には、当該確定申告書を提出する者は、当該国外居住者に係る所得税法施行規則第47条の2第5項及び第6項に規定する書類を3月15日までに市町村長に提出しなければならない。ただし、所得税法の規定に基づいて所得税の確定申告書に添付し、若しくは税務署長に提示し、若しくは同法第194条第4項、第195条第4項、第195条の2第2項若しくは第203条の6第3項の規定により提出し、若しくは提示し、又は1の④の規定により1の④に規定する申告書に添付し、若しくは市町村長に提示し、若しくは4の①の(10)若しくは同(13)若しくは5の①の(10)若しくは同(13)の規定により提出した当該国外居住者に係るものについては、この限りでない。（規2の3③）

(注2)　国外居住者に係る③の（七の三）に掲げる事項を記載した③の確定申告書を提出する者が当該国外居住者に係る扶養控除額の控除を受けようとする場合には、当該確定申告書を提出する者は、当該国外居住者に係る所得税法施行規則第47条の2第5項及び第6項に規定する書類を3月15日までに市町村長に提出しなければならない。ただし、所得税法の規定に基づいて所得税の確定申告書に添付し、若しくは税務署長に提示し、若しくは同法第194条第4項、第195条第4項若しくは第203条の6第3項の規定により提出し、若しくは提示し、又は1の④の規定により1の④に規定する申告書に添付し、若しくは市町村長に提示し、若しくは4の①の(11)若しくは同(13)若しくは5の①の(11)若しくは同(13)の規定により提出した当該国外居住者に係るものについては、この限りでない。（規2の3④）

(注3)　控除対象外国外扶養親族に係る③の表中（八）に掲げる事項を記載した③及び第三編第一章第六節2の③の確定申告書を提出する者が非課税限度額制度適用者である場合には、当該確定申告書を提出する者は、当該控除対象外国外扶養親族に係る国外扶養親族証明書類（第三節二の1の(4)に規定する国外扶養親族証明書類をいう。以下同じ。）を3月15日までに市町村長に提出しなければならない。ただし、同(3)の規定により同(3)に規定する申告書に添付し、若しくは市町村長に提示し、又は4の①の(10)若しくは(11)又は5の①の(10)若しくは(11)の規定により提出した当該控除対象外国外扶養親族に係る国外扶養親族証明書類については、この限りでない。（規2の3⑤）

(注4)　控除対象外国外同一生計配偶者に係る③の表中（九）に掲げる事項を記載した③及び第三編第一章第六節2の③の確定申告書を提出する者が非課税限度額制度適用者である場合には、当該確定申告書を提出する者は、当該控除対象外国外同一生計配偶者に係る国外配偶者証明書類（第三節二の1の(5)に規定する国外配偶者証明書類をいう。以下同じ。）を3月15日までに市町村長に提出しなければならない。ただし、第三節二の1の(3)の規定により同(3)に規定する申告書に添付し、又は市町村長に提示した当該控除対象外国外同一生計配偶者に係る国外配偶者証明書類については、この限りでない。（規2の3⑥）

(注5)　③の(注1)及び(注2)中____部分「同法第194条第4項、第195条第4項」を「同法第194条第5項、第195条第5項」に改める令和5年度改正規定は、令和7年1月1日以後適用する。（令5改規附1三）

4　給与所得者の扶養親族等申告書

①　扶養親族等申告書の記載事項等

所得税法第194条第1項《給与所得者の扶養控除等申告書》の規定により同項に規定する申告書を提出しなければならない者（以下4において「給与所得者」という。）は、当該申告書の提出の際に経由すべき同項に規定する給与等の支払者（以下4において「給与支払者」という。）から毎年最初に給与の支払を受ける日の前日までに、総務省令で定めるところにより、次に掲げる事項を記載した申告書を、第三編第一章第六節4に規定する申告書《市町村民税に係る給与所得者の扶養親族申告書》と併せて、当該給与支払者を経由して、当該給与所得者の住所所在地の市町村長に提出しなければならない。（法45の3の2①、規2の3の3①）

（一）	当該給与支払者の氏名又は名称

(二)	所得割の納税義務者（合計所得金額が1,000万円以下であるものに限る。）の自己と生計を一にする配偶者（第二節二の1に規定する青色事業専従者に該当するもので第二節二の1に規定する給与の支払を受けるもの及び第二節二の2の①に規定する事業専従者に該当するものを除き、合計所得金額が133万円以下であるものに限る。5の①において同じ。）の氏名
(三)	扶養親族の氏名
(四)	給与所得者の扶養親族等申告書を提出する者（(四)において「申告者」という。）の氏名、住所及び個人番号（個人番号を有しない者にあっては、氏名及び住所）
(五)	申告対象配偶者（退職手当等に係る所得を有するものに限る。以下同じ。）の住所及び個人番号並びにその合計所得金額の見積額（個人番号を有しない者にあっては、住所及びその合計所得金額の見積額）並びに国外居住者である申告対象配偶者である場合には、その旨
(六)	扶養親族（年齢16歳未満のものに限る。）の住所、申告者との続柄及び個人番号並びにその合計所得金額の見積額（個人番号を有しない者にあっては、住所及び申告者との続柄並びにその合計所得金額の見積額）並びに控除対象外国外扶養親族である場合には、その旨
(七)	その他参考となるべき事項

（扶養親族等申告書の提出方法）
（1） 給与所得者が①の規定により①に規定する申告書（以下4において「給与所得者の扶養親族等申告書」という。）を提出する場合には、所得税法第194条第1項の申告書と併せて給与支払者を経由して、提出しなければならない。（規2の3の2①）

（扶養親族の氏名）
（2） 次の各号に掲げる①の規定により給与所得者の扶養親族等申告書に記載することとされている氏名は、当該各号に定める氏名に限るものとする。（規2の3の2③）
　（一）　①の(二)に規定する自己と生計を一にする配偶者（以下「申告対象配偶者」という。）の氏名　　退職手当等に係る所得を有する申告対象配偶者の氏名
　（二）　扶養親族の氏名　　年齢16歳未満の者又は退職手当等に係る所得を有する者である扶養親族の氏名

（給与所得者の扶養親族等申告書等に個人番号の記載を要しない場合）
（3） 給与所得者の扶養親族等申告書又は給与所得者の扶養親族等異動申告書（以下①において「給与所得者の扶養親族等申告書等」という。）の提出を受ける給与支払者が、当該給与所得者の扶養親族等申告書等に記載されるべき申告対象配偶者扶養親族又は当該給与所得者の扶養親族等申告書等を提出する者（以下(3)及び④の(2)において「提出する者」という。）の氏名及び個人番号その他の事項を記載した帳簿（当該給与所得者の扶養親族等申告書等の提出の前に、当該提出する者から次に掲げる申告書の提出を受けて作成されたものに限る。）を備えているときは、当該提出する者は、①及び②の規定にかかわらず、当該給与支払者に提出する給与所得者の扶養親族等申告書等には、当該帳簿に記載されている個人番号の記載を要しないものとする。ただし、当該給与所得者の扶養親族等申告書等に記載すべき氏名又は個人番号が当該帳簿に記載されている申告対象配偶者扶養親族又は提出する者の氏名又は個人番号と異なるときは、この限りでない。（規2の3の3③）
　（一）　給与所得者の扶養親族等申告書等
　（二）　公的年金等受給者の扶養親族等申告書
　（三）　第七節の6の規定による申告書（同6において「退職所得申告書」という。）

（帳簿に記載する事項）
（4） 給与支払者が(3)の規定により帳簿を作成する場合には、その者は、当該帳簿に次に掲げる事項を記載しなければならない。（規2の3の3④）
　（一）　(3)の(一)～(三)に掲げる申告書に記載された同項に規定する申告対象配偶者扶養親族又は提出する者の氏名、住所及び個人番号
　（二）　(3)の申告書の提出を受けた年月及び当該申告書の名称
　（三）　その他参考となるべき事項

(帳簿の保存)
(5) 給与支払者は、(4)の帳簿を、最後に(3)の規定の適用を受けて提出された給与所得者の扶養親族等申告書等に係る③の注ただし書の規定による期限まで保存しなければならない。(規2の3の3⑤)

(氏名、住所、個人番号を変更した場合)
(6) (3)の規定の適用を受けて給与所得者の扶養親族申告書等を提出した者が当該給与所得者の扶養親族等申告書等に記載すべき氏名、住所又は個人番号を変更した場合には、その者は、遅滞なく、当該給与所得者の扶養親族等申告書等を受理した給与支払者に、変更前の氏名、住所又は個人番号及び変更後の氏名、住所又は個人番号を記載した届出書を提出しなければならない。当該届出書を提出した後、再び当該届出書に記載した氏名、住所又は個人番号を変更した場合も、同様とする。(規2の3の3⑥)

(変更事項の記載)
(7) (4)の規定により(4)の帳簿を作成した給与支払者は、(6)の届出書を受理した場合には、当該帳簿の(4)の(一)から(三)に掲げる事項を、当該届出書に記載されている事項に訂正しておかなければならない。(規2の3の3⑦)

(届出書の保存期間)
(8) 給与支払者は、その受理をした(6)に規定する届出書を、当該受理をした日の属する年の翌年から3年間保存しなければならない。(規2の3の3⑧)

(個人番号又は法人番号の申告書への付記)
(9) 給与所得者の扶養親族等申告書及び給与所得者の扶養親族等異動申告書を受理した給与支払者は、当該申告書に、当該給与支払者の個人番号又は法人番号(行政手続における特定の個人を識別するための番号の利用等に関する法律第2条第15項に規定する法人番号をいう。以下道府県民税について同じ。)を付記するものとする。(規2の3の3⑨)

(国外居住者に係る障害者控除等を受けようとする場合の提出書類)
(10) 国外居住者に係る①の(二)又は(三)に掲げる事項を記載した給与所得者の扶養親族等申告書等を提出した者(②の規定により当該記載に代えて異動がない旨の記載をした者を含む。)が当該申告書に係る①及び③に規定する提出期限の属する年の翌年の4月1日の属する年度分の個人の道府県民税につき当該国外居住者に係る障害者控除額、配偶者控除額又は配偶者特別控除額の控除を受けようとする場合には、当該提出した者は、当該国外居住者に係る所得税法施行規則第47条の2第5項及び第6項に規定する書類を同年の3月15日までに市町村長に提出しなければならない。ただし、所得税法の規定に基づいて所得税の確定申告書に添付し、若しくは税務署長に提示し、若しくは同法第194条第4項、第195条第4項若しくは第195条の2第2項の規定により提出し、若しくは提示し、又は第三節二の1の(1)の規定により第三節二の1の(1)に規定する申告書に添付し、若しくは市町村長に提示し、若しくは3の③の(注1)の規定により市町村長に提出した当該国外居住者に係るものについては、この限りでない。(規2の3の3⑩)
　　(注)　(10)中＿＿＿部分を加え、＿＿＿部分「同法第194条第4項、第195条第4項」を「同法第194条第5項、第195条第5項」に改める令和5年度改正規定は、令和7年1月1日以後適用する。(令5改規附1三)

(国外居住者に係る扶養控除を受けようとする場合の提出書類)
(11) 国外居住者に係る①の(三)に掲げる事項を記載した給与所得者の扶養親族等申告書等を提出した者(②の規定により当該記載に代えて異動がない旨の記載をした者を含む。)が当該申告書に係る①及び③に規定する提出期限の属する年の翌年の4月1日の属する年度分の個人の道府県民税につき当該国外居住者に係る扶養控除額の控除を受けようとする場合には、当該提出した者は、次の各号に掲げる場合の区分に応じ当該各号に定める書類を同年の3月15日までに市町村長に提出しなければならない。ただし、所得税法の規定に基づいて所得税の確定申告書に添付し、若しくは税務署長に提示し、若しくは同法第194条第4項若しくは第195条第4項の規定により提出し、若しくは提示し、又は第三節二の1の(3)の規定により第三節二の1の(3)に規定する申告書に添付し、若しくは市町村長に提示し、若しくは3の③の(注2)の規定により市町村長に提出した当該国外居住者に係るものについては、この限りでない。(規2の3の3⑪)
　(一)　(二)及び(三)に掲げる場合以外の場合　　当該国外居住者に係る次に掲げる書類
　　イ　所得税法施行規則第47条の2第7項に規定する書類
　　ロ　所得税法施行規則第47条の2第8項に規定する書類

（二）　当該国外居住者が第三節一の13の（一）のロの（イ）に掲げる者に該当するものとして扶養控除額の控除を受けようとする場合　当該国外居住者に係る次に掲げる書類
　　イ　（一）のイに掲げる書類
　　ロ　（一）のロに掲げる書類
　　ハ　所得税法施行規則第47条の2第9項に規定する書類
　（三）　当該国外居住者が第三節一の13の（一）のロの（ハ）に掲げる者に該当するものとして扶養控除額の控除を受けようとする場合　当該国外居住者に係る次に掲げる書類
　　イ　（一）のイに掲げる書類
　　ロ　所得税法施行規則第47条の2第10項に規定する書類
　　（注）　(11)中＿＿部分を加え、＿＿部分「同法第194条第4項若しくは第195条第4項」を「同法第194条第5項若しくは第195条第5項」に改める令和5年度改正規定は、令和7年1月1日以後適用する。（令5改規附1三）

　　　（国外扶養親族証明書類の提出）
(12)　控除対象外国外扶養親族に係る①の表中（三）に掲げる事項を記載した給与所得者の扶養親族等申告書等を提出した者（②の規定により当該記載に代えて異動がない旨の記載をした者を含む。）が当該申告書に係る①及び③に規定する提出期限の属する年の翌年の4月1日の属する年度分の個人の道府県民税及び市町村民税に係る非課税限度額制度適用者である場合には、当該申告書を提出した者は、当該控除対象外国外扶養親族に係る国外扶養親族証明書類を同年の3月15日までに市町村長に提出しなければならない。ただし、第三節二の1の（3）の規定により同（3）に規定する申告書に添付し、若しくは市町村長に提示し、又は3の③の（注3）の規定により市町村長に提出した当該控除対象外国外扶養親族に係る国外扶養親族証明書類については、この限りでない。（規2の3の3⑫）
　　（注）　(12)中＿＿部分を加える令和5年度改正規定は、令和7年1月1日以後適用する。（令5改規附1三）

　　　（国外扶養親族証明書類の提出方法）
(13)　(10)から(12)の規定による書類の提出については、これらの規定の給与所得者の扶養親族等申告書等を受理した給与支払者を経由して提出することを妨げない。（規2の3の3⑬）

　　　（留意事項）
(14)　給与所得者の扶養親族等申告書については、次の諸点に留意すること。（県通2－15の2）
　イ　給与所得者の扶養親族等申告書は、この申告書により把握した次に掲げる事項を、給与支払報告書の所定の欄に転記することに用いるものであること。
　　（イ）　16歳未満の扶養親族の数
　　（ロ）　退職手当等（第七節の1に規定する退職手当等に限る。（ハ）において同じ。）に係る所得を有する自己と生計を一にする配偶者（①の（二）に規定する自己と生計を一にする配偶者をいう。以下同じ。）の氏名、住所、個人番号、その合計所得金額の見積額その他参考となるべき事項
　　（ハ）　退職手当等に係る所得を有する扶養親族の氏名、住所、個人番号、その合計所得金額の見積額その他参考となるべき事項
　ロ　給与所得者の扶養親族等申告書は、所得税の給与所得者の扶養控除等申告書（所得税法第194条第1項の規定による申告書をいう。以下同じ。）と合わせて1枚用紙によるものとすること。当該用紙の作成等については別途「個人住民税の給与所得者の扶養親族申告書等の作成等に関する取扱いについて」（平成22年8月23日付総税市第61号）により取り扱うこと。
　ハ　(10)から(12)までの規定による書類の提出は、給与所得者が給与支払者を経由せずに市町村長に提出するものであること。ただし、所得税においては、給与所得者が給与支払者に、扶養控除等の申告に当たって給与所得者の扶養控除等申告書を提出する場合、国外に居住する源泉控除対象配偶者又は扶養親族が申告者の親族に該当すること及び申告者と生計を一にしていることを証する書類の提出又は提示が義務付けられていることから、できる限り納税義務者の負担を避ける観点から、(10)から(12)までの規定により提出すべき書類の提出が必要と見込まれる給与所得者が、給与支払者に個人住民税に係る扶養親族等申告書を提出する際に、所得税における書類の提出等と一連の手続として給与支払者に提出する形で、給与支払者を経由して当該書類を提出することも妨げないこととしていること。
　ニ　給与所得者は、(10)から(12)までの規定により提出すべき書類を給与支払者を経由せずに市町村長に提出する場合においても、給与所得者の扶養親族等申告書に記載すべき全ての生計を一にする配偶者又は扶養親族について、

当該申告書に記載すること。
ホ 給与支払者が給与支払報告書の所定の欄に転記するイ(イ)に掲げる事項については、国外扶養親族証明書類が給与支払者に対して提出されていない控除対象外国外扶養親族も含めて転記すること。また、給与支払者が給与支払報告書の所定の欄に転記するイ(ロ)及び(ハ)に掲げる事項については、(11)及び(12)の規定により提出すべき書類が給与支払者に対して提出されていない退職手当等に係る所得を有する生計を一にする配偶者又は扶養親族についても転記すること。
ヘ 給与所得者の扶養親族等申告書に記載すべき自己と生計を一にする配偶者又は扶養親族に該当するかどうかは、当該申告書を提出する日の現況により判定すること。この場合において、次に掲げる事項については、それぞれ次によること。
(イ) その判定の要素となる所得金額申告書を提出する日の現況により見積もったその年の合計所得金額による。
(ロ) その判定の要素となる年齢その年12月31日(申告書を提出するときまでに死亡した者については、その死亡の時)の現況による。
ト 給与支払者に提出された給与所得者の扶養親族等申告書及び(10)から(12)までの規定により提出すべき書類は、その給与支払者が保存するものとし、必要がある場合には市町村長に提出させるものであること。
チ 給与所得者の扶養親族等申告書の提出後、その記載内容に異動があったときは、その給与所得者の扶養親族等申告書について異動があった項目を異動後の内容に補正するか、別に異動申告書を提出するものであること。
リ 給与所得者の扶養親族等申告書を提出した者が年の中途においてその提出を経由した給与支払者のもとを退職した場合には、当該申告書はその退職により効力を失うものであること。
ヌ その他給与所得者の扶養親族等申告書の取扱いについては、所得税の給与所得者の扶養控除等申告書の取扱いに準ずるものとすること。

② **申告書に記載すべき事項が前年に提出したものと異動がない場合**
　①の規定による申告書を給与支払者を経由して提出する場合において、当該申告書に記載すべき事項がその年の前年において当該給与支払者を経由して提出した①の規定による申告書(その者が当該前年の中途において③の規定による申告書を当該給与支払者を経由して提出した場合には、当該前年の最後に提出した③の規定による申告書)に記載した事項と異動がないときは、給与所得者は、総務省令で定めるところにより、①の規定により記載すべき事項に代えて当該異動がない旨を記載した①の規定による申告書を、第三編第一章第六節4の②に規定する申告書と併せて提出することができる。(法45の3の2②)
　(注) 4中②を追加する令和5年度改正規定は、令和7年1月1日以後適用する。②の規定は、令和7年1月1日以後に支払を受けるべき1の①ただし書に規定する給与(以下「給与」という。)について提出する①の規定による申告書について適用し、同日前に支払を受けるべき給与について提出した①の規定による申告書については、なお従前の例による。(令5改法附1三、4③)

③ **年の中途において申告書の記載事項に異動が生じた場合の申告**
　①の規定による申告書を提出した給与所得者は、その年の中途において当該申告書に記載した事項について異動を生じた場合には、①の給与支払者からその異動を生じた日後最初に給与の支払を受ける日の前日までに、(1)で定めるところにより、その異動の内容その他(2)で定める事項を記載した申告書を、第三編第一章第六節4の③《年の中途において申告書の記載事項に異動を生じた場合の市町村民税に係る給与所得者の扶養親族等申告書》に規定する申告書と併せて、当該給与支払者を経由して、当該給与所得者の住所所在地の市町村長に提出しなければならない。(法45の3の2②)
　(注) ③中___部分「法45の3の2②」を「法45の3の2③」に改める令和5年度改正規定は、令和7年1月1日以後適用する。(令5改法附1三)

　　　(提出方法の準用)
(1) ①の(1)、同(2)及び④の注の規定は、③の規定による申告書(4において「給与所得者の扶養親族等異動申告書」という。)の提出について準用する。この場合において、①の(1)中「第194条第1項」とあるのは「第194条第2項」と、「①の規定」とあるのは「③の規定」と、①の(2)中「①の規定」とあるのは「③の規定」と読み替えるものとする。(規2の3の2④)
　(注) (1)中___部分「第194条第2項」を「第194条第3項」に改める令和5年度改正規定は、令和7年1月1日以後適用する。(令5改規附1三)

　　　(申告書の記載事項)
(2) ③に規定する事項は、次に掲げる事項とする。(規2の3の3②)
(一) 給与所得者の扶養親族等異動申告書を提出する者の氏名、住所及び個人番号(個人番号を有しない者にあって

は、氏名及び住所)
    (二) その他参考となるべき事項

④ 扶養親族等申告書のみなす提出
　①及び③の場合において、これらの規定による申告書がその提出の際に経由すべき給与支払者に受理されたときは、その申告書は、その受理された日にこれらの規定に規定する市町村長に提出されたものとみなす。(法45の3の2③)
    (注) ④中____部分「法45の3の2③」を「法45の3の2④」に改める令和5年度改正規定は、令和7年1月1日以後適用する。(令5改法附1三)

    (みなす提出の場合の扶養親族申告書の保管等)
    注　給与支払者が給与所得者から給与所得者の扶養親族等申告書又は①の(13)の規定により提出される書類を受理した場合には、当該給与所得者の扶養親族等申告書(⑤の規定の適用により当該給与支払者が提供を受けた当該給与所得者の扶養親族等申告書に記載すべき事項を含む。)又はこれらの書類を、①に規定する市町村長が当該給与支払者に対しその提出を求めるまでの間、当該給与支払者が保存するものとする。ただし、当該給与所得者の扶養親族等申告書に係るこれらの規定に規定する提出期限の属する年の翌年1月10日の翌日から7年を経過する日後においては、この限りでない。(規2の3の2②)

⑤ 申告書記載事項の電磁的方法による提供
　給与所得者は、①及び③の規定による申告書の提出の際に経由すべき給与支払者が電磁的方法(電子情報処理組織を使用する方法その他の情報通信の技術を利用する方法であって(3)の総務省令で定めるものをいう。)による当該申告書に記載すべき事項の提供を適正に受けることができる措置を講じていることその他の(5)の政令で定める要件を満たす場合には、(2)で定めるところにより、当該申告書の提出に代えて、当該給与支払者に対し、当該申告書に記載すべき事項を、第三編第一章第六節4の⑤《申告書記載事項の電磁的方法による提供》に規定する申告書に記載すべき事項と併せて電磁的方法により提供することができる。(法45の3の2④)
    (注) ⑤中____部分「法45の3の2④」を「法45の3の2⑤」に改める令和5年度改正規定は、令和7年1月1日以後適用する。(令5改法附1三)

    (申告書記載事項の電磁的方法による提供をする場合のみなす提出)
    (1) ⑤の規定の適用がある場合における④の規定の適用については、④中「申告書が」とあるのは「申告書に記載すべき事項を」と、「給与支払者に受理されたとき」とあるのは「給与支払者が提供を受けたとき」と、「受理された日」とあるのは「提供を受けた日」と。(法45の3の2⑤)
        (注) (1)中____部分「法45の3の2⑤」を「法45の3の2⑥」に改める令和5年度改正規定は、令和7年1月1日以後適用する。(令5改法附1三)

    (給与所得者の扶養親族等申告書の電磁的方法による提供を併せて行う場合)
    (2) 次の各号に掲げる電磁的方法による提供は、所得税法第198条第2項の規定による当該各号に定める事項の電磁的方法による提供と併せて行わなければならない。(規2の3の4①)
        (一) ⑤の規定による給与所得者の扶養親族等申告書に記載すべき事項の電磁的方法による提供　　所得税法第194条第1項の申告書に記載すべき事項
        (二) ⑤の規定による給与所得者の扶養親族等異動申告書に記載すべき事項の電磁的方法による提供　　所得税法第194条第2項の申告書に記載すべき事項
            (注) (2)中____部分「所得税法第194条第2項」を「所得税法第194条第3項」に改める令和5年度改正規定は、令和7年1月1日以後適用する。(令5改規附1三)

    (給与所得者の扶養親族等申告書の電磁的方法による提供方法)
    (3) ⑤に規定する方法は、所得税法施行規則第76条の2《給与所得者の源泉徴収に関する申告書に記載すべき事項の電磁的方法による提供》第1項各号に掲げる方法とする。(規2の3の4②)

    (個人番号又は法人番号の申告書への付記)
    (4) ⑤の規定の適用がある場合における①の(9)の規定の適用については、同(9)中「当該申告書」とあるのは、「⑤に規定する電磁的方法により提供された当該申告書に記載すべき事項を記録した電磁的記録(電子的方式、磁気的方式その他人の知覚によっては認識することができない方式で作られる記録であって、電子計算機による情報処理の用に供されるものをいう。)」とする。(規2の3の4③)

　　　　　（記載事項の提供を適正に受けることができる措置）
（5）　⑤に規定する政令で定める要件は、次に掲げる要件とする。（令8の2の2）
　（一）　⑤に規定する給与所得者（（二）において「給与所得者」という。）が行う⑤に規定する電磁的方法による⑤に規定する申告書に記載すべき事項（以下（5）において「記載事項」という。）の提供を適正に受けることができる措置を講じていること。
　（二）　⑤の規定により提供を受けた記載事項について、その提供をした給与所得者を特定するための必要な措置を講じていること。
　（三）　⑤の規定により提供を受けた記載事項について、電子計算機の映像面への表示及び書面への出力をするための必要な措置を講じていること。

5　公的年金等受給者の扶養親族等申告書

①　扶養親族等申告書の記載方法等

　　所得税法第203条の6《公的年金等の受給者の扶養親族申告書》第1項の規定により同項に規定する申告書を提出しなければならない者又はこの法律の施行地において同項に規定する公的年金等（所得税法第203条の7の規定の適用を受けるものを除く。以下①において「公的年金等」という。）の支払を受ける第二章第一節二の1の(1)に掲げる者であって、特定配偶者（所得割の納税義務者（合計所得金額が900万円以下であるものに限る。）の自己と生計を一にする配偶者（退職手当等（第七節の1に規定する退職手当等に限る。以下①において同じ。）に係る所得を有する者であって、合計所得金額が95万円以下であるものに限る。）をいう。（二）において同じ。）又は扶養親族（年齢16歳未満の者又は退職手当等に係る所得を有する者に限る。）を有する者（以下5において「公的年金等受給者」という。）は、当該申告書の提出の際に経由すべき所得税法第203条の6第1項に規定する公的年金等の支払者（以下5において「公的年金等支払者」という。）から毎年最初に公的年金等の支払を受ける日の前日までに、総務省令で定めるところにより、次に掲げる事項を記載した申告書を、第三編第一章第六節5の①に規定する申告書《市町村民税に係る公的年金等受給者の扶養親族申告書》と併せて、当該公的年金等支払者を経由して、当該公的年金等受給者の住所所在地の市町村長に提出しなければならない。（法45の3の3①、規2の3の6①）

（一）	当該公的年金等支払者の名称
（二）	特定配偶者の氏名
（三）	扶養親族の氏名
（四）	公的年金等受給者の扶養親族等申告書を提出する者（（六）において「申告者」という。）の氏名、住所及び個人番号（個人番号を有しない者にあっては、氏名及び住所）
（五）	特定配偶者（①に規定する特定配偶者をいう。以下同じ。）の住所及び個人番号並びにその合計所得金額の見積額（個人番号を有しない者にあっては、住所及びその合計所得金額の見積額）並びに国外居住者である特定配偶者である場合には、その旨
（六）	扶養親族（年齢16歳未満の者又は退職手当等に係る所得を有する者に限る。）の住所、申告者との続柄及び個人番号並びにその合計所得金額の見積額（個人番号を有しない者にあっては、住所及び申告者との続柄並びにその合計所得金額の見積額）並びに国外居住者である扶養親族である場合には、その旨
（七）	その他参考となるべき事項

　　　　　（扶養親族等申告書の提出方法）
（1）　所得税法第203条の6第1項の規定により同項に規定する申告書を提出しなければならない者（以下5において「公的年金等受給者」という。）が①の規定による申告書（以下5において「公的年金等受給者の扶養親族等申告書」という。）を提出する場合には、所得税法第203条の6第1項の規定による申告書と併せて①の公的年金等支払者（5において「公的年金等支払者」という。）を経由して、提出しなければならない。（規2の3の5①）

　　　　　（扶養親族の氏名）
（2）　①の規定により公的年金等受給者の扶養親族等申告書に記載することとされている扶養親族の氏名については、年齢16歳未満の者又は退職手当等に係る所得を有する者である扶養親族の氏名に限るものとする。（規2の3の5③）

(公的年金等受給者の扶養親族等申告書に個人番号の記載を要しない場合)
(3) 公的年金等受給者の扶養親族等申告書の提出を受ける公的年金等支払者が、当該公的年金等受給者の扶養親族等申告書に記載されるべき特定配偶者、扶養親族又は当該公的年金等受給者の扶養親族等申告書を提出する者(以下「提出する者」という。)の氏名及び個人番号その他の事項を記載した帳簿(当該公的年金等受給者の扶養親族等申告書の提出の前に、当該提出する者から4の①の(3)の(一)から(三)に掲げる申告書の提出を受けて作成されたものに限る。)を備えているときは、当該提出する者は、①の規定にかかわらず、当該公的年金等支払者に提出する当該公的年金等受給者の扶養親族等申告書には、当該帳簿に記載されている個人番号の記載を要しないものとする。ただし、当該公的年金等受給者の扶養親族等申告書に記載すべき氏名又は個人番号が当該帳簿に記載されている特定配偶者、扶養親族又は提出する者の氏名又は個人番号と異なるときは、この限りでない。(規2の3の6②)

(帳簿に記載する事項)
(4) 公的年金等支払者が(3)の規定により帳簿を作成する場合には、その者は、当該帳簿に4の①の(4)の(一)から(三)に掲げる事項(4の①の(4)の申告対象配偶者の氏名については、特定配偶者に該当するものの氏名に限る。)を記載しなければならない。(規2の3の6③)

(帳簿の保存)
(5) 公的年金等支払者は、(4)の帳簿を、最後に(3)の規定の適用を受けて提出された公的年金等受給者の扶養親族等申告書に係る③の注ただし書の規定による期限まで保存しなければならない。(規2の3の6④)

(準用規定)
(6) 4の①の(6)から(8)までの規定は、(3)の規定の適用を受けて公的年金等受給者の扶養親族等申告書を提出した者が当該公的年金等受給者の扶養親族等申告書に記載すべき氏名、住所又は個人番号を変更した場合について準用する。(規2の3の6⑤)

(機構保存本人確認情報の提供を受けて作成した場合)
(7) 公的年金等支払者が、公的年金等受給者の扶養親族等申告書に記載されるべき申告者の氏名及び個人番号その他の事項を記載した帳簿であって、当該公的年金等受給者の扶養親族等申告書の提出の前に、行政手続における特定の個人を識別するための番号の利用等に関する法律第14条第2項の規定による求めに基づく機構保存本人確認情報(住民基本台帳法第30条の9に規定する機構保存本人確認情報をいう。)の提供を受けて作成されたものを備えている場合における(3)(当該申告者に係る部分に限る。)の規定の適用については、当該帳簿を同項に規定する帳簿に該当するものとして、(3)の規定を適用することができる。(規2の3の6⑥)

(読替規定)
(8) (4)から(6)までの規定は、(7)の規定により帳簿を作成する場合について準用する。この場合において、(4)中「4の①の(3)の(一)から(三)に掲げる事項(4の①の(4)の申告対象配偶者の氏名については、特定配偶者に該当するものの氏名に限る。)」とあるのは「(7)に規定する機構保存本人確認情報として提供を受けた申告者の氏名、住所及び個人番号並びにその提供を受けた年月その他参考となるべき事項」と、(6)中「準用する。」とあるのは「準用する。この場合において、4の①の(7)中「(4)の(一)から(三)に掲げる」とあるのは、「(7)に規定する機構保存本人確認情報として提供を受けた申告者の氏名、住所及び個人番号並びにその提供を受けた年月その他参考となるべき」と読み替えるものとする。」と読み替えるものとする。(規2の3の6⑦)

(公的年金等支払者の法人番号の付記)
(9) 公的年金等受給者の扶養親族等申告書を受理した公的年金等支払者は、当該公的年金等受給者の扶養親族等申告書に、当該公的年金等支払者の法人番号を付記するものとする。(規2の3の6⑧)

(国外居住者に係る障害者控除等を受けようとする場合の提出書類)
(10) 国外居住者に係る①の(二)又は(三)に掲げる事項を記載した公的年金等受給者の扶養親族等申告書を提出した者(②の規定により当該記載に代えて異動がない旨の記載をした者を含む。)が①に規定する提出期限の属する年の翌年の4月1日の属する年度分の個人の道府県民税及び市町村民税につき当該国外居住者に係る障害者控除額、配偶者控除額又は配偶者特別控除額の控除を受けようとする場合には、当該公的年金等受給者の扶養親族等申告書を提出した

者は、当該国外居住者に係る所得税法施行規則第47条の2第5項及び第6項に規定する書類を同年の3月15日までに市町村長に提出しなければならない。ただし、所得税法の規定に基づいて所得税の確定申告書に添付し、若しくは税務署長に提示し、若しくは同法第203条の6第3項の規定により提出し、若しくは提示し、又は第三節二の1の(1)の規定により第三節二の1の(1)に規定する申告書に添付し、若しくは市町村長に提示し、若しくは3の③の(注3)の規定により市町村長に提出した当該国外居住者に係るものについては、この限りでない。(規2の3の6⑨)

(国外居住者に係る扶養控除を受ける場合の提出書類)
(11) 国外居住者に係る①の(三)に掲げる事項を記載した公的年金等受給者の扶養親族等申告書を提出した者(②の規定により当該記載に代えて異動がない旨の記載をした者を含む。)が①に規定する提出期限の属する年の翌年の4月1日の属する年度分の個人の道府県民税及び市町村民税につき当該国外居住者に係る扶養控除額の控除を受けようとする場合には、当該公的年金等受給者の扶養親族等申告書を提出した者は、次の各号に掲げる場合の区分に応じ当該各号に定める書類を同年の3月15日までに市町村長に提出しなければならない。ただし、所得税法の規定に基づいて所得税の確定申告書に添付し、若しくは税務署長に提示し、若しくは同法第203条の6第3項の規定により提出し、若しくは提示し、又は第三節二の1の(3)の規定により第三節二の1の(3)に規定する申告書に添付し、若しくは市町村長に提示し、若しくは3の③の(注4)の規定により市町村長に提出した当該国外居住者に係るものについては、この限りでない。(規2の3の6⑩)
(一) (二)及び(三)に掲げる場合以外の場合　当該国外居住者に係る次に掲げる書類
イ　所得税法施行規則第47条の2第7項に規定する書類
ロ　所得税法施行規則第47条の2第8項に規定する書類
(二) 当該国外居住者が第三節一の13の(一)のロの(イ)に掲げる者に該当するものとして扶養控除額の控除を受けようとする場合　当該国外居住者に係る次に掲げる書類
イ　(一)のイに掲げる書類
ロ　(一)のロに掲げる書類
ハ　所得税法施行規則第47条の2第9項に規定する書類
(三) 当該国外居住者が第三節一の13の(一)のロの(ハ)に掲げる者に該当するものとして扶養控除額の控除を受けようとする場合　当該国外居住者に係る次に掲げる書類
イ　(一)のイに掲げる書類
ロ　所得税法施行規則第47条の2第10項に規定する書類

(国外扶養親族証明書類の提出)
(12) 控除対象外国外扶養親族に係る①の表中(三)に掲げる事項を記載した公的年金等受給者の扶養親族等申告書を提出した者(②の規定により当該記載に代えて異動がない旨の記載をした者を含む。)が当該公的年金等受給者の扶養親族等申告書に係る①に規定する提出期限の属する年の翌年の4月1日の属する年度分の個人の道府県民税及び市町村民税に係る非課税限度額制度適用者である場合には、当該公的年金等受給者の扶養親族等申告書を提出した者は、当該控除対象外国外扶養親族に係る国外扶養親族証明書類を同年の3月15日までに市町村長に提出しなければならない。ただし、第三節二の1の(3)の規定により同(3)に規定する申告書に添付し、若しくは市町村長に提示し、又は3の③の(注3)の規定により市町村長に提出した当該控除対象外国外扶養親族に係る国外扶養親族証明書類については、この限りでない。(規2の3の6⑪)

(国外扶養親族証明書類の提出方法)
(13) (10)から(12)の規定による書類(所得税法施行規則第47条の2第6項、第8項及び第9項に規定する書類並びに第三節二の1の(4)の表中(二)に掲げる書類を除く。)の提出については、(12)の公的年金等受給者の扶養親族等申告書を受理した公的年金等支払者を経由して提出することを妨げない。(規2の3の6⑫)

(留意事項)
(14) 公的年金等受給者の扶養親族等申告書については、次の諸点に留意すること。(県通2-15の3)
イ　公的年金等受給者の扶養親族等申告書は、この申告書により把握した次に掲げる事項を、公的年金等支払報告書の所定の欄に転記することに用いるものであること。
(イ)　16歳未満の扶養親族の数
(ロ)　特定配偶者(①に規定する特定配偶者をいう。以下同じ。)の氏名、住所、個人番号、その合計所得金額の見

積額その他参考となるべき事項
- (ハ) 退職手当等（第七節の1に規定する退職手当等に限る。）に係る所得を有する扶養親族の氏名、住所、個人番号、その合計所得金額の見積額その他参考となるべき事項

ロ　公的年金等受給者の扶養親族等申告書は、所得税の公的年金等の受給者の扶養親族等申告書（所得税法第203条の6第1項の規定による申告書をいう。以下同じ。）と合わせて1枚用紙によるものとすること。当該用紙の作成等については別途「個人住民税の給与所得者の扶養親族申告書等の作成等に関する取扱いについて」（平成22年8月23日付総税市第61号）により取り扱うこと。

ハ　(10)から(12)までの規定による書類の提出は、公的年金等受給者が公的年金等支払者を経由せずに市町村長に提出するものであること。ただし、所得税においては、公的年金等受給者が公的年金等支払者に、扶養控除等の申告に当たって公的年金等の受給者の扶養親族等申告書を提出する場合、国外に居住する源泉控除対象配偶者又は扶養親族が申告者の親族に該当することを証する書類の提出又は提示が義務付けられていることから、できる限り納税義務者の負担を避ける観点から、(10)から(12)までの規定により提出すべき書類の提出が必要と見込まれる公的年金等受給者が、公的年金等支払者に個人住民税に係る扶養親族等申告書を提出する際に、所得税における書類の提出等と一連の手続として公的年金等支払者に提出する形で、公的年金等支払者を経由して当該書類（特定配偶者又は扶養親族が申告者の親族に該当することを証する書類に限る。）を提出することも妨げないこととしていること。

ニ　公的年金等受給者は、(10)から(12)までの規定により提出すべき書類を公的年金等支払者を経由せずに市町村長に提出する場合においても、公的年金等受給者の扶養親族等申告書に記載すべき全ての特定配偶者又は扶養親族について、当該申告書に記載すること。

ホ　公的年金等支払者が公的年金等支払報告書の所定の欄に転記するイ(イ)に掲げる事項については、国外扶養親族証明書類が公的年金等支払者に対して提出されていない控除対象外国外扶養親族も含めて転記すること。また、公的年金等支払者が公的年金等支払報告書の所定の欄に転記するイ(ロ)及び同(ハ)に掲げる事項については、(11)及び(12)の規定により提出すべき書類が公的年金等支払者に対して提出されていない特定配偶者又は退職手当等に係る所得を有する扶養親族についても転記すること。

ヘ　公的年金等受給者の扶養親族等申告書に記載すべき特定配偶者又は扶養親族に該当するかどうかは、当該申告書を提出する日の現況により判定すること。この場合において、次に掲げる事項については、それぞれ次によること。
- (イ) その判定の要素となる所得金額申告書を提出する日の現況により見積もったその年の合計所得金額による。
- (ロ) その判定の要素となる年齢その年12月31日（申告書を提出するときまでに死亡した者については、その死亡の時）の現況による。

ト　公的年金等支払者に提出された公的年金等受給者の扶養親族等申告書及び(10)から(12)までの規定により提出すべき書類は、その公的年金等支払者が保存するものとし、必要がある場合には市町村長に提出させるものであること。

チ　その他公的年金等受給者の扶養親族等申告書の取扱いについては、所得税の公的年金等の受給者の扶養親族等申告書の取扱いに準ずるものとすること。

② 前年の申告書の記載事項と異動がない場合の申告

①の規定による申告書を公的年金等支払者を経由して提出する場合において、当該申告書に記載すべき事項がその年の前年において当該公的年金等支払者を経由して提出した①の規定による申告書に記載した事項と異動がないときは、公的年金等受給者は、当該公的年金等支払者が所得税法第203条の6第2項に規定する国税庁長官の承認を受けている場合に限り、総務省令で定めるところにより、①の規定により記載すべき事項に代えて当該異動がない旨を記載した①の規定による申告書を、第三編第一章第六節5の②《前年の申告書の記載事項と異動がない場合の市町村民税に係る公的年金受給者の扶養親族申告書》に規定する申告書と併せて提出することができる。（法45の3の3②）

③ 扶養親族申告書のみなす提出

①の場合において、①の規定による申告書がその提出の際に経由すべき公的年金等支払者に受理されたときは、その申告書は、その受理された日に①に規定する市町村長に提出されたものとみなす。（法45の3の3③）

（みなす提出の場合の扶養親族等申告書の保管等）
注　公的年金等支払者が公的年金等受給者から公的年金等受給者の扶養親族等申告書又は①の(13)の規定により提出された書類を受理した場合には、当該公的年金等受給者の扶養親族等申告書（④の規定の適用により当該公的年金等支払者が提供を受けた当該公的年金等受給者の扶養親族等申告書に記載すべき事項を含む。①の(9)において同じ。）又

はこれらの書類を、①に規定する市町村長が当該公的年金等支払者に対しその提出を求めるまでの間、当該公的年金等支払者が保存するものとする。ただし、当該公的年金等受給者の扶養親族等申告書に係るこれらの規定に規定する提出期限の属する年の翌年1月10日の翌日から7年を経過する日後においては、この限りでない。(規2の3の5②)

④ 申告書記載事項の電磁的方法による提供

公的年金等受給者は、①の規定による申告書の提出の際に経由すべき公的年金等支払者が電磁的方法による当該申告書に記載すべき事項の提供を適正に受けることができる措置を講じていることその他の(2)の政令で定める要件を満たす場合には、(3)で定めるところにより、当該申告書の提出に代えて、当該公的年金等支払者に対し、当該申告書に記載すべき事項を、第三編第一章第六節5の④《申告書記載事項の電磁的方法による提供》に規定する申告書に記載すべき事項と併せて電磁的方法により提供することができる。(法45の3の3④)

(申告書記載事項の電磁的方法による提供をする場合のみなす提出)
(1) ④の規定の適用がある場合における③の規定の適用については、③中「申告書が」とあるのは「申告書に記載すべき事項を」と、「公的年金等支払者に受理されたとき」とあるのは「公的年金等支払者が提供を受けたとき」と、「受理された日」とあるのは「提供を受けた日」とする。(法45の3の3⑤)

(記載事項の提供を適正に受けることができる措置)
(2) 4の⑤の(5)の規定は、④に規定する政令で定める要件について準用する。この場合において、4の⑤の(5)の(一)及び(二)中「⑤」とあるのは「5の④」と、「給与所得者」とあるのは「公的年金等受給者」と、4の⑤の(5)の(三)中「⑤」とあるのは「5の④」と読み替えるものとする。(令8の2の3)

(公的年金等受給者の扶養親族等申告書の電磁的方法による提供方法)
(3) ④の規定による公的年金等受給者の扶養親族等申告書に記載すべき事項の電磁的方法による提供は、所得税法第203条の5第1項の規定による同項に規定する申告書に記載すべき事項の電磁的方法による提供と併せて行わなければならない。(規2の3の7)

九　賦課徴収に関する報告等

道府県税の賦課徴収の状況に関し、市町村が道府県に対してなすべき報告は、次に掲げる事項である。(法46①～⑤)

(一)	市町村長は、当該道府県の条例で定めるところにより、道府県知事に対し、個人の道府県民税の納税義務者の数、個人の道府県民税額その他必要な事項を報告するものとする。
(二)	市町村長は、毎年6月30日までに、道府県の条例で定めるところにより、道府県知事に対し、毎年5月31日現在における個人の道府県民税に係る滞納の状況を報告しなければならない。
(三)	道府県知事は、必要があると認める場合には、(一)又は(二)に規定するものの外、市町村長に対し、当該市町村に係る個人の道府県民税の賦課徴収に関する事項の報告を請求することができる。
(四)	道府県知事は、市町村長に対し、個人の道府県民税及び市町村民税の賦課徴収に関する書類を閲覧し、又は記録することを請求した場合には、市町村長は、関係書類を道府県知事又はその指定する職員に閲覧させ、又は記録させるものとする。
(五)	道府県知事が、政府に対し、所得割の賦課徴収に関し必要な書類を閲覧し、又は記録することを請求した場合には、政府は、関係書類を道府県知事又はその指定する職員に閲覧させ、又は記録させるものとする。

(賦課徴収に関する報告等の運用について)
注　道府県民税の賦課徴収の状況に関し、市町村が道府県に対してなすべき報告について、報告すべき事項、報告の時期方法等を道府県の決定に委ねたのは、必要最少限度の報告に止める趣旨であること。上記(三)の個別報告及び(四)の書類の閲覧又は記録についても、これと同様の趣旨であること。(県通2－22)

十　徴収取扱費の交付

　道府県は、市町村が個人の道府県民税の賦課徴収に関する事務を行うために要する費用を補償するため、次に掲げる金額の合計額を、徴収取扱費として市町村に対して交付しなければならない。（法47①、令8の3）

(一)	各年度において賦課決定（既に賦課していた税額を変更するものを除く。）をされた個人の道府県民税の納税義務者の数を3,000円に乗じて得た金額
(二)	二《賦課徴収》の規定によって市町村が徴収した個人の道府県民税に係る地方団体の徴収金を過誤納金の還付《法17》又は過誤納金の充当〚法17の2〛の規定によって市町村が還付し、又は充当した場合における当該地方団体の徴収金に係る過誤納金に相当する金額
(三)	還付加算金〚法17の4〛の規定によって市町村が加算した(二)の過誤納金に係る還付加算金に相当する金額
(四)	二《賦課徴収》においてその例によることとされた納期前の納付に対する報奨金の交付〚法321②〛の規定によって市町村が交付した個人の道府県民税の納期前の納付に対する報奨金の額に相当する金額
(五)	第四節二の5《配当割額又は株式等譲渡所得割額の控除》の規定により控除されるべき額で同5の所得割の額から控除することができなかった金額を法第314条の9《配当割額又は株式等譲渡所得割額の控除》第3項の規定により適用される同条第2項の規定によって市町村が還付し、又は充当した場合における当該控除することができなかった金額に相当する金額

　（注）　上記に定めるもののほか、上記の徴収取扱費の算定及び交付に関し必要な事項は、当該道府県の条例で定める。（法47②）

十一　徴収及び滞納処分の特例

1　道府県の徴税吏員の徴収及び滞納処分

　九の表の(二)《賦課徴収に関する報告等》の規定により市町村長から道府県知事に対し、道府県民税の滞納に関する報告があった場合には、道府県知事が市町村長の同意を得て、当該報告に係る滞納者の全部又は一部について1年を超えない範囲内で定めた一定の期間に限り、道府県の徴税吏員は、当該滞納に係る道府県民税に係る地方団体の徴収金及びこれと併せて納付し、又は納入すべき市町村民税に係る地方団体の徴収金について、個人の市町村民税の徴収の例により徴収し、又はこれについて国税徴収法に規定する滞納処分の例により滞納処分をすることができる。（法48①）

　　　　　（新たに滞納したものについての報告、徴収又は滞納処分）
（1）　市町村長は、1の滞納者が、1の報告があった日の属する年の6月1日以後1の一定の期間の末日までの間の納期限に係る個人の道府県民税を滞納したときは、その旨を遅滞なく道府県知事に報告するものとする。この場合において、道府県知事が市町村長の同意を得たときは、道府県の徴税吏員は、当該滞納に係る道府県民税に係る地方団体の徴収金及びこれとあわせて納付し、又は納入すべき市町村民税に係る地方団体の徴収金について、1の一定の期間に限り、1の規定の例により、1の地方団体の徴収金とあわせて徴収し、又は滞納処分をすることができる。（法48②）

　　　　　（徴収及び滞納処分の期間制限）
（2）　市町村の徴税吏員は、1の一定の期間中は、1又は(1)の規定により道府県の徴税吏員が徴収し、又は滞納処分をする道府県民税及び市町村民税に係る地方団体の徴収金については、納税者が納税通知書に記載した納付の場所に納付し、又は特別徴収義務者が市町村長の指定する場所に納入する場合を除くほか、徴収することができないものとし、また、1の一定の期間前に滞納処分に着手したものについて滞納処分をする場合を除くほか、滞納処分をすることができないものとする。（法48④）

　　　　　（道府県に対する市町村の協力）
（3）　市町村は、道府県が1又は(1)の規定によって滞納に係る道府県民税及び市町村民税に係る地方団体の徴収金を徴収し、又はこれについて滞納処分をする場合においては、道府県に協力するものとする。（法48⑤）

　　　　　（徴収金の払込み）
（4）　道府県は、1又は(1)の規定によって徴収し、又は滞納処分をした市町村民税に係る地方団体の徴収金を翌月10

日までに、(5)で定めるところにより、市町村に払い込むものとする。(法48⑥)

(徴収金の払込み方法)
(5) 道府県が(4)((8)において準用する場合を含む。(6)において同じ。)の規定により市町村に払い込むべき個人の市町村民税に係る地方団体の徴収金の額は、当該個人の道府県民税及び市町村民税に係る地方団体の徴収金を仮に当該市町村が徴収して道府県に払い込むものとした場合において三の2《徴収金の払込み方法》の(1)から(5)の規定により定められる率により算定した額とする。(令8⑩)

(徴収金の払込方法の特例)
(6) 道府県は、市町村長の同意を得たときは、(4)の規定による払込みを、1又は(1)の規定により徴収し、又は滞納処分をした道府県民税及び市町村民税に係る地方団体の徴収金を市町村に払い込み、当該市町村が当該道府県民税に係る地方団体の徴収金を道府県に払い込む方法により行うことができる。(令8⑪)

(徴収及び滞納処分の状況の通知)
(7) 道府県知事は、1の一定の期間の経過後、遅滞なく、市町村長に対し、当該期間中において行った徴収及び滞納処分の状況を通知しなければならない。(法48⑦)

(準用規定)
(8) (7)及び2の規定は、**九**の表中(三)の規定により道府県民税の賦課徴収に関する事項の報告の請求があった場合において、市町村長から道府県知事に対し、道府県民税の滞納(**九**の表中(三)の規定による報告に係るものを除く。)に関する報告があったときについて準用する。(法48⑧)

2　徴収の引継ぎ及び滞納処分の続行

　道府県の徴税吏員は、1及び同(1)の規定により徴収し、又は滞納処分をする場合には、当該市町村の徴税吏員から、1及び同(1)の規定により道府県の徴税吏員が徴収し、又は滞納処分をする道府県民税及び市町村民税に係る地方団体の徴収金について、徴収の引継ぎを受けるものとし、1の一定の期間が経過した場合には、当該市町村の徴税吏員に徴収の引継ぎをするものとする。ただし、当該市町村の徴税吏員又は道府県の徴税吏員は、協議により、滞納処分を続行することができる。(法48③)

(文書交付による徴収の引継ぎ)
(1) 2の本文(1の(9)において準用する場合を含む。以下同じ。)の規定による徴収の引継ぎは、その旨を記載した文書を交付することにより行う。(令8の4①)

(徴収引継ぎの通知義務)
(2) 既に滞納処分に着手した地方団体の徴収金について2の本文の規定による徴収の引継ぎがあった場合には、当該徴収の引継ぎを受けた道府県の徴税吏員又は市町村の徴税吏員は、遅滞なく、その旨を納税者又は特別徴収義務者に通知しなければならない。(令8の4②)

(差押財産の引渡し及びこれに伴う措置)
(3) 2の本文の規定による徴収の引継があった場合において、差押えに係る動産若しくは有価証券又は自動車、建設機械若しくは小型船舶があるときは、当該差押えに係る財産の引渡し及びこれに伴う措置については、国税徴収法第87条第2項《参加差押え等に係る動産等の引渡し》及び国税徴収法施行令第39条から第41条まで《参加差押え等に係る動産等の引渡しに関する措置》の規定の例による。(令8の4③)

(徴収及び滞納処分の留意点)
(4) 次の諸点に留意すること。(県通2-30の2)
　イ　道府県が徴収の引継ぎを受けることができる滞納は、滞納繰越分及び現年課税分のいずれも対象となるものであること。すなわち、滞納繰越分を有する滞納者の滞納繰越分については地方税法第739条の5第1項により、当該滞納者の現年課税分については同条第2項により、また、滞納繰越分を有しない滞納者の現年課税分については同条第8項において準用する同条第1項又は第2項により徴収を引き継ぐことが可能であること。

ロ 「徴収の引継ぎ」とは、個人の道府県民税に係る地方団体の徴収金、個人の市町村民税に係る地方団体の徴収金及び森林環境税に係る徴収金について市町村の徴税吏員が有する徴収に関する権限（督促、繰上徴収、延滞処分、徴収の猶予、換価の猶予、滞納処分の停止、これらの納税の猶予処分に伴う延滞金又は延滞加算金の減免等をすることができる権限を含む。以下同じ。）を包括的に道府県の徴税吏員に引き継ぐことをいうものであること。

ハ 徴収の引継ぎがあった場合、徴収の引継ぎを受けた地方団体の徴収金に係るすべての滞納者に対し、道府県又は市町村の徴税吏員は、その旨を遅滞なく通知しなければならないこととしたのは、滞納者に徴収の権限を行使する者が変わったことの認識を与え、かつ、自主納税の機会を与える趣旨であること。

　また、この場合には、徴収に関する権限が包括的に承継されるので、市町村（道府県）の徴税吏員が、徴収の引継ぎをする時までに行った個人の住民税の徴収に関するすべての処分又は手続の効果は、そのまま存続することとなり、また徴収の引継ぎを受けた徴税吏員は、自ら差押の登記等の嘱託者となる等、自己の名においてその後の処分を続行できるものであること。

ニ 市町村の徴税吏員から道府県の徴税吏員に徴収の引継ぎをした地方団体の徴収金及び森林環境税に係る徴収金については、滞納者が一定の場所に納付又は納入する場合以外は市町村の徴税吏員は徴収することができないものとされているが、この場合において、納付又は納入のあったときは、直ちにその旨を道府県の徴税吏員に対して通知すること。なお、当該市町村の地方団体の徴収金及び森林環境税に係る徴収金に係る過誤納金等を未納に係る個人の住民税（個人の市町村民税の均等割及び二の規定によりこれと併せて賦課徴収を行う道府県民税の賦課徴収と併せて賦課徴収される森林環境税を含む。）に充当又は委託納付した場合においても、同様であること。

ホ 道府県の徴税吏員は、その徴収した個人の住民税に係る地方団体の徴収金の額から滞納処分費及び道府県が督促した場合の督促手数料を控除した額を、地方税法施行令第57条の4の2第10項の規定により個人の道府県民税に係る地方団体の徴収金、個人の市町村民税に係る地方団体の徴収金及び森林環境税に係る徴収金に按分し、個人の市町村民税に係るものを翌月10日までに当該市町村に払い込むものであること。

ヘ 道府県は、ホの払込方法によるほか、市町村長の同意を得たときは、個人の道府県民税及び個人の市町村民税に係る地方団体の徴収金並びに森林環境税に係る徴収金を市町村に払い込み、当該市町村が当該個人の道府県民税に係る地方団体の徴収金及び森林環境税に係る徴収金を払い込む方法により行うことができるものであること。この方法により当該市町村から当該道府県に払い込まれる平成18年度分以前の個人の住民税については、当該道府県は、地方税法等の一部を改正する法律（平成18年法律第7号）による改正前の法第47条第1項第2号に係る徴収取扱費に相当する額を当該市町村に交付することを要しないものであること。

ト 道府県が行う滞納処分等の対象となるものについては、市町村において既に督促状を発しているべきはずのものであるが、何等かの事由により未だ督促状を発していないものについては、道府県においてこれを発すべきものであること。なお、この場合の督促状には市町村民税についても督促するものであることを明記することを要するものであり、また督促手数料は道府県の収入となるものであること。

チ 地方税法第739条の5第1項により、道府県が滞納処分等を行うこととなった滞納者が、同項の報告があった日の属する年の6月1日以後同項の一定の期間の末日までの間の納期限に係る個人の道府県民税を滞納したときは、その旨を遅滞なく道府県知事に報告するものとされていること。

リ 地方税法第739条の5第8項において準用する同条第1項により、道府県が滞納処分等を行うこととなった滞納者が、同条第1項の報告があった日以後1の一定の期間の末日までの間の納期限に係る個人の道府県民税を滞納したときは、その旨を遅滞なく道府県知事に報告するものとされていること。

十二　滞納処分に関する罪等

次の左欄に掲げる者が道府県民税の滞納処分に関し、それぞれに掲げる行為をなした場合には、それぞれに掲げる罰等を科する。（法50①～⑥）

| （一）　納税者又は特別徴収義務者 | 十一の1《道府県の徴税吏員の徴収及び滞納処分》又は同（1）《新たに滞納したものについての報告、徴収又は滞納処分》（これらの規定を十一の1の（9）において準用する場合を含む。以下十二において同じ。）の規定による滞納処分の執行を免れる目的でその財産を隠蔽し、損壊し、道府県及び市町村の不利益に処分し、又はその財産に係る負担を偽って増加する行為をしたときは、その者は、3年以下の懲役若しくは250万円以下の罰金に処し、又はこれを併科する。 |

（二）　納税者又は特別徴収義務者の財産を占有する第三者	納税者又は特別徴収義務者に十一の1又は同（1）の規定による滞納処分の執行を免れさせる目的で（一）の行為をしたときも、（一）と同様とする。
（三）　情を知って（一）又は（二）の行為につき納税者若しくは特別徴収義務者又はその財産を占有する第三者の相手方となった者	2年以下の懲役若しくは150万円以下の罰金に処し、又はこれを併科する。
（四）イ　十一の1又は同（1）の場合において、国税徴収法第141条《質問及び検査》の規定の例により行う道府県の徴税吏員の質問に対して答弁をせず、又は偽りの陳述をした者 　　ロ　十一の1又は同（1）の場合において、国税徴収法第141条《質問及び検査》の規定の例により行う道府県の徴税吏員の同条に規定する帳簿書類の検査を拒み、妨げ、若しくは忌避し、又はその帳簿書類で偽りの記載若しくは記録をしたものを提示した者	1年以下の懲役又は50万円以下の罰金に処する。
（五）　十一の1又は十一の1の（1）の場合において、国税徴収法第99条の2（同法第109条第4項において準用する場合を含む。）の規定の例により道府県知事に対して陳述すべき事項について虚偽の陳述をした者	6月以下の懲役又は50万円以下の罰金に処する。
（六）　法人の代表者又は法人若しくは人の代理人、使用人その他の従業者	その法人又は人の業務又は財産に関して（一）から（四）までの違反行為をした場合には、その行為者を罰するほか、その法人又は人に対し、当該各項の罰金刑を科する。
（七）　法人でない社団又は財団で代表者又は管理人の定めのあるもの	（五）の規定の適用がある場合には、その代表者又は管理人がその訴訟行為につき当該法人でない社団又は財団で代表者又は管理人の定めのあるものを代表するほか、法人を被告人又は被疑者とする場合の刑事訴訟に関する法律の規定を準用する。

第七節　退職所得の課税の特例

1　退職手当等に係る所得割

　道府県内に住所を有する個人である道府県民税の納税義務者が退職手当等（所得税法第199条《退職所得の源泉徴収義務》の規定によりその所得税を徴収して納付すべきものに限る。以下第七節において同じ。）の支払を受ける場合には、当該退職手当等に係る所得割は、第二節《所得割の課税標準及びその計算》、第四節一の1《所得割の税率》及び第六節一《賦課期日》の規定にかかわらず、当該退職手当等に係る所得を他の所得と区分し、第七節に規定するところにより、当該退職手当等の支払を受けるべき日の属する年の1月1日現在におけるその者の住所所在の道府県において課する。（法50の2）

　（分離課税に係る所得割）
（1）　道府県内に住所を有する者が退職手当等の支払を受ける場合には、当該退職手当等に係る所得を他の所得と区分し、いわゆる分離課税の方法によって所得割を課されるものであること。
　　なお、分離課税に係る所得割は、分離課税に係る所得割の課税対象となる退職手当等の支払を受けるべき日の属する年の1月1日現在におけるその支払を受ける者の住所所在の道府県が課するものであること。（県通2－31）

　（分離課税に係る所得割の指定都市に対する交付）
（2）　指定都市の区域を包括する道府県は、当分の間、当該道府県に払い込まれた当該指定都市に係る1の規定により

課する所得割に係る地方団体の徴収金の額の2分の1に相当する額を、(3)で定めるところにより、当該指定都市に対し交付するものとする。(法附7の4)

(分離課税に係る所得割の交付時期及び交付額)
(3) (2)の規定により地方自治法第252条の19第1項の市(以下「指定都市」という。)に対し交付するものとされる1の規定により課する所得割(以下「分離課税に係る所得割」という。)に係る交付金については、当該指定都市の区域を包括する道府県は、毎年度3月に、当該指定都市に対し、前年度3月から当該年度2月までの間に当該道府県に払い込まれた当該指定都市に係る分離課税に係る所得割に係る地方団体の徴収金の額の2分の1に相当する額から当該期間内に第六節十(第六節十の(二)及び(三)に係る部分に限る。)の規定により当該指定都市に対して分離課税に係る所得割に係る徴収取扱費を交付した場合における当該交付した額の2分の1に相当する額を控除した額を交付するものとする。(令附5の2①)
　　(注) (2)の規定により地方自治法第252条の19第1項の指定都市に対し交付すべき1の規定により課する所得割に係る交付金に係る(3)の規定の適用については、(3)中「前年度3月から当該年度2月まで」とあるのは、「平成29年4月から平成30年2月まで」とする。(平29改令附2②)

(各年度に交付できなかった金額があるとき)
(4) (3)に規定する分離課税に係る所得割に係る交付金について、各年度に交付することができなかった金額があるとき、又は各年度において交付すべき額を超えて交付した金額があるときは、それぞれこれらの金額を、当該年度の翌年度に交付すべき額に加算し、又はこれから減額するものとする。(令附5の2②)

(交付した額の算定に錯誤があった場合)
(5) (3)の規定により指定都市に対して交付すべき額を交付した後において、その交付した額の算定に錯誤があったため、交付した額を増加し、又は減少する必要が生じた場合には、当該錯誤に係る額を、当該錯誤を発見した年度又はその翌年度において、当該交付すべき額に加算し、又はこれから減額するものとする。(令附5の2③)

(端数処理)
(6) (3)の規定を適用して指定都市に対し交付すべき額を計算する場合において、当該計算した金額に1,000円未満の端数金額があるときは、その端数金額を控除した金額をもって、当該指定都市に対し交付すべき額とする。(令附5の2④)

2　分離課税に係る所得割の課税標準

分離課税に係る所得割の課税標準は、**その年中の退職所得の金額**とする。(法50の3①)
この場合の退職所得の金額は、所得税法第30条第2項《退職所得の金額》に規定する退職所得の金額の計算の例によって算定する。(法50の3②)

(市町村民税における課税標準との同一性)
注　分離課税に係る所得割の課税標準は、その年中の退職所得の金額であり、市町村民税における課税標準と同一であること。(県通2-32)

3　分離課税に係る所得割の税率

分離課税に係る所得割の税率は、100分の4とする。(法50の4)

(分離課税に係る所得割の税率に関する定め)
注　分離課税に係る所得割の税率は、3に規定されているところによるものであり、道府県においてこれと異なる定めをすることはできないものであること。(県通2-33)

4　納入申告書の提出

分離課税に係る所得割の特別徴収義務者は、第六節二《賦課徴収》の規定により分離課税に係る所得割を徴収する場合には、総務省令で定める様式によって、その徴収すべき分離課税に係る所得割の課税標準額、税額その他必要な事項を記載した納入申告書を、個人の市町村民税の特別徴収の手続規定〖第三編第一章第十節5②③〗に定める納入申告書と併せ

て、市町村長に提出しなければならない。(法50の5)

5 特別徴収税額

　第六節二《賦課徴収》の規定により特別徴収義務者が徴収すべき分離課税に係る所得割の額は、次の各号に掲げる場合の区分に応じ、当該各号に掲げる税額とする。(法50の6①)

(一)	退職手当等の支払を受ける者が提出した6の規定による申告書(以下5及び6において「**退職所得申告書**」という。)に、その支払うべきことが確定した年において支払うべきことが確定した他の退職手当等で既に支払がされたもの((二)において「**支払済みの他の退職手当等**」という。)がない旨の記載がある場合	その支払う退職手当等の金額について2及び3の規定を適用して計算した税額
(二)	退職手当等の支払を受ける者が提出した退職所得申告書に、支払済みの他の退職手当等がある旨の記載がある場合	その支払済みの他の退職手当等の金額とその支払う退職手当等の金額との合計額について2及び3の規定を適用して計算した税額から、その支払済みの他の退職手当等につき第六節二《賦課徴収》の規定により徴収された又は徴収されるべき分離課税に係る所得割の額を控除した残額に相当する税額

　(退職所得申告書を提出していない場合の分離課税に係る所得割の額)
(1) 退職手当等の支払を受ける者がその支払を受ける時までに退職所得申告書を提出していないときは、第六節二《賦課徴収》の規定により特別徴収義務者が徴収すべき分離課税に係る所得割の額は、その支払う退職手当等の金額について2及び3の規定を適用して計算した税額とする。(法50の6②)

　(退職所得控除額の計算)
(2) 5の表の(一)及び(二)又は(1)の規定により2の規定を適用する場合における所得税法第30条第2項の退職所得控除額の計算については、5及び(1)の規定による分離課税に係る所得割を徴収すべき退職手当等を支払うべきことが確定した時の状況によるものとする。(法50の6③)

　(退職手当等とみなす一時金の支払がある場合の負担した金額の控除)
(3) 退職手当等とみなされる一時金の支払をする場合において、契約に基づいて払い込まれた保険料又は掛金のうちに勤務をした者の負担した金額があるときは、その退職一時金の額からその負担した金額を控除した金額に相当する退職手当等の支払があったものとみなすこととする所得税法第202条《退職所得とみなされる退職一時金に係る源泉徴収》の規定は、5、(1)及び(2)の規定を適用する場合について準用する。(法50の6④)

6 退職所得申告書

　退職手当等の支払を受ける者は、その支払を受ける時までに、市町村民税に係る退職所得申告書《第三編第一章第十節8》と併せて、次に掲げる事項を記載した申告書を、その退職手当等の支払者を経由して、その退職手当等の支払を受けるべき日の属する年の1月1日現在における住所所在地の市町村長に提出しなければならない。この場合において、(二)に規定する支払済みの他の退職手当等がある旨を記載した申告書を提出するときは、当該申告書に当該支払済みの他の退職手当等につき8《特別徴収票》の規定により交付される特別徴収票を添付しなければならない。(法50の7①、規2の5①)

(一)	その退職手当等の支払者の氏名又は名称
(二)	5の表の(一)に規定する支払済みの他の退職手当等があるかどうか並びに当該支払済みの他の退職手当等があるときは当該支払済みの他の退職手当等が所得税法第30条第7項に規定する一般退職手当等、同条第4項に規定する短期退職手当等又は同条第5項に規定する特定役員退職手当等のいずれに該当するかの別及びその金額
(三)	5の(2)に規定する退職所得控除額の計算の基礎となる勤続年数
(四)	その者が所得税法第30条第6項第3号《障害者になったことに基因して退職した場合の退職所得控除額の計算》に

	掲げる場合に該当するかどうか及びこれに該当するときはその該当する事実
(五)	申告書を提出する者の氏名、その者の退職手当等の支払を受けるべき日の属する年の1月1日現在の住所並びに個人番号（個人番号を有しない者にあっては、氏名及びその者の退職手当等の支払を受けるべき日の属する年の1月1日現在の住所）
(六)	(三)に掲げる勤続年数の計算の基礎その他5の(2)に規定する退職所得控除額の計算の基礎となるべき事項
(七)	5の表の(二)に規定する支払済みの他の退職手当等がある場合には、当該支払済みの他の退職手当等の支払者の氏名又は名称、当該支払済みの他の退職手当等につき第六節二《賦課徴収》の規定により徴収された税額並びにその支払を受けた年月日
(八)	退職手当等の支払を受けるべき日の属する年の1月1日現在で、生活保護法の規定による生活扶助を受けている場合には、その旨
(九)	6に規定する退職手当等又は(二)に規定する支払済みの他の退職手当等の全部又は一部がこれらの規定に規定する短期退職手当等に該当する場合には、次に掲げる事項 イ 2の規定によりその例によることとされる所得税法施行令第71条の2第2項に規定する短期勤続年数及びその計算の基礎 ロ 2の規定によりその例によることとされる所得税法施行令第71条の2第11項各号に掲げる場合に該当するときは、同令第319条の3第2項に規定する短期退職所得控除額の計算の基礎
(十)	6に規定する退職手当等又は(二)に規定する支払済みの他の退職手当等の全部又は一部がこれらの規定に規定する特定役員退職手当等に該当する場合には、次に掲げる事項 イ 2の規定によりその例によることとされる所得税法施行令第71条の2《一般退職手当等、短期退職手当等又は特定役員退職手当等のうち二以上の退職手当等がある場合の退職所得の金額の計算》第4項に規定する特定役員等勤続年数及びその計算の基礎 ロ 2の規定によりその例によることとされる所得税法施行令第71条の2第12項各号に掲げる場合に該当するときは、同令第319条の3《特定役員退職手当等と一般退職手当等がある場合の退職所得に係る源泉徴収》第2項に規定する特定役員退職所得控除額の計算の基礎
(十一)	その他参考となるべき事項

　　　（退職所得申告書のみなす提出）
（1）　6の場合において、退職所得申告書がその提出の際に経由すべき退職手当等の支払者に受理されたときは、その申告書は、その受理された時に6に規定する市町村長に提出されたものとみなす。（法50の7②）

　　　（退職所得申告書の提出方法）
（2）　所得税法第203条第1項の規定により同項の規定による申告書を提出しなければならない者（(3)の(注)及び9の(1)、(2)において「退職手当等の支払を受ける者」という。）が退職所得申告書を提出する場合には、同法第203条第1項の規定による申告書と併せて6に規定する退職手当等の支払者（6において「退職手当等の支払者」という。）を経由して、提出しなければならない。（規2の4①）

　　　（退職所得申告書の保存）
（3）　退職手当等の支払者が退職手当等の支払を受ける者から退職所得申告書を受理した場合には、当該退職所得申告書（7の規定の適用により当該退職手当等の支払者が提供を受けた当該退職所得申告書に記載すべき事項を含む。(7)において同じ。）を、6に規定する市町村長が当該退職手当等の支払者に対しその提出を求めるまでの間、当該退職手当等の支払者が保存するものとする。ただし、当該退職所得申告書に係るこれらの規定に規定する提出期限の属する年の翌年1月10日の翌日から7年を経過する日後においては、この限りでない。（規2の4②）

　　　（退職所得申告書に個人番号の記載を要しない場合）
（4）　退職所得申告書の提出を受ける退職手当等の支払者が、当該退職所得申告書に記載されるべき当該退職所得申告書の提出をする者（以下(4)及び(5)の(一)において「提出する者」という。）の氏名及び個人番号その他の事項を記載した帳簿（当該退職所得申告書の提出の前に当該提出する者から第六節《賦課徴収》八の4の①の(3)の(一)から

（三）に掲げる申告書の提出を受けて作成されたものに限る。）を備えているときは、当該提出する者は、6の規定にかかわらず、当該退職手当等の支払者に提出する当該退職所得申告書には、当該帳簿に記載されている個人番号の記載を要しないものとする。ただし、当該退職所得申告書に記載されるべき氏名又は個人番号が当該帳簿に記載されている当該提出する者の氏名又は個人番号と異なるときは、この限りでない。（規2の5②）

　　　（帳簿に記載する事項）
（5）　退職手当等の支払者が（3）の規定により帳簿を作成する場合には、その者は、当該帳簿に次に掲げる事項を記載しなければならない。（規2の5③）
　（一）　第六節《賦課徴収》八の4の①の（3）の（一）から（三）に掲げる申告書に記載された提出する者の氏名、住所及び個人番号
　（二）　（一）の申告書の提出を受けた年月及び当該申告書の名称
　（三）　その他参考となるべき事項

　　　（帳簿の保存期間）
（6）　退職手当等の支払者は、（5）の帳簿を、最後に（4）の規定の適用を受けて提出された退職所得申告書に係る（3）ただし書の規定による期限まで保存しなければならない。（規2の5④）

　　　（準用規定）
（7）　第六節《賦課徴収》八の4の①の（6）から（8）までの規定は、（4）の規定の適用を受けて退職所得申告書を提出した者が当該退職所得申告書に記載すべき氏名、住所又は個人番号を変更した場合について準用する。（規2の5⑤）

　　　（退職所得申告書への個人番号又は法人番号の付記）
（8）　退職所得申告書を受理した退職手当等の支払者は、当該退職所得申告書に、当該退職手当等の支払者の個人番号又は法人番号を付記するものとする。（規2の5⑥）

7　退職所得申告書の電磁的方法による提供

6の退職手当等の支払を受ける者は、退職所得申告書の提出の際に経由すべき退職手当等の支払者が電磁的方法による当該退職所得申告書に記載すべき事項の提供を適正に受けることができる措置を講じていることその他の（2）の政令で定める要件を満たす場合には、（3）の総務省令で定めるところにより、当該退職所得申告書の提出に代えて、当該退職手当等の支払者に対し、当該退職所得申告書に記載すべき事項を電磁的方法により提供することができる。（法50の7③）

　　　（電磁的方法による退職所得申告書のみなす提出）
（1）　7の規定の適用がある場合における6の（1）の規定の適用については、同（1）中「退職所得申告書が」とあるのは「退職所得申告書に記載すべき事項を」と、「支払者に受理されたとき」とあるのは「支払者が提供を受けたとき」と、「受理された時」とあるのは「提供を受けた時」とする。（法50の7④）

　　　（記載事項の提供を適正に受けることができる措置）
（2）　第六節八の4の⑤の（5）の規定は、7に規定する政令で定める要件について準用する。この場合において、同（5）中「⑤」とあるのは「7」と、「給与所得者」とあるのは「退職手当等の支払を受ける者」と、「申告書」とあるのは「退職所得申告書」と、同（5）の（二）中「⑤」とあるのは「7」と、「給与所得者」とあるのは「退職手当等の支払を受ける者」と、同（5）の（三）中「⑤」とあるのは「7」と読み替えるものとする。（令8の4）

　　　（退職所得申告書の電磁的方法による提供方法）
（3）　7の規定による退職所得申告書に記載すべき事項の電磁的方法による提供は、所得税法第203条第4項の規定による同項に規定する申告書に記載すべき事項の電磁的方法による提供と併せて行わなければならない。（規2の5の2）

8　所得割の普通徴収税額

その年において退職手当等の支払を受けた者が5の（1）に規定する分離課税に係る所得割の額を徴収された又は徴収されるべき場合において、その者のその年中における退職手当等の金額について2及び3の規定を適用して計算した税額が当該退職手当等につき第六節二《賦課徴収》の規定によってその例によることとされる市町村民税の分離課税に係る所得

割の特別徴収の手続〖第三編第一章第十節5②参照〗の規定により徴収された又は徴収されるべき分離課税に係る所得割の額を超えるときは、第六節二の規定によって市町村長が普通徴収の方法によって徴収すべき税額は、その超える金額に相当する税額とする。(法50の8)

9 特別徴収票

分離課税に係る所得割の特別徴収義務者は、(1)で定めるところにより、その年において支払の確定した退職手当等について、その退職手当等の支払を受ける者の各人別に特別徴収票2通を作成し、その退職の日以後1月以内に、市町村民税に係る特別徴収票〖第三編第一章第十節11参照〗と併せて、1通を市町村長に提出し、他の1通を退職手当等の支払を受ける者に交付しなければならない。ただし、(2)で定める場合は、この限りでない。(法50の9)

(特別徴収票の交付方法)
(1) 退職手当等の支払をする者は、退職手当等の支払を受ける者の各人別に、「第5号の14様式」及び「第5号の14の2様式」による特別徴収票を作成し、「第5号の14様式」による特別徴収票を退職手当等の支払を受けるべき日の属する年の1月1日現在におけるその者の住所所在地の市町村長に提出し、「第5号の14の2様式」による特別徴収票を退職手当等の支払を受ける者に交付しなければならない。ただし、法人(人格のない社団又は財団を含む。)がその役員(相談役、顧問その他これらに類する者を含む。)に対して支払う退職手当等以外の退職手当等については、特別徴収票は、市町村長に提出することを要しない。(規2の5の3①)

(特別徴収票の交付を要しない場合)
(2) (1)の場合において市町村民税の退職所得の特別徴収〖第三編第一章第十節5②参照〗の規定により徴収すべき分離課税に係る所得割の額がないときは、特別徴収票は、退職手当等の支払を受ける者の請求がない場合に限り、退職手当等の支払を受ける者に交付することを要しない。(規2の5の3②)

第八節 都等の特例

1 都民税

都は、その特別区の存する区域内において、法第1条第2項《道府県及び市町村に関する規定の都及び特別区への準用》の規定にかかわらず、都民税として法第4条第2項第1号《道府県民税》に掲げる税のうち個人に対して課するもの(利子等に係るものを除く。)を課するものとする。(法734②一)

2 個人の道府県民税に関する規定の準用

1の場合において、1に掲げるものについては、第一節《通則》から第七節《退職所得の課税の特例》までの規定を準用する。この場合において、次の表の左欄に掲げる字句は、同表の右欄に掲げる字句に、それぞれ読み替えるものとする。(法734③)

道府県	都
道府県民税	都民税
道府県知事	都知事
市町村	特別区
市町村長	特別区長

第二章　法人の道府県民税

◆令和６年度改正事項◆

（１）　法人税割の課税標準である法人税額について、産業競争力基盤強化商品を生産及び販売した場合の法人税額の特別税額控除の適用を受ける前の額とする措置を講ずることとした。（法23①四）
（２）　中間期間において生じた災害損失欠損金額について法人税額の還付を受けた場合において、当該事業年度の法人税割の課税標準となる法人税額から当該還付を受けた法人税額を控除し、控除しきれない額は翌年度以降に控除することとした。（法53㉓㉖㉗、令8の23の2）
（３）　法人税割の課税標準である法人税額について、中小企業者等の給与等の支給額が増加した場合の法人税額の特別税額控除の適用を受けた額とする特例措置の適用期限を令和9年3月31日までとする等所要の措置を講ずることとした。（法附8⑧〜⑪）
（４）　新たな公益信託制度の創設に伴い、公益信託の信託財産について生ずる所得について、公益信託の委託者等が当該公益信託の信託財産に属する資産及び負債を有するものとみなすこととする特例措置を廃止することとした。（旧法附3の2の3）

（注）　本章の規定は、別に定めがあるものを除き、令和6年4月1日以後に開始する事業年度分の法人の道府県民税について適用する。（令6改法附1、4④）

第一節　通　　則

一　用語の意義

法人等の道府県民税について、次の各号に掲げる用語の意義は、それぞれ当該各号に定めるところによる。（法23①一、三、四、四の二、十八）

（一）	均　等　割	均等の額により課する道府県民税をいう。
（二）	法 人 税 割	次に掲げる法人の区分に応じ、それぞれ次に定める道府県民税をいう。 イ　この法律の施行地に本店又は主たる事務所若しくは事業所を有する法人（以下「**内国法人**」という。）　法人税額を課税標準として課する道府県民税 ロ　この法律の施行地に本店又は主たる事務所若しくは事業所を有しない法人（以下「**外国法人**」という。）　次に掲げる法人税額の区分ごとに、当該法人税額を課税標準として課する道府県民税 　（イ）　法人税法第141条《外国法人の課税標準》第1号イに掲げる国内源泉所得に対する法人税額 　（ロ）　法人税法第141条第1号ロに掲げる国内源泉所得に対する法人税額
（三）	法 人 税 額	次に掲げる法人の区分に応じ、それぞれ次に定める額をいう。 イ　内国法人　法人税法その他の法人税に関する法令の規定により計算した法人税額（各対象会計年度（法人税法第15条の2に規定する対象会計年度をいう。）の国際最低課税額（同法第82条の2第1項に規定する国際最低課税額をいう。）に対する法人税の額を除く。）で、法人税法第68条《所得税額の控除》（租税特別措置法第3条の3《国外で発行された公社債等の利子所得の分離課税等》第5項、第6条《民間国外債等の利子の課税の特例》第3項、第8条の3《国外で発行された投資信託等の収益の分配に係る配当所得の分離課税等》第5項、第9条の2《国外で発行された株式の配当所得の源泉徴収等の特例》第4項、第9条の3の2《上場株式等の配当等に係る源泉徴

収義務等の特例》第7項、第41条の9《懸賞金付預貯金等の懸賞金等の分離課税等》第4項、第41条の12《償還差益等に係る分離課税等》第4項及び第41条の12の2《割引債の差益金額に係る源泉徴収等の特例》第7項の規定により読み替えて適用する場合を含む。）、法人税法第69条《外国税額の控除》（租税特別措置法第66条の7《外国関係会社の課税対象金額等に係る外国税額の控除》第1項及び第66条の9の3《外国関係法人の課税対象金額等に係る外国税額の計算等》第1項の規定により読み替えて適用する場合を含む。）、第69条の2《分配時調整外国税相当額の控除》（租税特別措置法第9条の3の2第7項、第9条の6《特定目的会社の利益の配当に係る源泉徴収等の特例》第4項、第9条の6の2《投資法人の配当等に係る源泉徴収等の特例》第4項、第9条の6の3《特定目的信託の剰余金の配当に係る源泉徴収等の特例》第4項及び第9条の6の4《特定投資信託の剰余金の配当に係る源泉徴収等の特例》第4項の規定により読み替えて適用する場合を含む。）及び第70条《仮装経理に基づく過大申告の場合の更正に伴う法人税額の控除》並びに租税特別措置法第42条の4《試験研究を行った場合の法人税額の特別控除》、第42条の10《国家戦略特別区域において機械等を取得した場合の法人税額の特別控除》（第1項、第3項、第4項及び第7項を除く。）、第42条の11《国際戦略総合特別区域において機械等を取得した場合の法人税額の特別控除》（第1項、第3項から第5項まで及び第8項を除く。）、第42条の11の2《地域経済牽引事業の促進区域内において特定事業用機械等を取得した場合の法人税額の特別控除》（第1項、第3項、第4項及び第7項を除く。）、第42条の11の3《地方活力向上地域等において特定建物等を取得した場合の法人税額の特別控除》（第1項、第3項、第4項及び第7項を除く。）、第42条の12《地方活力向上地域等において雇用者の数が増加した場合の法人税額の特別控除》、第42条の12の2《認定地方公共団体の寄附活用事業に関連する寄附をした場合の法人税額の特別控除》、第42条の12の5《給与等の支給額が増加した場合の法人税額の特別控除》、第42条の12の6《認定特定高度情報通信技術活用設備を取得した場合の法人税額の特別控除》（第1項、第3項、第4項及び第7項を除く。）、第42条の12の7《事業適応設備を取得した場合等の法人税額の特別控除》（第1項から第3項まで、<u>第13項から第15項まで及び第23項</u>を除く。）、第66条の7（第2項、第6項及び第10項から第13項までを除く。）及び第66条の9の3（第2項、第5項及び第9項から第12項までを除く。）の規定の適用を受ける前のものをいい、法人税に係る延滞税、利子税、過少申告加算税、無申告加算税及び重加算税の額を含まないものとする。

　ロ　外国法人　次に掲げる国内源泉所得の区分ごとに、法人税法その他の法人税に関する法令の規定により計算した法人税額で、法人税法第144条《所得税額の控除》（租税特別措置法第9条の3の2第7項、第41条の9第4項、第41条の12第4項、第41条の12の2第7項及び第41条の22第2項の規定により読み替えて適用する場合を含む。）において準用する法人税法第68条（租税特別措置法第9条の3の2第7項、第41条の9第4項、第41条の12第4項及び第41条の12の2第7項の規定により読み替えて適用する場合を含む。）、第144条の2《外国法人に係る外国税額の控除》及び第144条の2の2（租税特別措置法第9条の3の2第7項、第9条の6第4項、第9条の6の2第4項、第9条の6の3第4項及び第9条の6の4第4項の規定により読み替えて適用する場合を含む。）並びに租税特別措置法第42条の4、第42条の10（第1項、第3項、第4項及び第7項を除く。）、第42条の11（第1項、第3項から第5項まで及び第8項を除く。）、第42条の11の2（第1項、第3項、第4項及び第7項を除く。第42条の11の3（第1項、第3項、第4項及び第7項を除く。）、第42条の12、第42条の12の2、第42条の12の5及び第42条の12の6（第1項、第3項、第4項及び第7項を除く。）、第42条の12の7《事業適応設備を取得した場合等の法人税額の特別税額控除》（第1項から第3項まで、<u>第13項から第15項まで及び第23項</u>を除く。）の規定の適用を受ける前のものをいい、法人税に係る延滞税、利子税、過少申告加算税、無申告加算税及び重加算税の額を含まないものとする。

　（イ）　法人税法第141条《外国法人に係る各事業年度の所得に対する法人税の課税標準》第1号イに掲げる国内源泉所得

　（ロ）　法人税法第141条第1号ロに掲げる国内源泉所得

　　　（注）　（三）中＿＿部分のように改める令和6年度改正規定は、新たな事業の創出及び産業への投資を促進するための産業競争力強化法等の一部を改正する法律（令和6年法律第45号）の施行の日から適用し、同日以後に終了する事業年度分の法人の道府県民税について適用する。（令6改法附1六、4⑤）

(中小企業者等に係る試験研究費等の法人税額の特別控除の適用がある場合の特例)
(1) 当分の間、租税特別措置法第42条の4第4項に規定する中小企業者等（(4)において「中小企業者等」という。）の各事業年度の法人の道府県民税にあっては、当該事業年度の法人税額について同条第4項の規定により控除された金額がある場合における(三)の規定の適用については、(三)イ中「第42条の4」とあるのは「第42条の4第1項、第7項、第8項第6号ロ及び第7号、第13項並びに第18項」と、「除く。) 及び」とあるのは「除く。) 並びに」と、(三)ロ中「第42条の4」とあるのは「第42条の4第1項及び第7項」と、「除く。) 及び」とあるのは「除く。) 並びに」とする。(法附8①)

(中小企業者等の範囲)
(2) (1)に規定する中小企業者等には、租税特別措置法施行令第27条の4《試験研究を行った場合の法人税額の特別控除》第2項の規定により租税特別措置法第42条の4第4項《中小企業者等が試験研究を行った場合の法人税額の特別控除》に規定する中小企業者に該当するものとされる同令第27条の4第2項の通算子法人を含むものとする。(令附5の2の3)

(中小企業者等に係る試験研究費等の法人税額の特別控除の適用がある場合の通算法人の特例)
(3) 当分の間、租税特別措置法第42条の12の5第3項に規定する中小企業者等（(5)から(11)まで及び(13)から(15)までにおいて「中小企業者等」という。）の各事業年度の法人の道府県民税にあっては、当該事業年度の法人税額について同法第42条の4第7項又は第13項（同条第18項において準用する場合を含む。）の規定により控除された金額がある場合における(三)の規定の適用については、(三)イ中「第42条の4」とあるのは「第42条の4第1項及び第4項並びに第8項第6号ロ及び第7号（これらの規定を同条第18項において準用する場合を含む。）」と、「除く。) 及び」とあるのは「除く。) 並びに」と、(三)ロ中「第42条の4」とあるのは「第42条の4第1項及び第4項」と、「除く。) 及び」とあるのは「除く。) 並びに」とする。(法附8②)

(中小企業者等に係る試験研究費等の法人税額の特別控除の適用がある通算法人について法人税額に加算された金額がある場合の特例)
(4) 当分の間、中小企業者等の各事業年度（当該各事業年度又は当該中小企業者等に係る租税特別措置法第42条の4第8項第3号イの他の通算法人の同項第2号に規定する他の事業年度において同項第5号に規定する当初申告税額控除可能分配額（同項第3号の中小企業者等税額控除限度額に係るものに限る。）がある場合の当該各事業年度に限る。）の法人の道府県民税にあっては、当該事業年度の法人税額について同項第6号ロ又は第7号の規定により加算された金額がある場合における(三)イ並びに第四節—の1、2の②、4、6、7の(一)及び8の規定の適用については、(三)イ中「第42条の4」とあるのは「第42条の4第1項、第4項、第7項、第13項及び第18項」と、「除く。) 及び」とあるのは「除く。) 並びに」と、第四節—の1、2の②、4、6、7の(一)及び8中「第42条の14第1項」とあるのは「第42条の4第8項第6号ロ若しくは第7号、第42条の14第1項」とする。(法附8③)

(中小企業者等に係る試験研究費等の法人税額の特別控除の適用がある通算法人について法人税額に加算された金額がある場合の特例)
(5) 当分の間、中小企業者等の各事業年度の法人の道府県民税にあっては、当該事業年度の法人税額について租税特別措置法第42条の4第18項において準用する同条第8項第6号ロ又は第7号の規定により加算された金額がある場合における(三)イ並びに第四節—の1、2の②、4、6、7の(一)及び8の規定の適用については、(三)イ中「第42条の4」とあるのは「第42条の4第1項、第4項、第7項、第8項第6号ロ及び第7号並びに第13項（同条第18項において準用する場合を含む。）」と、「除く。) 及び」とあるのは「除く。) 並びに」と、第四節—の1、2の②、4、6、7の(一)及び8中「第42条の14第1項」とあるのは「第42条の4第18項において準用する同条第8項第6号ロ若しくは第7号又は同法第42条の14第1項」と、「又は第63条第

(地域経済牽引事業の促進区域内において特定事業用機械等を取得した場合の法人税額の特別控除の適用がある場合の特例)
(6)　中小企業者等の各事業年度の法人税額について租税特別措置法第42条の11の2第2項の規定により控除された金額がある場合における(三)の規定の適用については、(三)中「第42条の11の2(第1項、第3項、第4項及び第7項を除く。)、第42条の11の3」とあるのは、「第42条の11の3」とする。(法附8⑤)

(中小企業者等に係る地方活力向上地域において特定建物等を取得した場合の法人税額の特別控除の適用がある場合の特例)
(7)　中小企業者等の各事業年度の法人税額について租税特別措置法第42条の11の3第2項の規定により控除された金額がある場合における(三)の規定の適用については、(三)中「第42条の11の3(第1項、第3項、第4項及び第7項を除く。)、第42条の12」とあるのは、「第42条の12」とする。(法附8⑥)

(中小企業者等に係る地方活力向上地域等において雇用者の数が増加した場合の法人税額の特別控除の適用がある場合の特例)
(8)　中小企業者等の租税特別措置法第42条の12第6項第3号に規定する適用年度の法人の道府県民税に限り、当該適用年度の法人税額について同条第1項又は第2項の規定により控除された金額がある場合における(三)の規定の適用については、(三)の規定中「第42条の12、第42条の12の2」とあるのは、「第42条の12の2」とする。(法附8⑦)

(給与等の支給額が増加した場合の法人税額の特別控除の適用がある場合の特例)
(9)　中小企業者等の令和4年4月1日から令和9年3月31日までの間に開始する各事業年度の法人の道府県民税に限り、当該事業年度の法人税額について租税特別措置法第42条の12の5第1項の規定により控除された金額がある場合における(三)の規定の適用については、(三)の規定中「第42条の12の5」とあるのは、「第42条の12の5第2項から第4項まで及び第8項」とする。(法附8⑧)

(給与等の支給額が増加した場合の法人税額の特別控除の適用がある場合の特例)
(10)　中小企業者等の令和6年4月1日から令和9年3月31日までの間に開始する各事業年度の法人の道府県民税に限り、当該事業年度の法人税額について租税特別措置法第42条の12の5第2項の規定により控除された金額がある場合における(三)の規定の適用については、(三)の規定中「第42条の12の5」とあるのは、「第42条の12の5第1項、第3項、第4項及び第8項」とする。(法附8⑨)

(中小企業者等に係る給与等の支給額が増加した場合の法人税額の特別控除の適用がある場合の特例)
(11)　中小企業者等の平成30年4月1日から令和9年3月31日までの間に開始する各事業年度の法人の道府県民税に限り、当該事業年度の法人税額について租税特別措置法第42条の12の5第3項の規定により控除された金額がある場合における(三)の規定の適用については、(三)の規定中「第42条の12の5」とあるのは、「第42条の12の5第1項、第2項、第4項及び第8項」とする。(法附8⑩)

(中小企業者等に係る給与等の支給額が増加した場合の法人税額の特別控除の適用がある場合の特例)
(12)　各事業年度の法人税額について租税特別措置法第42条の12の5第4項の規定により控除された金額がある場合における(三)の規定の適用については、(三)の規定中「第42条の12の5」とあるのは、「第42条の12の5第1項から第3項まで及び第7項」とする。(法附8⑪)

(中小企業者等に係る認定特定高度情報通信技術活用設備を取得した場合の法人税額の特別控除)
(13) 中小企業者等の各事業年度の法人税額について租税特別措置法第42条の12の6第2項の規定により控除された金額がある場合における(三)の規定の適用については、(三)の規定中「第42条の12の5、第42条の12の6（第1項、第3項、第4項及び第7項を除く。）」とあるのは、「第42条の12の5」とする。(法附8⑫)

(認定事業適応事業者が事業適応設備を取得した場合等の法人税額の特別控除の適用がある場合の特例)
(14) 中小企業者等の各事業年度の法人税額について租税特別措置法第42条の12の7第4項又は第5項の規定により控除された金額がある場合における(三)の規定の適用については、(三)中「第42条の12の7（第1項から第3項まで、<u>第13項から第15項まで及び第23項</u>を除く。）」とあるのは、「第42条の12の7第6項<u>から第12項まで、第17項から第20項まで及び第22項</u>」とする。(法附8⑬)
　　(注)　(14)及び(15)中___部分のように改める令和6年度改正規定は、新たな事業の創出及び産業への投資を促進するための産業競争力強化法等の一部を改正する法律（令和6年法律第45号）の施行の日から適用し、同日以後に終了する事業年度分の法人の道府県民税について適用する。(令6改法附1六、4⑤)

(認定エネルギー利用環境負荷低減事業適応事業者が事業適応設備を取得した場合等の法人税額の特別控除の適用がある場合の特例)
(15) 中小企業者等の各事業年度の法人税額について租税特別措置法第42条の12の7第6項の規定により控除された金額がある場合における(三)の規定の適用については、(三)イ中「第42条の12の7（第1項から第3項まで、<u>第13項から第15項まで及び第23項</u>を除く。）、第66条の7（第2項、第6項及び第10項から第13項までを除く。）及び」とあるのは「第42条の12の7第4項、<u>第5項、第7項から第12項まで、第17項から第20項まで及び第22項</u>、第66条の7（第2項、第6項及び第10項から第13項までを除く。）並びに」と、(三)ロ中「及び第42条の12の7（第1項から第3項まで、<u>第13項から第15項まで及び第23項</u>を除く。）」とあるのは「並びに第42条の12の7第4項、<u>第5項、第7項から第12項まで、第17項から第20項まで及び第22項</u>」とする。(法附8⑭)

(連結申告法人以外の法人の法人税割の課税標準となる法人税額の意義)
(16) 法人税割の課税標準である法人税額とは、内国法人にあっては次に掲げる事項の適用前の法人税額（各対象会計年度の国際最低課税額に対する法人税の額を除く。）を、外国法人にあっては恒久的施設帰属所得及び恒久的施設非帰属所得の区分ごとの次に掲げる事項（(七)、(十七)及び(十八)を除く。）の適用前の法人税額をいうものであり、したがって法人が現実に納付すべき法人税額と異なる場合のあることに留意すること。(県通2−50)
　(一)　法人税額からの利子及び配当等に係る所得税額の控除（法人税法第68条、第144条、租税特別措置法第3条の3⑤、第6条③、第8条の3⑤、第9条の2④、第9条の3の2⑦、第41条の9④、第41条の12④、第41条の12の2⑦、第41条の22②）
　(二)　法人税額からの外国税額の控除（法人税法第69条、第144条の2、租税特別措置法第66条の7①、第66条の9の3①）
　(三)　法人税額からの分配時調整外国税相当額の控除（法人税法第69条の2、第144条の2の2、租税特別措置法第9条の3の2⑦、第9条の6④、第9条の6の2④、第9条の6の3④、第9条の6の4④）
　(四)　仮装経理に基づく過大申告の場合の更正に伴う法人税額の控除（法人税法第70条）
　(五)　一般試験研究費に係る法人税額の特別控除（中小企業者等（租税特別措置法第42条の4第4項に規定する中小企業者等をいう。以下(五)において同じ。）の試験研究費に係るもの（中小企業者等の当該事業年度又は当該中小企業者等に係る同条第8項第3号イの他の通算法人の同項第2号に規定する他の事業年度において同項第5号に規定する当初申告税額控除可能分配額（同項第3号の中小企業者等税額控除限度額に係るものに限る。）がある場合における

同項第６号ロ又は第７号の規定による加算を含む。）を除く。）（租税特別措置法第42条の４、法附８①③）
（六）　特別試験研究費に係る法人税額の特別控除（中小企業者等（租税特別措置法第42条の12の５第３項に規定する中小企業者等をいう。以下（六）、（七）、（十）、（十一）、（十二）、（十四）、（十五）及び（十六）において同じ。）の試験研究費に係るもの（当該中小企業者等に係る同法第42条の４第18項において準用する同条第８項第６号ロ又は第７号の規定による加算を含む。）を除く。）（租税特別措置法第42条の４、法附８②④）
（七）　一般試験研究費又は特別試験研究費に係る法人税額の特別控除について、過去適用事業年度等（租税特別措置法第42条の４第13項（同条第18項において準用する場合を含む。以下（七）において同じ。）に規定する過去適用事業年度等をいう。以下（七）において同じ。）における取戻税額等に超過があった場合の同条第13項の規定による控除（中小企業者等の過去適用事業年度等における取戻税額等に超過があった場合の同項の規定による控除を除く。）（租税特別措置法第42条の４、法附８②）
（八）　国家戦略特別区域において機械等を取得した場合の法人税額の特別控除（租税特別措置法第42条の10②⑤⑥）
（九）　国際戦略総合特別区域において機械等を取得した場合の法人税額の特別控除（租税特別措置法第42条の11②⑥⑦）
（十）　地域経済牽引事業の促進区域内において特定事業用機械等を取得した場合の法人税額の特別控除（中小企業者等に係るものを除く。）（租税特別措置法第42条の11の２②⑤⑥、法附８⑤）
（十一）　地方活力向上地域等において特定建物等を取得した場合の法人税額の特別控除（中小企業者等に係るものを除く。）（租税特別措置法第42条の11の３②⑤⑥、法附８⑥）
（十二）　地方活力向上地域等において雇用者の数が増加した場合の法人税額の特別控除（中小企業者等に係るものを除く。）（租税特別措置法第42条の12、法附８⑦）
（十三）　認定地方公共団体の寄附活用事業に関連する寄附をした場合の法人税額の特別控除（租税特別措置法第42条の12の２）
（十四）　給与等の支給額が増加した場合の法人税額の特別控除（中小企業者に係るものを除く。）（租税特別措置法第42条の12の５、法附８⑧～⑪）
（十五）　認定特定高度情報通信技術活用設備を取得した場合の法人税額の特別控除（中小企業者等に係るものを除く。）（租税特別措置法第42条の12の６②⑤⑥、法附８⑫）
（十六）　事業適応設備を取得した場合等の法人税額の特別控除（租税特別措置法第42条の12の７第４項から第６まで、第16項及び第21項に規定する控除について、中小企業者等に係るものを除く。）（租税特別措置法42条の12の７④～⑫、⑯～㉒、法附８⑬⑭）
（十七）　法人税額からの外国関係会社に係る控除対象所得税額等相当額の控除（租税特別措置法第66条の７③④⑥⑦⑧⑨）
（十八）　法人税額からの外国関係法人に係る控除対象所得税額等相当額の控除（租税特別措置法第66条の９の３③④⑥⑦⑧）
　　　（注）　法人税割の課税標準については、第四節《法人税額等の控除及び還付等》を参照。（編者）

　　（一般試験研究費に係る法人税額の特別控除における中小企業者等の留意事項）
(17)　(16)の(五)における中小企業者等とは租税特別措置法第42条の４第４項に規定する中小企業者等をいうものであるが、この場合の中小企業者等には、通算親法人が租税特別措置法施行令第27条の４第１項に規定する中小通算農業協同組合等に該当する場合の当該通算子法人が含まれるものであることに留意すること。（県通２－50の２）

　　（中小企業者等であるかどうかの判定の時期の留意事項）
(18)　(16)の(五)、(六)、(七)、(十)、(十一)、(十二)、(十四)、(十五)及び(十六)における中小企業者等であるかどうかの判定の時期については次の点に留意すること。（県通２－50の３）
（一）　法人が(16)の(五)、(六)、(七)、(十二)及び(十四)における中小企業者等に該当する法人であるかどうかは、当該事業年度終了の時の現況により判定するものとする。

		（二） 法人が(16)の(十)における中小企業者等に該当する法人であるかどうかは、その取得等をした特定事業用機械等を事業の用に供した日の現況により判定するものとする。
		（三） 法人が(16)の(十一)における中小企業者等に該当する法人であるかどうかは、その取得等をした特定建物等を事業の用に供した日の現況により判定するものとする。
		（四） 法人が(16)の(十五)における中小企業者等に該当する法人であるかどうかは、その取得等をした認定特定高度情報通信技術活用設備を事業の用に供した日の現況により判定するものとする。
		（五） 法人が(16)の(十六)における中小企業者等に該当する法人であるかどうかは、租税特別措置法第42条の12の7第4項の規定により控除された金額がある場合にあってはその取得等をした情報技術事業適応設備を事業の用に供した日の現況により判定するものとし、同条第5項の規定により控除された金額がある場合にあっては当該事業年度終了の時の現況により判定するものとし、同条第6項の規定により控除された金額がある場合にあってはその取得等をした生産工程効率化等設備を事業の用に供した日の現況により判定するものとする。
（四）	資本金等の額	次に掲げる法人の区分に応じ、それぞれ次に定める額をいう。 イ 第三節一の1・2《中間申告・みなし中間申告・確定申告》の規定により申告納付する法人（ロ及びホに掲げる法人を除く。） 同1・2に規定する法人税額の課税標準の算定期間の末日現在における法人税法第2条第16号《資本金等の額の定義》に規定する資本金等の額と、当該算定期間の初日前に終了した各事業年度（イ及びロにおいて「過去事業年度」という。）の(イ)に掲げる金額の合計額から過去事業年度の(ロ)及び(ハ)に掲げる金額の合計額を控除した金額に、当該算定期間中の(イ)に掲げる金額を加算し、これから当該算定期間中の(ハ)に掲げる金額を減算した金額との合計額 (イ) 平成22年4月1日以後に、会社法第446条《剰余金の額》に規定する剰余金（同法第447条《資本金の額の減少》又は第448条《準備金の額の減少》の規定により資本金の額又は資本準備金の額を減少し、剰余金として計上したものを除き、(1)で定めるものに限る。）を同法第450条《資本金の額の増加》の規定により資本金とし、又は同法第448条第1項第2号の規定により利益準備金の額の全部若しくは一部を資本金とした金額 (ロ) 平成13年4月1日から平成18年4月30日までの間に、資本又は出資の減少（金銭その他の資産を交付したものを除く。）による資本の欠損の塡補に充てた金額並びに会社法の施行に伴う関係法律の整備等に関する法律（(ロ)において「会社法整備法」という。）第64条の規定による改正前の商法（(ロ)において「旧商法」という。）第289条第1項及び第2項（これらの規定を会社法整備法第1条の規定による廃止前の有限会社法（(ロ)において「旧有限会社法」という。）第46条において準用する場合を含む。）に規定する資本準備金による旧商法第289条第1項及び第2項第2号（これらの規定を旧有限会社法第46条において準用する場合を含む。）に規定する資本の欠損の塡補に充てた金額 (ハ) 平成18年5月1日以後に、会社法第446条に規定する剰余金（同法第447条又は第448条の規定により資本金の額又は資本準備金の額を減少し、剰余金として計上したもので(2)で定めるものに限る。）を同法第452条の規定により(4)で定める損失の塡補に充てた金額 ロ 第三節一の1・2の規定により申告納付する法人のうち法人税法第71条《中間申告》第1項（同法第72条《仮決算をした場合の中間申告》第1項の規定が適用される場合を除く。）若しくは第144条の3第1項（同法第144条の4第1項の規定が適用される場合を除く。）に規定する申告書を提出する義務があるもの（ハに掲げる法人を除く。）又は第三節一の4の規定により申告納付する法人（ハに掲げる法人を除く。） (5)で定める日現在における同法第2条第16号に規定する資本金等の額と、過去事業年度のイ(イ)に掲げる金額の合計額から過去事業年度等のイ(ロ)及びイ(ハ)に掲げる金額の合計額を控除した金額との合計額 ハ 保険業法に規定する相互会社 純資産額として(6)で定めるところにより算定した金額 （平成22年4月1日以後に剰余金として定めるもの） (1) イ(イ)に規定する剰余金は、会社計算規則第29条《その他利益剰余金の額》第2項第1号に規定する額とする。（規1の9の6①）

(平成18年5月1日以後に剰余金として計上したもの)
（２）　イ(ハ)に規定する剰余金として計上したものは、次の各号に掲げる場合の区分に応じ、それぞれ当該各号に定める額とする。(規１の９の６②)
　　（一）　会社法第447条の規定により資本金の額を減少した場合　　会社計算規則第27条《その他資本剰余金の額》第１項第１号に規定する額
　　（二）　会社法第448条の規定により準備金の額を減少した場合　　会社計算規則第27条第１項第２号に規定する額

(平成18年5月1日以後に剰余金として計上したものの条件)
（３）　（２）各号に定める額は、会社法第452条の規定により損失の填補に充てた日以前１年間において剰余金として計上した額に限るものとする。(規１の９の６③)

(会社法第452条の規定により損失の填補に充てた金額)
（４）　イ(ハ)に規定する損失は、会社法第452条の規定により損失の填補に充てた日における会社計算規則第29条に規定するその他利益剰余金の額が零を下回る場合における当該零を下回る額とする。(規１の９の６④)

(法人の資本金等の額の基準日)
（５）　ロに規定する日は、次の各号に掲げる法人の区分に応じ、それぞれ当該各号に定める日とする。(令６の23)
　　（一）　第三節―の１・２の規定により申告納付する法人のうち法人税法第71条第１項(同法第72条第１項の規定が適用される場合を除く。)又は第144条の３第１項(同法第144条の４第１項の規定が適用される場合を除く。)に規定する申告書を提出する義務があるもの　　当該申告書に係る第二節の２の②《法人の均等割の税率算定日》の表の(一)の期間の直前の同(一)の期間の末日（合併により設立された法人が当該合併の日を含む同(一)の期間に係る当該申告書を提出する義務を有する場合にあっては、同日）
　　（二）　第三節―の４の規定により申告納付する法人　　第二節の２の②の表の(四)の期間の直前の同(四)の期間の末日（合併により設立された法人が当該合併の日を含む同(四)の期間に係る第三節―の４の申告書を提出する義務を有する場合にあっては、同日）

(相互会社の純資産額)
（６）　ハに規定する純資産額として算定した金額は、次の各号に掲げる場合の区分に応じ、当該各号に定める金額とする。(令６の24)

| イ | 相互会社（保険業法に規定する相互会社をいう。以下注において同じ。）で法人税法第71条第１項《中間申告》(同法第72条第１項《仮決算をした場合の中間申告書の記載事項》の規定が適用される場合に限る。)又は第74条第１項《確定申告書》の規定により法人税に係る申告書を提出する義務があるものが、第三節―の１・２の規定により当該法人税に係る申告書の提出期限までに提出すべき申告書を提出する場合 | 当該相互会社のこれらの申告書に係る第二節2の②の表の(一)の期間の末日における貸借対照表に計上されている総資産の帳簿価額から当該貸借対照表に計上されている総負債の帳簿価額を控除した金額（当該貸借対照表に当該期間に係る利益の額又は欠損金の額が計上されているときは、当該利益の額を控除し、又は当該欠損金の額を加算した金額） |
| ロ | 相互会社で法人税法第71条第１項（同法第72条第１項の規定が適用される場合を除く。）の規定により法人税に係る申告書を提出する義務があるもの又は相互会社で第三節―の３に規定する法人であるものが、予定申告書（同―の１・２の規定により当該 | 当該相互会社の当該予定申告書に係る第二節2の②の表の(一)又は(二)の期間の直前のこれらの号の期間の末日における貸借対照表に計上されている総資産の帳簿価額から当該貸借対照表に計上されている総負債の帳簿価額を控除した金額（当該貸借対照 |

		法人税に係る申告書の提出期限までに提出すべき申告書及び同一の3の規定により提出すべき申告書をいう。以下注において同じ。）を提出する場合（ハに該当する場合を除く。）	表に当該期間に係る利益の額又は欠損金の額が計上されているときは、当該利益の額を控除し、又は当該欠損金の額を加算した金額
	ハ	合併により設立された相互会社が当該合併の日を含む第二節2の②の表の（一）又は（二）の期間に係る予定申告書を提出する場合	当該相互会社の同日における貸借対照表に計上されている総資産の帳簿価額から当該貸借対照表に計上されている総負債の帳簿価額を控除した金額

（資本金等の額の留意事項）
（7）　（四）の資本金等の額とは、第三節一の1・2《中間申告・確定申告・みなし中間申告》に規定する法人税額の課税標準の算定期間の末日現在における法人税法第2条第16号に規定する資本金等の額によるものであり、これらの具体的な算定については、法人税の例によるものであるが、会社法に規定する剰余金を同法の規定により資本金とした場合又は同法に規定する資本金を同法の規定により損失の塡補に充てた場合などについては、この限りではないこと。また、外国法人の各事業年度の資本金等の額については、当該事業年度終了の日の電信売買相場の仲値により換算した円換算額によるものであること。なお、電信売買相場の仲値は、原則として、その法人の主たる取引金融機関のものによることとするが、その法人が、同一の方法により入手等をした合理的なものを継続して使用している場合には、これによることを認めるものであること。（県通2－43の2前段）

（資本金等の額の添付書類）
（8）　（四）に規定する資本金等の額の算定に当たっては、イ(ロ)及び(ハ)に掲げる金額についてその内容を証する書類を添付した申告書を提出した場合に限り、イ(ロ)及び(ハ)に掲げる金額を減算することができるものであること。（県通2－43の3）

（相互会社の純資産額の算定に当たっての留意事項）
（9）　保険業法に規定する相互会社（以下この章において「相互会社」という。）に係る均等割の税率の適用区分の基準である純資産額の算定に当たっては、次の諸点に留意すること。（県通2－43）
　（一）　「総負債」には、税務計算上損金に算入されるか否かにかかわらず、相互会社がその決算上損金経理により計上した支払備金、責任準備金、社員配当準備金、貸倒引当金、退職給与引当金、税金未払金等を含むものであること。ただし、相互会社の貸借対照表において負債として計上されている価格変動準備金については、その性格上総負債には含まれないものであること。
　（二）　「総資産の帳簿価額」及び「総負債の帳簿価額」は、法人税における交際費等の損金不算入額を計算する場合のこれらの金額と同一のものであるから、その取扱いについては国の税務官署の取扱いに準ずるものであること。

(五)	恒久的施設	次に掲げるものをいう。ただし、我が国が締結した租税に関する二重課税の回避又は脱税の防止のための条約において次に掲げるものと異なる定めがある場合には、当該条約の適用を受ける外国法人については、当該条約において恒久的施設と定められたもの（国内（この法律の施行地をいう。以下（五）において同じ。）にあるものに限る。）とする。 イ　外国法人の国内にある支店、工場その他事業を行う一定の場所で（1）で定めるもの ロ　外国法人の国内にある建設若しくは据付けの工事又はこれらの指揮監督の役務の提供を行う場所その他これに準ずるものとして（2）で定めるもの ハ　外国法人が国内に置く自己のために契約を締結する権限のある者その他これに準ずる者で（7）で定めるもの

(事業を行う一定の場所)
(1) イに規定する場所は、国内にある次に掲げる場所とする。(令7の3の2①)
　(一)　事業の管理を行う場所、支店、事務所、工場又は作業場
　(二)　鉱山、石油又は天然ガスの坑井、採石場その他の天然資源を採取する場所
　(三)　その他事業を行う一定の場所

(役務の提供を行う場所に準ずるもの)
(2) ロに規定するものは、外国法人の国内にある長期建設工事現場等(外国法人が国内において長期建設工事等(建設若しくは据付けの工事又はこれらの指揮監督の役務の提供で1年を超えて行われるものをいう。以下(2)及び(6)において同じ。)を行う場所をいい、外国法人の国内における長期建設工事等を含む。(6)において同じ。)とする。(令7の3の2②)

(契約分割後建設工事等が1年を超えて行われるものであるかどうかの判定)
(3) (2)の場合において、二以上に分割をして建設若しくは据付けの工事又はこれらの指揮監督の役務の提供(以下(3)及び(5)において「建設工事等」という。)に係る契約が締結されたことにより(2)の外国法人の国内における当該分割後の契約に係る建設工事等(以下(3)において「契約分割後建設工事等」という。)が1年を超えて行われないこととなったとき(当該契約分割後建設工事等を行う場所(当該契約分割後建設工事等を含む。)を(2)に規定する長期建設工事現場等に該当しないこととすることが当該分割の主たる目的の一つであったと認められるときに限る。)における当該契約分割後建設工事等が1年を超えて行われるものであるかどうかの判定は、当該契約分割後建設工事等の期間に国内における当該分割後の他の契約に係る建設工事等の期間(当該契約分割後建設工事等の期間と重複する期間を除く。)を加算した期間により行うものとする。ただし、正当な理由に基づいて契約を分割したときは、この限りでない。(令7の3の2③)

(事業を行う一定の場所又は役務の提供を行う場所に準ずるものに含まれないもの)
(4) 外国法人の国内における次の各号に掲げる活動の区分に応じ当該各号に定める場所(当該各号に掲げる活動を含む。)は、(1)に規定する場所及び(2)に規定するものに含まれないものとする。ただし、当該各号に掲げる活動((六)に掲げる活動にあっては、(六)の場所における活動の全体)が、当該外国法人の事業の遂行にとって準備的又は補助的な性格のものである場合に限るものとする。(令7の3の2④)
　(一)　当該外国法人に属する物品又は商品の保管、展示又は引渡しのためにのみ施設を使用すること　　当該施設
　(二)　当該外国法人に属する物品又は商品の在庫を保管、展示又は引渡しのためにのみ保有すること　　当該保有することのみを行う場所
　(三)　当該外国法人に属する物品又は商品の在庫を事業を行う他の者による加工のためにのみ保有すること　　当該保有することのみを行う場所
　(四)　その事業のために物品若しくは商品を購入し、又は情報を収集することのみを目的として、(1)各号に掲げる場所を保有すること　　当該場所
　(五)　その事業のために前各号に掲げる活動以外の活動を行うことのみを目的として、(1)各号に掲げる場所を保有すること　　当該場所
　(六)　(一)から(四)までに掲げる活動及び当該活動以外の活動を組み合わせた活動を行うことのみを目的として、(1)各号に掲げる場所を保有すること　　当該場所

(事業を行う一定の場所又は役務の提供を行う場所に準ずるものに含まれないものの不適用)
(5) (4)の規定は、次に掲げる場所については、適用しない。(令7の3の2⑤)
　(一)　(1)各号に掲げる場所(国内にあるものに限る。以下(5)において「事業を行う一定の場所」という。)を使用し、又は保有する(4)の外国法人が当該事業を行う一定の場所において事業上の活動を行う場合において、次に掲げる要件のいずれかに該当するとき(当該外国

法人が当該事業を行う一定の場所において行う事業上の活動及び当該外国法人（国内において当該外国法人に代わって活動をする場合における当該活動をする者を含む。）が当該事業を行う一定の場所以外の場所（国内にあるものに限る。イ及び（三）において「他の場所」という。）において行う事業上の活動（ロにおいて「細分化活動」という。）が一体的な業務の一部として補完的な機能を果たすときに限る。）における当該事業を行う一定の場所

　イ　当該他の場所（当該他の場所において当該外国法人が行う建設工事等及び当該活動をする者を含む。）が当該外国法人の恒久的施設に該当すること。

　ロ　当該細分化活動の組合せによる活動の全体がその事業の遂行にとって準備的又は補助的な性格のものでないこと。

（二）　事業を行う一定の場所を使用し、又は保有する（4）の外国法人及び当該外国法人と特殊の関係にある者（国内において当該者に代わって活動をする場合における当該活動をする者（イ及び（三）イにおいて「代理人」という。）を含む。以下（5）において「関連者」という。）が当該事業を行う一定の場所において事業上の活動を行う場合において、次に掲げる要件のいずれかに該当するとき（当該外国法人及び当該関連者が当該事業を行う一定の場所において行う事業上の活動（ロにおいて「細分化活動」という。）がこれらの者による一体的な業務の一部として補完的な機能を果たすときに限る。）における当該事業を行う一定の場所

　イ　当該事業を行う一定の場所（当該事業を行う一定の場所において当該関連者（代理人を除く。以下イにおいて同じ。）が行う建設工事等及び当該関連者に係る代理人を含む。）が当該関連者の恒久的施設（当該関連者が内国法人又は個人である場合には、恒久的施設に相当するもの）に該当すること。

　ロ　当該細分化活動の組合せによる活動の全体が当該外国法人の事業の遂行にとって準備的又は補助的な性格のものでないこと。

（三）　事業を行う一定の場所を使用し、又は保有する（4）の外国法人が当該事業を行う一定の場所において事業上の活動を行う場合で、かつ、当該外国法人に係る関連者が他の場所において事業上の活動を行う場合において、次に掲げる要件のいずれかに該当するとき（当該外国法人が当該事業を行う一定の場所において行う事業上の活動及び当該関連者が当該他の場所において行う事業上の活動（ロにおいて「細分化活動」という。）がこれらの者による一体的な業務の一部として補完的な機能を果たすときに限る。）における当該事業を行う一定の場所

　イ　当該他の場所（当該他の場所において当該関連者（代理人を除く。以下イにおいて同じ。）が行う建設工事等及び当該関連者に係る代理人を含む。）が当該関連者の恒久的施設（当該関連者が内国法人又は個人である場合には、恒久的施設に相当するもの）に該当すること。

　ロ　当該細分化活動の組合せによる活動の全体が当該外国法人の事業の遂行にとって準備的又は補助的な性格のものでないこと。

（外国法人が長期建設工事現場等を有する場合）
（6）　外国法人が長期建設工事現場等を有する場合には、当該長期建設工事現場等は（4）の（四）から（六）までに規定する（1）各号に掲げる場所と、当該長期建設工事現場等に係る長期建設工事等を行う場所（当該長期建設工事等を含む。）は（5）各号に規定する事業を行う一定の場所と、当該長期建設工事現場等を有する外国法人は（5）各号に規定する事業を行う一定の場所を使用し、又は保有する（4）の外国法人と、当該長期建設工事等を行う場所において事業上の活動を行う場合（当該長期建設工事等を行う場合を含む。）は（5）各号に規定する事業を行う一定の場所において事業上の活動を行う場合と、当該長期建設工事等を行う場所において行う事業上の活動（当該長期建設工事等を含む。）は（5）各号に規定する事業を行う一定の場所において行う事業上の活動とそれぞれみなして、（4）及び（5）の規定を適用する。（令7の3の2⑥）

（自己のために契約を締結する権限のある者に準ずる者）
（7）　ハに規定する者は、国内において外国法人に代わって、その事業に関し、反復して次に掲げる契約を締結し、又は当該外国法人により重要な修正が行われることなく日常的に締結される次に掲げる契約の締結のために反復して主要な役割を果たす者（当該者の国内における当該

外国法人に代わって行う活動（当該活動が複数の活動を組み合わせたものである場合には、その組合せによる活動の全体）が、当該外国法人の事業の遂行にとって準備的又は補助的な性格のもの（当該外国法人に代わって行う活動を（5）各号の外国法人が（5）各号の事業を行う一定の場所において行う事業上の活動とみなして（5）の規定を適用した場合に（5）の規定により当該事業を行う一定の場所につき（4）の規定を適用しないこととされるときにおける当該活動を除く。）のみである場合における当該者を除く。（8）において「契約締結代理人等」という。）とする。（令7の3の2⑦）
　（一）　当該外国法人の名において締結される契約
　（二）　当該外国法人が所有し、又は使用の権利を有する財産について、所有権を移転し、又は使用の権利を与えるための契約
　（三）　当該外国法人による役務の提供のための契約

　　（契約締結代理人等に含まれないもの）
（8）　国内において外国法人に代わって行動する者が、その事業に係る業務を、当該外国法人に対し独立して行い、かつ、通常の方法により行う場合には、当該者は、契約締結代理人等に含まれないものとする。ただし、当該者が、専ら又は主として一又は二以上の自己と特殊の関係にある者に代わって行動する場合は、この限りでない。（令7の3の2⑧）

　　（特殊の関係）
（9）　（5）の（二）及び（8）ただし書に規定する特殊の関係とは、一方の者が他方の法人の発行済株式又は出資（当該他方の法人が有する自己の株式又は出資を除く。）の総数又は総額の100分の20を超える数又は金額の株式又は出資を直接又は間接に保有する関係その他の（10）で定める特殊の関係をいう。（令7の3の2⑨）

　　（総務省令で定める特殊の関係）
（10）　（9）に規定する（10）で定める特殊の関係は、次に掲げる関係とする。（規1の9の9①）
　（一）　一方の者が他方の法人（二の1の（4）の規定により法人とみなされるものを含む。以下第二編について同じ。）の発行済株式又は出資（自己が有する自己の株式又は出資を除く。）の総数又は総額（以下「発行済株式等」という。）の100分の50を超える数又は金額の株式等（株式又は出資をいう。以下同じ。）を直接又は間接に保有する関係その他の一方の者が他方の者を直接又は間接に支配する関係
　（二）　（二）の法人が同一の者によりそれぞれその発行済株式等の100分の50を超える数又は金額の株式等を直接又は間接に保有される場合における当該（二）の法人の関係その他の（二）の者が同一の者により直接又は間接に支配される場合における当該（二）の者の関係（（一）に掲げる関係に該当するものを除く。）

　　（株式等の保有割合の判定）
（11）　（10）の（一）の場合において、一方の者が他方の法人の発行済株式等の100分の50を超える数又は金額の株式等を直接又は間接に保有するかどうかの判定は、当該一方の者の当該他方の法人に係る直接保有の株式等の保有割合（当該一方の者の有する当該他方の法人の株式等の数又は金額が当該他方の法人の発行済株式等のうちに占める割合をいう。）と当該一方の者の当該他方の法人に係る間接保有の株式等の保有割合とを合計した割合により行うものとする。（規1の9の9②）

　　（間接保有の株式等の保有割合）
（12）　（11）に規定する間接保有の株式等の保有割合とは、次の各号に掲げる場合の区分に応じ、当該各号に定める割合（当該各号に掲げる場合のいずれにも該当する場合には、当該各号に定める割合の合計割合）をいう。（規1の9の9③）
　（一）　（11）の他方の法人の株主等である法人の発行済株式等の100分の50を超える数又は金額の株式等が（11）の一方の者により保有されている場合当該株主等である法人の有する当該他

方の法人の株式等の数又は金額が当該他方の法人の発行済株式等のうちに占める割合（当該株主等である法人が2以上ある場合には、当該2以上の株主等である法人につきそれぞれ計算した割合の合計割合）

(二) (11)の他方の法人の株主等である法人（（一）に掲げる場合に該当する（一）の株主等である法人を除く。）と(11)の一方の者との間にこれらの者と株式等の保有を通じて連鎖関係にある1又は2以上の法人（以下（二）において「出資関連法人」という。）が介在している場合（出資関連法人及び当該株主等である法人がそれぞれその発行済株式等の100分の50を超える数又は金額の株式等を当該一方の者又は出資関連法人（その発行済株式等の100分の50を超える数又は金額の株式等が当該一方の者又は他の出資関連法人により保有されているものに限る。）により保有されている場合に限る。）当該株主等である法人の有する当該他方の法人の株式等の数又は金額が当該他方の法人の発行済株式等のうちに占める割合（当該株主等である法人が2以上ある場合には、当該2以上の株主等である法人につきそれぞれ計算した割合の合計割合）

（準用規定）
(13) (11)の規定は、(10)の（二）の直接又は間接に保有される関係の判定について準用する。（規1の9の9④）

二　納税義務者等

1　納税義務者

法人の道府県民税は、（一）に掲げる者に対しては均等割額及び法人税割額の合算額により、（二）に掲げる者に対しては均等割額により、（三）に掲げる者に対しては法人税割額により課する。（法24①三、四、四の二）

（一）	道府県内に事務所又は事業所を有する法人
（二）	道府県内に寮、宿泊所、クラブその他これらに類する施設（以下この章において「**寮等**」という。）を有する法人で当該道府県内に事務所又は事業所を有しないもの
（三）	**法人課税信託**（法人税法第2条第29号の2に規定する法人課税信託をいう。以下この章において同じ。）の引受けを行うことにより法人税を課される個人で道府県内に事務所又は事業所を有するもの

（注）　住所を有する市町村以外の市町村に事務所、事業所又は家屋敷を有する個人は、当該事務所等を有する市町村においてもその市町村ごとに道府県民税の均等割の納税義務を有するものであるが、法人にあっては、二以上の市町村において事務所又は事業所を有する場合においても、同一道府県に対しては、常に一の納税義務を有するにとどまるものであること。（県通2-4）

（外国法人の事務所又は事業所）
（1）　外国法人に対するこの章の規定の適用については、恒久的施設をもって、その事務所又は事業所とする。（法24③）

（注）　外国法人の事務所又は事業所は、一の表の（五）《恒久的施設》に規定する恒久的施設とすること。（県通2-3(1)前段）

（公益法人等で収益事業又は法人課税信託の引受けを行うものの法人税割及び均等割）
（2）　四の1の表の（二）に掲げる者で収益事業を行うもの又は法人課税信託の引受けを行うものに対する道府県民税は、1の規定にかかわらず、当該収益事業又は法人課税信託の信託事務を行う事務所又は事業所所在の道府県において課する。（法24④）

（注）　「収益事業」の範囲については、2《収益事業の範囲》を参照。（編者）

（非課税とされない公益法人等に対する法人税割）
（3）　公益法人等（法人税法第2条第6号の公益法人等並びに防災街区整備事業組合、管理組合法人及び団地管理組合法人、マンション建替組合、マンション敷地売却組合及び敷地分割組合、地方自治法第260条の2第7項に規定する認可地縁団体、政党交付金の交付を受ける政党等に対する法人格の付与に関する法律第7条の2第1項に規定する法人である政党等並びに特定非営利活動促進法第2条第2項に規定する特定非営利活動法人をいう。）のうち四の1の表の

(二)に掲げる者以外のもの及び(4)の規定により法人とみなされるものに対する法人税割(法人税法第74条第1項《確定申告》の申告書に係る法人税額を課税標準とする法人税割に限る。)は、1の規定にかかわらず、これらの者の収益事業又は法人課税信託の信託事務を行う事務所又は事業所所在の道府県において課する。(法24⑤)
　　(注)　法人でない社団又は財団で収益事業を行わないものに対する均等割は非課税であること。(県通2-2)

　　　　(人格のない社団等に係る納税義務)
(4)　法人でない社団又は財団で代表者又は管理人の定めがあり、かつ、収益事業を行うもの(当該社団又は財団で収益事業を廃止したものを含む。以下道府県民税について「人格のない社団等」という。)又は法人課税信託の引受けを行うものは、法人とみなして、この章(第三節三《地方税関係手続用電子情報処理組織による申告》を除く。)の規定を適用する。(法24⑥)

　　　　(旧民法第34条の法人から移行した法人等に係る特例)
(5)　イ　一般社団法人及び一般財団法人に関する法律及び公益社団法人及び公益財団法人の認定等に関する法律の施行に伴う関係法律の整備等に関する法律(平18年法律第50号。以下「整備法」という。)第40条第1項の規定により存続する一般社団法人又は一般財団法人であって整備法第106条第1項(整備法第121条第1項において読み替えて準用する場合を含む。以下同じ。)の登記をしていないもの(整備法第131条第1項の規定により整備法第45条の認可を取り消されたもの(以下それぞれ「認可取消社団法人」又は「認可取消財団法人」という。)を除く。)については、公益社団法人又は公益財団法人とみなして、(2)並びに四の1の表の(二)及び同2の規定を適用する。(法附41①)
　　ロ　整備法第40条第1項の規定により存続する一般社団法人又は一般財団法人であって整備法第106条第1項の登記をしていないもの(認可取消社団法人又は認可取消財団法人にあっては、法人税法第2条第9号の2に規定する非営利型法人に該当するものに限る。)については、法人税法第2条第6号の公益法人等とみなして、(3)の規定を適用する。(法附41④)

　　　　(租税条約が適用される場合)
(6)　租税に関する二重課税の回避又は脱税の防止のための条約の恒久的施設に関する規定が道府県民税に適用される場合において、当該恒久的施設の範囲が一の表の(五)《恒久的施設》のイからハまでに掲げるものと異なるときは、当該条約において恒久的施設とされた場所(国内にあるものに限る。)をもって外国法人に係る事務所又は事業所とすることとされているので留意すること。(県通2-3(1)後段)

　　　　(公益法人等に対する法人税割及び均等割の課税道府県その他)
(7)　(3)に規定する法人に対する法人税割は、これらの法人の収益事業又は法人課税信託の信託事務を行う事務所又は事業所所在の道府県において課するものであるが、退職年金等積立金に対する法人税に係る法人税割については、収益事業を行う事務所又は事業所所在の道府県に限らず課されるものであること。
　　なお、均等割については、収益事業又は法人課税信託の信託事務を行う事務所又は事業所に限らず、これらの法人の事務所、事業所又は寮等(寮、宿泊所、クラブその他これらに類する施設をいう。以下同じ。)所在の道府県において課されるものであること。(県通2-3(2)要旨)

　　　　(民法組合等に対する課税)
(8)　民法第667条の規定による組合は、当該組合の組合員である法人に対して、事務所又は事業所所在の道府県において道府県民税を課するものであること。有限責任事業組合契約に関する法律第2条の規定による有限責任事業組合(ＬＬＰ)についても同様であること。
　　この場合、当該法人ごとに、第一編第一章一の1の注における事務所又は事業所の判定をするものであること。(県通2-3(4))

　　　　(「寮等」の意義)
(9)　道府県内に事務所又は事業所を有する法人は均等割及び法人税割の納税義務者であり、道府県内に寮等のみを有する法人は均等割の納税義務者であり、法人課税信託の引受けを行うことにより法人税を課される個人で道府県内に事務所又は事業所があるものは、法人税割の納税義務者となるものであること。この場合において、寮等とは、寮、宿泊所、クラブ、保養所、集会所その他これらに類するもので法人が従業員の宿泊、慰安、娯楽等の便宜等を図るた

めに常時設けられている施設をいい、それが自己の所有に属するものであると否とを問わないものであること。したがって寮、宿泊所、クラブ等と呼ばれるものであっても、例えば独身寮、社員住宅等のように特定の従業員の居住のための施設等は、もとよりこれに含まれないものであること。なお、季節的に私人の住宅等を借り上げて臨時に開設する「海の家」等の施設までこれに含めようとする趣旨ではないものであること。(県通2-51)

2　収益事業の範囲

1の(2)から(4)まで、四《非課税の範囲》の1ただし書及び同2ただし書並びに第二節2の①《法人の均等割の標準税率》の表の(一)の収益事業は、法人税法施行令第5条《収益事業の範囲》に規定する事業で、継続して事業場を設けて行われるものとする。ただし、当該事業のうち社会福祉法人、更生保護法人、学校法人又は私立学校法第152条第5項《私立各種学校》の法人が行う事業でその所得の金額の100分の90以上の金額を当該法人が行う社会福祉事業、更生保護事業、私立学校、私立専修学校又は私立各種学校の経営(法人税法施行令第5条に規定する事業を除く。)に充てているもの(その所得の金額がなく当該経営に充てていないものを含む。)を含まないものとする。(法24⑨、令7の4)

(注)　2中___部分のように改める令和6年度改正規定は、令和7年4月1日以後適用する。(令6政令第137号附①)

三　所得の帰属

1　法人課税信託の受託者に関するこの章の規定の適用

法人課税信託の受託者は、各法人課税信託の信託資産等(信託財産に属する資産及び負債並びに当該信託財産に帰せられる収益及び費用をいう。以下1及び(1)において同じ。)及び固有資産等(法人課税信託の信託資産等以外の資産及び負債並びに収益及び費用をいう。(1)において同じ。)ごとに、それぞれ別の者とみなして、この章(法第24条(二《納税義務者等》)、第24条の2の2、第24条の3(2《実質所得者課税の原則》及び3《信託財産に係る所得の帰属》)、第25条(四《非課税の範囲》)、第27条(五の2《検査拒否等に関する罪》)から第31条(六《納税管理人及び納税管理人に係る虚偽の申告に関する罪等》)まで、第52条(第二節2《法人等の均等割の税率》)、第53条第31項(第三節一の5《公共法人等に係る申告納付》)、第53条の3、第54条(同節四《申告に関する罰則》)、第62条(第七節2《脱税に関する罪》)、第三款第三目(第八節《督促、滞納処分及び犯則取締り》)を除く。(2)から(4)までにおいて同じ。)の規定を適用する。(法24の2①)

(法人課税信託の信託資産等の帰属)
(1)　1の場合において、各法人課税信託の信託資産等及び固有資産等は、1の規定によりみなされた各別の者にそれぞれ帰属するものとする。(法24の2②)

(法人税法の規定の準用)
(2)　法人税法第4条の3《法人課税信託の受託法人等に関する法人税法の適用》の規定は、1及び(1)の規定をこの章《法人の道府県民税》の規定において適用する場合について準用する。(法24の2④)

(読替規定)
(3)　1、(1)又は(2)の規定により、法人課税信託の受託者についてこの章の規定を適用する場合には、次の表の左欄に掲げる規定中同表の中欄に掲げる字句は、それぞれ同表の右欄に掲げる字句とする。(法24の2⑤)

一の表の(四)のイ	同1・2	当該法人に係る固有法人(法人課税信託の受託者である法人について、三の1及び同(1)の規定により、当該法人課税信託に係る同1に規定する固有資産等が帰属する者としてこの章の規定を適用する場合における当該受託者である法人をいう。以下この章において同じ。)の第三節一の1・2
一の表の(四)のロ	(5)	当該法人に係る固有法人の政令
一の表の(四)のハ	純資産額	当該法人に係る固有法人の純資産額
第二節2の①《法人の均等割の標準税率》の表	資本金等の額が	当該法人に係る固有法人の資本金等の額が
同節2の②《法人の均等割の税	当該法人	当該法人に係る固有法人

率算定日》の表の(一)		
同表の(二)	当該法人	当該法人に係る固有法人
同節2の④《資本金等の額の適用》のイ及びロ	）の資本金等の額	）に係る固有法人の資本金等の額
第三節―1《中間申告及び確定申告に係る申告納付》及び2《中間申告書の提出がない場合の申告納付の特例》	法人にあっては均等割額	法人が固有法人である場合には当該固有法人に係る法人課税信託の受託者が納付すべき均等割額
	寮等所在地	寮等（当該法人が固有法人である場合には、当該固有法人に係る法人課税信託の受託者の有する全ての事務所、事業所又は寮等。以下1、2及び4までにおいて同じ。）所在地
	及び均等割額	及び当該法人が固有法人である場合には均等割額
同4《通算親法人が協同組合等である通算子法人の申告納付》	均等割額	当該法人が固有法人である場合には当該固有法人に係る法人課税信託の受託者が納付すべき均等割額
同節―1の(11)《寮等のみが所在する道府県に対する申告納付の除外》	法人又は	固有法人又は
	法人は	固有法人は
	法人の	固有法人に係る法人課税信託の受託者の有する
第五節―1《二以上の道府県において事務所等を有する法人の中間申告及び確定申告に係る申告納付》	法人税割額を算定して、これに均等割額を加算した額	算定した法人税割額（当該法人が固有法人である場合には、これに当該固有法人に係る法人課税信託の受託者が納付すべき均等割額を加算した額）

　　（特定法人課税信託の併合又は分割）
（４）　信託の併合に係る従前の信託又は信託の分割に係る分割信託（信託の分割によりその信託財産の一部を他の信託又は新たな信託に移転する信託をいう。(5)において同じ。）が法人課税信託（二の1の表の(三)に規定する法人課税信託をいう。(5)において同じ。）のうち法人税法第2条29号の2イ又はハに掲げる信託（以下(4)において「特定法人課税信託」という。）である場合には、当該信託の併合に係る新たな信託又は当該信託の分割に係る他の信託若しくは新たな信託（特定法人課税信託を除く。）は、特定法人課税信託とみなして、この章の規定を適用する。（令7の4の3①）

　　（信託の併合又は単独新規信託分割により法人課税信託に該当することとなったものとみなす場合）
（５）　信託の併合又は信託の分割（一の信託が新たな信託に信託財産の一部を移転するものに限る。以下(5)及び(6)において「単独新規信託分割」という。）が行われた場合において、当該信託の併合が法人課税信託を新たな信託とするものであるときにおける当該信託の併合に係る従前の信託（法人課税信託を除く。）は当該信託の併合の直前に法人課税信託に該当することとなったものとみなし、当該単独新規信託分割が集団投資信託（3に規定する集団投資信託をいう。以下(5)において同じ。）又は受益者等課税信託（法人税法施行令第14条の6第2項に規定する受益者等課税信託をいう。以下(5)において同じ。）を分割信託とし、法人課税信託を承継信託（信託の分割により分割信託からその信託財産の一部の移転を受ける信託をいう。以下(5)及び(6)において同じ。）とするものであるときにおける当該承継信託は当該単独新規信託分割の直後に集団投資信託又は受益者等課税信託から法人課税信託に該当することとなったものとみなして、この章の規定を適用する。（令7の4の3②）

　　（吸収信託分割又は複数新規信託分割が行われた場合）
（６）　他の信託に信託財産の一部を移転する信託の分割（以下(6)において「吸収信託分割」という。）又は二以上の信託が新たな信託に信託財産の一部を移転する信託の分割（以下(6)において「複数新規信託分割」という。）が行われた場合には、当該吸収信託分割又は複数新規信託分割により移転する信託財産をその信託財産とする信託（以下(6)において「吸収分割中信託」という。）を承継信託とする単独新規信託分割が行われ、直ちに当該吸収分割中信託及び承継信託（複数新規信託分割にあっては、他の吸収分割中信託）を従前の信託とする信託の併合が行われたものとみなして、(4)及び(5)の規定を適用する。（令7の4の3③）

(留意事項)
（7） 法人課税信託の受託者に係る法人税割については、原則として各法人課税信託の信託資産等及び固有資産等ごとにそれぞれ別の者とみなして取り扱うものであること。なお、均等割については、原則として固有法人の申告と併せて行うものであること。（県通2－3(3)）

2 実質所得者課税の原則

資産又は事業から生ずる収益が法律上帰属するとみられる者が単なる名義人であって、当該収益を享受せず、その者以外の者が当該収益を享受する場合においては、当該収益に係る道府県民税は、当該収益を享受する者に課するものとする。（法24の2の2）

3 信託財産に係る所得の帰属

信託財産について生ずる所得については、信託の受益者（受益者としての権利を現に有するものに限る。）が当該信託の信託財産に属する資産及び負債を有するものとみなして、この章の規定を適用する。ただし、集団投資信託（所得税法第13条第3項第1号に規定する集団投資信託をいう。）、退職年金等信託（同項第2号に規定する退職年金等信託をいう。）又は法人課税信託の信託財産について生ずる所得については、この限りでない。（法24の3①）

(受益者とみなす者)
（1） 信託の変更をする権限（軽微な変更をする権限として(2)で定めるものを除く。）を現に有し、かつ、当該信託の信託財産の給付を受けることとされている者（受益者を除く。）は、3に規定する受益者とみなして、3の規定を適用する。（法24の3②）

(軽微な変更をする権限)
（2） (1)に規定する(2)で定める権限は、信託の目的に反しないことが明らかである場合に限り信託の変更をすることができる権限とする。（令7の4の4①）

(信託を変更する権限に含むもの)
（3） (1)に規定する信託の変更をする権限には、他の者との合意により信託の変更をすることができる権限を含むものとする。（令7の4の4②）

(停止条件が付された信託財産の給付を受ける権利を有する者)
（4） 停止条件が付された信託財産の給付を受ける権利を有する者は、(1)に規定する信託財産の給付を受けることとされている者に該当するものとする。（令7の4の4③）

(受益者が二以上ある場合の適用)
（5） 3に規定する受益者（(1)の規定により3に規定する受益者とみなされる者を含む。以下(5)において同じ。）が二以上ある場合における3の規定の適用については、3の信託の信託財産に属する資産及び負債の全部をそれぞれの受益者がその有する権利の内容に応じて有するものとする。（令7の4の4④）

4 公益信託に係る所得の帰属

当分の間、公益信託（公益信託ニ関スル法律第1条に規定する公益信託（法人税法第37条第6項に規定する特定公益信託を除く。）をいう。以下4において同じ。）の信託財産について生ずる所得については、公益信託の委託者又はその相続人その他の一般承継人が当該公益信託の信託財産に属する資産及び負債を有するものとみなして、この章の規定を適用する。（法附3の2の3①）

(注) 4及び注を削る令和6年度改正規定は、公益信託に関する法律（令和6年法律第30号）の施行の日以後適用する。（令6改法附1十）

(公益信託と法人課税信託の関係)
注 公益信託は、二の1の表の(三)に規定する法人課税信託に該当しないものとする。（法附3の2の3②）

四　非課税の範囲

1　道府県民税の均等割の非課税

　道府県は、次に掲げる者に対しては、道府県民税の均等割を課することができない。ただし、(二)に掲げる者が収益事業を行う場合は、この限りでない。（法25①、法附７の５、平８法82附則130、令７の４の５）

(一)	国、**非課税独立行政法人**（独立行政法人のうちその資本金の額若しくは出資金の額の全部が国により出資されることが法律において定められているもの又はこれに類するものであって、その実施している業務の全てが国から引き継がれたものとして総務大臣が指定したものをいう。以下同じ。）、国立大学法人等（国立大学法人及び大学共同利用機関法人をいう。以下同じ。）、日本年金機構、都道府県、市町村、特別区、地方公共団体の組合、財産区、合併特例区、地方独立行政法人、港湾法の規定による港務局、土地改良区及び土地改良区連合、水害予防組合及び水害予防組合連合、土地区画整理組合並びに独立行政法人郵便貯金簡易生命保険管理・郵便局ネットワーク支援機構
(二)	日本赤十字社、社会福祉法人、更生保護法人、宗教法人、学校法人、私立学校法第152条第５項《各種学校の設置のみを目的とする法人》の法人、労働組合法による労働組合、職員団体等に対する法人格の付与に関する法律第２条第５項に規定する法人である職員団体等、漁船保険組合、漁船保険中央会、漁業信用基金協会、漁業共済組合及び漁業共済組合連合会、信用保証協会、農業共済組合及び農業共済組合連合会、都道府県農業会議、全国農業会議所、農業協同組合中央会、農業協同組合連合会（医療法第31条に規定する公的医療機関に該当する病院又は診療所を設置するもので法人税法別表第二《公益法人等の表》に規定する農業協同組合連合会に該当する農業協同組合連合会及び農業協同組合法等の一部を改正する等の法律（平成27年法律第63号）附則第12条に規定する存続都道府県中央会から同条の規定による組織変更をした農業協同組合連合会で同法附則第18条の規定により引き続きその名称中に農業協同組合中央会という文字を用いるものに限る。）、中小企業団体中央会、国民健康保険組合及び国民健康保険団体連合会、全国健康保険協会(注２)、健康保険組合及び健康保険組合連合会、国家公務員共済組合及び厚生年金保険法等の一部を改正する法律（平成８年法律第82号）附則第32条第２項に規定する存続組合並びに国家公務員共済組合連合会、地方公務員共済組合、全国市町村職員共済組合連合会、地方公務員共済組合連合会、日本私立学校振興・共済事業団、公益社団法人又は公益財団法人で博物館法第２条第１項の博物館を設置することを主たる目的とするもの又は学術の研究を目的とするもの「並びに政党交付金の交付を受ける政党等に対する法人格の付与に関する法律第７条の２第１項に規定する法人である政党等

(注１)　１及び２の収益事業の範囲は、二の２《収益事業の範囲》に定めるところによる。（法25③）
(注２)　１の(一)の規定に基づき、同(一)に規定する非課税独立行政法人を次のように指定する。（平成13年総務省告示第145号…最終改正平成29年総務省告示第136号）

独立行政法人国立公文書館	国立研究開発法人国立がん研究センター
独立行政法人駐留軍等労働者労務管理機構	国立研究開発法人国立循環器病研究センター
独立行政法人統計センター	国立研究開発法人国立精神・神経医療研究センター
独立行政法人酒類総合研究所	国立研究開発法人国立国際医療研究センター
独立行政法人造幣局	国立研究開発法人国立成育医療研究センター
独立行政法人国立印刷局	国立研究開発法人国立長寿医療研究センター
独立行政法人国立特別支援教育総合研究所	独立行政法人農林水産消費安全技術センター
独立行政法人大学入試センター	独立行政法人家畜改良センター
独立行政法人国立青少年教育振興機構	国立研究開発法人国際農林水産業研究センター
独立行政法人国立女性教育会館	独立行政法人経済産業研究所
独立行政法人国立科学博物館	独立行政法人工業所有権情報・研修館
国立研究開発法人物質・材料研究機構	国立研究開発法人産業技術総合研究所
国立研究開発法人防災科学技術研究所	独立行政法人製品評価技術基盤機構
独立行政法人国立美術館	国立研究開発法人土木研究所
独立行政法人国立文化財機構	国立研究開発法人建築研究所
独立行政法人教職員支援機構	国立研究開発法人海上・港湾・航空技術研究所
独立行政法人国立高等専門学校機構	独立行政法人海技教育機構
独立行政法人大学改革支援・学位授与機構	独立行政法人航空大学校
独立行政法人国立病院機構	独立行政法人自動車技術総合機構
独立行政法人地域医療機能推進機構	国立研究開発法人国立環境研究所

(注３)　１の(二)及び２の適用に関する旧民法第34条の法人から移行した法人等に係る特例については、二の１の(5)イを参照。（編者）
(注４)　(二)中＿＿部分のように改める令和６年度改正規定は、令和７年４月１日以後適用する。（令６改法附１三）

2 道府県民税の法人税割の非課税
　道府県は、1の(一)及び(二)に掲げる者に対しては、道府県民税の法人税割を課することができない。ただし、同(二)に掲げる者が収益事業又は法人課税信託の引受けを行う場合は、この限りでない。(法25②)

五　質問検査権及び検査拒否等に関する罪

1　徴税吏員の調査に係る質問検査権

① 質問検査権
　道府県の徴税吏員は、法人の道府県民税の賦課徴収に関する調査のために必要がある場合においては、次に掲げる者に質問し、又は(一)若しくは(二)の者の事業に関する帳簿書類（その作成又は保存に代えて電磁的記録（電子的方式、磁気的方式その他の人の知覚によっては認識することができない方式で作られる記録であって、電子計算機による情報処理の用に供されるものをいう。）の作成又は保存がされている場合における当該電磁的記録を含む。2の(一)及び(二)において同じ。）その他の物件を検査し、若しくは当該物件（その写しを含む。）の提示若しくは提出を求めることができる。(法26①)

(一)	納税義務者又は納税義務があると認められる者
(二)	特別徴収義務者
(三)	(一)及び(二)に掲げる者以外の者で当該道府県民税の賦課徴収に関し直接関係があると認められる者

　　　（身分証明証の提示）
（1）　①の場合においては、当該徴税吏員は、その身分を証明する証票を携帯し、関係人の請求があったときは、これを提示しなければならない。(法26②)

　　　（滞納処分に関する調査についての不適用）
（2）　法人等の道府県民税に係る滞納処分に関する調査については、①の規定にかかわらず、第八節二の1の(5)《国税徴収法の例による滞納処分》の定めるところによる。(法26④)

　　　（質問検査権の解釈）
（3）　①又は②の規定による道府県の徴税吏員の権限は、犯罪捜査のために認められたものと解釈してはならない。(法26⑤)

② 提出物件の留置き
　道府県の徴税吏員は、(1)から(3)までで定めるところにより、①の規定により提出を受けた物件を留め置くことができる。(法26③)

　　　（留置きの手続）
（1）　道府県の徴税吏員は、②の規定により物件を留め置く場合には、当該物件の名称又は種類及びその数量、当該物件の提出年月日並びに当該物件を提出した者の氏名及び住所又は居所その他当該物件の留置きに関し必要な事項を記載した書面を作成し、当該物件を提出した者にこれを交付しなければならない。(令7の4の7①)

　　　（提出物件の返還）
（2）　道府県の徴税吏員は、②の規定により留め置いた物件につき留め置く必要がなくなったときは、遅滞なく、これを返還しなければならない。(令7の4の7②)

　　　（善良な管理者の注意義務）
（3）　道府県の徴税吏員は、(2)に規定する物件を善良な管理者の注意をもって管理しなければならない。(令7の4の7③)

2　検査拒否等に関する罪

次の各号のいずれかに該当する場合には、その違反行為をした者は、1年以下の懲役又は50万円以下の罰金に処する。（法27①）

(一)　1の①の規定による帳簿書類その他の物件の検査を拒み、妨げ、又は忌避したとき。

(二)　1の①の規定による物件の提示又は提出の要求に対し、正当な理由がなくこれに応ぜず、又は偽りの記載若しくは記録をした帳簿書類その他の物件（その写しを含む。）を提示し、若しくは提出したとき。

(三)　1の①の規定による徴税吏員の質問に対し答弁をしないとき、又は虚偽の答弁をしたとき。

　　（両罰規定）
(1)　法人（法人でない社団又は財団で代表者又は管理人の定めのあるもの（人格のない社団等を除く。以下(1)において「その他の社団等」という。）を含む。以下同じ。）の代表者（人格のない社団等の管理人及びその他の社団等の代表者又は管理人を含む。以下同じ。）又は法人若しくは人の代理人、使用人その他の従業者がその法人又は人の業務又は財産に関して2の違反行為をした場合には、その行為者を罰する外、その法人に対し、同項の罰金刑を科する。（法27②）

　　（人格のない社団等に対する刑事訴訟法の準用）
(2)　法人でない社団又は財団で代表者又は管理人の定めのあるものについて(1)の規定の適用がある場合には、その代表者又は管理人がその訴訟行為につき当該法人でない社団又は財団で代表者又は管理人の定めのあるものを代表するほか、法人を被告人又は被疑者とする場合の刑事訴訟に関する法律の規定を準用する。（法27③）

六　納税管理人及び納税管理人に係る虚偽の申告に関する罪等

1　納税管理人

法人の道府県民税の納税義務者は、納税義務を負う道府県内に事務所、事業所又は寮等を有しなくなった場合においては、納税に関する一切の事項を処理させるため、当該道府県の条例で定める地域内に住所、居所、事務所若しくは事業所を有する者のうちから納税管理人を定めてこれを道府県知事に申告し、又は当該地域外に住所、居所、事務所若しくは事業所を有する者のうち当該事項の処理につき便宜を有するものを納税管理人として定めることについて道府県知事に申請してその承認を受けなければならない。納税管理人を変更し、又は変更しようとする場合においても、また、同様とする。（法29①）

　　（納税管理人を定めることを要しない場合）
注　1の規定にかかわらず、当該納税義務者は、当該納税義務者に係る法人の道府県民税の徴収の確保に支障がないことについて道府県知事に申請してその認定を受けたときは、納税管理人を定めることを要しない。（法29②）

2　納税管理人に係る虚偽の申告等に関する罪

1の規定により申告すべき納税管理人について虚偽の申告をし、又は偽りその他不正の手段により1の承認若しくは1の注の認定を受けたときは、その違反行為をした者は、30万円以下の罰金に処する。（法30①）

　　（両罰規定）
(1)　法人の代表者（人格のない社団等の管理人を含む。）又は代理人、使用人その他の従業者がその法人の業務又は財産に関して2の違反行為をした場合には、その行為者を罰するほか、その法人に対し、同項の刑を科する。（法30②）

　　（人格のない社団等に対する刑事訴訟法の準用）
(2)　人格のない社団等について(1)の規定の適用がある場合には、その代表者又は管理人がその訴訟行為につき当該人格のない社団等を代表するほか、法人を被告人又は被疑者とする場合の刑事訴訟に関する法律の規定を準用する。（法30③）

3　納税管理人に係る不申告に関する過料

道府県は、1の注の認定を受けていない法人の道府県民税の納税義務者で、1の承認を受けていないものが1の規定によって申告すべき納税管理人について正当な事由がなくて申告をしなかった場合においては、その者に対し、当該道府県

の条例で10万円以下の過料を科する旨の規定を設けることができる。(法31)

第二節　税　率

1　法人税割の税率

① 法人税割の税率
　法人税割の標準税率は、100分の1とする。ただし、標準税率を超える税率で課する場合においても、100分の2を超えることができない。(法51①)

② 法人税割の税率算定日
　法人税割の税率は、第三節一の1・2《中間申告・みなし中間申告及び確定申告》に規定する法人税額の課税標準の算定期間の末日現在における税率による。(法51②)

2　法人の均等割の税率

① 法人の均等割の標準税率
　法人の均等割の標準税率は、次の表の左欄に掲げる法人の区分に応じ、それぞれ同表の右欄に定める額とする。(法52①)

法人の区分		税率
(一)	次に掲げる法人 イ　法人税法第2条第5号《公共法人の定義》の公共法人及び第一節二の1の(3)《非課税とされない公益法人等に対する法人税割》に規定する公益法人等のうち、同節四の1《道府県民税の均等割の非課税》の規定により均等割を課することができないもの以外のもの(同法別表第2《公益法人等の表》に規定する独立行政法人で収益事業を行うものを除く。) ロ　人格のない社団等 ハ　一般社団法人(非営利型法人(法人税法第2条第9号の2《非営利型法人の定義》に規定する非営利型法人をいう。以下(一)において同じ。)に該当するものを除く。)及び一般財団法人(非営利型法人に該当するものを除く。) ニ　保険業法に規定する相互会社以外の法人で資本金の額又は出資金の額を有しないもの(イからハまでに掲げる法人を除く。) ホ　資本金等の額を有する法人(法人税法別表第2に規定する独立行政法人で収益事業を行わないもの及びニに掲げる法人を除く。以下この表において同じ。)で資本金等の額が1,000万円以下であるもの	年額　2万円
(二)	資本金等の額を有する法人で資本金等の額が1,000万円を超え1億円以下であるもの	年額　5万円
(三)	資本金等の額を有する法人で資本金等の額が1億円を超え10億円以下であるもの	年額　13万円
(四)	資本金等の額を有する法人で資本金等の額が10億円を超え50億円以下であるもの	年額　54万円
(五)	資本金等の額を有する法人で資本金等の額が50億円を超えるもの	年額　80万円

(注)　①の表の(一)の収益事業の範囲は、第一節二の2《収益事業の範囲》に定めるところによる。(法52⑥)

(旧民法第34条の法人から移行した法人等に係る特例)
(1)イ　一般社団法人及び一般財団法人に関する法律及び公益社団法人及び公益財団法人の認定等に関する法律の施行に伴う関係法律の整備等に関する法律(平成18年法律第50号。以下「整備法」という。)第40条第1項の規定により存続する一般社団法人又は一般財団法人であって整備法第106条第1項(整備法第121条第1項において読み替えて準用する場合を含む。以下同じ。)の登記をしていないもの(整備法第131条第1項の規定により整備法第45条の認可を取り消されたもの(以下それぞれ「認可取消社団法人」又は「認可取消財団法人」という。)にあって

は、法人税法第2条第9号の2に規定する非営利型法人に該当するものに限る。）については、法人税法第2条第6号の公益法人等とみなして、①及び②（（五）に係る部分に限る。）の規定を適用する。（法附41④）

ロ　整備法第41条第1項の規定により存続する一般社団法人又は一般財団法人であって整備法第106条第1項の登記をしていないもの又は認可取消社団法人若しくは認可取消財団法人については、一般社団法人又は一般財団法人とみなして①の規定を適用する。（法附41⑤）

ハ　整備法第2条第1項に規定する旧有限責任中間法人で整備法第3条第1項本文の規定の適用を受けるもの及び整備法第25条第2項に規定する特例無限責任中間法人については、一般社団法人とみなして、①の規定を適用する（法附41⑥）

（均等割の課税に当たっての留意事項）
（2）　均等割の課税に当たっては、次の諸点に留意すること。（県通2－42）

イ　法人でない社団又は財団で代表者又は管理人の定めのあるものが収益事業を行うこととなった場合における第三節一の1・2の申告書に係る法人税割額と合算して納付すべき均等割額は、収益事業を開始した日の属する月の初日から当該法人税割の課税標準となる法人税額の課税標準の算定期間の末日までの期間に対応するものであること。

ロ　公益法人等が収益事業を行うこととなった場合における第三節一の1・2の申告書に係る法人税割額と合算して納付すべき均等割額は、収益事業を開始した日の属する月の初日から当該法人税割の課税標準となる法人税額の課税標準の算定期間の末日までの期間に対応するものであるが、第一節四の1表の（二）に掲げる者以外のものについては、4月から当該収益事業を開始した日の属する月の前月までの期間に対応する均等割額をも、併せて納付すべきものであること。

② 法人の均等割の税率算定日
　　法人の均等割の税率は、次の各号に掲げる法人の区分に応じ、当該各号に定める日現在における税率による。（法52②）

（一）	第三節一の1・2《中間申告・みなし中間申告・確定申告》の規定により申告納付する法人	当該法人の同1に規定する法人税額の課税標準の算定期間の末日
（二）	第三節一の3の規定により申告納付する法人	当該法人の3の期間の末日
（三）	公共法人等（法人税法第2条第5号《公共法人の定義》の公共法人及び第一節二の1の（3）《非課税とされない公益法人等に対する法人税割》に規定する公益法人等で均等割のみを課されるものをいう。第三節一の4《公共法人等に係る申告納付》及び同節三の1《地方税関係手続用電子情報処理組織による申告》の（1）の（一）において同じ。）	前年4月1日から3月31日までの期間（当該期間中に当該公共法人等が解散（合併による解散を除く。）又は合併により消滅した場合には、前年4月1日から当該消滅した日までの期間）の末日

③ 均等割額の算定方法
　①に定める均等割の額は、当該均等割の額に、②の表の（一）の法人税額の課税標準の算定期間若しくは同（二）の期間又は同（三）の期間中において事務所、事業所又は寮等を有していた月数を乗じて得た額を12で除して算定するものとする。この場合における月数は、暦に従って計算し、1月に満たないときは1月とし、1月に満たない端数を生じたときは切り捨てる。（法52③）

④ 資本金等の額の適用

イ　中間申告・みなし中間申告・確定申告の規定によって申告納付する法人の資本金等の額
　②の表の（一）に掲げる法人（保険業法に規定する相互会社を除く。）の資本金等の額が、同（一）に定める日（法人税法第71条《中間申告》第1項（同法第72条《仮決算をした場合の中間申告》第1項の規定が適用される場合を除く。）又は第144条の3《外国法人の中間申告》第1項（同法第144条の4《仮決算をした場合の中間申告書の記載事項等》第1項の規定が適用される場合を除く。）に規定する申告書を提出する義務があるものにあっては、（1）で定める日）現在における資本金

の額及び資本準備金の額の合算額又は出資金の額に満たない場合における①の規定の適用については、①の表の(一)ホ中「資本金等の額が」とあるのは「②の表の(一)に定める日（同法第71条第1項（同法第72条第1項の規定が適用される場合を除く。）又は第144条の3第1項（同法第144条の4第1項の規定が適用される場合を除く。）に規定する申告書を提出する義務があるものにあっては、④のイに規定する(1)で定める日。以下この表において同じ。）現在における資本金の額及び資本準備金の額の合算額又は出資金の額が」と、同表の(二)から(五)までの規定中「資本金等の額が」とあるのは「②の表の(一)に定める日現在における資本金の額及び資本準備金の額の合算額又は出資金の額が」とする。（法52④）

　　　（法人の資本金等の額の基準日）
　（1）　イに規定する日は、第一節一の表の(四)の(5)《法人の資本金等の額の基準日》の(一)に規定する日とする。（令8の5①、6の23一）

　　　（資本金等の額の留意事項）
　（2）　イ及びロにおいて、第一節一の表の(四)イからロの規定により計算した金額が、当該算定期間終了の日における資本金の額及び資本準備金の額の合算額又は出資金の額を下回る場合には、資本金の額及び資本準備金の額の合算額又は出資金の額を均等割の税率適用区分の基準とすること。（県通2－43の2後段）

ロ　通算親法人が協同組合等である通算子法人の規定によって申告納付する法人の資本金等の額
　②の表の(二)に掲げる法人（保険業法に規定する相互会社を除く。）の資本金等の額が、注で定める日現在における資本金の額及び資本準備金の額の合算額又は出資金の額に満たない場合における①の規定の適用については、①の表中「資本金等の額が」とあるのは、「④のロに規定する注で定める日現在における資本金の額及び資本準備金の額の合算額又は出資金の額が」とする。（法52⑤）

　　　（法人の資本金等の額の基準日）
　注　ニに規定する日は、第一節一の表の(四)の(5)《法人の資本金等の額の基準日》の(二)に規定する日とする。（令8の5②、6の23二）

第三節　申告納付

一　申告納付

1　中間申告及び確定申告に係る申告納付

　法人税法第71条第1項《中間申告》（同法第72条第1項《仮決算をした場合の中間申告書の記載事項等》の規定が適用される場合を含む。以下この章において同じ。）、第74条第1項《確定申告》、第88条《退職年金等積立金に係る中間申告》（同法第145条の5《外国法人の退職年金等積立金に対する法人税の申告及び納付》において準用する場合を含む。以下1において同じ。）、第89条《退職年金等積立金に係る確定申告》（同法第145条の5において準用する場合を含む。）、第144条の3《外国法人の中間申告》第1項（同法第144条の4《仮決算をした場合の中間申告書の記載事項等》第1項の規定が適用される場合を含む。以下この章において同じ。）又は第144条の6《確定申告》第1項の規定により法人税に係る申告書を提出する義務がある法人は、当該申告書の提出期限までに、8《申告書等の様式》に定める様式により、当該申告書に係る法人税額、これを課税標準として算定した法人税割額（同法第71条第1項（同法第72条第1項の規定が適用される場合を除く。）、第88条又は第144条の3第1項（同法第144条の4第1項の規定が適用される場合を除く。）の規定により法人税に係る申告書を提出する義務がある法人（以下「**予定申告法人**」という。）にあっては、前事業年度の法人税割額を基準として(1)で定めるところにより計算した法人税割額（以下「**予定申告に係る法人税割額**」という。））、同法第71条第1項、第74条第1項、第144条の3第1項又は第144条の6第1項の規定により法人税に係る申告書を提出する義務がある法人にあっては均等割額その他必要な事項を記載した申告書（以下1において「**法人の道府県民税の申告書**」という。）をその法人税額の課税標準の算定期間（同法第71条第1項、第88条、第144条の3第1項又は第144条の6第1項の申告書に係る法人税額にあっては、当該事業年度の開始の日から6月経過日（当該事業年度（当該法人が同法第2条第12号の7に規定する通算子法人である場合には、当該事業年度開始の日の属する当該法人に係る通算親法人（同条第12号の6の7に規定する通算親法人をいう。3及び第四節四の1において同じ。）の事業年度）開始の日以後6月を経過した日をいう。）の前日ま

での期間とする。以下法人の道府県民税について同じ。）中において有する事務所、事業所又は寮等所在地の道府県知事に提出し、及びその申告した道府県民税額（当該道府県民税額について既に納付すべきことが確定しているものがある場合には、これを控除した額）を納付しなければならない。（法53①前段）

　　　（予定申告に係る法人税割額）
（１）　１に規定する（１）で定めるところにより計算した法人税割額は、１に規定する予定申告法人の６月経過日（１に規定する６月経過日をいう。（４）の（一）及び（10）において同じ。）の前日までに前事業年度分として納付した法人税割額及び納付すべきことが確定した法人税割額の合計額（これらの法人税割額のうちに第四節四の２の②《税額控除超過額相当額の対象事業年度の法人税割額への加算》の規定により加算された金額がある場合には当該加算された金額を控除した額とし、これらの法人税割額の課税標準となる法人税額のうちに租税特別措置法42条の14第１項若しくは第４項、第62条第１項、第62条の３第１項若しくは第９項又は第63条第１項の規定により加算された金額がある場合には当該加算された金額にこれらの法人税割額に係る法人税割の税率を乗じて得た額を控除した額とする。）に当該事業年度開始の日から当該前日までの期間（（４）及び（７）において「中間期間」という。）の月数を乗じて得た金額を前事業年度の月数で除して得た金額とする。（令８の６①）
　　　（注）　（12）《租税特別措置法の旧規定の適用がある場合の特例》の読替規定を参照。（編者）

　　　（試験研究費等の法人税額の特別控除の適用がある場合の予定申告に係る課税標準等の特例）
（２）　当分の間、（１）に規定する予定申告法人の（１）に規定する６月経過日の前日までに前事業年度分として納付した法人税割額及び納付すべきことが確定した法人税割額の課税標準となる法人税額のうちに租税特別措置法第42条の４《試験研究を行った場合の法人税額の特別控除》第８項第６号ロ又は第７号（これらの規定を同条第18項において準用する場合を含む。）の規定（（３）から（６）までにおいて「特別税額加算規定」という。）により加算された金額がある場合における（１）の規定の適用については、（１）中「第42条の14第１項」とあるのは「第42条の４第８項第６号ロ若しくは第７号（これらの規定を同条第18項において準用する場合を含む。）、第42条の14第１項」とする。（令附５の２の４①）

　　　（特別税額加算規定により加算された金額がある場合の予定申告に係る課税標準等の特例）
（３）　当分の間、（１）（３の（１）において準用する場合に限る。以下（３）において同じ。）の法人の（１）に規定する６月経過日の前日までに前事業年度分として納付した法人税割額及び納付すべきことが確定した法人税割額の課税標準となる法人税額のうちに特別税額加算規定により加算された金額がある場合における（１）の規定の適用については、（１）中「第42条の14第１項」とあるのは、「第42条の４第８項第６号ロ若しくは第７号（これらの規定を同条第18項において準用する場合を含む。）、第42条の14第１項」とする。（令附５の２の４②）

　　　（適格合併がなされた場合の予定申告法人に係る法人税割額の合計額）
（４）　（１）の場合において、予定申告法人が次の各号に掲げる期間内に行われた適格合併（法人税法第２条第12号の８に規定する適格合併をいう。以下この章において同じ。）（法人を設立するものを除く。以下（４）において同じ。）に係る合併法人（合併により被合併法人（合併によりその有する資産及び負債の移転を行った法人をいう。以下この章において同じ。）から資産及び負債の移転を受けた法人をいう。以下この章において同じ。）であるときは、予定申告に係る法人税割額は、（１）の規定にかかわらず、（１）の規定により計算した金額に相当する金額に当該各号に定める金額を加算した金額とする。（令８の６②）
　　（一）　当該合併法人の前事業年度　　前事業年度の月数に対する前事業年度開始の日からその適格合併の日の前日までの月数の割合に中間期間の月数を乗じた数を被合併法人の確定法人税割額（当該合併法人の当該事業年度開始の日の１年前の日以後に終了した当該適格合併に係る被合併法人の各事業年度の法人税割額として当該合併法人の６月経過日の前日までに確定したもので、その計算の基礎となった各事業年度（その月数が６月に満たないものを除く。）のうち最も新しい事業年度に係る法人税割額（当該法人税割額のうちに第四節四の２の②（同４において準用する場合を含む。）の規定により加算された金額がある場合には当該加算された金額を控除した額とし、当該法人税割額の課税標準となる法人税額のうちに租税特別措置法第42条の14第１項若しくは第４項、第62条第１項、第62条の３第１項若しくは第９項又は第63条第１項の規定により加算された金額がある場合には当該加算された金額に当該法人税割額に係る法人税割の税率を乗じて得た額を控除した額とする。）をいう。以下１において同じ。）に乗じて当該確定法人税割額の計算の基礎となった法人税額の課税標準の算定期間（（二）及び（３）において「確定法人税割額の算定期間」という。）の月数で除して得た金額

(二)　当該合併法人の中間期間　　当該合併法人の中間期間のうちその適格合併の日以後の期間の月数を被合併法人の確定法人税割額に乗じて当該確定法人税割額の算定期間の月数で除して得た金額
　　　(注)　(12)《租税特別措置法の旧規定の適用がある場合の特例》の読替規定を参照。(編者)

　　(適格合併がなされた場合の予定申告法人に係る課税標準等の特例)
(5)　当分の間、(4)の(一)の被合併法人の(一)に規定する最も新しい事業年度に係る法人税割額の課税標準となる法人税額のうちに特別税額加算規定により加算された金額がある場合における(一)の規定の適用については、(一)中「第42条の14第1項」とあるのは「第42条の4第8項第6号ロ若しくは第7号(これらの規定を同条第18項において準用する場合を含む。)、第42条の14第1項」とする。(令附5の2の4③)

　　(適格合併がなされた場合の予定申告法人の最も新しい事業年度に係る課税標準等の特例)
(6)　当分の間、(4)の(一)(3の(1)において準用する場合に限る。以下(6)において同じ。)の被合併法人の(一)に規定する最も新しい事業年度に係る法人税割額の課税標準となる法人税額のうちに特別税額加算規定により加算された金額がある場合における(一)の規定の適用については、(一)中「第42条の14第1項」とあるのは、「第42条の4第8項第6号ロ若しくは第7号(これらの規定を同条第18項において準用する場合を含む。)、第42条の14第1項」とする。(令附5の2の4④)

　　(新設適格合併に係る予定申告法人の設立事業年度における予定申告に係る法人税割額)
(7)　適格合併(法人を設立するものに限る。)に係る合併法人のその設立の日の属する事業年度につき(1)の規定を適用するときは、予定申告に係る法人税割額は、(1)の規定にかかわらず、当該適格合併に係る各被合併法人の確定法人税割額に中間期間の月数を乗じて得た金額をその確定法人税割額の算定期間の月数で除して得た金額の合計額とする。(令8の6③)

　　(予定申告法人又は被合併法人が二以上の道府県において事務所等を有する場合の法人税割額)
(8)　(1)、(4)及び(7)の場合において、当該予定申告法人又は被合併法人が二以上の道府県において事務所又は事業所を有するものであるときは、前事業年度分として納付した法人税割額及び納付すべきことが確定した法人税割額の合計額は、関係道府県ごとの前事業年度分として納付した法人税割額及び納付すべきことが確定した法人税割額の合計額とし、被合併法人の確定法人税割額は、関係道府県ごとの被合併法人の確定法人税割額とする。(令8の6④)

　　(月数の計算)
(9)　(1)、(4)、(7)及び(8)の場合における月数は、暦に従い計算し、1月に満たない端数を生じたときは、1月とする。(令8の6⑤)

　　(申告書の提出期限が前事業年度終了の日の翌日から6月を経過した日の前日とされた場合の法人税割額の計算の特例)
(10)　(1)の事業年度の前事業年度における1・2の規定による申告書(法人税法第74条第1項又は第144条の6第1項の規定により提出すべき法人税の申告書に係るものに限る。)の提出期限が法人税法第75条の2《確定申告書の提出期限の延長の特例》第1項(同法第144条の8において準用する場合を含む。)の規定により6月経過日の前日とされた場合で、かつ、当該提出期限について国税通則法第10条第2項の規定の適用がある場合において、同項の規定の適用がないものとした場合における当該提出期限の翌日から同項の規定により当該提出期限とみなされる日までの間に当該前事業年度の法人税割額の納付があったとき、又は納付すべき法人税割額が確定したときは、6月経過日の前日までに当該金額の納付があったもの又は当該金額が確定したものとみなして、当該事業年度の予定申告に係る法人税割額を算出するものとする。(令8の6⑥)

　　(寮等のみが所在する道府県に対する申告納付の除外)
(11)　法人税法第71条第1項若しくは第144条の3第1項の規定により法人税に係る申告書を提出する義務がある法人又は3の規定により申告書を提出すべき法人は、その法人税額の課税標準の算定期間又はその事業年度開始の日から6月経過日〔3参照〕の前日までの期間中において当該法人の寮等のみが所在する道府県に対しては、1・2(同法第71条第1項又は第144条の3第1項に係る部分に限る。)又は3の規定にかかわらず、当該法人税額の課税標準の算定期間又は当該事業年度開始の日から6月経過日の前日までの期間に係る均等割額について申告納付をすることを

要しない。(法53⑥⑩)

(租税特別措置法の旧規定の適用がある場合の特例)
(12) 所得税法等の一部を改正する等の法律(平成18年法律第10号)附則第106条の規定によりその例によることとされる同法第13条の規定による改正前の租税特別措置法第42条の11第11項、所得税法等の一部を改正する法律(平成19年法律第6号)附則第89条、第90条第6項、第91条若しくは第92条の規定によりその例によることとされる同法第12条の規定による改正前の租税特別措置法第42条の6第6項、第42条の7第6項、第42条の10第6項若しくは第42条の11第6項又は租税特別措置法の一部を改正する法律(平成8年法律第17号)附則第15の規定によりその例によることとされる同法による改正前の租税特別措置法第62条の3第1項若しくは第8項若しくは第63条第1項の規定により加算された金額がある場合における次の表の左欄に掲げる規定の適用については、これらの規定中同表の中欄に掲げる字句は、それぞれ同表の右欄に掲げる字句とする。(令附5の3)

| (1)及び(4)の(一)(これらの規定を3の(1)において準用する場合を含む。)、第四節一の1の(3)、同2の②の(1)、同4の(1)、同6の(1)、同7の(1)並びに同8の(1) | 又は第63条第1項 | (租税特別措置法の一部を改正する法律(平成8年法律第17号。以下「平成8年租税特別措置法改正法」という。)附則第15条第1項の規定によりその例によることとされる平成8年租税特別措置法改正法による改正前の租税特別措置法第62条の3第1項又は第8項を含む。)若しくは第63条第1項(平成8年租税特別措置法改正法附則第15条第2項の規定によりその例によることとされる平成8年租税特別措置法改正法による改正前の租税特別措置法第63条第1項を含む。)、所得税法等の一部を改正する等の法律(平成18年法律第10号)附則第106条の規定によりその例によることとされる同法第13条の規定による改正前の租税特別措置法第42条の11第11項又は所得税法等の一部を改正する法律(平成19年法律第6号)附則第89条、第90条第6項、第91条若しくは第92条の規定によりその例によることとされる同法第12条の規定による改正前の租税特別措置法第42条の6第6項、第42条の7第6項、第42条の10第6項若しくは第42条の11第6項 |

(二以上の道府県において事務所等を有する法人の中間申告に係る前事業年度又は前計算期間に係る法人税割額)
(13) 二以上の道府県において事務所又は事業所を有する法人が、1又は3前段の規定により中間申告をする場合の前事業年度分として事業年度(通算子法人の場合には、当該事業年度開始の日の属する通算親法人の事業年度)開始の日以後6月を経過した日の前日までに各道府県ごとに納付した法人税割額及び納付すべきことが確定した法人税割額の計算の基礎となる前事業年度に係る法人税割額には、第四節四の2の②の規定により加算された金額及び租税特別措置法第42条の4第8項第6号ロ若しくは第7号(これらの規定を同条第18項において準用する場合を含む。)、第42条の14第1項若しくは第4項、第62条第1項、第62条の3第1項若しくは第9項又は第63条第1項の規定により加算された金額に係る部分は含まれないものであることに留意すること。したがって、前事業年度分として各道府県ごとに納付した法人税割額及び納付すべきことが確定した法人税割額の合計額の算定に当たっては、前事業年度分として各道府県ごとに納付した法人税割額及び納付すべきことが確定した法人税割額の合計額から、第四節四の2の②の規定により加算された金額及び当該法人税割額の課税標準である法人税額(関係道府県ごとに分割した後の額)に前事業年度の法人税割の税率を乗じて得た金額に当該法人税額(関係道府県ごとに分割する前の額)に対する当該法人税額のうち租税特別措置法第42条の4第8項第6号ロ若しくは第7号(これらの規定を同条第18項において準用する場合を含む。)、第42条の14第1項若しくは第4項、第62条第1項、第62条の3第1項若しくは第9項又は第63条第1項の規定により加算された金額の割合を乗じて得た額を控除する取扱いとすること。
なお、上記の租税特別措置法の規定により加算された金額の他に、過去に改廃され、なお効力を有する又は従前の例によることとされている租税特別措置法の規定により加算された金額がある場合についても、同様の取扱いであること。(県通2-44)

(留意事項)
(14) イ 1・2の規定により道府県民税の中間申告義務を有する法人は、法人税法第71条第1項の規定により法人税の中間申告書を提出する義務がある法人に限るものであるため、同項ただし書の規定により法人税の中間申告書の提出を要しない法人は、同法第72条第1項及び第5項の規定により仮決算による法人税の中間申告書を提出する

　　　　　　　　場合であっても、道府県民税の中間申告書の提出を要しないものであること。（県通２－44の２）
　　　ロ　法人税法第71条第１項ただし書の規定により法人税の中間申告書の提出を要しない法人であっても、次のいずれにも該当する通算子法人については、道府県民税の予定申告書を提出しなければならないものであること。（県通２－44の３（２）（３））
　　　　（一）　法人税法第71条第１項第１号に掲げる金額（同条第２項又は第３項の規定の適用がある場合はその適用後の金額）が10万円を超えること。
　　　　（二）　当該事業年度（通算承認の効力が生じた日が同日の属する通算親法人の事業年度開始の日以後６月を経過した日以後であるときのその効力が生じた日の属する事業年度を除く。）開始の日の属する通算親法人の事業年度が６月を超え、かつ、当該通算親法人の事業年度開始の日以後６月を経過した日において、当該通算親法人との間に通算完全支配関係があること。
　　　　　なお、該当する通算子法人については仮決算に係る中間申告をすることができないものであること。
　　　ハ　清算中の法人であっても通算子法人にあっては、法人税法第71条第１項（同法第72条第１項の規定が適用される場合を含む。）の規定により法人税の中間申告書の提出を要する場合には、道府県民税の中間申告書を提出しなければならないものであること。なお、清算中の法人は事業税の中間申告書の提出を要しないことに留意すること。（県通２－44の４）

２　中間申告書の提出がない場合の申告納付の特例
　　１の場合において、法人税法第71条第１項又は第144条の３第１項の規定により法人税に係る申告書を提出する義務がある法人が、法人の道府県民税の申告書をその提出期限までに提出しなかったときは、１の(11)の規定の適用がある場合を除き、当該申告書の提出期限において、当該道府県知事に対し、（１）及び（２）で定めるところにより計算した法人税割額及び均等割額を記載した当該申告書の提出があったものとみなし、当該法人は、当該申告納付すべき期限内にその提出があったものとみなされる申告書に係る道府県民税に相当する税額の道府県民税を事務所、事業所又は寮等所在の道府県に納付しなければならない。（法53①後段）

　　　　（みなし中間申告に係る法人税割額）
　（１）　２の規定によって提出があったものとみなされる申告書に係る法人税割額は、１の（１）から（６）までの規定の例により計算した法人税割額とする。（令８の７①）

　　　　（みなし中間申告に係る均等割額）
　（２）　（１）の申告書に係る均等割額は、当該道府県の均等割額に１《中間申告及び確定申告に係る申告納付》の法人税額の課税標準の算定期間中において事務所、事業所又は寮等を有していた月数を乗じて得た金額を12で除して得た金額とする。（令８の７②）
　　　　（注）　（２）の場合における月数は、暦に従い計算し、１月に満たないときは、１月とし、１月に満たない端数を生じたときは、切り捨てる。（令８の７③）

　　　　（申告書の提出があったものとみなされる法人）
　（３）　２及び３後段の規定によって申告書の提出があったものとみなされる法人には、法人税法第71条第２項又は第３項の規定の適用を受ける適格合併に係る合併法人が含まれるものであることに留意すること。（県通２－45）

３　通算親法人が協同組合等である通算子法人の申告納付
　　法人税法第71条第１項ただし書《中間申告書の提出を要しない場合》の規定により同項の規定による法人税に係る申告書を提出することを要しないこととされた法人（同項第１号に掲げる金額（同条第２項又は第３項の規定の適用がある場合には、その適用後の金額）が10万円以下である場合又は当該金額がない場合に該当するものを除く。）は、その事業年度（新たに設立された法人のうち適格合併（同法第２条第12号の８に規定する適格合併をいう。以下この章において同じ。）により設立されたもの以外のものの設立の日の属する事業年度及び同法第64条の９《通算承認》第１項の規定による承認の効力が生じた日が同日の属する当該法人に係る通算親法人の事業年度（以下３において「通算親法人事業年度」という。）開始の日以後６月を経過した日以後であるときのその効力が生じた日の属する事業年度を除く。以下３において同じ。）開始の日の属する通算親法人事業年度が６月を超え、かつ、当該通算親法人事業年度開始の日以後６月を経過した日（以下３及び１の（７）において「６月経過日」という。）において当該通算親法人との間に同法第２条第12号の７の７に規定する通算完全支配関係がある場合には、８《申告書の様式》で定める様式により、６月経過日から２月以内に、前事業年度の

法人税割額を基準として政令で定めるところにより計算した法人税割額(第六節一の1《更正》において「法人税において予定申告義務がない法人の予定申告に係る法人税割額」という。)、均等割額その他必要な事項を記載した申告書(以下3において「法人の道府県民税の申告書」という。)を当該事業年度開始の日から6月経過日の前日までの期間中において有する事務所、事業所又は寮等所在地の道府県知事に提出し、及びその申告した道府県民税額を納付しなければならない。この場合において、当該法人が、法人の道府県民税の申告書をその提出期限までに提出しなかったときは、1の(7)の規定の適用がある場合を除き、当該申告書の提出期限において、当該道府県知事に対し、政令で定めるところにより計算した法人税割額及び均等割額を記載した当該申告書の提出があったものとみなし、当該法人は、当該申告納付すべき期限内にその提出があったものとみなされる申告書に係る道府県民税に相当する税額の道府県民税を事務所、事業所又は寮等所在の道府県に納付しなければならない。(法53②)

　　　(中間申告及び確定申告に係る申告納付についての取扱いの準用)
(1)　1の(1)、(4)及び(7)から(10)までの規定は、3前段に規定する前事業年度の法人税割額を基準として計算した法人税割額の計算について準用する。この場合において、次の表の左欄に掲げる規定中同表の中欄に掲げる字句は、それぞれ同表の右欄に掲げる字句に読み替えるものとする。(令8の8)

1の(1)	に規定する予定申告法人	の法人
1の(2)	予定申告法人	(1)の法人
1の(4)	当該予定申告法人	(1)の法人

　　　(法人税割額の計算の準用)
(2)　3後段の規定により提出があったものとみなされる申告書に係る法人税割額は、(1)の規定の例により計算した法人税割額とする。(令8の11①)

　　　(均等割額の計算の準用)
(3)　(2)の申告書に係る均等割額は、当該道府県の均等割額に3の事業年度開始の日から3に規定する6月経過日の前日まで期間中において事務所、事業所又は寮等を有していた月数を乗じて得た金額を12で除して得た金額とする。(令8の11②)
　　　(注)　(3)の場合における月数は、暦に従い計算し、1月に満たないときは、1月とし、1月に満たない端数を生じたときは、切り捨てる。(令8の11③)

4　公共法人等に係る申告納付
　公共法人等(注)は、8《申告書等の様式》で定める様式により、毎年4月30日までに、第二節2の②《法人等の均等割の税率算定日》の表の(三)の期間中の事実に基づいて算定した均等割額を記載した申告書を、当該期間中において有する事務所、事業所又は寮等所在地の道府県知事に提出し、及びその申告した均等割額を納付しなければならない。(法53㉛)
　　(注)　第二節2の②の表の(三)参照。(編者)

　　　(旧民法第34条の法人から移行した法人等に係る特例)
注　一般社団法人及び一般財団法人に関する法律及び公益社団法人及び公益財団法人の認定等に関する法律の施行に伴う関係法律の整備等に関する法律(平成18年法律第50号。以下「整備法」という。)第40条第1項の規定により存続する一般社団法人又は一般財団法人であって整備法第106条第1項(整備法第121条第1項において読み替えて準用する場合を含む。以下同じ。)の登記をしていないもの(整備法第131条第1項の規定により整備法第45条の認可を取り消されたもの(以下それぞれ「認可取消社団法人」又は「認可取消財団法人」という。)にあっては、法人税法第2条第9号の2に規定する非営利型法人に該当するものに限る。)については、法人税法第2条第6号の公益法人等とみなして、4の規定を適用する。(法附41④)

5　期限後申告に係る申告納付
　1・2、4及び7の規定により申告書を提出すべき法人は、当該申告書(2の規定により提出があったものとみなされた申告書を除く。)の提出期限後においても、第六節一の4《更正又は決定の通知》の規定による更正又は決定の通知があるまでは、1・2、4及び7の規定により申告書を提出し、並びにその申告した道府県民税額を納付することができる。(法53㉝)

6　納付税額に過不足額がある場合等の申告納付

　1・2、3、4、5若しくは6の規定により申告書を提出した法人又は第六節一《更正又は決定》の規定による更正若しくは決定を受けた法人は、次の各号のいずれかに該当する場合には、7に該当する場合を除くほか、遅滞なく、8で定める様式により、当該申告書を提出し又は当該更正若しくは決定をした道府県知事に、当該申告書に記載し又は当該更正若しくは決定に係る通知書に記載された第一編第十章10《更正の請求》の①に規定する課税標準等又は税額等を修正する申告書を提出し、及びその申告により増加した道府県民税額を納付しなければならない。（法53㉞）

(一)　先の申告書の提出により納付すべきものとしてこれに記載し、又は当該更正若しくは決定により納付すべきものとして当該更正若しくは決定に係る通知書に記載された道府県民税額に不足額があるとき。

(二)　先の申告書に納付すべき道府県民税額を記載しなかった場合又は納付すべき道府県民税額がない旨の更正を受けた場合において、その納付すべき道府県民税額があるとき。

7　修正申告又は更正決定に係る申告納付

　1・2又は3の法人が法人税に係る修正申告書を提出し、又は法人税に係る更正若しくは決定の通知を受けたことにより、当該法人が6各号のいずれかに該当することとなった場合においては、当該法人は、当該修正申告により増加した法人税額又は当該更正若しくは決定により納付すべき法人税額を納付すべき日までに、6の規定により申告納付しなければならない。（法53㉟）

8　申告書等の様式

　法人(注3)の道府県民税について、次の表の左欄に掲げる申告書等の様式は、それぞれその右欄に定めるところによるものとする。ただし、別表に掲げる様式によることができないやむを得ない事情があると認める場合には、総務大臣は、別にこれを定めることができる。（規3①）

申　告　書　等　の　種　類	様　式
(一)　確定申告書及び中間申告書並びにこれらに係る修正申告書（1・2の道府県民税の申告書並びにこれに係る6の道府県民税の申告書）	第6号様式、第6号様式（その2）又は第6号様式（その3）（別表1から別表4の3まで）
(二)　退職年金等積立金に係る確定申告書及びこれに係る修正申告書（法人税法第89条《退職年金等積立金に係る確定申告》（同法第145条の5において準用する場合を含む。）の規定によって申告書を提出する義務がある法人に係る1・2の道府県民税の申告書及びこれに係る6の道府県民税の申告書）	第6号の2様式
(三)　予定申告書及びこれに係る修正申告書（1・2の道府県民税の申告書並びにこれらに係る6の道府県民税の申告書）	第6号の3様式、第6号の3様式（その2）又は第6号様式（その3）（第6号様式別表4の3）
(四)　外国関係会社に係る控除対象所得税額等相当額及び個別控除対象所得税額等相当額の控除に関する明細書（第四節二《外国関係会社に対して課された所得税等の額の控除》の1の(2)及び2の(2)の書類）	第7号様式
(五)　外国の法人税等の額の控除に関する明細書（第四節二の10《外国税額控除の申告》並びに同四の2《税額控除額と当初申告税額控除額との差額に係る対象事業年度での調整》の①の(4)及び同②の(2)の書類）	第7号の2様式
(六)　課税標準の分割に関する明細書（第五節一の1《二以上の道府県において事務所等を有する法人の中間申告及び確定申告に係る申告納付》の課税標準の分割に関する明細書）	第10号様式
(七)　均等割申告書（4の道府県民税の申告書）	第11号様式
(八)　確定申告書の提出期限の延長の処分等の届出書及び申告書の提出期限の延長の取りやめ等の届出書（二の1《確定申告書の提出期限の延長の特例》及び同(1)の届出書）	第13号の2様式及び第14号様式

(注1) 様式は省略した。(編者)
(注2) 都がその特別区の存する区域内において法人に対して課する都民税の申告書等の様式は、第三編第二章第九節4参照。(編者)

　　　(恒久的施設を有する外国法人に係る申告書の記載事項)
(1) 道府県内に恒久的施設を有する外国法人(第一節一の表の(二)のロに規定する外国法人をいう。)の第6号様式別表1の2及び同様式別表2の5、第7号の3様式並びに第10号様式の記載については、法人税法第141条《外国法人の課税標準》第1号イに掲げる国内源泉所得に対する法人税額及び同号ロに掲げる国内源泉所得に対する法人税額の計算の別を明らかにするものとする。(規3②)

　　　(納付書の様式)
(2) 法人が道府県民税に係る地方団体の徴収金を納付するとき(口座振替の方法第一編第十一章三の(1)に規定する方法により納付する場合を除く。)は、当該地方団体の徴収金に第12号の2様式〈省略〉による納付書(当該様式によることができないやむを得ない事情があると認める場合において、総務大臣が別の様式を定めたときは、当該様式による納付書)(当該書類に記載すべき事項を記録した電磁的記録を含む。)を添えて納付するものとする。(規3③)

二　確定申告書の提出期限の延長の特例

1　確定申告書の提出期限の延長の特例

　一の1《中間申告及び確定申告に係る申告納付》に規定する法人のうち法人税法第74条《確定申告》第1項又は第144条の6《外国法人の確定申告》第1項の規定による法人税に係る申告書を提出する義務がある法人は、同法第75条の2《確定申告書の提出期限の延長の特例》第1項(同法第144条の8《確定申告書の提出期限の延長の特例》において準用する場合を含む。2及び第六節五の2《納期限の延長の場合の延滞金》において同じ。)の規定により当該申告書の提出期限が延長された場合(同法第75条の2第8項(同法第144条の8において準用する場合を含む。)において準用する同法第75条《確定申告書の提出期限の延長》第5項又は第75条の2第11項第2号の規定により当該提出期限の延長がされたものとみなされた場合を含む。)、同法第75条の2第5項(同法第144条の8において準用する場合を含む。)の規定により当該申告書の提出期限の延長の処分についての取消し若しくは変更の処分があった場合(同法第75条の2第11項第2号の規定により当該申告書の提出期限の延長の処分についての取消し又は変更の処分があったものとみなされた場合を含む。)、同法第75条の2第7項(同法第144条の8において準用する場合を含む。)の規定により同項の届出書を提出した場合(同法第75条の2第11項第4号の規定により当該届出書を提出したものとみなされた場合を含む。)又は同法第75条の2第11項第5号若しくは第6号の規定により当該申告書の提出期限の延長の処分が効力を失った場合には、(4)で定めるところにより、その旨を道府県知事(二以上の道府県において事務所又は事業所を有する法人にあっては、主たる事務所又は事業所所在地の道府県知事)に届け出なければならない。(法53㉛)

　　　(関係道府県知事への通知)
(1) 二以上の道府県において事務所又は事業所を有する法人の主たる事務所又は事業所所在地の道府県知事は、当該法人から1の規定による届出があった場合には、その旨を関係道府県知事に通知しなければならない。(法53㉜)

　　　(関係市町村への通知)
(2) 1の届出又は(1)の通知を受けた道府県知事は、その旨を当該道府県の区域内の関係市町村長に通知しなければならない。(法53㉝)

　　　(確定申告書の提出期限の延長の特例の届出)
(3) 一の1《中間申告及び確定申告に係る申告納付》に規定する法人のうち法人税法第74条第1項又は第144条の6第1項《外国法人の確定申告》の規定による法人税に係る申告書を提出する義務がある法人は、次の各号に掲げる処分、届出又は失効の区分に応じ、当該各号に掲げる日までに、1の規定による届出をしなければならない。(規3の3)
　(一) 法人税法第75条の2第1項《確定申告書の提出期限の延長の特例》(同法第144条の8において準用する場合を含む。以下(一)において同じ。)の規定による申告書の提出期限の延長の処分(同法第75条の2第8項(同法第144条の8において準用する場合を含む。以下(一)において同じ。)において準用する同法第75条第5項又は同法第75条の2第11項第2号の規定により当該提出期限の延長がされたものとみなされた場合を含む。)又は同第2項(同法第144条の8において準用する場合を含む。)の規定による同法第75条の2第1項各号の指定、これらの指定の取消

し若しくはこれらの指定に係る月数の変更の処分（同法第75条の２第８項において準用する同法第75条第５項又は同法第75条の２第11項第２号の規定により当該提出期限の延長がされたものとみなされた場合を含む。以下（一）において「指定等の処分」という。）　当該提出期限の延長の処分又は当該指定等の処分に係る事業年度終了の日から22日以内
(二)　法人税法第75条の２第５項（同法第144条の８において準用する場合を含む。）の規定による申告書の提出期限の延長の処分についての取消し又は変更の処分（同法第75条の２第11項第２号の規定により当該申告書の提出期限の延長の処分についての取消し又は変更の処分があったものとみなされた場合を含む。）　当該取消し又は変更の処分のあった日の属する事業年度終了の日から22日以内
(三)　法人税法第75条の２第７項（同法第144条の８において準用する場合を含む。）の規定による同項の届出（同法第75条の２第11項第４号の規定により同条第７項の届出書を提出したものとみなされた場合を含む。）　同項の届出書を提出した日の属する事業年度終了の日から22日以内
(四)　法人税法第75条の２第11項第５号又は第６号の規定による申告書の提出期限の延長の処分の失効　当該失効のあった日の属する事業年度終了の日から22日以内

　　（留意事項）
(4)　法人税法第75条の２第１項の規定により通算親法人の申告期限が延長された場合には、同条第11項第２号の規定により、他の通算法人の全てにつき法人税の申告期限の延長がされたものとみなされるものであること。
　また、次に掲げる場合には、通算子法人についても都道府県知事に届出が必要であることに留意すること。（県通２－55）
(一)　通算親法人の申告期限の延長の処分があった場合
(二)　通算親法人の申告期限の延長の処分が変更又は取り消された場合
(三)　通算親法人が申告期限の延長の処分の適用を受けることをやめた場合
(四)　法人税法第75条の２第１項に規定する申告期限の延長を受けている通算親法人との間に通算完全支配関係を有することとなった場合
(五)　法人税法第75条の２第11項第５号又は第６号の規定により延長の処分が効力を失った場合
　なお、国税通則法第11条の規定により、通算法人の法人税の中間申告又は確定申告の申告期限が延長された場合には、他の通算法人の全てについて法人税の中間申告又は確定申告の申告期限が延長されたものとみなされるため留意すること。

２　災害等の場合の確定申告書の提出期限の延長への乗換えと特例停止

　法人税法第74条第１項《確定申告》又は第144条の６第１項《外国法人の確定申告》の規定により法人税に係る申告書を提出する義務がある法人で同法第75条の２第１項《確定申告書の提出期限の延長の特例》の規定の適用を受けているものについて、同条第９項《災害等の場合の確定申告書の提出期限の延長への乗換えと特例停止》（同法第144条の８《確定申告書の提出期限の延長の特例》において準用する場合を含む。以下２において同じ。）の規定の適用がある場合には、同法第75条の２第９項の規定の適用に係る当該申告書に係る法人税額の課税標準の算定期間に限り、当該法人税額を課税標準として算定した法人税割額及びこれと併せて納付すべき均等割額については、当該法人税額について同条第１項の規定の適用がないものとみなして、第一編第十章４の②《災害等による期限の延長に関する規定》を適用することができる。（法53⑭）

三　地方税関係手続用電子情報処理組織による申告

１　地方税関係手続用電子情報処理組織による申告

　特定法人である内国法人は、一の１・２、３、４又は５から７までの規定により、これらの規定による申告書（以下三において「納税申告書」という。）により行うこととされ、又は納税申告書にこの法律若しくはこれに基づく命令の規定により納税申告書に添付すべきものとされている書類（以下１において「添付書類」という。）を添付して行うこととされている法人の道府県民税の申告については、一の１・２、３、４及び５から７までの規定にかかわらず、総務省令で定めるところにより、納税申告書に記載すべきものとされている事項（１において「申告書記載事項」という。）又は添付書類に記載すべきものとされ、若しくは記載されている事項（以下１において「添付書類記載事項」という。）を、地方税関係手続用電子情報処理組織（地方税法第762条第１号に規定する地方税関係手続用電子情報処理組織をいう。以下三において同じ。）を使用し、かつ、地方税共同機構（三において「機構」という。）を経由して行う方法により道府県知事に提供する

ことにより、行わなければならない。ただし、当該申告のうち添付書類に係る部分については、添付書類記載事項を記録した光ディスクその他の添付書類記載事項の電磁的記録〘第一節五の1の①参照〙を記録した光ディスク又は磁気ディスクを道府県知事に提出する方法により、行うことができる。(法53�65、規3の3の2④)

　　　(特定法人の定義)
(1)　1に規定する特定法人とは、次に掲げる法人をいう。(法53㊻)
　(一)　納税申告書に係る事業年度開始の日(公共法人等〘第二節2の②の表の(三)参照〙にあっては、前年4月1日)現在における資本金の額又は出資金の額が1億円を超える法人
　(二)　保険業法に規定する相互会社
　(三)　投資信託及び投資法人に関する法律第2条第12項に規定する投資法人((一)に掲げる法人を除く。)
　(四)　資産の流動化に関する法律第2条第3項に規定する特定目的会社((一)に掲げる法人を除く。)

　　　(地方税関係手続用電子情報処理組織により行われた申告の地方税法等の適用)
(2)　1の規定により行われた1の申告については、申告書記載事項が記載された納税申告書により、又はこれに添付書類記載事項が記載された添付書類を添付して行われたものとみなして、この法律又はこれに基づく命令の規定その他政令で定める法令の規定を適用する。(法53㊻)

　　　(地方税関係手続用電子情報処理組織による申告の到達時期)
(3)　1本文の規定により行われた1の申告は、申告書記載事項が地方税法第762条第1号の機構の使用に係る電子計算機(入出力装置を含む。)に備えられたファイルへの記録がされた時に1に規定する道府県知事に到達したものとみなす。(法53㊻)

　　　(特定申告の方法)
(4)　1の規定により1の申告(以下(4)から(6)までにおいて「特定申告」という。)を行う内国法人は、1に規定する申告書記載事項又は1に規定する添付書類記載事項を、特定申告を行う内国法人の使用に係る電子計算機(入出力装置を含む。)から入力して、特定申告を行わなければならない。(規3の3の2①)

　　　(特定申告における電子証明書の添付)
(5)　(4)の規定により特定申告を行う内国法人は、当該特定申告の情報に第一編第十一章一の(7)の(一)《電子署名の意義》に規定する電子署名(当該内国法人の代表者があらかじめ地方税共同機構を通じて道府県知事に当該特定申告の提出の委任に関する届出を行った場合には、当該委任を受けた者(当該内国法人の役員及び職員に限る。)のものを含む。以下(5)において「電子署名」という。)を行い、当該電子署名を行った者を確認するために必要な事項を証する電子証明書(同(9)の(二)に規定する電子証明書をいう。)と併せてこれを送信しなければならない。(規3の3の2②)

　　　(特定申告において従うべき基準)
(6)　(4)の規定により特定申告を行う内国法人は、情報通信の技術の利用における安全性及び信頼性を確保するために必要な基準として総務大臣が定める基準に従って特定申告を行うものとする。(規3の3の2③)

2　地方税関係手続用電子情報処理組織による申告が困難である場合の特例

　1の内国法人が、電気通信回線の故障、災害その他の理由により地方税関係手続用電子情報処理組織を使用することが困難であると認められる場合で、かつ、1の規定を適用しないで納税申告書を提出することができると認められる場合において、1の規定を適用しないで納税申告書を提出することについて道府県知事の承認を受けたときは、当該道府県知事が指定する期間内に行う1の申告については、1から同(3)までの規定は、適用しない。法人税法第75条の5《電子情報処理組織による申告が困難である場合の特例》第2項の規定により同項の申請書を同項に規定する納税地の所轄税務署長に提出した1の内国法人が、同条第1項の承認を受け、又は同条第3項の却下の処分を受けていない旨を記載した(1)に掲げる書類を、納税申告書の提出期限の前日までに、又は納税申告書に添付して当該提出期限までに、道府県知事に提出した場合における当該税務署長が同条第1項の規定により指定する期間(同条第5項の規定により当該期間として当該指定があったものとみなされた期間を含む。)内に行う1の申告についても、同様とする。(法53㊻)

　　　　（申請書の添付書類）
（１）　２後段に規定する書類は、１の内国法人が、法人税法第75条の５第２項の規定により同項の申請書を同項に規定する納税地の所轄税務署長に提出したことを明らかにする書類とする。（規３の３の２⑤）

　　　　（申請書の記載事項及び提出期限）
（２）　２前段の承認を受けようとする内国法人は、２前段の規定の適用を受けることが必要となった事情、２前段の規定による指定を受けようとする期間その他次に掲げる事項を記載した申請書に電気通信回線の故障、災害その他の理由により地方税関係手続用電子情報処理組織を使用することが困難であることを明らかにする書類を添付して、当該期間の開始の日の15日前まで（２に規定する理由が生じた日が一の１・２の規定による申告書（法人税法第74条《確定申告》第１項の規定により法人税に係る申告書を提出する義務がある法人が、当該申告書の提出期限までに提出すべきものに限る。）又は４若しくは７の規定による申告書の提出期限の15日前の日以後である場合において、当該提出期限が当該期間内の日であるときは、当該開始の日まで）に、これを道府県知事に提出しなければならない。（法53⑩、規３の３の２⑥⑦）
　（一）　申請をする内国法人の名称、事務所、事業所又は寮等所在の道府県及び法人番号
　（二）　代表者の氏名
　（三）　電気通信回線の故障、災害その他の理由により２に規定する地方税関係手続用電子情報処理組織を使用することが困難である事情が生じた日
　（四）　その他参考となるべき事項

　　　　（申請の却下）
（３）　道府県知事は、（２）の申請書の提出があった場合において、その申請に係る（２）の事情が相当でないと認めるときは、その申請を却下することができる。（法53㉛）

　　　　（書面による通知）
（４）　道府県知事は、（２）の申請書の提出があった場合において、その申請につき２前段の承認又は（３）の却下の処分をするときは、その申請をした内国法人に対し、書面によりその旨を通知しなければならない。（法53㉜）

　　　　（承認又は却下の処分がなかったとき）
（５）　（２）の申請書の提出があった場合において、当該申請書に記載した２前段の規定による指定を受けようとする期間の開始の日までに２前段の承認又は（３）の却下の処分がなかったときは、その日においてその承認があったものと、当該期間を２前段の期間として２前段の規定による指定があったものと、それぞれみなす。（法53㉝）

　　　　（承認の取消し）
（６）　道府県知事は、２前段の規定の適用を受けている内国法人につき、地方税関係手続用電子情報処理組織を使用することが困難でなくなったと認める場合には、２前段の承認を取り消すことができる。（法53㉞）

　　　　（書面による通知）
（７）　道府県知事は、（６）の処分をするときは、その処分に係る内国法人に対し、書面によりその旨を通知しなければならない。（法53㉟）

　　　　（特例の適用の取りやめ）
（８）　２の規定の適用を受けている内国法人は、１の申告につき２の規定の適用を受けることをやめようとするときは、その旨その他次に掲げる事項を記載した届出書を道府県知事に提出しなければならない。（法53㊱、規３の３の２⑧）
　（一）　届出をする内国法人の名称、事務所、事業所又は寮等所在の道府県及び法人番号
　（二）　代表者の氏名
　（三）　２の承認を受けた日又はその承認があったものとみなされた日
　（四）　（８）の規定の適用をやめようとする理由
　（五）　その他参考となるべき事項

（承認の取消し又は特例の適用の取りやめ後の特例の不適用）

（9） 2前段の規定の適用を受けている内国法人につき、（6）の処分又は（8）の届出書の提出があったときは、これらの処分又は届出書の提出があった日の翌日以後の2前段の期間内に行う1の申告については、2前段の規定は、適用しない。ただし、当該内国法人が、同日以後新たに2前段の承認を受けたときは、この限りでない。（法53⑰）

（特例の適用の取りやめ又は法人税申告に係る申請の却下等後の特例の不適用）

（10） 2後段の規定の適用を受けている内国法人につき、（8）の届出書の提出又は法人税法第75条の5第3項若しくは第6項の処分があったときは、これらの届出書の提出又は処分があった日の翌日以後の2後段の期間内に行う1の申告については、2後段の規定は、適用しない。ただし、当該内国法人が、同日以後新たに2後段の書類を提出したときは、この限りでない。（法53⑱）

（地方税関係手続用電子情報処理組織による申告の不適用期間の指定）

（11） 総務大臣は、地方税法第790条の2《総務大臣への報告》の規定による報告があった場合において、地方税関係手続用電子情報処理組織の故障その他の理由により、1の内国法人で1の規定により1の申告を行うことが困難であると認めるものが多数に上ると認めるときは、1の規定を適用しないで納税申告書を提出することができる期間を指定することができる。（法53⑲）

（総務大臣による告示）

（12） 総務大臣は、(11)の規定による指定をしたときは、直ちに、その旨を告示するとともに、道府県知事及び機構に通知しなければならない。（法53⑳）

（総務大臣による告示があった場合の特例の不適用）

（13） (12)の規定による告示があったときは、2の規定にかかわらず、総務大臣が(11)の規定により指定する期間内に行う1の申告については、1から同（3）までの規定は、適用しない。（法53㉑）

四　申告に関する罰則

1　故意不申告の罪

正当な事由がなくて一の1・2、3又は4《中間申告・みなし中間申告・確定申告・公共法人等又は人格のない社団等に係る申告納付》の規定による申告書を当該各項に規定する申告書の提出期限内に提出しなかった場合には、法人の代表者（人格のない社団等の管理人及び法人課税信託の受託者である個人を含む。）、代理人、使用人その他の従業者でその違反行為をした者は、1年以下の懲役又は50万円以下の罰金に処する。ただし、情状により、その刑を免除することができる。（法53の3①）

（両罰規定）

（1） 法人の代表者（人格のない社団等の管理人を含む。）又は代理人、使用人その他の従業者が、その法人の業務又は財産に関して、1の違反行為をしたときは、その行為者を罰するほか、その法人に対し、1の罰金刑を科する。（法53の3②）

（人格のない社団等に対する刑事訴訟法の準用）

（2） 人格のない社団等について（1）の規定の適用がある場合には、その代表者又は管理人がその訴訟行為につき当該人格のない社団等を代表するほか、法人を被告人又は被疑者とする場合の刑事訴訟に関する法律の規定を準用する。（法53の3③）

2　虚偽の申告に関する罪

一の1・2《中間申告・みなし中間申告・確定申告》に規定する法人税法第71条第1項《中間申告》の規定による法人税に係る申告書（同法第72条第1項各号《仮決算をした場合の中間申告書の記載事項》に掲げる事項を記載したものに限る。）又は同法第144条の3《外国法人の中間申告》第1項の規定による法人税に係る申告書（同法第144条の4《仮決算をした場合の中間申告書の記載事項等》第1項各号に掲げる事項を記載したものに限る。）を提出する義務がある法人が一の1・2の申告書又はこれに係る同6《納付税額に過不足額がある場合等の申告納付》の申告書に虚偽の記載をして提出し

た場合において、法人の代表者（法人課税信託の受託者である個人を含む。）、代理人、使用人その他の従業者でその違反行為をした者は、１年以下の懲役又は50万円以下の罰金に処する。（法54①）

(両罰規定)
注　法人の代表者又は代理人、使用人その他の従業者がその法人の業務に関して２の違反行為をした場合には、その行為者を罰するほか、その法人に対し、同項の罰金刑を科する。（法54②）

第四節　法人税額等の控除・加算及び還付等

一　法人税額等の控除・加算

1　通算適用前欠損金額がある場合の控除対象通算適用前欠損調整額の控除

　法人税法第71条《中間申告》第１項（同法第72条《仮決算をした場合の中間申告書の記載事項等》第１項の規定が適用される場合に限る。）又は第74条《確定申告》第１項の規定により法人税に係る申告書を提出する義務がある法人について、当該事業年度開始の日前10年以内に開始した事業年度において生じた通算適用前欠損金額（同法第57条《欠損金の繰越し》第１項の欠損金額（同法第58条《青色申告書を提出しなかった事業年度の欠損金の特例》第１項の規定によりないものとされたものを除く。）で、同法第57条第６項又は第８項の規定によりないものとされたものをいう。以下３において同じ。）がある場合の当該法人が納付すべき当該事業年度分の法人税割の課税標準となる法人税額の算定については、第三節一の１・２、６又は７《中間申告・みなし中間申告・確定申告・過不足税額の申告・修正申告・更正決定に係る申告》の規定にかかわらず、これらの規定により申告納付すべき当該法人税額の課税標準の算定期間に係る法人税割の課税標準となる法人税額から、当該法人税額（当該法人税額について租税特別措置法第42条の14《通算法人の仮装経理に基づく過大申告の場合等の法人税額》第１項若しくは第４項、第62条《使途秘匿金の支出がある場合の課税の特例》第１項、第62条の３《土地の譲渡等がある場合の特別税率》第１項若しくは第９項又は第63条《短期所有に係る土地の譲渡等がある場合の特別税率》第１項の規定により加算された金額がある場合には、政令で定める額を控除した額）を限度として、控除対象通算適用前欠損調整額を控除するものとする。この場合において、控除対象通算適用前欠損調整額は、前事業年度以前の法人税割の課税標準とすべき法人税額について控除されなかった額に限る。（法53③）

(注１)　１の規定は、令和２年法律第５号附則第５条第３項の規定によりなおその効力を有するものとされた、令和４年改正前の地方税法第53条第６項に規定する控除対象個別帰属調整額の、令和４年４月１日以後事業年度における控除について準用する。（令２改法附５④）
　　　　なお、令和４年４月１日以後事業年度とは、令和４年４月１日以後に開始する事業年度（所得税法等の一部を改正する法律（令和２年法律第８号。以下「所得税法等改正法」という。）第３条の規定（所得税法等改正法附則第１条第５号ロに掲げる改正規定に限る。）による改正前の法人税法（以下「４年旧法人税法」という。）第２条第12号の７に規定する連結子法人（以下「連結子法人」という。）の連結親法人事業年度（４年旧法人税法第15条の２第１項に規定する連結親法人事業年度をいう。以下同じ。）が令和４年４月１日前に開始した事業年度を除く。）をいう。以下一において同じ。（令２改法附５②）

(注２)　１の規定は、令和２年法律第５号附則第５条第３項の規定によりなおその効力を有するものとされた、令和４年改正前の地方税法第53条第９項に規定する控除対象個別帰属税額の、令和４年４月１日以後事業年度〔(注１)参照〕における控除について準用する。（令２改法附５⑤）

(注３)　(注１)の規定により１、(７)及び(10)の規定を準用する場合には、次の表の左欄に掲げる規定中同表の中欄に掲げる字句は、それぞれ同表の右欄に掲げる字句に読み替えるものとする。（令２政令第264号附３㉓）

1		
	通算適用前欠損金額（同法第57条第１項の欠損金額（同法第58条第１項の規定によりないものとされたものを除く。）で、同法第57条第６項又は第８項の規定によりないものとされたものをいう。以下３において同じ。）	連結適用前欠損金額（地方税法等の一部を改正する法律（令和２年法律第５号）附則第５条第３項の規定によりなおその効力を有するものとされた同法附則第１条第５号に掲げる規定による改正前の地方税法（以下１において「なお効力を有する旧法」という。）第53条第５項に規定する連結適用前欠損金額をいう。以下１において同じ。）又は連結適用前災害損失欠損金額（なお効力を有する旧法第53条第５項に規定する連結適用前災害損失欠損金額をいう。以下１において同じ。）
	控除対象通算適用前欠損調整額を	なお効力を有する旧法第53条第６項に規定する控除対象個別帰属調整額（以下１において「控除対象個別帰属調整額」という。）を
	控除対象通算適用前欠損調整額は、前事業年度	控除対象個別帰属調整額は、１又はなお効力を有する旧法第53条第５項の規定により前事業年度又は前連結事業年度
	すべき法人税額	すべき法人税額又は個別帰属法人税額（なお効力を有する旧法第23条第１項第４号の２に掲げる個別帰属法人税額をいう。(７)において同じ。）

第二編第二章《法人の道府県民税》第四節《法人税額等の控除・加算及び還付等》

（7）	通算適用前欠損金額	連結適用前欠損金額又は連結適用前災害損失欠損金額
	（4）に規定する控除対象通算適用前欠損調整額	控除対象個別帰属調整額
	当該控除対象通算適用前欠損調整額	当該控除対象個別帰属調整額
	最初通算事業年度	最初連結事業年度（所得税法等の一部を改正する法律（令和2年法律第8号）附則第14条第2項の規定によりなおその効力を有するものとされた同法第3条の規定（同法附則第1条第5号ロに掲げる改正規定に限る。）による改正前の法人税法（以下3において「なお効力を有する旧法人税法」という。）第15条の2第1項に規定する最初連結事業年度をいう。（10）において同じ。）
	同法第57条第6項又は第8項	なお効力を有する旧法人税法第81条の9第2項
	あること	ないこと
	（同法	（法人税法
	ものに限る。）	ものに限る。）又はなお効力を有する旧法第53条第1項の規定により提出すべき申告書（なお効力を有する旧法人税法第74条第1項の規定により提出すべき法人税の申告書に係るものに限る。）若しくはなお効力を有する旧法第53条第4項の規定により提出すべき申告書
	、1	、1又はなお効力を有する旧法第53条第5項
	前10年内事業年度の	当該適格合併の日前10年以内に開始し、又は当該残余財産の確定の日の翌日前10年以内に開始した事業年度又は連結事業年度の
	すべき法人税額	すべき法人税額又は個別帰属法人税額
	控除未済通算適用前欠損調整額	控除未済個別帰属調整額
	に同法	に法人税法
	法人の事業年度	法人の事業年度又は連結事業年度
	前事業年度	前事業年度又は前連結事業年度
（10）	通算適用前欠損金額	連結適用前欠損金額又は連結適用前災害損失欠損金額
	（4）に規定する控除対象通算適用前欠損調整額（以下（10）において「控除対象通算適用前欠損調整額」という。）	控除対象個別帰属調整額
	の控除対象通算適用前欠損調整額	の控除対象個別帰属調整額
	最初通算事業年度	最初連結事業年度
	法人税法第57条第6項又は第8項	なお効力を有する旧法人税法第81条の9第2項
	ある	ない

（注4）（注1）において準用する1の規定の適用がある場合における（13）、10並びに第一節一の表の（三）の（4）及び（5）の規定の適用については、次の表の左欄に掲げる規定中同表の中欄に掲げる字句は、それぞれ同表の右欄に掲げる字句とする。（令2政令第264号附3㉔）

（13）	1	1（1の（注1）において準用する場合を含む。）
10	並びに1	並びに1（1の（注1）において準用する場合を含む。以下10において同じ。）
第一節一の表の（三）の（4）及び（5）	並びに第四節一の1	並びに第四節一の1（1の（注1）において準用する場合を含む。以下この項において同じ。）

（注5）（注2）の規定により1、（7）及び（10）の規定を準用する場合には、次の表の左欄に掲げる規定中同表の中欄に掲げる字句は、それぞれ同表の右欄に掲げる字句に読み替えるものとする。（令2政令第264号附3㉙）

1	開始した事業年度	開始した連結事業年度
	生じた通算適用前欠損金額（同法第57条第1項の欠損金額（同法第58条第1項の規定によりないものとされたものを除く。）で、同法第57条第6項又は第8項の規定によりないものとされたものをいう。以下1において同じ。）がある場合の	控除対象個別帰属税額（地方税法等の一部を改正する法律（令和2年法律第5号）附則第5条第3項の規定によりなおその効力を有するものとされた同法附則第1条第5号に掲げる規定による改正前の地方税法（以下1において「なお効力を有する旧法」という。）第53条第9項に規定する控除対象個別帰属税額をいう。以下1において同じ。）が生じた場合における
	控除対象通算適用前欠損調整額	控除対象個別帰属税額
	前事業年度	1又はなお効力を有する旧法第53条第9項の規定により前事業年度又は前連結事業年度
	すべき法人税額	すべき法人税額又は個別帰属法人税額（なお効力を有する旧法第23条第1項第4号の2に掲

		げる個別帰属法人税額をいう。(7)において同じ。)
(7)	開始した事業年度	開始した連結事業年度
	前10年内事業年度」	前10年内連結事業年度」
	において生じた通算適用前欠損金額に係る	において
	前項に規定する控除対象通算適用前欠損調整額	控除対象個別帰属税額
	当該控除対象通算適用前欠損調整額	当該控除対象個別帰属税額
	に係る通算適用前欠損金額の生じた事業年度後最初の最初通算事業年度について同法第57条第6項又は第8項の規定の適用があることを証する書類を添付した	の生じた前10年内連結事業年度について
	(同法	(法人税法
	ものに限る。)	ものに限る。)又はなお効力を有する旧法第53条第1項の規定により提出すべき申告書(所得税法等の一部を改正する法律(令和2年法律第8号)附則第14条第2項の規定によりなおその効力を有するものとされた同法第3条の規定(同法附則第1条第5号ロに掲げる改正規定に限る。)による改正前の法人税法第74条第1項の規定により提出すべき法人税の申告書に係るものに限る。)若しくはなお効力を有する旧法第53条第4項の規定により提出すべき申告書
	、1	、1又はなお効力を有する旧法第53条第9項
	前10年内事業年度の	当該適格合併の日前10年以内に開始し、又は当該残余財産の確定の日の翌日前10年以内に開始した連結事業年度又は事業年度の
	すべき法人税額	すべき個別帰属法人税額又は法人税額
	控除未済通算適用前欠損調整額	控除未済個別帰属税額
	あるとき	生じたとき
	前10年内事業年度に	前10年内連結事業年度に
	に同法	に法人税法
	に係る前10年内事業年度	の生じた前10年内連結事業年度
	法人の事業年度	法人の連結事業年度又は事業年度
	前事業年度	前連結事業年度又は前事業年度
(10)	通算適用前欠損金額(	控除対象個別帰属税額(
	(4)に規定する控除対象通算適用前欠損調整額(以下(10)において「控除対象通算適用前欠損調整額」という。)	控除対象個別帰属税額
	被合併法人等の控除対象通算適用前欠損調整額に係る通算適用前欠損金額	もの
	事業年度後最初の最初通算事業年度について法人税法第57条第6項又は第8項の規定の適用があることを証する書類を添付した法人の道府県民税の確定申告書を提出し、かつ、その後	連結事業年度以後
	控除対象通算適用前欠損調整額と	控除対象個別帰属税額と

(注6) (注2)において準用する1の規定の適用がある場合における(13)、10並びに第一節一の表の(三)の(4)及び(5)の規定の適用については、次の表の左欄に掲げる規定中同表の中欄に掲げる字句は、それぞれ同表の右欄に掲げる字句とする。(令2政令第264号附3㉚)

(13)	1	1(1の(注2)において準用する場合を含む。)
10	並びに1	並びに1(1の(注2)において準用する場合を含む。以下10において同じ。)
第一節一の表の(三)の(4)及び(5)	並びに第四節一の1	並びに第四節一の1(1の(注2)において準用する場合を含む。以下この項において同じ。)

第二編第二章《法人の道府県民税》第四節《法人税額等の控除・加算及び還付等》

(注7) 平成30年4月1日前に開始した事業年度において生じた1に規定する通算適用前欠損金額に係る1の規定の適用については、「前10年以内」とあるのは「前9年以内」と読み替える。(令2改法附5⑦)
(注8) (4)の(注1)(注2)の読替規定を参照。(編者)
(注9) 第一節一の表の(三)の(4)及び(5)《中小企業者等に係る試験研究費等の法人税額の特別控除の適用がある通算法人について法人税額に加算された金額がある場合の特例》の読替規定を参照。(編者)

(欠損金額の範囲)
(1) 1に規定する法人税法第57条第1項の欠損金額には、同条第2項の規定により1の法人の欠損金額(法人税法第2条第19号に規定する欠損金額をいう。)とみなされたものを含むものとし、法人税法第57条第4項、第5項又は第9項の規定によりないものとされたものを含まないものとする。(令8の12①)
　(注) (1)から(11)までの規定は、(4)の(注1)(注2)の読替規定を参照。(編者)

(欠損金額の要件)
(2) 1に規定する法人税法第57条第1項の欠損金額は、当該欠損金額の生じた事業年度について1の法人の確定申告書(法人税法第2条第31号に規定する確定申告書をいう。以下(2)及び2の①の(2)において同じ。)が提出され、かつ、その後において連続して当該法人の確定申告書が提出されている場合(法人税法第57条第2項の規定により当該法人の欠損金額(同法第2条第19号に規定する欠損金額をいう。)とみなされたものにあっては、同法第57条第2項の合併等事業年度について当該法人の確定申告書を提出し、かつ、その後において連続して当該法人の確定申告書が提出されている場合)における当該欠損金額に限るものとする。(令8の12②)

(控除対象通算適用前欠損調整額の控除限度額の計算)
(3) 1に規定する政令で定める額は、租税特別措置法第42条の14第1項若しくは第4項、第62条第1項、第62条の3第1項若しくは第9項又は第63条第1項の規定により加算された金額とする。(令8の13)
　(注1) 1の(注1)において準用する1に規定する政令で定める額は、(3)((14)及び(16)並びに第三節一の1の(12)の規定により読み替えて適用する場合を含む。(注2)において同じ。)に規定する金額とする。(令2政令第264号附3㉕)
　(注2) 1の(注2)において準用する1に規定する政令で定める額は、(3)に規定する金額とする。(令2政令第264号附3㉛)
　(注3) 第三節一の1の(12)《租税特別措置法の旧規定の適用がある場合の特例》の読替規定を参照。(編者)
　(注4) (14)及び(16)の読替規定参照。(編者)

(控除対象通算適用前欠損調整額の意義)
(4) 1に規定する控除対象通算適用前欠損調整額とは、通算適用前欠損金額に、1の法人の最初通算事業年度(法人税法第64条の9《通算承認》第1項の規定による承認の効力が生じた日以後最初に終了する事業年度をいう。以下(4)において同じ。)終了の日(二以上の最初通算事業年度終了の日がある場合には、当該通算適用前欠損金額の生じた事業年度後最初の最初通算事業年度終了の日)における次の各号に掲げる当該法人の区分に応じ、それぞれ当該各号に定める率を乗じて得た金額をいう。(法53④)
(一) 普通法人(法人税法第2条第9号に規定する普通法人をいう。4の(2)の(一)及び九の2の(四)において同じ。)同法第66条《各事業年度の所得に対する法人税の税率》第1項に規定する税率に相当する率
(二) 協同組合等(法人税法第2条第7号に規定する協同組合等をいう。4の(2)の(二)及び九の2の(四)において同じ。)　同法第66条第3項に規定する税率に相当する率
　(注1) 令和4年4月1日前に開始した事業年度(連結子法人の連結親法人事業年度が同日前に開始した事業年度を含む。以下「施行日前事業年度」という。)において生じた欠損金額(所得税法等の一部を改正する法律(令和2年法律第8号。以下「所得税法等改正法」という。)第3条の規定(所得税法等改正法附則第1条第5号ロに掲げる改正規定に限る。)による改正後の法人税法第2条第19号に規定する欠損金額をいう。以下同じ。)((注2)の欠損金額を除く。)に係る控除対象通算適用前欠損調整額((4)に規定する控除対象通算適用前欠損調整額をいう。(注2)において同じ。)についての次の表の左欄に掲げる規定中同表の中欄に掲げる字句は、それぞれ同表の右欄に掲げる字句とする。(令2政令第264号附3㉛)

1	、同法	、所得税法等の一部を改正する法律(令和2年法律第8号)附則第20条第5項の規定により読み替えられた法人税法(以下3において「読替え後の法人税法」という。)
(7)	((7)	(地方税法施行令の一部を改正する政令(令和2年政令第264号。以下(7)及び(10)において「地方税法施行令改正令」という。)附則第3条第11項の規定により読み替えられた(7)
	ついて同法	ついて読替え後の法人税法
	(同法	(法人税法
	1の規定	地方税法施行令改正令附則第3条第11項の規定により読み替えられた3の規定

第二編第二章《法人の道府県民税》第四節《法人税額等の控除・加算及び還付等》

		に同法	に法人税法
(10)		1の規定は	地方税法施行令改正令附則第3条第11項の規定により読み替えられた3の規定は
		通算適用前欠損金額（	通算適用前欠損金額（同条第11項の規定により読み替えられた
		法人税法	読替え後の法人税法
		場合（	場合（地方税法施行令改正令附則第3条第11項の規定により読み替えられた
		につき	につき同条第11項の規定により読み替えられた
(1)		同条第2項	所得税法等の一部を改正する法律（令和2年法律第8号。以下3において「所得税法等改正法」という。）附則第20条第5項の規定により読み替えられた法人税法（以下1において「読替え後の法人税法」という。）第57条第2項又は所得税法等改正法附則第20条第1項
		法人税法第57条第4項、第5項又は第9項	読替え後の法人税法第57条第4項若しくは第9項又は法人税法第57条第5項
(2)		確定申告書が提出されている場合（法人税法第57条第2項	確定申告書又は当該法人の連結確定申告書（所得税法等改正法第3条の規定（所得税法等改正法附則第1条第5号ロに掲げる改正規定に限る。）による改正前の法人税法（以下(2)において「4年旧法人税法」という。）第2条第32号に規定する連結確定申告書をいう。以下(2)において同じ。）（当該法人が4年旧法人税法第2条第12号の7に規定する連結子法人である事業年度にあっては、当該法人との間に同条第12号の7の7に規定する連結完全支配関係がある同条第12号の6の7に規定する連結親法人の連結確定申告書。以下(2)において同じ。）が提出されている場合（読替え後の法人税法第57条第2項又は所得税法等改正法附則第20条第1項
		同法	法人税法
		合併等事業年度	合併等事業年度又は所得税法等改正法附則第20条第1項の最終の連結事業年度終了の日の翌日の属する事業年度
		確定申告書が提出されている場合）	確定申告書又は当該法人の連結確定申告書が提出されている場合）
(5)		同項の	読替え後の法人税法第57条第8項の
		1に	地方税法施行令の一部を改正する政令（令和2年政令第264号）附則第3条第11項の規定により読み替えられた法（以下この章において「読替え後の法」という。）3に
(6)		法人について法	法人について読替え後の法
		同条第4項	法第53条第4項
(8)		法人税法	読替え後の法人税法
		(7)の規定に	読替え後の(7)の規定に
(9)		開始した事業年度	開始した事業年度又は連結事業年度
		事業年度（当該	事業年度又は連結事業年度（当該
		「合併法人等10年前事業年度開始日	「合併法人等10年前事業年度等開始日
		で(7)	で読替え後の(7)
		合併法人等10年前事業年度開始日の	合併法人等10年前事業年度等開始日の
		前10年内事業年度ごと	(7)の適格合併の日前10年以内に開始し、又は(7)の残余財産確定の日の翌日前10年以内に開始した事業年度又は連結事業年度ごと
		事業年度開始の日から	事業年度又は連結事業年度開始の日から
		、(7)の法人の合併等事業年度が設立日（当該法人の設立の日をいう。）の属する事業年度である場合において、被合併法人等10年前事業年度開始日が当該設立日以後であるときは、被合併法人等の当該設立日の前日の属する事業年度開始の日（当該被合併法人等が当該設立日以後に設立されたものである場合には、当該設立日の1年前の日）から当該前日までの期間を当該	て、読替え後の(7)の規定

第二編第二章《法人の道府県民税》第四節《法人税額等の控除・加算及び還付等》

	法人の事業年度とみなして、(7)の規定	
(11)	法人税法	読替え後の法人税法
	係る法	係る読替え後の法
	(7)	同条第11項の規定により読み替えられた(7)

(注2) 平成30年4月1日前に開始した事業年度において生じた欠損金額に係る控除対象通算適用前欠損調整額についての次の表の左欄に掲げる規定中同表の中欄に掲げる字句は、それぞれ同表の右欄に掲げる字句とする。(令2政令第264号附3⑫)

1	10年	9年
	同法第57条第1項	所得税法等の一部を改正する法律(平成27年法律第9号)附則第27条第1項の規定によりなお従前の例によることとされる場合における同法第2条の規定による改正前の法人税法第57条第1項
	(同法第58条第1項の規定によりないものとされたものを除く。)で、同法	で、所得税法等の一部を改正する法律(令和2年法律第8号)附則第20条第10項の規定により読み替えられた法人税法((7)及び(10)において「読替え後の法人税法」という。)
(7)	10年以内	9年以内
	前10年内事業年度	前9年内事業年度
	((7)	(地方税法施行令の一部を改正する政令(令和2年政令第264号。以下(7)及び(10)において「地方税法施行令改正令」という。)附則第3条第12項の規定により読み替えられた(7)
	ついて同法	ついて読替え後の法人税法
	(同法	(法人税法
	1の規定	地方税法施行令改正令附則第3条第12項の規定により読み替えられた3の規定
	に同法	に法人税法
(10)	1の規定は	地方税法施行令改正令附則第3条第12項の規定により読み替えられた3の規定は
	通算適用前欠損金額(	通算適用前欠損金額(同条第12項の規定により読み替えられた
	法人税法	読替え後の法人税法
	場合(	場合(地方税法施行令改正令附則第3条第12項の規定により読み替えられた
	につき	につき同条第12項の規定により読み替えられた
(1)	1に	地方税法施行令の一部を改正する政令(令和2年政令第264号)附則第3条第12項の規定により読み替えられた法(以下この章において「読替え後の法」という。)3に
	法人税法第57条第1項	所得税法等の一部を改正する法律(平成27年法律第9号)附則第27条第1項の規定によりなお従前の例によることとされる場合における同法第2条の規定による改正前の法人税法(以下この章において「平成27年旧法人税法」という。)第57条第1項
	同条第2項	同条第2項若しくは第6項又は所得税法等の一部を改正する法律(令和2年法律第8号。以下1において「令和2年所得税法等改正法」という。)附則第20条第7項
	法人税法第57条第4項、第5項又は第9項	平成27年旧法人税法第57条第4項若しくは第5項又は令和2年所得税法等改正法附則第20条第10項の規定により読み替えられた法人税法(以下この章において「読替え後の法人税法」という。)第57条第9項
(2)	1に	読替え後の1に
	法人税法第57条第1項	平成27年旧法人税法第57条第1項
	の法人の	の法人の法人税法第2条第36号に規定する青色申告書である
	確定申告書が提出されている場合(法人税法第57条第2項	確定申告書又は当該法人の連結確定申告書(令和2年所得税法等改正法第3条の規定(令和2年所得税法等改正法附則第1条第5号ロに掲げる改正規定に限る。)による改正前の法人税法(以下(2)において「4年旧法人税法」という。)第2条第32号に規定する連結確定申告書をいう。以下(2)において同じ。)(当該法人が4年旧法人税法第2条第12号の7に規定する連結子法人である事業年度にあっては、当該法人との間に同条第12号の7の7に規定する連結完全支配関係がある同条第12号の6の7に規定する連結親法人の連結確定申告書。以下(2)において同じ。)が提出されている場合(平成27年旧法人税法第57条第2項若しくは第6項又は令和2年所得税法等改正法附則第20条第7項
	(同法	(法人税法
	同法第57条第2項の合併等事業年度	平成27年旧法人税法第57条第2項の合併等事業年度又は同条第6項若しくは令和2年所得税法等改正法附則第20条第7項の最終の連結事業年度終了の日の翌日の属する事業年度

	確定申告書が提出されている場合)	確定申告書又は当該法人の連結確定申告書が提出されている場合)
(5)	同項の	読替え後の法人税法第57条第8項の
	1に	読替え後の1に
(6)	法人について法	法人について読替え後の法
	同条第4項	第53条第4項
(8)	が(7)	が読替え後の(7)
	前10年内事業年度	前9年内事業年度
	法人税法	読替え後の法人税法
	(7)の規定に	読替え後の(7)の規定に
(9)	10年以内に開始した事業年度	9年以内に開始した事業年度又は連結事業年度
	事業年度(当該	事業年度又は連結事業年度(当該
	「合併法人等10年前事業年度開始日	「合併法人等9年前事業年度等開始日
	前10年内事業年度で(7)	前9年内事業年度で読替え後の(7)
	「被合併法人等10年前事業年度開始日	「被合併法人等9年前事業年度開始日
	当該被合併法人等10年前事業年度開始日	当該被合併法人等9年前事業年度開始日
	合併法人等10年前事業年度開始日の	合併法人等9年前事業年度等開始日の
	前10年内事業年度ごと	(7)の適格合併の日前9年以内に開始し、又は(7)の残余財産確定の日の翌日前9年以内に開始した事業年度又は連結事業年度ごと
	事業年度開始の日から	事業年度又は連結事業年度開始の日から
	、(7)の法人の合併等事業年度が設立日(当該法人の設立の日をいう。)の属する事業年度である場合において、被合併法人等10年前事業年度開始日が当該設立日以後であるときは、被合併法人等の当該設立日の前日の属する事業年度開始の日(当該被合併法人等が当該設立日以後に設立されたものである場合には、当該設立日の1年前の日)から当該前日までの期間を当該法人の事業年度とみなして、(7)の規定	て、読替え後の(7)の規定
(11)	法人税法	読替え後の法人税法
	係る法	係る読替え後の法
	(7)	同条第12項の規定により読み替えられた(7)

(控除対象通算適用前欠損調整額の特例)
(5) 1の法人が法人税法第57条第8項に規定する通算承認の効力が生じた日((8)及び(11)において「通算承認の効力が生じた日」という。)の属する事業年度終了の日後に同項に規定する新たな事業((8)及び(11)において「新たな事業」という。)を開始した場合における同項の規定によりないものとされた通算適用前欠損金額(1に規定する通算適用前欠損金額をいう。(8)及び(11)において同じ。)に係る(4)の規定の適用については、(4)中「最初通算事業年度(法人税法第64条の9第1項の規定による承認の効力が生じた日以後最初に終了する事業年度をいう。以下(4)において同じ。)終了の日(二以上の最初通算事業年度終了の日がある場合には、当該通算適用前欠損金額の生じた事業年度後最初の最初通算事業年度終了の日)」とあるのは、「法人税法第57条第8項に規定する新たな事業を開始した日以後最初に終了する事業年度終了の日」とする。(令8の14①)

第二編第二章《法人の道府県民税》第四節《法人税額等の控除・加算及び還付等》

(最初通算事業年度について申告書を提出する義務がある法人の控除対象通算適用前欠損調整額の特例)
(6) (4)に規定する最初通算事業年度((8)において「最初通算事業年度」という。)について法人税法第71条第1項(同法第72条第1項の規定が適用される場合に限る。)の規定により法人税に係る申告書を提出する義務がある法人について1の規定を適用する場合における(4)の規定の適用については、(4)中「最初通算事業年度(法人税法第64条の9第1項の規定による承認の効力が生じた日以後最初に終了する事業年度をいう。以下(4)において同じ。)終了の日(二以上の最初通算事業年度終了の日がある場合には、当該通算適用前欠損金額の生じた事業年度後最初の最初通算事業年度終了の日)」とあるのは、「第三節―の1に規定する6月経過日の前日」とする。(令8の14②)

(適格合併等の日の属する合併等事業年度等以後の事業年度等における控除未済通算適用前欠損調整額の控除)
(7) 1の法人を合併法人(合併により被合併法人(合併によりその有する資産及び負債の移転を行った法人をいう。以下同じ。)から資産及び負債の移転を受けた法人をいう。以下同じ。)とする適格合併が行われた場合又は当該法人との間に法人税法第2条第12号の7の6に規定する完全支配関係(以下「完全支配関係」という。)(当該法人による完全支配関係又は同号に規定する相互の関係(以下「相互の関係」という。)に限る。)がある他の法人で当該法人が発行済株式若しくは出資の全部若しくは一部を有するものの残余財産が確定した場合において、当該適格合併に係る被合併法人又は当該他の法人(以下1において「被合併法人等」という。)の当該適格合併の日前10年以内に開始し、又は当該残余財産の確定の日の翌日前10年以内に開始した事業年度(以下1において「前10年内事業年度」という。)において生じた通算適用前欠損金額に係る(4)に規定する控除対象通算適用前欠損調整額(当該被合併法人等が当該控除対象通算適用前欠損調整額((7)の規定により当該被合併法人等の(4)に規定する控除対象通算適用前欠損調整額とみなされたものを含む。)に係る通算適用前欠損金額の生じた事業年度後最初の最初通算事業年度について同法第57条第6項又は第8項の規定の適用があることを証する書類を添付した法人の道府県民税の確定申告書(第三節―の1の規定により提出すべき申告書(同法第74条第1項の規定により提出すべき法人税の申告書に係るものに限る。)をいう。以下同じ。)を提出していることその他の政令で定める要件を満たしている場合における当該控除対象通算適用前欠損調整額に限るものとし、1の規定により当該被合併法人等の前10年内事業年度の法人税割の課税標準とすべき法人税額について控除された額を除く。以下(7)において「控除未済通算適用前欠損調整額」という。)があるときは、当該法人の当該適格合併の日の属する事業年度又は当該残余財産の確定の日の翌日の属する事業年度(以下1において「合併等事業年度」という。)以後の事業年度における1の規定の適用については、当該前10年内事業年度に係る控除未済通算適用前欠損調整額(当該他の法人に同法第2条第14号に規定する株主等(以下「株主等」という。)が二以上ある場合には、当該控除未済通算適用前欠損調整額を当該他の法人の発行済株式又は出資(当該他の法人が有する自己の株式又は出資を除く。)の総数又は総額で除し、これに当該法人の有する当該他の法人の株式又は出資の数又は金額を乗じて計算した金額)は、それぞれ当該控除未済通算適用前欠損調整額に係る前10年内事業年度開始の日の属する当該法人の事業年度(当該法人の合併等事業年度開始の日以後に開始した当該被合併法人等の前10年内事業年度に係る控除未済通算適用前欠損調整額にあっては、当該合併等事業年度の前事業年度)に係る(4)に規定する控除対象通算適用前欠損調整額とみなす。(法53⑤)

　　(注1)　(7)及び(10)の規定は、令和2年法律第5号附則第5条第3項の規定によりなおその効力を有するものとされた、令和4年改正前の地方税法第53条第6項に規定する控除対象個別帰属調整額の、令和4年4月1日以後事業年度〔1の(注1)参照〕における控除について準用する。(令2改法附5④)
　　(注2)　(7)及び(10)の規定は、令和2年法律第5号附則第5条第3項の規定によりなおその効力を有するものとされた、令和4年改正前の地方税法第53条第9項に規定する控除対象個別帰属税額の、令和4年4月1日以後事業年度〔1の(注1)参照〕における控除について準用する。(令2改法附5⑤)
　　(注3)　平成30年4月1日前に開始した事業年度において生じた(7)に規定する通算適用前欠損金額に係る1の規定の適用については、「前10年以内」とあるのは「前9年以内」と、「前10年内事業年度」とあるのは「前9年内事業年度」と読み替える。(令2改法附5⑦)
　　(注4)　1の(注3)(注5)及び(4)の(注1)(注2)の読替規定を参照。(編者)

(適格合併等による控除未済通算適用前欠損調整額の要件)
(8) (7)に規定する政令で定める要件は、(7)に規定する被合併法人等が(7)に規定する前10年内事業年度のうち(4)に規定する控除対象通算適用前欠損調整額(以下(8)において「控除対象通算適用前欠損調整額」という。)に係る通算適用前欠損金額の生じた事業年度後最初の最初通算事業年度(当該通算適用前欠損金額が通算承認の効力が生じた日の属する事業年度終了の日後に新たな事業を開始した場合における法人税法第57条第8項の規定によりないものとされたものである場合にあっては、当該新たな事業を開始した日以後最初に終了する事業年度)について法人税法第57条第6項又は第8項の規定の適用があることを証する書類を添付した法人の道府県民税の確定申告書((7)に規定する法人の道府県民税の確定申告書をいう。以下この章において同じ。)を提出し、かつ、その後において連続し

第二編第二章《法人の道府県民税》第四節《法人税額等の控除・加算及び還付等》

て法人の道府県民税の確定申告書を提出していることとする。ただし、(7)の適格合併又は残余財産の確定の前に被合併法人等となる1の法人を合併法人とする適格合併(以下(8)において「直前適格合併」という。)が行われたこと又は被合併法人等となる1の法人との間に(7)に規定する完全支配関係がある他の法人の残余財産が確定したことに基因して(7)の規定により当該被合併法人等の控除対象通算適用前欠損調整額とみなされたものにつき(7)の規定を適用する場合にあっては、当該被合併法人等が前10年内事業年度のうち当該直前適格合併の日の属する事業年度又は当該残余財産の確定の日の翌日の属する事業年度以後において連続して法人の道府県民税の確定申告書を提出していることとする。(令8の15)

 (注1) (8)の規定は、(7)の(注1)において準用する(7)に規定する政令で定める要件について準用する。(令2政令第264号附3㉖)
 (注2) (8)の規定は、(7)の(注2)において準用する(7)に規定する政令で定める要件について準用する。(令2政令第264号附3㉜)
 (注3) (注1)の規定により(8)の規定を準用する場合には、(8)中「(4)に規定する控除対象通算適用前欠損調整額」とあるのは「地方税法等の一部を改正する法律(令和2年法律第5号。以下(8)において「改正法」という。)附則第5条第3項の規定によりなおその効力を有するものとされた改正法附則第1条第5号に掲げる規定による改正前の地方税法(以下(8)において「なお効力を有する旧法」という。)第53条第6項に規定する控除対象個別帰属調整額」と、「控除対象通算適用前欠損調整額」とあるのは「控除対象個別帰属調整額」と、「係る通算適用前欠損金額」とあるのは「係るなお効力を有する旧法第53条第5項に規定する連結適用前欠損金額又は同項に規定する連結適用前災害損失欠損金額」と、「最初通算事業年度(当該通算適用前欠損金額が通算承認の効力が生じた日の属する事業年度終了の日後に新たな事業を開始した場合における法人税法第57条第8項の規定によりないものとされたものである場合にあっては、当該新たな事業を開始した日以後最初に終了する事業年度」とあるのは「最初連結事業年度(所得税法等の一部を改正する法律(令和2年法律第8号)附則第14条第2項の規定によりなおその効力を有するものとされた同法第3条の規定(同法附則第1条第5号ロに掲げる改正規定に限る。)による改正前の法人税法(以下(8)において「なお効力を有する旧法人税法」という。)第15条の2第1項に規定する最初連結事業年度をいう。」と、「法人税法第57条第6項又は第8項」とあるのは「なお効力を有する旧法人税法第81条の9第2項」と、「あること」とあるのは「ないこと」と、「((7)」とあるのは「(改正法附則第5条第4項において準用する(7)」と、「(8)ただし書中「(7)」」とあるのは「改正法附則第5条第4項において準用する(7)」と、「控除対象通算適用前欠損調整額」とあるのは「控除対象個別帰属調整額」と、「事業年度又は」とあるのは「事業年度若しくは連結事業年度又は」と、「以後」とあるのは「若しくは連結事業年度以後」と読み替えるものとする。(令2総務省令第94号附2②)
 (注4) (注2)の規定により(8)の規定を準用する場合には、(8)中「前10年内事業年度(」とあるのは「前10年内連結事業年度(」と、「前10年内事業年度」とあるのは「前10年内連結事業年度」と、「(4)に規定する控除対象通算適用前欠損調整額」とあるのは「地方税法等の一部を改正する法律(令和2年法律第5号。以下(8)において「改正法」という。)附則第5条第3項の規定によりなおその効力を有するものとされた改正法附則第1条第5号に掲げる規定による改正前の地方税法第53条第9項に規定する控除対象個別帰属税額」と、「控除対象通算適用前欠損調整額」とあるのは「控除対象個別帰属税額」と、「に係る通算適用前欠損金額の生じた事業年度後最初の最初通算事業年度(当該通算適用前欠損金額が通算承認の効力が生じた日の属する事業年度終了の日後に新たな事業を開始した場合における法人税法第57条第8項の規定によりないものとされたものである場合にあっては、当該新たな事業を開始した日以後最初に終了する事業年度)について法人税法第57条第6項又は第8項の規定の適用があることを証する書類を添付した」とあるのは「の生じた連結事業年度以後において連続して」と、「((7)」とあるのは「(改正法附則第5条第5項において準用する(7)」と、「提出し、かつ、その後において連続して法人の道府県民税の確定申告書を提出して」とあるのは「提出して」と、「(8)ただし書中「(7)」」とあるのは「改正法附則第5条第5項において準用する(7)」と、「控除対象通算適用前欠損調整額」とあるのは「控除対象個別帰属税額」と、「前10年内事業年度」とあるのは「前10年内連結事業年度」と、「属する」とあるのは「属する連結事業年度若しくは」と読み替えるものとする。(令2総務省令第94号附2④)

 (適格合併等による控除対象通算適用前欠損調整額の引継ぎの特例)
(9) (7)の法人の合併等事業年度((7)に規定する合併等事業年度をいう。)開始の日前10年以内に開始した事業年度のうち最も古い事業年度(当該合併等事業年度が当該法人の設立の日の属する事業年度である場合には、当該合併等事業年度)開始の日(以下(9)において「合併法人等10年前事業年度開始日」という。)が被合併法人等の前10年内事業年度で(7)に規定する控除未済通算適用前欠損調整額に係る事業年度のうち最も古い事業年度開始の日(((7)の適格合併が法人を設立するものである場合にあっては、当該開始の日が最も早い被合併法人等の当該事業年度開始の日。以下(9)において「被合併法人等10年前事業年度開始日」という。)後である場合には、当該被合併法人等10年前事業年度開始日から当該合併法人等10年前事業年度開始日の前日までの期間を当該期間に対応する当該被合併法人等10年前事業年度開始日に係る被合併法人等の前10年内事業年度ごとに区分したそれぞれの期間(当該前日の属する期間にあっては、当該被合併法人等の当該前日の属する事業年度開始の日から当該合併法人等10年前事業年度開始日の前日までの期間)を当該法人のそれぞれの事業年度とみなし、(7)の法人の合併等事業年度が設立日(当該法人の設立の日をいう。)の属する事業年度である場合において、被合併法人等10年前事業年度開始日が当該設立日以後であるときは、被合併法人等の当該設立日の前日の属する事業年度開始の日(当該被合併法人等が当該設立日以後に設立されたものである場合には、当該設立日の1年前の日)から当該前日までの期間を当該法人の事業年度とみなして、(7)の規定を適用する。(令8の16)

 (注1) (7)の法人に(7)の法人の(7)に規定する合併等事業年度開始の日前10年以内に開始する連結事業年度がある場合における(9)((4)の(注1)又は(注2)の規定により読み替えて適用する場合を除く。)の規定の適用については、(9)中「開始した事業年度」と

第二編第二章《法人の道府県民税》第四節《法人税額等の控除・加算及び還付等》

あるのは「開始した事業年度又は連結事業年度」と、「事業年度（当該」とあるのは「事業年度又は連結事業年度（当該」と、「「合併法人等10年前事業年度等開始日」とあるのは「合併法人等10年前事業年度等開始日」と、「合併法人等10年前事業年度開始日の」とあるのは「合併法人等10年前事業年度等開始日の」と、「前10年内事業年度ごと」とあるのは「(7)の適格合併の日前10年以内に開始し、又は(7)の残余財産確定の日の翌日前10年以内に開始した事業年度又は連結事業年度ごと」と、「属する事業年度開始」とあるのは「属する事業年度又は連結事業年度開始」とする。（令２政令第264号附３⑩）

(注２) (9)の規定は、(7)の(注１)において準用する(7)の法人の合併等事業年度（(7)に規定する合併等事業年度をいう。以下(注２)において同じ。）開始の日前10年以内に開始した事業年度又は連結事業年度のうち最も古い事業年度又は連結事業年度（当該合併等事業年度が当該法人の設立の日の属する事業年度である場合には、当該合併等事業年度）開始の日が(7)に規定する被合併法人等（以下(注２)において「被合併法人等」という。）の(7)に規定する前10年内事業年度で(7)に規定する控除未済個別帰属調整額に係る事業年度のうち最も古い事業年度開始の日（(7)の適格合併が法人を設立するものである場合にあっては、当該開始の日が最も早い被合併法人等の当該事業年度開始の日。以下(注２)において「被合併法人等10年前事業年度開始日」という。）後である場合及び(7)の法人の合併等事業年度が設立日（当該法人の設立の日をいう。）の属する事業年度である場合において、被合併法人等10年前事業年度開始日が当該設立日以後であるときについて準用する。（令２政令第264号附３㉗）

(注３) (9)の規定は、(7)の(注２)において準用する(7)の法人の合併等事業年度（(7)に規定する合併等事業年度をいう。以下(注３)において同じ。）開始の日前10年以内に開始した連結事業年度又は事業年度のうち最も古い連結事業年度又は事業年度（当該合併等事業年度が当該法人の設立の日の属する事業年度である場合には、当該合併等事業年度）開始の日が(7)に規定する被合併法人等（以下(注３)において「被合併法人等」という。）の(7)に規定する前10年内連結事業年度で(7)に規定する控除未済個別帰属調整額が生じた連結事業年度のうち最も古い連結事業年度開始の日（(7)の適格合併が法人を設立するものである場合にあっては、当該開始の日が最も早い被合併法人等の当該連結事業年度開始の日。以下(注３)において「被合併法人等10年前連結事業年度開始日」という。）後である場合及び(7)の法人の合併等事業年度が設立日（当該法人の設立の日をいう。）の属する事業年度である場合において、被合併法人等10年前連結事業年度開始日が当該設立日以後であるときについて準用する。（令２政令第264号附３㉝）

(注４) (注２)の規定により(9)の規定を準用する場合には、(9)中「「合併法人等10年前事業年度開始日」とあるのは「「合併法人等10年前事業年度等開始日」と、「が被合併法人等の前10年内事業年度」とあるのは「が(7)に規定する被合併法人等（以下(9)において「被合併法人等」という。）の(7)に規定する前10年内事業年度（以下(9)において「前10年内事業年度」という。）」と、「合併法人等10年前事業年度開始日の」とあるのは「合併法人等10年前事業年度等開始日の」と、「前10年内事業年度ごと」とあるのは「(7)の適格合併の日前10年以内に開始し、又は(7)の残余財産の確定の日の翌日前10年以内に開始した事業年度又は連結事業年度ごと」と、「前日の属する事業年度」とあるのは「前日の属する事業年度又は連結事業年度」と、「それぞれの事業年度」とあるのは「それぞれの事業年度又は連結事業年度」と読み替えるものとする。（令２総務省第94号附２③）

(注５) (注３)の規定により(9)の規定を準用する場合には、(9)中「「合併法人等10年前事業年度開始日」とあるのは「「合併法人等10年前連結事業年度等開始日」と、「が被合併法人等の前10年内事業年度」とあるのは「が(7)に規定する被合併法人等（以下(9)において「被合併法人等」という。）の(7)に規定する前10年内事業年度（以下(9)において「前10年内連結事業年度」という。）」と、「合併法人等10年前事業年度開始日の」とあるのは「合併法人等10年前連結事業年度等開始日の」と、「前10年内事業年度ごと」とあるのは「(7)の適格合併の日前10年以内に開始し、又は(7)の残余財産の確定の日の翌日前10年以内に開始した連結事業年度又は事業年度ごと」と、「属する事業年度開始」とあるのは「属する連結事業年度又は事業年度開始」と、「それぞれの事業年度」とあるのは「それぞれの連結事業年度又は事業年度」と、「法人の事業年度」とあるのは「法人の連結事業年度」と読み替えるものとする。（令２総務省令第94号附２⑤）

(連続して確定申告書の提出の要件)
(10)　１の規定は、１の法人が通算適用前欠損金額（(7)の規定により当該法人の(4)に規定する控除対象通算適用前欠損調整額（以下(10)において「控除対象通算適用前欠損調整額」という。）とみなされた被合併法人等の控除対象通算適用前欠損調整額に係る通算適用前欠損金額を除く。）の生じた事業年度後最初の最初通算事業年度について法人税法第57条第６項又は第８項の規定の適用があることを証する書類を添付した法人の道府県民税の確定申告書を提出し、かつ、その後において連続して法人の道府県民税の確定申告書を提出している場合（(7)の規定により当該法人の控除対象通算適用前欠損調整額とみなされたものにつき１の規定を適用する場合には、合併等事業年度以後において連続して法人の道府県民税の確定申告書を提出している場合）に限り、適用する。（法53⑥）
　　(注１)　経過措置については(7)の(注１)及び(注２)参照。（編者）
　　(注２)　１の(注３)(注５)及び(4)の(注１)(注２)の読替規定を参照。（編者）

(控除対象通算適用前欠損調整額の控除の要件の特例)
(11)　１の法人が通算承認の効力が生じた日の属する事業年度終了の日後に新たな事業を開始した場合における法人税法第57条第８項の規定によりないものとされた通算適用前欠損金額に係る(10)の規定の適用については、(10)中「通算適用前欠損金額（(7)の規定により当該法人の(4)に規定する控除対象通算適用前欠損調整額（以下(11)において「控除対象通算適用前欠損調整額」という。）とみなされた被合併法人等の控除対象通算適用前欠損調整額に係る通算適用前欠損金額を除く。）の生じた事業年度後最初の最初通算事業年度」とあるのは「法人税法第57条第８項に規定する新たな事業を開始した日以後最初に終了する事業年度」と、「控除対象通算適用前欠損調整額」とあるのは「(4)に規定する控除対象通算適用前欠損調整額」とする。（令８の16の２）

(特定医療法人に対する適用)
(12) 1の規定の適用を受ける法人が、当該法人の1に規定する最初通算事業年度終了の日において、特定医療法人(租税特別措置法第67条の2《特定の医療法人の法人税率の特例》第1項の承認を受けている同項に規定する医療法人をいう。以下一において同じ)である場合の当該法人の道府県民税に係る(4)の(一)の規定の適用については、(一)の規定中「同法第66条第1項に規定する」とあるのは、「租税特別措置法第67条の2第1項に規定する」とする。(法附8⑮)

(租税特別措置法の経過措置により法人税額に加算される金額がある場合)
(13) 所得税法等の一部を改正する等の法律(平成18年法律第10号)附則第106条の規定によりその例によることとされる同法第13条の規定による改正前の租税特別措置法第42条の11第11項、所得税法等の一部を改正する法律(平成19年法律第6号)附則第89条、第90条第6項、第91条若しくは第92条の規定によりその例によることとされる同法第12条の規定による改正前の租税特別措置法第42条の6第6項、第42条の7第6項、第42条の10第6項若しくは第42条の11第6項又は租税特別措置法の一部を改正する法律(平成8年法律第17号)附則第15条の規定によりその例によることとされる同法による改正前の租税特別措置法第62条の3第1項若しくは第8項若しくは第63条第1項の規定により加算された金額がある場合における1、2の②、4、6、7及び8の規定の適用については、これらの規定中「又は第63条第1項」とあるのは、「(租税特別措置法の一部を改正する法律(平成8年法律第17号。以下(13)において「平成8年租税特別措置法改正法」という。)附則第15条第1項の規定によりその例によることとされる平成8年租税特別措置法改正法による改正前の租税特別措置法第62条の3第1項又は第8項を含む。)、第63条第1項(平成8年租税特別措置法改正法附則第15条第2項の規定によりその例によることとされる平成8年租税特別措置法改正法による改正前の租税特別措置法第63条第1項を含む。)、所得税法等の一部を改正する等の法律(平成18年法律第10号)附則第106条の規定によりその例によることとされる同法第13条の規定による改正前の租税特別措置法第42条の11第11項又は所得税法等の一部を改正する法律(平成19年法律第6号)附則第89条、第90条第6項、第91条若しくは第92条の規定によりその例によることとされる同法第12条の規定による改正前の租税特別措置法第42条の6第6項、第42条の7第6項、第42条の10第6項若しくは第42条の11第6項」とする。(法附8の2)
　(注)　1の(注4)(注6)及び8の(注4)の読替規定を参照。(編者)

(中小企業者等の当初申告税額控除可能分配額がある場合の課税標準等の特例)
(14) 当分の間、租税特別措置法第42条の4第4項に規定する中小企業者等(以下(14)において「中小企業者等」という。)の各事業年度(当該各事業年度又は当該中小企業者等に係る同条第8項第3号イの他の通算法人の同項第2号に規定する他の事業年度において同項第5号に規定する当初申告税額控除可能分配額(同項第3号の中小企業者等税額控除限度額に係るものに限る。)がある場合の当該各事業年度に限る。)の法人の道府県民税にあっては、当該事業年度の法人税額について同条第8項第6号ロ又は第7号の規定により加算された金額がある場合における(3)、2の②の(1)、4の(1)、6の(1)、7の(1)及び8の(1)の適用については、(3)、2の②の(1)、4の(1)、6の(1)、7の(1)及び8の(1)中「第42条の14第1項」とあるのは「第42条の4第8項第6号ロ若しくは第7号、第42条の14第1項」とする。(令附5の2の4⑤)

(中小企業者等の範囲の準用)
(15) 第一節一の表の(三)の(2)《中小企業者等の範囲》の規定は、(14)に規定する中小企業者等について準用する。(令附5の2の4⑥)

(中小企業者等に係る試験研究費等の法人税額の特別控除により法人税額に加算された金額がある通算法人の課税標準等の特例)
(16) 当分の間、租税特別措置法第42条の12の5第3項に規定する中小企業者等の各事業年度の法人の道府県民税にあっては、当該事業年度の法人税額について同法第42条の4第18項において準用する同条第8項第6号ロ又は第7号の規定により加算された金額がある場合における(3)、2の②の(1)、4の(1)、6の(1)、7の(1)及び8の(1)の適用については、(3)、2の②の(1)、4の(1)、6の(1)、7の(1)及び8の(1)中「第42条の14第1項」とあるのは「第42条の4第18項において準用する同条第8項第6号ロ若しくは第7号又は同法第42条の14第1項」と、「又は第63条第1項」とあるのは「若しくは第63条第1項」とする。(令附5の2の4⑦)

(留意事項)
(17) 法人が通算制度の適用を受ける場合には、法人税法第57条第6項の規定により、同項に規定する時価評価除外法人に該当しない法人については、当該法人の通算承認の効力が生じた日前に開始した各事業年度において生じた欠損金額は、通算承認の効力が生じた日以後に開始する各事業年度の法人税の所得の計算上損金の額に算入できないこととされており、また、時価評価除外法人に該当する法人であっても、同条第8項の規定により、通算承認の効力が生じた後に当該通算法人と他の通算法人が共同で事業を行う場合等に該当しない場合において、当該法人が同項に規定する支配関係発生日以後に新たな事業を開始した場合には、通算承認の効力が生じた日前に開始した各事業年度において生じた欠損金額は、一部を除き通算承認の効力が生じた日以後に開始する各事業年度の法人税の所得の計算上損金の額に算入できないこととされているが、法人の道府県民税については、これらの損金の額に算入できないこととされた欠損金額（以下「通算適用前欠損金額」という。）を基に算定した控除対象通算適用前欠損調整額を10年間に限って法人税割の課税標準となる法人税額から控除するものであること。
なお、この場合において次の諸点に留意すること。（県通2－53）
（一） 通算適用前欠損金額の計算の基礎となる欠損金額には、法人税法第57条第2項の規定により欠損金額とみなされたものを含み、同条第4項、第5項又は第9項の規定によりないものとされたものを含まないものであること。
また、通算適用前欠損金額が生じた事業年度について法人税の確定申告書が提出され、かつ、その後において連続して法人税の確定申告書が提出されている場合における当該欠損金額に限るものであること。
（二） 平成30年4月1日前に開始した事業年度において生じた欠損金額に係る控除対象通算適用前欠損調整額については、当該事業年度開始の日前9年以内に開始した事業年度において生じた欠損金額に係る控除対象通算適用前欠損調整額に限り法人税割の課税標準となる法人税額から控除できるものであること。
（三） 控除対象通算適用前欠損調整額は、通算適用前欠損金額に、通算承認の効力が生じた日以後最初に終了する事業年度（以下「最初通算事業年度」という。）終了の日（次に掲げる控除対象通算適用前欠損調整額については、次に定める日）における(4)各号に掲げる当該法人の区分に応じ、それぞれ当該各号に定める率を乗じて算定するものであること。
　イ 二以上の最初通算事業年度がある場合のそれぞれの通算適用前欠損金額に係る控除対象通算適用前欠損調整額　それぞれの通算適用前欠損金額が生じた事業年度後最初の最初通算事業年度終了の日
　ロ 通算承認の効力が生じた日の属する事業年度終了の日後に新たな事業を開始した場合の法人税法第57条第8項の規定によりないものとされた通算適用前欠損金額に係る控除対象通算適用前欠損調整額　新たな事業を開始した日以後最初に終了する事業年度終了の日
　ハ 最初通算事業年度について仮決算に係る中間申告をする場合の控除対象通算適用前欠損調整額　当該事業年度（通算子法人の場合には、当該事業年度開始の日の属する通算親法人の事業年度）開始の日以後6月を経過した日（以下「6月経過日」という。）の前日
　また、最初通算事業年度について仮決算に係る中間申告をし、その後の確定申告において法人税割の課税標準となる法人税額から控除対象通算適用前欠損調整額を控除する場合には、上記ハの控除対象通算適用前欠損調整額を控除するのではなく、通算適用前欠損金額に、最初通算事業年度終了の日における(4)各号に掲げる当該法人の区分に応じ、それぞれ当該各号に定める率を乗じて算定した控除対象通算適用前欠損調整額を控除するものであること。
（四） 適格合併又は完全支配関係がある他の法人の残余財産の確定（以下「適格合併等」という。）が行われた場合において、被合併法人又は残余財産が確定した法人（以下「被合併法人等」という。）について控除対象通算適用前欠損調整額（当該適格合併の日前又は当該残余財産の確定の日の翌日前10年以内に開始した事業年度（以下「前10年内事業年度」という。）に係る当該控除対象通算適用前欠損調整額のうち、被合併法人等において繰越控除された金額を控除した金額に限る。）があるときは、当該控除対象通算適用前欠損調整額は、合併法人又は残余財産が確定した法人の株主である法人（以下「合併法人等」という。）の法人税割の課税標準となる法人税額から繰越控除するものであること。
（五） 控除対象通算適用前欠損調整額は、通算適用前欠損金額の生じた事業年度後最初の最初通算事業年度について法人税法第57条第6項又は第8項の規定の適用があることを証する書類を添付した法人の道府県民税の確定申告書を提出し、かつ、その後において連続して法人の道府県民税の確定申告書を提出している場合に限り、法人税割の課税標準となる法人税額から控除することができるものであること。
なお、次の諸点に留意すること。
　イ 二以上の最初通算事業年度がある場合は、それぞれの通算適用前欠損金額が生じた事業年度後最初の最初通算事業年度において法人税法第57条第6項又は第8項の規定の適用があることを証する書類を添付した法人の道府

県民税の確定申告書を提出するものであること。
　　ロ　通算承認の効力が生じた日の属する事業年度終了の日後に新たな事業を開始した場合の法人税法第57条第8項の規定によりないものとされた通算適用前欠損金額に係る控除対象通算適用前欠損調整額については、新たな事業を開始した日以後最初に終了する事業年度について、同項の規定の適用があることを証する書類を添付した法人の道府県民税の確定申告書を提出するものであること。
　(六)　法人税法第57条第6項又は第8項の規定の適用があることを証する書類として確定申告書に添付するものには、法人が最初通算事業年度又は新たな事業を開始した日以後最初に終了する事業年度において国の税務官署に提出する法人税の明細書（別表7（2））の写し、それらの事業年度の直前の事業年度における法人税の明細書（別表7（1）、（2））の写し等が考えられること。

2　合併等前欠損金額がある場合の控除対象合併等前欠損調整額の控除

① 前10年以内に開始した事業年度において生じたものとみなされる合併等前欠損金額

　法人税法第71条《中間申告》第1項（同法第72条《仮決算をした場合の中間申告書の記載事項等》第1項の規定が適用される場合に限る。）若しくは第74条《確定申告》第1項の規定により法人税に係る申告書を提出する義務がある法人を合併法人とする適格合併が行われた場合又は当該法人との間に完全支配関係（当該法人による完全支配関係又は相互の関係に限る。）がある他の法人で当該法人が発行済株式若しくは出資の全部若しくは一部を有するものの残余財産が確定した場合において、当該適格合併に係る被合併法人又は当該他の法人（以下①において「被合併法人等」という。）の当該適格合併の日前10年以内に開始し、又は当該残余財産の確定の日の翌日前10年以内に開始した事業年度（以下①において「前10年内事業年度」という。）において生じた合併等前欠損金額（同法第57条第1項の欠損金額（同条第6項又は同法第58条第1項の規定によりないものとされたものを除く。）で、同法第57条第7項（第1号に係る部分に限る。以下①において同じ。）の規定により同条第2項の規定が適用されなかったものをいう。以下2において同じ。）（当該法人が当該法人の当該適格合併の日の属する事業年度又は当該残余財産の確定の日の翌日の属する事業年度（以下2において「合併等事業年度」という。）において当該合併等前欠損金額（①の規定により当該被合併法人等の合併等前欠損金額とみなされたものを含む。）について同法第57条第7項の規定により同条第2項の規定の適用がないことを証する書類を添付した法人の道府県民税の確定申告書を提出していることその他の（3）で定める要件を満たしている場合における当該合併等前欠損金額に限るものとし、②の規定により当該被合併法人等の前10年内事業年度の法人税割の課税標準とすべき法人税額について控除された控除対象合併等前欠損調整額に係る合併等前欠損金額を除く。以下①において「控除未済合併等前欠損金額」という。）があるときは、当該前10年内事業年度に係る控除未済合併等前欠損金額（当該他の法人に株主等が二以上ある場合には、当該控除未済合併等前欠損金額を当該他の法人の発行済株式又は出資（当該他の法人が有する自己の株式又は出資を除く。）の総数又は総額で除し、これに当該法人の有する当該他の法人の株式又は出資の数又は金額を乗じて計算した金額）は、それぞれ当該控除未済合併等前欠損金額に係る前10年内事業年度開始の日の属する当該法人の事業年度（当該法人の合併等事業年度開始の日以後に開始した当該被合併法人等の前10年内事業年度に係る控除未済合併等前欠損金額にあっては、当該合併等事業年度の前事業年度）において生じた合併等前欠損金額とみなす。（法53⑦）
　　(注1)　平成30年4月1日前に開始した事業年度において生じた1に規定する合併等前欠損金額に係る①の規定の適用については、「前10年以内」とあるのは「前9年以内」と、「前10年内事業年度」とあるのは「前9年内事業年度」と読み替える。（令2改法附5⑧）
　　(注2)　②の(2)の(注1)(注2)の読替規定参照。（編者）

　　（欠損金額の範囲）
(1)　①に規定する法人税法第57条第1項の欠損金額には、同条第2項の規定により①に規定する被合併法人等の欠損金額（法人税法第2条第19号に規定する欠損金額をいう。）とみなされたものを含むものとし、法人税法第57条第4項、第5項又は第9項の規定によりないものとされたものを含まないものとする。（令8の16の3①）

　　（欠損金額の要件）
(2)　①に規定する法人税法第57条第1項の欠損金額は、当該欠損金額の生じた事業年度（①の適格合併又は残余財産の確定の前に被合併法人等を合併法人とする適格合併（以下(2)において「直前適格合併」という。）が行われたこと又は被合併法人等との間に法人税法第57条第2項に規定する完全支配関係がある他の法人の残余財産が確定したことに基因して同項の規定により当該被合併法人等の欠損金額（同法第2条第19号に規定する欠損金額をいう。）とみなされたものにあっては、当該直前適格合併の日の属する事業年度又は当該残余財産の確定の日の翌日の属する事業年度）について被合併法人等の確定申告書が提出され、かつ、その後において連続して当該被合併法人等の確定申告書が提

第二編第二章《法人の道府県民税》第四節《法人税額等の控除・加算及び還付等》

出されている場合における当該欠損金額に限るものとする。(令8の16の3②)

　　　（適格合併等による合併等前欠損金額の要件）
（3）　①に規定する要件は、①の法人が①に規定する合併等事業年度において被合併法人等の前10年内事業年度において生じた合併等前欠損金額（①に規定する合併等前欠損金額をいう。以下①において同じ。）について法人税法第57条第7項の規定により同条第2項の適用がないことを証する書類を添付した法人の道府県民税の確定申告書を提出していることとする。ただし、①の適格合併又は残余財産の確定の前に被合併法人等となる①の法人を合併法人とする適格合併（以下(3)において「直前適格合併」という。）が行われたこと又は被合併法人等となる①の法人との間に①に規定する完全支配関係がある他の法人の残余財産が確定したことに基因して①の規定により当該被合併法人等の合併等前欠損金額とみなされたものにつき①の規定を適用する場合にあっては、当該被合併法人等が前10年内事業年度のうち当該直前適格合併の日の属する事業年度又は当該残余財産の確定の日の翌日の属する事業年度後最初の事業年度以後において連続して法人の道府県民税の確定申告書を提出していることとする。(令8の16の4)

　　　（適格合併等による合併等前欠損金額の引継ぎの特例）
（4）　①の法人の合併等事業年度開始の日前10年以内に開始した事業年度のうち最も古い事業年度（当該合併等事業年度が当該法人の設立の日の属する事業年度である場合には、当該合併等事業年度）開始の日（以下(4)において「合併法人等10年前事業年度開始日」という。）が被合併法人等の前10年内事業年度で①に規定する控除未済合併等前欠損金額に係る事業年度のうち最も古い事業年度開始の日（①の適格合併が法人を設立するものである場合にあっては、当該開始の日が最も早い被合併法人等の当該事業年度開始の日。以下(4)において「被合併法人等10年前事業年度開始日」という。）後である場合には、当該被合併法人等10年前事業年度開始日から当該合併法人等10年前事業年度開始日の前日までの期間を当該期間に対応する当該被合併法人等10年前事業年度開始日に係る被合併法人等の前10年内事業年度ごとに区分したそれぞれの期間（当該前日の属する期間にあっては、当該被合併法人等の当該前日の属する事業年度開始の日から当該合併法人等10年前事業年度開始日の前日までの期間）を当該法人のそれぞれの事業年度とみなし、①の法人の合併等事業年度が設立日（当該法人の設立の日をいう。）の属する事業年度である場合において、被合併法人等10年前事業年度開始日が当該設立日以後であるときは、被合併法人等の当該設立日の前日の属する事業年度開始の日（当該被合併法人等が当該設立日以後に設立されたものである場合には、当該設立日の1年前の日）から当該前日までの期間を当該法人の事業年度とみなして、①の規定を適用する。(令8の16の5)
　　(注)　①の法人に①の法人の①に規定する合併等事業年度開始の日前10年以内に開始する連結事業年度がある場合における(4)(②の(2)の(注1)又は(注2)の規定により読み替えて適用する場合を除く。)の規定の適用については、(4)中「開始した事業年度」とあるのは「開始した事業年度又は連結事業年度」と、「事業年度（当該」とあるのは「事業年度又は連結事業年度（当該」と、「「合併法人等10年前事業年度開始日」」とあるのは「「合併法人等10年前事業年度等開始日」」と、「合併法人等10年前事業年度開始日」とあるのは「合併法人等10年前事業年度等開始日の」と、「前10年内事業年度ごと」とあるのは「①の適格合併の日前10年以内に開始し、又は①の残余財産確定の日の翌日前10年以内に開始した事業年度又は連結事業年度ごと」と、「属する事業年度開始」とあるのは「属する事業年度又は連結事業年度開始」とする。(令2政令第264号附3⑬)

②　合併等前欠損金額がある場合の控除対象合併等前欠損調整額の控除
　①の法人が納付すべき当該事業年度分の法人税割の課税標準となる法人税額の算定については、第三節－の1・2、6又は7《中間申告・みなし中間申告・確定申告・過不足税額の申告・修正申告・更正決定に係る申告》の規定にかかわらず、これらの規定により申告納付すべき当該法人税額の課税標準の算定期間に係る法人税割の課税標準となる法人税額から、当該法人税額（当該法人税額について租税特別措置法第42条の14《通算法人の仮装経理に基づく過大申告の場合等の法人税額》第1項若しくは第4項、第62条《使途秘匿金の支出がある場合の課税の特例》第1項、第62条の3《土地の譲渡等がある場合の特別税率》第1項若しくは第9項又は第63条《短期所有に係る土地の譲渡等がある場合の特別税率》第1項の規定により加算された金額がある場合には、(1)で定める額を控除した額）を限度として、①の規定により当該事業年度開始の日前10年以内に開始した事業年度において生じたものとみなされた合併等前欠損金額に係る控除対象合併等前欠損調整額を控除するものとする。この場合において、控除対象合併等前欠損調整額は、前事業年度以前の法人税割の課税標準とすべき法人税額について控除されなかった額に限る。(法53⑧)
　　(注1)　平成30年4月1日前に開始した事業年度において生じた1に規定する合併等前欠損金額に係る②の規定の適用については、「前10年以内」とあるのは「前9年以内」と読み替える。(令2改法附5⑧)
　　(注2)　租税特別措置法の経過措置により法人税額に加算される金額がある場合の②の規定の適用については、1の(13)参照。(編者)
　　(注3)　第一節－の表の(三)の(4)及び(5)《中小企業者等に係る試験研究費等の法人税額の特別控除の適用がある通算法人について法人税額に加算された金額がある場合の特例》の読替規定を参照。(編者)

第二編第二章《法人の道府県民税》第四節《法人税額等の控除・加算及び還付等》

(控除対象合併等前欠損調整額の控除限度額の計算)
(1) ②に規定する額は、租税特別措置法第42条の14第1項若しくは第4項、第62条第1項、第62条の3第1項若しくは第9項又は第63条第1項の規定により加算された金額とする。(令8の16の6)
 (注1) 第三節一の1の(12)《租税特別措置法の旧規定の適用がある場合の特例》の読替規定を参照。(編者)
 (注2) 1の(14)及び(16)の読替規定参照。(編者)

(控除対象合併等前欠損調整額の意義)
(2) ①及び②に規定する控除対象合併等前欠損調整額とは、合併等前欠損金額に、①の法人の合併等事業年度終了の日における1の(4)各号に掲げる当該法人の区分に応じ、それぞれ当該各号に定める率を乗じて得た金額をいう。(法53⑨)
 (注1) 令和4年4月1日前に開始した事業年度(連結子法人の連結親法人事業年度が同日前に開始した事業年度を含む。以下「施行日前事業年度」という。)において生じた欠損金額(所得税法等の一部を改正する法律(令和2年法律第8号。以下「所得税法等改正法」という。)第3条の規定(所得税法等改正法附則第1条第5号ロに掲げる改正規定に限る。)による改正後の法人税法第2条第19号に規定する欠損金額をいう。以下同じ。)((注2)の欠損金額を除く。)に係る控除対象合併等前欠損調整額((2)に規定する控除対象合併等前欠損調整額をいう。(注2)において同じ。)についての次の表の左欄に掲げる規定中同表の中欄に掲げる字句は、それぞれ同表の右欄に掲げる字句とする。(令2政令第264号附3⑭)

①	同条第6項又は同法	所得税法等の一部を改正する法律(令和2年法律第8号)附則第20条第5項の規定により読み替えられた法人税法(以下①において「読替え後の法人税法」という。)第57条第6項又は法人税法
	、同法	、読替え後の法人税法
	(①	(地方税法施行令の一部を改正する政令(令和2年政令第264号。以下①において「地方税法施行令改正令」という。)附則第3条第14項の規定により読み替えられた①
	ついて同法	ついて読替え後の法人税法
	②	地方税法施行令改正令附則第3条第14項の規定により読み替えられた②
②	、①	、地方税法施行令改正令附則第3条第14項の規定により読み替えられた①
②の(4)	②	地方税法施行令改正令附則第3条第14項の規定により読み替えられた②
①の(1)	同条第2項	所得税法等の一部を改正する法律(令和2年法律第8号。以下①において「所得税法等改正法」という。)附則第20条第5項の規定により読み替えられた法人税法(以下①において「読替え後の法人税法」という。)第57条第2項又は所得税法等改正法附則第20条第1項
	法人税法第57条第4項、第5項又は第9項	読替え後の法人税法第57条第4項若しくは第9項又は法人税法第57条第5項
①の(2)	事業年度(	事業年度について被合併法人等の確定申告書が提出され、かつ、その後において連続して当該被合併法人等の確定申告書又は当該被合併法人の連結確定申告書(所得税法等改正法第3条の規定(所得税法等改正法附則第1条第5号ロに掲げる改正規定に限る。)による改正前の法人税法(以下②において「4年旧法人税法」という。)第2条第32号に規定する連結確定申告書をいう。以下②において同じ。)(当該被合併法人等が4年旧法人税法第2条第12号の7に規定する連結子法人である事業年度にあっては、当該被合併法人等との間に同条第12号の7の7に規定する連結完全支配関係がある同条第12号の6の7に規定する連結親法人の連結確定申告書。以下(2)において同じ。)が提出されている場合(
	同項	読替え後の法人税法第57条第2項
	より	より、又は所得税法等改正法附則第20条第1項の規定により
	同法	法人税法
	又は当該	若しくは当該
	事業年度)	事業年度又は所得税法等改正法附則第20条第1項の最終の連結事業年度終了の日の翌日の属する事業年度
	が提出されている場合	又は当該被合併法人の連結確定申告書が提出されている場合)
①の(3)	合併等前欠損金額(①	合併等前欠損金額(②の(2)の(注1)の規定により読み替えられた法(以下この章において「読替え後の法」という。)①
	法人税法	読替え後の法人税法
	①の規定に	読替え後の①の規定に
①の(4)	開始した事業年度	開始した事業年度又は連結事業年度
	事業年度(当該	事業年度又は連結事業年度(当該

第二編第二章《法人の道府県民税》第四節《法人税額等の控除・加算及び還付等》

	「合併法人等10年前事業年度開始日	「合併法人等10年前事業年度等開始日
	①に	読替え後の①に
	合併法人等10年前事業年度開始日の	合併法人等10年前事業年度等開始日の
	前10年内事業年度ごと	①の適格合併の日前10年以内に開始し、又は①の残余財産確定の日の翌日前10年以内に開始した事業年度又は連結事業年度ごと
	事業年度開始の日から	事業年度又は連結事業年度開始の日から
	、①の法人の合併等事業年度が設立日（当該法人の設立の日をいう。）の属する事業年度である場合において、被合併法人等10年前事業年度開始日が当該設立日以後であるときは、被合併法人等の当該設立日の前日の属する事業年度開始の日（当該被合併法人等が当該設立日以後に設立されたものである場合には、当該設立日の1年前の日）から当該前日までの期間を当該法人の事業年度とみなして、①の規定	て、読替え後の①の規定
②の(3)	法人について法	法人について読替え後の法
	同条第9項	法第53条第9項

（注2） 平成30年4月1日前に開始した事業年度において生じた欠損金額に係る控除対象合併等前欠損調整額についての次の表の左欄に掲げる規定中同表の中欄に掲げる字句は、それぞれ同表の右欄に掲げる字句とする。（令2政令第264号附3⑮）

①	10年以内	9年以内
	前10年内事業年度	前9年内事業年度
	同法第57条第1項	所得税法等の一部を改正する法律（平成27年法律第9号）附則第27条第1項の規定によりなお従前の例によることとされる場合における同法第2条の規定による改正前の法人税法（以下①において「平成27年旧法人税法」という。）第57条第1項
	同条第6項又は同法第58条第1項	所得税法等の一部を改正する法律（令和2年法律第8号）附則第20条第10項の規定により読み替えられた法人税法（以下①において「読替え後の法人税法」という。）第57条第6項
	、同法	、読替え後の法人税法
	同条第2項	平成27年旧法人税法第57条第2項
	（①	（地方税法施行令の一部を改正する政令（令和2年政令第264号。以下①において「地方税法施行令改正令」という。）附則第3条第15項の規定により読み替えられた①
	について同法	について読替え後の法人税法
	②	地方税法施行令改正令附則第3条第15項の規定により読み替えられた②
②	、①	、地方税法施行令改正令附則第3条第15項の規定により読み替えられた①
	10年	9年
②の(4)	②	地方税法施行令改正令附則第3条第15項の規定により読み替えられた②
①の(1)	①に規定する法人税法第57条第1項	地方税法施行令の一部を改正する政令（令和2年政令第264号）附則第3条第15項の規定により読み替えられた法（以下この章において「読替え後の法」という。）①に規定する所得税法等の一部を改正する法律（平成27年法律第9号）附則第27条第1項の規定によりなお従前の例によることとされる場合における同法第2条の規定による改正前の法人税法（以下(1)及び(3)において「平成27年旧法人税法」という。）第57条第1項
	同条第2項	同条第2項又は所得税法等の一部を改正する法律（令和2年法律第8号。以下①において「令和2年所得税法等改正法」という。）附則第20条第7項

第二編第二章《法人の道府県民税》第四節《法人税額等の控除・加算及び還付等》

	法人税法第57条第4項、第5項又は第9項	平成27年旧法人税法第57条第4項若しくは第5項又は令和2年所得税法等改正法附則第20条第10項の規定により読み替えられた法人税法（(3)において「読替え後の法人税法」という。）第57条第9項
①の(2)	①に	読替え後の①に
	法人税法第57条第1項	平成27年旧法人税法第57条第1項
	事業年度（	事業年度について被合併法人等の法人税法第2条第36号に規定する青色申告である確定申告書が提出され、かつ、その後において連続して当該被合併法人等の確定申告書又は当該被合併法人の連結確定申告書（令和2年所得税法等改正法第3条の規定（令和2年所得税法等改正法附則第1条第5号ロに掲げる改正規定に限る。）による改正前の法人税法（以下(2)において「4年旧法人税法」という。）第2条第32号に規定する連結確定申告書をいう。以下(2)において同じ。）（当該被合併法人等が4年旧法人税法第2条第12号の7に規定する連結子法人である事業年度にあっては、当該被合併法人等との間に同条第12号の7の7に規定する連結完全支配関係がある同条第12号の6の7に規定する連結親法人の連結確定申告書。以下(2)において同じ。）が提出されている場合（
	同項	平成27年旧法人税法第57条第2項
	より	より、又は令和2年所得税法等改正法附則第20条第7項の規定により
	同法	法人税法
	又は当該	若しくは当該
	事業年度）	事業年度又は令和2年所得税法等改正法附則第20条第7項の最終の連結事業年度終了の日の翌日の属する事業年度
	が提出されている場合	又は当該被合併法人等の連結確定申告書が提出されている場合）
①の(3)	前10年内事業年度	前9年内事業年度
	（①	（読替え後の①
	法人税法	読替え後の法人税法
	同条第2項	平成27年旧法人税法第57条第2項
	①の規定に	読替え後の①の規定に
①の(4)	10年以内に開始した事業年度	9年以内に開始した事業年度又は連結事業年度
	事業年度（当該	事業年度又は連結事業年度（当該
	「合併法人等10年前事業年度開始日	「合併法人等9年前事業年度等開始日
	前10年内事業年度で同項	前9年内事業年度で読替え後の①
	「被合併法人等10年前事業年度開始日	「被合併法人等9年前事業年度開始日
	当該被合併法人等10年前事業年度開始日	当該被合併法人等9年前事業年度開始日
	合併法人等10年前事業年度開始日の	合併法人等9年前事業年度等開始日の
	前10年内事業年度ごと	①の適格合併の日前9年以内に開始し、又は①の残余財産確定の日の翌日前9年以内に開始した事業年度又は連結事業年度ごと
	事業年度開始の日から	事業年度又は連結事業年度開始の日から
	、①の法人の合併等事業年度が設立日（当該法人の設立の日をいう。）の属する事業年度である場合において、被合併法人等10年前事業年度開始日が当該設立日以後であるときは、被合併法人等の当該設立日の前日の属する事業年度開始の日（当該被合併法人等が当該設立日以後に設立されたもの	て、読替え後の①の規定

— (334) —

		である場合には、当該設立日の1年前の日)から当該前日までの期間を当該法人の事業年度とみなして、①の規定
②の(3)	法人について法	法人について読替え後の法
	同条第9項	法第53条第9項

　　(控除対象合併等前欠損調整額の特例)
(3)　合併等事業年度について法人税法第71条第1項(同法第72条第1項の規定が適用される場合に限る。)の規定により法人税に係る申告書を提出する義務がある法人について②の規定を適用する場合における(2)の規定の適用については、(2)中「合併等事業年度終了の日」とあるのは、「第三節—の1に規定する6月経過日の前日」とする。(令8の16の7)

　　(連続して確定申告書の提出の要件)
(4)　②の規定は、①の法人が合併等事業年度後最初の事業年度以後において連続して法人の道府県民税の確定申告書を提出している場合に限り、適用する。(法53⑩)

　　(特定医療法人に対する適用)
(5)　①の規定の適用を受ける法人が、当該法人の①に規定する合併等事業年度終了の日において、特定医療法人《1の(12)参照》である場合の当該法人の道府県民税に係る(2)の規定の適用については、(2)の規定中「1の(4)各号」とあるのは、「1の(12)の規定により読み替えられた同(4)各号」とする。(法附8⑯)

　　(留意事項)
(6)　通算完全支配関係(通算完全支配関係に準ずる関係を含む。以下同じ。)がある時価評価除外法人に該当しない法人を被合併法人等とする適格合併等があった場合(当該適格合併の日の前日又は当該残余財産の確定した日が被合併法人等が通算親法人との間に通算完全支配関係を有することとなった日の前日から当該有することとなった日の属する当該通算親法人の事業年度終了の日までの期間内の日である場合等に限る。)には、法人税法第57条第7項の規定により、被合併法人等の前10年内事業年度において生じた欠損金額は、合併法人等の欠損金額とみなされず、法人税の所得の計算上損金の額に算入できないこととされているが、法人の道府県民税については、当該損金の額に算入できないこととされた欠損金額(同項第1号に係る部分に限る。以下「合併等前欠損金額」という。)を合併法人等の合併等前欠損金額とみなして、当該合併等前欠損金額を基に算定した控除対象合併等前欠損調整額を10年間に限って法人税割の課税標準となる法人税額から控除するものであること。
　　なお、この場合において次の諸点に留意すること。(県通2—53の2)
(一)　合併等前欠損金額の計算の基礎となる欠損金額には、法人税法第57条第2項の規定により被合併法人等の欠損金額とみなされたものを含み、同条第4項、第5項又は第9項の規定によりないものとされたものを含まないものであること。また、合併等前欠損金額が生じた事業年度について被合併法人等の法人税の確定申告書が提出され、かつ、その後において連続して被合併法人等の法人税の確定申告書が提出されている場合における当該欠損金額に限るものであること。
(二)　平成30年4月1日前に開始した事業年度において生じた欠損金額に係る控除対象合併等前欠損調整額については、被合併法人等の適格合併の日前9年以内又は残余財産確定の日の翌日前9年以内に開始した事業年度において生じた欠損金額に限り、合併法人等において生じた合併等前欠損金額とみなして、当該合併等前欠損金額に係る控除対象合併等前欠損調整額を法人税割の課税標準となる法人税額から控除できるものであること。
(三)　控除対象合併等前欠損調整額は、合併等前欠損金額に、合併等事業年度(適格合併の日の属する事業年度又は残余財産の確定の日の翌日の属する事業年度をいう。以下同じ。)終了の日における1の(4)各号に掲げる当該法人の区分に応じ、それぞれ当該各号に定める率を乗じて算定するものであること。なお、合併等事業年度について仮決算に係る中間申告をする場合の控除対象合併等前欠損調整額については、合併等前欠損金額に、6月経過日の前日における1の(4)各号に掲げる当該法人の区分に応じ、それぞれ当該各号に定める率を乗じて算定するものであること。また、合併等事業年度について仮決算に係る中間申告をし、その後の確定申告において法人税割の課税標準となる法人税額から控除対象合併等前欠損調整額を控除する場合には、上記の仮決算に係る中間申告をする場合

の控除対象合併等前欠損調整額を控除するのではなく、合併等前欠損金額に、合併等事業年度終了の日における1の(4)各号に掲げる当該法人の区分に応じ、それぞれ当該各号に定める率を乗じて算定した控除対象合併等前欠損調整額を控除するものであること。
(四) 控除対象合併等前欠損調整額は、合併法人等が合併等事業年度において、合併等前欠損金額について法人税法第57条第7項の規定により同条第2項の規定の適用がないことを証する書類を添付した法人の道府県民税の確定申告書を提出し、合併等事業年度後最初の事業年度以後において連続して法人の道府県民税の確定申告書を提出している場合に限り、法人税割の課税標準となる法人税額から控除することができるものであること。
(五) 法人税法第57条第7項の規定により同条第2項の規定の適用がないことを証する書類として確定申告書に添付するものには、通算法人が合併等事業年度に国の税務官署に提出する法人税の明細書（別表7(2)）の写し、被合併法人等の適格合併の日の前日の属する事業年度又は残余財産の確定の日の属する事業年度に係る法人税の明細書（別表7(1)）の写し等が考えられること。

3 通算対象欠損金額がある場合の加算対象通算対象欠損調整額の加算

法人税法第71条《中間申告》第1項（同法第72条《仮決算をした場合の中間申告書の記載事項等》第1項の規定が適用される場合に限る。）又は第74条《確定申告》第1項の規定により法人税に係る申告書を提出する義務がある法人について、当該事業年度において生じた通算対象欠損金額（同法第64条の5《損益通算》第1項に規定する通算対象欠損金額で同項の規定により損金の額に算入されたものをいう。(1)において同じ。）がある場合の当該法人が納付すべき当該事業年度分の法人税割の課税標準となる法人税額の算定については、第三節一の1・2、6又は7《中間申告・みなし中間申告・確定申告・過不足税額の申告・修正申告・更正決定に係る申告》の規定にかかわらず、これらの規定により申告納付すべき当該法人税額の課税標準の算定期間に係る法人税割の課税標準となる法人税額に加算対象通算対象欠損調整額を加算するものとする。(法53⑪)

(加算対象通算対象欠損調整額の意義)
(1) 3に規定する加算対象通算対象欠損調整額とは、通算対象欠損金額に、3の法人の当該事業年度終了の日における1の(4)各号に掲げる当該法人の区分に応じ、それぞれ当該各号に定める率を乗じて得た金額をいう。(法53⑫)

(加算対象通算対象欠損調整額の特例)
(2) 法人税法第71条第1項（同法第72条第1項の規定が適用される場合に限る。）の規定により法人税に係る申告書を提出する義務がある法人について3の規定を適用する場合における(1)の規定の適用については、(1)中「当該事業年度終了の日」とあるのは、「第三節一の1に規定する6月経過日の前日」とする。(令8の16の8)

(特定医療法人に対する適用)
(3) 3の規定の適用を受ける法人が、当該法人の当該事業年度終了の日において、特定医療法人〖1の(12)参照〗である場合の当該法人の道府県民税に係る(1)の規定の適用については、(1)の規定中「1の(4)各号」とあるのは、「1の(12)の規定により読み替えられた同(4)各号」とする。(法附8⑰)

(留意事項)
(4) 加算対象通算対象欠損調整額は、通算対象欠損金額に、当該事業年度終了の日における1の(4)各号に掲げる当該法人の区分に応じ、それぞれ当該各号に定める率を乗じて算定するものであること。なお、仮決算に係る中間申告をする場合の加算対象通算対象欠損調整額については、通算対象欠損金額に、6月経過日の前日における1の(4)各号に掲げる当該法人の区分に応じ、それぞれ当該各号に定める率を乗じて算定するものであること。(県通2－53の3(1))

4 通算対象所得金額がある場合の控除対象通算対象所得調整額の控除

法人税法第71条《中間申告》第1項（同法第72条《仮決算をした場合の中間申告書の記載事項等》第1項の規定が適用される場合に限る。）又は第74条《確定申告》第1項の規定により法人税に係る申告書を提出する義務がある法人について、当該事業年度開始の日前10年以内に開始した事業年度において生じた通算対象所得金額（同法第64条の5《損益通算》第3項に規定する通算対象所得金額で同項の規定により益金の額に算入されたものをいう。4において同じ。）がある場合の当該法人が納付すべき当該事業年度分の法人税割の課税標準となる法人税額の算定については、第三節一の1・2、6又は7《中間申告・みなし中間申告・確定申告・過不足税額の申告・修正申告・更正決定に係る申告》の規定にかかわらず、

第二編第二章《法人の道府県民税》第四節《法人税額等の控除・加算及び還付等》

これらの規定により申告納付すべき当該法人税額の課税標準の算定期間に係る法人税割の課税標準となる法人税額から、当該法人税額（当該法人税額について租税特別措置法第42条の14《通算法人の仮装経理に基づく過大申告の場合等の法人税額》第１項若しくは第４項、第62条《使途秘匿金の支出がある場合の課税の特例》第１項、第62条の３《土地の譲渡等がある場合の特別税率》第１項若しくは第９項又は第63条《短期所有に係る土地の譲渡等がある場合の特別税率》第１項の規定により加算された金額がある場合には、（1）で定める額を控除した額）を限度として、控除対象通算対象所得調整額を控除するものとする。この場合において、控除対象通算対象所得調整額は、前事業年度以前の法人税割の課税標準とすべき法人税額について控除されなかった額に限る。（法53⑬）
　（注１）　租税特別措置法の経過措置により法人税額に加算される金額がある場合の４の規定の適用については、１の(13)参照。（編者）
　（注２）　第一節一の表の（三）の（４）及び（５）《中小企業者等に係る試験研究費等の法人税額の特別控除の適用がある通算法人について法人税額に加算された金額がある場合の特例》の読替規定を参照。（編者）

　　　（控除対象通算適用前欠損調整額の控除限度額の計算）
（1）　４に規定する額は、租税特別措置法第42条の14第１項若しくは第４項、第62条第１項、第62条の３第１項若しくは第９項又は第63条第１項の規定により加算された金額とする。（令８の17）
　（注１）　第三節一の１の(12)《租税特別措置法の旧規定の適用がある場合の特例》の読替え規定を参照。（編者）
　（注２）　１の(14)及び(16)の読替規定参照。（編者）

　　　（控除対象通算適用前欠損調整額の意義）
（2）　４に規定する控除対象通算対象所得調整額とは、通算対象所得金額に、４の法人の当該通算対象所得金額の生じた事業年度後最初の事業年度終了の日における次の各号に掲げる当該法人の区分に応じ、それぞれ当該各号に定める率を乗じて得た金額をいう。（法53⑭）
　（一）　普通法人〘１の（４）参照〙又は法人税法第66条《各事業年度の所得に対する法人税の税率》第１項に規定する一般社団法人等　　同項に規定する税率に相当する率
　（二）　法人税法第66条第３項に規定する公益法人等又は協同組合等〘１の（４）参照〙　　同項に規定する税率に相当する率

　　　（控除対象通算対象所得調整額の特例）
（3）　４に規定する通算対象所得金額の生じた事業年度後最初の事業年度について法人税法第71条第１項（同法第72条第１項の規定が適用される場合に限る。）の規定により法人税に係る申告書を提出する義務がある法人について４の規定を適用する場合における（2）の規定の適用については、（2）中「４の法人の当該通算対象所得金額の生じた事業年度後最初の事業年度終了の日」とあるのは、「第三節一の１に規定する６月経過日の前日」とする。（令８の17の２①）

　　　（適格合併等による控除対象通算対象所得調整額の特例）
（4）　（5）に規定する被合併法人等の通算対象所得金額の生じた事業年度終了の日が（5）に規定する適格合併の日の前日又は（5）に規定する残余財産の確定の日である場合における当該通算対象所得金額に係る（2）の規定の適用については、（2）「後最初の事業年度終了の日」とあるのは、「終了の日」とする。（令８の17の２②）

　　　（被合併法人等の前10年内事業年度において生じた控除未済通算対象所得調整額の控除）
（5）　４の法人を合併法人とする適格合併が行われた場合又は当該法人との間に完全支配関係（当該法人による完全支配関係又は相互の関係に限る。）がある他の法人で当該法人が発行済株式若しくは出資の全部若しくは一部を有するものの残余財産が確定した場合において、当該適格合併に係る被合併法人又は当該他の法人（以下４において「被合併法人等」という。）の当該適格合併の日前10年以内に開始し、又は当該残余財産の確定の日の翌日前10年以内に開始した事業年度（以下(5)において「前10年内事業年度」という。）において生じた通算対象所得金額に係る（2）に規定する控除対象通算対象所得調整額（当該被合併法人等が当該控除対象通算対象所得調整額（(5)の規定により当該被合併法人等の（2）に規定する控除対象通算対象所得調整額とみなされたものを含む。）に係る通算対象所得金額の生じた事業年度について法人税法第64条の５第３項の規定の適用があることを証する書類を添付した法人の道府県民税の確定申告書を提出していることその他の政令で定める要件を満たしている場合における当該控除対象通算対象所得調整額に限るものとし、４の規定により当該被合併法人等の前10年内事業年度の法人税割の課税標準とすべき法人税額について控除された額を除く。以下(5)において「控除未済通算対象所得調整額」という。）があるときは、当該法人の当該適格合併の日の属する事業年度又は当該残余財産の確定の日の翌日の属する事業年度（以下４において「合併等

事業年度」という。）以後の事業年度における４の規定の適用については、当該前10年内事業年度に係る控除未済通算対象所得調整額（当該他の法人に株主等が二以上ある場合には、当該控除未済通算対象所得調整額を当該他の法人の発行済株式又は出資（当該他の法人が有する自己の株式又は出資を除く。）の総数又は総額で除し、これに当該法人の有する当該他の法人の株式又は出資の数又は金額を乗じて計算した金額）は、それぞれ当該控除未済通算対象所得調整額に係る前10年内事業年度開始の日の属する当該法人の事業年度（当該法人の合併等事業年度開始の日以後に開始した当該被合併法人等の前10年内事業年度に係る控除未済通算対象所得調整額にあっては、当該合併等事業年度の前事業年度）に係る（２）に規定する控除対象通算対象所得調整額とみなす。（法53⑮）

　　　　（適格合併等による前10年内事業年度において生じた控除未済通算対象所得調整額の要件）
（６）　（５）に規定する要件は、被合併法人等が（５）に規定する前10年内事業年度のうち（２）に規定する控除対象通算対象所得調整額（以下（６）において「控除対象通算対象所得調整額」という。）に係る通算対象所得金額の生じた事業年度について法人税法第64条の５第３項の規定の適用があることを証する書類を添付した法人の道府県民税の確定申告書を提出し、かつ、その後において連続して法人の道府県民税の確定申告書を提出していることとする。ただし、（５）の適格合併又は残余財産の確定の前に被合併法人等となる４の法人を合併法人とする適格合併（以下（６）において「直前適格合併」という。）が行われたこと又は被合併法人等となる４の法人との間に（５）に規定する完全支配関係がある他の法人の残余財産が確定したことに基因して（５）の規定により当該被合併法人等の控除対象通算対象所得調整額とみなされたものにつき（５）の規定を適用する場合にあっては、当該被合併法人等が前10年内事業年度のうち当該直前適格合併の日の属する事業年度又は当該残余財産の確定の日の翌日の属する事業年度以後において連続して法人の道府県民税の確定申告書を提出していることとする。（令８の18）

　　　　（適格合併等による控除対象通算対象所得調整額の引継ぎの特例）
（７）　（５）の法人の合併等事業年度開始の日前10年以内に開始した事業年度のうち最も古い事業年度（当該合併等事業年度が当該法人の設立の日の属する事業年度である場合には、当該合併等事業年度）開始の日（以下（７）において「合併法人等10年前事業年度開始日」という。）が被合併法人等の前10年内事業年度で（５）に規定する控除未済通算対象所得調整額に係る事業年度のうち最も古い事業年度開始の日（（５）の適格合併が法人を設立するものである場合にあっては、当該開始の日が最も早い被合併法人等の当該事業年度開始の日。以下（７）において「被合併法人等10年前事業年度開始日」という。）後である場合には、当該被合併法人等10年前事業年度開始日から当該合併法人等10年前事業年度開始日の前日までの期間を当該期間に対応する当該被合併法人等10年前事業年度開始日に係る被合併法人等の前10年内事業年度ごとに区分したそれぞれの期間（当該前日の属する期間にあっては、当該被合併法人等の当該前日の属する事業年度開始の日から当該合併法人等10年前事業年度開始日の前日までの期間）を当該法人のそれぞれの事業年度とみなし、（５）の法人の合併等事業年度が設立日（当該法人の設立の日をいう。）の属する事業年度である場合において、被合併法人等10年前事業年度開始日が当該設立日以後であるときは、被合併法人等の当該設立日の前日の属する事業年度開始の日（当該被合併法人等が当該設立日以後に設立されたものである場合には、当該設立日の１年前の日）から当該前日までの期間を当該法人の事業年度とみなして、（５）の規定を適用する。（令８の19）
　　　　（注）　（５）の法人に（５）の法人の（５）に規定する合併等事業年度開始の日前10年以内に開始する連結事業年度がある場合における（７）の規定の適用については、（７）中「開始した事業年度」とあるのは「開始した事業年度又は連結事業年度」と、「事業年度（当該」とあるのは「事業年度又は連結事業年度（当該」と、「合併法人等10年前事業年度開始日」とあるのは「合併法人等10年前事業年度等開始日」と、「合併法人等10年前事業年度開始日の」とあるのは「合併法人等10年前事業年度等開始日の」と、「前10年内事業年度ごと」とあるのは「（５）の適格合併の日前10年以内に開始し、又は（５）の残余財産確定の日の翌日前10年以内に開始した事業年度又は連結事業年度ごと」と、「属する事業年度開始」とあるのは「属する事業年度又は連結事業年度開始」とする。（令２政令第264号附３⑯）

　　　　（連続して確定申告書の提出の要件）
（８）　４の規定は、４の法人が通算対象所得金額（（５）の規定により当該法人の（２）に規定する控除対象通算対象所得調整額（以下（８）において「控除対象通算対象所得調整額」という。）とみなされた被合併法人等の控除対象通算対象所得調整額に係る通算対象所得金額を除く。）の生じた事業年度について法人税法第64条の５第３項の規定の適用があることを証する書類を添付した法人の道府県民税の確定申告書を提出し、かつ、その後において連続して法人の道府県民税の確定申告書を提出している場合（（５）の規定により当該法人の控除対象通算対象所得調整額とみなされたものにつき４の規定を適用する場合には、合併等事業年度以後において連続して法人の道府県民税の確定申告書を提出している場合）に限り、適用する。（法53⑯）

(特定医療法人に対する適用)
(9)　4の規定の適用を受ける法人が、当該法人の4に規定する当該通算対象所得金額の生じた事業年度後最初の事業年度終了の日において、特定医療法人『1の(12)参照』である場合の当該法人の道府県民税に係る(2)の(一)の規定の適用については、同(一)の規定中「同項に規定する」とあるのは、「租税特別措置法第67条の2第1項に規定する」とする。(法附8⑱)

(留意事項)
(10)　通算法人に所得金額が生じ他の通算法人に欠損金額が生じる場合には、他の通算法人に生じた欠損金額を当該通算法人に配分し、法人税法第64条の5第1項の規定により、当該配分された欠損金額を当該通算法人の所得の計算上損金の額に算入し、同条第3項の規定により、当該他の通算法人が当該通算法人に配分した欠損金額を当該他の通算法人の所得の計算上益金の額に算入することとされているが、法人の道府県民税については、同条第1項の規定により所得の計算上損金の額に算入された金額((一)において「通算対象欠損金額」という。)を基に算定した加算対象通算対象欠損調整額を法人税割の課税標準となる法人税額に加算することとし、同条第3項の規定により益金の額に算入された金額(以下「通算対象所得金額」という。)を基に算定した控除対象通算対象所得調整額を10年間に限って法人税割の課税標準となる法人税額から控除するものであること。
　　なお、この場合において次の諸点に留意すること。(県通2－53の3(2)～(5))
(一)　控除対象通算対象所得調整額は、通算対象所得金額に、当該通算対象所得金額の生じた事業年度後最初の事業年度終了の日(次に掲げる控除対象通算対象所得調整額については、次に定める日)における(2)各号に掲げる法人の区分に応じ、それぞれ当該各号に定める率を乗じて算定するものであること。
　　イ　通算対象所得金額の生じた事業年度後最初の事業年度について仮決算に係る中間申告をする場合の控除対象通算対象所得調整額　　6月経過日の前日
　　ロ　被合併法人等の通算対象所得金額の生じた事業年度終了の日が適格合併の日の前日又は残余財産の確定の日である場合の被合併法人等の控除対象通算対象所得調整額　　当該通算対象所得金額の生じた事業年度終了の日
　　また、通算対象所得金額の生じた事業年度後最初の事業年度について仮決算に係る中間申告をし、その後の確定申告において法人税割の課税標準となる法人税額から控除対象通算対象所得調整額を控除する場合には、上記イの控除対象通算対象所得調整額を控除するのではなく、通算対象所得金額に、当該通算対象所得金額の生じた事業年度後最初の事業年度終了の日における(2)各号に掲げる当該法人の区分に応じ、それぞれ当該各号に定める率を乗じて算定した控除対象通算対象所得調整額を控除するものであること。
(二)　適格合併等が行われた場合において、被合併法人等について控除対象通算対象所得調整額(前10年内事業年度に係る当該控除対象通算対象所得調整額のうち、被合併法人等において繰越控除された金額を控除した金額に限る。)があるときは、当該控除対象通算対象所得調整額は、合併法人等の法人税割の課税標準となる法人税額から繰越控除するものであること。
(三)　控除対象通算対象所得調整額は、法人が通算対象所得金額の生じた事業年度について法人税法第64条の5第3項の規定の適用があることを証する書類を添付した法人の道府県民税の確定申告書を提出し、かつ、その後において連続して法人の道府県民税の確定申告書を提出している場合に限り、法人税割の課税標準となる法人税額から控除することができるものであること。
(四)　法人税法第64条の5第3項の規定の適用があることを証する書類として確定申告書に添付するものには、法人が通算対象所得金額の生じた事業年度において国の税務官署に提出する法人税の明細書(別表7の3)の写し等が考えられること。

5　被配賦欠損金控除額がある場合の加算対象被配賦欠損調整額の加算

　法人税法第71条《中間申告》第1項(同法第72条《仮決算をした場合の中間申告書の記載事項等》第1項の規定が適用される場合に限る。)又は第74条《確定申告》第1項の規定により法人税に係る申告書を提出する義務がある法人について、当該事業年度において生じた被配賦欠損金控除額(同法第64条の7《欠損金の通算》第1項第2号ハに掲げる金額に同項第3号ロに規定する非特定損金算入割合(6において「非特定損金算入割合」という。)を乗じて計算した金額(同条第5項の規定の適用がある場合には、同項第1号に規定する場合における当該金額))で同法第57条第1項の規定により損金の額に算入されたものをいう。(1)において同じ。)がある場合の当該法人が納付すべき当該事業年度分の法人税割の課税標準となる法人税額の算定については、第三節―の1・2、6又は7《中間申告・みなし中間申告・確定申告・過不足税額の申告・修正申告・更正決定に係る申告》の規定にかかわらず、これらの規定により申告納付すべき当該法人税額の課税標準の算定期間に係る法人税割の課税標準となる法人税額に加算対象被配賦欠損調整額を加算するものとする。(法53⑰)

第二編第二章《法人の道府県民税》第四節《法人税額等の控除・加算及び還付等》

(加算対象被配賦欠損調整額の意義)
(1) 5に規定する加算対象被配賦欠損調整額とは、被配賦欠損金控除額に、5の法人の当該事業年度終了の日における1の(4)各号に掲げる当該法人の区分に応じ、それぞれ当該各号に定める率を乗じて得た金額をいう。(法53⑱)
(注) 平成30年4月1日前に開始した事業年度において生じた欠損金額に係る(1)に規定する加算対象被配賦欠損調整額についての5及び(2)の規定の適用については、次の表の左欄に掲げる規定中同表の中欄に掲げる字句は、それぞれ同表の右欄に掲げる字句とする。(令2政令第264号附3⑰)

5	被配賦欠損金控除額(同法	被配賦欠損金控除額(所得税法等の一部を改正する法律(令和2年法律第8号)附則第28条第2項の規定により読み替えられた法人税法
	同法第57条第1項	所得税法等の一部を改正する法律(平成27年法律第9号)附則第27条第1項の規定によりなお従前の例によることとされる場合における同法第2条の規定による改正前の法人税法第57条第1項
(2)	ついて法	ついて地方税法施行令の一部を改正する政令(令和2年政令第264号)附則第3条第17項の規定により読み替えられた法

(加算対象被配賦欠損調整額の特例)
(2) 法人税法第71条第1項(同法第72条第1項の規定が適用される場合に限る。)の規定により法人税に係る申告書を提出する義務がある法人について5の規定を適用する場合における(1)の規定の適用については、(1)中「当該事業年度終了の日」とあるのは、「第三節―の1に規定する6月経過日の前日」とする。(令8の19の2)

(特定医療法人に対する適用)
(3) 5の規定の適用を受ける法人が、当該法人の当該事業年度終了の日において、特定医療法人〖1の(12)参照〗である場合の当該法人の道府県民税に係る(1)の規定の適用については、(1)の規定中「1の(4)各号」とあるのは、「1の(12)の規定により読み替えられた同(4)各号」とする。(法附8⑲)

(留意事項)
(4) 加算対象被配賦欠損調整額は、被配賦欠損金控除額に、当該事業年度終了の日における1の(4)各号に掲げる当該法人の区分に応じ、それぞれ当該各号に定める率を乗じて算定するものであること。なお、仮決算に係る中間申告をする場合の加算対象被配賦欠損調整額については、被配賦欠損金控除額に、6月経過日の前日における1の(4)各号に掲げる当該法人の区分に応じ、それぞれ当該各号に定める率を乗じて算定するものであること。(県通2-53の4(1))

6　配賦欠損金控除額がある場合の控除対象配賦欠損調整額の控除

法人税法第71条《中間申告》第1項(同法第72条《仮決算をした場合の中間申告書の記載事項等》第1項の規定が適用される場合に限る。)又は第74条《確定申告》第1項の規定により法人税に係る申告書を提出する義務がある法人について、当該事業年度開始の日前10年以内に開始した事業年度において生じた配賦欠損金控除額(同法第64条の7《欠損金の通算》第1項第2号ニに掲げる金額に非特定損金算入割合〖5参照〗を乗じて計算した金額(同条第5項の規定の適用がある場合には、同項第2号イに規定する場合における当該金額)で同法第57条第1項の規定により損金の額に算入されたものをいう。6において同じ。)がある場合の当該法人が納付すべき当該事業年度分の法人税割の課税標準となる法人税額の算定については、第三節―の1・2、6又は7《中間申告・みなし中間申告・確定申告・過不足税額の申告・修正申告・更正決定に係る申告》の規定にかかわらず、これらの規定により申告納付すべき当該法人税額の課税標準の算定期間に係る法人税割の課税標準となる法人税額から、当該法人税額(当該法人税額について租税特別措置法第42条の14《通算法人の仮装経理に基づく過大申告の場合等の法人税額》第1項若しくは第4項、第62条《使途秘匿金の支出がある場合の課税の特例》第1項、第62条の3《土地の譲渡等がある場合の特別税率》第1項若しくは第9項又は第63条《短期所有に係る土地の譲渡等がある場合の特別税率》第1項の規定により加算された金額がある場合には、(1)で定める額を控除した額)を限度として、控除対象配賦欠損調整額を控除するものとする。この場合において、控除対象配賦欠損調整額は、前事業年度以前の法人税割の課税標準とすべき法人税額について控除されなかった額に限る。(法53⑲)

(注1) 租税特別措置法の経過措置により法人税額に加算される金額がある場合の6の規定の適用については、1の(13)参照。(編者)
(注2) 第一節―の表の(三)の(4)及び(5)《中小企業者等に係る試験研究費等の法人税額の特別控除の適用がある通算法人について法人税額に加算された金額がある場合の特例》の読替規定を参照。(編者)

(控除対象配賦欠損調整額の控除限度額の計算)
(1) 6に規定する額は、租税特別措置法第42条の14第1項若しくは第4項、第62条第1項、第62条の3第1項若しくは第9項又は第63条第1項の規定により加算された金額とする。(令8の19の3)
- (注1) 第三節一の1の(12)《租税特別措置法の旧規定の適用がある場合の特例》の読替え規定を参照。(編者)
- (注2) 1の(14)及び(16)の読替規定参照。(編者)

(控除対象配賦欠損調整額の意義)
(2) 6に規定する控除対象配賦欠損調整額とは、配賦欠損金控除額に、6の法人の当該配賦欠損金控除額の生じた事業年度後最初の事業年度終了の日における4の(2)各号に掲げる当該法人の区分に応じ、それぞれ当該各号に定める率を乗じて得た金額をいう。(法53⑳)
- (注) 平成30年4月1日前に開始した事業年度において生じた欠損金額に係る(2)に規定する控除対象配賦欠損調整額についての次の表の左欄に掲げる規定中同表の中欄に掲げる字句は、それぞれ同表の右欄に掲げる字句とする。(令2政令第264号附3⑲)

6	同法第57条第1項	所得税法等の一部を改正する法律(平成27年法律第9号)附則第27条第1項の規定によりなお従前の例によることとされる場合における同法第2条の規定による改正前の法人税法((5)及び(8)において「平成27年旧法人税法」という。)第57条第1項
(5)	((5)	(地方税法施行令の一部を改正する政令(令和2年政令第264号。以下(5)及び(8)において「地方税法施行令改正令」という。)附則第3条第19項の規定により読み替えられた(5)
	法人税法第57条第1項	平成27年旧法人税法第57条第1項
	とし、	とし、地方税法施行令改正令附則第3条第19項の規定により読み替えられた
	における6	における同条第19項の規定により読み替えられた6
(8)	6の規定は	地方税法施行令改正令附則第3条第19項の規定により読み替えられた6の規定は
	配賦欠損金控除額(	配賦欠損金控除額(同条第19項の規定により読み替えられた
	法人税法第57条第1項	平成27年旧法人税法第57条第1項
	場合(	場合(地方税法施行令改正令附則第3条第19項の規定により読み替えられた
	につき	につき同条第19項の規定により読み替えられた
(3)	6に	地方税法施行令の一部を改正する政令(令和2年政令第264号)附則第3条第19項の規定により読み替えられた法(以下この章において「読替え後の法」という。)6に
	法人について法	法人について読替え後の法
(6)	(5)の規定に	読替え後の(5)の規定に
(7)	開始した事業年度	開始した事業年度又は連結事業年度
	事業年度(当該	事業年度又は連結事業年度(当該
	「合併法人等10年前事業年度開始日	「合併法人等10年前事業年度等開始日
	で(5)	で読替え後の(5)
	合併法人等10年前事業年度開始日の	合併法人等10年前事業年度等開始日の
	前10年内事業年度ごと	(5)の適格合併の日前10年以内に開始し、又は(5)の残余財産確定の日の翌日前10年以内に開始した事業年度又は連結事業年度ごと
	属する事業年度開始	属する事業年度又は連結事業年度開始
	(5)の規定	読替え後の(5)の規定

(控除対象配賦欠損調整額の特例)
(3) 6に規定する配賦欠損金控除額の生じた事業年度後最初の事業年度について法人税法第71条第1項(同法第72条第1項の規定が適用される場合に限る。)の規定により法人税に係る申告書を提出する義務がある法人について6の規定を適用する場合における(2)の規定の適用については、(2)中「6の法人の当該配賦欠損金控除額の生じた事業年度後最初の事業年度終了の日」とあるのは、「第三節一の1に規定する6月経過日の前日」とする。(令8の19の4①)

(適格合併等による控除対象配賦欠損調整額の特例)
(4) (5)に規定する被合併法人等の配賦欠損金控除額の生じた事業年度終了の日が(5)に規定する適格合併の日の前

日又は(5)に規定する残余財産の確定の日である場合における当該配賦欠損金控除額に係る(2)の規定の適用については、(2)中「後最初の事業年度終了の日」とあるのは、「終了の日」とする。(令8の19の4②)

　　　(被合併法人等の前10年内事業年度において生じた控除未済配賦欠損調整額の控除)
(5)　6の法人を合併法人とする適格合併が行われた場合又は当該法人との間に完全支配関係(当該法人による完全支配関係又は相互の関係に限る。)がある他の法人で当該法人が発行済株式若しくは出資の全部若しくは一部を有するものの残余財産が確定した場合において、当該適格合併に係る被合併法人又は当該他の法人(以下6において「被合併法人等」という。)の当該適格合併の日前10年以内に開始し、又は当該残余財産の確定の日の翌日前10年以内に開始した事業年度(以下6において「前10年内事業年度」という。)において生じた配賦欠損金控除額に係る(2)に規定する控除対象配賦欠損調整額(当該被合併法人等が当該控除対象配賦欠損調整額((5)の規定により当該被合併法人等の(2)に規定する控除対象配賦欠損調整額とみなされたものを含む。)に係る配賦欠損金控除額の生じた事業年度について法人税法第57条第1項の規定の適用があることを証する書類を添付した法人の道府県民税の確定申告書を提出していることその他の(6)で定める要件を満たしている場合における当該控除対象配賦欠損調整額に限るものとし、6の規定により当該被合併法人等の前10年内事業年度の法人税割の課税標準とすべき法人税額について控除された額を除く。以下(5)において「控除未済配賦欠損調整額」という。)があるときは、当該法人の当該適格合併の日の属する事業年度又は当該残余財産の確定の日の翌日の属する事業年度(以下6において「合併等事業年度」という。)以後の事業年度における6の規定の適用については、当該前10年内事業年度に係る控除未済配賦欠損調整額(当該他の法人に株主等が二以上ある場合には、当該控除未済配賦欠損調整額を当該他の法人の発行済株式又は出資(当該他の法人が有する自己の株式又は出資を除く。)の総数又は総額で除し、これに当該法人の有する当該他の法人の株式又は出資の数又は金額を乗じて計算した金額)は、それぞれ当該控除未済配賦欠損調整額に係る前10年内事業年度開始の日の属する当該法人の事業年度(当該法人の合併等事業年度開始の日以後に開始した当該被合併法人等の前10年内事業年度に係る控除未済配賦欠損調整額にあっては、当該合併等事業年度の前事業年度)に係る(2)に規定する控除対象配賦欠損調整額とみなす。(法53㉑)

　　　(適格合併等による前10年内事業年度において生じた控除未済配賦欠損調整額の要件)
(6)　(5)に規定する要件は、被合併法人等が(5)に規定する前10年内事業年度のうち(2)に規定する控除対象配賦欠損調整額(以下(6)において「控除対象配賦欠損調整額」という。)に係る配賦欠損金控除額の生じた事業年度について法人税法第57条第1項の規定の適用があることを証する書類を添付した法人の道府県民税の確定申告書を提出し、かつ、その後において連続して法人の道府県民税の確定申告書を提出していることとする。ただし、(5)の適格合併又は残余財産の確定の前に被合併法人等となる6の法人を合併法人とする適格合併(以下(6)において「直前適格合併」という。)が行われたこと又は被合併法人等となる6の法人との間に(5)に規定する完全支配関係がある他の法人の残余財産が確定したことに基因して(5)の規定により当該被合併法人等の控除対象配賦欠損調整額とみなされたものにつき(5)の規定を適用する場合にあっては、当該被合併法人等が前10年内事業年度のうち当該直前適格合併の日の属する事業年度又は当該残余財産の確定の日の翌日の属する事業年度以後において連続して法人の道府県民税の確定申告書を提出していることとする。(令8の19の5)

　　　(適格合併等による控除対象配賦欠損調整額の引継ぎの特例)
(7)　(5)の法人の合併等事業年度開始の日前10年以内に開始した事業年度のうち最も古い事業年度(当該合併等事業年度が当該法人の設立の日の属する事業年度である場合には、当該合併等事業年度)開始の日(以下(7)において「合併法人等10年前事業年度開始日」という。)が被合併法人等の前10年内事業年度で(5)に規定する控除未済配賦欠損調整額に係る事業年度のうち最も古い事業年度開始の日((5)の適格合併が法人を設立するものである場合にあっては、当該開始の日が最も早い被合併法人等の当該事業年度開始の日。以下(7)において「被合併法人等10年前事業年度開始日」という。)後である場合には、当該被合併法人等10年前事業年度開始日から当該合併法人等10年前事業年度開始日の前日までの期間を当該期間に対応する当該被合併法人等10年前事業年度開始日に係る被合併法人等の前10年内事業年度ごとに区分したそれぞれの期間(当該前日の属する期間にあっては、当該被合併法人等の当該前日の属する事業年度開始の日から当該合併法人等10年前事業年度開始日の前日までの期間)を当該法人のそれぞれの事業年度とみなし、(5)の法人の合併等事業年度が設立日(当該法人の設立の日をいう。)の属する事業年度である場合において、被合併法人等10年前事業年度開始日が当該設立日以後であるときは、被合併法人等の当該設立日の前日の属する事業年度開始の日(当該被合併法人等が当該設立日以後に設立されたものである場合には、当該設立日の1年前の日)から当該前日までの期間を当該法人の事業年度とみなして、(5)の規定を適用する。(令8の19の6)

第二編第二章《法人の道府県民税》第四節《法人税額等の控除・加算及び還付等》

(注) (5)の法人に(5)の法人の(5)に規定する合併等事業年度開始の日前10年以内に開始する連結事業年度がある場合における(7)((2)の(注)の規定により読み替えて適用する場合を除く。)の規定の適用については、(7)中「開始した事業年度」とあるのは「開始した事業年度又は連結事業年度」と、「事業年度(当該」とあるのは「事業年度又は連結事業年度(当該」と、「合併法人等10年前事業年度開始日」とあるのは「合併法人等10年前事業年度等開始日」と、「合併法人等10年前事業年度開始日の」とあるのは「合併法人等10年前事業年度等開始日の」と、「前10年内事業年度ごと」とあるのは「(5)の適格合併の日前10年以内に開始し、又は(5)の残余財産確定の日の翌日前10年以内に開始した事業年度又は連結事業年度ごと」と、「属する事業年度開始」とあるのは「属する事業年度又は連結事業年度開始」とする。(令2政令第264号附3⑱)

(連続して確定申告書の提出の要件)
(8) 6の規定は、6の法人が配賦欠損金控除額((5)の規定により当該法人の(2)に規定する控除対象配賦欠損調整額(以下(8)において「控除対象配賦欠損調整額」という。)とみなされた被合併法人等の控除対象配賦欠損調整額に係る配賦欠損金控除額を除く。)の生じた事業年度について法人税法第57条第1項の規定の適用があることを証する書類を添付した法人の道府県民税の確定申告書を提出し、かつ、その後において連続して法人の道府県民税の確定申告書を提出している場合((5)の規定により当該法人の控除対象配賦欠損調整額とみなされたものにつき6の規定を適用する場合には、合併等事業年度以後において連続して法人の道府県民税の確定申告書を提出している場合)に限り、適用する。(法53㉒)

(特定医療法人に対する適用)
(9) 6の規定の適用を受ける法人が、当該法人の6に規定する当該配賦欠損金控除額の生じた事業年度後最初の事業年度終了の日において、特定医療法人〖1の(12)参照〗である場合の当該法人の道府県民税に係る(2)の規定の適用については、(2)の規定中「4の(2)各号」とあるのは、「4の(9)の規定により読み替えられた同(2)各号」とする。(法附8⑳)

(留意事項)
(10) 通算法人の欠損金の繰越控除については、法人税法第64条の7第1項第2号の規定により通算グループ内の各通算法人に生じた欠損金額のうち特定欠損金額(通算制度の開始・加入前に生じた欠損金額等で他の通算法人に配賦できないものをいう。)以外のもの(以下「非特定欠損金額」という。)を各通算法人に配賦し、当該配賦された欠損金額(以下「非特定欠損金配賦額」という。)に同項第3号ロに規定する非特定損金算入割合(以下「非特定損金算入割合」という。)を乗じた金額を法人税の所得の計算上損金の額に算入することとされているが、法人の道府県民税については、通算法人に配賦された非特定欠損金配賦額が当該通算法人に生じた非特定欠損金額を超える場合、すなわち他の通算法人から非特定欠損金額を配賦された場合には、当該超える額に非特定損金算入割合を乗じた金額((一)において「被配賦欠損金控除額」という。)を基に算定した加算対象被配賦欠損調整額を法人税割の課税標準となる法人税額に加算し、通算法人に配賦された非特定欠損金配賦額が当該通算法人に生じた非特定欠損金額に満たない場合、すなわち他の通算法人に非特定欠損金額を配賦した場合には、当該満たない額に非特定損金算入割合を乗じた金額(以下「配賦欠損金控除額」という。)を基にして算定した控除対象配賦欠損調整額を10年間に限って法人税割の課税標準となる法人税額から控除するものであること。
なお、この場合において次の諸点に留意すること。(県通2-53の4(2)～(5))
(一) 控除対象配賦欠損調整額は、配賦欠損金控除額に、当該配賦欠損金控除額の生じた事業年度後最初の事業年度終了の日(次に掲げる控除対象配賦欠損調整額については、次に定める日)における4の(2)各号に掲げる当該法人の区分に応じ、それぞれ当該各号に定める率を乗じて算定するものであること。
イ 配賦欠損金控除額の生じた事業年度後最初の事業年度について仮決算に係る中間申告をする場合の控除対象配賦欠損調整額　6月経過日の前日
ロ 被合併法人等の配賦欠損金控除額の生じた事業年度終了の日が適格合併の日の前日又は残余財産の確定の日である場合の被合併法人等の控除対象配賦欠損調整額　当該配賦欠損金控除額の生じた事業年度終了の日
また、配賦欠損金控除額の生じた事業年度後最初の事業年度について仮決算に係る中間申告をし、その後の確定申告において法人税割の課税標準となる法人税額から控除対象配賦欠損調整額を控除する場合には、上記イの控除対象配賦欠損調整額を控除するのではなく、配賦欠損金控除額に、当該配賦欠損金控除額の生じた事業年度後最初の事業年度終了の日における4の(2)各号に掲げる当該法人の区分に応じ、それぞれ当該各号に定める率を乗じて算定した控除対象配賦欠損調整額を控除するものであること。
(二) 適格合併等が行われた場合において、被合併法人等について控除対象配賦欠損調整額(前10年内事業年度に係る当該控除対象配賦欠損調整額のうち、被合併法人等において繰越控除された金額を控除した金額に限る。)がある

ときは、当該控除対象配賦欠損調整額は、合併法人等の法人税割の課税標準である法人税額から繰越控除するものであること。
　(三)　控除対象配賦欠損調整額は、法人が配賦欠損金控除額の生じた事業年度について法人税法第57条第1項の規定の適用があることを証する書類を添付した法人の道府県民税の確定申告書を提出し、かつ、その後において連続して法人の道府県民税の確定申告書を提出している場合に限り、法人税割の課税標準となる法人税額から控除することができるものであること。
　(四)　法人税法第57条第1項の規定の適用があることを証する書類として確定申告書に添付するものには、法人が配賦欠損金控除額の生じた事業年度において国の税務官署に提出する法人税の明細書(別表7(2)付表1)の写し等が考えられること。

7　欠損金の繰戻しによる還付がある場合の還付法人税額の控除

　法人税法第71条《中間申告》第1項(同法第72条《仮決算をした場合の中間申告書の記載事項等》第1項の規定が適用される場合に限る。)、第74条《確定申告》第1項、第144条の3《外国法人の中間申告》第1項(同法第144条の4《外国法人が仮決算をした場合の中間申告書の記載事項等》第1項の規定が適用される場合に限る。)又は第144条の6《外国法人の確定申告》第1項の規定により法人税に係る申告書を提出する義務がある法人で、当該事業年度の中間期間(同法第80条《欠損金の繰戻しによる還付》第5項又は第144条の13《恒久的施設を有する外国法人に係る欠損金の繰戻しによる還付》第11項に規定する中間期間をいう。以下7において同じ。)又は当該事業年度開始の日前10年以内に開始した事業年度若しくは中間期間(同法第80条第7項又は第8項に規定する欠損事業年度((3)において「欠損事業年度」という。)を除く。)において損金の額が益金の額を超えることとなったため、同法第80条《欠損金の繰戻しによる還付》又は第144条の13《外国法人の欠損金の繰戻しによる還付》の規定により法人税額の還付を受けたものが納付すべき当該事業年度分の法人税割の課税標準となる法人税額の算定については、第三節―の1・2、6又は7《中間申告・みなし中間申告・確定申告・過不足税額の申告・修正申告・更正決定に係る申告》の規定にかかわらず、次の各号に掲げる法人の区分に応じ、それぞれ当該各号に定めるところによるものとする。(法53㉓)

(一)	法人税法第80条の規定により法人税額の還付を受けた内国法人	第三節―の1・2、6又は7の規定により申告納付すべき法人税割の課税標準となる法人税額から、当該法人税額(当該法人税額について租税特別措置法第42条の14第1項若しくは第4項、第62条第1項、第62条の3第1項若しくは第9項又は第63条第1項の規定により加算された金額がある場合には、(1)イで定める額を控除した額)を限度として、還付を受けた法人税額(以下7において「内国法人の控除対象還付法人税額」という。)を控除する。この場合において、内国法人の控除対象還付法人税額は、前事業年度以前の法人税割の課税標準とすべき法人税額について控除されなかった額に限る。
(二)	法人税法第144条の13の規定により同法第141条第1号イに掲げる国内源泉所得に対する法人税額の還付を受けた外国法人	第三節―の1・2、6又は7の規定により申告納付すべき法人税割の課税標準となる同号イに掲げる国内源泉所得に対する法人税額から、当該法人税額(当該法人税額について租税特別措置法第62条第1項、第62条の3第1項若しくは第9項又は第63条第1項の規定により加算された金額がある場合には、(2)イで定める額を控除した額)を限度として、還付を受けた法人税額(以下7において「外国法人の恒久的施設帰属所得に係る控除対象還付法人税額」という。)を控除する。この場合において、外国法人の恒久的施設帰属所得に係る控除対象還付法人税額は、前事業年度以前の法人税割の課税標準とすべき法人税額について控除されなかった額に限る。
(三)	法人税法第144条の13の規定により同法第141条第1号ロに掲げる国内源泉所得に対する法人税額の還付を受けた外国法人	第三節―の1・2、6又は7の規定により申告納付すべき法人税割の課税標準となる同号ロに掲げる国内源泉所得に対する法人税額から、当該法人税額(当該法人税額について租税特別措置法第62条第1項、第62条の3第1項若しくは第9項又は第63条第1項の規定により加算された金額がある場合には、(2)ロで定める額を控除した額)を限度として、還付を受けた法人税額(以下7において「外国法人の恒久的施設非帰属所得に係る控除対象還付法人税額」という。)を控除する。この場合において、外国法人の恒久的施設非帰属所得に係る控除対象還付法人税額は、前事業年度以前の法人税割の課税標準とすべき法人税額について控除されなかった額に限る。

(注1)　租税特別措置法の経過措置により法人税額に加算される金額がある場合の7の規定の適用については、1の(13)参照。(編者)
(注2)　第一節―の表の(三)の(4)及び(5)《中小企業者等に係る試験研究費等の法人税額の特別控除の適用がある通算法人について法人税額に加算された金額がある場合の特例》の読替規定を参照。(編者)

第二編第二章《法人の道府県民税》第四節《法人税額等の控除・加算及び還付等》

(注3) 地方税法等の一部を改正する法律(平成27年法律第2号。以下「平成27年改正法」という。)附則第7条第4項の規定によりなお従前の例によることとされる場合における平成27年改正法附則第1条第9号の2に掲げる規定による改正前の地方税法(以下「平成27年旧法」という。)第53条第12項《欠損金の繰戻しによる還付がある場合の還付法人税額の控除》第1号に規定する法人税額について所得税法等の一部を改正する法律(令和2年法律第8号。以下「所得税法等改正法」という。)第16条の規定による改正後の租税特別措置法(以下「4年新措置法」という。)第42条の14第1項又は第4項の規定により加算された金額がある場合には、当該金額を同号に規定する加算された金額とみなして平成27年旧法第53条第12項の規定を適用し、当該金額を平成27年改正法附則第7条第4項の規定によりなお従前の例によることとされる場合における地方税法施行令等の一部を改正する政令(平成30年政令第125号。以下「平成30年改正令」という。)第1条の規定による改正前の地方税法施行令(以下「平成30年旧令」という。)第8条の20第1項《法人税額及び個別帰属法人税額に係る繰越控除額の算定の特例》に規定する加算された金額とみなして同項の規定を適用する。(令2政令第264号附3㉑)

(注4) 7中___部分のように改める令和6年度改正規定は、令和6年4月1日以後に終了する事業年度分の法人の道府県民税について適用し、同日前に終了した事業年度分の法人の道府県民税については、なお従前の例による。(令6改正附4⑥)

(法人税額に係る繰越控除額の算定の特例)
(1) 7の表の(一)に規定する額は、租税特別措置法第42条の14第1項若しくは第4項、第62条第1項、第62条の3第1項若しくは第9項又は第63条第1項の規定により加算された金額とする。(令8の20①)
　　(注1) 第三節-の1の(12)《租税特別措置法の旧規定の適用がある場合の特例》の読替え規定を参照。(編者)
　　(注2) 1の(14)及び(16)の読替規定参照。(編者)

(国内源泉所得に対する法人税額に係る繰越控除額の算定の特例)
(2) イ　7の表の(二)に規定する額は、租税特別措置法第62条第1項、第62条の3第1項若しくは第9項又は第63条第1項の規定により加算された金額とする。(令8の20②)
　　ロ　7の表の(三)に規定する額は、租税特別措置法第62条第1項、第62条の3第1項若しくは第9項又は第63条第1項の規定により加算された金額とする。(令8の20③)

(適格合併等の日の属する合併等事業年度等以後の事業年度等における控除未済還付法人税額の控除)
(3) 7の法人を合併法人とする適格合併が行われた場合又は当該法人との間に完全支配関係(当該法人による完全支配関係又は相互の関係に限る。)がある他の法人で当該法人が発行済株式若しくは出資の全部若しくは一部を有するものの残余財産が確定した場合において、当該適格合併に係る被合併法人又は当該他の法人(以下(3)において「被合併法人等」という。)の当該適格合併の日前10年以内に開始し、又は当該残余財産の確定の日の翌日前10年以内に開始した事業年度又は中間期間(欠損事業年度を除く。以下(3)において「前10年内事業年度」という。)において損金の額が益金の額を超えることとなったため、当該被合併法人等が法人税法第80条《欠損金の繰戻しによる還付》又は第144条の13《外国法人の欠損金の繰戻しによる還付》の規定により還付を受けた法人税額(当該適格合併に係る合併法人が同法第80条又は第144条の13の規定により還付を受けた法人税額で当該被合併法人の当該適格合併の日の前日の属する事業年度に係るものを含み、当該被合併法人等が当該法人税額((3)の規定により当該被合併法人等の内国法人の控除対象還付法人税額、外国法人の恒久的施設帰属所得に係る控除対象還付法人税額又は外国法人の恒久的施設非帰属所得に係る控除対象還付法人税額とみなされたものを含む。)の計算の基礎となった欠損金額(同法第2条第19号に規定する欠損金額をいう。(6)において同じ。)に係る前10年内事業年度について法人の道府県民税の確定申告書を提出していることその他の政令で定める要件を満たしている場合における当該法人税額に限るものとし、7の規定により当該被合併法人等の当該適格合併の日前10年以内に開始し、又は当該残余財産の確定の日の翌日前10年以内に開始した事業年度の法人税割の課税標準とすべき法人税額について控除された額を除く。以下(3)において「控除未済還付法人税額」という。)があるときは、当該法人の当該適格合併の日の属する事業年度又は当該残余財産の確定の日の翌日の属する事業年度(以下(3)及び(6)において「合併等事業年度」という。)以後の事業年度における7の規定の適用については、次の各号に掲げる当該法人の区分に応じ、それぞれ当該各号に定めるところによる。(法53㉔)

(一) 内国法人　当該前10年内事業年度に係る控除未済還付法人税額(当該他の法人に株主等が二以上ある場合には、当該控除未済還付法人税額を当該他の法人の発行済株式又は出資(当該他の法人が有する自己の株式又は出資を除く。)の総数又は総額で除し、これに当該法人の有する当該他の法人の株式又は出資の数又は金額を乗じて計算した金額)は、それぞれ当該控除未済還付法人税額に係る前10年内事業年度開始の日の属する当該法人の事業年度(当該法人の合併等事業年度開始の日以後に開始した当該被合併法人等の前10年内事業年度に係る控除未済還付法人税額にあっては、当該合併等事業年度の前事業年度)に係る内国法人の控除対象還付法人税額とみなす。

(二) 外国法人　当該前10年内事業年度に係る控除未済還付法人税額(当該他の法人に株主等が二以上ある場合には、当該控除未済還付法人税額を当該他の法人の発行済株式又は出資(当該他の法人が有する自己の株式又は出資を除く。)の総数又は総額で除し、これに当該法人の有する当該他の法人の株式又は出資の数又は金額を乗じて計算

した金額)のうち、法人税法第144条の13(第1項第1号に係る部分に限る。)の規定により還付を受けたものは、それぞれ当該控除未済還付法人税額に係る前10年内事業年度開始の日の属する当該法人の事業年度(当該法人の合併等事業年度開始の日以後に開始した当該被合併法人等の前10年内事業年度に係る控除未済還付法人税額にあっては、当該合併等事業年度の前事業年度)に係る外国法人の恒久的施設帰属所得に係る控除対象還付法人税額とみなし、同法第144条の13(第1項第2号に係る部分に限る。)の規定により還付を受けたものは、それぞれ当該控除未済還付法人税額に係る前10年内事業年度開始の日の属する当該法人の事業年度(当該法人の合併等事業年度開始の日以後に開始した当該被合併法人等の前10年内事業年度に係る控除未済還付法人税額にあっては、当該合併等事業年度の前事業年度)に係る外国法人の恒久的施設非帰属所得に係る控除対象還付法人税額とみなす。

(適格合併等による控除対象還付法人税額の引継ぎの要件)
(4) (3)に規定する要件は、(3)に規定する被合併法人等(以下(4)及び(5)において「被合併法人等」という。)が(3)に規定する前10年内事業年度(以下(4)及び(5)において「前10年内事業年度」という。)のうち7の表の(一)に規定する内国法人の控除対象還付法人税額(以下(4)において「内国法人の控除対象還付法人税額」という。)、同表の(二)に規定する外国法人の恒久的施設帰属所得に係る控除対象還付法人税額(以下(4)において「外国法人の恒久的施設帰属所得に係る控除対象還付法人税額」という。)又は同表の(三)に規定する外国法人の恒久的施設非帰属所得に係る控除対象還付法人税額(以下(4)において「外国法人の恒久的施設非帰属所得に係る控除対象還付法人税額」という。)の計算の基礎となった欠損金額(法人税法第2条第19号に規定する欠損金額をいう。)に係る事業年度又は中間期間(法人税法第80条第5項又は第144条の13第11項に規定する中間期間をいう。)開始の日の属する事業年度以後において連続して法人の道府県民税の確定申告書を提出していることとする。ただし、(3)の適格合併又は残余財産の確定の前に被合併法人等となる7の表の法人を合併法人とする適格合併(以下(4)において「直前適格合併」という。)が行われたこと又は被合併法人等となる同項の法人との間に(3)に規定する完全支配関係がある他の法人の残余財産が確定したことに基因して(4)の規定により当該被合併法人等の内国法人の控除対象還付法人税額、外国法人の恒久的施設帰属所得に係る控除対象還付法人税額又は外国法人の恒久的施設非帰属所得に係る控除対象還付法人税額とみなされたものにつき(4)の規定を適用する場合にあっては、当該被合併法人等が前10年内事業年度のうち当該直前適格合併の日の属する事業年度又は当該残余財産の確定の日の翌日の属する事業年度以後において連続して法人の道府県民税の確定申告書を提出していることとする。(令8の21)

(適格合併等による控除対象還付法人税額の引継ぎの特例)
(5) (3)の法人の合併等事業年度((3)に規定する合併等事業年度をいう。以下(5)において同じ。)開始の日前10年以内に開始した事業年度のうち最も古い事業年度(当該合併等事業年度が当該法人の設立の日の属する事業年度である場合には、当該合併等事業年度)開始の日(以下(5)において「合併法人等10年前事業年度開始日」という。)が被合併法人等の前10年内事業年度で(3)に規定する控除未済還付法人税額に係る事業年度のうち最も古い事業年度開始の日((3)の適格合併が法人を設立するものである場合にあっては、当該開始の日が最も早い被合併法人等の当該事業年度開始の日。以下(5)において「被合併法人等10年前事業年度開始日」という。)後である場合には、当該被合併法人等10年前事業年度開始日から当該合併法人等10年前事業年度開始日の前日までの期間を当該期間に対応する当該被合併法人等10年前事業年度開始日に係る被合併法人等の前10年内事業年度ごとに区分したそれぞれの期間(当該前日の属する期間にあっては、当該被合併法人等の当該前日の属する事業年度開始の日から当該合併法人等10年前事業年度開始日の前日までの期間)を当該法人のそれぞれの事業年度とみなし、(3)の法人の合併等事業年度が設立日(当該法人の設立の日をいう。)の属する事業年度である場合において、被合併法人等10年前事業年度開始日が当該設立日以後であるときは、被合併法人等の当該設立日の前日の属する事業年度開始の日(当該被合併法人等が当該設立日以後に設立されたものである場合には、当該設立日の1年前の日)から当該前日までの期間を当該法人の事業年度とみなして、(3)の規定を適用する。(令8の22)
(注) (3)の法人に(3)の法人の(3)に規定する合併等事業年度開始の日前10年以内に開始する連結事業年度がある場合における(5)の規定の適用については、(5)中「開始した事業年度」とあるのは「開始した事業年度又は連結事業年度」と、「事業年度(当該」とあるのは「事業年度又は連結事業年度(当該」と、「合併法人等10年前事業年度開始日」とあるのは「合併法人等10年前事業年度等開始日」と、「合併法人等10年前事業年度開始日の」とあるのは「合併法人等10年前事業年度等開始日の」と、「前10年内事業年度ごと」とあるのは「(3)の適格合併の日前10年以内に開始し、又は(3)の残余財産確定の日の翌日前10年以内に開始した事業年度又は連結事業年度ごと」と、「属する事業年度開始」とあるのは「属する事業年度又は連結事業年度開始」とする。(令2政令第264号附3⑳)

(連続して確定申告書の提出の要件)
(6) 7の規定は、7の法人が内国法人の控除対象還付法人税額、外国法人の恒久的施設帰属所得に係る控除対象還付

法人税額又は外国法人の恒久的施設非帰属所得に係る控除対象還付法人税額（（3）の規定により当該法人に係る内国法人の控除対象還付法人税額、外国法人の恒久的施設帰属所得に係る控除対象還付法人税額又は外国法人の恒久的施設非帰属所得に係る控除対象還付法人税額とみなされたものを除く。）の計算の基礎となった欠損金額に係る事業年度又は中間期間開始の日の属する事業年度について法人の道府県民税の確定申告書を提出し、かつ、その後において連続して法人の道府県民税の確定申告書を提出している場合（（3）の規定により当該法人に係る内国法人の控除対象還付法人税額、外国法人の恒久的施設帰属所得に係る控除対象還付法人税額又は外国法人の恒久的施設非帰属所得に係る控除対象還付法人税額とみなされたものにつき7の規定を適用する場合には、合併等事業年度以後において連続して法人の道府県民税の確定申告書を提出している場合）に限り、適用する。（法53㉕）

　　　（控除対象還付法人税額等の控除に関する考え方）
（7）　法人が法人税法第80条又は第144条の13の規定により法人税額について欠損金の繰戻しによる還付を受けた場合には、法人の道府県民税については、この制度をとらず、内国法人にあっては内国法人の控除対象還付法人税額を法人税割の課税標準となる法人税額から、外国法人にあっては外国法人の恒久的施設帰属所得に係る控除対象還付法人税額を恒久的施設帰属所得に対する法人税額から、外国法人の恒久的施設非帰属所得に対する控除対象還付法人税額を恒久的施設非帰属所得に対する法人税額から、それぞれ当該還付を受けた事業年度開始の日後10年以内に開始する事業年度（中間期間（法人税法第80条第5項又は第144条の13第11項に規定する中間期間をいう。以下（7）において同じ。））において災害損失欠損金額の繰戻しによる法人税額の還付を受けた場合には、当該還付を受けた中間期間の属する事業年度及び当該事業年度開始の日後10年以内に開始する事業年度。）に限って控除することとしているのであるが、これは地方団体の財政規模が一般的に小さいために損失の生じた年度において税収入の減少に加えて多額の還付金を生ずることが、その地方団体の財政運営に支障をきたすものと考えられたことによるものであること。
　　　　なお、この場合において次の諸点に留意すること。（県通2－53の5）
　（一）　適格合併等が行われた場合において、被合併法人等について内国法人の控除対象還付法人税額、外国法人の恒久的施設帰属所得に係る控除対象還付法人税額又は外国法人の恒久的施設非帰属所得に対する控除対象還付法人税額（当該適格合併の日前又は当該残余財産の確定の日の翌日前10年以内に開始した事業年度又は中間期間に係る当該内国法人の控除対象還付法人税額、当該外国法人の恒久的施設帰属所得に係る控除対象還付法人税額又は当該外国法人の恒久的施設非帰属所得に対する控除対象還付法人税額のうち、被合併法人等において繰越控除された金額を控除した金額に限る。）があるときは、当該内国法人の控除対象還付法人税額、当該外国法人の恒久的施設帰属所得に係る控除対象還付法人税額又は当該外国法人の恒久的施設非帰属所得に対する控除対象還付法人税額は、合併法人等の道府県民税について、内国法人にあっては内国法人の控除対象還付法人税額を法人税割の課税標準となる法人税額から、外国法人にあっては外国法人の恒久的施設帰属所得に係る控除対象還付法人税額を恒久的施設帰属所得に対する法人税額から、外国法人の恒久的施設非帰属所得に対する控除対象還付法人税額を恒久的施設非帰属所得に対する法人税額から、それぞれ繰越控除するものであること。
　（二）　内国法人の控除対象還付法人税額、外国法人の恒久的施設帰属所得に係る控除対象還付法人税額又は外国法人の恒久的施設非帰属所得に対する控除対象還付法人税額は、当該内国法人の控除対象還付法人税額、当該外国法人の恒久的施設帰属所得に係る控除対象還付法人税額又は当該外国法人の恒久的施設非帰属所得に対する控除対象還付法人税額の計算の基礎となった欠損金額に係る事業年度又は中間期間開始の日の属する事業年度以後において連続して法人の道府県民税の確定申告書を提出している場合に限り、内国法人にあっては法人税割の課税標準となる法人税額から、外国法人にあっては恒久的施設帰属所得に対する法人税額又は恒久的施設非帰属所得に対する法人税額から、それぞれ控除することができるものであること。
　（三）　仮決算に係る中間申告書に係る法人税割の課税標準となる法人税額から控除した内国法人の控除対象還付法人税額、外国法人の恒久的施設帰属所得に係る控除対象還付法人税額又は外国法人の恒久的施設非帰属所得に対する控除対象還付法人税額は、確定申告に係る法人税割の課税標準である法人税額からも控除するものであることに留意すること。
　　　（注）　（7）中＿＿＿部分のように改める令和6年度改正規定は、令和6年4月1日以後に終了する事業年度分の法人の道府県民税について適用する。（令6総税都第10号記へ）

8　還付対象欠損金額がある場合の控除対象還付対象欠損調整額の控除

　法人税法第71条《中間申告》第1項（同法第72条《仮決算をした場合の中間申告書の記載事項等》第1項の規定が適用される場合に限る。）又は第74条《確定申告》第1項の規定により法人税に係る申告書を提出する義務がある法人について、当該事業年度の中間期間（同法第80条《欠損金の繰戻しによる還付》第5項に規定する中間期間をいう。以下8において

同じ。）又は当該事業年度開始の日前10年以内に開始した事業年度若しくは中間期間において生じた還付対象欠損金額（同法第80条第12項の規定により計算した還付を受けるべき金額の計算の基礎となった金額と同条第13項の規定により計算した還付を受けるべき金額の計算の基礎となった金額の合計額をいう。8において同じ。）がある場合の当該法人が納付すべき当該事業年度分の法人税割の課税標準となる法人税額の算定については、第三節一の1・2、6又は7《中間申告・みなし中間申告・確定申告・過不足税額の申告・修正申告・更正決定に係る申告》の規定にかかわらず、これらの規定により申告納付すべき当該法人税額の課税標準の算定期間に係る法人税割の課税標準となる法人税額から、当該法人税額（当該法人税額について租税特別措置法第42条の14《通算法人の仮装経理に基づく過大申告の場合等の法人税額》第1項若しくは第4項、第62条《使途秘匿金の支出がある場合の課税の特例》第1項、第62条の3《土地の譲渡等がある場合の特別税率》第1項若しくは第9項又は第63条《短期所有に係る土地の譲渡等がある場合の特別税率》第1項の規定により加算された金額がある場合には、政令で定める額を控除した額）を限度として、控除対象還付対象欠損調整額を控除するものとする。この場合において、控除対象還付対象欠損調整額は、前事業年度以前の法人税割の課税標準とすべき法人税額について控除されなかった額に限る。（法53㉖）

(注１) 8の規定は、令和２年法律第５号附則第５条第３項の規定によりなおその効力を有するものとされた令和４年改正前の地方税法第53条第15項に規定する控除対象個別帰属還付税額の令和４年４月１日以後事業年度〔1の(注１)参照〕における控除について準用する。（令２改法附5⑥）

(注２) (注１)の規定により、8、(5)及び(8)の規定を準用する場合には、次の表の左欄に掲げる規定中同表の中欄に掲げる字句は、それぞれ同表の右欄に掲げる字句に読み替えるものとする。（令２政令第264号附3㉟）

8	開始した事業年度	開始した連結事業年度
	同法第80条第5項	所得税法等の一部を改正する法律（令和２年法律第８号）附則第14条第２項の規定によりなおその効力を有するものとされた同法第３条の規定（同法附則第１条第５号ロに掲げる改正規定に限る。）による改正前の法人税法（(5)において「なお効力を有する旧法人税法」という。）第81条の31第5項
	生じた還付対象欠損金額（同法第80条第12項の規定により計算した還付を受けるべき金額の計算の基礎となった金額と同条第13項の規定により計算した還付を受けるべき金額の計算の基礎となった金額の合計額をいう。8	損金の額が益金の額を超えることとなったため、当該法人に控除対象個別帰属還付税額（地方税法等の一部を改正する法律（令和２年法律第５号）附則第５条第３項の規定によりなおその効力を有するものとされた同法附則第１条第５号に掲げる規定による改正前の地方税法（以下8において「なお効力を有する旧法」という。）第53条第15項に規定する控除対象個別帰属還付税額をいう。以下8
	控除対象還付対象欠損調整額	控除対象個別帰属還付税額
	前事業年度	8又はなお効力を有する旧法第53条第15項の規定により前事業年度又は前連結事業年度
	すべき法人税額	すべき法人税額又は個別帰属法人税額（なお効力を有する旧法第23条第１項第４号の２に掲げる個別帰属法人税額をいう。(5)において同じ。）
(5)	開始した事業年度又は	開始した連結事業年度又は
	前10年内事業年度	前10年内連結事業年度
	において生じた還付対象欠損金額に係る	において損金の額が益金の額を超えることとなったため、当該被合併法人等に
	(2)に規定する控除対象還付対象欠損調整額	控除対象個別帰属還付税額
	当該控除対象還付対象欠損調整額	当該控除対象個別帰属還付税額
	に係る還付対象欠損金額の生じた事業年度又は中間期間	の計算の基礎となった連結欠損金額（なお効力を有する旧法人税法第２条第19号の２に規定する連結欠損金額をいう。(8)において同じ。）に係る連結事業年度又は中間期間開始の日の属する連結事業年度
	法人の道府県民税の確定申告書	法人の道府県民税の確定申告書（第三節一の1・2の規定により提出すべき申告書（法人税法第74条第１項の規定により提出すべき法人税の申告書に係るものに限る。）又はなお効力を有する旧法第53条第１項の規定により提出すべき申告書（なお効力を有する旧法人税法第74条第１項の規定により提出すべき法人税の申告書に係るものに限る。）若しくはなお効力を有する旧法第53条第４項の規定により提出すべき申告書をいう。以下8において同じ。）
	、8	、8又はなお効力を有する旧法第53条第15項
	開始した事業年度の	開始した連結事業年度又は事業年度の

第二編第二章《法人の道府県民税》第四節《法人税額等の控除・加算及び還付等》

		すべき法人税額	すべき個別帰属法人税額又は法人税額
		控除未済還付対象欠損調整額	控除未済個別帰属還付税額
		事業年度（当該	連結事業年度又は事業年度（当該
		前事業年度	前連結事業年度又は前事業年度
（8）		還付対象欠損金額（	控除対象個別帰属還付税額（
		（2）に規定する控除対象還付対象欠損調整額（以下(8)において「控除対象還付対象欠損調整額」という。）	控除対象個別帰属還付税額
		被合併法人等の控除対象還付対象欠損調整額に係る還付対象欠損金額	もの
		生じた事業年度	計算の基礎となった連結欠損金額に係る連結事業年度
		属する事業年度	属する連結事業年度
		控除対象還付対象欠損調整額と	控除対象個別帰属還付税額と

(注3) （注1）において準用する8の規定の適用がある場合における1の(13)及び10並びに第一節一の表の(三)の(4)及び(5)の規定の適用については、次の表の左欄に掲げる規定中同表の中欄に掲げる字句は、それぞれ同表の右欄に掲げる字句とする。（令2政令第264号附3㊱）

1の(13)	8の	8（8の(注1)において準用する場合を含む。）の
10	8の規定による法人税額	8（8の(注1)において準用する場合を含む。以下10において同じ。）の規定による法人税額
第一節一の表の(三)の(4)及び(5)	及び8	及び8（8の(注1)において準用する場合を含む。以下この項において同じ。）

(注4) 租税特別措置法の経過措置により法人税額に加算される金額がある場合の8の規定の適用については、1の(13)参照。（編者）

(注5) 第一節一の表の(三)の(4)及び(5)《中小企業者等に係る試験研究費等の法人税額の特別控除の適用がある通算法人について法人税額に加算された金額がある場合の特例》の読替規定を参照。（編者）

(注6) 8中＿＿＿部分のように改める令和6年度改正規定は、令和6年4月1日以後に終了する事業年度分の法人の道府県民税について適用し、同日前に終了した事業年度分の法人の道府県民税については、なお従前の例による。（令6改法附4⑥）

　　（控除対象還付対象欠損調整額の控除限度額の計算）
（1）　8に規定する政令で定める額は、租税特別措置法第42条の14第1項若しくは第4項、第62条第1項、第62条の3第1項若しくは第9項又は第63条第1項の規定により加算された金額とする。（令8の23）

　　（注1）　8の(注1)において準用する8に規定する政令で定める額は、（1）（1の(14)及び(16)並びに第三節一の1の(12)の規定により読み替えて適用する場合を含む。）に規定する金額とする。（令2政令第264号附3㊲）

　　（注2）　第三節一の1の(12)《租税特別措置法の旧規定の適用がある場合の特例》の読替規定を参照。（編者）

　　（注3）　1の(14)及び(16)の読替規定参照。（編者）

　　（控除対象還付対象欠損調整額の意義）
（2）　8に規定する控除対象還付対象欠損調整額とは、還付対象欠損金額に、8の法人の当該還付対象欠損金額の生じた事業年度又は中間期間後最初に終了する事業年度終了の日における4の(2)各号に掲げる当該法人の区分に応じ、それぞれ当該各号に定める率を乗じて得た金額をいう。（法53㉗）

　　（注）　(2)中＿＿＿部分のように改める令和6年度改正規定は、令和6年4月1日以後に終了する事業年度分の法人の道府県民税について適用し、同日前に終了した事業年度分の法人の道府県民税については、なお従前の例による。（令6改法附4⑥）

　　（控除対象還付対象欠損調整額の特例）
（3）　8に規定する還付対象欠損金額（中間期間において生じたものを除く。(4)において同じ。）の生じた事業年度後最初に終了する事業年度について法人税法第71条第1項（同法第72条第1項の規定が適用される場合に限る。）の規定により法人税に係る申告書を提出する義務がある法人について8の規定を適用する場合における(2)の規定の適用については、(2)中「8の法人の当該還付対象欠損金額の生じた事業年度又は中間期間後最初に終了する事業年度終了の日」とあるのは、「第三節一の1に規定する6月経過日の前日」とする。（令8の23の2①）

　　（注）　(3)中＿＿＿部分のように改める令和6年度改正規定は、令和6年4月1日以後最初に終了する事業年度終了の日後に終了する事業年度分の法人の道府県民税について適用し、同日以前に終了する事業年度分の法人の道府県民税については、なお従前の例による。（令6改

第二編第二章《法人の道府県民税》第四節《法人税額等の控除・加算及び還付等》

令附2①)

(適格合併等による控除対象還付対象欠損調整額の特例)
(4) (5)に規定する被合併法人等の還付対象欠損金額の生じた事業年度終了の日が(5)に規定する適格合併の日の前日又は(5)に規定する残余財産の確定の日である場合における当該還付対象欠損金額に係る(2)の規定の適用については、(2)中「後最初に<u>終了する事業年度終了の日</u>」とあるのは、「終了の日」とする。(令8の23の2②)
 (注) (4)中___部分のように改める令和6年度改正規定は、令和6年4月1日以後に終了する事業年度分の法人の道府県民税について適用し、同日前に終了した事業年度分の法人の道府県民税については、なお従前の例による。(令6改令附2②)

(被合併法人等の前10年内事業年度において生じた控除未済還付対象欠損調整額の控除)
(5) 8の法人を合併法人とする適格合併が行われた場合又は当該法人との間に完全支配関係(当該法人による完全支配関係又は相互の関係に限る。)がある他の法人で当該法人が発行済株式若しくは出資の全部若しくは一部を有するものの残余財産が確定した場合において、当該適格合併に係る被合併法人又は当該他の法人(以下8において「被合併法人等」という。)の当該適格合併の日前10年以内に開始し、又は当該残余財産の確定の日の翌日前10年以内に開始した事業年度又は中間期間(以下8において「前10年内事業年度」という。)において生じた還付対象欠損金額に係る(2)に規定する控除対象還付対象欠損調整額(当該被合併法人等が当該控除対象還付対象欠損調整額((5)の規定により当該被合併法人等の(2)に規定する控除対象還付対象欠損調整額とみなされたものを含む。)に係る還付対象欠損金額の生じた事業年度又は中間期間について法人の道府県民税の確定申告書を提出していることその他の政令で定める要件を満たしている場合における当該控除対象還付対象欠損調整額に限るものとし、8の規定により当該被合併法人等の当該適格合併の日前10年以内に開始し、又は当該残余財産の確定の日の翌日前10年以内に開始した事業年度の法人税割の課税標準とすべき法人税額について控除された額を除く。以下(5)において「控除未済還付対象欠損調整額」という。)があるときは、当該法人の当該適格合併の日の属する事業年度又は当該残余財産の確定の日の翌日の属する事業年度(以下8において「合併等事業年度」という。)以後の事業年度における8の規定の適用については、当該前10年内事業年度に係る控除未済還付対象欠損調整額(当該他の法人に株主等が二以上ある場合には、当該控除未済還付対象欠損調整額を当該他の法人の発行済株式又は出資(当該他の法人が有する自己の株式又は出資を除く。)の総数又は総額で除し、これに当該法人の有する当該他の法人の株式又は出資の数又は金額を乗じて計算した金額)は、それぞれ当該控除未済還付対象欠損調整額に係る前10年内事業年度開始の日の属する当該法人の事業年度(当該法人の合併等事業年度開始の日以後に開始した当該被合併法人等の前10年内事業年度に係る控除未済還付対象欠損調整額にあっては、当該合併等事業年度の前事業年度)に係る(2)に規定する控除対象還付対象欠損調整額とみなす。(法53㉘)

(適格合併等による前10年内事業年度において生じた控除未済還付対象欠損調整額の要件)
(6) (5)に規定する政令で定める要件は、被合併法人等が(5)に規定する前10年内事業年度のうち(2)に規定する控除対象還付対象欠損調整額(以下(6)において「控除対象還付対象欠損調整額」という。)に係る還付対象欠損金額の生じた事業年度又は中間期間開始の日の属する事業年度以後において連続して法人の道府県民税の確定申告書を提出していることとする。ただし、(5)の適格合併又は残余財産の確定の前に被合併法人等となる8の法人を合併法人とする適格合併(以下(6)において「直前適格合併」という。)が行われたこと又は被合併法人等となる8の法人との間に(5)に規定する完全支配関係がある他の法人の残余財産が確定したことに基因して(5)の規定により当該被合併法人等の控除対象還付対象欠損調整額とみなされたものにつき(5)の規定を適用する場合にあっては、当該被合併法人等が前10年内事業年度のうち当該直前適格合併の日の属する事業年度又は当該残余財産の確定の日の翌日の属する事業年度以後において連続して法人の道府県民税の確定申告書を提出していることとする。(令8の24)
 (注1) (6)の規定は、8の(注1)において準用する(5)に規定する政令で定める要件について準用する。(令2政令第264号附3㉘)
 (注2) (注1)の規定により(6)の規定を準用する場合には、(6)中「、被合併法人等」とあるのは「、(5)に規定する被合併法人等(以下(6)において「被合併法人等」という。)」と、「前10年内事業年度(」とあるのは「前10年内連結事業年度(」と、「前10年内事業年度」とあるのは「前10年内連結事業年度」と、「(2)」とあるのは「地方税法等の一部を改正する法律(令和2年法律第5号。以下(6)において「改正法」という。)附則第5条第3項の規定によりなおその効力を有するものとされた改正法附則第5条第5号に掲げる規定による改正前の地方税法第53条第15項」と、「控除対象還付対象欠損調整額(」とあるのは「控除対象個別帰属還付税額(」と、「控除対象還付対象欠損調整額」とあるのは「控除対象個別帰属還付税額」と、「に係る還付対象欠損金額の生じた事業年度」とあるのは「の計算の基礎となった連結欠損金額(所得税法等の一部を改正する法律(令和2年法律第8号)附則第14条第2項の規定によりなおその効力を有するものとされた第3条の規定(同法附則第1条第5号ロに掲げる改正規定に限る。)による改正前の法人税法第2条第19号の2に規定する連結欠損金額をいう。)に係る連結事業年度」と、「開始の日の属する事業年度以後において連続して法人の道府県民税の確定申告書」とあるのは「開始の日の属する事業年度以後において連続して法人の道府県民税の確定申告書(改正法附則第5条

第二編第二章《法人の道府県民税》第四節《法人税額等の控除・加算及び還付等》

第6項において準用する(5)に規定する法人の道府県民税の確定申告書をいう。以下(6)において同じ。)」と、(6)ただし書中「(5)」とあるのは「改正法附則第5条第6項において準用する(5)」と、「控除対象還付対象欠損調整額」とあるのは「控除対象個別帰属還付税額」と、「前10年内事業年度」とあるのは「前10年内連結事業年度」と、「属する」とあるのは「属する連結事業年度若しくは」と読み替えるものとする。(令2総務省令第94号附2⑥)

(適格合併等による控除対象還付対象欠損調整額の引継ぎの特例)
(7) (5)の法人の合併等事業年度開始の日前10年以内に開始した事業年度のうち最も古い事業年度(当該合併等事業年度が当該法人の設立の日の属する事業年度である場合には、当該合併等事業年度)開始の日(以下(7)において「合併法人等10年前事業年度開始日」という。)が被合併法人等の前10年内事業年度で(5)に規定する控除未済還付対象欠損調整額に係る事業年度のうち最も古い事業年度開始の日((5)の適格合併が法人を設立するものである場合にあっては、当該開始の日が最も早い被合併法人等の当該事業年度開始の日。以下(7)において「被合併法人等10年前事業年度開始日」という。)後である場合には、当該被合併法人等10年前事業年度開始日から当該合併法人等10年前事業年度開始日の前日までの期間を当該期間に対応する当該被合併法人等10年前事業年度開始日に係る被合併法人等の前10年内事業年度ごとに区分したそれぞれの期間(当該前日の属する期間にあっては、当該被合併法人等の当該前日の属する事業年度開始の日から当該合併法人等10年前事業年度開始日の前日までの期間)を当該法人のそれぞれの事業年度とみなし、(5)の法人の合併等事業年度が設立日(当該法人の設立の日をいう。)の属する事業年度である場合において、被合併法人等10年前事業年度開始日が当該設立日以後であるときは、被合併法人等の当該設立日の前日の属する事業年度開始の日(当該被合併法人等が当該設立日以後に設立されたものである場合には、当該設立日の1年前の日)から当該前日までの期間を当該法人の事業年度とみなして、(5)の規定を適用する。(令9)

(注1) (5)の法人に(5)の法人の(5)に規定する合併等事業年度開始の日前10年以内に開始する連結事業年度がある場合における(7)の規定の適用については、(7)中「開始した事業年度」とあるのは「開始した事業年度又は連結事業年度」と、「事業年度(当該」とあるのは「事業年度又は連結事業年度(当該」と、「合併法人等10年前事業年度開始日」とあるのは「合併法人等10年前事業年度等開始日」と、「合併法人等10年前事業年度開始日の」とあるのは「合併法人等10年前事業年度等開始日の」と、「前10年内事業年度ごと」とあるのは「(5)の適格合併の日前10年以内に開始し、又は(5)の残余財産確定の日の翌日前10年以内に開始した事業年度又は連結事業年度ごと」と、「属する事業年度開始」とあるのは「属する事業年度又は連結事業年度開始」とする。(令2政令第264号附3㉒)

(注2) (7)の規定は、8の(注1)において準用する(5)の法人の合併等事業年度((5)に規定する合併等事業年度をいう。以下(注2)において同じ。)開始の日前10年以内に開始した連結事業年度が当該法人の設立の日の属する事業年度である場合には、当該合併等事業年度)開始の日が(5)に規定する被合併法人等(以下(注2)において「被合併法人等」という。)の(5)に規定する前10年内連結事業年度で(5)に規定する控除未済個別帰属還付税額に係る連結事業年度のうち最も古い連結事業年度開始の日((5)の適格合併が法人を設立するものである場合にあっては、当該開始の日が最も早い被合併法人等の当該連結事業年度開始の日。以下(注2)において「被合併法人等10年前連結事業年度開始日」という。)後である場合及び(5)の法人の合併等事業年度が設立日(当該法人の設立の日をいう。)の属する事業年度である場合において、被合併法人等10年前連結事業年度開始日が当該設立日以後であるときについて準用する。(令2政令第264号附3㉝)

(注3) (注2)の規定により(7)の規定を準用する場合には、(7)中「合併法人等10年前事業年度開始日」とあるのは「合併法人等10年前連結事業年度等開始日」と、「が被合併法人等の前10年内事業年度」とあるのは「が(5)に規定する被合併法人等(以下(7)において「被合併法人等」という。)の(5)に規定する前10年内連結事業年度(以下(7)において「前10年内連結事業年度」という。)」と、「合併法人等10年前事業年度開始日の」とあるのは「合併法人等10年前連結事業年度等開始日の」と、「前10年内事業年度ごと」とあるのは「(5)の適格合併の日前10年以内に開始し、又は(5)の残余財産の確定の日の翌日前10年以内に開始した連結事業年度又は事業年度ごと」と、「属する事業年度開始」とあるのは「属する連結事業年度又は事業年度開始」と、「それぞれの事業年度」とあるのは「それぞれの連結事業年度又は事業年度」と、「法人の事業年度」とあるのは「法人の連結事業年度」と読み替えるものとする。(令2総務省令第94号附2⑦)

(連続して確定申告書の提出の要件)
(8) 8の規定は、8の法人が還付対象欠損金額((5)の規定により当該法人の(2)に規定する控除対象還付対象欠損調整額(以下(8)において「控除対象還付対象欠損調整額」という。)とみなされた被合併法人等の控除対象還付対象欠損調整額に係る還付対象欠損金額を除く。)の生じた事業年度又は中間期間開始の日の属する事業年度について法人の道府県民税の確定申告書を提出し、かつ、その後において連続して法人の道府県民税の確定申告書を提出している場合((5)の規定により当該法人の控除対象還付対象欠損調整額とみなされたものにつき8の規定を適用する場合には、合併等事業年度以後において連続して法人の道府県民税の確定申告書を提出している場合)に限り、適用する。(法53㉙)

(特定医療法人に対する適用)
(9) 8の規定の適用を受ける法人が、当該法人の8に規定する当該還付対象欠損金額の生じた事業年度又は中間期間(法人税法第80条第5項に規定する中間期間をいう。)後最初の事業年度終了の日において、特定医療法人〔1の(12)

参照〕である場合の当該法人の道府県民税に係る(2)の規定の適用については、(2)の規定中「4の(2)各号」とあるのは、「4の(9)の規定により読み替えられた同(2)各号」とする。(法附8㉑)
(注) (9)中___部分のように改め、(9)の規定中の(2)を___部分のように改める令和6年度改正規定は、令和6年4月1日以後に終了する事業年度分の法人の道府県民税について適用し、同日前に終了した事業年度分の法人の道府県民税については、なお従前の例による。
(令6改法附4⑥)

(留意事項)
(10) 通算法人が法人税法第80条の規定により法人税額について欠損金の繰戻しによる還付を受けた場合には、法人の道府県民税については7の(7)と同様にこの制度をとらず、当該通算法人の事業年度又は中間期間(同条第5項に規定する中間期間をいう。以下同じ。)に生じた欠損金額で同条第12項の規定により計算した還付を受けるべき金額の計算の基礎となった金額と同条第13項の規定により計算した還付を受けるべき金額の計算の基礎となった金額の合計額(以下「還付対象欠損金額」という。)を基に算定した控除対象還付対象欠損調整額を当該還付対象欠損金額の生じた事業年度開始の日後10年以内に開始する事業年度(中間期間において当該還付対象欠損金額が生じた場合には、当該還付対象欠損金額が生じた中間期間の属する事業年度及び当該事業年度開始の日後10年以内に開始する事業年度。)に限って法人税割の課税標準となる法人税額から控除するものであること。
なお、この場合において次の諸点に留意すること。(県通2-53の6)
(一) 控除対象還付対象欠損調整額は、還付対象欠損金額に当該還付対象欠損金額の生じた事業年度又は中間期間後最初に終了する事業年度終了の日(次に掲げる控除対象還付対象欠損調整額については、次に定める日)における4の(2)各号に掲げる当該法人の区分に応じ、それぞれ当該各号に定める率を乗じて算定するものであること。
イ 還付対象欠損金額(中間期間において生じたものを除く。)の生じた事業年度後最初に終了する事業年度について仮決算に係る中間申告をする場合の控除対象還付対象欠損調整額　6月経過日の前日
ロ 被合併法人等の還付対象欠損金額(中間期間において生じたものを除く。)の生じた事業年度終了の日が適格合併の日の前日又は残余財産の確定の日である場合の被合併法人等の控除対象還付対象欠損調整額　当該還付対象欠損金額の生じた事業年度終了の日
また、還付対象欠損金額(中間期間において生じたものを除く。)の生じた事業年度後最初に終了する事業年度について仮決算に係る中間申告をし、その後の確定申告において法人税割の課税標準となる法人税額から控除対象還付対象欠損調整額を控除する場合には、上記イの控除対象還付対象欠損調整額を控除するのではなく、還付対象欠損金額に、当該還付対象欠損金額の生じた事業年度後最初に終了する事業年度終了の日における4の(2)各号に掲げる当該法人の区分に応じ、それぞれ当該各号に定める率を乗じて算定した控除対象還付対象欠損調整額を控除するものであること。
(二) 適格合併等が行われた場合において、被合併法人等について控除対象還付対象欠損調整額(適格合併の日前又は残余財産の確定の日の翌日前10年以内に開始した事業年度又は中間期間に係る控除対象還付対象欠損調整額のうち、被合併法人等において繰越控除された金額を控除した金額に限る。)があるときは、合併法人等の法人税割の課税標準である法人税額から繰越控除するものであること。
(三) 控除対象還付対象欠損調整額は、法人が還付対象欠損金額の生じた事業年度又は中間期間開始の日の属する事業年度について法人の道府県民税の確定申告書を提出し、かつ、その後において連続して法人の道府県民税の確定申告書を提出している場合に限り、法人税割の課税標準となる法人税額から控除することができるものであること。
(注) (10)中___部分のように改める令和6年度改正規定は、令和6年4月1日以後に終了する事業年度分の法人の道府県民税について適用する。(令6総税都第10号記ヘ)

9 東日本大震災に係る法人の道府県民税の特例

7(表の(三)を除く。)及び令和4年改正前の地方税法第53条第15項から第17項まで《控除対象個別帰属還付税額の控除》の規定は、所得税法等の一部を改正する法律(令和3年法律第11号)第13条の規定による改正前の東日本大震災の被災者等に係る国税関係法律の臨時特例に関する法律(平成23年法律第29号)第15条《震災損失の繰戻しによる法人税額の還付》及び第23条《連結法人の震災損失の繰戻しによる法人税額の還付》の規定により法人税の還付を受けた法人について準用する。この場合において、7中「同法第80条第5項又は第144条の13第11項に規定する中間期間を含む。)又は」とあるのは「所得税法等の一部を改正する法律(令和3年法律第11号)第13条の規定による改正前の東日本大震災の被災者等に係る国税関係法律の臨時特例に関する法律(平成23年法律第29号。以下この条において「旧震災特例法」という。))第15条第1項に規定する中間期間を含む。)又は」と、「同法第80条第5項又は第144条の13第11項に規定する中間期間を含む。)において損金の額が益金の額を超えることとなった」とあるのは「旧震災特例法第15条第1項に規定する中間期間を含む。)

において旧震災特例法第15条第1項に規定する繰戻対象震災損失金額が生じた」と、「同法第80条又は第144条の13」とあるのは「同条」と、7の表の(一)中「法人税法第80条」とあるのは「旧震災特例法第15条」と、同(二)中「法人税法第144条の13」とあるのは「旧震災特例法第15条」と、「同法第141条第1号イに掲げる国内源泉所得に対する法人税額」とあるのは「法人税額」と、「同号イ」とあるのは「法人税法第141条第1号イ」と、7の(3)中「法人税法第80条第5項又は第144条の13第11項」とあるのは「旧震災特例法第15条第1項」と、「損金の額が益金の額を超えることとなった」とあるのは「同条第1項に規定する繰戻対象震災損失金額が生じた」と、「同法第80条又は第144条の13」とあるのは「同条」と、「(同法」とあるのは「(法人税法」と、(3)の(二)中「)のうち、法人税法第144条の13(第1項第1号に係る部分に限る。)の規定により還付を受けたものは」とあるのは「)は」と、「みなし、同法第144条の13(第1項第2号に係る部分に限る。)の規定により還付を受けたものは、それぞれ当該控除未済還付法人税額に係る前10年内事業年度開始の日の属する当該法人の事業年度（当該法人の合併等事業年度等開始の日以後に開始した当該被合併法人等の前10年内事業年度に係る控除未済還付法人税額にあっては、当該合併等事業年度等の前事業年度）に係る外国法人の恒久的施設非帰属所得に係る控除対象還付法人税額とみなす」とあるのは「みなす」と、令和4年改正前の地方税法第53条第15項《控除対象個別帰属還付税額の控除》中「同法第81条の31第5項」とあるのは「旧震災特例法第23条第1項」と、「損金の額が益金の額を超えることとなった」とあるのは「旧震災特例法第23条第1項に規定する繰戻対象震災損失金額が生じた」と、「同法第81条の18第1項第5号に掲げる」とあるのは「同条の規定により還付を受ける金額のうち各連結法人に帰せられる」と、同条第16項《適格合併等の日の属する合併等事業年度等以後の連結事業年度等における控除未済個別帰属還付税額の控除》中「法人税法第81条の31第5項」とあるのは「旧震災特例法第23条第1項」と、「損金の額が益金の額を超えることとなった」とあるのは「同条第1項に規定する繰戻対象震災損失金額が生じた」と読み替えるものとする。（法附48）

10 法人税額等からの控除・加算順序

3及び5の規定による法人税額への加算並びに1、2の②、4、6、7及び8の規定による法人税額からの控除については、まず3及び5の規定による加算をし、次に1、2の②、4及び6の規定による控除をした後において、7及び8の規定による控除をするものとする。（法53㉚）

(注) 1の(注4)(注6)及び8の(注3)の読替規定を参照。（編者）

（留意事項）

（1）加算対象通算対象欠損調整額及び加算対象被配賦欠損調整額の加算並びに控除対象通算適用前欠損調整額、控除対象個別帰属調整額及び控除対象個別帰属税額、控除対象合併等前欠損調整額、控除対象通算対象所得調整額、控除対象配賦欠損調整額、内国法人の控除対象還付法人税額、外国法人の恒久的施設帰属所得に係る控除対象還付法人税額及び外国法人の恒久的施設非帰属所得に対する控除対象還付法人税額並びに控除対象還付対象欠損調整額及び控除対象個別帰属還付税額の控除の順序については、まず加算対象通算対象欠損調整額及び加算対象被配賦欠損調整額を加算し、次に控除対象通算適用前欠損調整額、控除対象個別帰属調整額及び控除対象個別帰属税額、控除対象合併等前欠損調整額、控除対象通算対象所得調整額並びに控除対象配賦欠損調整額を控除した後において、内国法人の控除対象還付法人税額、外国法人の恒久的施設帰属所得に係る控除対象還付法人税額及び外国法人の恒久的施設非帰属所得に対する控除対象還付法人税額並びに控除対象還付対象欠損調整額及び控除対象個別帰属還付税額を控除するものであること。（県通2－54の2）

（令和4年4月1日前に開始した事業年度等に生じた控除対象個別帰属調整額等に係る留意事項）

（2）令和4年4月1日前に開始した事業年度（連結子法人の令和4年4月1日以後に開始する事業年度のうち連結親法人の事業年度が令和4年4月1日前に開始したものを含む。）及び令和4年4月1日前に開始した連結事業年度（連結子法人の令和4年4月1日以後に開始する連結事業年度のうち連結親法人の事業年度が令和4年4月1日前に開始したものを含む。）において生じた控除対象個別帰属調整額、控除対象個別帰属税額及び控除対象個別帰属還付税額については、令和4年4月1日以後に開始する事業年度の法人税割の課税標準となる法人税額から控除することができるものであること。（県通2－53の7）

（租税特別措置法による法人税額の加算額がある場合の控除限度額の留意事項）

（3）租税特別措置法による法人税額の加算額がある場合の控除限度額は、次に掲げる区分に応じ、それぞれ次に定める額とすること。（県通2－54）

　（一）内国法人　法人税割の課税標準である法人税額について租税特別措置法第42の4第8項第6号ロ若しくは第7号（これらの規定を同条第18項において準用する場合を含む。）、第42条の14第1項若しくは第4項、第62条第

1項、第62条の3第1項若しくは第9項又は第63条第1項の規定により加算された金額がある場合には、当該法人税額から当該加算された金額を控除した額

(二) 恒久的施設帰属所得に対する法人税額の還付を受けた外国法人　法人税割の課税標準である法人税法第141条第1号イに掲げる国内源泉所得に対する法人税額について租税特別措置法第62条第1項、第62条の3第1項若しくは第9項又は第63条第1項の規定により加算された金額がある場合には、当該法人税額から当該加算された金額を控除した額

(三) 恒久的施設非帰属所得に対する法人税額の還付を受けた外国法人　法人税割の課税標準である法人税法第141条第1号ロに掲げる国内源泉所得に対する法人税額について租税特別措置法第62条第1項、第62条の3第1項若しくは第9項又は第63条第1項の規定により加算された金額がある場合には、当該法人税額から当該加算された金額を控除した額

なお、上記(一)から(三)までに掲げる租税特別措置法の規定により加算された金額の他に、過去に改廃され、なお効力を有する又は従前の例によることとされている租税特別措置法の規定により加算された金額がある場合は、当該加算された額を控除した額を控除限度額とすること。

二　外国関係会社に対して課された所得税等の額の控除

1　内国法人の外国関係会社に対して課された所得税等の額の控除

道府県は、内国法人が各事業年度において租税特別措置法第66条の7《特定外国子会社等の課税対象金額等に係る外国税額の控除》第4項及び第10項の規定の適用を受ける場合において、当該事業年度の同条第4項に規定する控除対象所得税額等相当額のうち、同項に規定する法人税の額及び同条第10項に規定する所得地方法人税額の合計額を超える額があるときは、(1)で定めるところにより、当該超える金額((1)で定める金額に限る。)を当該事業年度の第三節一の1・2(予定申告法人に係るものを除く。)、6又は7の規定により申告納付すべき法人税割額から控除するものとする。(法53㊱)

(控除対象所得税額等相当額の控除額)
(1)　二以上の道府県において事務所又は事業所を有する法人の1の規定により関係道府県ごとの法人税割額から控除すべき控除対象所得税額等相当額は、当該法人に係る1の規定により控除することができる控除対象所得税額等相当額を当該法人の当該控除をしようとする事業年度に係る関係道府県ごとの第五節一の2《法人税額の課税標準の分割基準》に規定する従業者の数(当該事業年度の三の2に規定する道府県民税の控除限度額の計算について三の4の①ただし書の規定による法人にあっては、当該従業者の数に当該関係道府県が課する当該事業年度分の法人税割の税率に相当する割合として三の4の③で定める割合を乗じて得た数を100分の1で除して得た数)に按分して計算した額とする。(令9の6の2①)

(控除対象所得税額等相当額等の控除の申告)
(2)　1及び(1)の規定は、第三節一の1・2、6若しくは7の規定による申告書又は第一編第十章10《更正の請求》の④の規定による更正請求書(二以上の道府県において事務所又は事業所を有する法人に係るものにあっては、当該法人の主たる事務所又は事業所の所在地の道府県知事に提出すべき当該申告書又は更正請求書)に、1の規定による控除の対象となる租税特別措置法第66条の7第4項に規定する所得税等の額(以下(2)において「所得税等の額」という。)、控除を受ける金額及び当該金額の計算に関する明細を記載した総務省令で定める書類の添付がある場合に限り、適用する。この場合において、1の規定により控除される金額の計算の基礎となる所得税等の額は、当該書類に当該所得税等の額として記載された金額を限度とする。(令9の6の2②)

(留意事項)
(3)　1の運用に当たっては、次の諸点に留意すること。(県通2-46の2)
(一)　法人税において、控除対象所得税額等相当額の税額控除が行われた結果全額法人税額及び地方法人税額から控除することができる場合には、道府県民税の法人税割額から控除すべき控除対象所得税額等相当額はないものであること。
(二)　本税額控除においては、外国税額控除における控除余裕額、控除限度超過額等の繰越に相当する制度は設けられていないものであること。
(三)　2以上の道府県において事務所又は事業所を有する法人の関係道府県ごとの法人税割額から控除すべき控除対象所得税額等相当額の計算は、第五節一の2に規定する従業者の数に按分して算定するものであること。なお、2

以上の道府県において事業所等を有する法人が三の4の①ただし書の規定により外国税額控除に係る道府県民税の控除限度額を計算した場合には、当該従業者の数は、(1)及び三の4の③の規定により補正することとされているものであること。

(四) 1の規定による控除をされるべき金額の計算の基礎となる所得税等の額(租税特別措置法第66条の7第4項に規定する所得税等の額をいう。以下(四)において同じ。)は、所得税等の額、控除を受ける金額及び当該金額の計算に関する明細を記載した規則第7号様式に当該計算の基礎となる当該所得税等の額として記載された金額を限度とするものであること。

2 特殊関係株主等である内国法人の外国関係会社に対して課された所得税等の額の控除

道府県は、内国法人が各事業年度において租税特別措置法第66条の9の3《特定外国法人の課税対象金額等に係る外国税額の計算等》第3項及び第9項の規定の適用を受ける場合において、当該事業年度の同条第3項に規定する控除対象所得税額等相当額のうち、同項に規定する法人税の額及び同条第9項に規定する所得地方法人税額の合計額を超える額があるときは、(1)で定めるところにより、当該超える金額((1)で定める金額に限る。)を当該事業年度の第三節一の1・2(予定申告法人に係るものを除く。)、6又は7の規定により申告納付すべき法人税割額から控除するものとする。(法53㊲)

(控除対象所得税額等相当額の控除額)

(1) 二以上の道府県において事務所又は事業所を有する法人の2の規定により関係道府県ごとの法人税割額から控除すべき控除対象所得税額等相当額は、当該法人に係る2の規定により控除することができる控除対象所得税額等相当額を当該法人の当該控除をしようとする事業年度に係る関係道府県ごとの第五節一の2に規定する従業者の数(当該事業年度の三の2に規定する道府県民税の控除限度額の計算について三の4の①ただし書の規定による法人にあっては、当該従業者の数に当該関係道府県が課する当該事業年度分の法人税割の税率に相当する割合として三の4の③で定める割合を乗じて得た数を100分の1で除して得た数)に按分して計算した額とする。(令9の6の3①)

(控除対象所得税額等相当額の控除の申告)

(2) 2及び(1)の規定は、第三節一の1・2、6若しくは7の規定による申告書又は第一編第十章10《更正の請求》の④の規定による更正請求書(二以上の道府県において事務所又は事業所を有する法人に係るものにあっては、当該法人の主たる事務所又は事業所の所在地の道府県知事に提出すべき当該申告書又は更正請求書)に、2の規定による控除の対象となる租税特別措置法第66条の9の3第3項に規定する所得税等の額(以下(2)において「所得税等の額」という。)、控除を受ける金額及び当該金額の計算に関する明細を記載した総務省令で定める書類の添付がある場合に限り、適用する。この場合において、2の規定により控除される金額の計算の基礎となる所得税等の額は、当該書類に当該所得税等の額として記載された金額を限度とする。(令9の6の3②)

三 外国税額の控除

1 外国の法人税等の額の控除

道府県は、内国法人又は外国法人が、外国の法令により課される法人税若しくは地方法人税又は道府県民税若しくは市町村民税の法人税割に相当する税(外国法人にあっては、法人税法第138条《国内源泉所得》第1項第1号に掲げる国内源泉所得につき外国の法令により課されるものに限る。以下三において「**外国の法人税等**」という。)を課された場合において、当該外国の法人税等の額のうち法人税法第69条《外国税額の控除》第1項の控除限度額又は同法第144条の2《外国法人に係る外国税額の控除》第1項の控除限度額及び地方法人税法第12条《外国税額の控除》第1項の控除の限度額で(2)で定めるもの又は同条第2項の控除の限度額で(4)で定めるものの合計額を超える額があるときは、4の①《道府県民税の控除限度額》で定めるところにより計算した額を限度として、政令で定めるところにより、当該超える金額(同①で定める金額に限る。)を第三節一の1・2(予定申告法人に係るものを除く。)、6又は7の規定により申告納付すべき法人税割額(外国法人にあっては、法人税法第141条《外国法人の国内源泉所得》第1号イに掲げる国内源泉所得に対する法人税額を課税標準として課するものに限る。)から控除するものとする。(法53㊳)

(注) 法人の令和4年4月1日(以下「施行日」という。)以後に開始する事業年度(所得税法等の一部を改正する法律(令和2年法律第8号。以下「所得税法等改正法」という。)第3条の規定(所得税法等改正法附則第1条第5号ロに掲げる改正規定に限る。)による改正前の法人税法(以下「4年旧法人税法」という。)第2条第12号の7に規定する連結子法人(以下「連結子法人」という。)の連結親法人事業年度(4年旧法人税法第15条の2第1項に規定する連結親法人事業年度をいう。以下同じ。)が施行日前に開始した事業年度を除く。以下「施行日以後事業

第二編第二章《法人の道府県民税》第四節《法人税額等の控除・加算及び還付等》

年度」という。)開始の日前3年以内に開始した連結事業年度がある場合における三の規定の適用については、次の表の左欄に掲げる規定中同表の中欄に掲げる字句は、それぞれ同表の右欄に掲げる字句とする。(令2政令第264号附3㊶)

1の(1)	の計算	並びに所得税法等の一部を改正する法律(令和2年法律第8号。以下(1)及び2において「所得税法等改正法」という。)第3条の規定(所得税法等改正法附則第1条第5号ロに掲げる改正規定に限る。)による改正前の法人税法(2において「4年旧法人税法」という。)第81条の15第1項に規定する個別控除対象外国法人税の額の計算
2	4の①	4の①又は地方税法施行令の一部を改正する政令(令和2年政令第264号。以下三において「地方税法施行令改正令」という。)による改正前の地方税法施行令(5において「旧令」という。)第9条の7第7項
	(これらの	又は各連結事業年度(これらの
	を除く	又は連結事業年度を除く
	とする	とし、これらの連結事業年度のうちに当該法人又は当該法人との間に連結完全支配関係(4年旧法人税法第2条第12号の7の7に規定する連結完全支配関係をいう。6において同じ。)がある他の連結法人(4年旧法人税法第2条第12号の7の2に規定する連結法人をいう。6において同じ。)がその課された外国の法人税等の額を法人税の課税標準である連結所得(4年旧法人税法第2条第18号の4に規定する連結所得をいう。6において同じ。)の計算上損金に算入した連結事業年度があるときは、当該損金に算入した連結事業年度以前の連結事業年度又は事業年度を除くものとする
	前3年内事業年度	前3年内事業年度等
	の事業年度において同法	の事業年度又は連結事業年度において法人税法
	第144条の2の規定並びに	第144条の2の規定並びに4年旧法人税法第81条の15の規定並びに
	並びに法	並びに所得税法等改正法第4条の規定(所得税法等改正法附則第1条第5号ハに掲げる改正規定に限る。)による改正前の地方法人税法第12条第2項の規定並びに法
	により控除する	並びに地方税法等の一部を改正する法律(令和2年法律第5号)附則第1条第5号に掲げる規定による改正前の地方税法(三において「旧法」という。)第53条26項及び第321条の8第26項の規定により控除する
	のもの	又は連結事業年度のもの
5	規定により計算した	規定又は旧令第48条の13第8項の規定により計算した
	前3年内事業年度	前3年内事業年度等
	1の規定	1の規定又は旧法第53条26項の規定
	又は同令第197条第4項	若しくは同令第197条第4項
	除く。)(以下	除く。)若しくは法人税法施行令等の一部を改正する政令(令和2年政令第207号)第1条の規定による改正前の法人税法施行令(以下5及び6の④の(二)イにおいて「4年旧法人税法施行令」という。)第155条の32第5項に規定する国税の個別控除余裕額(4年旧法人税法施行令第155条の33第3項の規定によりないものとみなされた額を除く。)(以下
	第321条の8第38項の規定	第321条の8第38項の規定又は旧法第321条の8第26項の規定
	のもの	又は連結事業年度のもの
	5の規定に	地方税法施行令改正令附則第3条第41項の規定により読み替えられた5の規定又は旧令第9条の7第8項の規定に
6	以後	又は連結事業年度以後
	2	地方税法施行令改正令附則第3条第41項の規定により読み替えられた2
	各事業年度の	各事業年度又は各連結事業年度の
6の(一)	合併前3年内事業年度	合併前3年内事業年度等
	をいい	又は各連結事業年度をいい
	を除くもの	又は連結事業年度を除くもの
	とする	とし、これらの連結事業年度のうちに当該被合併法人又は当該被合併法人との間に連結完全支配関係がある他の連結法人がその課された外国の法人税等の額を法人税の課税標準である連結所得の計算上損金に算入した連結事業年度があるときは、当該損金に算入した連結事業年度以前の連結事業年度又は事業年度を除くものとする
	5後段	地方税法施行令改正令附則第3条第41項の規定により読み替えられた5後段

6の(二)	分割等前3年内事業年度	分割等前3年内事業年度等
	をいい	又は各連結事業年度をいい
	を除く	又は連結事業年度を除く
	とする	とし、これらの連結事業年度のうちに当該分割法人等又は当該分割法人等との間に連結完全支配関係がある他の連結法人がその課された外国の法人税等の額を法人税の課税標準である連結所得の計算上損金に算入した連結事業年度があるときは、当該損金に算入した連結事業年度以前の連結事業年度又は事業年度を除くものとする
6の①	6	地方税法施行令改正附則第3条第41項の規定により読み替えられた6
	以後の	又は連結事業年度以後の
	2	同条第41項の規定により読み替えられた2
	合併前3年内事業年度の控除限度超過額	合併前3年内事業年度等の控除限度超過額
	合併前3年内事業年度の区分	合併前3年内事業年度等の区分
	の控除限度超過額と	又は連結事業年度の控除限度超過額と
6の①の(一)	合併前3年内事業年度	合併前3年内事業年度等
	各事業年度	各事業年度又は各連結事業年度
6の①の(二)	合併前3年内事業年度	合併前3年内事業年度等
	属する事業年度	属する事業年度又は連結事業年度
	合併事業年度	合併事業年度等
6の①の注	6	地方税法施行令改正附則第3条第41項の規定により読み替えられた6
	以後の	又は連結事業年度以後の
	2	同条第41項の規定により読み替えられた2
	分割等前3年内事業年度の控除限度超過額	分割等前3年内事業年度等の控除限度超過額
	分割等前3年内事業年度の区分	分割等前3年内事業年度等の区分
	の控除限度超過額と	又は連結事業年度の控除限度超過額と
6の①の注の(一)	分割等前3年内事業年度	分割等前3年内事業年度等
	各事業年度	各事業年度又は各連結事業年度
6の①の注の(二)	開始	又は連結事業年度開始
	分割等前3年内事業年度	分割等前3年内事業年度等
	各事業年度	各事業年度又は各連結事業年度
6の①の注の(三)	分割等前3年内事業年度	分割等前3年内事業年度等
	属する事業年度	属する事業年度又は連結事業年度
	分割承継等事業年度	分割承継等事業年度等
6の②	6	地方税法施行令改正附則第3条第41項の規定により読み替えられた6
	以後	又は連結事業年度以後
	5	同条第41項の規定により読み替えられた5
	合併前3年内事業年度	合併前3年内事業年度等
	6の①各号	同条第41項の規定により読み替えられた6の①各号
	定める事業年度	定める事業年度又は連結事業年度
6の②の注	6	地方税法施行令改正附則第3条第41項の規定により読み替えられた6
	以後	又は連結事業年度以後
	5	同条第41項の規定により読み替えられた5
	分割等前3年内事業年度	分割等前3年内事業年度等
	6の①の注各号	同条第41項の規定により読み替えられた6の①の注各号
	定める事業年度	定める事業年度又は連結事業年度

6の③	6	地方税法施行令改正令附則第3条第41項の規定により読み替えられた6
	事業年度開始の日	事業年度又は連結事業年度開始の日
	各事業年度	各事業年度又は各連結事業年度
	法人3年前事業年度開始日	法人3年前事業年度等開始日
	合併前3年内事業年度	合併前3年内事業年度等
	分割等前3年内事業年度	分割等前3年内事業年度等
	被合併法人等前3年内事業年度	被合併法人等前3年内事業年度等
	被合併法人等3年前事業年度開始日	被合併法人等3年前事業年度等開始日
	事業年度と	事業年度又は連結事業年度と
	6の①	同条第41項の規定により読み替えられた6の①
6の④の(一)	分割等前3年内事業年度	分割等前3年内事業年度等
6の④の(二)	分割等前3年内事業年度	分割等前3年内事業年度等
	5後段	地方税法施行令改正令附則第3条第41項の規定により読み替えられた5後段
6の④の(二)イ	又は	若しくは
	外国法人の調整国外所得金額」という。)	外国法人の調整国外所得金額」という。) 又は4年旧法人税法施行令第155条の29第1号に規定する個別調整国外所得金額(9の(4)の(一)において「個別調整国外所得金額」という。)
6の⑤	6	地方税法施行令改正令附則第3条第41項の規定により読み替えられた6
	各事業年度	各事業年度又は各連結事業年度
6の⑥	が6	が地方税法施行令改正令附則第3条第41項の規定により読み替えられた6
	以後	又は連結事業年度以後
	2	同条第41項の規定により読み替えられた2
	分割等前3年内事業年度	分割等前3年内事業年度等
	、6	、同条第41項の規定により読み替えられた6
	各事業年度の	各事業年度又は各連結事業年度の
8	前3年内事業年度	前3年内事業年度等
	の規定により控除する	の規定又は旧法第53条第26項の規定により控除する
	以前	又は前連結事業年度以前
	の法人税割	又は連結事業年度の法人税割
9	以後	又は連結事業年度以後
	8	地方税法施行令改正令附則第3条第41項の規定により読み替えられた8
	開始した各事業年度	開始した各事業年度又は各連結事業年度
9の(一)	合併前3年内事業年度	合併前3年内事業年度等
9の(二)	分割等前3年内事業年度	分割等前3年内事業年度等
9の(1)	9	地方税法施行令改正令附則第3条第41項の規定により読み替えられた9
	以後の	又は連結事業年度以後の
	8	同条第41項の規定により読み替えられた8
	合併前3年内事業年度の控除未済外国法人税等額	合併前3年内事業年度等の控除未済外国法人税等額
	合併前3年内事業年度の区分	合併前3年内事業年度等の区分
	定める事業年度	定める事業年度又は連結事業年度
9の(1)の(一)	合併前3年内事業年度	合併前3年内事業年度等
	各事業年度	各事業年度又は各連結事業年度

9の(1)の(二)	合併前3年内事業年度	合併前3年内事業年度等
	合併事業年度	合併事業年度等
	属する事業年度	属する事業年度又は連結事業年度
9の(2)	9	地方税法施行令改正令附則第3条第41項の規定により読み替えられた9
	以後の	又は連結事業年度以後の
	8	同条第41項の規定により読み替えられた8
	分割等前3年内事業年度の控除未済外国法人税等額	分割等前3年内事業年度等の控除未済外国法人税等額
	分割等前3年内事業年度の区分	分割等前3年内事業年度等の区分
	定める事業年度	定める事業年度又は連結事業年度
9の(2)の(一)	分割等前3年内事業年度	分割等前3年内事業年度等
	各事業年度	各事業年度又は各連結事業年度
9の(2)の(二)	開始	又は連結事業年度開始
	分割等前3年内事業年度	分割等前3年内事業年度等
	各事業年度	各事業年度又は各連結事業年度
9の(2)の(三)	分割等前3年内事業年度	分割等前3年内事業年度等
	分割承継等事業年度	分割承継等事業年度等
	属する事業年度	属する事業年度又は連結事業年度
9の(3)	事業年度開始の日	事業年度又は連結事業年度開始の日
	各事業年度	各事業年度又は各連結事業年度
	所得等申告法人3年前事業年度開始日	所得等申告法人3年前事業年度等開始日
	合併前3年内事業年度	合併前3年内事業年度等
	分割等前3年内事業年度	分割等前3年内事業年度等
	被合併法人等前3年内事業年度	被合併法人等前3年内事業年度等
	被合併法人等3年前事業年度開始日	被合併法人等3年前事業年度等開始日
	とみなし	又は連結事業年度とみなし
	(1)及び(2)	地方税法施行令改正令附則第3条第41項の規定により読み替えられた(1)及び(2)
9の(4)	分割等前3年内事業年度	分割等前3年内事業年度等
9の(4)の(一)	又は外国法人の調整国外所得金額	若しくは外国法人の調整国外所得金額又は個別調整国外所得金額
9の(5)	9	地方税法施行令改正令附則第3条第41項の規定により読み替えられた9
	各事業年度	各事業年度又は各連結事業年度
9の(8)	が9	が地方税法施行令改正令附則第3条第41項の規定により読み替えられた9
	以後	又は連結事業年度以後
	8	同条第41項の規定により読み替えられた8
	分割等前3年内事業年度	分割等前3年内事業年度等
	、9	、同条第41項の規定により読み替えられた9
	各事業年度の	各事業年度又は各連結事業年度の
10	2	地方税法施行令改正令附則第3条第41項の規定により読み替えられた2
	以後の各事業年度	又は連結事業年度以後の各事業年度又は各連結事業年度

(「外国の法人税等」の範囲)
(1) 1に規定する外国の法人税等（以下「外国の法人税等」という。）の範囲については法人税法施行令第141条《外

国法人税の範囲等》の規定を準用し、外国の法人税等の額については法人税法第69条第１項に規定する控除対象外国法人税の額及び同法第144条の２第１項に規定する控除対象外国法人税の額の計算の例による。（令９の７①）

　　　　（内国法人に係る地方法人税の控除限度額）
（２）　１に規定する地方法人税法第12条第１項の控除の限度額は、法人税法施行令第144条第６項第１号に規定する地方法人税の控除限度額とする。（令９の７④）

　　　　（恒久的施設を有する外国法人に係る地方法人税の控除限度額）
（３）　１に規定する地方法人税法第12条第２項の控除の限度額は、法人税法施行令第195条の２に規定する地方法人税の控除限度額とする。（令９の７⑤）

　　　　（留意事項）
（４）　「外国の法人税等」とは、おおむね、外国の法令に基づき外国又はその地方公共団体により法人の所得を課税標準として課される税をいうものであるが、その範囲については法人税法施行令第141条に規定するところによるものであり、控除の対象となる外国の法人税等の額は法人税法第69条第１項に規定する控除対象外国法人税の額及び同法第144条の２第１項に規定する控除対象外国法人税の額の計算の例によるものであること。
　　　　なお、内国法人が、租税特別措置法第66条の６第１項、第６項若しくは第８項又は第66条の９の２第１項、第６項若しくは第８項の規定により外国関係会社又は外国関係法人に係る課税対象金額、部分課税対象金額、金融子会社等部分課税対象金額又は金融関係法人部分課税対象金額を当該事業年度の所得の金額の計算上、益金の額に算入した場合に３の規定により外国の法人税等とみなされる額も外国の法人税等の額に含まれるものであること。（県通２－47(1)）

２　控除余裕額が生じた場合の繰越外国法人税額の控除

　　各事業年度において課された外国の法人税等の額が当該事業年度の法人税法第69条第１項に規定する控除限度額に１の（２）に規定する地方法人税の控除限度額を加算した金額又は同法第144条の２第１項に規定する控除限度額に１の（３）に規定する地方法人税の控除限度額を加算した金額（以下「**国税の控除限度額**」という。）及び４の①の規定により計算した額（以下「**道府県民税の控除限度額**」という。）の合計額に満たない場合において、当該事業年度の開始の日前３年以内に開始した各事業年度（これらの事業年度のうちに当該法人がその課された外国の法人税等の額を法人税の課税標準である所得の計算上損金に算入した事業年度があるときは、当該損金に算入した事業年度以前の事業年度を除くものとし、当該法人が同法第２条第12号の７の２に規定する通算法人（以下三において「**通算法人**」という。）（通算法人であった**内国法人**を含む。以下三において同じ。）である場合において、これらの事業年度のうちいずれかの事業年度（当該法人に係る通算親法人（法人税法第２条第12号の６の７に規定する通算親法人をいう。以下三において同じ。）の事業年度終了の日に終了するものに限る。）終了の日において当該法人との間に同法第２条第12号の７の７に規定する通算完全支配関係（三において「**通算完全支配関係**」という。）がある他の通算法人が当該終了の日に終了する事業年度に納付することとなった外国の法人税等の額をその納付することとなった事業年度の法人税の課税標準である所得の計算上損金に算入したときは、当該損金に算入した事業年度終了の日に終了する当該法人の事業年度以前の事業年度を除くものとする。以下三及び四において「**前３年内事業年度**」という。）において課された外国の法人税等の額のうち当該事業年度前の事業年度において同法第69条及び第144条の２の規定並びに地方法人税法第12条第１項及び第２項の規定並びに１及び市町村民税の外国税額控除《第三編第二章第四節三の１》の規定により控除することができた額を超える部分の額（以下三において「**控除限度超過額**」という。）があるときは、当該控除限度超過額を、その最も古い事業年度のものから順次当該事業年度に係る国税の控除限度額及び道府県民税の控除限度額の合計額から当該事業年度において課された外国の法人税等の額を控除した残額に充てるものとした場合に当該充てられることとなる当該控除限度超過額は、１の規定の適用については、当該事業年度において課された外国の法人税等の額とみなす。（令９の７②）

　　　　（道府県民税の控除余裕額が生じた場合等の留意事項）
　注　道府県民税の法人税割から控除することができる外国の法人税等の額は、当該外国の法人税等の額のうち、法人税法第69条第１項《外国税額の控除》の控除限度額又は同法第144条の２第１項に規定する控除限度額及び法人税法施行令第144条第６項第１号の地方法人税の控除限度額又は同令第195条の２に規定する地方法人税の控除限度額の合計額を超える額のうち道府県民税の控除限度額以内の額に限られるものであること。したがって、法人税において、当該外国の法人税等の額の税額控除が行われた結果全額法人税額及び地方法人税額から控除することができる場合には、

道府県民税の法人税割額から控除すべき外国の法人税等の額はないものであるから留意すること。
　なお、各事業年度において道府県民税の控除余裕額を生じた場合は、当該事業年度の開始の日前3年以内に開始した各事業年度（以下注において「前3年以内の各事業年度」という。）における控除限度額を超える外国税額のうち2に規定する額を当該事業年度において課された外国の法人税等の額とみなし、当該事業年度へ繰り越して外国の法人税等の額を控除することとされているものであること。
　また、各事業年度において課された外国の法人税等の額が当該事業年度の国税、道府県民税及び市町村民税の控除限度額の合計額を超える場合は、前3年以内の各事業年度における道府県民税の控除余裕額のうち5に規定する額を当該事業年度分の道府県民税の控除限度額に加算して外国の法人税等の額を控除することとされているものであること。
　なお、次に掲げる事業年度における控除限度額を超える外国税額及び道府県民税の控除余裕額は、前3年以内の各事業年度における控除限度額を超える外国税額及び道府県民税の控除余裕額に含まれないものであること。（県通2－47(3)）
ア　法人が外国の法人税等の額を法人税額の課税標準である所得の計算上損金に算入した事業年度があるときは、当該損金に算入した事業年度以前の事業年度
イ　通算法人（通算法人であった内国法人を含む。以下イにおいて同じ。）の事業年度（当該法人に係る通算親法人の事業年度終了の日に終了するものに限る。）終了の日において当該法人との間に通算完全支配関係がある他の通算法人が当該終了の日に終了する事業年度に外国の法人税等の額を法人税の課税標準である所得の計算上損金に算入したときは、当該損金に算入した事業年度終了の日に終了する当該法人の事業年度以前の事業年度

3　外国子会社及び特定外国子会社等からの配当等に係る外国税額控除

　内国法人が次の各号に掲げる場合に該当するときは、当該各号に定める金額は、1の規定の適用については、外国の法人税等の額とみなす。（令9の7③）

(一)	租税特別措置法第66条の6《内国法人の外国関係会社に係る所得の課税の特例》第1項、第6項又は第8項の規定の適用がある場合	当該内国法人に係る同条第2項第1号に規定する外国関係会社の所得に対して課される外国法人税（法人税法第69条《外国税額の控除》第1項に規定する外国法人税をいう。（二）において同じ。）の額のうち、租税特別措置法第66条の6第1項に規定する課税対象金額、同条第6項に規定する部分課税対象金額又は同条第8項に規定する金融子会社等部分課税対象金額に対応するものとして同法第66条の7第1項の規定の例により計算した金額
(二)	租税特別措置法第66条の9の2《特殊関係株主等である内国法人に係る外国関係法人に係る所得の課税の特例》第1項、第6項又は第8項の規定の適用がある場合	当該内国法人に係る同条第1項に規定する外国関係法人の所得に対して課される外国法人税の額のうち、同項に規定する課税対象金額、同条第6項に規定する部分課税対象金額又は同条第8項に規定する金融関係法人部分課税対象金額に対応するものとして同法第66条の9の3第1項の規定の例により計算した金額

4　道府県民税の控除限度額の計算

①　道府県民税の控除限度額

　道府県民税の外国の法人税等に係る控除限度額は、法人税法第69条《外国税額の控除》第1項に規定する控除限度額又は同法第144条の2《外国法人に係る外国税額の控除》第1項に規定する控除限度額（以下①において「法人税の控除限度額」という。）に100分の1を乗じて計算した額とする。ただし、標準税率を超える税率で法人税割を課する道府県に事務所又は事業所を有する法人にあっては、当該法人の選択により、法人税の控除限度額に当該税率に相当する割合を乗じて計算した額（当該法人が二以上の道府県において事務所又は事業所を有する場合には、法人税の控除限度額を当該法人の関係道府県ごとの第五節一の2《法人税額の課税標準の分割基準》に規定する従業者の数に按分して計算した額に当該関係道府県が課する法人税割の税率に相当する割合として③で定める割合を乗じて計算した額の合計額）とすることができる。（令9の7⑥）

(留意事項)
注　道府県民税の控除限度額は、原則として法人税の控除限度額に100分の1を乗じて計算した額とされているが、標準税率を超える税率で法人税割を課する道府県に事務所等を有する法人にあっては、当該法人の選択により、法人税の控除限度額に当該税率に相当する割合を乗じて計算した額とすることができるものとされていること。(県通2－47(2))

② 二以上の道府県において事務所等を有する法人の道府県民税の控除限度額
　二以上の道府県において事務所又は事業所を有する法人の1の規定により関係道府県ごとの法人税割額から控除すべき外国の法人税等の額は、当該法人に係る1の規定により控除することができる外国の法人税等の額を当該法人の当該控除をしようとする事業年度に係る関係道府県ごとの第五節一の2に規定する従業者の数(当該事業年度の道府県民税の控除限度額の計算について①ただし書の規定による法人にあっては、当該従業者の数に当該関係道府県が課する当該事業年度分の法人税割の税率に相当する割合として③で定める割合を乗じて得た数を100分の1で除して得た数)に按分して計算した額とする。(令9の7㉘)

③ 法人税の控除限度額に乗ずる割合
　二の1の(1)、同2の(1)並びに①及び②に規定する割合は、次の各号に掲げる法人の区分に応じ、当該各号に定める割合とする。(規3の2①)

(一)	(二)に掲げる法人以外の法人	次に掲げる場合の区分に応じ、それぞれに定める割合 イ　二の1の(1)、同2の(1)並びに①及び②に規定する関係道府県に係る場合(ロに該当する場合を除く。)　当該関係道府県が課する道府県民税の法人税割の税率に相当する割合 ロ　特別区の存する区域において都民税の法人税割を課する都に係る場合　特別区の存する区域以外の区域において当該都が課する都民税の法人税割の税率に相当する割合
(二)	二以上の道府県において事務所又は事業所を有する法人で特別区の存する区域において事務所又は事業所を有しないもの	二の1の(1)、同2の(1)並びに①及び②に規定する関係道府県が課する道府県民税の法人税割の税率に相当する割合

(留意事項)
注　2以上の道府県において事務所等を有する法人が①ただし書の規定により道府県民税の控除限度額を計算した場合には、当該従業者の数は、②及び③の規定により補正することとされているものであること。(県通2－47(7)後段)

5　控除限度超過額が生じた場合の繰越控除余裕額による外国税額の控除
　各事業年度において課された外国の法人税等の額が当該事業年度の国税の控除限度額、道府県民税の控除限度額及び市町村民税の控除限度額の合計額を超える場合において、前3年以内の各事業年度につき1の規定により控除することができた外国の法人税等の額のうちに当該前3年以内の各事業年度の道府県民税の控除限度額に満たないものがあるときは、当該事業年度に係る1に規定する「4の①《道府県民税の控除限度額》で定めるところにより計算した額」は、4の①の規定にかかわらず、当該事業年度の道府県民税の控除限度額に、前3年以内の各事業年度の法人税法施行令第144条第5項《国税の控除余裕額の意義》に規定する国税の控除余裕額(同令第145条第3項の規定によりないものとみなされた額を除く。)又は同令第197条第4項に規定する国税の控除余裕額(同令第198条第3項の規定によりないものとみなされた額を除く。)(以下「**国税の控除余裕額**」という。)、外国の法人税等のうち1の規定により控除することができた額が道府県民税の控除限度額に満たない場合における当該道府県民税の控除限度額から当該控除することができた額を控除した残額(以下「**道府県民税の控除余裕額**」という。)又は外国の法人税等のうち市町村民税の外国税額控除〚法321の8㉘〛の規定により控除することができた額が市町村民税の控除限度額に満たない場合における当該市町村民税の控除限度額から当該控除することができた額を控除した残額(以下「**市町村民税の控除余裕額**」という。)を前3年以内の各事業年度のうち最も古い事業年度のものから順次に、かつ、同一の事業年度のものについては、国税の控除余裕額、道府県民税の控除余裕額

及び市町村民税の控除余裕額の順に、当該事業年度において課された外国の法人税等の額のうち当該事業年度の国税の控除限度額、道府県民税の控除限度額及び市町村民税の控除限度額の合計額を超える部分の額に充てるものとした場合に当該超える部分の額に充てられることとなる道府県民税の控除余裕額の合計額に相当する額を加算した額とする。この場合において、前3年以内の各事業年度において5の規定により当該前3年以内の各事業年度の当該超える部分の額に充てられることとなる国税の控除余裕額、道府県民税の控除余裕額及び市町村民税の控除余裕額は、5の規定の適用については、ないものとみなす。(令9の7⑦)

6 合併法人等が適格合併等により事業の移転を受けた場合の控除限度超過額及び道府県民税の控除余裕額のみなし規定

　内国法人又は外国法人が適格合併、適格分割(法人税法第2条第12号の11に規定する適格分割をいう。(二)において同じ。)又は適格現物出資(同条第12号の14に規定する適格現物出資をいう。(二)において同じ。)(以下三において「適格合併等」という。)により被合併法人、分割法人(同法第2条第12号の2に規定する分割法人をいう。(二)において同じ。)又は現物出資法人(同条第12号の4に規定する現物出資法人をいう。(二)において同じ。)(以下三において「被合併法人等」という。)から事業の全部又は一部の移転を受けた場合には、当該内国法人又は外国法人の当該適格合併等の日の属する事業年度以後の各事業年度における2及び5の規定の適用については、次の各号に掲げる適格合併等の区分に応じ当該各号に定める金額は、当該内国法人又は外国法人の当該事業年度開始の日前3年以内に開始した各事業年度の控除限度超過額及び道府県民税の控除余裕額とみなす。(令9の7⑧)

(一)	適格合併	当該適格合併に係る被合併法人の合併前3年内事業年度(適格合併の日前3年以内に開始した各事業年度をいい、これらの事業年度のうちに当該被合併法人がその課された外国の法人税等の額を法人税の課税標準である所得の計算上損金に算入した事業年度があるときは、当該損金に算入した事業年度以前の事業年度を除くものとし、当該被合併法人が通算法人(通算法人であった内国法人を含む。以下(一)において同じ。)である場合において、これらの事業年度のうちいずれかの事業年度(当該被合併法人に係る通算親法人の事業年度終了の日に終了するものに限る。)終了の日において当該被合併法人との間に通算完全支配関係がある他の通算法人が当該終了の日に終了する事業年度に納付することとなった外国の法人税等の額をその納付することとなった事業年度の法人税の課税標準である所得の計算上損金に算入したときは、当該損金に算入した事業年度終了の日に終了する当該法人の事業年度以前の事業年度を除くものとする。以下三において同じ。)の控除限度超過額及び道府県民税の控除余裕額(5後段の規定によりないものとみなされた額を除く。)
(二)	適格分割又は適格現物出資(以下三において「適格分割等」という。)	当該適格分割等に係る分割法人又は現物出資法人(以下三において「分割法人等」という。)の分割等前3年内事業年度(適格分割等の日の属する事業年度開始の日前3年以内に開始した各事業年度をいい、これらの事業年度のうちに当該分割法人等がその課された外国の法人税等の額を法人税の課税標準である所得の計算上損金に算入した事業年度があるときは、当該損金に算入した事業年度以前の事業年度を除くものとし、当該分割法人等が通算法人(通算法人であった内国法人を含む。以下(二)において同じ。)である場合において、これらの事業年度のうちいずれかの事業年度(当該分割法人等に係る通算親法人の事業年度終了の日に終了するものに限る。)終了の日において当該分割法人等との間に通算完全支配関係がある他の通算法人が当該終了の日に終了する事業年度に納付することとなった外国の法人税等の額をその納付することとなった事業年度の法人税の課税標準である所得の計算上損金に算入したときは、当該損金に算入した事業年度終了の日に終了する当該法人の事業年度以前の事業年度を除くものとする。以下三において同じ。)の控除限度超過額及び道府県民税の控除余裕額のうち、当該適格分割等により当該内国法人又は外国法人が移転を受けた事業に係る部分の金額

① 適格合併がある場合の繰越外国法人税額の控除
　　6（表の（一）に係る部分に限る。）の規定の適用がある場合の6の内国法人又は外国法人の適格合併の日の属する事業年度以後の各事業年度における2の規定の適用については、当該適格合併に係る被合併法人の合併前3年内事業年度の控除限度超過額は、当該被合併法人の次の各号に掲げる合併前3年内事業年度の区分に応じ、当該内国法人又は外国法人の当該各号に定める事業年度の控除限度超過額とみなす。（令9の7⑨）
（一）　適格合併に係る被合併法人の合併前3年内事業年度（次号に掲げる合併前3年内事業年度を除く。）　当該被合併法人の合併前3年内事業年度開始の日の属する当該内国法人又は外国法人の各事業年度
（二）　適格合併に係る被合併法人の合併前3年内事業年度のうち当該内国法人又は外国法人の当該適格合併の日の属する事業年度（以下（二）及び9の（1）の（二）において「合併事業年度」という。）開始の日以後に開始したもの　当該内国法人又は外国法人の合併事業年度等開始の日の前日の属する事業年度

　　　（適格分割等がある場合の繰越外国法人税額の控除）
　注　6（表の（二）に係る部分に限る。）の規定の適用がある場合の6の内国法人又は外国法人の適格分割等の日の属する事業年度以後の各事業年度における2の規定の適用については、当該適格分割等に係る分割法人等の分割等前3年内事業年度の控除限度超過額のうち、6の表の（二）に規定する当該内国法人又は外国法人が移転を受けた事業に係る部分の金額は、当該分割法人等の次の各号に掲げる分割等前3年内事業年度の区分に応じ、当該内国法人又は外国法人の当該各号に定める事業年度の控除限度超過額とみなす。（令9の7⑩）
（一）　適格分割等に係る分割法人等の分割等前3年内事業年度（次号に掲げる場合に該当するときの分割等前3年内事業年度及び（三）に掲げる分割等前3年内事業年度を除く。）　当該分割法人等の分割等前3年内事業年度開始の日の属する当該内国法人又は外国法人の各事業年度
（二）　適格分割等に係る分割法人等の当該適格分割等の日の属する事業年度開始の日が当該内国法人又は外国法人の当該適格分割等の日の属する事業年度開始の日前である場合の当該分割法人等の分割等前3年内事業年度　当該分割法人等の分割等前3年内事業年度終了の日の属する当該内国法人又は外国法人の各事業年度
（三）　適格分割等に係る分割法人等の分割等前3年内事業年度のうち当該内国法人又は外国法人の当該適格分割等の日の属する事業年度（以下（三）及び9の（2）の（三）において「分割承継等事業年度」という。）開始の日以後に開始したもの　当該内国法人又は外国法人の分割承継等事業年度開始の日の前日の属する事業年度

② 適格合併がある場合の繰越控除余裕額による外国税額の控除
　　6（表の（一）に係る部分に限る。）の規定の適用がある場合の6の内国法人又は外国法人の適格合併の日の属する事業年度以後の各事業年度における5の規定の適用については、当該適格合併に係る被合併法人の合併前3年内事業年度の道府県民税の控除余裕額（5の後段の規定によりないものとみなされた額を除く。）は、当該被合併法人の①の各号に掲げる合併前3年内事業年度の区分に応じ、当該内国法人又は外国法人の①の各号に定める事業年度の道府県民税の控除余裕額とみなす。（令9の7⑪）

　　　（適格分割等がある場合の繰越控除余裕額による外国税額の控除）
　注　6（表の（二）に係る部分に限る。）の規定の適用がある場合の6の内国法人又は外国法人の適格分割等の日の属する事業年度以後の各事業年度における5の規定の適用については、当該適格分割等に係る分割法人等の分割等前3年内事業年度の道府県民税の控除余裕額のうち、6の表の（二）に規定する当該内国法人又は外国法人が移転を受けた事業に係る部分の金額は、当該分割法人等の①の注各号に掲げる分割等前3年内事業年度の区分に応じ、当該内国法人又は外国法人の①の注各号に定める事業年度の道府県民税の控除余裕額とみなす。（令9の7⑫）

③ 法人3年前事業年度開始日が被合併法人等3年前事業年度開始日後である場合の特例
　　6の内国法人又は外国法人の適格合併等の日の属する事業年度開始の日前3年以内に開始した各事業年度のうち最も古い事業年度開始の日（以下③において「法人3年前事業年度開始日」という。）が当該適格合併等に係る被合併法人等の合併前3年内事業年度又は分割等前3年内事業年度（以下③において「被合併法人等前3年内事業年度」という。）のうち最も古い事業年度開始の日（二以上の被合併法人等が行う適格合併等にあっては、当該開始の日が最も早い被合併法人等の当該事業年度開始の日。以下③において「被合併法人等3年前事業年度開始日」という。）後である場合には、当該被合併法人等3年前事業年度開始日から当該法人3年前事業年度開始日（当該適格合併等が当該内国法人又は外国法人を設立するものである場合にあっては、当該内国法人又は外国法人の当該適格合併等の日の属する事業年度開始の日。以下③において同じ。）の前日までの期間を当該期間に対応する当該被合併法人等3年前事業年度開始日に係る被合併法人等の被合併

法人等前3年内事業年度ごとに区分したそれぞれの期間（当該前日の属する期間にあっては、当該被合併法人等の当該前日の属する事業年度開始の日から当該法人3年前事業年度開始日の前日までの期間）は、当該内国法人又は外国法人のそれぞれの事業年度とみなして、①及び②の規定を適用する。（令9の7⑬）

④ 適格分割等の場合の控除限度超過額及び道府県民税の控除余裕額のうち移転を受けた事業に係る部分の金額
　6の表の(二)に規定する当該内国法人又は外国法人が移転を受けた事業に係る部分の金額は、次の各号に掲げる控除限度超過額又は道府県民税の控除余裕額の区分に応じ、それぞれ当該各号に定める金額とする。（令9の7⑭）
(一)　控除限度超過額　　適格分割等に係る分割法人等の分割等前3年内事業年度の控除限度超過額に当該分割等前3年内事業年度におけるイに掲げる金額のうちロに掲げる金額の占める割合をそれぞれ乗じて計算した金額
　イ　当該分割法人等の分割等前3年内事業年度において納付することとなった外国の法人税等の額
　ロ　イに掲げる金額のうち当該分割法人等から移転を受ける事業に係る所得に基因して当該分割法人等が納付することとなった金額に相当する金額
(二)　道府県民税の控除余裕額　　適格分割等に係る分割法人等の分割等前3年内事業年度の道府県民税の控除余裕額（5の後段の規定によりないものとみなされた額を除く。）に当該分割等前3年内事業年度におけるイに掲げる金額のうちロに掲げる金額の占める割合をそれぞれ乗じて計算した金額
　イ　当該分割法人等の法人税法施行令第142条第3項に規定する調整国外所得金額（9の(4)の(一)において「内国法人の調整国外所得金額」という。）又は同令第194条第3項に規定する調整国外所得金額（9の(4)の(一)において「外国法人の調整国外所得金額」という。）
　ロ　イに掲げる金額のうち当該分割法人等から移転を受ける事業に係る部分の金額

⑤ 引継ぎの要件
　6の規定は、適格分割等により当該適格分割等に係る分割法人等から事業の移転を受けた内国法人又は外国法人にあっては、当該内国法人又は外国法人が当該適格分割等の日以後3月以内に当該内国法人又は外国法人の当該事業年度開始の日前3年以内に開始した各事業年度の控除限度超過額及び道府県民税の控除余裕額とみなされる金額その他の総務省令で定める事項を記載した書類を当該内国法人又は外国法人の事務所又は事業所の所在地の道府県知事（二以上の道府県において事務所又は事業所を有する内国法人又は外国法人にあっては、当該内国法人又は外国法人の主たる事務所又は事業所の所在地の道府県知事）に提出した場合に限り、適用する。（令9の7⑮）

　　　（書類の提出期限の延長の特例）
(1)　内国法人又は外国法人が適格分割等により分割法人等である他の内国法人から事業の移転を受けた場合であって、当該適格分割等が当該適格分割等の日の属する当該分割法人等の事業年度開始の日から1月以内に行われたものであるとき（当該事業年度の前事業年度が当該分割法人等に係る通算親法人の事業年度終了の日に終了するものであるときに限る。）における⑤の規定の適用については、⑤中「以後3月」とあるのは、「の属する当該分割法人等の事業年度開始の日以後4月」とする。（令9の7⑯）

　　　（総務省令で定める事項）
(2)　⑤に規定する総務省令で定める事項は、次に掲げる事項とする。（規3の2②）
　(一)　6の規定の適用を受けようとする内国法人又は外国法人の名称、事務所又は事業所所在地（二以上の道府県において事務所又は事業所を有する内国法人又は外国法人にあっては、当該内国法人又は外国法人の主たる事務所又は事業所所在地）及び法人番号並びに代表者の氏名
　(二)　適格分割等（6に規定する適格分割等をいう。以下同じ。）に係る分割法人等（⑤に規定する分割法人等をいう。以下(二)及び9の(7)の(二)において同じ。）の名称及び事務所又は事業所所在地（二以上の道府県において事務所又は事業所を有する分割法人等にあっては、当該分割法人等の主たる事務所又は事業所所在地。9の(7)の(二)において同じ。）及び法人番号並びに代表者の氏名
　(三)　適格分割等の日
　(四)　6（表の(二)に係る部分に限る。）の規定により6の内国法人又は外国法人の①の注各号に定める事業年度の控除限度超過額とみなされる金額及び当該金額の計算に関する明細
　(五)　6（表の(二)に係る部分に限る。）の規定により6の内国法人又は外国法人の①の注各号に定める事業年度の道府県民税の控除余裕額とみなされる金額及び当該金額の計算に関する明細
　(六)　その他参考となるべき事項

⑥　適格分割等に係る分割承継法人等が「6」の規定の適用を受ける場合の「2」及び「5」の規定の適用の特例
　　適格分割等に係る分割承継法人（法人税法第2条第12号の3に規定する分割承継法人をいう。）又は被現物出資法人（同条第12号の5に規定する被現物出資法人をいう。）（以下⑥及び9の(8)において「分割承継法人等」という。）が6の規定の適用を受ける場合には、当該適格分割等に係る分割法人等の当該適格分割等の日の属する事業年度以後の各事業年度における2及び5の規定の適用については、当該分割法人等の分割等前3年内事業年度の控除限度超過額及び道府県税の控除余裕額のうち、6の規定により当該分割承継法人等の当該事業年度開始の日前3年以内に開始した各事業年度の控除限度超過額とみなされる金額及び道府県民税の控除余裕額とみなされる金額は、ないものとする。（令9の7⑰）

　　　（留意事項）
　注　内国法人又は外国法人が適格合併等により被合併法人等から事業の全部又は一部の移転を受けた場合には、当該内国法人又は外国法人の当該適格合併等の日の属する事業年度以後の各事業年度においては、次に掲げる適格合併等の区分に応じ次に定める金額は、当該内国法人又は外国法人の当該事業年度開始の日前3年以内に開始した各事業年度の控除限度超過額及び道府県民税の控除余裕額とみなす。（県通2－47(4)）
　　ア　適格合併　　当該適格合併に係る被合併法人の当該適格合併の日前3年以内に開始した各事業年度の控除限度超過額及び道府県民税の控除余裕額
　　イ　適格分割等　　当該適格分割等に係る分割法人等の当該適格分割等の日の属する事業年度開始の日前3年以内に開始した各事業年度の控除限度超過額及び道府県民税の控除余裕額のうち、当該適格分割等により当該内国法人又は外国法人が移転を受けた事業に係る部分の金額

7　控除すべき年度
　　1の規定による外国の法人税等の額の控除は、法人税法第69条《外国税額の控除》の規定により同条第1項に規定する外国法人税の額を控除する事業年度又は同法第144条の2の規定により同条第1項に規定する外国法人税の額を控除する事業年度に係る法人税割額についてするものとする。（令9の7⑱）

8　控除不足額の繰越控除
　　法人税法第71条第1項《中間申告》、第74条第1項《確定申告》、第144条の3《外国法人の中間申告》第1項又は第144条の6《外国法人の確定申告》第1項の規定により法人税に係る申告書を提出する義務がある法人（以下三において「所得等申告法人」という。）の前3年以内の各事業年度における法人税割額の計算上1の規定により控除することとされた外国の法人税等の額のうち、当該法人税割額（外国法人にあっては、法人税法第141条第1号イに掲げる国内源泉所得に対する法人税を課税標準として課するものに限る。以下8において同じ。）を超えることとなるため控除することができなかった額で前事業年度以前の事業年度の法人税割について控除されなかった部分の額（三において「控除未済外国法人税等額」という。）は、当該所得等申告法人の当該事業年度の当該法人税割額から控除するものとする。（令9の7⑲）

　　　（法人税法との相違点）
　注　外国の法人税等の額のうち、控除未済外国法人税等額があるときは、法人税と異なり、当該控除未済外国法人税等額はこれを還付することなく、その額を3年間に限って繰越控除するものであること。（県通2－47(5)）

9　所得等申告法人が適格合併等により事業の移転を受けた場合の控除未済外国法人税等額のみなし規定
　　所得等申告法人が適格合併等により被合併法人等から事業の全部又は一部の移転を受けた場合には、当該所得等申告法人の当該適格合併等の日の属する事業年度以後の各事業年度における8の規定の適用については、次の各号に掲げる適格合併等の区分に応じ当該各号に定める金額は、当該所得等申告法人の当該事業年度開始の日前3年以内に開始した各事業年度の控除未済外国法人税等額とみなす。（令9の7⑳）

(一)	適格合併	当該適格合併に係る被合併法人の合併前3年内事業年度の控除未済外国法人税等額
(二)	適格分割等	当該適格分割等に係る分割法人等の分割等前3年内事業年度の控除未済外国法人税等額のうち、当該適格分割等により当該所得等申告法人が移転を受けた事業に係る部分の金額

(適格合併がある場合の控除未済外国法人税等額の控除)
(1) 9 (表の(一)に係る部分に限る。)の規定の適用がある場合の9の所得等申告法人の適格合併の日の属する事業年度以後の各事業年度における8の規定の適用については、当該適格合併に係る被合併法人の合併前3年内事業年度の控除未済外国法人税等額は、当該被合併法人の次の各号に掲げる合併前3年内事業年度の区分に応じ、当該所得等申告法人の当該各号に定める事業年度の控除未済外国法人税等額とみなす。(令9の7㉑)
(一) 適格合併に係る被合併法人の合併前3年内事業年度((二)に掲げる合併前3年内事業年度を除く。)　当該被合併法人の合併前3年内事業年度開始の日の属する当該所得等申告法人の各事業年度
(二) 適格合併に係る被合併法人の合併前3年内事業年度のうち当該所得等申告法人の合併事業年度開始の日以後に開始したもの　当該所得等申告法人の合併事業年度開始の日の前日の属する事業年度

(適格分割等がある場合の控除未済外国法人税等額の控除)
(2) 9 (表の(二)に係る部分に限る。)の規定の適用がある場合の9の所得等申告法人の適格分割等の日の属する事業年度以後の各事業年度における8の規定の適用については、当該適格分割等に係る分割法人等の分割等前3年内事業年度の控除未済外国法人税等額のうち、9の表の(二)に規定する当該所得等申告法人が移転を受けた事業に係る部分の金額は、当該分割法人等の次の各号に掲げる分割等前3年内事業年度の区分に応じ、当該所得等申告法人の当該各号に定める事業年度の控除未済外国法人税等額とみなす。(令9の7㉒)
(一) 適格分割等に係る分割法人等の分割等前3年内事業年度等((二)に掲げる場合に該当するときの分割等前3年内事業年度及び(三)に掲げる分割等前3年内事業年度を除く。)　当該分割法人等の分割等前3年内事業年度開始の日の属する当該所得等申告法人の各事業年度
(二) 適格分割等に係る分割法人等の当該適格分割等の日の属する事業年度開始の日が当該所得等申告法人の当該適格分割等の日の属する事業年度開始の日前である場合の当該分割法人等の分割等前3年内事業年度　当該分割法人等の分割等前3年内事業年度終了の日の属する当該所得等申告法人の各事業年度
(三) 適格分割等に係る分割法人等の分割等前3年内事業年度のうち当該所得等申告法人の分割承継等事業年度開始の日以後に開始したもの　当該所得等申告法人の分割承継等事業年度開始の日の前日の属する事業年度

(所得等申告法人3年前事業年度開始日が被合併法人等3年前事業年度開始日後である場合の特例)
(3) 9の所得等申告法人の適格合併等の日の属する事業年度開始の日前3年以内に開始した各事業年度のうち最も古い事業年度開始の日(以下(3)において「所得等申告法人3年前事業年度開始日」という。)が当該適格合併等に係る被合併法人等の合併前3年内事業年度又は分割等前3年内事業年度等(以下(3)において「被合併法人等前3年内事業年度」という。)のうち最も古い事業年度開始の日(二以上の被合併法人等が行う適格合併にあっては、当該開始の日が最も早い被合併法人等の当該事業年度開始の日。以下(3)において「被合併法人等3年前事業年度開始日」という。)後である場合には、当該被合併法人等3年前事業年度開始日から当該所得等申告法人3年前事業年度開始日(当該適格合併等が当該所得等申告法人を設立するものである場合にあっては、当該所得等申告法人の当該適格合併等の日の属する事業年度開始の日。以下(3)において同じ。)の前日までの期間を当該期間に対応する当該被合併法人等3年前事業年度開始日に係る被合併法人等の被合併法人等前3年内事業年度ごとに区分したそれぞれの期間(当該前日の属する期間にあっては、当該被合併法人等の当該前日の属する事業年度開始の日から当該所得等申告法人3年前事業年度開始日の前日までの期間)は、当該所得等申告法人のそれぞれの事業年度とみなして、(1)及び(2)の規定を適用する。(令9の7㉓)

(適格分割等の場合の控除未済外国法人税等額のうち移転を受けた事業に係る部分の金額)
(4) 9の表の(二)に規定する当該所得等申告法人が移転を受けた事業に係る部分の金額は、適格分割等に係る分割法人等の分割等前3年内事業年度の控除未済外国法人税等額に当該分割等前3年内事業年度における(一)に掲げる金額のうちに(二)に掲げる金額の占める割合をそれぞれ乗じて計算した金額とする。(令9の7㉔)
(一) 当該分割法人等の内国法人の調整国外所得金額又は外国法人の調整国内所得金額
(二) (一)に掲げる金額のうち当該分割法人等から移転を受ける事業に係る部分の金額

(引継ぎの要件)
(5) 9の規定は、適格分割等により当該適格分割等に係る分割法人等から事業の移転を受けた所得等申告法人にあっては、当該所得等申告法人が当該適格分割等の日以後3月以内に当該所得等申告法人の当該事業年度開始の日前3年以内に開始した各事業年度の控除未済外国法人税等額とみなされる金額その他の総務省令で定める事項を記載した書

類を当該所得等申告法人の事務所又は事業所の所在地の道府県知事（二以上の道府県において事務所又は事業所を有する所得等申告法人にあっては、当該所得等申告法人の主たる事務所又は事業所の所在地の道府県知事）に提出した場合に限り、適用する。（令９の７㉕）

（書類の提出期限の延長の特例）
(6)　所得等申告法人が適格分割等により分割法人等である内国法人等から事業の移転を受けた場合であって、当該適格分割等が当該適格分割等の日の属する当該分割法人等の事業年度開始の日から１月以内に行われたものであるとき（当該事業年度の前事業年度が当該分割法人等に係る通算親法人の事業年度終了の日に終了するものであるときに限る。）における(5)の規定の適用については、(5)中「以後３月」とあるのは、「の属する当該分割法人等の事業年度開始の日以後４月」とする。（令９の７㉖）

（総務省令で定める事項）
(7)　(5)に規定する総務省令で定める事項は、次に掲げる事項とする。（規３の２③）
　（一）　９の規定の適用を受けようとする所得等申告法人（８に規定する所得等申告法人をいう。以下（一）において同じ。）の名称、事務所又は事業所所在地（二以上の道府県において事務所又は事業所を有する所得等申告法人にあっては、当該所得等申告法人の主たる事務所又は事業所所在地）及び法人番号並びに代表者の氏名
　（二）　適格分割等に係る分割法人等の名称、事務所又は事業所所在地及び法人番号並びに代表者の氏名〔６の⑤の(2)の（二）参照〕
　（三）　適格分割等の日
　（四）　９（表の（二）に係る部分に限る。）の規定により９の所得等申告法人の(2)各号に定める事業年度の８に規定する控除未済外国法人税等額とみなされる金額及び当該金額の計算に関する明細
　（五）　その他参考となるべき事項

（適格分割等に係る所得等申告法人が９の規定の適用を受ける場合の８の規定の適用の特例）
(8)　適格分割等に係る分割承継法人等が９の規定の適用を受ける場合には、当該適格分割等に係る分割法人等の当該適格分割等の日の属する事業年度以後の各事業年度における８の規定の適用については、当該分割法人等の分割等前３年内事業年度の控除未済外国法人税等額のうち、９の規定により当該分割承継法人等の当該事業年度開始の日前３年以内に開始した各事業年度の控除未済外国法人税等額とみなされる金額は、ないものとする。（令９の７㉗）

（留意事項）
(9)　所得等申告法人が、適格合併等により被合併法人等から事業の全部又は一部の移転を受けた場合には、当該所得等申告法人の当該合併等の日の属する事業年度以後の各事業年度においては、次に掲げる適格合併等の区分に応じ次に定める金額は、当該所得等申告法人の前３年内事業年度の控除未済外国法人税等額とみなす。（県通２－47(6)）
　ア　適格合併　　当該適格合併に係る被合併法人の当該適格合併の日前３年以内に開始した各事業年度の控除未済外国法人税等額
　イ　適格分割等　　当該適格分割等に係る分割法人等の当該適格分割等の日の属する事業年度開始の日前３年以内に開始した各事業年度の控除未済外国法人税等額のうち、当該適格分割等により当該所得等申告法人が移転を受けた事業に係る部分の金額

10　外国税額控除の申告

　１の規定による外国の法人税等の額の控除に関する規定は、第三節一の１、２、６若しくは７《中間申告・みなし中間申告・確定申告・修正申告》の規定による申告書又は第一編第十章10《更正の請求》の④の規定による更正請求書（二以上の道府県において事務所又は事業所を有する法人に係るものにあっては、当該法人の主たる事務所又は事業所の所在地の道府県知事に提出すべき当該申告書又は更正請求書）に外国の法人税等の額の控除に関する事項を記載した総務省令で定める書類の添付がある場合（２、５又は８の規定については、当該申告書又は更正請求書を提出し、かつ、当該規定の適用を受けようとする金額の生じた事業年度以後の各事業年度について当該金額に関する事項を記載した総務省令で定める書類の添付がある当該申告書又は更正請求書を提出している場合）に限り、適用する。この場合において、１の規定により控除されるべき金額の計算の基礎となる当該事業年度において課された外国の法人税等の額その他の(1)で定める金額は、道府県知事において特別の事情があると認める場合を除くほか、当該書類に当該計算の基礎となる金額として記載された金額を限度とする。（令９の７㉙）

(当該事業年度において課された外国の法人税等の額その他の金額)
（1）　10に規定する金額は、1の規定による控除をしようとする事業年度において課された1に規定する外国の法人税等（以下（1）において「外国の法人税等」という。）の額とする。ただし、次の各号に掲げる規定に係る部分の金額については、当該各号に定める金額とする。（規3の2⑤）
　（一）　2又は5　　控除限度超過額又は国税の控除余裕額、道府県民税の控除余裕額若しくは市町村民税の控除余裕額に係る事業年度のうち最も古い事業年度以後の各事業年度の国税の控除限度額、道府県民税の控除限度額及び5に規定する市町村民税の控除限度額の合計額並びに当該各事業年度において課された外国の法人税等の額
　（二）　8　　控除未済外国法人税等額に係る事業年度のうち最も古い事業年度以後の各事業年度における法人税割額の計算上1の規定により控除することとされた外国の法人税等の額

　　　（留意事項）
（2）　1の規定による控除をされるべき金額の計算の基礎となる当該事業年度において課された外国の法人税等の額その他の（1）で定める金額は、道府県知事において特別の事情があると認める場合を除くほか、外国の法人税等の額の控除に関する事項を記載した規則第7号の2様式に当該計算の基礎となる金額として記載された金額を限度とする。
　　　（県通2－47（8））

四　通算法人の過年度の外国税額控除額が当初申告税額控除額と異なることとなった場合の調整

1　通算法人の適用事業年度における当初申告税額控除額の固定措置

　三の1《外国の法人税額等の控除》の規定を適用する場合において、通算法人（法人税法第2条第12号の7の2に規定する通算法人をいう。以下四において同じ。）の各事業年度（当該通算法人に係る通算親法人〔第三節一の1参照〕の事業年度終了の日に終了するものに限るものとし、被合併法人の合併の日の前日の属する事業年度、残余財産の確定の日の属する事業年度及び公益法人等（第一節二の1の（3）《非課税とされない公益法人等に対する法人税割》に規定する公益法人等をいう。2の①及び5において同じ。）に該当することとなった日の前日の属する事業年度を除く。以下1及び3の①において「適用事業年度」という。）の税額控除額（当該適用事業年度における三の1の規定による控除をされるべき金額をいう。以下1、2の①及び3の①において同じ。）が、当初申告税額控除額（当該適用事業年度の第三節一の1・2《中間申告・確定申告》の規定による申告書（同法第71条《中間申告》第1項（同法第72条《仮決算をした場合の中間申告》第1項の規定が適用される場合に限る。）又は第74条《確定申告》第1項の規定により法人税に係る申告書を提出する義務がある法人が、同1・2の規定による申告書の提出期限までに提出したものに限る。）に添付された書類に当該適用事業年度の税額控除額として記載された金額をいう。以下1及び3の①において同じ。）と異なるときは、当初申告税額控除額を税額控除額とみなす。（法53㊴）

　　　（留意事項）
注　三の1《外国の法人税等の額の控除》の規定を適用する場合において、通算法人の1に規定する適用事業年度（以下「適用事業年度」という。）の1に規定する税額控除額（以下「税額控除額」という。）が当初申告税額控除額（当該適用事業年度の第三節一の1・2の規定による申告書の提出期限までに提出された仮決算に係る中間申告書又は確定申告書に添付された書類に当該適用事業年度の税額控除額として記載された金額をいう。以下同じ。）と異なるときは、当初申告税額控除額を税額控除額とみなすものであること。適用事業年度について3の①（（一）及び（三）に係る部分に限る。）の規定を適用して修正申告書の提出又は更正がされた後において1の規定を適用する場合は、3の①の規定にかかわらず、あらためて当該申告書に添付された書類に当該適用事業年度の税額控除額として記載された金額又は当該更正に係る当該適用事業年度の税額控除額とされた金額を当初申告税額控除額とみなすものであること。
　また、適用事業年度後の通算法人（通算法人であった内国法人（公益法人等に該当することとなった内国法人を除く。）を含む。）の各事業年度（以下「対象事業年度」という。）において、2の①に規定する調整後過去税額控除額（以下「調整後過去税額控除額」という。）が同①に規定する過去当初申告税額控除額（以下「過去当初申告税額控除額」という。）を超える場合にあっては税額控除不足額相当額（当該調整後過去税額控除額から当該過去当初申告税額控除額を控除した金額に相当する金額をいう。以下同じ。）を法人税割額から控除するものであり、過去当初申告税額控除額が調整後過去税額控除額を超える場合にあっては法人税割額に税額控除超過額相当額（当該過去当初申告税額控除額から当該調整後過去税額控除額を控除した金額に相当する金額をいう。以下同じ。）を加算するものであること。
　これらの場合において、当該対象事業年度の税額控除不足額相当額又は税額控除超過額相当額が当初申告税額控除不足額相当額又は当初申告税額控除超過額相当額（それぞれ第三節一の1・2の規定による申告書の提出期限までに

第二編第二章《法人の道府県民税》第四節《法人税額等の控除・加算及び還付等》

提出された仮決算に係る中間申告書又は確定申告書に添付された書類に当該対象事業年度の税額控除不足額相当額又は税額控除超過額相当額として記載された金額をいう。以下同じ。）と異なるときは、当初申告税額控除不足額相当額又は当初申告税額控除超過額相当額を当該対象事業年度の税額控除不足額相当額又は税額控除超過額相当額とみなすものであること。また、当該対象事業年度について3の②の規定を適用して修正申告書の提出又は更正がされた後において2の③又は3の②の規定を適用する場合は、3の②の規定にかかわらず、あらためて当該申告書に添付された書類に当該対象事業年度の税額控除不足額相当額若しくは税額控除超過額相当額として記載された金額又は当該更正に係る当該対象事業年度の税額控除不足額相当額若しくは税額控除超過額相当額とされた金額を当初申告税額控除不足額相当額又は当初申告税額控除超過額相当額とみなすものであること。

なお、この場合において次の諸点に留意すること。（県通2－47の2）

（一）　税額控除不足額相当額のうち、道府県民税の法人税割額を超えるため控除することができなかった額（以下「控除未済税額控除不足額相当額」という。）があるときは、法人税と異なり、当該控除未済税額控除不足額相当額はこれを還付することなく、その額を3年間に限って繰越控除するものであること。

（二）　法人税法第71条第1項又は第74条第1項の規定により法人税に係る申告書を提出する義務がある法人（以下（二）において「所得等申告法人」という。）が、適格合併等により被合併法人等から事業の全部又は一部の移転を受けた場合には、当該所得等申告法人の当該適格合併等の日の属する事業年度以後の各事業年度においては、次に掲げる適格合併等の区分に応じ次に定める金額は、当該所得等申告法人の前3年内事業年度の控除未済税額控除不足額相当額とみなすものであること。

　　イ　適格合併　　当該適格合併に係る被合併法人の当該適格合併の日前3年以内に開始した各事業年度の控除未済税額控除不足額相当額

　　ロ　適格分割等　　当該適格分割等に係る分割法人等の当該適格分割等の日の属する事業年度開始の日前3年以内に開始した各事業年度の控除未済税額控除不足額相当額のうち、当該適格分割等により当該所得等申告法人が移転を受けた事業に係る部分の金額

（三）　二以上の道府県において事務所又は事業所を有する法人の関係道府県ごとの法人税割額から控除すべき税額控除不足額相当額又は法人税割額に加算すべき税額控除超過額相当額の計算は、第五節一の2《法人税割の課税標準の分割基準》に規定する従業者の数に按分して算定するものであること。なお、二以上の道府県において事務所又は事業所を有する法人が三の4の①ただし書の規定により対象事業年度の道府県民税の控除限度額を計算した場合には、当該従業者の数は、2の①の（3）（同②の（1）において準用する場合を含む。）及び三の4の③の規定により補正することとされているものであること。

（四）　二以上の道府県において事務所又は事業所を有する法人における当初申告税額控除額とみなされる税額控除額及び当初申告税額控除不足額相当額又は当初申告税額控除超過額相当額とみなされる税額控除不足額相当額又は税額控除超過額相当額は、第五節一の2に規定する従業者の数又は三の4の②及び2の①の（3）（同②の（1）において準用する場合を含む。）並びに三の4の③の規定により補正された従業者の数により関係道府県ごとに按分する前の金額をいうものであること。

（五）　2の①及び同②の規定の適用を受ける法人にあっては、当該対象事業年度に係る規則第7号の2様式（同様式別表1から別表6までを含む。以下同じ。）及び同様式別表7だけでなく、過去適用事業年度の過去当初申告税額控除額の控除に関する事項を記載した規則第7号の2様式及び税額控除額の控除に関する事項を記載した規則第7号の2様式を確定申告書等に添付しなければならないものであること。

（六）　2の①の規定による控除をされるべき税額控除不足額相当額の計算の基礎となる外国の法人税等の額その他の同①の（6）に定める金額は、道府県知事において特別の事情があると認める場合を除くほか、税額控除額の控除に関する事項を記載した過去適用事業年度の規則第7号の2様式に当該計算の基礎となる金額として記載された金額を限度とするものであること。

（七）　2の②の規定により加算されるべき税額控除超過額相当額の計算の基礎となる外国の法人税等の額その他の同②の（4）に定める金額は、道府県知事において特別の事情があると認める場合を除くほか、税額控除額の控除に関する事項を記載した過去適用事業年度の規則第7号の2様式に当該計算の基礎となる金額として記載された金額を限度とするものであること。

（八）　2の①の規定による控除又は同②の規定による加算をすべき事業年度は、法人税において法人税法第69条第18項の規定による控除又は同条第19項の規定による加算をすべき事業年度と、原則として一致すべきものであること。

（九）　通算法人（通算法人であった内国法人を含む。以下同じ。）が合併により解散した場合、通算法人の残余財産が確定した場合又は通算法人が公益法人等に該当することとなった場合においても、（一）から（八）までに留意するものであること。

2　税額控除額と当初申告税額控除額との差額に係る対象事業年度での調整

①　税額控除不足額相当額の対象事業年度の法人税割額からの控除

　道府県は、通算法人（通算法人であった内国法人（公益法人等に該当することとなった内国法人を除く。）を含む。2及び3において同じ。）の各事業年度（以下2及び3において「対象事業年度」という。）において、過去適用事業年度（当該対象事業年度開始の日前に開始した各事業年度で1の規定の適用を受けた事業年度をいう。以下①及び3の②(一)において同じ。）における税額控除額（当該対象事業年度開始の日前に開始した各事業年度（以下①において「対象前各事業年度」という。）において当該過去適用事業年度に係る税額控除額につき①又は②の規定の適用があった場合には、②の規定により当該対象前各事業年度の法人税割額に加算した金額の合計額から①の規定により当該対象前各事業年度の法人税割額から控除した金額の合計額を減算した金額を加算した金額。以下①及び②において「調整後過去税額控除額」という。）が過去当初申告税額控除額（当該過去適用事業年度の第三節一の1・2の規定による申告書（法人税法第74条第1項の規定により法人税に係る申告書を提出する義務がある法人が、同1・2の規定による申告書の提出期限までに提出したものに限る。）に添付された書類に当該過去適用事業年度の三の1の規定による控除をされるべき金額として記載された金額（当該過去適用事業年度について3の①の注の規定の適用を受けた場合には、その適用に係る第三節一の6《納付税額に過不足額がある場合等の申告納付》に規定する申告書に添付された書類のうち、最も新しいものに当該過去適用事業年度の三の1の規定による控除をされるべき金額として記載された金額又は第六節一の1若しくは3《更正・再更正》の規定による更正のうち、最も新しいものに係る当該過去適用事業年度の三の1の規定による控除をされるべき金額とされた金額）をいう。以下①及び②において同じ。）を超える場合には、政令で定めるところにより、税額控除不足額相当額（当該調整後過去税額控除額から当該過去当初申告税額控除額を控除した金額に相当する金額をいう。2及び3において同じ。）を当該対象事業年度の第三節一の1・2（予定申告法人に係るものを除く。）、同6又は7の規定により申告納付すべき法人税割額から控除するものとする。（法53㊷）

　　　　（税額控除不足額相当額の控除）
（1）　三の8及び9の規定は、法人税法第71条第1項又は第74条第1項の規定により法人税に係る申告書を提出する義務がある法人の前3年内事業年度〔三の2参照〕における法人税割額の計算上①（4及び5において準用する場合を含む。以下2において同じ。）の規定により控除することとされた税額控除不足額相当額のうち、当該法人税割額を超えることとなるため控除することができなかった額で前事業年度以前の事業年度の法人税割について控除されなかった部分の額について準用する。この場合において、三の8及び9中「控除未済外国法人税等額」とあるのは、「控除未済税額控除不足額相当額」と読み替えるものとする。（令9の7の2①）

　　　　（税額控除不足額相当額の控除の場合の総務省令で定める事項）
（2）　三の9の(7)の規定は、(1)において準用する三の9の(5)に規定する総務省令で定める事項について準用する。この場合において三の9の(7)の(一)中「(5)」とあるのは「四の2の①の(1)において準用する(5)」と、同(四)中「9」とあるのは「四の2の①の(1)において準用する9」と、「控除未済外国法人税等額」とあるのは「控除未済税額控除不足額相当額」と読み替えるものとする。（規3の2④）

　　　　（二以上の道府県において事務所又は事業所を有する法人に係る税額控除不足額相当額の控除）
（3）　二以上の道府県において事務所又は事業所を有する法人の①の規定により関係道府県ごとの法人税割額から控除すべき税額控除不足額相当額は、当該法人に係る①の規定により控除することができる税額控除不足額相当額を当該法人の当該控除をしようとする事業年度に係る関係道府県ごとの第五節一の2《法人税額の課税標準の分割基準》に規定する従業者の数（当該事業年度の道府県民税の控除限度額〔三の2参照〕の計算について三の4の①《道府県民税の控除限度額》ただし書の規定による法人にあっては、当該従業者の数に当該関係道府県が課する当該事業年度分の法人税割の税率に相当する割合として総務省令で定める割合を乗じて得た数を100分の1で除して得た数）に按分して計算した額とする。（令9の7の2②）

　　　　（税額控除不足額相当額の控除の申告）
（4）　①の規定は、第三節一の1・2、6若しくは7《中間申告・みなし中間申告・確定申告・過不足税額の申告・修正申告・更正決定に係る申告》の規定による申告書又は第一編第一章10の④《更正請求書の地方団体の長への提出》の規定による更正請求書（二以上の道府県において事務所又は事業所を有する法人に係るものにあっては、当該法人の主たる事務所又は事業所の所在地の道府県知事に提出すべき当該申告書又は更正請求書。以下(4)及び②の(2)に

おいて「申告書等」という。）に税額控除不足額相当額の控除に関する事項を記載した書類その他の総務省令で定める書類の添付がある場合（（1）において準用する三の8の規定については、当該申告書等を提出し、かつ、当該規定の適用を受けようとする金額の生じた事業年度以後の各事業年度について当該金額に関する事項を記載した総務省令で定める書類の添付がある当該申告書等を提出している場合）に限り、適用する。この場合において、①の規定により控除されるべき金額の計算の基礎となる外国の法人税等〔三の1の（1）参照〕の額その他の総務省令で定める金額は、道府県知事において特別の事情があると認める場合を除くほか、当該書類に当該計算の基礎となる金額として記載された金額を限度とする。（令9の7の2④）

　　　　（総務省令で定める書類）
（5）　（4）に規定する総務省令で定める書類は、次に掲げる書類とする。（規3の2⑥）
　（一）　税額控除不足額相当額（①（4及び5において準用する場合を含む。以下（5）及び（6）において同じ。）に規定する税額控除不足額相当額をいう。（二）及び（6）において同じ。）の控除に関する事項を記載した書類
　（二）　税額控除不足額相当額に係る過去適用事業年度（①に規定する過去適用事業年度をいう。以下2において同じ。）の過去当初申告税額控除額（①に規定する過去当初申告税額控除額をいう。②の（3）の（二）において同じ。）及び税額控除額（1に規定する税額控除額をいう。（三）及び②の（3）において同じ。）の控除に関する事項を記載した書類
　（三）　対象前各事業年度（①に規定する対象前各事業年度をいう。以下（三）及び②の（3）の（三）において同じ。）において（二）の過去適用事業年度に係る税額控除額につき①又は②の規定の適用があった場合には、当該対象前各事業年度における①の規定による控除及び②の規定による加算に関する事項を記載した書類

　　　　（総務省令で定める金額）
（6）　（4）に規定する総務省令で定める金額は、次に掲げる金額とする。ただし、（1）において準用する三の8の規定に係る部分の金額については、同8に規定する控除未済税額控除不足額相当額に係る事業年度のうち最も古い事業年度以後の各事業年度における法人税割額の計算上①の規定により控除することとされた税額控除不足額相当額とする。（規3の2⑦）
　（一）　①の規定による控除を受けるべき金額に係る過去適用事業年度の外国の法人税等の額
　（二）　（一）の過去適用事業年度における控除限度超過額又は国税の控除余裕額、道府県民税の控除余裕額若しくは市町村民税の控除余裕額に係る事業年度のうち最も古い事業年度以後の各事業年度の国税の控除限度額、道府県民税の控除限度額及び市町村民税の控除限度額の合計額並びに当該各事業年度において課された外国の法人税等の額

② 税額控除超過額相当額の対象事業年度の法人税割額への加算
　通算法人の対象事業年度において過去当初申告税額控除額が調整後過去税額控除額を超える場合には、当該対象事業年度の第三節一の1・2（予定申告法人に係るものを除く。）、同6又は7の規定により申告納付すべき法人税割額は、これらの規定にかかわらず、政令で定めるところにより、法人税額を課税標準として算定した法人税割額に、税額控除超過額相当額（当該過去当初申告税額控除額から当該調整後過去税額控除額を控除した金額に相当する金額をいう。2及び3において同じ。）を加算した金額とする。（法53㊸）

　　　　（二以上の道府県において事務所又は事業所を有する法人に係る税額控除超過額相当額の加算）
（1）　①の（2）の規定は、二以上の道府県において事務所又は事業所を有する法人の②（4及び5において準用する場合を含む。以下（1）及び（2）において同じ。）の規定により関係道府県ごとの法人税割額に加算すべき税額控除超過額相当額について準用する。（令9の7の2③）

　　　　（税額控除超過額相当額の加算の申告）
（2）　②の規定の適用を受ける法人は、申告書等に税額控除超過額相当額の加算に関する事項を記載した書類その他の総務省令で定める書類を添付しなければならない。この場合において、②の規定により加算されるべき金額の計算の基礎となる外国の法人税等の額その他の総務省令で定める金額は、道府県知事において特別の事情があると認める場合を除くほか、当該書類に当該計算の基礎となる金額として記載された金額を限度とする。（令9の7の2⑤）

　　　　（総務省令で定める書類）
（3）　（2）に規定する総務省令で定める書類は、次に掲げる書類とする。（規3の2⑧）
　（一）　税額控除超過額相当額（②（4及び5において準用する場合を含む。（4）の（一）において同じ。）に規定する税

額控除超過額相当額をいう。(二)において同じ。)の加算に関する事項を記載した書類
　(二)　税額控除超過額相当額に係る過去適用事業年度の過去当初申告税額控除額及び税額控除額の控除に関する事項を記載した書類
　(三)　対象前各事業年度において(二)の過去適用事業年度に係る税額控除額につき①又は②の規定の適用があった場合には、当該対象前各事業年度における①の規定による控除及び②の規定による加算に関する事項を記載した書類

　　　(総務省令で定める金額)
(4)　(2)に規定する総務省令で定める金額は、次に掲げる金額とする。(規3の2⑨)
　(一)　②の規定により加算されるべき金額に係る過去適用事業年度の外国の法人税等の額
　(二)　(一)の過去適用事業年度における控除限度超過額又は国税の控除余裕額、道府県民税の控除余裕額若しくは市町村民税の控除余裕額に係る事業年度のうち最も古い事業年度以後の各事業年度の国税の控除限度額、道府県民税の控除限度額及び市町村民税の控除限度額の合計額並びに当該各事業年度において課された外国の法人税等の額

③　対象事業年度における当初申告税額控除不足額相当額又は当初申告税額控除超過額相当額の固定措置
　　①及び②の規定を適用する場合において、通算法人の対象事業年度の税額控除不足額相当額又は税額控除超過額相当額が当初申告税額控除不足額相当額又は当初申告税額控除超過額相当額(それぞれ当該対象事業年度の第三節一の1・2の規定による申告書(法人税法第71条第1項(同法第72条第1項の規定が適用される場合に限る。)又は第74条第1項の規定により法人税に係る申告書を提出する義務がある法人が、同1・2の規定による申告書の提出期限までに提出したものに限る。)に添付された書類に当該対象事業年度の税額控除不足額相当額又は税額控除超過額相当額として記載された金額をいう。以下③及び3において同じ。)と異なるときは、当初申告税額控除不足額相当額又は当初申告税額控除超過額相当額を当該対象事業年度の税額控除不足額相当額又は税額控除超過額相当額とみなす。(法53㊹)

3　当初申告税額控除額の固定措置又は当初申告税額控除不足額(超過額)相当額の固定措置の不適用

①　適用事業年度における当初申告税額控除額の固定措置の不適用
　　1の通算法人の適用事業年度について、次に掲げる場合のいずれかに該当する場合には、当該適用事業年度については、1の規定は、適用しない。(法53㊵)
(一)　法人税法第69条第16項《通算法人の適用事業年度の当初申告税額控除額とみなす措置の不適用》(第1号に係る部分に限る。)の規定の適用がある場合(同号に掲げる場合における税額控除額が当初申告税額控除額と異なる場合に限る。)
(二)　法人税法第69条第16項(第2号に係る部分に限る。)の規定の適用がある場合
(三)　地方法人税法第12条第6項《通算法人の適用事業年度の当初申告税額控除額とみなす措置の不適用》(第1号に係る部分に限る。)の規定の適用がある場合(同号に掲げる場合における税額控除額が当初申告税額控除額と異なる場合に限る。)

　　　(当初申告税額控除額の固定措置不適用による申告又は更正等がされた後の税額控除額)
　注　適用事業年度について①((一)及び(三)に係る部分に限る。)の規定を適用して第三節一の6《納付税額に過不足額がある場合等の申告納付》に規定する申告書の提出又は第六節一の1《更正》若しくは3《更正》の規定による更正がされた後における1及び①の規定の適用については、①の規定にかかわらず、当該申告書に添付された書類に当該適用事業年度の税額控除額として記載された金額又は当該更正に係る当該適用事業年度の税額控除額とされた金額を当初申告税額控除額とみなす。(法53㊶)

②　当初申告税額控除不足額相当額又は当初申告税額控除超過額相当額の固定措置の不適用
　　2の③の通算法人の対象事業年度について、次に掲げる場合のいずれかに該当する場合には、当該対象事業年度については、同③の規定は、適用しない。(法53㊺)
(一)　対象事業年度において2の①の規定により法人税割額から控除した税額控除不足額相当額又は同②の規定により法人税割額に加算した税額控除超過額相当額に係る過去適用事業年度について①の規定の適用がある場合
(二)　法人税法第69条第21項《当初申告税額控除不足額等相当額の固定措置の不適用》(第1号及び第3号に係る部分に限る。)の規定の適用がある場合(同項第1号及び第3号に掲げる場合における税額控除不足額相当額又は税額控除超過額相当額が当初申告税額控除不足額相当額又は当初申告税額控除超過額相当額と異なる場合に限る。)
(三)　地方法人税法第12条第11項(第1号及び第3号に係る部分に限る。)の規定の適用がある場合(同項第1号及び第3

号に掲げる場合における税額控除不足額相当額又は税額控除超過額相当額が当初申告税額控除不足額相当額又は当初申告税額控除超過額相当額と異なる場合に限る。)

　　(当初申告税額控除不足額相当額又は当初申告税額控除超過額相当額の固定措置不適用による申告又は更正等がされた後の税額控除額)
注　対象事業年度について②の規定を適用して第三節一の6に規定する申告書の提出又は第六節一の1若しくは3の規定による更正がされた後における②及び2の③の規定の適用については、②の規定にかかわらず、当該申告書に添付された書類に当該対象事業年度の税額控除不足額相当額若しくは税額控除超過額相当額として記載された金額又は当該更正に係る当該対象事業年度の税額控除不足額相当額若しくは税額控除超過額相当額とされた金額を当初申告税額控除不足額相当額又は当初申告税額控除超過額相当額とみなす。(法53㊻)

4　通算法人が合併により解散した場合又は通算法人の残余財産が確定した場合の調整措置

2の①及び②の規定は、通算法人(通算法人であった内国法人を含む。以下4及び5において同じ。)が合併により解散した場合又は通算法人の残余財産が確定した場合について準用する。この場合において、次の表の左欄に掲げる規定中同表の中欄に掲げる字句は、それぞれ同表の右欄に掲げる字句に読み替えるものとする。(法53㊼)

2の①	の各事業年度(以下2及び3において「対象事業年度」という。)において、過去適用事業年度(当該対象事業年度	が合併により解散した場合又は通算法人の残余財産が確定した場合において、その合併の日以後又はその残余財産の確定の日の翌日以後に、過去適用事業年度(最終事業年度(その合併の日の前日又はその残余財産の確定の日の属する事業年度をいう。以下①及び②において同じ。)
	税額控除額(当該対象事業年度	税額控除額(当該最終事業年度
	超える場合には	超えるときは
	を当該対象事業年度	を当該最終事業年度
2の②	の対象事業年度において	が合併により解散した場合又は通算法人の残余財産が確定した場合において、その合併の日以後又はその残余財産の確定の日の翌日以後に
	場合には、当該対象事業年度	ときは、最終事業年度

5　通算法人が公益法人等に該当することとなった場合の調整措置

2の①及び②の規定は、通算法人が公益法人等に該当することとなった場合について準用する。この場合において、次の表の左欄に掲げる規定中同表の中欄に掲げる字句は、それぞれ同表の右欄に掲げる字句に読み替えるものとする。(法53㊽)

2の①	の各事業年度(以下2及び3において「対象事業年度」という。)において、過去適用事業年度(当該対象事業年度	が公益法人等に該当することとなった場合において、その該当することとなった日以後に、過去適用事業年度(最終事業年度(その該当することとなった日の前日の属する事業年度をいう。以下①及び②において同じ。)
	税額控除額(当該対象事業年度	税額控除額(当該最終事業年度
	超える場合には	超えるときは
	を当該対象事業年度	を当該最終事業年度
2の②	の対象事業年度において	が第一節二の1の(3)に規定する公益法人等に該当することとなった場合において、その該当することとなった日以後に
	場合には、当該対象事業年度	ときは、最終事業年度

五　仮装経理に基づく過大申告の場合の更正に伴う法人税割額の控除

法人税法第74条《確定申告》第1項の規定により法人税に係る申告書を提出する義務がある法人の各事業年度の開始の

日前に開始した事業年度(当該各事業年度の終了の日以前に行われた当該法人を合併法人とする適格合併に係る被合併法人の当該適格合併の日前に開始した事業年度を含む。)の法人税割につき道府県知事が法人税に関する法律の規定により更正された法人税額に基づいて第六節一の1《更正》又は3《再更正》の規定により更正をした場合において、当該更正につき九の1《仮装経理に基づく過大申告の場合の更正に伴う法人税額の還付の不適用》の規定の適用があったときは、当該更正に係る同1に規定する仮装経理法人税割額(既に同2《5年間の繰越控除適用期間終了後の法人税割額の還付》又は同3の②《還付請求書の提出があった場合の道府県知事の手続》の規定により還付すべきこととなった金額及び五の規定により控除された金額を除く。)は、当該各事業年度(当該更正の日(当該更正が当該各事業年度の終了の日前に行われた当該法人を合併法人とする適格合併に係る被合併法人の当該合併の日前に開始した事業年度の法人税割につき当該適格合併の日前にしたものである場合には、当該適格合併の日)以後に終了する事業年度に限る。)の法人税割額から控除するものとする。(法53㊾)

(留意事項)
注　各事業年度の開始の日前に開始した事業年度の内国法人の法人税割額について減額更正をした場合において、当該更正により減少する部分の金額のうち事実を仮装して経理した金額に係るもの(以下注において「仮装経理法人税割額」という。)については、当該各事業年度(当該更正の日以後に終了する事業年度に限る。)の法人税割額から還付又は充当すべきこととなった金額〖九の2注参照〗を除いて控除することとされているが、その運用に当たっては、次の諸点に留意すること。(県通2－48(1)～(4))
イ　仮装経理法人税割額とは、法人税において事実を仮装して経理した金額に係る法人税額として算定された法人税法第135条《仮装経理に基づく過大申告の場合の更正に伴う法人税額の還付の特例》第1項に規定する仮装経理法人税額に対応する法人税割額をいうものであること〖九の1参照〗。この場合において、法人税にあっては、仮装経理に基づく過大申告の場合の更正に伴って、前1年以内の法人税額を限度とする還付の制度があるが、法人の道府県民税については、この制度をとっていないので、法人税法第135条第2項の規定により還付される金額を含めた法人税額に対応する法人税割額を控除するものであることに留意すること。
ロ　控除は、更正の日以後に終了する事業年度の確定申告に係る法人税割額(当該確定申告に係る申告書を提出すべき事業年度の修正申告及び更正又は決定による法人税割額を含む。)から行うものであること。
ハ　第六節一の1《更正》又は3《再更正》の規定による更正をした場合において、仮装経理法人税割額があるときは、同4《更正又は決定の通知》の規定による通知の際に当該金額を併せて通知すること。
ニ　各事業年度の終了の日以前に行われた適格合併に係る被合併法人の当該適格合併の日前に開始した事業年度の法人税割につき更正を受けた場合の仮装経理法人税割額についても、合併法人の法人税割額から控除されるものであること。

六　租税条約の実施に係る還付すべき金額の控除

1　法人税額に係る租税条約の実施に係る還付すべき金額の法人税割額からの控除

道府県は、当該道府県内に事務所又は事業所を有する法人について、租税条約等の実施に伴う所得税法、法人税法及び地方税法の特例等に関する法律第7条第1項《取引の対価の額につき租税条約に基づく合意があった場合の更正の特例》に規定する合意に基づき国税通則法第24条《更正》又は第26条《再更正》の規定による更正が行われた場合において、当該更正に係る法人税額に基づいて道府県知事が第六節一の1《更正》又は3《再更正》の規定による更正をしたことに伴い、第一編第六章一の1《過誤納金の還付》及び第六節一の5《更正又は決定をした道府県民税額が中間納付額に満たない場合の還付又は充当》の規定により還付することとなる金額(以下1及び3において「**租税条約の実施に係る還付すべき金額**」という。)が生ずるときは、当該更正があった日が当該更正に係る更正の請求があった日の翌日から起算して3月を経過した日以後である場合を除き、第一編第六章一の1、2《過誤納金の充当》、同章三《還付加算金》及び第六節一の5の規定にかかわらず、租税条約の実施に係る還付すべき金額を当該更正の日の属する事業年度開始の日から1年以内に開始する各事業年度(当該更正の日後に当該法人が適格合併により解散をした場合の当該適格合併に係る合併法人の当該合併の日以後に終了する各事業年度を含む。)の法人税割額(法人税法第74条第1項又は第144条の6第1項の規定により申告書を提出すべき事業年度に係る法人税額を課税標準として算定した法人税割額(その法人税額の課税標準の算定期間中において既に納付すべきことが確定している法人税割額がある場合には、これを控除した額)に限る。)から順次控除するものとする。(法53㊿)

(注)　1に規定する租税条約等の実施に伴う所得税法、法人税法及び地方税法の特例等に関する法律第7条第1項は、次のとおり。(編者)
第7条第1項　相手国等の法令に基づき、相手国居住者等又は居住者(所得税法第2条第1項第3号に規定する居住者をいう。以下この条に

おいて同じ。）若しくは内国法人に係る租税（当該相手国等との間の租税条約の適用があるものに限る。）の課税標準等（国税通則法第2条第6号イからハまでに掲げる事項をいう。次項において同じ。）又は税額等（同号ニからヘまでに掲げる事項をいう。）につき更正（同法第24条又は第26条の規定による更正をいう。以下この項及び次項において同じ。）又は決定（同法第25条の規定による決定をいう。同項において同じ。）に相当する処分があった場合において、当該課税標準等又は税額等に関し、財務大臣と当該相手国等の権限ある当局との間の当該租税条約に基づく合意が行われたことにより、居住者の各年分の各種所得の金額（所得税法第2条第1項第22号に規定する各種所得の金額をいう。以下この項において同じ。）、内国法人の各事業年度の所得の金額、各連結事業年度の連結所得の金額若しくは各課税事業年度（地方法人税法第7条に規定する課税事業年度をいう。以下この項及び次項において同じ。）の基準法人税額（同法第6条に規定する基準法人税額をいう。以下この項において同じ。）又は相手国居住者等の各年分の各種所得の金額、各事業年度の所得の金額若しくは各課税事業年度の基準法人税額のうちに減額されるものがあるときは、当該居住者若しくは当該内国法人又は当該相手国居住者等の更正の請求（国税通則法第23条第1項又は第2項の規定による更正の請求をいう。次項において同じ。）に基づき、税務署長は、当該合意をした内容を基に計算される当該居住者の各年分の各種所得の金額、当該内国法人の各事業年度の所得の金額、各連結事業年度の連結所得の金額若しくは各課税事業年度の基準法人税額又は当該相手国居住者等の各年分の各種所得の金額、各事業年度の所得の金額若しくは各課税事業年度の基準法人税額を基礎として、更正をすることができる。

（留意事項）
注　道府県は、法人税額に係る租税条約の実施に係る還付すべき金額が生ずるときは、当該金額を更正の日の属する事業年度の開始の日から1年以内に開始する各事業年度の法人税割額から順次控除することとされているが、その運用に当たっては、次の諸点に留意すること。（県通2－49(1)、(2)、(5)）
イ　租税条約等の実施に伴う所得税法、法人税法及び地方税法の特例等に関する法律第7条第1項に規定する合意に基づき国税通則法第24条又は第26条の規定による更正が行われた場合とは、同項の規定により税務署長が国税通則法第24条又は第26条の規定により更正をした場合をいうものであること。
ロ　更正の請求があった日の翌日から起算して3月を経過した日以後に更正を行った場合には、1の規定は適用されないものであること。なお、更正の請求がなく更正を行った場合には、常に1の規定は適用されるものであること。
ハ　繰越控除は、各事業年度の確定申告に係る法人税割額からのみ行うものであること。なお、法人税割額からの税額控除としては、控除対象所得税額等相当額の控除、外国税額控除及び税額控除不足相当額の控除、仮装経理に基づく過大申告の場合の更正に伴う法人税割額の控除並びに租税条約の実施に係る還付すべき金額の控除があるが、まず控除対象所得税額等相当額、外国税額及び税額控除不足相当額、仮装経理に基づく過大申告の場合の更正に伴う法人税割額の順に控除をし、既に納付すべきことが確定している法人税割額がある場合にはこれを控除した後に、租税条約の実施に係る還付すべき金額を控除するものであること。
　　また、税額控除超過額相当額の法人税割額への加算は、上記の税額控除の前に行うものであること。

2　当初の更正に伴いその後の事業年度において法人税額等の減額更正があった場合

1に規定する国税通則法第24条又は第26条の規定による更正に伴い当該更正に係る事業年度後の各事業年度の法人税額を減少させる更正があった場合において、その更正に係る法人税額に基づいて道府県知事が第六節一の1又は3の規定による更正をしたことに伴い、第一編第六章一の1又は第六節一の5の規定により還付することとなる金額が生ずるときは、当該金額は、租税条約の実施に係る還付すべき金額とみなして、1の規定を適用する。（法53㊿）

3　法人が適格合併により解散をした後に更正があった場合

1及び2の規定は、1の法人が適格合併により解散をした後に、当該法人に係る1に規定する第六節一の1若しくは2の規定による更正又は2に規定する第六節一の1若しくは3の規定による更正があった場合について準用する。この場合において、1中「当該更正の日の」とあるのは、「当該法人を被合併法人とする適格合併に係る合併法人の当該更正の日の」と読み替えるものとする。（法53㊼）
　（注）　法人が適格合併により解散をした後に1又は2に規定する第六節一の1《更正》又は3《再更正》の規定による更正があった場合にも控除が認められるものであること。（県通2－49(4)）

七　特定寄附金税額控除

法人税法第121条《青色申告》第1項（同法第146条《外国法人の青色申告》第1項において準用する場合を含む。）の承認を受けている法人が、地域再生法の一部を改正する法律（平成28年法律第30号。以下七において「平成28年地域再生法改正法」という。）の施行の日（平成28年4月20日）から令和7年3月31日までの間に、地域再生法第8条《報告の徴収》第1項に規定する認定地方公共団体（以下七において「**認定地方公共団体**」という。）に対して当該認定地方公共団体が行うまち・ひと・しごと創生寄附活用事業（当該認定地方公共団体の作成した同項に規定する認定地域再生計画に記載され

ている同法第5条《地域再生計画の認定》第4項第2号に規定するまち・ひと・しごと創生寄附活用事業をいう。）に関連する寄附金（その寄附をした者がその寄附によって設けられた設備を専属的に利用することその他特別の利益がその寄附をした者に及ぶと認められるものを除く。以下**七**において「**特定寄附金**」という。）を支出した場合には、当該特定寄附金を支出した日を含む事業年度（解散（合併による解散を除く。）の日を含む事業年度及び清算中の各事業年度を除く。以下**七**において「寄附金支出事業年度」という。）の第三節一の1・2（1に規定する予定申告法人に係る部分を除く。）、6又は7《中間申告・みなし中間申告・確定申告・修正申告》の規定により申告納付すべき道府県民税の法人税割額（**四**の2の②《税額控除超過額相当額の対象事業年度の法人税割額への加算》（同4及び同5において準用する場合を含む。以下**七**において同じ。）の規定を適用しないで計算した金額とする。）から、当該寄附金支出事業年度において支出した特定寄附金の額（当該寄附金支出事業年度の法人税の所得の金額の計算上損金の額に算入されるものに限る。）の合計額（二以上の道府県において事務所又は事業所を有する法人にあっては、当該合計額を第五節一の1《二以上の道府県において事務所等を有する法人の中間申告及び確定申告に係る申告納付》の規定による道府県民税の法人税割の課税標準たる法人税額の分割の基準となる従業者の数に按分して計算した金額）の**100分の5.7**に相当する金額（以下1において「控除額」という。）を控除するものとする。この場合において、当該法人の寄附金支出事業年度における控除額が、当該法人の当該寄附金支出事業年度の1並びに**二**《外国関係会社に対して課された所得税等の額の控除》の1、2、**三**《外国税額の控除》、**四**《通算法人の過年度の外国税額控除額が当初申告税額控除額と異なることとなった場合の調整》の2の①（同4及び同5において準用する場合を含む。）、同2の②、**五**《仮装経理に基づく過大申告の場合の更正に伴う法人税割額の控除》及び**六**《租税条約の実施に係る還付すべき金額の控除》の1（同2（同3において準用する場合を含む。）の規定によりみなして適用する場合及び同3において準用する場合を含む。）の規定を適用しないで計算した場合の道府県民税の法人税割額（当該法人税割額のうちに法人税法第89条《退職年金等積立金に係る確定申告》（同法第145条の5《外国法人の申告及び納付》において準用する場合を含む。）の申告書に係る法人税額が含まれている場合には、当該法人税額をないものとして計算した場合の道府県民税の法人税割額とする。）の100分の20に相当する金額を超えるときは、その控除する金額は、当該100分の20に相当する金額とする。（法附8の2の2①）

　　　　（特定寄附金税額控除の申告）
（1）　**七**の規定は、第三節一の1・2の規定による申告書（**七**の規定により控除を受ける金額を増加させる同節一の6若しくは7の規定による申告書又は第一編第十章10の④《更正請求書の地方団体の長への提出》の規定による更正請求書を提出する場合には、当該申告書又は更正請求書を含む。）に、**七**の規定による控除の対象となる特定寄附金の額、控除を受ける金額及び当該金額の計算に関する明細を記載した総務省令で定める書類並びに当該書類に記載された寄附金が特定寄附金に該当することを証する書類として総務省令で定める書類の添付がある場合に限り、適用する。この場合において、**七**の規定により控除する金額の計算の基礎となる特定寄附金の額は、第三節一の1・2の規定による申告書（法人税法第71条《中間申告》第1項の規定による法人税の申告書（同法第72条《仮決算をした場合の中間申告書の記載事項等》第1項各号に掲げる事項を記載したものに限る。）、同法第74条《確定申告》第1項の規定による法人税の申告書、同法第144条の3《外国法人の中間申告》第1項の規定による法人税の申告書（同法第144条の4《仮決算をした場合の中間申告書の記載事項》第1項各号に掲げる事項を記載したものに限る。）又は同法第144条の6《外国法人の確定申告》第1項の規定による法人税の申告書に係る部分に限る。）に添付されたこれらの書類に記載された特定寄附金の額を限度とする。（法附8の2の2②）

　　　　（法人の道府県民税の特定寄附金税額控除の対象となる特定寄附金の支出）
（2）　**七**に規定する特定寄附金の支出は、**七**の規定の適用については、その支払がなされるまでの間、なかったものとする。（令附5の4）

　　　　（特定寄附金税額控除に係る添付書類）
（3）イ　（1）に規定する控除の対象となる特定寄附金の額、控除を受ける金額及び当該金額の計算に関する明細を記載した総務省令で定める書類の様式は、第7号の3様式によるものとする。（規附2の6①）
　　ロ　（1）に規定する特定寄附金に該当することを証する書類として総務省令で定める書類は、**七**の法人が支出した寄附金を受けた**七**に規定する認定地方公共団体が当該寄附金の受領について地域再生法施行規則第14条《まち・ひと・しごと創生寄附活用事業の実施に係る手続》第1項の規定により交付する書類の写しとする。（規附2の6②）

(留意事項)
(4) イ 特定寄附金税額控除は、第三節一の1・2（1に規定する予定申告法人に係る部分を除く。）、6又は7の規定により申告納付すべき道府県民税の法人税割額（税額控除超過額相当額の加算をしないで計算した金額とする。）からのみ行うものであること。（県通2－49の2（1）前段）

ロ 特定寄附金税額控除による控除額は、特定寄附金の額の合計額（2以上の道府県において事務所又は事業所を有する法人にあっては、当該合計額を第五節一の1の規定による道府県民税の法人税割の分割の基準となる従業者の数に按分して計算した金額）の100分の5.7に相当する金額とすること。ただし、当該控除額が当該法人の当該寄附金支出事業年度の特定寄附金税額控除、税額控除超過額相当額の加算、控除対象所得税額等相当額、外国税額控除及び税額控除不足額相当額の控除、仮装経理に基づく過大申告の場合の更正に伴う法人税割額の控除並びに租税条約の実施に係る還付すべき金額の控除をしないで計算した場合の道府県民税の法人税割額（当該法人税割額のうちに法人税法第89条（同法第145条の5において準用する場合を含む。）の申告書に係る法人税額が含まれている場合には、当該法人税額をないものとして計算した場合の道府県民税の法人税割額とする。）の100分の20を超えるときは、その控除する金額は当該100分の20に相当する金額とすること。（県通2－49の2（2））

ハ 特定寄附金税額控除の適用を受けられるのは、仮決算に係る中間申告書、確定申告書（控除を受ける金額を増加させる修正申告書又は更正請求書を提出する場合には、当該修正申告書又は更正請求書を含む。）に控除の対象となる特定寄附金の額、控除を受ける金額及び当該金額の計算に関する明細を記載した規則第7号の3様式及び当該書類に記載された寄附金が特定寄附金に該当することを証する書類として認定地方公共団体が当該寄附金の受領について地域再生法施行規則第14条第1項の規定により交付する書類の写しの添付がある場合に限ること。また、ロの控除額の計算の基礎となる特定寄附金の額は、仮決算に係る中間申告書又は確定申告書に添付されたこれらの書類に記載された特定寄附金の額を限度とすること。（県通2－49の2（3））

八 法人税割額からの控除順序

二《外国関係会社に対して課された所得税等の額の控除》の1、2から三《外国税額の控除》まで、四《通算法人の過年度の外国税額控除額が当初申告税額控除額と異なることとなった場合の調整》の2の①（同4及び同5において準用する場合を含む。以下八において同じ。）、五《仮装経理に基づく過大申告の場合の更正に伴う法人税割額の控除》及び六《租税条約の実施に係る還付すべき金額の控除》の1（同2（同3において準用する場合を含む。）の規定によりみなして適用する場合及び六の3において準用する場合を含む。以下八において同じ。）並びに七《特定寄附金税額控除》の規定による法人税割額からの控除については、まず七の規定による控除をし、次に二の1及び同2の規定による控除、三及び四の2の①の規定による控除、五の規定による控除並びに六の1の規定による控除の順序に控除をするものとする。（法53㊾、法附8の2の2③）

（特定寄附金を支出した場合の法人税割額からの控除がある場合の留意事項）
注 特定寄附金税額控除の適用がある場合における法人税割額からの税額控除は、まず特定寄附金税額控除による控除をし、次に控除対象所得税額等相当額、外国税額及び税額控除不足額相当額、仮装経理に基づく過大申告の場合の更正に伴う法人税割額の順に控除をし、既に納付すべきことが確定している法人税割額がある場合にはこれを控除した後に、租税条約の実施に係る還付すべき金額を控除するものであること。（県通2－49の2（1）後段）

九 仮装経理に基づく過大申告の場合の更正に伴う法人税割額の還付

1 法人税割額の還付の不適用

道府県知事が法人税法第135条《仮装経理に基づく過大申告の場合の更正に伴う法人税額の還付の特例》第1項又は第5項に規定する更正に係る法人税額に基づいて第六節一の1《更正》又は3《再更正》の規定により更正をした場合（2及び3において「道府県知事が仮装経理に基づく過大申告に係る更正をした場合」という。）は、当該更正に係る事業年度の法人税割として納付された金額のうち当該更正により減少する部分の金額で事実を仮装して経理した金額に係るもの（以下九において「**仮装経理法人税割額**」という。）は、第一編第六章一の1、同2《過誤納金の充当》、同章三《還付加算金》及び第六節一の5の規定にかかわらず、2又は3の②の規定の適用がある場合のこれらの規定により還付すべきこととなった金額を除き、還付しないものとし、又は当該更正を受けた法人の未納に係る地方団体の徴収金に充当しないものとする。（法53㊿、令9の8）

第二編第二章《法人の道府県民税》第四節《法人税額等の控除・加算及び還付等》

(仮装経理法人税割額に係る中間納付額に係る延滞金の還付)
（１）　道府県知事は、第六節一の１《更正》又は３《再更正》の規定により構成した道府県民税額（以下（１）において「更正後道府県民税額」という。）が当該事業年度分に係る道府県民税の中間納付額に満たない場合において、１の規定により当該更正後道府県民税額に係る１に規定する仮装経理法人税割額を還付しないとき、又は当該更正を受けた法人の未納に係る地方団体の徴収金に充当しないときであっても、当該道府県民税の中間納付額について納付された第六節三の２《延滞金の徴収》又は同節四の１《納期限後納付の場合の延滞金》の規定による延滞金があるときは、当該道府県民税の中間納付額について納付された延滞金のうち当該仮装経理法人税割額に係る道府県民税の中間納付額に対応するものとして、当該道府県民税の中間納付額について納付された延滞金額に当該道府県民税の中間納付額のうち当該仮装経理法人税割額の占める割合を乗じて得た金額を還付する。ただし、道府県民税の中間納付額が分割して納付されている場合には、(一)に掲げる金額から(二)に掲げる金額を控除した金額とする。（令９の８の２①）
　(一)　当該道府県民税の中間納付額について納付された延滞金額
　(二)　当該道府県民税の中間納付額のうち納付の順序に従い当該更正後道府県民税額に達するまで順次求めた各道府県民税の中間納付額につき、法の規定により計算される延滞金額の合計額

(還付すべき延滞金の充当)
（２）　（１）の規定による還付をする場合において、未納に係る地方団体の徴収金があるときは、当該還付すべき金額をその地方団体の徴収金に充当するものとする。（令９の８の２②）
　　(注１)　令第６条の14第１項《過誤納金等の充当通知》の規定は、（２）の規定による充当について準用する。（令９の８の２③）
　　(注２)　他の規定による充当額がある場合の充当の順序については、十の①の注を参照。（編者）

２　５年間の繰越控除適用期間終了後の法人税割額の還付

　道府県知事が仮装経理に基づく過大申告に係る更正をした場合の当該更正の日の属する事業年度の開始の日（当該更正が適格合併に係る被合併法人の法人税割額について当該適格合併の日前にされたものである場合には、当該被合併法人の当該更正の日の属する事業年度の開始の日）から５年を経過する日の属する事業年度の法人の道府県民税の確定申告書の提出期限（当該更正の日から当該５年を経過する日の属する事業年度の終了の日までの間に当該更正を受けた法人につき次の各号に掲げる事実が生じたときは、当該各号に定める提出期限）が到来した場合（当該提出期限までに当該提出期限に係る法人の道府県民税の確定申告書の提出がなかった場合には、当該提出期限後の当該法人の道府県民税の確定申告書の提出又は当該法人の道府県民税の確定申告書に係る事業年度の法人割額についての第六節一の２《決定》の規定による決定があった場合）には、道府県知事は、当該更正を受けた法人に対し、①及び②で定めるところにより、当該更正に係る仮装経理法人税割額（既に２又は３の②の規定により還付すべきこととなった金額及び五《仮装経理に基づく過大申告の場合の更正に伴う法人税割額の控除》の規定により控除された金額を除く。）を還付し、又は当該更正を受けた法人の未納に係る地方団体の徴収金に充当するものとする。（法53㊺）
(一)　残余財産が確定したこと　　その財産の確定の日の属する事業年度の法人の道府県民税の確定申告書の提出期限
(二)　合併による解散（適格合併による解散を除く。）をしたこと　　その合併の日の前日の属する事業年度の法人の道府県民税の確定申告書の提出期限
(三)　破産手続開始の決定による解散をしたこと　　その破産手続開始の決定の日の属する事業年度の法人の道府県民税の確定申告書の提出期限
(四)　普通法人〔一の１の(４)参照〕又は協同組合等〔一の１の(４)参照〕が法人税法第２条第６号に規定する公益法人等に該当することとなったこと　　その該当することとなった日の前日の属する事業年度の法人の道府県民税の確定申告書の提出期限

　(留意事項)
　注　仮装経理法人税割額の還付又は充当については次の場合について行うものとすること。（県通２－48（５））
　　イ　更正の日の属する事業年度開始の日から５年を経過する日の属する事業年度の法人の道府県民税の確定申告書の提出期限が到来した場合
　　ロ　残余財産が確定したときは、その財産の確定の日の属する事業年度の法人の道府県民税の確定申告書の提出期限が到来した場合
　　ハ　合併による解散（適格合併による解散を除く。）をしたときは、その合併の日の前日の属する事業年度の法人の道府県民税の確定申告書の提出期限が到来した場合
　　ニ　破産手続開始の決定による解散をしたときは、その破産手続開始の決定の日の属する事業年度の法人の道府県民

税の確定申告書の提出期限が到来した場合
　　ホ　普通法人又は協同組合等が法人税法第2条第6号に規定する公益法人等に該当することとなったときは、その該当することとなった日の前日の属する事業年度の法人の道府県民税の確定申告書の提出期限が到来した場合
　　ヘ　イからホまでの場合において、法人の道府県民税の確定申告書の提出期限後に当該法人の道府県民税の確定申告書の提出があった場合、又は当該法人の道府県民税の確定申告書に係る事業年度の法人税割について第六節一の2《決定》の規定による決定があった場合
　　ト　3各号に掲げる事実が生じたときに、その事実が生じた日以後1年以内に法人から還付の請求があり、その請求に理由がある場合

① 仮装経理法人税割額の充当
　2に規定する仮装経理法人税割額がある場合において、未納に係る地方団体の徴収金があるときは、当該仮装経理法人税割額（②の規定により加算すべき金額がある場合には、当該金額を加算した額）をその地方団体の徴収金に充当するものとする。（令9の8の3①）
　　（注1）令第6条の14第1項《過誤納金等の充当適状》の規定は、①の規定による充当について準用する。（令9の8の3②）
　　（注2）他の規定による充当額がある場合の充当の順序については、九の①の注を参照。（編者）

② 仮装経理法人税割額を還付する場合の還付加算金の計算
　道府県知事は、2に規定する仮装経理法人税割額を還付する場合には、法人の道府県民税の確定申告書の2に規定する提出期限（当該提出期限後に法人の道府県民税の確定申告書の提出があった場合にはその提出の日とし、2の決定があった場合にはその決定の日とする。）の翌日からその還付のための支出を決定し、又は①の規定による充当をする日（同日前に充当をするのに適することとなった日があるときは、その日）までの期間の日数に応じ、年7.3パーセントの割合を乗じて計算した金額をその還付し、又は充当すべき金額に加算しなければならない。（令9の8の4①）
　　（注1）第一編第六章三の1の（1）《還付加算金の計算期間の特例》（同（一）を除く。）の規定は②の規定による期間について、第一編第十章3の表内（二）《延滞金等の計算の基礎となる税額の端数計算》及び同（五）《延滞金等の端数計算》の規定は②の規定による仮装経理法人税割額に加算すべき金額について、それぞれ準用する。この場合において、第一編第六章三の1の（1）（同（一）を除く。）中「過誤納金」とあり、及び第一編第十章3の表内（二）の右欄中「税額」とあるのは、「仮装経理法人税割額」と読み替えるものとする。（令9の8の4②）
　　（注2）②に規定する年7.3パーセントの割合については特例規定が設けられているので、第一編第十章12の⑥《還付加算金の割合の特例》を参照。（編者）

3　一定の企業再生事由が生じた場合の法人税割額の還付
　道府県知事が仮装経理に基づく過大申告に係る更正をした場合において、当該更正を受けた法人について次に掲げる事実が生じたときは、当該事実が生じた日以後1年以内に、道府県知事に対し、当該更正に係る仮装経理法人税割額（既に2又は②の規定により還付すべきこととなった金額及び五《仮装経理に基づく過大申告の場合の更正に伴う法人税割額の控除》の規定により控除された金額を除く。①及び②において同じ。）の還付を請求することができる。（法53⑤⑥、令9の8の5）
（一）　更生手続開始の決定があったこと。
（二）　再生手続開始の決定があったこと。
（三）　前2号に掲げる事実に準ずる事実として次に掲げる事実
　　イ　特別清算開始の決定があったこと。
　　ロ　法人税法施行令第24条の2第1項《再生計画認可の決定に準ずる事実等》に規定する事実
　　ハ　法令の規定による整理手続によらない負債の整理に関する計画の決定又は契約の締結で、第三者が関与する協議によるものとして注で定めるものがあったこと（（二）に掲げるものを除く。）。

　　（法令の規定による整理手続によらない負債整理計画の決定等）
注　3の（三）のハに規定する法令の規定による整理手続によらない負債の整理に関する計画の決定又は契約の締結で第三者が関与する協議によるものは、次に掲げるものとする。（規3の2の2①）
（一）　債権者集会の協議決定で合理的な基準により債務者の負債整理を定めているもの
（二）　行政機関、金融機関その他第三者のあっせんによる当事者間の協議による（一）に準ずる内容の契約の締結

① 還付請求手続
　3の規定による還付の請求をしようとする法人は、その還付を受けようとする仮装経理法人税割額、その計算の基礎そ

の他次に掲げる事項を記載した請求書を道府県知事に提出しなければならない。(法53�57、規3の2の2②)
- (一) 請求をする法人の名称、主たる事務所又は事業所の所在地及び法人番号
- (二) 請求をする法人の代表者の氏名及び住所又は居所
- (三) 3に規定する事実の生じた日及び当該事実の詳細
- (四) 銀行又は郵便局において還付を受けようとするときは、当該銀行又は郵便局の名称及び所在地
- (五) その他参考となるべき事項

② 還付請求書の提出があった場合の道府県知事の手続

　道府県知事は、①の請求書の提出があった場合には、その請求に係る事実その他必要な事項について調査し、その調査したところにより、その請求をした法人に対し、(1)及び(2)で定めるところにより、仮装経理法人税割額を還付し、若しくは当該法人の未納に係る地方団体の徴収金に充当し、又は請求の理由がない旨を書面により通知するものとする。(法53�58)
　　(注)　留意事項については、2の注を参照。(編者)

　　(仮装経理法人税割額の充当)
(1) ②に規定する仮装経理法人税割額がある場合において、未納に係る地方団体の徴収金があるときは、当該仮装経理法人税割額((2)の規定により加算すべき金額がある場合には、当該金額を加算した額)をその地方団体の徴収金に充当するものとする。(令9の8の6①)
　　(注1)　令第6条の14第1項《過誤納金等の充当適状》の規定は、(1)の規定による充当について準用する。(令9の8の6②)
　　(注2)　他の規定による充当額がある場合の充当の順序については、十の①の注を参照。(編者)

　　(仮装経理法人税割額を還付する場合の還付加算金の計算)
(2) 道府県知事は、②に規定する仮装経理法人税割額を還付する場合においては、3の規定による還付の請求がされた日の翌日以後3月を経過した日からその還付のための支出を決定し、又は(1)の規定による充当をする日(同日前に充当をするのに適することとなった日があるときは、その日)までの期間の日数に応じ、年7.3パーセントの割合を乗じて計算した金額をその還付し、又は充当すべき金額に加算しなければならない。(令9の9①)
　　(注1)　第一編第六章三の1の(1)《還付加算金の計算期間の特例》(同(一)を除く。)の規定は(2)の規定による期間について、第一編第十章3の表内(二)《延滞金等の計算の基礎となる税額の端数計算》及び同(五)《延滞金等の端数計算》の規定は(2)の規定による仮装経理法人税割額に加算すべき金額について、それぞれ準用する。この場合において、第一編第六章三の1の(1)(同(一)を除く。)中「過誤納金」とあり、及び第一編第十章3の表内(二)の右欄中「税額」とあるのは、「仮装経理法人税割額」と読み替えるものとする。(令9の9②)
　　(注2)　(2)に規定する年7.3パーセントの割合については特例規定が設けられているので、第一編第十章12の⑥《還付加算金の割合の特例》を参照。(編者)

十　租税条約の実施に係る還付すべき金額の還付又は充当

　六の1(同2(同3において準用する場合を含む。)の規定によりみなし適用する場合及び同3において準用する場合を含む。以下十において同じ。)の規定により控除されるべき額で同1の規定により控除することができなかった金額があるときは、道府県は、①以下で定めるところにより、同1の規定の適用を受ける法人に対しその控除することができなかった金額を還付し、又は当該法人の未納に係る地方団体の徴収金に充当するものとする。(法53�59)

① 租税条約の実施に係る控除不足額の充当

　十の規定により控除することができなかった金額(②において「租税条約の実施に係る控除不足額」という。)がある場合において、未納に係る地方団体の徴収金があるときは、当該控除不足額((②の規定により加算すべき金額がある場合には、当該金額を加算した額)をその地方団体の徴収金に充当するものとする。(令9の9の2①)
　　(注)　第一編第六章一の2の④の(1)《過誤納金の充当適状》の規定は、①の規定による充当について準用する。(令9の9の2②)

　　(充当の順序)
　注　十一の③《還付すべき中間納付額の充当》、九の1の(2)《還付すべき延滞金の充当》、同2の①《仮装経理法人税割額の充当》、同3の②の(1)《仮装経理法人税割額の充当》及び上記①の規定による充当については、まず十一の③の規定による充当をし、次に九の1の(2)の規定による充当、同2の①の規定による充当、同3の②の(1)の規定に

よる充当及び上記①の規定による充当の順序に充当するものとする。（令9の9の2③）

② 租税条約の実施に係る控除不足額を還付する場合の還付加算金の計算
　道府県知事は、租税条約の実施に係る控除不足額を還付する場合には、次に掲げる日のいずれか遅い日の翌日からその還付のための支出を決定し、又は①の規定による充当をする日（同日前に充当をするのに適することとなった日があるときは、その日）までの期間の日数に応じ、年7.3パーセントの割合を乗じて計算した金額をその還付し、又は充当すべき金額に加算しなければならない。（令9の9の3①）
(一)　六の1（同2（同3において準用する場合を含む。）の規定によりみなして適用する場合及び同3において準用する場合を含む。(二)において同じ。）に規定する当該更正の日の属する事業年度開始の日から起算して1年を経過する日の属する事業年度の第三節—の1《中間申告及び確定申告に係る申告納付》の申告書（法人税法第74条第1項《確定申告》又は第144条の6《外国法人の確定申告》第1項の規定により提出すべき法人税の申告書に係るものに限る。）以下(一)において同じ。）が提出された日（当該法人の第三節—の1の申告書がその提出期限前に提出された場合には同一の1・2の申告書の提出期限、第六節—の2《決定》の規定による決定をした場合には当該決定をした日）の翌日から起算して1月を経過する日
(二)　六の1に規定する更正の請求があった日（更正の請求がない場合には、同1の規定に規定する更正があった日）の翌日から起算して1年を経過する日
(注1)　第一編第六章三の1の(1)《還付加算金の計算期間の特例》（同(一)を除く。）の規定は上記②の規定による期間について、第一編第十章3の表内(二)《延滞金等の計算の基礎となる税額の端数計算》及び同(五)《延滞金等の端数計算》の規定は②の規定による租税条約の実施に係る控除不足額に加算すべき金額について、それぞれ準用する。この場合において、第一編第六章三の1の(1)（同(一)を除く。）中「過誤納金」とあり、及び法第20条の4の2第2項中「税額」とあるのは、「租税条約の実施に係る控除不足額」と読み替えるものとする。（令9の9の3②）
(注2)　②に規定する年7.3パーセントの割合については特例規定が設けられているので、第一編第十章12の⑥《還付加算金の割合の特例》を参照。
　　（編者）

十一　中間納付額の還付又は充当

　法人税法第74条第1項《確定申告》又は第144条の6《外国法人の確定申告》第1項の規定による申告書に係る法人税額（修正申告書の提出があった場合には、当該申告書に係る法人税額をいい、更正又は決定があった場合には、当該更正又は決定に係る法人税額をいう。）に基づいて算定した道府県民税額が、同法第71条第1項《中間申告》又は第144条の3《外国法人の中間申告》第1項の規定による申告書に係る法人税額（修正申告書の提出があった場合には、当該申告書に係る法人税額をいい、更正又は決定があった場合には、当該更正又は決定に係る法人税額をいう。）に基づいて算定して申告納付し、若しくは申告納付すべき道府県民税額（予定申告法人にあっては、第三節—の1・2に基づいて計算して申告納付し、又は申告納付すべき道府県民税額）若しくは第三節—の3に基づいて計算して申告納付し、若しくは申告納付すべき道府県民税額（以下十一及び第六節—の5《更正又は決定した道府県民税額が中間納付額に満たない場合の還付又は充当》において「**道府県民税の中間納付額**」という。）に満たないとき、又はないときは、道府県は、①で定めるところにより、その満たない金額に相当する道府県民税の中間納付額若しくは道府県民税の中間納付額の全額を還付し、又は未納に係る地方団体の徴収金に充当するものとする。（法53㉜）

① 中間納付額の還付の手続
　十一の規定により十一に規定する道府県民税の中間納付額の還付を受けようとする法人は、次に掲げる事項を記載した請求書に還付を受けようとする金額の計算に関する明細書を添付して、これを事務所又は事業所所在地の道府県知事に提出しなければならない。ただし、第六節—の1《更正》又は3《再更正》の規定による更正（当該道府県民税についての処分等（更正の請求（法第20条の9の3《更正の請求》第1項の規定による更正の請求をいう。④の(二)のイにおいて同じ。）に対する処分又は同2《決定》の規定による決定をいう。）に係る審査請求又は訴えについての裁決又は判決を含む。④の(二)において「更正等」という。）又は第六節—の2《決定》の規定による決定によって道府県民税の中間納付額が還付されることとなった場合は、この限りでない。（令9の2①）
(一)　請求をする法人の名称、当該道府県内の主たる事務所又は事業所の所在地及び法人番号
(二)　請求をする法人の代表者（法の施行地に主たる事務所又は事業所を有しない法人にあっては、法の施行地における資産又は事業の管理又は経営の責任者とし、解散（合併による解散を除く。）をした法人にあっては、清算人とする。）の氏名及び住所又は居所
(三)　還付を受けようとする金額

(四)　銀行又は郵便局株式会社法第２条第２項に規定する郵便局（簡易郵便局法第２条に規定する郵便窓口業務を行う日本郵便株式会社の営業所であって郵政民営化法第94条に規定する郵便貯金銀行を銀行法第２条第16項に規定する所属銀行とする同条第14項に規定する銀行代理業の務を行うものをいう。）において還付を受けようとするときは、当該銀行又は郵便局の名称及び所在地

　　　（還付請求書の提出があった場合の道府県知事の手続）
（１）　①の規定による請求書の提出があった場合には、第三節一の１・２《中間申告・みなし中間申告・確定申告》、６《納付税額に過不足額がある場合等の申告納付》又は７《修正申告又は更正決定に係る申告納付》の規定による道府県民税に係る申告書に記載された道府県民税額が過少であると認められる理由があるときを除くほか、道府県知事は、遅滞なく、十一の規定による還付又は充当の手続をしなければならない。（令９の２②）

　　　（更正又は決定による中間納付額の還付）
（２）　①ただし書の場合においては、還付すべき道府県民税の中間納付額について、道府県知事は、遅滞なく、十一の規定による還付又は充当の手続をしなければならない。この場合において、道府県民税の中間納付額のうちに、既に還付されることが確定したものがあるときは、当該道府県民税の中間納付額は、その還付されることが確定した金額だけ減額されたものとみなして、還付すべき道府県民税の中間納付額を算定する。（令９の２③）

② 中間納付額に係る延滞金の還付
　道府県知事は、①の規定により道府県民税の中間納付額を還付する場合において、当該道府県民税の中間納付額について納付された第六節三の２《延滞金の徴収》又は同節四の１《納期限後納付の場合の延滞金》の規定による延滞金があるときは、当該道府県民税の中間納付額について納付された延滞金のうち還付すべき道府県民税の中間納付額に対応するものとして、当該道府県民税の中間納付額について納付された延滞金額に当該道府県民税の中間納付額のうち①の（１）又は（２）の規定により還付すべき金額（③の（一）又は（二）の規定により充当される金額があるときは、これを控除した金額）の占める割合を乗じて得た金額を併せて還付する。ただし、道府県民税の中間納付額が分割して納付されている場合には、次の（一）に掲げる金額から（二）に掲げる金額を控除した金額とする。（令９の３）
(一)　当該道府県民税の中間納付額について納付された延滞金額
(二)　当該道府県民税の中間納付額のうち納付の順序に従い当該道府県民税の中間納付額に係る事業年度の第三節一の１・２の申告書（法人税法第74条第１項又は第144条の６第１項の規定により提出すべき法人税の申告書に係るものに限る。）《中間申告・みなし中間申告・確定申告》に記載された道府県民税額又は当該還付の基因となった更正若しくは決定に係る道府県民税額（③の（一）の規定により充当される金額があるときは、これを加算した金額）に達するまで順次求めた各道府県民税の中間納付額につき、法の規定により計算される延滞金額の合計額

③ 還付すべき中間納付額の充当
　①及び②の規定による還付をする場合において、未納に係る地方団体の徴収金があるときは、次の各号の順序により、その還付すべき金額（④の規定により加算すべき金額を含む。）をこれに充当するものとする。（令９の４①）
(一)　還付すべき道府県民税の中間納付額に係る事業年度分の道府県民税額で第三節一の６《納付税額に過不足額がある場合等の申告納付》若しくは７《修正申告又は更正決定に係る申告納付》の規定により納付すべきもの又は第六節三《不足税額及びその延滞金の徴収》の規定により徴収すべきものがあるときは、当該道府県民税額に充当する。
(二)　(一)の充当をしてもなお還付すべき金額がある場合において、当該事業年度分の道府県民税の中間納付額で未納のものがあるときは、当該未納の道府県民税の中間納付額に充当する。
(三)　(一)及び(二)の充当をしてもなお還付すべき金額があるときは、その他の未納に係る地方団体の徴収金に充当する。
　（注１）　第一編第六章一の２の④の（１）《過誤納金等の充当適状》の規定は、③の規定による充当について準用する。（令９の４②）
　（注２）　他の規定による充当金がある場合の充当の順序については、十の①の注を参照。（編者）

④ 中間納付額を還付する場合の還付加算金の計算
　道府県知事は、①の規定により道府県民税の中間納付額の還付をする場合には、当該道府県民税の中間納付額（道府県民税の中間納付額の全部又は一部について未納の金額がある場合には、当該未納の金額に相当する金額を控除した金額とし、道府県民税の中間納付額が分割して納付されている場合には、最後の納付に係る道府県民税の中間納付額から、当該還付すべき道府県民税の中間納付額のうち当該未納の金額に相当する金額を控除した後の道府県民税の中間納付額の金額に達するまで順次遡って求めた道府県民税の中間納付額の金額とする。）に、当該道府県民税の中間納付額の納付の日（当

該道府県民税の中間納付額が第三節一の1・2又は3《中間申告・みなし中間申告・確定申告に係る申告納付》の規定による当該道府県民税の中間納付額に係る申告書の提出期限前に納付された場合には、当該期限）の翌日からその還付すべき金額の支出を決定し、又は③の規定による充当をする日（同日前に充当をするのに適することとなった日があるときは、その日。（二）のロにおいて「充当日」という。）までの期間（①の規定による請求書の提出が当該中間納付額に係る事業年度分の道府県民税の同1・2の規定による申告書の提出期限後にあった場合には、当該期限の翌日から当該請求書の提出があった日までの期間を除くものとする。）の日数に応じ、年7.3パーセントの割合を乗じて計算した金額を当該還付し、又は充当すべき金額に加算しなければならない。ただし、次の各号に掲げる還付金の区分に応じ当該各号に定める日数は、当該期間に算入しない。（令9の5①）

(一) 第六節一の2《決定》の規定による決定によって道府県民税の中間納付額が還付されることとなった場合における還付金　道府県民税の中間納付額に係る事業年度分の道府県民税の第三節一の1・2《中間申告、みなし中間申告、確定申告》の規定による申告書の提出期限（その提出期限後にその中間納付額が納付された場合には、その納付の日）の翌日から第六節一の2の規定による決定の日までの日数

(二) 更正等によって道府県民税の中間納付額が還付されることとなった場合における還付金　道府県民税の中間納付額に係る事業年度分の道府県民税の第三節一の1・2の規定による申告書の提出期限（その提出期限後にその中間納付額が納付された場合には、その納付の日）の翌日から次に掲げる日のうちいずれか早い日までの日数

イ　当該更正等の日の翌日以後1月を経過する日（当該更正等が次に掲げるものである場合には、それぞれ次に定める日）

（イ）　更正の請求に基づく更正（当該請求に対する処分に係る審査請求又は訴えについての裁決又は判決を含む。（イ）において同じ。）　当該請求の日の翌日以後3月を経過する日と当該請求に基づく更正の日の翌日以後1月を経過する日とのいずれか早い日

（ロ）　第六節一の2による決定に係る同3《再更正》の規定による更正（当該決定に係る審査請求又は訴えについての裁決又は判決を含み、更正の請求に基づく更正及び中間納付額の計算の基礎となった事実のうちに含まれていた無効な行為により生じた経済的成果がその行為の無効であることに起因して失われたこと若しくは当該事実のうちに含まれていた取り消しうべき行為が取り消されたこと又は令第6条の15《還付加算金》第2項各号に掲げる理由に基づき行われた更正を除く。）　当該決定の日

ロ　その還付のための支払決定をする日又はその還付金に係る充当日

(注1)　第一編第六章三の1の(1)《還付加算金の計算期間の特例》（同(一)を除く。）の規定は上記④の規定による期間について、第一編第十章3の表内(二)《延滞金等の計算の基礎となる税額の端数計算》及び同(五)《延滞金等の端数計算》の規定は④の規定による道府県民税の中間納付額に係る還付金に加算すべき金額について準用する。この場合において、第一編第六章三の1の(1)（同(一)を除く。）中「過誤納金」とあり、及び第一編第十章3の表内(二)の右欄中「税額」とあるのは、「道府県民税の中間納付額に係る還付金」と読み替えるものとする。（令9の5③）

(注2)　④に規定する年7.3パーセントの割合については特例規定が設けられているので、第一編第十章12の⑥《還付加算金の割合の特例》を参照。（編者）

　　　（中間納付額の還付金額を未納道府県民税額に充当する場合の計算）

注　道府県知事は、①の規定により道府県民税の中間納付額の還付をする場合において、当該道府県民税の中間納付額に係る事業年度分の道府県民税で未納のものに充当するときは、当該道府県民税の中間納付額に係る還付金のうちその充当する金額については、④の規定による道府県民税の中間納付額に係る還付金に加算すべき金額を付さないものとする。（令9の5②）

⑤　中間納付額に係る延滞金の免除

①の規定により道府県民税の中間納付額の還付をする場合において、当該道府県民税の中間納付額を当該道府県民税の中間納付額に係る事業年度分の未納の道府県民税額に充当するときは、道府県知事は、当該充当に係る未納の道府県民税額についての延滞金を免除する。（令9の6）

十二　更正の請求の特例

第三節一の1・2、3《中間申告・みなし中間申告・確定申告》又は6《納付税額に過不足額がある場合等の申告納付》の申告書を提出した法人は、当該申告書に係る法人税割額の計算の基礎となった法人税の額について国の税務官署の更正を受けたことに伴い当該申告書に係る法人税割額の課税標準となる法人税額又は法人税割額が過大となる場合には、国の税務官署が当該更正の通知をした日から2月以内に限り、総務省令の定めるところにより、道府県知事に対し、当該法人

税額又は法人税割額につき、更正の請求をすることができる。この場合においては、法第20条の9の3第3項に規定する更正請求書には、同項に規定する事項のほか、国の税務官署が当該更正の通知をした日を記載しなければならない。(法53の2)

(後発的事由がある場合の更正の請求の特例)
注　第三節一の1・2、3又は6の申告書を提出した法人は、課税標準の計算の基礎となった法人税の額について国の税務官署の更正を受けた場合には、法定納期限の翌日から起算して5年を経過した日以後においても、当該国の税務官署が当該更正の通知をした日から2月以内に限って、法第20条の9の3第1項《更正の請求》の規定による更正の請求をすることができるものであること。この場合においては、同条第3項に規定する更正請求書には、同項に規定する事項のほか、国の税務官署が当該更正の通知をした日を記載しなければならないものであること。(県通2－56)

第五節　二以上の道府県において事務所等を有する法人の申告納付

一　二以上の道府県において事務所等を有する法人の申告納付

1　二以上の道府県において事務所等を有する法人の中間申告及び確定申告に係る申告納付

二以上の道府県において事務所又は事業所を有する法人(予定申告法人及び第三節一の3の規定により申告書を提出すべき法人を除く。)が同節《申告納付》(同節一の2を除く。)の規定により法人の道府県民税を申告納付する場合には、当該法人の法人税額を関係道府県に分割し、その分割した額を課税標準とし、関係道府県ごとに法人税割額を算定して、これに均等割額を加算した額を申告納付しなければならない。この場合において、関係道府県知事に提出すべき申告書には、総務省令で定める課税標準の分割に関する明細書を添付しなければならない。(法57①)

(注)　「課税標準の分割に関する明細書」は、第三節一の7《申告書等の様式》の(六)に掲げる「第10号様式」による。(編者)

(二以上の道府県において事務所等を有する公益法人等の主たる事務所又は事業所)
(1)　二以上の道府県において第一節二の1《納税義務者》の(2)から(4)までの収益事業を行う公益法人等及び人格のない社団等についてもその主たる事務所又は事業所は、原則として、当該法人の法人税の納税地と一致させるものであること。(県通2－59)

(二以上の道府県において事務所等を有する外国法人の主たる事務所又は事業所)
(2)　二以上の道府県において事務所又は事業所を有する外国法人については、法施行地において行う事業の経営の責任者が主として執務する事務所又は事業所をもって主たる事務所又は事業所として取り扱うものであること。(県通2－60)

2　法人税額の課税標準の分割基準

1の規定による分割は、関係道府県ごとに、法人税額の課税標準の算定期間中において有する法人の事務所又は事業所について、当該法人の法人税額を当該算定期間の末日現在における従業者の数に按分して行うものとする。(法57②)

(課税標準の分割の基準である従業者の定義)
注　2の従業者とは、俸給、給料、賃金、手当、賞与その他これらの性質を有する給与の支払を受けるべき者をいう。(規3の5)

3　新設・廃止事務所等の分割基準となる従業者数

2の場合において、次の各号に掲げる事務所又は事業所については、当該各号に掲げる数(その数に1人に満たない端数を生じたときは、これを1人とする。)を2に規定する従業者の数とみなす。(法57③)

| (一) | 法人税額の課税標準の算定期間の中途において新設された事務所又は事業所 | 当該算定期間の末日現在における従業者の数に、当該算定期間の月数に対する当該事務所又は事業所が新設された日から当該算定期間の末日までの月数の割合を乗じて得た数 |

(二)	法人税額の課税標準の算定期間の中途において廃止された事務所又は事業所	当該廃止の日の属する月の直前の月の末日現在における従業者の数に、当該算定期間の月数に対する当該廃止された事務所又は事業所が当該算定期間中において所在していた月数の割合を乗じて得た数
(三)	法人税額の課税標準の算定期間中を通じて従業者の数に著しい変動がある事務所又は事業所	当該算定期間に属する各月の末日現在における従業者の数を合計した数を当該算定期間の月数で除して得た数

　　　（月数の端数計算）
　(1)　3の月数は、暦に従って計算し、1月に満たない端数を生じたときは、これを1月とする。（法57④）

　　　（「算定期間中を通じて従業者の数に著しい変動がある事務所又は事業所」の意義）
　(2)　3の表の(三)に定める「算定期間中に従業者の数に著しい変動がある事務所又は事業所」は、法人の第三節一の1に規定する法人税額の課税標準の算定期間に属する各月の末日現在における従業者の数のうち最大であるものの数値が、当該従業者の数のうち最少であるものの数値に2を乗じて得た数値を超える事務所又は事業所とする。（令9の9の6）

　　　（法人事業税との関係）
　(3)　二以上の道府県において事務所又は事業所を有する法人の道府県民税の課税標準となるべき法人税額の分割の基準となる従業者の取扱いは、法人の事業税の分割基準の従業者の取扱いと同様であること。（県通2－58）

二　二以上の道府県において事務所等を有する法人の法人税額の分割基準となる従業者数の修正又は決定

1　従業者数が事実と異なる場合の修正
　一の1《二以上の道府県において事務所等を有する法人の中間申告及び確定申告に係る申告納付》の法人が第三節《申告納付》の規定による申告書を提出した場合において、当該申告書に記載された関係道府県ごとに分割された法人税額の分割の基準となる従業者数が事実と異なる場合（課税標準とすべき法人税額を分割しなかった場合を含む。）においては、当該法人の主たる事務所又は事業所所在地の道府県知事がこれを修正するものとする。（法58①）

2　中間申告・確定申告がない場合の従業者数の決定
　1の道府県知事は、1の法人が第三節《申告納付》の規定による申告書を提出しなかった場合（同節一の2《中間申告書の提出がなかった場合の申告納付の特例》の規定の適用を受ける場合を除く。）には、関係道府県ごとに分割すべき法人税額の分割の基準となる従業者数を決定するものとする。（法58②）

3　修正又は決定に係る従業者数の再修正
　1の道府県知事は、1若しくは3の規定による従業者数の修正又は2の規定による従業者数の決定をした場合において、当該修正又は決定に係る従業者数が事実と異なることを発見したときは、これを修正するものとする。（法58③）

4　関係道府県知事の修正の請求
　一《二以上の道府県において事務所等を有する法人の申告納付》又は1から3までの場合において、関係道府県ごとに分割された法人税額の分割の基準となる従業者数が事実と異なると認める関係道府県知事又は課税標準とすべき法人税額が分割されていないと認める関係道府県知事は、1の道府県知事に対し、その修正を請求しなければならない。（法58④）

5　従業者数の修正又は修正不要の決定
　1の道府県知事は、4の請求を受けた場合には、その請求を受けた日から30日以内に一《二以上の道府県において事務所等を有する法人の申告納付》又は1、2若しくは3の規定により関係道府県ごとに分割された法人税額又は分割されなかった法人税額の分割の基準となる従業者数を修正し、又はこれを修正する必要がない旨の決定をしなければならない。（法58⑤）

6　従業者数の修正・決定等の通知

1の道府県知事は、1、2、3若しくは5の規定により法人税額の分割の基準となる従業者数を修正し若しくは決定した場合又は5の規定により当該従業者数を修正する必要がない旨の決定をした場合には、遅滞なく、関係道府県知事及び当該納税者にその旨を通知しなければならない。（法58⑥）

7　関係道府県知事の処分に不服がある場合の措置

6の通知に係る道府県知事の処分に不服がある場合等の措置は、次による。（法59①～④、⑥）

(一)	決定の申出	6の通知に係る1の道府県知事の処分に不服がある関係道府県知事は、総務大臣に対し、決定を求める旨を申出ることができる。
(二)	決定	総務大臣は、(一)の申出を受けた場合においては、その申出を受けた日から30日以内に、その決定をしなければならない。
(三)	意見の聴取	総務大臣は、(二)の決定をしようとするときは、地方財政審議会の意見を聴かなければならない。
(四)	決定の通知	総務大臣は、(二)の決定をした場合においては、遅滞なく、その旨を関係道府県知事及び当該納税者に通知しなければならない。
(五)	裁判所への出訴	(二)の規定による総務大臣の決定について違法があると認める道府県知事は、その決定の通知を受けた日から30日以内に裁判所に出訴することができる。

（郵送等による場合の通知を受けた日）
注　(四)の通知を郵便又は信書便をもって発送した場合においてその到達した日が明らかでないときは、その発送した日から4日を経過した日をもって同項の通知を受けた日とみなす。この場合において、道府県知事が到達した日を立証することができるときは、その立証に係る日をもって通知を受けた日とみなす。（法59⑤）

第六節　更正又は決定及び延滞金等

一　更正又は決定

1　更　　正

道府県知事は、第三節《申告納付》の規定による申告書の提出があった場合において、当該申告に係る法人税額若しくはこれを課税標準として算定した法人税割額がその調査によって、法人税に関する法律の規定により申告し、修正申告し、更正され、若しくは決定された法人税額（「**確定法人税額**」という。以下1から3までにおいて同じ。）若しくはこれを課税標準として算定すべき法人税割額と異なることを発見したとき、当該申告に係る予定申告に係る法人税割額若しくは法人税において予定申告義務がない法人の予定申告に係る法人税割額が第三節一《申告納付》の1・2若しくは3に基づいて計算した額と異なることを発見したとき、第五節二《二以上の道府県において事務所等を有する法人の法人税額の分割基準となる従業者数の修正又は決定》の規定により確定法人税額の分割の基準となる従業者数が修正されたとき、当該申告に係る均等割額がその調査したところ異なることを発見したとき、又は当該申告に係る法人税割額から控除されるべき額がその調査したところと異なることを発見したときは、これを更正するものとする。（法55①）

2　決　　定

道府県知事は、納税者が第三節一の1・2又は4《中間申告・みなし中間申告・確定申告・公共法人等又は人格のない社団等に係る申告納付》の規定による申告書を提出しなかった場合（同2《みなし中間申告》の規定の適用を受ける場合を除く。）においては、その調査によって、申告すべき確定法人税額並びに法人税割額及び均等割額を決定するものとする。（法55②）

3　再更正

　道府県知事は、1若しくは3の規定による更正又は2の規定による決定をした場合において、当該更正若しくは決定をした法人税額若しくは法人税割額がその調査によって、確定法人税額若しくはこれを課税標準として算定すべき法人税割額と異なることを発見したとき、当該更正若しくは決定をした均等割額がその調査したところと異なることを発見したとき、又は当該更正若しくは決定をした法人税割額から控除されるべき額がその調査したところと異なることを発見したときは、これを更正するものとする。(法55③)

4　更正又は決定の通知

　道府県知事は、1から3までの規定により更正し、又は決定した場合には、遅滞なく、これを納税者に通知しなければならない。(法55④)

　(注)　1又は3の規定による更正をした場合において、第四節六の1《法人税額に係る租税条約の実施に係る還付すべき金額の法人税割額からの控除》の規定の適用を受ける金額があるときは、4の通知の際に同1の規定の適用がある旨及び同1の規定により繰越控除の対象となる金額を併せて通知するものであること。(県通2-49(3))

5　更正又は決定をした道府県民税額が中間納付額に満たない場合の還付又は充当

　第四節十一《中間納付額の還付又は充当》の規定は、1から3までの規定により更正し、又は決定した道府県民税額が、当該事業年度分に係る道府県民税の中間納付額に満たない場合について準用する。(法55⑤)

二　租税条約の相手国との相互協議に係る徴収猶予

1　租税条約に基づく申立てが行われた場合における徴収猶予

①　徴収の猶予

　道府県知事は、法人が法人税法第139条《租税条約に異なる定めがある場合の国内源泉所得》第1項に規定する租税条約（以下①において「租税条約」という。）の規定に基づき国税庁長官に対し当該租税条約に規定する申立て（租税特別措置法第66条の4第1項《国外関連者との取引に係る課税の特例》、第66条の4の3《外国法人の内部取引に係る課税の特例》第1項又は第67条の18《国外所得金額の計算の特例》第1項の規定の適用がある場合の申立てに限る。以下①において同じ。）をした場合（2において「国税庁長官に対する申立てが行われた場合」という。）又は租税条約の我が国以外の締約国若しくは締約者（以下①において「条約相手国等」という。）の権限ある当局に対し当該租税条約に規定する申立てをし、かつ、条約相手国等の権限ある当局から当該条約相手国等との間の租税条約に規定する協議（以下①及び2において「相互協議」という。）の申入れがあった場合（2において「条約相手国等の権限ある当局に対する申立てが行われた場合」という。）には、これらの申立てをした者の申請に基づき、これらの申立てに係る租税特別措置法第66条の4第27項《国外関連者との取引に係る更正決定等の期限制限の特例》第1号（同法第66条の4の3第14項及び第67条の18第13項において準用する場合を含む。以下①及び2の①において同じ。）に掲げる更正決定に係る法人税額（これらの申立てに係る相互協議の対象になるものに限る。以下①及び2の①において同じ。）に基づいて第三節一の7《修正申告又は更正決定に係る申告納付》の規定により申告納付すべき法人税割額又は当該更正決定に係る法人税額に基づいて道府県知事が一の1若しくは2の規定により更正若しくは決定をした場合における当該更正若しくは決定により納付すべき法人税割額を限度として、第三節一の7又はこの節三の1《不足税額の徴収》の規定による納付すべき日又は納期限（当該申請が当該納付すべき日又は納期限後であるときは、当該申請の日とする。）から国税庁長官と当該条約相手国等の権限ある当局との間の合意に基づく国税通則法第26条《再更正》の規定による更正に係る法人税額に基づいて道府県知事が一の1若しくは3の規定により更正をした場合における当該更正があった日（当該合意がない場合その他の(1)の政令で定める場合には、(1)の政令で定める日）の翌日から1月を経過する日までの期間（④において「徴収の猶予期間」という。）に限り、その徴収を猶予することができる。ただし、当該申請を行う者につき当該申請の時において当該法人税割額又はこれらの申立てに係る租税特別措置法第66条の4第27項第1号に掲げる更正決定に係る法人税額の課税標準とされた所得に基づいて第五章第三節五の2の②《法人税の課税標準について更正又は決定を受けた場合の法人事業税の修正申告納付》の規定により申告納付すべき所得割額若しくは付加価値割額若しくは当該更正決定に係る法人税額の課税標準とされた所得に基づいて道府県知事が同章第四節一《法人税の課税標準に基づく法人事業税の所得割等の更正及び決定》の1若しくは2又は同節五《道府県知事の調査による法人事業税の付加価値割等の更正及び決定》の1若しくは2の規定により更正若しくは決定をした場合における当該更正若しくは決定により納付すべき所得割額若しくは付加価値割額以外の当該道府県の地方税の滞納がある場合は、この限りでない。(法55の2①)

(合意がない場合その他の政令で定める場合及び政令で定める日)
(1) ①に規定する合意がない場合その他の政令で定める場合は次の各号に掲げる場合とし、①に規定する政令で定める日は道府県知事が当該各号に掲げる場合に該当する旨を通知した日とする。(令9の9の4①)
 (一) 相互協議を継続した場合であっても①に規定する合意(以下(二)及び(三)において「合意」という。)に至らないと国税庁長官が認める場合(③各号に掲げる場合を除く。)において、国税庁長官が当該相互協議に係る条約相手国等の権限ある当局に当該相互協議の終了の申入れをし、当該権限ある当局の同意を得たとき。
 (二) 相互協議を継続した場合であっても合意に至らないと当該相互協議に係る条約相手国等の権限ある当局が認める場合において、国税庁長官が当該権限ある当局から当該相互協議の終了の申入れを受け、国税庁長官が同意をしたとき。
 (三) 租税特別措置法第66条の4の2第1項《国外関連者との取引に係る課税の特例に係る納税の猶予》に規定する法人税の額及び地方法人税の額に関し国税庁長官と条約相手国等の権限ある当局との間の合意が行われた場合において、当該合意の内容が当該法人税の額及び地方法人税の額を変更するものでないとき。

(徴収猶予の申請)
(2) ①に規定による徴収の猶予を受けようとする者は、次に掲げる事項を記載した申請書に、①の申立てをしたことを証する書類その他の総務省令で定める書類を添付し、これを道府県知事に提出しなければならない。(令9の9の4③)
 (一) 当該猶予を受けようとする法人の名称、主たる事務所又は事業所の所在地
 (二) ①に規定する申告納付すべき法人税割額並びにその事業年度及び納期限又は①に規定する更正若しくは決定により納付すべき法人税割額並びにその事業年度及び納期限及び法人番号
 (三) (二)の法人税割額のうち当該猶予を受けようとする金額
 (四) 当該猶予を受けようとする金額が100万円を超え、かつ、当該猶予の期間が3月を超える場合には、その申請時に提供しようとする法第16条第1項《担保の徴取》各号に掲げる担保の種類、数量、価額及び所在(その担保が保証人の保証であるときは、保証人の名称又は氏名及び主たる事務所若しくは事業所の所在地又は住所若しくは居所)その他担保に関し参考となるべき事項(担保を提供することができない特別の事情があるときは、その事情)
  (注) (2)の規定による申請書の様式は、第10号の5様式とする。(規3の4①)

(徴収猶予の申請書類)
(3) (2)に規定にする総務省令で定める書類は、次に掲げる書類とする。(規3の4②)
 (一) ①の申立てをしたことを証する書類
 (二) ①に規定する申告納付すべき法人税割額又は更正若しくは決定により納付すべき法人税割額が、租税特別措置法第66条の4第27項第1号(同法第66条の4の3第14項又は第67条の18第13項において準用する場合を含む。)に掲げる更正決定に係る法人税額に基づくものであること及び同法第66条の4第27項第3号(同法第66条の4の3第14項又は第67条の18第13項において準用する場合を含む。)に掲げる地方法人税に係る更正決定に伴い変更されるものであること並びに(一)の申立てに係る条約相手国等との間の相互協議の対象であることを明らかにする書類
 (三) (2)の(四)に規定する場合に該当するときには、供託書の正本、抵当権を設定するために必要な書類、保証人の保証を証する書面その他の担保の提供に関する書類

② 担保の徴取

道府県知事は、①の規定による徴収の猶予(以下1において「徴収の猶予」という。)をする場合には、その猶予に係る金額に相当する担保で法第16条第1項《担保の徴取》各号に掲げるものを、(1)の政令で定めるところにより徴さなければならない。ただし、その猶予に係る税額が100万円以下である場合、その猶予の期間が3月以内である場合又は担保を徴することができない特別の事情がある場合は、この限りでない。(法55の2②)

(担保の徴取手続)
(1) ②の規定により担保を徴する場合には、期限を指定して、その提供を命ずるものとする。この場合においては、令第6条の10《担保の提供手続》並びに第6条の11第1項及び第2項《担保保全の提供命令の手続》の規定を準用する。(令9の9の4②)

(総則の規定の準用)
（2） 法第15条の2の2《納税猶予の通知》、第15条の2の3《徴収猶予の効果》、第16条の2第1項から第3項まで《納付又は納入の委託》及び第18条の2第4項《徴収の猶予又は換価の猶予による時効の停止》の規定は徴収の猶予について、法第11条《第二次納税義務の通則》、第16条第2項《徴収金に係る差押財産がある場合の担保の額》及び第3項《増担保、保証人の変更等の要求》、第16条の2第4項《委託に係る有価証券の提供による担保》並びに第16条の5第1項及び第2項《担保の処分》の規定は②の規定による担保について、それぞれ準用する。（法55の2③）

③ **徴収の猶予の取消し**
　徴収の猶予を受けた者が次の各号のいずれかに該当するときは、道府県知事は、その徴収の猶予を取り消すことができる。この場合においては、法第15条の3第2項及び第3項《徴収猶予の取消しの場合の弁明の聴取及び取消しの通知》の規定を準用する。（法55の2④）
(一)　①の申立てを取り下げたとき。
(二)　第13条の2第1項《繰上徴収》各号のいずれかに該当する事実がある場合において、その者がその猶予に係る法人税割額を猶予期間内に完納することができないと認められるとき。
(三)　②の（2）において準用する法第16条第3項の規定による担保の提供又は変更その他担保を確保するため必要な行為に関する道府県知事の求めに応じないとき。
(四)　新たにその猶予に係る法人税割額以外の当該道府県に係る地方団体の徴収金を滞納したとき（道府県知事がやむを得ない理由があると認めるときを除く。）。
(五)　徴収の猶予を受けた者の財産の状況その他の事情の変化によりその猶予を継続することが適当でないと認められるとき。

④ **延滞金の免除**
　徴収の猶予をした場合には、その猶予をした法人税割に係る延滞金額のうち徴収の猶予期間（①の申請が①の納付すべき日又は納期限以前である場合には、当該申請の日を起算日として当該納付すべき日又は納期限までの期間を含む。）に対応する部分の金額は、免除する。ただし、③の規定による取消しの基因となるべき事実が生じた場合には、その生じた日後の期間に対応する部分の金額については、道府県知事は、その免除をしないことができる。（法55の2⑤）

2　徴収猶予に係る国税庁長官の通知

① **租税条約に基づく申立てが行われた場合の通知**
　国税庁長官は、国税庁長官に対する申立てが行われた場合又は条約相手国等の権限ある当局に対する申立てが行われた場合には、遅滞なく、その旨、これらの申立てに係る租税特別措置法第66条の4第27項《国外関連者との取引に係る更正決定等の期間制限の特例》第1号に掲げる更正決定に係る法人税額その他次の掲げる事項をこれらの申立てをした法人の事務所又は事業所（二以上の道府県において事務所又は事業所を有する法人にあっては、その主たる事務所又は事業所。②及び③において同じ。）の所在地の道府県知事に通知しなければならない。（法55の3①、規3の4の2①）
(一)　租税条約に規定する申立てをした法人の名称、代表者、主たる事務所又は事業所の所在地及び法人番号
(二)　(一)の申立てが行われた日
(三)　(一)の申立てに係る法人税額及び(四)に規定する地方法人税額の事業年度
(四)　(一)の申立てに係る地方法人税額（租税特別措置法第66条の4《国外関連者との取引に係る課税の特例》第27項第3号に掲げる更正決定に係る地方法人税額をいう。）
(五)　その他参考となるべき事項

② **相互協議において合意がない場合の通知**
　国税庁長官は、国税庁長官に対する申立てが行われた場合又は条約相手国等の権限ある当局に対する申立てが行われた場合において、これらの申立てに係る相互協議において1の①に規定する合意がない場合その他の政令で定める場合に該当することとなったときは、遅滞なく、その旨その他次に掲げる事項をこれらの申立てをした法人の事務所又は事業所の所在地の道府県知事に通知しなければならない。（法55の3②、規3の4の2②）
(一)　租税条約に規定する申立てをした法人の名称、代表者、主たる事務所又は事業所の所在地及び法人番号
(二)　(一)の申立てに係る相互協議において1の①の（1）各号に掲げる場合に該当することとなった日
(三)　その他参考となるべき事項

③　相互協議において合意が行われた場合の通知

　国税庁長官は、国税庁長官に対する申立てが行われた場合又は条約相手国等の権限ある当局に対する申立てが行われた場合において、これらの申立てに係る相互協議において1の①に規定する合意が行われたときは、遅滞なく、その旨、当該合意に基づく国税通則法第26条《再更正》の規定による更正に係る法人税額その他次に掲げる事項をこれらの申立てをした法人の事務所又は事業所の所在地の道府県知事に通知しなければならない。（法55の3③、規3の4の2③）

(一)　租税条約に規定する申立てをした法人の名称、代表者、主たる事務所又は事業所の所在地及び法人番号
(二)　(一)の申立てに係る相互協議において1の①に規定する合意が行われた日
(三)　(二)の合意に基づく法人税額及び(四)に規定する地方法人税額の事業年度
(四)　(二)の合意に基づく地方法人税額（当該合意に基づく国税通則法第26条の規定による更正に係る地方法人税額をいう。）
(五)　その他参考となるべき事項

④　関係道府県知事への通知

　①から③までの通知を受けた主たる事務所又は事業所の所在地の道府県知事は、遅滞なく、これらの規定に規定する事項を関係道府県知事に通知しなければならない。（法55の3④）

⑤　関係市町村長への通知

　①から④までの通知を受けた道府県知事は、遅滞なく、①から③までに規定する事項を当該道府県の区域内の関係市町村長に通知しなければならない。（法55の3⑤）

三　新型コロナウイルス感染症等に係る徴収猶予の特例……第一編第五章第一節二の7参照

四　不足税額及びその延滞金の徴収

1　不足税額の徴収

　道府県の徴税吏員は、一の1《更正》若しくは3《再更正》の規定による更正又は一の2《決定》の規定による決定があった場合において、不足税額（更正による不足税額又は決定による税額をいう。2において同じ。）があるときは、一の4《更正又は決定の通知》の通知をした日から1月を経過した日を納期限として、これを徴収しなければならない。（法56①）

2　延滞金の徴収

　1の場合においては、その不足税額に第三節一の1・2、3又は4《中間申告・みなし中間申告・確定申告・公共法人等又は人格のない社団等に係る申告納付》の納期限（同6《修正申告又は更正決定に係る申告納付》の申告納付に係る法人税割に係る不足税額がある場合には、同節一の1・2又は3《中間申告・みなし中間申告・確定申告》の納期限とし、納期限の延長があった場合には、その延長された納期限とする。4の(一)において同じ。）の翌日から納付の日までの期間の日数に応じ、年14.6パーセント（1の納期限までの期間又は当該納期限の翌日から1月を経過する日までの期間については、年7.3パーセント）の割合を乗じて計算した金額に相当する延滞金額を加算して徴収しなければならない。（法56②）

　　(注)　2に規定する延滞金の年7.3パーセントの割合については特例規定が設けられているので、第一編第十章12の①《延滞金の割合の特例》を参照。（編者）

3　延滞金の計算の基礎となる期間の特例

　2の場合において、一の1《更正》又は3《再更正》の規定による更正の通知をした日が第三節一の1・2、3又は4《中間申告・みなし中間申告・確定申告・公共法人等又は人格のない社団等に係る申告納付》に規定する申告書を提出した日（当該申告書がその提出期限前に提出された場合には、当該申告書の提出期限）の翌日から1年を経過する日後であるときは、詐偽その他不正の行為により道府県民税を免れた場合を除き、当該1年を経過する日の翌日から当該通知をした日（法人税に係る修正申告書を提出し、又は法人税に係る更正若しくは決定がされたことによる更正に係るものにあっては、当該修正申告書を提出した日又は国の税務官署が更正若しくは決定の通知をした日）までの期間は、延滞金の計算の基礎となる期間から控除する。（法56③）

(延滞金の計算基礎期間から一定期間を控除する規定の留意事項)
注　延滞金の計算に当たってその計算の基礎となる期間から一定の期間を控除する規定は、一の1《更正》の規定によって行われた道府県民税の更正（当該更正に係る同3《再更正》の再更正を含む。）に伴う不足税額に対する延滞金の計算について適用されるものであり、道府県民税の決定が行われた場合における不足税額に対する延滞金の計算については適用されないものであること。（県通2－57）

4　当初申告の減額更正後に修正申告があった場合の延滞金の計算期間の特例

2の場合において、納付すべき税額を増加させる更正（これに類するものとして(1)で定める更正を含む。以下4において「増額更正」という。）があったとき（当該増額更正に係る道府県民税について第三節一の1・2、3又は4に規定する申告書（以下4において「当初申告書」という。）が提出されており、かつ、当該当初申告書の提出により納付すべき税額を減少させる更正（これに類するものとして(2)で定める更正を含む。以下4において「減額更正」という。）があった後に、当該増額更正があったときに限る。）は、当該増額更正により納付すべき税額（当該当初申告書に係る税額（還付金の額に相当する税額を含む。）に達するまでの部分として(2)で定める税額に限る。）については、3の規定にかかわらず、次に掲げる期間（詐偽その他不正の行為により道府県民税を免れた法人についてされた当該増額更正により納付すべき道府県民税その他(3)で定める道府県民税にあっては、（一）に掲げる期間に限る。）を延滞金の計算の基礎となる期間から控除する。（法56④）

(一)　当該当初申告書の提出により納付すべき税額の納付があった日（その日が当該申告に係る道府県民税の納期限より前である場合には、当該納期限）の翌日から当該減額更正の通知をした日までの期間

(二)　当該減額更正の通知をした日（当該減額更正が、更正の請求に基づくもの（法人税に係る更正によるものを除く。）である場合又は法人税に係る更正（法人税に係る更正の請求に基づくものに限る。）によるものである場合には、当該減額更正の通知をした日の翌日から起算して1年を経過する日）の翌日から当該増額更正の通知をした日（法人税に係る修正申告書を提出し、又は法人税に係る更正若しくは決定がされたことによる更正に係るものにあっては、当該修正申告書を提出した日又は国の税務官署が更正若しくは決定の通知をした日）までの期間

　　　（納付すべき税額を増加させる更正）
（1）　4に規定する納付すべき税額を増加させる更正に類する更正は、還付金の額を減少させる更正又は納付すべき税額があるものとする更正とする。（令9の9の5①）

　　　（納付すべき税額を減少させる更正）
（2）　4に規定する当初申告書の提出により納付すべき税額を減少させる更正に類する更正は、4に規定する当初申告書（以下(2)及び(3)において「当初申告書」という。）に係る還付金の額を増加させる更正又は当初申告書に係る還付金の額がない場合において還付金の額があるものとする更正とする。（令9の9の5②）

　　　（当初申告書に係る税額に達するまでの部分の税額）
（3）　4に規定する当初申告書に係る税額に達するまでの部分の税額は、次の各号に掲げる場合の区分に応じ、当該各号に定める税額に相当する金額とする。（令9の9の5③）
　(一)　当初申告書の提出により納付すべき税額がある場合　　次に掲げる税額のうちいずれか少ない税額
　　イ　4に規定する増額更正（以下4において「増額更正」という。）により納付すべき税額
　　ロ　当初申告書の提出により納付すべき税額から増額更正前の税額を控除した税額（当該増額更正前の還付金の額に相当する税額があるときは、当初申告書の提出により納付すべき税額に当該還付金の額に相当する税額を加算した税額）
　(二)　当初申告書の提出により納付すべき税額がない場合（（三）に掲げる場合を除く。）　　次に掲げる税額のうちいずれか少ない税額
　　イ　増額更正により納付すべき税額
　　ロ　増額更正前の還付金の額に相当する税額
　(三)　当初申告書に係る還付金の額がある場合　　次に掲げる税額のうちいずれか少ない税額
　　イ　増額更正により納付すべき税額
　　ロ　増額更正前の還付金の額に相当する税額から当初申告書に係る還付金の額に相当する税額を控除した税額

（延滞金の計算期間から控除される期間が制限される道府県民税）
（4） 4に規定する道府県民税は、4に規定する減額更正が更正の請求に基づくもの（法人税に係る更正によるものを除く。）である場合又は法人税に係る更正（法人税に係る更正の請求に基づくものに限る。）によるものである場合において、当該減額更正の通知をした日の翌日から起算して1年を経過する日までに増額更正の通知（当該増額更正が法人税に係る修正申告書を提出し、又は法人税に係る更正若しくは決定がされたことによるものである場合には、当該法人税に係る修正申告書の提出又は更正若しくは決定の通知）をしたときの当該増額更正により納付すべき税額に相当する道府県民税とする。（令9の9の5④）

5　延滞金の減免
道府県知事は、納税者が一の1《更正》若しくは3《再更正》の規定による更正又は同2《決定》の規定による決定を受けたことについてやむを得ない理由があると認める場合には、2の延滞金額を減免することができる。（法56⑤）

五　納期限後納付に係る延滞金

1　納期限後納付の場合の延滞金

①　延滞金
法人の道府県民税の納税者は、第三節一の1・2、3又は4《中間申告・みなし中間申告・確定申告・公共法人等又は人格のない社団等に係る申告納付》の納期限後にその税金を納付する場合又は同6《納付税額に過不足額がある場合等の申告納付》に規定する申告書に係る税金を納付する場合には、それぞれこれらの税額に、その納期限（同6に規定する申告書に係る税金を納付する場合には、当該税金に係る同1・2、3又は4の納期限とし、納期限の延長があった場合には、その延長された納期限とする。以下（一）及び③の（一）において同じ。）の翌日から納付の日までの期間の日数に応じ、年14.6パーセント（次の各号に掲げる税額の区分に応じ、当該各号に定める日又は期限までの期間については、年7.3パーセント）の割合を乗じて計算した金額に相当する延滞金額を加算して納付しなければならない。（法64①）

（一）	第三節一の1・2、3又は4《中間申告・みなし中間申告・確定申告・公共法人等又は人格のない社団等に係る申告納付》に規定する申告書に係る税額（（二）に掲げるものを除く。）	当該税額に係る納期限の翌日から1月を経過する日
（二）	第三節一の1・2、3又は4に規定する申告書でその提出期限後に提出したものに係る税額	当該提出した日又はその日の翌日から1月を経過する日
（三）	第三節一の6《納付税額に過不足額がある場合等の申告納付》に規定する申告書に係る税額	同6の規定により申告書を提出した日（同7《修正申告又は更正決定に係る申告納付》の規定の適用がある場合において、当該申告書がその提出期限前に提出されたときは、当該申告書の提出期限。以下（三）において同じ。）又は当該申告書を提出した日の翌日から1月を経過する日

（注）　①に規定する延滞金の年7.3パーセントの割合については特例規定が設けられているので、第一編第十章12の①《延滞金の割合の特例》を参照。（編者）

②　延滞金の計算の基礎となる期間の特例
①の場合において、法人が第三節一の1・2、3又は4《中間申告・みなし中間申告・確定申告・公共法人等又は人格のない社団等に係る申告納付》に規定する申告書を提出した日（当該申告書がその提出期限前に提出された場合には、当該申告書の提出期限）の翌日から1年を経過する日後に同6《納付税額に過不足額がある場合等の申告納付》に規定する申告書を提出したときは、詐偽その他不正の行為により道府県民税を免れた法人が一の1《更正》又は3《再更正》の規定による更正があるべきことを予知して当該申告書を提出した場合を除き、当該1年を経過する日の翌日から当該申告書を提出した日（第三節一の7《修正申告又は更正決定に係る申告納付》の規定の適用がある場合において、当該申告書がその提出期限前に提出されたときは、当該申告書の提出期限）までの期間は、延滞金の計算の基礎となる期間から控除する。（法64②）

③ 当初申告の減額更正後に修正申告があった場合の延滞金の計算期間の特例
　①の場合において、第三節─の6《納付税額に過不足額がある場合等の申告納付》に規定する申告書（以下③において「修正申告書」という。）の提出があったとき（当該修正申告書に係る道府県民税について第三節─の1・2、3又は4に規定する申告書（以下③において「当初申告書」という。）が提出されており、かつ、当該当初申告書の提出により納付すべき税額を減少させる更正（これに類するものとして（1）で定める更正を含む。以下③において「減額更正」という。）があった後に、当該修正申告書が提出されたときに限る。）は、当該修正申告書の提出により納付すべき税額（当該当初申告書に係る税額（還付金の額に相当する税額を含む。）に達するまでの部分として（2）で定める税額に限る。）については、②の規定にかかわらず、次に掲げる期間（詐偽その他不正の行為により道府県民税を免れた法人が第六節─の1《更正》又は3《再更正》の規定による更正があるべきことを予知して提出した修正申告書に係る道府県民税その他（3）で定める道府県民税にあっては、（一）に掲げる期間に限る。）を延滞金の計算の基礎となる期間から控除する。（法64③）
（一）　当該当初申告書の提出により納付すべき税額の納付があった日（その日が当該申告に係る道府県民税の納期限より前である場合には、当該納期限）の翌日から当該減額更正の通知をした日までの期間
（二）　当該減額更正の通知をした日（当該減額更正が、更正の請求に基づくもの（法人税に係る更正によるものを除く。）である場合又は法人税に係る更正（法人税に係る更正の請求に基づくものに限る。）によるものである場合には、当該減額更正の通知をした日の翌日から起算して1年を経過する日）の翌日から当該修正申告書を提出した日（第三節─の7《修正申告又は更正決定に係る申告納付》の規定の適用がある場合において、当該修正申告書がその提出期限前に提出されたときは、当該修正申告書の提出期限）までの期間

　　　（納付すべき税額を減少させる更正等）
（1）　③に規定する当初申告書の提出により納付すべき税額を減少させる更正に類する更正は、③に規定する当初申告書（以下（1）及び（2）において「当初申告書」という。）に係る還付金の額を増加させる更正又は当初申告書に係る還付金の額がない場合において還付金の額があるものとする更正とする。（令9の10①）

　　　（当初申告書に係る税額に達するまでの部分の税額）
（2）　③に規定する当初申告書に係る税額に達するまでの部分の税額は、次の各号に掲げる場合の区分に応じ、当該各号に定める税額に相当する金額とする。（令9の10②）
　（一）　当初申告書の提出により納付すべき税額がある場合　　次に掲げる税額のうちいずれか少ない税額
　　イ　③に規定する修正申告書（以下（2）及び（3）において「修正申告書」という。）の提出により納付すべき税額
　　ロ　当初申告書の提出により納付すべき税額から修正申告書の提出前の税額を控除した税額（当該修正申告書の提出前の還付金の額に相当する税額があるときは、当初申告書の提出により納付すべき税額に当該還付金の額に相当する税額を加算した税額）
　（二）　当初申告書の提出により納付すべき税額がない場合（（三）に掲げる場合を除く。）　　次に掲げる税額のうちいずれか少ない税額
　　イ　修正申告書の提出により納付すべき税額
　　ロ　修正申告書の提出前の還付金の額に相当する税額
　（三）　当初申告書に係る還付金の額がある場合　　次に掲げる税額のうちいずれか少ない税額
　　イ　修正申告書の提出により納付すべき税額
　　ロ　修正申告書の提出前の還付金の額に相当する税額から当初申告書に係る還付金の額に相当する税額を控除した税額

　　　（延滞金の計算期間から控除される期間が制限される道府県民税）
（3）　③に規定する道府県民税は、③に規定する減額更正が更正の請求に基づくもの（法人税に係る更正によるものを除く。）である場合又は法人税に係る更正（法人税に係る更正の請求に基づくものに限る。）によるものである場合において、当該減額更正の通知をした日の翌日から起算して1年を経過する日までに修正申告書の提出があったとき（第三節─の8《修正申告又は更正決定に係る申告納付》の規定の適用がある場合において、当該修正申告書がその提出期限前に提出され、同日以後に当該修正申告書の提出期限が到来したときを除く。）の③に規定する修正申告書の提出により納付すべき税額に相当する道府県民税とする。（令9の10③）

④　延滞金の減免
　道府県知事は、納税者が①の納期限までに税金を納付しなかったことについてやむを得ない理由があると認める場合に

は、①の延滞金額を減免することができる。（法64④）

2　納期限の延長の場合の延滞金

　法人税法第74条第１項《確定申告》又は第144条の６《外国法人の確定申告》第１項の規定により法人税に係る申告書を提出する義務がある法人で同法第75条の２第１項《確定申告書の提出期限の延長の特例》の規定の適用を受けているものは、当該申告書に係る法人税額の課税標準の算定期間でその適用に係るものの所得に対する法人税額を課税標準として算定した法人税割額及びこれと併せて納付すべき均等割額を納付する場合には、当該税額に、当該法人税額の課税標準の算定期間の末日の翌日以後２月を経過した日から同項の規定により延長された当該申告書の提出期限までの期間の日数に応じ、年7.3パーセントの割合を乗じて計算した金額に相当する延滞金額を加算して納付しなければならない。（法65①）

　（注）　２に規定する延滞金の年7.3パーセントの割合については特例規定が設けられているので、第一編第十章12の①《延滞金の割合の特例》を参照。（編者）

　　　（当初申告の減額更正後に修正申告があった場合の延滞金の計算期間の特例）
（１）　四の４の規定は、２の延滞金額について準用する。この場合において、同４中「３の規定にかかわらず、次に掲げる期間（詐偽その他不正の行為により道府県民税を免れた法人についてされた当該増額更正により納付すべき道府県民税その他（３）で定める道府県民税にあっては、（一）に掲げる期間に限る。）」とあるのは、「当該当初申告書の提出により納付すべき税額の納付があった日（その日が**五の２**の法人税額の課税標準の算定期間の末日の翌日以後２月を経過した日より前である場合には、同日）から同２の申告書の提出期限までの期間」と読み替えるものとする。（法65②）

　　　（納期限の延長の場合における延滞金の計算）
（２）　四の４の（１）から（３）までの規定は、（１）において準用する**四の４**の規定による延滞金の計算について準用する。（令９の10の２①）

　　　（納期限後納付の場合に当初申告の減額更正後に修正申告があったときの延滞金の計算期間の特例）
（３）　１の③の規定は、２の延滞金額について準用する。この場合において、同③中「②の規定にかかわらず、次に掲げる期間（詐偽その他不正の行為により道府県民税を免れた法人が第六節一の１又は３の規定による更正があるべきことを予知して提出した修正申告書に係る道府県民税その他（３）で定める道府県民税にあっては、（一）に掲げる期間に限る。）」とあるのは、「当該当初申告書の提出により納付すべき税額の納付があった日（その日が２の法人税額の課税標準の算定期間の末日の翌日以後２月を経過した日より前である場合には、同日）から同①の申告書の提出期限までの期間」と読み替えるものとする。（法65③）

　　　（納期限後納付の場合の納期限の延長の場合における延滞金の計算）
（４）　１の③の（１）及び（２）の規定は、（３）において準用する１の③の規定による延滞金の計算について準用する。（令９の10の２②）

3　納期限の延長に係る延滞金の特例……第一編第五章第一節六の２参照

第七節　雑　　則

1　天災その他特別の事情がある場合の減免

　道府県知事は、天災その他特別の事情がある場合において法人の道府県民税の減免を必要とすると認める者その他特別の事情がある者に限り、当該道府県の条例の定めるところにより、法人の道府県民税を減免することができる。（法61）

2　脱税に関する罪

　偽りその他不正の行為により法人の道府県民税（法人税割にあっては、法人税割に係る申告書に記載されるべき法人税額を課税標準として算定したものとし、第三節一の１・２《中間申告・確定申告・みなし中間申告に係る申告納付》の規定により法人税法第71条第１項《中間申告》の規定による法人税に係る申告書（同法第72条第１項各号《仮決算をした場

合の中間申告書の記載事項等》に掲げる事項を記載したものに限る。) 又は同法第144条の3《中間申告》第1項の規定による法人税に係る申告書 (同法第144条の4《仮決算をした場合の中間申告書の記載事項等》第1項各号に掲げる事項を記載したものに限る。) を提出する義務がある法人が同1・2の申告又はこれに係る同6《納付税額に過不足額がある場合等の申告納付》の申告により納付すべきものを除く。(2)において同じ。)の全部又は一部を免れた場合には、法人の代表者 (人格のない社団等の管理人及び法人課税信託の受託者である個人を含む。(2)において同じ。)、代理人、使用人その他の従業者でその違反行為をした者は、10年以下の懲役若しくは1,000万円以下の罰金に処し、又はこれを併科する。(法62①)

(脱税額が1,000万円を超える場合の罰金額の加重)
(1)　2の免れた税額が1,000万円を超える場合には、情状により、2の罰金の額は、2の規定にかかわらず、1,000万円を超える額でその免れた税額に相当する額以下の額とすることができる。(法62②)

(故意不申告の罪)
(2)　2に規定するもののほか、第三節一の1・2、3又は4《中間申告・みなし中間申告・確定申告・公共法人等又は人格のない社団等に係る申告納付》の規定による申告書を当該各項に規定する申告書の提出期限内に提出しないことにより、法人の道府県民税の全部又は一部を免れた場合においては、法人の代表者、代理人、使用人その他の従業者でその違反行為をした者は、5年以下の懲役若しくは500万円以下の罰金に処し、又はこれを併科する。(法62③)

(脱税額が500万円を超える場合の罰金額の加重)
(3)　(2)の免れた税額が500万円を超える場合には、情状により、(2)の罰金の額は、(2)の規定にかかわらず、500万円を超える額でその免れた税額に相当する額以下の額とすることができる。(法62④)

(両罰規定)
(4)　法人の代表者 (人格のない社団等の管理人を含む。) 又は代理人、使用人その他の従業者がその法人の業務又は財産に関して2又は(2)の違反行為をした場合には、その行為者を罰するほか、その法人に対し、2又は(2)の罰金刑を科する。(法62⑤)

(法人に罰金刑を科する場合の公訴時効期間)
(5)　(4)の規定により2又は(2)の違反行為につき法人に罰金刑を科する場合における時効の期間は、2又は(2)の罪についての時効の期間による。(法62⑥)

(人格のない社団等に対する刑事訴訟法の準用)
(6)　人格のない社団等について(4)の規定の適用がある場合には、その代表者又は管理人がその訴訟行為につき当該人格のない社団等を代表するほか、法人を被告人又は被疑者とする場合の刑事訴訟に関する法律の規定を準用する。(法62⑦)

3　法人税に関する書類の供覧等

　道府県知事が法人の道府県民税の賦課徴収について、政府に対し、法人税の納税義務者が政府に提出した申告書又は政府がした更正若しくは決定に関する書類を閲覧し、又は記録することを請求した場合には、政府は、関係書類を道府県知事又はその指定する職員に閲覧させ、又は記録させるものとする。(法63①)

(法人税に係る更正又は決定の通知)
(1)　政府は、法人税に係る更正又は決定の通知をした場合には、遅滞なく、当該更正又は決定に係る所得の金額及び法人税額を当該更正又は決定に係る法人税額の課税標準の算定期間の末日における当該法人の事務所又は事業所 (二以上の道府県において事務所又は事業所を有する法人にあっては、その主たる事務所又は事業所) 所在地の道府県知事に通知しなければならない。(法63②)

(関係道府県知事に対する通知)
(2)　(1)の通知を受けた主たる事務所又は事業所所在地の道府県知事は、遅滞なく、当該通知に係る法人税額等を関

係道府県知事に通知しなければならない。（法63③）

　　　（関係市町村に対する通知）
（３）　（１）又は（２）の通知を受けた道府県知事は、遅滞なく、当該通知に係る法人税額等を当該道府県の区域内の関係市町村長に通知しなければならない。（法63④）

　　　（道府県知事に対する通知義務の運用）
（４）　法人税については更正又は決定がなされた場合における法人税割額の捕捉を適確にするために、政府は当該更正又は決定に係る所得の金額及び法人税額を道府県知事に通知すべきものとされたのであるが、この措置は、市町村民税及び事業税とも関係を有するので、その趣旨において運用すべきものであること。（県通２－61）

第八節　督促、滞納処分

一　督　　促

1　期限内納付がない場合の督促

　法人の道府県民税の納税者が納期限（第六節一《更正又は決定》の規定による更正又は決定があった場合においては、不足税額の納期限をいい、納期限の延長があったときは、その延長された納期限とする。以下法人の道府県民税について同じ。）までに法人の道府県民税に係る地方団体の徴収金を完納しない場合においては、道府県の徴税吏員は、納期限後20日以内に、督促状を発しなければならない。ただし、繰上徴収をする場合においては、この限りでない。（法66①）

　　　（徴収猶予期間内の取扱い）
（１）　法第15条の４第１項《修正申告等に係る道府県民税、市町村民税又は事業税の徴収猶予》の規定によって徴収猶予をした道府県民税に係る地方団体の徴収金については、１本文の規定にかかわらず、その徴収猶予をした期間内にこれを完納しない場合でなければ、督促状を発することはできない。（法66②）

　　　（特別の事情がある場合の督促状の発付期限）
（２）　特別の事情がある道府県においては、当該道府県の条例で１に規定する期間と異なる期間を定めることができる。（法66③）

2　督促手数料の徴収
　道府県の徴税吏員は、督促状を発した場合においては、当該道府県の条例の定めるところによって、手数料を徴収することができる。（法67）

二　滞納処分

1　滞納処分
　法人の道府県民税に係る滞納者が次の各号のにいずれか該当するときは、道府県の徴税吏員は、当該法人の道府県民税に係る地方団体の徴収金につき、滞納者の財産を差し押さえなければならない。（法68①）
（一）　滞納者が督促を受け、その督促状を発した日から起算して10日を経過した日までにその督促に係る法人の道府県民税に係る地方団体の徴収金を完納しないとき。
（二）　滞納者が繰上徴収に係る告知により指定された納期限までに法人の道府県民税に係る地方団体の徴収金を完納しないとき。

　　　（第二次納税義務者又は保証人に対する催告）
（１）　第二次納税義務者又は保証人について１の規定を適用する場合には、同(一)中「督促状」とあるのは、「納付の催告書」とする。（法68②）

(繰上差押え)
(2) 法人の道府県民税に係る地方団体の徴収金の納期限後1の(一)に規定する10日を経過した日までに、督促を受けた滞納者につき法第13条の2第1項各号《繰上徴収》のいずれかに該当する事実が生じたときは、道府県の徴税吏員は、直ちにその財産を差し押さえることができる。(法68③)

(強制換価手続が行われた場合の交付要求)
(3) 滞納者の財産につき強制換価手続が行われた場合には、道府県の徴税吏員は、執行機関(破産法第114条第1号に掲げる請求権に係る法人の道府県民税に係る地方団体の徴収金の交付要求を行う場合には、その交付要求に係る破産事件を取り扱う裁判所)に対し、滞納に係る法人の道府県民税に係る地方団体の徴収金につき、交付要求をしなければならない。(法68④)

(参加差押え)
(4) 道府県の徴税吏員は、1、(1)又は(2)の規定により差押えをすることができる場合において、滞納者の財産で国税徴収法第86条第1項各号《参加差押えのできる財産》に掲げるものにつき、既に他の地方団体の徴収金若しくは国税の滞納処分又はこれらの滞納処分の例による処分による差押えがされているときは、当該財産についての交付要求は、参加差押えによりすることができる。(法68⑤)

(国税徴収法の例による滞納処分)
(5) 1及び(1)から(4)までに定めるものその他法人の道府県民税に係る地方団体の徴収金の滞納処分については、国税徴収法に規定する滞納処分の例による。(法68⑥)

(道府県の区域外における処分)
(6) 1及び(1)から(5)までの規定による処分は、当該道府県の区域外においても行うことができる。(法68⑦)

2　滞納処分に関する罪

法人の道府県民税の納税者が滞納処分の執行を免れる目的でその財産を隠蔽し、損壊し、若しくは道府県の不利益に処分し、その財産に係る負担を偽って増加する行為をし、又はその現状を改変して、その財産の価額を減損し、若しくはその滞納処分に係る滞納処分費を増大させる行為をしたときは、その者は、3年以下の懲役若しくは250万円以下の罰金に処し、又はこれを併科する。(法69①)

(財産占有者に対する罰則)
(1) 納税者の財産を占有する第三者が納税者に滞納処分の執行を免れさせる目的で2の行為をしたときも、2と同様とする。(法69②)

(情を知った違反行為の相手方に対する罰則)
(2) 情を知って1又は(1)の行為につき納税者又はその財産を占有する第三者の相手方となったときは、その相手方としてその違反行為をした者は、2年以下の懲役若しくは150万円以下の罰金に処し、又はこれを併科する。(法69③)

(両罰規定)
(3) 法人の代表者、代理人、使用人その他の従業者がその法人の業務又は財産に関して2、(1)又は(2)の違反行為をした場合には、その行為者を罰するほか、その法人に対し、当該各項の罰金刑を科する。(法69④)

(人格のない社団等に対する刑事訴訟法の準用)
(4) 法人でない社団又は財団で代表者又は管理人の定めのあるものについて(3)の規定の適用がある場合には、その代表者又は管理人がその訴訟行為につき当該法人でない社団又は財団で代表者又は管理人の定めのあるものを代表するほか、法人を被告人又は被疑者とする場合の刑事訴訟に関する法律の規定を準用する。(法69⑤)

3　滞納処分に関する検査拒否等の罪

次の各号のいずれかに該当する場合には、その違反行為をした者は、1年以下の懲役又は50万円以下の罰金に処する。(法70①)

（一）　1の(5)の場合において、国税徴収法第141条《質問及び検査》の規定の例により行う道府県の徴税吏員の質問に対して答弁をせず、又は偽りの陳述をしたとき。
（二）　1の(5)の場合において、国税徴収法第141条《質問及び検査》の規定の例により行う道府県の徴税吏員の帳簿書類（同条に規定する帳簿書類をいう。(三)において同じ。）その他の物件の検査を拒み、妨げ、又は忌避したとき。
（三）　1の(5)の場合において、国税徴収法第141条の規定の例により行う道府県の徴税吏員の物件の提示又は提出の要求に対し、正当な理由がなくこれに応じず、又は偽りの記載若しくは記録をした帳簿書類その他の物件（その写しを含む。）を提示し、若しくは提出したとき。

　　　（両罰規定）
（１）　法人の代表者又は代理人、使用人その他の従業者がその法人の業務又は財産に関して3の違反行為をした場合には、その行為者を罰するほか、その法人に対し、3の罰金刑を科する。（法70②）

　　　（人格のない社団等に対する刑事訴訟法の準用）
（２）　法人でない社団又は財団で代表者又は管理人の定めのあるものについて(1)の規定の適用がある場合には、その代表者又は管理人がその訴訟行為につき当該法人でない社団又は財団で代表者又は管理人の定めのあるものを代表するほか、法人を被告人又は被疑者とする場合の刑事訴訟に関する法律の規定を準用する。（法70③）

4　国税徴収法の例による滞納処分に関する虚偽の陳述の罪

　1の(5)の場合において、国税徴収法第99条の2《暴力団員等に該当しないこと等の陳述》（同法第109条《随意契約による売却》第4項において準用する場合を含む。）の規定の例により道府県知事に対して陳述すべき事項について虚偽の陳述をした者は、6月以下の懲役又は50万円以下の罰金に処する。（法71）

第三章　利子等、特定配当等及び特定株式等譲渡所得金額に係る道府県民税

第一節　通　則

一　定　義

1　用語の意義

　利子等、特定配当等及び特定株式等譲渡所得金額に係る道府県民税について、次の各号に掲げる用語の意義は、それぞれ当該各号に定めるところによる。（法23①三の二～三の四、十四～十七）

(一)	利子割	支払を受けるべき利子等の額によって課する道府県民税をいう。
(二)	配当割	支払を受けるべき特定配当等の額によって課する道府県民税をいう。
(三)	株式等譲渡所得割	特定株式等譲渡所得金額によって課する道府県民税をいう。
(四)	利子等	利子、収益の分配その他これらに類するもので次に掲げるものをいう。 イ　地方税法の施行地において支払を受けるべき租税特別措置法第3条第1項《利子所得の分離課税等》に規定する一般利子等（同法第4条の4第1項《勤労者財産形成貯蓄契約に基づく生命保険等の差益等の課税の特例》の規定により所得税法第23条第1項に規定する利子等とみなされる勤労者財産形成貯蓄保険契約等に基づき支払を受ける差益、預金保険法第53条第1項の規定による支払（同法第58条の2第1項の規定により同項第1号に掲げる利子、同項第4号に掲げる収益の分配又は同項第5号に掲げる利子の額とみなされる金額に相当する部分に限る。）、同法第70条第1項の規定による買取りの対価（同法第73条第1項の規定により同項第1号に掲げる利子、同項第4号に掲げる収益の分配又は同項第5号に掲げる利子の額とみなされる金額に相当する部分に限る。）及び同法第70条第2項ただし書の規定による支払（同法第73条第2項の規定により同条第1項第1号に掲げる利子、同項第4号に掲げる収益の分配又は同項第5号に掲げる利子の額とみなされる金額に相当する部分に限る。）並びに農水産業協同組合貯金保険法第55条第1項の規定による支払（同法第60条の2第1項の規定により同項第1号に掲げる利子、同項第3号に掲げる収益の分配又は同項第4号に掲げる利子の額とみなされる金額に相当する部分に限る。）、同法第70条第1項の規定による買取りの対価（同法第73条第1項の規定により同項第1号に掲げる利子、同項第3号に掲げる収益の分配又は同項第4号に掲げる利子の額とみなされる金額に相当する部分に限る。）及び同法第70条第2項ただし書の規定による支払（同法第73条第2項の規定により同条第1項第1号に掲げる利子、同項第3号に掲げる収益の分配又は同項第4号に掲げる利子の額とみなされる金額に相当する部分に限る。）を含み、所得税法第10条第1項《障害者等の少額預金の利子所得等の非課税》の規定の適用を受ける利子又は収益の分配、租税特別措置法第4条の2第1項《勤労者財産形成住宅貯蓄の利子所得等の非課税》の規定の適用を受ける財産形成住宅貯蓄に係る同項各号に掲げる利子、収益の分配又は差益及び同法第4条の3第1項《勤労者財産形成年金貯蓄の利子所得等の非課税》の規定の適用を受ける財産形成年金貯蓄に係る同項各号に掲げる利子、収益の分配又は差益を除く。） ロ　租税特別措置法第3条の3第1項《国外で発行された公社債等の利子所得等の分離課税等》に

規定する国外一般公社債等の利子等で同項の国内における支払の取扱者を通じて支払を受けるもの（第二節一の３《国外一般公社債等の利子等又は国外私募公社債等運用投資信託等の配当等に係る外国税額控除》において「**国外一般公社債等の利子等**」という。）

ハ 租税特別措置法第８条の２第１項《私募公社債等運用投資信託等の収益の分配に係る配当所得の分離課税等》に規定する私募公社債等運用投資信託等の収益の分配に係る配当等（所得税法第10条第１項の規定の適用を受ける収益の分配、租税特別措置法第４条の２第１項の規定の適用を受ける財産形成住宅貯蓄に係る同項第３号に掲げる収益の分配及び同法第４条の３第１項の規定の適用を受ける財産形成年金貯蓄に係る同項第３号に掲げる収益の分配に係るものを除く。）

ニ 租税特別措置法第８条の３第１項《国外で発行された投資信託等の収益の分配に係る配当所得の分離課税等》に規定する国外私募公社債等運用投資信託等の配当等で同項の国内における支払の取扱者を通じて支払を受けるもの（第二節一の３において「**国外私募公社債等運用投資信託等の配当等**」という。）

ホ 租税特別措置法第41条の９第１項に規定する懸賞金付預貯金等の懸賞金等

ヘ 地方税法の施行地において支払を受けるべき所得税法第174条《内国法人に係る所得税の課税標準》第３号から第８号までに掲げる給付補塡金、利息、利益又は差益（預金保険法第53条第１項の規定による支払（同法第58条の２第１項の規定により同項第２号又は第３号に掲げる給付補塡金の額とみなされる金額に相当する部分に限る。）、同法第70条第１項の規定による買取りの対価（同法第73条第１項の規定により同項第２号又は第３号に掲げる給付補塡金の額とみなされる金額に相当する部分に限る。）及び同法第70条第２項ただし書の規定による支払（同法第73条第２項の規定により同条第１項第２号又は第３号に掲げる給付補塡金の額とみなされる金額に相当する部分に限る。）並びに農水産業協同組合貯金保険法第55条第１項の規定による支払（同法第60条の２第１項の規定により同項第２号に掲げる給付補塡金の額とみなされる金額に相当する部分に限る。）、同法第70条第１項の規定による買取りの対価（同法第73条第１項の規定により同項第２号に掲げる給付補塡金の額とみなされる金額に相当する部分に限る。）及び同法第70条第２項ただし書の規定による支払（同法第73条第２項の規定により同条第１項第２号に掲げる給付補塡金の額とみなされる金額に相当する部分に限る。）を含む。）

　　　（給付補塡金、利息、利益又は差益）
（１）　ヘの所得税法第174条第３号から第８号までに掲げる給付補塡金、利息、利益又は差益とは、次に掲げるものをいう。（編者）

　（イ）　定期積金に係る契約に基づく給付補塡金（当該契約に基づく給付金のうちその給付を受ける金銭の額から当該契約に基づき払い込んだ掛金の額の合計額を控除した残額に相当する部分をいう。）

　（ロ）　銀行法第２条第４項の契約に基づく給付補塡金（当該契約に基づく給付金のうちその給付を受ける金銭の額から当該契約に基づき払い込むべき掛金の額として所得税法施行令（以下（ヘ）までにおいて「所令」という。）第298条第２項に定めるものの合計額を控除した残額に相当する部分をいう。）

　（ハ）　抵当証券法第１条第１項《証券の交付》に規定する抵当証券に基づき締結された当該抵当証券に記載された債権の元本及び利息の支払等に関する事項を含む契約として所令第298条第３項に定める契約により支払われる利息

　（ニ）　金その他の貴金属その他これに類する物品で政令で定めるものの買入れ及び売戻しに関する契約で、当該契約に定められた期日において当該契約に定められた金額により当該物品を売り戻す旨の定めがあるものに基づく利益（当該物品の当該売戻しをした場合の当該金額から当該物品の買入れに要した金額を控除した残額をいう。）

　（ホ）　外国通貨で表示された預貯金でその元本及び利子をあらかじめ約定した率により本邦通貨又は当該外国通貨以外の外国通貨に換算して支払うこととされているものの差益（当該換算による差益として所令第298条第４項に定めるものをいう。）

　（ヘ）　保険業法第２条第２項《定義》に規定する保険会社、同条第７項に規定する外国保険会社等若しくは同条第18項に規定する少額短期保険業者の締結した保険契約若しくは旧簡

		易生命保険契約(郵政民営化法等の施行に伴う関係法律の整備等に関する法律第2条《法律の廃止》の規定による廃止前の簡易生命保険法第3条《政府保証》に規定する簡易生命保険契約をいう。)又はこれらに類する共済に係る契約で保険料又は掛金を一時に支払うこと(これに準ずる支払方法として所令第298条第5項に定めるものを含む。)その他所令第298条第6項に定める事項をその内容とするもののうち、保険期間又は共済期間(以下(ヘ)において「保険期間等」という。)が5年以下のもの及び保険期間等が5年を超えるものでその保険期間等の初日から5年以内に解約されたものに基づく差益(これらの契約に基づく満期保険金、満期返戻金若しくは満期共済金又は解約返戻金の金額からこれらの契約に基づき支払った保険料又は掛金の額の合計額を控除した金額として所令第298条第7項に定めるところにより計算した金額をいう。)
		(利子等の範囲についての留意事項) (2) 利子割の課税対象となる利子等の範囲は、所得税における利子所得等の一律分離課税の対象とされる利子等の範囲と一致するものであること。よって、私募公社債等運用投資信託等の収益の分配に係る配当等、国外私募公社債等運用投資信託等の配当等、特定投資法人の投資口の配当等についてもこれに含まれるものであること。なお、割引債の償還差益については、課税技術上の問題等から、当面課税の対象外としていること。(県通2-62)
(五)	特定配当等	租税特別措置法第8条の4第1項《上場株式等に係る配当所得等の課税の特例》に規定する上場株式等の配当等及び同法第41条の12の2第1項《割引債の差益金額に係る源泉徴収等の特例》各号に掲げる償還金に係る同条第6項第3号に規定する差益金額をいう。
(六)	特定株式等譲渡対価等	租税特別措置法第37条の11の4第1項《特定口座内保管上場株式等の譲渡による所得等に対する源泉徴収等の特例》に規定する源泉徴収選択口座(以下(六)及び第四節において「選択口座」という。)に係る同法第37条の11の3第1項《特定口座内保管上場株式等の譲渡等に係る所得計算等の特例》に規定する特定口座内保管上場株式等の同法第37条の12の2《上場株式等に係る譲渡損失の損益通算及び繰越控除》第2項に規定する譲渡の対価又は当該選択口座において処理された同法第37条の11の3第2項に規定する上場株式等の同項に規定する信用取引等に係る同法第37条の11の4第1項に規定する差金決済に係る差益に相当する金額をいう。
(七)	特定株式等譲渡所得金額	租税特別措置法第37条の11の4《特定口座内保管上場株式等の譲渡による所得等に対する源泉徴収の特例》第2項に規定する源泉徴収選択口座内調整所得金額をいう。

2 所得税法その他の所得税に関する法令を引用する場合の所得の意義

道府県民税について所得税法その他の所得税に関する法令を引用する場合(利子等、特定配当等、特定株式等譲渡対価等及び特定株式等譲渡所得金額〚1の(四)〜(七)〛、利子等の非課税の範囲〚三の1〛及び利子等、特定配当等及び特定株式等譲渡所得金額に係る道府県民税〚第二節〜第四節〛において引用する場合を除く。)においては、これら法令は、前年の所得について適用されたものをいうものとする。(法23④、法附33の2の2②、35の3の4③)

二 納税義務者等

1 納税義務者

道府県民税は、(一)に掲げる者に対しては利子割額によって、(二)に掲げる者に対しては配当割額によって、(三)に掲げる者に対しては株式等譲渡所得割額によって課する。(法24①五〜七)

(一)	利子等の支払又はその取扱いをする者の営業所等で道府県内に所在するものを通じて利子等の支払を受ける個人
(二)	特定配当等の支払を受ける個人で当該特定配当等の支払を受けるべき日現在において道府県内に住所を有するもの
(三)	特定株式等譲渡対価等の支払を受ける個人で当該特定株式等譲渡対価等の支払を受けるべき日の属する年の1月1日現在において道府県内に住所を有するもの

(「道府県内に住所を有する個人」の意義)
注　1の表の(二)及び(三)の道府県内に住所を有する個人とは、住民基本台帳法の適用を受ける者については、その道府県の区域内の市町村の住民基本台帳に記録されている者（当該市町村の住民基本台帳に記録されていないが当該市町村内に住所を有する者を当該住民基本台帳に記録されている者とみなしてその者に市町村民税を課した者を含み、その者が記録されている住民基本台帳に係る他の市町村で課税されない者を除く。）をいう。（法24②）

2　利子等の支払又は取扱いをする者の営業所等

1の表の(一)の営業所等とは、利子等の支払をする者の営業所、事務所その他これらに準ずるもので利子等の支払の事務（利子等の支払に関連を有する事務を含む。）で(1)で定めるものを行うもの（利子等の支払の取扱いをする者で(2)で定めるものがある場合にあっては、その者の営業所、事務所その他これらに準ずるもので利子等の支払の取扱いの事務のうち(3)で定めるものを行うもの）をいう。（法24⑧）

(利子等の支払の事務)
(1)　2に規定する利子等の支払の事務（利子等の支払に関連を有する事務を含む。）は、次の各号に掲げる利子等の区分に応じ、当該各号に定める事務とする。（令7の4の2①）

(一)	所得税法第2条第1項第9号に規定する公社債（以下(一)及び(2)の(一)において「公社債」という。）の利子（租税特別措置法第3条第1項に規定する不適用利子並びに同項第1号及び第4号に掲げる利子を除く。(2)の(一)において同じ。）のうち当該公社債を発行する者の営業所、事務所その他これらに準ずるものにおいて直接支払われるもの	当該利子の支払の事務
(二)	所得税法第2条第1項第10号に規定する預貯金の利子（(三)及び(四)並びに(2)の(二)及び(三)に掲げる利子を除く。）	当該利子の支払の事務
(三)	郵便貯金銀行（郵政民営化法第94条に規定する郵便貯金銀行をいう。以下同じ。）への預金のうち郵便貯金銀行において新たな預入の申込みの受付が行われたものの利子	当該受付の事務
(四)	郵便貯金銀行への預金のうち旧通常郵便貯金（郵政民営化法等の施行に伴う関係法律の整備等に関する法律第2条の規定による廃止前の郵便貯金法第7条第1項第1号に規定する通常郵便貯金（郵政民営化法等の施行に伴う関係法律の整備等に関する法律附則第5条第1項第1号に掲げる郵便貯金を除く。）をいう。以下2において同じ。）の利子	当該旧通常郵便貯金の現在高についての情報の管理に関する事務（利子の計算のためのものを除く。）
(五)	所得税法第2条第1項第11号に規定する合同運用信託の収益の分配（(2)の(四)に掲げる収益の分配を除く。）	当該収益の分配の支払の事務
(六)	所得税法第2条第1項第15号に規定する公社債投資信託（(2)の(五)において「公社債投資信託」という。）の収益の分配（租税特別措置法第3条第1項第2号に掲げる収益の分配を除く。(2)の(五)において同じ。）のうち投資信託委託会社（投資信託及び投資法人に関する法律第2条第11項に規定する投資信託委託会社をいう。(十一)及び(2)において同じ。）の営業所、事務所その他これらに準ずるものにおいて直接支払われるもの	当該収益の分配の支払の事務

(七)	租税特別措置法第4条の4第1項《勤労者財産形成貯蓄契約に基づく生命保険等の差益等の課税の特例》に規定する差益	同項に規定する勤労者財産形成貯蓄保険契約等に関する事務を行う営業所、事務所その他これらに準ずるもの（以下(八)において「営業所等」という。）を当該営業所等の所在する地域において統轄する事務
(八)	預金保険法第53条第1項の規定による支払（同法第58条の2第1項の規定により同項第1号に掲げる利子、同項第2号若しくは同項第3号に掲げる給付補填金、同項第4号に掲げる収益の分配又は同項第5号に掲げる利子の額とみなされる金額に相当する部分に限る。(2)の(七)において同じ。）、同法第70条第1項の規定による買取りの対価（同法第73条第1項の規定により同項第1号に掲げる利子、同項第2号若しくは第3号に掲げる給付補填金、同項第4号に掲げる収益の分配又は同項第5号に掲げる利子の額とみなされる金額に相当する部分に限る。(2)の(七)において同じ。）又は同法第70条第2項ただし書の規定による支払（同法第73条第2項の規定により同条第1項第1号に掲げる利子、同項第2号若しくは第3号に掲げる給与補填金、同項第4号に掲げる収益の分配又は同項第5号に掲げる利子の額とみなされる金額に相当する部分に限る。(2)の(七)において同じ。）のうち預金保険機構の事務所その他これに準ずるものにおいて直接支払われるもの	当該対価又は支払の支払の事務
(九)	農水産業協同組合貯金保険法第55条第1項の規定による支払（同法第60条の2第1項の規定により同項第1号に掲げる利子、同項第2号に掲げる給付補填金、同項第3号に掲げる収益の分配又は同項第4号に掲げる利子の額とみなされる金額に相当する部分に限る。(2)の(八)において同じ。）、同法第70条第1項の規定による買取りの対価（同法第73条第1項の規定により同項第1号に掲げる利子、同項第2号に掲げる給付補填金、同項第3号に掲げる収益の分配又は同項第4号に掲げる利子の額とみなされる金額に相当する部分に限る。(2)の(八)において同じ。）又は同法第70条第2項ただし書の規定による支払（同法第73条第2項の規定により同条第1項第1号に掲げる利子、同項第2号に掲げる給付補填金、同項第3号に掲げる収益の分配又は同項第4号に掲げる利子の額とみなされる金額に相当する部分に限る。(2)の(八)において同じ。）のうち農水産業協同組合貯金保険機構の事務所その他これに準ずるものにおいて直接支払われるもの	当該対価又は支払の支払の事務
(十)	民間公益活動を促進するための休眠預金等に係る資金の活用に関する法律（以下2において「休眠預金等活用法」という。）第7条第2項に規定する休眠預金等代替金の支払（休眠預金等活用法第45条第1項の規定により休眠預金等活用法第4条第2項第1号若しくは第2号に掲げる利子、同項第3号若しくは第4号に掲げる給付補填金、同項第5号に掲げる収益の分配又は同項第6号に掲げる利子の額とみなされる金額に相当する	当該休眠預金等代替金の支払の事務

	部分に限る。以下2において「休眠預金等代替金の支払」という。）のうち預金保険機構の事務所その他これに準ずるものにおいて直接支払われるもの	
(十一)	一の1の(四)のハに掲げる配当等（（2）の(十二)において「私募公社債等運用投資信託等の収益の分配に係る配当等」という。）のうち投資信託委託会社、投資信託及び投資法人に関する法律第2条第2項に規定する委託者非指図型投資信託の受託者である信託会社（金融機関の信託業務の兼営等に関する法律により同法第1条第1項に規定する信託業務を営む同項に規定する金融機関を含む。以下(十一)において同じ。）（（2）の(十二)ロにおいて「委託者非指図型投資信託の受託信託会社」という。）又は資産の流動化に関する法律第2条第13項に規定する特定目的信託の受託者である信託会社（（2）の(十二)ロにおいて「特定目的信託の受託信託会社」という。）の営業所、事務所その他これらに準ずるものにおいて直接支払われるもの	当該配当等の支払の事務
(十二)	租税特別措置法第41条の9第1項に規定する懸賞金付預貯金等の懸賞金等	当該懸賞金付預貯金等の懸賞金等の支払の事務
(十三)	所得税法第174条《内国法人に係る所得税の課税標準》第3号から第7号まで〘一の1の(四)の(1)の(イ)〜(ホ)〙に掲げる給付補塡金、利息、利益又は差益	当該給付補塡金、利息、利益又は差益の支払の事務
(十四)	所得税法第174条第8号〘一の1の(四)の(1)の(ヘ)〙に掲げる差益のうち生命保険契約又はこれに類する共済に係る契約に係るもの	満期保険金若しくは満期共済金又は解約返戻金の支払の請求の受付の事務を行う営業所、事務所その他これらに準ずるもの（以下(十四)において「営業所等」という。）を当該営業所等の所在する地域において統轄する事務
(十五)	所得税法第174条第8号〘一の1の(四)の(1)の(ヘ)〙に掲げる差益のうち損害保険契約又はこれに類する共済に係る契約に係るもの	当該契約に関する事務を行う営業所、事務所その他これらに準ずるもの（以下(十五)において「営業所等」という。）を当該営業所等の所在する地域において統轄する事務

（利子等の支払の取扱いをする者）
（2） 2に規定する利子等の支払の取扱いをする者は、次の各号に掲げる利子等の区分に応じ、当該各号に定める者（当該各号に定める者が当該各号に掲げる利子等の支払を受ける者である場合を含む。）とする。（令7の4の2②）

(一)	公社債〘(1)の(一)参照〙の利子（(1)の(一)に掲げる利子を除く。）	次に掲げる公社債の利子の区分に応じ、それぞれ次に定める者 イ　社債、株式等の振替に関する法律に規定する振替口座簿（以下(2)において「振替口座簿」という。）に記載され、又は記録された公社債の利子　当該利子の支払を受ける者に係る同法第2条第6項に規定する直近上位機関（以下(2)において「直近上位機関」という。） ロ　イの公社債以外の公社債の利子　当該公社債を発行する者から委託を受けて当該利子の支払をする金融機関又は金融商品取引法第2条第9項に規定する金融商品取引業者（同法第28条第1項に規定する第一種金融商品取引業を行う者に限る。以下(2)において「金融商品取引業者」という。当該利子の支払の取次ぎをする金融機関で注で定めるもの又は金融商品取引業者がある場合には、当該金融機関又は金融商品取引業者）

		（支払の取次ぎをする金融機関） 注　上記ロの金融機関は、銀行、信託会社、信用金庫、信用金庫連合会、労働金庫、労働金庫連合会、信用協同組合、信用協同組合連合会、農林中央金庫、株式会社商工組合中央金庫、農業協同組合、農業協同組合連合会、漁業協同組合、漁業協同組合連合会、水産加工業協同組合、水産加工業協同組合連合会及び中小企業等協同組合法第9条の9第3項に規定する火災等共済組合、同項に規定する火災等共済組合連合会その他これらに類する共済に係る事業を行う金融機関とする。（規1の10①）
(二)	郵便貯金銀行への預金のうち郵便局（日本郵便株式会社の営業所であって郵便貯金銀行を所属銀行とする銀行代理業務を行うものをいう。(十)ロにおいて同じ。)において新たな預入の申込みの受付が行われたものの利子	当該銀行代理業の業務を行う日本郵便株式会社
(三)	独立行政法人郵便貯金・簡易生命保険管理機構法(六)及び(十四)において「機構法」という。)第15条第1項の規定により独立行政法人郵便貯金・簡易生命保険管理機構(六)及び(十四)において「機構」という。)から業務の委託を受けて郵便貯金銀行が管理する旧積立郵便貯金等（郵政民営化法等の施行に伴う関係法律の整備等に関する法律附則第5条第1項各号に掲げる郵便貯金をいう。(3)の(二)において同じ。)の利子	当該業務の委託を受けた郵便貯金銀行
(四)	振替口座簿に記載され、又は記録された所得税法第2条第1項第12号に規定する貸付信託	当該収益の分配の支払を受ける者に係る直近上位機関

	の収益の分配（(1)の(五)に掲げる収益の分配を除く。）	
(五)	公社債投資信託『(1)の(六)参照』の収益の分配（(1)の(六)に掲げる収益の分配を除く。）	次に掲げる公社債投資信託の収益の分配の区分に応じ、それぞれ次に定める者 イ　振替口座簿に記載され、又は記録された公社債投資信託の収益の分配　　当該収益の分配の支払を受ける者に係る直近上位機関 ロ　イの公社債投資信託以外の公社債投資信託の収益の分配　　投資信託委託会社から委託を受けて当該収益の分配の支払をする金融商品取引業者又は金融商品取引法第２条第11項に規定する登録金融機関（(十二)ロにおいて「登録金融機関」という。）（当該収益の分配の支払の取次ぎをする金融機関で注で定めるもの又は金融商品取引業者がある場合には、当該金融機関又は金融商品取引業者） 　　　（支払の取次ぎをする金融機関） 　　注　上記の金融機関は、銀行及び信託会社とする。（規１の10②）
(六)	租税特別措置法第４条の４第１項に規定する差益のうち機構法第18条第１項の規定により機構から業務の委託を受けて郵便保険会社（郵政民営化法第126条に規定する郵便保険会社をいう。以下(六)及び(十四)において同じ。）が管理する旧簡易生命保険契約（郵政民営化法等の施行に伴う関係法律の整備等に関する法律第２条の規定による廃止前の簡易生命保険法第３条に規定する簡易生命保険契約をいう。(十四)及び(2)の(三)において同じ。）に係るもの	当該業務の委託を受けた郵便保険会社
(七)	預金保険法第53条第１項の規定による支払（(1)の(八)に掲げる支払を除く。）、同法第70条第１項の規定による買取りの対価（(1)の(八)に	同法第35条第１項の規定により預金保険機構の業務の一部の委託を受けた日本銀行又は同法第２条第１項に規定する金融機関

	掲げる対価を除く。)又は同条第2項ただし書の規定による支払((1)の(八)に掲げる支払を除く。)	
(八)	農水産業協同組合貯金保険法第55条第1項の規定による支払((1)の(九)に掲げる支払を除く。)、同法第70条第1項の規定による買取りの対価((1)の(九)に掲げる対価を除く。)又は同条第2項ただし書の規定による支払((1)の(九)に掲げる支払を除く。)	同法第35条第1項の規定により農水産業協同組合貯金保険機構の業務の一部の委託を受けた農水産業協同組合その他の金融機関
(九)	休眠預金等活用法第10条第1項の規定により金融機関(郵便貯金銀行を除く。)が預金保険機構から同項に規定する支払等業務((2)及び(3)の(四)において「支払等業務」という。)の委託を受けた休眠預金等代替金の支払	当該支払等業務の委託を受けた金融機関
(十)	休眠預金等活用法第10条第1項の規定により郵便貯金銀行が預金保険機構から支払等業務の委託を受けた休眠預金等代替金の支払	次に掲げる休眠預金等代替金の支払の区分に応じ、それぞれ次に定める者 イ　郵便貯金銀行において新たな預入の申込みの受付が行われた郵便貯金銀行への預金又は旧通常郵便貯金に係る休眠預金等代替金の支払　　郵便貯金銀行 ロ　郵便局において新たな預入の申込みの受付が行われた郵便貯金銀行への預金に係る休眠預金等代替金の支払　　日本郵便株式会社
(十一)	一の1の(四)のロに掲げる国外一般公社債等の利子等(以下(十一)において「国外一般公社債等の利子等」	次に掲げる国外一般公社債等の利子等の区分に応じ、それぞれ次に定める者 イ　国外一般公社債等の利子等のうち振替口座簿に記載され、又は記録された租税特別措置法第3条の3第1項《国外で発行された公社債等の利子所得の分離課税等》に規定する公社債又は受益権に係るもの　　当該国外公社債等の利子等の支払を受ける者に係る直近上位機関 ロ　イの国外一般公社債等の利子等以外の国外一般公社債等の利子等　　租税特別措置法

第二編第三章《利子等、特定配当等及び特定株式等譲渡所得金額に係る道府県民税》第一節《通則》

	という。)	第3条の3第1項に規定する支払の取扱者
(十二)	私募公社債等運用投資信託等の収益の分配に係る配当等((1)の(十一)に掲げる私募公社債等運用投資信託等の収益の分配に係る配当等を除く。)	次に掲げる私募公社債等運用投資信託等の収益の分配に係る配当等の区分に応じ、それぞれ次に定める者 イ　私募公社債等運用投資信託等の収益の分配に係る配当等のうち振替口座簿に記載され、又は記録された租税特別措置法第8条の2第1項《私募公社債等運用投資信託等の収益の分配に係る配当所得の分離課税等》に規定する受益権に係るもの　　当該私募公社債等運用投資信託等の収益の分配に係る配当等の支払を受ける者に係る直近上位機関 ロ　イの私募公社債等運用投資信託等の収益の分配に係る配当等以外の私募公社債等運用投資信託等の収益の分配に係る配当等　　投資信託委託会社、委託者非指図型投資信託の受託信託会社又は特定目的信託の受託信託会社から委託を受けて当該配当等の支払をする金融商品取引業者又は登録金融機関（当該配当等の支払の取次ぎをする金融機関で注で定めるもの又は金融商品取引業者がある場合には、当該金融機関又は金融商品取引業者） （支払の取次ぎをする金融機関） 注　上記の金融機関は、銀行及び信託会社とする。（規1の10②）
(十三)	一の1の(四)のニに掲げる国外私募公社債等運用投資信託等の配当等（以下(十三)において「国外私募公社債等運用投資信託等の配当等」という。）	次に掲げる国外私募公社債等運用投資信託等の配当等の区分に応じ、それぞれ次に定める者 イ　国外私募公社債等運用投資信託等の配当等のうち振替口座簿に記載され、又は記録された租税特別措置法第8条の3第1項《国外で発行された投資信託等の収益の分配に係る配当所得の分離課税等》に規定する受益権に係るもの　　当該国外私募公社債等運用投資信託等の配当等の支払を受ける者に係る直近上位機関 ロ　イの国外私募公社債等運用投資信託等の配当等　　租税特別措置法第8条の3第1項に規定する支払の取扱者
(十四)	所得税法第174条第8号に掲げる差益のうち機構法第18条第1項の規定により機構から業務の委託を受けて郵便保険会社が管理する旧簡易生命保険契約に係るもの	当該業務の委託を受けた郵便保険会社

(利子等の支払の取扱いの事務)
(3)　2に規定する利子等の支払の取扱いの事務は、次の各号に掲げる利子等の区分に応じ、当該各号に定める事務とする。（令7の4の2③）

(一)	(2)の(二)に掲げる利子	当該利子に係る預金の新たな預入の申込みの受付の事務
(二)	(2)の(三)に掲げる利子	当該利子に係る旧積立郵便貯金等の現在高についての情報の管理に関する事務（利子の計算のためのものを除く。)
(三)	(2)の(六)及び(十四)に掲げる差益	当該差益に係る旧簡易生命保険契約に基づく保険金若しくは満期保険金又は解約返戻金の支払の請求の受付の事務を行う営業所、事務所その他これらに準ずるもの（以下(三)において「営業所等」という。）を当該営

		業所等の所在する地域において統轄する事務
(四)	(2)の(九)に掲げる休眠預金等代替金の支払	当該休眠預金等代替金の支払に係る支払等業務に関する事務
(五)	(2)の(十)イに掲げる休眠預金等代替金の支払(郵便貯金銀行において新たな預入の申込みの受付が行われた郵便貯金銀行への預金に係るものに限る。)	当該受付の事務
(六)	(2)の(十)イに掲げる休眠預金等代替金の支払(旧通常郵便貯金に係るものに限る。)	当該旧通常郵便貯金に係る休眠預金等活用法第9条第2号に掲げる情報の保管に関する事務(休眠預金等代替金の支払の計算のためのものを除く。)
(七)	(2)の(十)ロに掲げる休眠預金等代替金の支払	当該休眠預金等代替金の支払に係る預金の新たな預入の申込みの受付の事務
(八)	(一)から(七)までに掲げる利子等以外の利子等	利子等の支払の請求の受付の事務

三 非課税等

1 利子等の非課税の範囲

　道府県は、所得税法第2条第1項第5号《非居住者の定義》に規定する非居住者が支払を受ける利子等については、利子割を課することができない。(法25の2①)

　　　(所得税における非課税の範囲との不一致)
　注　非居住者が支払を受ける利子等については、住民税の性格等から利子割を非課税としているものであり、非課税の範囲について、この点のみが所得税における利子所得等の一律分離課税と一致しないものであること。(県通2－63)

2 質問検査権及び検査拒否等に関する罪

① 徴税吏員の調査に係る質問検査権

　道府県の徴税吏員は、利子等に係る道府県民税、特定配当等に係る道府県民税及び特定株式等譲渡所得金額に係る道府県民税の賦課徴収に関する調査のために必要がある場合においては、次に掲げる者に質問し、又は(一)若しくは(二)の者の事業に関する帳簿書類(その作成又は保存に代えて電磁的記録(電子的方式、磁気的方式その他の人の知覚によっては認識することができない方式で作られる記録であって、電子計算機による情報処理の用に供されるものをいう。)の作成又は保存がされている場合における当該電磁的記録を含む。②の(一)及び(二)において同じ。)その他の物件を検査し、若しくは当該物件(その写しを含む。)の提示若しくは提出を求めることができる。(法26①)

(一)	納税義務者又は納税義務があると認められる者
(二)	特別徴収義務者
(三)	(一)及び(二)に掲げる者以外の者で当該道府県民税の賦課徴収に関し直接関係があると認められる者

　　　(身分証明証の提示)
(1)　①の場合においては、当該徴税吏員は、その身分を証明する証票を携帯し、関係人の請求があったときは、これを提示しなければならない。(法26②)

　　　(提出物件の留置き)
(2)　道府県の徴税吏員は、(3)で定めるところにより、①の規定により提出を受けた物件を留め置くことができる。(法26③)

　　　(提出物件に関する書面の交付)
(3)　道府県の徴税吏員は、(2)の規定により物件を留め置く場合には、当該物件の名称又は種類及びその数量、当該

物件の提出年月日並びに当該物件を提出した者の氏名及び住所又は居所その他当該物件の留置きに関し必要な事項を記載した書面を作成し、当該物件を提出した者にこれを交付しなければならない。（令7の4の7①）

　　　（提出物件の返還）
（4）　道府県の徴税吏員は、（2）の規定により留め置いた物件につき留め置く必要がなくなったときは、遅滞なく、これを返還しなければならない。（令7の4の7②）

　　　（提出物件の管理義務）
（5）　市町村の徴税吏員は、（4）に規定する物件を善良な管理者の注意をもって管理しなければならない。（令7の4の7③）

　　　（滞納処分に関する調査についての不適用）
（6）　道府県民税に係る滞納処分に関する調査については、①の規定にかかわらず、第二章第八節二の1の（5）、第二節三の2の（5）、第三節三の2の（5）又は第四節三の2の（5）《国税徴収法の例による滞納処分》の定めるところによる。（法26④）

　　　（質問検査権の解釈）
（7）　①及び（2）の規定による道府県の徴税吏員の権限は、犯罪捜査のために認められたものと解釈してはならない。（法26⑤）

② 検査拒否等に関する罪
　次の各号のいずれかに該当する者は、1年以下の懲役又は50万円以下の罰金に処する。（法27①）

（一）	①の規定による帳簿書類その他の物件の検査を拒み、妨げ、又は忌避した者
（二）	①の規定による物件の提示又は提出の要求に対し、正当な理由がなくこれに応ぜず、又は偽りの記載若しくは記録をした帳簿書類その他の物件（その写しを含む。）を提示し、若しくは提出した者
（三）	①の規定による徴税吏員の質問に対し答弁をしない者又は虚偽の答弁をした者

　　　（両罰規定）
（1）　法人（法人でない社団又は財団で代表者又は管理人の定めのあるもの（人格のない社団等を除く。以下（1）において同じ。）を含む。以下同じ。）の代表者（人格のない社団等の管理人及び法人でない社団又は財団で代表者又は管理人の定めのあるものの代表者又は管理人を含む。以下同じ。）又は法人若しくは人の代理人、使用人その他の従業者がその法人又は人の業務又は財産に関して②の違反行為をした場合においては、その行為者を罰するほか、その法人又は人に対し、②の罰金刑を科する。（法27②）
　　　（注）　「人格のない社団等」については、第二章第一節二の1の（6）を参照。（編者）

　　　（人格のない社団等に対する刑事訴訟法の準用）
（2）　法人でない社団又は財団で代表者又は管理人の定めのあるものについて(1)の規定の適用がある場合においては、その代表者又は管理人がその訴訟行為につき当該法人でない社団又は財団で代表者又は管理人の定めのあるものを代表するほか、法人を被告人又は被疑者とする場合の刑事訴訟に関する法律の規定を準用する。（法27③）

3　信託に係る道府県民税の規定の適用
　次に掲げる規定は、この章では省略した。（編者）……第二章《法人の道府県民税》又は第一章《個人の道府県民税》参照
①　法人課税信託の受託者に関する地方税法第2章第1節《道府県民税》の規定の適用（法24の2）
②　道府県民税と信託財産（法24の3）
③　公益信託に係る道府県民税の課税の特例（法附3の2の3）

第二節 利 子 割

一 課税標準及び税率

1 利子割の課税標準
利子割の課税標準は、支払を受けるべき利子等の額とする。（法71の5①）

（利子等の額の算定）
（1） 1の利子等の額は、所得税法その他の所得税に関する法令の規定の例によって算定する。（法71の5②）

（利子等について非課税とされるための手続）
（2） 障害者等の郵便貯金の利子、障害者等の少額預金の利子等又は勤労者財産形成住宅貯蓄・年金貯蓄の利子等について、非課税とされるための手続は所得税に関する手続のみで足りるものであること。（県通2－64）

（所得税が非課税とされる利子等についての利子割の非課税）
（3） 所得税法等の規定によって所得税が非課税とされる当座預金の利子、こども銀行の預貯金の利子等、オープン型の証券投資信託の収益の分配のうち一定のもの、公益信託又は加入者保護信託の信託財産につき生ずる利子、特定寄附信託の信託財産につき生ずる利子、納税準備預金の利子及び納税貯蓄組合預金の利子については、利子割も非課税としているものであること。（県通2－65）

2 利子割の税率
利子割の税率は、100分の5とする。（法71の6①）

（勤労者財産形成住宅貯蓄・年金貯蓄の利子等が課税される場合の利子割の税率）
（1） 租税特別措置法第4条の2第9項《勤労者財産形成住宅貯蓄契約又はその履行につき要件違反の事実が生じた場合の当該事実が生じた日前5年以内に支払われた利子等の課税》又は第4条の3第10項《勤労者財産形成年金貯蓄契約又はその履行につき要件違反の事実が生じた場合の当該事実が生じた日前5年以内に支払われた利子等の課税》の規定の適用を受ける利子、収益の分配又は差益に対する利子割の税率は、100分の5とする。（法71の6②）

（留意事項）
（2） 勤労者財産形成住宅貯蓄・年金貯蓄につき目的外の払出等の要件違反の事実が生じた場合には、当該事実が生じた日前5年以内に支払われた利子等については非課税とされず、当該事実が生じた日において当該利子等の支払があったものとみなして、100分の5の税率による課税が行われるものであること。（県通2－67）

3 国外一般公社債等の利子等又は国外私募公社債等運用投資信託等の配当等に係る外国税額控除
利子割の納税義務者が国外一般公社債等の利子等又は国外私募公社債等運用投資信託等の配当等につきその支払の際に所得税法第95条第1項に規定する外国所得税（注で定めるものを含む。）を課された場合において、当該外国所得税の額が租税特別措置法第3条の3第4項第1号《国外公社債等の利子に係る外国所得税の控除》又は第8条の3第4項第1号《国外私募公社債等運用投資信託等の配当等に係る外国所得税の控除》の規定により所得税の額から控除することとされた額を超えるときは、当該超える金額は、当該納税義務者の1及び2の規定を適用した場合の利子割の額を限度として当該利子割の額から控除するものとする。この場合において、当該納税義務者に対する第一章第四節二の4の①《外国税額控除》及び第三編第一章第四節二の4の①《外国税額控除》の規定の適用については、当該外国所得税の額は、ないものとする。（法71の8）

（外国税額控除の対象となる外国所得税）
注 3に規定する外国所得税は、3に規定する国外一般公社債等の利子等については租税特別措置法施行令第2条の2第3項に規定するもの《外国又はその地方公共団体により国外公社債等の利子等を課税標準として課される税で源泉

徴収に係る所得税に相当するもの》とし、3に規定する国外私募公社債等運用投資信託等の配当等については同令第4条第2項に規定するもの《外国又はその地方公共団体により国外投資信託等の配当等を課税標準として課される税で源泉徴収に係る所得税に相当するもの》とする。（令9の11）

4　特定寄附信託に係る利子等の課税の特例

　当分の間、租税特別措置法第4条の5《特定寄附信託の利子所得の非課税》第8項の規定の適用を受ける同条第1項に規定する利子等については、同条第8項に規定する特定寄附信託の受託者が当該利子等を支払ったものとみなして、利子割に関する規定を適用する。（法附8の3の2）

　　　（特定寄附信託に係る利子等の支払の事務）
（1）　4の規定によりみなして適用する場合における第一節二の2《利子等の支払又は取扱いをする者の営業所等》に規定する利子等の支払の事務（利子等の支払に関連する事務を含む。）で政令で定めるものは、当該特定寄附信託に関する事務とする。（令附5の6）

　　　（留意事項）
（2）　特定寄附信託契約又はその履行につき適正に実施されていないと認められる事実が生じた場合には、当該特定寄附信託契約の締結の時から当該事実が生じた日までの間に支払われた利子等については非課税とされず、当該事実が生じた日において当該利子等の支払があったものと、当該特定寄附信託の受託者が当該利子等を支払ったものとそれぞれみなして、100分の5の税率による課税が行われるものであること。（県通2-68）

二　徴　　　収

1　利子割の徴収の方法

　利子割の徴収については、特別徴収の方法によらなければならない。（法71の9）

2　利子割の特別徴収の手続

①　特別徴収義務者の指定

　利子割を特別徴収の方法によって徴収しようとする場合には、利子等の支払又はその取扱いをする者で道府県内に第一節二の2《利子等の支払又は取扱いをする者の営業所等》に規定する営業所等を有するものを当該道府県の条例によって特別徴収義務者として指定し、これに徴収させなければならない。（法71の10①）

　　　（特別徴収義務者である金融機関等についての留意事項）
（1）　利子割の徴収については、特別徴収の方法によることとし、利子等の支払又はその取扱いをする金融機関等で道府県内に利子等の支払の事務又は利子等の支払の取扱いの事務を行う営業所等を有するものを、条例により特別徴収義務者として指定するものであること。この場合において、利子割の特別徴収義務者は、金融機関等である法人であって個々の営業所等ではないので、実際に特別徴収税額の納入等の事務を行う営業所等はどこであっても差し支えないものであること。（県通2-69）

　　　（利子等の支払の取扱いをする者）
（2）　特別徴収義務者は、一般的には「利子等の支払いをする者」、すなわち顧客に対し利子等の支払の債務を有する金融機関等とされるが、公社債利子等一定の金融商品に係る利子等については、「利子等の支払の取扱いをする者」、すなわち利子等の支払の債務を有する金融機関等と顧客の間に介在し利子等の支払の取扱いを行う金融機関等がある場合にあっては、当該利子等の支払の取扱いを行う金融機関等とされるものであること。（県通2-70）

②　特別徴収義務者の納入申告義務

　①の特別徴収義務者は、利子等の支払の際（特別徴収義務者が利子等の支払を取り扱う者である場合には、当該取扱いに係る利子等の交付の際）、その利子等について利子割を徴収し、その徴収の日の属する月の翌月10日までに、(1)で定める様式によって、その徴収すべき利子割の課税標準額、税額その他必要な事項を記載した納入申告書を道府県知事に提出し、及びその納入金を当該道府県に納入する義務を負う。この場合において、道府県知事に提出すべき納入申告書には、(1)

第二編第三章《利子等、特定配当等及び特定株式等譲渡所得金額に係る道府県民税》第二節《利子割》

で定める計算書を添付しなければならない。（法71の10②）

　　　（利子等に係る道府県民税に係る納入申告書等の様式）
（１）　②の規定によって道府県知事に提出すべき次の表の左欄に掲げる申告書等の様式は、それぞれその右欄に掲げるところによるものとする。ただし、同表に掲げる様式によることができないやむを得ない事情があると認める場合において総務大臣が別に様式を定めたときは、それぞれ当該様式によることができる。（規３の７①）

申　告　書　等　の　種　類	様　式
（一）　道府県民税利子割納入申告書	第12号の３様式
（二）　道府県民税利子割特別徴収税額計算書	第12号の４様式 第12号の４の２様式又は 第12号の４の３様式
（三）　道府県民税利子割特別徴収税額営業所等別明細書	第12号の５様式

　　　（納入書の添付）
（２）　利子等に係る道府県民税の特別徴収義務者が当該特別徴収に係る納入金を納入する場合（口座振替の方法により納入する場合を除く。）には、当該納入金に第12号の６様式による納入書（当該様式によることができないやむを得ない事情があると認める場合において、総務大臣が別の様式を定めたときは、当該様式による納入書）（当該書類に記載すべき事項を記録した電磁的記録を含む。）を添えて納入するものとする。（規３の７②）

　　　（利子割の納入先の道府県の特定）
（３）　特別徴収義務者は、利子等の支払の事務又は利子等の支払の取扱いの事務を行う営業所等の所在する道府県に特別徴収に係る税額を納入するものであるが、当該利子等の支払の事務又は利子等の支払の取扱いの事務は、金融商品の種類ごとに特定されており、これによって金融商品の種類ごとに利子割の納入先の道府県が特定されているものであること。（県通２－71）

③　東日本大震災に係る財産形成住宅貯蓄等の利子等に係る利子割の額の還付
　　平成23年３月11日から東日本大震災の被災者等に係る国税関係法律の臨時特例に関する法律（平成23年法律第29号。以下「震災特例法」という。）の施行の日〔平23.４.27〕の前日までの間に震災特例法附則第３条第１項《施行日前に払い出された財産形成住宅貯蓄等の利子等に係る源泉徴収税額の還付》各号に掲げる事実が生じたことにより、当該各号に定める利子、収益の分配又は差益について②の規定により徴収された利子割の額があり、かつ、当該事実が東日本大震災（平成23年３月11日に発生した東北地方太平洋沖地震及びこれに伴う原子力発電所の事故による災害をいう。以下同じ。）によって被害を受けたことにより生じたものである場合において、当該徴収された利子割の額がある租税特別措置法第４条の２《勤労者財産形成住宅貯蓄の利子所得等の非課税》第１項に規定する勤労者が、注で定めるところにより、平成24年３月10日までに、当該徴収された利子割に係る第一節二の２《利子等の支払又は取扱いをする者の営業所等》に規定する営業所等所在地の道府県知事に対し、当該徴収された利子割の額の還付を請求したときは、当該営業所等所在地の道府県は、法第17条《過誤納金の還付》、第17条の２《過誤納金の充当》及び第17条の４《還付加算金》の規定の例によって、当該徴収された利子割の額を還付し、又は当該勤労者の未納に係る地方団体の徴収金に充当しなければならない。この場合において、同条第１項中「次の各号に掲げる過誤納金の区分に従い当該各号に定める日」とあるのは、「附則第46条の規定による還付の請求があった日から１月を経過する日」とする。（法附46）

　　　（東日本大震災に係る財産形成住宅貯蓄等の利子等に係る利子割の額の還付の手続）
注　③の規定によって③に規定する徴収された利子割の額の還付を請求しようとする者は、次に掲げる事項を記載した請求書に、（四）及び（五）に掲げる事項を証する書類を添付して、これを③に規定する営業所等所在地の道府県知事に提出しなければならない。ただし、当該道府県知事においてやむを得ない事情があると認められる場合には、当該書類を添付することを要しない。（令附28）
　（一）　請求者の氏名及び住所
　（二）　請求者の租税特別措置法第４条の２《勤労者財産形成住宅貯蓄の利子所得等の非課税》第１項又は第４条の３《勤労者財産形成年金貯蓄の利子所得等の非課税》第１項に規定する勤務先の名称及び所在地

(三) 当該徴収された利子割に係る第一節二の２に規定する営業所等の名称及び所在地
(四) 当該徴収された利子割の額及びその徴収の年月日
(五) 東日本大震災の被災者等に係る国税関係法律の臨時特例に関する法律附則第３条第１項各号に掲げる事実が東日本大震災によって被害を受けたことにより生じたことについての事情の詳細
(六) 銀行又は郵便局株式会社法第２条第２項《定義》に規定する郵便局（郵政民営化法第94条《定義》に規定する郵便貯金銀行を銀行法第２条《定義》第16項に規定する所属銀行とする同条第14項に規定する銀行代理業を営む郵便局株式会社の営業所として当該銀行代理業の業務を行うものに限る。）において還付を受けようとするときは、当該銀行又は郵便局の名称及び所在地
(七) その他参考となるべき事項

3 利子割に係る更正又は決定

① 更　正
　道府県知事は、２の②の規定による納入申告書（以下この節において「納入申告書」という。）の提出があった場合において、当該納入申告書に係る課税標準額又は税額がその調査したところと異なるときは、これを更正する。（法71の11①）

② 決　定
　道府県知事は、特別徴収義務者が納入申告書を提出しなかった場合には、その調査によって、納入申告すべき課税標準額及び税額を決定する。（法71の11②）

③ 再更正
　道府県知事は、①若しくは②又は③の規定によって更正し、又は決定した課税標準額又は税額について、その調査によって、過大又は過少であることを発見した場合には、これを更正する。（法71の11③）

④ 更正又は決定の通知
　道府県知事は、①から③までの規定によって更正し、又は決定した場合には、遅滞なく、これを特別徴収義務者に通知しなければならない。（法71の11④）

4 利子割に係る不足金額及びその延滞金の徴収

① 不足金額の徴収
　道府県の徴税吏員は、３の①から③までの規定による更正又は決定があった場合において、不足金額（更正による納入金額の不足額又は決定による納入金額をいう。以下この節において同じ。）があるときは、３の④の通知をした日から１月を経過した日を納期限として、これを徴収しなければならない。（法71の12①）

② 延滞金の徴収
　①の場合には、その不足金額に２の②の納期限（納期限の延長があったときは、その延長された納期限。三の２《利子割に係る滞納処分》を除き、以下この節において同じ。）の翌日から納入の日までの期間の日数に応じ、年14.6パーセント（①の納期限までの期間又は当該納期限の翌日から１月を経過する日までの期間については、年7.3パーセント）の割合を乗じて計算した金額に相当する延滞金額を加算して徴収しなければならない。（法71の12②）
　　（注）②に規定する延滞金の年7.3パーセントの割合については特例規定が設けられているので、第一編第十章12の①《延滞金の割合の特例》を参照。（編者）

③ 延滞金の減免
　道府県知事は、特別徴収義務者が３の規定による更正又は決定を受けたことについてやむを得ない理由があると認める場合には、②の延滞金額を減免することができる。（法71の12③）

5 納期限後に申告納入する利子割に係る納入金の延滞金

① 延滞金の納入義務

利子割の特別徴収義務者は、2の②の納期限後にその納入金を納入する場合には、当該納入金額に、その納期限の翌日から納入の日までの期間の日数に応じ、年14.6パーセント（当該納期限の翌日から1月を経過する日までの期間については、年7.3パーセント）の割合を乗じて計算した金額に相当する延滞金額を加算して納入しなければならない。（法71の13①）

　（注）　①に規定する延滞金の年7.3パーセントの割合については特例規定が設けられているので、第一編第十章12の①《延滞金の割合の特例》を参照。（編者）

② 延滞金の減免

道府県知事は、特別徴収義務者が2の②の納期限までに納入金を納入しなかったことについてやむを得ない理由があると認める場合には、①の延滞金額を減免することができる。（法71の13②）

6 利子割に係る納入金の過少申告加算金及び不申告加算金

① 過少申告加算金

納入申告書の提出期限までにその提出があった場合（納入申告書の提出期限後にその提出があった場合において、②の（一）ただし書又は②の（一）の（1）の規定の適用があるときを含む。以下①において同じ。）において、3の①又は③の規定による更正があったときは、道府県知事は、当該更正前の納入申告に係る課税標準額又は税額に誤りがあったことについて正当な理由があると認める場合を除き、当該更正による不足金額（以下①において「対象不足金額」という。）に100分の10の割合を乗じて計算した金額（当該対象不足金額（当該更正前にその更正に係る利子割について更正があった場合には、その更正による不足金額の合計額（当該更正前の納入申告に係る課税標準額又は税額に誤りがあったことについて正当な理由があると認められたときは、その更正による不足金額を控除した金額とし、当該利子割についてその納入すべき金額を減少させる更正又は更正に係る審査請求若しくは訴えについての裁決若しくは判決による原処分の異動があったときは、これらにより減少した部分の金額に相当する金額を控除した金額とする。）を加算した金額とする。）が納入申告書の提出期限までにその提出があった場合における当該納入申告書に係る税額に相当する金額と50万円とのいずれか多い金額を超えるときは、その超える部分に相当する金額（当該対象不足金額が当該超える部分に相当する金額に満たないときは、当該対象不足金額）に100分の5の割合を乗じて計算した金額を加算した金額とする。）に相当する過少申告加算金額を徴収しなければならない。（法71の14①）

　　（過少申告加算金額又は不申告加算金額の決定の通知）
　注　道府県知事は、①の規定により徴収すべき過少申告加算金額又は②の（一）の規定により徴収すべき不申告加算金額を決定した場合には、遅滞なく、これを特別徴収義務者に通知しなければならない。（法71の14⑦）

② 不申告加算金

	次の各号のいずれかに該当する場合には、道府県知事は、当該各号に規定する納入申告、決定又は更正により納付すべき税額に100分の15の割合を乗じて計算した金額に相当する不申告加算金額を徴収しなければならない。ただし、納入申告書の提出期限までにその提出がなかったことについて正当な理由があると認められる場合は、この限りでない。（法71の14②）	
（一）	イ	納入申告書の提出期限後にその提出があった場合又は3の②の規定による決定があった場合
	ロ	納入申告書の提出期限後にその提出があった後において3の①又は③の規定による更正があった場合
	ハ	3の②の規定による決定があった後において同③の規定による更正があった場合

　　（不申告加算金を徴収されない場合）
　（1）　（一）の規定は、（五）の規定に該当する納入申告書の提出があった場合において、その提出が、納入申告書の提出期限までに提出する意思があったと認められる場合として（2）で定める場合に該当して行われたものであり、かつ、納入申告書の提出期限から1月を経過する日までに行われたものであるときは、適用しない。（法

	71の14⑧)	
	(納入申告書の提出期限までに提出する意思があったと認められる場合) （２）（１）に規定する納入申告書の提出期限までに提出する意思があったと認められる場合は、次の各号のいずれにも該当する場合とする。（令９の12） （一）（１）に規定する納入申告書の提出があった日の前日から起算して１年前の日までの間に、利子割について、（一）の表のイに該当することにより不申告加算金額又は重加算金額を課されたことがない場合であって、（１）の規定の適用を受けていないとき。 （二）（一）に規定する納入申告書に係る納入すべき税額の全額が、次に掲げる場合の区分に応じ、それぞれ次に定める期限又は日までに納入されていた場合 　イ　ロに掲げる場合以外の場合　　当該納入すべき税額に係る２の②の納期限（納期限の延長があったときは、その延長された納期限） 　ロ　道府県知事が当該納入申告書に係る納入について口座振替の方法による旨の申出を受けていた場合　　当該納入申告書の提出があった日	
（二）	（一）の規定に該当する場合（（一）ただし書又は同（１）の規定の適用がある場合を除く。（三）及び（四）において同じ。）において、（一）に規定する納入すべき税額（（一）のロ又はハに該当する場合には、これらの規定に規定する更正前にされた当該利子割に係る納入申告書の提出期限後の納入申告又は３の①から③までの規定による更正若しくは決定により納入すべき税額の合計額（当該納入すべき税額を減少させる更正又は更正に係る審査請求若しくは訴えについての裁決若しくは判決による原処分の異動があったときは、これらにより減少した部分の税額に相当する金額を控除した金額とする。（三）において「累積納入税額」という。）を加算した金額。（三）において「加算後累積納入税額」という。）が50万円を超えるときは、（一）に規定する不申告加算金額は、（一）の規定にかかわらず、（一）の規定により計算した金額に、その超える部分に相当する金額（（一）に規定する納入すべき税額が当該超える部分に相当する金額に満たないときは、当該納入すべき税額）に100分の５の割合を乗じて計算した金額を加算した金額とする。（法71の14③）	
（三）	（一）の規定に該当する場合において、加算後累積納入税額（当該加算後累積納入税額の計算の基礎となった事実のうちに（一）の表のイからハまでに規定する納入申告、決定又は更正前の税額（還付金の額に相当する税額を含む。）の計算の基礎とされていなかったことについて当該特別徴収義務者の責めに帰すべき事由がないと認められるものがあるときは、その事実に基づく税額として注で定めるところにより計算した金額を控除した税額）が300万円を超えるときは、（一）に規定する不申告加算金額は、（一）から（三）までの規定にかかわらず、加算後累積納入税額を次の各号に掲げる金額に区分してそれぞれの金額に当該各号に定める割合を乗じて計算した金額の合計額から累積納入税額を当該各号に掲げる金額に区分してそれぞれの金額に当該各号に定める割合を乗じて計算した金額の合計額を控除した金額とする。（法71の14④）	
	イ	50万円以下の部分に相当する金額	100分の15の割合
	ロ	50万円を超え300万円以下の部分に相当する金額	100分の20の割合
	ハ	300万円を超える部分に相当する金額	100分の30の割合
	(特別徴収義務者の責めに帰すべき事由がないと認められる事実に基づく税額) 注　（三）の（注）に規定する金額は、同（注）に規定する当該特別徴収義務者の責めに帰すべき事由がないと認められる事実のみに基づいて（一）の表のイからハまでに規定する納入申告、決定又は更正があったものとした場合におけるその納入申告、決定又は更正により納入すべき税額とする。（令９の11の２）	
（四）	（一）の規定に該当する場合において、次の各号のいずれかに該当するときは、（一）に規定する不申告加算金額は、（一）から（三）までの規定にかかわらず、これらの規定により計算した金額に、（一）に規定する納入すべき税額に100分の10の割合を乗じて計算した金額を加算した金額とする。（法71の14⑤）	
	イ	納入申告書の提出期限後のその提出（当該納入申告書に係る利子割について道府県知事の調査による決定があるべきことを予知してされたものに限る。ロにおいて同じ。）又は３の①から③までの規定による更正若しくは決定があった日の前日から起算して５年前の日までの間に、利子割について、不申告加算金（（五）の規定の適用があるものを除く。ロにおいて同じ。）又は重加算金（７の表の（一）の（１）のイにおいて「不申告加

第二編第三章《利子等、特定配当等及び特定株式等譲渡所得金額に係る道府県民税》第二節《利子割》

		算金等」という。）を徴収されたことがある場合
	ロ	納入申告書の提出期限後のその提出又は3の①から③までの規定による更正若しくは決定に係る利子割の特別徴収義務が成立した日の属する年の前年及び前々年に特別徴収義務が成立した利子割について、不申告加算金若しくは重加算金（7の表の（二）の規定の適用があるものに限る。）（以下ロ及び7の表の（一）の（1）のロにおいて「特定不申告加算金等」という。）を徴収されたことがあり、又は特定不申告加算金等に係る決定をすべきと認める場合
（五）		納入申告書の提出期限後にその提出があった場合において、その提出が当該納入申告書に係る利子割について道府県知事の調査による決定があるべきことを予知してされたものでないときは、当該納入申告書に係る税額に係る（一）に規定する不申告加算金額は、（一）から（三）までの規定にかかわらず、当該税額に100分の5の割合を乗じて計算した金額に相当する額とする。（法71の14⑥）

7 利子割に係る納入金の重加算金

（一）	過少申告加算金に代えて徴収する重加算金	6の①の規定に該当する場合において、特別徴収義務者が課税標準額の計算の基礎となるべき事実の全部又は一部を隠蔽し、又は仮装し、かつ、その隠蔽し、又は仮装した事実に基づいて納入申告書又は第一編第十章10の④《更正請求書の地方団体の長への提出》に規定する更正請求書（（二）において「更正請求書」という。）を提出したときは、道府県知事は、注で定めるところにより、同①に規定する過少申告加算金額に代えて、その計算の基礎となるべき更正による不足金額に100分の35の割合を乗じて計算した金額に相当する重加算金額を徴収しなければならない。（法71の15①） （更正等があった日の前日から起算して5年前の日までの間に不申告加算金等を徴収されたことがある場合の重加算金額の計算） （1）（一）又は（二）の規定に該当する場合において、次のイ又はロのいずれか（（一）の規定に該当する場合にあっては、イ）に該当するときは、（一）又は（二）に規定する重加算金額は、これらの規定にかかわらず、これらの規定により計算した金額に、（一）の規定に該当するときは（一）に規定する計算の基礎となるべき更正による不足金額に、（二）の規定に該当するときは（二）に規定する計算の基礎となるべき税額に、それぞれ100分の10の割合を乗じて計算した金額を加算した金額とする。（法71の15③） イ （一）又は（二）に規定する課税標準額の計算の基礎となるべき事実で隠蔽し、又は仮装されたものに基づき納入申告書の提出期限後のその提出又は3の①から③までの規定による更正若しくは決定があった日の前日から起算して5年前の日までの間に、利子割について、不申告加算金等を徴収されたことがある場合 ロ 納入申告書の提出期限後のその提出又は3の①から③までの規定による更正若しくは決定に係る利子割の特別徴収義務が成立した日の属する年の前年及び前々年に特別徴収義務が成立した利子割について、特定不申告加算金等を徴収されたことがあり、又は特定不申告加算金等に係る決定をすべきと認める場合 （重加算金額の計算） （2）（一）又は（1）（（一）の重加算金に係る部分に限る。以下（2）において同じ。）の規定により、過少申告加算金額に代えて、重加算金額を徴収する場合には、（一）又は（1）の規定による重加算金額の算定の基礎となるべき（一）又は（1）に規定する不足金額に相当する金額を、6の（一）に規定する対象不足金額から控除して計算するものとした場合における過少申告加算金額以外の部分の過少申告加算金額に代えて、重加算金額を徴収するものとする。（令9の13）
（二）	不申告加算金に代えて徴収する重加算金	6の②の（一）の規定に該当する場合（同（一）ただし書の規定の適用がある場合を除く。）において、特別徴収義務者が課税標準額の計算の基礎となるべき事実の全部又は一部を隠蔽し、又は仮装し、かつ、その隠蔽し、又は仮装した事実に基づいて納入申告書の提出期限までにこれを提出せず、又は納入申告書の提出期限後にその提出をし、若しくは更正請求書を提出したときは、道府県知

第二編第三章《利子等、特定配当等及び特定株式等譲渡所得金額に係る道府県民税》第二節《利子割》

| | | 事は、同(一)に規定する不申告加算金額に代えて、その計算の基礎となるべき税額に100分の40の割合を乗じて計算した金額に相当する重加算金額を徴収しなければならない。(法71の15②)
(注) 更正等があった日の前日から起算して5年前の日までの間に不申告加算金等を徴収されたことがある場合の重加算金額の計算については、(一)の(1)参照。(編者)

(納入申告書の提出が決定があるべきことを予知してされたものでない場合の不徴収)
注 道府県知事は、(二)及び(一)の(1)の規定に該当する場合において、納入申告書の提出について6の②の(五)に規定する事由があるときは、当該納入申告書に係る税額を基礎として計算した重加算金額を徴収しない。(法71の15④) |

(注)　(一)及び(二)中＿＿部分のように改める令和6年度改正規定は、令和7年1月1日以後に3の①に規定する納入申告書の提出期限が到来する道府県民税の利子割について適用し、同日前に当該提出期限が到来した道府県民税の利子割については、なお従前の例による。(令6改法附1二、4①)

(重加算金額の決定の通知)
注　道府県知事は、7の(一)又は(二)の規定により徴収すべき重加算金額を決定した場合には、遅滞なく、これを特別徴収義務者に通知しなければならない。(法71の15⑤)

8　利子割の脱税に関する罪

2の②の規定により徴収して納入すべき利子割の納入金の全部又は一部を納入しなかったときは、その違反行為をした者は、10年以下の懲役若しくは200万円以下の罰金に処し、又はこれを併科する。(法71の16①)

(脱税額が200万円を超える場合の罰金額の加重)
(1)　8の納入しなかった金額が200万円を超える場合には、情状により、8の罰金の額は、8の規定にかかわらず、200万円を超える額でその納入しなかった金額に相当する額以下の額とすることができる。(法71の16②)

(両罰規定)
(2)　法人の代表者又は法人若しくは人の代理人、使用人その他の従業者が、その法人又は人の業務又は財産に関して8の違反行為をした場合には、その行為者を罰するほか、その法人又は人に対し、8の罰金刑を科する。(法71の16③)

(罰金刑を科する場合の公訴時効期間)
(3)　(2)の規定により8の違反行為につき法人又は人に罰金刑を科する場合における時効の期間は、8の罪についての時効の期間による。(法71の16④)

(人格のない社団等に対する刑事訴訟法の準用)
(4)　法人でない社団又は財団で代表者又は管理人の定めのあるものについて(2)の規定の適用がある場合には、その代表者又は管理人がその訴訟行為につき当該法人でない社団又は財団で代表者又は管理人の定めのあるものを代表するほか、法人を被告人又は被疑者とする場合の刑事訴訟に関する法律の規定を準用する。(法71の16⑤)

三　督促及び滞納処分

1　利子割に係る督促

特別徴収義務者が納期限(二の3の①から③までの規定による更正又は決定があった場合には、同4の①の納期限。以下この節において同じ。)までに利子割に係る地方団体の徴収金を完納しない場合には、道府県の徴税吏員は、納期限後20日以内に、督促状を発しなければならない。ただし、繰上徴収をする場合には、この限りでない。(法71の17①)

(特別の事情がある場合の督促状の発付期限)
(1)　特別の事情がある道府県においては、当該道府県の条例で1に規定する期間と異なる期間を定めることができる。(法71の17②)

(利子割に係る督促手数料)
(2) 道府県の徴税吏員は、督促状を発した場合には、当該道府県の条例の定めるところによって、手数料を徴収することができる。(法71の18)

2 利子割に係る滞納処分
利子割に係る滞納者が次の各号の一に該当するときは、道府県の徴税吏員は、当該利子割に係る地方団体の徴収金につき、滞納者の財産を差し押さえなければならない。(法71の19①)

(一)	滞納者が督促を受け、その督促状を発した日から起算して10日を経過した日までにその督促に係る利子割に係る地方団体の徴収金を完納しないとき。
(二)	滞納者が繰上徴収に係る告知により指定された納期限までに利子割に係る地方団体の徴収金を完納しないとき。

(第二次納税義務者又は保証人に対する催告)
(1) 第二次納税義務者又は保証人について2の規定を適用する場合には、2の表の(一)中「督促状」とあるのは、「納入の催告書」とする。(法71の19②)

(繰上差押え)
(2) 利子割に係る地方団体の徴収金の納期限後2の表の(一)に規定する10日を経過した日までに、督促を受けた滞納者につき繰上徴収の事由〘第一編第三章二の1〙に該当する事実が生じたときは、道府県の徴税吏員は、直ちにその財産を差し押さえることができる。(法71の19③)

(強制換価手続が行われた場合の交付要求)
(3) 滞納者の財産につき強制換価手続が行われた場合には、道府県の徴税吏員は、執行機関(破産法第114条第1号に掲げる請求権に係る利子割に係る地方団体の徴収金の交付要求を行う場合には、その交付要求に係る破産事件を取り扱う裁判所)に対し、滞納に係る利子割に係る地方団体の徴収金につき、交付要求をしなければならない。(法71の19④)

(参加差押え)
(4) 道府県の徴税吏員は、2、(1)及び(2)の規定により差押えをすることができる場合において、滞納者の財産で国税徴収法第86条第1項《参加差押えの手続》各号に掲げるものにつき、既に他の地方団体の徴収金若しくは国税の滞納処分又はこれらの滞納処分の例による処分による差押えがされているときは、当該財産についての交付要求は、参加差押えによりすることができる。(法71の19⑤)

(国税徴収法の例による滞納処分)
(5) 2及び(1)から(4)までに定めるもののほか、利子割に係る地方団体の徴収金の滞納処分については、国税徴収法に規定する滞納処分の例による。(法71の19⑥)

(道府県の区域外における処分)
(6) 2及び(1)から(5)までの規定による処分は、当該道府県の区域外においても行うことができる。(法71の19⑦)

3 利子割に係る滞納処分に関する罪
利子割の特別徴収義務者が滞納処分の執行を免れる目的でその財産を隠蔽し、損壊し、若しくは道府県の不利益に処分し、その財産に係る負担を偽って増加する行為をし、又はその現状を改変して、その財産の価額を減損し、若しくはその滞納処分に係る滞納処分費を増大させる行為をしたときは、その者は、3年以下の懲役若しくは250万円以下の罰金に処し、又はこれを併科する。(法71の20①)

(財産占有者に対する罰則)
(1) 特別徴収義務者の財産を占有する第三者が特別徴収義務者に滞納処分の執行を免れさせる目的で3の行為をしたときも、3と同様とする。(法71の20②)

(情を知った違反行為の相手方に対する罰則)
（2）　情を知って3又は（1）の行為につき特別徴収義務者又はその財産を占有する第三者の相手方となったときは、その相手方としてその違反行為をした者は、2年以下の懲役若しくは150万円以下の罰金に処し、又はこれを併科する。（法71の20③）

(両罰規定)
（3）　法人の代表者又は法人若しくは人の代理人、使用人その他の従業者が、その法人又は人の業務又は財産に関して3及び（1）又は（2）の違反行為をした場合には、その行為者を罰するほか、その法人又は人に対し、当該各項の罰金刑を科する。（法71の20④）

(法人でない社団等に対する刑事訴訟法の準用)
（4）　法人でない社団又は財団で代表者又は管理人の定めのあるものについて（3）の規定の適用がある場合には、その代表者又は管理人がその訴訟行為につき当該法人でない社団又は財団で代表者又は管理人の定めのあるものを代表するほか、法人を被告人又は被疑者とする場合の刑事訴訟に関する法律の規定を準用する。（法71の20⑤）

4　国税徴収法の例による利子割に係る滞納処分に関する検査拒否等の罪

次の各号のいずれかに該当する場合には、その違反行為をした者は、1年以下の懲役又は50万円以下の罰金に処する。（法71の21①）

(一)	2の（5）の場合において、国税徴収法第141条《質問及び検査》の規定の例により行う道府県の徴税吏員の質問に対して答弁をせず、又は偽りの陳述をしたとき。
(二)	2の（5）の場合において、国税徴収法第141条の規定の例により行う道府県の徴税吏員の帳簿書類（同条に規定する帳簿書類をいう。（二）において同じ。）その他の物件の検査を拒み、妨げ、又は忌避したとき。
(三)	2の（5）の場合において、国税徴収法第141条の規定の例により行う道府県の徴税吏員の物件の提示又は提出の要求に対し、正当な理由がなくこれに応じず、又は偽りの記載若しくは記録をした帳簿書類その他の物件（その写しを含む。）を提示し、若しくは提出したとき。

(両罰規定)
（1）　法人の代表者又は法人若しくは人の代理人、使用人その他の従業者が、その法人又は人の業務又は財産に関して4の違反行為をした場合には、その行為者を罰するほか、その法人又は人に対し、4の罰金刑を科する。（法71の21②）

(法人でない社団等に対する刑事訴訟法の準用)
（2）　法人でない社団又は財団で代表者又は管理人の定めのあるものについて（1）の規定の適用がある場合には、その代表者又は管理人がその訴訟行為につき当該法人でない社団又は財団で代表者又は管理人の定めのあるものを代表するほか、法人を被告人又は被疑者とする場合の刑事訴訟に関する法律の規定を準用する。（法71の21③）

5　国税徴収法の例による滞納処分に関する虚偽の陳述の罪

2の（5）において、国税徴収法第99条の2《暴力団員等に該当しないこと等の陳述》（同法第109条《随意契約による売却》第4項において準用する場合を含む。）の規定の例により道府県知事に対して陳述すべき事項について虚偽の陳述をした者は、6月以下の懲役又は50万円以下の罰金に処する。（法71の22）

四　市町村に対する交付

道府県は、当該道府県に納入された利子割額に相当する額に100分の99を乗じて得た額の5分の3に相当する額を、（2）から（5）までに定めるところにより、当該道府県内の市町村（特別区を含む。四において同じ。）に対し、当該市町村に係る個人の道府県民税の額を基礎として（2）から（5）までで定めるところにより計算した額で按分して交付するものとする。（法71の26①、令9の14）

第二編第三章《利子等、特定配当等及び特定株式等譲渡所得金額に係る道府県民税》第二節《利子割》

(当該市町村に係る個人の道府県民税の額)
(1) 四の当該市町村に係る個人の道府県民税の額は、地方自治法第233条第1項の規定により調製された道府県の決算に係る個人の道府県民税の額のうち当該市町村から第一章第六節三の2《徴収金の払込み方法》の規定により道府県に払い込まれた個人の道府県民税の額に相当する部分の額とする。（法71の26②、規3の8）

(利子割の交付時期及び交付時期ごとの交付額)
(2) 道府県は、毎年度、四の規定により四に規定する額を当該道府県内の市町村（特別区を含む。）に対し交付する場合には、次の表の左欄に掲げる交付時期に、それぞれ同表の右欄に掲げる額に、当該市町村に係る個人の道府県民税の額（当該額のうちに、賦課期日現在において指定都市の区域内に住所を有した納税義務者に対して課した所得割その他の(6)で定める所得割の額（以下(2)において「指定都市に係る道府県民税所得割の額」という。）がある場合には、次に掲げる額の合計額。以下(2)において「基準道府県民税額」という。）を当該道府県内の各市町村に係る基準道府県民税額の合計額で除して得た数値で当該年度前3年度内（交付時期が8月である場合には、当該年度の前年度前3年度内）の各年度に係るものを合算したものの3分の1の数値を乗じて得た額を交付する。（令9の15①）
(一) 個人の道府県民税の額から指定都市に係る道府県民税所得割の額を控除した額
(二) 指定都市に係る道府県民税所得割の額に、指定都市以外の道府県民税所得割の税率（賦課期日現在において当該道府県内の指定都市以外の市町村の区域内に住所を有した納税義務者に対して課した道府県民税の所得割の税率をいう。以下(二)において同じ。）を当該指定都市以外の道府県民税所得割の税率から100分の2を控除した率で除して得た数値を乗じて得た額

交付時期	交付時期ごとに交付すべき額
8月	前年度3月から7月までの間に収入した利子割の収入額（当該期間内に過誤納に係る利子割の還付金を歳出予算から支出した場合には、その支出した額を控除した額。以下この表において同じ。）の100分の59.4に相当する額
12月	8月から11月までの間に収入した利子割の収入額の100分の59.4に相当する額
3月	12月から2月までの間に収入した利子割の収入額の100分の59.4に相当する額

(各交付時期に未交付額又は超過交付額がある場合)
(3) (2)に規定する各交付時期に交付することができなかった金額があるとき、又は当該交付時期において交付すべき額を超えて交付した金額があるときは、それぞれこれらの金額を、その次の交付時期に交付すべき額に加算し、又はこれから減額するものとする。（令9の15②）

(交付額の算定に錯誤があった場合の加算又は減額)
(4) (2)の規定により市町村に対して交付すべき額を交付した後において、その交付した額の算定に錯誤があったため、交付した額を増加し、又は減少する必要が生じた場合には、当該錯誤に係る額を、当該錯誤を発見した日以後に到来する交付時期において交付すべき額に加算し、又はこれから減額するものとする。（令9の15③）

(端数処理)
(5) (2)に規定する各交付時期に各市町村に対し交付すべき額として(2)の規定を適用して計算する場合において、当該計算した金額に1,000円未満の端数金額があるときは、その端数金額を控除した金額をもって、当該交付時期に交付すべき額とする。（令9の15④）

(指定都市に係る道府県民税所得割の額)
(6) (2)に規定する所得割は、次に掲げるものとする。（規3の9）
(一) 賦課期日現在において地方自治法第252条の19第1項の市（以下「指定都市」という。）の区域内に住所を有した納税義務者に対して課した所得割（第一章第七節1《退職手当等に係る所得割》の規定により課した所得割を除く。以下(一)及び(二)において同じ。）。ただし、当該指定都市の区域の全部又は一部が指定都市以外の市町村の区域の全部又は一部となった場合には、当該指定都市の区域の全部又は一部から指定都市以外の市町村の区域の全部又は一部となった区域に住所を有した納税義務者に対して課した所得割であって、当該指定都市の区域の全部又は一部が指定都市以外の市町村の区域の全部又は一部となった日から5年を経過する日の属する年度の翌年度（当該

経過する日が４月１日である場合には、当該経過する日の属する年度）以後の年度の各月において道府県に払い込まれたもの（当該月の属する年度の初日において引き続き指定都市以外の市町村の区域の全部又は一部である区域に係るものに限る。）については、この限りでない。
- (二) 賦課期日現在において指定都市以外の市町村の区域内に住所を有した納税義務者に対して課した所得割であって、当該指定都市以外の市町村の区域の全部又は一部が指定都市の区域の全部又は一部となった日から５年を経過する日の属する年度の翌年度（当該経過する日が４月１日である場合には、当該経過する日の属する年度）以後の年度の各月において道府県に払い込まれたもの（当該月の属する年度の初日において引き続き指定都市の区域の全部又は一部である区域に係るものに限る。）。

第三節　配　当　割

一　課税標準及び税率

1　配当割の課税標準

配当割の課税標準は、支払を受けるべき特定配当等の額とする。（法71の27①）

（特定配当等の額の算定）
（１）　１の特定配当等の額は、所得税法その他の所得税に関する法令の規定の例によって算定する。（法71の27②）

（国外株式の配当等に係る課税標準）
（２）　特定配当等のうち租税特別措置法第３条の３第４項第２号に規定する国外一般公社債等の利子等以外の国外公社債等の利子等、同法第８条の３第４項第２号に規定する国外投資信託等の配当等、同法第９条の２第１項に規定する国外株式の配当等又は同法第41条の12の２第１項第２号に規定する国外割引債の償還金に係る差益金額に係るもの（以下（２）及び二の２において「国外特定配当等」という。）の支払の際に徴収される所得税法第95条第１項《外国税額控除》に規定する外国所得税（（３）で定めるものを含む。）の額があるときは、１に規定する支払を受けるべき特定配当等の額は、当該国外特定配当等の額から当該外国所得税の額に相当する金額を控除した後の金額とする。（法71の29）

（（２）で定める外国所得税）
（３）　（２）に規定する外国所得税は、特定配当等のうち租税特別措置法第３条の３第４項第２号に規定する国外一般公社債等の利子等以外の国外公社債等の利子等に係るものについては租税特別措置法施行令第２条の２第３項に規定するものとし、特定配当等のうち同法第８条の３第４項第２号に規定する国外投資信託等の配当等に係るものについては同令第４条第２項に規定するものとし、特定配当等のうち同法第９条の２第１項に規定する国外株式の配当等に係るものについては同令第４条の５第２項に規定するものとし、特定配当等のうち同法第41条の12の２第１項第２号に規定する国外割引債の償還金に係る差益金額に係るものについては同令第26条の17第４項に規定するものとする。（令９の16）

2　配当割の税率

配当割の税率は、100分の５とする。（法71の28）

二　徴　収

1　配当割の徴収の方法

配当割の徴収については、特別徴収の方法によらなければならない。（法71の30）

第二編第三章《利子等、特定配当等及び特定株式等譲渡所得金額に係る道府県民税》第三節《配当割》

2 配当割の特別徴収の手続

① 特別徴収義務者の指定

配当割を特別徴収の方法によって徴収しようとする場合には、特定配当等の支払を受けるべき日現在において道府県内に住所を有する個人に対して特定配当等の支払をする者（当該特定配当等が国外特定配当等、租税特別措置法第9条の3の2第1項《上場株式等の配当等に係る源泉徴収義務等の特例》に規定する上場株式等の配当等（②において「上場株式等の配当等」という。）又は同法第41条の12の2第3項《割引債の差益金額に係る源泉徴収等の特例》に規定する特定割引債の償還金に係る差益金額（②において「償還金に係る差益金額」という。）である場合において、その支払を取り扱う者があるときは、その者）を当該道府県の条例によって特別徴収義務者として指定し、これに徴収させなければならない。（法71の31①）

（特別徴収義務者の指定の留意事項）
（1） 配当割の徴収については、特別徴収の方法によることとし、道府県は、特定配当等の支払いを受けるべき日現在において当該道府県内に住所を有する個人に対して特定配当等の支払いをする者（当該特定配当等が国外特定配当等、租税特別措置法第9条の3の2第1項に規定する上場株式等の配当等又は同法第41条の12の3第3項に規定する特定割引債の償還金に係る差益金額である場合において、その支払いを取り扱う者があるときは、その者。以下注において同じ。）を、当該道府県の条例により包括的に指定するものであること。この場合において、特別徴収義務者は特定配当等の支払いをする者である法人であって、個々の支店、支社、営業所等ではないこと。（県通2-73）

（源泉徴収選択口座に係る特別徴収義務者の留意事項）
（2） 道府県民税の配当割の納税義務者が平成22年1月1日以後に支払を受けるべき租税特別措置法第37条の11の6第1項に規定する源泉徴収選択口座内配当等に係る配当割の特別徴収については、その支払を取り扱う者を特別徴収義務者として指定するものであること。また、徴収した配当割の納期限は、その徴収の日の属する年の翌年1月10日とし、当該源泉徴収選択口座内配当等の支払を受けるべき日の属する年の1月1日現在における個人の住所所在の道府県知事に対して納入するものであること。（県通2-76の2）

② 特別徴収義務者の納入申告義務

①の特別徴収義務者は、特定配当等の支払の際（特別徴収義務者が国外特定配当等又は上場株式等の配当等又は償還金に係る差益金額の支払を取り扱う者である場合には、当該取扱いに係る国外特定配当等、上場株式等の配当等又は償還金に係る差益金額の交付の際）、その特定配当等について配当割を徴収し、その徴収の日の属する月の翌月10日までに、総務省令で定める様式によって、その徴収すべき配当割の課税標準額、税額その他必要な事項を記載した納入申告書（以下この節において「納入申告書」という。）を当該特定配当等の支払を受ける個人が当該特定配当等の支払を受けるべき日現在における当該個人の住所所在の道府県の知事に提出し、及びその納入金を当該道府県に納入する義務を負う。この場合において、当該道府県知事に提出すべき納入申告書には、総務省令で定める計算書を添付しなければならない。（法71の31②）

（特定配当等に係る道府県民税に係る納入申告書等の様式）
（1） ②の規定によって道府県知事に提出すべき次の表の左欄に掲げる申告書等の様式は、それぞれその右欄に掲げるところによるものとする。ただし、同表に掲げる様式によることができないやむを得ない事情があると認める場合において総務大臣が別に様式を定めたときは、それぞれ当該様式によることができる。（規3の10①）

申　告　書　等　の　種　類	様　　式
（一） 道府県民税配当割納入申込書	第12号の7様式
（二） 道府県民税配当割特別徴収税額計算書	第12号の8様式

（納入書の添付）
（2） 特定配当等に係る道府県民税の特別徴収義務者が当該特別徴収に係る納入金を納入する場合（口座振替の方法により納入する場合を除く。）には、当該納入金に第12号の9様式による納入書（当該様式によることができないやむを得ない事情があると認める場合において、総務大臣が別の様式を定めたときは、当該様式による納入書）（当該書類に

記載すべき事項を記録した電磁的記録を含む。）を添えて納入するものとする。（規３の10②）

③　未成年者口座内上場株式等について契約不履行等事由が生じた場合の課税の特例

　　道府県は、租税特別措置法第37条の14の２《未成年者口座内の少額上場株式等に係る譲渡所得等の非課税》第５項第１号に規定する未成年者口座（以下③において「未成年者口座」という。）を開設している個人について、同法第37条の14の２第６項に規定する契約不履行等事由（以下③において「契約不履行等事由」という。）が生じ、当該未成年者口座の設定の時から当該契約不履行等事由が生じた時までの間に支払を受けるべき未成年者口座内上場株式等の配当等（同法第９条の９《未成年者口座内の少額上場株式等に係る配当所得の非課税》第１項に規定する未成年者口座内上場株式等の配当等をいう。）が同法第９条の９第２項の規定により支払があったものとみなされたときは、当該未成年者口座内上場株式等の配当等に係る配当所得の金額に対し、道府県民税の配当割を課する。（法附33の２の２①）

　　　　（課税の特例の適用）
　（１）　③の規定の適用がある場合における第一節二の１の表の（二）《配当割額の納税義務者》並びに①及び②の規定の適用については、同節二の１の表の（二）並びに①及び②中「受けるべき日」とあるのは「受けるべき日の属する年の１月１日」とする。（法附33の２の２②）

　　　　（政令委任）
　（２）　③及び（１）の適用に関し必要な事項は、政令で定める。（法附33の２の２③）

④　源泉徴収選択口座に係る特別徴収義務者の特例

　　租税特別措置法第37条の11の４第１項《特定口座内保管上場株式等の譲渡による所得等に対する源泉徴収等の特例》に規定する源泉徴収選択口座（以下２において「**源泉徴収選択口座**」という。）が開設されている①に規定する特別徴収義務者が、同法第37条の11の６第１項《源泉徴収選択口座内配当等に係る所得計算及び源泉徴収等の特例》に規定する源泉徴収選択口座内配当等（以下２において「**源泉徴収選択口座内配当等**」という。）につき、②の規定に基づき道府県民税の配当割を徴収する場合における第一節二の１の表の（二）《配当割の納税義務者》並びに①及び②の規定の適用については、これらの規定中「受けるべき日」とあるのは「受けるべき日の属する年の１月１日」と、②中「属する月の翌月10日」とあるのは「属する年の翌年１月10日（政令で定める場合にあっては、政令で定める日）」とする。（法附35の２の５②）

　　　　（準用規定）
　（１）　第四節二の２の②の（１）《株式等譲渡所得割の特別徴収義務者に対する納入告知日の特例》の規定は、④の政令で定める場合及び政令で定める日について準用する。この場合において、第四節二の２の②の（１）の（一）中「選択口座（第一節一の１の表の（六）に規定する選択口座をいう。以下２」とあるのは「源泉徴収選択口座（第三節二の２の④に規定する源泉徴収選択口座をいう。以下（１）」と、「金融商品取引業者等（①に規定する金融商品取引業者等をいう。以下２において同じ。）」とあるのは「特別徴収義務者」と、「当該選択口座」とあるのは「当該源泉徴収選択口座」と、「金融商品取引業者等の営業所」とあるのは「特別徴収義務者の営業所」と、同（二）から（五）までの規定中「選択口座」とあるのは「源泉徴収選択口座」と、同（二）及び（三）中「金融商品取引業者等」とあるのは「特別徴収義務者」と読み替えるものとする。（令附18の４の２②）

　　　　（道府県民税配当割納入申告書等の特例）
　（２）　④の規定の適用がある場合における②の（１）及び（２）の規定の適用については、（１）中「第12号の７様式」とあるのは「第12号の13様式」と、「第12号の８様式」とあるのは「第12号の14様式」と、（２）中「第12号の９様式」とあるのは「第12号の15様式」と読み替えるものとする。（規附18）

⑤　源泉徴収選択口座内配当等に係る配当割の額の計算の特例

イ　配当割の額の計算の特例

　　④の特別徴収義務者が道府県民税の配当割の納税義務者に対して支払われる源泉徴収選択口座内配当等について徴収して納入すべき道府県民税の配当割の額を計算する場合において、当該源泉徴収選択口座内配当等に係る源泉徴収選択口座につき次の各号に掲げる金額があるときは、当該源泉徴収選択口座内配当等について徴収して納入すべき道府県民税の配当割の額は、政令で定めるところにより、その年中に交付をした源泉徴収選択口座内配当等の額の総額から当該各号に掲

げる金額の合計額を控除した残額を当該源泉徴収選択口座内配当等に係る特定配当等の額とみなしてイの2の規定を適用して計算した金額とする。(法附35の2の5③)
(一) その年中にした当該源泉徴収選択口座に係る租税特別措置法第37条の11の3第1項《特定口座内保管上場株式等の譲渡等に係る所得計算等の特例》に規定する**特定口座内保管上場株式等**の譲渡につき同項の規定に基づいて計算された当該特定口座内保管上場株式等の譲渡による事業所得の金額、譲渡所得の金額及び雑所得の金額の計算上生じた損失の金額として(4)の政令で定める金額
(二) その年中に当該源泉徴収選択口座において処理された租税特別措置法第37条の11の4第1項《特定口座内保管上場株式等の譲渡による所得等に対する源泉徴収等の特例》に規定する差金決済に係る同法第37条の11の3第2項に規定する**信用取引等**に係る上場株式等の譲渡につき同項の規定により計算された当該信用取引等に係る上場株式等の譲渡による事業所得の金額及び雑所得の金額の計算上生じた損失の金額として(5)の政令で定める金額
　(注) 所得割の納税義務者が、源泉徴収選択口座内配当等に係る配当所得の金額と源泉徴収選択口座内配当等以外の配当等に係る配当所得の金額の支払を受ける場合の区分計算については、第一章第五節五の7の①《源泉徴収選択口座内配当等の区分計算》を参照。(編者)

　　　(源泉徴収選択口座が移管された場合のこの特例の不適用)
(1) イの規定は、④の(1)において準用する第四節二の2の②の(1)の(一)又は(二)に掲げる場合に該当することとなったことにより源泉徴収選択口座内配当等(④に規定する源泉徴収選択口座内配当等をいう。(2)、(3)及びロの(1)において同じ。)について徴収して納入すべき配当割の額の計算をする場合については、適用しない。(令附18の4の2③)

　　　(既に徴収した配当割の額がこの特例を適用して計算した配当割の額に満たない場合)
(2) イの場合において、当該道府県民税の配当割の納税義務者に対して支払われる源泉徴収選択口座内配当等について、その年中に当該特別徴収義務者が当該源泉徴収選択口座内配当等の交付の際に②の規定により既に徴収した道府県民税の配当割の額がイの規定を適用して計算した道府県民税の配当割の額に満たないときは、当該特別徴収義務者は、当該満たない部分の金額に相当する配当割を徴収して納入することを要しない。(令附18の4の2④)

　　　(移管先の特別徴収義務者が行う配当割の額の計算)
(3) ④の注において読み替えて準用する第四節二の2の②の(1)の(一)に規定する営業の譲渡を受けた特別徴収義務者又は同(二)に規定する資産及び負債の移転を受けた特別徴収義務者(ロの(1)及び(2)において「移管先の特別徴収義務者」という。)が、当該譲渡又は移転により移管を受けた源泉徴収選択口座に係る源泉徴収選択口座内配当等につき、イ及び(2)の規定により当該移管を受けた日の属する年中に徴収して納入すべき道府県民税の配当割の額を計算する場合及びロの規定により還付すべき道府県民税の配当割の額を計算する場合には、これらの規定に規定する源泉徴収選択口座内配当等の額及び既に徴収した配当割の額には、当該営業の譲渡をした特別徴収義務者(ロの(1)において「移管元の特別徴収義務者」という。)が交付したこれらの規定に規定する源泉徴収選択口座内配当等の額及び既に徴収した配当割の額を含めて、これらの規定を適用するものとする。(令附18の4の2⑤)

　　　(源泉徴収選択口座内配当等について徴収して納入すべき配当割の額の計算)
(4) イの(一)に規定する政令で定める金額は、その年中にした源泉徴収選択口座に係る特定口座内保管上場株式等(同(一)に規定する特定口座内保管上場株式等をいう。(5)において同じ。)の譲渡につき租税特別措置法第37条の11の3第1項の規定に基づいて計算された当該特定口座内保管上場株式等の譲渡による事業所得の金額、譲渡所得の金額及び雑所得の金額の計算上生じた損失の金額のうち、その年中に当該源泉徴収選択口座において処理された差金決済(イの(二)に規定する差金決済をいう。(5)において同じ。)に係る信用取引等に係る上場株式等の譲渡(同(二)に規定する信用取引等に係る上場株式等の譲渡をいう。(5)において同じ。)による事業所得の金額及び雑所得の金額から控除してもなお控除することができない金額とする。(令附18の4の2⑥)

　　　(特定口座内保管上場株式等の譲渡による事業所得等の金額の計算上生じた損失の金額)
(5) イの(二)に規定する政令で定める金額は、その年中に源泉徴収選択口座において処理された差金決済に係る信用取引等に係る上場株式等の譲渡につき租税特別措置法第37条の11の3第2項の規定により計算された当該信用取引等に係る上場株式等の譲渡による事業所得の金額及び雑所得の金額の計算上生じた損失の金額のうち、その年中にした当該源泉徴収選択口座に係る特定口座内保管上場株式等の譲渡につき同条第1項の規定に基づいて計算された当該特定口座内保管上場株式等の譲渡による事業所得の金額、譲渡所得の金額及び雑所得の金額から控除してもなお控除す

ることができない金額とする。(令附18の４の２⑦)

　　　(留意事項)
(６)イ　(３)に規定する営業の譲渡をした特別徴収義務者(以下「移管元の特別徴収義務者」という。)は、イ各号に掲げる金額を控除することなく配当割の額を計算して納入するものであること。(県通２－76の３(１))
　　ロ　特別徴収義務者は、その源泉徴収選択口座内配当等の交付の際に既に徴収した道府県民税の配当割の額が１円未満の端数を切り捨てて計算して徴収しているため、イの規定を適用して計算した配当割の額に満たない場合は、当該満たない部分の金額に相当する配当割を徴収して納入する義務を負わないものであること。(県通２－76の３(２))

ロ　配当割の還付
　イの場合において、当該道府県民税の配当割の納税義務者に対して支払われる源泉徴収選択口座内配当等について、その年中にイの特別徴収義務者が当該源泉徴収選択口座内配当等の交付の際に②の規定により既に徴収した道府県民税の配当割の額がイの規定を適用して計算した道府県民税の配当割の額を超えるときは、当該特別徴収義務者は、当該納税義務者に対し、当該超える部分の金額に相当する配当割を還付しなければならない。(法附35の２の５④)

　　　(移管先の特別徴収義務者が還付をする場合)
(１)　移管先の特別徴収義務者がイの(３)の譲渡又は移転により移管を受けた源泉徴収選択口座に係る源泉徴収選択口座内配当等につきロの規定による道府県民税の配当割の還付をする場合には、当該源泉徴収選択口座に係る移管元の特別徴収義務者が交付した源泉徴収選択口座内配当等につき②の規定により徴収した道府県民税の配当割の額に相当する金額は、当該移管を受けた日の属する年の当該移管先の特別徴収義務者に係る第四節二の２の③の(１)《納入金額からの還付金額の控除》各号に掲げる金額から控除するものとする。(令附18の４の２⑧)

　　　(準用規定)
(２)　第四節二の２の③の(２)《納入金額から控除できない金額の道府県からの還付》及び(３)《(２)の適用を受けるときの書面の提出》の規定は、(１)の移管先の特別徴収義務者が(１)の規定による控除をする場合について準用する。この場合において、同③の(２)中「(１)の規定を」とあるのは「第三節二の２の⑤のロの(１)の規定を」と、「②の(１)の金融商品取引業者等が(１)」とあるのは「(２)の移管先の特別徴収義務者が(２)」と、「当該金融商品取引業者等」とあるのは「当該移管先の特別徴収義務者」と、同③の(３)中「金融商品取引業者等」とあるのは「移管先の特別徴収義務者」と、「選択口座」とあるのは「第三節二の２の④に規定する源泉徴収選択口座」と、「(１)」とあるのは「同２の④のロの(１)」とする。(令附18の４の２⑨)

　　　(留意事項)
(３)　特別徴収義務者が開設している源泉徴収選択口座において、その年中に交付をした源泉徴収選択口座内配当等の額の総額からイ各号に掲げる金額の合計額を控除してもなお控除することができない金額がある場合には、当該控除することができない金額に100分の５を乗じて計算した金額に相当する配当割を当該源泉徴収選択口座に係る個人に還付するものであること。
　　なお、この場合において次の諸点に留意すること。(県通２－76の３(３)、(４)、(５))
　イ　イの(３)に規定する営業の譲渡又は資産及び負債の移転を受けた特別徴収義務者(以下「移管先の特別徴収義務者」という。)は、イ各号に掲げる金額の合計額を控除してもなお控除することができない金額がある場合には、移管元の特別徴収義務者が既に徴収して納入した配当割の額を控除するものであること。
　ロ　イの後になお控除することができない金額がある場合には、当該源泉徴収選択口座内配当等に係る配当割が納入された道府県の知事は、当該特別徴収義務者の請求に基づき株式等譲渡所得割又は源泉徴収選択口座に係る配当割に係る更正を行い、当該控除することができない金額に相当する金額を当該特別徴収義務者に還付し、当該還付を受けた特別徴収義務者は、当該還付された金額を当該源泉徴収選択口座に係る個人に還付するものであること。
　ハ　ロによる還付を行う場合には、道府県は、当該還付すべき金額に還付加算金を加算して行わなければならないものであること。この場合において、還付加算金の計算の始期は、株式等譲渡所得割又は源泉徴収選択口座に係る配当割に係る更正があった日の翌日から起算して１月を経過する日の翌日であること。

3　配当割に係る更正又は決定

①　更正
　道府県知事は、2の②の規定による納入申告書の提出があった場合において、当該納入申告書に係る課税標準額又は税額がその調査したところと異なるときは、これを更正する。（法71の32①）

②　決定
　道府県知事は、特別徴収義務者が納入申告書を提出しなかった場合には、その調査によって、納入申告すべき課税標準額及び税額を決定する。（法71の32②）

③　再更正
　道府県知事は、①若しくは②又は③の規定によって更正し、又は決定した課税標準額又は税額について、その調査によって、過大又は過少であることを発見した場合には、これを更正する。（法71の32③）

④　更正又は決定の通知
　道府県知事は、①から③までの規定によって更正し、又は決定した場合には、遅滞なく、これを特別徴収義務者に通知しなければならない。（法71の32④）

4　配当割に係る不足金額及びその延滞金の徴収

①　不足金額の徴収
　道府県の徴税吏員は、3の①から③までの規定による更正又は決定があった場合において、不足金額（更正による納入金額の不足額又は決定による納入金額をいう。以下この節において同じ。）があるときは、3の④の通知をした日から1月を経過した日を納期限として、これを徴収しなければならない。（法71の33①）

②　延滞金の徴収
　①の場合には、その不足金額に2の②の納期限（納期限の延長があったときは、その延長された納期限。三の2《配当割に係る滞納処分》を除き、以下この節において同じ。）の翌日から納入の日までの期間の日数に応じ、年14.6パーセント（①の納期限までの期間又は当該納期限の翌日から1月を経過する日までの期間については、年7.3パーセント）の割合を乗じて計算した金額に相当する延滞金額を加算して徴収しなければならない。（法71の33②）
　　（注）　②に規定する延滞金の年7.3パーセントの割合については特例規定が設けられているので、第一編第十章12の①《延滞金の割合の特例》を参照。（編者）

③　延滞金の減免
　道府県知事は、特別徴収義務者が3の規定による更正又は決定を受けたことについてやむを得ない理由があると認める場合には、②の延滞金額を減免することができる。（法71の33③）

5　納期限後に申告納入する配当割に係る納入金の延滞金

①　延滞金の納入義務
　配当割の特別徴収義務者は、2の②の納期限後にその納入金を納入する場合には、当該納入金額に、その納期限の翌日から納入の日までの期間の日数に応じ、年14.6パーセント（当該納期限の翌日から1月を経過する日までの期間については、年7.3パーセント）の割合を乗じて計算した金額に相当する延滞金額を加算して納入しなければならない。（法71の34①）
　　（注）　①に規定する延滞金の年7.3パーセントの割合については特例規定が設けられているので、第一編第十章12の①《延滞金の割合の特例》を参照。（編者）

②　延滞金の減免
　道府県知事は、特別徴収義務者が2の②の納期限までに納入金を納入しなかったことについてやむを得ない理由があると認める場合には、①の延滞金額を減免することができる。（法71の34②）

第二編第三章《利子等、特定配当等及び特定株式等譲渡所得金額に係る道府県民税》第三節《配当割》

6 配当割に係る納入金の過少申告加算金及び不申告加算金

① 過少申告加算金

(一)	納入申告書の提出期限までにその提出があった場合（納入申告書の提出期限後にその提出があった場合において、②の(一)ただし書又は②の(一)の(1)の規定の適用があるときを含む。(二)において同じ。）において、3の①又は③の規定による更正があったときは、道府県知事は、当該更正前の納入申告に係る課税標準額又は税額に誤りがあったことについて正当な事由がないと認める場合には、当該更正による不足金額（(二)において「対象不足金額」という。）に100分の10の割合を乗じて計算した金額に相当する過少申告加算金額を徴収しなければならない。(法71の35①)
(二)	(一)の規定に該当する場合において、当該対象不足金額（当該更正前にその更正に係る配当割について更正があった場合には、その更正による不足金額の合計額（当該更正前の納入申告に係る課税標準額又は税額に誤りがあったことについて正当な事由があると認められたときは、その更正による不足金額を控除した金額とし、当該配当割についてその納入すべき金額を減少させる更正又は更正に係る審査請求若しくは訴えについての裁決若しくは判決による原処分の異動があったときは、これらにより減少した部分の金額に相当する金額を控除した金額とする。）を加算した金額とする。）が納入申告書の提出期限までにその提出があった場合における当該納入申告書に係る税額に相当する金額と50万円とのいずれか多い金額を超えるときは、(一)に規定する過少申告加算金額は、(一)の規定にかかわらず、(一)の規定により計算した金額に、その超える部分に相当する金額（当該対象不足金額が当該超える部分に相当する金額に満たないときは、当該対象不足金額）に100分の5の割合を乗じて計算した金額を加算した金額とする。(法71の35②)

② 不申告加算金

	次の各号のいずれかに該当する場合には、道府県知事は、当該各号に規定する納入申告、決定又は更正により納入すべき税額に100分の15の割合を乗じて計算した金額に相当する不申告加算金額を徴収しなければならない。ただし、納入申告書の提出期限までにその提出がなかったことについて正当な理由があると認められる場合は、この限りでない。(法71の35③)	
	イ	納入申告書の提出期限後にその提出があった場合又は3の②の規定による決定があった場合
	ロ	納入申告書の提出期限後にその提出があった後において3の①又は③の規定による更正があった場合
	ハ	3の②の規定による決定があった後において3の③の規定による更正があった場合
(一)	（不申告加算金を徴収されない場合） （1） (一)の規定は、(五)の規定に該当する納入申告書の提出があった場合において、その提出が、納入申告書の提出期限までに提出する意思があったと認められる場合として(2)で定める場合に該当して行われたものであり、かつ、納入申告書の提出期限から1月を経過する日までに行われたものであるときは、適用しない。(法71の35⑨) （納入申告書の提出期限までに提出する意思があったと認められる場合） （2） (1)に規定する納入申告書の提出期限までに提出する意思があったと認められる場合は、次の各号のいずれにも該当する場合とする。(令9の17) 　(一) (1)に規定する納入申告書の提出があった日の前日から起算して1年前の日までの間に、配当割について、(一)の表のイに該当することにより不申告加算金額又は重加算金額を課されたことがない場合であって、(1)の規定の適用を受けていないとき。 　(二) (1)に規定する納入申告書に係る納入すべき税額の全額が、次に掲げる場合の区分に応じ、それぞれ次に定める期限又は日までに納入されていた場合 　　イ　ロに掲げる場合以外の場合　　当該納入すべき税額に係る2の②の納期限（納期限の延長があったときは、その延長された納期限） 　　ロ　道府県知事が当該納入申告書に係る納入について口座振替の方法による旨の申出を受けていた場合 　　　当該納入申告書の提出があった日	

(二)	(一)の規定に該当する場合（(一)ただし書又は同（1）の規定の適用がある場合を除く。(三)及び(四)において同じ。）において、(一)に規定する納入すべき税額（(一)の表のロ又はハに該当する場合には、これらの規定に規定する更正前にされた当該配当割に係る納入申告書の提出期限後の納入申告又は3の①から③までの規定による更正若しくは決定により納入すべき税額の合計額（当該納入すべき税額を減少させる更正又は更正に係る審査請求若しくは訴えについての裁決若しくは判決による原処分の異動があったときは、これらにより減少した部分の税額に相当する金額を控除した金額とする。(三)において「累積納入税額」という。）を加算した金額。(三)において「加算後累積納入税額」という。）が50万円を超えるときは、(一)に規定する不申告加算金額は、(一)の規定にかかわらず、(一)の規定により計算した金額に、その超える部分に相当する金額（(一)に規定する納入すべき税額が当該超える部分に相当する金額に満たないときは、当該納入すべき税額）に100分の5の割合を乗じて計算した金額を加算した金額とする。（法71の35④）
(三)	(一)の規定に該当する場合において、加算後累積納入税額（当該加算後累積納入税額の計算の基礎となった事実のうちに(一)各号に規定する納入申告、決定又は更正前の税額（還付金の額に相当する税額を含む。）の計算の基礎とされていなかったことについて当該特別徴収義務者の責めに帰すべき事由がないと認められるものがあるときは、その事実に基づく税額として注で定めるところにより計算した金額を控除した税額）が300万円を超えるときは、(一)に規定する不申告加算金額は、(一)及び(二)の規定にかかわらず、加算後累積納入税額を次の各号に掲げる金額に区分してそれぞれの金額に当該各号に定める割合を乗じて計算した金額の合計額から累積納入税額を当該各号に掲げる金額に区分してそれぞれの金額に当該各号に定める割合を乗じて計算した金額の合計額を控除した金額とする。（法71の35⑤）

(三)	イ	50万円以下の部分に相当する金額	100分の15の割合
	ロ	50万円を超え300万円以下の部分に相当する金額	100分の20の割合
	ハ	300万円を超える部分に相当する金額	100分の30の割合

　　　　　（特別徴収義務者の責めに帰すべき事由がないと認められる事実に基づく税額）
　注　(三)の(注)に規定する金額は、同(注)に規定する当該特別徴収義務者の責めに帰すべき事由がないと認められる事実のみに基づいて(一)のイからハまでに規定する納入申告、決定又は更正があったものとした場合におけるその納入申告、決定又は更正により納入すべき税額とする。（令9の16の2）

(四)	(一)の規定に該当する場合において、次の各号のいずれかに該当するときは、(一)に規定する不申告加算金額は、(一)から(三)までの規定にかかわらず、これらの規定により計算した金額に、(一)に規定する納入すべき税額に100分の10の割合を乗じて計算した金額を加算した金額とする。（法71の35⑥）

(四)	イ	納入申告書の提出期限後のその提出（当該納入申告書に係る配当割について道府県知事の調査による決定があるべきことを予知してされたものに限る。ロにおいて同じ。）又は3の①から③までの規定による更正若しくは決定があった日の前日から起算して5年前の日までの間に、配当割について、不申告加算金（(五)の規定の適用があるものを除く。ロにおいて同じ。）又は重加算金（7の(一)の(1)のイにおいて「不申告加算金等」という。）を徴収されたことがある場合
	ロ	納入申告書の提出期限後のその提出又は3の①から③までの規定による更正若しくは決定に係る配当割の特別徴収義務が成立した日の属する年の前年及び前々年に特別徴収義務が成立した配当割について、不申告加算金若しくは重加算金（7の(二)の規定の適用があるものに限る。）（以下ロ及び7の(一)の(1)のロにおいて「特定不申告加算金等」という。）を徴収されたことがあり、又は特定不申告加算金等に係る決定をすべきと認める場合

(五)	納入申告書の提出期限後にその提出があった場合において、その提出が当該納入申告書に係る配当割について道府県知事の調査による決定があるべきことを予知してされたものでないときは、当該納入申告書に係る税額に係る(一)に規定する不申告加算金額は、(一)から(三)までの規定にかかわらず、当該税額に100分の5の割合を乗じて計算した金額に相当する額とする。（法71の35⑦）

③　過少申告加算金額又は不申告加算金額の決定の通知
　道府県知事は、①の(一)の規定により徴収すべき過少申告加算金額又は②の(一)の規定により徴収すべき不申告加算金

第二編第三章《利子等、特定配当等及び特定株式等譲渡所得金額に係る道府県民税》第三節《配当割》

額を決定した場合には、遅滞なく、これを特別徴収義務者に通知しなければならない。(法71の35⑧)

7 配当割に係る納入金の重加算金

(一)	過少申告加算金に代えて徴収する重加算金	6の①の(一)の規定に該当する場合において、特別徴収義務者が課税標準額の計算の基礎となるべき事実の全部又は一部を隠蔽し、又は仮装し、かつ、その隠蔽し、又は仮装した事実に基づいて納入申告書又は第一編第十章10の④《更正請求書の地方団体の長への提出》に規定する更正請求書((二)において「更正請求書」という。)を提出したときは、道府県知事は、(2)で定めるところにより、同(一)に規定する過少申告加算金額(6の①の(二)の規定の適用がある場合には、同(二)の規定による加算後の金額)に代えて、その計算の基礎となるべき更正による不足金額に100分の35の割合を乗じて計算した金額に相当する重加算金額を徴収しなければならない。(法71の36①) (更正等があった日の前日から起算して5年前の日までの間に不申告加算金等を徴収されたことがある場合の重加算金額の計算) (1) 次のイ又はロのいずれか((一)の規定に該当する場合にあっては、イ)に該当するときは、(一)又は(二)に規定する重加算金額は、これらの規定にかかわらず、これらの規定により計算した金額に、(一)の規定に該当するときは(一)に規定する計算の基礎となるべき更正による不足金額に、(二)の規定に該当するときは(二)に規定する計算の基礎となるべき税額に、それぞれ100分の10の割合を乗じて計算した金額を加算した金額とする。(法71の36③) 　イ　(一)又は(二)に規定する課税標準額の計算の基礎となるべき事実で隠蔽し、又は仮装されたものに基づき納入申告書の提出期限後のその提出又は3の①から③までの規定による更正若しくは決定があった日の前日から起算して5年前の日までの間に、配当割について、不申告加算金等を徴収されたことがある場合 　ロ　納入申告書の提出期限後のその提出又は3の①から③までの規定による更正若しくは決定に係る配当割の特別徴収義務が成立した日の属する年の前年及び前々年に特別徴収義務が成立した配当割について、特定不申告加算金等を徴収されたことがあり、又は特定不申告加算金等に係る決定をすべきと認める場合 (重加算金額の計算) (2) (一)又は(1)((一)の重加算金に係る部分に限る。以下(2)において同じ。)の規定により、過少申告加算金額に代えて、重加算金額を徴収する場合には、(一)又は(1)の規定による重加算金額の算定の基礎となるべき(一)又は(1)に規定する不足金額に相当する金額を、6の①の(一)に規定する対象不足金額から控除して計算するものとした場合における過少申告加算金額以外の部分の過少申告加算金額に代えて、重加算金額を徴収するものとする。(令9の17の2)
(二)	不申告加算金に代えて徴収する重加算金	6の②の(一)の規定に該当する場合(同(一)ただし書の規定の適用がある場合を除く。)において、特別徴収義務者が課税標準額の計算の基礎となるべき事実の全部又は一部を隠蔽し、又は仮装し、かつ、その隠蔽し、又は仮装した事実に基づいて納入申告書の提出期限までにこれを提出せず、又は納入申告書の提出期限後にその提出<u>をし、若しくは更正請求書を提出した</u>ときは、道府県知事は、同(一)に規定する不申告加算金額に代えて、その計算の基礎となるべき税額に100分の40の割合を乗じて計算した金額に相当する重加算金額を徴収しなければならない。(法71の36②) 　(注)　更正等があった日の前日から起算して5年前の日までの間に不申告加算金等を徴収されたことがある場合の重加算金額の計算については、(一)の(1)参照。(編者) (納入申告書の提出が決定があるべきことを予知してされたものでない場合の不徴収) 　注　道府県知事は、(二)又は(一)の(1)の規定に該当する場合において、納入申告書の提出について6の②の(五)に規定する事由があるときは、当該納入申告書に係る税額を基礎として計算した重加算金額を徴収しない。(法71の36④)

(注)　(一)及び(二)中＿＿部分のように改める令和6年度改正規定は、令和7年1月1日以後に2の②に規定する納入申告書の提出期限が到来す

第二編第三章《利子等、特定配当等及び特定株式等譲渡所得金額に係る道府県民税》第三節《配当割》

る道府県民税の配当割について適用し、同日前に当該提出期限が到来した道府県民税の配当割については、なお従前の例による。(令6改法附1二、4②)

　　　(重加算金額の決定の通知)
　注　道府県知事は、7の(一)又は(二)の規定により徴収すべき重加算金額を決定した場合には、遅滞なく、これを特別徴収義務者に通知しなければならない。(法71の36⑤)

8　配当割の脱税に関する罪

2の②の規定により徴収して納入すべき配当割の納入金の全部又は一部を納入しなかったときは、その違反行為をした者は、10年以下の懲役若しくは200万円以下の罰金に処し、又はこれを併科する。(法71の37①)

　　　(脱税額が200万円を超える場合の罰金額の加重)
(1)　8の納入しなかった金額が200万円を超える場合には、情状により、8の罰金の額は、8の規定にかかわらず、200万円を超える額でその納入しなかった金額に相当する額以下の額とすることができる。(法71の37②)

　　　(両罰規定)
(2)　法人の代表者又は法人若しくは人の代理人、使用人その他の従業者が、その法人又は人の業務又は財産に関して8の違反行為をした場合には、その行為者を罰するほか、その法人又は人に対し、8の罰金刑を科する。(法71の37③)

　　　(罰金刑を科する場合の公訴時効期間)
(3)　(2)の規定により8の違反行為につき法人又は人に罰金刑を科する場合における時効の期間は、8の罪についての時効の期間による。(法71の37④)

　　　(人格のない社団等に対する刑事訴訟法の準用)
(4)　法人でない社団又は財団で代表者又は管理人の定めのあるものについて(2)の規定の適用がある場合には、その代表者又は管理人がその訴訟行為につき当該法人でない社団又は財団で代表者又は管理人の定めのあるものを代表するほか、法人を被告人又は被疑者とする場合の刑事訴訟に関する法律の規定を準用する。(法71の37⑤)

三　督促及び滞納処分

1　配当割に係る督促

特別徴収義務者が納期限(二の3の①から③までの規定による更正又は決定があった場合には、二の4の①の納期限。以下この節において同じ。)までに配当割に係る地方団体の徴収金を完納しない場合には、道府県の徴税吏員は、納期限後20日以内に、督促状を発しなければならない。ただし、繰上徴収をする場合には、この限りでない。(法71の38①)

　　　(特別の事情がある場合の督促状の発付期限)
(1)　特別の事情がある道府県においては、当該道府県の条例で1に規定する期間と異なる期間を定めることができる。(法71の38②)

　　　(配当割に係る督促手数料)
(2)　道府県の徴税吏員は、督促状を発した場合には、当該道府県の条例の定めるところによって、手数料を徴収することができる。(法71の39)

2　配当割に係る滞納処分

配当割に係る滞納者が次の各号のいずれかに該当するときは、道府県の徴税吏員は、当該配当割に係る地方団体の徴収金につき、滞納者の財産を差し押さえなければならない。(法71の40①)

(一)　滞納者が督促を受け、その督促状を発した日から起算して10日を経過した日までにその督促に係る配当割に係る地方団体の徴収金を完納しないとき。

(二) 滞納者が繰上徴収に係る告知により指定された納期限までに配当割に係る地方団体の徴収金を完納しないとき。

　　　　（第二次納税義務者又は保証人に対する催告）
（１）　第二次納税義務者又は保証人について２の規定を適用する場合には、２の(一)中「督促状」とあるのは、「納入の催告書」とする。（法71の40②）

　　　　（繰上差押え）
（２）　配当割に係る地方団体の徴収金の納期限後２の表の(一)に規定する10日を経過した日までに、督促を受けた滞納者につき繰上徴収の事由『第一編第三章二の１』のいずれかに該当する事実が生じたときは、道府県の徴税吏員は、直ちにその財産を差し押さえることができる。（法71の40③）

　　　　（強制換価手続が行われた場合の交付要求）
（３）　滞納者の財産につき強制換価手続が行われた場合には、道府県の徴税吏員は、執行機関（破産法第114条第１号に掲げる請求権に係る配当割に係る地方団体の徴収金の交付要求を行う場合には、その交付要求に係る破産事件を取り扱う裁判所）に対し、滞納に係る配当割に係る地方団体の徴収金につき、交付要求をしなければならない。（法71の40④）

　　　　（参加差押え）
（４）　道府県の徴税吏員は、２、（１）及び（２）の規定により差押えをすることができる場合において、滞納者の財産で国税徴収法第86条第１項《参加差押えの手続》各号に掲げるものにつき、既に他の地方団体の徴収金若しくは国税の滞納処分又はこれらの滞納処分の例による処分による差押えがされているときは、当該財産についての交付要求は、参加差押えによりすることができる。（法71の40⑤）

　　　　（国税徴収法の例による滞納処分）
（５）　２及び（１）から（４）までに定めるもののほか、配当割に係る地方団体の徴収金の滞納処分については、国税徴収法に規定する滞納処分の例による。（法71の40⑥）

　　　　（道府県の区域外における処分）
（６）　２及び（１）から（５）までの規定による処分は、当該道府県の区域外においても行うことができる。（法71の40⑦）

３　配当割に係る滞納処分に関する罪

　配当割の特別徴収義務者が滞納処分の執行を免れる目的でその財産を隠蔽し、損壊し、若しくは道府県の不利益に処分し、その財産に係る負担を偽って増加する行為をし、又はその現状を改変して、その財産の価額を減損し、若しくはその滞納処分に係る滞納処分費を増大させる行為をしたときは、その者は、３年以下の懲役若しくは250万円以下の罰金に処し、又はこれを併科する。（法71の41①）

　　　　（財産占有者に対する罰則）
（１）　特別徴収義務者の財産を占有する第三者が特別徴収義務者に滞納処分の執行を免れさせる目的で３の行為をしたときも、３と同様とする。（法71の41②）

　　　　（情を知った違反行為の相手方に対する罰則）
（２）　情を知って３又は（１）の行為につき特別徴収義務者又はその財産を占有する第三者の相手方となったときは、その相手方としてその違反行為をした者は、２年以下の懲役又は150万円以下の罰金に処し、又はこれを併科する。（法71の41③）

　　　　（両罰規定）
（３）　法人の代表者又は法人若しくは人の代理人、使用人その他の従業者が、その法人又は人の業務又は財産に関して３及び（１）又は（２）の違反行為をした場合には、その行為者を罰するほか、その法人又は人に対し、当該各項の罰金刑を科する。（法71の41④）

(法人でない社団等に対する刑事訴訟法の準用)
（４） 法人でない社団又は財団で代表者又は管理人の定めのあるものについて(3)の規定の適用がある場合には、その代表者又は管理人がその訴訟行為につき当該法人でない社団又は財団で代表者又は管理人の定めのあるものを代表するほか、法人を被告人又は被疑者とする場合の刑事訴訟に関する法律の規定を準用する。(法71の41⑤)

4　国税徴収法の例による配当割に係る滞納処分に関する検査拒否等の罪
次の各号のいずれかに該当する場合には、その違反行為をした者は、１年以下の懲役又は50万円以下の罰金に処する。(法71の42①)

(一)	2の(5)の場合において、国税徴収法第141条《質問及び検査》の規定の例により行う道府県の徴税吏員の質問に対して答弁をせず、又は偽りの陳述をしたとき。
(二)	2の(5)の場合において、国税徴収法第141条の規定の例により行う道府県の徴税吏員の帳簿書類（同条に規定する帳簿書類をいう。（二）において同じ。）その他の物件の検査を拒み、妨げ、又は忌避したとき
(三)	2の(5)の場合において、国税徴収法第141条の規定の例により行う道府県の徴税吏員の物件の提示又は提出の要求に対し、正当な理由がなくこれに応じず、又は偽りの記載若しくは記録をした帳簿書類その他の物件（その写しを含む。）を提示し、若しくは提出したとき。

(両罰規定)
（１） 法人の代表者又は法人若しくは人の代理人、使用人その他の従業者が、その法人又は人の業務又は財産に関して**4**の違反行為をした場合には、その行為者を罰するほか、その法人又は人に対し、**4**の罰金刑を科する。(法71の42②)

(法人でない社団等に対する刑事訴訟法の準用)
（２） 法人でない社団又は財団で代表者又は管理人の定めのあるものについて(1)の規定の適用がある場合には、その代表者又は管理人がその訴訟行為につき当該法人でない社団又は財団で代表者又は管理人の定めのあるものを代表するほか、法人を被告人又は被疑者とする場合の刑事訴訟に関する法律の規定を準用する。(法71の42③)

5　国税徴収法の例による滞納処分に関する虚偽の陳述の罪
2の(5)において、国税徴収法第99条の2《暴力団員等に該当しないこと等の陳述》（同法第109条《随意契約による売却》第４項において準用する場合を含む。）の規定の例により道府県知事に対して陳述すべき事項について虚偽の陳述をした者は、６月以下の懲役又は50万円以下の罰金に処する。(法71の43)

四　市町村に対する交付

道府県は、当該道府県に納入された配当割額に相当する額に政令で定める率〘100分の99〙を乗じて得た額の５分の３に相当する額を、(2)から(5)までで定めるところにより、当該道府県内の市町村（特別区を含む。以下**四**において同じ。）に対し、当該市町村に係る個人の道府県民税の額を基礎として(2)から(5)までで定めるところにより計算した額で按分して交付するものとする。(法71の47①、令9の18)

(当該市町村に係る個人の道府県民税の額)
（１） **四**の当該市町村に係る個人の道府県民税の額は、地方自治法第233条第１項の規定により調製された道府県の決算に係る個人の道府県民税の額のうち当該市町村から第一章第六節**三**の2《徴収金の払込み方法》の規定により道府県に払い込まれた個人の道府県民税の額に相当する部分の額とする。(法71の47②、規３の11)

(配当割の交付時期及び交付時期ごとの交付額)
（２） 道府県は、毎年度、**四**の規定により**四**に規定する額を当該道府県内の市町村（特別区を含む。以下同じ。）に対し交付する場合には、次の表の左欄に掲げる交付時期に、それぞれ同表の右欄に掲げる額に、当該市町村に係る個人の道府県民税の額（当該額のうちに、賦課期日現在において指定都市の区域内に住所を有した納税義務者に対して課した所得割その他の(6)で定める所得割の額（以下(2)において「指定都市に係る道府県民税所得割の額」という。）が

ある場合には、次に掲げる額の合計額。以下（2）において「基準道府県民税額」という。）を当該道府県内の各市町村に係る基準道府県民税額の合計額で除して得た数値で当該年度前３年度内（交付時期が８月である場合には、当該年度の前年度前３年度内）の各年度に係るものを合算したものの３分の１の数値を乗じて得た額を交付する。（令９の19①）

（一）　個人の道府県民税の額から指定都市に係る道府県民税所得割の額を控除した額
（二）　指定都市に係る道府県民税所得割の額に、指定都市以外の道府県民税所得割の税率（賦課期日現在において当該道府県内の指定都市以外の市町村の区域内に住所を有した納税義務者に対して課した道府県民税の所得割の税率をいう。以下（二）において同じ。）を当該指定都市以外の道府県民税所得割の税率から100分の２を控除した率で除して得た数値を乗じて得た額

交付時期	交付時期ごとに交付すべき額
８月	前年度３月から７月までの間に収入した配当割の収入額（当該期間内に過誤納に係る配当割の還付金を歳出予算から支出した場合には、その支出した額を控除した額。以下この表において同じ。）の100分の59.4に相当する額
12月	８月から11月までの間に収入した配当割の収入額の100分の59.4に相当する額
３月	12月から２月までの間に収入した配当割の収入額の100分の59.4に相当する額

　　（各交付時期に未交付額又は超過交付額がある場合）
（３）　（2）に規定する各交付時期に交付することができなかった金額があるとき、又は当該交付時期において交付すべき額を超えて交付した金額があるときは、それぞれこれらの金額を、その次の交付時期に交付すべき額に加算し、又はこれから減額するものとする。（令９の19②）

　　（交付額の算定に錯誤があった場合の加算又は減額）
（４）　（2）の規定により市町村に対して交付すべき額を交付した後において、その交付した額の算定に錯誤があったため、交付した額を増加し、又は減少する必要が生じた場合には、当該錯誤に係る額を、当該錯誤を発見した日以後に到来する交付時期において交付すべき額に加算し、又はこれから減額するものとする。（令９の19③）

　　（端数処理）
（５）　（2）に規定する各交付時期に各市町村に対し交付すべき額として（2）の規定を適用して計算する場合において、当該計算した金額に1,000円未満の端数金額があるときは、その端数金額を控除した金額をもって、当該交付時期に交付すべき額とする。（令９の19④）

　　（指定都市に係る道府県民税所得割の額）
（６）　（2）に規定する所得割は、次に掲げるものとする。（規３の11の２）
（一）　賦課期日現在において指定都市〔第二節四の（6）参照〕の区域内に住所を有した納税義務者に対して課した所得割（第一章第七節１《退職手当等に係る所得割》の規定により課した所得割を除く。以下（一）及び（二）において同じ。）。ただし、当該指定都市の区域の全部又は一部が指定都市以外の市町村の区域の全部又は一部となった場合には、当該指定都市の区域の全部又は一部から指定都市以外の市町村の区域の全部又は一部となった区域に住所を有した納税義務者に対して課した所得割であって、当該指定都市の区域の全部又は一部が指定都市以外の市町村の区域の全部又は一部となった日から５年を経過する日の属する年度の翌年度（当該経過する日が４月１日である場合には、当該経過する日の属する年度）以後の年度の各月において道府県に払い込まれたもの（当該月の属する年度の初日において引き続き指定都市以外の市町村の区域の全部又は一部である区域に係るものに限る。）については、この限りでない。
（二）　賦課期日現在において指定都市以外の市町村の区域内に住所を有した納税義務者に対して課した所得割であって、当該指定都市以外の市町村の区域の全部又は一部が指定都市の区域の全部又は一部となった日から５年を経過する日の属する年度の翌年度（当該経過する日が４月１日である場合には、当該経過する日の属する年度）以後の年度の各月において道府県に払い込まれたもの（当該月の属する年度の初日において引き続き指定都市の区域の全部又は一部である区域に係るものに限る。）

第四節　株式等譲渡所得割

一　課税標準及び税率

1　株式等譲渡所得割の課税標準
株式等譲渡所得割の課税標準は、特定株式等譲渡所得金額とする。（法71の48①）

2　株式等譲渡所得割の税率
株式等譲渡所得割の税率は、100分の5とする。（法71の49）

二　徴　　　収

1　株式等譲渡所得割の徴収の方法
株式等譲渡所得割の徴収については、特別徴収の方法によらなければならない。（法71の50）

2　株式等譲渡所得割の特別徴収の手続

① 特別徴収義務者の指定

株式等譲渡所得割を特別徴収の方法によって徴収しようとする場合には、選択口座が開設されている租税特別措置法第37条の11の3第3項第1号《特定口座内保管上場株式等の譲渡等に係る所得計算等の特例》に規定する金融商品取引業者等で特定株式等譲渡対価等の支払を受けるべき日の属する年の1月1日現在において道府県に住所を有する個人に対して当該特定株式等譲渡対価等の支払をするものを当該道府県の条例によって特別徴収義務者として指定し、これに徴収させなければならない。（法71の51①）

　　　（徴収の留意事項）
　注　株式等譲渡所得割の徴収については、特別徴収の方法によることとし、道府県は、選択口座が開設されている金融商品取引業者等で当該選択口座に係る特定口座内保管上場株式等の譲渡の対価又は上場株式等の信用取引等に係る差金決済に係る差益に相当する金額の支払いを受けるべき日の属する年の1月1日現在において当該道府県内に住所を有する者に対して当該譲渡の対価又は当該差金決済に係る差益に相当する金額の支払いをするものを、当該道府県の条例により包括的に指定するものであること。この場合において、特別徴収義務者は選択口座が開設されている金融商品取引業者等で当該選択口座に係る特定口座内保管上場株式等の譲渡の対価又は上場株式等の信用取引等に係る差金決済に係る差益に相当する金額の支払いをするものである法人であって、個々の支店、支社、営業所等ではないこと。（県通2-81）

② 特別徴収義務者の納入申告義務

①の特別徴収義務者は、特定株式等譲渡対価等の支払をする際、株式等譲渡所得割を徴収し、その徴収の日の属する年の翌年の1月10日（政令で定める場合にあっては、政令で定める日）までに、総務省令で定める様式によって、その徴収すべき株式等譲渡所得割の課税標準額、税額その他必要な事項を記載した納入申告書（以下この節において「納入申告書」という。）を当該特定株式等譲渡対価等の支払を受ける個人が当該特定株式等譲渡対価等の支払を受けるべき日の属する年の1月1日現在における当該個人の住所所在の道府県の知事に提出し、及びその納入金を当該道府県に納入する義務を負う。この場合において、当該道府県知事に提出すべき納入申告書には、総務省令で定める計算書を添付しなければならない。（法71の51②）

　　　（納入申告日の特例）
（1）　②に規定する政令で定める場合は、次の各号に掲げる場合とし、②に規定する政令で定める日は、当該各号に掲げる場合の区分に応じ、当該各号に定める日とする。（令9の20①）

第二編第三章《利子等、特定配当等及び特定株式等譲渡所得金額に係る道府県民税》第四節《株式等譲渡所得割》

(一)	その選択口座（第一節一の1の表の（六）に規定する選択口座をいう。以下2において同じ。）が開設されている金融商品取引業者等（①に規定する金融商品取引業者等をいう。以下2において同じ。）の営業の譲渡により当該選択口座に関する事務がその譲渡を受けた金融商品取引業者等の営業所に移管された場合	当該譲渡の日の属する月の翌月10日
(二)	その選択口座が開設されている金融商品取引業者等の分割により当該選択口座に関する事務がその分割による資産及び負債の移転を受けた金融商品取引業者等の営業所に移管された場合	当該分割の日の属する月の翌月10日
(三)	その選択口座が開設されている金融商品取引業者等が解散又は事業の廃止をした場合	当該解散又は廃止の日の属する月の翌月10日
(四)	その選択口座につき租税特別措置法施行令第25条の10の7第1項に規定する特定口座廃止届出書の提出があった場合	当該提出があった日の属する月の翌月10日
(五)	その選択口座につき租税特別措置法施行令第25条の10の8に規定する特定口座開設者死亡届出書の提出があった場合	当該提出があった日の属する月の翌月10日

　　（特定株式等譲渡所得金額に係る道府県民税に係る納入申告書等の様式）
（2）　②の規定によって道府県知事に提出すべき次の表の左欄に掲げる申告書等の様式は、それぞれその右欄に掲げるところによるものとする。ただし、同表に掲げる様式によることができないやむを得ない事情があると認める場合において総務大臣が別に様式を定めたときは、それぞれ当該様式によることができる。（規3の12①）

申　告　書　等　の　種　類	様　　式
(一)　道府県民税株式等譲渡所得割納入申告書	第12号の10様式
(二)　道府県民税株式等譲渡所得割特別徴収税額計算書	第12号の11様式

　　（納入書の添付）
（3）　特定株式等譲渡所得金額に係る道府県民税の特別徴収義務者が当該特別徴収に係る納入金を納入する場合（口座振替の方法により納入する場合を除く。）には、当該納入金に第12号の12様式による納入書（当該様式によることができないやむを得ない事情があると認める場合において、総務大臣が別の様式を定めたときは、当該様式による納入書）（当該書類に記載すべき事項を記録した電磁的記録を含む。）を添えて納入するものとする。（規3の12②）

③　株式等譲渡所得割の還付
　①の特別徴収義務者は、租税特別措置法第37条の11の4第3項に規定する場合には、その都度、同項に規定する満たない部分の金額又は同項に規定する特定費用の金額（当該特定費用の金額が選択口座においてその年最後に行われた同条第2項に規定する対象譲渡等に係る同項に規定する源泉徴収口座内通算所得金額を超える場合には、その超える部分の金額を控除した金額）に100分の5を乗じて計算した金額に相当する株式等譲渡所得割を還付しなければならない。（法71の51③）

　　（納入金額からの還付金額の控除）
（1）　①の特別徴収義務者が③の規定による株式等譲渡所得割の還付をする場合には、その還付すべき金額に相当する金額は、次に掲げる金額から控除するものとする。（令9の20②）
　　(一)　当該特別徴収義務者が②の規定によりその年において特定株式等譲渡対価等（第一節一の1の（六）に規定する特定株式等譲渡対価等をいう。）から徴収し、②に規定するその徴収の日の属する年の翌年の1月10日までに納入すべき金額
　　(二)　当該特別徴収義務者が第三節二の2の②《特別徴収義務者の納入申告義務》の規定によりその年において第三節二の2の④《源泉徴収選択口座に係る特別徴収義務者の特例》に規定する源泉徴収選択口座内配当等から徴収し、同④の規定により読み替えて適用される同2の②に規定する徴収の日の属する年の翌年の1月10日までに納入すべき金額

　　（納入金額から控除できない金額の道府県からの還付）
（2）　（1）の規定を適用する場合において、②の（1）の金融商品取引業者等が（1）の規定により控除することができな

い金額があるときは、(1)の特定株式等譲渡対価等に係る株式等譲渡所得割又は(1)の源泉徴収選択口座内配当等に係る配当割が納入された道府県の知事は、当該控除することができない金額に相当する金額を当該金融商品取引業者等に還付する。(令9の20③)

　　　　　((2)の適用を受けるときの書面の提出)
(3)　(2)の規定の適用を受けようとする金融商品取引業者等は、(2)の規定に該当することとなった旨を記載した書面に、当該金融商品取引業者等に開設されている選択口座ごとの(1)の規定により控除すべき金額及び当該金額の合計額のうち控除することができない部分の金額その他必要な事項を記載した明細書を添付して、これを(2)の道府県の知事に提出しなければならない。(令9の20④)

　　　　(留意事項)
(4)　特別徴収義務者は、当該特別徴収義務者が開設している選択口座においてその年中に行われた対象譲渡等により、当該対象譲渡等に係る源泉徴収口座内通算所得金額が源泉徴収口座内直前通算所得金額に満たないこととなった場合又は納税義務者が投資一任契約に基づき金融商品取扱業者に支払うべき特定費用の金額がある場合には、その都度、当該選択口座に係る個人に対して当該満たない部分の金額当該特定費用の金額(当該特定費用の金額が選択口座においてその年最後に行われた対象譲渡等に係る源泉徴収口座内通算所得金額を超える場合には、その超える金額を控除した金額)に100分の5(平成16年1月1日から平成20年12月31日までの間に当該満たないこととなった場合における当該満たない部分の金額については100分の3)を乗じて計算した金額に相当する株式等譲渡所得割を還付しなければならないものであること。この場合においては、次の諸点に留意すること。(県通2-85)
(一)　当該還付は、次に掲げる金額から控除する方法により行うものとすること。
　ア　特別徴収義務者がその年において選択口座に係る特定口座内保管上場株式等の譲渡の対価又は選択口座において処理された上場株式等の信用取引等の差金決済に係る差益に相当する金額から徴収し、その徴収の日の属する年の翌年の1月10日までに納入すべき金額
　イ　特別徴収義務者がその年において源泉徴収選択口座内配当等から徴収し、その徴収の日の属する年の翌年1月10日までに納入すべき金額
(二)　②の(1)の(一)から(三)までの規定により選択口座に係る株式等譲渡所得割割又は源泉徴収選択口座内配当等に係る配当割の納入金が道府県に納入されている場合で、当該選択口座について営業の一部の譲渡等によりその事務の移管があり、かつ、当該移管を受けた特別徴収義務者が(一)により控除することができない金額があるときは、当該選択口座に係る株式等譲渡所得割又は源泉徴収選択口座内配当等に係る配当割が納入された道府県の知事は、当該特別徴収義務者の請求に基づき当該選択口座に係る株式等譲渡所得割に係る更正を行い、当該控除することができない金額に相当する金額を当該特別徴収義務者に還付し、当該還付を受けた特別徴収義務者は、当該還付された金額を当該選択口座に係る個人に還付するものであること。
(三)　(二)による還付を行う場合には、道府県は、当該還付すべき金額に還付加算金を加算して行わなければならないものであること。この場合において、還付加算金の計算の始期は、選択口座に係る株式等譲渡所得割に係る更正があった日の翌日から起算して1月を経過する日の翌日であること。

④　**未成年者口座内上場株式等について契約不履行等事由が生じた場合の課税の特例**
　道府県は、租税特別措置法第37条の14の2《未成年者口座内の少額上場株式等に係る譲渡所得等の非課税》第5項第1号に規定する未成年者口座(以下④において「未成年者口座」という。)を開設している個人について、同法第37条の14の2第6項に規定する契約不履行等事由(以下④において「契約不履行等事由」という。)が生じ、租税特別措置法第37条の14の2第8項《未成年者口座内上場株式等について契約不履行等事由が生じた場合の課税》の規定の適用を受けたときは、同項第1号に掲げる金額から同項第2号に掲げる金額を控除した金額を一の1《株式等譲渡所得割の課税標準》に規定する特定株式等譲渡所得金額とみなして、道府県民税の株式等譲渡所得割を課する。(法附35の3の4①)

　　　　(課税の特例の適用)
(1)　④の規定の適用がある場合における第一節二の1の表の(三)《株式等譲渡所得割額の納税義務者》並びに①及び②の規定の適用については、同表の(三)中「特定株式等譲渡対価等の支払を受ける個人で当該特定株式等譲渡対価等の支払を受けるべき日」とあるのは「租税特別措置法第37条の14の2第5項第1号に規定する未成年者口座を開設する個人で同条第6項に規定する契約不履行等事由による当該未成年者口座の廃止(第四節二の2の①及び②において「未成年者口座の廃止」という。)の日」と、①中「選択口座が開設されている租税特別措置法第37条の11の3第3項

第1号に規定する金融商品取引業者等で特定株式等譲渡対価等の支払を受けるべき日」とあるのは「未成年者口座の廃止の日」と、「に対して当該特定株式等譲渡対価等の支払をするもの」とあるのは「の当該未成年者口座が開設されている租税特別措置法第37条の14第5項第1号に規定する金融商品取引業者等」と、②中「特定株式等譲渡対価等の支払をする際」とあるのは「未成年者口座の廃止の際」と、「年の翌年の1月10日（政令で定める場合にあっては、政令で定める日）」とあるのは「月の翌月10日」と、「特定株式等譲渡対価等の支払を受ける個人が当該特定株式等譲渡対価等の支払を受けるべき日」とあるのは「未成年者口座の廃止の日」とする。（法附35の3の4②）

　　　（政令委任）
（2）　④及び(1)の適用に関し必要な事項は、政令で定める。（法附35の3の4④）

3　株式等譲渡所得割に係る更正又は決定

① 更　正

　道府県知事は、2の②の規定による納入申告書の提出があった場合において、当該納入申告書に係る課税標準額又は税額がその調査したところと異なるときは、これを更正する。（法71の52①）

② 決　定

　道府県知事は、特別徴収義務者が納入申告書を提出しなかった場合には、その調査によって、納入申告すべき課税標準額及び税額を決定する。（法71の52②）

③ 再更正

　道府県知事は、①若しくは②又は③の規定によって更正し、又は決定した課税標準額又は税額について、その調査によって、過大又は過少であることを発見した場合には、これを更正する。（法71の52③）

④ 更正又は決定の通知

　道府県知事は、①から③までの規定によって更正し、又は決定した場合には、遅滞なく、これを特別徴収義務者に通知しなければならない。（法71の52④）

4　株式等譲渡所得割に係る不足金額及び延滞金の徴収

① 不足金額の徴収

　道府県の徴税吏員は、3の①から③までの規定による更正又は決定があった場合において、不足金額（更正による納入金額の不足額又は決定による納入金額をいう。以下この節において同じ。）があるときは、3の④の通知をした日から1月を経過した日を納期限として、これを徴収しなければならない。（法71の53①）

② 延滞金の徴収

　①の場合には、その不足金額に2の②の納期限（納期限の延長があったときは、その延長された納期限。三の2《株式等譲渡所得割に係る滞納処分》を除き、以下この節において同じ。）の翌日から納入の日までの期間の日数に応じ、年14.6パーセント（①の納期限までの期間又は当該納期限の翌日から1月を経過する日までの期間については、年7.3パーセント）の割合を乗じて計算した金額に相当する延滞金額を加算して徴収しなければならない。（法71の53②）
　　（注）　②に規定する延滞金の年7.3パーセントの割合については特例規定が設けられているので、第一編第十章12の①《延滞金の割合の特例》を参照。（編者）

③ 延滞金の減免

　道府県知事は、特別徴収義務者が3の規定による更正又は決定を受けたことについてやむを得ない理由があると認める場合には、②の延滞金額を減免することができる。（法71の53③）

5　納期限後に申告納入する株式等譲渡所得割に係る納入金の延滞金

①　延滞金の納入義務

　株式等譲渡所得割の特別徴収義務者は、2の②の納期限後にその納入金を納入する場合には、当該納入金額に、その納期限の翌日から納入の日までの期間の日数に応じ、年14.6パーセント（当該納期限の翌日から1月を経過する日までの期間については、年7.3パーセント）の割合を乗じて計算した金額に相当する延滞金額を加算して納入しなければならない。
　（法71の54①）

　　（注）　①の規定する延滞金の年7.3パーセントの割合については特例規定が設けられているので、第一編第十章12の①《延滞金の割合の特例》を参照。（編者）

②　延滞金の減免

　道府県知事は、特別徴収義務者が2の②の納期限までに納入金を納入しなかったことについてやむを得ない理由があると認める場合には、①の延滞金額を減免することができる。（法71の54②）

6　株式等譲渡所得割に係る納入金の過少申告加算金及び不申告加算金

①　過少申告加算金

（一）	納入申告書の提出期限までにその提出があった場合（納入申告書の提出期限後にその提出があった場合において、②の（一）ただし書又は②の（一）の（1）の規定の適用があるときを含む。（二）において同じ。）において、3の①又は③の規定による更正があったときは、道府県知事は、当該更正前の納入申告に係る課税標準額又は税額に誤りがあったことについて正当な事由がないと認める場合には、当該更正による不足金額（（二）において「対象不足金額」という。）に100分の10の割合を乗じて計算した金額に相当する過少申告加算金額を徴収しなければならない。（法71の55①）
（二）	（一）の規定に該当する場合において、当該対象不足金額（当該更正前にその更正に係る株式等譲渡所得割について更正があった場合には、その更正による不足金額の合計額（当該更正前の納入申告に係る課税標準額又は税額に誤りがあったことについて正当な事由があると認められたときは、その更正による不足金額を控除した金額とし、当該株式等譲渡所得割についてその納入すべき金額を減少させる更正又は更正に係る審査請求若しくは訴えについての裁決若しくは判決による原処分の異動があったときは、これらにより減少した部分の金額に相当する金額を控除した金額とする。）を加算した金額とする。）が納入申告書の提出期限までにその提出があった場合における当該納入申告書に係る税額に相当する金額と50万円とのいずれか多い金額を超えるときは、（一）に規定する過少申告加算金額は、（一）の規定にかかわらず、（一）の規定により計算した金額に、その超える部分に相当する金額（当該対象不足金額が当該超える部分に相当する金額に満たないときは、当該対象不足金額）に100分の5の割合を乗じて計算した金額を加算した金額とする。（法71の55②）

②　不申告加算金

\multicolumn{3}{l}{次の各号のいずれかに該当する場合には、道府県知事は、当該各号に規定する納入申告、決定又は更正により納入すべき税額に100分の15の割合を乗じて計算した金額に相当する不申告加算金額を徴収しなければならない。ただし、納入申告書の提出期限までにその提出がなかったことについて正当な理由があると認められる場合は、この限りでない。（法71の55③）}		
（一）	イ	納入申告書の提出期限後にその提出があった場合又は3の②の規定による決定があった場合
	ロ	納入申告書の提出期限後にその提出があった後において3の①又は③の規定による更正があった場合
	ハ	3の②の規定による決定があった後において3の③の規定による更正があった場合

　　　　　（不申告加算金を徴収されない場合）
　　　（1）　（一）の規定は、（五）の規定に該当する納入申告書の提出があった場合において、その提出が、納入申告書の提出期限までに提出する意思があったと認められる場合として（2）で定める場合に該当して行われたものであり、かつ、納入申告書の提出期限から1月を経過する日までに行われたものであるときは、適用しない。（法

71の55⑨)

(納入申告書の提出期限までに提出する意思があったと認められる場合)
(2) (1)に規定する納入申告書の提出期限までに提出する意思があったと認められる場合は、次の各号のいずれにも該当する場合とする。(令9の20の3)
(一) (1)に規定する納入申告書の提出があった日の前日から起算して1年前の日までの間に、株式等譲渡所得割について、(一)の表のイに該当することにより不申告加算金額又は重加算金額を課されたことがない場合であって、(1)の規定の適用を受けていないとき。
(二) (一)に規定する納入申告書に係る納入すべき税額の全額が、次に掲げる場合の区分に応じ、それぞれ次に定める期限又は日までに納入されていた場合
イ ロに掲げる場合以外の場合　当該納入すべき税額に係る2の②の納期限(納期限の延長があったときは、その延長された納期限)
ロ 道府県知事が当該納入申告書に係る納入について口座振替の方法による旨の申出を受けていた場合　当該納入申告書の提出があった日

| (二) | (一)の規定に該当する場合((一)ただし書又は(一)の(1)の規定の適用がある場合を除く。(三)及び(四)において同じ。)において、(一)に規定する納入すべき税額((一)の表のロ又はハに該当する場合には、これらの規定に規定する更正前にされた当該株式等譲渡所得割に係る納入申告書の提出期限後の納入申告又は3の①から③までの規定による更正若しくは決定により納入すべき税額の合計額(当該納入すべき税額を減少させる更正又は更正に係る審査請求若しくは訴えについての裁決若しくは判決による原処分の異動があったときは、これらにより減少した部分の税額に相当する金額を控除した金額とする。(三)において「累積納入税額」という。)を加算した金額。(三)において「加算後累積納入税額」という。)が50万円を超えるときは、(一)に規定する不申告加算金額は、(一)の規定にかかわらず、(一)の規定により計算した金額に、その超える部分に相当する金額((一)に規定する納入すべき税額が当該超える部分に相当する金額に満たないときは、当該納入すべき税額)に100分の5の割合を乗じて計算した金額を加算した金額とする。(法71の55④) |

(三)	(一)の規定に該当する場合において、加算後累積納入税額(当該加算後累積納入税額の計算の基礎となった事実のうちに(一)各号に規定する納入申告、決定又は更正前の税額(還付金の額に相当する税額を含む。)の計算の基礎とされていなかったことについて当該特別徴収義務者の責めに帰すべき事由がないと認められるものがあるときは、その事実に基づく税額として注で定めるところにより計算した金額を控除した税額)が300万円を超えるときは、(一)に規定する不申告加算金額は、(一)及び(二)の規定にかかわらず、加算後累積納入税額を次の各号に掲げる金額に区分してそれぞれの金額に当該各号に定める割合を乗じて計算した金額の合計額から累積納入税額を当該各号に掲げる金額に区分してそれぞれの金額に当該各号に定める割合を乗じて計算した金額の合計額を控除した金額とする。(法71の55⑤)	
		イ	50万円以下の部分に相当する金額	100分の15の割合
		ロ	50万円を超え300万円以下の部分に相当する金額	100分の20の割合
		ハ	300万円を超える部分に相当する金額	100分の30の割合

(特別徴収義務者の責めに帰すべき事由がないと認められる事実に基づく税額)
注　(三)の(注)に規定する金額は、同(注)に規定する当該特別徴収義務者の責めに帰すべき事由がないと認められる事実のみに基づいて(一)のイからハまでに規定する納入申告、決定又は更正があったものとした場合におけるその納入申告、決定又は更正により納入すべき税額とする。(令9の20の2)

| (四) | (一)の規定に該当する場合において、次の各号のいずれかに該当するときは、(一)に規定する不申告加算金額は、(一)から(三)までの規定にかかわらず、これらの規定により計算した金額に、(一)に規定する納入すべき税額に100分の10の割合を乗じて計算した金額を加算した金額とする。(法71の55⑥) ||
|| イ | 納入申告書の提出期限後のその提出(当該納入申告書に係る株式等譲渡所得割について道府県知事の調査による決定があるべきことを予知してされたものに限る。ロにおいて同じ。)又は3の①から③までの規定による更正若しくは決定があった日の前日から起算して5年前の日までの間に、株式等譲渡所得割について、不申告加算金((五)の規定の適用があるものを除く。ロにおいて同じ。)又は重加算金(7の(一)の(1)のイに |

		において「不申告加算金等」という。）を徴収されたことがある場合
	ロ	納入申告書の提出期限後のその提出又は3の①から③までの規定による更正若しくは決定に係る株式等譲渡所得割の特別徴収義務が成立した日の属する年の前年及び前々年に特別徴収義務が成立した株式等譲渡所得割について、不申告加算金若しくは重加算金（7の（二）の規定の適用があるものに限る。）（以下ロ及び7の（一）の（1）のロにおいて「特定不申告加算金等」という。）を徴収されたことがあり、又は特定不申告加算金等に係る決定をすべきと認める場合
（五）		納入申告書の提出期限後にその提出があった場合において、その提出が当該納入申告書に係る株式等譲渡所得割について道府県知事の調査による決定があるべきことを予知してされたものでないときは、当該納入申告書に係る税額に係る（一）に規定する不申告加算金額は、（一）から（三）までの規定にかかわらず、当該税額に100分の5の割合を乗じて計算した金額に相当する額とする。（法71の55⑦）

③ **過少申告加算金額又は不申告加算金額の決定の通知**

　道府県知事は、①の（一）の規定により徴収すべき過少申告加算金額又は②の（一）の規定により徴収すべき不申告加算金額を決定した場合には、遅滞なく、これを特別徴収義務者に通知しなければならない。（法71の55⑧）

7　株式等譲渡所得割に係る納入金の重加算金

（一）	過少申告加算金に代えて徴収する重加算金	6の①の（一）の規定に該当する場合において、特別徴収義務者が課税標準額の計算の基礎となるべき事実の全部又は一部を隠蔽し、又は仮装し、かつ、その隠蔽し、又は仮装した事実に基づいて納入申告書又は第一編第十章10の④《更正請求書の地方団体の長への提出》に規定する更正請求書（（二）において「更正請求書」という。）を提出したときは、道府県知事は、（2）で定めるところにより、同（一）に規定する過少申告加算金額（同（二）の規定の適用がある場合には、同（二）の規定による加算後の金額）に代えて、その計算の基礎となるべき更正による不足金額に100分の35の割合を乗じて計算した金額に相当する重加算金額を徴収しなければならない。（法71の56①） （更正等があった日の前日から起算して5年前の日までの間に不申告加算金等を徴収されたことがある場合の重加算金額の計算） （1）　（一）又は（二）の規定に該当する場合において、次のイ又はロのいずれか（（一）の規定に該当する場合にあっては、イ）に該当するときは、（一）又は（二）に規定する重加算金額は、これらの規定にかかわらず、これらの規定により計算した金額に、（一）の規定に該当するときは（一）に規定する計算の基礎となるべき更正による不足金額に、（二）の規定に該当するときは（二）に規定する計算の基礎となるべき税額に、それぞれ100分の10の割合を乗じて計算した金額を加算した金額とする。（法71の56③） 　　イ　（一）又は（二）に規定する課税標準額の計算の基礎となるべき事実で隠蔽し、又は仮装されたものに基づき納入申告書の提出期限後のその提出又は3の①から③までの規定による更正若しくは決定があった日の前日から起算して5年前の日までの間に、株式等譲渡所得割について、不申告加算金等を徴収されたことがある場合 　　ロ　納入申告書の提出期限後のその提出又は3の①から③までの規定による更正若しくは決定に係る株式等譲渡所得割の特別徴収義務が成立した日の属する年の前年及び前々年に特別徴収義務が成立した株式等譲渡所得割について、特定不申告加算金等を徴収されたことがあり、又は特定不申告加算金等に係る決定をすべきと認める場合 （重加算金額の計算） （2）　（一）又は（1）（（一）の重加算金に係る部分に限る。以下（2）において同じ。）の規定により、過少申告加算金額に代えて、重加算金額を徴収する場合には、（一）又は（1）の規定による重加算金額の算定の基礎となるべき（一）又は（1）に規定する不足金額に相当する金額を、6の①の（一）に規定する対象不足金額から控除して計算するものとした場合における過少申告加算金以外の部分の過少申告加算金額に代えて、重加算金額を徴収するものとする。（令9の21）

(二)	不申告加算金に代えて徴収する重加算金	6の②の(一)の規定に該当する場合（同(一)のただし書の規定の適用がある場合を除く。）において、特別徴収義務者が課税標準額の計算の基礎となるべき事実の全部又は一部を隠蔽し、又は仮装し、かつ、その隠蔽し、又は仮装した事実に基づいて納入申告書の提出期限までにこれを提出せず、又は納入申告書の提出期限後にその提出をし、若しくは更正請求書を提出したときは、道府県知事は、同(一)に規定する不申告加算金額に代えて、その計算の基礎となるべき税額に100分の40の割合を乗じて計算した金額に相当する重加算金額を徴収しなければならない。（法71の56②） （注）　更正等があった日の前日から起算して5年前の日までの間に不申告加算金等を徴収されたことがある場合の重加算金額の計算については、(一)の(1)参照。（編者） 　　　（納入申告書の提出が決定があるべきことを予知してされたものでない場合の不徴収） 　注　道府県知事は、(二)又は(一)の(1)の規定に該当する場合において、納入申告書の提出について6の②の(五)に規定する事由があるときは、当該納入申告書に係る税額を基礎として計算した重加算金額を徴収しない。（法71の56④）

（注）　(一)及び(二)中＿＿部分のように改める令和6年度改正規定は、令和7年1月1日以後に2の②に規定する納入申告書の提出期限が到来する道府県民税の株式等譲渡所得割について適用し、令和7年1月1日前に当該提出期限が到来した道府県民税の株式等譲渡所得割については、なお従前の例による。（令6改法附1二、4③）

　　　（重加算金額の決定の通知）
　注　道府県知事は、7の(一)又は(二)の規定によって徴収すべき重加算金額を決定した場合には、遅滞なく、これを特別徴収義務者に通知しなければならない。（法71の56⑤）

8　株式等譲渡所得割の脱税に関する罪

　2の②の規定により徴収して納入すべき株式等譲渡所得割の納入金の全部又は一部を納入しなかったときは、その違反行為をした者は、10年以下の懲役若しくは200万円以下の罰金に処し、又はこれを併科する。（法71の57①）

　　　（脱税額が200万円を超える場合の罰金額の加重）
（1）　8の納入しなかった金額が200万円を超える場合には、情状により、8の罰金の額は、8の規定にかかわらず、200万円を超える額でその納入しなかった金額に相当する額以下の額とすることができる。（法71の57②）

　　　（両罰規定）
（2）　法人の代表者又は代理人、使用人その他の従業者が、その法人の業務又は財産に関して8の違反行為をした場合には、その行為者を罰するほか、その法人に対し、8の罰金刑を科する。（法71の57③）

　　　（罰金刑を科する場合の公訴時効期間）
（3）　(2)の規定により8の違反行為につき法人に罰金刑を科する場合における時効の期間は、8の罪についての時効の期間による。（法71の37④）

三　督促及び滞納処分

1　株式等譲渡所得割に係る督促

　特別徴収義務者が納期限（二の3の①から③までの規定による更正又は決定があった場合には、二の4の①の納期限。以下この節において同じ。）までに株式等譲渡所得割に係る地方団体の徴収金を完納しない場合には、道府県の徴税吏員は、納期限後20日以内に、督促状を発しなければならない。ただし、繰上徴収をする場合には、この限りでない。（法71の58①）

　　　（特別の事情がある場合の督促状の発付期限）
（1）　特別の事情がある道府県においては、当該道府県の条例で1に規定する期間と異なる期間を定めることができる。（法71の58②）

　　　（株式等譲渡所得割に係る督促手数料）
（2）　道府県の徴税吏員は、督促状を発した場合には、当該道府県の条例の定めるところによって、手数料を徴収することができる。（法71の59）

2　株式等譲渡所得割に係る滞納処分

　株式等譲渡所得割に係る滞納者が次の各号のいずれかに該当するときは、道府県の徴税吏員は、当該株式等譲渡所得割に係る地方団体の徴収金につき、滞納者の財産を差し押さえなければならない。（法71の60①）

(一)	滞納者が督促を受け、その督促状を発した日から起算して10日を経過した日までにその督促に係る株式等譲渡所得割に係る地方団体の徴収金を完納しないとき。
(二)	滞納者が繰上徴収に係る告知により指定された納期限までに株式等譲渡所得割に係る地方団体の徴収金を完納しないとき。

　　　（第二次納税義務者又は保証人に対する催告）
（１）　第二次納税義務者又は保証人について２の規定を適用する場合には、２の表の(一)中「督促状」とあるのは、「納入の催告書」とする。（法71の60②）

　　　（繰上差押え）
（２）　株式等譲渡所得割に係る地方団体の徴収金の納期限後２の表の(一)に規定する10日を経過した日までに、督促を受けた滞納者につき繰上徴収の事由〖第一編第三章二の１〗のいずれかに該当する事実が生じたときは、道府県の徴税吏員は、直ちにその財産を差し押さえることができる。（法71の60③）

　　　（強制換価手続が行われた場合の交付要求）
（３）　滞納者の財産につき強制換価手続が行われた場合には、道府県の徴税吏員は、執行機関（破産法第114条第１号に掲げる請求権に係る株式等譲渡所得割に係る地方団体の徴収金の交付要求を行う場合には、その交付要求に係る破産事件を取り扱う裁判所）に対し、滞納に係る株式等譲渡所得割に係る地方団体の徴収金につき、交付要求をしなければならない。（法71の60④）

　　　（参加差押え）
（４）　道府県の徴税吏員は、２、（１）及び（２）の規定により差押えをすることができる場合において、滞納者の財産で国税徴収法第86条第１項《参加差押えの手続》各号に掲げるものにつき、既に他の地方団体の徴収金若しくは国税の滞納処分又はこれらの滞納処分の例による処分による差押えがされているときは、当該財産についての交付要求は、参加差押えによりすることができる。（法71の60⑤）

　　　（国税徴収法の例による滞納処分）
（５）　２及び（１）から（４）までに定めるもののほか、株式等譲渡所得割に係る地方団体の徴収金の滞納処分については、国税徴収法に規定する滞納処分の例による。（法71の60⑥）

　　　（道府県の区域外における処分）
（６）　２及び（１）から（５）までの規定による処分は、当該道府県の区域外においても行うことができる。（法71の60⑦）

3　株式等譲渡所得割に係る滞納処分に関する罪

　株式等譲渡所得割の特別徴収義務者が滞納処分の執行を免れる目的でその財産を隠蔽し、損壊し、若しくは道府県の不利益に処分し、その財産に係る負担を偽って増加する行為をし、又はその現状を改変して、その財産の価額を減損し、若しくはその滞納処分に係る滞納処分費を増大させる行為をしたときは、その者は、３年以下の懲役若しくは250万円以下の罰金に処し、又はこれを併科する。（法71の61①）

　　　（財産占有者に対する罰則）
（１）　特別徴収義務者の財産を占有する第三者が特別徴収義務者に滞納処分の執行を免れさせる目的で３の行為をしたときも、３と同様とする。（法71の61②）

　　　（情を知った違反行為の相手方に対する罰則）
（２）　情を知って３又は（１）の行為につき特別徴収義務者又はその財産を占有する第三者の相手方となったときは、その相手方としてその違反行為をした者は、２年以下の懲役若しくは150万円以下の罰金に処し、又はこれを併科する。

(法71の61③)

　　　(両罰規定)
(3)　法人の代表者又は法人若しくは人の代理人、使用人その他の従業者が、その法人又は人の業務又は財産に関して3及び(1)又は(2)の違反行為をした場合には、その行為者を罰するほか、その法人又は人に対し、当該各項の罰金刑を科する。(法71の61④)

　　　(法人でない社団等に対する刑事訴訟法の準用)
(4)　法人でない社団又は財団で代表者又は管理人の定めのあるものについて(3)の規定の適用がある場合には、その代表者又は管理人がその訴訟行為につき当該法人でない社団又は財団で代表者又は管理人の定めのあるものを代表するほか、法人を被告人又は被疑者とする場合の刑事訴訟に関する法律の規定を準用する。(法71の61⑤)

4　国税徴収法の例による株式等譲渡所得割に係る滞納処分に関する検査拒否等の罪

次の各号のいずれかに該当する場合には、その違反行為をした者は、1年以下の懲役又は50万円以下の罰金に処する。(法71の62①)

(一)	2の(5)の場合において、国税徴収法第141条《質問及び検査》の規定の例により行う道府県の徴収吏員の質問に対して答弁をせず、又は偽りの陳述をしたとき。
(二)	2の(5)の場合において、国税徴収法第141条の規定の例により行う道府県の徴収吏員の帳簿書類(同条に規定する帳簿書類をいう。(二)において同じ。)その他の物件の検査を拒み、妨げ、又は忌避したとき
(三)	2の(5)の場合において、国税徴収法第141条の規定の例により行う道府県の徴収吏員の物件の提示又は提出の要求に対し、正当な理由がなくこれに応じず、又は偽りの記載若しくは記録をした帳簿書類その他の物件(その写しを含む。)を提示し、若しくは提出したとき。

　　　(両罰規定)
(1)　法人の代表者又は法人若しくは人の代理人、使用人その他の従業者が、その法人又は人の業務又は財産に関して4の違反行為をした場合には、その行為者を罰するほか、その法人又は人に対し、4の罰金刑を科する。(法71の62②)

　　　(法人でない社団等に対する刑事訴訟法の準用)
(2)　法人でない社団又は財団で代表者又は管理人の定めのあるものについて(1)の規定の適用がある場合には、その代表者又は管理人がその訴訟行為につき当該法人でない社団又は財団で代表者又は管理人の定めのあるものを代表するほか、法人を被告人又は被疑者とする場合の刑事訴訟に関する法律の規定を準用する。(法71の62③)

5　国税徴収法の例による滞納処分に関する虚偽の陳述の罪

2の(5)において、国税徴収法第99条の2《暴力団員等に該当しないこと等の陳述》(同法第109条《随意契約による売却》第4項において準用する場合を含む。)の規定の例により道府県知事に対して陳述すべき事項について虚偽の陳述をした者は、6月以下の懲役又は50万円以下の罰金に処する。(法71の63)

四　市町村に対する交付

道府県は、当該道府県に納入された株式等譲渡所得割額に相当する額に100分の99を乗じて得た額の5分の3に相当する額を、(2)から(5)までで定めるところにより、当該道府県内の市町村(特別区を含む。以下**五**において同じ。)に対し、当該市町村に係る個人の道府県民税の額を基礎として(2)から(5)までで定めるところにより計算した額で按分して交付するものとする。(法71の67①、令9の22)

　　　(当該市町村に係る個人の道府県民税の額)
(1)　**四**の当該市町村に係る個人の道府県民税の額は、地方自治法第233条第1項の規定により調製された道府県の決算に係る個人の道府県民税の額のうち当該市町村から第一章第六節三の2《徴収金の払込み方法》の規定により道府県

第二編第三章《利子等、特定配当等及び特定株式等譲渡所得金額に係る道府県民税》第四節《株式等譲渡所得割》

に払い込まれた個人の道府県民税の額に相当する部分の額とする。（法71の67②、規3の13）

　　　（株式等譲渡所得割の交付時期及び交付額）
（2）　四の規定により市町村（特別区を含む。以下同じ。）に対し交付するものとされる株式等譲渡所得割に係る交付金については、道府県は、毎年度3月に、各市町村に対し、前年度3月から当該年度2月までの間に収入した株式等譲渡所得割の収入額（当該期間内に過誤納に係る株式等譲渡所得割の還付金を歳出予算から支出した場合には、その支出した額を控除した額）の100分の59.4に相当する額に、当該市町村に係る個人の道府県民税の額（当該額のうちに、賦課期日現在において指定都市の区域内に住所を有した納税義務者に対して課した所得割その他の（6）で定める所得割の額（以下（2）において「指定都市に係る道府県民税所得割の額」という。）がある場合には、次に掲げる額の合計額。以下（2）において「基準道府県民税額」という。）を当該道府県内の各市町村に係る基準道府県民税額の合計額で除して得た数値で当該年度前3年度内の各年度に係るものを合算したものの3分の1の数値を乗じて得た額を交付するものとする。（令9の23①）
　（一）　個人の道府県民税の額から指定都市に係る道府県民税所得割の額を控除した額
　（二）　指定都市に係る道府県民税所得割の額に、指定都市以外の道府県民税所得割の税率（賦課期日現在において当該道府県内の指定都市以外の市町村の区域内に住所を有した納税義務者に対して課した道府県民税の所得割の税率をいう。以下（二）において同じ。）を当該指定都市以外の道府県民税所得割の税率から100分の2を控除した率で除して得た数値を乗じて得た額

　　　（交付金について未交付額又は超過交付額がある場合）
（3）　（2）に規定する株式等譲渡所得割に係る交付金について、各年度に交付することができなかった金額があるとき、又は当該年度において交付すべき額を超えて交付した金額があるときは、それぞれこれらの金額を、その翌年度に交付すべき額に加算し、又はこれから減額するものとする。（令9の23②）

　　　（交付額の算定に錯誤があった場合の加算又は減額）
（4）　（2）の規定により市町村に対して交付すべき額を交付した後において、その交付した額の算定に錯誤があったため、交付した額を増加し、又は減少する必要が生じた場合には、当該錯誤に係る額を、当該錯誤を発見した年度又はその翌年度において交付すべき額に加算し、又はこれから減額するものとする。（令9の23③）

　　　（端数処理）
（5）　（2）の規定を適用して各市町村に対し交付すべき額を計算する場合において、当該計算した金額に1,000円未満の端数金額があるときは、その端数金額を控除した金額をもって、各市町村に対し交付すべき額とする。（令9の23④）

　　　（指定都市に係る道府県民税所得割の額）
（6）　（2）に規定する所得割は、次に掲げるものとする。（規3の13の2）
　（一）　賦課期日現在において指定都市〔第二節四の（6）参照〕の区域内に住所を有した納税義務者に対して課した所得割（第一章第七節1《退職手当等に係る所得割》の規定により課した所得割を除く。以下（一）及び（二）において同じ。）。ただし、当該指定都市の区域の全部又は一部が指定都市以外の市町村の区域の全部又は一部となった場合には、当該指定都市の区域の全部又は一部から指定都市以外の市町村の区域の全部又は一部となった区域に住所を有した納税義務者に対して課した所得割であって、当該指定都市の区域の全部又は一部が指定都市以外の市町村の区域の全部又は一部となった日から5年を経過する日の属する年度の翌年度（当該経過する日が4月1日である場合には、当該経過する日の属する年度）以後の年度の各月において道府県に払い込まれたもの（当該月の属する年度の初日において引き続き指定都市以外の市町村の区域の全部又は一部である区域に係るものに限る。）については、この限りでない。
　（二）　賦課期日現在において指定都市以外の市町村の区域内に住所を有した納税義務者に対して課した所得割であって、当該指定都市以外の市町村の区域の全部又は一部が指定都市の区域の全部又は一部となった日から5年を経過する日の属する年度の翌年度（当該経過する日が4月1日である場合には、当該経過する日の属する年度）以後の年度の各月において道府県に払い込まれたもの（当該月の属する年度の初日において引き続き指定都市の区域の全部又は一部である区域に係るものに限る。）

第四章　個人の事業税

◆令和6年度改正事項◆

（1）　新たな公益信託制度の創設に伴い、法人が受託者となる公益信託の信託財産に属する資産及び負債並びに当該信託財産に帰せられる収益及び費用は、当該法人の資産及び負債並びに収益及び費用でないものとみなすこととする等の措置を講ずることとした。（法72の3①③）

（2）　新たな公益信託制度の創設に伴い、公益信託の委託者等は当該公益信託の信託財産に属する資産及び負債を有するものとみなし、かつ、当該信託財産に帰せられる収益及び費用は当該委託者等の収益及び費用とみなすこととする特例措置を廃止することとした。（旧法附8の4）

第一節　通　　則

一　課税団体及び納税義務者

　個人の事業税は、個人の行う第1種事業、第2種事業及び第3種事業に対し、所得を課税標準として事務所又は事業所所在の道府県において、その個人に課する。（法72の2③）
　（注）　法人課税信託の引受けを行う個人に対する納税義務及び法人課税信託の受託者に関する事業税の取扱いについては、それぞれ第五章第一節二の3及び同節三を参照。（編者）

　　　　（国内に主たる事務所又は事業所を有しない場合）
（1）　地方税法の施行地（以下「**国内**」という。）に主たる事務所若しくは事業所を有しない個人の行う事業に対する第四章の規定の適用については、恒久的施設をもって、その事務所又は事業所とする。（法72の2⑥）

　　　　（国内に主たる事務所又は事業所を有しない個人についての留意事項）
（2）　国内に主たる事務所若しくは事業所を有しない個人の行う事業に対しては、当該個人が国内に恒久的施設（（1）に規定する場所をいう。）を有する場合に限り、事業税を課することができるものであること。（県通3－1の4）

　　　　（民法組合等についての留意事項）
（3）　民法第667条の規定による組合は、当該組合の組合員である個人に対して、事務所等所在の道府県において事業税を課するものであること。有限責任事業組合契約に関する法律第2条の規定による有限責任事業組合（ＬＬＰ）についても同様であること。
　　この場合、当該個人ごとに、第一編第一章一の1の注における事務所等の判定をするものであること。（県通3－1の6）

　　　　（事務所又は事業所を設けないで行う事業）
（4）　事務所又は事業所を設けないで行う第1種事業、第2種事業及び第3種事業については、その事業を行う者の住所又は居所のうちその事業と最も関係の深いものをもって、その事務所又は事業所とみなして、事業税を課する。（法72の2⑦）

二 課税客体

1 第1種事業
一の「第1種事業」とは、次に掲げるものをいう。(法72の2⑧)

(一)	物品販売業(動植物その他通常物品といわないものの販売業を含む。)
(一の二)	保険業
(二)	金銭貸付業 　　　(金銭貸付業の範囲) 　注　金銭貸付業とは、通常一定の店舗その他の営業場を設けて金銭の貸付けを継続して営む者をいうのであって、親戚、小作人、縁故者等に対してたまたま金銭を貸し付けた事実によって、直ちに金銭貸付業を行う者とはいえないものであること。(県通3-2の1(1))
(三)	物品貸付業(動植物その他普通に物品といわないものの貸付業を含む。) 　　　(物品貸付業の範囲) 　注　物品貸付業とは、対価の収得を目的として物品を貸付ける事業をいうものであるが、この場合において物品とは、動植物その他通常物品といわないものを含むものであるから、乗馬、船舶等の貸付業もこれに含まれるものであること。(県通3-2の1(2))
(四)	不動産貸付業 　　　(不動産貸付業の認定に当っての留意事項) 　注　不動産貸付業とは、継続して、対価の取得を目的として、不動産の貸付け(地上権又は永小作権の設定によるものを含む。)を行う事業をいうものであること。なお、不動産貸付業に該当するかどうかの認定に当たっては、所得税の取扱いを参考とするとともに次の諸点に留意すること。(県通3-2の1(3)) 　イ　アパート、貸間等の一戸建住宅以外の住宅の貸付けを行っている場合においては居住の用に供するために独立的に区画された一の部分の数が、一戸建住宅の貸付けを行っている場合においては住宅の棟数が、それぞれ10以上であるものについては、不動産貸付業と認定すべきものであること。 　ロ　住宅用土地の貸付けを行っている場合においては、貸付契約件数(一の契約において2画地以上の土地を貸付けている場合はそれぞれを1件とする。)が10件以上又は貸付総面積が2,000平方メートル以上であるものについては、不動産貸付業と認定すべきものであること。 　ハ　一戸建住宅とこれ以外の住宅の貸付又は住宅と住宅用土地の貸付けを併せて行っている場合等については、イ又はロとの均衡を考慮して取り扱うことが適当であること。
(五)	製造業(物品の加工修理業を含む。) 　　　(かん水製造業等の非課税) 　注　塩田を中心とする個人の行うかん水製造業又は塩田業は、個人の行う農業又は林業との均衡を考慮し、事業税を課さないものとすることが適当であること。ただし、かん水から塩を作るせんごうの部分は、製造業として課税するものであること。(県通3-2の1(4))
(六)	電気供給業
(七)	土石採取業
(八)	電気通信事業(放送事業を含む。) 　　　(「電気通信事業(放送事業を含む。)」の範囲) 　注　電気通信事業(放送事業を含む。)とは、対価の取得を目的として、他人の需要に応ずるために、有線、無線その他の電磁的方法により、符号、音響又は影像を送り、伝え、又は受けるための電気通信設備を用いて他人の通信を媒介し、又は電気通信設備を他人の通信の用に供する事業をいうものであること。(県通3-2の1(5))

(九)	運送業
(十)	運送取扱業
(十一)	船舶定係場業
(十二)	倉庫業（物品の寄託を受け、これを保管する業を含む。）
(十三)	駐車場業 　　　（駐車場業の認定に当っての留意事項） 　　注　駐車場業とは、対価の取得を目的として、自動車の駐車のための場所を提供する事業をいうものであること。なお、建築物である駐車場を除き、駐車台数が10台以上である場合には、駐車場業と認定すべきものであること。（県通３－２の１(6)）
(十四)	請負業 　　　（請負業の範囲） 　　注　請負業とは、その事業が通常請負契約によって行われるものをいうものであること。なお、大工、左官、とび職等が請負業に該当するかどうかの認定に当たっては、国の税務官署の取扱いに準ずるものであること。（県通３－２の１(7)）
(十五)	印刷業
(十六)	出版業
(十七)	写真業
(十八)	席貸業
(十九)	旅館業
(二十)	料理店業
(二十一)	飲食店業
(二十二)	周旋業
(二十三)	代理業
(二十四)	仲立業
(二十五)	問屋業
(二十六)	両替業
(二十七)	公衆浴場業（３の表の(二十)に掲げるものを除く。）
(二十八)	演劇興行業
(二十九)	遊技場業
(三十)	遊覧所業
(三十一)	前各号に掲げる事業に類する事業で政令で定めるもの 　　　（政令で定める事業） 　　注　(三十一)に規定する事業で政令で定めるものは、次に掲げるものとする。（令10の３） 　　　　イ　商品取引業 　　　　ロ　不動産売買業 　　　　ハ　広告業 　　　　ニ　興信所業 　　　　ホ　案内業 　　　　ヘ　冠婚葬祭業 　　　　　（注）　注中＿＿部分「令10の３」を「令10の７」に改める令和６年度改正規定は、令和８年４月１日以後適用する。（令６政令第138号附１）

2　第2種事業

一の「第2種事業」とは、次に掲げるもので、政令で定める主として自家労力を用いて行うもの以外のものをいう。(法72の2⑨)

(一)	畜産業（農業に付随して行うものを除く。） 　　（畜産業の範囲） 　注　畜産業とは、家きん又は家畜の繁殖、育成及び畜産物の生産を目的とした事業をいうものであること。ただし、畜産業中、農業に付随して行われるものは、非課税の取扱いとされているのであるが、この場合において、「農業に付随して行うもの」とは、家きん又は家畜の飼育が農業に有機的に結合して一体としての経営単位をなし、かつ、畜産業収入が農業収入の一部にすぎない程度のものをいうものであること。したがって、農耕用等の使用に充てている家きん又は家畜を飼育するものは、畜産業に該当しないものであること。（県通3-2の1(8)）
(二)	水産業（小規模な水産動植物の採捕の事業として政令で定めるものを除く。） 　　（政令で定める小規模な水産動植物の採捕の事業） （1）　(二)に規定する小規模な水産動植物の採捕の事業として政令で定めるものは、次に掲げる事業（漁業法第60条第3項に規定する定置漁業を除く。）とする。（令11の2） 　イ　無動力漁船若しくは総トン数10トン未満の動力漁船（とう載魚船を除く。）を使用して、又は漁船を使用しないで行う水産動植物の採捕の事業 　ロ　漁具を定置して行う水産動物の採捕の事業（イに該当するものを除く。） 　　（水産業の範囲） （2）　水産業とは、海洋、河川、湖沼等により魚、貝又は海藻類の捕獲採取、養殖及びこれらのものの加工をなす事業をいうものであるが、特にその為の施設を設けないで行う収獲魚類の乾燥、塩蔵等の原始加工を行う部門をも含むものであること。（県通3-2の1(9)）
(三)	(一)及び(二)に掲げる事業に類する事業で政令で定めるもの（農業を除く。） 　　（政令で定める事業） （1）　(三)に規定する事業で政令で定めるものは、薪炭製造業とする。（令12） 　　（農家の副業についての取扱い） （2）　個人の行う農業はすべて非課税の取扱いを受けるのであるが、農家が副業として畳表製造、藁工品製造等を行っている場合にあっては、当該副業が主として自家労力によって行われ、かつ、その収入が農業収入の総額の2分の1を超えない程度のものであるときは、非課税の取扱いをすることが適当であること。（県通3-2の1(11)） 　　（薪炭製造業の範囲） （3）　薪炭製造業には、自己所有の原木を伐採して自ら薪炭を製造販売する場合のみでなく、他から原木を仕入れて薪炭を製造販売するものを含むものであること。（県通3-2の1(12)）

　　（政令で定める主として自家労力を用いて行う事業の意義）
（1）　2に規定する政令で定める主として自家労力を用いて行う事業は、事業を行う者又はその同居の親族の労力によって当該事業を行った日数の合計が当該事業の当該年における延労働日数の2分の1を超えるものとする。（令11）

　　（自家労力の認定に当たっての留意事項）
（2）　第2種事業で主として自家労力を用いて行うものが第2種事業の課税客体から除外することとされているのは、第2種事業の原始産業たる性格にかんがみ、特に零細なものにまで課税の範囲を拡げることは不適当であると認められたことによるものであること。したがってその認定に当たっては、その趣旨に添うように十分に留意するとともに、特に次の諸点に注意すること。（県通3-2の1(10)）

(一) 自家労力による稼働日数の判定は具体的には極めて困難であるが、その事業形態、収支金額、支出経費の分析等の方法により客観的に判定するように努めること。
(二) 農繁期、盛漁期等に応援の目的をもってなされる近隣の手伝程度のものは雇傭労力とみなすべきものではないので、これを事業を行う者の自家労力以外の労力の計算から除外すること。
(三) 共同事業を行う場合にあっては、当該事業の共同態様、資本の有無、設備の規模等の如何にかかわらず、当該事業者個人ごとに自家労力の判定をするものであること。

3 第3種事業

一の「第3種事業」とは、次に掲げるものをいう。(法72の2⑩)

(一)	医 業
(二)	歯科医業
(三)	薬剤師業 　　(薬剤師業の範囲) 　注　薬剤師業とは、次に掲げる事業のみをいうものであり、ロの医薬品以外の医薬品を販売する事業は物品販売業に該当するものであること。(県通3-2の1(13)) 　　イ　薬剤師が薬局(薬事法(昭和35年法律第145号)第2条第11項に規定する薬局をいう。以下注において同じ。)において調剤する事業 　　ロ　薬剤師が薬局において次に掲げる医薬品を販売する事業 　　　(イ)　薬事法第44条第1項又は第2項に規定する毒薬又は劇薬 　　　(ロ)　薬事法第36条の3第1項第1号に規定する第一類医薬品 　　　(ハ)　医薬品、医療機器等の品質、有効性及び安全性の確保等に関する法律施行令(昭和36年政令第11号)第3条に規定する薬局製造販売医薬品 　　　(ニ)　医薬品、医療機器等の品質、有効性及び安全性の確保等に関する法律第4条第5項第3号に規定する要指導医薬品
(四)	削　除
(五)	あん摩、マッサージ又は指圧、はり、きゅう、柔道整復その他の医業に類する事業(両眼の視力を喪失した者その他これに類する政令で定める視力障害のある者が行うものを除く。) 　　(政令で定める視力障害のある者) 　(1)　(五)に規定する政令で定める視力障害のある者は、万国式試視力表により測定した両眼の視力(屈折異常のある者については、矯正視力についてその測定をしたものをいう。)が0.06以下である者とする。(令13) 　　(留意事項) 　(2)　両眼の視力を喪失した者又は万国式試視力表により測定した両眼の視力(屈折異常のある者については矯正視力について測定したものをいう。)が、0.06以下である者の行うあん摩、はり、きゅう、その他の医業に類する事業を行うものに対しては、事業税を課税しないのであるが、この場合において、矯正視力とは近視、遠視等屈折異常のある者については、その者に適応した眼鏡を使用して矯正した場合の視力をいうものであること。(県通3-2の1(14))
(六)	獣医業
(七)	装蹄師業
(八)	弁護士業
(九)	司法書士業
(十)	行政書士業
(十一)	公証人業
(十二)	弁理士業

(十三)	税理士業
(十四)	公認会計士業
(十五)	計理士業
(十五の二)	社会保険労務士業
(十五の三)	コンサルタント業 （コンサルタント業の範囲） （1）　（十五の三）に掲げる事業は、継続して、他人の依頼に応じ、対価の取得を目的として、企業経営、科学技術その他専門的な知識又は能力を必要とする事項につき、調査又は研究を行い、これらの調査又は研究に基づく診断又は指導を行う事業とする。(令15の2①) （コンサルタント業の具体的範囲） （2）　コンサルタント業には、具体的には、企業診断士、経営士、経営管理士、経営調査士、財務管理士等の名称を用いて行われる経営コンサルタント業、技術士、設計コンサルタント、建設コンサルタント等の名称を用いて行われる技術コンサルタント業のほか、美容コンサルタント業、旅行コンサルタント業等が該当するものであること。(県通3－2の1(15))
(十六)	設計監督者業
(十六の二)	不動産鑑定業
(十六の三)	デザイン業 （デザイン業の範囲） （1）　（十六の三）に掲げる事業は、継続して、対価の取得を目的として、デザイン（物品のデザイン、装飾に係るデザイン又は庭園若しくはこれに類するものに係るデザインをいう。）の考案及び図上における設計又は表現を行う事業とする。(令15の2②) （デザイン業の具体的範囲） （2）　デザイン業とは、継続して、対価の取得を目的として、デザインの考案及び図上における設計又は表現を行う事業をいうものであり、ここでいうデザインには芸術活動により創作される作品は含まれないので、十分留意する必要があること。なお、デザインには、具体的には、工業デザイン、クラフトデザイン、グラフィックデザイン、パッケージデザイン、広告デザイン、インテリアデザイン、ディスプレイ、服飾デザイン及び庭園等のデザインが該当するものであること。(県通3－2の1(16))
(十七)	諸芸師匠業 （諸芸師匠業の意義及び課税の範囲） 注　諸芸師匠業とは、茶、生花、舞踊、音楽、和洋裁、角力、柔道、語学、囲碁、将棋等を対価を得て教授する事業をいうものであるが、事務所又は事業所と認められるものを有しない程度の小規模なものについては、課税しないことが適当であること。なお、法人でない各種学校については、法人たる各種学校が収益事業以外の事業の所得について課税されないものであるのにかんがみ、その収益事業以外の事業の所得に対しては、課税しないことが適当であること。(県通3－2の1(17))
(十八)	理容業
(十八の二)	美容業
(十九)	クリーニング業
(二十)	公衆浴場業（政令で定める公衆浴場業を除く。） （第3種事業から除かれる公衆浴場業） （1）　（二十）に規定する政令で定める公衆浴場業は、物価統制令第4条の規定に基づき道府県知事が入浴料金

	を定める公衆浴場以外の公衆浴場を経営する事業とする。（令13の２） 　　　　（第３種事業から除かれる公衆浴場業の具体的範囲） 　　（２）　公衆浴場業のうち特殊なものとして除かれているものは、具体的には「公衆浴場入浴料金の統制額の指定等に関する省令」に基づく都道府県知事の価格の指定において、通常の公衆浴場入浴料金の額によっていない公衆浴場を経営する事業をいうものであること。（県通３－２の１(18)）
（二十一）	前各号に掲げる事業に類する事業で政令で定めるもの 　　　　（政令で定める事業） 　　（１）　（二十一）に規定する事業で政令で定めるものは、次に掲げるものとする。（令14） 　　　イ　歯科衛生士業 　　　ロ　歯科技工士業 　　　ハ　測量士業 　　　ニ　土地家屋調査士業 　　　ホ　海事代理士業 　　　ヘ　印刷製版業 　　　　（印刷製版業の範囲） 　　（２）　印刷製版業とは、具体的には、原画を亜鉛板、石板等に描写する印刷版画業、地図、札等の精密な描写を必要とするものを銅板に描写する銅板彫刻業、写真板の補筆修正業、木版工芸業、印刷用板の版下の整図を作成する版下整図業及び印刷版用の筆耕を行う実用書道業がこれに該当するものであること。（県通３－２の１(19)）

三　所得の帰属

１　実質所得者課税の原則

　資産又は事業から生ずる収益が法律上帰属するとみられる者が単なる名義人であって、当該収益を享受せず、その者以外の者が当該収益を享受する場合においては、当該収益に係る事業税は、当該収益を享受する者に課するものとする。（法72の２の３）

　　（留意事項）
　注　事業を行う個人とは、当該事業の収支の結果を自己に帰属せしめている個人をいうものであるが、その具体的判定に当たっては次の諸点に留意すること。（県通３－１の５）
　（一）　資産又は事業から生ずる収益が法律上帰属するとみられる者が単なる名義人に過ぎない場合においては、これらの名義人はこの資産又は事業から生ずる収支を自己に帰属せしめているものではないので、名義人以外の者でその資産又は事業から生ずる収益を享受する者に対して事業税を課することとなるのであるから、事業の収支の帰属を十分に検討して課税上遺憾のないようにすること。この場合において資産又は事業から生ずる収益が法律上帰属するとみられる者が単なる名義人にすぎない場合とは、およそ次に掲げるような場合をいうものであること。
　　　イ　事業の名義人が事業の経営に関与せず何らの収益を得ていない場合
　　　ロ　事業の取引の収支が事業の名義人以外の者の名において行われている場合
　　　ハ　事業の名義人は他の者の指示によって事業を経営するにすぎず、その収支は実質的には他の者に帰属する場合
　（二）　他の諸法規において雇傭者としての取扱いを受けているということのみの理由で直ちに地方税法上「事業を行う者」に該当しないとはいえないのであるが、その事業に従事している形態が契約によって明確に規制されているときは、雇傭関係の有無はその契約内容における事業の収支の結果が自己の負担に帰属するかどうかによって判断し、また、契約の内容が上記のごとく明確でないときは、その土地の慣習、慣行等をも勘案の上当該事業の実態に即して判断すること。
　（三）　企業組合又はその組合員について実質上法人たる企業組合の存在と相容れない事実があるときは、その事実に係る取引から生ずる所得については、組合員個人が納税義務を負うものであること。この場合において、その認定に当たっては、国の税務官署の取扱いに準ずるものであること。

(四)　法人名義を仮装して社員等が個人で事業を行っているかどうかの判定については、国の税務官署の更正又は決定した所得を基準として賦課する場合においては、国の税務官署の取扱いに従うものとし、都道府県がその自ら調査したところに基づいて賦課する場合においては、国の税務官署の取扱いに準ずるものであること。

2　信託の受益者課税

　信託の受益者(受益者としての権利を現に有するものに限る。)は当該信託の信託財産に属する資産及び負債を有するものとみなし、かつ、当該信託財産に帰せられる収益及び費用は当該受益者の収益及び費用とみなして、この章の規定を適用する。ただし、集団投資信託(法人税法第2条第29号に規定する集団投資信託をいう。)、退職年金等信託(同法第12条第4項第1号に規定する退職年金等信託をいう。)、特定公益信託等(同条第4項第2号に規定する特定公益信託等をいう。)又は法人課税信託の信託財産に属する資産及び負債並びに当該信託財産に帰せられる収益及び費用については、この限りでない。(法72の3①)

　　　　(信託の受益者とみなす者)
(1)　信託の変更をする権限(軽微な変更をする権限として(2)で定めるものを除く。)を現に有し、かつ、当該信託の信託財産の給付を受けることとされている者(受益者を除く。)は、2に規定する受益者とみなして、2の規定を適用する。(法72の3②)

　　　　(軽微な変更をする権限の範囲)
(2)　(1)に規定する(2)で定める権限は、信託の目的に反しないことが明らかである場合に限り信託の変更をすることができる権限とする。(令15の4①)

　　　　(信託を変更する権限に含むもの)
(3)　(1)に規定する信託の変更をする権限には、他の者との合意により信託の変更をすることができる権限を含むものとする。(令15の4②)

　　　　(停止条件が付された信託財産の給付を受ける権利を有する者)
(4)　停止条件が付された信託財産の給付を受ける権利を有する者は、(1)に規定する信託財産の給付を受けることとされている者に該当するものとする。(令15の4③)

　　　　(受益者が二以上ある場合の適用)
(5)　2に規定する受益者((1)の規定により2に規定する受益者とみなされる者を含む。以下(5)において同じ。)が二以上ある場合における2の規定の適用については、2の信託の信託財産に属する資産及び負債の全部をそれぞれの受益者がその有する権利の内容に応じて有するものとし、当該信託財産に帰せられる収益及び費用の全部がそれぞれの受益者にその有する権利の内容に応じて帰せられるものとする。(令15の4④)

　　　　(公益信託に係る所得の帰属)
(6)　当分の間、公益信託(公益信託ニ関スル法律第1条に規定する公益信託(法人税法第37条第6項に規定する特定公益信託を除く。)をいう。(注)において同じ。)の委託者又はその相続人その他の一般承継人(以下(6)において「委託者等」という。)は当該公益信託の信託財産に属する資産及び負債を有するものとみなし、かつ、当該信託財産に帰せられる収益及び費用は当該委託者等の収益及び費用とみなして、この章の規定を適用する。(旧法附8の4①)
　　(注1)　公益信託は、第五章《法人の事業税》第一節二2に規定する法人課税信託に該当しないものとする。(旧法附8の4②)
　　(注2)　(6)及び(注1)を削除する令和6年度改正規定は、公益信託に関する法律(令和6年法律第30号)の施行の日以後適用する。(令6改法附1十)

四　非課税の範囲

　道府県は、次に掲げる事業に対しては、事業税を課することができない。(法72の4②)

	林業
(一)	(林業の範囲) 注　林業とは、土地を利用して養苗、造林、撫育及び伐採を行う事業をいうのであるが、養苗、造林又は撫育を

	伴わないで、伐採のみを行う事業は含まれないものであること。したがって、伐採のために立木を買い取ることを業とする者はいかなる意味においても林業に該当しないものであること。また、林業はしいたけ栽培、うるし採取等のいわゆる林産業とはその範囲を異にするものであること。（県通3－2の2(1)）
(二)	鉱物の掘採事業

五　雑　　則

1　徴税吏員の調査に係る質問検査権

① 徴税吏員の調査に係る質問検査権

　道府県の徴税吏員は、事業税の賦課徴収に関する調査のために必要がある場合においては、次に掲げる者に質問し、又は(一)若しくは(二)の者の事業に関する帳簿書類（その作成又は保存に代えて電磁的記録（電子的方式、磁気的方式その他の人の知覚によっては認識することができない方式で作られる記録であって、電子計算機による情報処理の用に供されるものをいう。）の作成又は保存がされている場合における当該電磁的記録を含む。②の表の(一)及び(二)において同じ。）その他の物件を検査し、若しくは当該物件（その写しを含む。）の提示若しくは提出を求めることができる。（法72の7①）

(一)	納税義務者又は納税義務があると認められる者
(二)	(一)に規定する者に金銭又は物品を給付する義務があると認められる者
(三)	(一)及び(二)に掲げる者以外の者で当該事業税の賦課徴収に関し直接関係があると認められる者

　　　（身分証明証の提示）
（1）　①の場合においては、当該徴税吏員は、その身分を証明する証票を携帯し、関係人の請求があったときは、これを提示しなければならない。（法72の7③）

　　　（提出物件の留置き）
（2）　道府県の徴税吏員は、（3）で定めるところにより、①の規定により提出を受けた物件を留め置くことができる。（法72の7④）

　　　（物件の提出者への書面の交付）
（3）　道府県の徴税吏員は、（2）の規定により物件を留め置く場合には、当該物件の名称又は種類及びその数量、当該物件の提出年月日並びに当該物件を提出した者の氏名及び住所又は居所その他当該物件の留置きに関し必要な事項を記載した書面を作成し、当該物件を提出した者にこれを交付しなければならない。（令20①）

　　　（提出物件の返還）
（4）　道府県の徴税吏員は、（2）の規定により留め置いた物件につき留め置く必要がなくなったときは、遅滞なく、これを返還しなければならない。（令20②）

　　　（提出物件の管理義務）
（5）　道府県の徴税吏員は、（4）に規定する物件を善良な管理者の注意をもって管理しなければならない。（令20③）

　　　（滞納処分に関する調査についての不適用）
（6）　事業税に係る滞納処分に関する調査については、①の規定にかかわらず、第五節一の2の⑤《国税徴収法の例による滞納処分》の定めるところによる。（法72の7⑤）

　　　（質問検査権の解釈）
（7）　①及び（2）の規定による道府県の徴税吏員の権限は、犯罪捜査のために認められたものと解釈してはならない。（法72の7⑥）

② 検査拒否等に関する罪
　次の各号のいずれかに該当する者は、1年以下の懲役又は50万円以下の罰金に処する。（法72の8①）

(一)	①の規定による帳簿書類その他の物件の検査を拒み、妨げ、又は忌避した者
(二)	①の規定による物件の提示又は提出の要求に対し、正当な理由がなくこれに応ぜず、又は偽りの記載若しくは記録をした帳簿書類その他の物件（その写しを含む。）を提示し、若しくは提出した者
(三)	①の規定による徴税吏員の質問に対し答弁をしない者又は虚偽の答弁をした者

　　　（両罰規定）
（1）　法人の代表者（人格のない社団等の管理人を含む。以下罰則の適用について同じ。）又は法人若しくは人の代理人、使用人その他の従業者がその法人又は人の業務又は財産に関して②の違反行為をした場合においては、その行為者を罰するほか、その法人又は人に対し、②の罰金刑を科する。（法72の8②）

　　　（人格のない社団等に対する刑事訴訟法の準用）
（2）　人格のない社団等について（1）の規定の適用がある場合においては、その代表者又は管理人がその訴訟行為につき当該人格のない社団等を代表するほか、法人を被告人又は被疑者とする場合の刑事訴訟に関する法律の規定を準用する。（法72の8③）

2　納税管理人

①　納税管理人
　事業税の納税義務者は、納税義務を負う道府県内に住所、居所、事務所又は事業所（以下①において「住所等」という。）を有しない場合においては、納税に関する一切の事項を処理させるため、当該道府県の条例で定める地域内に住所等を有する者のうちから納税管理人を定めてこれを道府県知事に申告し、又は当該地域外に住所等を有する者のうち当該事項の処理につき便宜を有するものを納税管理人として定めることについて道府県知事に申請してその承認を受けなければならない。納税管理人を変更し、又は変更しようとする場合においても、また、同様とする。（法72の9①）

　　　（納税管理人を定めることを要しない場合）
　注　①の規定にかかわらず、当該納税義務者は、当該納税義務者に係る事業税の徴収の確保に支障がないことについて道府県知事に申請してその認定を受けたときは、納税管理人を定めることを要しない。（法72の9②）

②　納税管理人に係る虚偽の申告等に関する罪
　①の規定によって申告すべき納税管理人について虚偽の申告をし、又は偽りその他不正の手段により①の承認若しくは①の注の認定を受けた者は、30万円以下の罰金に処する。（法72の10①）

　　　（両罰規定）
（1）　法人の代表者又は法人若しくは人の代理人、使用人その他の従業者がその法人又は人の業務又は財産に関して②の違反行為をした場合においては、その行為者を罰する外、その法人又は人に対し、②の罰金刑を科する。（法72の10②）

　　　（人格のない社団等に対する刑事訴訟法の準用）
（2）　人格のない社団等について（1）の規定の適用がある場合においては、その代表者又は管理人がその訴訟行為につき当該人格のない社団等を代表するほか、法人を被告人又は被疑者とする場合の刑事訴訟に関する法律の規定を準用する。（法72の10③）

③　納税管理人に係る不申告に関する過料
　道府県は、①の注の認定を受けていない事業税の納税義務者で①の承認を受けていないものが①の規定によって申告すべき納税管理人について正当な事由がなくて申告をしなかった場合においては、その者に対し、当該道府県の条例で10万円以下の過料を科する旨の規定を設けることができる。（法72の11）

第二節　課税標準及び税率

一　課税標準

　個人の行う事業に対する事業税の課税標準は、当該年度の初日の属する年の**前年中における個人の事業の所得**による。（法72の49の11①）

　　　（年の中途で事業を廃止した場合の課税標準）
　注　個人が年の中途において事業を廃止した場合における事業税の課税標準は、上記に規定する所得によるほか、当該年の１月１日から事業の廃止の日までの個人の事業の所得による。（法72の49の11②）

二　課税標準の算定

1　事業の所得の計算

　一に規定する当該年度の初日の属する年の前年中における個人の事業の所得又は当該年の１月１日から事業の廃止の日までの個人の事業の所得は、それぞれ当該個人の当該年度の初日の属する年の前年中における事業又は当該年の１月１日から事業の廃止の日までの事業に係る総収入金額から必要な経費を控除した金額によるものとし、特別の定めをする場合を除くほか、当該年度の初日の属する年の前年中又は当該年の１月１日から事業の廃止の日までの所得税の課税標準である所得につき適用される所得税法第26条《不動産所得》及び第27条《事業所得》（同法第165条第１項《非居住者に対する総合課税に係る所得税の課税標準、税額等の計算》の規定によりこれらの規定に準ずる場合を含む。）に規定する**不動産所得及び事業所得**の計算の例により算定する。ただし、租税特別措置法第28条の４《土地の譲渡等に係る事業所得等の課税の特例》の規定の例によらないものとし、第一節二の３《第３種事業》の表の（一）から（五）までに掲げる事業を行う個人が社会保険診療（法第72条の23第３項に規定する社会保険診療〘第五章第二節五の２②参照〙をいう。以下１において同じ。）につき支払を受けた金額は、総収入金額に算入せず、また、当該社会保険診療に係る経費は、必要な経費に算入しない。（法72の49の12①）

　　　（不動産所得の定義）
（１）　不動産所得とは、不動産、不動産の上に存する権利、船舶又は航空機（以下「**不動産等**」という。）の貸付け（地上権又は永小作権の設定その他他人に不動産等を使用させることを含む。）による所得（事業所得又は譲渡所得に該当するものを除く。）をいう。（所得税法26①）

　　　（事業所得の定義）
（２）　事業所得とは、農業、漁業、製造業、卸売業、小売業、サービス業その他の次に掲げる事業（不動産の貸付業又は船舶若しくは航空機の貸付業に該当するものを除く。）から生ずる所得（山林所得又は譲渡所得に該当するものを除く。）をいう。（所得税法27①、所得税法施行令63）
　　（一）　農業
　　（二）　林業及び狩猟業
　　（三）　漁業及び水産養殖業
　　（四）　鉱業（土石採取業を含む。）
　　（五）　建設業
　　（六）　製造業
　　（七）　卸売業及び小売業（飲食店業及び料理店業を含む。）
　　（八）　金融業及び保険業
　　（九）　不動産業
　　（十）　運輸通信業（倉庫業を含む。）
　　（十一）　医療保健業、著述業その他のサービス業
　　（十二）　前各号に掲げるもののほか、対価を得て継続的に行う事業

第二編第四章《個人の事業税》第二節《課税標準及び税率》

　　　（総収入金額の意義）
（3）　総収入金額とは、事業を行う個人がその事業に関し収入すべき一切の金額をいい、収入すべき金額とは、収入する権利の確定した金額をいうものであること。（県通3－11の1）

　　　（収入する権利の確定の時期）
（4）　収入する権利の確定する時期は、原則として収入する金額の基礎となった契約の効力発生の時によること。ただし、請負契約による収入については、引渡しを要するものについてはその目的物を注文者に提供する時により、引渡しを要しないものについては仕事完成の時により、また委任契約による収入については、受任事務の履行完了の時によるが、次に掲げるような特約又は慣習がある場合においては、次に掲げる時によること。（県通3－11の2）
　（一）　同種の物品を多量に製作することを請負う場合で、その引渡量に従い代金を支払う特約又は慣習のあるときにおけるその引渡量に対応する請負代金については、それぞれの引渡しの時
　（二）　一個の工事であっても、その工事の竣功割合に応じて代金を支払う特約又は慣習のある場合における当該竣功割合に対応する工事の請負代金については、その部分の竣功の時
　（三）　受任事務の履行による報酬を期間により支払う特約又は慣習がある委任契約のその期間に対応する報酬については、その期間の経過した時

　　　（「必要な経費」の意義）
（5）　必要な経費とは、仕入品の原価、原料品の代価、土地、家屋その他事業を行うために必要な物件の修繕費又は借入料、事業用固定資産の減価償却費、土地、家屋その他の物件又は事業に係る公租公課、使用人の給料等でその総収入金額を得るために必要なものの一切をいうものであること。したがって、必要な経費として認められるものは、原則として、総収入金額に対応するものに限られることとなるが、事業を行うために必要な設備で一部遊休しているものの管理費、減価償却費等は、必要な経費とみなすべきであること。（県通3－11の3）

　　　（青色申告特別控除の不適用）
（6）　個人事業税の課税標準である所得は、法令に特別の定めがある場合を除くほか、その個人の前年分の所得税の課税標準である所得のうち不動産所得及び事業所得の計算の例によって算定することとなるが、その取扱いについては、法人の事業税に関する規定〘第五章第二節五の1（7）・同章第四節四の2注〙に準ずること。
　　なお、この場合における不動産所得及び事業所得の計算に係る規定には、租税特別措置法第25条の2《青色申告特別控除》の規定は、含まれないものであるので留意すること。（県通3－11の4）

　　　（医業に係る所得の算定の取扱い）
（7）　医業、歯科医業及びあん摩、マッサージ又は指圧、はり、きゅう、柔道整復その他の医業に類する事業を行う個人の所得の算定については、第五章第二節五の2の②の（3）の取扱いに準ずること。（県通3－11の9）

　　　（製塩業に係る所得の算定）
（8）　第一節二の1の表の（五）の注によるさいかん部門とせんごう部門とを一貫して行っている製塩業の所得を算定する場合においては、さいかん部門の所得を控除することが適当であること。（県通3－11の12）

　　　（不動産所得を生ずべき事業と事業所得を生ずべき事業とを併せて行っている場合の所得・損失の合算又は通算）
（9）　1の規定により個人の所得を計算する場合において、当該個人が1の不動産所得を生ずべき事業と1の事業所得を生ずべき事業とを併せて行っているときは、当該不動産所得の計算上生じた所得又は損失と当該事業所得の計算上生じた所得又は損失とを合算し、又は通算して算定する。（法72の49の12⑤）
　　（注）　個人事業税の課税標準である所得を計算する場合において、所得税においては租税特別措置法第41条の4第1項及び第41条の4の2第1項の規定により不動産所得に係る損益通算の特例が定められているが、事業税においては、もとよりこの規定の例によらないものであることに留意すること。（県通3－11の5）

2　事業に専従する親族がある場合の所得の算定

①　青色事業専従者給与がある場合の必要経費算入
　事業を行う個人（所得税法第2条第1項第40号《青色申告書の定義》に規定する青色申告書（以下第四章において「個

人の青色申告書」という。）を提出することにつき国の税務官署の承認を受けている者に限る。）と生計を一にする親族（当該年度の初日の属する年の前年の12月31日（年の中途において当該親族の死亡又は当該事業の廃止があった場合には、当該死亡又は廃止の時）において年齢が15歳未満である者を除く。）で専ら当該個人の行う事業に従事するもの（以下①において「**青色事業専従者**」という。）が当該事業から同法第57条第２項《青色事業専従者給与に関する届出書》の書類に記載されている方法に従いその記載されている金額の範囲内において給与の支払を受けた場合には、同条第１項《青色事業専従者給与額》の規定による計算の例により当該個人の事業の所得を算定するものとする。前年分の所得税につき納税義務を負わないと認められたことその他政令で定める理由により同条第２項の書類を提出しなかった事業税の納税義務者に係る青色事業専従者が当該事業から給与の支払を受けた場合において、第三節六《賦課徴収に関する申告又は報告の義務》の規定による申告（当該申告に係る期限後において事業税の納税通知書が送達される時までにされたものを含む。）をしているとき（同節六の規定により申告すべき事項のうち①に関する事項についての申告がないことについてやむを得ない事情があると道府県知事が認めるときを含む。）も、同様とする。（法72の49の12②）

　　　　（事業に専ら従事する親族の範囲）
（１）　①又は②の事業を行う個人と生計を一にする親族で専ら当該個人の行う事業に従事するものとは、その年を通じて６月を超える期間当該個人の経営する所得税法第56条《事業から対価を受ける親族がある場合の必要経費の特例》に規定する事業に専ら従事する者をいう。ただし、①の場合においては、次の各号のいずれかに該当するときは、当該事業に従事することができると認められる期間を通じてその２分の１に相当する期間を超える期間当該事業に専ら従事すれば足りるものとする。（令35の３の９、７の５①）
　　（一）　当該事業が年の中途における開業、廃業、休業又は当該事業を行う個人の死亡、当該事業が季節営業であることその他の理由によりその年中を通じて営まれなかったこと。
　　（二）　当該事業に従事する者の死亡、長期にわたる病気、婚姻その他相当の理由によりその年中を通じて当該事業を行う個人と生計を一にする親族として当該事業に従事することができなかったこと。

　　　　（事業に専ら従事する者に該当しない期間）
（２）　（１）の場合において、次の各号のいずれかに該当する者は、（１）の事業に従事していても、その該当する者である期間は、当該事業に専ら従事する者に該当しないものとする。（令35の３の９、７の５②）
　　（一）　学校教育法第１条《学校の範囲》、第124条《専修学校》又は第134条第１項《各種学校》の学校の学生又は生徒である者（夜間において授業を受ける者で昼間を主とする当該事業に従事するもの、昼間において授業を受ける者で夜間を主とする当該事業に従事するもの、同法第124条又は第134条第１項の学校の生徒で常時修学しないものその他事業に専ら従事することが妨げられないと認められる者を除く。）
　　（二）　他に職業を有する者（その職業に従事する時間が短い者その他事業に専ら従事することが妨げられないと認められる者を除く。）
　　（三）　老衰その他心身の障害により事業に従事する能力が著しく阻害されている者

　　　　（政令で定める届出書を提出しなかった理由）
（３）　①の政令で定める理由は、前年分の所得税につき①に規定する青色事業専従者を所得税法第２条第１項第33号《同一生計配偶者の定義》の同一生計配偶者又は同項第34号《扶養親族の定義》の扶養親族としたこととする。（令35の３の９、７の５③）

　　　　（事業専従者控除についての取扱い）
（４）　事業専従者控除の取扱いについては、別途「個人の住民税及び事業税における青色事業専従者及び事業専従者に関する取扱いについて」（昭和44年６月27日付自治府第65号）により通知『第一章の参考通知参照』するところによるものであること。（県通３－11の８）

② **事業専従者がある場合の必要経費算入**
　事業を行う個人（①の規定に該当する者を除く。）と生計を一にする親族（当該年度の初日の属する年の前年の12月31日（年の中途において当該親族の死亡又は当該事業の廃止があった場合には、当該死亡又は廃止の時）において年齢が15歳未満である者を除く。）で専ら当該個人の行う事業に従事するもの（以下②において「**事業専従者**」という。）がある場合には、各事業専従者について、次に掲げる金額のうちいずれか低い金額を当該個人の事業の所得の計算上必要な経費とみなす。（法72の49の12③）

(一)	次に掲げる事業専従者の区分に応じそれぞれ次に定める金額 イ　当該事業を行う個人の配偶者である事業専従者　　86万円 ロ　イに掲げる者以外の事業専従者　　50万円
(二)	当該個人の事業の所得の金額（②の規定を適用しないで計算した金額とする。）を事業専従者の数に１を加えた数で除して得た金額

(注)　②の事業を行う個人と生計を一にする親族で専ら当該個人の行う事業に従事するものの範囲については、①の（１）、（２）及び（４）を参照。（編者）

　　（適用要件）
　注　②の規定は、第三節**六**《賦課徴収に関する申告又は報告の義務》の規定による申告（当該申告に係る期限後において事業税の納税通知書が送達される時までにされたものを含む。）をしている場合（同節**六**の規定により申告すべき事項のうち②に関する事項についての申告がないことについてやむを得ない事情があると道府県知事が認める場合を含む。）に限り、適用する。（法72の49の12④）

3　外国税額の必要経費算入

　国内に主たる事務所若しくは事業所を有する個人で外国の法令により所得税に相当する税を課されたものに係る事業税の課税標準である所得の計算については、当該外国の法令により課された外国の所得税に相当する税の額（所得税法第95条第１項に規定する控除対象外国所得税の額（同条第10項後段及び第11項後段の規定によりその限度とされる金額以外のものを除く。）に限る。）のうち、当該個人の当該外国において行う事業に帰属する所得以外の所得に対して課されたものは、必要な経費に算入する。（令35の３の２）

4　所得の計算上控除されるもの

①　青色申告者の損失の繰越控除

　１の規定により個人の事業の所得を計算する場合において、当該個人の前年前３年間における所得の計算上生じた損失の金額で前年前に控除されなかった部分の金額については、当該損失の生じた年分につき、第三節**六**《賦課徴収に関する申告又は報告の義務》の規定による申告をしている場合（道府県知事においてやむを得ない事情があると認める場合には、当該申告に係る期限後において事業税の納税通知書が送達される時までに申告をしている場合を含む。）で、かつ、その後の年分につき連続して当該申告（当該申告に係る期限後において事業税の納税通知書が送達される時までにされたものを含む。）をしている場合には、当該損失の生じた年分につき当該個人が、個人の青色申告書を提出することについて国の税務官署の承認を受けている者であるときに限り、当該個人の事業の所得の計算上控除する。（法72の49の12⑥）

　　（留意事項）
（１）　所得税において青色申告の承認を受けている個人の前年前３年間の損失の繰越控除は、事業所得の算定上生じた損失であって、前年前に控除されなかった部分の金額に限るものであるが、当該損失の生じた年分につき事業税の申告をし、かつ、その後の年分につき連続して事業税の申告をしている場合で、当該損失の生じた年分につき所得税において青色申告の承認を受けているときに限り、認められるものであること。なお、事業税においては、損失の繰戻しによる還付は行われないものであるから留意すること。（県通３－11の６（１））

　　（繰越控除の資料）
（２）　①及び②の繰越控除の適用に当たっては、損失の生じた年分の後の年分につき提出する事業税の申告書には、損失の繰越控除に関する事項の記載はされないものであるから、損失の生じた年分の事業税の申告書その他の資料に基づいて控除を行うものであること。（県通３－11の６（３））

　　（課税事業と非課税事業を併せて行っている場合の損失の控除）
（３）　課税事業と非課税事業とを併せて行う個人の事業の所得の算定上生じた損失で、事業の所得から控除する金額は、課税事業について生じた損失の金額に限るものであること。（県通３－11の６（４））

② 被災事業用資産の損失の繰越控除

イ 被災事業用資産の損失の３年間繰越控除
　１の規定により個人の事業の所得を計算する場合において、当該個人の前年前３年間における事業の所得の計算上生じた損失のうち被災事業用資産の損失の金額で前年前に控除されなかった部分の金額については、①の規定の適用がない場合においても、当該損失の生じた年分につき、第三節六《賦課徴収に関する申告又は報告の義務》の規定による申告をしている場合（道府県知事においてやむを得ない事情があると認める場合には、当該申告に係る期限後において事業税の納税通知書が送達される時までに申告をしている場合を含む。）で、かつ、その後の年分につき連続して当該申告（当該申告に係る期限後において事業税の納税通知書が送達される時までにされたものを含む。）をしている場合に限り、当該個人の事業の所得の計算上控除する。（法72の49の12⑦）

　　　（留意事項）
　注　個人の前年前２年間において①の取扱いを受けた金額がある場合の「控除した金額」は、被災事業用資産の損失に相当する部分以外の部分から順次控除したものとして計算するものであること。（県通３－11の６（２））

ロ 被災事業用資産の損失の金額
　イの「被災事業用資産の損失の金額」とは、棚卸資産（事業所得を生ずべき事業に係る資産（有価証券及び山林を除く。）で棚卸をすべきものとして次に掲げるものをいう。）、所得税法第26条《不動産所得》に規定する不動産所得若しくは同法第27条《事業所得》に規定する事業所得を生ずべき事業の用に供される固定資産、不動産所得又は事業所得を生ずべき事業に係る所得税法第２条第１項第20号《繰延資産の定義》に規定する繰延資産のうちまだ必要な経費に算入されていない部分又は山林の災害（震災、風水害、火災その他政令で定める災害をいう。以下ロにおいて同じ。）による損失の金額（その災害に関連するやむを得ない支出で政令で定めるものの金額を含むものとし、保険金、損害賠償金その他これらに類するものにより埋められた部分の金額を除く。）をいう。（法72の49の12⑧、令35の３の３、35の３の４）

（一）	商品又は製品（副産物及び作業くずを含む。）
（二）	半製品
（三）	仕掛品（半成工事を含む。）
（四）	主要原材料
（五）	補助原材料
（六）	消耗品で貯蔵中のもの
（七）	前各号に掲げる資産に準ずるもの

　　　（政令で定める災害）
（１）　ロに規定する政令で定める災害は、冷害、雪害、干害、落雷、噴火その他の自然現象の異変による災害並びに鉱害、火薬類の爆発その他の人為による異常な災害及び害虫、害獣その他の生物による異常な災害とする。（令35の３の５）

　　　（災害に関連するやむを得ない支出で政令で定めるもの）
（２）　ロに規定する支出で政令で定めるものは、次に掲げる費用の支出とする。（令35の３の６）
　（一）　ロに規定する災害（以下（２）において「災害」という。）によりロに規定する資産（以下「事業用資産」という。）が滅失し、損壊し、又はその価値が減少したことによる当該事業用資産の取壊し又は除去のための費用その他の付随費用
　（二）　災害により事業用資産が損壊し、又はその価値が減少した場合その他災害により当該事業用資産を業務の用に供することが困難となった場合において、その災害のやんだ日の翌日から１年を経過する日までに支出する次に掲げる費用その他これらに類する費用
　　イ　災害により生じた土砂その他の障害物を除去するための費用
　　ロ　当該事業用資産の原状回復のための修繕費
　　ハ　当該事業用資産の損壊又はその価値の減少を防止するための費用

（三）　災害により事業用資産につき現に被害が生じ、又は正に被害が生ずるおそれがあると見込まれる場合において、当該事業用資産に係る被害の拡大又は発生を防止するため緊急に必要な措置を講ずるための費用

③　特定非常災害の被災事業用資産の損失の繰越控除

イ　要件を満たす者が特定非常災害発生年損失金額又は被災損失金額を有する場合
　　事業を行う個人のうち所得税法第70条の２第１項各号に掲げる要件のいずれかを満たす者（特定非常災害（特定非常災害の被災者の権利利益の保全等を図るための特別措置に関する法律第２条第１項の規定により特定非常災害として指定された非常災害をいう。）に係る特定非常災害の被災者の権利利益の保全等を図るための特別措置に関する法律第２条第１項の特定非常災害発生日の属する年（以下「特定非常災害発生年」という。）の年分の所得税につき個人の青色申告書を提出している者に限る。）が特定非常災害発生年損失金額（その者の当該特定非常災害発生年における個人の事業の所得の計算上生じた損失の金額をいう。）又は被災損失金額（当該特定非常災害発生年において生じたものを除く。以下イにおいて同じ。）を有する場合には、当該特定非常災害発生年損失金額又は当該被災損失金額の生じた年の末日の属する年度の翌々年度以後５年度内の各年度分の個人の事業税に係る①及び②のイの規定の適用については、①中「損失の金額」とあるのは「損失の金額（③のイに規定する特定非常災害発生年損失金額（以下①において「特定非常災害発生年損失金額」という。）及び③のイに規定する被災損失金額（②のイにおいて「被災損失金額」という。）を除く。）で前年前に控除されなかった部分の金額及び当該個人の前年前５年間において生じた特定非常災害発生年損失金額」と、②のイ中「損失のうち」とあるのは「損失の金額（被災損失金額を除く。）のうち」と、「部分の金額」とあるのは「部分の金額及び当該個人の前年前５年間において生じた被災損失金額で前年前に控除されなかった部分の金額」とする。（法72の49の12⑨）

ロ　要件を満たす者が特定非常災害発生年損失金額又は被災損失金額を有する場合でイ以外のとき
　　事業を行う個人のうち所得税法第70条の２第１項各号に掲げる要件のいずれかを満たす者（イの規定の適用を受ける者を除く。）が特定非常災害発生年特定損失金額又は被災損失金額（特定非常災害発生年において生じたものを除く。以下ロにおいて同じ。）を有する場合には、当該特定非常災害発生年特定損失金額又は当該被災損失金額の生じた年の末日の属する年度の翌々年度以後５年度内の各年度分の個人の事業税に係る①及び②のイの規定の適用については、①中「損失の金額」とあるのは「損失の金額（③のロに規定する被災損失金額（②のイにおいて「被災損失金額」という。）を除く。）」と、②のイ中「損失のうち」とあるのは「損失の金額（③のロに規定する特定非常災害発生年特定損失金額（以下②のイにおいて「特定非常災害発生年特定損失金額」という。）及び被災損失金額を除く。）のうち」と、「部分の金額」とあるのは「部分の金額並びに当該個人の前年前５年間において生じた特定非常災害発生年特定損失金額及び被災損失金額で前年前に控除されなかった部分の金額」とする。（法72の49の12⑩）

ハ　イ、ロの適用を受ける者以外で被災損失金額を有する場合
　　事業を行う個人（イ及びロの規定の適用を受ける者を除く。）が被災損失金額を有する場合には、当該被災損失金額の生じた年の末日の属する年度の翌々年度以後５年度内の各年度分の個人の事業税に係る①及び②のイの規定の適用については、①中「損失の金額」とあるのは「損失の金額（③のハに規定する被災損失金額（②のイにおいて「被災損失金額」という。）を除く。）」と、②のイ中「損失のうち」とあるのは「損失の金額（被災損失金額を除く。）のうち」と、「部分の金額」とあるのは「部分の金額及び当該個人の前年前５年間において生じた被災損失金額で前年前に控除されなかった部分の金額」とする。（法72の49の12⑪）

二　用語の意義
　　上記イ、ロ、ハにおいて、次の各号に掲げる用語の意義は、当該各号に定めるところによる。（法72の49の12⑫）
（一）　被災損失金額
　　　その者のその年における個人の事業の所得の計算上生じた損失の金額のうち、被災事業用資産特定災害損失合計額（所得税法第70条の２第４項第６号に規定する棚卸資産特定災害損失額、同項第７号に規定する固定資産特定災害損失額及び同項第８号に規定する山林特定災害損失額の合計額で、②のイに規定する被災事業用資産の損失の金額に該当するものをいう。）に係るものとして(1)で定めるものをいう。
（二）　特定非常災害発生年特定損失金額
　　　その者の特定非常災害発生年における個人の事業の所得の計算上生じた損失の金額のうち、②のイに規定する被災事業用資産の損失の金額に係るものとして(2)で定めるものをいう。

(特定非常災害に係る損失の繰越控除の特例)
(1) ニの(一)に規定する(1)で定めるものは、その者のその年における個人の事業の所得の計算上生じた損失の金額のうち、その年において生じたニの(一)に規定する被災事業用資産特定災害損失合計額に達するまでの金額とする。(令35の3の7①)

(2) ニの(二)に規定する(2)で定めるものは、その者のイに規定する特定非常災害発生年における個人の事業の所得の計算上生じた損失の金額のうち、当該特定非常災害発生年において生じた②のイに規定する被災事業用資産の損失の金額に達するまでの金額とする。(令35の3の7②)

④ **事業用資産の譲渡損失の控除**
1の規定により個人の事業の所得を計算する場合において、当該個人が直接事業の用に供する次に掲げる資産(事業の用に供しなくなった日の翌日から1年を経過した日の前日までに譲渡が行われる場合のこれらのものに限る。)を譲渡したため生じた損失(第三節六の1において「**譲渡損失**」という。)の金額は、同節六の規定による申告をしている場合(道府県知事においてやむを得ない事情があると認める場合には、当該申告に係る期限後において事業税の納税通知書が送達される時までに申告をしている場合を含む。)に限り、当該個人の事業の所得の計算上控除する。(法72の49の12⑬、令35の3の8)

(一)	機械及び装置	
(二)	船舶	
(三)	航空機	
(四)	車両及び運搬具	
(五)	工具、器具及び備品(観賞用、興行用その他これらに準ずる用に供する生物を含む。)	
(六)	次に掲げる生物((五)に掲げるものに該当するものを除く。)	
	イ	牛、馬、豚、綿羊及びやぎ
	ロ	かんきつ樹、りんご樹、ぶどう樹、なし樹、桃樹、桜桃樹、びわ樹、くり樹、梅樹、かき樹、あんず樹、すもも樹、いちじく樹、キウイフルーツ樹、ブルーベリー樹及びパイナップル
	ハ	茶樹、オリーブ樹、つばき樹、桑樹、こりやなぎ、みつまた、こうぞ、もう宗竹、アスパラガス、ラミー、まおらん及びホップ

(留意事項)
注 個人の直接事業の用に供する資産で④に規定するものを譲渡したため生じた損失の金額については、事業税の申告をしている場合に限り、その損失の金額を所得の計算上控除することができるのであるが、その取扱いについては、別通「個人事業税に係る事業用資産の譲渡損失の取扱いについて」(昭37自府31)によるほか、次の諸点に留意すること。(県通3-11の7)
(一) 譲渡損失の控除対象となる資産は、④に規定する固定資産及び牛馬、果樹等で事業の用に供しなくなった日の翌日から1年を経過した日の前日までに譲渡が行われたものに限り認められるものであること。したがって、土地、家屋、構築物並びに商品、原材料、製品、半製品及び仕掛品のたな卸資産は含まれないものであること。
(二) 事業の廃止に伴い、その事業の廃止の日以後において④に規定する資産を譲渡したことによって生じた損失の金額についても、その事業の廃止の日の翌日から1年を経過した日の前日までに譲渡が行われたときは、譲渡損失の控除の適用があるものであること。

⑤ **青色申告者の事業用資産の譲渡損失の繰越控除**
1の規定により個人の事業の所得を計算する場合において、当該個人の前年前3年間における④の損失の金額で前年前に控除されなかった部分の金額については、当該損失の生じた年分につき、第三節六の規定による申告をしている場合(道府県知事においてやむを得ない事情があると認める場合には、当該申告に係る期限後において事業税の納税通知書が送達される時までに申告をしている場合を含む。)で、かつ、その後の年分につき連続して当該申告(当該申告に係る期限後において事業税の納税通知書が送達される時までにされたものを含む。)をしている場合には、当該損失の生じた年分につき

当該個人が、個人の青色申告書を提出することについて国の税務官署の承認を受けている者であるときに限り、当該個人の事業の所得の計算上控除する。（法72の49の12⑭）

⑥ **事業主控除**
　事業を行う個人については、当該個人の事業の所得の計算上**290万円**を控除する。（法72の49の14①）

　　　　（事業を行った期間が1年に満たない場合の事業主控除額）
（1）　⑥の場合において、事業を行った期間が1年に満たないときは、⑥に規定する控除額は、290万円に当該年において事業を行った月数を乗じて得た額を12で除して算定した金額とする。なお、この場合の月数は、暦に従い計算し、1月に満たない端数を生じたときは、1月とする。（法72の49の14②③）

$$290万円 \times \frac{当該年において事業を行った月数（端数切上げ）}{12}$$

　　　　（留意事項）
（2）　事業主控除額の控除については、次の諸点に留意すること。（県通3－11の13）
　（一）　2人以上の個人が共同して事業を行う場合の事業主控除額は、その事業を行う個人ごとにこれを控除するものとすること。
　（二）　事業主控除額は年を通じて算定するものであるから、年の中途において事業を休止する場合においても、その事業が継続して行われるものと認められる限り、その休止期間もこれを事業を行った月数に算入するものであること。
　　　　また、いわゆる季節営業についてもこれに準じて取り扱うことが適当であること。
　（三）　月割計算による事業主控除額については、課税標準額について1,000円未満の端数を切り捨てていることにかんがみ、1,000円未満の端数があるときは、その端数金額を1,000円として計算するものとして差し支えないこと。

⑦ **東日本大震災に係る個人の事業税の損失の繰越控除の特例**
　事業を行う個人のうち東日本大震災の被災者等に係る国税関係法律の臨時特例に関する法律（以下「**震災特例法**」という。）第7条《純損失の繰越控除の特例》第1項各号に掲げる要件のいずれかを満たす者（平成23年分の所得税につき青色申告書を提出している者に限る。）が平成23年損失金額（その者の平成23年における個人の事業の所得の計算上生じた損失の金額をいう。以下⑦において同じ。）又は被災損失金額（同年において生じたものを除く。以下⑦において同じ。）を有する場合には、当該平成23年損失金額又は当該被災損失金額の生じた年の末日の属する年度の翌々年度以後5年度内の各年度分の個人の事業税に係る二の1《事業の所得の計算》の規定の適用については、①中「損失の金額」とあるのは「損失の金額（⑦に規定する平成23年損失金額（以下⑦において「平成23年損失金額」という。）及び⑦に規定する被災損失金額（（1）において「被災損失金額」という。）を除く。）で前年前に控除されなかった部分の金額及び当該個人の前年前5年間において生じた平成23年損失金額」と、②のイ中「損失のうち」とあるのは「損失の金額（被災損失金額を除く。）のうち」と、「部分の金額」とあるのは「部分の金額及び当該個人の前年前5年間において生じた被災損失金額で前年前に控除されなかった部分の金額」とする。（法附50①）

　　　　（東日本大震災に係る個人の事業税の損失の繰越控除の特例の読替え規定）
（1）　事業を行う個人のうち震災特例法第7条第1項各号に掲げる要件のいずれかを満たす者（⑦の規定の適用を受ける者を除く。）が平成23年特定損失金額又は被災損失金額（平成23年において生じたものを除く。以下（1）において同じ。）を有する場合には、当該平成23年特定損失金額又は当該被災損失金額の生じた年の末日の属する年度の翌々年度以後5年度内の各年度分の個人の事業税に係る二の1の規定の適用については、①中「損失の金額」とあるのは「損失の金額（（1）に規定する被災損失金額（（2）において「被災損失金額」という。）を除く。）」と、②のイ中「損失のうち」とあるのは「損失の金額（（1）に規定する平成23年特定損失金額（以下（1）において「平成23年特定損失金額」という。）及び被災損失金額を除く。）のうち」と、「部分の金額」とあるのは「部分の金額及び当該個人の前年前5年間において生じた被災損失金額で前年前に控除されなかった部分の金額」とする。（法附50②）

　　　　（事業を行う個人が被災損失金額を有する場合の読替え規定）
（2）　事業を行う個人（⑦及び（1）以外の規定の適用を受ける者を除く。）が被災損失金額を有する場合には、当該被災損失金額の生じた年の末日の属する年度の翌々年度以後5年度内の各年度分の個人の事業税に係る二の1の規定の適

用については、①中「損失の金額」とあるのは「損失の金額（（2）に規定する被災損失金額（（3）において「被災損失金額」という。）を除く。）」と、②のイ中「損失のうち」とあるのは「損失の金額（被災損失金額を除く。）のうち」と、「部分の金額」とあるのは「部分の金額及び当該個人の前年前5年間において生じた被災損失金額で前年前に控除されなかった部分の金額」とする。（法附50③）

（用語の意義）
（3）⑦において、次の各号に掲げる用語の意義は、当該各号に定めるところによる。（法附50④）

（一）	青色申告書	所得税法第2条第1項第40号に規定する青色申告書をいう。
（二）	被災損失金額	その者のその年における個人の事業の所得の計算上生じた損失の金額のうち、被災事業用資産震災損失合計額（震災特例法第6条《被災事業用資産の損失の必要経費算入に関する特例等》第1項に規定する棚卸資産震災損失額、同条第2項に規定する固定資産震災損失額及び同条第3項に規定する山林震災損失額の合計額で、②のイに規定する被災事業用資産の損失の金額に該当するものをいう。）に係るものとして（4）で定めるものをいう。
（三）	平成23年特定損失金額	その者の平成23年における個人の事業の所得の計算上生じた損失の金額のうち、②のイに規定する被災事業用資産の損失の金額に係るものとして（5）で定めるものをいう。

（被災損失金額）
（4）（3）の（二）に規定する（4）で定めるものは、その者のその年における個人の事業の所得の計算上生じた損失の金額のうち、その年において生じた同（二）に規定する被災事業用資産震災損失合計額に達するまでの金額とする。（令附30①）

（平成23年特定損失金額）
（5）（3）の（三）に規定する（5）で定めるものは、その者の平成23年における個人の事業の所得の計算上生じた損失の金額のうち、同年において生じた②のイに規定する被災事業用資産の損失の金額に達するまでの金額とする。（令附30②）

（申告の義務の読替え規定）
（6）⑦から（2）までの規定の適用がある場合における第三節六の1《申告の義務》の規定の適用については、同2中「①、②のイ及び⑤」とあるのは「⑦の規定により読み替えられた①若しくは②のイ又は⑤」とする。（法附50⑤）

⑧ 控除の順序
①、②、④、⑤及び⑥の控除は、まず①の控除又は②の控除をし、次に④の控除、⑤の控除及び⑥の控除の順序に控除をするものとする。（法72の49の12⑮）

（留意事項）
注　損失の繰越控除、被災事業用資産の損失の繰越控除、譲渡損失の控除、譲渡損失の繰越控除及び事業主控除の順序は、⑧の規定の順序に従って、それぞれ控除するものであるが、事業専従者控除については所得金額の計算に当たって必要な経費に算入するものであるからこの控除の順序には関係はないものであること。（県通3－11の14）

三　課税標準の算定の特例

1　国外において事業を行うものの課税標準の特例

① 課税標準とすべき所得
　国内に主たる事務所若しくは事業所を有する個人で、地方税法の施行地外（以下「国外」という。）にその事業が行われる場所（恒久的施設に相当するもの）で第二章第一節二の1の（1）から（3）まで《外国法人の事業が行われる場所》に掲げるものを有するものの事業税の課税標準とすべき所得は、当該個人の事業の所得の総額から国外の事業に帰属する所得を控除して得た額とする。この場合において、国外の事業に帰属する所得の計算が困難であるときは、②で定めるところ

により計算した金額をもって、当該個人の国外の事業に帰属する所得とみなす。(法72の49の13、令35の3の10)

　　(留意事項)
　注　国内に主たる事務所若しくは事業所を有する個人が外国に①に規定する場所を有する場合には、当該個人の事業の所得の総額から外国の事業に帰属する所得を控除して得た額が当該個人の事業税の課税標準となるものであるが、その取扱いの細部については別途「事業税における国外所得等の取扱いについて」(平16総税都16)により通知するところによるものであること。(県通3－11の10)

② 国外の事業に帰属する所得の算定の方法
　①に規定する個人の国外の事業に帰属する所得とみなす金額は、当該個人の所得の総額(二の3《外国税額の必要経費算入》の規定を適用しないで計算した金額とする。)に当該個人の国外に有する①に規定する場所(以下②において「外国の事務所又は事業所」という。)の従業者(事務所又は事業所に使用される者で賃金を支払われるものをいう。以下②において同じ。)の数を乗じて得た額を当該個人の国内に有する事務所又は事業所及び外国の事務所又は事業所の従業者の合計数で除して計算する。(令35の3の11①)

$$\frac{外国税額の必要経費算入の規定を適用しないで計算した所得の総額 \times A}{国内に有する事務所又は事業所の従業者の数＋外国の事務所又は事業所の従業者の数(A)}$$

　　(所得税法上の外国税額控除を受けなかった場合の所得の総額の計算)
(1)　②の個人が所得税法第95条《外国税額控除》の規定の適用を受けない場合における②の所得の総額は、当該個人の国外の事業に帰属する所得に対して外国において課された所得税に相当する税を必要な経費に算入しないものとして計算する。(令35の3の11②)

　　(従業者の数)
(2)　②の規定の適用がある場合における②の事務所又は事業所の従業者の数は、②の個人の課税標準の算定期間の末日現在における事務所又は事業所の従業者の数(法の施行地に主たる事務所又は事業所を有する個人で外国の事務所又は事業所を有しないものが課税標準の算定期間の中途において外国の事務所又は事業所を有することとなった場合又は②の個人が課税標準の算定期間の中途において外国の事務所又は事業所を有しないこととなった場合には、当該算定期間に属する各月の末日現在における事務所又は事業所の従業者の数を合計した数を当該算定期間の月数で除して得た数(その数に1人に満たない端数を生じたときは、これを1人とする。))によるものとする。(令35の3の11③)
　　(注)　(2)の月数は、暦に従って計算し、1月に満たない端数を生じたときは、これを1月とする。(令35の3の11④)

2　鉱物の掘採事業と精錬事業とを一貫して行う者の所得の算定

① 課税標準とすべき所得の計算
　鉱物の掘採事業と精錬事業とを一貫して行う個人が納付すべき事業税の課税標準とすべき所得は、これらの事業を通じて算定した所得に、課税標準の算定期間中におけるこれらの事業の生産品について収入すべき金額から課税標準の算定期間中において掘採した鉱物について個人が納付すべき鉱産税の課税標準である鉱物の価格を控除した金額を当該生産品について収入すべき金額で除して得た数値を乗じて得た額とする。(法72の49の16①)

$$掘採事業及び精錬事業を通じて算定した所得の額 \times \frac{A－課税標準の算定期間中において掘採した鉱物について納付すべき鉱産税の課税標準である鉱物の価格}{課税標準の算定期間中における事業の生産品について収入すべき金額(A)}$$

　　(他の者から鉱物を買い入れた場合の所得の算定)
(1)　①に規定する鉱物の掘採事業と精錬事業とを一貫して行う個人が他の者から買い入れた鉱物を精錬している場合には、当該個人が納付すべき事業税の課税標準とすべき所得は、これらの事業を通じて算定した所得に、課税標準の算定期間中におけるこれらの事業の生産品について収入すべき金額から課税標準の算定期間中において掘採した鉱物について個人が納付すべき鉱産税の課税標準である鉱物の価格と当該買入れに係る鉱物の価格との合計額を控除した金額を当該生産品について収入すべき金額から当該買入れに係る鉱物の価格を控除した金額で除して得た数値を乗じて得た額とする。(令35の3の12)

$$\text{掘採事業及び精錬事業を通じて算定した所得の額} \times \frac{A - \left(\begin{array}{c}\text{課税標準の算定期間中において掘採した鉱物について納付すべき鉱産税の課税標準である鉱物の価格} + \text{買入れに係る鉱物の価格}\end{array}\right)}{\text{課税標準の算定期間中における事業の生産品について収入すべき金額}(A) - \text{買入れに係る鉱物の価格}}$$

(法人の事業税における取扱いの準用)
（２） 鉱物の掘採事業と精錬事業とを一貫して行う個人の所得の算定については第五章第二節七の２の①の（２）、石灰石の採掘事業と加工（製造）事業とを一貫して行う個人の所得の算定については同②の（３）、課税事業と非課税事業とを併せて行う個人の所得の算定については同（４）の取扱いにそれぞれ準ずるものとすること。（県通３－１１の１１）

② 所得を区分することができる場合の課税標準とすべき所得
①の個人が鉱物の掘採事業に係る所得と精錬事業に係る所得とを区分することができる場合においては、当該個人の精錬事業に係る事業税の課税標準とすべき所得は、①の規定にかかわらず、その区分して計算した所得とする。（法72の49の16②）

（区分計算の方法の承認）
注 ②の場合においては、その区分計算の方法について、事務所又は事業所所在地の道府県知事（二以上の道府県において事務所又は事業所を設けて事業を行う個人にあっては、主たる事務所又は事業所所在地の道府県知事）の承認を受けなければならない。その区分計算の方法を変更しようとする場合においても、また、同様とする。（法72の49の16③）

四 外形課税の特例

個人の行う事業に対する事業税の課税標準については、事業の情況に応じ、第一節一及び第二節一の所得によらないで、売上金額、家屋の床面積若しくは価格、土地の地積若しくは価格、従業員数等を課税標準とし、又は所得とこれらの課税標準とを併せ用いることができる。（法72の49の15）

五 税　率

1 標準税率

個人の行う事業に対する事業税の額は、次の各号に掲げる区分に応じ、それぞれ当該各号に定める金額とする。（法72の49の17①）

（一）	第１種事業を行う個人	所得に100分の５の標準税率によって定めた率を乗じて得た金額
（二）	第２種事業を行う個人	所得に100分の４の標準税率によって定めた率を乗じて得た金額
（三）	第３種事業（（四）に掲げるものを除く。）を行う個人	所得に100分の５の標準税率によって定めた率を乗じて得た金額
（四）	第３種事業のうち第一節二の３の表の（五）及び（七）に掲げる事業を行う個人	所得に100分の３の標準税率によって定めた率を乗じて得た金額

（異なる税率を適用される二以上の事業を併せて行っている場合の所得区分）
（１） １の規定により区分された事業を併せて行う場合における１の各号に掲げる税率を適用すべき所得は、当該個人の事業の所得をそれぞれの事業につき二の１及び２の規定によって計算した所得金額に按分して算定するものとする。（法72の49の17②）

（外形課税による場合の負担の均衡）
（２） 道府県が四の規定によって事業税を課する場合における税率は、１及び２の税率による場合における負担と著しく均衡を失することのないようにしなければならない。（法72の49の17④）

(留意事項)
（3）　異なる税率が適用される二以上の事業を併せて行う個人のそれぞれの税率を適用すべき所得は、損失の繰越控除又は被災事業用資産の損失の繰越控除、譲渡損失の控除、譲渡損失の繰越控除及び事業主控除額の金額を控除した後の総所得金額（以下（3）において「総所得金額」という。）をこれらの控除をする前のそれぞれの事業の所得金額によりあん分して算出するものであること。この場合において、それぞれの事業の所得金額の区分が明らかでない場合においては、総所得金額を売上金額等最も妥当な基準によりあん分して、それぞれの税率を適用すべき所得を算定すること。

なお、事業専従者控除額は、それぞれの事業の所得金額の計算に当たって必要な経費に算入すべきものであることに留意すること。（県通3－11の15）

2　制限税率

道府県は、1に規定する標準税率を超える税率で事業税を課する場合には、1各号に掲げる区分に応ずる当該各号に定める率に、それぞれ1.1を乗じて得た率を超える税率で課することができない。（法72の49の17③）

第三節　賦課及び徴収等

一　徴収の方法

個人の行う事業に対する事業税の徴収については、普通徴収の方法によらなければならない。（法72の49の18）

二　賦課の方法

1　税務官署に対する申告等に基づく賦課

個人の行う事業に対し事業税を課する場合には、4に規定する場合を除き、道府県知事は、当該個人の当該年度の初日の属する年の前年中の所得税の課税標準である所得のうち第二節二の1《事業の所得の計算》においてその計算の例によるものとされる所得税法第26条《不動産所得》及び第27条《事業所得》に規定する不動産所得及び事業所得について当該個人が税務官署に申告し、若しくは修正申告し、又は税務官署が更正し、若しくは決定した課税標準を基準として、事業税を課するものとする。ただし、第二節二の1のただし書の規定の適用を受ける第一節二の3《第3種事業》の（一）から（五）までに掲げる事業を行う個人若しくは事業税を課されない事業とその他の事業とを併せて行う個人又は当該申告若しくは修正申告において同法第26条若しくは第27条に規定する不動産所得若しくは事業所得を同法第23条から第35条まで《所得の種類及び各種所得の金額》に規定する他の種類の所得としたため、当該申告若しくは修正申告に係る課税標準が第二節二の1の規定により算定される課税標準と異なることとなる個人の行う事業に対し事業税を課する場合には、道府県知事は、その調査によって、当該年度の初日の属する年の前年中の所得を決定して事業税を課するものとする。（法72の50①）

(留意事項)
注　本来不動産所得又は事業所得であるべき所得について他の種類の所得として所得税の申告をしている者については、その申告した内容にかかわらず道府県知事の調査によって事業税の課税標準である所得を決定することができるものとされているのであるが、この規定は、このような手段により事業税負担を不当に回避する等の事態を防止し、租税負担の公平を図るために設けられているものであって、単に所得区分について税務官署の取扱いと見解が異なるような場合まで含める趣旨ではないものであること。したがって、税務官署において更正がなされている者についてはこの規定の適用はないものであり、また、その適用についてはあらかじめ税務官署と連絡のうえ行うことが適当であること。（県通3－11の16）

2　申告がない場合の道府県知事の調査に基づく賦課

道府県知事は、1の個人が不動産所得及び事業所得に係る課税標準について税務官署に申告しなかった場合において、税務官署が当該年度の初日の属する年の5月31日（繰上徴収の要件に該当する事由『第一編第三章二の1』が発生した場合には、その事由が発生した日）までに課税標準を決定しないときは、1の規定にかかわらず、その調査によって、個人の行う事業の所得を決定して事業税を課するものとする。所得税法第120条《確定所得申告》（同法第166条《非居住者の申

告、納付及び還付》において準用する場合を含む。）の規定により税務官署に申告したが、当該申告した所得から同法第72条《雑損控除》から第84条《扶養控除》まで及び第86条《基礎控除》（同法第165条第1項《非居住者の総合課税に係る所得税の課税標準、税額等の計算》の規定により同法第72条、第78条《寄付金控除》及び第86条の規定に準ずる場合を含む。）に規定する控除額を控除することにより納付すべき所得税額がなくなる場合においても、また同様とする。（法72の50②）

3　税務官署に対する更正の請求

　道府県知事は、個人が税務官署に申告し、若しくは修正申告し、又は税務官署が更正し、若しくは決定した不動産所得及び事業所得に係る課税標準が過少であると認めるときは、当該年の10月1日から10月31日までに、税務官署に対し、更正をすべき事由を記載した書類を添えて、更正をすべき旨を請求することができる。この場合において、正当な事由がなくて当該税務官署が当該更正の請求を受けた日から3月以内に更正をしないときは、道府県知事は、当該税務官署を監督する税務官署に更正をすべき旨を請求することができる。（法72の50③）

4　年の中途で事業を廃止した者に対する賦課

　年の中途において事業を廃止した個人の行う事業に対し事業税を課する場合には、1の規定によるほか、道府県知事は、その調査によって、当該年度の初日の属する年の1月1日から事業の廃止の日までの期間に係る所得を決定して事業税を課するものとする。（法72の50④）

5　道府県知事の通知義務

　道府県知事が1ただし書又は4の規定によって個人の所得を決定した場合においては、当該道府県知事（二以上の道府県において事務所又は事業所を設けて事業を行う個人に係るものにあっては、主たる事務所又は事業所所在地の道府県知事）は、遅滞なく、当該決定に係る個人の所得を税務官署に通知するものとする。（法72の58）

6　所得税又は道府県民税に関する書類の供覧等

①　所得税に関する書類の供覧等

　道府県知事が事業税の賦課徴収について、政府に対し、事業税の納税義務者で所得税の納税義務がある個人が政府に提出した申告書若しくは修正申告書又は政府が当該個人の課税標準若しくは税額についてした更正若しくは決定に関する書類を閲覧し、又は記録することを請求した場合には、政府は、関係書類を道府県知事又はその指定する吏員に閲覧させ、又は記録させるものとする。（法72の59①）

②　道府県民税に関する書類の供覧等

　道府県知事が事業税の賦課徴収について、市町村長に対し、事業税の納税義務者で道府県民税の納税義務がある個人が市町村長に提出した申告書又は市町村長が当該個人に係る道府県民税についてした賦課決定に関する書類を閲覧し、又は記録することを請求した場合には、市町村長は、関係書類を道府県知事又はその指定する吏員に閲覧させ、又は記録させるものとする。（法72の59②）

　　　（運用の趣旨）
　注　②の書類の閲覧又は記録については、個人の道府県民税の規定の取扱いの趣旨〖第一章第六節八注〗と同様の趣旨によって運用すべきものであること。（県通3－12の5）

三　二以上の道府県において事務所等を設けて事業を行う個人の課税標準の決定

1　所得の総額及び按分額の決定

①　所得の総額の決定

　二以上の道府県において事務所又は事業所を設けて事業を行う個人に課する事業税の課税標準とすべき所得の総額は、主たる事務所又は事業所所在地の道府県知事が決定しなければならない。（法72の54①）

　　　（総務大臣の変更の権限）
　（1）　総務大臣は、特別の必要があると認める場合には、①の規定により同項の道府県知事が定めた所得の総額又は2

第二編第四章《個人の事業税》第三節《賦課及び徴収等》

の規定によって①の道府県知事が定めた所得の変更の指示をすることができる。(法72の54⑦)

　　　　(地方財政審議会の意見の聴取)
(2)　総務大臣は、(1)の指示又は3の(1)の決定をしようとするときは、地方財政審議会の意見を聴かなければならない。(法72の54⑧)

②　関係道府県に対する按分額の決定及び通知
　①の道府県知事が所得の総額を決定した場合には、直ちに2の規定により関係道府県において課する事業税の課税標準とすべき所得を決定しなければならない。この場合において、当該道府県知事は、当該所得の総額及び当該課税標準とすべき所得を関係道府県知事及び当該納税者に通知しなければならない。(法72の54③)

　　　　(通知事項)
　注　二以上の道府県において事務所又は事業所を設けて事業を行う個人に課する事業税の所得の総額を主たる事務所又は事業所所在地の道府県知事が決定した場合における関係道府県知事に対する通知には、次に掲げる事項を併せて行うものとすること。(県通3－12の4)
　(一)　事業の種類
　(二)　当該道府県内における事務所又は事業所の名称及び所在地
　(三)　年別区分
　(四)　所得の総額及びその決定のあった年月日
　(五)　**分割基準**(課税標準額を関係道府県ごとに分割すべき基準をいう。以下同じ。)及び分割された所得

2　関係道府県に対する按分額の決定方法
　二以上の道府県において事務所又は事業所を設けて事業を行う個人に関係道府県において所得を課税標準として事業税を課する場合には、その所得(第二節**五**の1《標準税率》の規定により、異なる税率を適用される所得があるときは、その異なる税率を適用される所得ごとに区分した所得とする。以下同じ。)は、総務省令で定めるところにより、1の①の道府県知事が関係道府県内に所在する事務所又は事業所について同①の所得の総額を当該事務所又は事業所の従業者の数に按分して定める。この場合において、従業者の数は、第五章《法人の事業税》第五節一の3の②の表の(三)《分割基準の算定方法》の規定の例によって算定した数によるものとする。(法72の54②)

　　　　(従業者の意義)
(1)　2の従業者とは、俸給、給料、賃金、手当、賞与その他これらの性質を有する給与の支払を受けるべき者をいう。この場合において、当該事業の経営者である個人及びその親族又は同居人のうち当該事業に従事している者で給与の支払を受けない者は、給与の支払を受けるべきものとみなす。(規6の2の2①)

　　　　(従業者についての留意事項)
(2)　2の事務所又は事業所(以下(2)において「**事業所等**」という。)の従業者とは、当該事業所等に勤務すべき者で、俸給、給料、賃金、手当、賞与その他これらの性質を有する給与の支払を受けるべき者をいうものであるが、事業を経営する個人及びその親族又は同居人のうち当該事業に従事している者で給与の支払を受けていないものは給与の支払を受けるべき者とみなされるものであるから留意すること。この場合において、給与には、退職給与金、年金、恩給及びこれらの性質を有する給与は含まれないものであり、これらの給与以外の給与で所得税法第183条《源泉徴収義務》の規定による源泉徴収の対象となるもののみが、(1)に規定する給与に該当するものであること。なお、その運営に当たっては、次に掲げるところにより取り扱うものであること。(県通3－13、9の1)
　(一)　納税義務者から給与の支払を受け、かつ、当該納税義務者の事業所等に勤務すべき者のうち、当該勤務すべき事業所等の判定が困難なものについては、それぞれ次に掲げる事業所等の従業者として取り扱うものとすること。
　　イ　給与の支払を受けるべき事業所等と勤務すべき事業所等とが異なる者(例えば主たる事業所等で一括して給与を支払っている場合等)　　当該勤務すべき事業所等
　　ロ　転任等の理由により勤務すべき事業所等が1月のうちに二以上となった者　　当該月の末日現在において勤務すべき事業所等
　　ハ　各事業所等の技術指導等に従事している者で主として勤務すべき事業所等がないもののうち、ニ以外の者　　給与の支払を受けるべき事業所等

－(470)－

ニ　技術指導、実地研修等何らの名義をもってするを問わず、連続して1月以上の期間にわたって同一の事業所等に出張している者　　当該出張先の事業所等
　ホ　二以上の事業所等に兼務すべき者　　主として勤務すべき事業所等（主として勤務すべき事業所等の判定が困難なものにあっては、当該給与の支払を受けるべき事業所等）
(二)　次に掲げる者については、(一)にかかわらず、それぞれ次に掲げる事業所等の従業者として取り扱うものとすること。
　イ　一の納税義務者から給与の支払を受け、かつ、当該納税義務者以外の納税義務者の事業所等で勤務すべき者（当該者が二以上の納税義務者から給与の支払を受け、かつ、当該納税義務者のいずれか一の事業所等に勤務すべき場合を含む。）　　当該勤務すべき事業所等
　ロ　二以上の納税義務者の事業所等の技術指導等に従事している者で主として勤務すべき事業所等がないもののうちハ以外の者　　給与の支払を受けるべき事業所等
　ハ　事業所等を設置する納税義務者の事業に従事するため、当該納税義務者以外の納税義務者から技術指導、実地研修、出向、出張等何らの名義をもってするを問わず、当該事業所等に派遣されたもので連続して1月以上の期間にわたって当該事業所等に勤務すべき者　　当該勤務すべき事業所等
　ニ　二以上の納税義務者の事業所等に兼務すべき者　　当該兼務すべきそれぞれの事業所等
(三)　次に掲げる者については、当該事業所等又は施設の従業者として取り扱わないものとすること。
　イ　従業者を専ら教育するために設けられた施設において研修を受ける者
　ロ　給与の支払を受けるべき者であっても、その勤務すべき事業所等が課税標準額の分割の対象となる事業所等から除外される場合（例えば非課税事業を営む事業所等）の当該事業所等の従業者
　ハ　給与の支払を受けるべき者であっても、その勤務すべき施設が事業所等に該当しない場合の当該施設の従業者（例えば常時船舶の乗組員である者、現場作業所等の従業者）
　ニ　病気欠勤者又は組合専従者等連続して1月以上の期間にわたってその本来勤務すべき事業所等に勤務しない者（当該勤務していない期間に限る。）
(四)　(一)から(三)までに掲げるもののほか、従業者については、次の取扱いによるものであること。
　イ　事業税を課されない事業とその他の事業とを併せて行う納税義務者の従業者のうち、それぞれの事業に区分することが困難なものの数については、それぞれの事業の従業者として区分されたものの数により按分するものとすること。
　ロ　従業者は、常勤、非常勤の別を問わないものであるから、非常勤のもの例えば、重役、顧問等であっても従業者に含まれるものであること。
　ハ　連続して1月以上の期間にわたるかどうかの判定は、課税標準の算定期間の末日現在によるものとすること。この場合において、課税標準の算定期間の末日現在においては1月に満たないが、当該期間の翌期を通じて判定すれば1月以上の期間にわたると認められるときは、連続して1月以上の期間にわたるものとし、また、日曜日、祝祭日等当該事業所等の休日については、当該休日である期間は、勤務していた日数に算入すること。
　ニ　事業所等の構内・区画が2以上の道府県の区域にまたがる場合には、家屋の延床面積等合理的な方法により按分した数（その数に1人に満たない端数を生じたときは、これを1人とする。）をそれぞれの道府県の従業者数とするものであること。

3　按分額に不服がある場合の総務大臣に対する申出

　関係道府県知事は、1の①の道府県知事が2の規定により定めた所得について不服がある場合には、その事由を記載した書類を添えて、総務大臣に対し、1の②の通知を受けた日から30日以内に決定を求める旨を申し出ることができる。（法72の54④）

　　　（総務大臣の決定をすべき期限）
(1)　3の規定による申出に対する総務大臣の決定は、その申出を受理した日から60日以内にしなければならない。（法72の54⑤）
　　（注）　(1)の決定については、1の①の(2)を参照。（編者）

　　　（総務大臣の決定の通知）
(2)　総務大臣は、(1)の決定をした場合には、遅滞なく、その旨を関係道府県知事及び当該納税者に通知しなければならない。（法72の54⑥）

四　納期及び徴収の手続

1　納　　期

①　通常の納期

　個人の行う事業に対する事業税の納期は、8月及び11月中において当該道府県の条例で定める。ただし、特別の事情がある場合においては、これと異なる納期を定めることができる。（法72の51①）

②　税額が少ない場合の納期

　個人の事業税額が道府県の条例で定める金額以下であるものについては、当該道府県は、①の規定によって定められた納期のうちいずれか一の納期において、その全額を徴収することができる。（法72の51②）

③　年の中途で事業を廃止した者に係る納期

　年の中途において事業を廃止した場合における個人の行う事業に対する事業税は、①及び②の規定にかかわらず、当該事業の廃止後（当該個人が当該年の1月1日から3月31日までの間において事業を廃止した場合においては、当該年の3月31日後）直ちに課するものとする。（法72の51③）

2　徴収の手続

　個人の行う事業に対する事業税を徴収しようとする場合において納税者に交付すべき納税通知書は、遅くとも、その納期限前10日までに納税者に交付しなければならない。（法72の52）

五　納期限後に納付する場合の延滞金

　個人の行う事業に対する事業税の納税者は、その納期限（納期限の延長があった場合においては、その延長された納期限とする。以下個人の行う事業に対する事業税について同じ。）後にその税金を納付する場合においては、当該税額に、その納期限の翌日から納付の日までの期間の日数に応じ、年14.6パーセント（当該納期限の翌日から1月を経過する日までの期間については、年7.3パーセント）の割合を乗じて計算した金額に相当する延滞金を加算して納付しなければならない。（法72の53①）

　（注）　五に規定する延滞金の年7.3パーセントの割合については特例規定が設けられているので、第一編第十章12の①《延滞金の割合の特例》を参照。（編者）

　　　（延滞金の減免）
　注　道府県知事は、五の納税者が納期限までに税金を納付しなかったことについてやむを得ない事由があると認める場合においては、五の延滞金額を減免することができる。（法72の53②）

六　賦課徴収に関する申告又は報告の義務

1　申告の義務

　個人の行う事業に対する事業税の納税義務者で、第二節二の1《事業の所得の計算》の規定により計算した個人の事業の所得の金額が同4の⑤《事業主控除》の規定による控除額を超えるものは、総務省令の定めるところにより、当該年度の初日の属する年（以下1及び2において「**当該年**」という。）の3月15日までに（年の中途において事業を廃止した場合には、当該事業の廃止の日から1月以内（当該事業の廃止が納税義務者の死亡によるときは、4月以内）に）、当該年の前年中の事業の所得（年の中途において事業を廃止した場合には、当該年の1月1日から事業の廃止の日までの事業の所得）並びに当該年の前年において生じた譲渡損失(注)の金額（年の中途において事業を廃止した場合には、当該年の1月1日から事業の廃止の日までに生じた譲渡損失の金額）及び同節二の2《事業に専従する親族がある場合の所得の算定》の事業専従者控除に関する事項その他当該事業の所得の計算に必要な事項を事務所又は事業所所在地の道府県知事に申告しなければならない。（法72の55①）

　（注）　上記の「譲渡損失」の意義は、第二節二の4の③を参照。（編者）

(個人の事業税に係る申告書の様式)
(1)　1又は2の規定による申告書及び1の規定による申告書と併せてすべき3の規定による申告書の様式は、第14号の2様式とする。(規6の7①)
　　(注)　申告書の様式は省略した。(編者)

(賦課徴収に必要と認められるものの添付)
(2)　道府県知事は、1及び2の申告書を提出する者に対して、所得税法第120条第3項、第4項、第6項及び第7項に規定する書類その他の書類又は電磁的記録印刷書面(所得税法施行令第262条第1項に規定する電磁的記録印刷書面をいう。)で所得税に関する法令の規定に基づいて所得税の確定申告書に添付しなければならないこととなっているもの又は税務署長が提示させ、若しくは提出させることができることとなっているもの(所得税の確定申告書に添付し、又は税務署長に提示し、若しくは提出したものを除く。)のうち事業税の賦課徴収に必要と認めるものを当該申告書に添付させ、又は道府県知事に提示し、若しくは提出させることができる。(規6の7②により読み替えて準用される規2の2②)

(留意事項)
(3)　個人事業税の納税義務者は、(1)の第14号の2様式により前年中の事業の所得(年の中途において事業を廃止した場合においては当該年の1月1日から当該事業の廃止の日までの事業の所得)その他必要な事項を3月15日までに(年の中途で事業を廃止した場合においては、当該事業の廃止の日から1月以内(当該事業の廃止が納税義務者の死亡によるときは、4月以内)に)、事務所又は事業所所在地の道府県知事に申告し、又は報告しなければならないものであるが、この場合において損失の繰越控除、被災事業用資産の損失の繰越控除、譲渡損失の控除及び譲渡損失の繰越控除は、これらの損失の生じた年分の申告書にこれらの事項の記載がある場合にかぎり認められるものであること。また所得税法第57条第2項《青色事業専従者に関する届出》の書類を提出していない個人に係る青色事業専従者又は事業専従者につき、第二節二の2の規定の適用を受けようとする場合には、当該控除を受けようとする年分の申告書にこれらの事項の記載がある場合に限り認められるものであること。(県通3－12の1)

2　損失の繰越控除等を受ける場合の申告

　1の規定による申告の義務を有しない者で当該年度の翌年度以後において第二節二の4の①《青色申告者の損失の繰越控除》、②《被災事業用資産の損失の繰越控除》及び⑤《青色申告者の事業用資産の譲渡損失の繰越控除》の規定の適用を受けようとするものは、当該年の3月15日までに、その事務所又は事業所所在地の道府県知事に申告することができる。(法72の55②)
　　(注)　1及び同(2)を参照。(編者)

3　二以上の道府県において事務所等を設けて事業を行う個人の申告

　二以上の道府県において事務所又は事業所を設けて事業を行う個人がする1又は2の申告は、主たる事務所又は事業所所在地の道府県知事にしなければならない。この場合において、1の規定による申告をするときは、1の規定により申告すべき事項のほか、事務所又は事業所の従業者の数その他必要な事項を併せて申告しなければならない。(法72の55③)

4　賦課徴収に関する事項の報告

　道府県は、1から3までの規定により申告すべき事項のほか、当該道府県の条例の定めるところにより、個人の行う事業に対する事業税の賦課徴収に関し必要な事項の報告を求めることができる。(法72の55④)

5　虚偽の申告又は不申告に対する罰則

①　虚偽の申告等に関する罪
　六の規定により申告し、又は報告すべき事項について虚偽の申告又は報告をしたときは、その違反行為をした者は、1年以下の懲役又は50万円以下の罰金に処する。(法72の56①)

(両罰規定)
注　人の代理人、使用人その他の従業者がその人の業務又は財産に関して①の違反行為をした場合には、その行為者を罰するほか、その人に対し、①の罰金刑を科する。(法72の56②)

② **不申告等に関する過料**

　道府県は、個人の行う事業に対する事業税の納税義務者が六の規定によって申告し、又は報告すべき事項について正当な理由がなくて申告又は報告をしなかった場合においては、その者に対し、当該道府県の条例で10万円以下の過料を科する旨の規定を設けることができる。(法72の57)

6　徴収猶予

① **租税条約に基づく申立てが行われた場合における徴収猶予**

　事業を行う個人が租税条約（所得税法第162条第１項に規定する租税条約をいう。以下同じ。）の規定に基づき国税庁長官に対し当該租税条約に規定する申立て（租税特別措置法第40条の３の３第１項又は第41条の19の５第１項の規定の適用がある場合の申立てに限る。以下同じ。）をした場合（7において「国税庁長官に対する申立てが行われた場合」という。）又は租税条約の我が国以外の締約国若しくは締約者（以下「条約相手国等」という。）の権限ある当局に対し当該租税条約に規定する申立てをし、かつ、条約相手国等の権限ある当局から当該条約相手国等との間の租税条約に規定する協議（以下①及び7において「相互協議」という。）の申入れがあった場合（7において「条約相手国等の権限ある当局に対する申立てが行われた場合」という。）には、道府県知事は、これらの申立てに係る租税特別措置法第40条の３の３第22項第１号（同法第41条の19の５第13項において準用する場合を含む。7の①において同じ。）に掲げる更正決定に係る所得税の額（これらの申立てに係る相互協議の対象となるものに限る。以下①及び7において同じ。）の計算の基礎となった所得に基づいて課された事業税額を限度として、これらの申立てをした者の申請に基づき、その納期限（第五節―の１《督促》に規定する納期限をいい、当該申請が当該納期限後であるときは、当該申請の日とする。）から国税庁長官と当該条約相手国等の権限ある当局との間の合意に基づく国税通則法第26条《再更正》の規定による更正に係る所得税の額の計算の基礎となった所得に基づいて事業税を課した日（当該合意がない場合その他の政令で定める場合には、政令で定める日）の翌日から１月を経過する日までの期間（⑤において「徴収の猶予期間」という。）に限り、その徴収を猶予することができる。ただし、当該申請を行う者につき当該申請の時において当該事業税額以外の当該道府県の地方税の滞納がある場合は、この限りでない。(法72の57の２①)

　　　（合意がない場合その他の政令で定める場合）
（１）　①に規定する合意がない場合その他の政令で定める場合は次の各号に掲げる場合とし、①に規定する政令で定める日は道府県知事が当該各号に掲げる場合に該当する旨を通知した日とする。(令35の４の２①)
（一）　相互協議（①に規定する相互協議をいう。以下同じ。）を継続した場合であっても①に規定する合意（以下「合意」という。）に至らないと国税庁長官が認める場合（④に掲げる場合を除く。）において、国税庁長官が当該相互協議に係る条約相手国等（①に規定する条約相手国等をいう。以下同じ。）の権限ある当局に当該相互協議の終了の申入れをし、当該権限ある当局の同意を得たとき。
（二）　相互協議を継続した場合であっても合意に至らないと当該相互協議に係る条約相手国等の権限ある当局が認める場合において、国税庁長官が当該権限ある当局から当該相互協議の終了の申入れを受け、国税庁長官が同意をしたとき。
（三）　租税特別措置法第40条の３の４第１項に規定する所得税の額に関し国税庁長官と当該条約相手国等の権限ある当局との間の合意が行われた場合において、当該合意の内容が当該所得税の額を変更するものでないとき。

　　　（徴収猶予を受ける場合の申請書の提出）
（２）　①の規定による徴収の猶予を受けようとする者は、次に掲げる事項を記載した申請書に、①の申立てをしたことを証する書類その他の総務省令で定める書類を添付し、これを道府県知事に提出しなければならない。(令35の４の２③)
（一）　当該猶予を受けようとする事業税の納税義務者の氏名、主たる事務所又は事業所の所在地及び個人番号
（二）　①に規定する事業税額並びにその年度及び納期限
（三）　（二）の事業税額のうち当該猶予を受けようとする金額
（四）　当該猶予を受けようとする金額が100万円を超え、かつ、当該猶予の期間が３月を超える場合には、その申請時に提供しようとする第一編第五章第二節―《担保の徴取》に掲げる担保の種類、数量、価額及び所在（その担保が保証人の保証であるときは、保証人の名称又は氏名及び主たる事務所若しくは事業所の所在地又は住所若しくは居所）その他担保に関し参考となるべき事項（担保を提供することができない特別の事情があるときは、その事情）
　　(注)　（２）の規定による申請書の様式は、第14号の３様式とする。(規６の９①)

（租税条約に基づく申立てが行われた場合における個人の事業税の徴収猶予の申請書類）
（３）　（２）に規定する(3)で定める書類は、次に掲げる書類とする。（規６の９②）
　(一)　①の申立てをしたことを証する書類
　(二)　①に規定する事業税額が、租税特別措置法第40条の３の３第22項第１号（同法第41条の19の５第13項において準用する場合を含む。）に掲げる更正決定に係る所得税の額の計算の基礎となった所得に基づき課されたものであること及び(一)の申立てに係る条約相手国等（①に規定する条約相手国等をいう。）との間の相互協議（①に規定する相互協議をいう。以下同じ。）の対象であることを明らかにする書類
　(三)　（２）の(四)に規定する場合に該当するときには、供託書の正本、抵当権を設定するために必要な書類、保証人の保証を証する書面その他の担保の提供に関する書類

②　徴収の猶予に係る担保の徴取

　道府県知事は、①の規定による徴収の猶予（以下「徴収の猶予」という。）をする場合には、その猶予に係る金額に相当する担保で第一編第五章第二節一《担保の徴取》に掲げるものを、政令で定めるところにより徴さなければならない。ただし、その猶予に係る税額が100万円以下である場合、その猶予の期間が３月以内である場合又は担保を徴することができない特別の事情がある場合は、この限りでない。（法72の57の２②）

　　（担保を徴する場合の期限の指定）
　注　②の規定により担保を徴する場合には、期限を指定して、その提供を命ずるものとする。この場合においては、第一編第五章第二節一の(3)、(5)～(7)並びに第一編第五章第二節三の１の(3)、(4)の規定を準用する。（令35の４の２②）

③　徴収の猶予と担保の規定の準用

　第一編第五章第一節二の３《徴収猶予の通知》、第一編第五章第一節二の４《徴収猶予の効果》、第一編第五章第二節二《納付又は納入の委託》、第一編第五章第二節二(1)～(3)及び第一編第七章二の２の③《徴収の猶予又は換価の猶予による時効の停止》の規定は徴収の猶予について、第一編第二章三の１《第二次納税義務の通則》、第一編第五章第二節一《担保の徴取》の(1)及び(2)、第一編第五章第二節二の(4)並びに第一編第五章第二節五《担保の処分》及び同(1)《処分の代金が徴収金等の額に不足する場合の滞納処分》の規定は②の規定による担保について、それぞれ準用する。（法72の57の２③）

④　徴収猶予の取消し

　徴収の猶予を受けた者が次の各号のいずれかに該当する場合には、道府県知事は、その徴収の猶予を取り消すことができる。この場合においては、第一編第五章第一節二の５の(1)《弁明の聴取》及び同(2)《取消しの通知》の規定を準用する。（法72の57の２④）
(一)　①の申立てを取り下げたとき。
(二)　第一編第三章二の１《繰上徴収》の表内(一)～(六)のいずれかに該当する事実がある場合において、その者がその猶予に係る事業税額を猶予期間内に完納することができないと認められるとき。
(三)　③において準用する第一編第五章第二節一の(2)《増担保、保証人の変更等の要求》の規定による担保の提供又は変更その他担保を確保するため必要な行為に関する道府県知事の求めに応じないとき。
(四)　新たにその猶予に係る事業税額以外の当該道府県に係る地方団体の徴収金を滞納したとき（道府県知事がやむを得ない理由があると認めるときを除く。）。
(五)　徴収の猶予を受けた者の財産の状況その他の事情の変化によりその猶予を継続することが適当でないと認められるとき。

⑤　徴収猶予に係る延滞金の免除

　徴収の猶予をした場合には、その猶予をした事業税に係る延滞金額のうち徴収の猶予期間（①の申請が①の納期限以前である場合には、当該申請の日を起算日として当該納期限までの期間を含む。）に対応する部分の金額は、免除する。ただし、(3)の規定による取消しの基因となるべき事実が生じた場合には、その生じた日後の期間に対応する部分の金額については、道府県知事は、その免除をしないことができる。（法72の57の２⑤）

(政令への委任)
注　徴収の猶予に関する申請の手続に関し必要な事項は、政令で定める。(法72の57の2⑥)

7　徴収猶予に係る通知

①　徴収猶予に係る国税庁長官の通知

国税庁長官は、国税庁長官に対する申立てが行われた場合又は条約相手国等の権限ある当局に対する申立てが行われた場合には、遅滞なく、その旨、これらの申立てに係る租税特別措置法第40条の3の3第22項第1号に掲げる更正決定に係る所得税の額の計算の基礎となった所得その他注で定める事項をこれらの申立てをした事業税の納税義務者の事務所又は事業所（二以上の道府県において事務所又は事業所を有する納税義務者にあっては、その主たる事務所又は事業所。②及び③において同じ。）の所在地の道府県知事に通知しなければならない。(法72の57の3①)

（①に規定する国税庁長官の通知）
注　①に規定する注で定める事項は、次に掲げる事項とする。(規6の10①)
(一)　租税条約（6の①に規定する租税条約をいう。以下同じ。）に規定する申立てをした事業税の納税義務者の氏名、主たる事務所又は事業所の所在地及び個人番号
(二)　(一)の申立てが行われた日
(三)　(一)の申立てに係る所得税の額の計算の基礎となった所得（①に規定する所得税の額の計算の基礎となった所得をいう。）の年分
(四)　その他参考となるべき事項

②　相互協議による合意がない場合の通知

国税庁長官は、国税庁長官に対する申立てが行われた場合又は条約相手国等の権限ある当局に対する申立てが行われた場合において、これらの申立てに係る相互協議において6の①に規定する合意がない場合その他の政令で定める場合に該当することとなったときは、遅滞なく、その旨その他注で定める事項をこれらの申立てをした事業税の納税義務者の事務所又は事業所の所在地の道府県知事に通知しなければならない。(法72の57の3②)

（②に規定する国税庁長官の通知）
注　②に規定する注で定める事項は、次に掲げる事項とする。(規6の10②)
(一)　租税条約に規定する申立てをした事業税の納税義務者の氏名、主たる事務所又は事業所の所在地及び個人番号
(二)　(一)の申立てに係る相互協議において6の①の(1)の(一)から(三)に掲げる場合に該当することとなった日
(三)　その他参考となるべき事項

③　相互協議による合意が行われた場合の通知

国税庁長官は、国税庁長官に対する申立てが行われた場合又は条約相手国等の権限ある当局に対する申立てが行われた場合において、これらの申立てに係る相互協議において6の①に規定する合意が行われたときは、遅滞なく、その旨、当該合意に基づく国税通則法第26条《再更正》の規定による更正に係る所得税の額の計算の基礎となった所得その他注で定める事項をこれらの申立てをした事業税の納税義務者の事務所又は事業所の所在地の道府県知事に通知しなければならない。(法72の57の3③)

（③に規定する国税庁長官の通知）
注　③に規定する注で定める事項は、次に掲げる事項とする。(規6の10③)
(一)　租税条約に規定する申立てをした事業税の納税義務者の氏名、主たる事務所又は事業所の所在地及び個人番号
(二)　(一)の申立てに係る相互協議において6の①に規定する合意が行われた日
(三)　(二)の合意に基づく所得税の額の計算の基礎となった所得（③に規定する所得税の額の計算の基礎となった所得をいう。）の年分
(四)　その他参考となるべき事項

④　関係道府県知事への通知

①から③までの通知を受けた主たる事務所又は事業所の所在地の道府県知事は、遅滞なく、これらの規定に規定する事

項を関係道府県知事に通知しなければならない。(法72の57の3④)

七 みなし申告

1 所得税又は道府県民税について確定申告書等を提出した場合のみなし申告

　個人の行う事業に対する事業税の納税義務者が前年分の所得税につき所得税法第2条第1項第37号《確定申告書の定義》の確定申告書を提出し、又は道府県民税につき第一章第六節八の1の①《申告書の記載事項等》の申告書を提出した場合（年の中途においてその事業を廃止した事業税の納税義務者が当該確定申告書（死亡により事業を廃止した場合に提出するものを除く。）又は道府県民税の申告書を提出した場合を除く。）には、当該申告書が提出された日に六の1から3までの規定による申告がされたものとみなす。ただし、同日前に当該申告がされた場合には、この限りでない。(法72の55の2①、令35の4)

　　　（申告書に記載された事項のみなし規定）
　(1)　1本文の場合には、当該申告書に記載された事項のうち六の1から3までに規定する事項に相当するもの及び2の規定により付記された事項は、六の1から3までの規定により申告されたものとみなす。(法72の55の2②)

　　　（留意事項）
　(2)　事業税の納税義務者が前年分の所得税につき所得税法第2条第1項37号の確定申告書（死亡以外の理由により事業を廃止した個人が提出した確定申告書を除く。）を提出した場合又は道府県民税の申告書（事業を廃止した個人が提出した申告書を除く。）を提出した場合には、当該確定申告書又は申告書の提出前に事業税の申告をしたときを除き、当該確定申告書又は申告書が提出された日に事業税の申告がなされたものとみなし、当該確定申告書又は申告書に記載された事項のうち事業税の申告に必要な事項に相当するものは、六の1から3までの規定により申告されたものとみなすものであること。なお、この場合における国と地方公共団体との税務運営上の協力については、別途「所得税の確定申告書を提出した者について個人事業税および個人住民税の申告書を提出したものとみなすこととされたことに伴う国と地方公共団体との税務行政運営上の協力について」(昭41自市71)により行うものであること。(県通3-11の2)

2 所得税の確定申告書等に付記すべき事項

　1本文の場合には、1に規定する申告書を提出する者は、当該申告書に、事業税の賦課徴収につき必要とされる次に掲げる事項を付記しなければならない。(法72の55の2③、規6の8)

(一)		所得税法第26条第2項《不動産所得の金額》及び第27条第2項《事業所得の金額》（同法第165条《非居住者の総合課税に係る所得税の課税標準、税額等の計算》の規定によりこれらの規定に準ずる場合を含む。以下(一)において同じ。）の金額又は第一章第二節一の2《道府県民税の所得割の総所得金額等の算定方法》の規定においてその例によるものとされる同法第26条第2項及び第27条第2項の規定により算定した金額（農業に係る金額を除くものとする。以下「**事業所得等の金額**」という。）のうちに次に掲げる金額を有する者にあっては、その金額
	イ	第一節一《課税団体及び納税義務者》に規定する第1種事業、第2種事業及び第3種事業以外の事業に係る事業所得等の金額
	ロ	第一節四《非課税の範囲》に掲げる事業に係る事業所得等の金額
	ハ	第二節三の1《国外において事業を行うものの課税標準の特例》の規定により控除すべき金額
	ニ	租税特別措置法第26条第1項《社会保険診療報酬の所得計算の特例》の規定又は第一章第二節一の2の規定においてその例によるものとされる同法第26条第1項の規定により算定した事業所得等の金額
(二)		所得税法第57条第1項《青色事業専従者給与》に規定する青色事業専従者とされなかった親族につき第二節二の2の①《青色事業専従者給与がある場合の必要経費算入》後段の規定の適用を受けようとする者にあっては、同①に規定する青色事業専従者の氏名、個人番号（行政手続における特定の個人を識別するための番号の利用等に関する法律第2条第5項に規定する個人番号をいう。）及びその青色事業専従者に支給した給与の総額
(三)		前年分の事業の所得の計算上生じた損失のうちに第二節二の4の②のロ《被災事業用資産の損失の金額》の被災事業用資産の損失の金額を有する者にあっては、その金額

(四)	第二節二の４の④《事業用資産の譲渡損失の控除》に規定する譲渡損失の金額を有する者にあっては、その金額
(五)	租税特別措置法第25条の２に規定する青色申告特別控除の適用を受けた者にあっては、その旨
(六)	租税特別措置法第41条の４第１項《不動産所得に係る損益通算の特例》及び第41条の４の２第１項《特定組合員等の不動産所得に係る損益通算等の特例》の規定の適用を受けた者にあっては、所得税法第26条第２項の規定又は第一章第二節一の２の規定においてその例によるものとされる所得税法第26条第２項の規定により算定した不動産所得の金額
(七)	前年中に事業を開始した者にあっては、その開業月日
(八)	主たる事務所又は事業所所在の道府県以外の道府県における事務所又は事業所の有無

第四節　雑　則

1　脱税に関する罪

偽りその他不正の行為により個人の事業税の全部又は一部を免れたときは、その違反行為をした者は、10年以下の懲役若しくは1,000万円以下の罰金に処し、又はこれを併科する。（法72の60①）

　　　（脱税額が1,000万円を超える場合の罰金額の加重）
（１）　１の免れた税額が1,000万円を超える場合には、情状により、その罰金の額は、１の規定にかかわらず、1,000万円を超える額でその免れた税額に相当する額以下の額とすることができる。（法72の60②）

　　　（故意の不申告に関する罪）
（２）　１に規定するもののほか、第三節六の１《申告の義務》の規定により申告し、又は報告すべき事項について申告又は報告をしないことにより、個人の行う事業に対する事業税の全部又は一部を免れたときは、その違反行為をした者は、５年以下の懲役若しくは500万円以下の罰金に処し、又はこれを併科する。（法72の60③）

　　　（脱税額が500万円を超える場合の罰金額の加重）
（３）　（２）の免れた税額が500万円を超える場合には、情状により、（２）の罰金の額は、（２）の規定にかかわらず、500万円を超える額でその免れた税額に相当する額以下の額とすることができる。（法72の60④）

　　　（両罰規定）
（４）　人の代理人、使用人その他の従業者がその人の業務又は財産に関して１又は（２）の違反行為をした場合には、その行為者を罰するほか、その人に対し、当該各項の罰金刑を科する。（法72の60⑤）

　　　（両罰規定により罰金刑を科する場合の公訴時効期間）
（５）　（４）の規定により１又は（２）の違反行為につき人に罰金刑を科する場合における時効の期間は、これらの項の罪についての時効の期間による。（法72の60⑥）

2　減　免

道府県知事は、天災その他特別の事情がある場合において個人の事業税の減免を必要とすると認める者、貧困により生活のため公私の扶助を受ける者その他特別の事情がある者に限り、当該道府県の条例の定めるところにより、個人の事業税を減免することができる。（法72の62）

　（注）　個人の事業税に係る減免措置については、第一編第十章末尾の参考通知を参照。（編者）

3　総務省の職員の調査に係る質問検査権等

①　総務省の職員の調査に係る質問検査権

　第三節三の１の(1)又は３の(1)の場合において、総務省の職員で総務大臣が指定する者（以下①から④までにおいて「総務省指定職員」という。）は、課税標準額の更正又は決定及びその分割の調査のために必要があるときは、次に掲げる者に質問し、又は(一)若しくは(二)の者の事業に関する帳簿書類（その作成又は保存に代えて電磁的記録（電子的方式、磁気的方式その他の人の知覚によっては認識することができない方式で作られる記録であって、電子計算機による情報処理の用に供されるものをいう。）の作成又は保存がされている場合における当該電磁的記録を含む。）その他の物件を検査し、若しくは当該物件（その写しを含む。）の提示若しくは提出を求めることができる。（法72の63①、72の7①）

(一)	個人の事業税の納税義務者又は納税義務があると認められる者
(二)	(一)に規定する者に金銭又は物品を給付する義務があると認められる者
(三)	(一)及び(二)に掲げる者以外の者で当該事業税の賦課徴収に関し直接関係があると認められる者

　　　（身分証明証票の提示）
（１）　①の場合においては、当該総務省指定職員は、その身分を証明する証票を携帯し、関係人の請求があったときは、これを提示しなければならない。（法72の63②）

　　　（提出物件の留置き）
（２）　総務省指定職員は、(3)で定めるところにより、①の規定により提出を受けた物件を留め置くことができる。（法72の63③）

　　　（物件の提出者への書面の交付）
（３）　①に規定する総務省指定職員（以下「総務省指定職員」という。）は、(2)の規定により物件を留め置く場合には、当該物件の名称又は種類及びその数量、当該物件の提出年月日並びに当該物件を提出した者の氏名及び住所又は居所その他当該物件の留置きに関し必要な事項を記載した書面を作成し、当該物件を提出した者にこれを交付しなければならない。（令35の４の３①）

　　　（提出物件の返還）
（４）　総務省指定職員は、(2)の規定により留め置いた物件につき留め置く必要がなくなったときは、遅滞なく、これを返還しなければならない。（令35の４の３②）

　　　（提出物件の管理義務）
（５）　総務省指定職員は、(4)に規定する物件を善良な管理者の注意をもって管理しなければならない。（令35の４の３③）

　　　（質問検査権の解釈）
（６）　①又は(2)の規定による総務省指定職員の権限は、犯罪捜査のために認められたものと解釈してはならない。（法72の63④）

②　総務省の職員の調査の事前通知等

　総務大臣は、総務省指定職員に①の(一)に掲げる者（以下②から③までにおいて「納税義務者」という。）に対し実地の調査において①の規定による質問、検査又は提示若しくは提出の要求（以下②及び③において「質問検査等」という。）を行わせる場合には、あらかじめ、当該納税義務者（当該納税義務者について税務代理人がある場合には、当該税務代理人を含む。）に対し、その旨及び次に掲げる事項を通知するものとする。（法72の63の２①）

(一)	質問検査等を行う実地の調査（以下②において単に「調査」という。）を開始する日時
(二)	調査を行う場所
(三)	調査の目的

(四)	個人の行う事業に対する事業税に関する調査である旨
(五)	調査の対象となる期間
(六)	調査の対象となる帳簿書類その他の物件
(七)	その他調査の適正かつ円滑な実施に必要なものとして(1)で定める事項

(調査の事前通知に係る通知事項)
(1) ②の(七)に規定する(1)で定める事項は、次に掲げる事項とする。(令35の4の4①)

(一)	調査(②の(一)に規定する調査をいう。以下(1)及び(2)において同じ。)の相手方である②に規定する納税義務者の氏名及び住所又は居所
(二)	調査を行う総務省指定職員の氏名(総務省指定職員が複数であるときは、総務省指定職員を代表する者の氏名)
(三)	②の(一)又は(二)に掲げる事項の変更に関する事項
(四)	(4)の規定の趣旨

(備付け及び保存義務の通知)
(2) ②の(一)から(七)までに掲げる事項のうち、②の(二)に掲げる事項については調査を開始する日時において②に規定する質問検査等を行おうとする場所を、②の(三)に掲げる事項については課税標準額の更正又は決定及びその分割の調査である旨を、それぞれ通知するものとし、②の(六)に掲げる事項については、同(六)に掲げる物件が地方税に関する法令の規定により備付け又は保存しなければならないこととされているものである場合にはその旨を併せて通知するものとする。(令35の4の4②)

(納税義務者からの変更要求があった場合の協議)
(3) 総務大臣は、②の規定による通知を受けた納税義務者から合理的な理由を付して②の(一)又は(二)に掲げる事項について変更するよう求めがあった場合には、当該事項について協議するよう努めるものとする。(法72の63の2②)

(②の(三)から(六)に掲げる事項以外の事項について質問検査等を行う場合の事前通知の不適用)
(4) ②の規定は、総務省指定職員が、当該調査により当該調査に係る②の(三)から(六)までに掲げる事項以外の事項について課税標準額の更正又は決定及びその分割の調査のために必要があることとなった場合において、当該事項に関し質問検査等を行うことを妨げるものではない。この場合において、②の規定は、当該事項に関する質問検査等については、適用しない。(法72の63の2③)

(納税義務者に税務代理人がある場合)
(5) 納税義務者について税務代理人がある場合において、当該納税義務者の同意がある場合として(6)で定める場合に該当するときは、当該納税義務者への②の規定による通知は、当該税務代理人に対してすれば足りる。(法72の63の2④)

(納税義務者に税務代理人がある場合の税務代理権限証書への記載)
(6) (5)に規定する(6)で定める場合は、税理士法施行規則第15条の税務代理権限証書((6)において「税務代理権限証書」という。)に、②に規定する納税義務者への調査の通知は税務代理人に対してすれば足りる旨の記載がある場合とする。(規7①)

(納税義務者に複数の税務代理人がある場合)
(7) 納税義務者について税務代理人が数人ある場合において、当該納税義務者がこれらの税務代理人のうちから代表する税務代理人を定めた場合として総務省令で定める場合に該当するときは、これらの税務代理人への②の規定による通知は、当該代表する税務代理人に対してすれば足りる。(法72の63の2⑤)

(納税義務者に複数の税務代理人がある場合の税務代理権限証書への記載)
(8) (7)に規定する(8)で定める場合は、税務代理権限証書に、当該税務代理権限証書を提出する者を(7)の代表す

　　　　（事前通知を要しない場合）
（9）　②の規定にかかわらず、総務大臣が調査の相手方である納税義務者の過去の調査結果の内容又はその営む事業内容に関する情報その他総務大臣が保有する情報に鑑み、違法又は不当な行為を容易にし、正確な事実の把握を困難にするおそれその他個人の行う事業に対する事業税に関する調査の適正な遂行に支障を及ぼすおそれがあると認める場合には、②の規定による通知を要しない。（法72の63の3）

③　総務省の職員の調査の終了の際の手続
　総務大臣は、個人の行う事業に対する事業税に関する実地の調査を行った結果、課税標準額の総額の更正若しくは決定又は事務所若しくは事業所の従業者の数（第三節三の2に規定する従業者の数をいう。以下同じ。）の修正若しくは決定の必要があると認められない場合には、納税義務者であって当該調査において質問検査等の相手方となった者に対し、その時点において課税標準額の総額の更正若しくは決定又は事務所若しくは事業所の従業者の数の修正若しくは決定の必要があると認められない旨を書面により通知するものとする。（法72の63の4①）

　　　　（納税義務者に対する理由等の説明）
（1）　総務大臣は、個人の行う事業に対する事業税に関する調査の結果、課税標準額の総額の更正若しくは決定又は事務所若しくは事業所の従業者の数の修正若しくは決定の必要があると認められる場合には、当該納税義務者に対し、その時点において課税標準額の総額の更正若しくは決定又は事務所若しくは事業所の従業者の数の修正若しくは決定の必要があると認められる旨及びその理由を説明するものとする。（法72の63の4②）

　　　　（税務代理人への通知又は説明）
（2）　実地の調査により質問検査等を行った納税義務者について税務代理人がある場合において、当該納税義務者の同意がある場合には、当該納税義務者への③又は（1）の規定による通知又は説明に代えて、当該税務代理人へのこれらの規定による通知又は説明を行うことができる。（法72の63の4③）

④　総務省の職員の行う検査拒否等に関する罪
　次の各号のいずれかに該当する場合には、その違反行為をした者は、1年以下の懲役又は50万円以下の罰金に処する。（法72の64①）

(一)	①の規定による帳簿書類その他の検査を拒み、妨げ、又は忌避したとき。
(二)	①の規定による物件の提示又は提出の要求に対し、正当な理由がなくこれに応ぜず、又は偽りの記載若しくは記録をした帳簿書類その他の物件（その写しを含む。）を提示し、若しくは提出したとき。
(三)	①の規定による総務省指定職員の質問に対し答弁をしないとき、又は虚偽の答弁をしたとき。

　　　　（両罰規定）
（1）　法人の代表者又は法人若しくは人の代理人、使用人その他の従業者がその法人又は人の業務又は財産に関して②の違反行為をした場合には、その行為者を罰するほか、その法人又は人に対し、②の罰金刑を科する。（法72の64②）

　　　　（人格のない社団等に対する刑事訴訟法の準用）
（2）　人格のない社団等について（1）の規定の適用がある場合には、その代表者又は管理人がその訴訟行為につき当該人格のない社団等を代表するほか、法人を被告人又は被疑者とする場合の刑事訴訟に関する法律の規定を準用する。（法72の64③）

第五節　督促及び滞納処分

1　督　　促

　納税者が納期限までに事業税に係る地方団体の徴収金を完納しない場合においては、道府県の徴税吏員は、納期限後20日以内に、督促状を発しなければならない。ただし、繰上徴収をする場合においては、この限りでない。（法72の66①）

　　　（特別の事情がある場合の督促状の発付期限）
（１）　特別の事情がある道府県においては、当該道府県の条例で1に規定する期間と異なる期間を定めることができる。（法72の66③）

　　　（督促手数料の徴収）
（２）　道府県の徴税吏員は、督促状を発した場合においては、当該道府県の条例の定めるところによって、手数料を徴収することができる。（法72の67）.

2　滞納処分

①　財産の差押え

　事業税に係る滞納者が次の各号の一に該当するときは、道府県の徴税吏員は、当該事業税に係る地方団体の徴収金につき、滞納者の財産を差し押えなければならない。（法72の68①）

（一）	滞納者が督促を受け、その督促状を発した日から起算して10日を経過した日までにその督促に係る事業税に係る地方団体の徴収金を完納しないとき。
（二）	滞納者が繰上徴収に係る告知により指定された納期限までに事業税に係る地方団体の徴収金を完納しないとき。

　　　（第二次納税義務者又は保証人に対する催告）
　注　第二次納税義務者又は保証人について①の規定を適用する場合には、①の（一）中「督促状」とあるのは、「納付の催告書」とする。（法72の68②）

②　繰上差押え

　事業税に係る地方団体の徴収金の納期限後①の（一）に規定する10日を経過した日までに、督促を受けた滞納者につき繰上徴収をすべき事由〚第一編第三章二の1〛に該当する事実が生じたときは、道府県の徴税吏員は、直ちにその財産を差し押えることができる。（法72の68③）

③　強制換価手続が行われた場合の交付要求

　滞納者の財産につき強制換価手続が行われた場合には、道府県の徴税吏員は、執行機関（破産法第114条第1号に掲げる請求権に係る事業税に係る地方団体の徴収金の交付要求を行う場合には、その交付要求に係る破産事件を取り扱う裁判所）に対し、滞納に係る事業税に係る地方団体の徴収金につき、交付要求をしなければならない。（法72の68④）

④　参加差押え

　道府県の徴税吏員は、①及び②の規定により差押えをすることができる場合において、滞納者の財産で国税徴収法第86条第1項《参加差押えの手続》各号に掲げるものにつき、既に他の地方団体の徴収金若しくは国税の滞納処分又はこれらの滞納処分の例による処分による差押えがされているときは、当該財産についての交付要求は、参加差押えによりすることができる。（法72の68⑤）

⑤　国税徴収法の例による滞納処分

　2に定めるものその他個人の事業税に係る地方団体の徴収金の滞納処分については、国税徴収法に規定する滞納処分の例による。（法72の68⑥）

(注) ①から⑤までの規定による処分は、当該道府県の区域外においても行うことができる。（法72の68⑦）

3　滞納処分に関する罪

① 納税者に対する罰則

　事業税の納税者が滞納処分の執行を免れる目的でその財産を隠蔽し、損壊し、若しくは道府県の不利益に処分し、その財産に係る負担を偽って増加する行為をし、又はその現状を改変して、その財産の価額を減損し、若しくはその滞納処分に係る滞納処分費を増大させる行為をしたときは、その者は、3年以下の懲役若しくは250万円以下の罰金に処し、又はこれを併科する。（法72の69①）

　　　（財産占有者に対する罰則）
（1）納税者の財産を占有する第三者が納税者に滞納処分の執行を免かれさせる目的で①の行為をしたときも、①と同様とする。（法72の69②）

　　　（両罰規定）
（2）法人の代表者又は法人若しくは人の代理人、使用人その他の従業者がその法人又は人の業務又は財産に関して①若しくは（1）又は②の違反行為をした場合には、その行為者を罰する外、その法人又は人に対し、各項の罰金刑を科する。（法72の69④）

　　　（人格のない社団等に対する刑事訴訟法の準用）
（3）人格のない社団等について（2）の規定の適用がある場合には、その代表者又は管理人がその訴訟行為につき当該人格のない社団等を代表するほか、法人を被告人又は被疑者とする場合の刑事訴訟に関する法律の規定を準用する。（法72の69⑤）

② 情を知った違反行為の相手方に対する罰則

　情を知って①又は①の（1）の行為につき納税者又はその財産を占有する第三者の相手方となったときは、その相手方としてその違反行為をした者は、2年以下の懲役若しくは150万円以下の罰金に処し、又はこれを併科する。（法72の69③）

4　滞納処分に関する検査拒否等の罪

　次の各号のいずれかに該当する場合には、その違反行為をした者は、1年以下の懲役又は50万円以下の罰金に処する。（法72の70①）

（一）	2の⑤の場合において、国税徴収法第141条《質問及び検査》の規定の例により行う道府県の徴税吏員の質問に対して答弁をせず、又は偽りの陳述をしたとき。
（二）	2の⑤の場合において、国税徴収法第141条の規定の例により行う道府県の徴税吏員の帳簿書類（同条に規定する帳簿書類をいう。（三）において同じ。）その他の物件の検査を拒み、妨げ、又は忌避したとき。
（三）	2の⑤の場合において、国税徴収法第141条の規定の例により行う道府県の徴税吏員の物件の提示又は提出の要求に対し、正当な理由がなくこれに応じず、又は偽りの記載若しくは記録をした帳簿書類その他の物件（その写しを含む。）を提示し、若しくは提出したとき。

　　　（両罰規定）
（1）法人の代表者又は法人若しくは人の代理人、使用人その他の従業者がその法人又は人の業務又は財産に関して4の違反行為をした場合には、その行為者を罰する外、その法人又は人に対し、4の罰金刑を科する。（法72の70②）

　　　（人格のない社団等に対する刑事訴訟法の準用）
（2）人格のない社団等について（1）の規定の適用がある場合には、その代表者又は管理人がその訴訟行為につき当該人格のない社団等を代表するほか、法人を被告人又は被疑者とする場合の刑事訴訟に関する法律の規定を準用する。（法72の70③）

第五章　法人の事業税

◆令和６年度改正事項◆

（１）　外形標準課税の適用対象法人に係る現行基準は維持した上で、令和７年４月１日以後最初に開始する事業年度（以下「最初事業年度」という。）の事業税（改正法の公布の日を含む事業年度の前事業年度の事業税について外形標準課税の対象法人に該当したものであって、改正法の公布日の前日の現況により資本金１億円以下であると判定され、かつ、改正法の公布日以後に終了した各事業年度分の事業税について第72条の２第１項第１号ロに掲げる法人（以下「外形標準課税の対象外である法人」という。）に該当したものの行う事業に対する事業税を除く。）については、資本金１億円以下のもののうち、改正法の公布の日を含む事業年度の前事業年度から最初事業年度の前事業年度までのいずれかの事業年度分の事業税について外形標準課税の対象法人に該当したものであって、払込資本の額が10億円を超えるものについて、外形標準課税の対象法人とすることとした。（法附８の３の３①）

（２）　所得等課税法人以外の法人で資本金１億円以下のもの等のうち次に掲げる法人に該当するものについて、外形標準課税の対象法人とすることとした。（法72の２①一ロ）

　ア　特定法人（払込資本の額が50億円を超える法人及び相互会社等をいう。以下同じ。）との間に当該特定法人による完全支配関係がある法人のうち払込資本の額（改正法の公布の日以後に当該法人が行う一定の配当等により減少した払込資本の額を加算した額）が２億円を超えるもの

　イ　法人との間に完全支配関係がある全ての特定法人が有する株式及び出資の全部を当該全ての特定法人のうちいずれか一のものが有するものとみなした場合において当該いずれか一のものと当該法人との間に当該いずれか一のものによる完全支配関係があることとなるときの当該法人のうち払込資本の額（改正法の公布の日以後に当該法人が行う一定の配当等により減少した払込資本の額を加算した額）が２億円を超えるもの（アに掲げる法人を除く。）

（３）　（２）ア又はイに掲げる法人に該当するかどうかを判定する日等について所要の整備を行うこととした。（法72の２②）

（４）　中間申告義務の有無を判定する場合において、外形対象法人に該当するかどうかを判定する日等について所要の整備を行うこととした。（法附８の３の３②、法72の26⑨）

（５）　所得等課税法人以外の法人で資本金１億円以下のもの等のうち（２）ア又はイに掲げる法人に該当するものが行う事業に対する令和８年４月１日から令和９年３月31日までの間に開始する各事業年度分の事業税について申告納付すべき事業税額（以下「令和８年度分基準法人事業税額」という。）が、当該法人を外形標準課税の対象外である法人とみなした場合に申告納付すべき事業税額（以下「比較法人事業税額」という。）を超える場合には、当該超える金額の３分の２に相当する金額は、令和８年度分基準法人事業税額から控除するものとし、当該法人が行う事業に対する令和９年４月１日から令和10年３月31日までの間に開始する各事業年度分の事業税について申告納付すべき事業税額（以下「令和９年度分基準法人事業税額」という。）が、比較法人事業税額を超える場合には、当該超える金額の３分の１に相当する金額は、令和９年度分基準法人事業税額から控除するものとすることとした。（令６改法附８②③）

（６）　新たな事業の創出及び産業への投資を促進するための産業競争力強化法等の一部を改正する法律の施行の日から令和９年３月31日までの間に特別事業再編計画について認定を受けた認定特別事業再編事業者である法人が、特別事業再編計画に従って行う一定の特別事業再編のための措置として他の法人の株式等の取得をし、又は他の法人の株式を譲り受け、これをその取得又は譲受けの日（以下「取得等の日」という。）以後引き続き有している等の一定の要件を満たす場合において、当該他の法人及び当該認定特別事業再編事業者が当該特別事業再編計画の認定の申請の日前５年以内に株式等の取得等をした一定の他の法人のうち資本金１億円以下のもの等について、（２）ア又はイに掲げる法人に該当する場合であっても、取得等の日を含む事業年度から当該取得等の日以後５年を経過する日を含む事業年度までの各事業年度分の事業税に限り、外形標準課税の対象外である法人とすることとした。（法附８の３の４）

（７）　外形標準課税の対象法人について、法第72条の25第１項等の規定による申告書に添付する書類に株主資本等変動計算書、法人の事業等の概況に関する書類等を追加することとした。（規４の５、４の６の２、４の７）

（８）　脱炭素成長型経済構造移行推進機構の事業の所得で収益事業に係るもの以外のものについて、非課税措置を講ずることとした。（法72の５①七）

(9) 中間期間において生じた災害損失欠損金額について法人税額の還付を受けた場合において、当該中間期間の属する事業年度の所得の計算上、当該災害損失欠損金額に相当する金額は益金の額に算入しないものとすることとした。（法72の23②）
(10) 社会保険診療に係る所得割の課税標準の特例措置について、旧介護保険法の規定に基づく一定の介護療養施設サービス等を適用対象から除外することとした。（法72の23③二、四）
(11) 次に掲げる課税標準の特例措置の適用期限を延長することとした。（法附9）
　ア　北海道旅客鉄道株式会社及び四国旅客鉄道株式会社に係る資本割の課税標準の特例措置の適用期限を令和11年3月31日まで延長すること。
　イ　預金保険法に規定する承継銀行及び協定銀行に係る資本割の課税標準の特例措置の適用期限を令和11年3月31日まで延長すること。
　ウ　新関西国際空港株式会社及び関西国際空港及び大阪国際空港の一体的かつ効率的な設置及び管理に関する法律に規定する指定会社に係る資本割の課税標準の特例措置の適用期限を令和11年3月31日まで延長すること。
　エ　中部国際空港の設置及び管理に関する法律に規定する指定会社に係る資本割の課税標準の特例措置の適用期限を令和11年3月31日まで延長すること。
　オ　大都市地域における宅地開発及び鉄道整備の一体的推進に関する特別措置法に規定する特定鉄道事業者に係る資本割の課税標準の特例措置の適用期限を令和11年3月31日まで延長すること。
　カ　東京湾横断道路の建設に関する特別措置法に規定する東京湾横断道路建設事業者に係る資本割の課税標準の特例措置の適用期限を令和11年3月31日まで延長すること。
　キ　株式会社地域経済活性化支援機構に係る資本割の課税標準の特例措置の適用期限を令和11年3月31日まで延長すること。
　ク　電気供給業を行う法人の収入割の課税標準である収入金額を算定する場合において控除される収入金額の範囲に、電気供給業を行う法人の収入金額のうち、卸電力取引所を介して自らが供給を行った電気の供給を受けて当該電気の供給を行う場合において、当該供給を受けた電気の料金として支払うべき金額に相当する収入金額を追加する課税標準の特例措置の適用期限を令和9年3月31日まで延長すること。
　ケ　電気供給業を行う法人の収入割の課税標準である収入金額を算定する場合において控除される収入金額の範囲に、旧一般電気事業者等が分社化した後の当該分社化に係る電気事業者の間で行う取引のうち、電気の安定供給の確保のため必要な取引に係る収入金額を追加する課税標準の特例措置の適用期限を令和11年3月31日まで延長すること。
(12) 電気供給業を行う法人の収入割の課税標準である収入金額を算定する場合において控除される収入金額の範囲に、令和6年4月1日から令和8年3月31日までの間に開始する各事業年度分の事業税に限り、次の収入金額を追加する課税標準の特例措置を講ずることとした。（法附9⑧、令附6の2②）
　ア　電気供給業を行う法人が収入金額に対する事業税を課される発電事業等を行う法人に対して託送供給に係る料金に相当する額を支払う場合における、当該料金に相当する額として支払うべき金額に相当する収入金額
　イ　電気供給業を行う法人が収入金額に対する事業税を課されない発電事業等を行う者に対して託送供給に係る料金に相当する額を支払い、かつ、当該者が一般送配電事業者等に対して当該料金（これに相当する額を含む。）を支払う場合における、当該電気供給業を行う法人が当該料金に相当する額として支払うべき金額に相当する収入金額
　ウ　電気供給業を行う法人が発電事業等を行う場合における、当該電気供給業を行う法人が託送供給に係る料金（これに相当する額を含む。）として一般送配電事業者等に対して支払うべき金額に相当する収入金額
　エ　電気供給業を行う法人が特定送配電事業を行う場合における、当該電気供給業を行う法人が託送供給に係る料金として一般送配電事業者に対して支払うべき金額に相当する収入金額
(13) 給与等の支給額が増加した場合の付加価値割の課税標準の特例措置について、適用期限を令和9年3月31日まで延長する等の措置を講ずることとした。（法附9⑬）
(14) 電気供給業を行う法人の収入割の課税標準である収入金額を算定する場合において控除される収入金額の範囲に、令和6年4月1日から令和9年3月31日までの間に開始する各事業年度分の事業税に限り、当該電気供給業を行う法人が電気事業法第28条の40第1項第5号に掲げる業務に係る対価として広域的運営推進機関に対して支払うべき「地方税法施行規則附則第2条の11各号に規定する拠出金を定める告示」（令和6年経済産業省告示第65号）で定める拠出金の金額に相当する収入金額を追加する課税標準の特例措置を講ずることとした。（法附9㉔、令附6の2⑬、規附2の11）
(15) 給与等の支給額が増加した場合の付加価値割の課税標準の特例措置について、次の措置を講ずることとした。（法附9⑬〜⑰、令附6の2⑥）

ア　令和7年4月1日から令和9年3月31日までの間に開始する各事業年度に限り、雇用者給与等支給額の比較雇用者給与等支給額に対する増加割合が100分の1.5以上である場合（当該法人が中小企業者等である場合に限る。）に控除対象雇用者給与等支給増加額を付加価値割の課税標準から控除できること。

イ　控除額について、控除対象雇用者給与等支給増加額に雇用安定控除との調整等所要の措置を講じた金額とすること。

(16)　新たな公益信託制度の創設に伴い、法人が受託者となる公益信託の信託財産に属する資産及び負債並びに当該信託財産に帰せられる収益及び費用は、当該法人の資産及び負債並びに収益及び費用でないものとみなすこととする等の措置を講ずることとした。（法72の3①③）

(17)　新たな公益信託制度の創設に伴い、公益信託の委託者等は当該公益信託の信託財産に属する資産及び負債を有するものとみなし、かつ、当該信託財産に帰せられる収益及び費用は当該委託者等の収益及び費用とみなすこととする特例措置を廃止することとした。（旧法附8の4）

(18)　事業税の課税標準の算定上、社会保険診療の所得計算の特例措置が講じられる中国残留法人等の円滑な帰国の促進及び永住帰国後の自立の支援に関する法律に基づく介護支援給付のための介護の範囲から、旧生活保護法の規定に基づく一定の介護を除外することとした。（令21の8①）

(19)　法人が特定の特許権等の譲渡又は貸付けを行った場合の付加価値割及び所得割の課税標準について、所要の措置を講ずることとした。（令20の2の16、21の4）

(注)　本章の規定は、別に定めがあるものを除き、令和6年4月1日以後に開始する事業年度に係る法人の事業税について適用する。（令6改法附1、6①、令6改令附1、令6改規附1）

第一節　通　　則

一　用語の意義

事業税について、次の各号に掲げる用語の意義は、それぞれ当該各号に定めるところによる。（法72）

(一)	付加価値割	付加価値額により法人の行う事業に対して課する事業税をいう。
(二)	資本割	資本金等の額により法人の行う事業に対して課する事業税をいう。
(三)	所得割	所得により法人の行う事業に対して課する事業税をいう。
(四)	収入割	収入金額により法人の行う事業に対して課する事業税をいう。
(五)	恒久的施設	次に掲げるものをいう。ただし、我が国が締結した租税に関する二重課税の回避又は脱税の防止のための条約において次に掲げるものと異なる定めがある場合には、当該条約の適用を受ける国内（この法律の施行地をいう。以下同じ。）に本店若しくは主たる事務所若しくは事業所を有しない法人（以下「外国法人」という。）又は国内に主たる事務所若しくは事業所を有しない個人については、当該条約において恒久的施設と定められたもの（国内にあるものに限る。）とする。 イ　外国法人又は国内に主たる事務所若しくは事業所を有しない個人の国内にある支店、工場その他事業を行う一定の場所で(1)で定めるもの ロ　外国法人又は国内に主たる事務所若しくは事業所を有しない個人の国内にある建設若しくは据付けの工事又はこれらの指揮監督の役務の提供を行う場所その他これに準ずるものとして(2)で定めるもの ハ　外国法人又は国内に主たる事務所若しくは事業所を有しない個人が国内に置く自己のために契約を締結する権限のある者その他これに準ずる者で(7)で定めるもの

(恒久的施設の範囲に該当する場所)
(1) 一の表の(五)のイに規定する(1)で定める場所は、国内(同(五)ただし書に規定する国内をいう。以下一において同じ。)にある次に掲げる場所とする。(令10①)
 (一) 事業の管理を行う場所、支店、事務所、工場又は作業場
 (二) 鉱山、石油又は天然ガスの坑井、採石場その他の天然資源を採取する場所
 (三) その他事業を行う一定の場所

(恒久的施設の範囲に該当する長期建設工事現場等)
(2) 一の表の(五)のロに規定する(2)で定めるものは、外国法人等(外国法人(同(五)ただし書に規定する外国法人をいう。以下同じ。)又は国内に主たる事務所若しくは事業所を有しない個人をいう。以下一において同じ。)の国内にある長期建設工事現場等(外国法人等が国内において長期建設工事等(建設若しくは据付けの工事又はこれらの指揮監督の役務の提供で1年を超えて行われるものをいう。以下(2)及び(6)において同じ。)を行う場所をいい、外国法人等の国内における長期建設工事等を含む。(6)において同じ。)とする。(令10②)

(2以上に分割をして建設等を行う場合)
(3) (2)の場合において、2以上に分割をして建設若しくは据付けの工事又はこれらの指揮監督の役務の提供(以下(3)及び(5)において「建設工事等」という。)に係る契約が締結されたことにより(2)の外国法人等の国内における当該分割後の契約に係る建設工事等(以下(3)において「契約分割後建設工事等」という。)が1年を超えて行われないこととなったとき(当該契約分割後建設工事等を行う場所(当該契約分割後建設工事等を含む。)を(2)に規定する長期建設工事現場等に該当しないこととすることが当該分割の主たる目的の一つであったと認められるときに限る。)における当該契約分割後建設工事等が1年を超えて行われるものであるかどうかの判定は、当該契約分割後建設工事等の期間に国内における当該分割後の他の契約に係る建設工事等の期間(当該契約分割後建設工事等の期間と重複する期間を除く。)を加算した期間により行うものとする。ただし、正当な理由に基づいて契約を分割したときは、この限りでない。(令10③)

((1)及び(2)に含まれない活動区分)
(4) 外国法人等の国内における次の各号に掲げる活動の区分に応じそれぞれ当該各号に定める場所(当該各号に掲げる活動を含む。)は、(1)に規定する(1)で定める場所及び(2)に規定する(2)で定めるものに含まれないものとする。ただし、当該各号に掲げる活動((六)に掲げる活動にあっては、(六)の場所における活動の全体)が、当該外国法人等の事業の遂行にとって準備的又は補助的な性格のものである場合に限るものとする。(令10④)

(一)	当該外国法人等に属する物品又は商品の保管、展示又は引渡しのためにのみ施設を使用すること	当該施設
(二)	当該外国法人等に属する物品又は商品の在庫を保管、展示又は引渡しのためにのみ保有すること	当該保有することのみを行う場所
(三)	当該外国法人等に属する物品又は商品の在庫を事業を行う他の者による加工のためにのみ保有すること	当該保有することのみを行う場所
(四)	その事業のために物品若しくは商品を購入し、又は情報を収集することのみを目的として、(1)の(一)から(三)に掲げる場所を保有すること	当該場所
(五)	その事業のために(一)から(四)に掲げる活動以外の活動を行うことのみを目的として、(1)の(一)から(三)に掲げる場所を保有すること	当該場所
(六)	(一)から(四)までに掲げる活動及び当該活動以外の活動を組み合わせた活動を行うことのみを目的として、(1)の(一)から(三)に掲げる場所を保有すること	当該場所

((4)の規定を適用しない場所)
(5) (4)の規定は、次に掲げる場所については、適用しない。(令10⑤)
 (一) (1)の(一)から(三)に掲げる場所(国内にあるものに限る。以下(5)において「事業を行う一定の場所」という。)を使用し、又は保有する(4)の外国法人等が当該事業を行う一定の場所において事業上の活動を行う場合にお

いて、次に掲げる要件のいずれかに該当するとき（当該外国法人等が当該事業を行う一定の場所において行う事業上の活動及び当該外国法人等（国内において当該外国法人等に代わって活動をする場合における当該活動をする者を含む。）が当該事業を行う一定の場所以外の場所（国内にあるものに限る。イ及び（三）において「他の場所」という。）において行う事業上の活動（ロにおいて「細分化活動」という。）が一体的な業務の一部として補完的な機能を果たすときに限る。）における当該事業を行う一定の場所
　　　イ　当該他の場所（当該他の場所において当該外国法人等が行う建設工事等及び当該活動をする者を含む。）が当該外国法人等の恒久的施設に該当すること。
　　　ロ　当該細分化活動の組合せによる活動の全体がその事業の遂行にとって準備的又は補助的な性格のものでないこと。
　（二）　事業を行う一定の場所を使用し、又は保有する（4）の外国法人等及び当該外国法人等と特殊の関係にある者（国内において当該者に代わって活動をする場合における当該活動をする者（イ及び（三）のイにおいて「代理人」という。）を含む。以下（5）において「関連者」という。）が当該事業を行う一定の場所において事業上の活動を行う場合において、次に掲げる要件のいずれかに該当するとき（当該外国法人等及び当該関連者が当該事業を行う一定の場所において行う事業上の活動（ロにおいて「細分化活動」という。）がこれらの者による一体的な業務の一部として補完的な機能を果たすときに限る。）における当該事業を行う一定の場所
　　　イ　当該事業を行う一定の場所（当該事業を行う一定の場所において当該関連者（代理人を除く。以下イにおいて同じ。）が行う建設工事等及び当該関連者に係る代理人を含む。）が当該関連者の恒久的施設（当該関連者が内国法人又は国内に主たる事務所若しくは事業所を有する個人である場合には、恒久的施設に相当するもの）に該当すること。
　　　ロ　当該細分化活動の組合せによる活動の全体が当該外国法人等の事業の遂行にとって準備的又は補助的な性格のものでないこと。
　（三）　事業を行う一定の場所を使用し、又は保有する（4）の外国法人等が当該事業を行う一定の場所において事業上の活動を行う場合で、かつ、当該外国法人等に係る関連者が他の場所において事業上の活動を行う場合において、次に掲げる要件のいずれかに該当するとき（当該外国法人等が当該事業を行う一定の場所において行う事業上の活動及び当該関連者が当該他の場所において行う事業上の活動（ロにおいて「細分化活動」という。）がこれらの者による一体的な業務の一部として補完的な機能を果たすときに限る。）における当該事業を行う一定の場所
　　　イ　当該他の場所（当該他の場所において当該関連者（代理人を除く。以下イにおいて同じ。）が行う建設工事等及び当該関連者に係る代理人を含む。）が当該関連者の恒久的施設（当該関連者が内国法人又は国内に主たる事務所若しくは事業所を有する個人である場合には、恒久的施設に相当するもの）に該当すること。
　　　ロ　当該細分化活動の組合せによる活動の全体が当該外国法人等の事業の遂行にとって準備的又は補助的な性格のものでないこと。

　　（外国法人等が長期建設工事現場等を有する場合）
（6）　外国法人等が長期建設工事現場等を有する場合には、当該長期建設工事現場等は（4）の（四）から（六）までに規定する（1）の（一）から（三）に掲げる場所と、当該長期建設工事現場等に係る長期建設工事等を行う場所（当該長期建設工事等を含む。）は（5）の（一）から（三）に規定する事業を行う一定の場所と、当該長期建設工事現場等を有する外国法人等は（5）の（一）から（三）に規定する事業を行う一定の場所を使用し、又は保有する（4）の外国法人等と、当該長期建設工事等を行う場所において事業上の活動を行う場合（当該長期建設工事等を行う場合を含む。）は（5）の（一）から（三）に規定する事業を行う一定の場所において事業上の活動を行う場合と、当該長期建設工事等を行う場所において行う事業上の活動（当該長期建設工事等を含む。）は（5）の（一）から（三）に規定する事業を行う一定の場所において行う事業上の活動とそれぞれみなして、（4）及び（5）の規定を適用する。（令10⑥）

　　（一の表の（五）のハに規定する政令で定める者）
（7）　一の表の（五）のハに規定する（7）で定める者は、国内において外国法人等に代わって、その事業に関し、反復して次に掲げる契約を締結し、又は当該外国法人等により重要な修正が行われることなく日常的に締結される次に掲げる契約の締結のために反復して主要な役割を果たす者（当該者の国内における当該外国法人等に代わって行う活動（当該活動が複数の活動を組み合わせたものである場合には、その組合せによる活動の全体）が、当該外国法人等の事業の遂行にとって準備的又は補助的な性格のもの（当該外国法人等に代わって行う活動を（5）の（一）から（三）の外国法人等が（5）の（一）から（三）の事業を行う一定の場所において行う事業上の活動とみなして（5）の規定を適用した場合に（5）の規定により当該事業を行う一定の場所につき（4）の規定を適用しないこととされるときにおける当該活動を

除く。)のみである場合における当該者を除く。(8)において「契約締結代理人等」という。)とする。(令10⑦)
　(一)　当該外国法人等の名において締結される契約
　(二)　当該外国法人等が所有し、又は使用の権利を有する財産について、所有権を移転し、又は使用の権利を与えるための契約
　(三)　当該外国法人等による役務の提供のための契約

　　(契約締結代理人等に含まれないもの)
(8)　国内において外国法人等に代わって行動する者が、その事業に係る業務を、当該外国法人等に対し独立して行い、かつ、通常の方法により行う場合には、当該者は、契約締結代理人等に含まれないものとする。ただし、当該者が、専ら又は主として1又は2以上の自己と特殊の関係にある者に代わって行動する場合は、この限りでない。(令10⑧)

　　(自己と特殊の関係がある場合)
(9)　(5)の(二)及び(8)ただし書に規定する特殊の関係とは、一方の者が他方の法人の発行済株式又は出資(当該他方の法人が有する自己の株式又は出資を除く。)の総数又は総額の100分の50を超える数又は金額の株式又は出資を直接又は間接に保有する関係その他の(10)で定める特殊の関係をいう。(令10⑨)

　　(総務省令で定める特殊の関係)
(10)　(9)に規定する(10)で定める特殊の関係は、次に掲げる関係とする。(規3の13の2①)
　(一)　一方の者が他方の法人(二の2に規定する人格のない社団等を含む。以下同じ。)の発行済株式又は出資(自己が有する自己の株式又は出資を除く。)の総数又は総額(以下「発行済株式等」という。)の100分の50を超える数又は金額の株式等(株式又は出資をいう。以下同じ。)を直接又は間接に保有する関係その他の一方の者が他方の者を直接又は間接に支配する関係
　(二)　二の法人が同一の者によりそれぞれその発行済株式等の100分の50を超える数又は金額の株式等を直接又は間接に保有される場合における当該二の法人の関係その他の二の者が同一の者により直接又は間接に支配される場合における当該二の者の関係((一)に掲げる関係に該当するものを除く。)

　　(株式等の保有割合の判定)
(11)　(10)の(一)の場合において、一方の者が他方の法人の発行済株式等の100分の50を超える数又は金額の株式等を直接又は間接に保有するかどうかの判定は、当該一方の者の当該他方の法人に係る直接保有の株式等の保有割合(当該一方の者の有する当該他方の法人の株式等の数又は金額が当該他方の法人の発行済株式等のうちに占める割合をいう。)と当該一方の者の当該他方の法人に係る間接保有の株式等の保有割合とを合計した割合により行うものとする。(規3の13の2②)

　　(間接保有の株式等の保有割合)
(12)　(11)に規定する間接保有の株式等の保有割合とは、次の各号に掲げる場合の区分に応じ、当該各号に定める割合(当該各号に掲げる場合のいずれにも該当する場合には、当該各号に定める割合の合計割合)をいう。(規3の13の2③)
　(一)　(11)の他方の法人の株主等である法人の発行済株式等の100分の50を超える数又は金額の株式等が(11)の一方の者により保有されている場合　当該株主等である法人の有する当該他方の法人の株式等の数又は金額が当該他方の法人の発行済株式等のうちに占める割合(当該株主等である法人が二以上ある場合には、当該二以上の株主等である法人につきそれぞれ計算した割合の合計割合)
　(二)　(11)の他方の法人の株主等である法人((一)に掲げる場合に該当する(一)の株主等である法人を除く。)と(11)の一方の者との間にこれらの者と株式等の保有を通じて連鎖関係にある一又は二以上の法人(以下(二)において「出資関連法人」という。)が介在している場合(出資関連法人及び当該株主等である法人がそれぞれその発行済株式等の100分の50を超える数又は金額の株式等を当該一方の者又は出資関連法人(その発行済株式等の100分の50を超える数又は金額の株式等が当該一方の者又は他の出資関連法人により保有されているものに限る。)により保有されている場合に限る。)　当該株主等である法人の有する当該他方の法人の株式等の数又は金額が当該他方の法人の発行済株式等のうちに占める割合(当該株主等である法人が二以上ある場合には、当該二以上の株主等である法人につきそれぞれ計算した割合の合計割合)

第二編第五章《法人の事業税》第一節《通則（納税義務者等）》

(準用規定)
(13) (11)の規定は、(10)の(二)の直接又は間接に保有される関係の判定について準用する。(規3の13の2③)

二　課税団体及び納税義務者等

1　課税団体及び納税義務者

　法人の行う事業に対する事業税は、法人の行う事業に対し、次の各号に掲げる事業の区分に応じ、当該各号に定める額によって事務所又は事業所所在の道府県において、その法人に課する。(法72の2①)

(一)	(二)から(四)までに掲げる事業以外の事業	次に掲げる法人の区分に応じ、それぞれ次に定める額 イ　ロに掲げる法人以外の法人《**外形対象法人**》　　付加価値割額、資本割額及び所得割額の合算額 ロ　五の1の表の各号に掲げる法人《**公共法人等**》、同4の表の各号に掲げる法人《**公益法人等**》、第二節八の1の⑤の表の各号に掲げる法人《**特別法人**》、2に規定する**人格のない社団等**、3に規定する**みなし課税法人**、投資法人（投資信託及び投資法人に関する法律第2条第12項に規定する投資法人をいう。第三節六の2の(三)において同じ。）、特定目的会社（資産の流動化に関する法律第2条第3項に規定する特定目的会社をいう。第三節六の2の(四)において同じ。）並びに一般社団法人（非営利型法人（法人税法第2条第9号の2に規定する非営利型法人をいう。以下1において同じ。）に該当するものを除く。）及び一般財団法人（非営利型法人に該当するものを除く。）<u>並びにこれらの法人以外の法人で**資本金の額若しくは出資金の額が1億円以下のもの又は資本若しくは出資を有しないもの**</u>　　所得割額
(二)	電気供給業（(三)に掲げる事業を除く。）、ガス供給業のうちガス事業法第2条第5項に規定する一般ガス導管事業及び同条第7項に規定する特定ガス導管事業（以下第一節において「導管ガス供給業」という。）、保険業並びに貿易保険業	収入割額
(三)	電気供給業のうち、電気事業法第2条第1項第2号に規定する小売電気事業（これに準ずるものとして(注2)で定めるものを含む。以下「小売電気事業等」という。）、同項第14号に規定する発電事業（これに準ずるものとして(注3)で定めるものを含む。以下「発電事業等」という。）及び同項第15号の3に規定する特定卸供給事業（以下「特定卸供給事業」という。）	次に掲げる法人の区分に応じ、それぞれ次に定める額 イ　ロに掲げる法人以外の法人　　収入割額、付加価値割額及び資本割額の合算額 ロ　(一)のロに掲げる法人　　収入割額及び所得割額の合算額
(四)	ガス供給業のうち、ガス事業法第2条第10項に規定するガス製造事業者（同法第54条の2に規定する特別一	収入割額、付加価値割額及び資本割額の合算額

第二編第五章《法人の事業税》第一節《通則（納税義務者等）》

般ガス導管事業者に係る同法第38条第2項第4号の供給区域内においてガス製造事業（同法第2条第9項に規定するガス製造事業をいう。）を行う者に限る。）が行うもの（導管ガス供給業を除く。第二節六の1の①及び第二節八の1の④において「特定ガス供給業」という。）	

(注1) 保険業法等の一部を改正する法律（平成17年法律第38号）附則第2条に規定する**特定保険業**についての1の規定の適用については、当分の間、当該特定保険業は、1の表の（二）の規定にかかわらず、同（一）に掲げる事業とみなす。（平18改法附7②、県通3－4の9の13後段）

(注2) 1の表の（三）に規定する小売電気事業に準ずるものとして(注2)で定める事業は、他の者の需要に応じ電気を供給する事業（電気事業法第2条第1項第2号に規定する小売電気事業（(注3)において「小売電気事業」という。）、同条第1項第8号に規定する一般送配電事業（(注5)において「一般送配電事業」という。）、同法第2条第1項第10号に規定する送電事業（(注3)及び第五節一の3の①の(注1)において「送電事業」という。）、同法第2条第1項第11号の2に規定する配電事業（(注3)において「配電事業」という。）、同条第1項第12号に規定する特定送配電事業（(注3)において「特定送配電事業」という。）、同条第1項第14号に規定する発電事業（(注3)において「発電事業」という。）、同条第1項第15号の3に規定する特定卸供給事業（(注3)において「特定卸供給事業」という。）並びに(注3)及び第五節一の3の①の(注1)に規定する事業に該当する部分を除く。）とする。（規3の14①）

(注3) 1の表の（三）に規定する発電事業に準ずるものとして(注3)で定める事業は、自らが維持し、及び運用する発電等用電気工作物（電気事業法第2条第1項第5号ロに規定する発電等用電気工作物をいう。）を用いて他の者の需要に応じて供給する電気を発電し、又は放電する事業（発電事業に該当する部分を除き、当該電気を発電し、又は放電する事業と併せて他の者の需要に応じ当該電気を供給する場合における当該供給を行う事業（小売電気事業、一般送配電事業、送電事業、配電事業、特定送配電事業、特定卸供給事業及び第五節一の3の①の(注1)に規定する事業に該当する部分を除く。）を含む。）とする。（規3の14②）

(注4) 令和4年4月1日以後最初に開始する事業年度（以下(注4)及び(注5)において「最初事業年度」という。）開始の日の前日を含む事業年度において、ガス供給業のうち1の表の（二）に規定する導管ガス供給業及び同（四）に規定する特定ガス供給業以外のもの（以下(注4)において「対象ガス供給業」という。）を行っていた法人（ガス事業法（昭和29年法律第51号）第2条第10項に規定するガス製造事業者又は電気事業法等の一部を改正する等の法律（平成27年法律第47号）附則第22条第1項に規定する旧一般ガスみなしガス小売事業者（同項の義務を負う者に限る。）（(注5)において「ガス製造事業者等」という。）に限る。）の対象ガス供給業に係る事業税の課税標準である各事業年度の所得を五の1の規定により当該法人の当該各事業年度の法人税の課税標準である所得の計算の例により算定する場合には、当該法人が、当該法人の最初事業年度開始の日前10年以内に開始した各事業年度において、対象ガス供給業に係る事業税の課税標準である当該各事業年度の所得を旧法第72条の23第1項の規定により当該法人の当該各事業年度の法人税の課税標準である所得又は当該各事業年度終了の日の属する各連結事業年度の法人税の課税標準である連結所得（令和2年改正前法人税法第2条第18号の4に規定する連結所得をいう。(注5)において同じ。）に係る当該法人の個別所得金額（令和2年改正前法人税法第81条の18第1項に規定する個別所得金額をいう。(注5)において同じ。）の計算の例により算定していたものとみなす。（令4改法附6②）

(注5) 最初事業年度開始の日の前日を含む事業年度において、ガス供給業のうち新令和2年改正前地方税法第72条の2第1項第2号に規定する導管ガス供給業及び同項第4号に規定する特定ガス供給業以外のもの（以下(注5)において「対象ガス供給業」という。）を行っていた法人（ガス製造事業者等に限る。）の対象ガス供給業に係る事業税の課税標準である各事業年度の所得を新令和2年改正前地方税法第72条の23第1項の規定により当該法人の当該各事業年度の法人税の課税標準である所得又は当該各事業年度終了の日の属する各連結事業年度の法人税の課税標準である連結所得に係る当該法人の個別所得金額の計算の例により算定する場合には、当該法人が、当該法人の最初事業年度開始の日前10年以内に開始した各事業年度において、対象ガス供給業に係る事業税の課税標準である当該各事業年度の所得を旧令和2年改正前地方税法第72条の23第1項の規定により当該法人の当該各事業年度の法人税の課税標準である所得又は当該各事業年度終了の日の属する各連結事業年度の法人税の課税標準である連結所得に係る当該法人の個別所得金額の計算の例により算定していたものとみなす。（令4改法附7④）

(注6) 法人事業税は、1の表の各号に掲げる事業の区分に応じて課するものであるから、法人事業税の課税標準である付加価値額、資本金等の額、所得及び収入金額は、当該各号に掲げる事業の区分ごとに算定するものであること。（県通3－1の8）

(注7) 1の（一）中＿＿＿部分を以下のように改める令和6年度改正規定は、令和8年4月1日以後に開始する事業年度に係る法人の事業税について適用し、同日前に開始した事業年度に係る法人の事業税については、なお従前の例による。（令6改法附1四、8①）

（以下ロにおいて「所得等課税法人」という。）並びに所得等課税法人以外の法人で資本金の額若しくは出資金の額が一億円以下のもの又は資本若しくは出資を有しないもの（所得等課税法人以外の法人のうち次に掲げる法人に該当するものを除く。）　　　所得割額

（ⅰ）　特定法人（払込資本の額（法人が株主又は合名会社、合資会社若しくは合同会社の社員その他法人の出資者から出資を受けた金額として政令で定める金額をいう。以下（ⅰ）及び（ⅱ）において同じ。）が50億円を超える法人（ロに掲げる法人を除く。）及び保険業法に規定する相互会社（これに準ずるものとして政令で定めるものを含む。）をいう。以下（ⅰ）及び（ⅱ）において同じ。）との間に当該特定法人による完全支配関係（法人税法第2条第12号の7の6に規定する完全支配関係をいう。以下同じ。）がある法人のうち払込資本の額（地方税法等の一部を改正する法律（令和6年法律第4号）の公布の日以後に当該法人と当該特定法人との間に完全支配関係（当該法人以外の特

第二編第五章《法人の事業税》第一節《通則（納税義務者等）》

定法人による完全支配関係に限る。）がある場合その他政令で定める場合において、当該法人が剰余金の配当（払込資本の額のうち政令で定める額の減少に伴うものに限る。以下（ⅰ）及び（ⅱ）において同じ。）又は出資の払戻しをしたときは当該剰余金の配当又は出資の払戻しにより減少した払込資本の額を加算した額）が２億円を超えるもの

  （ⅱ）　法人との間に完全支配関係がある全ての特定法人が有する株式及び出資の全部を当該全ての特定法人のうちいずれか一のものが有するものとみなした場合において当該いずれか一のものと当該法人との間に当該いずれか一のものによる完全支配関係があることとなるときの当該法人のうち払込資本の額（地方税法等の一部を改正する法律（令和６年法律第４号）の公布の日以後に、特定親法人（当該事業年度において当該法人と他の法人との間に当該他の法人による完全支配関係がある場合における当該他の法人をいう。以下同じ。）と当該法人との間に当該特定親法人による完全支配関係があり、かつ、当該法人との間に完全支配関係がある全ての特定法人が有する株式及び出資の全部を当該全ての特定法人のうちいずれか一のものが有するものとみなした場合において当該いずれか一のものと当該法人との間に当該いずれか一のものによる完全支配関係があることとなるときその他政令で定める場合に、当該法人が剰余金の配当又は出資の払戻しをしたときは、当該剰余金の配当又は出資の払戻しにより減少した払込資本の額を加算した額）が２億円を超えるもの（（ⅰ）に掲げる法人を除く。）

（注８）　１の（一）のロ（（８）の規定により読み替えて適用する場合を含む。）に規定する所得等課税法人以外の法人で資本金の額若しくは出資金の額が１億円以下のもの又は同ロに規定する所得等課税法人以外の法人で資本若しくは出資を有しないもののうち同（ⅰ）又は（ⅱ）に掲げる法人に該当するものが行う事業に対する令和８年４月１日から令和９年３月31日までの間に開始する各事業年度分の事業税について改正後の第三節二、同節三の２及び同３又は同節四の１の規定により申告納付すべき事業税額（以下「令和８年度分基準法人事業税額」という。）が、当該法人が行う事業に対する当該事業年度の事業税について当該法人を同号ロに掲げる法人とみなした場合に改正後の第三節二、同節三の２及び同３又は同節四の１の規定により申告納付すべき事業税額（以下「比較法人事業税額」という。）を超える場合には、当該超える金額の３分の２に相当する金額（当該金額に100円未満の端数がある場合又は当該金額の全額が100円未満である場合には、当該端数金額又は当該全額を切り上げた金額）は、令和８年度分基準法人事業税額から控除するものとし、当該法人が行う事業に対する令和９年４月１日から令和10年３月31日までの間に開始する各事業年度分の事業税について改正後の第三節二、同節三の２及び同３又は同節四の１の規定により申告納付すべき事業税額（以下「令和９年度分基準法人事業税額」という。）が、比較法人事業税額を超える場合には、当該超える金額の３分の１に相当する金額（当該金額に100円未満の端数がある場合又は当該金額の全額が100円未満である場合には、当該端数金額又は当該全額を切り上げた金額）は、令和９年度分基準法人事業税額から控除するものとする。（令６改法附８②）

（注９）　（注８）の規定の適用がある法人に対する改正後の第２節十の５の規定の適用については、第２節十の５中「による事業税額」とあるのは「並びに（注８）の規定による事業税額」と、「次に１の規定による」とあるのは「次に九の１の規定による控除及び１の規定による控除の順序に」とする。（令６改法附８③）

（資本金等の額の判定時期）
（１）　１の規定を適用する場合において、資本金の額又は出資金の額が１億円以下の法人であるかどうか及び資本又は出資を有しない法人であるかどうかの判定は、各事業年度終了の日（第三節三の１の①《中間申告を要する法人の中間申告納付》ただし書の規定により申告納付すべき事業税にあっては第三節三の１の①に規定する６月経過日の前日、同節四の１《清算中の法人の各事業年度の申告納付》、同１の（２）又は同（４）の規定により申告納付すべき事業税にあってはその解散の日）の現況によるものとする。（法72の２②）

 （注１）　当分の間、（１）中「１億円以下の法人であるかどうか」とあるのは「１億円以下の法人であるかどうか、払込資本の額が10億円を超える法人であるかどうか」とする。この改正規定は、令和７年４月１日以後に開始する事業年度に係る法人の事業税について適用し、同日前に開始した事業年度に係る法人の事業税については、なお従前の例による。（法附８の３の３①、令６改法附１三、７①）

 （注２）　令和７年４月１日以後最初に開始する事業年度（以下「最初事業年度」という。）の事業税（この法律の公布の日（以下「公布日」という。）を含む事業年度の前事業年度の事業税について改正前の１の（一）のイに掲げる法人に該当したものであって、公布日の前日の現況により資本金の額又は出資金の額が１億円以下であると判定され、かつ、公布日から最初事業年度の開始の日の前日までの間に終了した各事業年度分の事業税について同ロに掲げる法人に該当したものの行う事業に対する事業税を除く。）に係る改正後の（注１）の規定の適用については、（注１）中「前事業年度」とあるのは、「地方税法等の一部を改正する法律（令和６年法律第４号）の公布の日を含む事業年度の開始の日の前日から同法附則第７条第２項に規定する最初事業年度の開始の日の前日までの間に終了したいずれかの事業年度分」とする。（令６改法附１三、７②）

 （注３）　（１）を以下のように改める令和６年改正規定は、令和８年４月１日以後に開始する事業年度に係る法人の事業税について適用し、同日前に開始した事業年度に係る法人の事業税については、なお従前の例による。（令６改法附１四、８①）

  （１）　１の規定を適用する場合において、次の各号に掲げる判定は、当該各号に定める日の現況によるものとする。（法72の２②）

   （一）　資本金の額又は出資金の額が１億円以下の法人であるかどうか及び資本又は出資を有しない法人であるかどうかの判定並びに１の（一）のロ（ⅰ）又は（ⅱ）に掲げる法人に該当するものであるかどうかの判定に関し必要な事項の判定（（二）に掲げる判定を除く。）　　当該事業年度終了の日（第三節三の１の①ただし書の規定により申告納付すべき事業税にあっては第三節三の１の①に規定する６月経過日の前日、第三節四の１、第三節四の１の（２）又は同（４）の規定により申告納付すべき事業税にあってはその解散の日）

   （二）　（一）に規定する当該事業年度終了の日に法人との間に完全支配関係がある他の法人が当該事業年度において１の（一）のロ（ⅰ）又は（ⅱ）の特定法人に該当するものであるかどうかの判定に関し必要な事項の判定　　同日以前に最後に終了した当該他の法人の事業年度終了の日（当該日がない場合には、当該他の法人の設立の日）

(外国法人の事務所等の所在地)
(2) 外国法人の行う事業に対するこの章の規定の適用については、恒久的施設をもって、その事務所又は事業所とする。(法72の2⑥)

(旧民法第34条の法人から移行した法人等に係る特例)
(3)イ 一般社団法人及び一般財団法人に関する法律及び公益社団法人及び公益財団法人の認定等に関する法律の施行に伴う関係法律の整備等に関する法律(平成18年法律第50号。以下(3)において「整備法」という。)第40条第1項の規定により存続する一般社団法人及び一般財団法人であって整備法第106条第1項(整備法第121条第1項において読み替えて準用する場合を含む。以下(3)において同じ。)の登記をしていないもの(整備法第131条第1項の規定により整備法第45条の認可を取り消されたもの(以下(3)においてそれぞれ「認可取消社団法人」又は「認可取消財団法人」という。)を除く。)については、公益社団法人又は公益財団法人とみなして、1及び五の4の表の(二)の規定を適用する。(法附41①)
　ロ 整備法第41条第1項の規定により存続する一般社団法人又は一般財団法人であって整備法第106条第1項の登記をしていないもの又は認可取消社団法人若しくは認可取消財団法人については、一般社団法人又は一般財団法人とみなして1の規定を適用する。(法附41⑤)
　ハ 整備法第2条第1項に規定する旧有限責任中間法人で整備法第3条第1項本文の規定の適用を受けるもの及び整備法第25条第2項に規定する特例無限責任中間法人については、一般社団法人とみなして、1、五の4及び同4の(1)の規定を適用する。(法附41⑥)

(国内に資産を有するのみで事業を行わない外国法人の非課税)
(4) 事業税の納税義務者である法人については、内国法人であると外国法人であるとを問わず事業税の納税義務があるのであるが、単に外国法人が地方税法の施行地(以下「**国内**」という。)に資産を有するのみで、事業を行わないものに対しては、事業税を課することはできないものであることに留意すること。(県通3─1の1)

(外国法人についての留意事項)
(5) 外国法人の行う事業に対しては、当該法人が国内に**一**の(五)に掲げる恒久的施設を有する場合に限り、事業税を課することができるものであること。(県通3─1の4)

(民法組合等についての留意事項)
(6) 民法第667条の規定による組合は、当該組合の組合員である法人に対して、事務所等所在の道府県において事業税を課するものであること。有限責任事業組合契約に関する法律第2条の規定による有限責任事業組合(LLP)についても同様であること。
　この場合、当該法人ごとに、第一編第一章一の1の注における事務所等の判定をするものであること。(県通3─1の6)

(課税上の留意事項)
(7) 収入金額課税事業(1の表の(二)に掲げる事業をいう。以下同じ。)以外の事業のうち、資本金の額又は出資金の額が1億円を超える法人(**五**の1に掲げる法人《公共法人》、同4に掲げる法人《公益法人等》、第二節八の1の⑥に掲げる法人《特別法人》、2に規定する人格のない社団等、投資信託及び投資法人に関する法律第2条第12項に規定する投資法人、資産の流動化に関する法律第2条第3項に規定する特定目的会社並びに一般社団法人(非営利型法人に該当するものを除く。)及び一般財団法人(非営利型法人に該当するものを除く。)を除く。)が行う事業及び特定ガス供給業(1の(四)に掲げる事業をいう。以下第五章において同じ。)が、付加価値額及び資本金等の額による外形標準課税の対象となるものであるが、次の諸点に留意すること。(県通3─1の2)
　(一) 資本金の額又は出資金の額は、収入金額課税事業若しくは非課税事業を併せて行う法人、特定内国法人(内国法人で、この法律の施行地外において事業を営んでいるものをいう。)又は外国法人であっても、当該法人の資本金の額又は出資金の額の総額をいうものであること。
　(二) 外国法人の資本金の額又は出資金の額は、当該事業年度終了の日の対顧客直物電信売相場と対顧客直物電信買相場の仲値(以下「電信売買相場の仲値」という。)により換算した円換算額によること。なお、電信売買相場の仲値は、原則として、その法人の主たる取引金融機関のものによることとするが、その法人が、同一の方法により入手等をした合理的なものを継続して使用している場合には、これによることを認めるものであること。

（三）　資本金の額又は出資金の額が１億円を超えるかどうかの判定は、各事業年度終了の日（第三節三の１ただし書の規定に基づく中間申告を行う法人についてはその事業年度（通算子法人である場合には、当該事業年度開始の日の属する通算親法人の事業年度）開始の日以後６月を経過した日（以下第五章において「６月経過日」という。）の前日とし、清算中の法人についてはその解散の日とする。）の況況によること。

(注１)　（７）を以下のように改める令和６年度改正規定は、令和７年４月１日以後に開始する事業年度分の法人の事業税について適用する。ただし、令和７年４月１日から令和８年３月31日までの間に開始した事業年度分の法人の事業税については、下記の読替規定を適用する。（令６総税都第10号記ト）

（７）　収入金額課税事業（１の表の（二）に掲げる事業をいう。以下同じ。）以外の事業のうち、資本金の額又は出資金の額（以下「資本金の額」という。）が１億円を超える法人（当分の間、資本金の額が１億円以下であっても、前事業年度に外形対象法人（１の（一）のイに掲げる法人をいう。以下同じ。）に該当したものであって、当該事業年度に払込資本の額が10億円を超える法人を含む。）又は１の（一）のロ（ⅰ）若しくは（ⅱ）に該当する法人（以下「100％子法人等」という。）が行う事業（五の１に掲げる法人《公共法人》、同４に掲げる法人《公益法人等》、第二節八の１の⑥に掲げる法人《特別法人》、２に規定する人格のない社団等、投資信託及び投資法人に関する法律第２条第12項に規定する投資法人、資産の流動化に関する法律第２条第３項に規定する特定目的会社並びに一般社団法人（非営利型法人に該当するものを除く。）及び一般財団法人（非営利型法人に該当するものを除く。）が行う事業を除く。）が行う事業及び特定ガス供給業（１の（四）に掲げる事業をいう。以下第五章において同じ。）が、付加価値額及び資本金等の額による外形標準課税の対象となるものであるが、次の諸点に留意すること。（県通３－１の２）

（一）　資本金の額又は払込資本の額は、収入金額課税事業若しくは非課税事業を併せて行う法人、特定内国法人（内国法人で、この法律の施行地外において事業を営んでいるものをいう。）又は外国法人であっても、当該法人の資本金の額又は出資金の額の総額をいうものであること。

（二）　外国法人の資本金の額又は払込資本の額は、(2)の（一）又は（二）に定める日の対顧客直物電信売相場と対顧客直物電信買相場の仲値（以下「電信売買相場の仲値」という。）により換算した円換算額によること。なお、電信売買相場の仲値は、原則として、その法人の主たる取引金融機関のものによることとするが、その法人が、同一の方法により入手等をした合理的なものを継続して使用している場合には、これによることを認めるものであること。

（三）　地方税法施行規則第３条の13の４及び地方税法施行規則附則第２条の６の３の会社計算規則（平成18年法務省令第13号）第76条第２項第３号又は第３項第３号に規定する資本剰余金（以下「資本剰余金」という。以下同じ。）に準ずる金額とは、会社法第２条第１号に規定する会社以外の法人が出資者から出資を受けた金額のうち資本金の額以外の金額をいい、同号の会社以外の法人の資本剰余金、外国法人の資本剰余金（これに類するものを含む。）、会員商品取引所の加入金等が含まれるものであること。なお、外国法人の資本剰余金（これに類するものを含む。）については、当該外国法人の本店又は主たる事務所若しくは事業所の所在する国の法令に定めるところを勘案して判定すること。

（四）　資本金の額が１億円を超えるかどうかの判定及び払込資本の額が10億円を超えるかどうかの判定は、各事業年度終了の日（第三節三の１ただし書の規定に基づく中間申告を行う法人についてはその事業年度（通算子法人である場合には、当該事業年度開始の日の属する通算親法人の事業年度）前事業年度末日とし、清算中の法人についてはその解散の日とする。）の況況によること。

〈読替規定〉

（７）　収入金額課税事業（１の表の（二）に掲げる事業をいう。以下同じ。）以外の事業のうち、資本金の額又は出資金の額（以下「資本金の額」という。）が１億円を超える法人（当分の間、資本金の額が１億円以下であっても、前事業年度に外形対象法人（１の（一）のイに掲げる法人をいう。以下同じ。）に該当したものであって、当該事業年度に払込資本の額が10億円を超える法人を含む。）が行う事業（五の１に掲げる法人《公共法人》、同４に掲げる法人《公益法人等》、第二節八の１の⑥に掲げる法人《特別法人》、２に規定する人格のない社団等、投資信託及び投資法人に関する法律第２条第12項に規定する投資法人、資産の流動化に関する法律第２条第３項に規定する特定目的会社並びに一般社団法人（非営利型法人に該当するものを除く。）及び一般財団法人（非営利型法人に該当するものを除く。）が行う事業を除く。）が行う事業及び特定ガス供給業（１の（四）に掲げる事業をいう。以下第五章において同じ。）が、付加価値額及び資本金等の額による外形標準課税の対象となるものであるが、次の諸点に留意すること。（県通３－１の２）

（一）　資本金の額又は払込資本の額は、収入金額課税事業若しくは非課税事業を併せて行う法人、特定内国法人（内国法人で、この法律の施行地外において事業を営んでいるものをいう。）又は外国法人であっても、当該法人の資本金の額又は出資金の額の総額をいうものであること。

（二）　外国法人の資本金の額又は払込資本の額は、当該事業年度終了の日の対顧客直物電信売相場と対顧客直物電信買相場の仲値（以下「電信売買相場の仲値」という。）により換算した円換算額によること。なお、電信売買相場の仲値は、原則として、その法人の主たる取引金融機関のものによることとするが、その法人が、同一の方法により入手等をした合理的なものを継続して使用している場合には、これによることを認めるものであること。

（三）　地方税法施行規則第３条の13の４及び地方税法施行規則附則第２条の６の３の会社計算規則（平成18年法務省令第13号）第76条第２項第３号又は第３項第３号に規定する資本剰余金（以下「資本剰余金」という。以下同じ。）に準ずる金額とは、会社法第２条第１号に規定する会社以外の法人が出資者から出資を受けた金額のうち資本金の額以外の金額をいい、同号の会社以外の法人の資本剰余金、外国法人の資本剰余金（これに類するものを含む。）、会員商品取引所の加入金等が含まれるものであること。なお、外国法人の資本剰余金（これに類するものを含む。）については、当該外国法人の本店又は主たる事務所若しくは事業所の所在する国の法令に定めるところを勘案して判定すること。

（四）　資本金の額が１億円を超えるかどうかの判定及び払込資本の額が10億円を超えるかどうかの判定は、各事業年度終了の日（第三節三の１ただし書の規定に基づく中間申告を行う法人についてはその事業年度（通算子法人である場合には、当該

事業年度開始の日の属する通算親法人の事業年度）開始の日以後６月を経過した日（以下第五章において「６月経過日」という。）の前日とし、清算中の法人についてはその解散の日とする。）の現況によること。

- (注２) (７)に以下の(五)から(七)を追加する令和６年度改正規定は、令和８年４月１日以後に開始する事業年度分の法人の事業税について適用する。（令６総税都第10号記チ）
  - (五) (四)に規定する当該事業年度終了の日に法人との間に完全支配関係がある他の法人（以下(五)及び(六)において「他の法人」という。）が当該事業年度において特定法人に該当するものであるかどうかの判定に関し必要な事項の判定は、同日以前最後に終了した当該他の法人の事業年度終了の日（当該日がない場合には、当該他の法人の設立の日）の現況によること。
  - (六) 他の法人が恒久的施設を有しない外国法人である場合は、当該他の法人の本店又は主たる事務所若しくは事業所の所在する国で定める法令、定款、寄附行為、規則又は規約に定める事業年度その他これに準ずる期間を(１)の(二)に規定する当該他の法人の事業年度とみなして、同項の規定を適用すること。
  - (七) 特定法人との間に当該特定法人による完全支配関係がある法人又は法人との間に完全支配関係がある全ての特定法人が有する株式及び出資の全部を当該全ての特定法人のうちいずれか一のものが有するものとみなした場合において当該いずれか一のものと当該法人との間に当該いずれか一のものによる完全支配関係があることとなるときの当該法人の払込資本の額の算定に当たって、地方税法等の一部を改正する法律（令和６年法律第４号）の公布の日以後に、一定の場合において当該法人が一定の剰余金の配当又は出資の払戻しをしたときは、当該剰余金の配当又は出資の払戻しにより減少した払込資本の額を加算する措置を講じているが、その際に次に掲げる判定については、それぞれ次に定める日の現況によること。
    - ア 当該措置の対象となる場合に該当するかどうかの判定に関し必要な事項の判定（イに掲げる判定を除く。） 当該剰余金の配当の効力が生じた日又は当該出資の払戻しの事実があった日（イにおいて「配当等の日」という。）
    - イ 配当等の日に当該法人との間に完全支配関係がある他の法人が当該配当等の日において特定法人に該当するものであるかどうかの判定に関し必要な事項の判定 配当等の日以前最後に終了した当該他の法人の事業年度終了の日（当該日がない場合には、当該他の法人の設立の日）

  (読替規定)
(８) 当分の間、１の(一)のロ中「１億円以下のもの」とあるのは「１億円以下のもの（前事業年度の事業税についてイに掲げる法人に該当したものであって、払込資本の額（法人が株主又は合名会社、合資会社若しくは合同会社の社員その他法人の出資者から出資を受けた金額として政令で定める金額をいう。（１)において同じ。）が10億円を超えるものを除く。）」とする。（法附８の３の３①）
  - (注１) (８)を追加する令和６年度改正規定は、令和７年４月１日以後に開始する事業年度に係る法人の事業税について適用し、同日前に開始した事業年度に係る法人の事業税については、なお従前の例による。（令６改法附１三、７①）
  - (注２) 令和７年４月１日以後最初に開始する事業年度（以下「最初事業年度」という。）の事業税（地方税法等の一部を改正する法律（令和６年法律第４号）の公布の日（以下「公布日」という。）を含む事業年度の前事業年度の事業税について改正前の１の(一)のイに掲げる法人に該当したものであって、公布日の前日の現況により資本金の額又は出資金の額が１億円以下であると判定され、かつ、公布日から最初事業年度の開始の日の前日までの間に終了した各事業年度分の事業税について同ロに掲げる法人に該当したものの行う事業に対する事業税を除く。）に係る改正後の(８)の規定の適用については、(８)中「前事業年度」とあるのは、「地方税法等の一部を改正する法律（令和６年法律第４号）の公布の日を含む事業年度の開始の日の前日から同法附則第７条第２項に規定する最初事業年度の開始の日の前日までの間に終了したいずれかの事業年度分」とする。（令６改法附１三、７②）

  (認定特別事業再編事業者が特別事業再編を行った場合)
(９) 新たな事業の創出及び産業への投資を促進するための産業競争力強化法等の一部を改正する法律（令和６年法律第45号）の施行の日から令和９年３月31日までの間に産業競争力強化法第24条の２第１項に規定する特別事業再編計画（以下「特別事業再編計画」という。）について同条第１項の認定を受けた同法第24条の３第１項に規定する認定特別事業再編事業者である法人（以下「認定特別事業再編事業者」という。）が、当該認定に係る特別事業再編計画（同条第１項の規定による変更の認定があったときは、その変更後のもの）に従って行う同法第２条第18項に規定する特別事業再編（生産性の向上及び需要の開拓に特に資するものとして総務大臣が定める基準に適合するものに限る。以下「特別事業再編」という。）のための措置（同条第18項第３号、第４号及び第６号に掲げる措置に限る。）として他の法人の株式若しくは出資（以下「株式等」という。）の取得をし、又は他の法人の株式を譲り受け、これをその取得又は譲受けの日（以下「取得等の日」という。）以後引き続き有しており、かつ、取得等の日以後継続して当該他の法人との間に完全支配関係（法人税法第２条第12号の７の６に規定する完全支配関係をいう。以下同じ。）がある場合（その取得又は譲受けに係る対価の額が100億円を超える金額又は１億円に満たない金額である場合を除く。）において、当該他の法人（以下「対象法人」という。）及び当該認定特別事業再編事業者が産業競争力強化法第24条の２第１項の認定の申請の日前５年以内に他の法人の株式等の取得をし、又は他の法人の株式を譲り受け、これをその取得又は譲受けの日以後引き続き有しており、かつ、同日以後継続して当該他の法人との間に完全支配関係がある場合における当該他の法人（当該他の法人が当該特別事業再編のための措置を行う場合における当該他の法人のうち総務省令で定

めるものに限る。以下「5年以内株式等取得等法人」という。）の行う事業に対する1の規定の適用については、対象法人又は5年以内株式等取得等法人の取得等の日を含む事業年度から当該取得等の日以後5年を経過する日を含む事業年度（同法第24条の3第2項又は第3項の規定により同法第24条の2第1項の認定が取り消された場合には、その取り消された日を含む事業年度の前事業年度）までの各事業年度分の事業税に限り、1の（一）のロ（ⅰ）及び（ⅱ）中「2億円を超えるもの」とあるのは、「2億円を超えるもの（地方税法附則第8条の3の4第1項に規定する対象法人及び同項に規定する5年以内株式等取得等法人を除く。）」とする。（法附8の3の4①）

　　（注）（9）を追加する令和6年度改正規定は、令和8年4月1日以後に開始する事業年度に係る法人の事業税について適用し、同日前に開始した事業年度に係る法人の事業税については、なお従前の例による。（令6改法附1四、8①）

2　人格のない社団等の納税義務

　法人でない社団又は財団で代表者又は管理人の定めがあり、かつ、収益事業又は**法人課税信託**（法人税法第2条第29号の2に規定する法人課税信託をいう。以下この章において同じ。）の引受けを行うもの（当該社団又は財団で収益事業を廃止したものを含む。以下法人の事業税について「**人格のない社団等**」という。）は、法人とみなして、この章（第三節六を除く。）の規定を適用する。（法72の2④、令10の2）

　　　（収益事業の意義）
（1）　2、五の4及び5、第二節二の3の(注1)に定める3の(1)の(三)及び同(四)イ並びに第三節三の1の①の収益事業は、法人税法施行令第5条《収益事業の範囲》に規定する事業で、継続して事業場を設けて行われるものとする。（法72の2⑪、72の5④、令15）

　　　（留意事項）
（2）　人格のない社団等とは、民事訴訟法上当事者能力を有する非法人で収益事業又は法人課税信託（2に規定する法人課税信託をいう。以下同じ。）の引受けを行うものをいい、その収益事業及び法人課税信託の範囲は法人税における場合と同様であって、継続して事業場を設けてなすものに限られるのであり、その認定に当たっては、国の税務官署の取扱いに準ずるものであること。なお、収益事業の範囲のうち鉱物の掘採事業は課税されないものであることに留意すること。（県通3－1の3）

3　みなし課税法人の納税義務

　法人課税信託の引受けを行う個人（以下この章において「**みなし課税法人**」という。）には第四章《個人の事業税》第一節一の規定により個人の行う事業に対する事業税を課するほか、法人とみなして、法人の行う事業に対する事業税を課する。（法72の2⑤）

三　法人課税信託の受託者に関する取扱い

1　信託資産等及び固有資産等ごとの規定の適用

　法人課税信託〘二の2参照〙の受託者は、各法人課税信託の信託資産等（信託財産に属する資産及び負債並びに当該信託財産に帰せられる収益及び費用をいう。以下(1)イまでにおいて同じ。）及び固有資産等（法人課税信託の信託資産等以外の資産及び負債並びに収益及び費用をいう。(4)において同じ。）ごとに、それぞれ別の者とみなして、第四章及びこの章（次に掲げる規定（※）を除く。(1)、(2)、(4)及び(5)において同じ。）の規定を適用する。（法72の2の2①）

　※　法第72条の2（二《課税団体及び納税義務者等》）
　　　法第72条の2の3、第72条の3（四《所得の帰属》）
　　　法第72条の4①（五の1《公共法人等に対する非課税》）
　　　法第72条の8から第72条の11まで（六《雑則》の1の②から2の③まで）
　　　法第72条の37から第72条の38まで（第三節七の4）
　　　法第72条の49、第72条の49の3、第72条の49の10（第七節《雑則》二、四の2）
　　　法第72条の56、第72条の57、第72条の60、第72条の64（第四章《個人の事業税》第三節六の5、第四節2、4の②）
　　　法第2章第2節第4款（第八節《督促、滞納処分》）

　（注）　1の場合において、各法人課税信託の信託資産等及び固有資産等は、1の規定によりみなされた各別の者にそれぞれ帰属するものとする。（法72の2の2②）

第二編第五章《法人の事業税》第一節《通則（法人課税信託等）》

(法人税法の規定の準用)
（１）イ　法人税法第４条の３《受託法人等に関するこの法律の適用》の規定は、**受託法人**（法人課税信託の受託者である法人（その受託者が個人である場合には、当該受託者である個人）について、１の規定により、当該法人課税信託に係る信託資産等が帰属する者としてこの章の規定を適用する場合における当該受託者である法人をいう。以下この章において同じ。）又は法人課税信託の受益者について１及び同(注)の規定をこの章において適用する場合について準用する。（法72の２の２③）

　　ロ　法人税法第４条の４《受託者が二以上ある法人課税信託》及び第152条第１項《受託者の連帯納付の責任》の規定は、１の規定をこの章の規定中法人の行う事業に対する事業税に関する規定において適用する場合について準用する。（法72の２の２④）

(所得税法の規定の準用)
（２）　所得税法第６条の３《受託法人等に関するこの法律の適用》の規定は、１の規定をこの章の規定中個人の行う事業に対する事業税に関する規定において適用する場合について準用する。（法72の２の２⑤）

(付加価値割及び資本割の非課税)
（３）　道府県は、二の１の表の(一)のイ《外形対象法人》又は同(三)のイに掲げる法人で受託法人である者に対しては、付加価値割及び資本割を課することができない。（法72の２の２⑥）

(みなし課税法人で受託法人に対する個人事業税及び固有法人に対する法人事業税の非課税)
（４）　道府県は、みなし課税法人で受託法人であるものに対しては個人の行う事業に対する事業税を、みなし課税法人で**固有法人**（法人課税信託の受託者である法人（その受託者が個人である場合には、当該受託者である個人）について、１の規定により、当該法人課税信託に係る固有資産等が帰属する者としてこの章の規定を適用する場合における当該受託者である法人をいう。以下この章において同じ。）であるものに対しては法人の行う事業に対する事業税を課することができない。（法72の２の２⑦）

(法人課税信託の受託者について規定の読替え)
（５）　１及び(１)の規定により、法人課税信託の受託者についてこの章〘法第２章第２節〙の規定を適用する場合には、次の表の左欄に掲げる規定中同表の中欄に掲げる字句は、それぞれ同表の右欄に掲げる字句とする。（法72の２の２⑧）

五の5、第二節二の２の②及び第三節**三**の１の④	人格のない社団等	人格のない社団等で固有法人であるもの
第二節**七**の１、同節**八**の１の①の(一)、第三節**二**の１の(１)、**三**の１の①の(４)の(注３)、同節**十**の１の①及び同②並びに第四節**五**の１	掲げる法人	掲げる法人で固有法人であるもの
第二節**八**の１の①の(三)	その他の法人	その他の法人（二の１の表の(一)のイに掲げる法人で受託法人であるものを含む。）
第二節**八**の１の③の(一)	合計額	合計額（受託法人であるものにあっては、イに掲げる金額）
第二節**八**の１の⑤	法人で	受託法人及び３以上の道府県において事務所又は事業所を設けて事業を行う固有法人で
第二節**八**の１の⑤の(二)	特別法人以外の法人	特別法人以外の法人（１の(一)のイに掲げる法人で受託法人であるものを含む。）
第三節**二**の１	第一節二の１の表の(一)の右欄イに掲げる法人	第一節二の１の表の(一)の右欄イに掲げる法人で固有法人であるもの

	同（一）の右欄ロに掲げる法人の所得割	同（一）の右欄ロに掲げる法人（同（一）の右欄イに掲げる法人で受託法人であるものを含む。）の所得割
	同1の表の（二）に掲げる事業を行う法人	同1の表の（二）に掲げる事業を行う法人（同1の（三）のイに掲げる法人で受託法人であるものを含む。）
	同1の（三）のイに掲げる法人	同1の（三）のイに掲げる法人で固有法人であるもの
第三節二の1の(3)	法人	法人（同号イに掲げる法人で受託法人であるものを含む。）
第三節二の1の(4)	法人	法人（同項第3号イに掲げる法人で受託法人であるものを含む。）
第三節三の1の①	当該法人（	当該法人（固有法人に限り、
第三節三の1の①の(4)及び同(17)	第一節二の1の表の（一）のイに掲げる法人	第一節二の1の表の（一）のイに掲げる法人で固有法人であるもの
第三節九の2	法人（	法人（同号イに掲げる法人で受託法人であるものを含み、

　（留意事項）
（6）　法人課税信託の受託者に係る事業税については、原則として各法人課税信託の信託資産等及び固有資産等ごとにそれぞれ別の者とみなして取り扱うものであること。なお、二の1の表の（一）のイ又は同（三）のイに規定する法人で受託法人である者に対しては、付加価値額及び資本金等の額による外形標準課税を課することができないものであるが、二の1の表の（一）のイ又は（三）のイに規定する法人で受託法人である者に対する第二節八の1《標準税率》の①及び⑤の規定の適用については、その他の法人の区分及び特別法人以外の法人の区分が適用され、二の1の表の（一）のイに規定する法人で受託法人である者に対する第二節八の1の③の適用については、二の1の表の（三）のイに掲げる法人の区分が適用され、事業税の額は第二節八の1の③の（一）のイに定める金額とするものであることに留意すること。（県通3－1の7）

2　特定法人課税信託等の併合又は分割

　信託の併合に係る従前の信託又は信託の分割に係る分割信託（信託の分割によりその信託財産の一部を他の信託又は新たな信託に移転する信託をいう。(1)において同じ。）が法人課税信託のうち法人税法第2条第29号の2イ又はハに掲げる信託（以下2において「特定法人課税信託」という。）である場合には、当該信託の併合に係る新たな信託又は当該信託の分割に係る他の信託若しくは新たな信託（特定法人課税信託を除く。）は、特定法人課税信託とみなして、この章の規定を適用する。（令15の3①）

　　（信託の併合又は承継信託とする単独新規信託分割により法人課税信託に該当することとなったものとみなす場合）
（1）　信託の併合又は信託の分割（一の信託が新たな信託に信託財産の一部を移転するものに限る。以下(1)及び(2)において「単独新規信託分割」という。）が行われた場合において、当該信託の併合が法人課税信託を新たな信託とするものであるときにおける当該信託の併合に係る従前の信託（法人課税信託を除く。）は当該信託の併合の直前に法人課税信託に該当することとなったものとみなし、当該単独新規信託分割が集団投資信託（四の2に規定する集団投資信託をいう。以下(1)において同じ。）又は受益者等課税信託（四の2に規定する受益者（四の2の(1)の規定により四の2に規定する受益者とみなされる者を含む。）がその信託財産に属する資産及び負債を有するものとみなされる信託をいう。以下(1)において同じ。）を分割信託とし、法人課税信託を承継信託（信託の分割により分割信託からその信託財産の一部の移転を受ける信託をいう。以下(1)及び(2)において同じ。）とするものであるときにおける当該承継信託は当該単独新規信託分割の直後に集団投資信託又は受益者等課税信託から法人課税信託に該当することとなったものとみなして、この章の規定を適用する。（令15の3②）

(吸収信託分割又は複数新規信託分割が行われた場合)
(2) 他の信託に信託財産の一部を移転する信託の分割(以下(2)において「吸収信託分割」という。)又は二以上の信託が新たな信託に信託財産の一部を移転する信託の分割(以下(2)において「複数新規信託分割」という。)が行われた場合には、当該吸収信託分割又は複数新規信託分割により移転する信託財産をその信託財産とする信託(以下(2)において「吸収分割中信託」という。)を承継信託とする単独新規信託分割が行われ、直ちに当該吸収分割中信託及び承継信託(複数新規信託分割にあっては、他の吸収分割中信託)を従前の信託とする信託の併合が行われたものとみなして、2及び(1)の規定を適用する。(令15の3③)

3 法人課税特定信託等の受託法人の事業年度

法人課税信託のうち法人税法第2条第29号の2ニ又はホに掲げる信託(以下3において「法人課税特定信託」という。)に係る受託法人〖1(1)イ参照〗の第二節二の1に規定する事業年度について、その法人課税特定信託の契約又は当該契約に係る約款に定める事業年度の末日が日曜日、国民の祝日に関する法律に規定する休日、12月29日から翌年の1月3日までの日又は土曜日であるときはその翌営業日を事業年度の末日とする旨の定めがあることにより当該事業年度が1年を超えることとなる場合には、当該事業年度に係る第二節二の3《みなし事業年度》の表の(一)の規定は、適用しない。(令15の3④)

この場合に該当する法人課税特定信託に係る受託法人の事業年度の月数に関する法及び令の規定の適用については、当該事業年度の月数は、12月とする。(令15の3⑤)

(最初の事業年度のみ1年超2年未満の場合)
(1) 法人課税特定信託に係る受託法人の事業年度のうち最初の事業年度のみが1年を超え、かつ、2年に満たない場合には、第二節二の3の表の(一)の規定にかかわらず、その最初の事業年度開始の日から当該事業年度の末日の1年前の日までの期間及び同日の翌日から当該事業年度の末日までの期間をそれぞれ当該受託法人の事業年度とみなす。(令15の3⑥)

(法人課税投資信託が法人課税信託に該当しないこととなった場合)
(2) 法人課税信託のうち法人税法第2条第29号の2ニに掲げる信託(以下(2)において「法人課税投資信託」という。)が法人課税信託に該当しないこととなった場合には、第二節二の1の規定にかかわらず、その事業年度開始の日からその該当しないこととなった日までの期間をその法人課税投資信託に係る受託法人の事業年度とみなす。(令15の3⑦)

四 所得の帰属

1 実質所得者課税の原則

資産又は事業から生ずる収益が法律上帰属するとみられる者が単なる名義人であって、当該収益を享受せず、その者以外の者が当該収益を享受する場合においては、当該収益に係る事業税は、当該収益を享受する者に課するものとする。(法72の2の3)

(留意事項)
注 事業を行う法人とは、当該事業の収支の結果を自己に帰属せしめている法人をいうものであるが、その具体的判定に当たっては次の諸点に留意すること。(県通3-1の5)
(一) 資産又は事業から生ずる収益が法律上帰属するとみられる者が単なる名義人にすぎない場合においては、これらの名義人はこの資産又は事業から生ずる収支を自己に帰属せしめているものではないので、名義人以外の者でその資産又は事業から生ずる収益を享受する者に対して事業税を課することとなるのであるから、事業の収支の帰属を十分に検討して課税上遺憾のないようにすること。この場合において資産又は事業から生ずる収益が法律上帰属するとみられる者が単なる名義人にすぎない場合とは、およそ次に掲げるような場合をいうものであること。
 イ 事業の名義人が事業の経営に関与せず何らの収益を得ていない場合
 ロ 事業の取引の収支が事業の名義人以外の者の名において行われている場合
 ハ 事業の名義人は他の者の指示によって事業を経営するにすぎず、その収支は実質的には他の者に帰属する場合
(二) 他の諸法規において雇傭者としての取扱いを受けているということのみの理由で直ちに地方税法上「事業を行う者」に該当しないとはいえないのであるが、その事業に従事している形態が契約によって明確に規制されているときは、雇傭関係の有無はその契約内容における事業の収支の結果が自己の負担に帰属するかどうかによって判断

し、また、契約の内容が上記のごとく明確でないときは、その土地の慣習、慣行等をも勘案のうえ当該事業の実態に即して判断すること。
　（三）　企業組合又はその組合員について実質上法人たる企業組合の存在と相容れない事実があるときは、その事実に係る取引から生ずる所得については、組合員個人が納税義務を負うものであること。この場合において、その認定に当たっては、国の税務官署の取扱いに準ずるものであること。
　（四）　法人名義を仮装して社員等が個人で事業を行っているかどうかの判定については、国の税務官署の更正又は決定した所得を基準として賦課する場合においては、国の税務官署の取扱いに従うものとし、都道府県がその自ら調査したところに基づいて賦課する場合においては、国の税務官署の取扱いに準ずるものであること。

2　信託の受益者課税

　信託の受益者（受益者としての権利を現に有するものに限る。）は当該信託の信託財産に属する資産及び負債を有するものとみなし、かつ、当該信託財産に帰せられる収益及び費用は当該受益者の収益及び費用とみなして、この章の規定を適用する。ただし、集団投資信託（法人税法第2条第29号に規定する集団投資信託をいう。（5）において同じ。）、退職年金等信託（同法第12条第4項第1号に規定する退職年金等信託をいう。（5）において同じ。）、特定公益信託等（同条第4項第2号に規定する特定公益信託等をいう。（5）において同じ。）又は法人課税信託の信託財産に属する資産及び負債並びに当該信託財産に帰せられる収益及び費用については、この限りでない。（法72の3①）
　（注）　2中　　　部分を削る令和6年度改正規定は、公益信託に関する法律（令和6年法律第30号）の施行の日以後に効力が生ずる所得税法等改正法第2条の規定による改正後の法人税法第12条第4項第2号に規定する公益信託（公益信託に関する法律附則第4条第1項に規定する移行認可を受けた信託を含む。）について適用し、同日前に効力が生じた公益信託に関する法律による改正前の公益信託ニ関スル法律（大正11年法律第62号）第1条に規定する公益信託（移行認可を受けたものを除く。）については、なお従前の例による。（令6改法附1十、8④）

　　　　　（信託の受益者とみなす者）
（1）　信託の変更をする権限（軽微な変更をする権限として（2）で定めるものを除く。）を現に有し、かつ、当該信託の信託財産の給付を受けることとされている者（受益者を除く。）は、2に規定する受益者とみなして、2の規定を適用する。（法72の3②）

　　　　　（軽微な変更をする権限の範囲）
（2）　（1）に規定する（2）で定める権限は、信託の目的に反しないことが明らかである場合に限り信託の変更をすることができる権限とする。（令15の4①）

　　　　　（信託を変更する権限に含むもの）
（3）　（1）に規定する信託の変更をする権限には、他の者との合意により信託の変更をすることができる権限を含むものとする。（令15の4②）

　　　　　（停止条件が付された信託財産の給付を受ける権利を有する者）
（4）　停止条件が付された信託財産の給付を受ける権利を有する者は、（1）に規定する信託財産の給付を受けることとされている者に該当するものとする。（令15の4③）

　　　　　（受益者が二以上ある場合の適用）
（5）　2に規定する受益者（（1）の規定により2に規定する受益者とみなされる者を含む。以下（5）において同じ。）が二以上ある場合における2の規定の適用については、2の信託の信託財産に属する資産及び負債の全部をそれぞれの受益者がその有する権利の内容に応じて有するものとし、当該信託財産に帰せられる収益及び費用の全部がそれぞれの受益者にその有する権利の内容に応じて帰せられるものとする。（令15の4④）

　　　　　（法人が受託者となる集団投資信託等の資産負債・収益費用の所得からの除外）
（6）　法人が受託者となる集団投資信託、退職年金等信託又は特定公益信託等の信託財産に属する資産及び負債並びに当該信託財産に帰せられる収益及び費用は、当該法人の各事業年度の所得の金額の計算上、当該法人の資産及び負債並びに収益及び費用でないものとみなして、この章の規定を適用する。（法72の3③）
　（注）　（6）中　　　部分を削る令和6年度改正規定は、公益信託に関する法律（令和6年法律第30号）の施行の日以後に効力が生ずる所得税法等改正法第2条の規定による改正後の法人税法第12条第4項第2号に規定する公益信託（公益信託に関する法律附則第4条第1項に規定する移行認可を受けた信託を含む。）について適用し、同日前に効力が生じた公益信託に関する法律による改正前の公益信託ニ関スル法

律(大正11年法律第62号)第1条に規定する公益信託(移行認可を受けたものを除く。)については、なお従前の例による。(令6改法附1十、8④)

(公益信託に係る所得の帰属)
(7) 当分の間、公益信託(公益信託ニ関スル法律第1条に規定する公益信託(法人税法第37条第6項に規定する特定公益信託を除く。)をいう。)の委託者又はその相続人その他の一般承継人(以下(7)において「委託者等」という。)は当該公益信託の信託財産に属する資産及び負債を有するものとみなし、かつ、当該信託財産に帰せられる収益及び費用は当該委託者等の収益及び費用とみなして、この章の規定を適用する。(法附8の4①)
 (注1) 公益信託は、法人課税信託に該当しないものとする。(法附8の4②)
 (注2) (7)及び(注1)を削除する令和6年度改正規定は、公益信託に関する法律(令和6年法律第30号)の施行の日以後適用する。(令6改法附1十)

五 非課税の範囲

1 公共法人等に対する非課税

道府県は、国及び次に掲げる法人が行う事業に対しては、法人の事業税を課することができない。(法72の4①)

(一)		都道府県、市町村、特別区、これらの組合、地方開発事業団、合併特例区及び次に掲げる公共団体(令16)
	イ	財産区及び港湾法の規定による港務局
	ロ	土地改良区及び土地改良区連合、水害予防組合及び水害予防組合連合並びに土地区画整理組合
(一の二)		地方独立行政法人
(二)		法人税法別表第1《公共法人の表》に規定する独立行政法人
(二の二)		国立大学法人等及び日本司法支援センター
(三)		沖縄振興開発金融公庫、株式会社日本政策金融公庫、日本年金機構、地方住宅供給公社、地方道路公社、土地開発公社、地方公共団体金融機構、地方公共団体情報システム機構、地方税共同機構及び福島国際研究教育機構
(四)		社会保険診療報酬支払基金、日本放送協会、日本中央競馬会及び日本下水道事業団

2 特定の事業に対する非課税

道府県は、次に掲げる事業に対しては、法人の事業税を課することができない。(法72の4②)

(一)	林業 (林業の範囲) 注 林業とは、土地を利用して養苗、造林、撫育及び伐採を行う事業をいうのであるが、養苗、造林又は撫育を伴わないで、伐採のみを行う事業は含まれないものであること。したがって、伐採のために立木を買い取ることを業とする者はいかなる意味においても林業に該当しないものであること。また、林業はしいたけ栽培、うるし採取等のいわゆる林産業とはその範囲を異にするものであること。(県通3-2の2(1))
(二)	鉱物の掘採事業

3 農事組合法人の行う農業に対する非課税

道府県は、農事組合法人(農業協同組合法第72条の13第1項第1号に掲げる者以外の者を組合員とするものにあっては、政令で定めるものに限る。)で農地法第2条第3項各号《農業生産法人の要件》に掲げる要件のすべてを満たしているものが行う農業に対しては、法人の事業税を課することができない。(法72の4③)

(政令で定める農事組合法人)
注 3に規定する農事組合法人で政令で定めるものは、次に掲げる者の出資口数の合計が出資口数の総数の2分の1以下であり、かつ、(二)から(四)までに掲げる者の出資口数の合計が出資口数の総数の4分の1以下のものとする。(令17)

(一) 農業協同組合法第72条の13第1項第2号に該当する組合員
(二) 農業協同組合法第72条の13第1項第4号に該当する組合員
(三) (二)に掲げる者（法人である者に限る。）の代表者又は(二)に掲げる者の代理人、使用人その他の従業者である組合員
(四) (三)に掲げる者以外の者で(二)に掲げる者から受ける金銭その他の資産によって生計を維持している組合員

4　公益法人等の非収益事業に係る所得等の非課税

　道府県は、次に掲げる法人（以下「**公益法人等**」という。）の事業の所得又は収入金額で収益事業(注)に係るもの以外のものに対しては、法人の事業税を課することができない。（法72の5①、令19、平13法101附95）

　　(注)　上記の「収益事業」の意義は、二の2の(1)を参照。（編者）

(一)	法人税法別表第2に規定する独立行政法人
(二)	日本赤十字社、医療法人（医療法第42条の2第1項の規定する社会医療法人に限る。）、商工会議所及び日本商工会議所、商工会及び商工会連合会、中央労働災害防止協会及び労働災害防止協会、船員災害防止協会、公益社団法人及び公益財団法人、一般社団法人（非営利型法人（法人税法第2条第9号の2に規定する非営利型法人をいう。以下(二)において同じ。）に該当するものに限る。）及び一般財団法人（非営利型法人に該当するものに限る。）社会福祉法人、更生保護法人、宗教法人、学校法人及び私立学校法第64条第4項《専修学校又は各種学校の設立》の法人、職業訓練法人並びに中央職業能力開発協会及び都道府県職業能力開発協会
(三)	弁護士会及び日本弁護士連合会、日本弁理士会、司法書士会及び日本司法書士会連合会、土地家屋調査士会及び日本土地家屋調査士会連合会、行政書士会及び日本行政書士会連合会、日本公認会計士協会、税理士会及び日本税理士会連合会、社会保険労務士会及び全国社会保険労務士会連合会並びに水先法に規定する水先人会及び日本水先人会連合会
(四)	法人である労働組合及び職員団体等に対する法人格の付与に関する法律に基づく法人である職員団体等
(五)	漁船保険組合、漁業信用基金協会、信用保証協会、農業信用基金協会、漁業共済組合及び漁業共済組合連合会、農業共済組合及び農業共済組合連合会、土地改良事業団体連合会、農業協同組合連合会（医療法第31条に規定する公的医療機関に該当する病院又は診療所を設置するもので法人税法別表第2《公益法人等の表》に規定する農業協同組合連合会に限る。以下「特定農業協同組合連合会」という。）、中小企業団体中央会、酒造組合及び酒造組合連合会、酒造組合中央会、酒販組合及び酒販組合連合会、酒販組合中央会、非出資組合である商工組合及び商工組合連合会、非出資組合である生活衛生同業組合及び生活衛生同業組合連合会、非出資組合である輸出組合及び輸入組合、国民健康保険組合及び国民健康保険団体連合会、全国健康保険協会、健康保険組合及び健康保険組合連合会、国家公務員共済組合及び国家公務員共済組合連合会、地方公務員共済組合、全国市町村職員共済組合連合会、地方公務員共済組合連合会、地方公務員災害補償基金、消防団員等公務災害補償等共済基金、日本私立学校振興・共済事業団、企業年金基金及び確定給付企業年金法に規定する企業年金連合会、石炭鉱業年金基金、国民年金基金及び国民年金基金連合会、預金保険機構、農水産業協同組合貯金保険機構、保険契約者保護機構、投資者保護基金、委託者保護基金、原子力損害賠償・廃炉等支援機構並びに勤労者財産形成基金 　　（特定農業協同組合連合会の意義） 　注　(五)に規定する特定農業協同組合連合会とは、法人税法施行令第2条第1項第1号から第3号までに掲げる要件を満たし、かつ、同条第3項の指定を受けた農業協同組合連合会をいうものであること。（県通3－2の2(3)）
(六)	市街地再開発組合、住宅街区整備組合、負債整理組合及び防災街区整備事業組合
(七)	損害保険料率算出団体、地方競馬全国協会、高圧ガス保安協会、日本電気計器検定所、危険物保安技術協会、日本消防検定協会、軽自動車検査協会、小型船舶検査機構、外国人技能実習機構、日本勤労者住宅協会、広域臨海環境整備センター、原子力発電環境整備機構、広域的運営推進機関、使用済燃料再処理機構、認可金融商品取引業協会、商品先物取引協会、貸金業協会及び自動車安全運転センター、金融経済教育推進機構及び脱炭素成長型経済構造移行推進機構
(八)	管理組合法人及び団地管理組合法人並びにマンション建替組合、マンション敷地売却組合及び敷地分割組合
(九)	地方自治法第260条の2第7項に規定する認可地縁団体

（十）	政党交付金の交付を受ける政党等に対する法人格の付与に関する法律第７条の２第１項に規定する法人である政党等
（十一）	特定非営利活動促進法第２条第２項に規定する特定非営利活動法人

(注１)　４及び（１）の規定の適用に関する旧民法第34条の法人から移行した法人等に係る特例については、二の１の（３）を参照。（編者）
(注２)　（二）中＿＿＿部分「第64条第４項《専修学校又は各種学校の設立》」を「第152条第５項」に改める令和６年度改正規定は、令和７年４月１日以後適用する。（令６改法附１三）

　　　　（収益事業に係る所得等とその他の所得等の区分経理）
（１）　公益法人等及び人格のない社団等は、収益事業に係る所得又は収入金額に関する経理を、収益事業以外の事業に係る所得又は収入金額に関する経理と区分して行わなければならない。（法72の５③）

　　　　（非課税の認定に当たっての税務官署の取扱いの準用）
（２）　公益法人等については、収益事業以外の事業の所得に対しては、事業税は課されないのであるが、その認定に当たっては、国の税務官署の取扱いに準ずるものであること。（県通３―２の２（２））

5　人格のない社団等の非収益事業に係る所得の非課税
　道府県は、人格のない社団等の事業の所得で収益事業『二の２（１）参照』に係るもの以外のものに対しては、法人の事業税を課することができない。（法72の５②）

六　雑　則

1　徴税吏員の調査に係る質問検査権

①　徴税吏員の調査に係る質問検査権
　道府県の徴税吏員は、事業税の賦課徴収に関する調査のために必要がある場合においては、次に掲げる者に質問し、又は（一）若しくは（二）の者の事業に関する帳簿書類（その作成又は保存に代えて電磁的記録（電子的方式、磁気的方式その他の人の知覚によっては認識することができない方式で作られる記録であって、電子計算機による情報処理の用に供されるものをいう。）の作成又は保存がされている場合における当該電磁的記録を含む。②の表の（一）及び（二）において同じ。）その他の物件を検査し、若しくは当該物件（その写しを含む。）の提示若しくは提出を求めることができる。（法72の７①）

（一）	納税義務者又は納税義務があると認められる者
（二）	（一）に規定する者に金銭又は物品を給付する義務があると認められる者
（三）	（一）及び（二）に掲げる者以外の者で当該事業税の賦課徴収に関し直接関係があると認められる者

　　　　（分割承継法人及び分割法人に対する質問検査権）
（１）　①の表の（一）に掲げる者を分割法人（分割によりその有する資産及び負債の移転を行った法人をいう。以下（１）において同じ。）とする分割に係る分割承継法人（分割により分割法人から資産及び負債の移転を受けた法人をいう。以下（１）において同じ。）及び同（一）に掲げる者を分割承継法人とする分割に係る分割法人は、同（二）に規定する金銭又は物品を給付する義務があると認められる者に含まれるものとする。（法72の７②）

　　　　（身分証明証の提示）
（２）　①の場合においては、当該徴税吏員は、その身分を証明する証票を携帯し、関係人の請求があったときは、これを提示しなければならない。（法72の７③）

　　　　（提出物件の留置き）
（３）　道府県の徴税吏員は、（４）で定めるところにより、①の規定により提出を受けた物件を留め置くことができる。（法72の７④）

(物件の提出者への書面の交付)
(4) 道府県の徴税吏員は、(3)の規定により物件を留め置く場合には、当該物件の名称又は種類及びその数量、当該物件の提出年月日並びに当該物件を提出した者の氏名及び住所又は居所その他当該物件の留置きに関し必要な事項を記載した書面を作成し、当該物件を提出した者にこれを交付しなければならない。(令20①)

(提出物件の返還)
(5) 道府県の徴税吏員は、(3)の規定により留め置いた物件につき留め置く必要がなくなったときは、遅滞なく、これを返還しなければならない。(令20②)

(提出物件の管理義務)
(6) 道府県の徴税吏員は、(5)に規定する物件を善良な管理者の注意をもって管理しなければならない。(令20③)

(100%子法人等の判定に係る調査)
(7) 道府県の徴税吏員は、事業税の納税義務がある法人又は納税義務があると認められる法人が100%子法人等であるかどうかの判定に係る調査のために必要がある場合においては、①の規定に基づき、当該法人との間に完全支配関係があると認められる他の法人に対して質問することができることに留意すること。(県通3-2の2の1)

(注) (7)を追加する令和6年度改正規定は、令和8年4月1日以後に開始する事業年度分の法人の事業税について適用する。(令6総税都第10号記チ)

② **検査拒否等に関する罪**
次の各号のいずれかに該当する場合には、その違反行為をした者は、1年以下の懲役又は50万円以下の罰金に処する。(法72の8①)

(一)	①の規定による帳簿書類その他の物件の検査を拒み、妨げ、又は忌避したとき
(二)	①の規定による物件の提示又は提出の要求に対し、正当な理由がなくこれに応ぜず、又は偽りの記載若しくは記録をした帳簿書類その他の物件(その写しを含む。)を提示し、若しくは提出したとき
(三)	①の規定による徴税吏員の質問に対し答弁をしないとき、又は虚偽の答弁をしたとき

(両罰規定)
(1) 法人の代表者(人格のない社団等の管理人を含む。以下罰則の適用について同じ。)又は法人若しくは人の代理人、使用人その他の従業者がその法人又は人の業務又は財産に関して②の違反行為をした場合には、その行為者を罰するほか、その法人又は人に対し、②の罰金刑を科する。(法72の8②)

(人格のない社団等に対する刑事訴訟法の準用)
(2) 人格のない社団等について(1)の規定の適用がある場合には、その代表者又は管理人がその訴訟行為につき当該人格のない社団等を代表するほか、法人を被告人又は被疑者とする場合の刑事訴訟に関する法律の規定を準用する。(法72の8③)

2 納税管理人

① **納税管理人**
事業税の納税義務者は、納税義務を負う道府県内に事務所又は事業所を有しない場合においては、納税に関する一切の事項を処理させるため、当該道府県の条例で定める地域内に事務所又は事業所を有する者のうちから納税管理人を定めてこれを道府県知事に申告し、又は当該地域外に事務所又は事業所を有する者のうち当該事項の処理につき便宜を有するものを納税管理人として定めることについて道府県知事に申請してその承認を受けなければならない。納税管理人を変更し、又は変更しようとする場合においても、また、同様とする。(法72の9①)

(納税管理人を定めることを要しない場合)
注 ①の規定にかかわらず、当該納税義務者は、当該納税義務者に係る事業税の徴収の確保に支障がないことについて道府県知事に申請してその認定を受けたときは、納税管理人を定めることを要しない。(法72の9②)

② 納税管理人に係る虚偽の申告等に関する罪
　①の規定により申告すべき納税管理人について虚偽の申告をし、又は偽りその他不正の手段により①の承認若しくは①の注の認定を受けたときは、その違反行為をした者は、30万円以下の罰金に処する。（法72の10①）

　　　（両罰規定）
（１）　法人の代表者又は法人若しくは人の代理人、使用人その他の従業者がその法人又は人の業務又は財産に関して①の違反行為をした場合には、その行為者を罰するほか、その法人又は人に対し、①の刑を科する。（法72の10②）

　　　（人格のない社団等に対する刑事訴訟法の準用）
（２）　人格のない社団等について（１）の規定の適用がある場合には、その代表者又は管理人がその訴訟行為につき当該人格のない社団等を代表するほか、法人を被告人又は被疑者とする場合の刑事訴訟に関する法律の規定を準用する。（法72の10③）

③ 納税管理人に係る不申告に関する過料
　道府県は、①の注の認定を受けていない事業税の納税義務者で①の承認を受けていないものが①の規定によって申告すべき納税管理人について正当な事由がなくて申告をしなかった場合においては、その者に対し、当該道府県の条例で10万円以下の過料を科する旨の規定を設けることができる。（法72の11）

第二節　課税標準及び税率等

一　課税標準

　法人の行う事業に対する事業税の課税標準は、次の各号に掲げる事業の区分に応じ、当該各号に定めるものによる。（法72の12）

（一）	付加価値割	各事業年度の付加価値額
（二）	資本割	各事業年度の資本金等の額
（三）	所得割	各事業年度の所得
（四）	収入割	各事業年度の収入金額

二　事業年度

1　事業年度の意義

　この章において「**事業年度**」とは、法令、定款、寄附行為、規則若しくは規約に定める事業年度その他これに準ずる期間又は2に規定する期間をいう。（法72の13①）

　　　（法人税の事業年度の取扱いの準用）
　注　法人の事業税の課税標準の算定期間である事業年度は、すべて法人税の課税標準の算定期間である事業年度と同一なものとされているのであるから、その取扱いについても国の税務官署の取扱いに準ずること。（県通3－3）

2　事業年度等の定めがない場合

① 届出又は指定による事業年度
　法令、定款、寄附行為、規則又は規約で事業年度その他これに準ずる期間を定めていない法人については、法人税法第13条第2項《会計期間の届出》又は第3項《会計期間の指定》の規定により当該法人が政府に届け出、又は政府が指定した期間をもって、当該法人の事業年度とする。（法72の13②）

②　人格のない社団等が届出をしなかった場合の事業年度

　人格のない社団等で定款、寄附行為、規則又は規約で事業年度その他これに準ずる期間を定めていないものが法人税法第13条第2項の規定による届出を政府にしなかった場合には、当該人格のない社団等の事業年度は、その年の1月1日（同項第1号《内国法人》イに定める収益事業を開始した日又は同項第2号《外国法人》に定める収益事業から生ずる所得を有することとなった日の属する年については、これらの日）から12月31日までの期間とする。（法72の13③）

3　事業年度の特例

　1に規定する期間が1年を超える場合には、その法人の事業年度は、1の規定にかかわらず、当該期間をその開始の日から1年ごとに区分した各期間（最後に1年未満の期間を生じたときは、当該期間）とする。（法72の13④）

　　（解散等した場合）
（1）　次の各号に掲げる事実が生じた場合には、その事実が生じた法人の事業年度は、1の規定にかかわらず、当該各号に定める日に終了し、これに続く事業年度は、（二）又は（五）に掲げる事実が生じた場合を除き、同日の翌日から開始するものとする。（法72の13⑤）
（一）　内国法人（三の5に規定する内国法人をいう。以下同じ。）が事業年度の中途において解散（合併による解散を除く。）をしたこと　　その解散の日
（二）　法人が事業年度の中途において合併により解散したこと　　その合併の日の前日
（三）　内国法人である第一節五の4の各号に掲げる法人又は人格のない社団等が事業年度の中途において新たに収益事業を開始したこと（人格のない社団等にあっては、2の②に規定する場合に該当する場合を除く。）　　その開始した日の前日
（四）　次に掲げる事実　　その事実が生じた日の前日
　　イ　第一節五の1各号に掲げる法人が事業年度の中途において第一節五の4各号に掲げる法人で収益事業を行うものに該当することとなったこと。
　　ロ　第一節五の1各号又は第一節五の4各号に掲げる法人が事業年度の中途において第一節五の1各号及び第一節五の4各号に掲げる法人以外の法人（人格のない社団等を除く。）に該当することとなったこと。
　　ハ　第一節五の1各号及び第一節五の4各号に掲げる法人以外の法人（人格のない社団等を除く。）が事業年度の中途において第一節五の4各号に掲げる法人に該当することとなったこと。
（五）　清算中の法人の残余財産が事業年度の中途において確定したこと　　その残余財産の確定の日
（六）　清算中の内国法人が事業年度の中途において継続したこと　　その継続の日の前日
（七）　恒久的施設を有しない外国法人が事業年度の中途において恒久的施設を有することとなったこと　　その有することとなった日の前日
（八）　恒久的施設を有する外国法人が事業年度の中途において恒久的施設を有しないこととなったこと　　その有しないこととなった日
　　　（注）　（1）の（三）及び（四）イの収益事業の範囲は、政令で定める。（法72の13⑬）

　　（通算親法人について承認が効力を失った場合）
（2）　通算親法人（法人税法第2条第12号の6の7に規定する通算親法人をいう。以下同じ。）について同法第64条の10第5項又は第6項（第3号、第4号又は第7号に係る部分に限る。）の規定により同法第64条の9第1項の規定による承認が効力を失った場合には、当該通算親法人であった内国法人の事業年度は、1の規定にかかわらず、その効力を失った日の前日に終了し、これに続く事業年度は、当該効力を失った日から開始するものとする。（法72の13⑥）

　　（通算完全支配関係がある場合）
（3）　通算子法人（法人税法第2条第12号の7に規定する通算子法人をいう。以下同じ。）で当該通算子法人に係る通算親法人の事業年度開始の時に当該通算親法人との間に通算完全支配関係（同法第2条第12号の7の7に規定する通算完全支配関係をいう。以下同じ。）があるものの事業年度は、当該開始の日に開始するものとし、通算子法人で当該通算子法人に係る通算親法人の事業年度終了の時に当該通算親法人との間に通算完全支配関係があるものの事業年度は、当該終了の日に終了するものとする。（法72の13⑦）

　　（通算親法人による完全支配関係の有無）
（4）　次の各号に掲げる事実が生じた場合には、その事実が生じた内国法人の事業年度は、当該各号に定める日の前日

に終了し、これに続く事業年度は、(二)の内国法人の合併による解散又は残余財産の確定に基因して(二)に掲げる事実が生じた場合を除き、当該各号に定める日から開始するものとする。(法72の13⑧)
　(一)　内国法人が通算親法人との間に当該通算親法人による完全支配関係(法人税法第14条第4項第1号に規定する完全支配関係をいう。以下同じ。)を有することとなったこと　　その有することとなった日
　(二)　内国法人が通算親法人との間に当該通算親法人による通算完全支配関係を有しなくなったこと　　その有しなくなった日

　　(親法人の申請特例年度の期間内に完全支配関係がある場合)
(5)　次の各号に掲げる内国法人の事業年度は、当該各号に定める日の前日に終了し、これに続く事業年度は、当該各号に定める日から開始するものとする。(法72の13⑨)
　(一)　親法人(法人税法第64条の9第1項に規定する親法人をいう。以下同じ。)の申請特例年度(同法第64条の9第9項に規定する申請特例年度をいう。以下同じ。)開始の時に当該親法人との間に完全支配関係がある内国法人　　その申請特例年度開始の日
　(二)　親法人の申請特例年度の期間内に当該親法人との間に当該親法人による完全支配関係を有することとなった内国法人　　その有することとなった日

　　((5)の場合に内国法人が承認を受けなかったとき等)
(6)　(5)の場合において、(5)の各号に掲げる内国法人が法人税法第64条の9第1項の規定による承認を受けなかったとき、又は(5)の各号に掲げる内国法人が同条第10項第1号若しくは第12項第1号に掲げる法人に該当するときは、これらの内国法人の(5)の各号に定める日から開始する事業年度は、申請特例年度終了の日(同日前にこれらの内国法人の合併による解散又は残余財産の確定により当該各号の親法人との間に完全支配関係を有しなくなった場合(以下(6)において「合併による解散等の場合」という。)には、その有しなくなった日の前日。(7)において「終了等の日」という。)に終了し、これに続く事業年度は、合併による解散等の場合を除き、当該申請特例年度終了の日の翌日から開始するものとする。(法72の13⑩)

　　(内国法人の通算子法人に該当する期間がある場合)
(7)　内国法人の通算子法人に該当する期間((5)の各号に掲げる内国法人の当該各号に定める日から終了等の日までの期間を含む。)については、1及び(1)の規定は、適用しない。(法72の13⑪)

　　(内国法人が通算親法人との間に当該通算親法人による完全支配関係を有することとなった場合)
(8)　内国法人が、通算親法人との間に当該通算親法人による完全支配関係を有することとなり、又は親法人の申請特例年度の期間内に当該親法人との間に当該親法人による完全支配関係を有することとなった場合において、法人税法第14条第8項に規定する提出期限となる日までに、当該通算親法人又は親法人((一)において「通算親法人等」という。)が同項に規定する書類を納税地の所轄税務署長に提出したときは、(4)((一)に係る部分に限る。)、(5)((二)に係る部分に限る。)及び(6)及び(7)の規定の適用については、次の各号に掲げる場合の区分に応じ当該各号に定めるところによる。(法72の13⑫)
　(一)　当該内国法人の加入日(法人税法第14条第8項に規定する加入日をいう。以下(一)において同じ。)から当該加入日の前日の属する特例決算期間(同項第1号に規定する特例決算期間をいう。以下(一)において同じ。)の末日まで継続して当該内国法人と当該通算親法人等との間に当該通算親法人等による完全支配関係がある場合　　当該内国法人及び当該内国法人が発行済株式又は出資を直接又は間接に保有する他の内国法人(当該加入日から当該末日までの間に当該通算親法人等との間に完全支配関係を有することとなったものに限る。(二)において「他の内国法人」という。)については、当該加入日の前日の属する特例決算期間の末日の翌日をもって(4)の(一)又は(5)の(二)に定める日とする。この場合において、当該翌日が申請特例年度終了の日後であるときは、当該末日を申請特例年度終了の日とみなして、(6)の規定を適用する。
　(二)　(一)に掲げる場合以外の場合　　当該内国法人及び他の内国法人については、(4)((一)に係る部分に限る。)及び(5)((二)に係る部分に限る。)の規定は、適用しない。

　　(旧民法第34条の法人から移行した法人等に係る特例)
注　一般社団法人及び一般財団法人に関する法律及び公益社団法人及び公益財団法人の認定等に関する法律の施行に伴う関係法律の整備等に関する法律(平成18年法律第50号。以下注において「整備法」という。)第40条第1項の規定に

第二編第五章《法人の事業税》第二節《課税標準及び税率等（付加価値割の課税標準）》

より存続する一般社団法人又は一般財団法人であって整備法第106条第１項（整備法第121条第１項において読み替えて準用する場合を含む。）の登記をしていないもの（整備法第131条第１項の規定により整備法第45条の認可を取り消されたものにあっては、法人税法第２条第９号の２に規定する非営利型法人に該当するものに限る。）については、公益社団法人又は公益財団法人とみなして、（１）（（一）、（三）、（四）及び（六）に係る部分に限る。）、（２）及び（４）（（二）に係る部分に限る。）及び八の４の規定を適用する。（法附41②）

三　付加価値割の課税標準の計算

　一の表の（一）の各事業年度の付加価値額は、**各事業年度の報酬給与額、純支払利子及び純支払賃借料の合計額**（６において「**収益配分額**」という。）と**各事業年度の単年度損益との合計額**による。（法72の14）

　　　　（各事業年度の付加価値額）
（１）　一の表の（一）の各事業年度の付加価値額とは、各事業年度の報酬給与額、純支払利子（支払利子の額の合計額から受取利子の額の合計額を控除したもの）、純支払賃借料（支払賃借料の合計額から受取賃借料の合計額を控除したもの）及び単年度損益の合計額であること。なお、受取利子の額の合計額が支払利子の額の合計額を超える場合又は受取賃借料の合計額が支払賃借料の合計額を超える場合には純支払利子又は純支払賃借料はそれぞれ零とするものであるが、単年度損益は負となる場合であっても零とはしないことに留意すること。（県通３－４の１の１）

　　　　（各事業年度の報酬給与額、支払利子又は支払賃借料の留意事項）
（２）　各事業年度の報酬給与額、支払利子又は支払賃借料は、原則として、法人が支払う給与、利子又は賃借料のうち当該事業年度の法人税の所得の計算上損金の額に算入されるものに限るものであるが、棚卸資産、有価証券、固定資産又は繰延資産に係るものについては、当該事業年度において法人が支払う給与、利子又は賃借料（法人税の所得の計算上損金の額に算入されるべきものに限る。）を当該事業年度の報酬給与額、支払利子又は支払賃借料とするものであること。また、各事業年度の受取利子又は受取賃借料は、法人が支払いを受ける利子又は賃借料のうち当該事業年度の法人税の所得の計算上益金の額に算入されるものに限るものであること。（県通３－４の１の２）

　　　　（報酬給与額、純支払利子及び純支払賃借料の計算に当たっての消費税等の取扱い）
（３）　報酬給与額、純支払利子及び純支払賃借料（以下「収益配分額」という。）の計算に当たっては、消費税及び地方消費税（以下（３）において「消費税等」という。）を除いた金額を基礎とするものであること。したがって、例えば、派遣契約料に消費税等が含まれている場合には、派遣契約料から当該消費税等相当額を控除した額に75％を乗じた額が派遣先法人の報酬給与額となるものであること。
　　なお、消費税等の額の控除に当たって、次の諸点に留意すること。（県通３－４の１の３）
（一）　国内において行った消費税法（昭和63年法律第108号）第２条第１項第７号の２に規定する適格請求書発行事業者（（二）及び（三）において「適格請求書発行事業者」という。）以外の者から行った同項第12号に規定する課税仕入れ（同法第５条第１項に規定する特定課税仕入れ並びに消費税法施行令（昭和63年政令第360号）第46条第１項第５号及び第６号に掲げる課税仕入れを除く。（二）及び（三）において「課税仕入れ」という。）に係る取引（その取引の対価の額が収益配分額に含まれるものに限る。以下同じ。）について税抜経理方式（消費税等の額とこれに係る取引の対価の額とを区分して経理をする方式をいう。）で経理をしている場合であっても、その取引の対価の額と区分して経理をした消費税等の額に相当する金額を収益配分額に含めることになることに留意すること。
（二）　令和５年10月１日から令和８年９月30日までの間に国内において適格請求書発行事業者以外の者から行った課税仕入れに係る取引を行った場合において、当該課税仕入れにつき、所得税法等の一部を改正する法律（平成28年法律第15号。以下（二）及び（三）において「平成28年所得税法等改正法」という。）附則第52条第１項（消費税法施行令等の一部を改正する政令（平成30年政令第135号。（三）において「平成30年改正令」という。）附則第22条第３項又は第４項の規定により読み替えて適用する場合を含む。以下（二）において同じ。）の規定の適用を受けるときは、（一）の規定にかかわらず、収益配分額の計算に当たって、平成28年所得税法等改正法附則第52条第１項の規定により課税仕入れに係る消費税額とみなされる金額及び当該課税仕入れに係る消費税額とみなされる金額に係る地方消費税に相当する金額の合計額を控除すること。
（三）　令和８年10月１日から令和11年９月30日までの間に国内において適格請求書発行事業者以外の者から行った課税仕入れに係る取引を行った場合において、当該課税仕入れにつき、平成28年所得税法等改正法附則第53条第１項（平成30年改正令附則第23条第３項又は第４項の規定により読み替えて適用する場合を含む。以下（三）において同

じ。）の規定の適用を受けるときは、（一）の規定にかかわらず、収益配分額の計算に当たって、平成28年所得税法等改正法附則第53条第１項の規定により課税仕入れに係る消費税額とみなされる金額及び当該課税仕入れに係る消費税額とみなされる金額に係る地方消費税に相当する金額の合計額を控除すること。

　　　（組合の各事業年度の給与、利子又は賃借料）
（４）　組合（共同企業体（ＪＶ）を含む。以下（４）において同じ。）の各事業年度の給与、利子又は賃借料については、その分配割合に基づいて各組合員に分配したもののうち法人税の所得の計算上損金の額に算入されるものを、各組合員の報酬給与額、純支払利子又は純支払賃借料として取り扱うものとすること。（県通３－４の１の４）

1　報酬給与額の算定の方法

①　一般の場合の報酬給与額の算定

　三　各事業年度の報酬給与額は、次の各号に掲げる金額（当該事業年度の法人税の所得の計算上損金の額に算入されるもの（政令で定めるものを除く。）及び当該事業年度において支出されるもので政令で定めるものに限る。）の合計額による。（法72の15①）

（一）	法人が各事業年度においてその役員又は使用人に対する報酬、給料、賃金、賞与、退職手当その他これらの性質を有する給与として支出する金額の合計額
（二）	法人が各事業年度において確定給付企業年金法第３条第１項に規定する確定給付企業年金に係る規約に基づいて同法第２条第４項に規定する加入者のために支出する同法第55条第１項の掛金その他の法人が役員又は使用人のために支出する掛金（これに類するものを含む。）で政令で定めるものの金額の合計額

　　　（政令で定める金額）
（１）イ　①に規定する政令で定める当該事業年度の法人税の所得の計算上損金の額に算入される金額は、当該事業年度以前の事業年度において支出された金額で、法人税法第２条第20号に規定する棚卸資産、同条第21号に規定する有価証券、同条第22号に規定する固定資産又は同条第24号に規定する繰延資産（次項において「棚卸資産等」という。）に係るものとする。（令20の２①）
　　　ロ　①に規定する当該事業年度において支出される金額で政令で定めるものは、当該事業年度において支出される金額で棚卸資産等に係るもの（当該事業年度以後の事業年度の法人税の所得の計算上損金の額に算入されるべきものに限る。）とする。（令20の２②）

　　　（報酬給与額に含まれない手当）
（２）　法人が各事業年度において支出する次に掲げる金額は、①に規定する各事業年度の報酬給与額に含まれないものとする。（令20の２の２）
　（一）　給与所得（所得税法第28条第１項に規定する給与所得をいう。）を有する者で通勤するもの（以下（一）において「通勤者」という。）がその通勤に必要な交通機関の利用又は交通用具の使用のために支出する費用に充てるものとして通常の給与に加算して支出する通勤手当（これに類するものを含む。）のうち、一般の通勤者につき通常必要であると認められる部分として所得税法施行令第20条の２《非課税とされる通勤手当》に規定するものに相当する金額
　（二）　国外で勤務する居住者（所得税法第２条第１項第３号に規定する居住者をいう。）の受ける給与のうち、その勤務により国内で勤務した場合に受けるべき通常の給与に加算して支出する在勤手当（これに類する特別の手当を含む。）で所得税法施行令第22条《非課税とされる在外手当》に規定する金額

　　　（報酬給与額となる掛金等）
（３）　①の表の（二）に規定する掛金で政令で定めるものは、次に掲げるものとする。（令20の２の３①）
　（一）　法人が各事業年度において独立行政法人勤労者退職金共済機構又は所得税法施行令第74条第５項に規定する特定退職金共済団体が行う退職金共済に関する制度に基づいてその被共済者（事業主が退職金共済事業を行う団体に掛金を納付し、当該団体が当該事業主の雇用する使用人の退職について退職給付金を支給することを約する退職金共済契約に基づき、当該退職給付金の支給を受けるべき者をいう。）のために支出する掛金（同令第76条第１項第２

第二編第五章《法人の事業税》第二節《課税標準及び税率等（付加価値割の課税標準）》

　　　　号ロからヘまでに掲げる掛金を除くものとし、中小企業退職金共済法第53条の規定により独立行政法人勤労者退職
　　　　金共済機構に納付する金額を含む。）
　　（二）　法人が各事業年度において確定給付企業年金法第3条第1項に規定する確定給付企業年金に係る規約に基づい
　　　　て同法第2条第4項に規定する加入者のために支出する同法第55条第1項の掛金（同条第2項の規定により同項に
　　　　規定する加入者が負担する掛金を除くものとし、同法第63条、第78条第3項及び第87条の掛金を含む。）及びこれに
　　　　類する掛金又は保険料で（5）で定めるもの
　　（三）　法人が各事業年度において確定拠出年金法第4条第3項に規定する企業型年金規約に基づいて同法第2条第8
　　　　項に規定する企業型年金加入者のために支出する同法第3条第3項第7号に規定する事業主掛金（同法第54条第1
　　　　項の規定により移換する確定拠出年金法施行令第22条第1項第5号に掲げる資産を含む。）
　　（四）　法人が各事業年度において確定拠出年金法第56条第3項に規定する個人型年金規約に基づいて同法第68条の2
　　　　第1項に規定する個人型年金加入者のために支出する同項の掛金
　　（五）　法人が各事業年度において勤労者財産形成促進法第6条の2第1項に規定する勤労者財産形成給付金契約に基
　　　　づいて同項第2号に規定する信託の受益者等（（六）において「信託の受益者等」という。）のために支出する同項第
　　　　1号に規定する信託金等（（六）において「信託金等」という。）
　　（六）　法人が各事業年度において勤労者財産形成促進法第6条の3第2項に規定する第1種勤労者財産形成基金契約
　　　　に基づいて信託の受益者等のために支出する信託金等及び同条第3項に規定する第2種勤労者財産形成基金契約に
　　　　基づいて同項第2号に規定する勤労者について支出する同項第1号に規定する預入金等の払込みに充てるために同
　　　　法第7条の20第1項の規定により支出する金銭
　　（七）　法人が各事業年度において法人税法附則第20条第3項に規定する適格退職年金契約に基づいて受益者等（法人
　　　　税法施行令附則第16条第1項第2号に規定する受益者等をいう。以下（六）において同じ。）のために支出する掛金及
　　　　び保険料（受益者等が負担した掛金及び保険料並びに同令附則第16条第1項第3号に規定する要件に反してその役
　　　　員について支出した掛金及び保険料を除く。）

　　（掛金等のうち報酬給与額に含まれないもの）
（4）　①の表の（二）の掛金のうちに法人税法施行令附則第16条第1項第9号イからトまでに掲げる金額がある場合には、
　　当該金額は、当該法人の各事業年度の報酬給与額に含まれないものとする。（令20の2の3②）

　　（総務省令で定める掛金等）
（5）　（3）の（二）の（5）で定める掛金又は保険料は、次に掲げる掛金又は保険料とする。（規3の14の2）
　　（一）　確定給付企業年金法施行令第54条の4の規定により支出した同条の掛金
　　（二）　確定給付企業年金法施行規則第64条の規定により支出した同条の掛金

　　（報酬給与額の意義）
（6）　①に規定する報酬給与額とは、雇用関係又はこれに準ずる関係に基づいて提供される労務の提供の対価として支
　　払われるものをいうのであり、定期・定額で支給されるものと不定期・業績比例で支給されるものとを問わず、また、
　　給料、手当、賞与等その名称を問わないものであること。（県通3－4の2の1）

　　（役員又は使用人の範囲）
（7）　報酬給与額の対象となる役員又は使用人には、非常勤役員、契約社員、パートタイマー、アルバイト又は臨時雇
　　いその他名称を問わず、雇用関係又はこれに準ずる関係に基づき労務の提供を行う者のすべてが含まれるものであ
　　ること。（県通3－4の2の2）

　　（報酬給与額と所得税の所得の種類との関係）
（8）　（6）の報酬給与額とは、原則として、所得税において給与所得又は退職所得とされるものをいい、所得税におい
　　て事業所得、一時所得、雑所得又は非課税所得とされるものは報酬給与額とはならないものであること。ただし、い
　　わゆる企業内年金制度に基づく年金や、死亡した者に係る給料・退職金等で遺族に支払われるものについては、その
　　性格が給与としての性質を有すると認められることから、所得税において給与所得又は退職所得とされない場合であ
　　っても、報酬給与額として取り扱うものとすること。（県通3－4の2の3）

(内国法人の外国で勤務する役員又は使用人に支払う給与)
(9) (8)本文にかかわらず、内国法人が外国において勤務する役員又は使用人に対して支払う給与は、当該役員又は使用人が所得税法に規定する非居住者であっても、報酬給与額となるものであること。この場合において、実費弁償の性格を有する手当等を支給しているときは、当該手当等の額は、報酬給与額に含めないものとすること。
　　なお、当該役員又は使用人が外国で勤務する場所が恒久的施設に該当する場合には、当該給与は、当該法人の外国の事業に帰属する報酬給与額となるものであること。(県通3－4の2の4)

(請負契約に係る代金)
(10) 請負契約に係る代金は、労務の提供の対価ではなく、仕事の完成に対する対価であることから、報酬給与額に含めないものとすること。
　　なお、名目上請負契約とされている場合であっても、仕事を請け負った法人が当該請負契約に係る業務を行っているとは認められず、当該請負法人と注文者である法人が当該業務において一体となっていると認められるときは、当該請負法人の使用人に対する労務の提供の対価に相当する金額は、注文者である法人の報酬給与額として取り扱うことに留意すること。(県通3－4の2の5)

(経済的利益の取扱い)
(11) 法人が役員又は使用人のために給付する金銭以外の物又は権利その他経済的利益の取扱いについては、次の諸点に留意すること。(県通3－4の2の6)
　(一) 所得税において給与所得又は退職所得として課税され、かつ、法人税の所得の計算上損金の額に算入される場合に限り、報酬給与額に含まれるものであること。
　(二) 法人が賃借している土地又は家屋を当該法人の役員又は使用人に社宅等として賃貸している場合の当該社宅等に係る賃借料については、3(12)の(一)において支払賃借料又は受取賃借料とされていることから、上記(一)にかかわらず、所得税において給与所得又は退職所得として課税される場合であっても、報酬給与額には含めないものとすること。

(法人が契約者で役員又は使用人を被保険者とする保険契約の保険料)
(12) 法人が、自己を契約者とし、役員又は使用人(これらの者の親族を含む。)を被保険者とする養老保険(被保険者の死亡又は生存を保険事故とする生命保険をいい、傷害特約等の特約が付されているものを含む。)、定期保険(一定期間内における被保険者の死亡を保険事故とする生命保険をいい、傷害特約等の特約が付されているものを含む。)又は定期付養老保険(養老保険に定期保険を付したものをいう。)等に加入してその保険料を支払う場合には、当該保険料の額のうち所得税において給与所得又は退職所得として課税されるものは報酬給与額とするものであること。(県通3－4の2の7)

(通勤手当等の留意事項)
(13) 通勤手当及び在勤手当のうち報酬給与額とされないものは、所得税において非課税とされる額に相当する金額であることに留意すること。(県通3－4の2の8)

(掛金等のうち報酬給与額となるもの)
(14) 法人が役員又は使用人のために支出する掛金等のうち報酬給与額となるものは次に掲げるものであること。(県通3－4の2の9)
　(一) 独立行政法人勤労者退職金共済機構又は特定退職金共済団体が行う退職金共済制度に基づいてその被共済者のために支出する掛金(特定退職金共済団体の要件に反して支出する掛金を除くものとし、中小企業退職金共済法第53条(従前の積立事業についての取扱い)の規定により独立行政法人勤労者退職金共済機構に納付する金額を含む。)
　(二) 確定給付企業年金法に規定する確定給付企業年金に係る規約に基づいて加入者のために支出する掛金等(当該掛金等のうちに加入者が負担する掛金が含まれている場合には当該加入者が負担する掛金相当額を除くものとし、積立不足に伴い拠出する掛金、実施事業所の増減に伴い拠出する掛金、確定給付企業年金を実施している事業主が2以上である場合等の実施事業所の減少の特例により一括して拠出する掛金、確定給付企業年金の終了に伴い一括して拠出する掛金、資産の移換に伴い一括して拠出する掛金及び積立金の額が給付に関する事業に要する費用に不足する場合に拠出する掛金を含む。)
　(三) 確定拠出年金法に規定する企業型年金規約に基づいて企業型年金加入者のために支出する同法第3条第3項第

　　　　　 7号に規定する事業主掛金（同法第54条第1項の規定により移換する確定拠出年金法施行令第22条第1項第5号に掲げる資産を含む。）
　（四）　確定拠出年金法に規定する個人型年金規約に基づいて個人型年金加入者のために支出する同法第68条の2第1項の掛金
　（五）　勤労者財産形成促進法に規定する勤労者財産形成給付金契約に基づいて信託の受益者等のために支出する同法第6条の2第1項第1号に規定する信託金等
　（六）　勤労者財産形成促進法に規定する勤労者財産形成基金契約に基づいて、信託の受益者等のために支出する信託金等及び同法第6条の3第3項第2号に規定する勤労者について支出する同項第1号に規定する預入金等の払込みに充てるために同法第7条の20の規定により支出する金銭
　（七）　厚生年金基金（公的年金制度の健全性及び信頼性の確保のための厚生年金保険法等の一部を改正する法律（以下「平成25年厚生年金等改正法」という。）附則第3条第12号に規定する厚生年金基金をいう。）の事業主として負担する平成26年4月1日前の期間に係る掛金等（いわゆる厚生年金代行部分を除く。以下同じ。）及び存続厚生年金基金（平成25年厚生年金等改正法附則第3条第11号に規定する存続厚生年金基金をいう。）の事業主として負担する掛金等
　（八）　法人税法附則第20条第3項に規定する適格退職年金契約に基づいて支出する掛金等（当該掛金等のうちに受益者等が負担する掛金等が含まれている場合における当該受益者等が負担する掛金等相当額を除くものとし、また、適格退職年金契約の要件に反して支出する掛金等を除く。）

　　　（税制不適格年金の掛金等の取扱い）
(15)　特定退職金共済団体の要件に反して支出する掛金又は適格退職年金契約の要件に反して支出する掛金等は、①の表の（二）の掛金等には該当しないものであるが、所得税においてその拠出段階で給与所得又は退職所得として課税されることから、拠出する事業年度における報酬給与額となるものであることに留意すること。（県通3-4の2の10）

　　　（年金制度の移行に伴う積立金の移管に係る金額）
(16)　法人が役員又は使用人のために支出する掛金等のうち次に掲げるものは報酬給与額とならないものであること。（県通3-4の2の11）
　（一）　厚生年金基金制度への移行に伴う積立金の移管に係る金額
　（二）　確定給付企業年金制度への移行に伴う積立金の移管に係る金額
　（三）　転籍等に伴う適格退職年金制度間の積立金の移管に係る金額
　（四）　特定退職金共済制度への移行に伴う積立金の移管に係る金額
　（五）　運用機関間の積立金の移管に係る金額
　（六）　企業型確定拠出年金への移行に伴う積立金の移管に係る金額
　（七）　（六）の移管の場合において、いったん返還された金額のうち適格退職年金に係る過去勤務債務等の現在額に充てる額

　　　（事務費掛金等の取扱い）
(17)　年金給付及び一時金等の給付に充てるため以外の目的で支出する事務費掛金等は、報酬給与額に含めないものとすること。（県通3-4の2の12）

　　　（退職給付信託の信託財産より拠出された確定給付企業年金契約の掛金等）
(18)　法人が退職給付信託を設定し、当該信託財産より確定給付企業年金契約の掛金等が拠出された場合には、当該退職給付信託を設定した法人により掛金等の支払いが行われたものとして取り扱うこと。（県通3-4の2の13）

　　　（出向した役員又は使用人の給与等についての留意事項）
(19)　法人の役員又は使用人が他の法人に出向した場合において、当該出向した役員又は使用人（以下(19)において「出向者」という。）の給与（退職給与その他これに類するものを除く。以下(19)において同じ。）については、当該給与の実質的負担者の報酬給与額とし、出向者の退職給与その他これに類するものについては、当該退職給与その他これに類するものの形式的支払者の報酬給与額とするものであるが、その具体的取扱いに当たっては、次の諸点に留意すること。（県通3-4の2の14）
　（一）　出向者に対する給与を出向元法人（出向者を出向させている法人をいう。以下(19)において同じ。）が支給する

こととしているため、出向先法人（出向元法人から出向者の出向を受けている法人をいう。以下(19)において同じ。）が自己の負担すべき給与に相当する金額（経営指導料等の名義で支出する金額を含む。以下(19)において「給与負担金」という。）を出向元法人に支出したときは、当該給与負担金は、出向先法人における報酬給与額として取り扱うものとし、当該給与負担金に相当する額は、出向元法人の報酬給与額として取り扱われないものとすること。

(二)　出向元法人が出向先法人との給与条件の較差を補てんするために出向者に対して支給した給与（出向先法人を経て支給した金額を含む。）は、当該出向元法人における報酬給与額として取り扱うものとする。したがって、例えば、出向先法人が経営不振等で出向者に賞与を支給することができないため出向元法人が当該出向者に対して支給する賞与の額は、当該出向元法人における報酬給与額となるものであること。

(三)　出向先法人が、出向元法人に対して、出向者に支給すべき退職給与その他これに類するものの額に充てるため、あらかじめ定めた負担区分に基づき、当該出向者の出向期間に対応する退職給与の額として合理的に計算された金額を定期的に支出している場合には、その支出する金額は当該出向先法人の報酬給与額として取り扱わないものとすること。

　　ただし、出向元法人が確定給付企業年金契約等を締結している場合において、出向先法人があらかじめ定めた負担区分に基づきその出向者に係る掛金、保険料等（過去勤務債務等に係る掛金及び保険料等を含む。）の額を出向元法人に支出したときは、当該支出した金額は当該出向先法人の報酬給与額として取り扱うものとすること。

　　（組合に出向させている社員の給与）
(20)　三の(4)の場合において、組合（共同企業体（ＪＶ）を含む。以下(20)において同じ。）の組合員が、自社の社員を当該組合に出向させ、雇用関係又はこれに準ずる関係に基づき自社から給与を一括して当該職員に支払っている場合についても、同様の取扱いとすること。ただし、組合員から組合に社員を出向させる際の給与に関する協定（以下(19)において「給与協定」という。）が締結されている場合において、各組合員が給与として当該職員に実際に支払った額と給与協定に基づき定められた額に差額が生じる場合には、各組合員の報酬給与額にその差額分を加減算すること。（県通３－４の２の16）

② 労働者派遣若しくは船員派遣の場合の報酬給与額の算定
　法人が労働者派遣事業の適正な運営の確保及び派遣労働者の就業条件の整備等に関する法律（以下「労働者派遣法」という。）第26条第１項又は船員職業安定法第66条第１項に規定する労働者派遣契約又は船員派遣契約に基づき、労働者派遣（労働者派遣法第２条第１号に規定する労働者派遣をいう。以下②において同じ。）若しくは船員派遣（船員職業安定法第６条第11項に規定する船員派遣をいう。以下②において同じ。）の役務の提供を受け、又は労働者派遣若しくは船員派遣をした場合には、①の規定にかかわらず、次の各号に掲げる法人の区分に応じ、当該各号に定める金額をもって当該法人の報酬給与額とする。（法72の15②）

(一)	労働者派遣又は船員派遣の役務の提供を受けた法人	①に規定する合計額に各事業年度において当該労働者派遣又は当該船員派遣の役務の提供の対価として当該労働者派遣又は当該船員派遣をした者に支払う金額（当該事業年度の法人税の所得の計算上損金の額に算入されるもの（政令で定めるものを除く。）及び当該事業年度において支払われるもので政令で定めるものに限る。）に100分の75の割合を乗じて得た金額を加えた金額
(二)	労働者派遣又は船員派遣をした法人	①に規定する合計額から当該労働者派遣に係る派遣労働者（労働者派遣法第２条第２号に規定する派遣労働者をいう。）又は当該船員派遣に係る派遣船員（船員職業安定法第６条第12項に規定する派遣船員をいう。）に係る①に規定する合計額を限度として各事業年度において当該労働者派遣又は当該船員派遣の対価として当該労働者派遣又は当該船員派遣の役務の提供を受けた者から支払を受ける金額（当該事業年度の法人税の所得の計算上益金の額に算入されるものに限る。）に100分の75の割合を乗じて得た金額を控除した金額

　　（政令で定める金額）
(１)イ　①の(１)イの規定は、②の表の(一)に規定する政令で定める当該事業年度の法人税の所得の計算上損金の額に算入される金額について準用する。（令20の２の４①）
　　ロ　①の(１)ロの規定は、②の表の(一)に規定する当該事業年度に支払われる金額で政令で定めるものについて準用する。（令20の２の４②）

（労働者等派遣事業の留意事項）
（２）　労働者派遣事業の適正な運営の確保及び派遣労働者の就業条件の整備等に関する法律第26条第１項又は船員職業安定法第66条第１項に規定する労働者派遣契約又は船員派遣契約に基づき労働者派遣又は船員派遣を受けた法人は、派遣契約料の75％に相当する金額が報酬給与額となり、労働者派遣又は船員派遣をした法人は、派遣契約料の75％((派遣労働者又は派遣船員（以下「派遣労働者等」という。）に支払う給与等の額を限度とする。)に相当する金額が報酬給与額に含まれないものであるが、その取扱いに当たっては、次の諸点に留意すること。（県通３－４の２の15）
　（一）　派遣契約料には、当該派遣労働者等に係る旅費等が含まれるものであること。
　（二）　派遣労働者等が派遣元法人の業務にも従事している場合には、②の表の(二)の派遣労働者等に係る同(二)各号に掲げる金額の合計額には、当該派遣労働者等に支払う給与等の額のうち当該派遣元法人の業務に係るものは含まれないものであること。

２　純支払利子の算定の方法

　　三の各事業年度の純支払利子は、各事業年度の支払利子の額（当該事業年度の法人税の所得の計算上損金の額に算入されるもの（政令で定めるものを除く。）及び当該事業年度において支払われるもので政令で定めるものに限る。）の合計額から当該合計額を限度として各事業年度の受取利子の額（当該事業年度の法人税の所得の計算上益金の額に算入されるものに限る。）の合計額を控除した金額による。（法72の16①）

　　　（支払利子の意義）
（１）　２の支払利子とは、法人が各事業年度において支払う負債の利子（これに準ずるものとして政令で定めるものを含む。）をいう。（法72の16②）

　　　（政令で定める支払利子の額）
（２）イ　１の①の(１)イの規定は、２に規定する政令で定める当該事業年度の法人税の所得の計算上損金の額に算入される支払利子の額について準用する。（令20の２の５①）
　　ロ　１の①の(１)ロの規定は、２に規定する当該事業年度に支払われる支払利子の額で政令で定めるものについて準用する。（令20の２の５②）

　　　（支払う負債の利子に準ずるもの）
（３）　(１)に規定する政令で定めるものは、次の各号に掲げるものとする。（令20の２の６）
　（一）　当該事業年度において支払う手形の割引料、法人税法施行令第136条の２第１項に規定する満たない部分の金額その他経済的な性質が利子に準ずるもので当該事業年度に係るもの
　（二）　法人税法第69条第４項第１号に規定する内部取引において５に規定する内国法人（以下「内国法人」という。）の同号に規定する本店等から当該内国法人の同号に規定する国外事業所等に対して当該事業年度において支払う利子（手形の割引料、法人税法施行令第136条の２第１項に規定する満たない部分の金額その他経済的な性質が利子に準ずるものを含む。以下(二)及び(５)の(注)の(二)において同じ。）に該当することとなるもので当該事業年度に係るもの又は法人税法第138条第１項第１号に規定する内部取引において外国法人の恒久的施設から当該外国法人の同号に規定する本店等に対して当該事業年度において支払う利子に該当することとなるもので当該事業年度に係るもの

　　　（受取利子の意義）
（４）　２の受取利子とは、法人が各事業年度において支払を受ける利子（これに準ずるものとして政令で定めるものを含む。）をいう。（法72の16③）

　　　（支払を受ける利子に準ずるもの）
（５）　(４)に規定する政令で定めるものは、次の各号に掲げるものとする。（令20の２の７）
　（一）　当該事業年度において支払を受ける手形の割引料その他経済的な性質が利子に準ずるもので当該事業年度に係るもの
　（二）　法人税法第69条第４項第１号に規定する内部取引において内国法人の同号に規定する国外事業所等から当該内国法人の同号に規定する本店等が当該事業年度において支払を受ける利子に該当することとなるもので当該事業年度に係るもの又は同法第138条第１項第１号に規定する内部取引において外国法人の同号に規定する本店等から当

該外国法人の恒久的施設が当該事業年度において支払を受ける利子に該当することとなるもので当該事業年度に係るもの

　　（支払利子に該当するものの例示）
（６）　（１）に規定する支払利子には、主として次に掲げるものが該当することに留意すること。（県通３－４の３の１）
　　（一）　借入金の利息
　　（二）　社債の利息
　　（三）　社債の発行その他の事由により金銭債務に係る債務者となった場合に、当該金銭債務に係る収入金額がその債務額に満たないときにおけるその満たない部分の金額（法人税法施行令第136条の２第１項の規定により損金の額に算入されるものに限る。）
　　（四）　コマーシャル・ペーパーの券面価額から発行価額を控除した金額
　　（五）　受取手形の手形金額と当該受取手形の割引による受領金額との差額を手形売却損として処理している場合の当該差額（手形に含まれる金利相当額を会計上別処理する方式を採用している場合には、手形売却損として帳簿上計上していない部分を含む。）
　　（六）　買掛金を手形によって支払った場合において、相手方に対して当該手形の割引料を負担したときにおける当該負担した割引料
　　（七）　従業員預り金、営業保証金、敷金その他これらに準ずる預り金の利息
　　（八）　金融機関の預金利息
　　（九）　コールマネーの利息
　　（十）　信用取引に係る利息
　　（十一）　現先取引及び現金担保付債券貸借取引に係る利息相当額
　　（十二）　利子税並びに地方税法第65条、第72条の45の２及び第327条の規定により徴収される延滞金

　　（受取利子に該当するものの例示）
（７）　（４）に規定する受取利子には、主として次に掲げるものが該当することに留意すること。（県通３－４の３の２）
　　（一）　貸付金の利息
　　（二）　国債、地方債及び社債（会社以外の法人が特別の法律により発行する債券で利付きのものを含む。）の利息
　　（三）　法人税法施行令第119条の14に規定する償還有価証券（コマーシャル・ペーパーを含む。）の調整差益
　　（四）　売掛金を手形によって受け取った場合において、相手方が当該手形の割引料を負担したときにおける当該負担した割引料
　　（五）　営業保証金、敷金その他これらに準ずる預け金の利息
　　（六）　金融機関等の預貯金利息及び給付補てん備金
　　（七）　コールローンの利息
　　（八）　信用事業を営む協同組合等から受ける事業分量配当のうち当該協同組合等が受け入れる預貯金（定期積金を含む。）の額に応じて分配されるもの
　　（九）　相互会社から支払いを受ける基金利息
　　（十）　生命保険契約（共済契約で当該保険契約に準ずるものを含む。）に係る据置配当の額及び未収の契約者配当の額に付されている利息相当額
　　（十一）　損害保険契約のうち保険期間の満了後満期返戻金を支払う旨の特約がされているもの（共済契約で当該保険契約に準ずるものを含む。）に係る据置配当の額及び未収の契約者配当の額に付されている利息相当額
　　（十二）　信用取引に係る利息
　　（十三）　合同運用信託、公社債投資信託及び公募公社債等運用投資信託の収益として分配されるもの
　　（十四）　現先取引及び現金担保付債券貸借取引に係る利息相当額
　　（十五）　還付加算金

　　（繰延ヘッジ処理を行っている場合等の支払利子・受取利子）
（８）　金利の変動に伴って生ずるおそれのある損失を減少させる目的で法人税法第61条の６の規定により繰延ヘッジ処理を行っている場合又は特例金利スワップ取引等（法人税法施行規則第27条の７第２項に規定する取引をいう。以下（８）において同じ。）を行っている場合の支払利子又は受取利子の計算は、当該繰延ヘッジ処理による繰延ヘッジ金額に係る損益の額又は特例金利スワップ取引等に係る受払額のうち、当該繰延ヘッジ処理又は特例金利スワップ取引等

の対象となった資産等に係る支払利子の額又は受取利子の額に対応する部分の金額を加算又は減算した後の金額を基礎とすることに留意すること。（県通３－４の３の３）

　　（長期割賦販売等契約の割賦期間分の利息相当額）
(9)　法人税法第63条に規定するリース譲渡契約（これらに類する契約を含む。）によって購入又は販売した資産に係る割賦期間分の利息相当額は、契約書等において購入代価又は販売代価と割賦期間分の利息相当額とが明確かつ合理的に区分されているときは、支払利子及び受取利子として取り扱うものとすること。（県通３－４の３の４）

　　（資産の売買があったものとされるリース取引に係るリース料の利息相当額）
(10)　法人税法第64条の２第１項の規定によりリース取引の目的となる資産の売買があったものとされるリース取引に係るリース料の額の合計額の取扱いについては、当該リース料の額の合計額のうち、賃貸人における取得価額と利息相当額とが明確かつ合理的に区分されている場合に、当該利息相当額を支払利子及び受取利子として取り扱うものとすること。（県通３－４の３の５）

　　（金銭貸借とされるリース取引に係るリース料の利息相当額）
(11)　法人税法第64条の２第２項の規定により金銭貸借とされるリース取引に係る各事業年度のリース料の額のうち通常の金融取引における元本と利息の区分計算の方法に準じて合理的に計算された利息相当額は支払利子及び受取利子として取り扱うものとすること。この場合において、リース料の額のうちに元本返済額が均等に含まれているものとして利息相当額を計算しても差し支えないものであること。（県通３－４の３の６）

　　（貿易商社が支払う輸入決済手形借入金の利息）
(12)　貿易商社が支払う輸入決済手形借入金の利息は、それが委託買付契約に係るもので、その利息相当額を委託者に負担させることとしている場合であっても、当該貿易商社の支払利子となるものであること。この場合において、当該委託買付契約において当該利息相当額が明確かつ合理的に区分されているときは、当該利息相当額は当該委託者の支払利子及び当該貿易商社の受取利子として取り扱うものとすることに留意すること。（県通３－４の３の７）

　　（遅延損害金）
(13)　遅延損害金（借入金の返済が遅れた場合に、遅延期間に応じて一定の利率に基づいて算定した上で支払うものをいう。）は、支払利子及び受取利子として取り扱うものとすること。（県通３－４の３の８）

　　（売上割引料）
(14)　売上割引料（売掛金又はこれに準ずる債権について支払期日前にその支払を受けたことにより支払うものをいう。）は、支払利子及び受取利子として取り扱わないものとすること。（県通３－４の３の９）

　　（国債等の経過利息）
(15)　国債、地方債又は社債（会社以外の法人が特別の法律により発行する債券で利付きのものを含む。）をその利息の計算期間の中途において購入した法人が支払った経過利息に相当する金額（購入直前の利払期からその購入の時までの期間に応じてその債券の発行条件たる利率により計算される額をいう。以下(15)において同じ。）は、支払利子として取り扱わないものとすること。この場合において、法人が支払った経過利息に相当する金額を前払金として経理したときには、これらの債券の購入後最初に到来する利払期において支払を受ける利息の額から、当該前払金額を差し引いた金額が受取利子の額となるものであること。
　なお、経過利息に相当する金額を受け取った法人が、当該金額を利息として経理した場合には、当該金額は受取利子として取り扱うものとすることに留意すること。（県通３－４の３の10）

　　（金銭債権の取得差額）
(16)　金銭債権を、その債権金額と異なる金額で取得した場合において、その債権金額とその取得価額との差額に相当する金額（実質的な贈与と認められる部分の金額を除く。以下(16)において「取得差額」という。）の全部又は一部が金利の調整により生じたものと認められるときは、当該金銭債権に係る支払期日までの期間の経過に応じ、利息法又は定額法に基づき当該取得差額の範囲内において金利の調整により生じた部分の金額については、受取利子として取り扱うものとすること。（県通３－４の３の11）

3　純支払賃借料の算定の方法

　三の各事業年度の純支払賃借料は、各事業年度の支払賃借料（当該事業年度の法人税の所得の計算上損金の額に算入されるもの（政令で定めるものを除く。）及び当該事業年度において支払われるもので政令で定めるものに限る。）の合計額から当該合計額を限度として各事業年度の受取賃借料（当該事業年度の法人税の所得の計算上益金の額に算入されるものに限る。）の合計額を控除した金額による。（法72の17①）

　　　（支払賃借料の意義）
（1）　3の支払賃借料とは、法人が各事業年度において土地又は家屋（住宅、店舗、工場、倉庫その他の建物をいう。以下(1)において同じ。）（これらと一体となって効用を果たす構築物及び附属設備を含む。以下(1)において同じ。）の賃借権、地上権、永小作権その他の土地又は家屋の使用又は収益を目的とする権利で、その存続期間が1月以上であるもの（以下(1)及び(5)において「賃借権等」という。）の対価（当該賃借権等に係る役務の提供の対価として政令で定めるものを含む。(5)において同じ。）として支払う金額（これに準ずるものとして(2)で定めるものを含む。）をいう。（法72の17②）

　　　（政令で定める支払賃借料）
（2）イ　1の①の(1)イの規定は、3に規定する政令で定める当該事業年度の法人税の所得の計算上損金の額に算入される支払賃借料について準用する。（令20の2の8①）
　　ロ　1の①の(1)ロの規定は、3に規定する当該事業年度に支払われる支払賃借料で政令で定めるものについて準用する。（令20の2の8②）

　　　（役務の提供の対価）
（3）　(1)に規定する役務の提供の対価として政令で定めるものは、賃借権等（(1)に規定する賃借権等をいう。(4)及び(6)において同じ。）に係る役務の提供であってその対価の額が当該賃借権等の対価の額と区分して定められていないものの対価とする。（令20の2の9）

　　　（(1)の賃借権等の対価として支払う金額に準ずるもの）
（4）　(1)に規定する賃借権等の対価として支払う金額に準ずるものとして(4)で定めるものは、法人税法第69条第4項第1号に規定する内部取引において内国法人の同号に規定する本店等から当該内国法人の同号に規定する国外事業所等に対して賃借権等の対価として当該事業年度において支払う金額に該当することとなる金額で当該事業年度に係るもの又は同法第138条第1項第1号に規定する内部取引において外国法人の恒久的施設から当該外国法人の同号に規定する本店等に対して賃借権等の対価として当該事業年度において支払う金額に該当することとなる金額で当該事業年度に係るものとする。（令20の2の10）

　　　（受取賃借料の意義）
（5）　3の受取賃借料とは、法人が各事業年度において賃借権等の対価として支払を受ける金額（これに準ずるものとして(3)で定めるものを含む。）をいう。（法72の17③）

　　　（(5)の賃借権等の対価として支払を受ける金額に準ずるもの）
（6）　(5)に規定する賃借権等の対価として支払を受ける金額に準ずるものとして(6)で定めるものは、法人税法第69条第4項第1号に規定する内部取引において内国法人の同号に規定する国外事業所等から当該内国法人の同号に規定する本店等が賃借権等の対価として当該事業年度において支払を受ける金額に該当することとなる金額で当該事業年度に係るもの又は同法第138条第1項第1号に規定する内部取引において外国法人の同号に規定する本店等から当該外国法人の恒久的施設が賃借権等の対価として当該事業年度において支払を受ける金額に該当することとなる金額で当該事業年度に係るものとする。（令20の2の11）

　　　（土地又は家屋の範囲）
（7）　(1)に規定する支払賃借料及び(5)に規定する受取賃借料の対象となる土地又は家屋には、これらと一体となって効用を果たす構築物又は附属設備が含まれることから、固定資産税における土地又は家屋のほか、土地又は家屋に構築物が定着し、又は設備が附属し、かつ、土地又は家屋とこれらの構築物等が一体となって取引されている場合には、これらの構築物等を含むものであること。したがって、例えば、土地又は家屋の賃貸借契約と構築物等の賃貸借

契約とが別個の独立した契約である場合には、当該構築物等の賃借料は支払賃借料及び受取賃借料とはならないものであること。

　ただし、形式的に土地又は家屋の賃貸借契約と構築物等の賃貸借契約とが別個の契約とされている場合であっても、当該構築物等と土地又は家屋とが物理的に一体となっている場合など、当該構築物等と土地又は家屋とが独立して賃貸借されないと認められるときは、当該構築物等の賃借料は支払賃借料及び受取賃借料となることに留意すること。（県通3－4の4の1）

　　（土地家屋の使用収益を目的とする権利の範囲）
(8)　支払賃借料及び受取賃借料の対象となる土地又は家屋の使用又は収益を目的とする権利とは、地上権、地役権、永小作権、土地又は家屋に係る賃借権、土地又は家屋に係る行政財産を使用する権利等をいい、鉱業権、土石採取権、温泉利用権、質権、留置権、抵当権等はこれに含まれないものであること。（県通3－4の4の2）

　　（土地家屋の賃借権等の期間要件）
(9)　土地又は家屋の賃借権等（土地又は家屋の使用又は収益を目的とする権利をいう。（9）から(14)までにおいて同じ。）の対価の額は、当該土地又は家屋を使用又は収益できる期間が連続して1月以上であるものに限り、支払賃借料及び受取賃借料となるものであること。

　なお、使用又は収益できる期間の判定は、契約等において定められた期間によるものとするが、当該期間が連続して1月に満たない場合であっても、実質的に当該使用又は収益することのできる期間が連続して1月以上となっていると認められる場合には、支払賃借料又は受取賃借料となるものであること。（県通3－4の4の3）

　　（土地家屋の賃借権等の設定に係る権利金等）
(10)　土地又は家屋の賃借権等の設定に係る権利金その他の一時金（更新料を含む。）は、支払賃借料及び受取賃借料として取り扱わないものとすること。

　なお、権利金等の名目であっても、契約等において賃借料の前払相当分が含まれていると認められる場合には、当該前払相当分は支払賃借料及び受取賃借料となるものであることに留意すること。（県通3－4の4の4）

　　（土地家屋の賃借権等に係る役務の提供の対価と当該賃借権等の対価が区分されていない場合）
(11)　土地又は家屋の賃借権等に係る役務の提供の対価の額と当該土地又は家屋の賃借権等の対価の額とが、契約等において明確かつ合理的に区分されていない場合には、当該役務の提供の対価に相当する額は支払賃借料及び受取賃借料となるものであること。（県通3－4の4の5）

　　（賃借人の事業に係る売上高等に応じた賃借料）
(12)　土地又は家屋を使用又は収益するに当たり、その賃借料の全て又は一部が契約等において賃借人の事業に係る売上高等に応じたものとされている場合であっても、土地又は家屋の賃借権等の対価の額と認められる限り、支払賃借料及び受取賃借料となるものであること。（県通3－4の4の6）

　　（土地家屋の明渡しの遅滞の場合の違約金等）
(13)　土地又は家屋の明渡しの遅滞により賃借人が賃貸人に支払う違約金等（土地又は家屋の賃借権等の対価としての性質を有するものに限る。）は支払賃借料及び受取賃借料として取り扱うものとすること。（県通3－4の4の7）

　　（留意事項）
(14)　支払賃借料及び受取賃借料の取扱いに当たっては、上記に掲げるもののほか、次の諸点に留意すること。（県通3－4の4の8）
　（一）　法人が賃借している土地又は家屋を当該法人の役員又は使用人に社宅等として賃貸している場合には、当該法人が支払う賃借料は当該法人の支払賃借料となり、役員又は使用人から支払を受ける賃借料は当該法人の受取賃借料となるものであること。
　（二）　立体駐車場等の賃借料については、当該立体駐車場等が固定資産税において家屋に該当しないものであっても、当該立体駐車場等が土地と一体となっていると認められる場合には、土地又は家屋の賃借権等の対価の額に当たるものとして支払賃借料及び受取賃借料として取り扱うものとすること。
　（三）　法人が自ら保有し、又は賃借している土地又は家屋に、構築物又は附属設備を別途賃借して設置した場合の当

該構築物等の賃借料は、当該法人の支払賃借料及び構築物等を賃貸した者の受取賃借料とならないものであること。
(四) 高架道路等の構築物については、高架下において別の土地の利用が可能であるから、土地又は家屋の賃借権等と当該構築物が別個に取引されている場合には、当該構築物の賃借料は支払賃借料及び受取賃借料とならないものであること。
(五) 荷物の保管料については、契約等において1月以上荷物を預け、一定の土地又は家屋を使用又は収益していると認められる場合には、土地又は家屋の賃借権等の対価の額に当たるものとして支払賃借料又は受取賃借料となるものであること。
(六) 法人が自己の商品を他の法人の店舗等において販売するに当たり、いわゆる消化仕入契約(実際に販売された商品のみを仕入れたこととする契約で、自己の商品を販売する法人に対し売上の一定割合を控除した残額が支払われるものをいう。)に基づき販売しており、土地又は家屋の賃借権等の対価に相当する額が、法人税の所得又は連結所得の計算上、自己の商品を販売する法人の損金の額及び他の法人の益金の額に算入されていない場合には、売上から控除される土地又は家屋の賃借権等の対価に相当する額は自己の商品を販売する法人の支払賃借料及び他の法人の受取賃借料とならないものであること。
(七) 土地又は家屋の賃借権等に係る契約等において、水道光熱費、管理人費その他の維持費を共益費等として支払っており、賃借料と当該共益費等とが明確かつ合理的に区分されている場合には、当該共益費等は支払賃借料及び受取賃借料として取り扱わないものとすること。
(八) 土地又は家屋に係る取引であっても、2の(10)の資産の売買があったものとされるリース取引及び同(11)の金銭貸借とされるリース取引に係るリース料は支払賃借料及び受取賃借料として取り扱わないものとすること。

4　単年度損益の算定の方法

三の各事業年度の単年度損益は、次の各号に掲げる法人の区分に応じ、それぞれ当該各号に定めるところにより算定するものとする。(法72の18①)

(一)	5に規定する内国法人	各事業年度の益金の額から損金の額を控除した金額によるものとし、この法律又は政令で特別の定めをする場合を除くほか、当該各事業年度の法人税の課税標準である所得の計算の例によって算定する。
(二)	外国法人	各事業年度の法人税法第141条第1号イに掲げる国内源泉所得に係る所得の金額又は欠損金額(同法第2条第19号に規定する欠損金額をいう。以下同じ。)及び同法第141条第1号ロに掲げる国内源泉所得に係る所得の金額又は欠損金額の合算額によるものとし、この法律又は政令で特別の定めをする場合を除くほか、当該各事業年度の法人税の課税標準である同号イに掲げる国内源泉所得に係る所得及び同号ロに掲げる国内源泉所得に係る所得の計算の例によって算定する。

(注)　4の規定により法人の各事業年度の単年度損益を算定する場合には、所得税法等改正法附則第23条中「連結事業年度において生じた旧法人税法第81条の18第1項に規定する個別欠損金額(当該連結事業年度に連結欠損金額(旧法人税法第2条第19号の2に規定する連結欠損金額をいう。以下この条及び附則第35条第2項第2号において同じ。)が生じた場合には、当該連結欠損金額のうち新法人税法第59条第1項から第4項までの内国法人に帰せられる金額を加算した金額)」とあるのは、「地方税法等の一部を改正する法律(令和2年法律第5号)附則第1条第5号に掲げる規定による改正前の地方税法(昭和25年法律第226号)第72条の23第4項に規定する個別欠損金額」として、同条の規定の例によるものとする。(令2政令第264号附4③)

(付加価値割の課税標準の計算の各事業年度の単年度損益を算定する場合)
(1)　4の規定により三の各事業年度の単年度損益を算定する場合には、法人税法第27条、第57条、第57条の2、第59条第5項、第64条の5及び第64条の8並びに租税特別措置法第55条(同条第1項及び第8項に規定する特定株式等で(6)のイで定めるものに係る部分を除く。)、第59条の2及び第66条の5の3(第2項に係る部分を除く。)、の規定の例によらないものとする。(法72の18②)

(評価損益の計上のない民事再生等の場合の欠損金額の範囲の特例等)
(2)　4の規定により法人の各事業年度の単年度損益を算定する場合には、法人税法施行令第117条の4及び第117条の5中「金額から第2号(同項に規定する適用年度(以下この条において「適用年度」という。)が法第64条の7第1項第1号から第3号まで(欠損金の通算)の規定の適用を受ける事業年度である場合には、第3号)に掲げる金額を控除した金額」とあるのは、「金額」として、これらの規定の例によるものとする。(令20の2の12)

第二編第五章《法人の事業税》第二節《課税標準及び税率等（付加価値割の課税標準）》

(損金の額に算入した所得税額がある法人の単年度損益の算定の特例)
（３）イ　４の表の(一)の規定により内国法人の各事業年度の単年度損益を算定する場合において、当該法人が当該事業年度において所得税法の規定により課された所得税額及び東日本大震災からの復興のための施策を実施するために必要な財源の確保に関する特別措置法（平成23年法律第117号）の規定により課された復興特別所得税額の全部又は一部につき、法人税法第68条第１項（租税特別措置法第３条の３第５項、第６条第３項、第８条の３第５項、第９条の２第４項、第９条の３の２第７項（同法第66条の７第３項の規定によりみなして適用する場合を含む。）、第41条の９第４項、第41条の12第４項及び第41条の12の２第７項の規定により読み替えて適用する場合を含む。）の規定の適用を受けないときは、当該法人の各事業年度の単年度損益の算定については、当該所得税額及び復興特別所得税額を損金の額に算入しないものとする。（令20の２の13①）
　　　ロ　４の表の(二)の規定により外国法人の各事業年度の単年度損益を算定する場合において、当該外国法人が当該事業年度において所得税法の規定により課された所得税額及び東日本大震災からの復興のための施策を実施するために必要な財源の確保に関する特別措置法の規定により課された復興特別所得税額の全部又は一部につき、法人税法第144条（租税特別措置法第９条の３の２第７項（同法第66条の７第３項の規定によりみなして適用する場合を含む。）、第41条の９第４項、第41条の12第４項、第41条の12の２第７項及び第41条の22第２項の規定により読み替えて適用する場合を含む。）において準用する法人税法第68条第１項（租税特別措置法第９条の３の２第７項（同法第66条の７第３項の規定によりみなして適用する場合を含む。）、第41条の９第４項、第41条の12第４項及び第41条の12の２第７項の規定により読み替えて適用する場合を含む。）の規定の適用を受けないときは、当該外国法人の各事業年度の単年度損益の算定については、当該所得税額及び復興特別所得税額を損金の額に算入しないものとする。（令20の２の13②）

(損金の額に算入した分配時調整外国税相当額がある法人の単年度損益の算定の特例)
（４）イ　４の表の(一)の規定により内国法人の各事業年度の単年度損益を算定する場合において、当該内国法人が当該事業年度において法人税法第69条の２第１項に規定する分配時調整外国税相当額につき、同項（租税特別措置法第９条の３の２第７項、第９条の６第４項、第９条の６の２第４項、第９条の６の３第４項及び第９条の６の４第４項（これらの規定を同法第66条の７第３項の規定によりみなして適用する場合を含む。）の規定により読み替えて適用する場合を含む。）の規定の適用を受けないときは、当該内国法人の各事業年度の単年度損益の算定については、当該分配時調整外国税相当額を損金の額に算入しないものとする。（令20の２の14①）
　　　ロ　４の表の(二)の規定により外国法人の各事業年度の単年度損益を算定する場合において、当該外国法人が当該事業年度において法人税法第144条の２の２第１項に規定する分配時調整外国税相当額につき、同項（租税特別措置法第９条の３の２第７項、第９条の６第４項、第９条の６の２第４項、第９条の６の３第４項及び第９条の６の４第４項（これらの規定を同法第66条の７第３項の規定によりみなして適用する場合を含む。）の規定により読み替えて適用する場合を含む。）の規定の適用を受けないときは、当該外国法人の各事業年度の単年度損益の算定については、当該分配時調整外国税相当額を損金の額に算入しないものとする。（令20の２の14②）

(単年度損益に係る寄附金の損金算入限度額)
（５）イ　４の表の(一)の規定により内国法人の各事業年度の単年度損益を算定する場合において、４の(一)の規定によりその例によるものとされる法人税法第37条第１項《寄附金の損金算入限度超過額の損金不算入》及び第４項《特定公益増進法人等に対する寄附金の損金算入限度額の特例》並びに法人税法施行令第73条《寄附金の損金算入限度額》及び第77条の２《特定公益法人等に対する寄附金の特別損金算入限度額》の規定による寄附金の損金への算入限度額は、当該事業年度に係る法人税の課税標準である所得の計算上これらの規定により寄附金の損金への算入限度額とされた額とする。（令20の２の15①）
　　　ロ　４の表の(二)の規定により外国法人の各事業年度の単年度損益を算定する場合において、同(三)の規定によりその例によるものとされる法人税法第142条第２項の規定により準ずることとされる同法第37条第１項及び第４項並びに法人税法施行令第73条及び第77条の２の規定による寄附金の損金への算入限度額は、当該事業年度に係る法人税の課税標準である所得の計算上これらの規定により寄附金の損金への算入限度額とされた額とする。（令20の２の15②）

<u>(特許権等の譲渡等による単年度損益の算定の特例)</u>
<u>（６）　４の規定により法人の各事業年度の単年度損益を算定する場合において、４の各号の規定によりその例によるものとされる租税特別措置法第59条の３第１項第２号に規定する所得の金額は、当該事業年度に係る法人税の課税標</u>

準である所得の計算上同号に規定する所得の金額とされた額とする。（令20の2の16）
(注) (6)を追加する令和6年度改正規定は、令和7年4月1日以後適用する。（令6政令第137号附1）

(特定事業活動として特別新事業開拓事業者の株式の取得をした場合の単年度損益の算定の特例)
(7) 4の表の(一)の規定により内国法人の各事業年度の単年度損益を算定する場合において、4の表の(一)の規定によりその例によるものとされる租税特別措置法第66条の13第1項に規定する所得基準額は、当該事業年度に係る法人税の課税標準である所得の計算上同項に規定する所得基準額とされた額とする。（令20の2の16）
(注) (7)中____部分「令20の2の16」を「令20の2の17」に改める令和6年度改正規定は、令和7年4月1日以後適用する。（令6政令第137号附1）

(単年度損益に係る法人の外国税額の損金の額への算入)
(8) イ 各事業年度において外国の法令により法人税に相当する税を課された内国法人に係る各事業年度の単年度損益の計算については、当該外国の法令により課された外国の法人税に相当する税の額（法人税法第69条第1項に規定する控除対象外国法人税の額（同条第25項後段、第26項後段、第27項後段及び第31項後段の規定によりその限度とされる金額並びに同条第28項の規定の適用を受ける金額以外のものを除く。）に限る。五の2の⑩において同じ。）のうち、当該内国法人の当該外国において行う事業に帰属する所得以外の所得に対して課されたものは、損金の額に算入する。（令20の2の17①）
ロ 各事業年度において外国の法令により法人税に相当する税を課された外国法人に係る各事業年度の単年度損益の計算については、当該外国の法令により課された外国の法人税に相当する税の額（法人税法第144条の2第1項に規定する控除対象外国法人税の額（同条第10項において準用する同法第69条第25項後段及び第26項後段の規定によりその限度とされる金額並びに同法第144条の2第10項において準用する同法第69条第28項の規定の適用を受ける金額以外のものを除く。）に限る。五の2の⑩の注において同じ。）のうち、当該外国法人の同法第141条第1号イに掲げる国内源泉所得に係る所得に対して課されたものは、損金の額に算入する。（令20の2の17②）
(注) (8)中____部分「令20の2の17」を「令20の2の18」に改める令和6年度改正規定は、令和7年4月1日以後適用する。（令6政令第137号附1）

(特定株式等)
(9) (1)に規定する租税特別措置法第55条第1項及び第8項に規定する特定株式等で政令で定めるものは、同条第1項及び第8項に規定する特定株式等（以下(9)において「特定株式等」という。）のうち法の施行地において行う資源開発事業等に係る部分として総務省令で定めるところにより算定した額に相当する価額の特定株式等とする。（令20の2の18）
上記の総務省令で定めるところにより算定した額は、特定株式等について、それぞれ当該法人別に次に掲げるところにより算定した額の合計額とする。（規3の15）
(一) 資源開発事業法人（租税特別措置法第55条第2項第1号の法人をいう。以下同じ。）の特定株式等　当該特定株式等の取得価額に当該資源開発事業法人の同号の資源開発事業等（以下「資源開発事業等」という。）に係る事業費に対する法の施行地における当該事業費の割合を乗じて得た額
(二) 資源開発投資法人（租税特別措置法第55条第2項第2号の法人をいう。以下同じ。）の特定株式等　当該特定株式等の取得価額に当該資源開発投資法人及び当該資源開発投資法人（その法人から出資又は長期の資金の貸付け（以下「投融資」という。）を受けている資源開発投資法人を含む。）から投融資を受けている資源開発事業法人の資源開発事業等（当該資源開発事業法人の行う資源の探鉱、開発又は採取の事業に付随して行われる事業を営む法人の当該付随して行われる事業を含む。）に係る事業費に対する法の施行地における当該事業費の割合を乗じて得た額
(注) (9)中____部分「令20の2の18」を「令20の2の19」に改める令和6年度改正規定は、令和7年4月1日以後適用する。（令6政令第137号附1）

(単年度損益の算定についての留意事項)
(10) 各事業年度の単年度損益の算定については、法令に特別の定めがある場合を除くほか、法人税の課税標準である所得の計算の例によること。
なお、単年度損益の算定に当たっては、所得割の課税標準の算定と異なり、法人税法第27条、第57条、第57条の2、第59条第5項、第64条の5及び第64条の8並びに租税特別措置法第55条（同条第1項及び第8項に規定する特定株式

等で政令に定めるものに係る部分を除く。）、第59条の２及び第66条の５の３（第２項に係る部分を除く。）の規定の例によらないことに留意すること。（県通３－４の５の１、３－４の５の２）

　　　（会社更生等による債務免除等があった場合の欠損金の損金算入の特例等の留意事項）
(11)　法人税法第59条の規定による会社更生等による債務免除等があった場合の欠損金の損金算入については、次の諸点に留意すること。（県通３－４の５の３）
　（一）　対象となる欠損金額は、適用事業年度末における前事業年度以前の事業年度から繰り越された欠損金額であり、適用事業年度において法人税法第57条第１項の規定により損金の額に算入される欠損金額は当該繰り越された欠損金額から控除しないものであること。
　（二）　法人税の課税標準である所得の算定に当たり当該制度の適用を受けない場合であっても、単年度損益の算定に当たっては当該制度の適用を受ける場合があること。
　（三）　事業税の確定申告書、修正申告書又は更正請求書に損金算入に関する明細を記載した書類及びその事実を証する書類として法人税法施行規則第26条の６に掲げる書類の添付がある場合に限り適用されること。ただし、都道府県知事がこれらの書類の添付がなかったことについてやむを得ないと認めるときはこの限りでないこと。

5　国外において事業を行う内国法人の付加価値割の課税標準の算定

　　この法律の施行地に主たる事務所又は事業所を有する法人（以下この節において「**内国法人**」という。）で、この法律の施行地外にその事業が行われる場所で政令で定めるものを有するもの（以下この節において「**特定内国法人**」という。）の付加価値割の課税標準は、当該特定内国法人の事業の付加価値額の総額からこの法律の施行地外の事業に帰属する付加価値額を控除して得た額とする。この場合において、この法律の施行地外の事業に帰属する付加価値額の計算が困難であるときは、政令で定めるところにより計算した金額をもって、当該特定内国法人のこの法律の施行地外の事業に帰属する付加価値額とみなす。（法72の19）

　　　（内国法人の国外に有する事業が行われる場所）
(1)　５に規定する内国法人の事業が行われる場所で政令で定めるものは、内国法人が法の施行地外に有する恒久的施設に相当するものとする。（令20の２の19）
　　（注）　(1)中＿＿部分「令20の２の19」を「令20の２の20」に改める令和６年度改正規定は、令和７年４月１日以後適用する。（令６政令第137号附１）

　　　（特定内国法人の国外の事業に帰属する付加価値額の算定の方法）
(2)　５の後段に規定する５に規定する特定内国法人の法の施行地外の事業に帰属する付加価値額とみなす金額は、当該特定内国法人の付加価値額の総額（４の(8)イの規定を適用しないで計算した金額とする。）に当該特定内国法人の法の施行地外に有する(1)の場所（以下「**外国の事務所又は事業所**」という。）の従業者（事務所又は事業所に使用される者で賃金を支払われるものをいう。以下同じ。）の数を乗じて得た額を当該特定内国法人の法の施行地内に有する事務所又は事業所及び外国の事務所又は事業所の従業者の合計数で除して計算する。（令20の２の20①）
　　（注）　(2)から(6)中＿＿部分「令20の２の20」を「令20の２の21」に改める令和６年度改正規定は、令和７年４月１日以後適用する。（令６政令第137号附１）

　　　（特定内国法人が外国税額控除の適用を受けない場合）
(3)　(2)の特定内国法人が法人税法第69条の規定の適用を受けない場合における(2)の付加価値額の総額は、当該特定内国法人の法の施行地外の事業に帰属する所得に対して外国において課された法人税に相当する税を当該事業年度の単年度損益の計算上損金の額に算入しないものとして計算する。（令20の２の20②）

　　　（従業者の数の判定時期）
(4)　(2)の規定の適用がある場合における(2)の事務所又は事業所の従業者の数は、当該特定内国法人の当該事業年度終了の日現在における事務所又は事業所の従業者の数（外国の事務所又は事業所を有しない内国法人が事業年度の中途において外国の事務所又は事業所を有することとなった場合又は特定内国法人が事業年度の中途において外国の事務所又は事業所を有しないこととなった場合には、当該事業年度に属する各月の末日現在における事務所又は事業所の従業者の数を合計した数を当該事業年度の月数で除して得た数（その数に一人に満たない端数を生じたときは、これを一人とする。））によるものとする。（令20の２の20③）

第二編第五章《法人の事業税》第二節《課税標準及び税率等（付加価値割の課税標準）》

　　　　（端数規定）
（５）　（４）の月数は、暦に従って計算し、１月に満たない端数を生じたときは、これを１月とする。（令20の２の20④）

　　　　（みなし規定）
（６）　第三節三の１の①ただし書又は第五節一の２の②の規定により申告納付をする特定内国法人に係る事務所又は事業所の従業者の数について（４）の規定を適用する場合には、当該特定内国法人の第三節三の１の①に規定する中間期間（四の①の（６）の（一）において「中間期間」という。）を１事業年度とみなす。（令20の２の20⑤）

６　収益配分額のうちに報酬給与額の占める割合が高い法人の付加価値割の課税標準の算定
　　当該事業年度の収益配分額〘三参照〙のうちに当該事業年度の報酬給与額の占める割合が100分の70を超える法人の付加価値割の課税標準の算定については、当該事業年度の付加価値額（５の規定により控除すべき金額があるときは、これを控除した後の金額とする。）から**雇用安定控除額**を控除するものとする。（法72の20①）

　　　　（雇用安定控除額）
（１）　６の雇用安定控除額は、当該事業年度の報酬給与額から当該事業年度の収益配分額に100分の70の割合を乗じて得た金額を控除した金額とする。（法72の20②）

　　　　（特定内国法人についての算定）
（２）　６及び（１）の当該事業年度の収益配分額又は報酬給与額は、特定内国法人にあっては当該特定内国法人の事業の収益配分額又は報酬給与額の総額からこの法律の施行地外の事業に帰属する収益配分額又は報酬給与額を、それぞれ控除して得た額とする。この場合において、当該特定内国法人について５の後段の規定の適用があるときは、政令で定めるところにより計算した金額をもって、当該特定内国法人のこの法律の施行地外の事業に帰属する収益配分額又は報酬給与額とみなす。（法72の20③）

　　　　（政令で定める金額）
（３）　（２）の後段に規定する特定内国法人の法の施行地外の事業に帰属する収益配分額又は報酬給与額とみなす金額は、当該特定内国法人の収益配分額（三に規定する収益配分額をいう。）又は報酬給与額の総額に当該特定内国法人の外国の事務所又は事業所〘５（２）参照〙の従業者の数を乗じて得た額を当該特定内国法人の法の施行地内に有する事務所又は事業所及び外国の事務所又は事業所の従業者の合計数で除して計算する。（令20の２の21①）
　　　（注１）　５の（４）から（６）の規定は、（３）の規定の適用がある場合における（３）の事務所又は事業所の従業者の数について準用する。（令20の２の21②）
　　　（注２）　（３）及び（注１）中＿＿部分「令20の２の21」を「令20の２の22」に改める令和６年度改正規定は、令和７年４月１日以後適用する。（令６政令第137号附１）

７　付加価値割の課税標準の特例措置
　　第一節二《課税団体及び納税義務者》の１の表の（一）の右欄イ及び同（三）の右欄イに掲げる法人並びに同（四）に掲げる事業を行う法人に対する事業税の付加価値割の課税標準の算定については、令和４年４月１日から令和９年３月31日までの間に開始する各事業年度（租税特別措置法第42条の12の５第５項第１号に規定する設立事業年度、解散（合併による解散を除く。）の日を含む事業年度及び清算中の各事業年度を除く。以下７及び（１）において同じ。）分の事業税に限り、当該法人の同法第42条の12の５第５項第４号に規定する継続雇用者給与等支給額から当該法人の同項第５号に規定する継続雇用者比較給与等支給額を控除した金額の当該継続雇用者比較給与等支給額に対する割合が100分の３以上である場合（当該事業年度終了の時において、当該法人の資本金の額若しくは出資金の額が10億円以上であり、かつ、当該法人の同条第１項に規定する常時使用する従業員の数が1,000人以上である場合又は当該事業年度終了の時において当該法人の同項に規定する常時使用する従業員の数が2,000人を超える場合には、同条第５項第３号に規定する給与等の支給額の引上げの方針、下請中小企業振興法（昭和45年法律第145号）第２条第４項に規定する下請事業者その他の取引先との適切な関係の構築の方針その他の（注１）で定める事項を公表している場合として（注２）で定める場合に限る。）には、各事業年度の付加価値額から、当該法人の租税特別措置法第42条の12の５第５項第６号に規定する控除対象雇用者給与等支給増加額に、三の１の①に規定する各事業年度の報酬給与額から６の（１）に規定する雇用安定控除額を控除した額を当該報酬給与額で除して計算した割合を乗じて計算した金額を控除する。（法附９⑬）
　　　（注１）　７に規定する（注１）で定める事項は、租税特別措置法施行令第27条の12の５第１項に規定する事項とする。（令附６の２④）

第二編第五章《法人の事業税》第二節《課税標準及び税率等（付加価値割の課税標準）》

(注2)　7に規定する(注2)で定める場合は、同項の規定の適用を受ける事業年度に係る第三節二の1の(1)若しくは同(6)、第三節三の1の①ただし書又は同三の2の規定による申告書に、経済産業大臣の7の法人がインターネットを利用する方法により前項に規定する事項を公表していることについて届出があった旨を証する書類の写しの添付がある場合とする。（令附6の2⑤）

　　　（令和7年4月1日から令和9年3月31日までの間に開始する付加価値割の課税標準）
(1)　第一節二の1の(一)のイ及び同(三)のイに掲げる法人並びに同(四)に掲げる事業を行う法人（これらの法人が租税特別措置法第42条の12の5第3項に規定する中小企業者等に該当する場合に限る。）に対する事業税の付加価値割の課税標準の算定については、令和7年4月1日から令和9年3月31日までの間に開始する各事業年度（7の規定の適用を受ける事業年度、租税特別措置法第42条の12の5第5項第1号に規定する設立事業年度、解散（合併による解散を除く。）の日を含む事業年度及び清算中の各事業年度を除く。以下同じ。）分の事業税に限り、当該法人の同法第42条の12の5第5項第9号に規定する雇用者給与等支給額から当該法人の同項第11号に規定する比較雇用者給与等支給額を控除した金額の当該比較雇用者給与等支給額に対する割合が100分の1.5以上である場合には、各事業年度の付加価値額から、当該法人の同項第6号に規定する控除対象雇用者給与等支給増加額に、1に規定する各事業年度の報酬給与額から6の(1)に規定する雇用安定控除額を控除した額を当該報酬給与額で除して計算した割合を乗じて計算した金額を控除する。（法附9⑭）
　　(注)　(1)を追加する令和6年度改正規定は、令和7年4月1日以後に開始する事業年度に係る法人の事業税について適用し、同日前に開始した事業年度に係る法人の事業税については、なお従前の例による。（令6改法附1三、7①）

　　　（労働者派遣又は船員派遣を行った場合）
(2)　労働者派遣事業の適正な運営の確保及び派遣労働者の保護等に関する法律（以下(2)において「労働者派遣法」という。）第26条第1項又は船員職業安定法第66条第1項に規定する労働者派遣契約又は船員派遣契約に基づき、労働者派遣（労働者派遣法第2条第1号に規定する労働者派遣をいう。）又は船員派遣（船員職業安定法第6条第11項に規定する船員派遣をいう。）をした法人に対する7及び(1)の規定の適用については、7及び(1)中「控除対象雇用者給与等支給増加額」とあるのは、「控除対象雇用者給与等支給増加額に、1の①に規定する各事業年度の報酬給与額を当該報酬給与額及び各事業年度において労働者派遣（(3)に規定する労働者派遣をいう。以下(2)において同じ。）又は船員派遣（(3)に規定する船員派遣をいう。以下(2)において同じ。）の対価として当該労働者派遣又は当該船員派遣の役務の提供を受けた者から支払を受ける金額（当該事業年度の法人税の所得の計算上益金の額に算入されるものに限る。）に100分の75の割合を乗じて得た金額（当該金額が当該労働者派遣に係る派遣労働者（労働者派遣事業の適正な運営の確保及び派遣労働者の保護等に関する法律第2条第2号に規定する派遣労働者をいう。）又は当該船員派遣に係る派遣船員（船員職業安定法第6条第12項に規定する派遣船員をいう。）に係る1の①に規定する合計額を超える場合には、当該合計額）の合計額で除して計算した割合を乗じて計算した金額」とする。（法附9⑭）
　　(注)　(2)中＿＿＿部分を加え、＿＿＿部分「((3)に規定する労働者派遣をいう。以下(2)において同じ。）又は船員派遣（(3)」を「（労働者派遣事業の適正な運営の確保及び派遣労働者の保護等に関する法律第2条第1号に規定する労働者派遣をいう。以下(2)において同じ。）又は船員派遣（船員職業安定法第6条第11項」に、「法附9⑭」を「法附9⑮」に改める令和6年度改正規定は、令和7年4月1日以後適用する。（令6改法附1三）

　　　（事業税を課されない事業等とこれらの事業以外の事業とを併せて行う法人の場合）
(3)　事業税を課されない事業又は第一節二の1の表の(二)に掲げる事業（以下(3)において「事業税を課されない事業等」という。）と事業税を課されない事業等以外の事業とを併せて行う法人に対する7及び(1)の規定の適用については、7及び(1)中「控除対象雇用者給与等支給増加額」とあるのは、「控除対象雇用者給与等支給増加額に、同号イに規定する雇用者給与等支給額のうち(3)に規定する事業税を課されない事業等以外の事業に係る額（以下(3)において「特定雇用者給与等支給額」という。）（特定雇用者給与等支給額の計算が困難であるときは、(4)で定めるところにより計算した金額をもって、当該法人の特定雇用者給与等支給額とみなす。）を当該雇用者給与等支給額で除して計算した割合を乗じて計算した金額」とする。（法附9⑮）
　　(注)　(3)中＿＿＿部分を加え、＿＿＿部分「法附9⑮」を「法附9⑯」に改める令和6年度改正規定は、令和7年4月1日以後適用する。（令6改法附1三）

　　　（政令で定める金額）
(4)　(3)の規定により読み替えて適用される7又は(1)に規定する(4)で定めるところにより計算した金額は、7に規定する雇用者給与等支給額に、第一節二の1の表の(一)の右欄イ若しくは同(三)の右欄イに掲げる法人又は同(四)に掲げる事業を行う法人の法の施行地内に有する事務所又は事業所（第一節一の(五)ただし書に規定する外国法人に

あっては、恒久的施設。以下（4）において同じ。）の従業者（事務所又は事業所に使用される者で賃金を支払われるものをいう。以下（4）において同じ。）のうち事業税を課されない事業及び第一節二の1の表の（二）に掲げる事業以外の事業に係る者の数を当該法人の法の施行地内に有する事務所又は事業所の従業者の数で除して計算した割合を乗じて計算した金額とする。（令附6の2⑥）

　　（注1）　5の（4）から（6）の規定は、（4）の規定の適用がある場合における（4）の事務所又は事業所の従業者の数について準用する。（令附6の2⑦）

　　（注2）　（4）中＿＿部分を加え、＿＿部分「7に」を「租税特別措置法第42条の12の5第5項第9号に」に改める令和6年度改正規定は、令和7年4月1日以後適用する。（令6政令第137号附1）

　　（控除限度額）

（5）　7（（2）及び（3）の規定により読み替えて適用する場合を含む。以下同じ。）及び（1）（（2）及び（3）の規定により読み替えて適用する場合を含む。以下（5）において同じ。）の規定は、第三節二の1の（1）若しくは同1の（6）、第三節三の1の①ただし書又は第三節三の2の規定による申告書（7又は（1）の規定により控除を受ける金額を増加させる第三節五の2の①若しくは同②の規定による修正申告書又は第一編第十章10の④《更正請求書の地方団体の長への提出》の規定による更正請求書を提出する場合には、当該修正申告書又は更正請求書を含む。）に、7又は（1）の規定による控除の対象となる控除対象雇用者給与等支給増加額（以下「控除対象額」という。）、控除を受ける金額及び当該金額の計算に関する明細を記載した総務省令で定める書類が添付されている場合に限り、適用する。この場合において、7又は（1）の規定により控除されるべき金額の計算の基礎となる控除対象額は、当該書類に記載された控除対象額を限度とする。（法附9⑯）

　　（注）　（5）中＿＿部分を加え、＿＿部分「法附9⑯」を「法附9⑰」に改める令和6年度改正規定は、令和7年4月1日以後適用する。（令6改法附1三）

四　資本割の課税標準の計算

①　内国法人の資本割の課税標準

一の表の（二）の各事業年度の資本金等の額は、各事業年度終了の日における法人税法第2条第16号に規定する資本金等の額と、当該事業年度前の各事業年度（以下①において「過去事業年度」という。）の（一）に掲げる金額の合計額から過去事業年度の（二）及び（三）に掲げる金額の合計額を控除した金額に、当該事業年度中の（一）に掲げる金額を加算し、これから当該事業年度中の（三）に掲げる金額を減算した金額との合計額とする。ただし、清算中の法人については、（3）に規定する場合を除き、当該額は、ないものとみなす。（法72の21①）

（一）	平成22年4月1日以後に、会社法第446条に規定する剰余金（同法第447条又は第448条の規定により資本金の額又は資本準備金の額を減少し、剰余金として計上したものを除き、総務省令で定めるものに限る。）を同法第450条の規定により資本金とし、又は同法第448条第1項第2号の規定により利益準備金の額の全部若しくは一部を資本金とした金額 　　（総務省令で定めるもの） （1）　（一）に規定する総務省令で定めるものは、会社計算規則第29条第2項第1号に規定する額とする。（規3の16①） 　　（金額の計算） （2）　（一）の（1）及び（三）の（1）に定める額は、会社法第452条の規定により損失の填補に充てた日以前1年間において剰余金として計上した額に限るものとする。（規3の16③）
（二）	平成13年4月1日から平成18年4月30日までの間に、資本又は出資の減少（金銭その他の資産を交付したものを除く。）による資本の欠損の填補に充てた金額並びに会社法の施行に伴う関係法律の整備等に関する法律（平成17年法律第87号。以下（二）において「会社法整備法」という。）第64条の規定による改正前の商法（以下（二）において「旧商法」という。）第289条第1項及び第2項（これらの規定を会社整備法第1条の規定による廃止前の有限会社法（以下（二）において「旧有限会社法」という。）第46条において準用する場合を含む。）に規定する資本準備金による旧商法第289条第1項及び第2項第2号（これらの規定を旧有限会社法第46条において準用する場合を含む。）に規定する資本の欠損の填補に充てた金額
（三）	平成18年5月1日以後に、会社法第446条に規定する剰余金（同法第447条又は第448条の規定により資本金の額又は

資本準備金の額を減少し、剰余金として計上したもので総務省令で定めるものに限る。）を同法第452条の規定により総務省令で定める損失の塡補に充てた金額

　　　（総務省令で定めるもの）
（１）　（三）に規定する剰余金として計上したもので総務省令で定めるものは、次の各号に掲げる場合の区分に応じ、それぞれ当該各号に定める額とする。（規３の16②）
　　イ　会社法第447条の規定により資本金の額を減少した場合　　会社計算規則第27条第１項第１号に規定する額
　　ロ　会社法第448条の規定により準備金の額を減少した場合　　会社計算規則第27条第１項第２号に規定する額
　　（注）（１）の金額の計算については、（一）の（２）を参照。（編者）

　　　（総務省令で定める損失）
（２）　（三）に規定する総務省令で定める損失は、会社法第452条の規定により損失の塡補に充てた日における会社計算規則第29条に規定するその他利益剰余金の額が零を下回る場合における当該零を下回る額とする。（規３の16④）

　　（各事業年度終了の日における資本金の額及び資本準備金の額の合算額又は出資金の額に満たない場合）
（１）　①本文の規定にかかわらず、①本文の規定により計算した金額が、各事業年度終了の日における資本金の額及び資本準備金の額の合算額又は出資金の額に満たない場合には、一の表の（二）に規定する各事業年度の資本金等の額は、各事業年度終了の日における資本金の額及び資本準備金の額の合算額又は出資金の額とする。（法72の21②）

　　（事業年度が１年未満の場合の計算）
（２）　事業年度が１年に満たない場合における①及び（１）の規定の適用については、①中「減算した金額との合計額」とあるのは「減算した金額との合計額に当該事業年度の月数を乗じて得た額を12で除して計算した金額」と、（１）中「とする」とあるのは「に当該事業年度の月数を乗じて得た額を12で除して計算した金額とする」とする。この場合における月数は、暦に従い計算し、１月に満たないときは１月とし、１月に満たない端数を生じたときは切り捨てる。（法72の21③）

　　（通算子法人が事業年度の中途において解散をした場合の資本割の課税標準）
（３）　通算子法人が事業年度の中途において解散をした場合（破産手続開始の決定を受けた場合を除く。(10)において同じ。）の当該事業年度における①及び（１）の規定の適用については、①中「減算した金額との合計額」とあるのは「減算した金額との合計額に当該事業年度開始の日から解散の日までの期間の月数を乗じて得た額を12で除して計算した金額」と、（１）中「とする」とあるのは「に当該事業年度開始の日から解散の日までの期間の月数を乗じて得た額を12で除して計算した金額とする」とする。この場合における月数は、暦に従い計算し、１月に満たないときは１月とし、１月に満たない端数を生じたときは切り捨てる。（法72の21④）

　　（清算中の通算子法人が事業年度の中途において継続した場合の資本割の課税標準）
（４）　清算中の通算子法人が事業年度の中途において継続した場合の当該事業年度における①及び（１）の規定の適用については、①中「減算した金額との合計額」とあるのは「減算した金額との合計額に継続の日から当該事業年度終了の日までの期間の月数を乗じて得た額を12で除して計算した金額」と、（１）中「とする」とあるのは「に継続の日から当該事業年度終了の日までの期間の月数を乗じて得た額を12で除して計算した金額とする」とする。この場合における月数は、暦に従い計算し、１月に満たないときは１月とし、１月に満たない端数を生じたときは切り捨てる。（法72の21⑤）

　　（持株会社の特例）
（５）　（一）に掲げる金額のうちに（二）に掲げる金額の占める割合が100分の50を超える内国法人の資本割の課税標準の算定については、資本金等の額から、当該資本金等の額に（一）に掲げる金額のうちに（二）に掲げる金額の占める割合を乗じて計算した金額を控除するものとする。（法72の21⑥）
（一）　当該内国法人の当該事業年度及び当該事業年度の前事業年度の確定した決算（第三節三の１の①ただし書の規定により申告納付すべき事業税にあっては、同①に規定する中間期間に係る決算）に基づく貸借対照表に計上され

ている総資産の帳簿価額として政令で定めるところにより計算した金額の合計額
　(二)　当該内国法人の当該事業年度終了の時又は当該事業年度の前事業年度終了の時における特定子会社（当該内国法人が発行済株式又は出資（政令で定めるものを除く。）の総数又は総額の100分の50を超える数の株式又は出資を直接又は間接に保有する他の法人をいう。）の株式又は出資で、それぞれの時において当該内国法人が保有するものの帳簿価額の合計額

　　　（総資産の帳簿価額）
（6）　（5）の(一)に規定する政令で定めるところにより計算した金額は、同(一)に規定する貸借対照表に計上されている総資産の帳簿価額から次に掲げる金額の合計額を控除して得た金額とする。（令20の２の22）
　(一)　法人税法第２条第22号に規定する固定資産の帳簿価額を損金経理（同条第25号に規定する損金経理をいい、第三節三の１の①ただし書の規定により申告納付すべき事業税にあっては、中間期間に係る決算において費用又は損失として経理することをいう。）により減額することに代えて積立金として積み立てている金額
　(二)　租税特別措置法第52条の３の規定により特別償却準備金として積み立てている金額
　(三)　土地の再評価に関する法律第３条第１項の規定により同項に規定する再評価が行われた土地に係る同法第７条第２項に規定する再評価差額金が当該貸借対照表に計上されている場合の当該土地に係る同条第１項に規定する再評価差額（以下(三)において「再評価差額」という。）に相当する金額（当該事業年度終了の時又は当該事業年度の前事業年度終了の時に有する当該土地に係るものに限るものとし、当該土地についてその帳簿価額に記載された金額の減額をした場合には、次に掲げる場合の区分に応じそれぞれ次に定める金額を控除した金額とする。）
　　イ　土地の再評価に関する法律第８条第２項第１号に掲げる場合　　当該土地の再評価差額のうちその減額した金額に相当する金額
　　ロ　土地の再評価に関する法律第８条第２項第２号に掲げる場合　　当該土地の再評価差額に相当する金額
　　ハ　土地の再評価に関する法律第８条第２項第３号に掲げる場合　　当該土地の再評価差額に相当する金額
　(四)　（5）の(二)に規定する特定子会社（以下(四)において「特定子会社」という。）に対する貸付金及び特定子会社の発行する社債の金額
　　(注)　（6）中＿＿＿部分「令20の２の22」を「令20の２の23」に改める令和６年度改正規定は、令和７年４月１日以後適用する。（令６政令第137号附１）

　　　（政令で定める株式又は出資）
（7）　（5）の(二)に規定する政令で定めるものは、同(二)に規定する他の法人が有する自己の株式又は出資とする。（令20の２の23）
　　(注)　（7）中＿＿＿部分「令20の２の23」を「令20の２の24」に改める令和６年度改正規定は、令和７年４月１日以後適用する。（令６政令第137号附１）

　　　（資本金等の額が1,000億円を超える法人の特例）
（8）　資本金等の額（（5）又は③若しくは④の規定により控除すべき金額がある場合には、これらを控除した後の金額とする。以下（7）において同じ。）が1,000億円を超える法人の資本割の課税標準は、①及び（1）の規定にかかわらず、次の表の左欄に掲げる金額の区分によって資本金等の額（資本金等の額が１兆円を超える場合には、１兆円とする。）を区分し、当該区分に応ずる同表の右欄に掲げる率を乗じて計算した金額の合計額とする。（法72の21⑦）

1,000億円以下の金額	100分の100
1,000億円を超え5,000億円以下の金額	100分の50
5,000億円を超え１兆円以下の金額	100分の25

　　　（事業年度が１年未満の場合の特例の計算）
（9）　事業年度が１年に満たない場合における（8）の規定の適用については、（8）の表以外の部分中「1,000億円」とあるのは「1,000億円に当該事業年度の月数を乗じて得た額を12で除して計算した金額」と、「１兆円」とあるのは「１兆円に当該事業年度の月数を乗じて得た額を12で除して計算した金額」と、（8）の表中「1,000億円以下の金額」とある中で「1,000億円」とあるのは「1,000億円に当該事業年度の月数を乗じて得た額を12で除して計算した金額」と、（8）の表中「1,000億円を超え5,000億円以下の金額」とある中で「1,000億円を」とあるのは「1,000億円に当該事業年度の月数を乗じて得た額を12で除して計算した金額を」と、「5,000億円」とあるのは「5,000億円に当該事業年度の月数

を乗じて得た額を12で除して計算した金額」と、（8）の表中「5,000億円を超え1兆円以下の金額」とある中で「5,000億円」とあるのは「5,000億円に当該事業年度の月数を乗じて得た額を12で除して計算した金額」と、「1兆円」とあるのは「1兆円に当該事業年度の月数を乗じて得た額を12で除して計算した金額」とする。この場合における月数は、暦に従い計算し、1月に満たないときは1月とし、1月に満たない端数を生じたときは切り捨てる。（法72の21⑧）

　　　（通算子法人が事業年度の中途に解散した場合の特例の計算）
(10)　通算子法人が事業年度の中途において解散をした場合の当該事業年度における（8）の規定の適用については、（8）の表以外の部分中「1,000億円」とあるのは「1,000億円に当該事業年度開始の日から解散の日までの期間の月数を乗じて得た額を12で除して計算した金額」と、「1兆円」とあるのは「1兆円に当該事業年度開始の日から解散の日までの期間の月数を乗じて得た額を12で除して計算した金額」と、（8）の表中「1,000億円以下の金額」とある中で「1,000億円」とあるのは「1,000億円に当該事業年度開始の日から解散の日までの期間の月数を乗じて得た額を12で除して計算した金額」と、（8）の表中「1,000億円を超え5,000億円以下の金額」とある中で「1,000億円を」とあるのは「1,000億円に当該事業年度開始の日から解散の日までの期間の月数を乗じて得た額を12で除して計算した金額を」と、「5,000億円」とあるのは「5,000億円に当該事業年度開始の日から解散の日までの期間の月数を乗じて得た額を12で除して計算した金額」と、（8）の表中「5,000億円を超え1兆円以下の金額」とある中で「5,000億円」とあるのは「5,000億円に当該事業年度開始の日から解散の日までの期間の月数を乗じて得た額を12で除して計算した金額」と、「1兆円」とあるのは「1兆円に当該事業年度開始の日から解散の日までの期間の月数を乗じて得た額を12で除して計算した金額」とする。この場合における月数は、暦に従い計算し、1月に満たないときは1月とし、1月に満たない端数を生じたときは切り捨てる。（法72の21⑨）

　　　（清算中の通算子法人が事業年度の中途において継続した場合の特例の計算）
(11)　清算中の通算子法人が事業年度の中途において継続した場合の当該事業年度における（8）の規定の適用については、（8）の表以外の部分中「1,000億円」とあるのは「1,000億円に継続の日から当該事業年度終了の日までの期間の月数を乗じて得た額を12で除して計算した金額」と、「1兆円」とあるのは「1兆円に継続の日から当該事業年度終了の日までの期間の月数を乗じて得た額を12で除して計算した金額」と、（8）の表中「1,000億円以下の金額」とある中で「1,000億円」とあるのは「1,000億円に継続の日から当該事業年度終了の日までの期間の月数を乗じて得た額を12で除して計算した金額」と、（8）の表中「1,000億円を超え5,000億円以下の金額」とある中で「1,000億円を」とあるのは「1,000億円に継続の日から当該事業年度終了の日までの期間の月数を乗じて得た額を12で除して計算した金額を」と、「5,000億円」とあるのは「5,000億円に継続の日から当該事業年度終了の日までの期間の月数を乗じて得た額を12で除して計算した金額」と、（8）の表中「5,000億円を超え1兆円以下の金額」とある中で「5,000億円」とあるのは「5,000億円に継続の日から当該事業年度終了の日までの期間の月数を乗じて得た額を12で除して計算した金額」と、「1兆円」とあるのは「1兆円に継続の日から当該事業年度終了の日までの期間の月数を乗じて得た額を12で除して計算した金額」とする。この場合における月数は、暦に従い計算し、1月に満たないときは1月とし、1月に満たない端数を生じたときは切り捨てる。（法72の21⑩）

　　　（資本割の課税標準の算定）
(12)　①に規定する資本割の課税標準の算定に当たっては、①の各号に掲げる金額についてその内容を証する書類を添付した申告書を提出した場合に限り、①の各号に掲げる金額と各事業年度終了の日における法人税法第2条第16号に規定する資本金等の額について加算又は減算することができるものであること。（県通3－4の6の2）

　　　（内国法人の資本金等の額の算定手順）
(13)　内国法人の資本金等の額の算定については、次に掲げる順序により行うこと。（県通3－4の6の3）
　（一）　収入金額課税事業以外の事業に係る資本金等の額の算定
　（二）　一定の要件を満たす持株会社の資本金等の額の算定
　（三）　外国の事業以外の事業に係る資本金等の額の算定
　（四）　非課税事業以外の事業に係る資本金等の額の算定
　（五）　（一）から（四）までの計算の結果が1,000億円を超えている場合における資本金等の額の算定
　（六）　所得等課税事業、収入金額等課税事業及び特定ガス供給業のうち2以上の事業を併せて行う法人のそれぞれの事業に係る資本金等の額の算定

(総資産の帳簿価額の計算の留意事項)
(14) (5)の(一)に規定する総資産の帳簿価額(以下(14)から(16)まで及び(18)において「総資産の帳簿価額」という。)の計算については、次によること。(県通3-4の6の5)
　(一)　支払承諾見返勘定又は保証債務見返勘定のように単なる対照勘定として貸借対照表の資産及び負債の部に両建経理されている金額がある場合には、当該資産の部に経理されている金額は、総資産の帳簿価額から控除すること。
　(二)　貸倒引当金勘定の金額が、金銭債権から控除する方法により取立不能見込額として貸借対照表に計上されている場合にはその控除前の金額を、注記の方法により取立不能見込額として貸借対照表に計上されている場合等にはこれを加算した金額を、それぞれの金銭債権の帳簿価額とすること。
　(三)　退職給付信託における信託財産の額が、退職給付引当金勘定の金額と相殺されて貸借対照表の資産の部に計上されず、注記の方法により貸借対照表に計上されている場合等には、当該信託財産の額を加算した金額を総資産の帳簿価額とすること。
　(四)　貸借対照表に計上されている返品債権特別勘定の金額(売掛金から控除する方法により計上されているものを含む。)がある場合には、これらの金額を控除した残額を売掛金の帳簿価額とすること。
　(五)　貸倒損失が金銭債権から控除する方法により取立不能見込額として貸借対照表に計上されている場合には、これを控除した残額を金銭債権の帳簿価額とすること。
　(六)　貸借対照表に計上されている補修用部品在庫調整勘定又は単行本在庫調整勘定の金額がある場合には、これらの金額を控除した残額を当該補修用部品在庫調整勘定又は単行本在庫調整勘定に係る棚卸資産の帳簿価額とすること。

(繰延税金資産の取扱い)
(15) 法人が税効果会計を適用している場合において、貸借対照表に計上されている繰延税金資産の額があるときは、当該繰延税金資産の額は、総資産の帳簿価額に含めるものとすること。(県通3-4の6の6)

(税効果会計を適用している場合の剰余金の処分による圧縮積立金又は特別償却準備金)
(16) 法人が税効果会計を適用している場合には、総資産の帳簿価額から控除する剰余金の処分により積み立てている圧縮積立金又は特別償却準備金の金額は、貸借対照表に計上されている圧縮積立金勘定又は特別償却準備金勘定の金額とこれらの勘定に係る繰延税金負債の額との合計額となること。
　なお、当該繰延税金負債が繰延税金資産と相殺されて貸借対照表に計上されている場合には、その相殺後の残額となることに留意すること。この場合、その相殺については、圧縮積立金勘定又は特別償却準備金勘定に係る繰延税金負債の額が繰延税金資産の額とまず相殺されたものとして取り扱うこと。(県通3-4の6の7)

(特定子会社の判定に当たっての留意事項)
(17) (5)の(二)に規定する帳簿価額は税務上の帳簿価額によること。また、同号に規定する特定子会社の判定に当たっては、次の諸点に留意すること。(県通3-4の6の8)
　(一)　特定子会社は、内国法人に限らないものであり、外国法人も含めるものとすること。
　(二)　内国法人の特定子会社が他の法人の発行済株式等の総数の100分の50を超える数の株式等を直接又は間接に保有している場合には、当該他の法人は当該内国法人の特定子会社に該当するものであること。したがって、例えば、ある内国法人が他の法人の発行済株式等の総数の100分の51の数の株式等を保有し、当該他の法人が別の法人の発行済株式等の総数の100分の51の数の株式等を保有している場合には、当該別の法人は、当該他の法人の特定子会社に該当するとともに当該内国法人の特定子会社にも該当するものであること。
　(三)　(5)の(二)に規定する他の法人が有する自己の株式又は出資の数は、当該他の法人の発行済株式又は出資の総数だけでなく、同(二)の当該内国法人が直接又は間接に保有する株式又は出資の数にも含まれないものであること。

(特定子会社に対する貸付金等がある場合)
(18) 内国法人について、当該内国法人の特定子会社に対する貸付金がある場合又は当該特定子会社の発行する社債を保有している場合には、当該内国法人が当該特定子会社の株式等を直接保有しているか否かにかかわらず、当該貸付金等は当該内国法人の総資産の帳簿価額には含まれないものであること。
　なお、内国法人が特定子会社に対し、外国政府等を通じて間接に金銭の貸付けを行っている場合において、当該外国政府等が当該内国法人から貸し付けられた金銭の額と同額の貸付けを当該特定子会社に対して行うことが契約等において明示されている場合には、当該貸付金は当該内国法人の総資産の帳簿価額には含めないものとすること。(県通

第二編第五章《法人の事業税》第二節《課税標準及び税率等（資本割の課税標準）》

3－4の6の9）

　　　　（株式会社民間資金等活用事業推進機構に対する資本割の課税標準の適用）
(19)　株式会社民間資金等活用事業推進機構に対する①の規定の適用については、平成29年4月1日から令和9年3月31日までの間に開始する各事業年度分の事業税に限り、①中「との合計額」とあるのは、「との合計額から、当該合計額に、令和4年4月1日から令和5年3月31日までの間に開始する事業年度にあっては20分の17を、同年4月1日から令和6年3月31日までの間に開始する事業年度にあっては5分の4を、同年4月1日から令和7年3月31日までの間に開始する事業年度にあっては10分の7を、同年4月1日から令和8年3月31日までの間に開始する事業年度にあっては5分の3を、同年4月1日から令和9年3月31日までの間に開始する事業年度にあっては2分の1をそれぞれ乗じて得た金額をそれぞれ控除して得た額」とする。この場合において、（1）の規定は、適用しない。（法附9⑰）

　　　（注）　(19)中＿＿部分「法附9⑰」を「法附9⑱」に改める令和6年度改正規定は、令和7年4月1日以後適用する。（令6改法附1三）

② 特定の法人に対する資本割の課税標準の特例

　　　　（北海道旅客鉄道会社等に対する特例）
（1）　旅客鉄道株式会社及び日本貨物鉄道株式会社に関する法律第1条第1項に規定する旅客会社に対する①の規定の適用については、平成16年4月1日から令和11年3月31日までの間に開始する各事業年度分の事業税に限り、①中「法人税法第2条第16号に規定する資本金等の額と、当該事業年度前の各事業年度（以下①において「過去事業年度」という。）の(一)に掲げる金額の合計額から過去事業年度の(二)及び(三)に掲げる金額の合計額を控除した金額に、当該事業年度中の(一)に掲げる金額を加算し、これから当該事業年度中の(三)に掲げる金額を減算した金額との合計額」とあるのは、「資本金の額に2を乗じて得た額」とする。この場合において、①の（1）の規定は、適用しない。（法附9①）

　　　　（預金保険法に規定する承継銀行等に対する特例）
（2）　預金保険法第2条第13項に規定する承継銀行及び同法附則第7条第1項第1号に規定する協定銀行に対する①の規定の適用については、平成16年4月1日から令和11年3月31日までの間に開始する各事業年度分の事業税に限り、①中「各事業年度終了の日における法人税法第2条第16号に規定する資本金等の額と、当該事業年度前の各事業年度（以下①において「過去事業年度」という。）の(一)に掲げる金額の合計額から過去事業年度の(二)及び(三)に掲げる金額の合計額を控除した金額に、当該事業年度中の(一)に掲げる金額を加算し、これから当該事業年度中の(三)に掲げる金額を減算した金額との合計額」とあるのは、「銀行法第5条第1項に規定する政令で定める額」とする。この場合において、①の（1）の規定は、適用しない。（法附9②）

　　　　（銀行等保有株式取得機構に対する特例）
（3）　銀行等保有株式取得機構に係る第二節一《課税標準》の表の(二)に掲げる各事業年度の資本金等の額は、平成21年4月1日から令和8年3月31日までの間に開始する各事業年度分の事業税に限り、①及び①の（1）の規定にかかわらず、10億円とする。（法附9③）

　　　　（新関西国際空港株式会社等に対する特例）
（4）　新関西国際空港株式会社及び関西国際空港及び大阪国際空港の一体的かつ効率的な設置及び管理に関する法律第12条第1項第1号に規定する指定会社に対する事業税の資本割の課税標準の算定については、平成24年4月1日から令和11年3月31日までの間に開始する各事業年度分の事業税に限り、各事業年度の資本金等の額（①の（5）又は③若しくは④の規定により控除すべき金額があるときは、これらを控除した後の金額とする。以下（4）から（7）までにおいて同じ。）から、当該資本金等の額に6分の5の割合を乗じて得た金額を控除するものとする。この場合における①の（8）の規定の適用については、①の（8）中「（5）又は③若しくは④」とあるのは、「（5）、③若しくは④又は②の（4）」とする。（法附9④）

　　　　（中部国際空港の指定会社に対する特例）
（5）　中部国際空港の設置及び管理に関する法律第4条第2項に規定する指定会社に対する事業税の資本割の課税標準の算定については、平成16年4月1日から令和11年3月31日までの間に開始する各事業年度分の事業税に限り、各事業年度の資本金等の額から、当該資本金等の額に3分の2の割合を乗じて得た金額を控除するものとする。この場合

における①の(8)の規定の適用については、①の(8)中「(5)又は③若しくは④」とあるのは、「(5)、③若しくは④又は②の(5)」とする。(法附9⑤)

　　　(特定鉄道事業者に対する特例)
(6)　大都市地域における宅地開発及び鉄道整備の一体的推進に関する特別措置法第7条第1項に規定する特定鉄道事業者に対する事業税の資本割の課税標準の算定については、平成16年4月1日から令和11年3月31日までの間に開始する各事業年度分の事業税に限り、各事業年度の資本金等の額から、当該資本金等の額に3分の2の割合を乗じて得た金額を控除するものとする。この場合における①の(8)の規定の適用については、①の(8)中「(5)又は③若しくは④」とあるのは、「(5)、③若しくは④又は②の(6)」とする。(法附9⑥)

　　　(東京湾横断道路建設事業者に対する特例)
(7)　東京湾横断道路の建設に関する特別措置法第2条第1項に規定する東京湾横断道路建設事業者に対する事業税の資本割の課税標準の算定については、平成16年4月1日から令和11年3月31日までの間に開始する各事業年度分の事業税に限り、各事業年度の資本金等の額から、当該資本金等の額に(一)に掲げる金額のうちに(二)に掲げる金額の占める割合を乗じて計算した金額を控除するものとする。この場合における①の(8)の規定の適用については、①の(8)中「(5)又は③若しくは④」とあるのは、「(5)、③若しくは④又は②の(7)」とする。(法附9⑦)
(一)　当該法人の当該事業年度の確定した決算(第三節三の1の①の規定により申告納付すべき事業税にあっては、同①ただし書に規定する中間期間に係る決算)に基づく貸借対照表に計上されている総資産の帳簿価額として政令で定めるところにより計算した金額
(二)　当該法人の当該事業年度終了の時における未収金で総務省令で定めるものの帳簿価額
　　(注1)　(7)の(一)に規定する政令で定めるところにより計算した金額は、同(一)に規定する貸借対照表に計上されている総資産の帳簿価額から①の(6)の(一)から(四)に掲げる金額の合計額を控除して得た金額とする。(令附6の2①)
　　(注2)　(7)の(二)に規定する未収金で総務省令で定めるものは、東京湾横断道路事業会計規則別表第一に規定する建設事業未収入金とする。(規附2の7)

　　　(株式会社地域経済活性化支援機構に対する特例)
(8)　株式会社地域経済活性化支援機構に対する①の規定の適用については、平成21年4月1日から令和11年3月31日までの間に開始する各事業年度分の事業税に限り、①中「各事業年度終了の日における法人税法第2条第16号に規定する資本金等の額と、当該事業年度前の各事業年度(以下①において「過去事業年度」という。)の(一)に掲げる金額の合計額から過去事業年度の(二)及び(三)に掲げる金額の合計額を控除した金額に、当該事業年度中の(一)に掲げる金額を加算し、これから当該事業年度中の(三)に掲げる金額を減算した金額との合計額」とあるのは、「銀行法第5条第1項に規定する政令で定める額」とする。この場合において、①の(1)の規定は、適用しない。(法附9⑪)

　　　(株式会社脱炭素化支援機構に対する特例)
(9)　株式会社脱炭素化支援機構に対する①及び①の(1)の規定の適用については、令和5年4月1日から令和10年3月31日までの間に開始する各事業年度分の事業税に限り、①中「資本金等の額と」とあるのは「資本金等の額から地球温暖化対策の推進に関する法律(平成10年法律第117号)第36条の6の規定による政府の出資の金額を控除して得た額と」と、①の(1)中「出資金の額に」とあるのは「出資金の額から地球温暖化対策の推進に関する法律第36条の6の規定による政府の出資の金額を控除して得た額に」と、「出資金の額と」とあるのは「出資金の額から同法第36条の6の規定による政府の出資の金額を控除して得た額と」とする。(法附9㉓)
　　(注)　(9)中____部分「法附9㉓」を「法附9㉔」に改める令和6年度改正規定は、令和7年4月1日以後適用する。(令6改附1三)

③　特定内国法人の資本割の課税標準
　　特定内国法人〖三の5参照〗の資本割の課税標準は、当該特定内国法人の資本金等の額から、この法律の施行地外の事業の規模等を勘案して政令で定めるところにより計算した金額を控除して得た額とする。(法72の22①)

　　　(政令で定める金額)
(1)　③の規定により特定内国法人の資本金等の額から控除する金額は、当該特定内国法人の資本金等の額(①及び①の(1)の規定により算定した金額をいう。以下第五章において同じ。)(①の(5)の規定により控除すべき金額があるときは、これを控除した後の金額とする。)に当該特定内国法人の当該事業年度の付加価値額の総額(三の6《収益配分額のうちに報酬給与額の占める割合が高い法人の付加価値割の課税標準の算定》の規定を適用しないで計算した金

第二編第五章《法人の事業税》第二節《課税標準及び税率等（資本割の課税標準）》

額とする。（2）において同じ。）のうちに当該特定内国法人の当該事業年度の法の施行地外の事業に帰属する付加価値額の占める割合を乗じて計算する。（令20の2の24①）

  （注） （1）及び（2）、同（注）中＿＿＿部分「令20の2の24」を「令20の2の25」に改める令和6年度改正規定は、令和7年4月1日以後適用する。（令6政令第137号附1）

  （国外の事業に帰属する付加価値額がない場合等の特例）
（2） （1）の特定内国法人（三の5《国外において事業を行う内国法人の付加価値割の課税標準の算定》後段の規定の適用があるものを除く。以下（2）において同じ。）の法の施行地外の事業に帰属する付加価値額がない場合、当該特定内国法人の付加価値額の総額から法の施行地外の事業に帰属する付加価値額を控除して得た額がない場合又は当該特定内国法人の付加価値額の総額のうちに付加価値額の総額から法の施行地外の事業に帰属する付加価値額を控除して得た額の占める割合が100分の50未満である場合には、③の規定により特定内国法人の資本金等の額から控除する金額は、（1）の規定にかかわらず、当該特定内国法人の資本金等の額（①の（5）の規定により控除すべき金額があるときは、これを控除した後の金額とする。）に当該特定内国法人の外国の事務所又は事業所〘三の5の（2）参照〙の従業者の数を乗じて得た金額を当該特定内国法人の法の施行地内に有する事務所又は事業所及び外国の事務所又は事業所の従業者の合計数で除して計算する。（令20の2の24②）

  （注） 三の5の（4）から（6）の規定は、（2）の規定の適用がある場合における（2）の事務所又は事業所の従業者の数について準用する。（令20の2の24③）

④ **外国法人の資本割の課税標準**
 外国法人の資本割の課税標準は、当該外国法人の資本金等の額から、この法律の施行地外の事業の規模等を勘案して政令で定めるところにより計算した金額を控除して得た額とする。（法72の22②）

  （政令で定める金額）
（1） ④に規定する外国法人の資本金等の額から控除する金額は、当該外国法人の資本金等の額に当該外国法人の法の施行地外に有する事務所又は事業所の従業者の数を乗じて得た額を当該外国法人の恒久的施設及び法の施行地外に有する事務所又は事業所の従業者の合計数で除して計算する。（令20の2の25①）

  （注1） 三の5の（4）の規定は、注の事務所又は事業所及び恒久的施設の従業者の数について準用する。（令20の2の25②）
  （注2） （1）及び（注1）中＿＿＿部分「令20の2の25」を「令20の2の26」に改める令和6年度改正規定は、令和7年4月1日以後適用する。（令6政令第137号附1）

  （外国法人の資本金等の額の留意事項）
（2） 一の表の（二）の各事業年度の資本金等の額とは、各事業年度終了の日における法人税法第2条第16号に規定する資本金等の額によるものであり、これらの具体的な算定については、法人税の例によるものであるが、会社法に規定する剰余金を同法の規定により資本金とした場合又は同法に規定する資本金を同法の規定により損失の塡補に充てた場合などについてはこの限りではないこと。また、外国法人の各事業年度の資本金等の額については、当該事業年度終了の日の電信売買相場の仲値により換算した円換算額によるものであること。なお、電信売買相場の仲値は、原則として、その法人の主たる取引金融機関のものによることとするが、その法人が、同一の方法により入手等をした合理的なものを継続して使用している場合には、これによることを認めるものであること。（県通3－4の6の1）

  （外国法人の資本金等の額の算定手順）
（3） 外国法人の資本金等の額の算定については、次に掲げる順序により行うこと。（県通3－4の6の4）
 （一） 外国の事業以外の事業に係る資本金等の額の算定
 （二） 収入金額課税事業又は非課税事業以外の事業に係る資本金等の額の算定
 （三） （一）及び（二）の計算の結果が1,000億円を超えている場合における資本金等の額の算定
 （四） 所得等課税事業、収入金額等課税事業及び特定ガス供給業のうち2以上の事業を併せて行う法人のそれぞれの事業に係る資本金等の額の算定

⑤ **非課税事業等を行う法人の資本割の課税標準**
 第一節二の1《課税団体及び納税義務者》の表の（一）、（三）又は（四）に掲げる事業〘その他の事業〙と同（二）に掲げる事業《電気供給業その他》とを併せて行う内国法人に係る①及び①の（1）の規定の適用については、①中「減算した金額との合計額」とあるのは「減算した金額との合計額に、当該内国法人の法の施行地内に有する事務所又は事業所及び法の

第二編第五章《法人の事業税》第二節《課税標準及び税率等（資本割の課税標準）》

施行地外に有する三の５の（１）に規定する場所（以下⑤及び⑤の（１）において「外国の事務所又は事業所」という。）の従業者（事務所又は事業所に使用される者で賃金を支払われるものをいう。以下⑤及び⑤の（１）において同じ。）のうち第一節二の１の表の（一）、（三）又は（四）に掲げる事業に係る者の合計数を乗じて得た額を当該内国法人の法の施行地内に有する事務所又は事業所及び外国の事務所又は事業所の従業者の合計数で除して計算した金額」と、第一節二の１の（１）中「とする」とあるのは「に、当該内国法人の法の施行地内に有する事務所又は事業所及び外国の事務所又は事業所の従業者のうち第一節二の１の表の（一）、（三）又は（四）に掲げる事業に係る者の合計数を乗じて得た額を当該内国法人の法の施行地内に有する事務所又は事業所及び外国の事務所又は事業所の従業者の合計数で除して計算した金額とする」とする。（令20の２の26①）

- （注１） 三の５の（４）から（６）の規定は、⑤の規定により読み替えられた四の①又は同①の（１）の規定の適用がある場合における四の①又は同①の（１）の事務所又は事業所の従業者の数について準用する。（令20の２の26②）
- （注２） ⑤から（５）中＿＿＿部分「令20の２の26」を「令20の２の27」に改める令和６年度改正規定は、令和７年４月１日以後適用する。（令６政令第137号附１）

（非課税事業を併せて行う内国法人の課税標準）
（１） 事業税を課されない事業とその他の事業（第一節二の１の表の（一）、（三）及び（四）に掲げる事業に限る。以下（１）において同じ。）とを併せて行う内国法人の資本割の課税標準は、当該内国法人の資本金等の額（①の（５）又は③の規定により控除すべき金額があるときは、これらを控除した後の金額とする。）に当該内国法人の法の施行地内に有する事務所又は事業所の従業者のうち当該その他の事業に係る者の数を乗じて得た額を当該内国法人の法の施行地内に有する事務所又は事業所の従業者の数で除して計算した金額とする。（令20の２の26③）

（非課税事業又は電気供給業等の事業を併せて行う外国法人の課税標準）
（２） 事業税を課されない事業又は第一節二の１の表の（二）に掲げる事業とこれらの事業以外の事業（同（一）、（三）及び（四）に掲げる事業に限る。以下（２）において「その他の事業」という。）とを併せて行う外国法人の資本割の課税標準は、当該外国法人の資本金等の額（④の規定により控除すべき金額があるときは、これらを控除した後の金額とする。）に当該外国法人の恒久的施設の従業者のうち当該その他の事業に係る者の数を乗じて得た額を当該外国法人の恒久的施設の従業者の数で除して計算した金額とする。（令20の２の26④）

（非課税事業等を併せて行う法人の資本金等の額が一定額を超える場合の特例の適用）
（３） （１）の内国法人又は（２）の外国法人に係る①の（８）の規定の適用については、同（８）中「金額とする」とあるのは、「金額とし、⑤の（１）又は（２）の規定の適用があるときは、これらの規定を適用した後の金額とする」とする。（令20の２の26⑤）

（小売電気事業等と他の事業を併せて行う内国法人の課税標準）
（４） 第一節二の１の表の（一）に掲げる事業（事業税を課されない事業を除く。（５）において同じ。）、同（三）に掲げる事業及び同（四）に掲げる事業のうち２以上の事業を併せて行う内国法人のそれぞれの事業に係る資本割の課税標準は、当該内国法人の資本金等の額（①の（５）又は③の規定により控除すべき金額があるときは、これらを控除した後の金額とし、①の（８）の規定又は（１）の規定の適用があるときは、これらの規定を適用した後の金額とする。）を当該内国法人の法の施行地内に有する事務所又は事業所の従業者のうちそれぞれの事業に係る者の数で按分して計算した金額とする。（令20の２の26⑥）

（小売電気事業等と他の事業を併せて行う外国法人の課税標準）
（５） 第一節二の１の表の（一）に掲げる事業、同（三）に掲げる事業及び同（四）に掲げる事業のうち２以上の事業を併せて行う外国法人のそれぞれの事業に係る資本割の課税標準は、当該外国法人の資本金等の額（④の規定により控除すべき金額があるときは、これを控除した後の金額とし、①の（８）の規定又は（２）の規定の適用があるときは、これらの規定を適用した後の金額とする。）を当該外国法人の恒久的施設の従業者のうちそれぞれの事業に係る者の数で按分して計算した金額とする。（令20の２の26⑦）
- （注） 三の５の（４）から同（６）までの規定は、（１）、（２）又は（４）、（５）の規定の適用がある場合における（１）及び（４）の事務所又は事業所並びに（２）及び（５）の恒久的施設の従業者の数について準用する。（令20の２の26⑧）

（従業者数の算定基準）
（６） 非課税事業、所得等課税事業、収入金額課税事業又は特定ガス供給業のうち複数の事業を併せて行う法人の資本

金等の額の按分の基準となる従業者数については、以下の取扱いによるものであること。（県通３－４の６の10）
（一）　従業者とは、当該法人の事務所等に使用される役員又は使用人であり、原則として、当該法人から報酬、給料、賃金、賞与、退職手当その他これらの性質を有する給与を支払われるものをいうものであること。したがって、非常勤役員、契約社員、パートタイマー、アルバイト又は臨時雇いその他名称を問わず、原則として雇用関係又はこれに準ずる関係に基づき労務の提供を行う者の全てが含まれるものであること。
（二）　（一）にかかわらず、次に掲げる者については、それぞれ次に掲げる法人の従業者として取り扱うものとすること。
　　ア　派遣労働者等（派遣労働者又は派遣船員をいい、イに掲げる者を除く。）　　　派遣先法人
　　イ　派遣元法人の業務にも従事する派遣労働者等　　　派遣先法人及び派遣元法人
　　ウ　法人（出向先法人）の業務に従事するため、他の法人（出向元法人）から出向している従業者（エに掲げる者を除く。）　　　当該法人
　　エ　法人（出向先法人）の業務に従事するため、他の法人（出向元法人）から出向している従業者で、当該他の法人の業務にも従事するもの　　　当該法人及び当該他の法人
　　オ　三の１の①の(10)なお書により注文者である法人との間の雇用関係又はこれに準ずる関係があると認められた仕事を請け負った法人の使用人　　　当該注文者である法人
（三）　（一）及び（二）にかかわらず、次に掲げる者については、当該法人の従業者として取り扱わないものとすること。
　　ア　その勤務すべき施設が事務所等に該当しない場合の当該施設の従業者（例えば常時船舶の乗組員である者、現場作業所等の従業者）
　　イ　病気欠勤者又は組合専従者等連続して１月以上の期間にわたってその本来勤務すべき事務所等に勤務しない者
（四）　従業者数は、事業年度終了の日（仮決算による中間申告の場合には、６月経過日の前日）現在におけるそれぞれの事業の従業者数をいうものであり、第五節一の３の②の表の（一）ただし書のような計算は行わないものであること。
　　ただし、次に掲げる場合には、当該事業年度に属する各月の末日現在における所得等課税事業、収入金額等課税事業又は特定ガス供給業（以下（四）及び（六）において「所得等課税事業等」という。）の従業者数を合計した数を当該事業年度の月数で除して得た数（その数に１人に満たない端数を生じたときは、これを１人とする。以下同じ。）を、当該得た数と当該事業年度に属する各月の末日現在における非課税事業等の従業者数を合計した数を当該事業年度の月数で除して得た数とを合計した数で除して得た値で按分し、所得等課税事業等に係る資本金等の額とすること。
　　ア　所得等課税事業等を行う法人が事業年度の中途において非課税事業等を開始した場合
　　イ　非課税事業等を行う法人が事業年度の中途において所得等課税事業等を開始した場合
　　ウ　非課税事業等と所得等課税事業等とを併せて行う法人が事業年度の中途において非課税事業等又は所得等課税事業等を廃止した場合
　　また、次に掲げる場合には、それぞれの事業について、当該事業年度に属する各月の末日現在における当該事業の従業者数を合計した数を当該事業年度の月数で除して得た数を、当該得た数と当該事業年度に属する各月の末日現在におけるその他の事業（非課税事業を除く。）の従業者数を合計した数を当該事業年度の月数で除して得た数とを合計した数で除して得た値で按分し、それぞれの事業に係る資本金等の額とすること。
　　ア　所得等課税事業を行う法人が事業年度の中途において収入金額等課税事業又は特定ガス供給業を開始した場合
　　イ　収入金額等課税事業を行う法人が事業年度の中途において所得等課税事業又は特定ガス供給業を開始した場合
　　ウ　特定ガス供給業を行う法人が事業年度の中途において所得等課税事業又は収入金額等課税事業を開始した場合
　　エ　所得等課税事業、収入金額等課税事業及び特定ガス供給業のうち２以上の事業を併せて行う法人が事業年度の中途においていずれかの事業を廃止した場合
（五）　（四）の月数は、暦に従って計算し、１月に満たない端数を生じたときは、これを１月とすること。
（六）　それぞれの事業に区分することが困難な従業者の数については、所得等課税事業等の付加価値額及び所得の算定に用いた最も妥当と認められる基準により按分するものとすること。
　　この場合において、それぞれの事業の従業者数についてその数に１人に満たない端数を生じた場合には、これを１人とするものであること。

五　所得割の課税標準の計算

1　法人税の例による所得の計算

　一の表の(三)の各事業年度の所得は、次の各号に掲げる法人の区分に応じ、それぞれ当該各号に定めるところにより算定するものとする。(法72の23①)

(一)	内国法人	各事業年度の益金の額から損金の額を控除した金額によるものとし、この法律又は政令で特別の定めをする場合を除くほか、当該各事業年度の法人税の課税標準である所得の計算の例により算定する。
(二)	外国法人	各事業年度の法人税法第141条第1号イに掲げる国内源泉所得に係る所得の金額及び同号ロに掲げる国内源泉所得に係る所得の金額の合算額によるものとし、この法律又は政令で特別の定めをする場合を除くほか、当該各事業年度の法人税の課税標準である同号イに掲げる国内源泉所得に係る所得及び同号ロに掲げる国内源泉所得に係る所得の計算の例により算定する。

(注)　1の規定により法人の事業税の課税標準である各事業年度の所得を算定する場合には、所得税法等改正法附則第20条第3項、第4項、第8項及び第13項並びに第21条第2項、第4項及び第6項の規定の例によらないものとし、次の表の左欄に掲げる所得税法等改正法の規定中同表の中欄に掲げる字句は、それぞれ同表の右欄に掲げる字句として、これらの規定の例によるものとする。(令2政令第264号附4④)

附則第20条第1項	各連結事業年度	各事業年度
	連結欠損金個別帰属額(旧法人税法第81条の9第6項に規定する連結欠損金個別帰属額	個別欠損金額(地方税法等の一部を改正する法律(令和2年法律第5号)附則第1条第5号に掲げる規定による改正前の地方税法(昭和25年法律第226号)第72条の23第4項に規定する個別欠損金額
	以下この条及び次条において	以下
	当該連結欠損金個別帰属額	当該個別欠損金額
	生じた連結事業年度開始の日(附則第29条第1項の規定の適用を受けた場合には、当該連結事業年度終了の日)の属する当該内国法人の	生じた
附則第20条第2項	各連結事業年度	各事業年度
	連結欠損金個別帰属額を同項に規定する前10年内事業年度	個別欠損金額を当該各事業年度
	、当該連結欠損金個別帰属額が生じた連結事業年度を当該被合併法人又は他の内国法人の事業年度とみなして	みなして
附則第20条第5項	第1項又は前項	地方税法施行令の一部を改正する政令(令和2年政令第264号。以下「地方税法施行令改正令」という。)附則第4条第4項の規定により読み替えられた第1項
	この項又は	この項又は地方税法施行令の一部を改正する政令(令和2年政令第264号)附則第4条第4項の規定により読み替えられた
	「令和2年改正法	「読替え後の令和2年改正法
	」と、「第9項又は」とあるのは「第9項若しくは」と、「)の規定」とあるのは「)又は令和2年改正法附則第20条第4項の規定」と	」と
	(第2項又は令和2年改正法	(第2項又は読替え後の令和2年改正法
	」と、「又は第58条第1項」とあるのは「若しくは第58条第1項又は令和2年改正法附則第20条第4項」と、同条第6項及び第7項第1号中「第2項」とあるのは「第2項又は令和2年改正法附則第20条第1項」と、同条第8項第1号中「第2項」とあるのは「第2項又は令和2年改正法附則第20条第1項」と、「又は次項」とあるのは「若しくは次項又は同条第4項」と	」と
	令和2年改正法附則第20条第1項」とする	読替え後の令和2年改正法附則第20条第1項」とする
附則第20条第6項	第1項の規定により	地方税法施行令改正令附則第4条第4項の規定により読み替えられた第1項の規定により

第二編第五章《法人の事業税》第二節《課税標準及び税率等（所得割の課税標準等）》

	もの又は第2項	もの又は同条第4項の規定により読み替えられた第2項
	連結事業年度又は第2項	連結事業年度又は地方税法施行令改正令附則第4条第4項の規定により読み替えられた第2項
	同条第2項	新法人税法第57条第2項
附則第20条第7項	各連結事業年度	各事業年度
	連結事業年度に	事業年度に
	連結欠損金個別帰属額	個別欠損金額
	生じた連結事業年度終了の日（附則第29条第2項の規定の適用を受けた場合には、当該連結事業年度開始の日）の属する当該内国法人の	生じた
附則第20条第9項	前二項	地方税法施行令改正令附則第4条第4項の規定により読み替えられた第7項
	平成27年旧法人税法第57条第2項から第4項まで、第8項及び第10項	平成27年旧法人税法第57条第10項
	第7項	地方税法施行令改正令附則第4条第4項の規定により読み替えられた第7項
	同条第6項	平成27年旧法人税法第57条第6項
	金額と、前項の規定によりないものとされた欠損金額は同条第9項の規定によりないものとされた欠損金額と、それぞれ	金額と
附則第20条第10項	新法人税法第57条第6項から第9項まで	新法人税法第57条第9項
	、同条第6項中「第1項の」とあるのは「所得税法等の一部を改正する法律（平成27年法律第9号）附則第27条第1項（青色申告書を提出した事業年度の欠損金の繰越し等に関する経過措置）の規定によりなお従前の例によることとされる場合における同法第2条の規定による改正前の法人税法（以下「平成27年旧法人税法」という。）第57条第1項（青色申告書を提出した事業年度の欠損金の繰越し）の」と、「第2項」とあるのは「同条第2項若しくは第6項又は所得税法等の一部を改正する法律（令和2年法律第8号。以下「令和2年改正法」という。）附則第20条第7項（欠損金の繰越しに関する経過措置）」と、同条第7項中「、第2項」とあるのは「、平成27年旧法人税法第57条第2項」と、同項第1号中「前10年内事業年度」とあるのは「平成27年旧法人税法第57条第2項に規定する前9年内事業年度」と、「第2項」とあるのは「同項若しくは同条第6項又は令和2年改正法附則第20条第7項」と、同条第8項中「おける第1項」とあるのは「おける平成27年旧法人税法第57条第1項」と、同項第1号中「通算前10年内事業年度」とあるのは「通算前9年内事業年度」と、「10年以内」とあるのは「9年以内」と、「第2項」とあるのは「平成27年旧法人税法第57条第2項若しくは第6項又は令和2年改正法附則第20条第7項」と、「、第1項」とあるのは「、平成27年旧法人税法第57条第1項」と、「第4項から第6項まで」とあるのは「同条第4項、第5項若しくは第9項の規定、第6項」と、「又は第58条第1項」とあるのは「の規定又は令和2年改正法附則第20条第8項」と、同項第2号中「通算前10年内事業年度」とあるのは「通算前9年内事業年度」と、同条第9項中	、同項中
	令和2年改正法附則第20条第7項」とする	読替え後の令和2年改正法附則第20条第7項」とする
附則第21条第1項	には、	には、地方税法施行令改正令附則第4条第4項の規定により読み替えられた
附則第21条第3項	（前項の規定により欠損等法人とみなされたものを含む。以下この項及び第5項において同じ。）と他の	と他の
	（旧法人税法第81条の10第1項に規定する該当日を含む。）以後	以後
	連結事業年度以前の各連結事業年度	事業年度以前の各事業年度
	連結欠損金個別帰属額	個別欠損金額

第二編第五章《法人の事業税》第二節《課税標準及び税率等（所得割の課税標準等）》

	適用連結事業年度（旧法人税法第81条の10第1項		適用事業年度（新法人税法第57条の2第1項
	適用連結事業年度を		適用事業年度を
	特定支配日		支配日
	生じた連結事業年度		生じた事業年度
	当該適用連結事業年度		当該適用事業年度
	前条第2項		地方税法施行令改正令附則第4条第4項の規定により読み替えられた前条第2項
附則第21条第5項	連結事業年度以前の各連結事業年度		事業年度以前の各事業年度
	連結欠損金個別帰属額		個別欠損金額
	生じた連結事業年度		生じた事業年度
	適用連結事業年度		適用事業年度
	前条第2項		地方税法施行令改正令附則第4条第4項の規定により読み替えられた前条第2項
附則第21条第7項	欠損等連結法人		欠損等法人
	適用連結事業年度前の各連結事業年度		適用事業年度前の各事業年度
	連結欠損金個別帰属額		個別欠損金額
	前条第2項		地方税法施行令改正令附則第4条第4項の規定により読み替えられた前条第2項
附則第23条	連結事業年度において生じた旧法人税法第81条の18第1項に規定する個別欠損金額（当該連結事業年度に連結欠損金額（旧法人税法第2条第19号の2に規定する連結欠損金額をいう。以下この条及び附則第35条第2項第2号イにおいて同じ。）が生じた場合には、当該連結欠損金額のうち新法人税法第59条第1項から第4項までの内国法人に帰せられる金額を加算した金額）		個別欠損金額

（社会保険診療につき支払を受けた金額等の取扱い）
（1） 1の規定により一の表の(三)の各事業年度の所得を算定する場合には、法人税法<u>第27条、</u>第57条第6項から第8項まで、第59条第5項、第62条の5第5項、第64条の5、第64条の7及び第64条の8並びに租税特別措置法第55条（同条第1項及び第8項に規定する特定株式等で政令で定めるものに係る部分を除く。）の規定の例によらないものとし、医療法人又は医療施設（政令で定めるものを除く。）に係る事業を行う農業協同組合連合会（特定農業協同組合連合会を除く。）が社会保険診療につき支払を受けた金額は、益金の額に算入せず、また、当該社会保険診療に係る経費は、損金の額に算入しない。（法72の23②）

　　（注）　（1）中___部分を加える令和6年度改正規定は、令和6年4月1日以後に終了する事業年度に係る法人の事業税について適用し、同日前に終了した事業年度に係る法人の事業税については、なお従前の例による。（令6改法附1、6②）

（繰越欠損金の損金算入の特例等）
（2） 1の規定により法人の事業税の課税標準である各事業年度の所得を算定する場合には、法人税法施行令第112条の2第6項から第8項の規定の例によらないものとし、次の表の第一欄に掲げる法令の同表の第二欄に掲げる規定中同表の第三欄に掲げる字句は、それぞれ同表の第四欄に掲げる字句として、これらの規定の例によるものとする。（令20の3①）

第一欄	第二欄	第三欄	第四欄
法人税法	第57条第11項第1号イ	もの及び同条第6項に規定する大通算法人	もの
		及び同項に規定する大通算法人を除く	を除く
	第57条第11項第3号	及び当該内国法人が通算法人である場合において他の通算法人のいずれかの当該各事業年度終了の日の属する事業年度が当該他の通算法人の設立の日として政令で定める日から同日以後7年を経過する日までの期間内の日の属する事業年度でないときにおける当該内国法人並びに	及び

| 法人税法施行令 | 第113条の2第7項 | （当該内国法人が通算法人である場合には、他の通算法人を含む。）に係る | に係る |
| | 第113条の3第6項 | 並びに当該法人が通算法人である場合における他の通算法人（第24条の3《資産の評価益の計上ができない株式の発行法人等から除外される通算法人》に規定する初年度離脱通算子法人及び通算親法人を除く。）の株式又は出資を除く | を除く |

（益金及び損金の意義）
（3） 益金とは、法令により別段の定めのあるもののほか、資本等取引以外において、純資産増加の原因となるべき一切の事実をいい、損金とは、法令により別段の定めのあるもののほか、資本等取引以外において純資産減少の原因となるべき一切の事実をいうものであること。（県通3－4の7の1）

（青色申告の取消しに基づく更正等）
（4） 各事業年度の所得の算定については、法令に特別の定めがある場合を除くほか、法人税の課税標準である所得の計算の例又は法人税の課税標準である連結所得に係る個別所得金額の計算の例によること。なお、法人税法の規定による青色申告書を提出する法人の所得の算定も法人税の所得の計算の例によるものであるから青色申告書の提出が取り消された場合において、これに基づいて国の税務官署の更正又は決定が行われるときは、これを基準としてその所得を更正又は決定するものであること。（県通3－4の7の3）

2　法人税の所得計算の例によらないもの

① 法人税における特別措置の不適用
各事業年度の所得を算定する場合には、1にかかわらず次に掲げる規定の例によらないものとする。（法72の23②）

(一)	<u>法人税法第27条《中間申告における繰戻しによる還付に係る災害損失欠損金額の益金算入》</u>
(二)	法人税法第57条《欠損金の繰越し》第6項、第7項及び第8項
(三)	法人税法第59条《会社更生等による債務免除等があった場合の欠損金の損金算入》第5項
(四)	法人税法第62条の5《現物分配による資産の譲渡》第5項
(五)	法人税法第64条の5《損益通算》
(六)	法人税法第64条の7《欠損金の通算》
(七)	法人税法第64条の8《通算法人の合併等があった場合の欠損金の損金算入》
(八)	租税特別措置法第55条《海外投資等損失準備金》（同条第1項及び第8項に規定する特定株式等で政令で定めるものに係る部分を除く。） 　　　（特定株式等） 　注　1の(1)に規定する租税特別措置法第55条第1項及び第8項に規定する特定株式等で政令で定めるものは、同条第1項及び第8項に規定する特定株式等（以下注において「特定株式等」という。）のうち法の施行地において行う資源開発事業等に係る部分として総務省令で定めるところにより算定した額に相当する価額の特定株式等とする。（令21の6） 　　　上記の総務省令で定めるところにより算定した額は、特定株式等について、それぞれ当該法人別に次に掲げるところにより算定した額の合計額とする。（規4） 　　（イ）　資源開発事業法人（三の4(5)イ参照）の特定株式等　当該特定株式等の取得価額に当該資源開発事業法人の資源開発事業等（同上）に係る事業費に対する国内における当該事業費の割合を乗じて得た額 　　（ロ）　資源開発投資法人（同上）の特定株式等　当該特定株式等の取得価額に当該資源開発投資法人及び当該資源開発投資法人（その法人から出資又は長期の資金の貸付（以下「投融資」という。）を受けている資源開発投資法人を含む。）から投融資を受けている資源開発事業法人の資源開発事業等（当該資源開発事業法人の行う資源の探鉱、開発又は採取の事業に付随して行われる事業を営む法人の当該付随して行われる事業を

第二編第五章《法人の事業税》第二節《課税標準及び税率等（所得割の課税標準等）》

	含む。）に係る事業費に対する国内における当該事業費の割合を乗じて得た額 （注）　注中＿＿部分「令21の6」を「令21の7」に改める令和6年度改正規定は、令和7年4月1日以後適用する。（令6政令第137号附1）

　（注）　①中＿＿部分を加える令和6年度改正規定は、令和6年4月1日以後に終了する事業年度に係る法人の事業税について適用し、同日前に終了した事業年度に係る法人の事業税については、なお従前の例による。（令6改法附1、6②）

②　医療法人等の社会保険診療報酬等に係る所得の課税除外

　医療法人又は医療施設（政令で定めるものを除く。）に係る事業を行う農業協同組合連合会（特定農業協同組合連合会〘第一節五の4の表の(五)参照〙を除く。）が社会保険診療（次に掲げる給付又は医療、介護、助産若しくはサービスをいう。以下同じ。）につき支払を受けた金額は、益金の額〘三の4参照〙に算入せず、また、当該社会保険診療に係る経費は、損金の額〘同上〙に算入しない。（法72の23②③）

(一)	健康保険法、国民健康保険法、高齢者の医療の確保に関する法律、船員保険法、国家公務員共済組合法（防衛省の職員の給与等に関する法律第22条第1項《療養等》においてその例によるものとされる場合を含む。以下(一)において同じ。）、地方公務員等共済組合法、私立学校教職員共済法、戦傷病者特別援護法、母子保健法、児童福祉法又は原子爆弾被爆者に対する援護に関する法律の規定に基づく療養の給付（健康保険法、国民健康保険法、高齢者の医療の確保に関する法律、船員保険法、国家公務員共済組合法、地方公務員等共済組合法若しくは私立学校教職員共済法の規定により入院時食事療養費、入院時生活療養費、保険外併用療養費、家族療養費若しくは特別療養費（国民健康保険法第54条の3第1項又は高齢者の医療の確保に関する法律第82条第1項に規定する特別療養費をいう。以下(一)において同じ。）を支給することとされる被保険者、組合員若しくは加入者若しくは被扶養者に係る療養のうち当該入院時食事療養費、入院時生活療養費、保険外併用療養費、家族療養費若しくは特別療養費の額の算定に係る当該療養に要する費用の額としてこれらの法律の規定により定める金額に相当する部分（特別療養費に係る当該部分にあっては、当該部分であることにつき総務省令で定めるところにより証明がされたものに限る。）又はこれらの法律の規定により訪問看護療養費若しくは家族訪問看護療養費を支給することとされる被保険者、組合員若しくは加入者若しくは被扶養者に係る指定訪問看護を含む。）、更生医療の給付、養育医療の給付、療育の給付若しくは医療の給付
(二)	生活保護法の規定に基づく医療扶助のための医療、介護扶助のための介護（同法第15条の2第1項第1号に掲げる居宅介護のうち同条第2項に規定する訪問看護、訪問リハビリテーション、居宅療養管理指導、通所リハビリテーション若しくは短期入所療養介護、同条第1項第5号に掲げる介護予防のうち同条第5項に規定する介護予防訪問看護、介護予防訪問リハビリテーション、介護予防居宅療養管理指導、介護予防通所リハビリテーション若しくは介護予防短期入所療養介護又は同条第1項第4号に掲げる施設介護のうち同条第4項に規定する介護保健施設サービス若しくは介護医療院サービスに限る。）若しくは出産扶助のための助産又は中国残留邦人等の円滑な帰国の促進及び永住帰国後の自立の支援に関する法律の規定（中国残留邦人等の円滑な帰国の促進及び永住帰国後の自立の支援に関する法律の一部を改正する法律（平成19年法律第127号）附則第4条第2項において準用する場合を含む。）に基づく医療支援給付のための医療その他の支援給付に係る政令で定める給付若しくは医療、介護、助産若しくはサービス
(三)	精神保健及び精神障害者福祉に関する法律、麻薬及び向精神薬取締法、感染症の予防及び感染症の患者に対する医療に関する法律又は心神喪失等の状態で重大な他害行為を行った者の医療及び観察等に関する法律の規定に基づく医療
(四)	介護保険法の規定により居宅介護サービス費を支給することとされる被保険者に係る指定居宅サービス（訪問看護、訪問リハビリテーション、居宅療養管理指導、通所リハビリテーション又は短期入所療養介護に限る。）のうち当該居宅介護サービス費の額の算定に係る当該指定居宅サービスに要する費用の額として同法の規定により定める金額に相当する部分、同法の規定により介護予防サービス費を支給することとされる被保険者に係る指定介護予防サービス（介護予防訪問介護、介護予防訪問リハビリテーション、介護予防居宅療養管理指導、介護予防通所リハビリテーション又は介護予防短期入所療養介護に限る。）のうち当該介護予防サービス費の額の算定に係る当該指定介護予防サービスに要する費用の額として同法の規定により定める金額に相当する部分又は同法の規定により施設介護サービス費を支給することとされる被保険者に係る介護保健施設サービス若しくは介護医療院サービスのうち当該施設介護サービス費の額の算定に係る当該介護保健施設サービス若しくは介護医療院サービスに要する費用の額として同法の規定により定める金額に相当する部分

(五)	障害者の日常生活及び社会生活を総合的に支援するための法律（平成17年法律第123号）の規定により自立支援医療費を支給することとされる支給認定に係る障害者等に係る指定自立支援医療のうち当該自立支援医療費の額の算定に係る当該指定自立支援医療に要する費用の額として同法の規定により定める金額に相当する部分若しくは同法の規定により療養介護医療費を支給することとされる支給決定に係る障害者に係る指定療養介護医療（療養介護に係る指定障害福祉サービス事業者等から提供を受ける療養介護医療をいう。）のうち当該療養介護医療費の額の算定に係る当該指定療養介護医療に要する費用の額として同法の規定により定める金額に相当する部分又は児童福祉法の規定により肢体不自由児通所医療費を支給することとされる通所給付決定に係る障害児に係る肢体不自由児通所医療のうち当該肢体不自由児通所医療費の額の算定に係る当該肢体不自由児通所医療に要する費用の額として同法の規定により定める金額に相当する部分若しくは同法の規定により障害児入所医療費を支給することとされる入所給付決定に係る障害児に係る障害児入所医療のうち当該障害児入所医療費の額の算定に係る当該障害児入所医療に要する費用の額として同法の規定により定める金額に相当する部分
(六)	難病の患者に対する医療等に関する法律（平成26年法律第50号）の規定により特定医療費を支給することとされる支給認定を受けた指定難病の患者に係る指定特定医療のうち当該特定医療費の額の算定に係る当該指定特定医療に要する費用の額として同法の規定により定める金額に相当する部分又は児童福祉法の規定により小児慢性特定疾病医療費を支給することとされる医療費支給認定に係る小児慢性特定疾病児童等に係る指定小児慢性特定疾病医療支援のうち当該小児慢性特定疾病医療費の額の算定に係る当該指定小児慢性特定疾病医療支援に要する費用の額として同法の規定により定める金額に相当する部分

　　　　（政令で定める医療施設）
（1）　1の(注)に規定する政令で定めるものは、農業協同組合連合会が設置した医療施設のうち、その支払を受ける1の(注)に規定する金額の当該医療施設に係る医療に関する収入金額中に占める割合がおおむね常時10分の3以下であるものとして道府県知事が認めた医療施設その他総務省令で定める医療施設とする。（令21の7）
　　　（注1）「総務省令で定める医療施設」については、規定されていない。（編者）
　　　（注2）（1）中＿＿＿部分「令21の7」を「令21の8」に改める令和6年度改正規定は、令和7年4月1日以後適用する。（令6政令第137号附1）

　　　　（総務省令で定めるところにより証明がされた特別療養費に係る部分）
（2）　②の(一)に規定する総務省令で定めるところにより証明がされた特別療養費に係る部分は、当該部分が同(一)に規定する療養に要する費用の額として同(一)に規定する法律の規定により定める金額に相当する部分であることにつき保険者の国民健康保険法施行規則第27条の6第4項の規定による通知により証明がされた同(一)に規定する特別療養費に係る部分とする。（規4の2）

　　　　（政令で定める給付等）
（3）　②の(二)に規定する政令で定める給付又は医療、介護、助産若しくはサービスは、中国残留邦人等の円滑な帰国の促進及び永住帰国後の自立の支援に関する法律（以下(3)において「支援法」という。）の規定（中国残留邦人等の円滑な帰国の促進及び永住帰国後の自立の支援に関する法律の一部を改正する法律（平成19年法律第127号）附則第4条第2項において準用する場合を含む。）に基づく医療支援給付のための医療、介護支援給付のための介護（支援法第14条第4項の規定によりその例によることとされる生活保護法の規定に基づく介護扶助のための介護（②の(二)に規定する生活保護法の規定に基づく介護扶助のための介護をいう。）に係るものに限る。）又は出産支援給付（中国残留邦人等の円滑な帰国の促進及び永住帰国後の自立の支援に関する法律施行令第20条に規定する出産支援給付をいう。）のための助産とする。（令21の8）
　　　（注）（3）中＿＿＿部分「令21の8」を「令21の9」に改める令和6年度改正規定は、令和7年4月1日以後適用する。（令6政令第137号附1）

　　　　（留意事項）
（4）　②の規定による医療法人又は医療施設に係る事業を行う農業協同組合連合会（特定農業協同組合連合会を除く。）の所得の算定については、次の諸点に留意すること。（県通3-4の7の5）
　　（一）「療養の給付、更生医療の給付、養育医療の給付、療育の給付又は医療の給付」とは、それぞれ次に掲げるものをいうものであること。
　　　イ　健康保険法の場合にあっては、同法第3章に規定する被保険者の疾病又は負傷に関して保険者が給付する同法

第63条第1項各号に掲げる給付及び同法第3条に規定する日雇特例保険者の疾病又は負傷に関して同法第129条において準用する同法第63条第1項各号に掲げる給付
ロ 国民健康保険法の場合にあっては、同法第5条及び第19条並びに国民健康保険法施行法第44条に規定する被保険者の疾病又は負傷に関して保険者が給付する国民健康保険法第36条第1項各号に掲げる療養の給付
ハ 高齢者の医療の確保に関する法律の場合にあっては、同法第4章第2節に規定する被保険者の疾病又は負傷に関して保険者が給付する同法第64条第1項各号に掲げる療養の給付
ニ 船員保険法の場合にあっては、同法第3章に規定する被保険者の疾病又は負傷に対し同法第28条第1項各号に掲げる療養の給付
ホ 国家公務員共済組合法の場合にあっては、同法第3章に規定する組合員の疾病又は負傷に関して組合が給付する同法第54条第1項各号に掲げる療養の給付（防衛庁の職員の給与等に関する法律第22条第1項においてその例による場合の療養の給付を含む。）
ヘ 地方公務員等共済組合法の場合にあっては、同法第3章に規定する組合員の疾病又は負傷に関して組合が給付する同法第56条第1項各号に掲げる療養の給付
ト 私立学校教職員共済法の場合にあっては、同法第4章に規定する加入者の疾病又は負傷に関して事業団（日本私立学校振興・共済事業団をいう。以下（4）において同じ。）が給付する同法第20条の規定による療養の給付
チ 戦傷病者特別援護法の場合にあっては、同法第10条の規定に基づく療養の給付及び同法第20条の規定に基づく更生医療の給付
リ 母子保健法の場合にあっては、同法第20条の規定に基づく養育医療の給付
ヌ 児童福祉法の場合にあっては、同法第20条の規定に基づく療育の給付
ル 原子爆弾被爆者に対する援護に関する法律の場合にあっては、同法第10条の被爆者に対する医療の給付

（二） 健康保険法第85条、国民健康保険法第52条、高齢者の医療の確保に関する法律第74条、船員保険法第61条、国家公務員共済組合法第55条の3、地方公務員等共済組合法第57条の3又は私立学校教職員共済法第20条の規定によって支給し、負担し、又は支払うべき入院時食事療養費は、保険者、組合又は事業団が支給し、又は支払うべきものに限らず、当該療養に要する費用の額としてこれらの規定により定める金額のうち、当該被保険者、組合員又は加入者が負担する標準負担額を加えたその金額が課税標準算定上の特例の適用を受けるものであること。

（三） 健康保険法第85条の2、国民健康保険法第52条の2、高齢者の医療の確保に関する法律第75条、船員保険法第62条、国家公務員共済組合法第55条の4、地方公務員等共済組合法第57条の4又は私立学校教職員共済法第20条の規定によって支給し、負担し、又は支払うべき入院時生活療養費は、保険者、組合又は事業団が支給し、又は支払うべきものに限らず、当該療養に要する費用の額としてこれらの規定により定める金額のうち、当該被保険者、組合員又は加入者が負担する標準負担額を加えたその金額が課税標準算定上の特例の適用を受けるものであること。

（四） 健康保険法第86条、国民健康保険法第53条、高齢者の医療の確保に関する法律第76条、船員保険法第63条、国家公務員共済組合法第55条の5、地方公務員等共済組合法第57条の5又は私立学校教職員共済法第20条の規定によって支給し、負担し、又は支払うべき保険外併用療養費は、保険者、組合又は事業団が支給し、又は支払うべきものに限らず、当該療養に要する費用の額としてこれらの規定により定める金額のうち、当該被保険者、組合員又は加入者が負担する療養費の額を加えたその金額が課税標準算定上の特例の適用を受けるものであること。

（五） 健康保険法第88条、国民健康保険法第54条の2、高齢者の医療の確保に関する法律第78条、船員保険法第65条ノ4、国家公務員共済組合法第56条の2、地方公務員等共済組合法第58条の2又は私立学校教職員共済法第20条の規定によって支給し、負担し、又は支払うべき訪問看護療養費は、保険者、組合又は事業団が支給し、又は支払うべきものに限らず、当該療養に要する費用の額としてこれらの規定により定める金額のうち、当該被保険者、組合員又は加入者が負担する療養費の額を加えたその金額が課税標準算定上の特例の適用を受けるものであること。

（六） 健康保険法第110条、船員保険法第76条、国家公務員共済組合法第57条、地方公務員等共済組合法第59条又は私立学校教職員共済法第20条の規定によって支給し、負担し、又は支払うべき家族療養費は、保険者、組合又は事業団が支給し、又は支払うべきものに限らず、当該被保険者、組合員又は加入者が負担する療養費の額をも加えたその金額が課税標準算定上の特例の適用を受けるものであること。

（七） 健康保険法第111条、船員保険法第78条、国家公務員共済組合法第57条の3、地方公務員等共済組合法第59条の3又は私立学校教職員共済法第20条の規定によって支給し、負担し、又は支払うべき家族訪問看護療養費は、保険者、組合又は事業団が支給し、又は支払うべきものに限らず、当該療養に要する費用の額としてこれらの規定により定める金額のうち、当該被保険者、組合員又は加入者が負担する療養費の額を加えたその金額が課税標準算定上の特例の適用を受けるものであること。

（八） 健康保険法第74条、国民健康保険法第42条、高齢者の医療の確保に関する法律第67条、船員保険法第55条、国

家公務員共済組合法第55条第2項(私立学校教職員共済法第25条において国家公務員共済組合法の規定を準用する場合を含む。)又は地方公務員等共済組合法第57条第2項の規定によって被保険者又は組合員が負担する一部負担金は、保険者又は組合がなす療養の給付に要する費用の一部を被保険者又は組合員に負担させるものであり、保険者又は組合と被保険者又は組合員との間の費用分担に関する内部関係にすぎないと考えられるので医療法人又は医療施設に係る事業を行う農業協同組合連合会が保険者又は組合より「療養の給付につき支払を受ける金額」中には、上記の一部負担金により支払われる金額を含むものであること。

(九) 生活保護法の規定に基づく「医療扶助のための医療」とは、同法第15条各号に掲げる医療をいい、同法の規定に基づく「出産扶助のための助産」とは、同法第16条各号に掲げる助産をいうものであること。

(十) 精神保健及び精神障害者福祉に関する法律の規定に基づく医療とは、同法第29条及び第29条の2の規定に基づく医療をいうものであること。

(十一) 麻薬及び向精神薬取締法の規定に基づく医療とは、同法第58条の8の規定に基づく医療をいうものであること。

(十二) 感染症の予防及び感染症の患者に対する医療に関する法律の規定に基づく医療とは、同法第36条の9及び第37条の規定に基づく医療をいうものであること。

(十三) 心神喪失等の状態で重大な他害行為を行った者の医療及び観察等に関する法律の規定に基づく医療とは、同法第81条の規定に基づく医療をいうものであること。

(十四) 介護保険法の規定により居宅介護サービス費を支給することとされる被保険者に係る指定居宅サービスとは、同法第41条の規定に基づき居宅介護サービス費を支給することとされる被保険者に係る指定居宅サービス(訪問看護、訪問リハビリテーション、居宅療養管理指導、通所リハビリテーション又は短期入所療養介護に限る。)をいい、同法の規定により介護予防サービス費を支給することとされる被保険者に係る指定介護予防サービスとは、同法第53条の規定により介護予防サービス費を支給することとされる被保険者に係る指定介護予防サービス(介護予防訪問看護、介護予防訪問リハビリテーション、介護予防居宅療養管理指導、介護予防通所リハビリテーション又は介護予防短期入所療養介護に限る。)をいい、同法の規定により施設介護サービス費を支給することとされる被保険者に係る介護保健施設サービス若しくは介護医療院サービスとは、同法第48条の規定に基づき施設介護サービス費を支給することとされる被保険者に係る介護保健施設サービス若しくは介護医療院サービスをいう。この場合において、当該指定居宅サービス、指定介護予防サービス又は介護保健施設サービスに要する費用については、居宅介護サービス費又は施設介護サービス費として市町村が支給し、又は支払うべきものに限らず、当該指定居宅サービス、指定介護予防サービス又は介護保健施設サービスに要する費用の額としてこれらの規定により定める金額のうち、当該被保険者が負担する額を加えた金額が課税標準算定上の特例の適用を受けるものであること。

(十五) 障害者の日常生活及び社会生活を総合的に支援するための法律(平成17年法律第123号。以下「障害者総合支援法」という。)の規定によって自立支援医療費を支給することとされる指定自立支援医療とは、同法第58条の規定に基づき自立支援医療費を支給することとされる支給認定に係る障害者等が指定自立支援医療機関から受けた指定自立支援医療をいい、同法の規定によって療養介護医療費を支給することとされる指定療養介護医療とは、同法第70条の規定に基づき療養介護医療費を支給することとされる支給認定に係る障害者等が受けた指定療養介護医療をいい、児童福祉法の規定によって肢体不自由児通所医療費を支給することとされる肢体不自由児通所医療とは、同法第21条の5の29の規定に基づき肢体不自由児通所医療費を支給することとされる通所給付決定に係る障害児に係る肢体不自由児通所医療をいい、同法の規定によって障害児入所医療費を支給することとされる障害児入所医療とは、同法第24条の20の規定に基づき障害児入所医療費を支給することとされる入所給付決定に係る障害児に係る障害児入所医療をいう。この場合において、当該指定自立支援医療、指定療養介護医療、肢体不自由児通所医療又は障害児入所医療に要する費用の額とは、自立支援医療費、療養介護医療費、肢体不自由児通所医療費又は障害児入所医療費として市町村が支給し、又は支払うべきものに限らず、当該指定自立支援医療、指定療養介護医療、肢体不自由児通所医療又は障害児入所医療に要する費用の額として障害者総合支援法又は児童福祉法の規定により定める金額のうち、当該支給認定障害者等が負担する額を加えた金額が課税標準算定上の特例の適用を受けるものであること。

(十六) 難病の患者に対する医療等に関する法律(平成26年法律第50号)の規定によって特定医療費を支給することとされる指定特定医療とは、同法第5条の規定に基づき特定医療費を支給することとされる支給認定に係る指定難病の患者が指定医療機関から受けた指定特定医療をいい、児童福祉法の規定によって小児慢性特定疾病医療費を支給することとされる指定小児慢性特定疾病医療支援とは、同法第19条の2の規定に基づき小児慢性特定疾病医療費を支給することとされる医療費支給認定に係る小児慢性特定疾病児童又は医療費支給認定を受けた成年患者が指定小児慢性特定疾病医療機関から受けた指定小児慢性特定疾病医療支援をいう。この場合において、当該指定特定

医療又は指定小児慢性特定疾病医療支援に要する費用の額とは、特定医療費又は小児慢性特定疾病医療費として都道府県等が支給し、又は支払うべきものに限らず、当該指定特定医療又は指定小児慢性特定疾病医療支援に要する費用の額として難病の患者に対する医療等に関する法律又は児童福祉法の規定により定める金額のうち、当該指定難病の患者若しくはその保護者又は当該小児慢性特定疾病児童の保護者若しくは当該成年患者が負担する額を加えた金額が課税標準上の特例の適用を受けるものであること。

③ 欠損金の繰戻しによる還付の適用を受けた場合の所得計算の特例
　法人の行う事業に対する事業税の課税標準である各事業年度の所得を１の規定により当該法人の当該各事業年度の法人税の課税標準である所得の計算の例により算定する場合において、当該法人が当該各事業年度開始の日前10年以内に開始した事業年度又は中間期間（法人税法第80条第５項又は第144条の13第11項に規定する中間期間をいう。）において生じた欠損金額（法人税法第２条第19号に規定する欠損金額をいう。以下同じ。）につき法人税法第80条《欠損金の繰戻しによる還付》又は第144条の13の規定による法人税額の還付を受けているときは、当該法人の当該各事業年度の所得の計算上損金の額に算入すべき金額は、同法第57条第１項本文《青色申告書を提出した事業年度の欠損金の繰越し》（同法第142条第２項の規定により同法第57条第１項本文の規定に準じて計算する場合を含む。）の規定にかかわらず、その欠損金額の生じた事業年度以後の事業年度の所得の計算上損金の額に算入されなかった欠損金額に相当する金額とする。（令21①）

　　（留意事項）
　注　法人の前10年以内に生じた繰越欠損金額の取扱いについては、国の税務官署の取扱いに準ずるものであるが、次の諸点に留意すること。（県通３－４の７の４(1)～(2)）
　　(一)　各事業年度における欠損金額の繰越控除が認められるもののうち、法人税において繰戻還付が行われている場合の繰越控除の計算は、その繰戻還付が行われなかったものとして計算するものであること。
　　(二)　非課税事業等、所得等課税事業、収入金額等課税事業又は特定ガス供給業のうち複数の事業を併せて行う法人の所得の算定上生じた欠損金額で、各事業年度の所得等課税事業又は収入金額等課税事業（第一節二の１の表の(三)のロに掲げる法人が行う事業に限る。）に係る所得の計算上繰越控除が認められる金額は、それぞれの事業について生じた欠損金額に限るものであること。
　　　この場合において、地方税法等の一部を改正する法律（平成30年法律第３号）附則第６条第９項又は地方税法施行令等の一部を改正する政令（令和４年政令第133号）第１条の規定による改正前の④の(1)の規定の適用を受ける法人にあっては、前10年以内に生じた繰越欠損金額について、これらの規定に規定する特定ガス供給業（以下「旧特定ガス供給業」という。）に係る部分と導管ガス供給業（ガス事業法第２条第５項に規定する一般ガス導管事業及び同条第７項に規定する特定ガス導管事業をいう。以下同じ。）に係る部分とを区分して旧特定ガス供給業の繰越欠損金額を算定すべきであるが、区分が困難である場合には、前10年以内に生じた繰越欠損金額を、欠損金額の生じた事業年度におけるそれぞれの事業の売上金額等最も妥当と認められる基準により按分して旧特定ガス供給業の繰越欠損金額を算定することが適当であること。
　　　また、地方税法等の一部を改正する法律（令和２年法律第５号）附則第６条第２項の規定の適用を受ける法人にあっては、前10年以内に生じた繰越欠損金額について、同項に規定する小売電気事業等又は発電事業等に係る部分と第一節二の１の表の(二)に規定する電気供給業に係る部分とを区分して小売電気事業等又は発電事業等の繰越欠損金額を算定すべきであるが、区分が困難である場合には、前10年以内に生じた繰越欠損金額を、欠損金額の生じた事業年度におけるそれぞれの事業の売上金額等最も妥当と認められる基準により按分して小売電気事業等又は発電事業等の繰越欠損金額を算定することが適当であること。
　　　また、地方税法等の一部を改正する法律（令和４年法律第１号）附則第６条第２項の規定の適用を受ける法人にあっては、前10年以内に生じた繰越欠損金額について、同項に規定する対象ガス供給業に係る部分と導管ガス供給業に係る部分とを区分して同項に規定する対象ガス供給業の繰越欠損金額を算定すべきであるが、区分が困難である場合には、前10年以内に生じた繰越欠損金額を、欠損金額の生じた事業年度におけるそれぞれの事業の売上金額等最も妥当と認められる基準により按分して同項に規定する対象ガス供給業の繰越欠損金額を算定することが適当であること。
　　　また、④の(1)の規定の適用を受ける法人にあっては、前10年以内に生じた繰越欠損金額について、④の(1)に規定する対象ガス供給業（以下注において「対象ガス供給業」という。）に係る部分と導管ガス供給業に係る部分とを区分して対象ガス供給業の繰越欠損金額を算定すべきであるが、区分が困難である場合には、前10年以内に生じた繰越欠損金額を、欠損金額の生じた事業年度におけるそれぞれの事業の売上金額等最も妥当と認められる基準により按分して対象ガス供給業の繰越欠損金額を算定することが適当であること。

第二編第五章《法人の事業税》第二節《課税標準及び税率等（所得割の課税標準等）》

④ 欠損金の繰越しの特例

1の規定により法人の事業税の課税標準である各事業年度の所得を算定する場合には、次の表の第一欄に掲げる法令の同表の第二欄に掲げる規定中同表の第三欄に掲げる字句は、それぞれ同表の第四欄に掲げる字句として、これらの規定の例によるものとする。（令21②）

第一欄	第二欄	第三欄	第四欄
法人税法	第57条第2項、第3項第1号及び第4項第1号	もの及び第80条の規定により還付を受けるべき金額の計算の基礎となったもの	もの
法人税法施行令	第112条第5項第2号	法第80条の規定により還付を受けるべき金額の計算の基礎となったもの（同条第12項又は第13項の規定の適用がある場合には、これらの規定により還付を受けるべき金額の計算の基礎となった金額とされたもの）並びに法	法
	第112条第7項	もの及び法第80条の規定により還付を受けるべき金額の計算の基礎となったもの（同条第12項又は第13項の規定の適用がある場合には、これらの規定により還付を受けるべき金額の計算の基礎となった金額とされたもの）	もの
	第113条第1項第1号	及び法第80条（欠損金の繰戻しによる還付）の規定により還付を受けるべき金額の計算の基礎となったもの（同条第12項又は第13項の規定の適用がある場合には、これらの規定により還付を受けるべき金額の計算の基礎となった金額とされたもの）並びに	及び
	第113条第5項第2号	、法第58条	及び法第58条
		及び法第80条の規定により還付を受けるべき金額の計算の基礎となったもの（同条第12項又は第13項の規定の適用がある場合には、これらの規定により還付を受けるべき金額の計算の基礎となった金額とされたもの）並びに	並びに

（みなし規定）
（1）ガス事業法第2条第10項に規定するガス製造事業者（同法第54条の2に規定する特別一般ガス導管事業者に係る同法第38条第2項第4号の供給区域内においてガス製造事業（同法第2条第9項に規定するガス製造事業をいう。）を行う者に限る。以下（1）において「ガス製造事業者」という。）である法人が、ガス製造事業者に該当しないこととなり、かつ、当該法人がその該当しないこととなった日を含む事業年度開始の日の前日を含む事業年度においてガス供給業のうち同法第2条第5項に規定する一般ガス導管事業及び同条第7項に規定する特定ガス導管事業以外のもの（以下「対象ガス供給業」という。）を行っていた場合において、当該法人の対象ガス供給業に係る事業税の課税標準である各事業年度の所得を**五**の1の規定により当該法人の当該各事業年度の法人税の課税標準である所得の計算の例により算定するときは、当該法人が、当該法人の当該該当しないこととなった日を含む事業年度開始の日前10年以内に開始した各事業年度において、対象ガス供給業に係る事業税の課税標準である当該各事業年度の所得を**五**の1の規定により当該法人の当該各事業年度の法人税の課税標準である所得の計算の例により算定していたものとみなす。（令21の2）

（留意事項）
（2）次の（一）又は（二）に掲げる企業組織再編成が行われた場合における繰越欠損金額の取扱いについても、③の注の（一）及び（二）に留意するものであること。（県通3－4の7の4（3））
（一）被合併法人等の繰越欠損金額等の引継ぎ
　　内国法人を合併法人とする適格合併が行われた場合又は当該内国法人との間に完全支配関係（当該内国法人による完全支配関係又は法人税法第2条第12号の7の6に規定する相互の関係に限る。）がある他の内国法人で当該内国法人が発行済株式若しくは出資の全部若しくは一部を有するものの残余財産が確定した場合において、当該適格合

併に係る被合併法人又は当該他の内国法人(以下(一)において「被合併法人等」という。)の当該適格合併の日前9年(平30.4.1以後は10年)以内に開始し、又は当該残余財産の確定の日の翌日前9年(平30.4.1以後は10年)以内に開始した各事業年度又は各中間期間(法人税法第80条第5項又は第144条の13第11項に規定する中間期間をいう。)において生じた欠損金額のうち、被合併法人等において繰越控除された金額を控除した金額(以下(一)及び(二)のイにおいて「未処理欠損金額」という。)があるときは、その未処理欠損金額は、当該内国法人の合併等事業年度以後の各事業年度における繰越控除の適用において、その未処理欠損金額の生じた被合併法人等の事業年度開始の日の属する当該内国法人の事業年度において生じた欠損金額とみなすものであること。(法人税法57②参照)

(二) 繰越欠損金額に係る制限

イ (一)の適格合併に係る被合併法人(内国法人との間に支配関係を有するものに限る。)又は(一)の残余財産が確定した他の内国法人(以下「被合併法人等」という。)の未処理欠損金額には、当該適格合併が共同で事業を行うためのものに該当する場合又は当該内国法人の当該適格合併の日の属する事業年度開始の日の5年前の日若しくは当該残余財産の確定の日の翌日の属する事業年度開始の日の5年前の日、当該被合併法人等の設立の日若しくは当該内国法人の設立の日のうち最も遅い日から継続して支配関係があると認められる場合のいずれにも該当しない場合には、支配関係事業年度(当該被合併法人等が当該内国法人との間に最後に支配関係を有することとなった日の属する事業年度をいう。)前に生じた欠損金額及び支配関係事業年度以後に生じた欠損金額のうち特定資産の譲渡等損失額に相当する金額からなるものは含まれないものであること。(法人税法57③参照)

ロ 内国法人と支配関係法人(当該法人との間に支配関係がある法人をいう。以下同じ。)との間で当該内国法人を合併法人、分割承継法人、被現物出資法人又は被現物分配法人とする適格合併若しくは適格合併に該当しない合併で法人税法第61条の11第1項(完全支配関係がある法人の間の取引の損益)の規定の適用があるもの、適格分割、適格現物出資又は適格現物分配(以下「適格組織再編成等」という。)が行われた場合(当該内国法人の当該適格組織再編成等の日の属する事業年度(以下「組織再編成事業年度」という。)開始の日の5年前の日、当該内国法人の設立の日又は当該支配関係法人の設立の日のうち最も遅い日から継続して当該内国法人と当該支配関係法人との間に支配関係があると認められる場合を除く。)において、当該適格組織再編成等が共同で事業を行うためのものに該当しないときは、当該内国法人の支配関係事業年度(当該内国法人が当該支配関係法人との間に最後に支配関係を有することとなった日の属する事業年度をいう。)前に生じた当該内国法人の欠損金額及び支配関係事業年度以後に生じた欠損金額のうち特定資産の譲渡等損失額に相当する金額からなるものは、当該内国法人の組織再編成事業年度以後の繰越控除においては、ないものとする。(法人税法57④参照)

(通算法人の所得を算定する場合の留意点)

(3) 通算法人の所得を算定する場合には、次の諸点に留意するものであること。(県通3-4の7の4(4))

(一) 法人税法施行令第112条の2第6項から第8項までの規定の例によらないものであること。

(二) 法人税にあっては法人税法第66条第6項に規定する大通算法人(以下(二)において「大通算法人」という。)は同法第57条第11項第1号イに掲げる法人に該当しないこととされているが、事業税にあっては大通算法人であっても当該通算法人が普通法人(投資法人、特定目的会社及び受託法人を除く。(三)において同じ。)で資本金の額若しくは出資金の額が1億円以下であるもの(同法第66条第5項第2号又は第3号に掲げる法人に該当するものを除く。)又は資本若しくは出資を有しないもの(保険業法に規定する相互会社を除く。)である場合には同法第57条第11項第1号イに掲げる法人に該当するものであること。

(三) 法人税にあっては通算法人について、他の通算法人のうち、当該通算法人の事業年度終了の日の属する当該他の通算法人の事業年度が、当該他の通算法人の設立の日として法人税法施行令第113条の2第6項において準用する同条第5項に規定する日から同日以後7年を経過する日までの期間内の日の属する事業年度でないものが1つでもある場合には、法人税法第57条第11項第3号に掲げる法人に該当しないこととされているが、事業税にあっては上記の場合であっても通算法人(普通法人に限り、同項第1号に規定する中小法人等又は同法第66条第5項第2号若しくは第3号に掲げる法人に該当するもの及び株式移転完全親法人を除く。)の事業年度が、当該通算法人の設立の日として法人税法施行令第113条の2第5項に規定する日から同日以後7年を経過する日までの期間内の日の属する事業年度である場合には、同法第57条第11項第3号に掲げる法人に該当するものであること。

(四) 法人税にあっては通算法人について、他の通算法人の発行する株式が金融商品取引所等に上場された場合又は店頭売買有価証券登録原簿に登録された場合には、これらの事由が生じた日として法人税法施行令第113条の2第7項に規定する日のうち最も早い日以後に終了する事業年度は、法人税法第57条第11項第3号に規定する事業年度から除くこととされているが、事業税にあっては上記の場合であっても、同号に掲げる法人に該当する通算法人の発行する株式が金融商品取引所等に上場されておらず、店頭売買有価証券登録原簿に登録されていない場合には、同

第二編第五章《法人の事業税》第二節《課税標準及び税率等（所得割の課税標準等）》

号に掲げる事業年度に含まれるものであること。
　（五）　法人税にあっては法人税法第57条の2第1項に規定する評価損資産について、通算法人が有する他の通算法人（法人税法施行令第24条の3に規定する初年度離脱通算子法人及び通算親法人を除く。）の株式又は出資は含まれないこととされているが、事業税にあっては通算法人が有する他の通算法人の株式又は出資で、法人税法第57条の2第1項に規定する特定支配事業年度開始の日における価額が同日における帳簿価額に満たないもの（当該満たない金額が、当該法人の法人税の資本金等の額の2分の1に相当する額と1,000万円のいずれか少ない金額に満たないものを除く。）は評価損資産に含まれるものであること。

⑤　東日本大震災に係る法人の事業税の特例
　③の規定は、震災特例法第15条《震災損失の繰戻しによる法人税額の還付》の規定により法人税の還付を受けた法人について適用する。この場合において、③中「法人税法第80条第5項又は第144条の13第11項」とあるのは東日本大震災の被災者等に係る国税関係法律の臨時特例に関する法律（平成23年法律第29号）第15条第1項」と、「生じた欠損金額」とあるのは「生じた東日本大震災の被災者等に係る国税関係法律の臨時特例に関する法律第15条第1項に規定する繰戻対象震災損失金額（以下この項において「繰戻対象震災損失金額」という。）」と、「法人税法第80条又は第144条の13」とあるのは「同条」と、「、同法」とあるのは「、法人税法」と、「その欠損金額」とあるのは「当該繰戻対象震災損失金額」と、「欠損金額又は個別欠損金額」とあるのは「繰戻対象震災損失金額」と読み替えるものとする。（令附29）

⑥　所得税額の損金不算入
　1の表の(一)の規定により内国法人の事業税の課税標準である各事業年度の所得を算定する場合において、当該法人が当該事業年度において所得税法の規定により課された所得税額及び東日本大震災からの復興のための施策を実施するために必要な財源の確保に関する特別措置法の規定より課された復興特別所得税額の全部又は一部につき、法人税法第68条第1項（租税特別措置法第3条の3第5項、第6条第3項、第8条の3第5項、第9条の2第4項、第9条の3の2第7項（同法第66条の7第3項の規定によりみなして適用する場合を含む。）、第41条の9第4項、第41条の12第4項及び第41条の12の2第7項の規定により読み替えて適用する場合を含む。）の規定の適用を受けないときは、当該内国法人の事業税の課税標準である各事業年度の所得の算定については、当該所得税額及び復興特別所得税額を損金の額に算入しないものとする。（令21の2の2①）

　　　　（外国法人の所得税額の損金不算入）
　（1）　1の表の(二)の規定により外国法人の事業税の課税標準である各事業年度の所得を算定する場合において、当該外国法人が当該事業年度において所得税法の規定により課された所得税額及び東日本大震災からの復興のための施策を実施するために必要な財源の確保に関する特別措置法の規定により課された復興特別所得税額の全部又は一部につき、法人税法第144条（租税特別措置法第9条の3の2第7項（同法第66条の7第3項の規定によりみなして適用する場合を含む。）、第41条の9第4項、第41条の12第4項、第41条の12の2第7項及び第41条の22第2項の規定により読み替えて適用する場合を含む。）において準用する法人税法第68条第1項（租税特別措置法第9条の3の2第7項（同法第66条の7第3項の規定によりみなして適用する場合を含む。）、第41条の9第4項、第41条の12第4項及び第41条の12の2第7項の規定により読み替えて適用する場合を含む。）の規定の適用を受けないときは、当該外国法人の事業税の課税標準である各事業年度の所得の算定については、当該所得税額及び復興特別所得税額を損金の額に算入しないものとする。（令21の2の2③）

　　　　（連結申告法人以外の内国法人の事業税の課税標準である各事業年度の所得の算定の特例）
　（2）　五の1の表の(一)の規定により内国法人の事業税の課税標準である各事業年度の所得を算定する場合において、当該内国法人が当該事業年度において法人税法第69条の2第1項に規定する分配時調整外国税相当額につき、同項（租税特別措置法第9条の3の2第7項、第9条の6第4項、第9条の6の2第4項、第9条の6の3第4項及び第9条の6の4第4項（これらの規定を同法第66条の7第3項の規定によりみなして適用する場合を含む。）の規定により読み替えて適用する場合を含む。）の規定の適用を受けないときは、当該内国法人の事業税の課税標準である各事業年度の所得の算定については、当該分配時調整外国税相当額を損金の額に算入しないものとする。（令21の2の3①）

　　　　（外国法人の事業税の課税標準である各事業年度の所得の算定の特例）
　（3）　1の表の(二)の規定により外国法人の事業税の課税標準である各事業年度の所得を算定する場合において、当該外国法人が当該事業年度において法人税法第144条の2の2第1項に規定する分配時調整外国税相当額につき、同項

（租税特別措置法第9条の3の2第7項、第9条の6第4項、第9条の6の2第4項、第9条の6の3第4項及び第9条の6の4第4項（これらの規定を同法第66条の7第3項の規定によりみなして適用する場合を含む。）の規定により読み替えて適用する場合を含む。）の規定の適用を受けないときは、当該外国法人の事業税の課税標準である各事業年度の所得の算定については、当該分配時調整外国税相当額を損金の額に算入しないものとする。（令21の2の3③）

⑦　所得に係る寄附金の損金算入限度額の調整
　1の表の（一）の規定により内国法人の事業税の課税標準である各事業年度の所得を算定する場合において、その例によるものとされる法人税法第37条第1項《寄附金の損金算入限度超過額の損金不算入》及び第4項《特定公益増進法人等に対する寄附金の損金算入限度額の特例》並びに法人税法施行令第73条《寄附金の損金算入限度額》、第73条の2《公益社団法人又は公益財団法人の寄附金の損金算入限度額の特例》、第74条《長期給付の事業を行う共済組合等の寄附金の損金算入限度額》及び第77条の2《特定公益増進法人に対する寄附金の特別損金算入限度額》）の規定による寄附金の損金への算入限度額は、当該事業年度に係る法人税の課税標準である所得の計算上これらの規定により寄附金の損金への算入限度額とされた額とする。（令21の3①）

　　（外国法人の寄附金の損金算入限度額）
　注　1の表の（二）の規定により外国法人の事業税の課税標準である各事業年度の所得を算定する場合において、同（三）の規定によりその例によるものとされる法人税法第142条第2項の規定により準ずることとされる同法第37条第1項及び第4項並びに法人税法施行令第73条、第73条の2、第74条及び第77条の2の規定による寄附金の損金への算入限度額は、当該事業年度に係る法人税の課税標準である所得の計算上これらの規定により寄附金の損金への算入限度額とされた額とする。（令21の3③）

⑧　特許権等の譲渡等による所得の算定の特例
　1の規定により法人の事業税の課税標準である各事業年度の所得を算定する場合において、1の各号の規定によりその例によるものとされる租税特別措置法第59条の3第1項第2号に規定する所得の金額は、当該事業年度に係る法人税の課税標準である所得の計算上同号に規定する所得の金額とされた額とする。（令21の4）
　　（注）⑧を追加する令和6年度改正規定は、令和7年4月1日以後適用する。（令6政令第137号附1）

⑨　特定事業活動として特別新事業開拓事業者の株式の取得をした場合の所得の算定の特例
　1の表の（一）の規定により内国法人の事業税の課税標準である各事業年度の所得を算定する場合において、1の表の（一）の規定によりその例によるものとされる租税特別措置法第66条の13第1項に規定する所得基準額は、当該事業年度に係る法人税の課税標準である所得の計算上同項に規定する所得基準額とされた額とする。（令21の4①）
　　（注）⑨中___部分「令21の4」を「令21の5」に改める令和6年度改正規定は、令和7年4月1日以後適用する。（令6政令第137号附1）

⑩　外国税額の損金算入
　各事業年度において外国の法令により法人税に相当する税を課された内国法人に係る法人の事業税の課税標準である各事業年度の所得の計算については、当該外国の法令により課された外国の法人税に相当する税の額のうち、当該内国法人の当該外国において行う事業に帰属する所得以外の所得に対して課されたものは、損金の額に算入する。（令21の5①）
　　（注）⑩及び注中___部分「令21の5」を「令21の6」に改める令和6年度改正規定は、令和7年4月1日以後適用する。（令6政令第137号附1）

　　（外国の法令により法人税に相当する税を課された場合の所得の計算）
　注　各事業年度において外国の法令により法人税に相当する税を課された外国法人に係る事業税の課税標準である各事業年度の所得の計算については、当該外国の法令により課された外国の法人税に相当する税の額のうち、当該外国法人の法人税法第141条第1号イに掲げる国内源泉所得に係る所得に対して課されたものは、損金の額に算入する。（令21の5②）

3　国外において事業を行う内国法人の所得割の課税標準の算定
　特定内国法人〘三の5参照〙の所得割の課税標準は、当該特定内国法人の事業の所得の総額からこの法律の施行地外の事業に帰属する所得を控除して得た額とする。この場合において、この法律の施行地外の事業に帰属する所得の計算が困難であるときは、政令で定めるところにより計算した金額をもって、当該特定内国法人のこの法律の施行地外の事業に帰属する所得とみなす。（法72の24）

(特定内国法人の国外の事業に帰属する所得の算定の方法)
(1) 3の後段に規定する特定内国法人の法の施行地外の事業に帰属する所得とみなす金額は、当該特定内国法人の所得の総額(2の⑩の規定を適用しないで計算した金額とする。)に当該特定内国法人の外国の事務所又は事業所の従業者の数を乗じて得た額を当該特定内国法人の法の施行地内に有する事務所又は事業所及び外国の事務所又は事業所の従業者の合計数で除して計算する。(令21の9①)

(注) (1)から(3)中___部分「令21の9」を「令21の10」に改める令和6年度改正規定は、令和7年4月1日以後適用する。(令6政令第137号附1)

(特定内国法人が外国税額控除を受けない場合の所得の算定)
(2) (1)の特定内国法人が法人税法第69条の規定《外国税額の控除若しくは連結事業年度における外国税額の控除》の適用を受けない場合における(1)の所得の総額は、当該特定内国法人の法の施行地外の事業に帰属する所得に対して外国において課された法人税に相当する税を損金の額に算入しないものとして計算する。(令21の9②)

(特定内国法人の国外事業のみなし所得の算定上の従業者数)
(3) 三の5の(4)から(6)の規定は、(1)の規定の適用がある場合における(1)の事務所又は事業所の従業者の数について準用する。(令21の9③)

六 各事業年度の収入金額の計算

1 電気供給業等の収入金額

① 電気供給業及びガス供給業の各事業年度の収入金額

一の表の(四)の右欄の各事業年度の収入金額は、電気供給業及びガス供給業(導管ガス供給業及び特定ガス供給業に限る。第五節一の3の①の表の(三)を除き、以下第二節において同じ。)にあっては、当該各事業年度においてその事業について収入すべき金額の総額から次に掲げる収入金額を控除した金額による。(法72の24の2①、令22)

(一)	当該各事業年度において国又は地方団体から受けるべき補助金
(二)	固定資産の売却による収入金額
(三)	保険金
(四)	有価証券の売却による収入金額
(五)	不用品の売却による収入金額
(六)	受取利息及び受取配当金
(七)	電気供給業又はガス供給業(第一節二の1の表の(二)に規定するガス供給業をいう。以下同じ。)を行う法人がその事業に必要な施設を設けるため、電気又はガスの需要者その他その施設により便益を受ける者から収納する金額
(八)	電気事業法(昭和39年法律第170号)第28条の40第2項第1号の交付金
(九)	電気供給業又はガス供給業を行う法人が収入金額に対する事業税を課される他の電気供給業又はガス供給業を行う法人から電気又はガスの供給を受けて供給を行う場合における当該供給を受けた電気又はガスに係る収入金額のうち当該他の法人から供給を受けた電気又はガスの料金として当該法人が支払うべき金額に相当する収入金額
(十)	電気供給業を行う法人が収入金額に対する事業税を課される他の電気供給業を行う法人から非化石電源(エネルギー供給事業者によるエネルギー源の環境適合利用及び化石エネルギー原料の有効な利用の促進に関する法律(平成21年法律第72号)第2条第4項に規定するエネルギー源の環境適合利用を行う電源をいう。以下同じ。)としての価値を有することを証するものとして(注1)で定めるものを購入した場合(電気事業法第97条第1項に規定する卸電力取引所を介して自らが販売を行ったものを購入した場合を含む。)であって、非化石電源としての価値を有するものとして電気の供給を行う場合((注2)で定める場合に限る。)における当該購入の対価として当該法人が支払うべき金額に相当する収入金額
(十一)	再生可能エネルギー電気の利用の促進に関する特別措置法(平成23年法律第108号)第36条の賦課金
(十二)	ガス供給業を行う法人が可燃性天然ガスの掘採事業を行う法人から可燃性天然ガスを購入して供給を行う場合((七)に該当する場合を除く。)における当該購入した可燃性天然ガスに係る収入金額のうち当該可燃性天然ガスに

第二編第五章《法人の事業税》第二節《課税標準及び税率等（各事業年度の収入金額）》

	係る鉱産税の課税標準額に相当する金額
(十三)	ガス供給業と可燃性天然ガスの掘採事業とを併せて行う法人が掘採した可燃性天然ガスに係る収入金額のうち当該可燃性天然ガスに係る鉱産税の課税標準額に相当する金額
(十四)	(三)から(十二)までに類するものとして総務大臣が指定したもの

(注1) (十)の(注1)で定めるものは、エネルギー供給事業者によるエネルギー源の環境適合利用及び化石エネルギー原料の有効な利用の促進に関する法律施行規則（平成22年経済産業省令第43号）第4条第1項第2号に規定する非化石証書（エネルギー源の環境適合利用に関する電気事業者の判断の基準（平成28年経済産業省告示第112号）1三に規定する非化石電源としての価値を有する電気として経済産業省が認定したものの量に係るものに限る。）とする。（規4の2の2①）

(注2) (十)に規定する(注2)で定める場合は、電気供給業を行う法人が(七)の電気の供給に応じて(注1)に規定する非化石証書を使用する場合とする。（規4の2の2②）

(注3) (十四)に規定する総務大臣が指定したものは、以下のものをいう。（編者）
　イ　損害賠償金（昭和30年8月1日自治庁告示第29号）
　ロ　投資信託に係る収益分配金（同上）
　ハ　株式手数料（同上）
　ニ　社宅貸付料（同上）
　ホ　電気供給業を行う法人が、高圧配電電圧を6,000ボルトに昇圧することに伴い需用者の受電設備を新しく取り替える場合等において、当該需用者から収納する金額で次に掲げるもの（昭和34年11月7日自治庁告示第46号）
　　①　需用者の受電設備を新しく取り替える場合において、当該需用者から収納する旧受電設備の減価償却額に相当する金額
　　②　需用者が旧受電設備を引き渡しがたい場合において、当該需用者から旧受電設備の引渡しにかえて収納する旧受電設備の価額に相当する金額
　　③　需用者の希望により技術的に改造の可能な旧受電設備の付帯設備を新たな設備に取り替える場合において、当該需用者から収納する新付帯設備の取替えに要する工事費と旧付帯設備の改造に要する工事費との差額に相当する金額
　ヘ　原子力発電による電気供給業を行う法人が、原子力発電所の共同的研究に要する施設等の費用の分担金として、他の電気供給業を行なう法人から収納する金額（昭和42年3月17日自治省告示第55号）
　ト　原子力損害賠償・廃炉等支援機構法（平成23年法律第94号）第38条第1項に規定する原子力事業者（同項第1号に掲げるものに限る。）が原子力損害賠償・廃炉等支援機構から収納する同法第47条第1項第1号に規定する特別資金援助に係る資金交付の額（平成23年8月10日総務省告示第379号）

（収入すべき金額の意義等）
（1）電気供給業及びガス供給業を行う法人が収入すべき金額とは、各事業年度においてその事業年度の収入として経理されるべきその事業年度に対応する収入をいうものであること。この場合において、貸倒れが生じたとき又は値引が行われたときは、その貸倒れとなった金額又は値引された金額をその貸倒れの生じた日又は値引が行われた日の属する事業年度の収入金額から控除するものであること。（県通3－4の9の1）

（電気供給業の課税標準とすべき収入金額の範囲）
（2）電気供給業の課税標準とすべき収入金額とは、原則として電気事業会計規則による収入（電気事業会計規則の適用がない場合には、これに準ずる方法により計算した収入）とし、電気事業法第2条第1項第17号に規定する電気事業者であるか否かにかかわらず、定額電灯、従量電灯、大口電灯及びその他の電灯に係る電灯料収入、業務用電力、小口電力、大口電力、その他の電力及び他の電気事業者への供給料金に係る電力料収入（新エネルギー等電気相当量（電気事業者による新エネルギー等の利用に関する特別措置法施行規則第1条第2項に規定する新エネルギー等電気相当量をいう。（6）において同じ。）に係るものを含む。）、遅収加算料金、せん用料金、電球引換料、配線貸付料、諸機器貸付料及び受託運転収入、諸工料、水力又はかんがい用水販売代等の供給雑益に係る収入、設備貸付料収入並びに再生可能エネルギー電気の利用の促進に関する特別措置法（平成23年法律第108号）の規定による交付金及び賦課金に係る収入並びに事業税相当分の加算料金等原則として電気供給業の事業収入に係るすべての収入を含むものとすること。（県通3－4の9の2）

（電源開発等のための建設仮勘定に供給した電力に係る収入金額）
（3）電気供給業を行う法人で自ら電源開発等の事業を行うため建設仮勘定を設け、これを別個に経理している場合において、当該建設仮勘定に供給した電力に係る収入金額はいわゆる自家消費であることに鑑み収入金額に含めないものであること。（県通3－4の9の3）

（ガス供給業の課税標準とすべき収入金額の範囲）
（4）ガス供給業の課税標準とすべき収入金額とは、ガス売上収入、供給雑収入（計器具の損料及び賃貸料収入を含む。）

第二編第五章《法人の事業税》第二節《課税標準及び税率等（各事業年度の収入金額）》

及び事業税相当分の加算料金等原則としてガス供給業（導管によるものに限る。）の事業収入に係るすべての収入を含むものとすること。この場合において、ガス小売事業（ガス事業法第2条第2項に規定するガス小売事業をいう。）及び導管ガス供給業を併せて行う法人の導管ガス供給業の課税標準とすべき収入金額とは、託送供給収益、自社託送収益、事業者間精算収益及び最終保障供給収益等原則としてガス事業託送供給収支計算規則（平成29年経済産業省令第23号）様式第1に整理されるすべての収益に相当する収入を含むものとすること。なお、ガス供給業においてその製造過程中に副産物として生ずるコークス又はコールタール等の副産物の製造販売は、所得等課税事業であるから、それらの売上収入は収入金額課税であるガス供給業の収入額に含めないものであること。（県通3－4の9の4）

（所得等課税事業を併せて行っている場合の共通収入金額等のあん分）
（5）収入金額課税事業（電気供給業等に限る。以下同じ。）、収入金額等課税事業、特定ガス供給業又は所得等課税事業のうち複数の事業を併せて行っている場合においては、もとより、課税標準の分割計算に基づく課税をなすべきであるが、この場合において各事業部門に共通する収入金額又は経費があるときは、これらの共通収入金額又は共通経費を各事業部門の売上金額等最も妥当と認められる基準によって按分した額をもって各事業の収入金額、付加価値額又は所得を算定するものであること。（県通3－4の9の5）

（購入電力の料金に相当する収入金額）
（6）電気供給業を行う法人の事業によって収入すべき金額から控除される購入電力の料金に相当する収入金額は、他の電気供給業を行う法人から供給されたもの（新エネルギー等電気相当量に係るものを含み、電気事業法第2条第1項第2号に規定する一般電気事業者間の地帯間販売電力に係るものを含む。）に限るのであって、地方団体、自家発電を行う者、個人の供給業者等収入割を課されないものから供給を受けたものについては控除の対象とならないものであること。購入電力の料金のうち再生可能エネルギー電気の利用の促進に関する特別措置法第15条の2の規定による交付金に相当する金額についても、他の電気供給業を行う法人からの供給に係るものに限り、控除の対象となるものであること。（県通3－4の9の6）

（ガス供給業における収入金額から控除される金額についての留意事項）
（7）ガス供給業を行う法人の事業について収入すべき金額から控除される金額には、次に掲げる金額が含まれるので留意すること。（県通3－4の9の7）
　（一）収入割を課される他のガス供給業を行う法人からガスの供給を受けて供給を行う場合　　その供給を受けたガスの料金として当該法人が支払うべき金額に相当する額
　（二）可燃性天然ガスの掘採事業を行う法人から可燃性天然ガスを購入して供給を行う場合　　その購入した可燃性天然ガスに対して課された鉱産税の課税標準額に相当する金額
　（三）当該法人が可燃性天然ガスの掘採事業を併せて行う場合　　その掘採した可燃性天然ガスに対して課された鉱産税の課税標準額に相当する金額

（事業に関連する工事を行った場合の収入金額の取扱い）
（8）電気供給業又はガス供給業を行う法人が、需要者その他の注文によりその事業に関連する施設の工事を行う場合においては、当該工事を行う事業は所得等課税事業となるものであること。ただし、その事業の規模及び所得が主たる事業に比して些少であり、付加価値額又は所得を区分して算定することがかえって煩瑣である等の場合においては、当該工事により収納した金額から当該工事のため下請業者等に支出した金額を控除した金額を主たる事業の課税標準である収入金額に含めて課税することとしても差し支えないものであること。（県通3－4の9の8）

（所得等課税事業と収入金額課税事業とを併せて行う場合の税額）
（9）一般に所得等課税事業、収入金額課税事業、収入金額等課税事業又は特定ガス供給業のうち複数の部門の事業を併せ行う法人の納付すべき事業税額は、原則として事業部門毎にそれぞれ課税標準額及び税額を算定し、その税額の合算額によるべきものであるが、従たる事業が主たる事業に比して社会通念上独立した事業部門とは認められない程度の軽微なものであり、したがって、従たる事業が主たる事業と兼ね併せて行われているというよりもむしろ主たる事業の附帯事業として行われていると認められる場合においては、事業部門毎に別々に課税標準額及び税額を算定しないで従たる事業を主たる事業のうちに含めて主たる事業に対する課税方式によって課税して差し支えないものであること。この場合において、従たる事業のうち「軽微なもの」とは、一般に、従たる事業の売上金額が主たる事業の売上金額の1割程度以下であり、かつ、売上金額など事業の経営規模の比較において従たる事業と同種の事業を行う

他の事業者と課税の公平性を欠くことにならないものをいい、この点、特に従たる事業が収入金額によって課税されている事業である場合には、当該事業を取り巻く環境変化に十分留意しつつ、その実態に即して厳に慎重に判断すべきであること。

なお、「附帯事業」とは、主たる事業の有する性格等によって必然的にそれに関連して考えられる事業をいうのであるが、それ以外に主たる事業の目的を遂行するため又は顧客の便宜に資する等の理由によって当該事業に伴って行われる事業をも含めて解することが適当であること。（県通3－4の9の9）

② 他の電気供給業者から託送供給を受けて電気の供給を行う場合の収入金額の特例

　電気供給業を行う法人の次に掲げる場合における一の表の(四)の各事業年度の収入金額は、平成12年4月1日から令和8年3月31日までの間に開始する各事業年度分の事業税に限り、①の規定にかかわらず、①の規定により算定した収入金額から(1)で定める金額を控除した金額による。（法附9⑧）

(一)　当該電気供給業を行う法人が収入金額に対する事業税を課される他の電気供給業を行う法人から電気事業法第17条第1項又は第27条の12の10第1項に規定する託送供給を受けて電気の供給を行うとき。

(一の二)　当該電気供給業を行う法人が発電事業等（第一節二の1の(三)に規定する発電事業等をいう。）を行う場合において、当該電気供給業を行う法人が、自ら維持し、及び運用する発電等用電気工作物（電気事業法第2条第1項第5号ロに規定する発電等用電気工作物をいう。）と収入金額に対する事業税を課される一般送配電事業（同項第8号に規定する一般送配電事業をいう。（一の三）から(三)までにおいて同じ。）、配電事業（同項第11号の2に規定する配電事業をいう。（二）及び（三）において同じ。）又は特定送配電事業（同項第12号に規定する特定送配電事業をいう。（一の三）において同じ。）（以下（一の二）において「一般送配電事業等」という。）を行う法人が維持し、及び運用する電線路とを電気的に接続し、かつ、当該一般送配電事業等を行う法人に対して同法第17条第1項に規定する託送供給に係る料金（これに相当する額を含む。）を支払うとき。

(一の三)　当該電気供給業を行う法人が特定送配電事業を行う場合において、当該電気供給業を行う法人が、自ら維持し、及び運用する電線路と収入金額に対する事業税を課される一般送配電事業を行う法人が維持し、及び運用する電線路とを電気的に接続し、かつ、当該一般送配電事業を行う法人に対して電気事業法第17条第1項に規定する託送供給に係る料金を支払うとき。

(二)　当該電気供給業を行う法人が配電事業を行う場合において、当該電気供給業を行う法人が、収入金額に対する事業税を課される一般送配電事業を行う法人の供給区域内において、配電事業に係る電気工作物（電気事業法第2条第1項第18号に規定する電気工作物をいう。以下同じ。）を当該一般送配電事業を行う法人から譲り受け、若しくは借り受け、又は新たに設置して同法第27条の12の10第1項に規定する託送供給を行い、かつ、当該一般送配電事業を行う法人に対して当該電気工作物の譲受け若しくは借受けに係る対価又はこれに準ずるもの（(三)において「配電事業に係る定期支払額」という。）を支払うとき。

(三)　当該電気供給業を行う法人が一般送配電事業を行う場合において、収入金額に対する事業税を課される配電事業を行う法人が当該電気供給業を行う法人の供給区域内において、配電事業に係る電気工作物を当該電気供給業を行う法人から譲り受け、若しくは借り受け、又は新たに設置して電気事業法第27条の12の10第1項に規定する託送供給を行い、かつ、当該電気供給業を行う法人が当該配電事業を行う法人に対して配電事業に係る定期支払額を支払うとき。

　　（政令で定める収入金額）
(1)　②に規定する(1)で定める収入金額は、次の各号に掲げる場合の区分に応じ、当該各号に定める収入金額とする。（令附6の2②）

　(一)　②の(一)に掲げる場合　　次に掲げる場合の区分に応じ、それぞれ次に定める収入金額
　　イ　電気供給業を行う法人が②の(一)に規定する他の電気供給業を行う法人に対して電気事業法第17条第1項又は第27条の12の10第1項に規定する託送供給に係る料金を支払う場合　　当該料金として支払うべき金額に相当する収入金額
　　ロ　電気供給業を行う法人が収入金額に対する事業税を課される発電事業等（第一節二の1の(三)に規定する発電事業等をいう。ハにおいて同じ。）を行う法人に対して電気事業法第17条第1項に規定する託送供給に係る料金に相当する額を支払う場合　　当該料金に相当する額として支払うべき金額に相当する収入金額
　　ハ　電気供給業を行う法人が収入金額に対する事業税を課されない発電事業等を行う者に対して電気事業法第17条第1項に規定する託送供給に係る料金に相当する額を支払い、かつ、当該者が②の(一の二)に規定する一般送配電事業等を行う法人に対して当該料金（これに相当する額を含む。）を支払う場合　　当該電気供給業を行う法人が当該料金に相当する額として支払うべき金額に相当する収入金額

第二編第五章《法人の事業税》第二節《課税標準及び税率等（各事業年度の収入金額）》

(一の二) ②の(一の二)に掲げる場合　電気供給業を行う法人が電気事業法第17条第1項に規定する託送供給に係る料金（これに相当する額を含む。）として②の(一の二)に規定する一般送配電事業等を行う法人に対して支払うべき金額に相当する収入金額

(一の三) ②の(一の三)に掲げる場合　電気供給業を行う法人が電気事業法第17条第1項に規定する託送供給に係る料金として②の(一の三)に規定する一般送配電事業を行う法人に対して支払うべき金額に相当する収入金額

(二) ②の(二)に掲げる場合　電気供給業を行う法人が②の(二)に規定する配電事業に係る定期支払額として②の(二)に規定する一般送配電事業を行う法人に対して支払うべき金額として(2)で定める金額に相当する収入金額

(三) ②の(三)に掲げる場合　電気供給業を行う法人が②の(二)に規定する配電事業に係る定期支払額として②の(三)に規定する配電事業を行う法人に対して支払うべき金額として(2)で定める金額に相当する収入金額

((1)の配電事業に係る定期支払額として支払うべき金額)
(2) (1)の(二)に規定する②の(二)に規定する配電事業に係る定期支払額として②の(二)に規定する一般送配電事業を行う法人に対して支払うべき金額及び(1)の(三)に規定する②の(二)に規定する配電事業に係る定期支払額として②の(三)に規定する配電事業を行う法人に対して支払うべき金額として(2)で定める金額は、電気事業会計規則（昭和40年通商産業省令第57号）別表第一に規定する配電事業に係る譲受価格・借受価格等の定期支払額として支払うべき金額とする。（規附2の7の2）

③ **他のガス供給業者から託送供給を受けて大口供給を行う場合の収入金額の特例**

ガス供給業を行う法人が収入金額に対する事業税を課される他のガス供給業を行う法人からガス事業法第2条第4項に規定する託送供給を受けてガスの供給を行う場合における一の表の(四)の各事業年度の収入金額は、平成20年4月1日から令和7年3月31日までの間に開始する各事業年度分の事業税に限り、①の規定にかかわらず、①の規定により算定した収入金額から当該ガスの供給に係る収入金額のうち政令で定めるものを控除した金額による。（法附9⑩）

（政令で定める収入金額）
注　③に規定する政令で定める収入金額は、③に規定するガス供給業を行う法人がガス事業法第2条第4項に規定する託送供給に係る料金として③に規定する他のガス供給業を行う法人に対して支払うべき金額に相当する収入金額とする。（令附6の2③）

④ **廃炉等積立金として積み立てる金銭に相当する金額の交付を受ける場合の収入金額の特例**

原子力損害賠償・廃炉等支援機構法（平成23年法律第94号）第55条の3第1項に規定する廃炉等実施認定事業者が電気事業法第2条第1項第3号に規定する小売電気事業者又は同項第9号に規定する一般送配電事業者から原子力損害賠償・廃炉等支援機構法第55条の3第1項の規定による廃炉等積立金として積み立てる金銭に相当する金額の交付を受ける場合における一の表の(四)の各事業年度の収入金額は、平成29年4月1日から令和9年3月31日までの間に開始する各事業年度分の事業税に限り、六の1の①の規定にかかわらず、六の1の①の規定により算定した収入金額から注で定める金額を控除した金額による。（法附9⑱）

（注）④中＿＿部分「法附9⑱」を「法附9⑲」に改める令和6年度改正規定は、令和7年4月1日以後適用する。（令6改法附1三）

（政令で定める収入金額）
注　④に規定する注で定める収入金額は、④に規定する廃炉等実施認定事業者が④に規定する小売電気事業者又は⑤に規定する一般送配電事業者から原子力損害賠償・廃炉等支援機構法（平成23年法律第94号）第55条の3第1項の規定による廃炉等積立金として積み立てる金銭として交付を受けるべき金額に相当する収入金額とする。（令附6の2⑧）

⑤ **卸電力取引所を介して電気の供給を行う場合の収入金額の特例**

電気供給業を行う法人が、電気事業法第97条第1項に規定する卸電力取引所を介して自らが供給を行った電気の供給を受けて、当該電気の供給を行う場合における一の表の(四)の各事業年度の収入金額は、平成30年4月1日から令和9年3月31日までの間に開始する各事業年度分の事業税に限り、六の1の①の規定にかかわらず、六の1の①の規定により算定した収入金額から注で定める金額を控除した金額による。（法附9⑲）

（注）⑤中＿＿部分「法附9⑲」を「法附9⑳」に改める令和6年度改正規定は、令和7年4月1日以後適用する。（令6改法附1三）

　　　　（政令で定める収入金額）
　注　⑤に規定する注で定める収入金額は、電気供給業を行う法人が、⑤に規定する卸電力取引所を介して自らが供給を行った電気の供給を受けて、当該電気の供給を行う場合において、当該法人が当該供給を受けた電気の料金として支払うべき金額に相当する収入金額とする。（令附6の2⑨）

⑥　電気の安定供給の確保のため必要なものとして総務省令で定めるものを行う場合の収入金額の特例
　特定吸収分割会社（電気事業法等の一部を改正する法律（平成26年法律第72号）第1条による改正前の電気事業法第2条第1項第2号に規定する一般電気事業者又は同項第4号に規定する卸電気事業者であった者であって、平成27年6月24日から令和2年4月1日までの間（以下⑥において「特定期間」という。）に会社法第757条の規定により吸収分割をする同法第758条第1号に規定する吸収分割会社をいう。以下⑥において同じ。）又は特定吸収分割承継会社（特定期間内に同法第757条の規定により特定吸収分割会社からその事業に関して有する権利義務の全部又は一部を承継する会社であって、電気事業法第2条第1項第2号に規定する小売電気事業、同項第8号に規定する一般送配電事業、同項第10号に規定する送電事業又は同項第14号に規定する発電事業のいずれかを営む会社法第757条に規定する吸収分割承継会社（当該特定吸収分割会社がその設立の日から引き続き発行済株式の全部を有する株式会社に限る。）をいう。以下⑥において同じ。）が、当該特定吸収分割会社と当該特定吸収分割承継会社との間で行う取引（特定吸収分割会社がその事業に関して有する権利義務の全部又は一部を2以上の特定吸収分割承継会社に承継させた場合には、それぞれの特定吸収分割承継会社との間で行う取引を含む。）のうち、電気の安定供給の確保のため必要なものとして（2）で定めるものを行う場合における一の表の(四)の各事業年度の収入金額は、平成31年4月1日から令和11年3月31日までの間に開始する各事業年度分の事業税に限り、①の規定にかかわらず、①の規定により算定した収入金額から（1）で定める金額を控除した金額による。（法附9⑳）
　（注）　⑥中＿＿＿部分「法附9⑳」を「法附9㉑」に改める令和6年度改正規定は、令和7年4月1日以後適用する。（令6改法附1三）

　　　　（政令で定める収入金額）
（1）　⑥に規定する（1）で定める収入金額は、特定吸収分割会社（⑥に規定する特定吸収分割会社をいう。以下（1）において同じ。）又は特定吸収分割承継会社（⑥に規定する特定吸収分割承継会社をいう。以下（1）において同じ。）が⑥に規定する当該特定吸収分割会社と当該特定吸収分割承継会社との間で行う取引（特定吸収分割会社がその事業に関して有する権利義務の全部又は一部を2以上の特定吸収分割承継会社に承継させた場合には、それぞれの特定吸収分割承継会社との間で行う取引を含む。）のうち⑥に規定する（2）で定めるもの（以下（1）において「特定取引」という。）を行う場合において、当該特定吸収分割会社又は当該特定吸収分割承継会社が当該特定取引の相手方から支払を受けるべき金額に相当する収入金額とする。（令附6の2⑩）

　　　　（電気の安定供給の確保のため必要なものとして総務省令で定める取引）
（2）　⑥に規定する特定吸収分割会社と特定吸収分割承継会社との間で行う取引のうち、電気の安定供給の確保のため必要なものとして総務省令で定めるものは、電気事業会計規則附則第4項に規定する特定分割取引であって、かつ、当該取引に係る収益を同令附則第3項に規定する特定分割取引収益に整理することについて同項の承認を受けた取引とする。（規附2の8）

⑦　一般送配電事業者が原子力損害の賠償金等を交付する場合における収入金額の特例
　電気事業法第2条第1項第9号に規定する一般送配電事業者（以下⑦において「一般送配電事業者」という。）が、原子力損害の賠償に関する法律第2条第2項に規定する原子力損害の賠償に要する金銭に相当する金額として（1）で定める金額及び電気事業法第106条第1項に規定する原子力発電工作物の廃止に要する金銭に相当する金額として（2）で定める金額を同法第2条第1項第15号に規定する発電事業者で（3）で定めるものに交付する場合又は同項第11号の3に規定する配電事業者がこれらの金額を一般送配電事業者で（4）で定めるものに交付する場合における一の表の(四)の各事業年度の収入金額は、令和2年4月1日から令和7年3月31日までの間に開始する各事業年度分の事業税に限り、六の1の①の規定にかかわらず、六の1の①の規定により算定した収入金額から（5）で定める金額を控除した金額による。（法附9㉑）
　（注）　⑦中＿＿＿部分「法附9㉑」を「法附9㉒」に改める令和6年度改正規定は、令和7年4月1日以後適用する。（令6改法附1三）

　　　　（原子力損害の賠償に要する金銭に相当する金額）
（1）　⑦に規定する原子力損害の賠償に要する金銭に相当する金額として（1）で定める金額は、⑦に規定する一般送配電事業者が⑦に規定する発電事業者で（4）で定めるものに交付するものにあっては賠償負担金相当金（電気事業法施行規則(平成7年通商産業省令第77号)第45条の21の10第1項第3号に規定する賠償負担金相当金をいう。）の額とし、

第二編第五章《法人の事業税》第二節《課税標準及び税率等（各事業年度の収入金額）》

⑦に規定する配電事業者が⑦に規定する一般送配電事業者で（4）で定めるものに交付するものにあっては当該配電事業者が同令第45条の21の8第1項の規定により当該一般送配電事業者から回収される金銭の額とする。（規附2の9①）

　　　（原子力発電工作物の廃止に要する金銭に相当する金額）
（2）　⑦に規定する原子力発電工作物の廃止に要する金銭に相当する金額として（2）で定める金額は、⑦に規定する一般送配電事業者が⑦に規定する発電事業者で（4）で定めるものに交付するものにあっては廃炉円滑化負担金相当金（電気事業法施行規則第45条の21の13第1項第3号に規定する廃炉円滑化負担金相当金をいう。）の額とし、⑦に規定する配電事業者が⑦に規定する一般送配電事業者で（4）で定めるものに交付するものにあっては当該配電事業者が同令第45条の21の11第1項の規定により当該一般送配電事業者から回収される金銭の額とする。（規附2の9②）

　　　（総務省令で定める発電事業者）
（3）　⑦に規定する発電事業者で（3）で定めるものは、原子力発電事業者（電気事業法施行規則第45条の21の9第1項に規定する原子力発電事業者をいう。）とする。（規附2の9③）

　　　（総務省令で定めるもの）
（4）　⑦に規定する一般送配電事業者で（4）で定めるものは、電気事業法施行規則第45条の21の10第1項及び第45条の21の13第1項の通知を受けた電気事業法第2条第1項第9号に規定する一般送配電事業者とする。（規附2の9④）

　　　（政令で定める収入金額）
（5）　⑦に規定する注で定める収入金額は、⑦に規定する一般送配電事業者が⑦に規定する原子力損害の賠償に要する金銭に相当する金額として総務省令で定める金額及び⑦に規定する原子力発電工作物の廃止に要する金銭に相当する金額として総務省令で定める金額（以下「賠償負担金相当金額等」という。）を⑦に規定する発電事業者で総務省令で定めるものに交付する場合にあっては当該一般送配電事業者が当該発電事業者に交付する賠償負担金相当金額等に相当する収入金額とし、⑦に規定する配電事業者が賠償負担金相当金額等を⑦に規定する一般送配電事業者で総務省令で定めるものに交付する場合にあっては当該配電事業者が当該一般送配電事業者に交付する賠償負担金相当金額等に相当する収入金額とする。（令附6の2⑪）

⑧　**分社化した一般ガス導管事業者が当該分社化に係る一定のガス事業者の間で取引を行う場合における収入金額の特例**
特定吸収分割会社（令和2年8月13日においてガス事業法第2条第5項に規定する一般ガス導管事業（以下⑧において「一般ガス導管事業」という。）の用に供する導管の総体としての規模が同法第54条の2に規定する政令で定める規模以上であることその他同条に規定する政令で定める要件に該当する同法第2条第6項に規定する一般ガス導管事業者であった者であって、同日から令和4年4月1日までの間（以下⑧において「特定期間」という。）に会社法第757条の規定により吸収分割をする同法第758条第1号に規定する吸収分割会社をいう。以下⑧において同じ。）又は特定吸収分割承継会社（特定期間内に同法第757条の規定により特定吸収分割会社からその事業に関して有する権利義務の全部又は一部を承継する会社であって、ガス事業法第2条第2項に規定するガス小売事業、一般ガス導管事業又は同条第9項に規定するガス製造事業のいずれかを営む会社法第757条に規定する吸収分割承継会社（当該特定吸収分割会社がその設立の日から引き続き発行済株式の全部を有する株式会社に限る。）をいう。以下⑧において同じ。）が、当該特定吸収分割会社と当該特定吸収分割承継会社との間で行う取引（特定吸収分割会社がその事業に関して有する権利義務の全部又は一部を二以上の特定吸収分割承継会社に承継させた場合には、それぞれの特定吸収分割承継会社との間で行う取引を含む。）のうち、ガスの安定供給の確保のため必要なものとして（1）の総務省令で定めるものを行う場合における一の表の（四）の各事業年度の収入金額は、令和4年4月1日から令和9年3月31日までの間に開始する各事業年度分の事業税に限り、1の①の規定にかかわらず、同①の規定により算定した収入金額から（2）の政令で定める金額を控除した金額による。（法附9㉒）
（注）⑧中＿＿＿部分「法附9㉒」を「法附9㉓」に改める令和6年度改正規定は、令和7年4月1日以後適用する。（令6改法附1三）

　　　（総務省令で定める取引）
（1）　⑧に規定する特定吸収分割会社と特定吸収分割承継会社との間で行う取引のうち、ガスの安定供給の確保のため必要なものとして総務省令で定めるものは、ガス事業会計規則（昭和29年通商産業省令第15号）附則第4項に規定する特定分割取引であって、かつ、当該取引に係る収益を同令附則第3項に規定する特定分割取引収益に整理することについて同項の承認を受けた取引とする。（規附2の10）

　　　　（政令で定める収入金額）
（２）　⑧に規定する政令で定める収入金額は、特定吸収分割会社（⑧に規定する特定吸収分割会社をいう。以下（２）において同じ。）又は特定吸収分割承継会社（⑧に規定する特定吸収分割承継会社をいう。以下（２）において同じ。）が⑧に規定する当該特定吸収分割会社と当該特定吸収分割承継会社との間で行う取引（特定吸収分割会社がその事業に関して有する権利義務の全部又は一部を二以上の特定吸収分割承継会社に承継させた場合には、それぞれの特定吸収分割承継会社との間で行う取引を含む。）のうち⑧に規定する総務省令で定めるもの（以下（２）において「特定取引」という。）を行う場合において、当該特定吸収分割会社又は当該特定吸収分割承継会社が当該特定取引の相手方から支払を受けるべき金額に相当する収入金額とする。（令附６の２⑫）

⑨　電気供給業を行う法人が広域的運営推進機関に対して業務に係る対価を支払う場合の収入金額の特例
　電気供給業を行う法人が広域的運営推進機関に対して電気事業法第28条の40第１項第５号に掲げる業務に係る対価を支払い、かつ、広域的運営推進機関が収入金額に対する事業税を課される他の電気供給業を行う法人に対して当該対価に相当する金額を原資として電気の供給能力の確保に係る対価を支払う場合における当該業務に係る対価の支払をする法人の一の（四）の各事業年度の収入金額は、令和６年４月１日から令和９年３月31日までの間に開始する各事業年度分の事業税に限り、①の規定にかかわらず、同項の規定により算定した収入金額から（１）で定める金額を控除した金額による。（法附９㉔）

　　　　（政令で定める収入金額）
（１）　⑨に規定する（１）で定める収入金額は、電気供給業を行う法人が電気事業法第28条の40第１項第５号に掲げる業務に係る対価として広域的運営推進機関に対して支払うべき金額として（２）で定める金額に相当する収入金額とする。（令附６の２⑬）

　　　　（総務省令で定める金額）
（２）　（１）に規定する（２）で定める金額は、次の各号に掲げる場合の区分に応じ、当該各号に定める金額とする。（規附２の11）
　（一）　電気供給業を行う法人が小売電気事業（電気事業法第２条第１項第２号に規定する小売電気事業をいう。）を行う場合　広域的運営推進機関に対して支払うべき拠出金（地方税法施行規則附則第２条の11各号に規定する拠出金を定める告示（令和６年経済産業省告示第65号。（二）において「拠出金告示」という。）第１号に規定するものに限る。）の金額
　（二）　電気供給業を行う法人が一般送配電事業（電気事業法第２条第１項第８号に規定する一般送配電事業をいう。）又は配電事業（同項第11号の２に規定する配電事業をいう。）を行う場合　広域的運営推進機関に対して支払うべき拠出金（拠出金告示各号に規定するものに限る。）の金額

２　生命保険業の収入金額

①　各事業年度の収入金額
　一の表の（四）の各事業年度の収入金額は、保険業を行う法人のうち保険業法第２条第３項に規定する生命保険会社又は同条第８項に規定する外国生命保険会社等にあっては、当該生命保険会社又は外国生命保険会社等が契約した次の各号に掲げる保険の区分に応じ、それぞれ当該各号に掲げる金額による。（法72の24の２②）

（一）	**個人保険**（（三）に規定する団体保険以外の保険をいう。（二）において同じ。）のうち（二）に規定する貯蓄保険以外のもの	各事業年度の収入保険料（再保険料として収入する保険料を除く。以下①において同じ。）に100分の24を乗じて得た金額
（二）	**貯蓄保険**（個人保険のうち貯蓄を主目的とする保険で政令で定めるものをいう。）	各事業年度の収入保険料に100分の７を乗じて得た金額
（三）	**団体保険**（普通保険約款において、団体の代表者を保険契約者とし、当該団体に所属する者を被保険者とすることとなっている保険をいう。（四）において同じ。）のうち（四）に規定する団体年金保険以外のもの	各事業年度の収入保険料（被保険者が団体から脱退した場合に保険金以外の給付金を支払う定めのある保険につき収入した保険料については、当該給付金に対応する部分の金額を控除した金額）に100分の16を乗じて得た金額

(四)	**団体年金保険**（団体保険のうち当該団体に所属していた者に対する退職年金若しくは退職一時金又はこれらに準ずる年金若しくは一時金の支払を目的とする保険をいう。）	各事業年度の収入保険料に100分の5を乗じて得た金額

　　　（貯蓄保険の範囲）
（１）　①の表の（二）に規定する貯蓄を主目的とする保険で政令で定めるものは、生命保険のうち、当該生命保険に係る生命保険契約の保険期間が10年以下であり、かつ、当該生命保険契約に係る普通保険約款において、被保険者が保険期間満了の日に生存している場合又は被保険者が保険期間満了の日に生存しているか若しくは当該期間中に災害、感染症の予防及び感染症の患者に対する医療に関する法律第6条第2項若しくは第3項に規定する一類感染症若しくは二類感染症その他これらに類する特別の理由により死亡した場合に限り保険金を支払う定めのあるものその他これらに類するものとして総務省令で定める生命保険とする。（令22の2）

　　　（総務省令で定める生命保険）
（２）　（１）に規定する総務省令で定める生命保険は、貯蓄を主目的とする生命保険のうち、当該生命保険に係る生命保険契約の保険期間が10年以下であり、かつ、当該生命保険契約に係る普通保険約款において、被保険者が保険期間満了の日に生存しているか又は当該期間中に（１）に規定する理由により死亡した場合若しくは当該生命保険契約の契約日から一定期間経過後に（１）に規定する理由以外の理由により死亡した場合に限り保険金を支払う定めのあるものその他これに類するものとする。（規4の3）

　　　（留意事項）
（３）　生命保険会社又は外国生命保険会社等の収入金額の算定については、次の諸点に留意すること。（県通3－4の9の10）
　（一）　保険料は、現実に収入された事業年度の収入金額に算入するものであること。したがって、法人が未収保険料として経理しているものについても、もとよりこれが収入された場合においてこれを収入金額に算入するものであること。なお、法人が未経過保険料として経理しているものについても、これが収入された事業年度の収入金額に算入するものであること。
　（二）　個人保険、貯蓄保険、団体保険及び団体年金保険の区分については、具体的には、保険業法第3条及び第185条の規定により免許を受ける際の免許申請書に添付されるべき普通保険約款に定められた区分に基づいて行うものであること。

② 福祉医療機構と締結する保険契約に係る収入保険料の特例
　　保険業法第2条第3項に規定する生命保険会社及び同条第8項に規定する外国生命保険会社等に対する事業税の課税標準の算定については、当分の間、当該生命保険会社及び外国生命保険会社等が独立行政法人福祉医療機構法第12条第4項の規定によって独立行政法人福祉医療機構と締結する保険の契約に基づく各事業年度の収入保険料は、当該生命保険会社及び外国生命保険会社等に係る①の表の（一）の右欄の各事業年度の収入保険料から控除するものとする。（法附9⑨）

3　損害保険業の収入金額
　一の表の（四）の各事業年度の収入金額は、保険業を行う法人のうち保険業法第2条第4項に規定する損害保険会社又は同条第9項に規定する外国損害保険会社等にあっては、当該損害保険会社又は外国損害保険会社等が契約した次の各号に掲げる保険の区分に応じ、それぞれ当該各号に掲げる金額による。（法72の24の2③）

(一)	**船舶保険**（船舶を保険の目的とする保険をいう。（五）において同じ。）	各事業年度の**正味収入保険料**（各事業年度において収入した、又は収入すべきことの確定した保険料（当該保険料のうちに払戻した、又は払戻すべきものがあるときは、その金額を控除した金額）及び再保険返戻金の合計額から当該事業年度において支払った、又は支払うことの確定した再保険料及び解約返戻金の合計額を控除した金額をいう。以下3及び4において同じ。）に100分の25を乗

		じて得た金額
(二)	**運送保険**（陸上運送中の運送品を保険の目的とする保険をいう。(五)において同じ。）及び**貨物保険**（商法第819条に規定する貨物保険契約に係る保険をいう。(五)において同じ。）	各事業年度の正味収入保険料に100分の45を乗じて得た金額
(三)	**自動車損害賠償責任保険**（自動車損害賠償保障法第3章《自動車損害賠償責任保険》に規定する保険をいう。(五)において同じ。）	各事業年度の正味収入保険料に100分の10を乗じて得た金額
(四)	**地震保険**（その保険契約が地震保険に関する法律第2条第2項各号《定義》に掲げる要件を備える保険をいう。(五)において同じ。）	各事業年度の正味収入保険料に100分の20を乗じて得た金額
(五)	船舶保険、運送保険、貨物保険、自動車損害賠償責任保険及び地震保険以外の保険	各事業年度の正味収入保険料に100分の40を乗じて得た金額

（損害保険の定義）
（1） 損害保険会社又は外国損害保険会社等が契約した保険の種類については、次によるものであること。（県通3－4の9の11）
　（一） 船舶保険とは、船舶自体（属具目録に記載され従物と推定されるもの（商法685条）を含む。）につき航海に関して生ずべき損害をてん補することを目的とする海上保険をいう。
　（二） 運送保険とは、陸上、湖川又は港湾における運送品（商法569条参照）につき運送中に生ずることあるべき損害のてん補を目的とする損害保険をいい、運送品の所有者としての利益、運送品の到達によって得べき利益（希望利益保険）及び運送品についての運賃の取得に関する利益（運送賃利益）等を保険契約の目的とするものであるが、運送の用具についての保険（例えば自動車保険）を含まないものであること。
　（三） 貨物保険とは、貨物について生ずべき航海上の事故による損害の填補を目的とする海上保険をいい、貨物の価額、運送費及び保険に関する費用の合計額を保険価額とするもの（商法819条）、積荷の到達によって得べき利益又は報酬の保険（希望利益保険）（商法820条）をいうものであること。
　（四） 自動車損害賠償責任保険とは、自動車損害賠償保障法第3章に規定する保険をいうものであり、自己のために自動車を運行の用に供する者は、同法第3条《自動車損害賠償責任》の規定によりその運行によって他人の生命又は身体を害したときにこれによって生じた損害を賠償する責任を負うべきものとされているが、これによる保有者及び運転者の損害をてん補することを目的とする保険をいうものであること。
　（五） 地震保険とは、その保険契約が地震保険に関する法律第2条第2項各号に掲げる要件を備える保険をいい、特定の損害保険契約に附帯して締結される保険をいうものであること。
　（六） 船舶保険、運送保険、貨物保険、自動車損害賠償責任保険及び地震保険以外の保険とは、火災、傷害、自動車、盗難、信用、硝子、風水害、競走馬、機関、航空機等の保険をいうものであること。
　　なお、具体的には保険業法第3条及び第185条の規定により免許を受ける際の免許申請書に添付されるべき普通保険約款に定められた区分に基づいて行うものであること。

（正味収入保険料の計算）
（2） 損害保険会社又は外国損害保険会社等の正味収入保険料は

$$\left(\begin{array}{l}\text{元受及び受再保}\\\text{険の総保険料}\end{array} - \begin{array}{l}\text{保険料から控}\\\text{除すべき金額}\end{array} + 再保険返戻金\right) - (再保険料 + 解約返戻金)$$

の算式によって算定されるものであるが、次の諸点に留意すること。（県通3－4の9の12）
　（一） 保険料から控除すべき金額とは、簡易火災保険の満期返戻金、海上保険の期末払戻金等で、解約以外の事由による保険料の払戻金をいうのであって、海上保険の利益払戻金のようなものは含まないものであること。この場合において元受保険者が再保険者から返戻されたこれらに対応する金額は、保険料から控除すべき金額から控除するものであること。
　（二） 解約返戻金とは、中途解約、更新契約等による返戻金で保険契約が解除された場合、既に収入した保険料のうちから契約者へ払い戻されるものであること。

4 少額短期保険業者の収入金額

一の表の(四)の各事業年度の収入金額は、保険業を行う法人のうち保険業法第2条第18項に規定する少額短期保険業者にあっては、当該少額短期保険業者が契約した次の各号に掲げる保険の区分に応じ、それぞれ当該各号に定める金額による。（法72の24の2④）

(一)	保険業法第3条第4項第1号及び第2号に掲げる保険	各事業年度の正味収入保険料に100分の16を乗じて得た金額
(二)	保険業法第3条第5項第1号に掲げる保険	各事業年度の正味収入保険料に100分の26を乗じて得た金額

　　（収入金額の留意事項）
　注　少額短期保険業者の収入金額は、当該少額短期保険業者が契約した保険の正味収入保険料により算定し、当該正味収入保険料の算定については、3の(2)の取扱いの例によるものとすること。（県通3－4の9の13前段）

5 国外において事業を行う内国法人の収入割の課税標準の算定

特定内国法人〔三の5参照〕の収入割の課税標準は、当該特定内国法人の事業の収入金額の総額からこの法律の施行地外の事業に帰属する収入金額を控除して得た額とする。この場合において、この法律の施行地外の事業に帰属する収入金額の計算が困難であるときは、政令で定めるところにより計算した金額をもって、当該特定内国法人のこの法律の施行地外の事業に帰属する収入金額とみなす。（法72の24の3）

　　（特定内国法人の国外の事業に帰属する収入金額の算定の方法）
　注　5の後段に規定する特定内国法人の法の施行地外の事業に帰属する収入金額とみなす金額は、当該特定内国法人の収入金額の総額に当該特定内国法人の外国の事務所又は事業所の従業者の数を乗じて得た額を当該特定内国法人の法の施行地内に有する事務所又は事業所及び外国の事務所又は事業所〔三の5の(2)参照〕の従業者の合計数で除して計算する。（令23①）
　　　（注）三の5の(4)から(6)の規定は、注の規定の適用がある場合における注の事務所又は事業所の従業者の数について準用する。（令23②）

七　外形課税の特例及び課税標準の算定の特例

1 外形課税の特例

第一節二の1《課税団体及び納税義務者》の表の(一)の右欄イに掲げる法人《外形対象法人》以外の法人の行う事業（電気供給業、ガス供給業及び保険業を除く。）に対する事業税の課税標準については、事業の情況に応じ、一の表の(三)の所得と併せて、資本金額、売上金額、家屋の床面積又は価格、土地の地積又は価格、従業員数等を用いることができる。（法72の24の4）

2 鉱物の掘採事業と精錬事業を一貫して行う法人の付加価値額等の算定

① 課税標準とすべき所得

鉱物の掘採事業と精錬事業とを一貫して行う法人が納付すべき事業税の課税標準とすべき付加価値額及び所得（以下2において「付加価値額等」という。）は、これらの事業を通じて算定した付加価値額等に、課税標準の算定期間中におけるこれらの事業の生産品について収入すべき金額から課税標準の算定期間中において掘採した鉱物について法人が納付すべき鉱産税の課税標準である鉱物の価格を控除した金額を当該生産品について収入すべき金額で除して得た数値を、それぞれ乗じて得た額とする。（法72の24の5①）

$$\text{掘採事業と精錬事業を通じて算定した付加価値額等} \times \frac{A - \text{課税標準の算定期間中において掘採した鉱物について納付すべき鉱産税の課税標準である鉱物の価格}}{\text{課税標準の算定期間中におけるこれらの事業の生産品について収入すべき金額}(A)}$$

　　（他から鉱物を買い入れて精錬している場合の付加価値額等の算定）
　(1)　①に規定する鉱物の掘採事業と精錬事業とを一貫して行う法人が他の者から買い入れた鉱物を精錬している場合においては、当該法人が納付すべき事業税の課税標準とすべき付加価値額等は、これらの事業を通じて算定した付加価値額等に、課税標準の算定期間中におけるこれらの事業の生産品について収入すべき金額から課税標準の算定期間

中において掘採した鉱物について法人が納付すべき鉱産税の課税標準である鉱物の価格と当該買入れに係る鉱物の価格との合計額を控除した金額を当該生産品について収入すべき金額から当該買入れに係る鉱物の価格を控除した金額で除して得た数値を、それぞれ乗じて得た額とする。(令24)

　　　(他から鉱物を買い入れている場合の留意事項)
（２）　鉱物の掘採事業と精錬事業とを一貫して行う法人が他社から鉱物を購入してこれを精錬している場合においては、その法人の納付すべき事業税の課税標準とすべき付加価値額又は所得は、

$$\text{付加価値額の総額} \atop \text{又は所得の総額} \times \frac{\text{生産品について収入すべき金額} - \left(\text{鉱産税の課税標準である鉱物の価格} + \text{他社から購入した鉱物の価格}\right)}{\text{生産品について収入すべき金額} - \text{他社から購入した鉱物の価格}}$$

の算式によって算定するものとすること。
　　なお、他社から購入した「鉱物」とは、原料である鉱物をいう。「原料である鉱物」とは、生産品の原材料となる鉱物（鉱さい、スクラップ等を含む。）をいい、燃料、溶剤等（例えば石炭、コークス等）は含まないものであること。(県通３－４の８の１)

②　付加価値額等を区分できる場合の課税標準とすべき付加価値額等

　①の法人が鉱物の掘採事業に係る付加価値額等と精錬事業に係る付加価値額等とを区分することができる場合においては、当該法人の精錬事業に係る事業税の課税標準とすべき付加価値額等は、①の規定にかかわらず、その区分して計算した付加価値額等とする。(法72の24の５②)

　　　(区分計算の方法の承認)
（１）　②の場合においては、その区分計算の方法について、事務所等所在地の道府県知事（二以上の道府県において事務所等を設けて事業を行う法人にあっては、主たる事務所等所在地の道府県知事）の承認を受けなければならない。その区分計算の方法を変更しようとする場合においても、また、同様とする。(法72の24の５③)

　　　(区分計算をすることができる場合)
（２）　鉱物の掘採事業と精錬事業とを一貫して行う法人が鉱物の掘採事業に係る付加価値額又は所得と精錬事業に係る付加価値額又は所得とを区分することができる場合は、法定の方式によらず区分計算することができるが、この方法によるには特に区分計算ができる旨を申し出て道府県知事の承認を受けたものに限るものであること。区分計算をすることができる場合とは、各事業部門が独立採算制を行っている場合、製品の原価計算が適確に行われている場合等一定の方式が確立し、その計算の方法がおおむね妥当と認められる場合をいうものであること。なお、本社経費等の共通経費については、妥当と認められる方法で配分されておれば足りるものであること。(県通３－４の８の２)

　　　(石灰石の採掘事業と加工事業を行う者の課税標準とすべき付加価値額又は所得の算定)
（３）　石灰石の採掘事業と加工（製造）事業とを一貫して行う法人が納付すべき事業税の課税標準とすべき付加価値額又は所得は、採掘部門と加工部門とに分離して算定するものであること。
　　この場合における一貫作業に係る加工部門の単年度損益又は所得の計算については、自己採掘の石灰石の原料代金を損金の額として算入せず、課税標準の算定期間中において申告納付すべき鉱産税の課税標準である鉱物の価格を損金の額に算入して行うものであること。(県通３－４の８の３)

　　　(所得等課税事業と非課税事業を併せて行う法人の共通経費等の区分)
（４）　非課税事業、所得等課税事業、収入金額等課税事業又は特定ガス供給業のうち複数の事業を併せて行う法人で共通経費等の区分の困難なものについては、便宜上これをそれぞれの事業の売上金額等最も妥当と認められる基準によってあん分して算定するものとすること。また、その経理を区分することが困難であるものについては、それぞれの事業を通じて算定した付加価値額の総額又は所得の総額若しくは欠損金額をそれぞれの事業の売上金額等最も妥当と認められる基準によって按分してそれぞれの事業に係る付加価値額又は所得を算定することが適当であること。(県通３－４の８の４)

八　税　率

1　標準税率

①　一般の法人の標準税率

　法人の行う事業（電気供給業、ガス供給業、保険業及び貿易保険業を除く。⑤において同じ。）に対する事業税の額は、次の各号に掲げる法人の区分に応じ、それぞれ当該各号に定める金額とする。（法72の24の7①）

（一）	第一節二の1の表の（一）の右欄イに掲げる法人《外形対象法人》	次に掲げる金額の合計額 イ　各事業年度の**付加価値額**に100分の1.2の標準税率により定めた率を乗じて得た金額 ロ　各事業年度の**資本金等の額**に100分の0.5の標準税率により定めた率を乗じて得た金額 ハ　各事業年度の所得に100分の1の標準税率により定めた率を乗じて得た金額
（二）	特別法人	次の表の左欄に掲げる金額の区分により各事業年度の**所得**を区分し、当該区分に応ずる同表の右欄に掲げる標準税率により定めた率を乗じて計算した金額の合計額 |所得区分|標準税率| |---|---| |各事業年度の所得のうち年400万円以下の金額|100分の3.5| |各事業年度の所得のうち年400万円を超える金額|100分の4.9|
（三）	その他の法人	次の表の左欄に掲げる金額の区分により各事業年度の**所得**を区分し、当該区分に応ずる同表の右欄に掲げる標準税率により定めた率を乗じて計算した金額の合計額 |所得区分|標準税率| |---|---| |各事業年度の所得のうち年400万円以下の金額|100分の3.5| |各事業年度の所得のうち年400万円を超え年800万円以下の金額|100分の5.3| |各事業年度の所得のうち年800万円を超える金額|100分の7|

　　（事業年度が1年に満たない場合の標準税率）
　注　事業年度が1年に満たない場合における①の規定の適用については、①中「年400万円」とあるのは「400万円に当該事業年度の月数を乗じて得た額を12で除して計算した金額」と、「年800万円」とあるのは「800万円に当該事業年度の月数を乗じて得た額を12で除して計算した金額」とする。この場合における月数は、暦に従い計算し、1月に満たない端数を生じたときは、1月とする。（法72の24の7⑥）

②　電気供給業等の法人の標準税率

　電気供給業（小売電気事業等、発電事業等及び特定卸供給事業を除く。）、導管ガス供給業、保険業及び貿易保険業に対する事業税の額は、各事業年度の収入金額に100分の1の標準税率により定めた率を乗じて得た金額とする。（法72の24の7②）

③　電気供給業のうち小売電気事業等及び発電事業等に対する事業税の額

　電気供給業のうち、小売電気事業等、発電事業等及び特定卸供給事業に対する事業税の額は、次の各号に掲げる法人の区分に応じ、それぞれ当該各号に定める金額とする。（法72の24の7③）
（一）　二の1の（三）のイに掲げる法人　　次に掲げる金額の合計額
　イ　各事業年度の収入金額に100分の0.75の標準税率により定めた率を乗じて得た金額
　ロ　各事業年度の付加価値額に100分の0.37の標準税率により定めた率を乗じて得た金額
　ハ　各事業年度の資本金等の額に100分の0.15の標準税率により定めた率を乗じて得た金額
（二）　二の1の（三）のロに掲げる法人　　次に掲げる金額の合計額
　イ　各事業年度の収入金額に100分の0.75の標準税率により定めた率を乗じて得た金額
　ロ　各事業年度の所得に100分の1.85の標準税率により定めた率を乗じて得た金額

第二編第五章《法人の事業税》第二節《課税標準及び税率等（税率）》

④ 特定ガス供給業に対する事業税の額
　特定ガス供給業に対する事業税の額は、次に掲げる金額の合計額とする。（法72の24の7④）
(一)　各事業年度の収入金額に100分の0.48の標準税率により定めた率を乗じて得た金額
(二)　各事業年度の付加価値額に100分の0.77の標準税率により定めた率を乗じて得た金額
(三)　各事業年度の資本金等の額に100分の0.32の標準税率により定めた率を乗じて得た金額

⑤ 二以上の道府県において事務所等を設けて事業を行う法人の税率適用所得及び三以上の道府県において事務所等を設けて事業を行う法人の標準税率
　二以上の道府県において事務所又は事業所を設けて事業を行う法人の①の各事業年度の所得は、第五節一の規定により関係道府県に分割される前の各事業年度の所得によるものとし、三以上の道府県において事務所又は事業所を設けて事業を行う法人で資本金の額又は出資金の額が1,000万円以上のものが行う事業に対する事業税の額は、①の規定にかかわらず、次の各号に掲げる法人の区分に応じ、当該各号に定める金額とする。（法72の24の7⑤）

(一)	特別法人	各事業年度の所得に100分の4.9の標準税率により定めた率を乗じて得た金額
(二)	特別法人以外の法人	各事業年度の所得に100分の7の標準税率により定めた率を乗じて得た金額

　（資本金の額又は出資金の額の判定の時期）
注　⑤の規定を適用する場合において、資本金の額又は出資金の額が1,000万円以上の法人であるかどうかの判定は、各事業年度の所得（清算中の各事業年度の所得を除く。）を課税標準とする法人の事業税にあっては、各事業年度の終了の日（第三節三の1の①ただし書《仮決算による中間申告納付》又は第五節一の2の②《分割基準が前事業年度と著しく異なる場合等の中間申告納付》の規定により申告納付すべき事業税にあっては、第三節三の1の①に規定する6月経過日の前日）の現況によるものとし、清算中の各事業年度の所得を課税標準とする事業税にあっては、解散の日の現況によるものとする。（法72の24の7⑧）

⑥ 「特別法人」の意義
　①の表の(二)及び⑤の表の(二)の「特別法人」とは、次に掲げる法人をいう。（法72の24の7⑦）

(一)	農業協同組合、農業協同組合連合会（特定農業協同組合連合会〔第一節五の4の表の(五)参照〕を除く。）及び農事組合法人（農業協同組合法第72条の10第1項第2号《農業の経営》の事業を行う農事組合法人でその事業に従事する組合員に対し俸給、給料、賃金、賞与その他これらの性質を有する給与を支給するものを除く。）並びにたばこ耕作組合
(二)	消費生活協同組合及び消費生活協同組合連合会
(三)	信用金庫、信用金庫連合会、労働金庫及び労働金庫連合会
(四)	中小企業等協同組合（企業組合を除く。）、出資組合である商工組合及び商工組合連合会、商店街振興組合、商店街振興組合連合会、内航海運組合、内航海運組合連合会、出資組合である生活衛生同業組合及び生活衛生同業組合連合会並びに生活衛生同業小組合
(五)	出資組合である輸出組合及び輸入組合
(六)	船主相互保険組合
(七)	漁業協同組合、漁業協同組合連合会、漁業生産組合（当該組合の事業に従事する組合員に対し俸給、給料、賃金、賞与その他これらの性質を有する給与を支給するものを除く。）、水産加工業協同組合、水産加工業協同組合連合会、共済水産業協同組合連合会及び輸出水産業組合
(八)	森林組合、森林組合連合会及び生産森林組合（当該組合の事業に従事する組合員に対し俸給、給料、賃金、賞与その他これらの性質を有する給与を支給するものを除く。）
(九)	農林中央金庫
(十)	医療法人
(十一)	労働者協同組合連合会

(注1)　昭和54年の改正により特別法人から除かれた貸家組合、貸家組合連合会、貸室組合及び貸室組合連合会の行う事業に対して課する法人の

第二編第五章《法人の事業税》第二節《課税標準及び税率等（税率）》

事業税については、昭和54年法律第12号附則第3条により、これらの法人が昭和54年4月1日に現存するものである場合に限り、なお、従前の例によることとされている。（編者）
（注２） 昭和59年法律第88号により特別法人から除かれた「塩業組合」の行う事業に対して課する法人の事業税については、当該組合が昭和60年4月1日に現存するものである場合に限り、同法附則第2条により、なお従前の例によることとされている。（編者）

⑦　特定の協同組合等の所得割の特例
　租税特別措置法第68条第1項《特定協同組合等の法人税率の特例》の規定に該当する法人の同項の規定に該当する各事業年度に係る所得割については、次による。（法附9の2）
(一)　①の表の(二)中

	標準税率
各事業年度の所得のうち年400万円を超える金額	100分の4.9

とあるのは

	標準税率
各事業年度の所得のうち年400万円を超え年10億円以下の金額	100分の4.9
各事業年度の所得のうち年10億円を超える金額	100分の5.7

とする。

(二)　⑤の表の(二)の右欄中「100分の4.9」とあるのは「100分の4.9（各事業年度の所得のうち年10億円を超える金額については、100分の5.7」とする。
(三)　①の注の前段を次のように読み替える。（編者）
　　事業年度が1年に満たない場合における⑤の(一)又は(二)により読み替えられた①又は④の規定の適用については、同①中「年400万円」とあるのは「400万円に当該事業年度の月数を乗じて得た額を12で除して計算した金額」と、「年800万円」とあるのは「800万円に当該事業年度の月数を乗じて得た額を12で除して計算した金額」と、「年10億円」とあるのは「10億円に当該事業年度の月数を乗じて得た額を12で除して計算した金額」とし、同④の表の(二)の右欄中「年10億円」とあるのは「10億円に当該事業年度の月数を乗じて得た額を12で除して計算した金額」とする。
(四)　第五節一の1の(1)中「八の1の①の(一)若しくは同(三)」とあるのは「八の1の①の(二)」と、「年800万円」とあるのは「年10億円」と、「もの又は第二節八の1の①の(二)に掲げる法人で各事業年度の所得の総額が年400万円を超えるもの」とあるのは「もの」と、「第二節八の1の①の(三)に掲げる」とあるのは「当該」とする。

《参考》　租税特別措置法第68条第1項の規定に該当する各事業年度
　⑥に規定する「租税特別措置法第68条第1項の規定に該当する法人の同項の規定に該当する各事業年度」とは、法人税法第2条第7号に規定する協同組合等（特定の地区又は地域に係るものに限る。）の事業年度（清算中の事業年度を除く。）が、次の各号に掲げる要件のすべてに該当する場合における当該協同組合等の各事業年度をいう。（租税特別措置法68①、②、租税特別措置法施行令39の34）
(一)　当該事業年度の総収入金額（次に掲げる収入金額を除く。）のうちに当該事業年度の物品供給事業（当該協同組合等の組合員その他の利用者に物品（動物、植物、気体又は液体状のもの、商品券その他これらに類するものを含む。）を供給する事業をいう。（三）において同じ。）に係る収入金額の占める割合が100分の50を超えること。
　イ　固定資産の譲渡による収入金額
　ロ　有価証券の譲渡による収入金額
　ハ　他の協同組合等から、その取り扱った物の数量、価額その他当該他の協同組合等の事業を利用した分量に応じて分配を受けた金額
　　（注）　当該協同組合等が当該事業年度において法人税法第61条第1項の規定の適用を受ける金額（以下「損金算入事業分量配当額」という。）がある場合における(一)の規定の適用については、損金算入事業分量配当額は当該事業年度の(一)に規定する総収入金額から控除するものとし、損金算入事業分量配当額のうち(一)に規定する物品供給事業に係る部分の金額は当該事業年度の当該物品供給事業に係る収入金額から控除するものとする。
(二)　当該事業年度終了の時における組合員その他の構成員の数が50万人以上であること。
(三)　当該事業年度における物品供給事業のうち店舗において行われるものに係る収入金額が1,000億円に当該事業年度の月数（暦に従って計算し、1月に満たない端数を生じたときは、これを1月とする。）を乗じてこれを12で除して計算した金額以上であること。

2 制限税率

　道府県は、①から⑤までに規定する標準税率を超える税率で事業税を課する場合には、①の表の各号に掲げる法人の区分に応ずる当該各号に定める率、②に規定する率、③の各号に掲げる法人の区分に応じて当該各号に定める率、④の各号に規定する率及び⑤の表の各号に掲げる法人の区分に応ずる当該各号に定める率に、それぞれ1.2（1の①表の（一）のハに定める率については、1.7）を乗じて得た率を超える税率で課することができない。（法72の24の7⑨）

3 外形課税による場合の税率

　道府県が七の1又は2の規定により事業税を課する場合における税率は、①から⑤まで及び2の税率による場合における負担と著しく均衡を失することのないようにしなければならない。（法72の24の7⑩）

4 税率の適用区分

　法人の行う事業に対する事業税の税率は、各事業年度終了の日現在における税率による。ただし、第三節三の1の①ただし書又は第五節一の2の②の規定により申告納付すべき事業税にあっては、第三節三の1の①に規定する6月経過日の前日現在における税率による。（法72の24の8）

九　仮装経理に基づく過大申告の場合の更正に伴う事業税額の控除及び還付

1 仮装経理事業税額の控除

　事業を行う法人の各事業年度開始の日前に開始した事業年度（当該各事業年度終了の日以前に行われた当該法人を合併法人（合併により被合併法人（合併によりその有する資産及び負債の移転を行った法人をいう。以下同じ。）から資産及び負債の移転を受けた法人をいう。以下同じ。）とする適格合併（法人税法第2条第12号の8に規定する適格合併をいう。以下同じ。）に係る被合併法人の当該適格合併の日前に開始した事業年度（以下1において「被合併法人事業年度」という。）を含む。）の付加価値割、資本割、所得割又は収入割につき道府県知事が更正をした場合において、当該更正につき2の規定の適用があったときは、当該更正に係る2に規定する**仮装経理事業税額**（既に3又は4の（3）の規定により還付すべきこととなった金額及び1の規定により控除された金額を除く。）は、当該各事業年度（当該更正の日（当該更正が被合併法人事業年度の付加価値割、資本割、所得割又は収入割につき当該適格合併の日前にしたものである場合には、当該適格合併の日）以後に終了する事業年度に限る。）の付加価値割額、資本割額、所得割額又は収入割額から控除するものとする。（法72の24の10①）

　　（留意事項）
注　各事業年度の開始の日前に開始した内国法人の付加価値割額、資本割額、所得割額又は収入割額について減額更正をした場合において、当該更正により減少する部分の金額のうち事実を仮装して経理したところに基づくもの（以下注において「仮装経理事業税額」という。）については当該各事業年度（当該更正の日以後に終了する事業年度に限る。）の付加価値割額、資本割額、所得割額又は収入割額から（5）に掲げる場合に還付又は充当すべきこととなった金額を除いて控除することとされているが、次の諸点に留意すること。（県通3－5の1）
　イ　控除は、更正の日以後に終了する事業年度の確定申告に係る事業税額（当該確定申告に係る申告書を提出すべき事業年度の確定申告書を提出すべき事業年度分の修正申告及び更正又は決定に係る事業税額を含む。）から行うものであり、事業税額全体から行うものであることに留意すること。なお、控除を付加価値割、資本割、所得割及び収入割から行う場合には、所得割、付加価値割、資本割、収入割の順に行うことに留意すること。
　ロ　法第72条の39第1項若しくは第3項、第72条の41第1項若しくは第3項又は第72条の41の2第1項若しくは第3項の規定による更正をした場合において、仮装経理事業税額があるときは、法第72条の42の規定による通知の際に当該金額を併せて通知すること。（法人税法129②参照）
　ハ　法人税においては、仮装経理に基づく過大申告の場合の更正に伴って、前1年以内の法人税額を限度とする還付の制度があるが、法人事業税については、この制度をとっていないものであること。（法人税法135②）
　ニ　各事業年度の終了の日以前に行われた適格合併に係る被合併法人の当該適格合併の日前に開始した事業年度の付加価値割、資本割、所得割又は収入割につき更正を受けた場合の仮装経理事業税額についても、合併法人の付加価値割額、資本割額、所得割額又は収入割額から控除されるものであること。
　ホ　仮装経理事業税額の還付又は充当については次の場合について行うものとすること。
　　（イ）　更正の日の属する事業年度開始の日から5年を経過する日の属する事業年度の地方税法第72条の25、第72条の28又は第72条の29の規定による申告書の提出期限が到来した場合

(ロ) 残余財産が確定したときは、その残余財産の確定の日の属する事業年度の地方税法第72条の29の規定による申告書の提出期限が到来した場合

(ハ) 合併による解散(適格合併による解散を除く。)をしたときは、その合併の日の前日の属する事業年度の地方税法第72条の25又は第72条の28の規定による申告書の提出期限が到来した場合

(ニ) 破産手続開始の決定による解散をしたときは、その破産手続開始の決定の日の属する事業年度の地方税法第72条の25又は第72条の28の規定による申告書の提出期限が到来した場合

(ホ) 普通法人又は協同組合等が法人税法第2条第6号に規定する公益法人等に該当することとなったときは、その該当することとなった日の前日の属する事業年度の地方税法第72条の25、第72条の28又は第72条の29の規定による申告書の提出期限が到来した場合

(ヘ) (イ)から(ホ)までの場合において、地方税法第72条の25、第72条の28又は第72条の29の規定による申告書の提出期限後に当該申告書の提出があった場合、又は当該申告書に係る事業年度の付加価値割、資本割、所得割若しくは収入割について地方税法第72条の39第2項、第72条の41第2項若しくは第72条の41の2第2項の規定による決定があった場合

(ト) 地方税法第72条の24の10第4項各号に掲げる事実が生じたときに、その事実が生じた日以後1年以内に法人から還付の請求があり、その請求に理由がある場合

2 仮装経理事業税額の還付又は充当の不適用

事業を行う法人が第三節二、同節三の2若しくは3又は同節四の1の規定によって提出した申告書に記載された各事業年度の付加価値額、資本金等の額、所得又は収入金額が当該事業年度の課税標準とされるべき付加価値額、資本金等の額、所得又は収入金額を超え、かつ、その超える金額のうちに事実を仮装して経理したところに基づくものがある場合において、道府県知事が当該事業年度に係る付加価値割、資本割、所得割又は収入割につき更正をしたとき(当該法人につき当該事業年度終了の日から当該更正の日の前日までの間に3の各号又は4の各号に掲げる事実が生じたとき及び当該法人を被合併法人とする適格合併に係る合併法人につき当該適格合併の日から当該更正の日の前日までの間に当該事実が生じたときを除く。)は、当該事業年度に係る付加価値割、資本割、所得割又は収入割として納付された金額で(1)で定めるもののうち当該更正により減少する部分の金額でその仮装して経理した金額に係るもの(以下十において「**仮装経理事業税額**」という。)は、第一編第六章一の1、同2、同章三及び第四節七の1の規定にかかわらず、3又は4の(3)の規定の適用がある場合のこれらの規定により還付すべきこととなった金額を除き、還付しないものとし、又は当該法人の未納に係る地方団体の徴収金に充当しないものとする。(法72の24の10②)

(納付事業税額の範囲)

(1) 2に規定する(1)で定める金額は、当該事業年度に係る付加価値割、資本割、所得割又は収入割の額のうち法人が第三節二、同節三の2若しくは3又は同節四の1の規定によって提出した申告書に記載された事業税額として納付されたものとする。(令24の2)

(仮装経理事業税額に係る中間納付額に係る延滞金の還付)

(2) 道府県知事は、2に規定する更正に係る事業税額(以下(2)において「更正後事業税額」という。)が当該法人の当該更正後事業税額に係る第三節三の3に規定する中間納付額(以下「中間納付額」という。)に満たない場合において、2の規定により当該更正後事業税額に係る2に規定する仮装経理事業税額を還付しないとき、又は当該法人の未納に係る地方団体の徴収金に充当しないときであっても、当該中間納付額について納付された第四節九の2若しくは3又は第六節一の規定による延滞金があるときは、当該延滞金のうち当該仮装経理事業税額に係る中間納付額に対応するものとして、当該中間納付額について納付された延滞金額に当該中間納付額のうち当該仮装経理事業税額の占める割合を乗じて得た金額を還付する。ただし、中間納付額が分割して納付されている場合には、(一)に掲げる金額から(二)に掲げる金額を控除した金額とする。(令24の2の2①)

(一) 当該中間納付額について納付された延滞金額

(二) 当該中間納付額のうち納付の順序に従い当該更正後事業税額に達するまで順次求めた各中間納付額につき、地方税法の規定により計算される延滞金額の合計額

(還付すべき延滞金の充当)

(3) (2)の規定による還付をする場合において、未納に係る地方団体の徴収金があるときは、当該還付すべき金額をその地方団体の徴収金に充当するものとする。(令24の2の2②)

第二編第五章《法人の事業税》第二節《課税標準及び税率等（その他）》

  (注１) 第一編第六章一の２の④の（１）《充当適状の時》の規定は、（３）の規定による充当について準用する。（令24の２の２③）
  (注２) 還付金額の充当の順序については、第三節三の３の（５）参照。（編者）

３　５年間の繰越控除適用期間終了後の仮装経理事業税額の還付又は充当

　２の規定の適用があった事業を行う法人（当該法人が適格合併により解散をした場合には、当該適格合併に係る合併法人とする。以下十において「適用法人」という。）について、２の更正の日の属する事業年度開始の日（当該更正が当該適格合併に係る被合併法人の各事業年度に係る付加価値割、資本割、所得割又は収入割について当該適格合併の日前にされたものである場合には、当該被合併法人の当該更正の日の属する事業年度開始の日）から５年を経過する日の属する事業年度の第三節二、同節三の２若しくは３又は同節四の１の規定による申告書の提出期限（当該更正の日から当該５年を経過する日の属する事業年度終了の日までの間に当該適用法人につき次の各号に掲げる事実が生じたときは、当該各号に定める提出期限）が到来した場合（当該申告書の提出期限までに当該提出期限に係る申告書の提出がなかった場合にあっては、当該提出期限の当該申告書の提出又は当該申告書に係る事業年度の付加価値割、資本割、所得割若しくは収入割についての第四節第一の２、同節四の２若しくは同節五の２の規定による決定があった場合）には、道府県知事は、当該適用法人に対し、政令で定めるところにより、当該更正に係る仮装経理事業税額（既に３又は４の（３）の規定により還付すべきこととなった金額及び１の規定により控除された金額を除く。）を還付し、又は当該適用法人の未納に係る地方団体の徴収金に充当するものとする。（法72の24の10③）

（一）　残余財産が確定したこと　その残余財産の確定の日の属する事業年度の第三節四の１の規定による申告書の提出期限
（二）　合併による解散（適格合併による解散を除く。）をしたこと　その合併の日の前日の属する事業年度の第三節二又は同節三の２若しくは３の規定による申告書の提出期限
（三）　破産手続開始の決定による解散をしたこと　その破産手続開始の決定の日の属する事業年度の第三節二又は同節三の２若しくは３の規定による申告書の提出期限
（四）　法人税法第２条第９号に規定する普通法人又は同条第７号に規定する協同組合等が同条第６号に規定する公益法人等に該当することとなったこと　その該当することとなった日の前日の属する事業年度の第三節二、同節三の２若しくは３又は同節四の１の規定による申告書の提出期限

　　　　（仮装経理事業税額の充当）
（１）　３に規定する仮装経理事業税額がある場合において、未納に係る地方団体の徴収金があるときは、当該仮装経理事業税額（（２）の規定により加算すべき金額がある場合には、当該金額を加算した額）をその地方団体の徴収金に充当するものとする。（令24の２の３①）
  (注１) 第一編第六章一の２の④の（１）《充当適状の時》の規定は、（１）の規定による充当について準用する。（令24の２の３②）
  (注２) 還付金額の充当の順序については、第三節三の３の（５）参照。（編者）

　　　　（仮装経理事業税額を還付する場合の還付加算金の計算）
（２）　道府県知事は、３に規定する仮装経理事業税額を還付する場合においては、第三節二、同節三の２若しくは３又は同節四の１の規定による申告書の３に規定する提出期限（当該提出期限後に当該申告書の提出があった場合にはその提出の日とし、３の決定があった場合にはその決定の日とする。）の翌日からその還付のための支出を決定し、又は（１）の規定による充当をする日（同日前に充当をするのに適することとなった日があるときは、その日）までの期間の日数に応じ、年7.3パーセントの割合を乗じて計算した金額をその還付し、又は充当すべき金額に加算しなければならない。（令24の２の４①）
  (注１) 第一編第六章三の１の（１）《還付加算金の計算対象期間から控除する期間》（（一）を除く。）の規定は（２）の規定による期間について、同編第十章３《課税標準、税額等の端数計算》の表の（二）及び（五）の規定は（２）の規定による仮装経理事業税額に加算すべき金額について準用する。この場合において、第一編第六章三の１の（１）（（一）を除く。）中「過誤納金」とあり、及び同編第十章３の表の（二）中「税額」とあるのは、「仮装経理事業税額」と読み替えるものとする。（令24の２の４②）
  (注２) （２）に規定する年7.3パーセントの割合については特例規定が設けられているので、第一編第十章12の⑥《還付加算金の割合の特例》を参照。（編者）

４　一定の企業再生事由が生じた場合の仮装経理事業税額の還付

　適用法人につき次に掲げる事実が生じた場合には、当該適用法人は、当該事実が生じた日以後１年以内に、道府県知事に対し、その適用に係る仮装経理事業税額（既に３又は（３）の規定により還付すべきこととなった金額及び１の規定により控除された金額を除く。（２）及び（３）において同じ。）の還付を請求することができる。（法72の24の10④）

— (565) —

（一）　更生手続開始の決定があったこと。
　　（二）　再生手続開始の決定があったこと。
　　（三）　（一）又は（二）に掲げる事実に準ずる事実として（1）で定める事実

　　　　　（法的整理に準ずる事実）
　（1）　4の（三）に規定する（1）で定める事実は、次に掲げる事実とする。（令24の2の5①、規4の3の2①）
　　（一）　特別清算開始の決定があったこと。
　　（二）　法人税法施行令第24条の2第1項《再生計画認可の決定に準ずる事実等》に規定する事実
　　（三）　法令の規定による整理手続によらない負債の整理に関する計画の決定又は契約の締結で、第三者が関与する協議によるものとして次に掲げるものがあったこと（（一）に掲げるものを除く。）。
　　　　イ　債権者集会の協議決定で合理的な基準により債務者の負債整理を定めているもの
　　　　ロ　行政機関、金融機関その他第三者のあっせんによる当事者間の協議によるイに準ずる内容の契約の締結

　　　　　（還付の請求の手続）
　（2）　4の規定による還付の請求をしようとする適用法人は、その還付を受けようとする仮装経理事業税額、その計算の基礎その他次に掲げる事項を記載した請求書を道府県知事に提出しなければならない。（法72の24の10⑥、規4の3の2②）
　　（一）　請求をする法人の名称、主たる事務所又は事業所の所在地及び法人番号（行政手続における特定の個人を識別するための番号の利用等に関する法律第2条第15項に規定する法人番号をいう。以下同じ。）
　　（二）　請求をする法人の代表者の氏名及び住所又は居所
　　（三）　4に規定する事実の生じた日及び当該事実の詳細
　　（四）　銀行又は郵便局において還付を受けようとするときは、当該銀行又は郵便局の名称及び所在地
　　（五）　その他参考となるべき事項

　　　　　（還付請求書の提出があった場合の道府県知事の手続）
　（3）　道府県知事は、（2）の請求書の提出があった場合には、その請求に係る事実その他必要な事項について調査し、その調査したところにより、その請求をした適用法人に対し、政令で定めるところにより、仮装経理事業税額を還付し、若しくは当該適用法人の未納に係る地方団体の徴収金に充当し、又は請求の理由がない旨を書面により通知するものとする。（法72の24の10⑦）

　　　　　（仮装経理事業税額の充当）
　（4）　（3）に規定する仮装経理事業税額がある場合において、未納に係る地方団体の徴収金があるときは、当該仮装経理事業税額（（5）の規定により加算すべき金額がある場合には、当該金額を加算した額）をその地方団体の徴収金に充当するものとする。（令24の2の6①）
　　　（注1）　第一編第六章一の2の④の（1）《充当適状の時》の規定は、（4）の規定による充当について準用する。（令24の2の6②）
　　　（注2）　還付金額の充当の順序については、第三節三の3の（5）参照。（編者）

　　　　　（仮装経理事業税額を還付する場合の還付加算金の計算）
　（5）　道府県知事は、（3）に規定する仮装経理事業税額を還付する場合においては、4の規定による還付の請求がされた日の翌日以後3月を経過した日からその還付のための支出を決定し、又は（4）の規定による充当をする日（同日前に充当をするのに適することとなった日があるときは、その日）までの期間の日数に応じ、年7.3パーセントの割合を乗じて計算した金額をその還付し、又は充当すべき金額に加算しなければならない。（令24の2の7①）
　　　（注）　第一編第六章三の1の（1）《還付加算金の計算対象期間から控除する期間》（（一）を除く。）の規定は（5）の規定による期間について、同編第十章3《課税標準額、税額等の端数計算》の表の（二）及び（五）の規定は（5）の規定による仮装経理事業税額に加算すべき金額について準用する。この場合において、第一編第六章三の1の（1）（（一）を除く。）中「過誤納金」とあり、及び同編第十章3の表の（二）中「税額」とあるのは、「仮装経理事業税額」と読み替えるものとする。（令24の2の7②）

5　反射的更正があった場合のみなし仮装経理事業税額の控除及び還付

　事業を行う法人につきその各事業年度の付加価値額、所得又は収入金額を減少させる更正で当該法人の当該各事業年度の開始の日前に終了した事業年度の付加価値割、所得割又は収入割についてされた更正（当該法人を合併法人とする適格合併に係る被合併法人の当該適格合併の日前に終了した事業年度の付加価値割、所得割又は収入割についてされた更正を

含む。以下5において「原更正」という。）に伴うもの（以下5において「反射的更正」という。）があった場合において、当該反射的更正により減少する部分の付加価値額、所得又は収入金額のうちに当該原更正に係る事業年度においてその事実を仮装して経理した金額に係るものがあるときは、当該金額は、当該各事業年度において当該法人が仮装して経理したところに基づく金額とみなして、1から4までの規定を適用する。（法72の24の10⑤）

十　租税条約の実施に係る還付すべき金額の控除

1　租税条約の実施に係る還付すべき金額の事業税額からの控除
　事業を行う法人について、租税条約等の実施に伴う所得税法、法人税法及び地方税法の特例等に関する法律第7条第1項〔第二章第四節四の1の(注)参照〕に規定する合意に基づき国税通則法第24条《更正》又は第26条《再更正》の規定による更正が行われた場合において、当該更正に係る法人税の所得に基づいて道府県知事が第四節一の1《申告所得が基準課税標準と異なる場合の更正》若しくは3《法人税の更正等があった場合の再更正》、同節四の1《更正》若しくは3《再更正》又は同節五の1《更正》若しくは3《再更正》の規定による更正をしたことに伴い、第一編第六章一の1《過誤納金の還付》又は第四節七《更正等に基づく中間納付額等の還付又は充当等》の1の①の規定により還付することとなる金額（以下1及び2において「租税条約の実施に係る還付すべき金額」という。）が生ずるときは、当該更正があった日が当該更正に係る更正の請求があった日の翌日から起算して3月を経過した日以後である場合を除き、第一編第六章一の1、同2《過誤納金の充当》、同章三《還付加算金》及び第四節七の1の①の規定にかかわらず、租税条約の実施に係る還付すべき金額は、当該更正の日の属する事業年度開始の日から1年以内に開始する各事業年度（当該更正の日後に当該法人が適格合併により解散をした場合の当該適格合併に係る合併法人の当該合併の日以後に終了する各事業年度を含む。）の付加価値額、資本金等の額、所得又は収入金額について第三節二《中間申告を要しない法人の申告納付》の規定によって納付すべき事業税額、同節三の2《中間申告を要する法人の確定申告納付》の規定によって納付すべき事業税額又は同節四の1《清算中の法人の各事業年度の申告納付》の規定によって納付すべき事業税額から順次控除するものとする。（法72の24の11①）

(注1)　租税条約の実施に伴う所得税法、法人税法及び地方税法の特例等に関する法律第7条第1項に規定する合意に基づき国税通則法第24条又は第26条の規定による更正が行われた場合とは、同項の規定により税務署長が国税通則法第24条又は第26条の規定により更正をした場合をいうものであること。（県通3-5の2(1)）

(注2)　更正の請求があった日の翌日から起算して3月を経過した日以後に更正を行った場合には、1の規定は適用されないものであること。なお、更正の請求がなく更正を行った場合には、常に1の規定は適用されるものであること。（県通3-5の2(2)）

2　当初の更正に伴いその後の事業年度において所得の減額更正があった場合
　1に規定する第四節一の1若しくは3、同節四の1若しくは3又は同節五の1若しくは3の規定による更正に伴い当該更正に係る事業年度後の各事業年度の付加価値額又は所得を減少させる更正があった場合において、当該更正により第一編第六章一の1又は第四節七の1の①の規定により還付することとなる金額が生ずるときは、当該金額は、租税条約の実施に係る還付すべき金額とみなして、1の規定を適用する。（法72の24の11②）

3　法人が適格合併により解散をした後に更正があった場合
　1及び2の規定は、1の事業を行う法人が適格合併により解散をした後に、当該法人に係る1に規定する第四節一の1若しくは3、同節四の1若しくは3、同節五の1若しくは3の規定による更正又は2に規定する各事業年度の付加価値額若しくは所得を減少させる更正があった場合について準用する。この場合において、1中「当該更正の日の」とあるのは「当該法人を被合併法人とする適格合併に係る合併法人の当該更正の日の」と、「当該法人が」とあるのは「当該合併法人が当該合併法人を被合併法人とする」と読み替えるものとする。（法72の24の11③）

4　控除不足額の還付又は充当
　1（2（3において準用する場合を含む。）においてみなして適用する場合及び3において準用する場合を含む。以下5までにおいて同じ。）の規定により控除されるべき金額で1の規定により控除しきれなかった金額があるときは、道府県は、①以下で定めるところにより、1の規定の適用を受ける法人に対しその控除しきれなかった金額を還付し、又は当該法人の未納に係る地方団体の徴収金に充当するものとする。（法72の24の11④）

①　控除不足額の充当
　4の規定により控除しきれなかった金額（②において「**租税条約の実施に係る控除不足額**」という。）がある場合におい

て、未納に係る地方団体の徴収金があるときは、当該控除不足額(②の規定により加算すべき金額がある場合には、当該金額を加算した額)をその地方団体の徴収金に充当するものとする。(令24の2の8①)

(注1) 令第6条の14第1項《過誤納金の充当適状》の規定は、①の規定による充当について準用する。(令24の2の8②)
(注2) 還付金額の充当の順序については、第三節三の3の(5)参照。(編者)

② 控除不足額を還付する場合の還付加算金の計算

道府県知事は、租税条約の実施に係る控除不足額を還付する場合においては、次に掲げる日のいずれか遅い日の翌日からその還付のための支出を決定し、又は①の規定による充当をする日(同日前に充当をするのに適することとなった日があるときは、その日)までの期間の日数に応じ、年7.3パーセントの割合を乗じて計算した金額をその還付し、又は充当すべき金額に加算しなければならない。(令24の2の9①)

(一) 1(2(3において準用する場合を含む。)においてみなして適用する場合及び3において準用する場合を含む。(二)において同じ。)に規定する当該更正の日の属する事業年度開始の日から起算して1年を経過する日の属する事業年度の第三節二、同節三の2又は同節四の1の規定による申告書が提出された日(当該申告書がその提出期限前に提出された場合にあっては当該申告書の提出期限、第四節一の2《申告書の提出がない場合の決定》、同節四の2《決定》又は同節五の2《決定》の規定による決定をした場合にあっては当該決定をした日)の翌日から起算して1月を経過する日

(二) 1に規定する更正の請求があった日(更正の請求がない場合にあっては、1に規定する更正があった日)の翌日から起算して1年を経過する日

(注1) 法第17条の4第2項《還付加算金の計算期間の特例》(第1号を除く。)の規定は上記②の規定による期間について、法第20条の4の2第2項《延滞金等の計算の基礎となる税額の端数計算》及び第5項《延滞金等の端数計算》の規定は②の規定による租税条約の実施に係る控除不足額に加算すべき金額について準用する。この場合において、法第17条の4第2項(第1号を除く。)中「過誤納金」とあり、及び法第20条の4の2第2項中「税額」とあるのは、「租税条約の実施に係る控除不足額」と読み替えるものとする。(令24の2の9②)
(注2) ②に規定する「年7.3パーセントの割合」については特例規定が設けられているので、第一編第十章12の⑥《還付加算金の割合の特例》を参照。(編者)

5 事業税額からの控除順序

九及び1の規定による事業税額からの控除については、まず九の規定による控除をし、次に1の規定による控除をするものとする。(法72の24の11⑤)

(注) 1の繰越控除は、各事業年度の第三節二又は同節三の2の確定申告に係る事業税額から行うものであり、事業税額全体から行うものであることに留意すること。なお、繰越控除を付加価値割、資本割、所得割又は収入割から行う場合には、所得割、付加価値割、資本割、収入割の順に行うことに留意すること。また、事業税額からの税額控除としては、まず仮装経理に基づく過大申告の場合の更正に伴う事業税額の控除をし、既に納付すべきことが確定している事業税額がある場合にはこれを控除した後に、租税条約の実施に係る還付すべき金額を控除するものであること。(県通3-5の2(4))

十一 法人の事業税の特定寄附金税額控除

法人税法第121条第1項(同法第146条第1項において準用する場合を含む。)の承認を受けている法人が、地域再生法の一部を改正する法律(平成28年法律第30号)の施行の日(平成28年4月20日)から令和7年3月31日までの間に、地域再生法第8条第1項に規定する認定地方公共団体(以下「認定地方公共団体」という。)に対して当該認定地方公共団体が行うまち・ひと・しごと創生寄附活用事業(当該認定地方公共団体が作成した同条第1項に規定する認定地域再生計画に記載されている同法第5条第4項第2号に規定するまち・ひと・しごと創生寄附活用事業をいう。)に関連する寄附金(その寄附をした者がその寄附によって設けられた設備を専属的に利用することその他特別の利益がその寄附をした者に及ぶと認められるものを除く。以下「特定寄附金」という。)を支出した場合には、当該特定寄附金を支出した日を含む事業年度(解散(合併による解散を除く。)の日を含む事業年度及び清算中の各事業年度を除く。以下「寄附金支出事業年度」という。)に係る第三節二、同節三の1の①ただし書、同2及び3又は第三節五の2の規定により申告納付すべき事業税額から、当該寄附金支出事業年度において支出した特定寄附金の額(当該寄附金支出事業年度の法人税の所得の金額の計算上損金の額に算入されるものに限る。)の合計額(二以上の道府県において事務所又は事業所を有する法人にあっては、当該合計額を第五節一の3の①に規定する事業税額の課税標準の分割基準により按分して計算した金額)の100分の20に相当する金額(以下「控除額」という。)を控除するものとする。この場合において、当該法人の寄附金支出事業年度における控除額が、当該法人の当該寄附金支出事業年度の八の1の①から⑤までの規定により計算した事業税額の100分の20に相当する金額を超えるときは、その控除する金額は、当該100分の20に相当する金額とする。(法附9の2の2①)

(法人の事業税の特定寄附金税額控除の対象となる特定寄附金の支出)

(1) 十一に規定する特定寄附金の支出は、十一の規定の適用については、その支払がなされるまでの間、なかったも

(控除限度額)
(2) 十一の規定は、第三節二、第三節三の1の①ただし書又は第三節三の2の規定による申告書(十一の規定により控除を受ける金額を増加させる第三節五の2の①若しくは同②の規定による修正申告書又は第一編第十章10の④の規定による更正請求書を提出する場合には、当該修正申告書又は更正請求書を含む。)に、十一の規定による控除の対象となる特定寄附金の額、控除を受ける金額及び当該金額の計算に関する明細を記載した総務省令で定める書類並びに当該書類に記載された寄附金が特定寄附金に該当することを証する書類として総務省令で定める書類の添付がある場合に限り、適用する。この場合において、十一の規定により控除する金額の計算の基礎となる特定寄附金の額は、第三節二、第三節三の1の①ただし書又は第三節三の2の規定による申告書に添付されたこれらの書類に記載された特定寄附金の額を限度とする。(法附9の2の2②)

(読替規定)
(3) 十一の規定の適用がある場合における十の5の規定の適用については、十の5中「及び1の規定による事業税額」とあるのは「、十の1及び十一の規定による事業税額」と、「九」とあるのは「十の1」と、「次に1の規定による」とあるのは「次に九の1の規定による控除及び十の1の規定による控除の順序に」とする。(法附9の2の2③)

(政令で定める規定)
(4) 十一に定めるもののほか、これらの規定の適用に関し必要な事項は、政令で定める。(法附9の2の2④)

(特定寄付金税額控除の留意点)
(5) 道府県は、地域再生法の一部を改正する法律(平成28年法律第30号)の施行の日(平成28年4月20日)から令和7年3月31日までの間に、青色申告書の提出の承認を受けている法人が、地域再生法第8条第1項に規定する認定地方公共団体(以下「認定地方公共団体」という。)に対して当該認定地方公共団体が行うまち・ひと・しごと創生寄附活用事業(当該認定地方公共団体の作成した同項に規定する認定地域再生計画に記載されている同法第5条第4項第2号に規定するまち・ひと・しごと創生寄附活用事業をいう。)に関連する寄附金(その寄附をした者がその寄附によって設けられた設備を専属的に利用することその他特別の利益がその寄附をした者に及ぶと認められるものを除く。以下「特定寄附金」という。)を支出した場合には、十一の規定による控除(以下において「特定寄附金税額控除」という。)を行うこととされているが、その運用に当たっては、次の諸点に留意すること。(県通3-5の3)
(一) 特定寄附金税額控除は、第三節二、第三節三の1の①ただし書、第三節三の2又は第三節五の2の①若しくは同②の申告に係る事業税額から行うものであり、事業税額全体から行うものであることに留意すること。なお、当該控除を付加価値割、資本割、所得割又は収入割から行う場合には、所得割、付加価値割、資本割、収入割の順に行うことに留意すること。また、事業税額からの税額控除としては、まず特定寄附金税額控除をし、次に仮装経理に基づく過大申告の場合の更正に伴う事業税額の控除をし、既に納付すべきことが確定している事業税額がある場合にはこれを控除した後に、租税条約の実施に係る還付すべき金額を控除するものであること。
(二) 特定寄附金税額控除による控除額は、特定寄附金の額の合計額(二以上の道府県において事務所又は事業所を有する法人にあっては、当該合計額を第五節一の3の①に規定する事業税の分割基準により按分して計算した金額)の100分の20に相当する金額とすること。ただし、当該控除額が当該法人の当該寄附金支出事業年度の八の1の①から④までの規定により計算した事業税額の100分の20に相当する金額を超えるときは、その控除する金額は当該100分の20に相当する金額とすること。
(三) 特定寄附金税額控除の適用を受けられるのは、仮決算に係る中間申告書、確定申告書(控除を受ける金額を増加させる修正申告書又は更正請求書を提出する場合には、当該修正申告書又は更正請求書を含む。)に控除の対象となる特定寄附金の額、控除を受ける金額及び当該金額の計算に関する明細を記載した規則第7号の3様式及び当該書類に記載された寄附金が特定寄附金に該当することを証する書類として認定地方公共団体が当該寄附金の受領について地域再生法施行規則第14条第1項の規定により交付する書類の写しの添付がある場合に限ること。また、(二)の控除額の計算の基礎となる特定寄附金の額は、仮決算に係る中間申告書又は確定申告書に添付されたこれらの書類に記載された特定寄附金の額を限度とすること。

第三節　申告納付

一　徴収の方法

法人の事業税の徴収については、申告納付の方法によらなければならない。（法72の24の12）

二　中間申告を要しない法人の申告納付

1　確定申告納付

　事業を行う法人（清算中の法人を除く。以下二及び三において同じ。）は、三の1の規定に該当する場合を除くほか、各事業年度に係る所得割等（第一節二の1の表の（一）の右欄イに掲げる法人《外形対象法人》の付加価値割、資本割及び所得割若しくは同（一）の右欄ロに掲げる法人の所得割をいう。以下同じ。）又は収入割等（同1の表の（二）に掲げる事業を行う法人の収入割、同1の表の（三）のイに掲げる法人若しくは同（四）に掲げる事業を行う法人の収入割、付加価値割及び資本割又は同（三）のロに掲げる法人の収入割及び所得割をいう。以下同じ。）を各事業年度終了の日から2月以内（外国法人が第一節六の2の①に規定する納税管理人を定めないで国内に事務所又は事業所を有しないこととなる場合（同①の注の認定を受けた場合を除く。）には、当該事業年度終了の日から2月を経過した日の前日と当該事務所又は事業所を有しないこととなる日とのいずれか早い日まで。三の2において同じ。）に、確定した決算に基づき、事務所又は事業所所在の道府県に申告納付しなければならない。（法72の25①）

　　　　（外形対象法人の申告書の記載事項及び添付書類）
（1）　第一節二の1の表の（一）の右欄イに掲げる法人は、1の規定により申告納付する場合において、事務所又は事業所所在地の道府県知事に提出すべき申告書には、事業の種類、当該事業年度中に有していた事務所又は事業所の名称及び所在地、当該事業年度の付加価値額、資本金等の額、所得、付加価値割額、資本割額及び所得割額その他必要な事項を記載するとともに、これに当該事業年度の付加価値額、資本金等の額及び所得に関する計算書、貸借対照表及び損益計算書（貸借対照表又は損益計算書を作成することを要しない法人にあっては、これらに準ずるもの。（4）、（6）、（8）において同じ。）その他の書類のうち総務省令で定めるものを添付しなければならない。（法72の25⑧）

　　　　（外形対象法人の申告書に添付する書類）
（2）　(1)に規定する書類は、当該事業年度の付加価値額、資本金等の額及び所得に関する計算書並びに次の各号に掲げるもの（当該各号に掲げるものの作成を電磁的記録（電子的方式、磁気的方式その他の人の知覚によっては認識することができない方式で作られる記録であって、電子計算機による情報処理の用に供されるものをいう。以下（2）、（5）及び三の1の①の(11)において同じ。）の作成をもって行う法人にあっては、当該電磁的記録を出力したもの）とする。（規4の5）
　（一）　当該事業年度の貸借対照表及び損益計算書（貸借対照表又は損益計算書を作成することを要しない法人にあってはこれらに準ずるもの。（二）において同じ。）
　（二）　第一節一の（五）の右欄ただし書に規定する外国法人（（7）及び三の1の①の(11)において同じ。）の国内において行う事業又は国内にある資産に係る当該事業年度の貸借対照表及び損益計算書
　<u>（三）　当該事業年度の株主資本等変動計算書若しくは社員資本等変動計算書又は損益金の処分表（これらの書類又は（一）若しくは（二）に掲げる書類に次に掲げる事項の記載がない場合には、その記載をした書類を含む。）</u>
　　<u>イ　当該事業年度終了の日の翌日から当該事業年度に係る決算の確定の日までの間に行われた剰余金の処分の内容</u>
　　<u>ロ　過年度事項（当該事業年度前の事業年度の貸借対照表、損益計算書又は株主資本等変動計算書若しくは社員資本等変動計算書若しくは損益金の処分表に表示すべき事項をいう。）の修正の内容</u>
　（四）　当該法人の事業等の概況に関する書類（当該法人との間に完全支配関係（法人税法第2条第12号の7の6に規定する完全支配関係をいう。（7）の（四）において同じ。）がある他の法人との関係を系統的に示した図を含む。）
　　（注）　(2)中（一）を以下のように改め、＿＿部分を追加する令和6年度改正規定は、令和8年4月1日以後に開始する事業年度に係る法人の事業税について適用し、同日前に開始した事業年度に係る法人の事業税については、なお従前の例による。（令6改規附1三、2①）
　　（一）　当該事業年度の貸借対照表（貸借対照表を作成することを要しない法人にあっては、これに準ずるもの。（二）及び（三）のロにおい

第二編第五章《法人の事業税》第三節《申告納付》

て同じ。）及び損益計算書（損益計算書を作成することを要しない法人にあっては、これに準ずるもの。（二）及び（三）のロにおいて同じ。）

(所得割を申告納付する法人の申告書の記載事項等)
（３） 第一節二の１の表の（一）のロに掲げる法人は、１の規定により申告納付する場合において、事務所又は事業所所在地の道府県知事に提出すべき申告書には、事業の種類、当該事業年度中に有していた事務所又は事業所の名称及び所在地、当該事業年度の所得及び所得割額その他必要な事項を記載するとともに、これに当該事業年度の所得に関する計算書を添付しなければならない。（法72の25⑨）

(収入割を申告納付する法人の申告書の記載事項等)
（４） 第一節二の１の表の（二）に掲げる事業を行う法人は、１の規定により申告納付する場合において、事務所又は事業所所在地の道府県知事に提出すべき申告書には、事業の種類、当該事業年度中に有していた事務所又は事業所の名称及び所在地、当該事業年度の収入金額及び収入割額その他必要な事項を記載するとともに、これに当該事業年度の収入金額に関する計算書、貸借対照表及び損益計算書その他の書類のうち（５）で定めるものを添付しなければならない。（法72の25⑩）

(収入割を申告納付する法人の申告書に添付する書類)
（５） （４）に規定する書類は、当該事業年度の収入金額に関する計算書並びに貸借対照表及び損益計算書（貸借対照表又は損益計算書を作成することを要しない法人にあってはこれらに準ずるものとし、貸借対照表又は損益計算書の作成を電磁的記録の作成をもって行う法人にあっては当該電磁的記録を出力したものとする。）とする。（規４の６）

(第一節二の１の表の（三）のイに掲げる法人の申告書の記載事項等)
（６） 第一節二の１の表の（三）のイに掲げる法人又は同（四）に掲げる事業を行う法人は、１の規定により申告納付する場合において、事務所又は事業所所在地の道府県知事に提出すべき申告書には、事業の種類、当該事業年度中に有していた事務所又は事業所の名称及び所在地、当該事業年度の収入金額、付加価値額、資本金等の額、収入割額、付加価値割額及び資本割額その他必要な事項を記載するとともに、これに当該事業年度の収入金額、付加価値額及び資本金等の額に関する計算書、貸借対照表及び損益計算書その他の書類のうち（７）で定めるものを添付しなければならない。（法72の25⑪）

((６)の申告書に添付する書類)
（７） （６）に規定する書類は、当該事業年度の収入金額、付加価値額及び資本金等の額に関する計算書並びに次の各号<u>（第一節二の１の（三）に掲げる事業を行わない法人にあっては、（一）及び（二）</u>）に掲げるもの（当該各号に掲げるものの作成を電磁的記録の作成をもって行う法人にあっては当該電磁的記録を出力したもの）とする。（規４の６の２）
　（一）　当該事業年度の貸借対照表及び損益計算書（貸借対照表又は損益計算書を作成することを要しない法人にあってはこれらに準ずるもの。（二）において同じ。）
　（二）　外国法人の国内において行う事業又は国内にある資産に係る当該事業年度の貸借対照表及び損益計算書
　<u>（三）　当該事業年度の株主資本等変動計算書若しくは社員資本等変動計算書又は損益金の処分表（これらの書類又は（一）若しくは（二）に掲げる書類に次に掲げる事項の記載がない場合には、その記載をした書類を含む。）</u>
　　<u>イ　当該事業年度終了の日の翌日から当該事業年度に係る決算の確定の日までの間に行われた剰余金の処分の内容</u>
　　<u>ロ　過年度事項（当該事業年度前の事業年度の貸借対照表、損益計算書又は株主資本等変動計算書若しくは社員資本等変動計算書若しくは損益金の処分表に表示すべき事項をいう。）の修正の内容</u>
　（四）　当該法人の事業等の概況に関する書類（当該法人との間に完全支配関係がある他の法人との関係を系統的に示した図を含む。）
　　（注）　（７）中＿＿＿部分を追加し、（一）を以下のように改める令和６年度改正規定は、令和８年４月１日以後に開始する事業年度に係る法人の事業税について適用し、同日前に開始した事業年度に係る法人の事業税については、なお従前の例による。（令６改規附１３、２①）
　　　　　（一）　当該事業年度の貸借対照表（貸借対照表を作成することを要しない法人にあっては、これに準ずるもの。（二）及び（三）のロにおいて同じ。）及び損益計算書（損益計算書を作成することを要しない法人にあっては、これに準ずるもの。（二）及び（三）のロにおいて同じ。）

(第一節二の１の表の（三）のロに掲げる法人申告書の記載事項等)
（８） 第一節二の１の表の（三）のロに掲げる法人は、１の規定により申告納付する場合において、事務所又は事業所所

在地の道府県知事に提出すべき申告書には、事業の種類、当該事業年度中に有していた事務所又は事業所の名称及び所在地、当該事業年度の収入金額、所得、収入割額及び所得割額その他必要な事項を記載するとともに、これに当該事業年度の収入金額及び所得に関する計算書、貸借対照表及び損益計算書その他の書類のうち（9）で定めるものを添付しなければならない。（法72の25⑫）

　　　　（(8)の申告書に添付する書類）
(9)　(8)に規定する書類は、当該事業年度の収入金額及び所得に関する計算書並びに貸借対照表及び損益計算書（貸借対照表又は損益計算書を作成することを要しない法人にあってはこれらに準ずるものとし、貸借対照表又は損益計算書の作成を電磁的記録の作成をもって行う法人にあっては当該電磁的記録を出力したものとする。）とする。（規4の6の3）

　　　　（「確定した決算」の意義）
(10)　1又は三の2に規定する確定した決算とは、その事業年度の決算について株主総会の承認又は総社員の同意等があったことをいうものであること。したがって、法人でない社団又は財団にあっては、上記に準じてこれを構成する会員等の明示又は黙示の同意があることを要するものであること。（県通3－6の1）

　　　　（確定した決算に基づかない申告書の提出があった場合）
(11)　確定した決算に基づかない申告書を提出した場合には、国の税務官署が確定した決算に基づいて申告書の提出があったものとみなして取り扱う場合に限り、これを確定した決算に基づく申告書として取り扱うものであること。（県通3－6の2）

　　　　（決算確定の日）
(12)　決算確定の日とは、その事業年度の決算を承認した株主総会終結の日又は総社員の同意の日等をいうものであること。（県通3－6の3）

　　　　（納付書の様式）
(13)　法人（人格のない社団等を含む。）が事業税及び地方法人特別税に係る地方団体の徴収金を納付するとき（口座振替の方法により納付する場合を除く。）は、当該地方団体の徴収金に第12号の2様式〈省略〉による納付書（当該様式によることができないやむを得ない事情があると認める場合において、総務大臣が別の様式を定めたときは、当該様式による納付書）を添えて納付するものとする。（規5②）

　　　　（申告期限についての留意事項）
(14)　法人が申告納付する場合における申告期限については、次の事項に留意すること。（県通3－6の17）
　（一）　各事業年度の申告については、事業年度終了の日の翌日又は6月経過日から起算すること。
　（二）　申告期限が民法第142条《期間の満了点》に規定する休日、土曜日又は12月29日、同月30日若しくは同月31日に該当する場合は、これらの日の翌日をその期限とみなすこととされているが、ここでいう休日とは次に掲げるものをいうものであること。
　　イ　国民の祝日に関する法律に規定する休日及び日曜日
　　ロ　その他の休日（例えば1月2日及び1月3日（昭和33年6月2日最高裁判所判例））
　（三）　申告書が郵便又は信書便により提出されたときは、その郵便物又は信書便物の通信日付印により表示された日にその提出がされたものとみなされるものであること。

　　　　（書類に記載すべき事項を電子情報処理組織を使用して提供した場合）
(15)　1の法人（(1)又は(4)、(6)、(8)の規定の適用を受けるものに限る。(16)において同じ。）が、法人税法第75条の3第1項又は行政手続等における情報通信の技術の利用に関する法律第3条第1項の規定により法人税法第75条の3第1項の申告を行った場合において、当該申告と併せて(1)又は(4)、(6)、(8)に規定する総務省令で定める書類に記載すべきものとされる事項を同条第1項又は行政手続等における情報通信の技術の利用に関する法律第3条第1項に規定する電子情報処理組織を使用する方法その他の総務省令で定める方法により提供したときは、当該法人が(1)又は(4)、(6)、(8)の規定により1の規定による申告書に添付すべきこれらの事項を記載した(1)又は(4)、(6)、(8)に規定する総務省令で定める書類を事務所又は事業所所在地の道府県知事に提出したものとみなす。（法72

の25⑰)

　　　　　(総務省令で定める方法)
(16)　(15)に規定する総務省令で定める方法は、法人税法施行規則（昭和40年大蔵省令第12号）第36条の3の2第3項各号に掲げる方法とする。（規4の6の4）

2　確定申告期限の延長

　1の場合において、1の法人（外国法人で第一節六の2の①に規定する納税管理人を定めないでこの法律の施行地に事務所又は事業所を有しないこととなるもの（同①の注の認定を受けたものを除く。）を除く。3において同じ。）が、災害その他やむを得ない理由（3及び5の規定の適用を受けることができる理由を除く。）により決算が確定しないため、各事業年度に係る所得割等又は収入割等をそれぞれ1の期限までに申告納付することができないときは、第一編第十章4の②又は同②の(1)の規定により当該期限が延長されたときを除き、事務所又は事業所所在地の道府県知事（二以上の道府県において事務所又は事業所を設けて事業を行う法人にあっては、主たる事務所又は事業所所在地の道府県知事）の承認を受け、その指定した日までに申告納付することができる。（法72の25②）

　　　　　(災害その他やむを得ない理由の意義)
(1)　災害その他やむを得ない理由（3及び5の規定の適用を受けることができる理由を除く。）とは、風水害、地震、火災、法令違反の嫌疑等による帳簿書類の押収及びこれらに準ずるもののみをいうのであって、単に計算書類の作成の遅延により事業年度終了の日から2月以内に決算が確定しないような場合は含まないものであること。（県通3－6の5）

　　　　　(承認申請の手続)
(2)　2（三の2の(1)及び四の1の(1)において準用する場合を含む。以下(7)までにおいて同じ。）の規定による承認を受けようとする法人は、1、三の2又は四の1の規定による申告書に係る事業年度終了の日から45日以内に、総務省令で定めるところにより、当該申告書の提出期限までに決算が確定しない理由、その指定を受けようとする日その他必要な事項を記載した申請書を事務所又は事業所所在地の道府県知事（二以上の道府県において事務所又は事業所を設けて事業を行う法人にあっては、主たる事務所又は事業所所在地の道府県知事。以下(3)から(6)まで及び3の(2)から(9)までにおいて同じ。）に提出しなければならない。（令24の3①）
　　(注)　(2)の申請書は、第13号様式による。（規4の4一）

　　　　　(申請理由が相当でない場合の却下)
(3)　道府県知事は、(2)の申請書の提出があった場合において、その申請に係る理由が相当でないと認めるときは、その申請を却下することができる。（令24の3②）

　　　　　(処分の通知)
(4)　道府県知事は、(2)の申請書の提出があった場合において、2の提出期限の延長又は(3)の却下の処分をするときは、その申請をした法人に対し、書面によりその旨を通知する。（令24の3③）

　　　　　(処分がない場合のみなし延長)
(5)　(2)の申請書の提出があった場合において、1、三の2又は四の1の規定による申告書に係る事業年度終了の日から2月以内に2の提出期限の延長又は(3)の却下の処分がなかったときは、その申請に係る指定を受けようとする日を2の日として当該提出期限の延長がされたものとみなす。（令24の3④）

　　　　　(指定日前に申告書が提出された場合)
(6)　2の規定の適用を受ける法人が2の規定による申告書を2の規定により指定された日前に道府県知事に提出した場合には、その提出があった日をもって2の日とされたものとみなす。（令24の3⑤）

　　　　　(二以上の道府県において事務所等を設けて事業を行う法人に係る申告書の提出期限の延長の通知)
(7)　二以上の道府県において事務所又は事業所を設けて事業を行う法人の主たる事務所又は事業所所在地の道府県知事は、2の規定により当該申告書の提出期限が延長された場合（(5)の規定により当該提出期限の延長がされたも

のとみなされた場合を含む。）には、その旨を関係道府県知事に通知しなければならない。（令24の3⑥）

　　　　（延長の通知についての留意事項）
（8）　主たる事務所又は事業所所在地の道府県知事が申告納付期限の延長の承認を与えたときは、速かにその旨を関係道府県知事に通知するものであること。（県通3－6の19）

　　　　（外国法人に対する適用）
（9）　外国法人に対する2及び3の適用については、これらの規定中「主たる事務所又は事業所所在地の道府県知事」とあるのは、「この法律の施行地において行う事業の経営の責任者が主として執務する事務所又は事業所所在地の道府県知事」とする。（法72の25⑮）

　　　　（事業年度終了の日から45日経過後に災害等が発生した場合）
（10）　法人の事業年度終了の日から45日を経過した日後災害その他やむを得ない事由の発生により当該法人又は当該法人との間に通算完全支配関係がある他の通算法人の決算が確定しないため、申告書の提出期限までに申告書を提出することができない場合においては、2又は4の規定を準用して取り扱うこと。この場合においては、申告書の提出期限延長の申請書は、当該事由の発生後直ちに提出しなければならないものであること。（県通3－6の4）

3　確定申告期限の延長の特例

　1の場合において、1の法人が、定款、寄附行為、規則、規約その他これらに準ずるもの（（一）及び5において「定款等」という。）の定めにより、又は当該法人に特別の事情があることにより、当該事業年度以後の各事業年度終了の日から2月以内に当該各事業年度の決算についての定時総会が招集されない常況にあると認められるときは、当該法人は、事務所又は事業所所在地の道府県知事（二以上の道府県において事務所又は事業所を設けて事業を行う法人にあっては、主たる事務所又は事業所所在地の道府県知事）の承認を受け、当該事業年度以後の各事業年度に係る所得割等又は収入割等を当該各事業年度（5の規定の適用に係る事業年度を除く。以下3において同じ。）終了の日から3月以内（次の各号に掲げる場合に該当するときは、当該各号に定める期間内）に申告納付することができる。（法72の25③）
（一）　当該法人が会計監査人を置いている場合で、かつ、当該定款等の定めにより当該事業年度以後の各事業年度終了の日から3月以内に当該各事業年度の決算についての定時総会が招集されない常況にあると認められる場合（次号に掲げる場合を除く。）　　当該定めの内容を勘案して3月を超え6月を超えない範囲内において当該道府県知事が指定する月数の期間内
（二）　当該特別の事情があることにより当該事業年度以後の各事業年度終了の日から3月以内に当該各事業年度の決算についての定時総会が招集されない常況にあることその他やむを得ない事情があると認められる場合　　当該道府県知事が指定する3月を超える月数の期間内

　　　　（申告書の提出期限の指定等）
（1）　3（三の2の（1）及び四の1の（1）において準用する場合を含む。以下3において同じ。）の規定の適用を受けている法人が、3の各号に掲げる場合に該当することとなったと認められる場合、3の各号に掲げる場合に該当しないこととなったと認められる場合又は3に規定する定款等（3において「定款等」という。）の定め若しくは3の特別の事情若しくは3の（二）のやむを得ない事情に変更が生じたと認められる場合には、当該法人は、当該事業年度以後の各事業年度に係る3の規定による申告書の提出期限について、事務所又は事業所所在地の道府県知事による3の各号の指定、これらの指定の取消し又はこれらの指定に係る月数の変更（以下3及び5において「指定等」という。）を受けることができる。（令24の4①）

　　　　（承認申請の手続）
（2）　3の規定による承認又は（1）の規定による指定等を受けようとする法人は、二の1又は三の2若しくは四の1の規定による申告書に係る事業年度終了の日までに、総務省令で定めるところにより、定款等の定め又は3の特別の事情の内容、3の各号の指定を受けようとする場合にはその指定を受けようとする月数（3の（二）のやむを得ない事情があることにより3の（二）の指定を受けようとする場合には、当該事情の内容を含む。）、3の各号の指定に係る月数の変更をしようとする場合にはその変更後の月数その他必要な事項を記載した申請書を事務所又は事業所所在地の道府県知事に提出しなければならない。（令24の4②）
　　（注）　（2）の申請書は、第13号の2様式による。（規4の4二）

（申請書の添付書類）
（３）　（２）の申請書には、（２）の法人が定款等の定めにより各事業年度終了の日から２月以内に当該各事業年度の決算についての定時総会が招集されない常況にあることをその申請の理由とする場合には、当該定款等の写しを添付しなければならない。（令24の４③）

　　　（承認の取消し等）
（４）　道府県知事は、３の規定の適用を受けている法人につき、定款等の定めに変更が生じ、若しくは３の特別の事情がないこととなったと認める場合、３の各号に掲げる場合に該当しないこととなったと認める場合又は３の特別の事情若しくは３の（二）のやむを得ない事情に変更が生じたと認める場合には、３の規定による提出期限の延長の処分を取り消し、３の各号の指定を取り消し、又はこれらの指定に係る月数を変更することができる。この場合において、これらの取消し又は変更の処分があったときは、その処分のあった日の属する事業年度以後の各事業年度につき、その処分の効果が生ずるものとする。（令24の４④）

　　　（処分の通知）
（５）　道府県知事は、（４）の処分をするときは、その処分に係る法人に対し、書面によりその旨を通知する。（令24の４⑤）

　　　（適用取りやめの手続）
（６）　３の規定の適用を受けている法人は、当該事業年度以後の各事業年度に係る３の規定による申告書の提出期限について３の規定の適用を受けることをやめようとするときは、当該事業年度終了の日までに、総務省令で定めるところにより、当該事業年度開始の日その他必要な事項を記載した届出書を事務所又は事業所所在地の道府県知事に提出しなければならない。この場合において、その届出書の提出があったときは、当該事業年度以後の各事業年度については、当該提出期限の延長の処分は、その効力を失うものとする。（令24の４⑥）
　　　（注）　（６）の届出書は、第14号様式による。（規４の４三）

　　　（読替規定）
（７）　２の（３）から（５）までの規定は、（二）の申請書の提出があった場合について準用する。この場合において、次の表の左欄に掲げる規定中同表の中欄に掲げる字句は、それぞれ同表の右欄に掲げる字句に読み替えるものとする。（令24の４⑦）

２の（４）	２	３（三の２の（１）及び四の１の（１）において準用する場合を含む。４において同じ。）
２の（５）	２月以内に２	15日以内に３
	その申請に係る指定を受けようとする日を２の日として	１月間（３の各号の指定を受けようとする旨の申請があった場合にはその申請に係る指定を受けようとする月数の期間とし、３の各号の指定に係る月数の変更をしようとする旨の申請があった場合にはその申請に係る変更後の月数の期間とする。）、

　　　（分割法人に対する通知規定の準用）
（８）　２の（７）の規定は、３の規定により１又は三の２若しくは四の１の規定による申告書の提出期限が延長された場合（（７）において準用する２の（５）の規定により当該提出期限の延長がされたものとみなされた場合を含む。）、（１）の規定により指定等の処分があった場合（（７）において準用する２の（５）の規定により当該提出期限の延長の処分についての変更の処分がされたものとみなされた場合を含む。）、（４）の規定により当該提出期限の延長の処分についての取消し若しくは変更の処分があった場合及び（６）の規定により（６）の届出書の提出があった場合について準用する。（令24の４⑧）

　　　（期限の延長の特例の適用を受けている法人が災害等を受けた場合）
（９）　２の規定は、３又は５の規定の適用を受けている法人が、当該事業年度（（10）の規定の適用に係る事業年度を除く。）につき災害その他やむを得ない理由により決算が確定しないため、３又は５の期間までに当該事業年度に係る所

得割等又は収入割等を申告納付することができないと認められる場合について準用する。（法72の25⑥）
　　（注）　2の(2)から(7)までの規定は、(9)（三の2の(1)及び四の1の(1)において準用する場合を含む。）に規定する場合について準用する。この場合において、2の(2)中「に係る事業年度終了の日から45日以内」とあるのは「の提出期限の到来する日の15日前まで」と、2の(5)中「に係る事業年度終了の日から2月以内」とあるのは「の提出期限まで」と読み替えるものとする。（令24の5①）

　　　（期限の延長の特例の適用を受けている法人が災害等を受けた場合の徴収猶予等の適用）
　(10)　3又は5の規定の適用を受けている法人について当該事業年度終了の日から2月を経過した日前に災害その他やむを得ない理由が生じた場合には、当該事業年度に限り、これらの規定の適用がないものとみなして、2又は4及び第一編第十章4の②又は同②の(1)の規定を適用することができる。（法72の25⑯）

4　通算法人の確定申告期限の延長

　1の場合において、1の法人が、災害その他やむを得ない理由（3及び5の規定の適用を受けることができる理由を除く。）により、当該法人との間に通算完全支配関係がある通算法人（法人税法第2条第12号の7の2に規定する通算法人をいう。以下同じ。）の決算が確定しないため、又は同法第2編第1章第1節第11款第1目の規定その他通算法人に適用される規定による法人税の所得の金額若しくは欠損金額及び法人税の額の計算を了することができないため、当該法人の各事業年度（2の規定の適用に係る事業年度を除く。）に係る付加価値割又は所得割をそれぞれ1の期間内に申告納付することができないときは、当該法人は、第一編第十章4の②又は同②の(1)の規定により当該期限が延長された場合を除き、事務所又は事業所所在地の道府県知事（二以上の道府県において事務所又は事業所を設けて事業を行う法人にあっては、主たる事務所又は事業所所在地の道府県知事）の承認を受け、その指定した日までに当該各事業年度に係る所得割等又は収入割等を申告納付することができる。（法72の25④）

　　　（承認申請の手続等）
　(1)　2の(2)から(7)までの規定は、4（三の2の(1)及び四の1の(1)において準用する場合を含む。）の規定を適用する場合について準用する。この場合において、2の(2)中「理由」とあるのは、「理由又は法人税法第二編第一章第一節第十一款第一目の規定その他通算法人（同法第2条第12号の7の2に規定する通算法人をいう。）に適用される規定による法人税の所得の金額若しくは欠損金額及び法人税の額の計算を了することができない理由」と読み替えるものとする。（令24の4の2）

　　　（災害その他やむを得ない理由の意義）
　(2)　災害その他やむを得ない理由（3及び5の規定の適用を受けることができる理由を除く。）とは、風水害、地震、火災、法令違反の嫌疑等による帳簿書類の押収及びこれらに準ずるもののみをいうのであって、単に計算書類の作成の遅延により事業年度終了の日から2月以内に決算が確定しないような場合は含まないものであること。（県通3－6の5）

　　　（延長の通知についての留意事項）
　(3)　主たる事務所等所在地の道府県知事が申告納付期限の延長の承認を与えたときは、速かにその旨を関係道府県知事に通知するものであること。（県通3－6の19）

　　　（事業年度終了の日から45日経過後に災害等が発生した場合）
　(4)　法人の事業年度終了の日から45日を経過した日後災害その他やむを得ない事由の発生により当該法人又は当該法人との間に通算完全支配関係がある他の通算法人の決算が確定しないため、申告書の提出期限までに申告書を提出することができない場合においては、2又は4の規定を準用して取り扱うこと。この場合においては、申告書の提出期限延長の申請書は、当該事由の発生後直ちに提出しなければならないものであること。（県通3－6の4）

5　通算完全支配関係がある通算法人の確定申告期限の延長の特例

　1の場合において、1の法人（通算法人に限る。）が、当該法人若しくは当該法人との間に通算完全支配関係がある通算法人の定款等の定めにより、若しくは当該法人若しくは当該法人との間に通算完全支配関係がある通算法人に特別の事情があることにより、当該事業年度以後の各事業年度終了の日から2月以内に当該各事業年度の決算についての定時総会が招集されないため、又は当該法人との間に通算完全支配関係がある通算法人が多数に上ることその他これに類する理由により法人税法第2編第1章第1節第11款第1目の規定その他通算法人に適用される規定による法人税の所得の金額若しく

は欠損金額及び法人税の額の計算を了することができないため、当該法人の当該事業年度以後の各事業年度に係る付加価値割又は所得割をそれぞれ同項の期限までに申告納付することができない常況にあると認められるときは、当該法人は、事務所又は事業所所在地の道府県知事（2以上の道府県において事務所又は事業所を設けて事業を行う法人にあっては、主たる事務所又は事業所所在地の道府県知事）の承認を受け、当該事業年度以後の各事業年度に係る所得割等又は収入割等を当該各事業年度終了の日から4月以内（次の各号に掲げる場合に該当するときは、当該各号に定める期間内）に申告納付することができる。（法72の25⑤）

(一)　当該法人又は当該法人との間に通算完全支配関係がある通算法人が会計監査人を置いている場合で、かつ、当該定款等の定めにより当該事業年度以後の各事業年度終了の日から4月以内に当該各事業年度の決算についての定時総会が招集されない常況にあると認められる場合（(二)に掲げる場合を除く。）　　当該定めの内容を勘案して4月を超え6月を超えない範囲内において当該道府県知事が指定する月数の期間内

(二)　当該特別の事情があることにより当該事業年度以後の各事業年度終了の日から4月以内に当該各事業年度の決算についての定時総会が招集されない常況にあること、当該法人又は当該法人との間に通算完全支配関係がある通算法人に特別の事情があることにより当該事業年度以後の各事業年度終了の日から4月以内に法人税法第2編第1章第1節第11款第1目の規定その他通算法人に適用される規定による法人税の所得の金額又は欠損金額及び法人税の額の計算を了することができない常況にあることその他やむを得ない事情があると認められる場合　　当該道府県知事が指定する4月を超える月数の期間内

(注)　所得税法等改正法附則第29条第1項の規定により改正後の法人税法第64条の9第1項の規定による承認があったものとみなされた内国法人が令和4年4月1日の属する連結事業年度（連結子法人の連結親法人事業年度が同日前に開始した連結事業年度を含む。）において改正前の5の規定の適用を受けていた場合には、当該内国法人は、当該連結事業年度終了の日の翌日において改正後の5の提出期限の延長がされたものとみなす。（令2改法附7⑨）

　　　（特例の承認申請の手続等）
(1)　3の(1)及び3の(4)から同(6)までの規定は5（三の2の(1)並びに四の1の(1)及び同(5)において準用する場合を含む。以下(1)及び(3)において同じ。）の規定の適用を受けている法人について、3の(2)及び同(3)の規定は5の規定による承認又は(1)において準用する3の(1)の規定による指定等を受けようとする法人について、それぞれ準用する。この場合において、次の表の左欄に掲げる規定中同表の中欄に掲げる字句は、それぞれ同表の右欄に掲げる字句に読み替えるものとする。（令24の4の3①）

3の(1)	3の各号	5の各号
	3	5
3の(2)	二の1又は	二の1
	若しくは四の1	又は四の1若しくは四の1の(4)
	まで	から45日以内
	又は3の特別の事情の内容、3の(一)及び(二)	若しくは5の特別の事情の内容又は法人税法第二編第一章第一節第十一款第一目の規定その他通算法人（同法第2条第12号の7の2に規定する通算法人をいう。次項において同じ。）に適用される規定による法人税の所得の金額若しくは欠損金額及び法人税の額の計算を了することができない理由、5の(一)及び(二)
3の(3)	法人	法人又は当該法人との間に法人税法第2条第12号の7の7に規定する通算完全支配関係がある通算法人
	招集されない	招集されないため、当該法人の当該各事業年度に係る付加価値割又は所得割をそれぞれ1、三の2、四の1若しくは四の1の(4)の期限までに申告納付することができない
3の(4)	法人	法人又は当該法人との間に法人税法第2条第12号の7の7に規定する通算完全支配関係がある通算法人（同条第12号の7の2に規定する通算法人をいう。）

(読替規定)
（２）　２の(3)から同(5)までの規定は、(1)において準用する３の(2)の申請書の提出があった場合について準用する。この場合において、次の表の左欄に掲げる規定中同表の中欄に掲げる字句は、それぞれ同表の右欄に掲げる字句に読み替えるものとする。（令24の４の３②）

２の(4)	２	５（三の２の(1)並びに四の１の(1)及び同(5)において準用する場合を含む。５の(3)において同じ。）
２の(5)	四の１	四の１若しくは四の１の(4)
	２	５
	その申請に係る指定を受けようとする日を２の日として	２月間（５の各号の指定を受けようとする旨の申請があった場合にはその申請に係る指定を受けようとする月数の期間とし、５の各号の指定に係る月数の変更をしようとする旨の申請があった場合にはその申請に係る変更後の月数の期間とする。）、

(二以上の道府県において事務所等を設けている場合の延長の通知等)
（３）　２の(7)の規定は、５の規定により１又は三の２若しくは四の１若しくは四の１の(4)の規定による申告書の提出期限が延長された場合（(2)において準用する２の(5)の規定により当該提出期限の延長がされたものとみなされた場合を含む。）、(1)において準用する３の(1)の規定により指定等の処分があった場合（(1)において準用する２の(5)の規定により当該提出期限の延長の処分についての変更の処分がされたものとみなされた場合を含む。）、(1)において準用する３の(4)の規定により当該提出期限の延長の処分についての取消し又は変更の処分があった場合及び(1)において準用する３の(6)の規定により３の(6)の届出書の提出があった場合について準用する。（令24の４の３③）

(連結法人の期限の延長の特例の適用を受けている法人が災害等を受けた場合)
（４）　４の規定は、５の規定の適用を受けている法人が、当該事業年度（３の(10)の規定の適用に係る事業年度を除く。）につき災害のその他やむを得ない理由により、当該法人との間に通算完全支配関係がある通算法人の決算が確定しないため、又は法人税法第二編第一章第一節第十一款第一目の規定その他通算法人に適用される規定による法人税の所得の金額若しくは欠損金額及び法人税の額の計算を了することができないため、５の期限までに当該法人の当該事業年度に係る付加価値割又は所得割を申告納付することができないと認められる場合について準用する。（法72の25⑦）
　　(注１)　３の(9)及び(10)を参照。（編者）
　　(注２)　２の(2)から(7)までの規定は、(4)（三の２の(1)及び四の１の(1)において準用する場合を含む。）に規定する場合について準用する。この場合において、２の(2)中「に係る事業年度終了の日から45日以内」とあるのは「の提出期限の到来する日の15日前まで」と、「理由」とあるのは「理由又は法人税法第二編第一章第一節第十一款第一目の規定その他通算法人（同法第２条第12号の７の２に規定する通算法人をいう。）に適用される規定による法人税の所得の金額若しくは欠損金額及び法人税の額の計算を了することができない理由」と、２の(5)中「に係る事業年度終了の日から２月以内」とあるのは「の提出期限まで」と読み替えるものとする。（令24の５②）

６　納付税額がない場合の申告書の提出義務
　事業を行う法人は、各事業年度について納付すべき事業税額がない場合においても、１から５までの規定に準じて申告書を提出しなければならない。（法72の25⑭）

三　中間申告を要する法人等の申告納付

１　中間申告納付

①　事業年度が６月を超える法人等の中間申告納付
　事業を行う法人は、事業年度（新たに設立された内国法人のうち適格合併（被合併法人の全てが収益事業を行っていない第一節五の４《公益法人等の非収益事業に係る所得等の非課税》の表の各号に掲げる法人であるものを除く。②及び③において同じ。）により設立されたもの以外のものの設立後最初の事業年度、第一節五の１の表の各号に掲げる法人又は第一節五の４の表の各号に掲げる法人（収益事業を行っていないものに限る。）が第一節五の１の表の各号及び第一節五の４

の表の各号に掲げる法人以外の法人に該当することとなった場合のその該当することとなった日の属する事業年度、当該法人が通算子法人である場合において法人税法第64条の9第1項の規定による承認の効力が生じた日が同日の属する当該法人に係る通算親法人の事業年度（以下「通算親法人事業年度」という。）開始の日以後6月を経過した日以後であるときのその効力が生じた日の属する事業年度及び恒久的施設を有しない外国法人が恒久的施設を有することとなった場合のその有することとなった日の属する事業年度を除く。）が6月を超える場合（当該法人が通算子法人である場合には、当該事業年度開始の日の属する通算親法人事業年度が6月を超え、かつ、当該通算親法人事業年度開始の日以後6月を経過した日において当該通算親法人との間に通算完全支配関係がある場合）には、当該事業年度（当該法人が通算子法人である場合には、当該事業年度開始の日の属する通算親法人事業年度）開始の日以後6月を経過した日（以下「6月経過日」という。）の前日までに当該事業年度の前事業年度の事業税として納付した税額及び納付すべきことが確定した税額の合計額を当該事業年度の前事業年度の月数で除して得た額に当該事業年度開始の日から当該前日までの期間（以下「中間期間」という。）の月数を乗じて計算した額に相当する額の事業税（以下①において「予定申告に係る事業税額」という。）を6月経過日から2月以内に、事務所又は事業所所在の道府県に申告納付《予定申告納付》しなければならない。ただし、当該法人（通算親法人である協同組合等（同法第2条第7号に規定する協同組合等をいう。）との間に通算完全支配関係があるもののうち所得割を申告納付すべきものを除く。）は、中間期間を1事業年度とみなして第二節一《課税標準》、三から六の5まで、七の2《鉱物の掘採事業と精錬事業を一貫して行う法人の付加価値額等の算定》の規定により当該期間の付加価値額、資本金等の額、所得又は収入金額を計算した場合には、当該付加価値額、資本金等の額、所得又は収入金額を課税標準として算定した事業税額が予定申告に係る事業税額を超えないときに限り、当該付加価値額、資本金等の額、所得又は収入金額を課税標準として算定した事業税額を申告納付《仮決算による中間申告納付》することができる。（法72の26①）

(注1)　上記の月数は、暦に従い計算し、1月に満たない端数を生じたときは、1月とする。（法72の26⑥）
(注2)　①の収益事業の範囲は、政令『第一節二の2の(1)』で定める。（法72の26⑫）
(注3)　通算親法人が協同組合等である通算子法人で所得割を申告納付する法人については、仮決算による中間申告をすることはできないものであること。（県通3-6の10）
(注4)　通算子法人について、1の事業年度が6月を超える場合とは、当該事業年度開始の日の属する通算親法人の事業年度が6月を超え、かつ、当該通算親法人の事業年度開始の日以後6月を経過した日において、当該通算親法人との間に通算完全支配関係がある場合をいうものであること。また、当該事業年度開始の日以後6月を経過した日とは、当該事業年度開始の日の属する通算親法人の事業年度開始の日以後6月を経過した日をいうものであること。（県通3-6の11(2)）

（旧民法第34条の法人から移行した法人等に係る特例）
(1)　一般社団法人及び一般財団法人に関する法律及び公益社団法人及び公益財団法人の認定等に関する法律の施行に伴う関係法律の整備等に関する法律（平成18年法律第50号。以下(1)において「整備法」という。）第40条第1項の規定により存続する一般社団法人又は一般財団法人であって整備法第106条第1項（整備法第121条第1項において読み替えて準用する場合を含む。）の登記をしていないもの（整備法第131条第1項の規定により整備法第45条の認可を取り消されたもの『認可取消社団法人又は認可取消財団法人』にあっては、法人税法第2条第9号の2に規定する非営利型法人に該当するものに限る。）については、公益社団法人又は公益財団法人とみなして、①及び④の規定を適用する。（法附41②）

（中間申告書の記載事項及び添付書類）
(2)　①の場合において、事務所又は事業所所在地の道府県知事に提出すべき申告書には、事業の種類、中間期間中に有していた事務所又は事業所の名称及び所在地、申告納付すべき事業税額その他必要な事項を記載し、これに①ただし書の規定により申告納付する法人のうち、第一節二の1の表の(一)の右欄イに掲げる法人『外形対象法人』にあっては中間期間に係る付加価値額、資本金等の額及び所得に関する計算書、当該期間終了の日における貸借対照表及び当該期間の損益計算書（貸借対照表又は損益計算書を作成することを要しない法人にあっては、これらに準ずるもの。以下(2)において同じ。）その他の書類のうち総務省令で定めるものを、第一節二の1の表の(一)のロに掲げる法人にあっては中間期間に係る所得に関する計算書を、同1の表の(二)に掲げる事業を行う法人にあっては中間期間に係る収入金額に関する計算書、当該期間終了の日における貸借対照表及び当該期間の損益計算書その他の書類のうち総務省令で定めるものを、同1の表の(三)のイに掲げる法人又は同(四)に掲げる事業を行う法人にあっては中間期間に係る収入金額、付加価値額及び資本金等の額に関する計算書、当該期間終了の日における貸借対照表及び当該期間の損益計算書その他の書類のうち総務省令で定めるものを、同(三)のロに掲げる法人にあっては中間期間に係る収入金額及び所得に関する計算書、当該期間終了の日における貸借対照表及び当該期間の損益計算書その他の書類のうち総務省令で定めるものを添付しなければならない。申告書及び計算書の様式は、総務省令で定める。（法72の26④）

(期限内に申告納付しなかった場合のみなし申告納付)
(3) ①に規定する法人((4)本文の規定の適用を受けるものを除く。)が①に規定する期間内に申告納付しなかった場合には、当該法人については、当該期間を経過した時において、事務所又は事業所所在地の道府県知事に対し①本文の規定により提出すべき申告書の提出があったものとみなす。この場合においては、当該法人は、当該申告納付すべき期限内に、その提出があったものとみなされる申告書に係る事業税に相当する税額の事業税を事務所又は事業所所在の道府県に納付しなければならない。(法72の26⑤)

(法人税の中間申告書の提出を要しない法人の取扱い)
(4) 法人税法第71条第1項に規定する普通法人で同項第1号に掲げる金額(同条第2項又は第3項の規定の適用がある場合には、その適用後の金額)が10万円以下であるもの若しくは当該金額がないもの又は同法第144条の3第1項ただし書の規定により法人税の中間申告書を提出することを要しない法人は、①の規定による申告納付をすることを要しない。ただし、第一節二の1の表の(一)の右欄イに掲げる法人、同(二)に掲げる事業を行う法人、同(三)のイ若しくは同ロに掲げる法人又は同(四)に掲げる事業を行う法人については、この限りでない。(法72の26⑧)
　(注1) (4)の規定を適用する場合において、第一節二の1の表の(一)の右欄イに掲げる法人であるかどうかの判定は、6月経過日の前日の現況によるものとする。(法72の26⑨)
　(注2) (注1)の規定の適用については、当分の間、(注1)中「6月経過日の前日の現況」とあるのは、「第1項の事業年度の前事業年度の事業税について同号イに掲げる法人に該当したものであるかどうか」とする。この改正規定は、令和7年4月1日以後に開始する事業年度に係る法人の事業税について適用し、同日前に開始した事業年度に係る法人の事業税については、なお従前の例による。(法附8の3の3②、令6改法附1三、7①)
　(注3) (注2)を削除する令和6年度改正規定は、令和8年4月1日以後に開始する事業年度に係る法人の事業税について適用し、同日前に開始した事業年度に係る法人の事業税については、なお従前の例による。(令6改法附1四、8①)
　(注4) 法人税法第71条第1項ただし書においては、予定申告に係る税額が10万円以下である場合又は法人税額がない場合には、中間申告を必要としないこととされている。(編者)

(予定申告に係る事業税額の算出)
(5) ①に規定する法人((4)本文の規定の適用を受けるものを除く。)について①の事業年度の前事業年度における次に掲げる申告納付の期限について第一編第十章4の①のロの規定の適用がある場合において、同ロの規定の適用がないものとした場合における当該申告納付の期限の翌日から同ロの規定により当該申告納付の期限とみなされる日までの間に当該前事業年度の事業税の納付があったとき、又は納付すべき事業税額が確定したときは、当該前事業年度終了の日の翌日から6月を経過した日の前日までに当該金額の納付があったもの又は当該金額が確定したものとみなして、当該事業年度の予定申告に係る事業税額を算出するものとする。(法72の26⑦)
(一) 二の3(2の(1)及び四の1の(1)において準用する場合を含む。)の規定により二の1、2又は四の1の規定による申告納付の期限が当該前事業年度終了の日の翌日から6月を経過した日の前日とされた法人の当該申告納付
(二) 二の5(2の(1)及び四の1の(1)において準用する場合を含む。)の規定により二の1、2又は四の1の規定による申告納付の期限が当該前事業年度終了の日の翌日から6月を経過した日の前日とされた法人の当該申告納付

(中間申告書に添付する書類で総務省令で定めるもの)
(6) (2)に規定する書類は、次の各号に掲げる法人の区分に応じ、当該各号に定める書類とする。(規4の7)
(一) 第一節二の1の表の(一)の右欄イに掲げる法人　①に規定する中間期間までの期間に係る付加価値額、資本金等の額及び所得に関する計算書並びに次に掲げるもの(当該次に掲げるものの作成を電磁的記録の作成をもって行う法人にあっては当該電磁的記録を出力したもの)
　イ　中間期間終了の日における貸借対照表及び当該期間の損益計算書(貸借対照表又は損益計算書を作成することを要しない法人にあってはこれらに準ずるもの。ロにおいて同じ。)
　ロ　外国法人の国内において行う事業又は国内にある資産に係る中間期間終了の日における貸借対照表及び当該期間の損益計算書
　ハ　中間期間終了の日における株主資本等変動計算書又は社員資本等変動計算書(これらの書類又はイ若しくはロに掲げる書類に過年度事項(中間期間の開始の日前に開始した事業年度の貸借対照表、損益計算書又は株主資本等変動計算書若しくは社員資本等変動計算書に表示すべき事項をいう。)の修正の内容の記載がない場合には、その記載をした書類を含む。)
(二) 第一節二の1の表の(二)に掲げる事業を行う法人　中間期間に係る収入金額に関する計算書並びに中間期間終了の日における貸借対照表及び当該期間の損益計算書(貸借対照表又は損益計算書を作成することを要しない法

人にあってはこれらに準ずるものとし、貸借対照表又は損益計算書の作成を電磁的記録の作成をもって行う法人にあっては当該電磁的記録を出力したものとする。)

(三) 第一節二の1の表の(三)のイに掲げる法人及び同(四)に掲げる事業を行う法人　中間期間に係る収入金額、付加価値額及び資本金等の額に関する計算書並びに次に掲げるもの(当該次に掲げるものの作成を電磁的記録の作成をもって行う法人にあっては当該電磁的記録を出力したもの)

　イ　中間期間終了の日における貸借対照表及び中間期間の損益計算書(貸借対照表又は損益計算書を作成することを要しない法人にあってはこれらに準ずるもの。ロにおいて同じ。)

　ロ　外国法人の国内において行う事業又は国内にある資産に係る中間期間終了の日における貸借対照表及び中間期間の損益計算書

　<u>ハ　中間期間終了の日における株主資本等変動計算書又は社員資本等変動計算書(これらの書類又はイ若しくはロに掲げる書類に過年度事項(中間期間の開始の日前に開始した事業年度の貸借対照表、損益計算書又は株主資本等変動計算書若しくは社員資本等変動計算書に表示すべき事項をいう。)の修正の内容の記載がない場合には、その記載をした書類を含む。)</u>

(四) 第一節二の1の表の(三)のロに掲げる法人　中間期間に係る収入金額及び所得に関する計算書並びに中間期間終了の日における貸借対照表及び中間期間の損益計算書(貸借対照表又は損益計算書を作成することを要しない法人にあってはこれらに準ずるものとし、貸借対照表又は損益計算書の作成を電磁的記録の作成をもって行う法人にあっては当該電磁的記録を出力したものとする。)

(注1)　電磁的記録の意義については、二の1の(2)を参照。(編者)
(注2)　(6)中____部分を追加し、(一)のイ及び(三)のイを以下のように改める令和6年度改正規定は、令和8年4月1日以後に開始する事業年度に係る法人の事業税について適用し、同日前に開始した事業年度に係る法人の事業税については、なお従前の例による。(令6改規附1三、2①)

　イ　中間期間終了の日における貸借対照表(貸借対照表を作成することを要しない法人にあっては、これに準ずるもの。ロ及びハにおいて同じ。)及び中間期間の損益計算書(損益計算書を作成することを要しない法人にあっては、これに準ずるもの。ロ及びハにおいて同じ。)

　(法人税の中間申告書の提出を要しない法人についての留意事項)
(7)　法人税法第71条第1項ただし書若しくは第144条の3第1項ただし書の規定により法人税の中間申告書の提出を要しない法人は、外形対象法人　(第一節二の1の表の(一)のイに掲げる法人をいう。以下この章において同じ。)、収入金額課税法人(第一節二の1の表の(二)に掲げる事業を行う法人をいう。以下この章において同じ。)、収入金額等課税法人(第一節二の1の表の(三)のイ及びロに掲げる法人をいう。以下この章において同じ。)、特定ガス供給業を行う法人及び通算親法人が協同組合等である通算子法人で、法人税法第71条第1項第1号に掲げる金額(同条第2項又は同項第3項の規定の適用がある場合には、適用後の金額)が10万円を超える法人を除き、事業税においても中間申告書の提出を要しないものであること。

　なお、法人税法第71条第1項ただし書の規定により法人税の中間申告書の提出を要しない法人が同法第72条第1項及び第5項の規定により仮決算による法人税の中間申告書を提出する場合であっても、外形対象法人、収入金額課税法人、収入金額等課税法人及び特定ガス供給業を行う法人を除き、事業税においては中間申告書の提出を要しないものであることに留意すること。(県通3－6の9)

(注)　(7)中____部分を削る令和6年度改正規定は、令和7年4月1日以後に開始する事業年度分の法人の事業税について適用する。(令6総税都第10号記ト)

　(法人税について確定申告書を提出していない場合の留意事項)
(8)　法人税について前事業年度に係る確定申告書を提出せず、かつ、確定申告に係る決定がなされていない場合等には、法人税について当該事業年度に係る中間申告書の提出を要しないこととなるので、事業税についても中間申告書の提出を要しないこととなるものであること。(県通3－6の12)

　(事業税額の確定の判定)
(9)　①本文及び②の6月経過日の前日までに納付すべき事業税額が確定しているかどうかは、(5)の規定が適用される場合を除き、法人が同日までに申告書を提出したか又は更正若しくは決定を受けたかにより判定すること。(県通3－6の7)

(清算中の法人の中間申告制度の不適用)
(10)　清算中の法人については、清算中の各事業年度の期間が６月を超えている場合においても、中間申告書を提出する必要はないものであること。
　　　なお、清算中の法人であるかどうかの判定は、６月経過日の前日の現況によるものであり、清算中の期間の始期は、解散（合併による解散を除く。）の日の翌日をいい、終期は、継続の日の前日又は残余財産の確定の日をいうこと。（県通３－６の８）

(前事業年度における中間申告について更正を受けた場合の予定納税額)
(11)　１に規定する予定申告の場合において、前事業年度の６月の期間に中間申告書を提出し、これに対し更正を受け、前事業年度の確定申告は当該更正を受けた課税標準額より少ない申告をしたときでも確定申告に対する更正がなされていないときは、当該予定申告により納付すべき事業税額は前事業年度の確定申告により申告した税額を基礎として計算するものであること。（県通３－６の11(1)）

(書類に記載すべき事項を電子情報処理組織を使用して提供した場合)
(12)　１の①に規定する法人（第一節二の１の表の（一）のイに掲げる法人、同１の表の（二）に掲げる事業を行う法人、同１の表の（三）のイ及び同ロに掲げる法人並びに同（四）に掲げる事業を行う法人に限る。）が、法人税法第75条の４第１項又は行政手続等における情報通信の技術の利用に関する法律第３条第１項の規定により法人税法第75条の４第１項の申告を行った場合において、当該申告と併せて（2）に規定する総務省令で定める書類に記載すべきものとされる事項を同条第１項又は行政手続等における情報通信の技術の利用に関する法律第３条第１項に規定する電子情報処理組織を使用する方法その他の総務省令で定める方法により提供したときは、当該法人が（2）の規定により１の①の規定による申告書に添付すべき当該事項を記載した（2）に規定する総務省令で定める書類を事務所又は事業所所在地の道府県知事に提出したものとみなす。（法72の26⑩）

(総務省令で定める方法)
(13)　(12)に規定する総務省令で定める方法は、法人税法施行規則第36条の３の２第３項各号に掲げる方法とする。（規４の７の２）

②　適格合併に係る合併法人の予定申告に係る事業税額

①の場合において、①の法人が次の各号に掲げる期間内に行われた適格合併（法人を設立するものを除く。以下②において同じ。）に係る合併法人であるときは、予定申告に係る事業税額は、①の規定にかかわらず、①の規定により計算した金額に相当する金額に当該各号に定める金額を加算した金額とする。（法72の26②）

（一）	当該合併法人の前事業年度	前事業年度の月数に対する前事業年度開始の日からその適格合併の日の前日までの月数の割合に中間期間の月数を乗じた数を被合併法人の確定事業税額（当該合併法人の当該事業年度開始の日の１年前の日以後に終了した当該適格合併に係る被合併法人の各事業年度に係る事業税額として当該合併法人の６月経過日の前日までに確定したもので、その計算の基礎となった各事業年度（その月数が６月に満たないものを除く。）のうち最も新しい事業年度に係る事業税額をいう。（二）及び③において同じ。）に乗じて当該確定事業税額の計算の基礎となった事業年度の月数で除して計算した金額
（二）	当該合併法人の中間期間	当該合併法人の中間期間のうちその適格合併の日以後の期間の月数を被合併法人の確定事業税額に乗じて当該確定事業税額の計算の基礎となった事業年度の月数で除して計算した金額

（注）　上記の月数は、暦に従い計算し、１月に満たない端数を生じたときは、１月とする。（法72の26⑥）

(合併法人の予定申告により納付すべき事業税額の計算)
(1)　法人税法に規定する適格合併（法人を設立するものを除く。）が合併法人の前事業年度中又は当該事業年度開始の日から６月経過日の前日までの期間（以下(1)において「中間期間」という。）内になされた場合における当該合併法人の予定申告により納付すべき事業税額は、次により計算するものであること。（県通３－６の11(3)）
　（一）　当該合併法人の前事業年度中に適格合併がなされた場合

$$\frac{\text{合併法人の確定事業税額}}{\text{合併法人の前事業年度の月数}} \times \text{中間期間の月数} + \frac{\text{合併法人の前事業年度開始の日からその適格合併の日の前日までの月数}}{\text{合併法人の前事業年度の月数}} \times \text{中間期間の月数} \times \frac{\text{被合併法人の確定事業税額}}{\text{被合併法人の確定事業税額の計算の基礎となった事業年度の月数}}$$

  (二) 中間期間内に適格合併がなされた場合

$$\frac{\text{合併法人の確定事業税額}}{\text{合併法人の前事業年度の月数}} \times \text{中間期間の月数} + \frac{\text{合併法人の中間期間のうちその適格合併の日以後の期間の月数}}{\text{被合併法人の確定事業税額の計算の基礎となった事業年度の月数}} \times \frac{\text{被合併法人の確定事業税額}}{}$$

   (合併法人の確定事業税額及び被合併法人の確定事業税額の意義)
 (2) (1)において、合併法人の確定事業税額とは、合併法人の6月経過日の前日までに前事業年度の事業税として納付した税額及び納付すべきことが確定した税額の合計額をいい、被合併法人の確定事業税額とは、当該合併法人の当該事業年度開始の日の1年前の日以後に終了した被合併法人の各事業年度に係る事業税額として当該合併法人の6月経過日の前日までに確定したもので、その計算の基礎となった各事業年度(その月数が6月に満たないものを除く。)のうち最も新しい事業年度に係る事業税額をいうものであること。(県通3-6の11(5))

③ 適格新設合併に係る合併法人の予定申告に係る事業税額
 適格合併(法人を設立するものに限る。)に係る合併法人のその設立後最初の事業年度につき①の本文の規定を適用するときは、予定申告に係る事業税額は、①の規定にかかわらず、当該適格合併に係る各被合併法人の確定事業税額をその計算の基礎となった当該被合併法人の事業年度の月数で除し、これに中間期間の月数を乗じて計算した金額の合計額とする。(法72の26③)
  (注) 上記の月数は、暦に従い計算し、1月に満たない端数を生じたときは、1月とする。(法72の26⑥)

④ 中間申告を要しない法人等
 ①から③までの規定は、公益法人等、人格のない社団等及び第二節八の1の⑥に掲げる特別法人並びに外国法人で①に規定する申告納付の期限内に、第一節六の2の①に規定する納税管理人を定めないでこの法律の施行地に事務所又は事業所を有しないこととなるに至ったもの(当該事務所又は事業所を有しないこととなる日前に既に①の規定により申告書を提出したもの又は同2の①の注の認定を受けたものを除く。)については、適用しない。(法72の26⑪)
  (注) ④の適用に関する旧民法第34条の法人から移行した法人等に係る特例については、①の(1)を参照。(編者)

⑤ 申告等の期限の延長に係る中間申告納付の特例
 第一編第十章4の②の規定に基づく条例の定めるところにより、又は同②の(1)申告及び納付に関する期限が延長されたことにより、①の規定による申告納付(以下「中間申告納付」という。)に係る期限と当該中間申告納付に係る事業年度の2の規定による申告納付に係る期限とが同一の日となる場合には、①の規定にかかわらず、当該中間申告納付をすることを要しない。(法72の27)

2 確定申告納付

 事業を行う法人は、1の規定に該当する場合には、当該事業年度終了の日から2月以内〘二の1参照〙に、確定した決算に基づき、当該事業年度に係る所得割等又は収入割等を事務所又は事業所所在の道府県に申告納付しなければならない。この場合において、当該法人の納付すべき事業税額は、当該法人が当該申告書に記載した事業税額から1の規定による申告書に記載した事業税額又は1の①の(3)の規定により申告書の提出があったとみなされる場合において納付すべき事業税額を控除した金額に相当する事業税額とする。ただし、法人が1に規定する申告書を提出した場合において、次の(一)又は(二)に該当するときは、当該法人が2の規定による申告書に記載した事業税額から控除すべき事業税額は、1に規定する申告書に記載した事業税額、(一)の修正申告により増加した事業税額及び(二)の更正に係る第四節九の2《更正等による不足税額の徴収》の不足税額の合計額とする。(法72の28①)

(一)	2の規定により申告納付すべき期限までに五の2《修正申告納付》の規定による修正申告書の提出があったとき
(二)	第四節一の1《申告所得が基準課税標準と異なる場合の更正》若しくは3《法人税の更正等があった場合の再更正》、同節四の1《道府県知事の調査に基づく更正》若しくは3《道府県知事の調査に基づく再更正》又は同節五の1《道府県知事の調査による付加価値割等の更正》若しくは3《再更正》の規定による更正があったとき

(中間申告を要しない法人の確定申告納付の規定の準用)
（１）　次に掲げる規定は、２の規定によって法人がすべき申告納付及び２の場合において当該法人が事務所又は事業所所在地の道府県知事に提出すべき申告書について準用する。（法72の28②）
　　（一）　確定申告期限の延長〚二の２・同（２）～（７）〛
　　（二）　確定申告期限の延長の特例〚二の３・同（２）～（９）〛
　　（三）　通算法人の確定申告期限の延長〚二の４〛
　　（四）　確定申告期限の延長の特例の適用を受けている法人が災害等を受けた場合の取扱い〚二の３（10）、同５（４）〛
　　（五）　確定申告書の記載事項及び添付書類〚二の１（１）～（４）、（15）・（16）〛

　　（納付税額がない場合の申告書の提出義務）
（２）　事業を行う法人は、２の事業年度について納付すべき事業税額がない場合においても、２及び（１）の規定に準じて申告書を提出しなければならない。（法72の28③）

３　中間納付額の還付又は充当
　　２又は同（２）の場合において、事業を行う法人の申告書に記載された事業税額が、当該事業税額に係る１の規定による申告書に記載された、又は記載されるべきであった事業税額（以下「**中間納付額**」という。）に満たないとき、又はないときは、道府県は、その満たない金額に相当する中間納付額又は中間納付額の全額を還付し、又は未納に係る地方団体の徴収金に充当するものとする。この場合においては、当該事業を行う法人は、２又は同（２）の申告書に併せて、当該還付を請求する旨の請求書を提出しなければならない。（法72の28④）

　　（中間納付額の還付の手続）
（１）　３の規定により中間納付額の還付を受けようとする法人は、次に掲げる事項を記載した請求書に還付を受けようとする金額の計算に関する明細書を添付して、これを事務所又は事業所所在地の道府県知事に提出しなければならない。（令25①）
　　（一）　請求をする法人の名称及び当該道府県内の主たる事務所又は事業所の所在地
　　（二）　請求をする法人の代表者（国内に主たる事務所又は事業所を有しない法人にあっては、国内における資産又は事業の管理又は経営の責任者）の氏名及び住所又は居所
　　（三）　還付を受けようとする金額
　　（四）　銀行又は郵便局株式会社法第２条第２項に規定する郵便局（郵政民営化法第94条に規定する郵便貯金銀行を銀行法第２条第16項に規定する所属銀行とする同条第14項に規定する銀行代理業を営む郵便局株式会社の営業所として当該銀行代理業の業務を行うものに限る。）において還付を受けようとするときは、当該銀行又は郵便局の名称及び所在地

　　（請求書の提出があった場合の還付又は充当）
（２）　（１）の規定による請求書の提出があった場合には、２の（１）の規定による申告書（五の１《期限後申告納付》の規定により提出する申告書を含む。）に記載された事業税額が過少であると認められる事由があるときを除くほか、道府県知事は、遅滞なく、３の規定による還付又は充当の手続をしなければならない。（令25②）

　　（中間納付額に係る延滞金の還付）
（３）　道府県知事は、（１）及び（２）によって中間納付額を還付する場合において、当該中間納付額について納付された第四節九の３《更正等に伴う不足税額等に対する延滞金の徴収》又は第六節一《納期限後に納付する場合の延滞金》の規定による延滞金があるときは、当該延滞金のうち還付すべき中間納付額に対応するものとして、当該中間納付額について納付された延滞金額に当該中間納付額のうち（１）の規定により還付すべき金額（（４）の（一）又は（二）の規定により充当される金額があるときは、これを控除した金額）の占める割合を乗じて得た金額を併せて還付する。ただし、中間納付額が分割して納付されている場合には、（一）に掲げる金額から（二）に掲げる金額を控除した金額とする。（令26）
　　（一）　当該中間納付額について納付された延滞金額
　　（二）　当該中間納付額のうち納付の順序に従い当該中間納付額に係る事業年度の２の（１）の申告書に記載された事業税額（（４）の（一）の規定により充当される金額があるときは、これを加算した金額）に達するまで順次求めた各中間納付額につき、法の規定により計算される延滞金額の合計額

(還付すべき中間納付額の充当)
（４）（１）から（３）までの規定による還付をする場合において、未納に係る地方団体の徴収金があるときは、次の各号の順序により、その還付すべき金額（（６）及び（７）の規定により加算すべき金額を含む。）をこれに充当するものとする。(令27①)

(一) 還付すべき中間納付額に係る事業年度分の事業税額で五の２の規定により納付すべきもの又は第四節九の２及び３《更正等に伴う不足税額及び延滞金の徴収》の規定により徴収すべきものがあるときは、当該事業税額に充当する。

(二) (一)の充当をしてもなお還付すべき金額がある場合において、当該事業年度分の中間納付額で未納のものがあるときは、当該未納の中間納付額に充当する。

(三) (一)及び(二)の充当をしてもなお還付すべき金額があるときは、その他の未納に係る地方団体の徴収金に充当する。

(注１) 令第６条の14第１項《過誤納金の充当適状》の規定は、（４）の規定による充当について準用する。(令27②)

(注２) 中間納付額の還付をする場合において、当該中間納付額を当該中間納付額に係る事業年度分又は計算期間分の未納の事業税額に充当するときは、道府県知事は、当該充当に係る未納の事業税額についての延滞金を免除する。(令32要約)

(還付金額の充当の順序)
（５）第二節十の２の(３)《仮装経理に基づく過大申告の場合の更正に伴う事業税の還付の場合の還付すべき延滞金の充当》、同３の(１)《５年間の繰越控除適用期間終了後の仮装経理事業税額の還付又は充当》、同４の(４)《仮装経理事業税額の充当》、同節十一の４の①《租税条約の実施に係る還付すべき金額の控除不足額の充当》及び（４）の規定による充当については、まず（４）の規定による充当をし、次に第二節十の２の(３)の規定による充当、同３の(１)の規定による充当、同４の(４)の規定による充当及び同節十一の４の①の規定による充当の順序に充当するものとする。(令27③)

(中間納付額を還付する場合の還付加算金の計算)
（６）道府県知事は、（１）及び（２）の規定により中間納付額の還付をする場合においては、当該中間納付額（中間納付額の全部又は一部について未納の金額がある場合においては、当該未納の金額に相当する金額を控除した金額とし、中間納付額が分割して納付されている場合には、最後の納付に係る中間納付額から、当該還付すべき中間納付額のうち当該未納の金額に相当する金額を控除した後の中間納付額の金額に達するまで順次遡って求めた中間納付額の金額とする。）に、当該中間納付額の納付の日（当該中間納付額が１の①の規定による申告書の提出期限前に納付された場合には、当該期限）の翌日からその還付すべき金額の支出を決定し、又は（４）の規定による充当をする日（同日前に充当をするのに適することとなった日があるときは、その日）までの期間（（１）の規定による請求書の提出が当該中間納付額に係る事業年度分の事業税の２の規定による申告書の提出期限後にあった場合においては、当該期限の翌日から当該請求書の提出があった日までの期間を除く。）の日数に応じ、年7.3パーセントの割合を乗じて計算した金額を当該還付し、又は充当すべき金額に加算しなければならない。ただし、（４）の規定により当該中間納付額に係る事業年度分の事業税に充当する場合には、この限りでない。(令28①)

(注) (６)に規定する年7.3パーセントの割合については特例規定が設けられているので、第一編第十章12の⑥《還付加算金の割合の特例》を参照。(編者)

(端数計算等の規定の準用)
（７）還付加算金の計算対象期間から控除する期間の規定〖第一編第六章三の１の(１)((一)を除く。)〗は(６)の規定による期間について、加算金の端数計算の規定〖第一編第十章３の(二)及び(五)〗の規定は(６)の規定による中間納付額に係る還付金に加算すべき金額について準用する。この場合において、前者の規定中「過誤納金」とあり、又は後者の規定中「税額」とあるのは、「中間納付額に係る還付金」と読み替えるものとする。(令28②)

四　清算中の法人の申告納付

１　清算中の法人の各事業年度の申告納付

清算中の法人は、その清算中に事業年度（残余財産の確定の日の属する事業年度を除く。）が終了した場合には、当該事業年度の付加価値額、所得又は収入金額を解散をしていない法人の付加価値額、所得又は収入金額とみなして、当該事業年度につき第二節一《課税標準》、三及び五《付加価値割及び所得割の課税標準の計算》、六《各事業年度の収入金額の計

算》、七の2《鉱物の掘採事業と精錬事業を一貫して行う法人の付加価値額等の算定》並びに八の1《標準税率》の規定により当該事業年度の付加価値額、所得又は収入金額及びこれらに対する事業税額を計算し、その税額があるときは、当該事業年度終了の日から2月以内に当該事業年度に係る付加価値割、所得割又は収入割を事務所又は事業所所在の道府県に申告納付しなければならない。（法72の29①）

　　　　（申告書の記載事項及び添付書類等）
（1）　二の1の（1）、（3）及び（4）《確定申告書の記載事項及び添付書類》、（6）、（8）、（15）、（16）、2《確定申告期限の延長》、3《確定申告期限の延長の特例》、同（9）、（10）、4《通算法人の確定申告期限の延長》、5《通算支配関係がある通算法人の確定申告期限の延長の特例》及び同（4）の規定は、1の規定により法人がすべき申告納付及び1の場合において当該法人が事務所又は事業所所在地の道府県知事に提出すべき申告書について準用する。この場合において、二の1の（1）中「付加価値額、資本金等の額」とあるのは「付加価値額」と、「付加価値割額、資本割額」とあるのは「付加価値割額」と、同（6）中「付加価値額、資本金等の額」とあるのは「付加価値額」と、「、付加価値割額及び資本割額」とあるのは「及び付加価値割額」と、「、付加価値額及び資本金等の額」とあるのは「及び付加価値額」と読み替えるものとする。（法72の29②）

　　　　（清算中の法人の残余財産確定の日の属する事業年度が終了した場合の申告納付）
（2）　清算中の法人は、その清算中に残余財産の確定の日の属する事業年度（当該法人が通算法人である場合には、当該法人に係る通算親法人の事業年度終了の日に終了するものを除く。）が終了した場合には、当該事業年度の所得を解散をしていない法人の所得とみなして、当該事業年度につき第二節一、同節五の1、同2の①、②、同節五の3及び同節八の1の①から⑤までの規定により当該事業年度の所得及びこれに対する事業税額を計算し、その税額があるときは、当該事業年度終了の日から1月以内（当該期間内に残余財産の最後の分配又は引渡しが行われるときは、その行われる日の前日まで）に当該事業年度に係る所得割を事務所又は事業所所在の道府県に申告納付しなければならない。（法72の29③）

　　　　（清算中の法人の確定申告書の記載事項等）
（3）　二の1の（1）、（3）及び（4）《確定申告書の記載事項及び添付書類》、（6）、（8）、（15）、（16）の規定は、（2）の場合において（2）の法人が事務所又は事業所所在地の道府県知事に提出すべき申告書について準用する。この場合において、二の1の（1）中「付加価値額、資本金等の額、所得、付加価値割額、資本割額及び所得割額」とあるのは「所得及び所得割額」と、「付加価値額、資本金等の額及び所得」とあるのは「所得」と、同（8）中「収入金額、所得、収入割額及び所得割額」とあるのは「所得及び所得割額」と、「収入金額及び所得」とあるのは「所得」と読み替えるものとする。（法72の29④）

　　　　（清算中に残余財産の確定の日の属する事業年度が終了した場合）
（4）　清算中の法人（通算法人に限る。）は、その清算中に残余財産の確定の日の属する事業年度（当該法人に係る通算親法人の事業年度終了の日に終了するものに限る。）が終了した場合には、当該事業年度の所得を解散をしていない法人の所得とみなして、当該事業年度につき第二節一、第二節五の1及び同（1）及び同2の①及び同②、第二節五の3、第二節八の1の①から⑤までの規定により当該事業年度の所得及びこれに対する事業税額を計算し、その税額があるときは、当該事業年度終了の日から2月以内に当該事業年度に係る所得割を事務所又は事業所所在の道府県に申告納付しなければならない。（法72の29⑤）

　　　　（読替規定）
（5）　二の5、二の1の（1）、同（3）（4）（6）（8）及び二の3の（10）、二の1の（15）の規定は、（4）の規定により法人がすべき申告納付及び（4）の場合において当該法人が事務所又は事業所所在地の道府県知事に提出すべき申告書について準用する。この場合において、二の1の（1）中「付加価値額、資本金等の額、所得、付加価値割額、資本割額及び所得割額」とあるのは「所得及び所得割額」と、「付加価値額、資本金等の額及び所得」とあるのは「所得」と、二の1の（8）中「収入金額、所得、収入割額及び所得割額」とあるのは「所得及び所得割額」と、「収入金額及び所得」とあるのは「所得」と、二の3の（10）中「みなして、2又は4及び」とあるのは「みなして、」と読み替えるものとする。（法72の29⑥）

(納付税額がない場合の申告義務)
(6) 清算中の法人は、清算中の各事業年度について納付すべき事業税額がない場合においても、1及び(1)から(3)までの規定に準じて申告書を提出しなければならない。(法72の29⑦)

(清算中の外形対象法人等の申告納付の留意事項)
(7) 清算中の外形対象法人、第一節二の1の表の(三)のイに掲げる法人及び特定ガス供給業を行う法人の申告納付については、次の諸点に留意すること。(県通3－6の15)
 (一) 清算中の外形対象法人、第一節二の1の表の(三)のイに掲げる法人及び特定ガス供給業を行う法人については、第二節四の①ただし書の規定により資本金等の額はないものとみなされることから、資本割を申告納付することは要しないものであること。
  ただし、通算子法人が事業年度の中途において解散した場合(破産手続開始の決定を受けた場合を除く。)については、当該解散の日において事業年度が区切れないことから、事業年度開始の日から解散の日までの期間については、資本割を課すものであること。
 (二) 残余財産の確定の日の属する事業年度については、付加価値割を申告納付することは要しないものであること。

2　通算子法人が事業年度の中途において解散をした場合等の申告の特例

　　通算子法人が事業年度の中途において解散をした場合(破産手続開始の決定を受けた場合を除く。)の当該事業年度における1から同(5)までの規定の適用については、1中「、当該事業年度の」とあるのは「、当該事業年度の解散の日以後の期間に対応する部分の」と、「三」とあるのは「三、四」と、「により当該事業年度の付加価値額」とあるのは「により当該事業年度の付加価値額、資本金等の額」と、「付加価値割」とあるのは「付加価値割、資本割」と、同(1)中「準用する。この場合において、二の1の(1)中「付加価値価額、資本金等の額」とあるのは「付加価値額」と、「付加価値割額、資本割額」とあるのは「付加価値割額」と、二の1の(6)中「付加価値額、資本金等の額」とあるのは「付加価値額」と、「、付加価値割額及び資本割額」とあるのは「及び付加価値割額」と、「、付加価値額及び資本金等の額」とあるのは「及び付加価値額」と読み替えるものとする」とあるのは「準用する」と、同(2)中「、当該事業年度の」とあるのは「、当該事業年度の解散の日以後の期間に対応する部分の」と、「第二節一」とあるのは「第二節一、三、四」と、「同節五の3」とあるのは「同節五の3、同節六、同節七の2」と、「当該事業年度の所得及びこれ」とあるのは「当該事業年度の付加価値額、資本金等の額、所得又は収入金額及びこれら」と、「当該事業年度に係る所得割」とあるのは「当該事業年度に係る付加価値割、資本割、所得割又は収入割」と、同(3)中「準用する。この場合において、二の1の(1)中「付加価値額、資本金等の額、所得、付加価値割額、資本割額及び所得割額」とあるのは「所得及び所得割額」と、「付加価値額、資本金等の額及び所得」とあるのは「所得」と、二の1の(8)中「収入金額、所得、収入割額及び所得割額」とあるのは「所得及び所得割額」と、「収入金額及び所得」とあるのは「所得」と読み替えるものとする」とあるのは「準用する」と、1の(4)中「、当該事業年度の」とあるのは「、当該事業年度の解散の日以後の期間に対応する部分の」と、「第二節一」とあるのは「第二節一、三、四」と、「第二節五の3、」とあるのは「第二節五の3、六、七の2」と、「当該事業年度の所得及びこれ」とあるのは「当該事業年度の付加価値額、資本金等の額、所得又は収入金額及びこれら」と、「当該事業年度に係る所得割」とあるのは「当該事業年度に係る付加価値割、資本割、所得割又は収入割」と、1の(5)中「において、二の1の(1)中「付加価値額、資本金等の額、所得、付加価値割額、資本割額及び所得割額」とあるのは「所得及び所得割額」と、「付加価値額、資本金等の額及び所得」とあるのは「所得」と、二の1の(8)中「収入金額、所得、収入割額及び所得割額」とあるのは「所得及び所得割額」と、「収入金額及び所得」とあるのは「所得」と、」とあるのは「において、」と、「及び」とあるのは」とあるのは「及び」とあるのは、」とする。(法72の30①)

(清算中の通算子法人が事業年度の中途において継続した場合の申告)
注　清算中の通算子法人が事業年度の中途において継続した場合の当該事業年度においては、当該事業年度の開始の日から継続の日の前日までの期間に対応する部分の付加価値額、所得又は収入金額を解散をしていない法人の付加価値額、所得又は収入金額とみなして、二の1、三の1の①又は三の2の規定を適用する。(法72の30②)

五　期限後申告及び修正申告納付

1　期限後申告納付

　　次に掲げる規定により申告書を提出すべき法人は、当該申告書の提出期限後においても、第四節九の1《更正又は決定の通知》の規定による決定の通知があるまでは、次に掲げる規定により申告納付することができる。(法72の31①)

（一）	中間申告を要しない法人の申告納付〖二〗
（二）	中間申告を要する法人の確定申告納付〖三の２〗
（三）	清算中の法人の各事業年度の申告納付〖四の１〗

２　修正申告納付

① 所得等又は税額に不足額がある場合の修正申告納付

　二、三、四の１若しくは１若しくは①の規定により申告書若しくは修正申告書を提出した法人又は第四節一《法人税の課税標準に基づく所得割等の更正及び決定》、四《道府県知事の調査による所得割等の更正及び決定》若しくは五《道府県知事の調査による付加価値割等の更正及び決定》の規定による更正若しくは決定を受けた法人は、当該申告書若しくは修正申告書に記載した、又は当該更正若しくは決定に係る付加価値額、資本金等の額、所得若しくは収入金額（以下この章において「課税標準額」と総称する。）又は事業税額について不足額がある場合（納付すべき事業税額がない旨の申告書を提出した法人にあっては、納付すべき事業税額がある場合）には、遅滞なく、総務省令で定める様式による修正申告書を提出するとともに、その修正により増加した事業税額を納付しなければならない。（法72の31②）

② 法人税の課税標準について更正又は決定を受けた場合の修正申告納付

　二、三、四の１又は１の規定により申告書を提出した法人（収入割のみを申告納付すべきものを除く。）は、①の規定によるほか、当該申告に係る事業税の計算の基礎となった事業年度に係る法人税の課税標準について税務官署の更正又は決定を受けたときは、当該税務官署が当該更正又は決定の通知をした日から１月以内に、当該更正又は決定に係る課税標準を基礎として、総務省令で定める様式による修正申告書を提出するとともに、その修正により増加した事業税額を納付しなければならない。（法72の31③）

六　地方税関係手続用電子情報処理組織による申告

１　地方税共同機構を経由して行う申告書記載事項の提供

　特定法人である内国法人は、二、三、四の１又は五の２の①若しくは同②の規定により、二、三、四の１の規定による申告書（以下「申告書」という。）又は五の２の①若しくは同②の規定による修正申告書（以下「修正申告書」という。）（以下六及び七までにおいて「納税申告書」という。）により行うこととされ、又は納税申告書にこの法律若しくはこれに基づく命令の規定により納税申告書に添付すべきものとされている書類（以下１及び３において「添付書類」という。）を添付して行うこととされている法人の事業税の申告については、二、三、四の１並びに五の２の①及び同②の規定にかかわらず、総務省令で定めるところにより、納税申告書に記載すべきものとされている事項（３及び４において「申告書記載事項」という。）又は添付書類に記載すべきものとされ、若しくは記載されている事項（以下１及び３において「添付書類記載事項」という。）を、地方税関係手続用電子情報処理組織（第762条第１号に規定する地方税関係手続用電子情報処理組織をいう。七において同じ。）を使用し、かつ、地方税共同機構（４及び七の12において「機構」という。）を経由して行う方法により事務所又は事業所所在地の道府県知事に提供することにより、行わなければならない。ただし、当該申告のうち添付書類に係る部分については、添付書類記載事項を記録した光ディスクその他の（４）で定める記録用の媒体を事務所又は事業所所在地の道府県知事に提出する方法により、行うことができる。（法72の32①）

　　　（地方税関係手続用電子情報処理組織による申告）
（１）　１の規定により１の申告（以下（１）から（３）までにおいて「特定申告」という。）を行う内国法人は、１に規定する申告書記載事項又は１に規定する添付書類記載事項を、特定申告を行う内国法人の使用に係る電子計算機（入出力装置を含む。）から入力して、特定申告を行わなければならない。（規５の２①）

　　　（電子署名）
（２）　（１）の規定により特定申告を行う内国法人は、当該特定申告の情報に第一編第十一章一の（９）の（一）に規定する電子署名（当該内国法人の代表者があらかじめ地方税共同機構を通じて事務所又は事業所所在地の道府県知事に当該特定申告の提出の委任に関する届出を行った場合には、当該委任を受けた者（当該内国法人の役員及び職員に限る。）のものを含む。以下（２）において「電子署名」という。）を行い、当該電子署名を行った者を確認するために必要な事

項を証する電子証明書（同（9）の（二）に規定する電子証明書をいう。）と併せてこれを送信しなければならない。（規5の2②）

　　　（情報通信の技術の利用における安全性及び信頼性を確保するために必要な基準）
（3）　（1）の規定により特定申告を行う内国法人は、情報通信の技術の利用における安全性及び信頼性を確保するために必要な基準として総務大臣が定める基準に従って特定申告を行うものとする。（規5の2③）

　　　（総務省令で定める記録用の媒体）
（4）　1ただし書に規定する（4）で定める記録用の媒体は、1に規定する添付書類記載事項の第一節六の1の①《徴税吏員の調査に係る質問検査権》に規定する電磁的記録を記録した光ディスク又は磁気ディスクとする。（規5の2④）

2　特定法人の定義
　前項に規定する特定法人とは、次に掲げる法人をいう。（法72の32②）
（一）　納税申告書に係る事業年度開始の日現在における資本金の額又は出資金の額が1億円を超える法人
（二）　保険業法に規定する相互会社
（三）　投資法人（（一）に掲げる法人を除く。）
（四）　特定目的会社（（一）に掲げる法人を除く。）

3　みなし規定
　1の規定により行われた1の申告については、申告書記載事項が記載された納税申告書により、又はこれに添付書類記載事項が記載された添付書類を添付して行われたものとみなして、この法律又はこれに基づく命令の規定その他政令で定める法令の規定を適用する。（法72の32③）

4　到達規定
　1本文の規定により行われた1の申告は、申告書記載事項が地方税法第762条第1号の機構の使用に係る電子計算機（入出力装置を含む。）に備えられたファイルへの記録がされた時に1に規定する道府県知事に到達したものとみなす。（法72の32④）

七　地方税関係手続用電子情報処理組織による申告が困難である場合の特例

1　地方税関係手続用電子情報処理組織を使用することが困難であると認められる場合の特例
　六の1の内国法人が、電気通信回線の故障、災害その他の理由により地方税関係手続用電子情報処理組織を使用することが困難であると認められる場合で、かつ、六の1の規定を適用しないで納税申告書を提出することができると認められる場合において、六の1の規定を適用しないで納税申告書を提出することについて事務所又は事業所所在地の道府県知事の承認を受けたときは、当該道府県知事が指定する期間内に行う六の1の申告については、同条の規定は、適用しない。法人税法第75条の5第2項の規定により同項の申請書を同項に規定する納税地の所轄税務署長に提出した六の1の内国法人が、同法第75条の5第1項の承認を受け、又は同条第3項の却下の処分を受けていない旨を記載した注で定める書類を、納税申告書の提出期限の前日までに、又は納税申告書に添付して当該提出期限までに、事務所又は事業所所在地の道府県知事に提出した場合における当該税務署長が同条第1項の規定により指定する期間（同条第5項の規定により当該期間として当該指定があったものとみなされた期間を含む。）内に行う六の1の申告についても、同様とする。（法72の32の2①）

　　　（総務省令で定める書類）
　注　1後段に規定する注で定める書類は、六の1の内国法人が、法人税法第75条の5第2項の規定により同法第75条の4第2項の申請書を同項に規定する納税地の所轄税務署長に提出したことを明らかにする書類とする。（規5の2の2①）

2　道府県知事への申請書の提出
　1前段の承認を受けようとする内国法人は、1前段の規定の適用を受けることが必要となった事情、1前段の規定による指定を受けようとする期間その他（1）で定める事項を記載した申請書に（2）で定める書類を添付して、当該期間の開始の日の15日前まで（1に規定する理由が生じた日が二、三の2、3若しくは五の2の②の規定による申告書又は第72条の

31第3項の規定による修正申告書の提出期限の15日前の日以後である場合において、当該提出期限が当該期間内の日であるときは、当該開始の日まで）に、これを事務所又は事業所所在地の道府県知事に提出しなければならない。（法72の32の2②）

　　　（総務省令で定める事項）
（1）　2に規定する（1）で定める事項は、次に掲げる事項とする。（規5の2の2②）
　（一）　申請をする内国法人の名称、事務所又は事業所所在の道府県及び法人番号
　（二）　代表者の氏名
　（三）　電気通信回線の故障、災害その他の理由により1に規定する地方税関係手続用電子情報処理組織を使用することが困難である事情が生じた日
　（四）　その他参考となるべき事項

　　　（総務省令で定める書類）
（2）　2に規定する（2）で定める書類は、電気通信回線の故障、災害その他の理由により1に規定する地方税関係手続用電子情報処理組織を使用することが困難であることを明らかにする書類とする。（規5の2の2③）

3　承認申請の却下
　道府県知事は、2の申請書の提出があった場合において、その申請に係る2の事情が相当でないと認めるときは、その申請を却下することができる。（法72の32の2③）

4　承認又は却下の通知
　道府県知事は、2の申請書の提出があった場合において、その申請につき1前段の承認又は3の却下の処分をするときは、その申請をした内国法人に対し、書面によりその旨を通知しなければならない。（法72の32の2④）

5　みなし承認
　2の申請書の提出があった場合において、当該申請書に記載した1前段の規定による指定を受けようとする期間の開始の日までに1前段の承認又は3の却下の処分がなかったときは、その日においてその承認があったものと、当該期間を1前段の期間として1前段の規定による指定があったものと、それぞれみなす。（法72の32の2⑤）

6　承認の取消し
　道府県知事は、1前段の規定の適用を受けている内国法人につき、地方税関係手続用電子情報処理組織を使用することが困難でなくなったと認める場合には、1前段の承認を取り消すことができる。（法72の32の2⑥）

7　承認の取消しの通知
　道府県知事は、6の処分をするときは、その処分に係る内国法人に対し、書面によりその旨を通知しなければならない。（法72の32の2⑦）

8　適用をやめる場合の届出書の提出
　1の規定の適用を受けている内国法人は、六の1の申告につき1の規定の適用を受けることをやめようとするときは、その旨その他注で定める事項を記載した届出書を事務所又は事業所所在地の道府県知事に提出しなければならない。（法72の32の2⑧）

　　　（総務省令で定める事項）
　注　8に規定する注で定める事項は、次に掲げる事項とする。（規5の2の2④）
　（一）　届出をする内国法人の名称、事務所又は事業所所在の道府県及び法人番号
　（二）　代表者の氏名
　（三）　1の承認を受けた日又はその承認があったものとみなされた日
　（四）　1の規定の適用をやめようとする理由
　（五）　その他参考となるべき事項

9　承認の取消し又は適用をやめる届出書の提出があった翌日以後の規定の不適用

1前段の規定の適用を受けている内国法人につき、6の処分又は前項の届出書の提出があったときは、これらの処分又は届出書の提出があった日の翌日以後の1前段の期間内に行う六の1の申告については、1前段の規定は、適用しない。ただし、当該内国法人が、同日以後新たに1前段の承認を受けたときは、この限りでない。（法72の32の2⑨）

10　適用をやめる届出書の提出又は法人税法の処分があった翌日以後の規定の不適用

1後段の規定の適用を受けている内国法人につき、8の届出書の提出又は法人税法第75条の5第3項若しくは第6項の処分があったときは、これらの届出書の提出又は処分があった日の翌日以後の1後段の期間内に行う六の1の申告については、1後段の規定は、適用しない。ただし、当該内国法人が、同日以後新たに1後段の書類を提出したときは、この限りでない。（法72の32の2⑩）

11　総務大臣による期間の指定

総務大臣は、第790条の2の規定による報告があった場合において、地方税関係手続用電子情報処理組織の故障その他の理由により、六の1の内国法人で六の1の規定により六の1の申告を行うことが困難であると認めるものが多数に上ると認めるときは、同項の規定を適用しないで納税申告書を提出することができる期間を指定することができる。（法72の32の2⑪）

12　期間指定時の告示及び通知

総務大臣は、11の規定による指定をしたときは、直ちに、その旨を告示するとともに、道府県知事及び機構に通知しなければならない。（法72の32の2⑫）

13　告示があったときの規定の不適用

12の規定による告示があったときは、1の規定にかかわらず、総務大臣が11の規定により指定する期間内に行う六の1の申告については、六の規定は、適用しない。（法72の32の2⑬）

八　更正の請求の特例

1　前事業年度分について更正等を受けた場合の更正の請求

二、三の2又は四の1の規定による申告書に記載すべき付加価値額、資本金等の額、所得若しくは収入金額又は事業税額につき、修正申告書を提出し、又は第四節一、四若しくは五の規定による更正若しくは決定を受けた法人は、当該修正申告書の提出又は当該更正若しくは決定に伴い、当該修正申告又は当該更正若しくは決定に係る事業年度後の事業年度分の二、三の2又は四の1の規定による申告書に記載すべき付加価値額、資本金等の額、所得若しくは収入金額又は事業税額が過大となる場合には、当該修正申告書を提出した日又は当該更正若しくは決定の通知を受けた日から2月以内に限り、総務省令で定めるところにより、道府県知事に対し、当該付加価値額、資本金等の額、所得若しくは収入金額又は事業税額につき、更正の請求をすることができる。この場合においては、第一編第十章10の④《更正請求書の地方団体の長への提出》に規定する更正請求書には、同④に規定する事項のほか、当該修正申告書を提出した日又は当該更正若しくは決定の通知を受けた日を記載しなければならない。（法72の33①）

2　法人税の課税標準について更正又は決定を受けた場合の更正の請求

申告書又は修正申告書を提出した法人（収入割のみを申告納付すべきものを除く。）が、当該申告又は修正申告に係る事業税の計算の基礎となった事業年度に係る法人税の課税標準について国の税務官署の更正又は決定を受けたことに伴い、当該申告又は修正申告に係る付加価値額、資本金等の額、所得又は事業税額が過大となる場合には、国の税務官署が当該更正又は決定の通知をした日から2月以内に限り、総務省令で定めるところにより、道府県知事に対し、当該付加価値額、資本金等の額、所得又は事業税額につき、更正の請求をすることができる。この場合においては、第一編第十章10の④に規定する更正請求書には、同④に規定する事項のほか、国の税務官署が当該更正又は決定の通知をした日を記載しなければならない。（法72の33②）

（更正の請求期間についての留意事項）
注　六の1に規定する申告書又は六の1に規定する修正申告書（収入割のみを申告納付すべきものを除く。）を提出した法人が課税標準の計算の基礎となった法人税の課税標準について国の税務官署の更正又は決定を受けた場合には、法

定納期限の翌日から起算して5年を経過した日以後においても、国の税務官署が当該更正又は決定の通知をした日から2月以内に限って、更正の請求をすることができるものであること。(県通3-6の24)

九 申告書等の様式及び申告納付に関する雑則

1 申告書等の様式

法人の事業税及び特別法人事業税又は地方法人特別税について、次の表の左欄に掲げる申告書等の様式は、それぞれ同表の右欄に定めるところによるものとする。ただし、別表に掲げる様式によることができないやむを得ない事情があると認める場合には、総務大臣は、別にこれを定めることができる。(規5①)

申 告 書 等 の 種 類	様 式
(一) 確定申告書及び中間申告書並びにこれらに係る修正申告書(**二**《中間申告を要しない法人の申告納付》の1の(1)、(3)及び(4) (**三**《中間申告を要する法人の申告納付》の2の(1)並びに**四**《清算中の法人の申告納付》の1の(1)、同(3)及び(5)において準用する場合を含む。)及び**三**の1の①ただし書の規定による同①の(2)の申告書並びにこれらの申告書に係る**五**の2《修正申告納付》の①及び②の修正申告書	第6号様式、第6号様式(その2)、第6号様式(その3)(別表4の4から別表14まで)
(二) 予定申告書及びこれに係る修正申告書(**三**の1の①本文の規定による同①の(2)の申告書並びにこれに係る**五**の2の①及び②の修正申告書)	第6号の3様式又は第6号の3様式(その2)、第6号の3様式(その3)
(三) 課税標準額の総額の分割に関する明細書(第五節**一**《二以上の道府県において事務所等を設けて事業を行う法人の申告納付》の1の課税標準額の総額の分割に関する明細書)	第10号様式

(注) 様式は省略した。(編者)

(納付書の様式)

注 法人が事業税及び特別法人事業税又は地方法人特別税に係る地方団体の徴収金を納付するとき(口座振替の方法により納付する場合を除く。)は、当該地方団体の徴収金に第12号の2様式による納付書(当該様式によることができないやむを得ない事情があると認める場合において、総務大臣が別の様式を定めたときは、当該様式による納付書)(当該書類に記載すべき事項を記録した電磁的記録を含む。)を添えて納付するものとする。(規5③)

2 貸借対照表等の提出

事務所又は事業所所在地の道府県知事は、第一節**二**の1の表の(一)のロに掲げる法人(収入割を申告納付すべきものを除く。)が**二**の1の(3) (**三**の2の(1)、**四**の1の(1)、(3)及び(5)において準用する場合を含む。)の規定又は**三**の1の①の(2)の規定による申告書若しくは**五**の2の①若しくは②の規定による修正申告書を提出する場合又は当該申告書若しくは修正申告書を提出した後において、事業税の賦課徴収について必要があると認めるときは、当該法人に対し、貸借対照表、損益計算書その他の事業税の賦課徴収について必要な書類の提出を求めることができる。(法72の34)

(事業税の賦課徴収)

注 第一節**二**の1の(一)のロに掲げる法人は、申告書に、貸借対照表及び損益計算書、株主資本等変動計算書若しくは社員資本等変動計算書又は損益金の処分表並びに当該法人の事業等の概況に関する書類(当該法人との間に完全支配関係がある他の法人との関係を系統的に示した図を含む。)の添付を義務づけられていないが、当該法人の事務所又は事業所所在地の道府県知事は、事業税の賦課徴収について必要があると認めるときは、2の規定に基づき、当該法人に対し、これらの書類の提出を求めることができることに留意すること。(県通3-6の25)

(注) 2中注を加える令和6年度改正規定は、令和8年4月1日以後に開始する事業年度分の法人の事業税について適用する。(令6総税都第10号記チ)

3　不申告又は虚偽の申告納付等に関する罪

①　故意不申告の罪

　　正当な事由がなくて二の１、三の２又は四の１、同（２）若しくは（４）の規定による申告書を当該各項に規定する申告書の提出期限内に提出しなかった場合には、法人の代表者（法人課税信託の受託者である個人を含む。）、代理人、使用人その他の従業者でその違反行為をした者は、１年以下の懲役又は50万円以下の罰金に処する。ただし、情状により、その刑を免除することができる。（法72の37①）

　　　（両罰規定）
（１）　法人の代表者又は代理人、使用人その他の従業者が、その法人の業務又は財産に関して、①の違反行為をしたときは、その行為者を罰するほか、その法人に対し、①の罰金刑を科する。（法72の37②）

　　　（人格のない社団等に対する刑事訴訟法の準用）
（２）　人格のない社団等について（１）の規定の適用がある場合には、その代表者又は管理人がその訴訟行為につき当該人格のない社団等を代表するほか、法人を被告人又は被疑者とする場合の刑事訴訟に関する法律の規定を準用する。（法72の37③）

②　虚偽の中間申告納付に関する罪

　　三の１の①ただし書の規定による申告書に虚偽の記載をして提出した場合においては、法人の代表者（法人課税信託の受託者である個人を含む。）、代理人、使用人その他の従業者でその違反行為をした者は、１年以下の懲役又は50万円以下の罰金に処する。（法72の38①）

　　　（両罰規定）
　注　法人の代表者又は代理人、使用人その他の従業者が、その法人の業務又は財産に関して、②の違反行為をしたときは、その行為者を罰するほか、その法人に対し、②の罰金刑を科する。（法72の38②）

十　外形対象法人に係る徴収猶予

1　徴収猶予の要件等

①　確定申告納付に係る徴収猶予

　　道府県知事は、第一節二の１の表の（一）の右欄イに掲げる法人『外形対象法人』が次の各号のいずれかに該当する場合において、当該道府県の事業税（二、三の２又は四の１《確定申告納付》の規定により申告納付する付加価値割、資本割及び所得割に限る。）を納付することが困難であると認めるときは、当該法人の申請に基づき、当該事業税の納期限の翌日から３年以内の期間を限り、当該事業税の全部又は一部の徴収を猶予することができる。この場合においては、その金額を適宜分割して納付すべき期限を定めることを妨げない。（法72の38の２①）

（一）	当該事業税の申告書に係る事業年度終了の日の翌日から起算して３年前の日の属する事業年度から当該事業税の申告書に係る事業年度までの各事業年度の所得がない法人で政令で定めるもの
（二）	当該事業税の申告書に係る事業年度（その終了の日が当該法人の設立の日から起算して５年を経過した日よりも前である事業年度に限る。）の所得がない法人で政令で定めるもの

　（注）　第15条の２の２、第15条の２の３第１項、第一編第五章第一節二の５及び同節六の１の②並びに同章第二節二から同（３）までの規定は、①又は②の規定による徴収の猶予について準用する。（法72の38の２⑫）

　　　（所得がない法人で政令で定めるもの）
（１）イ　①の表の（一）及び②の表の（一）に規定する法人で政令で定めるものは、経営の状況が著しく悪化し、又は悪化するおそれがあると認められ、かつ、これによってその地域における雇用の状況その他地域経済に重大な影響を及ぼし、又は及ぼすおそれがあると認められる法人とする。（令31①）
　　　ロ　①の表の（二）及び②の表の（二）に規定する法人で政令で定めるものは、著しい新規性を有する技術又は高度な技術を利用した事業活動を行っている法人であって、当該事業活動が地域経済の発展に寄与すると認められるも

のとする。(令31②)

　　（担保の提供）
(2)　道府県知事は、①の規定により徴収を猶予する場合には、その猶予に係る金額に相当する担保で第一編第五章第二節一各号に掲げるものを、政令で定めるところにより徴しなければならない。ただし、担保を徴することができない特別の事情がある場合は、この限りでない。(法72の38の2②)
　　　（注）　第一編第二章三の1、同編第五章第二節一の(2)、同節二の(4)並びに同節五及び同(1)の規定は、上記(2)（②の注において準用する場合を含む。）の規定による担保について準用する。(法72の38の2⑫)

　　（担保の提供手続）
(3)　(2)の規定により担保を徴する場合には、期限を指定して、その提供を命ずるものとする。この場合においては、第一編第五章第二節一の(3)から(5)まで並びに同節三の1の(3)及び(4)の規定を準用する。(令32)

　　（申請の時期）
(4)　①の申請は、当該事業税の申告書を提出する際、道府県の条例の定めるところによって、併せてしなければならない。(法72の38の2③)

　　（確定申告書の提出要件）
(5)　①の規定は、①の表の(一)の法人にあっては当該事業税の申告書に係る事業年度終了の日の翌日から起算して3年前の日の属する事業年度から、①の表の(二)の法人にあっては設立の日の属する事業年度から、それぞれ当該事業税の申告書に係る事業年度の前事業年度までの各事業年度について二、三の2又は四の1の規定により提出すべき申告書（2において「確定申告書」という。）を提出している場合であって、当該事業税の申告書をその提出期限までに提出したときに限り、適用する。(法72の38の2④)

　　（徴収猶予期間の延長）
(6)　道府県知事は、①の規定により徴収を猶予した場合において、その猶予をした期間内にその猶予をした金額を納付することができないやむを得ない理由があると認めるときは、当該法人の申請により、3年以内の期間を限りその期間を延長することができる。ただし、その期間は、既に当該法人につき同項の規定により徴収を猶予した期間と合わせて6年を超えることができない。(法72の38の2⑤)

② **中間申告納付に係る徴収猶予**
　道府県知事は、第一節二の1の表の(一)の右欄イに掲げる法人が次の各号のいずれかに該当する場合において、当該道府県の事業税（三の1《中間申告納付》の規定により申告納付する付加価値割、資本割及び所得割に限る。）を納付することが困難であると認めるときは、当該法人の申請に基づき、当該事業税の納期限の翌日から3年以内の期間を限り、当該事業税の全部又は一部の徴収を猶予することができる。この場合においては、その金額を適宜分割して納付すべき期限を定めることを妨げない。(法72の38の2⑥)

(一)	当該事業税の申告書に係る事業年度開始の日のから起算して3年前の日の属する事業年度から当該事業税の申告書に係る事業年度の前事業年度までの各事業年度の所得がない法人のうち、6月経過日の前日の現況により当該事業税の申告書に係る事業年度の所得がないと見込まれる法人で①の(1)イで定めるもの
(二)	6月経過日の前日の現況により当該事業税の申告書に係る事業年度（6月経過日の前日が当該法人の設立の日から起算して5年を経過した日よりも前である事業年度に限る。）の所得がないと見込まれる法人で①の(1)ロで定めるもの

(注)　①の(注)の準用規定（法72の38の2⑫）を参照。(編者)

　　（①の規定の準用）
注　①の(2)から(6)までの規定は、②の規定による徴収の猶予について準用する。この場合において、①の(5)中「事業年度終了の日の翌日」とあるのは、「事業年度開始の日」と読み替えるものとする。(法72の38の2⑦)

2 徴収猶予の取消し

道府県知事は、1の①又は②の規定により事業税について徴収の猶予を受けた法人が当該事業税の申告書に係る事業年度後の各事業年度について確定申告書をその提出期限までに提出しなかったときは、その徴収の猶予を取り消し、その猶予に係る事業税を一時に徴収することができる。（法72の38の2⑧）

（中間申告納付に係る徴収猶予の取消し）
注 道府県知事は、1の②の規定により事業税について徴収の猶予を受けた法人が当該事業年度において三の2の規定により提出すべき申告書をその提出期限までに提出しなかったとき、又は当該法人の当該事業年度の所得があるときは、当該徴収の猶予に係る事業税の全部についてその徴収の猶予を取り消し、これを直ちに徴収しなければならない。（法72の38の2⑨）

3 延滞金額の一部免除

1の①又は②の規定による徴収の猶予をした場合（2の注の規定により徴収の猶予を取り消した場合を除く。）には、その猶予をした事業税に係る延滞金額のうち、当該徴収の猶予をした期間（延滞金が年14.6パーセントの割合により計算される期間に限る。（1）において同じ。）に対応する部分の金額の2分の1に相当する金額は、免除する。ただし、2の規定又は1の①の(注)において準用する第一編第五章第一節二の5の規定による取消しの基因となるべき事実が生じた場合には、その生じた日以後の期間に対応する部分の金額については、道府県知事は、その免除をしないことができる。（法72の38の2⑩）

（中間申告納付に係る徴収猶予の延滞金額の免除）
（1） 道府県知事は、2の注の規定により徴収の猶予を取り消した場合には、その猶予をした事業税に係る延滞金額のうち、当該徴収の猶予をした期間に対応する部分の金額の2分の1に相当する金額を免除することができる。（法72の38の2⑪）

（徴収猶予の取扱いの留意事項）
（2） 九に規定する法人の事業税の徴収猶予の取扱いに当たっては、次の諸点に留意すること。（県通3－7）
（一） 徴収猶予の適用があるのは、外形対象法人が確定申告納付する付加価値割及び資本割、並びに中間申告納付する付加価値割、資本割及び所得割であること。
なお、徴収猶予を受けた法人が、徴収猶予を受けた後に外形対象法人でなくなった場合であっても、当該徴収猶予は有効であり、また、徴収猶予の延長が可能であること。
（二） 徴収猶予ができるのは、中間申告及び確定申告のときに限られるものであり、修正申告のときにはできないものであること。
（三） 1の①の(1)ロに規定する著しい新規性を有する技術又は高度な技術とは、科学技術、工業技術等に限られるものではなく、商品の生産又は販売方法、役務の提供方法等のノウハウやアイデアが著しい新規性を有する場合又は高度である場合を含めるものであること。
（四） 徴収の猶予を受けようとする事業税の申告書をその提出期限までに提出したときに限り、徴収の猶予が受けられるのであるが、この場合の提出期限は、定款、寄附行為、規則、規約その他これらに準ずるものの定めにより、若しくは特別の事情があることにより、当該事業年度以後の各事業年度終了の日から2月以内に決算についての定時総会が招集されない常況にあると認められるとき又は災害その他やむを得ない理由等により提出期限が延長されている場合には、当該延長された提出期限になるものであること。
（五） 徴収を猶予した場合において、猶予期間内に猶予した金額を納付することができないやむを得ない理由があると認められるときは、徴収猶予期間を延長することができることとされているが、徴収猶予期間が合わせて6年以内であれば、何度でも延長することができるものであること。
（六） 中間申告で徴収の猶予を受けた法人が確定申告書をその提出期限までに提出しなかったとき又は当該事業年度において所得があるときは、当該徴収の猶予が取り消されるのであるが、この場合には、その猶予をした事業税に係る延滞金額のうち2分の1に相当する金額に限り、免除することができるものであること。
（七） 徴収の猶予を取り消す場合には、原則として徴収の猶予を受けた者の弁明を聴かなければならないものであること。
（八） 徴収を猶予した事業税に係る延滞金額のうち、2分の1に相当する金額は免除されるものであるが、特別の事情が認められる場合には、残りの延滞金額についても免除することができるものであること。

第四節　更正及び決定

一　法人税の課税標準に基づく所得割等の更正及び決定

1　申告所得が基準課税標準と異なる場合の更正

　道府県知事は、事業を行う法人で事業税の納税義務があるもの（四の1の(一)に掲げる法人を除く。）が申告書又は修正申告書を提出した場合において、当該申告又は修正申告に係る所得割の課税標準である所得が、当該法人の当該所得割の計算の基礎となった事業年度に係る法人税の申告若しくは修正申告又は更正若しくは決定において課税標準とされた所得（以下一において「**法人税の課税標準**」という。）を基準として算定した所得割の課税標準である所得（以下1において「**所得割の基準課税標準**」という。）と異なることを発見したときは、当該所得割の基準課税標準により、当該申告又は修正申告に係る所得割の計算の基礎となった所得及び所得割額を更正するものとし、申告書又は修正申告書に記載された所得割額の算定について誤りがあることを発見したときは、所得割額を更正するものとする。（法72の39①）

2　申告書の提出がない場合の決定

　道府県知事は、1の法人が申告書を提出しなかった場合（第三節三の1の①の(3)《期限内に申告納付しなかった場合のみなし申告納付》の規定により申告書の提出があったものとみなされる場合を除く。）において、当該法人の当該事業年度に係る法人税の課税標準があるときは、当該法人税の課税標準を基準として、当該法人の所得割に係る所得及び所得割額を決定するものとする。（法72の39②）

3　法人税の更正等があった場合の再更正

　道府県知事は、1、2又は3の規定により当該法人の当該所得割に係る所得及び所得割額を更正し、又は決定した場合において、法人税に係る更正又は修正申告があったことにより当該更正又は決定の基準となった当該法人の法人税の課税標準が増加し、又は減少したときは、当該増加し、又は減少した法人税の課税標準を基準として、当該所得割に係る所得及び所得割額を更正するものとし、当該更正し、又は決定した所得割額の算定について誤りがあることを発見したときは、当該所得割額を更正するものとする。（法72の39③）

二　租税条約の相手国との相互協議に係る徴収猶予

1　租税条約に基づく申立てが行われた場合における徴収猶予

①　徴収の猶予

　道府県知事は、法人が法人税法第139条第１項《租税条約に異なる定めがある場合の国内源泉所得》に規定する租税条約（以下二において「**租税条約**」という。）の規定に基づき国税庁長官に対し当該租税条約に規定する申立て（租税特別措置法第66条の４第１項《国外関連者との取引に係る課税の特例》、第66条の４の３第１項又は第67条の18第１項の規定の適用がある場合の申立てに限る。以下①において同じ。）をした場合（2において「国税庁長官に対する申立てが行われた場合」という。）又は租税条約の我が国以外の締約国若しくは締約者（以下①において「**条約相手国等**」という。）の権限ある当局に対し当該租税条約に規定する申立てをし、かつ、条約相手国等の権限ある当局から当該条約相手国との間の租税条約に規定する協議（以下二において「**相互協議**」という。）の申入れがあった場合（2において「条約相手国等の権限ある当局に対する申立てが行われた場合」という。）には、これらの申立てをした者の申請に基づき、これらの申立てに係る租税特別措置法第66条の４第27項《国外関連者との取引に係る更正決定等の期間制限の特例》第１号（同法第66条の４の３第14項及び第67条の18第13項において準用する場合を含む。以下①及び2の①において同じ。）に掲げる更正決定に係る法人税額（これらの申立てに係る相互協議の対象となるものに限る。以下①及び2の①において同じ。）の課税標準とされた所得に基づいて第三節五の２の②《法人税の課税標準について更正又は決定を受けた場合の修正申告納付》の規定により申告納付すべき所得割額若しくは付加価値割額又は当該更正決定に係る法人税額の課税標準とされた所得に基づいて道府県知事が一の1若しくは2若しくは五の1若しくは2の規定により更正若しくは決定をした場合における当該更正若しくは決定により納付すべき所得割額若しくは付加価値割額並びに当該所得割額又は付加価値割額に係る過少申告加算金、不申

告加算金及び重加算金として(1)の政令で定めるところにより計算した金額の合算額を限度として、第三節五の2の②又はこの節九の2《不足税額の徴収》の規定による納期限（当該申請が当該納期限後であるときは、当該申請の日とする。）から国税庁長官と当該条約相手国等の権限ある当局との間の合意に基づく国税通則法第26条《再更正》の規定による更正に係る法人税額の課税標準とされた所得に基づいて道府県知事が一の1若しくは3又は五の1若しくは3の規定により更正をした場合における当該更正があった日（当該合意がない場合その他の(2)の政令で定める場合にあっては、(2)の政令で定める日）の翌日から1月を経過する日までの期間（④において「徴収の猶予期間」という。）に限り、その徴収を猶予することができる。ただし、当該申請を行う者につき当該申請の時において当該所得割額若しくは付加価値割額又はこれらの申立てに係る租税特別措置法第66条の4第27項第1号に掲げる更正決定に係る法人税額に基づいて第53条第35項の規定により申告納付すべき法人税割額若しくは当該更正決定に係る法人税額に基づいて道府県知事が第55条第1項若しくは第2項の規定により更正若しくは決定をした場合における当該更正若しくは決定により納付すべき法人税割額以外の当該道府県の地方税の滞納がある場合は、この限りでない。（法72の39の2①）

　　　（過少申告加算金等として計算した金額）
（1）①に規定する政令で定めるところにより計算した金額は、次に掲げる金額の合計額とする。（令32の2①）
　（一）①に規定する申立てに係る租税特別措置法第66条の4第27項第1号（同法第66条の4の3第14項及び第67条の18第13項において準用する場合を含む。）に掲げる更正決定に係る法人税額の課税標準とされた所得に基づいて第三節五の2の②の規定により申告納付すべき所得割額若しくは付加価値割額又は当該更正決定に係る法人税額の課税標準とされた所得に基づいて道府県知事が一の1若しくは2若しくは五の1若しくは2の規定により更正若しくは決定をした場合における当該更正若しくは決定により納付すべき所得割額若しくは付加価値割額（(二)において「申告納付又は更正若しくは決定に係る所得割額又は付加価値割額」という。）から、当該更正決定のうち①に規定する法人税額に係る部分がなかったものとして計算した場合に申告納付すべき又は納付すべきものとされる所得割額又は付加価値割額（(二)において「猶予対象以外の所得割額又は付加価値割額」という。）を控除した金額
　（二）申告納付又は更正若しくは決定に係る所得割額又は付加価値割額を基礎として徴収することとされる過少申告加算金、不申告加算金及び重加算金の額から、猶予対象以外の所得割額又は付加価値割額を基礎として徴収することとされる過少申告加算金、不申告加算金及び重加算金の額を控除した金額

　　　（合意がない場合その他の政令で定める場合及び政令で定める日）
（2）①に規定する合意がない場合その他の政令で定める場合は次の各号に掲げる場合とし、①に規定する政令で定める日は道府県知事が当該各号に掲げる場合に該当する旨を通知した日とする。（令32の2②）
　（一）相互協議を継続した場合であっても①に規定する合意（以下(2)において「合意」という。）に至らないと国税庁長官が認める場合（③各号に掲げる場合を除く。）において、国税庁長官が当該相互協議に係る条約相手国等の権限ある当局に当該相互協議の終了の申入れをし、当該権限ある当局の同意を得たとき。
　（二）相互協議を継続した場合であっても合意に至らないと当該相互協議に係る条約相手国等の権限ある当局が認める場合において、国税庁長官が当該権限ある当局から当該相互協議の終了の申入れを受け、国税庁長官が同意をしたとき。
　（三）租税特別措置法第66条の4の2第1項《国外関連者との取引に係る課税の特例に係る納税の猶予》に規定する法人税の額に関し国税庁長官と条約相手国等の権限ある当局との間の合意が行われた場合において、当該合意の内容が当該法人税の額を変更するものでないとき。

　　　（徴収猶予の申請）
（3）①の規定による徴収の猶予を受けようとする者は、次に掲げる事項を記載した申請書に、①の申立てをしたことを証する書類その他の総務省令で定める書類を添付し、これを道府県知事に提出しなければならない。（令32の2④）
　（一）当該猶予を受けようとする法人の名称及び主たる事務所又は事業所の所在地
　（二）①に規定する申告納付すべき所得割額若しくは付加価値割額並びにそれらの事業年度及び納期限又は①に規定する更正若しくは決定により納付すべき所得割額若しくは付加価値割額並びにそれらの事業年度及び納期限
　（三）（二）の所得割額又は付加価値割額のうち当該猶予を受けようとする金額
　（四）当該猶予を受けようとする金額が100万円を超え、かつ、当該猶予の期間が3月を超える場合には、その申請時に提供しようとする法第16条第1項《担保の徴取》各号に掲げる担保の種類、数量、価額及び所在（その担保が保証人の保証であるときは、保証人の名称又は氏名及び主たる事務所若しくは事業所の所在地又は住所若しくは居所）その他担保に関し参考となるべき事項（担保を提供することができない特別の事情があるときは、その事情）

(注) (3)の規定による申請書の様式は、第10号の5様式とする。(規5の2の3①)

　　　（徴収猶予の申請書類）
(4) (3)に規定する総務省令で定める書類は、次に掲げる書類とする。(規5の2の3②)
(一) ①の申立てをしたことを証する書類
(二) ①に規定する申告納付すべき所得割額若しくは付加価値割額又は更正若しくは決定により納付すべき所得割額若しくは付加価値割額が、租税特別措置法第66条の4第27項第1号（同法第66条の4の3第11項又は第67条の18第13項において準用する場合を含む。）に掲げる更正決定に係る法人税額の課税標準とされた所得に基づくものであること及び(一)の申立てに係る条約相手国等との間の相互協議の対象であることを明らかにする書類
(三) (3)の(四)に規定する場合に該当するときには、供託書の正本、抵当権を設定するために必要な書類、保証人の保証を証する書面その他の担保の提供に関する書類

② 担保の徴取
　道府県知事は、①の規定による徴収の猶予（以下「徴収の猶予」という。）をする場合には、その猶予に係る金額に相当する担保で法第16条第1項《担保の徴取》各号に掲げるものを、(1)の政令で定めるところにより徴さなければならない。ただし、その猶予に係る税額が50万円（平成28年4月1日以後は100万円）以下である場合、その猶予の期間が3月以内である場合又は担保を徴することができない特別の事情がある場合は、この限りでない。(法72の39の2②)

　　　（担保の徴取手続）
(1) ②の規定により担保を徴する場合には、期限を指定して、その提供を命ずるものとする。この場合においては、令第6条の10《担保の提供手続》並びに第6条の11第1項及び第2項《担保保全の提供命令等の手続》の規定を準用する。(令32の2③)

　　　（総則の規定の準用）
(2) 法第15条の2の2《納税猶予の通知》、第15条の2の3《徴収猶予の効果》、第16条の2第1項から第3項まで《納付又は納入の委託》及び第18条の2第4項《徴収の猶予又は換価の猶予による時効の停止》の規定は徴収の猶予について、法第11条《第二次納税義務の通則》、第16条第2項《徴収金に係る差押財産がある場合の担保の額》及び第3項《増担保、保証人の変更等の要求》、第16条の2第4項《委託に係る有価証券の提供による担保》並びに第16条の5第1項及び第2項《担保の処分》の規定は②の規定による担保について、それぞれ準用する。(法72の39の2③)

③ 徴収の猶予の取消し
　徴収の猶予を受けた者が次の(一)～(五)のいずれかに該当する場合には、道府県知事は、その徴収の猶予を取り消すことができる。この場合においては、法第15条の3第2項及び第3項《徴収猶予の取消しの場合の弁明の聴取及び取消しの通知》の規定を準用する。(法72の39の2④)
(一) ①の申立てを取り下げたとき。
(二) 法第13条の2第1項《繰上徴収》各号のいずれかに該当する事実がある場合において、その者がその猶予に係る所得割額又は付加価値割額を猶予期間内に完納することができないと認められるとき。
(三) ②の(2)において準用する法第16条第3項《増担保、保証人の変更等の要求》の規定による担保の提供又は変更その他担保を確保するため必要な行為に関する道府県知事の求めに応じないとき。
(四) 新たにその猶予に係る所得割額又は付加価値割額以外の当該道府県に係る地方団体の徴収金を滞納したとき（道府県知事がやむを得ない理由があると認めるときを除く。）。
(五) 徴収の猶予を受けた者の財産の状況その他の事情の変化によりその猶予を継続することが適当でないと認められるとき。

④ 延滞金の免除
　徴収の猶予をした場合には、その猶予をした所得割又は付加価値割に係る延滞金額のうち徴収の猶予期間（①の申請が①の納期限以前である場合には、当該申請の日を起算日として当該納期限までの期間を含む。）に対応する部分の金額は、免除する。ただし、③の規定による取消しの基因となるべき事実が生じた場合には、その生じた日後の期間に対応する部分の金額については、道府県知事は、その免除をしないことができる。(法72の39の2⑤)

2　徴収猶予に係る国税庁長官の通知

①　租税条約に基づく申立てが行われた場合の通知

　国税庁長官は、国税庁長官に対する申立てが行われた場合又は条約相手国等の権限ある当局に対する申立てが行われた場合には、遅滞なく、その旨、これらの申立てに係る租税特別措置法第66条の4第27項《国外関連者との取引に係る更正決定等の期間制限の特例》第1号に掲げる更正決定に係る法人税額の課税標準とされた所得その他次に掲げる事項をこれらの申立てをした法人の事務所又は事業所（二以上の道府県において事務所又は事業所を有する法人にあっては、その主たる事務所又は事業所。②及び③において同じ。）の所在地の道府県知事に通知しなければならない。（法72の39の3①、規5の3①）

(一)　租税条約に規定する申立てをした法人の名称、代表者、主たる事務所又は事業所の所在地及び法人番号
(二)　(一)の申立てが行われた日
(三)　(一)の申立てに係る法人税額の課税標準とされた所得の事業年度
(四)　その他参考となるべき事項

②　相互協議において合意がない場合等の通知

　国税庁長官は、国税庁長官に対する申立てが行われた場合又は条約相手国等の権限ある当局に対する申立てが行われた場合において、これらの申立てに係る相互協議において1の①に規定する合意がない場合その他の政令で定める場合に該当することとなったときは、遅滞なく、その旨その他次に掲げる事項をこれらの申立てをした法人の事務所又は事業所の所在地の道府県知事に通知しなければならない。（法72の39の3②、規5の3②）

(一)　租税条約に規定する申立てをした法人の名称、代表者、主たる事務所又は事業所の所在地及び法人番号
(二)　(一)の申立てに係る相互協議において1の①の（2）各号に掲げる場合に該当することとなった日
(三)　その他参考となるべき事項

③　相互協議において合意が行われた場合の通知

　国税庁長官は、国税庁長官に対する申立てが行われた場合又は条約相手国等の権限ある当局に対する申立てが行われた場合において、これらの申立てに係る相互協議において1の①に規定する合意が行われたときは、遅滞なく、その旨、当該合意に基づく国税通則法第26条《再更正》の規定による更正に係る法人税額の課税標準とされた所得その他次に掲げる事項をこれらの申立てをした法人の事務所又は事業所の所在地の道府県知事に通知しなければならない。（法72の39の3③、規5の3③）

(一)　租税条約に規定する申立てをした法人の名称、代表者、主たる事務所又は事業所の所在地及び法人番号
(二)　(一)の申立てに係る相互協議において1の①に規定する合意が行われた日
(三)　(二)の合意に基づく法人税額の課税標準とされた所得の事業年度
(四)　その他参考となるべき事項

④　関係道府県知事への通知

　①から③までの通知を受けた主たる事務所又は事業所の所在地の道府県知事は、遅滞なく、これらの規定に規定する事項を関係道府県知事に通知しなければならない。（法72の39の3④）

三　税務官署に対する更正又は決定の請求

　道府県知事は、次に掲げる場合においては、国の税務官署（以下「**税務官署**」という。）に対し、法人税に係る更正又は決定をすべき事由を記載した書類を添えて、その更正又は決定をすべき旨を請求することができる。この場合において、正当な事由がなくて当該税務官署が当該更正又は決定の請求を受けた日から3月以内に更正又は決定をしないときは、道府県知事は、当該税務官署を監督する税務官署に更正又は決定をすべき旨を請求することができる。（法72の40①）

(一)	一の1の法人が申告書又は修正申告書を提出した場合において、当該申告又は修正申告に係る所得が過少であると認められる法人の当該所得割の計算の基礎となった事業年度に係る法人税の課税標準について当該申告書の提出期限から1年を経過した日（繰上徴収の事由『第一編第三章二の1の表の各号』が発生した場合においては、その事由が発生した日）までに法人税に係る更正又は決定が行われないとき。

(二)	一の１の法人が申告書の提出期限までに申告書を提出しなかった場合（第三節三の１の①の（３）《期限内に申告納付しなかった場合のみなし申告納付》の規定によって申告書の提出があったものとみなされる場合を除く。）において、当該法人の当該所得割の計算の基礎となった事業年度に係る法人税の課税標準について当該法人が法人税法第74条《確定申告》第１項又は第144条の６第１項の規定による申告書（これに係る期限後申告書を含む。）を提出せず、かつ、当該法人の所得割に係る申告書の提出期限から１年を経過した日（繰上徴収の事由が発生した場合においては、その事由が発生した日）までに法人税に係る決定が行われないとき。
(三)	道府県知事が一の規定によって同１の法人の所得割に係る所得又は所得割額を更正し、又は決定した場合において、当該更正又は決定に係る所得が過少であると認められる法人の所得割の計算の基礎となった事業年度に係る法人税の課税標準について当該法人の所得割に係る所得又は所得割額を更正し、又は決定した日から１年を経過した日（繰上徴収の事由が発生した場合においては、その事由が発生した日）までに法人税に係る更正が行われないとき。

（二以上の道府県において事務所等を設けて事業を行う法人に係る更正又は決定の請求）
（１）　二以上の道府県において事務所又は事業所を設けて事業を行う法人に係る法人税の課税標準について、三の規定によって税務官署に対しすべき更正又は決定の請求は、当該法人の主たる事務所又は事業所所在地の道府県知事（外国法人にあっては、国内において行う事業の経営の責任者が主として執務する事務所又は事業所所在地の道府県知事）又は当該法人の主たる事務所又は事業所所在地の道府県知事を経由して関係道府県知事が行うものとする。（法72の40②）

　　　　（留意事項）
（２）　道府県知事は、税務官署が法人税の更正をした場合においては、その額を基礎として所得割の更正を行うべきであるが、その更正を行わないでいる間に税務官署が更に更正をした場合においては、その額を基準として更正して差し支えないものであること。（県通３－６の28）
　　　（注）　注中＿＿＿部分「県通３－６の28」を「県通３－６の29」に改める令和６年度改正規定は、令和８年４月１日以後に開始する事業年度分の法人の事業税について適用する。（令６総税都第10号記チ）

四　道府県知事の調査による所得割等の更正及び決定

１　更　　　正

　道府県知事は、電気供給業、ガス供給業若しくは保険業を行う法人、通算法人（通算子法人にあっては、当該通算子法人の事業年度が当該通算子法人に係る通算親法人の事業年度終了の日に終了するものに限る。(二)において同じ。)、第二節五の２の②《医療法人等の社会保険診療報酬等に係る所得の課税除外》（第二節五の１の(注)の(２)）の規定の適用を受ける医療法人若しくは農業協同組合連合会、同４《国外において事業を行う内国法人の所得等の課税標準》の規定の適用を受ける法人、法人税が課されない法人又は事業税を課されない事業とその他の事業とを併せて行う法人が申告書又は修正申告書を提出した場合において、当該申告又は修正申告に係る収入金額若しくは所得又は収入割額若しくは所得割額がその調査したところと異なるときは、次の各号に掲げる法人の区分に応じ、それぞれ当該各号に定めるものを更正するものとする。（法72の41①）
（一）　次号に掲げる法人以外の法人　　収入金額若しくは所得又は収入割額若しくは所得割額
（二）　小売電気事業等、発電事業等又は特定卸供給事業を行う法人のうち、通算法人、第二節五の２の①の規定の適用を受ける医療法人若しくは農業協同組合連合会、第二節五の３の規定の適用を受ける法人、法人税が課されない法人、事業税を課されない事業とその他の事業とを併せて行う法人又は小売電気事業等、発電事業等若しくは特定卸供給事業とその他の事業とを併せて行う法人以外の法人　　収入金額又は収入割額

２　決　　　定

　道府県知事は、１の法人が申告書を提出しなかった場合（第三節三の１の①の（３）《期限内に申告納付しなかった場合のみなし申告納付》の規定により申告書の提出があったものとみなされる場合を除く。）においては、その調査によって、収入金額又は所得及び収入割額又は所得割額を決定するものとする。（法72の41②）

　　　　（留意事項）
　注　四の規定によって道府県知事が自主決定をする法人の所得の具体的算定についても、おおむね、国の税務官署の取

扱いに準ずるものであること。(県通3－4の7の3)

3　再　更　正
道府県知事は、1若しくは3の規定により更正し、又は2の規定により決定した収入金額若しくは所得又は収入割額若しくは所得割額について過不足額があることを知ったときは、その調査によって、これを更正するものとする。(法72の41③)

4　仮装経理に基づく過大申告に係る更正の猶予
1の法人が第三節二《中間申告を要しない法人の申告納付》、同節三の2《中間申告を要する法人の確定申告納付》又は四の1《清算中の法人の各事業年度の申告納付》の規定により提出した申告書に記載された各事業年度の所得又は収入金額が当該事業年度の課税標準とされるべき所得又は収入金額を超えている場合において、その超える金額のうちに事実を仮装して経理したところに基づくものがあるときは、道府県知事は、当該事業年度に係る所得割又は収入割につき、その法人が当該事業年度後の各事業年度の確定した決算において当該事実に係る修正の経理をし、かつ、当該決算に基づく申告書を提出するまでの間は、更正をしないことができる。(法72の41④)

五　道府県知事の調査による付加価値割等の更正及び決定

1　更　　正
道府県知事は、第一節二の1の表の(一)の右欄イ及び同(三)の右欄イに掲げる法人『外形対象法人』並びに同(四)に掲げる事業を行う法人が申告書又は修正申告書を提出した場合において、当該申告又は修正申告に係る付加価値額若しくは資本金等の額又は付加価値割額若しくは資本割額がその調査したところと異なるときは、これを更正するものとする。(法72の41の2①)

2　申告書の提出がない場合の決定
道府県知事は、1の法人が申告書を提出しなかった場合（第三節三の1の①の（3）《期限内に申告納付しなかった場合のみなし申告納付》の規定により申告書の提出があったものとみなされる場合を除く。）においては、その調査によって、付加価値額及び資本金等の額並びに付加価値割額及び資本割額を決定するものとする。(法72の41の2②)

（留意事項）
注　五の1及び2の規定によって道府県知事が自主決定をする法人の単年度損益の具体的算定についても、おおむね、国の税務官署の取扱いに準ずるものであること。(県通3－4の5の4)

3　再　更　正
道府県知事は、1若しくは3の規定により更正し、又は2の規定により決定した付加価値額若しくは資本金等の額又は付加価値割額若しくは資本割額について過不足額があることを知ったときは、その調査によって、これを更正するものとする。(法72の41の2③)

4　仮装経理に基づく過大申告に係る更正の猶予
1の法人が第三節二《中間申告を要しない法人の申告納付》、同節三の2《中間申告を要する法人の確定申告納付》又は四の1《清算中の法人の各事業年度の申告納付》の規定により提出した申告書に記載された各事業年度の付加価値額又は資本金等の額が当該事業年度の課税標準とされるべき付加価値額又は資本金等の額を超えている場合において、その超える金額のうちに事実を仮装して経理したところに基づくものがあるときは、道府県知事は、当該事業年度に係る付加価値割又は資本割につき、その法人が当該事業年度後の各事業年度の確定した決算において当該事実に係る修正の経理をし、かつ、当該決算に基づく申告書を提出するまでの間は、更正をしないことができる。(法72の41の2④)

六　所得割の決定と付加価値割及び資本割の決定との関係等

1　所得及び所得割額の決定と申告書の提出がない場合の決定との関係
道府県知事は、一の2又は四の2の規定による所得及び所得割額の決定と五の2の規定による決定をする場合には、これらの決定を併せてしなければならない。(法72の41の3)

(留意事項)
注　道府県知事は、法人事業税の決定を行う場合、外形対象法人に対しては、付加価値割、資本割及び所得割の決定を、第一節二の1の表の(三)のイに掲げる法人及び特定ガス供給業を行う法人に対しては、収入割、付加価値割及び資本割の決定を、同(三)のロに掲げる法人に対しては、収入割及び所得割の決定を併せて行う必要があること。
　なお、法人事業税の更正を行う場合、外形対象法人に対しては、付加価値割、資本割及び所得割の更正を、同(三)のイに掲げる法人及び特定ガス供給業を行う法人に対しては、収入割、付加価値割及び資本割の更正を、同(三)のロに掲げる法人に対しては、収入割及び所得割の更正を併せて行うことを要しないものであること。(県通3－6の25)
　　(注)　注中＿＿＿部分「県通3－6の25」を「県通3－6の26」に改める令和6年度改正規定は、令和8年4月1日以後に開始する事業年度分の法人の事業税について適用する。(令6総税都第10号記チ)

2　収入金額及び収入割額の決定と申告書の提出がない場合の決定との関係

　道府県知事は、四の2の規定による収入金額及び収入割額の決定と五の2の規定による決定をする場合には、これらの決定を併せてしなければならない。(法72の41の3②)

3　所得及び所得割額の決定と収入金額及び収入割額の決定をする場合

　道府県知事は、一の2又は四の2の規定による所得及び所得割額の決定と一の2又は四の2の規定による収入金額及び収入割額の決定をする場合には、これらの決定を併せてしなければならない。(法72の41の3③)

七　更正等に基づく中間納付額等の還付又は充当等

1　更正又は決定による中間納付額の還付

①　更正又は決定した事業税額が中間納付額に満たない場合の還付

イ　第三節三の3《中間納付額の還付又は充当》の規定は、同2《中間申告を要する法人の確定申告納付》の規定によって申告納付すべき法人(四の1《道府県知事の調査による所得割等の更正》の規定に該当するものを除く。)について一又は五の1から3までの規定により更正し、又は決定した事業税額が当該法人の当該事業税額に係る中間納付額に満たない場合について準用する。(法72の41の4①)

ロ　第三節三の3の規定は、同2の規定によって申告納付すべき法人(四の1の規定に該当するものに限る。)について四の1から3まで又は五の1から3までの規定により更正し、又は決定した事業税額が当該法人の当該事業税額に係る中間納付額に満たない場合について準用する。(法72の41の4②)

②　決定による事業税額が中間納付額に満たない場合の還付

　第三節三の1の①《事業年度の期間が6月を超える場合の中間申告納付》の規定に該当する法人が同節三の2《中間申告を要する法人の確定申告納付》の規定による申告書を提出しなかった場合において、一の2、四の2又は五の2の規定により決定した事業税額が当該事業税額に係る中間納付額に満たないときは、道府県知事は、その満たない金額に相当する中間納付額を還付する。(令29①)

　　(注1)　第三節三の3の(3)から(7)までの規定は、②又は③の規定により中間納付額の還付をする場合について準用する。この場合において、同節三の3の(3)の(二)中「当該中間納付額に係る事業年度の2の(1)の申告書」とあるのは「当該還付の基因となった更正又は決定に係る通知書」と読み替えるものとする。(令29④)

　　(注2)　(注1)において準用する第三節三の3の(6)の場合において、次の各号に掲げる還付金の区分に応じ当該各号に定める日数は、第三節三の3の(6)の期間に算入しない。(令29⑤)

　　　(一)　②の規定による還付金　②に規定する中間納付額に係る事業年度の第三節三の2及び3の規定による申告書の提出期限(その提出期限後にその中間納付額が納付された場合には、その納付の日)の翌日から②の決定の日までの日数

　　　(二)　③の規定による還付金　③に規定する中間納付額に係る事業年度の第三節三の2及び3の規定による申告書の提出期限(その提出期限後にその中間納付額が納付された場合には、その納付の日)の翌日から次に掲げる日のうちいずれか早い日までの日数

　　　　イ　③の更正等の日の翌日以後1月を経過する日(当該更正等が次に掲げるものである場合には、それぞれ次に定める日)

　　　　　(1)　更正の請求に基づく更正(当該請求に対する処分に係る不服申立て又は訴えについての決定若しくは裁決又は判決を含む。(1)において同じ。)　当該請求の日の翌日以後3月を経過する日と当該請求に基づく更正の日の翌日以後1月を経過する日とのいずれか早い日

　　　　　(2)　一の2、四の2又は五の2の規定による決定に係る更正(当該決定に係る不服申立て又は訴えについての決定又は判決を含み、更正の請求に基づく更正及び中間納付額の計算の基礎となった事実のうちに含まれていた無効な行為により生じた経済的成果がその行為の無効であることに起因して失われたこと若しくは当該事実のうちに含まれていた取り消しうべき行為が取り消されたこと又は

第一編第六章三の2《無効行為等の取消しに伴う還付加算金》の各号に掲げる理由に基づき行われた更正を除く。） 当該決定の日
　　ロ　その還付のための支払決定をする日又はその還付金に係る充当日

③　更正による事業税額が中間納付額に満たない場合の還付
　　道府県知事は、②に規定する法人が第三節三の2の規定によって提出した申告書に記載した事業税額又は当該法人が当該申告書を提出しなかったため決定を受けた事業税額を減額する更正（当該事業税額についての処分等（更正の請求（第一編第十章10の②《更正の請求》の規定による更正の請求をいう。）に対する処分又は一の2、四の2又は五の2の規定による決定をいう。）に係る不服申立て又は訴えについての決定若しくは裁決又は判決を含む。以下において「更正等」という。）をした場合において、その更正等後の事業税額が当該事業税額に係る中間納付額に満たないときはその満たない金額に相当する中間納付額を、その更正等後の事業税額がないときは当該事業税額に係る中間納付額を還付する。（令29②）

　　　（既に還付することが確定した中間納付額がある場合）
　　注　③の規定により還付をする場合において、当該中間納付額のうち既に第三節三の3の(1)から(7)まで《中間納付額の還付手続等》又は③の規定により還付されることが確定したものがあるときは、当該中間納付額は、その還付されることが確定した金額だけ減額されたものとみなして③の規定を適用する。（令29③）

2　中間納付額に係る延滞金の免除
　　第三節三の3の(1)及び(2)若しくは1の②若しくは③の規定により中間納付額の還付をする場合において、当該中間納付額を当該中間納付額に係る事業年度分の未納の事業税額に充当するときは、道府県知事は、当該充当に係る未納の事業税額についての延滞金を免除する。（令30）

八　同族会社等の行為又は計算の否認等

1　同族会社の行為又は計算の否認
　　道府県知事は、四又は五の規定により課税標準額又は事業税額の更正又は決定をする場合において、**同族会社**の行為又は計算でこれを容認した場合には事業税の負担を不当に減少させる結果となると認められるものがあるときは、その行為又は計算にかかわらず、道府県知事の認めるところにより、当該同族会社の課税標準額又は事業税額を計算することができる。（法72の43①）

　　　　（同族会社の意義及び判定の時期）
(1)　1の「**同族会社**」とは、会社の**株主等**（その会社が自己の株式又は出資を有する場合のその会社を除く。）の3人以下並びにこれらと**特殊の関係のある個人及び法人**がその会社の発行済株式又は出資（その会社が有する自己の株式又は出資を除く。）の総数又は総額の100分の50を超える数又は金額の株式又は出資を有する場合その他政令で定める場合におけるその会社をいい、同族会社であるかどうかの判定は1の行為又は計算の事実のあったときの現況によるものとする。（法72の43③、法人税法２十）
　　　（注）　**株主等**とは、株主又は合名会社、合資会社若しくは合同会社の社員その他法人の出資者をいう。（法人税法２十四）

　　　　（同族関係者の範囲）
(2)　(1)の「**特殊の関係のある個人及び法人**」の範囲は、次に定めるところによる。（法人税法施行令４①〜⑥）
　(一)　株主等と「**特殊の関係のある個人**」は、次に掲げる者とする。
　　イ　株主等の親族
　　ロ　株主等と婚姻の届出をしていないが事実上婚姻関係と同様の事情にある者
　　ハ　個人である株主等の使用人
　　ニ　イ〜ハに掲げる者以外の者で個人である株主等から受ける金銭その他の資産によって生計を維持しているもの
　　ホ　ロ〜ニに掲げる者と生計を一にするこれらの者の親族
　(二)　株主等と「**特殊の関係のある法人**」は、次に掲げる会社とする。
　　イ　同族会社であるかどうかを判定しようとする会社の株主等（当該会社が自己の株式又は出資を有する場合の当該会社を除く。以下(二)及び(四)において「判定会社株主等」という。）の1人（個人である判定会社株主等については、その1人及びこれと(一)に定める特殊の関係のある個人。以下ハまでにおいて同じ。）が他の会社を支配している場合における当該他の会社

ロ　判定会社株主等の１人及びこれとイに定める特殊の関係のある会社が他の会社を支配している場合における当該他の会社
　　ハ　判定会社株主等の１人及びこれとイ及びロに定める特殊の関係のある会社が他の会社を支配している場合における当該他の会社
　（三）　（二）のイからハまでに規定する他の会社を支配している場合とは、次に掲げる場合のいずれかに該当する場合をいう。
　　イ　他の会社の発行済株式又は出資（その有する自己の株式又は出資を除く。）の総数又は総額の100分の50を超える数又は金額の株式又は出資を有する場合
　　ロ　他の会社の次に掲げる議決権のいずれかにつき、その総数（当該議決権を行使することができない株主等が有する当該議決権の数を除く。）の100分の50を超える数を有する場合
　　　（イ）　事業の全部若しくは重要な部分の譲渡、解散、継続、合併、分割、株式交換、株式移転又は現物出資に関する決議に係る議決権
　　　（ロ）　役員の選任及び解任に関する決議に係る議決権
　　　（ハ）　役員の報酬、賞与その他の職務執行の対価として会社が供与する財産上の利益に関する事項についての決議に係る議決権
　　　（ニ）　剰余金の配当又は利益の配当に関する決議に係る議決権
　　ハ　他の会社の株主等（合名会社、合資会社又は合同会社の社員（当該他の会社が業務を執行する社員を定めた場合にあっては、業務を執行する社員）に限る。）の総数の半数を超える数を占める場合
　（四）　同一の個人又は法人（人格のない社団等を含む。以下同じ。）と（二）に定める特殊の関係のある二以上の会社が、判定会社株主等である場合には、その二以上の会社は、相互に（二）に定める特殊の関係のある会社であるものとみなす。
　（五）　（１）に規定する政令で定める場合は、（１）の会社の株主等（その会社が自己の株式又は出資を有する場合のその会社を除く。）の３人以下並びにこれらと（１）に規定する特殊の関係のある個人及び法人がその会社の（三）のロの（イ）から（ニ）までに掲げる議決権のいずれかにつきその総数（当該議決権を行使することができない株主等が有する当該議決権の数を除く。）の100の50を超える数を有する場合又はその会社の株主等（合名会社、合資会社又は合同会社の社員（その会社が業務を執行する社員を定めた場合にあっては、業務を執行する社員）に限る。）の総数の半数を超える数を占める場合とする。
　（六）　個人又は法人との間で当該個人又は法人の意思と同一の内容の議決権を行使することに同意している者がある場合には、当該者が有する議決権は当該個人又は法人が有するものとみなし、かつ、当該個人又は法人（当該議決権に係る会社の株主等であるものを除く。）は当該議決権に係る会社の株主等であるものとみなして、（三）及び（五）の規定を適用する。

　　　　（税務官署の取扱いの準用）
　（３）　四の規定による更正又は決定をする場合において、同族会社でその行為又は計算について１、（１）及び２の規定に基づいて否認する場合の取扱いは、国の税務官署の取扱いに準ずること。
　　　なお、３に規定する合併、分割、現物出資若しくは現物分配（法人税法第２条第12号の５の２に規定する現物分配をいう。）又は株式交換等（同法第２条第12号の16に規定する株式交換等をいう。）若しくは株式移転をした一方の法人若しくは他方の法人又はこれらの法人の株主等である法人の行為又は計算についても、同様であること。（県通３－８）

２　特定の法人の行為又は計算の否認

　１の規定は、三以上の支店、工場その他の事務所又は事業所（以下２において「事務所等」という。）を有する法人で、その事務所等の２分の１以上に当たる事務所等につき、当該事務所等の所長、主任その他の当該事務所等に係る事業の主宰者又は当該主宰者の親族その他次に掲げる個人（以下２において「所長等」という。）が前に当該事務所等において個人として事業を営んでいた事実があり、かつ、当該所長等の有するその法人の株式の数又は出資の金額の合計額がその法人の発行済株式の総数又は出資の金額（その法人が有する自己の株式又は出資を除く。）の３分の２以上に相当するものの行為又は計算で、これを容認した場合には事業税の負担を不当に減少させる結果となると認められるものがある場合について準用する。（法72の43②、令33）

（一）　主宰者と親族であった者

(二)	婚姻の届出をしていないが、主宰者と事実上婚姻関係と同様の事情にあり、又はあった者及びこれらの者と生計を一にするこれらの者の親族であり、又はあった者
(三)	主宰者の使用人、使用人以外の者で当該主宰者から受ける金銭その他の財産によって生計を維持するもの若しくは雇主であり、又はこれらであったもの及びこれらの者と生計を一にするこれらの者の親族であり、又はあった者

(注) 2の法人であるかどうかの判定は2の行為又は計算の事実のあったときの現況によるものとする。(法72の43③)

3 移転法人、取得法人又はこれらの法人の株主等である法人の行為又は計算の否認

道府県知事は、四又は五の規定によって課税標準額又は事業税額の更正又は決定をする場合において、合併、分割、現物出資若しくは現物分配(法人税法第2条第12号の5の2に規定する現物分配をいう。)又は株式交換等(同法第2条第12号の16に規定する株式交換等をいう。)若しくは株式移転(以下3において「合併等」という。)に係る次に掲げる法人の行為又は計算でこれを容認した場合には事業税の負担を不当に減少させる結果となると認められるものがあるときは、その行為又は計算にかかわらず、道府県知事の認めるところにより、その法人の課税標準額又は事業税額を計算することができる。(法72の43④)

(一) 合併等をした法人又は合併等により資産及び負債の移転を受けた法人
(二) 合併等により交付された株式を発行した法人((一)に掲げる法人を除く。)
(三) (一)又は(二)に掲げる法人の株主等(株主又は合名会社、合資会社若しくは合同会社の社員その他法人の出資者をいう。)である法人((一)又は(二)に掲げる法人を除く。)

(注) 1の(3)の取扱いを参照。(編者)

九 更正等の通知及び不足税額等の徴収

1 更正又は決定の通知

道府県知事は、一、四又は五の規定によって課税標準額又は事業税額を更正し、又は決定した場合においては、遅滞なく、これを納税者に通知しなければならない。(法72の42)

(注) 一の1《申告所得が基準課税標準と異なる場合の更正》若しくは3《法人税の更正等があった場合の再更正》、四の1《更正》若しくは3《再更正》又は五の1《更正》若しくは3《再更正》の規定による更正をした場合において、第二節十一の1《租税条約の実施に係る還付すべき金額の事業税額からの控除》の規定の適用を受ける金額があるときは、1の通知の際に第二節十一の1の規定の適用がある旨及び同1の規定により繰越控除の対象となる金額を併せて通知するものであること。(県通3−5の2(3))

2 不足税額の徴収

道府県の徴税吏員は、一、四の1から3又は五の1から3の規定による更正又は決定があった場合において、不足税額(更正により増加した税額又は決定した税額(第三節三の2《中間申告を要する法人の確定申告納付》の規定による申告書を提出すべき法人がその申告書を提出しなかったことによる決定の場合には、当該税額に係る中間納付額を控除した税額)をいう。以下同じ。)があるときは、1の規定による更正又は決定の通知をした日から1月を経過した日を納期限として、これを徴収しなければならない。(法72の44①)

3 不足税額に対する延滞金の徴収

2の場合には、その不足税額に次に掲げる規定に規定する納期限(納期限の延長があったときは、その延長された納期限。以下「**法人の事業税の納期限**」という。)の翌日から納付の日までの期間の日数に応じ、年14.6パーセント(2の納期限までの期間又は当該納期限の翌日から1月を経過する日までの期間については、年7.3パーセント)の割合を乗じて計算した金額に相当する延滞金額を加算して徴収しなければならない。(法72の44②)

(一)	中間申告を要しない法人の確定申告納付〚第三節二の1〛
(二)	事業年度が6月を超える法人の中間申告納付〚第三節三の1①〛
(三)	中間申告を要する法人の確定申告納付〚第三節三の2〛
(四)	清算中の法人の各事業年度の申告納付〚第三節四の1、同(2)又は同(4)〛

(注) 3に規定する延滞金の年7.3パーセントの割合については特例規定が設けられているので、第一編第十章12の①《延滞金の割合の特例》を参照。(編者)

(延滞金の計算の基礎となる期間から控除される期間)
(1)　3の場合において、1の規定により更正の通知をした日が申告書の提出の日（申告書がその提出期限前に提出された場合には、当該申告書の提出期限）の翌日から1年を経過する日後であるときは、詐偽その他不正の行為により事業税を免れた場合を除き、当該1年を経過する日の翌日から当該通知をした日（一の規定による更正に係るものにあっては、当該更正の基準となった法人税の課税標準である所得に係る法人税の修正申告書を提出した日又は当該所得について税務官署が更正若しくは決定の通知をした日）までの期間は、延滞金の計算の基礎となる期間から控除するものとする。(法72の44③)

(増額更正があった場合に延滞金の基礎となる期間から控除される期間)
(2)　3の場合において、納付すべき税額を増加させる更正（これに類するものとして(3)で定める更正を含む。以下(2)において「増額更正」という。）があったとき（当該増額更正に係る事業税について第三節二、同節三の2、3及び同節四の1並びに同節五の1の規定により提出する申告書（以下この章において、「当初申告書」という。）が提出されており、かつ、当該当初申告書の提出により納付すべき税額を減少させる更正（これに類するものとして(4)で定める更正を含む。以下「減額更正」という。）があった後に、当該増額更正があったときに限る。）は、当該増額更正により納付すべき税額（当該当初申告書に係る税額（還付金の額に相当する税額を含む。）に達するまでの部分として(5)で定める税額に限る。）については、(1)の規定にかかわらず、次に掲げる期間（詐偽その他不正の行為により事業税を免れた法人についてされた当該増額更正により納付すべき事業税その他(6)で定める事業税にあっては、（一）に掲げる期間に限る。）を延滞金の計算の基礎となる期間から控除する。(法72の44④)
(一)　当該当初申告書の提出により納付すべき税額の納付があった日（その日が当該申告に係る法人の事業税の納限より前である場合には、当該法人の事業税の納期限）の翌日から当該減額更正の通知をした日までの期間
(二)　当該減額更正の通知をした日（当該減額更正が、更正の請求に基づくもの（法人税に係る更正によるものを除く。）である場合又は法人税に係る更正（法人税に係る更正の請求に基づくものに限る。）によるものである場合には、当該減額更正の通知をした日の翌日から起算して1年を経過する日）の翌日から当該増額更正の通知をした日（一の規定による更正に係るものにあっては、当該更正の基準となった法人税の課税標準である所得に係る法人税の修正申告書を提出した日又は当該所得について税務官署が更正若しくは決定の通知をした日）までの期間

(納付すべき税額を増加させる更正に類するもの)
(3)　(2)に規定する納付すべき税額を増加させる更正に類するものとして(3)で定める更正は、還付金を減少させる更正又は納付すべき税額があるものとする更正とする。(令33の2①)

(納付すべき税額を減少させる更正に類するもの)
(4)　(3)に規定する当初申告書の提出により納付すべき税額を減少させる更正に類するものとして(4)で定める更正は、(3)に規定する当初申告書（以下「当初申告書」という。）に係る還付金の額を増加させる更正又は当初申告書に係る還付金の額がない場合において還付金の額があるものとする更正とする。(令33の2②)

(当初申告書に係る税額に達するまでの部分として政令で定める税額)
(5)　(2)に規定する当初申告書に係る税額に達するまでの部分として(5)で定める税額は、次の（一）から（三）に掲げる場合の区分に応じ、当該各号に定める税額に相当する金額とする。(令33の2③)
(一)　当初申告書の提出により納付すべき税額がある場合　　次に掲げる税額のうちいずれか少ない税額
　(イ)　(2)に規定する増額更正（以下「増額更正」という。）により納付すべき税額
　(ロ)　当初申告書の提出により納付すべき税額から増額更正前の税額を控除した税額（当該増額更正前の還付金の額に相当する税額があるときは、当初申告書の提出により納付すべき税額に当該還付金の額に相当する税額を加算した税額）
(二)　当初申告書の提出により納付すべき税額がない場合（（三）に掲げる場合を除く。）　　次に掲げる税額のうちいずれか少ない税額
　(イ)　増額更正により納付すべき税額
　(ロ)　増額更正前の還付金の額に相当する税額
(三)　当初申告書に係る還付金の額がある場合　　次に掲げる税額のうちいずれか少ない税額
　(イ)　増額更正により納付すべき税額
　(ロ)　増額更正前の還付金の額に相当する税額から当初申告書に係る還付金の額に相当する税額を控除した税額

第二編第五章《法人の事業税》第五節《二以上の道府県において事務所等を設けて事業を行う法人の申告納付等》

　　　（政令で定める事業税）
（６）　（２）に規定する（６）で定める事業税は、（２）に規定する減額更正が更正の請求に基づくもの（法人税に係る更正によるものを除く。）である場合又は法人税に係る更正（法人税に係る更正の請求に基づくものに限る。）によるものである場合において、当該減額更正の通知をした日の翌日から起算して１年を経過する日までに増額更正の通知（当該増額更正が一の規定によるものである場合には、当該増額更正の基準となった法人税の課税標準である所得に係る法人税の修正申告書の提出又は更正若しくは決定の通知）をしたときの当該増額更正により納付すべき税額に相当する事業税とする。（令33の２④）

　　　（延滞金の減免）
（７）　道府県知事は、納税者が一、四の１から３又は五の１から３の規定による更正又は決定を受けたことについてやむを得ない事由があると認める場合には、３の延滞金額を減免することができる。（法72の44⑤）
　　　（注）　二以上の道府県において事務所等を設けて事業を行う法人に係る延滞金の減免については、第六節三の（４）を参照。（編者）

第五節　二以上の道府県において事務所等を設けて事業を行う法人の申告納付、更正及び決定

一　二以上の道府県において事務所等を設けて事業を行う法人の申告納付

１　申告納付
　二以上の道府県において事務所又は事業所を設けて事業を行う法人（以下「分割法人」という。）は、第三節二の１、第三節三の１（同（３）を除く。）、第三節三の２及び同３若しくは第三節四の１の規定により事業税を申告納付し、又は第三節五の２の規定により事業税を修正申告納付する場合には、当該事業に係る**課税標準額の総額**を分割基準により関係道府県ごとに分割し、その分割した額を課税標準として、関係道府県ごとに事業税額を算定し、これを関係道府県に申告納付し、又は修正申告納付しなければならない。この場合において、関係道府県知事に提出すべき申告書又は修正申告書には、総務省令で定める課税標準額の総額の分割に関する明細書を添付しなければならない。（法72の48①）

　　　（課税標準額の総額とされる金額）
（１）　１の**課税標準額の総額**は、第二節八の１の①の（一）若しくは同（三）に掲げる法人で各事業年度の所得の総額が年400万円（当該法人の当該事業年度が１年に満たない場合には、第二節八の１の①の注の規定を適用して計算した金額。以下１において同じ。）を超え年800万円（当該法人の当該事業年度が１年に満たない場合には、第二節八の１の①の注の規定を適用して計算した金額。以下１において同じ。）以下のもの又は第二節八の１の①の（二）に掲げる法人で各事業年度の所得の総額が年400万円を超えるものにあっては、当該各事業年度の所得の総額を年400万円以下の部分の金額及び年400万円を超える部分の金額に区分した金額とし、第二節八の１の①の（一）又は同（三）に掲げる法人で各事業年度の所得の総額が年800万円を超えるものにあっては、当該各事業年度の所得の総額を年400万円以下の部分の金額、年400万円を超え年800万円以下の部分の金額及び年800万円を超える部分の金額に区分した金額とする。（法72の48①かっこ書）
　　　（注）　租税特別措置法第68条第１項《特定の協同組合等の法人税率の特例》の規定に該当する法人の同項の規定に該当する各事業年度に係る事業税については、第二節八の１の⑤の（六）及び同⑤の《参考》を参照。（編者）

　　　（申告又は修正申告に係る課税標準の是認の通知）
（２）　二以上の道府県において事務所等を設けて事業を行う法人が申告書又は修正申告書を提出した場合において主たる事務所等所在地の道府県知事がその申告又は修正申告に係る課税標準を是認するときは、その旨を速やかに関係道府県知事に通知すること。（県通３－６の20）

　　　（主たる事務所等の判定）
（３）　主たる事務所等の判定に当たっては、原則として法人税の納税地又は法人税に係る連結子法人の本店若しくは主たる事務所等の所在地と一致させるようにすること。なお、法人税の納税地又は法人税に係る連結子法人の本店若しくは主たる事務所等の所在地と法人の事業税の主たる事務所等とが異なる場合において、法人税の納税地又は法人税

に係る連結子法人の本店若しくは主たる事務所の所在地が実質上の主たる事務所等に該当するものと認められたときは、関係道府県間で協議の上主たる事務所等の変更を行うこと。(県通3-6の18)

2　中間申告納付

①　前事業年度の事業税額に基づく中間申告納付

　分割法人の事業年度の期間が6月を超える場合(当該分割法人が通算子法人である場合には、当該事業年度開始の日の属する通算親法人事業年度が6月を超え、かつ、当該通算親法人事業年度開始の日以後6月を経過した日において当該分割法人に係る通算親法人との間に通算完全支配関係がある場合)には、当該分割法人が第三節三の1の①本文《予定申告納付》の規定により関係道府県に申告納付すべき事業税額又は当該申告納付に係る修正申告納付すべき事業税額は、1の規定にかかわらず、関係道府県ごとの当該事業年度の前事業年度の事業税として納付した税額及び納付すべきことが確定した税額の合計額を当該事業年度の前事業年度の月数で除して得た額に中間期間の月数を乗じて計算した額に相当する額とする。(法72の48②本文)

②　分割基準が前事業年度と著しく異なる場合等の中間申告納付

　①に規定する法人が次に掲げる場合に該当するときは、当該分割法人が第三節三の1の①本文の規定により関係道府県に申告納付すべき事業税額又は当該申告納付に係る修正申告納付すべき事業税額は、当該事業年度の前事業年度の事業税として納付した税額及び納付すべきことが確定した税額の合計額の算定の基礎となった課税標準額の総額を当該事業年度の前事業年度の月数で除して得た額に中間期間の月数を乗じて計算した額に相当する額を第三節三の1の①ただし書《仮決算による中間申告納付》の規定による申告納付をする法人に準じて1の規定により関係道府県ごとに分割した額を課税標準として算定した税額とすることができる。(法72の48②ただし書)

(一)	当該分割法人の6月経過日の前日現在において関係道府県に所在する事務所又は事業所が移動その他の事由により当該事業年度の前事業年度の関係道府県に所在する事務所等と異なる場合
(二)	当該分割法人の6月経過日の前日現在における関係道府県ごとの分割基準の数値が当該事業年度の前事業年度の関係道府県ごとの分割基準の数値と著しく異なると認める場合

　　　(適格合併に係る合併法人が納付すべき事業税の課税標準)
(1)　②の規定により関係道府県に申告納付すべき事業税額又は当該申告納付に係る修正申告納付すべき事業税額を算定する場合において、②の法人が次の各号に掲げる期間内に行われた適格合併(法人を設立するものを除く。以下(1)において同じ。)に係る合併法人(合併により被合併法人(合併によりその有する資産及び負債の移転を行った法人をいう。以下(1)において同じ。)から資産及び負債の移転を受けた法人をいう。以下(1)において同じ。)であるときは、当該合併法人の前事業年度の事業税として納付した税額及び納付すべきことが確定した税額の合計額の算定の基礎となった①に規定する課税標準額の総額((一)において「課税標準額の総額」という。)を前事業年度の月数で除して得た額に中間期間の月数を乗じて計算した額に相当する額には、当該各号に定める金額を含むものとする。(規6)
(一)　当該合併法人の前事業年度　　前事業年度の月数に対する前事業年度開始の日からその適格合併の日の前日までの月数の割合に中間期間の月数を乗じた数を被合併法人の確定課税標準額の総額(当該合併法人の当該事業年度開始の日の1年前の日以後に終了した当該適格合併に係る被合併法人の各事業年度に係る事業税額として当該合併法人の第三節三の1の①に規定する6月経過日の前日までに確定したもので、その計算の基礎となった各事業年度(その月数が6月に満たないものを除く。)のうち最も新しい事業年度に係る事業税額の基礎となった課税標準額の総額をいう。以下(1)において同じ。)に乗じて当該確定課税標準額の総額の計算の基礎となった事業年度の月数で除して計算した金額
(二)　当該合併法人の中間期間　　当該合併法人の中間期間のうちその適格合併の日以後の期間の月数を被合併法人の確定課税標準額の総額に乗じて当該確定課税標準額の総額の計算の基礎となった事業年度の月数で除して計算した金額

　　　(適用すべき税率)
(2)　二以上の道府県において事務所等を設けて事業を行う法人が②の規定に基づいて申告納付する場合において適用すべき税率は、その法人の6月経過日の前日現在における税率によるものであること。(県通3-6の21)

第二編第五章《法人の事業税》第五節《二以上の道府県において事務所等を設けて事業を行う法人の申告納付等》

3　分　割　基　準

①　課税標準額の総額の分割の方法

　1及び2の①及び同②の「分割基準」とは、次の各号に掲げる事業の区分に応じ、当該各号に定めるところにより課税標準額の総額を関係道府県ごとに分割する基準をいう。（法72の48③）

(一)	製造業	課税標準額の総額を申告書又は修正申告書に記載された関係道府県に所在する事務所又は事業所（以下①及び②において「事業所等」という。）の従業者の数に按分すること。
(二)	電気供給業	次に掲げる事業の区分に応じ、それぞれ次に定めるところにより課税標準額の総額を関係道府県ごとに分割すること。 　（イ）　小売電気事業等　　課税標準額の総額の2分の1に相当する額を事業所等の数に、課税標準額の総額の2分の1に相当する額を事業所等の従業者の数に按分すること。 　（ロ）　電気事業法第2条第1項第8号に規定する一般送配電事業（④の（一）及び同（二）において「一般送配電事業」という。）、同条第1項10号に規定する送電事業（④の（一）において「送電事業」という。）（これに準ずるものとして（注1）で定めるものを含む。）、同条第1項第11号の2に規定する配電事業（④の（一）及び（二）において「配電事業」という。）及び同条第1項第12号に規定する特定送配電事業　　次に掲げる場合の区分に応じ、それぞれ次に定めるところにより課税標準額の総額を関係道府県ごとに分割すること。 　　（1）　（2）に掲げる場合以外の場合　　課税標準額の総額の4分の3に相当する額を事業所等の所在する道府県において発電所又は蓄電用の施設の発電等用電気工作物（電気事業法第2条第1項第5号ロに規定する発電等用電気工作物をいう。（2）において同じ。）と電気的に接続している電線路（（注2）で定める要件に該当するものに限る。（2）及び②の（三）において同じ。）の電力の容量（キロワットで表した容量をいう。②の（三）において同じ。）に、課税標準額の総額の4分の1に相当する額を事業所等の固定資産の価額に按分すること。 　　（2）　事業所等の所在するいずれの道府県においても発電所又は蓄電用の施設の発電等用電気工作物と電気的に接続している電線路がない場合　　課税標準額の総額を事業所等の固定資産の価額に按分すること。 　（ハ）　発電事業等及び特定卸供給事業　　次に掲げる場合の区分に応じ、それぞれ次に定めるところにより課税標準額の総額を関係道府県ごとに分割すること。 　　（1）　（2）に掲げる場合以外の場合　　課税標準額の総額の4分の3に相当する額を事業所等の固定資産で発電所又は蓄電用の施設の用に供するものの価額に、課税標準額の総額の4分の1に相当する額を事業所等の固定資産の価額に按分すること。 　　（2）　事業所等の固定資産で発電所又は蓄電用の施設の用に供するものがない場合　　課税標準額の総額を事業所等の固定資産の価額に按分すること。
(三)	ガス供給業及び倉庫業	課税標準額の総額を事業所等の固定資産の価額に按分すること。
(四)	鉄道事業及び軌道事業	課税標準額の総額を事業所等の所在する道府県における軌道の延長キロメートル数に按分すること。
(五)	前各号に掲げる事業以外の事業	課税標準額の総額の2分の1に相当する額を事業所等の数に、課税標準額の総額の2分の1に相当する額を事業所等の従業者の数に按分すること。

（注1）　①の（二）の（ロ）に規定する送電事業に準ずるものとして（注1）で定める事業は、自らが維持し、及び運用する送電用の電気工作物（電気事業法第2条第1項第18号に規定する電気工作物をいう。）により電気事業法第2条第1項第9号に規定する一般送配電事業者に同項第4号に規定する振替供給を行う事業（一般送配電事業及び送電事業に該当する部分を除く。）とする。（規6の2①）

（注2）　①の（二）の（ロ）の（1）に規定する（注2）で定める要件は、電圧66キロボルト以上の電線路であることとする。（規6の2②）

　　　（従業者の意義）
（1）　①の従業者とは、俸給、給料、賃金、手当、賞与その他これらの性質を有する給与の支払を受けるべき者をいう。（規6の2の2①前段）

第二編第五章《法人の事業税》第五節《二以上の道府県において事務所等を設けて事業を行う法人の申告納付等》

　　　（従業者の取扱い）
(2)　①の事業所等（①の（一）に規定する事業所等をいう。以下同じ。）の従業者とは、当該事業所等に勤務すべき者で、俸給、給料、賃金、手当、賞与その他これらの性質を有する給与の支払いを受けるべき者をいうものであるが、事業を経営する個人及びその親族又は同居人のうち当該事業に従事している者で給与の支払いを受けていないものは給与の支払を受けるべき者とみなされるものであるから留意すること。この場合において、給与には、退職給与金、年金、恩給及びこれらの性質を有する給与は含まれないものであり、これらの給与以外の給与で所得税法第183条《源泉徴収義務》の規定による源泉徴収の対象となるもののみが、(1)に規定する給与に該当するものであること。なお、その運用に当たっては、次に掲げるところにより取り扱うものであること。（県通3－9の1）
(一)　納税義務者から給与の支払いを受け、かつ、当該納税義務者の事業所等に勤務すべき者のうち、当該勤務すべき事業所等の判定が困難なものについては、次に掲げる事業所等の従業者として取り扱うものとすること。
　　イ　給与の支払いを受けるべき事業所等と勤務すべき事業所等とが異なる者（例えば主たる事業所等で一括して給与を支払っている場合等）　　当該勤務すべき事業所等
　　ロ　転任等の理由により勤務すべき事業所等が1月のうちに二以上となった者　　当該月の末日現在において勤務すべき事業所等
　　ハ　各事業所等の技術指導等に従事している者で主として勤務すべき事業所等がないもののうち、ニ以外の者　　給与の支払いを受けるべき事業所等
　　ニ　技術指導、実地研修等何らの名義をもってするを問わず、連続して1月以上の期間にわたって同一の事業所等に出張している者　　当該出張先の事業所等
　　ホ　二以上の事業所等に兼務すべき者　　主として勤務すべき事業所等（主として勤務すべき事業所等の判定が困難なものにあっては、当該給与の支払いを受けるべき事業所等）
(二)　次に掲げる者（例えば親会社又は子会社の事業所等の従業者のうち、その従業者がいずれの会社の従業者であるか判定の困難なもの等）については、（一）にかかわらず、それぞれ次に掲げる事業所等の従業者として取り扱うものとすること。
　　イ　一の納税義務者から給与の支払いを受け、かつ、当該納税義務者以外の納税義務者の事業所等で勤務すべき者（当該者が二以上の納税義務者から給与の支払いを受け、かつ、当該納税義務者のいずれか一の事業所等に勤務すべき場合を含む。）　　当該勤務すべき事業所等
　　ロ　二以上の納税義務者の事業所等の技術指導等に従事している者で主として勤務すべき事業所等がないもののうちハ以外の者　　給与の支払いを受けるべき事業所等
　　ハ　事業所等を設置する納税義務者の事業に従事するため、当該納税義務者以外の納税義務者から技術指導、実地研修、出向、出張等何らの名義をもってするを問わず、当該事業所等に派遣されたもので連続して1月以上の期間にわたって当該事業所等に勤務すべき者　　当該勤務すべき事業所等
　　ニ　二以上の納税義務者の事業所等に兼務すべき者　　当該兼務すべきそれぞれの事業所等
(三)　次に掲げる者については、当該事業所等又は施設の従業者として取り扱わないものとすること。
　　イ　従業者をもっぱら教育するために設けられた施設において研修を受ける者
　　ロ　給与の支払いを受けるべき者であっても、その勤務すべき事業所等が課税標準額の分割の対象となる事業所等から除外される場合（例えば非課税事業を営む事業所等）の当該事業所等の従業者
　　ハ　給与の支払いを受けるべき者であっても、その勤務すべき施設が事業所等に該当しない場合の当該施設の従業者（例えば常時船舶の乗組員である者、現場作業所等の従業者）
　　ニ　病気欠勤者又は組合専従者等で連続して1月以上の期間にわたってその本来勤務すべき事業所等に勤務しない者（当該勤務していない期間に限る。）
(四)　(一)から(三)までに掲げるもののほか、従業者については、次の取扱いによるものであること。
　　イ　非課税事業、収入金額課税事業又は鉄軌道事業とその他の事業とを併せて行う納税義務者の従業者のうち、それぞれの事業に区分することが困難なものの数については、それぞれの事業の従業者として区分されたものの数により按分するものとすること。
　　ロ　従業者は、常勤、非常勤の別を問わないものであるから、非常勤のもの例えば、重役、顧問等であっても従業者に含まれるものであること。
　　ハ　連続して1月以上の期間にわたるかどうかの判定は、課税標準の算定期間の末日現在によるものとすること。この場合において、課税標準の算定期間の末日現在においては1月に満たないが、当該期間の翌期を通じて判定すれば1月以上の期間にわたると認められるときは、連続して1月以上の期間にわたるものとし、また、日曜日、祝祭日等当該事業所等の休日については、当該休日である期間は、勤務していた日数に算入すること。

第二編第五章《法人の事業税》第五節《二以上の道府県において事務所等を設けて事業を行う法人の申告納付等》

　　ニ　事業所等の構内・区画が二以上の道府県の区域にまたがる場合には、家屋の延床面積等合理的な方法により按分した数（その数に1人に満たない端数を生じたときは、これを1人とする。）をそれぞれの道府県の従業者数とするものであること。

　　（電線路の意義）
（3）　電気供給業を行う1に規定する分割法人の分割基準に関し、①の(二)(ロ)(1)の電線路とは、事業所等の所在する道府県において発電所又は蓄電用の施設（他の者が維持し、及び運用する発電所又は蓄電用の施設を含む。以下(3)において同じ。）の発電等用電気工作物（電気事業法第2条第1項第5号ロに規定する発電等用電気工作物をいう。）と電気的に接続している電線路（専ら通信の用に供するものを除く。以下(3)及び(4)において同じ。）であって、当該分割法人が維持し、及び運用するもののうち、電気学会電気規格調査会標準規格ＪＥＣ－０２２２に定める電線路の公称電圧が66キロボルト以上のものであり、かつ、当該発電所又は蓄電用の施設が発電又は放電を行う場合においてその発電し、又は放電した電気を基幹系統側（基幹系統を通じて送電ネットワークへ向けて送電する側）に送電するために設けられた電線路をいうものであること。（県通3－9の4）

　　（電線路の電力の容量の取扱い）
（4）　①の(二)(ロ)(1)の電線路の電力の容量については、次により取り扱うものであること。（県通3－9の5）
　(一)　電線路の性能を示した容量を用いるものであり、運用上の容量を用いるものではないこと。
　(二)　連続的に送電できる電力の容量とするものであること。なお、同一の電線路について、その電力の容量が時期により異なるものとされている場合には、電力の容量が最大となる時期における電力の容量とするものであること。
　(三)　電力の容量が異なる区画がある電線路については、発電所又は蓄電用の施設から受電する部分における電力の容量とするものであること。

　　（事業所等の数の取扱い）
（5）　①の(五)に規定する事業所等の数は、次により取り扱うものであること。（県通3－9の10）
　(一)　事業所等に該当するか否かの判定は、第一編第一章一の1の注によること。
　(二)　事業所等の数の算定に当たっては、原則として、同一構内・区画にある店舗等の事業の用に供する建物（以下（5）において「建物」という。）について一の事業所等として取り扱うこと。
　(三)　近接した構内・区画にそれぞれ建物がある場合については、原則として、構内・区画ごとに一の事業所等として取り扱うこととなるが、この場合において、二以上の構内・区画の建物について、経理・帳簿等が同一で分離できない場合、同一の管理者等により管理・運営されている場合など、経済活動・事業活動が一体とみなされる場合には、同一の構内・区画とみなして一の事業所等として取り扱うことに留意すること。
　(四)　事業所等の構内・区画が二以上の道府県の区域にまたがる場合には、次に掲げる道府県の事業所等として取り扱うものであること。
　　イ　事業所等の建物が、一の道府県の区域のみに所在する場合　　当該建物の所在する道府県
　　ロ　事業所等の建物が、二以上の道府県の区域にまたがる場合　　当該建物の所在するそれぞれの道府県

　　（軌道の延長キロメートル数の取扱い）
（6）　①の(四)に規定する軌道の延長キロメートル数は、次により取り扱うものであること。（県通3－9の8）
　(一)　単線換算キロメートル数によるものであること。
　(二)　鉄道事業を行う法人が、自らが敷設する鉄道線路（他人が敷設した鉄道線路であって譲渡を受けたものを含む。）以外の鉄道線路を使用して鉄道による旅客又は貨物の運送を行う場合においては、当該使用に係る軌道の延長キロメートル数を当該法人の分割基準である軌道の延長キロメートル数とするものであること。
　(三)　引込線及び遊休線並びに敷設線を含むものであるが、他の法人等の所有に係る専用線は含まないものであること。

② 分割基準の算定方法
　①に規定する分割基準（以下この章において「分割基準」という。）の数値の算定については、次の各号に掲げる区分に応じ、当該各号に定めるところによる。（法72の48④）

| (一) | 従業者の数 | 事業年度終了の日現在における数値。ただし、資本金の額又は出資金の額が1億円以 |

第二編第五章《法人の事業税》第五節《二以上の道府県において事務所等を設けて事業を行う法人の申告納付等》

		上の製造業を行う法人の工場である事業所等については、当該数値に当該数値（当該数値が奇数である場合には、当該数値に1を加えた数値）の2分の1に相当する数値を加えた数値
		（事業年度又は計算期間の中途で新設又は廃止された事業所等の従業者数） （1）　次の各号に掲げる事業所等については、当該各号に定める数（その数に1人に満たない端数を生じたときは、これを1人とする。）を（一）に掲げる従業者の数とみなす。（法72の48⑤）
		<table><tr><td>イ</td><td>事業年度の中途において新設された事業所等</td><td>当該事業年度終了の日現在における従業者の数に、当該事業年度の月数に対する当該事業所等が新設された日から当該事業年度終了の日までの月数の割合を乗じて得た数</td></tr><tr><td>ロ</td><td>事業年度の中途において廃止された事業所等</td><td>当該廃止の日の属する月の直前の月の末日現在における従業者の数に、当該事業年度の月数に対する当該廃止された事業所等が当該事業年度中において所在していた月数の割合を乗じて得た数</td></tr><tr><td>ハ</td><td>事業年度中を通じて従業者の数に著しい変動がある事業所等として政令で定める事業所等</td><td>当該事業年度に属する各月の末日現在における従業者の数を合計した数を当該事業年度の月数で除して得た数</td></tr></table>
		（従業者の数に著しい変動がある事業所等） （2）　（1）の（ハ）に規定する政令で定める事業所等は、法人の当該事業年度に属する各月の末日現在における従業者の数のうち最大であるものの数値が、当該従業者の数のうち最小であるものの数値に2を乗じて得た数値を超える①の（一）に規定する事業所等とする。（令35）
		（月数の端数切上げ） （3）　（1）の月数は、暦に従って計算し、1月に満たない端数を生じたときは、これを1月とする。（法72の48⑥）
（二）	事業所等の数	事業年度に属する各月の末日現在における数値を合計した数値（当該事業年度中に月の末日が到来しない場合には、当該事業年度終了の日現在における数値）
（三）	電線路の電力の容量、固定資産の価額及び軌道の延長キロメートル数	事業年度終了の日現在における数値

（事業年度の末日現在における固定資産の価額）
（1）　②の（三）の固定資産の価額の事業年度の終了の日現在における数値とは、当該事業年度の終了の日において貸借対照表に記載されている土地、家屋及び家屋以外の減価償却が可能な有形固定資産（建設仮勘定において経理されている固定資産のうち、当該事業年度の終了の日において事業の用に供されているものを含む。）の価額とする。（規6の2の2④）

（固定資産の価額についての留意事項）
（2）　②の（三）に規定する事業年度終了の日現在における固定資産の価額とは、当該事業年度終了の日において貸借対照表に記載されている土地、家屋及び家屋以外の減価償却が可能な有形固定資産の価額をいうものであること。したがって、建設仮勘定により経理されている固定資産であっても、当該事業年度終了の日において事業の用に供されているものは含まれるものであり、無形固定資産及び貸借対照表に記載されていないものについては分割基準に含まな

第二編第五章《法人の事業税》第五節《二以上の道府県において事務所等を設けて事業を行う法人の申告納付等》

いものであることに留意すること。(県通3-9の7)

　　　(電気供給業における固定資産の価額の特例)
(3)　電気供給業の事業所等ごとの固定資産の価額についてその区分が困難な場合において総務大臣の承認を受けたときは、(1)に規定する当該事業年度の終了の日において貸借対照表に記載されている固定資産の価額を次の表の左欄に掲げる設備ごとに分別し、その分別された価格を右欄に掲げる基準の各事業年度の終了の日現在の数値により按分した額とすることができる。(規6の2の2⑤)
　　(一)　発電設備　　発電所及び蓄電用の施設の認可出力
　　(二)　送電設備　　支持物基数
　　(三)　配電設備　　支持物基数
　　(四)　変電設備　　変電所の設備容量
　　(五)　業務設備　　従業者数

　　　(固定資産の価額の区分が困難であることの承認の手続)
(4)　(3)の承認を受けようとする法人は、第三節二の1《中間申告を要しない法人の確定申告納付》、同節三の1の①《事業年度が6月を超える法人の中間申告納付》、同2《中間申告を要する法人の確定申告納付》及び同節四の1《清算中の法人の各事業年度の申告納付》の申告納付の期限前5日までに、事業所等ごとの固定資産の価額について、その区分が困難である旨の事由を記載した書類を総務大臣に提出しなければならない。(規6の2の2⑥)

　　　(資本金等の額が1億円以上の製造業を行う法人の工場の意義等)
(5)　②の(一)のただし書に規定する資本金の額又は出資金の額が1億円以上の製造業を行う法人の工場とは、当該法人の行う主たる事業が次に掲げる事業であるものの物品の製造、加工又は組立て等生産に関する業務が行われている①の(一)に規定する事業所等(②の(一)の(1)及び(3)において「事業所等」という。)とする。この場合において、資本金の額又は出資金の額が1億円以上の法人であるかどうかの判定は、当該事業年度終了の日の現況によるものとする。(規6の2の2②③)
　　(一)　食料品製造業
　　(二)　飲料・たばこ・飼料製造業
　　(三)　繊維工業
　　(四)　木材・木製品製造業
　　(五)　家具・装備品製造業
　　(六)　パルプ・紙・紙加工品製造業
　　(七)　印刷・同関連業
　　(八)　化学工業
　　(九)　石油製品・石炭製品製造業
　　(十)　プラスチック製品製造業
　　(十一)　ゴム製品製造業
　　(十二)　なめし革・同製品・毛皮製造業
　　(十三)　窯業・土石製品製造業
　　(十四)　鉄鋼業
　　(十五)　非鉄金属製造業
　　(十六)　金属製品製造業
　　(十七)　機械器具製造業
　　(十八)　その他の製造業
　　(十九)　自動車整備業
　　(二十)　機械修理業
　　(二十一)　電気機械器具修理業

　　　(資本金等の額が1億円以上の製造業を行う法人についての留意事項)
(6)　資本金の額又は出資金の額が1億円以上の製造業を行う法人の分割基準となる事業年度終了の日現在における従業者の数のうち、その工場に勤務するものについては当該従業者数の数値に当該数値の2分の1を加えた数値による

第二編第五章《法人の事業税》第五節《二以上の道府県において事務所等を設けて事業を行う法人の申告納付等》

こととされているが、この場合において、製造業を行う法人とは、その法人の行う主たる事業が(5)各号に掲げる事業に該当するものをいい、工場とは、物品の製造、加工又は組立て等生産に関する業務が行われている事業所等をいうものであること。

なお、細部の取扱いについては、別途「資本金の額又は出資金の額が１億円以上の製造業を行う法人の事業税の分割基準である工場の従業者の取扱いについて」（昭和37年自治丙府発第39号）によること。〔参考通知参照〕（県通３－９の３）

（特定の事務所等の従業者についての取扱い）
（７）②の表の(三)の(1)のイからハまでに規定する事業所等の従業者については、①の(2)に定めるもののほか、次の諸点に留意すること。（県通３－９の２）
（一） 事業年度の中途において、新設された事業所等にあっては事業年度終了の日、廃止された事業所等にあっては廃止の月の直前の月の末日現在の従業者の数に基づいて月割により算定した従業者の数値によるものであるが、この場合の新設された事業所等には、営業の譲受け又は合併により設置される事業所等も含まれるものであること。
（二） 一の事業年度の中途において、新設され、かつ、廃止された事業所等については、廃止された事業所等として従業者の数を算定するものであること。
（三） 事業年度に属する各月の末日現在における従業者の数のうち最大であるものの数値が、その従業者の数のうち最小であるものの数値に２を乗じて得た数値を超える事業所等については、

$$\frac{その事業年度に属する各月の末日の従業者の数の合計数}{その事業年度}$$

により従業者の数を算定することとなるが、この適用があるのは、当該事業所等に限るものであって、他の事業所等については適用がないものであること。

また、事業年度の中途において新設又は廃止された事業所等であっても事業所等の所在する期間を通じてその従業者の数に著しい変動があるものは従業者の数に著しい変動がある事業所等に該当するものであるので留意すること。

なお、各月の末日現在における従業者の数の算定については、次の取扱いによるものであること。
イ　各月の末日において勤務すべき者のみが分割基準の対象となる従業者となるものであること。したがって、例えば月の初日から引き続き日雇労働者として雇用されていたものであっても、当該月の末日の前日までの間に解雇されたものは分割基準の対象となる従業者とはならないものであること。なお、各月の末日が日曜日、祝祭日等により当該事業所等が休日である場合の分割基準の対象となる日雇労働者については、当該休日の前日現在における状況によるものであること。
ロ　月の中途で課税標準の算定期間が終了した場合においては、その終了の日の属する月の末日現在における従業者の数は、分割基準には含まれないものであること。

（仮決算による中間申告納付に係る分割基準の事業年度又は計算期間）
（８）第三節三の１の①ただし書《仮決算による中間申告納付》の規定又は一の２の②《分割基準が前事業年度と著しく異なる場合等の中間申告納付》の規定により申告納付すべき法人の中間納付額に係る分割基準について②の規定を適用する場合には、当該法人の中間期間を１事業年度とみなす。（法72の48⑦）

③　分割基準の異なる事業を併せて行う場合の分割基準

分割法人が２以上の分割基準を適用すべき事業を併せて行う場合における当該分割法人の事業に係る課税標準額の総額の分割については、これらの事業のうち主たる事業について定められた分割基準によるものとする。（法72の48⑧）

（主たる事業の判定）
（１）③の主たる事業の判定に当たっては、それぞれの事業のうち、売上金額の最も大きいものを主たる事業とし、これによりがたい場合には、従業者の配置、施設の状況等により企業活動の実態を総合的に判断するものであること。（県通３－９の８）

（外国法人の事務所等の取扱い）
（２）外国法人の恒久的施設とみなされた代理人の事務所等が二以上の道府県に所在する場合については、その事務所等のうち当該外国法人のための業務を行う事務所等のみが当該外国法人の事業所等とみなされるものであること。

第二編第五章《法人の事業税》第五節《二以上の道府県において事務所等を設けて事業を行う法人の申告納付等》

　　この場合において、同一の事業所等において代理人の本来の業務と外国法人の代理に関する業務を併せて行っている場合の分割の基準となる従業者数は、専ら当該外国法人の代理業務のみを行う者のみとするものであること。(県通3－9の12)

④　分割法人が電気供給業を行う場合の分割基準の特例
　　分割法人が電気供給業を行う場合において、当該電気供給業に係る分割基準が2以上であるときにおける当該分割法人の事業に係る課税標準額の総額の分割については、③の規定にかかわらず、次の各号に掲げる場合の区分に応じ、当該各号に定める分割基準によるものとする。(法72の48⑨)

(一)	一般送配電事業、送電事業又は配電事業と一般送配電事業、送電事業及び配電事業以外の事業とを併せて行う場合	①の(二)の(ロ)に定める分割基準
(二)	発電事業（電気事業法第2条第1項第14号に規定する発電事業をいう。以下(二)において同じ。）と一般送配電事業、送電事業、配電事業及び発電事業以外の事業とを併せて行う場合	①の(二)の(ハ)に定める分割基準
(三)	(一)及び(二)に掲げる場合以外の場合	電気供給業のうち主たる事業について定められた分割基準

　　（分割法人が電気供給業と電気供給業以外の事業とを併せて行う場合）
　注　④の場合において、分割法人が電気供給業と電気供給業以外の事業とを併せて行うときにおける当該分割法人の事業に係る課税標準額の総額の分割については、③又は④の規定にかかわらず、まず、電気供給業又は電気供給業以外の事業のいずれを主たる事業とするかを判定するものとし、当該判定により、電気供給業を主たる事業とするときは、④の各号に掲げる場合の区分に応じ当該各号に定める分割基準によるものとし、電気供給業以外の事業を主たる事業とするときは、当該事業について定められた分割基準によるものとする。(法72の48⑩)

⑤　鉄道事業等と他の事業を併せて行う場合の分割基準の特例
　　分割法人が鉄道事業又は軌道事業とこれらの事業以外の事業とを併せて行う場合には、③、④及び④の(1)の規定にかかわらず、鉄道事業又は軌道事業に係る部分についてはこれらの事業について定められた分割基準により、これらの事業以外の事業に係る部分についてはそれらの事業のうち主たる事業について定められた分割基準により、(1)で定めるところにより関係道府県ごとに当該分割法人の事業に係る課税標準額の総額を分割するものとする。(法72の48⑪)

　　（課税標準額の分割の方法）
（1）　1に規定する分割法人が鉄道事業又は軌道事業（以下において「鉄軌道事業」という。）と鉄軌道事業以外の事業とを併せて行う場合における当該分割法人の事業に係る1に規定する課税標準額の総額（以下「課税標準額の総額」という。）の分割については、まず、当該分割法人の事業に係る課税標準額の総額を鉄軌道事業に係る売上金額と鉄軌道事業以外の事業に係る売上金額（百貨店業については、売上総利益金額）に応じて按分するものとし、当該按分した額のうち、鉄軌道事業に係る部分については鉄軌道事業について定められた①に規定する分割基準により、鉄軌道事業以外の事業に係る部分については鉄軌道事業以外の事業のうち主たる事業について定められた分割基準により、関係道府県ごとに分割した金額を関係道府県ごとに合計するものとする。(令35の2①)

　　（売上総利益金額の算定方法）
（2）　(1)の売上総利益金額は、売上高から売上原価を控除した金額とする。(令35の2②、規6の3)

　　（留意事項）
（3）　二以上の道府県に事業所等を設けて鉄道事業又は軌道事業とその他の事業とを併せて行う場合の割合については、次の諸点に留意すること。(県通3－9の9)
　(一)　当該法人の事業税の課税標準額の総額をそれぞれの事業の売上金額によって按分した額をそれぞれの事業の分割基準によって分割するのであるが、百貨店業のみについては、売上金額に代えて売上総利益金額があん分の基準とされていること。

なお、この場合における百貨店業とは、物品販売業（物品加工修理業を含む。）であって、これを営むための店舗のうちに、同一の店舗で床面積の合計が1,500平方メートル（都の特別区及び地方自治法第252条の19第1項の指定都市の区域内においては、3,000平方メートル）以上の店舗を含むものをいうものであること。
  (二)　売上金額とは、本来の事業及びこれに附随する事業の収入金額をいうものであるが、固定資産の売却収入その他受取利息、有価証券利息、受取配当金、有価証券売却益等の事業外収入は含まれないものであること。したがって鉄道事業又は軌道事業における売上金額とは、原則として鉄道業会計規則にいう営業収益をいうものであること。
  (三)　売上総利益金額とは、売上高（総売上高から売上値引及び戻り高を控除した額）から売上原価（期首たな卸高と仕入高を加えた額から期末たな卸高を控除した額）を控除した金額をいうものであること。

二　二以上の道府県において事務所等を設けて事業を行う法人の更正、決定等

1　主たる事務所等所在地の道府県知事による更正、決定等

①　課税標準額の総額についての更正又は決定
　一の1の法人の行う事業に係る課税標準額の総額について第四節一《法人税の課税標準に基づく所得割等の更正及び決定》、四《道府県知事の調査による所得割等の更正及び決定》又は五《道府県知事の調査による付加価値割等の更正及び決定》の規定によってすべき更正又は決定は、当該法人の主たる事務所又は事業所所在地の道府県知事が行う。（法72の48の2①）
　　(注)　①の規定によって当該法人の主たる事務所又は事業所所在地の道府県知事がした課税標準額の総額の更正又は決定は、関係道府県知事がした課税標準額の総額の更正又は決定とみなす。（法72の48の2⑪）

②　分割基準の修正又は決定
　一の1の法人の主たる事務所又は事業所所在地の道府県知事は、同1の法人が提出した申告書若しくは修正申告書に係る**分割課税標準額**（関係道府県ごとに分割された又は分割されるべき課税標準額をいう。以下二において同じ。）の分割基準又は②の規定による修正若しくは決定をした分割基準に誤りがあると認める場合（課税標準額の総額についてすべき分割をしなかった場合を含む。）には、これを修正し、当該法人が申告書を提出しなかった場合（みなし申告《第三節三の1の①の（3）》の規定により申告書の提出があったものとみなされる場合を除く。）には、その分割基準を決定するものとする。（法72の48の2③）
　　(注)　②の規定によって当該法人の主たる事務所又は事業所所在地の道府県知事がした分割基準の修正又は決定は、関係道府県知事がした分割基準の修正又は決定とみなす。（法72の48の2⑪）

③　関係道府県知事に対する更正、決定等の通知
　法人の主たる事務所又は事業所所在地の道府県知事は、①又は②の規定によって当該法人の課税標準の総額の更正若しくは決定又は分割基準の修正若しくは決定を行った場合においては、その旨を関係道府県知事に通知しなければならない。（法72の48の2⑫）

　　（留意事項）
　注　主たる事務所等所在地の道府県知事が課税標準の総額の更正若しくは決定又は分割基準の修正若しくは決定を行った場合においては、その旨を関係道府県知事に通知するものであるが、次の諸点に留意すること。（県通3－9の14）
　　(一)　通知には、延滞金、過少申告加算金、不申告加算金及び重加算金の計算と減免又は不徴収についての簡明な理由を附して行うものとすること。この場合において、関係道府県知事は、これらの減免又は不徴収等の理由及び内容について、特に異議のない場合には、これによることとし、各道府県間の取扱いが不一致にならないようにすること。
　　(二)　外形対象法人、収入金額課税法人、収入金額等課税法人、特定ガス供給業を行う法人及び通算法人（通算子法人にあっては、当該通算子法人の事業年度が通算親法人の事業年度終了の日に終了するものに限る。（三）において同じ。）以外の法人に係る通知の内容である計算及び減免又は不徴収の取扱いは、原則として法人税の計算及び減免又は不徴収の取扱いに準じて行うものであること。
　　(三)　外形対象法人、収入金額等課税法人、特定ガス供給業を行う法人及び通算法人の所得及び付加価値額（単年度損益に限る。）に係る通知の内容である計算及び減免又は不徴収の取扱いについても、おおむね、法人税の計算及び減免又は不徴収の取扱いに準じて行うものであること。

2 二以上の道府県において事務所等を設けて事業を行う法人の更正の請求

一の１の法人が主たる事務所又は事業所所在地の道府県知事に申告書若しくは修正申告書を提出した場合又は第四節一、四若しくは五の規定による更正若しくは決定を受けた場合において、当該申告若しくは修正申告又は当該更正若しくは決定に係る分割課税標準額の分割基準に誤りがあったこと（課税標準額の総額についてすべき分割をしなかった場合を含む。）により、分割課税標準額又は事業税額が過大である関係道府県があるときは、当該法人は、当該関係道府県知事に対し、当該過大となった分割課税標準額又は事業税額につき、第四節一、四又は五の規定による更正をすべき旨を請求することができる。（法72の48の２④）

（更正請求書の提出）
（１） ２の規定による更正の請求をしようとする法人は、その請求に係る更正後の第一編第十章10の②に規定する課税標準等又は税額等、当該請求に係る更正前の納付すべき税額及び申告書又は修正申告書に記載すべきこの法律の規定による還付金の額に相当する税額その他参考となるべき事項を記載した更正請求書を関係道府県知事に提出しなければならない。（法72の48の２⑤）

（更正の請求の手続等）
（２） ２の規定による更正の請求をしようとする法人は、（１）に規定する更正請求書に（３）の規定によって主たる事務所又は事業所所在地の道府県知事に届け出たことを証する文書を添付しなければならない。法人が更正の請求をしようとする場合において、（１）に規定する更正請求書は、道府県民税又は事業税若しくは特別法人事業税については、第10号の３様式によるものとする。（規６の４①、６の５）

（主たる事務所等所在地の道府県知事に対する事前の届出）
（３） （２）の法人は、あらかじめ主たる事務所又は事業所所在地の道府県知事に対し、次に掲げる事項を第10号の２様式により届出なければならない。（規６の４②）
（一） 請求をする法人の名称、所在地及び法人番号
（二） 修正した分割基準の明細
（三） 分割基準について誤りを生じた事情の詳細
　（注） 法人の主たる事務所又は事業所所在地の道府県知事は、（２）の規定による届出があったときは、当該法人に対し、当該届出があったことを証する文書を交付するとともに、その旨を関係道府県知事に通知するものとする。（規６の４③）

（留意事項）
（４） 二以上の道府県において事務所等を設けて事業を行う法人が分割基準に誤りがあったこと（課税標準額についてすべき分割をしなかった場合を含む。）により関係道府県の分割課税標準額又は事業税額に過不足がある場合においては、不足額の生じた道府県に対しては速かに申告又は修正申告をしなければならないのであるが、過大となった道府県に対しては当該分割課税標準額又は事業税額の減額の更正の請求をすることができるものとされているものであること。この場合において、減額の更正の請求はあらかじめ主たる事務所等所在地の道府県知事に届出た旨を証する文書を添えて行うべきものとされていることにかんがみ、その主たる事務所等所在地の道府県知事は速かにその処理をすべきものであること。（県通３－９の13）

3 関係道府県知事の更正、決定等の請求

① 課税標準額の総額についての更正又は決定の請求

関係道府県知事は、一の１の法人の行う事業に係る課税標準額の総額について第四節四又は五の規定による更正又は決定をする必要があると認める場合においては、更正又は決定をすべき事由を記載した書類を添えて、当該法人の主たる事務所又は事業所所在地の道府県知事に対し、更正又は決定をすべき旨を請求することができる。この場合において、当該更正又は決定の請求が次の各号のいずれかに該当するときは、当該更正又は決定の請求は、それぞれ当該各号に掲げる日から２月以内にしなければならない。（法72の48の２②）

（一）	第四節四《道府県知事の調査による所得割等の更正及び決定》の１又は五《道府県知事の調査による付加価値割等の更正及び決定》の１の規定によってす	申告書又は修正申告書の提出があった日

	べき更正の請求	
(二)	第四節四の2又は五の2の規定によってすべき決定の請求	申告書の提出期限
(三)	第四節四の3又は五の3の規定によってすべき更正の請求	第四節四の1若しくは五の1の規定による更正又は同節四の2若しくは五の2の規定による決定があった日

② 分割基準の修正又は決定の請求
　関係道府県知事は、分割基準について1の②の規定による修正又は決定の必要があると認めるときは、その事由を記載した書類を添えて、当該法人の主たる事務所又は事業所所在地の道府県知事に対し、分割基準の修正又は決定の請求をすることができる。（法72の48の2⑥）

4　関係道府県知事の更正、決定等の請求を受けた場合の処理

① 関係道府県知事の請求に基づく更正、決定等
　一の1の法人の主たる事務所又は事業所所在地の道府県知事は、当該法人の課税標準額の総額について3の①の規定による更正若しくは決定の請求に係る書類又は当該法人の分割基準について同②の規定による修正若しくは決定の請求に係る書類を受け取った場合において、必要があると認めたときは、当該法人の課税標準額の総額の更正若しくは決定をし、又は当該法人の分割基準の修正若しくは決定をしなければならない。ただし、関係道府県知事と意見を異にする場合においては、当該書類を受け取った日から2月以内に、自己の意見を附して、当該書類を総務大臣に送付するとともに、その指示を受けなければならない。（法72の48の2⑦）

② 総務大臣の指示に基づく更正、決定等
　総務大臣は、①ただし書の規定による指示の請求があった場合において、課税標準額の総額の更正若しくは決定又は分割基準の修正若しくは決定の必要があると認めたときは、当該法人の主たる事務所又は事業所所在地の道府県知事に対し、その課税標準額の総額の更正若しくは決定又は分割基準の修正若しくは決定の指示をしなければならない。この場合においては、当該法人の主たる事務所又は事業所所在地の道府県知事は、その指示に基づいて当該法人の課税標準額の総額の更正若しくは決定又は分割基準の修正若しくは決定をし、その旨を関係道府県知事に通知するとともに、総務大臣に報告しなければならない。（法72の48の2⑧）

　　（更正、決定等の必要がないと認めた場合の総務大臣の通知）
（1）総務大臣は、①ただし書の規定による指示の請求があった場合において、課税標準額の総額の更正若しくは決定又は分割基準の修正若しくは決定の必要がないと認めたときは、その旨を当該法人の主たる事務所又は事業所所在地の道府県知事及び関係道府県知事に通知しなければならない。（法72の48の2⑨）

　　（地方財政審議会の意見の聴取）
（2）総務大臣は、②前段の指示又は（1）の規定による通知をしようとするときは、地方財政審議会の意見を聴かなければならない。（法72の48の2⑩）

5　外国法人に対する適用

　外国法人に対する1から4までの規定の適用については、これらの規定中「主たる事務所又は事業所所在地の道府県知事」とあるのは、「この法律の施行地において行う事業の経営の責任者が主として執務する事務所又は事業所所在地の道府県知事」とする。（法72の48の2⑬）

参 考 通 知

○資本金の額又は出資金の額が１億円以上の製造業を行う法人の事業税の分割基準である工場の従業者の取扱いについて
　（個通昭和37年自治丙府39・最終改正令和４年総税都18）
　地方税法第72条の48第４項第１号ただし書の規定による標記について、下記のとおりその取扱いを定めましたので、適切に措置されるようお願いします。
　なお、該当がある法人の主たる事務所又は事業所所在の都道府県においては、この旨を速やかに当該法人に連絡の上、申告指導にあたり適切に運用されるようお願いします。

記

　　　（資本金の額又は出資金の額）
（一）　地方税法（以下「法」という。）第72条の48第４項第１号ただし書の資本金の額又は出資金の額が１億円以上であるかどうかは、当該事業年度終了の日現在（中間申告の場合には、当該事業年度（当該法人が通算子法人である場合には、当該事業年度開始の日の属する当該法人に係る通算親法人事業年度）開始の日から６月を経過した日の前日現在。以下同じ。）によるものであること。

（二）　事業税の課税事業と非課税事業とを併せて行う法人についても、資本金の額又は出資金の額が１億円以上であるかどうかは、その法人の資本金の額又は出資金の額の総額が１億円以上であるかどうかにより判定すべきものであること。

　　　（製造業の範囲）
（三）　規則第６条の２の２第２項に掲げる事業は、日本標準産業分類（総務省）による「Ｅ―製造業」並びに「Ｒ―サービス業（他に分類されないもの）」のうち「891　自動車整備業」、「901　機械修理業（電気機械器具を除く）」及び「902　電気機械器具修理業」の範囲に属するものであること。

　　　（製造、加工又は組立て）
（四）　規則第６条の２の２第２項にいう物品の「製造」及び「加工」とは、いずれも物を原材料として、これに人工を加え新たな物を製作することをいうものであるが、このうち「製造」とは製作した物の性質が原材料である物と同一性を失っている場合をいい、「加工」とは原材料である物と性質が同一で、ある程度の変更を加える場合をいうものであること。また、「組立て」とは、製作された部分品を組み合わせることをいうものであること。

　　　（生産に関する業務）
（五）　規則第６条の２の２第２項にいう「物品の製造、加工又は組立て等生産に関する業務」とは、物品の製造、加工、組立てを行う業務のほか、物品の整備又は修理を行う業務をいうものであること。

　　　（生産に関する業務が行われている事業所等）
（六）　工場とされる「生産に関する業務が行われている事業所等」とは、当該法人の事業所等であって(五)に掲げる業務が行われている事業所等をいうものであること。

（七）　生産に関する業務が行われている事業所等の判定については、当該法人の事業年度終了の日現在により判定するものとすること。

（八）　「工場である事業所等」とは、具体的には、工場、製造所、作業所、製油所、造船所、修理場などをいい、本社、支店、出張所、営業所、研究所、試験所、販売所、倉庫、油槽所、病院などは含まれないものであるが、その判定は名称のいかんにかかわらず、当該事業所等において行われる業務の内容により客観的に行うこと。

　　　（工場の従業者）
（九）　「工場の従業者」とは、(六)の工場とされる生産に関する業務が行われている事業所等に勤務する従業者をいうものであり、従業者の意義及びその取扱いについては、第五節―の３の①の(2)に定めるところによるものであるが、さらに次の諸点に留意すべきであること。

参考通知《資本の金額又は出資金額が1億円以上の製造業を行う法人の事業税の分割基準である工場の従業者の取扱い》

イ （六）の工場とされる生産に関する業務が行われている事業所等に本社、支店、出張所、営業所、研究所、試験所等が併置されている場合の工場の従業者の数には、これら本社、支店、出張所、営業所、研究所、試験所等に勤務する従業者の数は含まれないものであること。

ロ 工場の従業者には、工場において製品の製造、加工、組立等の業務を直接担当する部門に属する者及び製品の検査、包装、原材料の運搬、動力の保守点検等の生産を補助する業務を担当する部門に属する者のほか、当該工場内において総務、経理、生産管理、資材管理等の業務を行う部門に属する者が含まれるものであること。

ハ 事業税の課税事業と非課税事業とを併せて行う場合において、それぞれの事業に区分することが困難である従業者の数については、第五節―の3の①の（2）の（四）のイによりそれぞれの事業の従業者として区分されたものの数により按分して算定するものとされているが、工場の従業者についてこの取扱いをする場合には、同イにより按分された課税事業部分に相当する工場の従業者の数を基礎として2分の1を加算する計算を行うものであること。

ニ 工場の従業者の数は、原則として当該法人の事業年度終了の日現在の従業者の数によるものであること。なお、2分の1を加算する場合において、当該工場の従業者の数が奇数であるときは、当該数に1を加えた数を基礎として2分の1し、加算するものとされているから、2分の1を加算した後の数値に1未満の端数は生じないことに留意すること。

　　　（分割に関する明細書）
（十） 法人が事業税の申告書に添付すべき課税標準の分割に関する明細書に記載すべき工場の従業者については、同一の都道府県内に他の事務所又は事業所がある場合には別欄に記載して工場であることを明らかにするよう指導するものとすること。

　　　（住民税の分割との関係）
（十一） 分割基準とすべき工場の従業者数について、その数値を補正するものとされているのは、法人の事業税の場合に限られ、法人の道府県民税及び市町村民税の分割については適用がないものであるから留意すること。

第六節　延滞金及び加算金

一　納期限後に納付する場合の延滞金

　法人の行う事業に対する事業税の納税者は、法人の事業税の納期限後にその税金（第三節五の2《修正申告納付》の規定による修正申告により増加した税額を含む。以下一において同じ。）を納付する場合には、その税額に法人の事業税の納期限の翌日から納付の日までの期間の日数に応じ、年14.6パーセント（次の各号に掲げる税額の区分に応じ、当該各号に定める日又は期限までの期間については、年7.3パーセント）の割合を乗じて計算した金額に相当する延滞金額を加算して納付しなければならない。（法72の45①）

（一）	法人の事業税の納期限前に提出した申告書に係る税額	法人の事業税の納期限の翌日から1月を経過する日までの期間
（二）	法人の事業税の納期限後に提出した申告書に係る税額	当該提出した日又はその日の翌日から1月を経過する日までの期間
（三）	修正申告書に係る税額	修正申告書を提出した日（修正申告書がその提出期限前に提出された場合には、当該修正申告書の提出期限。以下同じ。）又は当該修正申告書を提出した日の翌日から1月を経過する日

（注）　一に規定する延滞金の年7.3パーセントの割合については特例規定が設けられているので、第一編第十章12の①《延滞金の割合の特例》を参照。（編者）

　　　（1年経過後に修正申告書を提出した場合の延滞金の控除）
（1）　一において、法人が申告書を提出した日（申告書がその提出期限前に提出された場合には、当該申告書の提出期限）の翌日から1年を経過する日後に修正申告書を提出したときは、詐偽その他不正の行為により事業税を免れた法人が政府又は道府県知事の調査により第四節一《法人税の課税標準に基づく所得割等の更正及び決定》の1若しくは3、四《道府県知事の調査による所得割等の更正及び決定》の1若しくは3又は五《道府県知事の調査による付加価値割等の更正及び決定》の1若しくは3の規定による更正があるべきことを予知して修正申告書を提出した場合を除き、当該1年を経過する日の翌日から当該修正申告書を提出した日（当該修正申告書がその提出期限前に提出された場合には、当該修正申告書の提出期限）までの期間は、延滞金の計算の基礎となる期間から控除する。（法72の45②）

　　　（修正申告書の提出があった場合に延滞金の基礎となる期間から控除される期間）
（2）　一の場合において、第三節五の2の①又は②の規定による修正申告書の提出があったとき（当該修正申告書に係る事業税について当初申告書が提出されており、かつ、当該当初申告書の提出により納付すべき税額を減少させる更正（これに類するものとして（3）で定める更正を含む。以下「減額更正」という。）があった後に、当該修正申告書が提出されたときに限る。）は、当該修正申告書の提出により納付すべき税額（当該当初申告書に係る税額（還付金の額に相当する税額を含む。）に達するまでの部分として（4）で定める税額に限る。）については、（1）の規定にかかわらず、次に掲げる期間（詐偽その他不正の行為により事業税を免れた法人が第四節一の1若しくは3、同節四の1若しくは3又は同節五の1若しくは3の規定による更正があるべきことを予知して提出した修正申告書に係る事業税その他（5）で定める事業税にあっては、（一）に掲げる期間に限る。）を延滞金の計算の基礎となる期間から控除する。（法72の45③）
　（一）　当該当初申告書の提出により納付すべき税額の納付があった日（その日が当該申告に係る法人の事業税の納期限より前である場合には、当該法人の事業税の納期限）の翌日から当該減額更正の通知をした日までの期間
　（二）　当該減額更正の通知をした日（当該減額更正が、更正の請求に基づくもの（法人税に係る更正によるものを除く。）である場合又は法人税に係る更正（法人税に係る更正の請求に基づくものに限る。）によるものである場合には、当該減額更正の通知をした日の翌日から起算して1年を経過する日）の翌日から当該修正申告書を提出した日（当該修正申告書がその提出期限前に提出された場合には、当該修正申告書の提出期限）までの期間

　　　　　　（納付すべき税額を減少させる更正に類するもの）
（3）　（2）に規定する当初申告書の提出により納付すべき税額を減少させる更正に類するものとして（3）で定める更正は、（2）に規定する当初申告書（以下（3）及び（4）において「当初申告書」という。）に係る還付金の額を増加させる更正又は当初申告書に係る還付金の額がない場合において還付金の額があるものとする更正とする。（令33の3①）

　　　　　　（当初申告書に係る税額に達するまでの部分として政令で定める税額）
（4）　（2）に規定する当初申告書に係る税額に達するまでの部分として（4）で定める税額は、次の（一）から（三）に掲げる場合の区分に応じ、当該各号に定める税額に相当する金額とする。（令33の3②）
　（一）　当初申告書の提出により納付すべき税額がある場合　　次に掲げる税額のうちいずれか少ない税額
　　（イ）　修正申告書の提出により納付すべき税額
　　（ロ）　当初申告書の提出により納付すべき税額から修正申告書の提出前の税額を控除した税額（当該修正申告書の提出前の還付金の額に相当する税額があるときは、当初申告書の提出により納付すべき税額に当該還付金の額に相当する税額を加算した税額）
　（二）　当初申告書の提出により納付すべき税額がない場合（（三）に掲げる場合を除く。）　　次に掲げる税額のうちいずれか少ない税額
　　（イ）　修正申告書の提出により納付すべき税額
　　（ロ）　修正申告書の提出前の還付金の額に相当する税額
　（三）　当初申告書に係る還付金の額がある場合　　次に掲げる税額のうちいずれか少ない税額
　　（イ）　修正申告書の提出により納付すべき税額
　　（ロ）　修正申告書の提出前の還付金の額に相当する税額から当初申告書に係る還付金の額に相当する税額を控除した税額

　　　　　　（政令で定める事業税）
（5）　（2）に規定する（5）で定める事業税は、（2）に規定する減額更正が更正の請求に基づくもの（法人税に係る更正によるものを除く。）である場合又は法人税に係る更正（法人税に係る更正の請求に基づくものに限る。）によるものである場合において、当該減額更正の通知をした日の翌日から起算して1年を経過する日までに修正申告書の提出があったとき（修正申告書がその提出期限前に提出され、同日以後に当該修正申告書の提出期限が到来したときを除く。）の（2）に規定する修正申告書の提出により納付すべき税額に相当する事業税とする。（令33の3③）

　　　　　　（延滞金の減免）
（6）　道府県知事は、納税者が法人の事業税の納期限までにその税金を納付しなかったことについてやむを得ない事由があると認める場合には、一の延滞金額を減免することができる。（法72の45④）
　　（注）　二以上の道府県において事務所等を設けて事業を行う法人に係る延滞金の減免については、三の（4）を参照。（編者）

二　納期限の延長の場合の延滞金

　　第三節二の3（第三節三の2の（1）《中間申告を要しない法人の確定申告納付の規定の準用》及び同節四の1の（1）《清算中の法人の各事業年度の申告書の記載事項等》において準用する場合を含む。以下二において同じ。）又は5《中間申告を要しない法人の確定申告期限の延長の特例》（同節三の2の（1）並びに同節四の1の（1）及び同（5）において準用する場合を含む。以下二において同じ。）の規定の適用を受けている法人は、その適用に係る各事業年度に係る所得割等又は収入割等を納付する場合には、当該税額に、当該各事業年度終了の日後2月を経過した日から確定申告期限の延長の特例の規定により延長された当該事業税の申告書の提出期限までの期間の日数に応じ、年7.3パーセントの割合を乗じて計算した金額に相当する延滞金額を加算して納付しなければならない。（法72の45の2①）
（注1）　二の規定による延滞金に係る一に規定する延滞金については、納期限の延長に係る延滞金の特例《第一編第五章第一節六の2》が設けられていることに留意する。（編者）
（注2）　二に規定する延滞金の年7.3パーセントの割合については特例規定が設けられているので、第一編第十章12の①《延滞金の割合の特例》を参照。（編者）

　　　　　　（第四節九の3の（2）の読替規定）
（1）　第四節九の3の（2）の規定は、二の延滞金額について準用する。この場合において、第四節九の3の（2）中「（1）

の規定にかかわらず、次に掲げる期間（詐偽その他不正の行為により事業税を免れた法人についてされた当該増額更正により納付すべき事業税その他（6）で定める事業税にあっては、（一）に掲げる期間に限る。）」とあるのは、「当該当初申告書の提出により納付すべき税額の納付があった日（その日が第六節二の各事業年度終了の日後２月を経過した日より前である場合には、同日）から第六節二の申告書の提出期限までの期間」と読み替えるものとする。（法72の45の2②）

　　　　（一の（2）の読替規定）
(2)　一の（2）の規定は、二の延滞金額について準用する。この場合において、一の（2）中「（1）の規定にかかわらず、次に掲げる期間（詐偽その他不正の行為により事業税を免れた法人が第四節一の１若しくは３、同節四の１若しくは３又は同節五の１若しくは３の規定による更正があるべきことを予知して提出した修正申告書に係る事業税その他（5）で定める事業税にあっては、（一）に掲げる期間に限る。）」とあるのは、「当該当初申告書の提出により納付すべき税額の納付があった日（その日が二の各事業年度終了の日後２月を経過した日より前である場合には、同日）から二の申告書の提出期限までの期間」と読み替えるものとする。（法72の45の2③）

　　　　（第四節九の３の（2）の準用規定）
(3)　第四節九の３の（3）から同（5）までの規定は、（1）において準用する第四節九の３の（2）の規定による延滞金の計算について準用する。（令33の３の2①）

　　　　（一の（2）の準用規定）
(4)　一の（3）及び同（4）の規定は、（2）において準用する一の（2）の規定による延滞金の計算について準用する。（令33の３の2②）

　　　　（留意事項）
(5)　第三節二の２から５までの規定（これらの規定を準用する場合を含む。）により、法人が申告納付期限の延長の承認を受けた場合には、当該延長された期限までに確定申告書が提出されている限り不申告加算金は徴収できないものであるが、同節二の３又は５の規定（これらの規定を準用する場合を含む。）により申告納付期限の延長の承認を受けた場合には、他の法人との均衡等を考慮して、延滞金を徴収するものであること。（県通３－６の14）

三　過少申告加算金及び不申告加算金

（一）	過少申告加算金	申告書（予定申告納付『第三節三の１の①本文』の規定による予定申告書を除く。以下（一）において同じ。）の提出期限までにその提出があった場合（申告書の提出期限後にその提出があった場合において、（二）ただし書又は（二）の（6）の規定の適用があるときを含む。以下（一）において同じ。）において、第四節一の１若しくは３、四の１若しくは３又は五の１若しくは３の規定による更正（以下「事業税の更正」という。）があったとき、又は第三節五の２の①の規定による修正申告書の提出があったときは、道府県知事は、当該事業税の更正による不足税額又は当該修正申告により増加した税額（これらの税額の計算の基礎となった事実のうちに、当該事業税の更正又は修正申告前の税額の計算の基礎とされていなかったことについて正当な事由があると認められるものがある場合には、その正当な事由があると認められる事実に基づく税額として（1）で定めるところにより計算した金額を控除した金額とし、当該事業税の更正又は修正申告前に当該事業税の更正又は修正申告に係る事業税について当初申告書の提出により納付すべき税額を減少させる事業税の更正その他これに類するものとして（2）で定める事業税の更正（更正の請求に基づくもののうち法人税に係る更正によらないもの及び法人税に係る更正の請求に基づく更正によるものを除く。）がある場合には、その事業税の当初申告書に係る税額（還付金の額に相当する税額を含む。）に達するまでの金額として（3）で定めるところにより計算した金額を控除した金額とする。以下（一）において「**対象不足税額等**」という。）に100分の10の割合を乗じて計算した金額（当該対象不足税額等（当該事業税の更正又は修正申告前に当該事業税の更正又は修正申告に係る法人の事業税について事業税の更正又は第三節五の２の①若しくは②の規定による修正申告書の提出があった場合には、当該事業税の更正による不足税額又は修正申告により増加した税額の合計額

第二編第五章《法人の事業税》第六節《延滞金及び加算金》

　（これらの税額の計算の基礎となった事実のうちに、当該事業税の更正又は修正申告前の税額の計算の基礎とされていなかったことについて正当な事由があると認められたものがあったときは、その正当な事由があると認められた事実に基づく税額として（１）の規定の例により計算した金額を控除した金額とし、当該法人の事業税についてその納付すべき税額を減少させる事業税の更正又は事業税の更正に係る不服申立て若しくは訴えについての決定、裁決若しくは判決による原処分の異動があったときは、これらにより減少した部分の税額に相当する金額を控除した金額とする。）を加算した金額とする。）が申告書の提出期限までにその提出があった場合における当該申告書に係る税額（当該申告書に係る法人の事業税について中間納付額があるときは加算した金額とし、当該申告書に記載された還付金の額に相当する税額があるときは、当該税額を控除した金額とする。）に相当する金額と50万円とのいずれか多い金額を超えるときは、その超える部分に相当する金額（当該対象不足税額等が当該超える部分に相当する金額に満たないときは、当該対象不足税額等）に100分の5の割合を乗じて計算した金額を加算した金額とする。）に相当する過少申告加算金額を徴収しなければならない。（法72の46①本文、令33の4④）

　　　　（正当な事由があると認められる事実に基づく税額）
（１）　三に規定する正当な事由があると認められる事実に基づく税額として計算した金額は、当該事実のみに基づいて修正申告書の提出又は第四節一、四又は五の規定による更正があったものとした場合における当該修正申告書の提出により納付すべき税額又は当該更正に係る第四節九の2《更正又は決定による不足税額の徴収》に規定する不足税額に相当する金額とする。（令33の4①）

　　　　（当初申告書の提出により納付すべき税額を減少させる更正に類するもの）
（２）　（一）に規定する当初申告書の提出により納付すべき税額を減少させる更正に類するものとして（２）で定める更正は、当初申告書に係る還付金の額を増加させる更正又は当初申告書に係る還付金の額がない場合において還付金の額があるものとする更正とする。（令33の4②）

　　　　（当初申告書に係る税額に達するまでの金額の区分）
（３）　（一）に規定する当初申告書に係る税額に達するまでの金額として（３）で定めるところにより計算した金額は、次の各号に掲げる場合の区分に応じ、当該各号に定める税額に相当する金額とする。ただし、当該各号に定める税額が（１）に規定する納付すべき税額又は不足税額に該当するときは、当該各号に定める税額から当該納付すべき税額又は不足税額を控除した税額（当該税額が零を下回る場合には、零とする。）に相当する金額とする。（令33の4③）
（ⅰ）　当初申告書の提出により納付すべき税額がある場合　　次に掲げる税額のうちいずれか少ない税額
　（イ）　三の（一）に規定する事業税の更正（以下「事業税の更正」という。）又は修正申告書の提出により納付すべき税額
　（ロ）　当初申告書の提出により納付すべき税額から事業税の更正前の税額又は修正申告書の提出前の税額を控除した税額（当該事業税の更正前の還付金の額又は当該修正申告書の提出前の還付金の額に相当する税額があるときは、当初申告書の提出により納付すべき税額に当該還付金の額に相当する税額を加算した税額）
（ⅱ）　当初申告書の提出により納付すべき税額がない場合（（ⅲ）に掲げる場合を除く。）
　次に掲げる税額のうちいずれか少ない税額
　（イ）　事業税の更正又は修正申告書の提出により納付すべき税額
　（ロ）　事業税の更正前の還付金の額又は修正申告書の提出前の還付金の額に相当する税額
（ⅲ）　当初申告書に係る還付金の額がある場合　　次に掲げる税額のうちいずれか少ない税額
　（イ）　事業税の更正又は修正申告書の提出により納付すべき税額
　（ロ）　事業税の更正前の還付金の額又は修正申告書の提出前の還付金の額に相当する税額から当初申告書に係る還付金の額に相当する税額を控除した税額

(修正申告書の提出が更正があることを予知してされたものでない場合等の不徴収)
（4） 第三節五の2の①《所得等又は税額に不足額がある場合の修正申告納付》の規定による修正申告書の提出があった場合において、その提出が当該修正申告書に係る事業税額について事業税の更正があるべきことを予知してされたものでないときは、（一）の限りでない。（法72の46①ただし書）

次の各号のいずれかに該当する場合には、道府県知事は、当該各号に規定する申告、決定又は更正により納付すべき税額（ロ又はハの場合において、これらの税額の計算の基礎となった事実のうちに、当該修正申告前又は更正前の税額の計算の基礎とされていなかったことについて正当な事由があると認められるものがあるときは、その正当な事由があると認められる事実に基づく税額として（一）の（1）により計算した金額を控除した税額。（4）において「納付すべき税額」という。）に100分の15の割合を乗じて計算した金額に相当する不申告加算金額を徴収しなければならない。ただし、申告書の提出期限までにその提出がなかったことについて正当な事由があると認められる場合は、この限りでない。（法72の46②）

イ	申告書の提出期限後にその提出があった場合又は第四節一の2、同節四の2若しくは同節五の2の規定による決定があった場合
ロ	申告書の提出期限後にその提出があった後において第三節五の2の①若しくは②の規定による修正申告書の提出又は事業税の更正があった場合
ハ	第四節一の2、同節四の2又は同節五の2の規定による決定があった後において第三節五の2の①若しくは②の規定による修正申告書の提出又は同節一の3、同節四の3若しくは同節五の3の規定による更正があった場合

(不申告加算金の加重)
（1） （二）の規定に該当する場合（（二）ただし書又は（6）の規定の適用がある場合を除く。（2）及び（4）において同じ。）において、（二）に規定する納付すべき税額（（二）の表のロ又はハの場合において、これらの規定に規定する修正申告又は事業税の更正前にされた当該法人の事業税に係る申告書の提出期限後の申告又は第四節一、同節四の1から3まで若しくは同節五の1から3までの規定による更正若しくは決定により納付すべき税額の合計額（当該納付すべき税額の計算の基礎となった事実のうちに当該修正申告又は事業税の更正前の税額の計算の基礎とされていなかったことについて正当な事由があると認められるものがあるときはその正当な事由があると認められる事実に基づく税額として政令の定めるところにより計算した金額を控除した税額とし、当該納付すべき税額を減少させる事業税の更正又は事業税の更正に係る不服申立て若しくは訴えについての決定、裁決若しくは判決による原処分の異動があったときはこれらにより減少した部分の税額に相当する金額を控除した金額とする。（2）において「累積納付税額」という。）を加算した金額。（2）において「加算後累積納付税額」という。）が50万円を超えるときは、（二）に規定する不申告加算金額は、（二）の規定にかかわらず、（二）の規定により計算した金額に、その超える部分に相当する金額（（二）に規定する納付すべき税額が当該超える部分に相当する金額に満たないときは、当該納付すべき税額）に100分の5の割合を乗じて計算した金額を加算した金額とする。（法72の46③）

(加算後累積納付税額が300万円を超える場合の不申告加算金額の計算)
（2） （二）の規定に該当する場合において、加算後累積納付税額（当該加算後累積納付税額の計算の基礎となった事実のうちに（二）のイからハに規定する申告、決定又は更正前の税額（還付金の額に相当する税額を含む。）の計算の基礎とされていなかったことについて当該納税者の責めに帰すべき事由がないと認められるものがあるときは、その事実に基づく税額として（3）で定めるところにより計算した金額を控除した税額）が300万円を超えるときは、（二）に規定する不申告加算金額は、（二）及び（1）の規定にかかわらず、加算後累積納付税額を次の各号に掲げる金額に区分してそれぞれの金額に当該各号に定める割合を乗じて計算した金額の合計額から累積納付税額を当該各号に掲げる金額に区分してそれぞれの金額に当該各号

に定める割合を乗じて計算した金額の合計額を控除した金額とする。
(一) 50万円以下の部分に相当する金額　　100分の15の割合
(二) 50万円を超え300万円以下の部分に相当する金額　　100分の20の割合
(三) 300万円を超える部分に相当する金額　　100分の30の割合

（政令で定めるところにより計算した金額）
(3) (2)に規定する(3)で定めるところにより計算した金額は、(2)に規定する当該納税者の責めに帰すべき事由がないと認められる事実のみに基づいて(二)のイからハに規定する申告、決定又は更正があったものとした場合におけるその申告、決定又は更正により納付すべき税額とする。（令33の4⑤）

（更正等があった日の前日から起算して5年前の日までの間に不申告加算金等を徴収されたことがある場合の不申告加算金の計算）
(4) (二)の規定に該当する場合（(5)各号に該当する場合を除く。）において、次の各号のいずれかに該当するときは、(二)に規定する不申告加算金額は、(二)、(1)、(2)の規定にかかわらず、これらの規定により計算した金額に、納付すべき税額に100分の10の割合を乗じて計算した金額を加算した金額とする。（法72の46⑤）
(一) 申告書の提出期限後のその提出、第三節五の2の①若しくは②の規定による修正申告書の提出（当該修正申告書の提出がその提出期限までにあった場合を除く。(4)の(二)において同じ。）又は第四節一、第四節四の1から3まで若しくは第四節五の1から3までの規定による更正若しくは決定があった日の前日から起算して5年前の日までの間に、事業税について、不申告加算金（(5)各号に該当する場合において徴収されたものを除く。(4)の(二)において同じ。）又は重加算金（四の(二)の(1)の(一)において「不申告加算金等」という。）を徴収されたことがある場合
(二) 申告書の提出期限後のその提出、第三節五の2の①若しくは②の規定による修正申告書の提出又は第四節一、第四節四の1から3まで若しくは第四節五の1から3までの規定による更正若しくは決定に係る事業年度の開始の日の属する年の前年及び前々年に開始した事業年度に係る事業税について、不申告加算金若しくは重加算金（四の(二)の規定の適用があるものに限る。）（以下「特定不申告加算金等」という。）を徴収されたことがあり、又は特定不申告加算金等に係る決定をすべきと認める場合

（修正申告書の提出があった場合の取扱い）
(5) 次の各号に掲げる場合には、当該各号に定める税額に係る(二)に規定する不申告加算金額は、(二)、(1)、(2)の規定にかかわらず、当該税額に100分の5の割合を乗じて計算した金額に相当する額とする。（法72の46⑥）
(ⅰ) 申告書の提出期限後のその提出又は第三節五の2の①の規定による修正申告書の提出があり、かつ、その提出が当該申告書又は修正申告書に係る事業税額について第四節一、同節四の1から3まで又は同節五の1から3までの規定による更正又は決定があるべきことを予知してされたものでない場合　　当該申告書又は修正申告書に係る税額
(ⅱ) 第三節五の2の②の規定による修正申告書の提出があった場合（当該修正申告書の提出がその提出期限後にあった場合を除く。）　　当該修正申告書に係る税額

（申告書の提出期限までに提出する意思があったと認められる場合の不申告加算金の不徴収）
(6) (二)の規定は、(5)の規定に該当する申告書の提出があった場合において、その提出が、申告書の提出期限までに提出する意思があったと認められる場合として(7)で定める場合に該当して行われたものであり、かつ、申告書の提出期限から1月を経過する日までに行われたものであるときは、適用しない。（法72の46⑧）

第二編第五章《法人の事業税》第六節《延滞金及び加算金》

	（申告書の提出期限までに提出する意思があったと認められる場合）
	（7） （6）に規定する申告書の提出期限までに提出する意思があったと認められる場合は、次の各号のいずれにも該当する場合とする。（令33の5）
	<table><tr><td>イ</td><td>（6）に規定する申告書の提出があった日の前日から起算して5年前の日までの間に、法人の行う事業に対する事業税について、（二）の表のイに該当することにより不申告加算金額又は重加算金額を課されたことがない場合であって、（6）の規定の適用を受けていないとき。</td></tr><tr><td>ロ</td><td>（一）に規定する申告書に係る納付すべき税額の全額が、次に掲げる場合の区分に応じ、それぞれ次に定める期限又は日までに納付されていた場合 （イ） （ロ）に掲げる場合以外の場合　　当該納付すべき税額に係る第四節九の3《不足税額に対する延滞金の徴収》に規定する法人の行う事業に対する事業税の納期限 （ロ）　道府県知事が当該申告書に係る納付について口座振替の方法による旨の申出を受けていた場合　　当該申告書の提出があった日</td></tr></table>

（過少申告加算金額又は不申告加算金額の決定の通知）
（1）　道府県知事は、三の（一）の規定により徴収すべき過少申告加算金額又は同（二）の規定により徴収すべき不申告加算金額を決定した場合には、遅滞なく、これを納税者に通知しなければならない。（法72の46⑦）

（税務官署の更正等に係る課税標準を基準として修正申告書を提出する場合）
（2）　国の税務官署の更正又は決定に係る課税標準を基準として修正申告書を提出する場合においても、その修正申告書が国の税務官署において当該更正又は決定の通知をした日から1月以内に提出されないときは、第三節五の2の①の規定による修正申告書として取り扱われることとなるのであって、過少申告加算金及び不申告加算金の取扱いが異なるものであるから留意すること。（県通3－6の23）

（更正等があるべきことを予知してされたかどうかの判定）
（3）　三の（一）の（2）及び同（二）の（5）の（i）（四の（1）の場合を含む。）の更正若しくは決定があるべきことを予知してなされたものであるかどうかについては、外形対象法人、収入金額課税法人、収入金額等課税法人、特定ガス供給業を行う法人及び通算法人（通算子法人にあっては、当該通算子法人の事業年度が通算親法人の事業年度終了の日に終了するものに限る。四の（4）及び同（5）において同じ。）以外の法人に関しては、原則として法人税において更正又は決定があるべきことを予知してなされたものとされたかどうかによって判定すべきものであること。（県通3－6の26）

　　　（注）　（3）中＿＿部分「県通3－6の26」を「県通3－6の27」に改める令和6年度改正規定は、令和8年4月1日以後に開始する事業年度分の法人の事業税について適用する。（令6総税都第10号記チ）

（二以上の道府県において事務所等を設けて事業を行う法人に係る過少申告加算金等の徴収についての関係道府県知事との協議）
（4）　二以上の道府県において事務所等を設けて事業を行う法人に対する第四節九の3の（6）《延滞金の減免》又はこの節一の（6）《延滞金の減免》の規定に基づく延滞金の減免、三の（一）の（2）の規定に基づく過少申告加算金額の不徴収及び同（二）の（5）の規定に基づく不申告加算金額の軽減を行う場合においては、特にその必要を認めない場合を除くほか、主たる事務所等の所在地の道府県知事は関係道府県知事と協議して行うことが適当であること。（県通3－6の22）

四　重加算金

| （一） | 過少申告加算金に代えて徴収する重加算金 | 三の（一）の規定に該当する場合において、納税者が事業税額の計算の基礎となるべき事実の全部又は一部を隠蔽し、又は仮装し、かつ、その隠蔽し、又は仮装した事実に基づいて申告書を提出し、又は第三節五の2の①若しくは同②の規定により修正申告書を提出し、又は第一編第十章10の④に規定する更正請求書（（二）において「更正請求書」という。）を提出したときは、道府県知 |

事は、政令で定めるところにより三の(一)に規定する過少申告加算金額の計算の基礎となるべき事業税の更正による不足税額又は修正申告により増加した税額(これらの税額の一部が、事業税額の計算の基礎となるべき事実で隠蔽され、又は仮装されていないものに基づくことが明らかであるときは、当該隠蔽され、又は仮装されていない事実に基づく税額として政令で定めるところにより計算した金額を控除した税額)に係る過少申告加算金額に代えて、当該税額に100分の35の割合を乗じて計算した金額に相当する重加算金額を徴収しなければならない。(法72の47①)

　　　(注)　(一)中____部分を削り、____部分を加える令和6年度改正規定は、令和7年1月1日以後に第三節六の1に規定する申告書の提出期限が到来する法人の事業税について適用し、同日前に当該提出期限が到来した法人の事業税については、なお従前の例による。(令6改法附1二、6③)

　　　(重加算金額を徴収する場合の過少申告加算金額の取扱い)
(1)　(一)又は(二)の(1)((一)の重加算金に係る部分に限る。以下同じ)により、過少申告加算金額に代えて、重加算金額を徴収する場合には、(一)又は(二)の(1)((一)の重加算金に係る部分に限る。以下同じ)の規定による重加算金額の算定の基礎となるべき税額に相当する金額を、三の(一)に規定する対象不足税額等から控除して計算するものとした場合における過少申告加算金額以外の部分の過少申告加算金額に代えて、重加算金額を徴収するものとする。(令34①)

　　　(重加算金を課さない部分の金額)
(2)　(一)に規定する隠蔽され、又は仮装されていない事実に基づく税額は、当該隠蔽され、又は仮装されていない事実のみに基づいて第三節五の2の規定による修正申告書の提出又は第四節一、四又は五の規定による更正若しくは決定があったとした場合における当該修正申告書の提出により納付すべき税額又は当該更正若しくは決定に係る第四節九の2に規定する不足税額に相当する税額とする。(令34②一)

(二)	不申告加算金に代えて徴収する重加算金	三の(二)の規定に該当する場合(同(二)ただし書の規定の適用がある場合を除く。)において、納税者が事業税額の計算の基礎となるべき事実の全部又は一部を隠蔽し、又は仮装し、かつ、その隠蔽し、又は仮装した事実に基づいて申告書の提出期限までにこれを提出せず、又は申告書の提出期限後にその提出をし、若しくは第三節五の2の①若しくは②の規定により修正申告書を提出し、若しくは更正請求書を提出したときは、道府県知事は、三の(二)に規定する不申告加算金額の計算の基礎となるべき税額(その税額の一部が、その計算の基礎となるべき事実で隠蔽され、又は仮装されていないものに基づくことが明らかであるときは、当該隠蔽され、又は仮装されていない事実に基づく税額として政令で定めるところにより計算した金額を控除した税額)に係る不申告加算金額に代えて、当該税額に100分の40の割合を乗じて計算した金額に相当する重加算金額を徴収しなければならない。(法72の47②) 　(注)　(二)中____部分を削り、____部分を加える令和6年度改正規定は、令和7年1月1日以後に第三節六の1に規定する申告書の提出期限が到来する法人の事業税について適用し、同日前に当該提出期限が到来した法人の事業税については、なお従前の例による。(令6改法附1二、6③) 　(更正等があった日の前日から起算して5年前の日までの間に不申告加算金等を徴収されたことがある場合の重加算金額の計算) (1)　(一)又は(二)の規定に該当する場合において、次の各号のいずれか((一)の規定に該当する場合にあっては、(1)の(一))に該当するときは、(一)又は(二)に規定する重加算金額は、これらの規定にかかわらず、これらの規定により計算した金額に、(一)の規定に該当するときは(一)に規定する計算の基礎となるべき事業税の更正による不足税額又は修正申告により増加した税額(これらの税額の一部が、事業税額の計算の基礎となるべき事実で隠蔽され、又は仮装されていないものに基づくことが明らかであるときは、当該隠蔽され、又は仮装されていない事実に基づく税額として政令で定めるところにより計算した金額を控除した税額)に、(二)の規定に該当するときは(二)に規定する計算の基礎となるべき税額(その税額の一部が、その計算の基礎となるべき事実で隠蔽され、又は仮装されていないものに基づくことが明らかであるときは、当該隠蔽され、又は仮装されていない事実に基づく税額とし

て政令で定めるところにより計算した金額を控除した税額)に、それぞれ100分の10の割合を乗じて計算した金額を加算した金額とする。(法72の47③)
(一) (一)及び(二)に規定する事業税額の計算の基礎となるべき事実で隠蔽し、又は仮装されたものに基づき申告書の提出期限後のその提出、第三節五の2の①若しくは②の規定による修正申告書の提出又は第四節一、第四節四の1から3まで若しくは第四節五の1から3までの規定による更正若しくは決定があつた日の前日から起算して五年前の日までの間に、事業税について、不申告加算金等を徴収されたことがある場合
(二) 申告書の提出期限後のその提出、第三節五の2の①若しくは②の規定による修正申告書の提出又は第四節一、第四節四の1から3まで若しくは第四節五の1から3までの規定による更正若しくは決定に係る事業年度の開始の日の属する年の前年及び前々年に開始した事業年度に係る事業税について、特定不申告加算金等を徴収されたことがあり、又は特定不申告加算金等に係る決定をすべきと認める場合

(重加算金を課されない部分の金額)
(2) (二)に規定する隠蔽され、又は仮装されていない事実に基づく税額は、当該隠蔽され、又は仮装されていない事実のみに基づいて第三節五の1《期限後申告納付》の規定により提出する申告書若しくは同2の規定により提出する修正申告書の提出又は第四節一、四若しくは五の規定による更正若しくは決定があったものとした場合におけるこれらの申告書若しくは修正申告書の提出により納付すべき税額又は当該更正若しくは決定に係る第四節九の2に規定する不足税額に相当する税額とする。(令34②二)

(申告書等の提出が更正等があることを予知してされたものでない場合等の不徴収)
(1) 道府県知事は、四の(一)又は(二)の規定に該当する場合において、申告書又は第三節五の2の①の規定による修正申告書の提出について三の(一)の(2)又は同(二)の(2)各号に掲げる場合に該当するときは、当該申告により納付すべき税額又は当該修正申告により増加した税額(これらの税額の一部が、事業税額の計算の基礎となるべき事実で隠蔽され、又は仮装されていないものに基づくことが明らかであるときは、当該隠蔽され、又は仮装されていない事実に基づく税額として政令で定める金額を控除した税額)を基礎として計算した重加算金額を徴収しない。(法72の47④)

(隠蔽され、又は仮装されていない事実に基づく税額)
(2) (1)の隠蔽され、又は仮装されていない事実に基づく税額は、当該隠蔽され、又は仮装されていない事実のみに基づいて第三節五の1の規定により提出する申告書又は同2の①の規定による修正申告書の提出があったものとした場合における当該法人の納付すべき事業税額に相当する税額とする。(令34②三)

(重加算金額の決定の通知)
(3) 道府県知事は、四の(一)又は(二)の規定により徴収すべき重加算金額を決定した場合には、遅滞なく、これを納税者に通知しなければならない。(法72の47⑤)

(外形対象法人等以外の法人について仮装隠ぺいが行われたかどうかの判定)
(4) 外形対象法人、収入金額課税法人、収入金額等課税法人、特定ガス供給業を行う法人及び通算法人以外の法人から四の規定によって重加算金を徴収する場合において、課税標準の基礎となるべき事実について仮装隠ぺいが行われたかどうかについては、原則として法人税において仮装隠ぺいの事実があるものとされたかどうかによって判定すべきものであること。(県通3－6の27)
  (注) (4)中____部分「県通3－6の27」を「県通3－6の28」に改める令和6年度改正規定は、令和8年4月1日以後に開始する事業年度分の法人の事業税について適用する。(令6総税都第10号記チ)

(外形対象法人及び連結申告法人について仮装隠ぺいが行われたかどうかの判定)
(5) 外形対象法人、収入金額課税法人、収入金額等課税法人、特定ガス供給業を行う法人及び通算法人から四の規定によって重加算金を徴収する場合においても、課税標準(所得及び付加価値額(単年度損益に限る。))の基礎となる

べき事実について仮装隠ぺいが行われたかどうかについては、おおむね、法人税において仮装隠ぺいの事実があるものとされたかどうかに準じて判定するものであること。（県通３－６の27の２）

(注) (5)中___部分「県通３－６の27の２」を「県通３－６の28の２」に改める令和６年度改正規定は、令和８年４月１日以後に開始する事業年度分の法人の事業税について適用する。（令６総税都第10号記チ）

第七節　雑　則

一　虚偽の更正の請求に関する罪

第五節二の２《二以上の道府県において事務所等を設けて事業を行う法人の更正の請求》の（１）に規定する更正請求書に偽りの記載をして関係道府県知事に提出したときは、その違反行為をした者は、１年以下の懲役又は50万円以下の罰金に処する。（法72の49①）

（法人の代表者等が違反行為をしたときの罪）
（１）　法人の代表者又は代理人、使用人その他の従業者が、その法人の業務又は財産に関して、一の違反行為をしたときは、その行為者を罰するほか、その法人に対し、一の罰金刑を科する。（法72の49②）

（人格のない社団等の代表者等が違反行為をしたときの罪）
（２）　人格のない社団等について（１）の規定の適用がある場合には、その代表者又は管理人がその訴訟行為につき当該人格のない社団等を代表するほか、法人を被告人又は被疑者とする場合の刑事訴訟に関する法律の規定を準用する。（法72の49③）

二　法人税に関する書類の供覧等

道府県知事が法人の事業税の賦課徴収について、政府に対し、法人の事業税の納税義務者で法人税の納税義務がある法人が政府に提出した申告書若しくは修正申告書又は政府が当該法人の課税標準若しくは税額についてした更正若しくは決定に関する書類を閲覧し、又は記録することを請求した場合には、政府は、関係書類を道府県知事又はその指定する職員に閲覧させ、又は記録させるものとする。（法72の49の２）

三　脱税に関する罪

偽りその他不正の行為により法人の行う事業に対する事業税の全部又は一部を免れた場合には、法人の代表者（法人課税信託の受託者である個人を含む。（２）において同じ。）、代理人、使用人その他の従業者で、その違反行為をした者は、10年以下の懲役若しくは1,000万円以下の罰金に処し、又はこれを併科する。（法72の49の３①）

（脱税額が1,000万円を超える場合の罰金額の加重）
（１）　三の免れた税額が1,000万円を超える場合には、情状により、三の罰金の額は、三の規定にかかわらず、1,000万円を超える額でその免れた税額に相当する額以下の額とすることができる。（法72の49の３②）

（故意の不申告に関する罪）
（２）　三に規定するもののほか、第三節二の１、同三の２又は同四の１、同１の（２）若しくは同（４）の規定による申告書を当該各項に規定する申告書の提出期限内に提出しないことにより、法人の行う事業に対する事業税の全部又は一部を免れた場合には、法人の代表者、代理人、使用人その他の従業者で、その違反行為をした者は、５年以下の懲役もしくは500万円以下の罰金に処し、又はこれを併科する。（法72の49の３③）

（脱税額が500万円を超える場合の罰金額の加重）
（３）　（２）の免れた税額が500万円を超える場合には、情状により、（２）の罰金の額は、（２）の規定にかかわらず、500万円を超える額でその免れた税額に相当する額以下の額とすることができる。（法72の49の３④）

(両罰規定)
（４）　法人の代表者又は代理人、使用人その他の従業者がその法人の業務又は財産に関して三又は（２）の違反行為をした場合には、その行為者を罰するほか、その法人に対し、当該各項の罰金刑を科する。（法72の49の３⑤）

(両罰規定により罰金刑を科する場合の公訴時効期間)
（５）　（４）の規定により三又は（２）の違反行為につき法人又は人に罰金刑を科する場合における時効の期間は、これらの項の罪についての時効の期間による。（法72の49の３⑥）

(人格のない社団等に対する刑事訴訟法の準用)
（６）　人格のない社団等について（４）の規定の適用がある場合には、その代表者又は管理人がその訴訟行為につき当該人格のない社団等を代表するほか、法人を被告人又は被疑者とする場合の刑事訴訟に関する法律の規定を準用する。（法72の49の３⑦）

四　減　　免

　道府県知事は、天災その他特別の事情がある場合において法人の行う事業に対する事業税の減免を必要とすると認める法人その他特別の事情がある法人に限り、当該道府県の条例の定めるところにより、事業税を減免することができる。（法72の49の４）

五　総務省の職員の質問検査権

１　総務省の職員の調査に係る質問検査権

　第五節二の４の②及び同（１）《更正、決定等の必要がないと認めた場合の総務大臣の通知》に規定する場合において、総務省の職員で総務大臣が指定する者（以下「総務省指定職員」という。）は、課税標準額の更正又は決定及びその分割の調査のために必要があるときは、次に掲げる者に質問し、又は（一）若しくは（二）の者の事業に関する帳簿書類（その作成又は保存に代えて電磁的記録（電子的方式、磁気的方式その他の人の知覚によっては認識することができない方式で作られる記録であって、電子計算機による情報処理の用に供されるものをいう。）の作成又は保存がされている場合における当該電磁的記録を含む。）その他の物件を検査し、若しくは当該物件（その写しを含む。）の提示若しくは提出を求めることができる。（法72の49の５①、72の７①）

（一）	納税義務者又は納税義務があると認められる法人
（二）	（一）に規定する法人に金銭又は物品を給付する義務があると認められる者
（三）	（一）及び（二）に掲げる者以外の者で当該事業税の賦課徴収に関し直接関係があると認められる者

(分割承継法人及び分割法人に対する質問検査権)
（１）　１の（一）に掲げる法人を分割法人（分割によりその有する資産及び負債の移転を行った法人をいう。以下（１）において同じ。）とする分割に係る分割承継法人（分割により分割法人から資産及び負債の移転を受けた法人をいう。以下（１）において同じ。）及び同（一）に掲げる法人を分割承継法人とする分割に係る分割法人は、１の表の（二）に規定する金銭又は物品を給付する義務があると認められる者に含まれるものとする。（法72の49の５②、72の７②）

(身分証明証の提示)
（２）　１の場合においては、当該総務省指定職員は、その身分を証明する証票を携帯し、関係人の請求があったときは、これを提示しなければならない。（法72の49の５③）

(提出物件の留置き)
（３）　総務省指定職員は、（４）で定めるところにより、１の規定により提出を受けた物件を留め置くことができる。（法72の49の５④）

(提出物件を留め置く場合の書面の作成・交付)
（４）　１に規定する総務省指定職員（以下「総務省指定職員」という。）は、（３）の規定により物件を留め置く場合には、当該物件の名称又は種類及びその数量、当該物件の提出年月日並びに当該物件を提出した者の氏名及び住所又は居所その他当該物件の留置きに関し必要な事項を記載した書面を作成し、当該物件を提出した者にこれを交付しなければならない。（令35の２の２①）

(提出物件の返還)
（５）　総務省指定職員は、（３）の規定により留め置いた物件につき留め置く必要がなくなったときは、遅滞なく、これを返還しなければならない。（令35の２の２②）

(提出物件の管理)
（６）　総務省指定職員は、（５）に規定する物件を善良な管理者の注意をもって管理しなければならない。（令35の２の２③）

(質問検査権の解釈)
（７）　１及び（３）の規定による総務省指定職員の権限は、犯罪捜査のために認められたもの解釈してはならない。（法72の49の５⑤）

２　総務省の職員の調査の事前通知等

　総務大臣は、総務省指定職員に１の（一）に掲げる者（以下「納税義務者」という。）に対し実地の調査において１の規定による質問、検査又は提示若しくは提出の要求（以下「質問検査等」という。）を行わせる場合には、あらかじめ、当該納税義務者（当該納税義務者について税務代理人（税理士法（昭和26年法律第237号）第30条（同法第48条の16において準用する場合を含む。）の書面を提出している税理士若しくは同法第48条の２に規定する税理士法人又は同法第51条第１項の規定による通知をした弁護士若しくは同条第３項の規定による通知をした弁護士法人をいう。以下において同じ。）がある場合には、当該税務代理人を含む。）に対し、その旨及び次に掲げる事項を通知するものとする。（法72の49の６①）

（一）	質問検査等を行う実地の調査（以下において単に「調査」という。）を開始する日時
（二）	調査を行う場所
（三）	調査の目的
（四）	法人の行う事業に対する事業税に関する調査である旨
（五）	調査の対象となる期間
（六）	調査の対象となる帳簿書類その他の物件
（七）	その他調査の適正かつ円滑な実施に必要なものとして（５）で定める事項

(事前通知等に変更の求めがあった場合の協議)
（１）　総務大臣は、２の規定による通知を受けた納税義務者から合理的な理由を付して２の（一）又は（二）に掲げる事項について変更するよう求めがあった場合には、当該事項について協議するよう努めるものとする。（法72の49の６②）

（２の（三）から（六）までに掲げる事項以外の事項について調査が必要となった場合）
（２）　２の規定は、総務省指定職員が、当該調査により当該調査に係る２の（三）から（六）までに掲げる事項以外の事項について課税標準額の更正又は決定及びその分割の調査のために必要があることとなった場合において、当該事項に関し質問検査等を行うことを妨げるものではない。この場合において、２の規定は、当該事項に関する質問検査等については、適用しない。（法72の49の６③）

(納税義務者について税務代理人がある場合)
（３）　納税義務者について税務代理人がある場合において、当該納税義務者の同意がある場合として（４）で定める場合に該当するときは、当該納税義務者への２の規定による通知は、当該税務代理人に対してすれば足りる。（法72の49の６④）

（税務代理権限証書への調査の通知の記載）
（４）　（３）に規定する（４）で定める場合は、税理士法施行規則（昭和26年大蔵省令第55号）第15条の税務代理権限証書（（６）において「税務代理権限証書」という。）に、２に規定する納税義務者への調査の通知は税務代理人に対してすれば足りる旨の記載がある場合とする。（規６の６①）

　　　（納税義務者について税務代理人が複数ある場合）
（５）　納税義務者について税務代理人が数人ある場合において、当該納税義務者がこれらの税務代理人のうちから代表する税務代理人を定めた場合として（６）で定める場合に該当するときは、これらの税務代理人への２の規定による通知は、当該代表する税務代理人に対してすれば足りる。（法72の49の６⑤）

　　　（納税義務者に複数の税務代理人がある場合の税務代理権限証書への記載）
（６）　（５）に規定する（６）で定める場合は、税務代理権限証書に、当該税務代理権限証書を提出する者を（５）の代表する税務代理人として定めた旨の記載がある場合とする。（規６の６②）

　　　（事前通知に係る通知事項）
（７）　２の（七）に規定する（７）で定める事項は、次に掲げる事項とする。（令35の３①）

（一）	調査（２の（一）に規定する調査をいう。以下同じ。）の相手方である２に規定する納税義務者の氏名及び住所又は居所
（二）	調査を行う総務省指定職員の氏名（総務省指定職員が複数であるときは、総務省指定職員を代表する者の氏名）
（三）	２の（一）又は（二）に掲げる事項の変更に関する事項
（四）	（２）の規定の趣旨

　　　（事前通知に係る通知事項に併せて通知する事項）
（８）　２の（一）から（七）までに掲げる事項のうち、同（二）に掲げる事項については調査を開始する日時において２に規定する質問検査等を行おうとする場所を、同（三）に掲げる事項については課税標準額の更正又は決定及びその分割の調査である旨を、それぞれ通知するものとし、同（六）に掲げる事項については、同（六）に掲げる物件が地方税に関する法令の規定により備付け又は保存をしなければならないこととされているものである場合にはその旨を併せて通知するものとする。（令35の３②）

　　　（事前通知を要しない場合）
（９）　２の規定にかかわらず、総務大臣が調査の相手方である納税義務者の過去の調査結果の内容又はその営む事業内容に関する情報その他総務大臣が保有する情報に鑑み、違法又は不当な行為を容易にし、正確な事実の把握を困難にするおそれその他法人の行う事業に対する事業税に関する調査の適正な遂行に支障を及ぼすおそれがあると認める場合には、２の規定による通知を要しない。（法72の49の７）

3　総務省の職員の調査の終了の際の手続

　総務大臣は、法人の行う事業に対する事業税に関する実地の調査を行った結果、課税標準額の総額の更正若しくは決定又は分割基準の修正若しくは決定の必要があると認められない場合には、納税義務者であって当該調査において質問検査等の相手方となった者に対し、その時点において課税標準額の総額の更正若しくは決定又は分割基準の修正若しくは決定の必要があると認められない旨を書面により通知するものとする。（法72の49の８①）

　　　（再調査等を行う場合の理由の説明）
（１）　総務大臣は、法人の行う事業に対する事業税に関する調査の結果、課税標準額の総額の更正若しくは決定又は分割基準の修正若しくは決定の必要があると認められる場合には、当該納税義務者に対し、その時点において課税標準額の総額の更正若しくは決定又は分割基準の修正若しくは決定の必要があると認められる旨及びその理由を説明するものとする。（法72の49の８②）

(税務代理人への通知又は説明)
（2） 実地の調査により質問検査等を行った納税義務者について税務代理人がある場合において、当該納税義務者の同意がある場合には、当該納税義務者への3又は（1）の規定による通知又は説明に代えて、当該税務代理人へのこれらの規定による通知又は説明を行うことができる。（法72の49の8③）

4　総務省の職員の行う検査拒否等に関する罪

次の各号のいずれかに該当する場合は、その違反行為をした者は、1年以下の懲役又は50万円以下の罰金に処する。（法72の49の10①）

(一)	1の規定による帳簿書類その他の物件の検査を拒み、妨げ、又は忌避したとき。
(二)	1の規定による物件の提示又は提出の要求に対し、正当な理由がなくこれに応ぜず、又は偽りの記載若しくは記録をした帳簿書類その他の物件（その写しを含む。）を提示し、若しくは提出したとき。
(三)	1の規定による総務省指定職員の質問に対し答弁をしないとき、又は虚偽の答弁をしたとき。

(両罰規定)
（1） 法人の代表者又は法人若しくは人の代理人、使用人その他の従業者がその法人又は人の業務又は財産に関して2の違反行為をした場合には、その行為者を罰するほか、その法人又は人に対し、2の罰金刑を科する。（法72の49の10②）

(人格のない社団等に対する刑事訴訟法の準用)
（2） 人格のない社団等について（1）の規定の適用がある場合には、その代表者又は管理人がその訴訟行為につき当該人格のない社団等を代表するほか、法人を被告人又は被疑者とする場合の刑事訴訟に関する法律の規定を準用する。（法72の49の10③）

第八節　督促及び滞納処分

一　督　　促

納税者が納期限（更正又は決定があった場合においては、不足税額の納期限をいう。以下同じ。）までに事業税に係る地方団体の徴収金を完納しない場合においては、道府県の徴税吏員は、納期限後20日以内に、督促状を発しなければならない。ただし、繰上徴収をする場合においては、この限りでない。（法72の66①）

(徴収猶予をしている場合の督促状の発付)
（1） 修正申告等に係る法人の事業税の徴収猶予〖第一編第五章第一節二の6〗の規定によって徴収猶予をした事業税に係る地方団体の徴収金については、一本文の規定にかかわらず、その徴収猶予をした期間内にこれを完納しない場合でなければ、督促状を発することができない。（法72の66②）

(特別の事情がある場合の督促状の発付期限)
（2） 特別の事情がある道府県においては、当該道府県の条例で一に規定する期間と異なる期間を定めることができる。（法72の66③）

(督促手数料の徴収)
（3） 道府県の徴税吏員は、督促状を発した場合においては、当該道府県の条例の定めるところによって、手数料を徴収することができる。（法72の67）

二 滞納処分

1 滞納処分

　事業税に係る滞納者が次の各号の一に該当するときは、道府県の徴税吏員は、当該事業税に係る地方団体の徴収金につき、滞納者の財産を差し押えなければならない。(法72の68①)

(一)	滞納者が督促を受け、その督促状を発した日から起算して10日を経過した日までにその督促に係る事業税に係る地方団体の徴収金を完納しないとき。
(二)	滞納者が繰上徴収に係る告知により指定された納期限までに事業税に係る地方団体の徴収金を完納しないとき。

　　　　（第二次納税義務者又は保証人に対する催告）
（１）　第二次納税義務者又は保証人について１の規定を適用する場合には、１の(一)中「督促状」とあるのは、「納付の催告書」とする。(法72の68②)

　　　　（繰上差押え）
（２）　事業税に係る地方団体の徴収金の納期限後１の(一)に規定する10日を経過した日までに、督促を受けた滞納者につき繰上徴収の事由『第一編第三章二の１』に該当する事実が生じたときは、道府県の徴税吏員は、直ちにその財産を差し押えることができる。(法72の68③)

　　　　（強制換価手続が行われた場合の交付要求）
（３）　滞納者の財産につき強制換価手続が行われた場合には、道府県の徴税吏員は、執行機関（破産法第114条第１号に掲げる請求権に係る事業税に係る地方団体の徴収金の交付要求を行う場合には、その交付要求に係る破産事件を取り扱う裁判所）に対し、滞納に係る事業税に係る地方団体の徴収金につき、交付要求をしなければならない。(法72の68④)

　　　　（参加差押え）
（４）　道府県の徴税吏員は、１、（１）及び（２）の規定により差押えをすることができる場合において、滞納者の財産で国税徴収法第86条第１項《参加差押えの手続》各号に掲げるものにつき、既に他の地方団体の徴収金若しくは国税の滞納処分又はこれらの滞納処分の例による処分による差押えがされているときは、当該財産についての交付要求は、参加差押えによりすることができる。(法72の68⑤)

　　　　（国税徴収法の例による滞納処分）
（５）　１及び（１）から（４）までに定めるものその他事業税に係る地方団体の徴収金の滞納処分については、国税徴収法に規定する滞納処分の例による。(法72の68⑥)

　　　　（道府県の区域外における処分）
（６）　１及び（１）から（５）までの規定による処分は、当該道府県の区域外においても行うことができる。(法72の68⑦)

2 滞納処分に関する罪

　事業税の納税者が滞納処分の執行を免れる目的でその財産を隠蔽し、損壊し、若しくは道府県の不利益に処分し、その財産に係る負担を偽って増加する行為をし、又はその現状を改変して、その財産の価額を減損し、若しくはその滞納処分に係る滞納処分費を増大させる行為をしたときは、その者は、３年以下の懲役若しくは250万円以下の罰金に処し、又はこれを併科する。(法72の69①)

　　　　（財産占有者に対する罰則）
（１）　納税者の財産を占有する第三者が納税者に滞納処分の執行を免れさせる目的で２の行為をしたときも、２と同様とする。(法72の69②)

(情を知った違反行為の相手方に対する罰則)
（2） 情を知って2又は（1）の行為につき納税者又はその財産を占有する第三者の相手方となったときは、その相手方としてその違反行為をした者は、2年以下の懲役若しくは150万円以下の罰金に処し、又はこれを併科する。（法72の69③）

(両罰規定)
（3） 法人の代表者又は法人若しくは人の代理人、使用人その他の従業者がその法人又は人の業務又は財産に関して2、（1）及び（2）の違反行為をした場合には、その行為者を罰する外、その法人又は人に対し、当該各項の罰金刑を科する。（法72の69④）

(人格のない社団等に対する刑事訴訟法の準用)
（4） 人格のない社団等について（3）の規定の適用がある場合には、その代表者又は管理人がその訴訟行為につき当該人格のない社団等を代表するほか、法人を被告人又は被疑者とする場合の刑事訴訟に関する法律の規定を準用する。（法72の69⑤）

3　滞納処分に関する検査拒否等の罪

次の各号のいずれかに該当する場合には、その違反行為をした者は、1年以下の懲役又は50万円以下の罰金に処する。（法72の70①）

(一)	1の（5）の場合において、国税徴収法第141条《質問及び検査》の規定の例により行う道府県の徴税吏員の質問に対して答弁をせず、又は偽りの陳述をしたとき。
(二)	1の（5）の場合において、国税徴収法第141条の規定の例により行う道府県の徴税吏員の帳簿書類（同条に規定する帳簿書類をいう。（三）において同じ。）その他の物件の検査を拒み、妨げ、又は忌避したとき。
(三)	1の（5）の場合において、国税徴収法第141条の規定の例により行う市町村の徴税吏員の物件の提示又は提出の要求に対し、正当な理由がなくこれに応じず、又は偽りの記載若しくは記録をした帳簿書類その他の物件（その写しを含む。）を提示し、若しくは提出したとき。

(両罰規定)
（1） 法人の代表者又は法人若しくは人の代理人、使用人その他の従業者がその法人又は人の業務又は財産に関して3の違反行為をした場合には、その行為者を罰する外、その法人又は人に対し、3の罰金刑を科する。（法72の70②）

(人格のない社団等に対する刑事訴訟法の準用)
（2） 人格のない社団等について（1）の規定の適用がある場合には、その代表者又は管理人がその訴訟行為につき当該人格のない社団等を代表するほか、法人を被告人又は被疑者とする場合の刑事訴訟に関する法律の規定を準用する。（法72の70③）

三　法人の事業税の市町村に対する交付

道府県は、政令で定めるところにより、当該道府県内の市町村に対し、次の各号に掲げる道府県の区分に応じ、当該各号に定める額に相当する額に100分の7.7を乗じて得た額を統計法（平成19年法律第53号）第2条第4項に規定する基幹統計である経済構造統計（（1）で定めるものに限る。）の最近に公表された結果による各市町村の従業者数で按分して得た額を交付するものとする。（法72の76、令35の4の5）

(一)　第二節八の2の規定により同1の①から同⑤までに規定する標準税率（以下（一）において「標準税率」という。）を超える税率で事業税を課する道府県　　当該道府県に納付された法人の行う事業に対する事業税の額に相当する額から当該額に当該道府県が標準税率を超えて課する部分に相当する額の割合として政令で定めるところにより算定した率を乗じて得た額を控除した額

(二)　（一）に掲げる道府県以外の道府県　　当該道府県に納付された法人の行う事業に対する事業税の額に相当する額

(総務省令で定める経済構造統計)
(1)　三及び地方税法第734条第4項に規定する(1)で定める経済構造統計は、経済センサス活動調査規則(平成23年総務省・経済産業省令第1号)により令和3年6月1日現在において行った同令第1条に規定する経済センサス活動調査の結果として公表された事業所に関する集計のうち産業横断的集計のうち事業所数、従業者数第1－1表(経営組織(二区分)別全事業所数、男女別従業者数、1平方キロメートル当たり事業所数及び従業者数─全国、都道府県、郡・支庁等、市区町村)とする。(規7の2①)

　　　(従業者数)
(2)　三及び地方税法第734条第4項に規定する経済構造統計の最近に公表された結果による各市町村(特別区を含む。以下この条において同じ。)の従業者数は、(1)に規定する統計表に記載された従業者数の確定数とする。ただし、当該従業者数の確定数が公表された後において市町村の廃置分合若しくは境界変更があったとき又は市町村の境界が確定したときは、都道府県知事が必要と認める場合に限り、当該廃置分合若しくは境界変更又は境界確定に係る区域の従業者数を関係市町村の従業者数に加え、又は関係市町村の従業者数から減じたものとすることができる。(規7の2②)

　　　(福島県南相馬市等に係る従業者数の定義の特例)
(3)　福島県南相馬市、双葉郡楢葉町、富岡町、川内村、大熊町、双葉町、浪江町及び葛尾村並びに相馬郡飯舘村に対する三及び地方税法第734条第4項の規定の適用については、当分の間、経済構造統計の最近に公表された結果による当該市町村の従業者数は、前条の規定にかかわらず、旧経済センサス基礎調査規則により調査した平成21年7月1日現在における当該市町村の従業者数に、平成26年6月30日において住民基本台帳法に基づき住民基本台帳に記載されている者の数を平成21年6月30日において同法に基づき住民基本台帳に記載されている者の数で除して得た率を乗じて得た従業者数(その従業者数が同令により調査した同年7月1日現在における当該市町村の従業者数を超えるときは、同令により調査した同日現在における当該市町村の従業者数とする。)とする。(規7の2の2)

　　　(標準税率を超えて課する部分に相当する額の割合として算定した率)
(4)　三に規定する標準税率を超えて課する部分に相当する額の割合として政令で定めるところにより算定した率は、毎年度、道府県知事が基準事業税額から標準税率相当額を控除した額を当該基準事業税額で除して算定した率((7)から(13)までにおいて「標準税率超過率」という。)とする。(令35の4の6①)

　　　(基準事業税額の計算)
(5)　(4)の基準事業税額とは、(一)から(三)まで及び(五)に掲げる事業税額の合計額から(四)に掲げる事業税額を控除した額をいう。(令35の4の6②)
　　(一)　前年度3月から当該年度2月までの間(以下この項において「算定期間」という。)に道府県知事に提出された第三節二、同節三の2、3又は同節四の1の規定による申告書に記載された事業税額
　　(二)　算定期間に道府県知事に提出された第三節五の2の①又は②の規定による修正申告書に記載された修正により増加した事業税額
　　(三)　算定期間に道府県知事が第四節一の1若しくは3、同節四の1若しくは3又は同節五の1若しくは3の規定による更正(以下(三)及び(四)において「更正」という。)をした場合における当該更正により増加した事業税額
　　(四)　算定期間に道府県知事が更正をした場合における当該更正により減少した事業税額
　　(五)　算定期間に道府県知事が第四節一の2、同節四の2又は同節五の2の規定による決定をした場合における当該決定に係る事業税額

　　　(標準税率相当額)
(6)　(4)の標準税率相当額とは、(5)各号に掲げる事業税額に係る税率が三に規定する標準税率((8)において「標準税率」という。)であるものとした場合における(5)に規定する基準事業税額として算定した額をいう。(令35の4の6③)

　　　(標準税率超過率の算定に関し必要な事項を定める規定)
(7)　(4)から(6)までに定めるもののほか、標準税率超過率の算定に関し必要な事項は、総務省令で定める。(令35の4の6④)

第二編第五章《法人の事業税》第八節《督促及び滞納処分》

(法人の事業税の交付時期及び交付時期ごとの交付額)
(8) 道府県は、毎年度、三の規定により三に規定する額を当該道府県内の市町村に対し交付する場合には、次の表の上欄に掲げる交付時期に、それぞれ同表の下欄に掲げる額を三に規定する各市町村の従業者数で按分して得た額を交付するものとする。(令35の4の7①)

交付時期	交付時期ごとに交付すべき額
8月	前年度3月から当該年度7月までの間に収入した法人の行う事業に対する事業税の額(次の(一)、(二)に掲げる場合には、当該各号に定める額。以下この表において同じ。)の100分の7.7に相当する額 (一) 当該道府県が当該期間内に過誤納に係る法人の行う事業に対する事業税の還付金を歳出予算から支出した場合((二)に掲げる場合を除く。) 当該期間内に収入した法人の行う事業に対する事業税の額から当該期間内に歳出予算から支出した法人の行う事業に対する事業税の還付金の額(((二)及び(9)の(一)において「還付金支出額」という。)を控除した額 (二) 当該道府県が超過税率課税道府県(第二節八の2の規定により標準税率を超える税率で事業税を課する道府県をいう。(9)において同じ。)である場合 当該期間内に収入した法人の行う事業に対する事業税の額(還付金支出額がある場合には、当該還付金支出額を控除した額)から当該額に前年度の標準税率超過率を乗じて得た額に相当する額を控除した額
12月	当該年度の8月から11月までの間に収入した法人の行う事業に対する事業税の額の100分の7.7に相当する額
3月	当該年度の12月から2月までの間に収入した法人の行う事業に対する事業税の額の100分の7.7に相当する額

(超過税率課税道府県における計算)
(9) 超過税率課税道府県は、毎年度、(一)に掲げる額が(二)に掲げる額を上回る場合には(一)に掲げる額から(二)に掲げる額を控除した額の100分の7.7に相当する額を翌年度8月の交付時期に交付すべき額から減額し、(一)に掲げる額が(二)に掲げる額を下回る場合には同号に掲げる額から(一)に掲げる額を控除した額の100分の7.7に相当する額を当該交付時期に交付すべき額に加算するものとする。(令35の4の7②)
 (一) 前年度3月から当該年度2月までの間に収入した法人の行う事業に対する事業税の額(還付金支出額がある場合には、当該還付金支出額を控除した額。(二)において同じ。)に当該年度の標準税率超過率を乗じて得た額
 (二) 前年度3月から当該年度2月までの間に収入した法人の行う事業に対する事業税の額に前年度の標準税率超過率を乗じて得た額

(交付した額に不足又は超過があった場合)
(10) (8)に規定する各交付時期に交付することができなかった金額があるとき、又は当該交付時期において交付すべき額を超えて交付した金額があるときは、それぞれこれらの金額を、その次の交付時期に交付すべき額に加算し、又はこれから減額するものとする。(令35の4の7③)

(交付した額に錯誤があった場合)
(11) (8)の規定により市町村に対して交付すべき額を交付した後において、その交付した額の算定に錯誤があったため、交付した額を増加し、又は減少する必要が生じた場合には、当該錯誤に係る額を、当該錯誤を発見した日以後に到来する交付時期において交付すべき額に加算し、又はこれから減額するものとする。(令35の4の7④)

(端数処理)
(12) (8)に規定する各交付時期に各市町村に対し交付すべき額として(8)又は(9)の規定を適用して計算する場合において、当該計算した金額に千円未満の端数金額があるときは、その端数金額を控除した金額をもって、当該交付時期に交付すべき額とする。(令35の4の7⑤)

(法人の事業税の交付額の算定の特例)
(13) 道府県は、(8)から(12)までの規定により各交付時期に交付すべき額を算定した場合において、当該交付すべき額が負数となるときは、当該交付時期においては交付を行わないものとし、当該負数となった額を当該交付時期の次

の交付時期に交付すべき額から減額するものとする。（規7の2の3①）

第九節　特別法人事業税

一　総　則

1　定　義

この節において、次の各号に掲げる用語の意義は、それぞれ当該各号に定めるところによる。（特別法人事業税及び特別法人事業譲与税に関する法律2）

(一)　人格のない社団等　　第一節二の2に規定する人格のない社団等をいう。
(二)　みなし課税法人　　第一節二の3に規定するみなし課税法人をいう。
(三)　所得割　　第一節一の(三)に規定する所得割をいう。
(四)　収入割　　第一節一の(四)に規定する収入割をいう。
(五)　基準法人所得割額　　地方税法の規定（第一編第一章四の1、同2、第二節九、同十、第七節四及び第二節十三の規定を除き、税率については、第一編第一章一の1の表の(五)に規定する標準税率によるものとする。(六)において同じ。）により計算した所得割額をいう。
(六)　基準法人収入割額　　地方税法の規定により計算した収入割額をいう。
(七)　付加価値割　　第一節一の(一)に規定する付加価値割をいう。
(八)　資本割　　第一節一の(二)に規定する資本割をいう。
(九)　特別法人事業税に係る徴収金　　特別法人事業税並びにその督促手数料、延滞金、過少申告加算金、不申告加算金、重加算金及び滞納処分費をいう。
(十)　地方団体の徴収金　　第一編第一章一の1の表の(十四)に規定する地方団体の徴収金をいう。

2　人格のない社団等に対する適用

人格のない社団等及びみなし課税法人は、法人とみなして、この節の規定を適用する。（特別法人事業税及び特別法人事業譲与税に関する法律3）

3　納税義務者

法人は、この法律により、特別法人事業税を納める義務がある。（特別法人事業税及び特別法人事業譲与税に関する法律4）

4　課税の対象

法人の基準法人所得割額及び基準法人収入割額には、この法律により、国が特別法人事業税を課する。（特別法人事業税及び特別法人事業譲与税に関する法律5）

二　課税標準

特別法人事業税の課税標準は、基準法人所得割額又は基準法人収入割額とする。（特別法人事業税及び特別法人事業譲与税に関する法律6）

三　税額の計算

特別法人事業税の額は、次の各号に掲げる法人の区分に応じ、それぞれ当該各号に定める金額とする。（特別法人事業税及び特別法人事業譲与税に関する法律7）

(一)　付加価値割額、資本割額及び所得割額の合算額により法人の事業税を課される法人　　基準法人所得割額に100分の260の税率を乗じて得た金額
(二)　所得割額により法人の事業税を課される特別法人（第二節八の1の⑤に規定する特別法人をいう。(三)において同じ。）　　基準法人所得割額に100分の34.5の税率を乗じて得た金額

(三) 所得割額により法人の事業税を課される法人((一)に掲げる法人及び特別法人を除く。) 基準法人所得割額に100分の37の税率を乗じて得た金額
(四) 収入割額により法人の事業税を課される法人 基準法人収入割額に100分の30の税率を乗じて得た金額
(五) 収入割額、付加価値割額及び資本割額の合算額又は収入割額及び所得割額の合算額により法人の事業税を課される法人(第一節二の1(三)に掲げる事業を行う法人に限る。) 基準法人収入割額に100分の40の税率を乗じて得た金額
(六) 収入割額、付加価値割額及び資本割額の合算額により法人の事業税を課される法人(第一節二の1(四)に掲げる事業を行う法人に限る。) 基準収入割額に100分の62.5の倍率を乗じて得た金額

四 申告及び納付等

1 賦課徴収

特別法人事業税の賦課徴収は、二及び7に定めるものを除くほか、都道府県が、当該都道府県の法人の事業税の賦課徴収の例により、当該都道府県の法人の事業税の賦課徴収と併せて行うものとする。この場合において、第一編第七章一の3の①((一)に係る部分に限る。以下1において同じ。)の規定により更正又は決定をすることができる期間については、特別法人事業税及び法人の事業税は、同一の税目に属する地方税とみなして、同項の規定を適用するものとする。(特別法人事業税及び特別法人事業譲与税に関する法律8)

2 申告

第三節二、同三、同四の1、同五の規定により法人の事業税に係る申告書を提出する義務がある法人は、当該申告書に記載すべき所得割額又は収入割額に係る基準法人所得割額又は基準法人収入割額、これらを課税標準として算定した特別法人事業税の額その他必要な事項を記載した申告書を、当該都道府県の法人の事業税の申告の例により、当該都道府県の法人の事業税の申告書と併せて、当該都道府県の知事に提出しなければならない。(特別法人事業税及び特別法人事業譲与税に関する法律9)

3 納付等

特別法人事業税の納税義務者は、特別法人事業税に係る徴収金を当該都道府県の法人の事業税に係る地方団体の徴収金の納付の例により、当該都道府県の法人の事業税に係る地方団体の徴収金と併せて当該都道府県に納付しなければならない。(特別法人事業税及び特別法人事業譲与税に関する法律10①)

(特別法人事業税に係る徴収金等の納付があった場合)
(1) 特別法人事業税に係る徴収金及び法人の事業税に係る地方団体の徴収金の納付があった場合には、政令で定めるところにより、その納付額を1又は2の規定により併せて賦課され、又は申告された特別法人事業税及び法人の事業税の額に按分した額に相当する特別法人事業税に係る徴収金及び法人の事業税に係る地方団体の徴収金の納付があったものとする。(特別法人事業税及び特別法人事業譲与税に関する法律10②)

(特別法人事業税に係る徴収金の納付があった場合の国への納付期日)
(2) 都道府県は、特別法人事業税に係る徴収金の納付があった場合には、当該納付があった月の翌々月の末日までに、政令で定めるところにより、特別法人事業税に係る徴収金として納付された額を国に払い込むものとする。(特別法人事業税及び特別法人事業譲与税に関する法律10③)

4 還付等

都道府県は、地方税法の規定により法人の事業税の所得割又は収入割の全部又は一部に相当する金額を還付する場合には、当該都道府県の法人の事業税の還付の例により、3の規定により当該法人の事業税の所得割又は収入割と併せて納付された特別法人事業税の全部又は一部に相当する金額を還付しなければならない。(特別法人事業税及び特別法人事業譲与税に関する法律11①)

(特別法人事業税に係る徴収金に係る過誤納金がある場合の還付)
(1) 都道府県は、特別法人事業税に係る徴収金に係る過誤納金がある場合には、当該都道府県の法人の事業税に係る地方団体の徴収金に係る過誤納金の還付の例により、遅滞なく、還付しなければならない。(特別法人事業税及び特別法人事業譲与税に関する法律11②)

(特別法人事業税に係る還付金等の還付)
（2） 4及び（1）の規定による特別法人事業税に係る還付金又は特別法人事業税に係る徴収金に係る過誤納金（以下「特別法人事業税に係る還付金等」という。）の還付は、法人の事業税に係る還付金又は法人の事業税に係る地方団体の徴収金に係る過誤納金（以下「法人の事業税に係る還付金等」という。）の還付と併せて行わなければならない。（特別法人事業税及び特別法人事業譲与税に関する法律11③）

5　還付金等の国への払込額からの控除等

都道府県は、4の規定により特別法人事業税に係る還付金等を還付することとした場合には、当該特別法人事業税に係る還付金等に相当する額を、3の（2）の規定により翌々月の末日までに国に払い込むものとされる特別法人事業税に係る徴収金として納付された額（以下「払込予定額」という。）であって当該特別法人事業税に係る還付金等を還付することとした日の属する月に納付されたものの総額から控除するものとする。ただし、当該特別法人事業税に係る還付金等に相当する額が当該総額を超える場合には、当該超える額に相当する額に達するまでの額を払込予定額であって当該月の翌月以後の各月に納付されたものの総額から順次控除するものとする。（特別法人事業税及び特別法人事業譲与税に関する法律12①）

(特別法人事業税に係る還付金等について返納があった場合)
注　5の規定の適用を受けた特別法人事業税に係る還付金等について返納があった場合その他政令で定める事由が生じた場合には、当該返納があった額その他政令で定める額に相当する額を、当該返納があった日又は政令で定める事由が生じた日の属する月における払込予定額の総額に加算するものとする。（特別法人事業税及び特別法人事業譲与税に関する法律12②）

6　延滞金等の計算

特別法人事業税に係る延滞金及び加算金並びに当該延滞金の免除に係る金額（以下「特別法人事業税に係る延滞金等」という。）並びに法人の事業税に係る延滞金及び加算金並びに当該延滞金の免除に係る金額（以下「法人の事業税に係る延滞金等」という。）の計算については、特別法人事業税及び法人の事業税の合算額により行い、政令で定めるところにより、算出された特別法人事業税に係る延滞金等及び法人の事業税に係る延滞金等をその計算の基礎となった特別法人事業税及び法人の事業税の額に按分した額に相当する金額を特別法人事業税に係る延滞金等又は法人の事業税に係る延滞金等の額とする。（特別法人事業税及び特別法人事業譲与税に関する法律13①）

(特別法人事業税の徴収金に係る還付加算金等の計算)
（1）　特別法人事業税に係る徴収金に係る還付加算金及び法人の事業税に係る地方団体の徴収金に係る還付加算金の計算については、特別法人事業税に係る還付金及び法人の事業税に係る還付金又は特別法人事業税に係る徴収金に係る過誤納金及び法人の事業税に係る地方団体の徴収金に係る過誤納金の合算額により行い、政令で定めるところにより、算出された還付加算金をその計算の基礎となった特別法人事業税に係る還付金及び法人の事業税に係る還付金又は特別法人事業税に係る徴収金に係る過誤納金及び法人の事業税に係る地方団体の徴収金に係る過誤納金の額に按分した額に相当する金額を特別法人事業税に係る徴収金に係る還付加算金又は法人の事業税に係る地方団体の徴収金に係る還付加算金の額とする。（特別法人事業税及び特別法人事業譲与税に関する法律13②）

(徴収金に係る還付加算金の端数計算)
（2）　4及び（1）の規定により特別法人事業税に係る延滞金等及び法人の事業税に係る延滞金等並びに特別法人事業税に係る徴収金に係る還付加算金及び法人の事業税に係る地方団体の徴収金に係る還付加算金の計算をする場合の端数計算は、特別法人事業税及び法人の事業税を一の税とみなしてこれを行う。（特別法人事業税及び特別法人事業譲与税に関する法律13③）

7　充当等の特例

第一編第六章一の2の規定並びに第二編第二章第四節十（第二編第二章第六節一の5において準用する場合を含む。）、第二編第二章第四節八の2、同八の3の②及び同九、第二節九の3及び同4の（3）、第二節十の4、第三節三の3（第四節七の1の①において準用する場合を含む。）、第六章第二節三の2及び同3、第七章第一節三の4の（3）（第七章第四節一の1の⑥及び同二の1の（4）において準用する場合を含む。）、地方税法第74条の14第3項、第十章第二節五の（1）、地方税法第164条第7項（同法第165条第3項において準用する場合を含む。）、第三編第二章第四節十の1（第三編第二章第

六節一の5において準用する場合を含む。)、第三編第二章第四節八の2、第三編第二章第四節八の3の②及び同節九、第三編第三章第三節二の4の①の(2)(第三編第三章第八節5の①において準用する場合を含む。)並びに地方税法第601条第8項(第三編第八章一の表の10の②の(2)、同一の表の10の③の(4)、同一の表の10の④の(3)、同一の表の10の⑤の(2)及び地方税法第629条第8項において準用する場合を含む。)の規定(これらの規定中充当に係る部分に限る。)その他政令で定める規定は、次の各号のいずれかに該当する還付金及び過誤納金については、適用しない。ただし、1又は2の規定により併せて賦課され、又は申告された特別法人事業税及び法人の事業税に係る還付金をその額の計算の基礎となった事業年度の特別法人事業税に係る徴収金及び法人の事業税に係る地方団体の徴収金で納付すべきこととなっているものに充当する場合は、この限りでない。(特別法人事業税及び特別法人事業譲与税に関する法律14①)

(一) 1又は2の規定により併せて賦課され、又は申告された特別法人事業税に係る還付金等及び法人の事業税に係る還付金等(以下「特別法人事業税等還付金等」という。)の還付を受けるべき者につき納付すべきこととなっている地方団体の徴収金がある場合における当該特別法人事業税等還付金等

(二) 地方税に係る還付金又は地方団体の徴収金に係る過誤納金(法人の事業税に係る還付金等を除く。以下(二)において「地方税に係る還付金等」という。)の還付を受けるべき者につき1又は2の規定により併せて賦課され、又は申告された特別法人事業税に係る徴収金及び法人の事業税に係る地方団体の徴収金で納付すべきこととなっているもの((1)及び(2)において「未納特別法人事業税等」という。)がある場合における当該地方税に係る還付金等

　　(特別法人事業税等還付金等の還付を受けるべき者の未納特別法人事業税等の委託納付)
(1) 7の(一)に規定する場合には、特別法人事業税等還付金等の還付を受けるべき者は、当該還付をすべき都道府県知事に対し、当該特別法人事業税等還付金等(未納特別法人事業税等又は納付すべきこととなっているその他の地方団体の徴収金に係る金額に相当する額を限度とする。)により未納特別法人事業税等又は納付すべきこととなっているその他の地方団体の徴収金を納付することを委託したものとみなす。(特別法人事業税及び特別法人事業譲与税に関する法律14②)

　　(地方税に係る還付金等の還付を受けるべき者の未納特別法人事業税等の委託納付)
(2) 7の(二)に規定する場合には、同(二)の地方税に係る還付金等の還付を受けるべき者は、当該還付をすべき都道府県知事に対し、当該地方税に係る還付金等(未納特別法人事業税等に係る金額に相当する額を限度とする。)により未納特別法人事業税等を納付することを委託したものとみなす。(特別法人事業税及び特別法人事業譲与税に関する法律14③)

　　(委託納付の時期)
(3) (1)及び(2)の規定が適用される場合には、これらの規定による委託納付をするのに適することとなった時として政令で定める時に、その委託納付に相当する額の還付及び納付があったものとみなす。(特別法人事業税及び特別法人事業譲与税に関する法律14④)

　　(委託者への通知)
(4) (1)又は(2)の規定が適用される場合には、これらの規定による納付をした都道府県知事は、遅滞なく、その旨をこれらの規定により委託したものとみなされた者に通知しなければならない。(特別法人事業税及び特別法人事業譲与税に関する法律14⑤)

8　納税管理人

地方税法の規定により定められた法人の事業税の納税管理人は、当該都道府県における当該納税義務者に係る特別法人事業税の納税管理人として、納税に関する一切の事項を処理しなければならない。(特別法人事業税及び特別法人事業譲与税に関する法律15)

9　処分に関する不服審査等

都道府県知事が1の規定により当該都道府県の法人の事業税と併せて賦課徴収を行う特別法人事業税に関する処分は、不服申立て及び訴訟については、地方税法に基づく処分とみなして、同法第一章第十三節の規定を適用する。この場合において、第一編第九章一の1中「地方団体の徴収金に」とあるのは「地方団体の徴収金及び特別法人事業税及び特別法人事業譲与税に関する法律(平成31年法律第4号)第2条第9号に規定する特別法人事業税に係る徴収金(第9号及び第19条の7において「特別法人事業税に係る徴収金」という。)に」と、同条第9号並びに同法第19条の7第1項及び第2項中

「地方団体の徴収金」とあるのは「地方団体の徴収金及び特別法人事業税に係る徴収金」とする。(特別法人事業税及び特別法人事業譲与税に関する法律16)

10 犯則事件の調査及び処分

特別法人事業税に関する犯則事件については、法人の事業税に関する犯則事件とみなして、地方税法第一章第十六節の規定を適用する。(特別法人事業税及び特別法人事業譲与税に関する法律17)

11 賦課徴収又は申告納付に関する報告等

都道府県知事は、政令で定めるところにより、総務大臣に対し、特別法人事業税の申告の件数、特別法人事業税額、特別法人事業税に係る滞納の状況その他必要な事項を報告するものとする。(特別法人事業税及び特別法人事業譲与税に関する法律18①)

(特別法人事業税の賦課徴収又は申告納付に関する事項の報告)
(1) 総務大臣は、必要があると認める場合には、11に規定するもののほか、都道府県知事に対し、当該都道府県に係る特別法人事業税の賦課徴収又は申告納付に関する事項の報告を求めることができる。(特別法人事業税及び特別法人事業譲与税に関する法律18②)

(特別法人事業税及び法人の事業税の賦課徴収に関する書類の閲覧又は記録)
(2) 総務大臣が都道府県知事に対し、特別法人事業税及び法人の事業税の賦課徴収に関する書類を閲覧し、又は記録することを求めた場合には、都道府県知事は、関係書類を総務大臣又はその指定する職員に閲覧させ、又は記録させるものとする。(特別法人事業税及び特別法人事業譲与税に関する法律18③)

五 雑 則

1 申告の特例

四の2の規定により第三節二、同三、同四の1又は同五の規定による法人の事業税に係る申告書と併せて提出しなければならない四の2の規定による申告書の提出については、第一編第十一章一に規定する地方税関係申告等とみなして、四の2の規定を適用する。(特別法人事業税及び特別法人事業譲与税に関する法律19)

2 収納の特例

四の3の規定により法人の事業税に係る地方団体の徴収金と併せて納付しなければならない特別法人事業税に係る徴収金の収納の事務については、特別法人事業税に係る徴収金を普通地方公共団体(特別区を含む。以下2において同じ。)の歳入とみなして、普通地方公共団体の歳入の収納の事務に関する政令で定める法令の規定を適用する。(特別法人事業税及び特別法人事業譲与税に関する法律20①)

(地方団体の徴収金と併せて納付する特別法人事業税に係る徴収金の収納事務)
注 四の3の規定により法人の事業税に係る地方団体の徴収金と併せて納付しなければならない特別法人事業税に係る徴収金の収納の事務については、特別法人事業税に係る徴収金を地方団体の徴収金とみなして、第一編第十一章三の規定を適用する。(特別法人事業税及び特別法人事業譲与税に関する法律20②)

3 事務の区分

この節の規定により都道府県が処理することとされている事務は、地方自治法第2条第9項第1号に規定する第1号法定受託事務とする。(特別法人事業税及び特別法人事業譲与税に関する法律21)

六 罰 則

1 検査拒否等に関する罪

次の各号のいずれかに該当する場合には、その違反行為をした者は、1年以下の懲役又は50万円以下の罰金に処する。(特別法人事業税及び特別法人事業譲与税に関する法律22①)
(一) 四の1の規定によりその例によることとされる第四章第一節五の1の①の規定による帳簿書類その他の物件の検査

を拒み、妨げ、又は忌避したとき。
(二) 四の1の規定によりその例によることとされる第四章第一節五の1の①の規定による物件の提示又は提出の要求に対し、正当な理由がなくこれに応ぜず、又は偽りの記載若しくは記録をした帳簿書類その他の物件（その写しを含む。）を提示し、若しくは提出したとき。
(三) 四の1の規定によりその例によることとされる第四章第一節五の1の①の規定による徴税吏員の質問に対し答弁をしないとき、又は虚偽の答弁をしたとき。

　　　（違反行為の罰則）
(1) 法人の代表者（人格のない社団等の管理人を含む。2及び2の(1)、4、4の(2)及び同(4)、5の(3)並びに6の(1)において同じ。）又は法人若しくは人の代理人、使用人その他の従業者がその法人又は人の業務又は財産に関して1の違反行為をした場合には、その行為者を罰するほか、その法人又は人に対し、同項の罰金刑を科する。（特別法人事業税及び特別法人事業譲与税に関する法律22②）

　　　（準用規定）
(2) 人格のない社団等について(1)の規定の適用がある場合には、その代表者又は管理人がその訴訟行為につき当該人格のない社団等を代表するほか、法人を被告人又は被疑者とする場合の刑事訴訟に関する法律の規定を準用する。（特別法人事業税及び特別法人事業譲与税に関する法律22③）

2　故意不申告の罪

正当な事由がなくて四の2の規定により第三節二の1、第三節三の2又は同四の1、同四の1の(2)若しくは同(4)の規定による申告書と併せて提出しなければならない四の2の規定による申告書を当該各項に規定する申告書の提出期限内に提出しなかった場合には、法人の代表者（法人課税信託（第一節二の2に規定する法人課税信託をいう。3及び4において同じ。）の受託者である個人を含む。）、代理人、使用人その他の従業者でその違反行為をした者は、1年以下の懲役又は50万円以下の罰金に処する。ただし、情状により、その刑を免除することができる。（特別法人事業税及び特別法人事業譲与税に関する法律23①）

　　　（違反行為の罰則）
(1) 法人の代表者又は代理人、使用人その他の従業者が、その法人の業務又は財産に関して、2の違反行為をしたときは、その行為者を罰するほか、その法人に対し、2の罰金刑を科する。（特別法人事業税及び特別法人事業譲与税に関する法律23②）

　　　（準用規定）
(2) 人格のない社団等について(1)の規定の適用がある場合には、その代表者又は管理人がその訴訟行為につき当該人格のない社団等を代表するほか、法人を被告人又は被疑者とする場合の刑事訴訟に関する法律の規定を準用する。（特別法人事業税及び特別法人事業譲与税に関する法律23③）

3　虚偽の中間申告納付に関する罪

四の2の規定により第三節三の1の①ただし書の規定による申告書と併せて提出しなければならない四の2の規定による申告書に虚偽の記載をして提出した場合には、法人の代表者（法人課税信託の受託者である個人を含む。）、代理人、使用人その他の従業者でその違反行為をした者は、1年以下の懲役又は50万円以下の罰金に処する。（特別法人事業税及び特別法人事業譲与税に関する法律24①）

　　　（違反行為の罰則）
注　法人の代表者又は代理人、使用人その他の従業者が、その法人の業務又は財産に関して、3の違反行為をしたときは、その行為者を罰するほか、その法人に対し、3の罰金刑を科する。（特別法人事業税及び特別法人事業譲与税に関する法律24②）

4　脱税に関する罪

偽りその他不正の行為により特別法人事業税の全部又は一部を免れた場合には、法人の代表者（法人課税信託の受託者である個人を含む。(2)において同じ。）、代理人、使用人その他の従業者で、その違反行為をした者は、十年以下の懲役

若しくは千万円以下の罰金に処し、又はこれを併科する。(特別法人事業税及び特別法人事業譲与税に関する法律25①)

(罰金額の上限)
(1) 4の免れた税額が1,000万円を超える場合には、情状により、4の罰金の額は、4の規定にかかわらず、1,000万円を超える額でその免れた税額に相当する額以下の額とすることができる。(特別法人事業税及び特別法人事業譲与税に関する法律25②)

(申告書を提出期限内に提出しない場合の罰則)
(2) 4に規定するもののほか、四の2の規定により第三節二の1、第三節三の2又は同四の1、同四の1の(2)若しくは同(4)の規定による申告書と併せて提出しなければならない四の2の規定による申告書を当該各項に規定する申告書の提出期限内に提出しないことにより、特別法人事業税の全部又は一部を免れた場合には、法人の代表者、代理人、使用人その他の従業者で、その違反行為をした者は、5年以下の懲役若しくは500万円以下の罰金に処し、又はこれを併科する。(特別法人事業税及び特別法人事業譲与税に関する法律25③)

(罰金額の上限)
(3) (2)の免れた税額が500万円を超える場合には、情状により、(2)の罰金の額は、(2)の規定にかかわらず、500万円を超える額でその免れた税額に相当する額以下の額とすることができる。(特別法人事業税及び特別法人事業譲与税に関する法律25④)

(違反行為の罰則)
(4) 法人の代表者又は代理人、使用人その他の従業者がその法人の業務又は財産に関して4又は(2)の違反行為をした場合には、その行為者を罰するほか、その法人に対し、当該各項の罰金刑を科する。(特別法人事業税及び特別法人事業譲与税に関する法律25⑤)

(時効の期間)
(5) (4)の規定により4又は(2)の違反行為につき法人に罰金刑を科する場合における時効の期間は、4又は(2)の罪についての時効の期間による。(特別法人事業税及び特別法人事業譲与税に関する法律25⑥)

(準用規定)
(6) 人格のない社団等について(4)の規定の適用がある場合には、その代表者又は管理人がその訴訟行為につき当該人格のない社団等を代表するほか、法人を被告人又は被疑者とする場合の刑事訴訟に関する法律の規定を準用する。(特別法人事業税及び特別法人事業譲与税に関する法律25⑦)

5 滞納処分に関する罪

特別法人事業税の納税者が滞納処分の執行を免れる目的でその財産を隠蔽し、損壊し、若しくは都道府県の不利益に処分し、その財産に係る負担を偽って増加する行為をし、又はその現状を改変して、その財産の価額を減損し、若しくはその滞納処分に係る滞納処分費を増大させる行為をしたときは、その者は、3年以下の懲役若しくは250万円以下の罰金に処し、又はこれを併科する。(特別法人事業税及び特別法人事業譲与税に関する法律26①)

(納税者の財産を占有する第三者が違反行為を行った場合)
(1) 納税者の財産を占有する第三者が納税者に滞納処分の執行を免れさせる目的で5の行為をしたときも、5と同様とする。(特別法人事業税及び特別法人事業譲与税に関する法律26②)

(納税者又はその財産を占有する第三者の相手方となった者に対する罰則)
(2) 情を知って5及び(1)の行為につき納税者又はその財産を占有する第三者の相手方となったときは、その相手方としてその違反行為をした者は、2年以下の懲役若しくは150万円以下の罰金に処し、又はこれを併科する。(特別法人事業税及び特別法人事業譲与税に関する法律26③)

(違反行為の罰則)
(3) 法人の代表者又は代理人、使用人その他の従業者がその法人又は人の業務又は財産に関して5及び(1)、(2)の

違反行為をした場合には、その行為者を罰するほか、その法人に対し、当該各項の罰金刑を科する。（特別法人事業税及び特別法人事業譲与税に関する法律26④）

　　　　（準用規定）
　（4）　人格のない社団等について（3）の規定の適用がある場合には、その代表者又は管理人がその訴訟行為につき当該人格のない社団等を代表するほか、法人を被告人又は被疑者とする場合の刑事訴訟に関する法律の規定を準用する。（特別法人事業税及び特別法人事業譲与税に関する法律26⑤）

6　滞納処分に関する検査拒否等の罪
　次の各号のいずれかに該当する場合には、その違反行為をした者は、1年以下の懲役又は50万円以下の罰金に処する。（特別法人事業税及び特別法人事業譲与税に関する法律27①）
（一）　四の1の規定によりその例によることとされる第八節二の1の（5）の場合において、国税徴収法第141条の規定の例により行う都道府県の徴税吏員の質問に対して答弁をせず、又は偽りの陳述をしたとき。
（二）　四の1の規定によりその例によることとされる第八節二の1の（5）の場合において、国税徴収法第141条の規定の例により行う都道府県の徴税吏員の帳簿書類（同条に規定する帳簿書類をいう。（三）において同じ。）その他の物件の検査を拒み、妨げ、又は忌避したとき。
（三）　四の1の規定によりその例によることとされる第四章第五節の2の⑤の場合において、国税徴収法第141条の規定の例により行う都道府県の徴税吏員の物件の提示又は提出の要求に対し、正当な理由がなくこれに応じず、又は偽りの記載若しくは記録をした帳簿書類その他の物件（その写しを含む。）を提示し、若しくは提出したとき。

　　　　（違反行為の罰則）
　（1）　法人の代表者又は代理人、使用人その他の従業者がその法人の業務又は財産に関して6の違反行為をした場合には、その行為者を罰するほか、その法人に対し、6の罰金刑を科する。（特別法人事業税及び特別法人事業譲与税に関する法律27②）

　　　　（準用規定）
　（2）　人格のない社団等について（1）の規定の適用がある場合には、その代表者又は管理人がその訴訟行為につき当該人格のない社団等を代表するほか、法人を被告人又は被疑者とする場合の刑事訴訟に関する法律の規定を準用する。（特別法人事業税及び特別法人事業譲与税に関する法律27③）

7　滞納処分に関する虚偽の陳述の罪
　四の1の規定によりその例によることとされる第八節二の1の（5）の場合において、国税徴収法第99条の2（同法第109条第4項において準用する場合を含む。）の規定の例により都道府県知事に対して陳述すべき事項について虚偽の陳述をした者は、6月以下の懲役又は50万円以下の罰金に処する。（特別法人事業税及び特別法人事業譲与税に関する法律27の2）

8　秘密漏えいに関する罪
　特別法人事業税に関する調査（特別法人事業税に関する処分についての不服申立てに係る事件の審理のための調査及び特別法人事業税に関する犯則事件の調査を含む。）若しくは租税条約等の実施に伴う所得税法、法人税法及び地方税法の特例等に関する法律の規定により行う情報の提供のための調査に関する事務又は特別法人事業税の徴収に関する事務に従事している者又は従事していた者は、これらの事務に関して知り得た秘密を漏らし、又は盗用した場合には、2年以下の懲役又は100万円以下の罰金に処する。（特別法人事業税及び特別法人事業譲与税に関する法律28）

第十節　特別法人事業譲与税

1　総　　則
　特別法人事業譲与税は、特別法人事業税の収入額に相当する額とし、都道府県に対して譲与するものとする。（特別法人事業税及び特別法人事業譲与税に関する法律29）

2 毎年度の譲与額

毎年度、各都道府県に対して譲与する特別法人事業譲与税の額は、基準特別法人事業譲与税額（当該年度において財源超過団体がある場合には、財源超過団体にあっては(一)に掲げる額とし、財源不足団体にあっては(二)に掲げる額とする。）とする。（特別法人事業税及び特別法人事業譲与税に関する法律30①）

(一) 当該財源超過団体に係る基準特別法人事業譲与税額から当該基準特別法人事業譲与税額の100分の75に相当する額（当該額が当該財源超過団体に係る財源超過額を超える場合には、当該財源超過額とする。）を控除した額

(二) 当該財源不足団体に係る基準特別法人事業譲与税額に財源超過団体における(一)に規定する控除した額の合算額を各財源不足団体の人口（官報で公示された最近の国勢調査の結果による人口をいう。注及び3において同じ。）で按分した額を加えた額

　　　（用語の意義）
注　2において、次の各号に掲げる用語の意義は、それぞれ当該各号に定めるところによる。（特別法人事業税及び特別法人事業譲与税に関する法律30②）

(一) 基準特別法人事業譲与税額　3の規定により当該年度において譲与すべき特別法人事業譲与税の総額に相当する額を各都道府県の人口で按分した額をいう。

(二) 財源超過団体　イに掲げる額がロに掲げる額を超える都道府県をいう。

　イ　地方交付税法第10条第3項本文の規定により総務大臣が決定した当該年度の普通交付税の額（ロにおいて「当該年度普通交付税額」という。）の算定に用いられた基準財政収入額から当該基準財政収入額の算定基礎となった特別法人事業譲与税の収入見込額の100分の75に相当する額を控除した額に、基準特別法人事業譲与税見込額（3の規定により当該年度において譲与すべき特別法人事業譲与税の総額の見込額として総務省令で定めるところにより算定した額を各都道府県の人口で按分した額をいう。）の100分の75に相当する額を加算した額

　ロ　当該年度普通交付税額の算定に用いられた基準財政需要額

(三) 財源不足団体　財源超過団体以外の都道府県をいう。

(四) 財源超過額　(二)のイに掲げる額から(二)のロに掲げる額を控除した額をいう。

3 譲与時期及び各譲与時期の譲与額

特別法人事業譲与税は、毎年度、次の表の左欄に掲げる譲与時期に、それぞれ同表の右欄に掲げる額を譲与する。（特別法人事業税及び特別法人事業譲与税に関する法律31①）

譲与時期	各譲与時期に譲与すべき額
5月	当該年度の初日の属する年の2月から4月までの間の収納に係る特別法人事業税の収入額に相当する額
8月	当該年度の初日の属する年の5月から7月までの間の収納に係る特別法人事業税の収入額に相当する額
11月	当該年度の初日の属する年の8月から10月までの間の収納に係る特別法人事業税の収入額に相当する額
2月	当該年度の初日の属する年の11月から翌年の1月までの間の収納に係る特別法人事業税の収入額に相当する額

　　　（財源超過団体又は財源不足団体に譲与する特別法人事業譲与税の額）
(1) 各譲与時期に各都道府県に対して譲与する特別法人事業譲与税の額は、基準各譲与時期特別法人事業譲与税額（当該年度において2の注の(二)に規定する財源超過団体（以下(1)及び(4)において「財源超過団体」という。）がある場合には、財源超過団体にあっては(一)に掲げる額とし、2の注の(三)に規定する財源不足団体（(二)において「財源不足団体」という。）にあっては(二)に掲げる額とする。）とする。（特別法人事業税及び特別法人事業譲与税に関する法律31②）

(一) 次の表の左欄に掲げる譲与時期の区分に応じ、それぞれ同表の右欄に掲げる額

譲与時期	各譲与時期に譲与すべき額
5月	基準各譲与時期特別法人事業譲与税額
8月	基準各譲与時期特別法人事業譲与税額から5月分財源超過団体譲与制限額の3分の1に相当する額及び8月分財源超過団体譲与制限額の合算額を控除した額（当該額が零を下回る場合には、零とする。）

11月	基準各譲与時期特別法人事業譲与税額から5月分財源超過団体譲与制限額の3分の1に相当する額及び11月分財源超過団体譲与制限額の合算額を控除した額（当該額が零を下回る場合には、零とする。）
2月	基準各譲与時期特別法人事業譲与税額から5月分財源超過団体譲与制限額の三分の一に相当する額及び2月分財源超過団体譲与制限額の合算額を控除した額（当該額が零を下回る場合には、零とする。）

　（二）　次の表の左欄に掲げる譲与時期の区分に応じ、それぞれ同表の右欄に掲げる額

譲与時期	各譲与時期に譲与すべき額
5月	基準各譲与時期特別法人事業譲与税額
8月	基準各譲与時期特別法人事業譲与税額に財源超過団体における（一）の表8月の項の規定により控除した額の合算額を各財源不足団体の人口で按分した額を加えた額
11月	基準各譲与時期特別法人事業譲与税額に財源超過団体における（一）の表11月の項の規定により控除した額の合算額を各財源不足団体の人口で按分した額を加えた額
2月	基準各譲与時期特別法人事業譲与税額に財源超過団体における（一）の表2月の項の規定により控除した額の合算額を各財源不足団体の人口で按分した額を加えた額

　（各譲与時期に譲与すべき額の加算又は減額）
（2）　各譲与時期に譲与することができなかった金額があるとき、各譲与時期において譲与すべき額を超えて譲与した金額があるとき、又は8月、11月若しくは2月の譲与時期において基準各譲与時期特別法人事業譲与税額を超えて（1）の（一）の表8月の項、11月の項若しくは2月の項の規定により控除すべき金額があるときは、それぞれ当該金額を、その次の譲与時期に譲与すべき額に加算し、又はこれから減額するものとする。（特別法人事業税及び特別法人事業譲与税に関する法律31③）

　（端数処理）
（3）　3の注の（二）の規定により計算した各譲与時期に各都道府県に対して譲与する特別法人事業譲与税の額に1,000円未満の端数金額があるときは、その端数金額を切り捨てるものとする。この場合においては、当該譲与時期に譲与すべき特別法人事業譲与税の額は、3の規定により各譲与時期に譲与すべき額からそれらの端数金額を控除した金額とする。（特別法人事業税及び特別法人事業譲与税に関する法律31④）

　（用語の意義）
（4）　3において、次の各号に掲げる用語の意義は、それぞれ当該各号に定めるところによる。（特別法人事業税及び特別法人事業譲与税に関する法律31⑤）
　（一）　基準各譲与時期特別法人事業譲与税額　　3の規定により各譲与時期に譲与すべき特別法人事業譲与税の額を各都道府県の人口で按分した額をいう。
　（二）　5月分財源超過団体譲与制限額　　財源超過団体における5月の譲与時期に係る基準各譲与時期特別法人事業譲与税額の100分の75に相当する額（当該額が当該財源超過団体に係る2の注の（四）に規定する財源超過額（以下（4）において「財源超過額」という。）を超える場合には、当該財源超過額とする。）をいう。
　（三）　8月分財源超過団体譲与制限額　　財源超過団体における8月の譲与時期に係る基準各譲与時期特別法人事業譲与税額の100分の75に相当する額（当該額に当該財源超過団体に係る5月分財源超過団体譲与制限額を加えた額が財源超過額を超える場合には、当該財源超過額から当該加えた額を控除した額とする。）をいう。
　（四）　11月分財源超過団体譲与制限額　　財源超過団体における11月の譲与時期に係る基準各譲与時期特別法人事業譲与税額の100分の75に相当する額（当該額に当該財源超過団体に係る5月分財源超過団体譲与制限額及び8月分財源超過団体譲与制限額の合算額を加えた額が財源超過額を超える場合には、当該財源超過額から当該合算額を控除した額とする。）をいう。
　（五）　2月分財源超過団体譲与制限額　　財源超過団体における2月の譲与時期に係る基準各譲与時期特別法人事業譲与税額の100分の75に相当する額（当該額に当該財源超過団体に係る5月分財源超過団体譲与制限額、8月分財源超過団体譲与制限額及び11月分財源超過団体譲与制限額の合算額を加えた額が財源超過額を超える場合には、当該財源超過額から当該合算額を控除した額とする。）をいう。

4 譲与すべき額の算定に錯誤があった場合の措置

　総務大臣は、特別法人事業譲与税を都道府県に譲与した後において、その譲与した額の算定に錯誤があったため、譲与した額を増加し、又は減少する必要が生じたときは、総務省令で定めるところにより、当該増加し、又は減少すべき額を、錯誤があったことを発見した日以後に到来する譲与時期において譲与すべき額に加算し、又はこれから減額した額をもって当該譲与時期において都道府県に譲与すべき額とするものとする。（特別法人事業税及び特別法人事業譲与税に関する法律32）

5 地方財政審議会の意見の聴取

　総務大臣は、２の注の(二)のイ若しくは４の総務省令を制定し、若しくは改廃しようとするとき、又は都道府県に対して譲与すべき特別法人事業譲与税を譲与しようとするときは、地方財政審議会の意見を聴かなければならない。（特別法人事業税及び特別法人事業譲与税に関する法律33）

6 特別法人事業譲与税の使途

　国は、特別法人事業譲与税の譲与に当たっては、その使途について条件を付け、又は制限してはならない。（特別法人事業税及び特別法人事業譲与税に関する法律34）

第六章　地方消費税

◆令和６年度改正事項◆

（１）　国外事業者がデジタルプラットフォームを介して行う電気通信利用役務の提供（事業者向け電気通信利用役務を除く。）のうち、国税庁長官の指定を受けた特定プラットフォーム事業者を介してその対価を収受するものについては、特定プラットフォーム事業者が行ったものとみなすこととした。（法72の80の３）

（２）　偽りその他不正の行為により、譲渡割に係る還付（更正の請求に基づく更正によるものに限る。）を受けた場合（未遂の場合を含む。）について、罰則規定を設けることとした。（法72の95①②）

（３）　地方消費税の清算等について、次の見直しを行うこととした。

　ア　消費に相当する額のうち、小売年間販売額及びサービス業対個人事業収入額について、平成26年商業統計及び平成28年経済センサス活動調査に基づき定める額から、令和３年経済センサス活動調査に基づき定める額に更新するとともに、使用する統計について、所要の規定の整備を行うこと。（法72の114④、72の115①、令35の20①一、規７の２の９、７の２の10、７の２の15）

　イ　サービス業対個人事業収入額について、令和３年経済センサス活動調査の「自動車賃貸業」及び「学術・開発研究機関」の欄の額を除外すること。（規７の２の10）

（４）　新たな公益信託制度の創設に伴い、公益信託の信託財産に係る取引については、その受託者に対し、当該受託者の固有資産に係る取引とは区別して地方消費税を課する等の措置を講ずることとした。（法72の78①、72の80②、72の80の２①～④⑤、法附９の３、令35の７の３①④⑤）

第一節　通　　則

一　地方消費税に関する用語の意義

地方消費税について、次の各号に掲げる用語の意義は、それぞれ当該各号に定めるところによる。（法72の77）

（一）	事業者	個人事業者（事業を行う個人をいう。二の２において同じ。）及び法人をいう。
（二）	譲渡割	消費税法第45条第１項第４号に掲げる消費税額を課税標準として課する地方消費税をいう。 　　　　（消費税法第45条第１項第４号に掲げる消費税額） 　注　消費税法第45条第１項第４号に掲げる消費税額とは、（一）に掲げる消費税額から（二）に掲げる消費税額の合計額を控除した残額に相当する消費税額をいう。（編者） 　（一）　課税標準額に対する消費税額 　（二）　その課税期間において（一）の消費税額から控除をされるべき次に掲げる消費税額の合計額 　　イ　仕入れに係る消費税額 　　ロ　売上げに係る対価の返還等の金額に係る消費税額 　　ハ　領収をすることができなくなった課税資産の譲渡等の税込価額に係る消費税額
（三）	貨物割	消費税法第47条第１項第２号に掲げる課税標準額《保税地域から引き取ろうとする課税貨物の課税標準額》に対する消費税額又は同法第50条第２項《保税地域の所在地を管轄する税関長による課税貨物に係る消費税額の徴収》の規定により徴収すべき消費税額（消費税に係る延滞税の額を含まないものとする。）を課税標準として課する地方消費税をいう。

二　地方消費税の納税義務者等

1　納税義務者

　地方消費税は、事業者の行った課税資産の譲渡等（消費税法第2条第1項第9号に規定する**課税資産の譲渡等**のうち、特定資産の譲渡等（同項第8号の2に規定する特定資産の譲渡等をいう。八の表の(一)及び八の(2)において同じ。）並びに同法その他の法律又は条約の規定により消費税を課さないこととされるもの及び免除されるもの以外のものをいう。以下この章において同じ。）及び特定課税仕入れ（消費税法第5条第1項に規定する特定課税仕入れのうち、同法その他の法律又は条約の規定により消費税を課さないこととされるもの及び免除されるもの以外のものをいう。以下この章において同じ。）については、当該事業者（同法第9条第1項本文《基準期間における課税売上高が1,000万円以下の事業者の納税義務の免除》の規定により消費税を納める義務が免除される事業者（同法第15条第1項に規定する法人課税信託等の受託者にあっては、同条第3項に規定する受託事業者及び同条第4項に規定する固有事業者に係る消費税を納める義務が全て免除される事業者に限る。）を除く。）に対し、2に規定する道府県が譲渡割により、同法第2条第1項第11号に規定する課税貨物（輸入品に対する内国消費税の徴収等に関する法律その他の法律又は条約の規定により消費税を課さないこととされるもの及び免除されるものを除く。）については、当該課税貨物を消費税法第2条第1項第2号に規定する保税地域《関税法第29条に規定する保税地域》から引き取る者に対し、当該保税地域所在の道府県が貨物割により課する。（法72の78①）

　　　（譲渡割の納税義務者）
（1）　譲渡割の納税義務者は、課税資産の譲渡等（消費税法第2条第1項第9号に規定する課税資産の譲渡等のうち、特定資産の譲渡等（同項第8号の2に規定する特定資産の譲渡等をいう。）並びに同法その他の法律又は条約の規定により消費税を課さないこととされるもの及び免除されるもの以外のものをいう。）及び特定課税仕入れ（消費税法第5条第1項に規定する特定課税仕入れのうち、同法その他の法律又は条約の規定により消費税を課さないこととされるもの及び免除されるもの以外のものをいう。）を行った事業者であり、消費税法第5条第1項に規定する消費税の納税義務者の範囲と一致するものであること。（県通4－1）

　　　（貨物割の納税義務者）
（2）　貨物割の納税義務者は、課税貨物（消費税法第2条第1項第11号に規定する課税貨物（輸入品に対する内国消費税の徴収等に関する法律その他の法律又は条約の規定により消費税を課さないこととされるもの及び免除されるものを除く。））を保税地域から引き取る者であり、消費税法第5条第2項に規定する消費税の納税義務者の範囲と一致するものであること。（県通4－2）

2　譲渡割を課する道府県

　譲渡割を課する道府県は、次の各号に掲げる事業者の区分に応じ、当該各号に定める場所の所在する道府県とする。（法72の78②）

(一)	国内（地方税法の施行地をいう。以下2及び**四**の2の(3)において同じ。）に住所を有する個人事業者	その住所地
(二)	国内に住所を有せず、居所を有する個人事業者	その居所地
(三)	国内に住所及び居所を有しない個人事業者で、国内にその行う事業に係る事務所、事業所その他これらに準ずるもの（以下(三)及び(六)において「事務所等」という。）を有する個人事業者	その事務所等の所在地（その事務所等が二以上ある場合には、主たるものの所在地）
(四)	(一)から(三)までに掲げる個人事業者以外の個人事業者	(1)の政令で定める場所
(五)	国内に本店又は主たる事務所を有する法人（(六)において「内国法人」という。）	その本店又は主たる事務所の所在地
(六)	内国法人以外の法人で国内に事務所等を有する法人	その事務所等の所在地（その事務所等が二以上ある場合には、主たるものの所在地）
(七)	(五)又は(六)に掲げる法人以外の法人	(3)の政令で定める場所

第二編第六章《地方消費税》第一節《通則（納税義務者等）》

(注) 2の(一)中＿＿部分を加える令和6年度改正規定は、公益信託に関する法律（令和6年法律第30号）の施行の日以後に効力が生ずる所得税法等改正法第2条の規定による改正後の法人税法第12条第4項第2号に規定する公益信託（公益信託に関する法律附則第4条第1項に規定する移行認可を受けた信託を含む。）について適用し、同日前に効力が生じた公益信託に関する法律による改正前の公益信託ニ関スル法律（大正11年法律第62号）第1条に規定する公益信託（移行認可を受けたものを除く。）については、なお従前の例による。（令6改法附1十、8④）

（2の表の(四)の政令で定める場所）
（1） 2の表の(四)に規定する場所は、次の各号に掲げる場合の区分に応じ、当該各号に定める場所とする。（令35の5①）

(一)	個人事業者が譲渡割の課税標準である消費税額の算定に係る課税期間（消費税法第19条に規定する課税期間をいう。以下この章において同じ。）の開始の日（以下(3)までにおいて「基準日」という。）前において国内に住所又は居所を有しており、かつ、最後に国内に有していた住所又は居所を有しないこととなった時に国内にその行う事業に係る事務所、事業所その他これらに準ずるものを有していなかった場合であって、その最後に有していた住所又は居所に当該個人事業者の親族その他当該個人事業者の特殊関係者が引き続き、又は当該個人事業者に代わって当該基準日まで居住しているとき	その最後に有していた住所地又は居所地
(二)	(一)に掲げる場合を除き、基準日において所得税法第161条第1項第7号に掲げる対価（船舶又は航空機の貸付けによるものを除く。）に係る資産を有している場合	当該対価に係る資産の所在地（二以上の資産を有する場合には、主たる資産の所在地）
(三)	2の表の(一)から(三)まで及び(一)及び(二)の規定のいずれにも該当しない場合であって、個人事業者が基準日において有しているとすれば2の表の(一)から(三)まで又は(二)の規定によってその所在地が譲渡割を課する道府県となるべき場所（その場所が居所である個人事業者については、その居所が短期間の滞在地であったものを除く。）を当該基準日前に有していたとき	これらの場所のうち当該個人事業者が有していた最後の場所
(四)	(一)から(三)までに掲げる場合以外の場合	消費税法施行令第42条第1項第5号に規定する場所〔麹町税務署の管轄区域内の場所〕

（特殊関係者の意義）
（2） (1)の(一)に規定する特殊関係者とは、次に掲げる者及びこれらの者であった者をいう。（令35の5②）
　(一)　個人事業者とまだ婚姻の届出をしないが事実上婚姻関係と同様の事情にある者
　(二)　個人事業者の使用人
　(三)　(一)及び(二)に掲げる者及び個人事業者の親族以外の者で当該個人事業者から受ける金銭その他の資産によって生計を維持しているもの

（2の表の(七)の政令で定める場所）
（3） 2の表の(七)に規定する場所は、次の各号に掲げる場合の区分に応じ、当該各号に定める場所とする。（令35の5③）

(一)	外国法人（2の表の(五)に規定する内国法人以外の法人をいう。(二)において同じ。）が基準日において法人税法第138条第1項第5号に掲げる対価（船舶又は航空機の貸付けによるものを除く。）に係る資産を有している場合	当該対価に係る資産の所在地（二以上の資産を有する場合には、主たる資産の所在地）
(二)	2の表の(六)及び(一)のいずれにも該当しない場合であって、外国法人が基準日において有しているとすれば同(六)又は(一)の規定によってその所在地が譲渡割を課する道府県となるべき場所を当該基準日前に有していたとき	これらの場所のうち当該外国法人が有していた最後の場所
(三)	(一)及び(二)に掲げる場合以外の場合	消費税法施行令第43条第4号に規定する場所〔麹町税務署の管轄区域内の場所〕

(場所の判定の日)
(4) 2の表の各号((四)及び(七)を除く。)に定める場所は、それぞれ2の譲渡割の課税標準である消費税額の算定に係る課税期間(消費税法第19条に規定する課税期間をいう。以下この章において同じ。)の開始の日現在における場所による。(法72の78③)

3 人格のない社団等の納税義務

法人でない社団又は財団で代表者又は管理人の定めがあるもの(以下地方消費税について「**人格のない社団等**」という。)は、法人とみなして、この章(第二節四の4及び同5、同6を除く。)の規定を適用する。(法72の78④)

4 国又は地方公共団体の行う一般会計又は特別会計に係る事業の特例

消費税法第60条第1項の規定により一の法人が行う事業とみなされる国若しくは地方公共団体が一般会計に係る業務として行う事業又は国若しくは地方公共団体が特別会計を設けて行う事業は、当該一般会計又は特別会計ごとに一の法人が行う事業とみなして、この章の規定を適用する。(法72の78⑤)

5 税務署長又は税関長が消費税を徴収する場合の特例

輸入品に対する内国消費税の徴収等に関する法律第8条第1項の規定に基づき税関長が消費税を徴収する場合その他消費税に関する法律の規定で注で定めるものに基づき税務署長又は税関長が消費税を徴収する場合には、当該税務署長の所属する税務署又は当該税関長の所属する税関所在の道府県が、当該消費税を納付すべき者に対し、当該徴収すべき消費税額を課税標準として、地方消費税を課するものとし、税務署長が消費税を徴収する場合に課すべき地方消費税にあっては譲渡割に、税関長が消費税を徴収する場合に課すべき地方消費税にあっては貨物割に含まれるものとして、この章(1及び2並びに5を除く。)の規定を適用する。この場合において、譲渡割に含まれるものとされる地方消費税の徴収については、普通徴収の方法によるものとする。(法72の78⑥)

(消費税に関する法律の規定)
注 5に規定する消費税に関する法律の規定は、次に掲げる規定とする。(令35の6)

(一)	消費税法第8条第3項本文《輸出物品販売場において物品を購入した非居住者が出国の日までに物品を輸出しない場合の税関長による消費税の徴収》(租税特別措置法第86条の2第3項において準用する場合を含む。)及び第5項本文《国内において輸出物品の譲渡又は譲受けがされた場合の税務署長による消費税の徴収》(消費税法第8条第6項(租税特別措置法第86条の2第3項において準用する場合を含む。)及び租税特別措置法第86条の2第3項において準用する場合を含む。)
(二)	輸入品に対する内国消費税の徴収等に関する法律第10条第3項(同法第16条の2第3項において準用する場合を含む。)、第11条第5項本文及び第12条第4項本文
(三)	輸入品に対する内国消費税の徴収等に関する法律第13条第5項において準用する関税定率法第15条第2項本文、第16条第2項本文及び第17条第4項並びに輸入品に対する内国消費税の徴収等に関する法律第15条の3第2項において準用する関税定率法第18条第3項前段
(四)	自家用自動車の一時輸入に関する通関条約の実施に伴う関税法等の特例に関する法律第4条第1項(同条第2項後段において準用する場合を含む。)及び第3項
(五)	コンテナーに関する通関条約及び国際道路運送手帳による担保の下で行なう貨物の国際運送に関する通関条約(TIR条約)の実施に伴う関税法等の特例に関する法律第5条第1項
(六)	日本国とアメリカ合衆国との間の相互協力及び安全保障条約第6条に基づく施設及び区域並びに日本国における合衆国軍隊の地位に関する協定の実施に伴う所得税法等の臨時特例に関する法律第11条第2項前段(日本国における国際連合の軍隊の地位に関する協定の実施に伴う所得税法等の臨時特例に関する法律第3条第2項において準用する場合を含む。)
(七)	日本国とアメリカ合衆国との間の相互協力及び安全保障条約第6条に基づく施設及び区域並びに日本国における合衆国軍隊の地位に関する協定の実施に伴う関税法等の臨時特例に関する法律第8条本文(日本国における国際連合の軍隊の地位に関する協定の実施に伴う所得税法等の臨時特例に関する法律第4条において準用する場合を含む。)

(八)	日本国とアメリカ合衆国との間の相互防衛援助協定の実施に伴う関税法等の臨時特例に関する法律第2条第1項本文及び第5条第2項

6 外国貨物の保税地域からの引取りとみなして消費税法の規定を適用する場合の特例

　輸入品に対する内国消費税の徴収等に関する法律第5条第1項の規定に基づき外国貨物の保税地域からの引取りとみなす場合その他消費税に関する法律の規定で注で定めるものに基づき外国貨物の保税地域からの引取りとみなして消費税法の規定を適用する場合には、当該外国貨物の引取りを1に規定する課税貨物の引取りとみなして、本章の規定を適用する。この場合において、1中「当該保税地域所在の道府県」とあるのは、「輸入品に対する内国消費税の徴収等に関する法律第5条第1項の規定その他6に規定する政令で定める法律の規定に基づいて適用される消費税法の規定により課される消費税に係る税関長の所属する税関所在の道府県」とする。（法72の78⑦）

　　　（消費税に関する法律の規定）
　注　6に規定する消費税に関する法律の規定は、次に掲げる規定とする。（令35の7）

(一)	輸入品に対する内国消費税の徴収等に関する法律第16条第7項
(二)	租税特別措置法第85条第2項前段《外航船等に積み込まれた指定物品のうち事業者から譲渡されたものが最初に陸揚げ等をされた場合の消費税法の適用》
(三)	日本国とアメリカ合衆国との間の相互防衛援助協定の実施に伴う関税法等の臨時特例に関する法律第4条第2項

三　課税資産の譲渡等又は特定課税仕入れを行った者が名義人である場合の実質判定

1　課税資産の譲渡等を行った者が名義人である場合

　法律上課税資産の譲渡等を行ったとみられる者が単なる名義人であって、その課税資産の譲渡等に係る対価を享受せず、その者以外の者がその課税資産の譲渡等に係る対価を享受する場合には、当該課税資産の譲渡等は、当該対価を享受する者が行ったものとして、この章の規定を適用する。（法72の79①）

2　特定課税仕入れを行った者が名義人である場合

　法律上特定課税仕入れを行ったとみられる者が単なる名義人であって、その特定課税仕入れに係る対価の支払をせず、その者以外の者がその特定課税仕入れに係る対価を支払うべき者である場合には、当該特定課税仕入れは、当該対価を支払うべき者が行ったものとして、この章の規定を適用する。（法72の79②）

四　信託財産に対する課税

1　譲渡割と信託財産

　信託の受益者（受益者としての権利を現に有するものに限る。）は当該信託の信託財産に属する資産を有するものとみなし、かつ、当該信託財産に属する資産に係る課税資産の譲渡等及び特定課税仕入れは当該受益者の課税資産の譲渡等及び特定課税仕入れとみなして、この章の規定を適用する。ただし、集団投資信託（法人税法第2条第29号に規定する集団投資信託をいう。）、法人課税信託（同条第29号の2に規定する法人課税信託をいう。2において同じ。）、退職年金等信託（同法第12条第4項第1号に規定する退職年金等信託をいう。）、公益信託（同項第2号に規定する公益信託をいう。）又は加入者保護信託（同号に規定する加入者保護信託をいう。）の信託財産に属する資産及び当該信託財産に属する資産に係る課税資産の譲渡等及び特定課税仕入れについては、この限りでない。（法72の80①）

　　　（信託の受益者とみなす者）
（1）　信託の変更をする権限（軽微な変更をする権限として（2）で定めるものを除く。）を現に有し、かつ、当該信託の信託財産の給付を受けることとされている者（受益者を除く。）は、1に規定する受益者とみなして、1の規定を適用する。（法72の80②）

第二編第六章《地方消費税》第一節《通則（信託財産に対する課税）》

　　　（軽微な変更をする権限の範囲）
（２）　（１）に規定する軽微な変更をする権限は、信託の目的に反しないことが明らかである場合に限り信託の変更をすることができる権限とする。（令35の７の２①）

　　　（信託を変更する権限に含むもの）
（３）　（１）に規定する信託の変更をする権限には、他の者との合意により信託の変更をすることができる権限を含むものとする。（令35の７の２②）

　　　（停止条件が付された信託財産の給付を受ける権利を有する者）
（４）　停止条件が付された信託財産の給付を受ける権利を有する者は、（１）に規定する信託財産の給付を受けることとされている者に該当するものとする。（令35の７の２③）

　　　（受益者が二以上ある場合の適用）
（５）　１に規定する受益者（（１）の規定により１に規定する受益者とみなされる者を含む。以下（５）において同じ。）が二以上ある場合における１の規定の適用については、１の信託の信託財産に属する資産の全部をそれぞれの受益者がその有する権利の内容に応じて有するものとし、当該信託財産に属する資産に係る二の１に規定する課税資産の譲渡等及び特定課税仕入れの全部をそれぞれの受益者がその有する権利の内容に応じて行ったものとする。（令35の７の２④）

２　法人課税信託等の受託者に関するこの章の規定の適用

　法人課税信託又は公益信託の受託者は、各法人課税信託等の信託資産等（信託財産に属する資産並びに当該信託財産に属する資産に係る課税資産の譲渡等及び特定課税仕入れをいう。以下２において同じ。）及び固有資産等（法人課税信託等の信託資産等以外の資産、課税資産の譲渡等及び特定課税仕入れをいう。以下２において同じ。）ごとに、それぞれ別の者とみなして、この章〖法第２章第３節〗（次に掲げる規定（※）を除く。以下２において同じ。）の規定を適用する。（法72の80の２①）
　※　法第72条の78から第72条の80まで（第一節《通則》二から四の１まで）
　　　法第72条の85（第一節九《譲渡割に係る検査拒否等に関する罪》）
　　　法第72条の91、第72条の92（第二節《譲渡割》六、七）
　　　法第72条の95（第二節《譲渡割》十）
　　　法第72条の101から第72条の104まで（第三節《貨物割》二から五まで）
　　　法第72条の109から第72条の111まで（第三節《貨物割》十から十二まで）
（注）　２の場合において、各法人課税信託等の信託資産等及び固有資産等は２の規定によりみなされた各別の者にそれぞれ帰属するものとする。（法72の80の２②）

　　　（個人事業者である受託事業者に対するみなし法人の規定の適用）
（１）　個人事業者が受託事業者（法人課税信託等の受託者について、２の規定により、当該法人課税信託等に係る信託資産等が帰属する者としてこの章の規定を適用する場合における当該受託者をいう。以下（１）において同じ。）である場合には、当該受託事業者は、法人とみなして、この章の規定を適用する。（法72の80の２③）

　　　（一の法人課税信託等の受託者が二以上ある場合）
（２）イ　一の法人課税信託等の受託者が二以上ある場合には、各受託者の当該法人課税信託等に係る信託資産等は、当該法人課税信託等の信託事務を主宰する受託者（ロにおいて「主宰受託者」という。）の信託資産等とみなして、この章の規定を適用する。（法72の80の２④）
　　ロ　イの規定により主宰受託者の信託資産等とみなされた当該信託資産等に係る地方消費税については、主宰受託者以外の受託者は、その地方消費税について、連帯納付の責めに任ずる。（法72の80の２⑤）

　　　（特定プラットフォーム事業者を介して行う電気通信利用役務の提供に関する規定の適用）
（３）　消費税法第２条第１項第４号の２に規定する国外事業者が国内において行う同項第８号の３に規定する電気通信利用役務の提供（同項第８号の４に規定する事業者向け電気通信利用役務の提供に該当するものを除く。以下「電気通信利用役務の提供」という。）が同法第15条の２第１項に規定するデジタルプラットフォームを介して行われるものであって、その対価について同項に規定する特定プラットフォーム事業者（以下「特定プラットフォーム事業者」と

いう。）を介して収受するものである場合には、当該特定プラットフォーム事業者が当該電気通信利用役務の提供を行ったものとみなして、この節の規定を適用する。（法72の80の3）

　　　（注）　（3）を追加する令和6年度改正規定は、令和7年4月1日以後に国内（地方税法の施行地をいう。）において行われる電気通信利用役務の提供（改正後の（3）に規定する電気通信利用役務の提供をいう。）について適用し、同日前に国内において行われた電気通信利用役務の提供については、なお従前の例による。（令6改法附9）

3　特定法人課税信託等の併合又は分割等
　信託の併合に係る従前の信託又は信託の分割に係る分割信託（信託の分割によりその信託財産の一部を他の信託又は新たな信託に移転する信託をいう。（1）において同じ。）が法人課税信託（1のただし書に規定する法人課税信託をいう。以下3において同じ。）のうち法人税法第2条第29号の2イ又はハに掲げる信託（以下3において「特定法人課税信託」という。）である場合には、当該信託の併合に係る新たな信託又は当該信託の分割に係る他の信託若しくは新たな信託（特定法人課税信託を除く。）は、特定法人課税信託とみなして、この章の規定を適用する。（令35の7の3①）

　　　　　（信託の併合又は単独新規信託分割により法人課税信託に該当することとなったものとみなす場合）
（1）　信託の併合又は信託の分割（一の信託が新たな信託に信託財産の一部を移転するものに限る。以下（1）及び（2）において「単独新規信託分割」という。）が行われた場合において、当該信託の併合が法人課税信託を新たな信託とするものであるときにおける当該信託の併合に係る従前の信託（法人課税信託を除く。）は当該信託の併合の直前に法人課税信託に該当することとなったものとみなし、当該単独新規信託分割が集団投資信託（1に規定する集団投資信託をいう。以下（1）において同じ。）又は受益者等課税信託（1に規定する受益者（同（1）の規定により1に規定する受益者とみなされる者を含む。）がその信託財産に属する資産を有するものとみなされる信託をいう。以下（1）において同じ。）を分割信託とし、法人課税信託を承継信託（信託の分割により分割信託からその信託財産の一部の移転を受ける信託をいう。以下（1）及び（2）において同じ。）とするものであるときにおける当該承継信託は当該単独新規信託分割の直後に集団投資信託又は受益者等課税信託から法人課税信託に該当することとなったものとみなして、この章の規定を適用する。（令35の7の3②）

　　　　　（吸収信託分割又は複数新規信託分割が行われた場合）
（2）　他の信託に信託財産の一部を移転する信託の分割（以下（2）において「吸収信託分割」という。）又は二以上の信託が新たな信託に信託財産の一部を移転する信託の分割（以下（2）において「複数新規信託分割」という。）が行われた場合には、当該吸収信託分割又は複数新規信託分割により移転する信託財産をその信託財産とする信託（以下（2）において「吸収分割中信託」という。）を承継信託とする単独新規信託分割が行われ、直ちに当該吸収分割中信託及び承継信託（複数新規信託分割にあっては、他の吸収分割中信託）を従前の信託とする信託の併合が行われたものとみなして、3及び（1）の規定を適用する。（令35の7の3③）

　　　　　（読替規定）
（3）　2の規定の適用を受けた公益信託（1のただし書に規定する公益信託をいう。）に対する第一編第二章一の4及び同4の（1）の規定の適用については、これらの規定中「事由」とあるのは、「事由又は公益信託に関する法律（令和6年法律第30号）第33条第3項の規定により読み替えて適用する信託法第56条第1項に規定する特定終了事由」とする。（令35の7の3④）
　　（注）　（3）を追加する令和6年度改正規定は、公益信託に関する法律（令和6年法律第30号）の施行の日以後適用する。（令6政令第138号附一）

4　公益信託に係る所得の帰属
　当分の間、公益信託（公益信託ニ関スル法律第1条に規定する公益信託（法人税法第37条第6項に規定する特定公益信託を除く。）をいう。）の委託者又はその相続人その他の一般承継人（以下4において「委託者等」という。）は当該公益信託の信託財産に属する資産を有するものとみなし、かつ、当該信託財産に属する資産に係る課税資産の譲渡等（二の1《納税義務者》に規定する課税資産の譲渡等をいう。以下4において同じ。）及び特定課税仕入れ（二の1に規定する特定課税仕入れをいう。以下4において同じ。）は当該委託者等の課税資産の譲渡等及び特定課税仕入れとみなして、この章の規定を適用する。（法附9の3①）
　　（注1）　公益信託は、1ただし書に規定する法人課税信託に該当しないものとする。（法附9の3②）
　　（注2）　4及び（注）を削除する令和6年度改正規定は、公益信託に関する法律（令和6年法律第30号）の施行の日以後適用する。（令6改法附1十）

五　課税免除の特例

　第一編第一章四《課税免除、不均一課税及び一部課税》の規定は、地方消費税については適用しない。（法72の81）

　　　（条例による課税免除等の禁止）
　注　地方消費税については、第一編第一章四の規定は適用しないこととされていることから、条例により地方消費税の課税免除及び不均一課税の扱いをすることはできないものであることに留意すること。（県通4－3）

六　課税標準額

　地方消費税については、第一編第十章3《課税標準、税額等の端数計算》の規定にかかわらず、消費税額を課税標準額とする。（法72の82）

七　税　　　率

　地方消費税の税率は78分の22とする。（法72の83）

八　徴税吏員の譲渡割に関する調査に係る質問検査権

　道府県の徴税吏員は、譲渡割の賦課徴収に関する調査のために必要がある場合においては、次に掲げる者に質問し、又はその者の事業に関する帳簿書類（その作成又は保存に代えて電磁的記録（電子的方式、磁気的方式その他の人の知覚によっては認識することができない方式で作られる記録であって、電子計算機による情報処理の用に供されるものをいう。）の作成又は保存がされている場合における当該電磁的記録を含む。**九**の表の（一）及び（二）において同じ。）その他の物件を検査し、若しくは当該物件（その写しを含む。）の提示若しくは提出を求めることができる。（法72の84①）

（一）	納税義務者、納税義務があると認められる者又は第二節三の2《譲渡割の還付申告》の規定による申告書を提出した者
（二）	（一）に掲げる者に金銭の支払、課税資産の譲渡等若しくは特定資産の譲渡等をする義務があると認められる者又は（一）に掲げる者から金銭の支払、課税資産の譲渡等若しくは特定資産の譲渡等を受ける権利があると認められる者

　　　（分割法人及び分割承継法人に対する質問検査権）
（1）　分割があった場合の八の規定の適用については、分割法人（分割をした法人をいう。以下（1）において同じ。）は八の表の（二）に規定する課税資産の譲渡等又は特定資産の譲渡等をする義務があると認められる者とみなし、分割承継法人（分割により分割法人の事業を承継した法人をいう。）は同②に規定する課税資産の譲渡等又は特定資産の譲渡等を受ける権利があると認められる者とみなす。（法72の84②）

　　　（身分証明書の提示）
（2）　八の場合においては、当該徴税吏員は、その身分を証明する証票を携帯し、関係人の請求があったときは、これを提示しなければならない。（法72の84③）

　　　（提出物件の留置き）
（3）　道府県の徴税吏員は、（4）で定めるところにより、八の規定により提出を受けた物件を留め置くことができる。（法72の84④）

　　　（提出物件の留置きに関する書面の交付）
（4）　道府県の徴税吏員は、（3）の規定により物件を留め置く場合には、当該物件の名称又は種類及びその数量、当該物件の提出年月日並びに当該物件を提出した者の氏名及び住所又は居所その他当該物件の留置きに関し必要な事項を記載した書面を作成し、当該物件を提出した者にこれを交付しなければならない。（令35の7の4①）

(提出物件の返還)
（5） 道府県の徴税吏員は、（3）の規定により留め置いた物件につき留め置く必要がなくなったときは、遅滞なく、これを返還しなければならない。（令35の7の4②）

(提出物件の管理義務)
（6） 道府県の徴税吏員は、（5）に規定する物件を善良な管理者の注意をもって管理しなければならない。（令35の7の4③）

(質問検査権の解釈)
（7） 八又は（3）の規定による道府県の徴税吏員の権限は、犯罪捜査のために認められたものと解釈してはならない。（法72の84⑤）

(貨物割に係る徴税吏員の質問検査権)
（8） 貨物割に係る徴税吏員の質問検査権については、貨物割の賦課徴収は国が消費税の賦課徴収の例により、消費税の賦課徴収と併せて行うこととされているために、これを規定していないものであること。（県通4－7）

九　譲渡割に係る検査拒否等に関する罪

次の各号のいずれかに該当する場合には、その違反行為をした者は、1年以下の懲役又は50万円以下の罰金に処する。（法72の85①）

(一)	八の規定による帳簿書類その他の物件の検査を拒み、妨げ、又は忌避したとき。
(二)	八の規定による物件の提示又は提出の要求に対し、正当な理由がなくこれに応ぜず、又は偽りの記載若しくは記録をした帳簿書類その他の物件（その写しを含む。）を提示し、若しくは提出したとき。
(三)	八の規定による徴税吏員の質問に対し答弁をしないとき、又は虚偽の答弁をしたとき。

(両罰規定)
（1） 法人の代表者（人格のない社団等の管理人を含む。以下この章における罰則の適用について同じ。）又は法人若しくは人の代理人、使用人その他の従業者が、その法人又は人の業務又は財産に関して九の違反行為をした場合には、その行為者を罰するほか、その法人又は人に対し、九の罰金刑を科する。（法72の85②）

(人格のない社団等に対する刑事訴訟法の準用)
（2） 人格のない社団等について（1）の規定の適用がある場合には、その代表者又は管理人がその訴訟行為につき当該人格のない社団等を代表するほか、法人を被告人又は被疑者とする場合の刑事訴訟に関する法律の規定を準用する。（法72の85③）

第二節　譲　渡　割

一　譲渡割の徴収の方法

譲渡割の徴収については、申告納付の方法によらなければならない。（法72の86）

二　譲渡割の中間申告納付

1　年11回の中間申告

　消費税法第42条第1項《年11回の中間申告》(同法第43条第1項《仮決算をした場合の中間申告書の記載事項等》の規定が適用される場合を含む。）の規定により消費税に係る申告書を提出する義務がある事業者（同法第59条《申告義務等の承継》の規定により当該義務を承継した相続人（以下四までにおいて「**承継相続人**」という。）を含む。）は、当該申告書の提出期限(注1)までに、同法第42条第1項第1号に掲げる金額(注2)（同法第43条第1項各号に掲げる事項を記載した申告書を提出する場合には、同項第4号に掲げる金額）、当該金額に78分の22を乗じて得た金額その他必要な事項を記載した申告書を第一節二の2《譲渡割を課する道府県》各号に掲げる事業者の区分に応じ当該各号に定める場所の所在する道府県（以下この節において「譲渡割課税道府県」という。）の知事に提出し、及びその申告した金額に相当する譲渡割を当該譲渡割課税道府県に納付しなければならない。この場合において、事業者が当該申告書を当該提出期限までに提出しなかったときは、当該申告書の提出期限において当該譲渡割課税道府県の知事に対し、政令で定めるところにより計算した金額を記載した申告書の提出があったものとみなし、当該事業者は当該申告納付すべき期限内にその提出があったものとみなされる申告書に係る金額に相当する譲渡割を当該譲渡割課税道府県に納付しなければならない。（法72の87①）

(注1)　課税期間開始の日以後1月ごとに区分した各期間（最後に1月未満の期間を生じたときはその1月未満の期間とし、当該1月ごとに区分された各期間のうち最後の期間を除く。以下「1月中間申告対象期間」という。）につき、当該1月中間申告対象期間の末日の翌日（当該1月中間申告対象期間が当該課税期間開始の日以後1月の期間である場合には、当該課税期間開始の日から2月を経過した日）から2月以内に当該1月中間申告対象期間に係る申告書を提出することとされている。（編者）

(注2)　直前の課税期間の確定申告に記載すべき消費税額で次に掲げる当該1月中間申告対象期間の区分に応じそれぞれ次に定める日までに確定したものを当該直前の課税期間の月数で除して計算した金額をいう。（編者）
　　イ　課税期間開始の日から同日以後2月を経過した日の前日までの間に終了した1月中間申告対象期間　当該課税期間開始の日から2月を経過した日の前日（当該課税期間の直前の課税期間の確定申告書の提出期限につき国税通則法第10条第2項《期間の計算及び期限の特例》の規定の適用がある場合には、同項の規定により当該確定申告書の提出期限とみなされる日）
　　ロ　イ以外の1月中間申告対象期間　当該1月中間申告対象期間の末日

（中間申告書の記載事項）
（1）　当分の間、1の事業者が1の規定による申告書を提出する場合には、当該申告書には、次に掲げる事項を記載しなければならない。（規7の2の4①、平7自治令34附4）

(一)	申告者の氏名又は名称（代表者の氏名を含む。）、第一節二の2各号に掲げる事業者の区分に応じ当該各号に定める場所（当該場所と住所若しくは居所又は本店若しくは主たる事務所の所在地（以下「住所等」という。）とが異なる場合には、当該場所及び住所等。以下（一）において同じ。）及び個人番号（行政手続における特定の個人を識別するための番号の利用等に関する法律第2条第5項に規定する個人番号をいう。以下第六章について同じ。）又は法人番号（同法第2条第15項に規定する法人番号をいう。以下第六章について同じ。）（個人番号又は法人番号を有しない者にあっては、氏名又は名称及び法第一節二の2各号に掲げる事業者の区分に応じ当該各号に定める場所）
(二)	当該申告書に係る課税期間の初日及び末日の年月日
(三)	消費税法第43条第1項に規定する中間申告対象期間の初日及び末日の年月日
(四)	当該中間申告対象期間に係る消費税法第42条第1項第1号に掲げる金額（同法第43条第1項各号に掲げる事項を記載した申告書を提出する場合にあっては、同項第4号に掲げる金額）
(五)	(四)に掲げる金額に78分の22を乗じて得た金額
(六)	その他参考となるべき事項

（政令で定めるところにより計算した金額）
（2）　1に規定する政令で定めるところにより計算した金額は、消費税法第42条第1項第1号に掲げる金額（同項に規定する申告書の提出期限内に同法第43条第1項の規定により同項各号に掲げる事項を記載した申告書の提出があった場合においては、同項第4号に掲げる金額）に78分の22を乗じて得た金額とする。（令35の8①）

（承継相続人による中間申告書の提出）
（3）　三の1の(2)、(3)及び(5)の規定は、1から3までの規定による申告書を提出すべき個人事業者（第一節一の

表の①に規定する個人事業者をいう。）が当該申告書に係る消費税法第42条第1項、第4項又は第6項に規定する1月中間申告対象期間の末日の翌日（当該1月中間申告対象期間が当該課税期間開始の日以後1月の期間である場合には、当該課税期間開始の日から2月を経過した日）、3月中間申告対象期間の末日の翌日又は3月中間申告対象期間の末日の翌日から当該申告書の提出期限までの間に当該申告書を提出しないで死亡した場合において、その承継相続人が当該申告書を提出する場合について準用する。（規7の2の6⑤）

2　年3回の中間申告

消費税法第42条第4項《年3回の中間申告》（同法第43条第1項《仮決算をした場合の中間申告書の記載事項等》の規定が適用される場合を含む。）の規定により消費税に係る申告書を提出する義務がある事業者（承継相続人を含む。）は、当該申告書の提出期限(注1)までに、同法第42条第4項第1号に掲げる金額(注2)（同法第43条第1項各号に掲げる事項を記載した申告書を提出する場合には、同項第4号に掲げる金額）、当該金額に78分の22を乗じて得た金額その他必要な事項を記載した申告書を譲渡割課税道府県の知事に提出し、及びその申告した金額に相当する譲渡割を当該譲渡割課税道府県に納付しなければならない。この場合において、事業者が当該申告書を当該提出期限までに提出しなかったときは、1後段の規定を準用する。（法72の87②）

　(注1)　課税期間開始の日以後3月ごとに区分した各期間（最後に3月未満の期間を生じたときはその3月未満の期間とし、当該3月ごとに区分された各期間のうち最後の期間を除く。以下「3月中間申告対象期間」という。）につき、当該3月中間申告対象期間の末日の翌日から2月以内に当該3月中間申告対象期間に係る申告書を提出することとされている。（編者）

　(注2)　直前の課税期間の確定申告書に記載すべき消費税額で当該3月中間申告対象期間の末日までに確定したものを当該直前の課税期間の月数で除し、これに3を乗じて計算した金額をいう。（編者）

　　　（中間申告書の記載事項）
　(1)　1の(1)の規定は、2の事業者が2の規定による申告書を提出する場合について準用する。この場合において、同(1)の(四)中「消費税法第42条第1項第1号」とあるのは、「消費税法第42条第4項第1号」と読み替えるものとする。（規7の2の4②）

　　　（政令で定めるところにより計算した金額）
　(2)　2において準用する1後段に規定する政令で定めるところにより計算した金額は、消費税法第42条第4項第1号に掲げる金額（同項に規定する申告書の提出期限内に同法第43条第1項の規定により同項各号に掲げる事項を記載した申告書の提出があった場合においては、同項第4号に掲げる金額）に78分の22を乗じて得た金額とする。（令35の8①②）

3　年1回の中間申告

消費税法第42条第6項《年1回の中間申告》（同条第8項又は同法第43条第1項《仮決算をした場合の中間申告書の記載事項等》の規定が適用される場合を含む。）の規定により消費税に係る申告書を提出する義務がある事業者（承継相続人を含む。）は、当該申告書の提出期限(注1)までに、同法第42条第6項第1号に掲げる金額(注2)（同法第43条第1項各号に掲げる事項を記載した申告書を提出する場合には、同項第4号に掲げる金額）、当該金額に78分の22を乗じて得た金額その他必要な事項を記載した申告書を譲渡割課税道府県の知事に提出し、及びその申告した金額に相当する譲渡割を当該譲渡割課税道府県に納付しなければならない。この場合において、事業者が当該申告書を当該提出期限までに提出しなかったときは、1後段の規定を準用する。（法72の87③）

　(注1)　課税期間開始の日以後6月の期間（以下「6月中間申告対象期間」という。）につき、当該6月中間申告対象期間の末日の翌日から2月以内に当該6月中間申告対象期間に係る申告書を提出することとされている。（編者）

　(注2)　直前の課税期間の確定申告書に記載すべき消費税額で当該6月中間申告対象期間の末日までに確定したものを当該直前の課税期間の月数で除し、これに6を乗じて計算した金額をいう。（編者）

　　　（中間申告書の記載事項）
　(1)　1の(1)の規定は、3の事業者が3の規定による申告書を提出する場合について準用する。この場合において、同(1)の(四)中「消費税法第42条第1項第1号」とあるのは、「消費税法第42条第6項第1号」と読み替えるものとする。（規7の2の4③）

　　　（政令で定めるところにより計算した金額）
　(2)　3において準用する1後段に規定する政令で定めるところにより計算した金額は、消費税法第42条第6項第1号

三 譲渡割の確定申告納付

1 譲渡割の確定申告

　消費税法第45条第1項《課税資産の譲渡等についての確定申告》の規定により消費税に係る申告書を提出する義務がある事業者（承継相続人を含み、当該申告書に記載すべき同項第4号に掲げる消費税額〖第一節一の表の②の注参照〗がある者に限る。）は、当該申告書の提出期限〖当該課税期間の末日の翌日から2月以内。ただし、個人事業者のその年12月31日の属する課税期間に係る申告書の提出期限は、その年の翌年3月31日〗までに、当該消費税額、これを課税標準として算定した譲渡割額その他必要な事項を記載した申告書を譲渡割課税道府県の知事に提出し、及びその申告に係る譲渡割額を当該譲渡割課税道府県に納付しなければならない。この場合において、当該事業者のうち二の規定により譲渡割を納付すべき者が納付すべき譲渡割額は、当該事業者が当該申告書に記載した譲渡割額から当該申告書に係る課税期間につき二の規定により納付すべき譲渡割の額（その額につき四の2若しくは3の規定による申告書の提出又は八の2若しくは4の規定による更正があった場合には、その申告又は更正後の譲渡割の額（以下「**譲渡割の中間納付額**」という。））を控除した額とする。（法72の88①）

　　　　（確定申告書の記載事項）
（1）当分の間、1の事業者が1の規定による申告書を提出する場合には、当該申告書には、次に掲げる事項を記載しなければならない。（規7の2の5①、平7自治令34附4）

(一)	申告書の氏名又は名称、第一節二の2各号に掲げる事業者の区分に応じ当該各号に定める場所（当該場所と住所等とが異なる場合には、当該場所及び住所等。以下同じ。）及び個人番号又は法人番号（個人番号又は法人番号を有しない者にあっては、氏名又は名称及び第一節二の2各号に掲げる事業者の区分に応じ当該各号に定める場所）
(二)	当該申告書に係る課税期間の初日及び末日の年月日
(三)	当該課税期間に係る1に規定する消費税額
(四)	(三)に掲げる消費税額を課税標準として算定した譲渡割額
(五)	その事業者が当該課税期間につき二の1から3までの規定により譲渡割を納付すべき者である場合には、当該課税期間に係る1に規定する譲渡割の中間納付額
(六)	(五)に規定する場合にあっては、(四)に掲げる譲渡割額から(五)に掲げる譲渡割の中間納付額を控除した額
(七)	(四)に掲げる譲渡割額から(五)に掲げる譲渡割の中間納付額を控除してなお不足額があるときは、当該不足額
(八)	その他参考となるべき事項

　　　　（承継相続人が申告書を提出する場合の記載事項の特例）
（2）当分の間、1又は2の規定により二の1に規定する承継相続人（以下(5)までにおいて「承継相続人」という。）が申告書を提出する場合には、(1)の各号又は2の注の各号に掲げる事項のほか、次に掲げる事項を併せて記載しなければならない。（規7の2の6①、平7自治令34附4）

(一)	被相続人（包括遺贈者を含む。(二)において同じ。）の氏名及びその死亡の時における住所又は居所
(二)	各承継相続人の氏名、住所又は居所、個人番号、被相続人との続柄、民法第900条から第902条までの規定によるその相続分及び相続又は遺贈によって得た財産の価額（個人番号を有しない者にあっては、氏名、住所又は居所、被相続人との続柄、同法第900条から第902条までの規定によるその相続分及び相続又は遺贈によって得た財産の価額）
(三)	承継相続人が限定承認をした場合には、その旨
(四)	承継相続人が2人以上ある場合には、(1)の(四)に掲げる譲渡割額（(1)の(五)の規定に該当する場合には、(1)の(六)に掲げる額に相当する譲渡割額）を(二)の各承継相続人の相続分により按分して計算した金額に相

当する譲渡割額

　　(承継相続人が２人以上ある場合の申告書の提出)
（３）（２）の申告書を提出する場合において、承継相続人が２人以上あるときは、当該申告書は、各承継相続人が連署による一の書面で提出しなければならない。ただし、他の承継相続人の氏名を付記して各別に提出することを妨げない。この場合において、当該申告書には、（２）の表の（二）に掲げる事項のうち氏名を付記する他の承継相続人の個人番号は、記載することを要しない。（規７の２の６②）

　　(承継相続人が連署による申告書を提出する場合の記載事項の特例)
（４）（３）本文の方法により（３）の申告書を提出する場合において、当該申告書が（１）の（七）に掲げる不足額の記載のあるものであるときは当該不足額を、当該申告書が２の注の規定によるものであるときは、同注の（四）に掲げる金額及び同注の（五）に掲げる譲渡割の中間納付額を、当該申告書に各人別に記載しなければならない。（規７の２の６③）

　　(承継相続人が各人別に申告書を提出した場合の通知)
（５）（３）のただし書の方法により（３）の申告書を提出した承継相続人は、遅滞なく、他の承継相続人に対し、当該申告書に記載した事項の要領を通知しなければならない。（規７の２の６④）

２　譲渡割の還付申告

　消費税法第52条第１項《仕入れに係る消費税額の控除不足額の還付》の規定により消費税の還付を受ける事業者（承継相続人を含む。）は、同項の不足額、当該不足額に78分の22を乗じて得た金額その他必要な事項を記載した申告書を譲渡割課税道府県の知事に提出することができる。この場合において、当該譲渡割課税道府県は、政令で定めるところにより、当該申告書を提出した者に対し、当該金額に相当する譲渡割額を還付し、又はその者の未納に係る地方団体の徴収金に充当するものとする。（法72の88②）

（注）　二の１に規定する承継相続人が申告書を提出する場合の確定申告等の特例については、１の（２）から（５）までを参照。（編者）

　　(還付を受けるための申告書の記載事項)
注　当分の間、２の事業者が２の規定による申告書を提出する場合には、当該申告書には、次に掲げる事項を記載しなければならない。（規７の２の５②、平７自治令34附４）

(一)	申告書の氏名又は名称、第一節二の２各号に掲げる事業者の区分に応じ当該各号に定める場所（当該場所と住所等とが異なる場合には、当該場所及び住所等。以下同じ。）及び個人番号又は法人番号（個人番号又は法人番号を有しない者にあっては、氏名又は名称及び第一節二の２各号に掲げる事業者の区分に応じ当該各号に定める場所）
(二)	当該申告書に係る課税期間の初日及び末日の年月日
(三)	当該課税期間に係る２に規定する不足額
(四)	(三)に掲げる不足額に78分の22を乗じて得た金額
(五)	その事業者が当該課税期間につき二の１から３までの規定により譲渡割を納付すべき者である場合には、当該課税期間に係る１に規定する譲渡割の中間納付額
(六)	その他参考となるべき事項

３　中間納付額の還付又は充当

　１の場合において、事業者が１の規定により提出する申告書に係る消費税額に基づいて算定した譲渡割額が、当該譲渡割額に係る譲渡割の中間納付額に満たないとき若しくはないとき、又は２の場合において、２の規定による申告書に係る課税期間において譲渡割の中間納付額があるときその他政令で定めるときは、譲渡割課税道府県は、政令で定めるところにより、その満たない金額に相当する譲渡割の中間納付額若しくは譲渡割の中間納付額の全額を還付し、又は未納に係る地方団体の徴収金に充当するものとする。（法72の88③）

四　譲渡割の期限後申告及び修正申告納付

1　譲渡割の期限後申告

　三の1及び3の規定により申告書を提出すべき事業者は、当該申告書の提出期限後においても八の5の規定による更正又は決定の通知があるまでは、三の1及び3の規定により申告書を提出し、並びにその申告に係る譲渡割額を納付することができる。（法72の89①）

2　譲渡割の修正申告納付

　二《譲渡割の中間申告納付》、三の1《譲渡割の確定申告》若しくは2《譲渡割の還付申告》若しくは四の1《譲渡割の期限後申告》若しくはこの2の規定により申告書を提出した事業者（承継相続人を含む。以下2において同じ。）又は八《譲渡割の更正及び決定等》の規定による更正若しくは決定を受けた事業者は、次の各号のいずれかに該当する場合には、3に該当する場合を除くほか、遅滞なく、総務省令で定める様式により、当該申告書を提出し又は当該更正若しくは決定をした道府県知事に、当該申告書に記載し又は当該更正若しくは決定に係る通知書に記載された譲渡割額又は譲渡割に係る還付金の額を修正する申告書を提出し、及びその申告により増加した譲渡割額（②の場合にあっては、その申告により減少した還付金の額に相当する譲渡割額）を納付しなければならない。（法72の89②）

①	先の申告書の提出により納付すべきものとしてこれに記載し、又は当該更正若しくは決定により納付すべきものとして当該更正若しくは決定に係る通知書に記載された譲渡割額に不足額があるとき。
②	先の申告書に記載し、又は当該更正若しくは決定に係る通知書に記載された譲渡割額に係る還付金の額に相当する税額が過大であるとき。
③	先の申告書に納付すべき譲渡割額を記載しなかった場合又は納付すべき譲渡割額がない旨の更正を受けた場合において、その納付すべき譲渡割額があるとき。

3　先に確定申告又は還付申告をした事業者について生じた税額の申告納付

　三の1《譲渡割の確定申告》又は2《譲渡割の還付申告》の事業者が消費税に係る修正申告書の提出又は消費税に係る更正若しくは決定の通知により2の表の各号のいずれかに該当することとなった場合においては、当該事業者は、当該修正申告又は当該更正若しくは決定により納付すべき税額を納付すべき日までに、2の規定により申告納付しなければならない。（法72の89③）

4　地方税関係手続用電子情報処理組織による申告の特例

　特定法人（消費税法第46条の2第2項に規定する特定法人をいう。）である事業者（二の1、同2、同3及び三の1、同2並びに1、2、3の事業者に限る。）は、二の1、同2、同3及び三の1、同2並びに1、2、3の規定により、二の1、同2、同3及び三の1、同2並びに1、2、3の規定による申告書（以下4から19において「納税申告書等」という。）により行うこととされている譲渡割の申告については、二の1、同2、同3及び三の1、同2並びに1、2、3の規定にかかわらず、総務省令で定めるところにより、納税申告書等に記載すべきものとされている事項（5において「申告書記載事項」という。）を、総務省令で定めるところにより、地方税関係手続用電子情報処理組織（地方税法第762条第1号に規定する地方税関係手続用電子情報処理組織をいう。7から19において同じ。）を使用し、かつ、地方税共同機構（6及び18において「機構」という。）を経由して行う方法により譲渡割課税道府県の知事（2の事業者にあっては、2に規定する道府県知事。6から19において同じ。）に提供することにより、行わなければならない。（法72の89の2①）

5　みなし規定

　4の規定により行われた4の申告については、申告書記載事項が記載された納税申告書等により行われたものとみなして、この法律又はこれに基づく命令の規定その他政令で定める法令の規定を適用する。（法72の89の2②）

6　到達規定

　4の規定により行われた4の申告は、地方税法第762条第1号の機構の使用に係る電子計算機（入出力装置を含む。）に備えられたファイルへの記録がされた時に4に規定する譲渡割課税道府県の知事に到達したものとみなす。（法72の89の2③）

7　地方税関係手続用電子情報処理組織による申告が困難である場合の特例

　4の事業者が、電気通信回線の故障、災害その他の理由により地方税関係手続用電子情報処理組織を使用することが困難であると認められる場合で、かつ、4の規定を適用しないで納税申告書等を提出することができると認められる場合において、4の規定を適用しないで納税申告書等を提出することについて4に規定する譲渡割課税道府県の知事の承認を受けたときは、当該譲渡割課税道府県の知事が指定する期間内に行う4の申告については、同条の規定は、適用しない。消費税法第46条の3第2項の規定により同項の申告書をその納税地を所轄する税務署長に提出した4の事業者が、同法第46条の3第1項の承認を受け、又は同条第3項の却下の処分を受けていない旨を記載した総務省令で定める書類を、納税申告書等の提出期限の前日までに、又は納税申告書等に添付して当該提出期限までに、4に規定する譲渡割課税道府県の知事に提出した場合における当該税務署長が同法第46条の3第1項の規定により指定する期間（同条第五項の規定により当該期間として当該指定があったものとみなされた期間を含。）内に行う4の申告についても、同様とする。（法72の89の3①）

8　道府県知事への申請書の提出

　7前段の承認を受けようとする事業者は、7前段の規定の適用を受けることが必要となった事情、7前段の規定による指定を受けようとする期間その他総務省令で定める事項を記載した申請書に総務省令で定める書類を添付して、当該期間の開始の日の15日前まで（同項に規定する理由が生じた日が三の1の規定による申告書の提出期限（同2の規定による申告書にあっては、当該申告書が同1の規定による申告書であるとした場合の提出期限）の15日前の日以後である場合において、当該提出期限が当該期間内の日であるときは、当該開始の日まで）に、これを4に規定する譲渡割課税道府県の知事に提出しなければならない。（法72の89の3②）

9　承認申請の却下

　道府県知事は、8の申請書の提出があった場合において、その申請に係る同項の事情が相当でないと認めるときは、その申請を却下することができる。（法72の89の3③）

10　承認又は却下の通知

　道府県知事は、8の申請書の提出があった場合において、その申請につき7前段の承認又は9の却下の処分をするときは、その申請をした事業者に対し、書面によりその旨を通知しなければならない。（法72の89の3④）

11　みなし承認

　8の申請書の提出があった場合において、当該申請書に記載した7前段の規定による指定を受けようとする期間の開始の日までに同項前段の承認又は9の却下の処分がなかったときは、その日においてその承認があったものと、当該期間を7前段の期間として7前段の規定による指定があったものと、それぞれみなす。（法72の89の3⑤）

12　承認の取消し

　道府県知事は、7前段の規定の適用を受けている事業者につき、地方税関係手続用電子情報処理組織を使用することが困難でなくなったと認める場合には、7前段の承認を取り消すことができる。（法72の89の3⑥）

13　承認の取消しの通知

　道府県知事は、12の処分をするときは、その処分に係る事業者に対し、書面によりその旨を通知しなければならない。（法72の89の3⑦）

14　適用をやめる場合の届出書の提出

　7の規定の適用を受けている事業者は、4の申告につき7の規定の適用を受けることをやめようとするときは、その旨その他総務省令で定める事項を記載した届出書を4に規定する譲渡割課税道府県の知事に提出しなければならない。（法72の89の3⑧）

15　承認の取消し又は適用をやめる届出書の提出があった翌日以後の規定の不適用

　7前段の規定の適用を受けている事業者につき、12の処分又は14の届出書の提出があったときは、これらの処分又は届出書の提出があった日の翌日以後の7前段の期間内に行う4の申告については、7前段の規定は、適用しない。ただし、当該事業者が、同日以後新たに7前段の承認を受けたときは、この限りでない。（法72の89の3⑨）

16　適用をやめる届出書の提出又は法人税法の処分があった翌日以後の規定の不適用

　　7後段の規定の適用を受けている事業者につき、14の届出書の提出又は消費税法第46条の3第3項若しくは12の処分があったときは、これらの届出書の提出又は処分があった日の翌日以後の7後段の期間内に行う4の申告については、7後段の規定は、適用しない。ただし、当該事業者が、同日以後新たに7後段の書類を提出したときは、この限りでない。（法72の89の3⑩）

17　総務大臣による期間の指定

　　総務大臣は、地方税法第790条の2の規定による報告があった場合において、地方税関係手続用電子情報処理組織の故障その他の理由により、4の事業者で4の規定により4の申告を行うことが困難であると認めるものが多数に上ると認めるときは、4の規定を適用しないで納税申告書等を提出することができる期間を指定することができる。（法72の89の3⑪）

18　期間指定時の告示及び通知

　　総務大臣は、17の規定による指定をしたときは、直ちに、その旨を告示するとともに、道府県知事及び機構に通知しなければならない。（法72の89の3⑫）

19　告示があったときの規定の不適用

　　18の規定による告示があったときは、7の規定にかかわらず、総務大臣が17の規定により指定する期間内に行う4の申告については、同条の規定は、適用しない。（法72の89の3⑬）

五　更正の請求の特例

　三の1《譲渡割の確定申告》若しくは2《譲渡割の還付申告》又は四の1《譲渡割の期限後申告》若しくは2《譲渡割の修正申告納付》の申告書を提出した事業者は、当該申告書に係る譲渡割額の算定の基礎となった消費税の額又は三の2の不足額に相当する還付金の額について税務官署の更正を受けたことに伴い当該申告書に係る譲渡割額が過大となる場合又は譲渡割に係る還付金の額が過少となる場合には、税務官署が当該更正の通知をした日から2月以内に限り、総務省令で定めるところにより、道府県知事に対し、当該譲渡割額又は譲渡割に係る還付金の額につき、第一編第十章10の②《申告書を提出した者の更正の請求》の規定による更正の請求をすることができる。この場合においては、同④に規定する更正請求書には、同④に規定する事項のほか、税務官署が当該更正の通知をした日を記載しなければならない。（法72の90）

六　譲渡割に係る虚偽中間申告の罪

　二《譲渡割の中間申告納付》の規定による申告書で消費税法第43条第1項第4号に掲げる金額《仮決算をした場合の中間申告に係る納付消費税額》を記載したものに虚偽の記載をして提出したときは、その違反行為をした者は、1年以下の懲役又は50万円以下の罰金に処する。（法72の91①）

　　　　（両罰規定）
（1）　法人の代表者又は法人若しくは人の代理人、使用人その他の従業者が、その法人又は人の業務又は財産に関して六の違反行為をした場合には、その行為者を罰するほか、その法人又は人に対し、六の罰金刑を科する。（法72の91②）

　　　　（人格のない社団等に対する刑事訴訟法の準用）
（2）　人格のない社団等について（1）の規定の適用がある場合には、その代表者又は管理人がその訴訟行為につき当該人格のない社団等を代表するほか、法人を被告人又は被疑者とする場合の刑事訴訟に関する法律の規定を準用する。（法72の91③）

七　譲渡割に係る故意不申告の罪

　正当な理由がなくて三の1《譲渡割の確定申告》の規定による申告書をその提出期限までに提出しなかったときは、その違反行為をした者は、1年以下の懲役又は50万円以下の罰金に処する。ただし、情状により、その刑を免除することができる。（法72の92①）

(両罰規定)
（1） 法人の代表者又は法人若しくは人の代理人、使用人その他の従業者が、その法人又は人の業務又は財産に関して七の違反行為をした場合には、その行為者を罰するほか、その法人又は人に対し、七の罰金刑を科する。（法72の92②）

(人格のない社団等に対する刑事訴訟法の準用)
（2） 人格のない社団等について(1)の規定の適用がある場合には、その代表者又は管理人がその訴訟行為につき当該人格のない社団等を代表するほか、法人を被告人又は被疑者とする場合の刑事訴訟に関する法律の規定を準用する。（法72の92③）

八　譲渡割の更正及び決定等

1　譲渡割の確定申告又は還付申告に係る更正

道府県知事は、三の1《譲渡割の確定申告》若しくは2《譲渡割の還付申告》の規定による申告書又は四《譲渡割の期限後申告及び修正申告納付》の規定による申告書（二《譲渡割の中間申告納付》の規定による申告書に係るものを除く。）の提出があった場合において、当該申告に係る消費税額若しくはこれを課税標準として算定した譲渡割額がその調査により、消費税に関する法律の規定により申告し、修正申告し、更正され、若しくは決定された消費税額（以下1において「確定消費税額」という。）若しくはこれを課税標準として算定すべき譲渡割額と異なることを発見したとき、又は当該申告に係る譲渡割に係る還付金の額がその調査したところと異なることを発見したときは、当該申告に係る確定消費税額若しくはこれを課税標準として算定した譲渡割額（3及び4において「譲渡割額等」という。）又は譲渡割に係る還付金の額を更正するものとする。（法72の93①）

2　譲渡割の中間納付額の更正

道府県知事は、二《譲渡割の中間申告納付》の規定による申告書又は当該申告書に係る四《譲渡割の期限後申告及び修正申告納付》の規定による申告書の提出があった場合において、当該申告に係る譲渡割の中間納付額がその調査したところと異なることを発見したときは、当該譲渡割の中間納付額を更正するものとする。（法72の93②）

3　確定申告書の提出がない場合の譲渡割の決定

道府県知事は、納税者が三の1《譲渡割の確定申告》の規定による申告書を提出しなかった場合においては、その調査により申告すべき譲渡割額等を決定するものとする。（法72の93③）

4　再　更　正

道府県知事は、1、2若しくは4の規定による更正又は3の規定による決定をした場合において、当該更正又は決定をした譲渡割額等、譲渡割に係る還付金の額又は譲渡割の中間納付額がその調査したところと異なることを発見したときは、当該譲渡割額等、譲渡割に係る還付金の額又は譲渡割の中間納付額を更正するものとする。（法72の93④）

5　更正又は決定をした場合の通知

道府県知事は、1から4までの規定により更正し、又は決定した場合においては、遅滞なく、これを納税者に通知しなければならない。（法72の93⑤）

6　更正又は決定により不足税額が生じた場合の徴収

道府県の徴税吏員は、1、2若しくは4の規定による更正又は3の規定による決定があった場合において、不足税額（更正による不足税額又は決定による税額をいい、譲渡割に係る還付金の額に相当する税額が過大であったことによる納付すべき額を含む。）があるときは、5の規定による通知をした日から1月を経過した日を納期限としてこれを徴収しなければならない。（法72の93⑥）

九　課税資産の譲渡等及び特定課税仕入れに係る消費税に関する書類の供覧等

1　消費税に関する書類の供覧等

道府県知事が譲渡割の賦課徴収について、政府に対し、課税資産の譲渡等及び特定課税仕入れに係る消費税の納税義務

者が政府に提出した申告書又は政府がした更正若しくは決定に関する書類を閲覧し、又は記録することを請求した場合には、政府は、関係書類を道府県知事又はその指定する職員に閲覧させ、又は記録させるものとする。（法72の94①）

2　政府が更正又は決定をした場合の通知

　政府は、課税資産の譲渡等又は特定課税仕入れに係る消費税に係る更正又は決定の通知をした場合には、遅滞なく、当該更正又は決定に係る課税資産の譲渡等又は特定課税仕入れの対価の額及び消費税額を当該更正又は決定に係る消費税額の算定に係る課税期間の開始の日現在における譲渡割課税道府県の知事に通知しなければならない。（法72の94②）

十　譲渡割の脱税に関する罪

　次の各号のいずれかに該当する場合には、その違反行為をした者は、10年以下の懲役若しくは1,000万円以下の罰金に処し、又はこれを併科する。（法72の95①）

（一）	偽りその他不正の行為により、譲渡割の全部又は一部を免れたとき。
（二）	偽りその他不正の行為により、三の2又は3の規定による還付を受けたとき。

　（注）　十中____部分「又は3の規定による還付」を「若しくは3の規定による還付を受け、又は八の1若しくは十の(3)の規定による更正による還付（更正の請求に基づく更正によるものに限る。）」に改める令和6年度改正規定は、令和6年4月9日以後適用する。（令6改法附1一）

　　　　（未遂の場合の罰則規定）
（1）　十の（二）の罪の未遂（三の2に規定する申告書を提出した者に係るものに限る。）は、罰する。（法72の95②）

　（注）　（1）中____部分「申告書を提出した者に係るもの」を「申告書又は第一編第十章10の④に規定する更正請求書（八の1又は十の(3)の規定による更正による還付のうち譲渡割の中間納付額に係るもの以外のものを受けようとするものに限る。）を提出した場合」に改める令和6年度改正規定は、令和6年4月9日以後適用する。（令6改法附1一）

　　　　（脱税額が1,000万円を超える場合の罰金額の加重）
（2）　十の（一）の免れた税額若しくは同（二）の還付を受けた金額又は（1）の犯罪に係る還付を受けようとした金額が1,000万円を超える場合には、情状により、当該各項の罰金の額は、当該各項の規定にかかわらず、1,000万円を超える額でその免れた税額若しくは還付を受けた金額又は還付を受けようとした金額に相当する額以下の額とすることができる。（法72の95③）

　　　　（申告書不提出の場合の罰則規定）
（3）　十の（1）に規定するもののほか、三の1の規定による申告書をその提出期限までに提出しないことにより、譲渡割の全部又は一部を免れたときは、その違反行為をした者は、5年以下の懲役若しくは500万円以下の罰金に処し、又はこれを併科する。（法72の95④）

　　　　（脱税額が500万円を超える場合の罰金額の加重）
（4）　（3）の免れた税額が500万円を超える場合には、情状により、（3）の罰金の額は、（3）の規定にかかわらず、500万円を超える額でその免れた税額に相当する額以下の額とすることができる。（法72の95⑤）

　　　　（両罰規定）
（5）　法人の代表者又は法人若しくは人の代理人、使用人その他の従業者が、その法人又は人の業務又は財産に関して十、（1）又は（3）の違反行為をした場合には、その行為者を罰するほか、その法人又は人に対し、当該各項の罰金刑を科する。（法72の95⑥）

　　　　（両罰規定により罰金刑を科する場合の公訴時効期間）
（6）　（5）の規定により十、（1）又は（3）の違反行為につき法人又は人に罰金刑を科する場合における時効の期間は、これらの項の罪についての時効の期間による。（法72の95⑦）

　　　　（人格のない社団等に対する刑事訴訟法の準用）
（7）　人格のない社団等について（5）の規定の適用がある場合には、その代表者又は管理人がその訴訟行為につき当該

人格のない社団等を代表するほか、法人を被告人又は被疑者とする場合の刑事訴訟に関する法律の規定を準用する。（法72の95⑧）

第三節　貨　物　割

一　貨物割の賦課徴収等

貨物割の賦課徴収は、八《貨物割に係る充当等の特例》の規定を除くほか、法第9条から第20条の13までの規定にかかわらず、国が、消費税の賦課徴収の例により、消費税の賦課徴収と併せて行うものとする。（法72の100①）

　　　（貨物割に係る延滞税及び加算税）
　注　貨物割に係る延滞税及び加算税（その賦課徴収について消費税の例によることとされる貨物割について納付される延滞税及び課される加算税をいう。七《貨物割に係る延滞税等の計算》において同じ。）は、貨物割として、この節の規定を適用する。（法72の100②）

二　貨物割の申告

消費税法第47条第1項の規定により消費税に係る申告書を提出する義務がある者は、法第9条から第20条の13までの規定にかかわらず、当該申告書に記載すべき同項第2号に掲げる課税標準額に対する消費税額、これを課税標準として算定した貨物割額その他必要な事項を記載した申告書を、消費税の申告の例により、消費税の申告と併せて、税関長に提出しなければならない。（法72の101）

　　　（申告書の記載事項）
　注　二に規定する者が二の規定による申告書を提出する場合には、当該申告書には、次に掲げる事項を記載しなければならない。（規7の2の7）

(一)	申告者の氏名又は名称及び住所等又は第一節二の1《納税義務者》に規定する課税貨物（(三)及び(四)において「課税貨物」という。）の引取りに係る事務所、事業所その他これらに準ずるものの所在地
(二)	引取りをしようとする第一節二の1《納税義務者》に規定する保税地域の所在地
(三)	当該保税地域から引き取ろうとする課税貨物の品名及び品名ごとの数量
(四)	当該課税貨物の品名ごとの二に規定する消費税額
(五)	(四)に掲げる消費税額を課税標準として算定した貨物割額及び当該貨物割額の合計額
(六)	その他参考となるべき事項

三　貨物割に係る故意不申告の罪

正当な理由がなくて二の規定による申告書をその提出期限までに提出しなかったときは、その違反行為をした者は、1年以下の懲役又は50万円以下の罰金に処する。ただし、情状により、その刑を免除することができる。（法72の102①）

　　　（両罰規定）
（1）　法人の代表者又は法人若しくは人の代理人、使用人その他の従業者が、その法人又は人の業務又は財産に関して三の違反行為をした場合には、その行為者を罰するほか、その法人又は人に対し、三の罰金刑を科する。（法72の102②）

　　　（人格のない社団等に対する刑事訴訟法の準用）
（2）　人格のない社団等について(1)の規定の適用がある場合には、その代表者又は管理人がその訴訟行為につき当該

人格のない社団等を代表するほか、法人を被告人又は被疑者とする場合の刑事訴訟に関する法律の規定を準用する。（法72の102③）

四　貨物割の納付等

1　貨物割の納付

貨物割の納税義務者は、法第9条から第20条の13までの規定にかかわらず、貨物割を、消費税の納付の例により、消費税の納付と併せて国に納付しなければならない。（法72の103①）

2　貨物割及び消費税の納付があった場合のあん分

貨物割及び消費税の納付があった場合においては、その納付額を一《貨物割の賦課徴収等》又は二《貨物割の申告》の規定により併せて賦課され又は申告された貨物割及び消費税の額にあん分した額に相当する貨物割及び消費税の納付があったものとする。（法72の103②）

（貨物割納付額の端数計算等）
（1）　貨物割及び消費税の納付があった場合において、2の規定により貨物割の納付があったものとされる額（以下（2）までにおいて「貨物割納付額」という。）に1円未満の端数があるとき、又は貨物割納付額の全額が1円未満であるときであって、その端数金額又は貨物割納付額の全額に切捨て累計額（納付があった貨物割及び消費税に係る一又は二の規定により併せて賦課され又は申告された貨物割及び消費税につき、既に納付された貨物割及び消費税がある場合において、既に納付された貨物割及び消費税の各納付額につき（1）の規定の適用により切り捨てられた額の累計額をいい、当該切り捨てられた額がない場合には零とする。）を加算した額から切上げ累計額（納付があった貨物割及び消費税に係る一又は二の規定により併せて賦課され又は申告された貨物割及び消費税につき、既に納付された貨物割及び消費税がある場合において、既に納付された貨物割及び消費税の各納付額につき（1）の規定の適用により1円とされた額を1円から控除した額の累計額をいい、当該1円とされた額がない場合には零とする。）を控除した残額が50銭未満となるとき又は残額がないときは、その端数金額又は貨物割納付額の全額を切り捨てるものとし、50銭以上となるときは、その端数金額又は貨物割納付額の全額を1円とする。（令35の9①）

（消費税の納付があったものとされる額）
（2）　（1）の場合における2の規定により消費税の納付があったものとされる額は、貨物割及び消費税の納付額から（1）の規定を適用して計算した貨物割納付額を控除した額に相当する額とする。（令35の9②）

3　貨物割の納付があった場合の道府県への払込み

国は、貨物割の納付があった場合においては、当該納付があった月の翌々月の末日までに、政令で定めるところにより、貨物割として納付された額を当該貨物割に係る第一節二の1《納税義務者》の保税地域所在の道府県（同5《税務署長又は税関長が消費税を徴収する場合の特例》又は6《外国貨物の保税地域からの引取りとみなして消費税法の規定を適用する場合の特例》の規定の適用がある場合にあっては、当該税関長の所属する税関所在の道府県）に払い込むものとする。（法72の103③）

（道府県知事に対する通知）
注　国は、3の規定による払込みを行う場合には、3の規定により払い込む貨物割の納付額その他必要な事項を道府県知事に通知するものとする。（令35の10）

五　貨物割の還付等

1　貨物割の還付

国は、輸入品に対する内国消費税の徴収等に関する法律の規定により消費税の全部又は一部に相当する金額を還付する場合においては、消費税の還付の例により、四の1《貨物割の納付》の規定により当該消費税と併せて納付された貨物割の全部又は一部に相当する金額を還付しなければならない。この場合においては、当該還付すべき消費税に係る還付金に相当する額に78分の22を乗じて得た額を還付するものとする。（法72の104①）

2　貨物割に係る過誤納金の還付

国は、貨物割に係る過誤納金があるときは、法第9条から第20条の13までの規定にかかわらず、消費税に係る過誤納金の還付の例により、遅滞なく、金銭で還付しなければならない。（法72の104②）

3　貨物割の還付金等の還付の方式

1及び2の規定による貨物割に係る還付金又は過誤納金（これらに加算すべき還付加算金を含む。以下3、六及び八において「還付金等」という。）の還付は、消費税に係る還付金等の還付と併せて行わなければならない。（法72の104③）

六　貨物割に係る還付金等の道府県への払込額からの控除等

1　貨物割に係る還付金等の道府県への払込額からの控除

国は、五の規定により貨物割に係る還付金等を還付した場合には、当該還付金等に相当する額を、当該貨物割に係る四の3《貨物割の納付があった場合の道府県への払込み》に規定する道府県に同3の規定により払い込む貨物割として納付された額で当該還付金等を還付した日の属する月に納付されたものの総額から控除するものとする。（法72の105①）

　　（還付金等の額が貨物割として納付された額を超える場合）
　注　1の規定により控除すべき還付金等に相当する額が、当該還付金等を還付した日の属する月に貨物割として納付された額の総額（同月に2の規定による加算すべき額がある場合にあっては、これを加算した額）を超える場合には、当該超える額に相当する還付金等をその翌月に還付したものとみなして、1の規定を適用する。（法72の105③）
　　　（注）　第五節五の3《譲渡割の納付額がある場合の貨物割に係る還付金等の控除の特例》を参照。（編者）

2　還付金等の返納額等の道府県への払込額への加算

貨物割として納付された額の総額から1の規定によりその相当額が控除された還付金等について返納があった場合その他政令で定める事由が生じた場合には、当該返納があった額その他政令で定める額に相当する額を、四の3の規定により当該道府県に払い込む貨物割として納付された額で当該返納があった又は政令で定める事由が生じた日の属する月に納付されたものの総額に加算するものとする。（法72の105②）

　　（払込額への加算を要する事由）
（1）　2に規定する政令で定める事由は、時効の完成その他の事由により2に規定する還付金等の支払を要しなくなったこととする。（令35の11①）

　　（払込額に加算する金額）
（2）　2に規定する政令で定める額は、（1）に規定する事由によりその支払を要しなくなった額とする。（令35の11②）

七　貨物割に係る延滞税等の計算

1　延滞税等の計算

貨物割に係る延滞税及び加算税並びに消費税に係る延滞税及び加算税並びにこれらの延滞税の免除に係る金額（以下七において「延滞税等」という。）の計算については、貨物割及び消費税の合算額によって行い、算出された延滞税等をその計算の基礎となった貨物割及び消費税の額にあん分した額に相当する金額を貨物割又は消費税に係る延滞税等の額とする。（法72の106①）

　　（貨物割に係る延滞税等の端数計算）
　注　1の規定により計算した貨物割に係る延滞税等の額（以下注において「貨物割延滞税等の額」という。）に50銭未満の端数があるときは、その端数金額を切り捨て、貨物割延滞税等の額に50銭以上1円未満の端数があるときは、その端数金額を1円とする。この場合において、注の規定を適用して計算した貨物割延滞税等の額を1の規定により算出された延滞税等の額から控除した額を1の規定により計算した消費税に係る延滞税等の額とする。（令35の12①）

2　還付加算金の計算

貨物割及び消費税に係る還付加算金の計算については、貨物割及び消費税に係る還付金又は過誤納金の合算額によって

行い、算出された還付加算金をその計算の基礎となった貨物割及び消費税に係る還付金又は過誤納金の額にあん分した額に相当する金額を貨物割又は消費税に係る還付加算金の額とする。(法72の106②)

　　（貨物割に係る還付加算金の端数計算）
　注　2の規定により計算した貨物割に係る還付加算金の額（以下注において「貨物割還付加算金の額」という。）に50銭未満の端数があるときは、その端数金額を切り捨て、貨物割還付加算金の額に50銭以上1円未満の端数があるときは、その端数金額を1円とする。この場合において、注の規定を適用して計算した貨物割還付加算金の額を2の規定により算出された還付加算金の額から控除した額を2の規定により計算した消費税に係る還付加算金の額とする。（令35の12②）

3　端　数　計　算
　1及び2の規定により貨物割及び消費税に係る延滞税等及び還付加算金の計算をする場合の端数計算は、貨物割及び消費税を一の税とみなしてこれを行う。（法72の106③）

八　貨物割に係る充当等の特例

　国税通則法第57条《充当》の規定は、次の各号のいずれかに該当する還付金等については適用しない。（法72の107①）

(一)	一《貨物割の賦課徴収等》の規定により併せて更正され若しくは決定され若しくは二《貨物割の申告》の規定により併せて申告され又は四《貨物割の納付等》の規定により併せて納付された貨物割及び消費税に係る還付金等『五の3参照』の還付を受けるべき者につき納付すべきこととなっている国税がある場合における当該還付金等
(二)	国税に係る還付金等（(一)に該当するものを除く。）の還付を受けるべき者につき一又は二の規定により併せて賦課され又は申告された貨物割及び消費税で納付すべきこととなっているもの（(1)及び(2)において「未納貨物割等」という。）がある場合における当該還付金等

　　（未納貨物割等又はその他の未納国税への納付委託）
（1）　八の表の(一)に規定する場合にあっては、同(一)の還付金等の還付を受けるべき者は、当該還付をすべき税関長に対し、当該還付金等（未納貨物割等又は納付すべきこととなっているその他の国税に係る金額に相当する額を限度とする。）により未納貨物割等又は納付すべきこととなっているその他の国税を納付することを委託したものとみなす。（法72の107②）

　　（未納貨物割等への納付委託）
（2）　八の表の(二)に規定する場合にあっては、同(二)の還付金等の還付を受けるべき者は、当該還付をすべき税関長に対し、当該還付金等（未納貨物割等に係る金額に相当する額を限度とする。）により未納貨物割等を納付することを委託したものとみなす。（法72の107③）

　　（委託納付に相当する額の還付及び納付があったとみなされる時）
（3）　(1)又は(2)の規定が適用される場合には、これらの規定の委託をするのに適することとなった時として(4)で定める時に、その委託納付に相当する額の還付及び納付があったものとみなす。（法72の107④）

　　（貨物割に係る納付委託適状の時）
（4）　(3)に規定する委託をするのに適することとなった時は、八の表の(二)に規定する未納貨物割等又は納付すべきこととなっているその他の国税（以下(4)において「国税等」という。）の国税通則法第2条第8号に規定する法定納期限（次の各号に掲げる国税等（延滞税を除く。）については、当該各号に定める時とし、その国税等に係る延滞税については、その納付又は徴収の基因となった国税等に係る当該各号に定める時とする。）と還付金等（八の表の各号に規定する還付金等をいう。以下(5)までにおいて同じ。）が生じた時（還付加算金については、その計算の基礎となった還付金等が生じた時）とのいずれか遅い時とする。ただし、国税通則法第11条《災害等による期限の延長》の規定による同法第37条第1項に規定する納期限の延長又は同法第46条第1項《納税の猶予の要件等》の規定による納税の猶予に係る国税等につき、当該延長又は猶予の申請があった日（当該延長につき申請を要しないときは、当該延長の

基因となる理由が生じた日）以後に生じた還付金等に（1）又は（2）の規定を適用するときは、当該延長又は猶予に係る期限と当該還付金等が生じた時とのいずれか遅い日とする。（令35の13①）

(一)	国税通則法第2条第8号に規定する法定納期限（以下（5）までにおいて「法定納期限」という。）後に納付すべき税額が確定した国税等	当該国税等の同法第28条第1項に規定する更正通知書若しくは決定通知書又は同法第36条第2項に規定する納税告知書を発した時（同法第16条第1項第1号に規定する申告納税方式による国税等で申告により納付すべき税額が確定したものについては、その申告があった時）
(二)	法定納期限前に国税通則法第38条第1項《繰上請求》の規定による請求がされた国税等	当該請求に係る期限
(三)	関税法第73条第1項の規定により税関長の承認を受けて同法第29条に規定する保税地域（（5）において「保税地域」という。）から引き取られた課税物件に係る消費税等（国税通則法第2条第3号に規定する消費税等及びその賦課徴収について消費税の例によることとされている貨物割をいい、（一）に掲げる国税等及び石油石炭税法第17条第3項の規定により納付すべき石油石炭税を除く。）	輸入品に対する内国消費税の徴収等に関する法律第9条第3項において準用する関税法第7条の17の書面又は更正通知書を発した時
(四)	国税等に係る国税通則法第69条に規定する加算税	その賦課決定通知書を発した時
(五)	国税徴収法第2条第8号に規定する保証人又は同条第7号に規定する第二次納税義務者として納付すべき国税等	国税通則法第52条第2項又は国税徴収法第32条第1項に規定する納付通知書を発した時
(六)	国税等に係る国税徴収法第136条に規定する滞納処分費	その生じた時

　（納付委託があったものとみなすことができる場合）
（5）　税関長は、還付金等がある場合において、その還付を受けるべき者から、当該還付金等により関税法第67条の規定による輸入の許可を受けて保税地域から引き取ろうとする課税物件に係る消費税等（国税通則法第2条第3号に規定する消費税等及びその賦課徴収について消費税の例によることとされている貨物割をいい、石油石炭税法第17条第3項の規定により納付すべき石油石炭税を除く。）を納付したい旨の書面が提出されたときは、当該消費税等の法定納期限前においても、（1）又は（2）の規定による委託があったものとみなすことができる。この場合においては、（4）の規定にかかわらず、（3）に規定する委託をするのに適することとなった時は、当該書面の提出があった時とする。（令35の13②）

　（委託をしたものとみなされた者に対する通知）
（6）　（1）又は（2）の規定が適用される場合には、これらの規定による納付をした税関長は、遅滞なくその旨をこれらの規定により委託したものとみなされた者に通知しなければならない。（法72の107⑤）

九　貨物割に係る処分に関する不服審査等の特例

　一　《貨物割の賦課徴収等》の規定により税関長が消費税の賦課徴収の例により消費税と併せて賦課徴収を行う貨物割に関する処分は、不服申立て及び訴訟については、国税に関する法律に基づく処分とみなして、国税通則法第八章及び国税通則法施行令第8章の規定を適用する。この場合において、次表の左欄の規定中同表の中欄に掲げる字句は同表の右欄に定める字句とする。（法72の108①、令35の14）

国税通則法第105条第2項	処分に係る国税	処分に係る国税若しくは地方消費税の貨物割
国税通則法第105条第3項	処分に係る国税	処分に係る国税又は地方消費税の貨物割
国税通則法第105条第4項	処分に係る国税	処分に係る国税又は地方消費税の貨物割

	当該国税	当該国税若しくは地方消費税の貨物割
国税通則法第105条第5項	処分に係る国税	処分に係る国税又は地方消費税の貨物割
国税通則法第105条第6項	処分に係る国税	処分に係る国税若しくは地方消費税の貨物割
国税通則法施行令第37条第1項	異議申立てに係る国税	異議申立てに係る国税又は地方消費税の貨物割
	処分に係る国税	処分に係る国税又は地方消費税の貨物割
	当該国税	当該国税又は地方消費税の貨物割

　　　　（他の消費税又は貨物割についてされた更正決定等がある場合）
　注　九の規定により国税に関する法律に基づく処分とみなされた処分に係る貨物割又は消費税に係る国税通則法第58条第1項第1号イに規定する更正決定等（以下注において「更正決定等」という。）について不服申立てがされている場合において、当該貨物割又は消費税と納税義務者が同一である他の消費税又は貨物割についてされた更正決定等があるときは、同法第90条第1項若しくは第2項、第104条第2項又は第115条第1項第2号の規定の適用については、当該他の消費税又は貨物割についてされた更正決定等は、当該貨物割又は消費税の同法第19条第1項に規定する課税標準等又は税額等についてされた他の更正決定等とみなす。（法72の108②）

十　貨物割の脱税に関する罪

　偽りその他の不正の行為により、貨物割の全部又は一部を免れ、又は免れようとしたときは、その違反行為をした者は、10年以下の懲役若しくは1,000万円以下の罰金に処し、又はこれを併科する。（法72の109①）

　　　　（脱税額が1,000万円を超える場合の罰金額の加重）
（1）　十の免れ、又は免れようとした税額の10倍が1,000万円を超える場合には、情状により、十の罰金の額は、十の規定にかかわらず、1,000万円を超える額でその免れ、又は免れようとした税額の10倍に相当する額以下の額とすることができる。（法72の109②）

　　　　（両罰規定）
（2）　法人の代表者又は法人若しくは人の代理人、使用人その他の従業者が、その法人又は人の業務又は財産に関して十の違反行為をした場合には、その行為者を罰するほか、その法人又は人に対し、十の罰金刑を科する。（法72の109③）

　　　　（両罰規定により罰金刑を科する場合の公訴時効期間）
（3）　（2）の規定により十の違反行為につき法人又は人に罰金刑を科する場合における時効の期間は、十の罪についての時効の期間による。（法72の109④）

　　　　（人格のない社団等に対する刑事訴訟法の準用）
（4）　人格のない社団等について（2）の規定の適用がある場合には、その代表者又は管理人がその訴訟行為につき当該人格のない社団等を代表するほか、法人を被告人又は被疑者とする場合の刑事訴訟に関する法律の規定を準用する。（法72の109⑤）

十一　貨物割の不正還付に関する罪

　偽りその他不正の行為により五の1《貨物割の還付》の規定により還付を受けたときは、その違反行為をした者は、10年以下の懲役若しくは100万円以下の罰金に処し、又はこれを併科する。（法72の110①）

　　　　（還付を受けた金額の3倍が100万円を超える場合の罰金額の加重）
（1）　十一の還付を受けた金額の3倍が100万円を超える場合には、情状により、十一の罰金の額は、十一の規定にかかわらず、100万円を超え当該相当額の3倍以下の金額とすることができる。（法72の110②）

(両罰規定)
（2） 法人の代表者又は法人若しくは人の代理人、使用人その他の従業者が、その法人又は人の業務又は財産に関して十一の違反行為をした場合には、その行為者を罰するほか、その法人又は人に対し、十一の罰金刑を科する。（法72の110③）

(両罰規定により罰金刑を科する場合の公訴時効期間)
（3） （2）の規定により十一の違反行為につき法人又は人に罰金刑を科する場合における時効の期間は、十一の罪についての時効の期間による。（法72の110④）

十二　貨物割に係る犯則事件の調査及び処分の特例

貨物割に関する犯則事件については、第一編第十章の17及び18の規定にかかわらず、税関長又は税関職員を国税局長若しくは税務署長又は国税庁、国税局若しくは税務署の当該職員とみなして、国税通則法第11章（第153条及び第154条第1項を除く。）の規定を適用する。（法72の111①）

(国税通則法の準用)
（1） 国税通則法第153条第5項の規定は、十二の犯則事件を国税庁、国税局又は税務署の当該職員及び税関職員が発見した場合について準用する。この場合において、国税通則法第153条第5項中「税務署の当該職員」とあるのは「税務署の当該職員（税関職員が最初に発見したときは、当該発見地又は犯則物件の輸入地若しくは納税地を所轄する税関の税関職員）」と、「国税局の当該職員」とあるのは「国税局の当該職員（税関職員が最初に発見したときは、当該発見地又は犯則物件の輸入地若しくは納税地を所轄する税関の税関職員）」と読み替えるものとする。（法72の111②）

(貨物割に関する犯則事件の区分)
（2） 十二の場合において、消費税法第47条第1項第2号に掲げる課税標準額に対する消費税額を課税標準として課する貨物割に関する犯則事件は、間接国税以外の国税に関する犯則事件とし、同法第50条第2項の規定により徴収すべき消費税額（消費税に係る延滞税の額を含まないものとする。）を課税標準として課する貨物割に関する犯則事件は、間接国税に関する犯則事件とする。（法72の111③）

(貨物割に係る犯則事件の調査及び処分の特例)
（3） 貨物割に関する犯則事件については、地方税法施行令第6条の22の2から第6条の22の13までの規定にかかわらず、税関長又は税関職員を国税局長若しくは税務署長又は国税庁、国税局若しくは税務署の当該職員とみなして、国税通則法施行令第10章（第46条を除く。）の規定を適用する。この場合において、同令第51条第1号中「課される消費税」とあるのは、「課される消費税及び地方消費税の貨物割」とする。（令35の15）

十三　貨物割の賦課徴収又は申告納付に関する報告等

1　道府県知事に対する報告

税関長は、注で定めるところにより、道府県知事に対し、貨物割の申告の件数、貨物割額、貨物割に係る滞納の状況その他必要な事項を報告するものとする。（法72の112①）

(報告の方法)
注　税関長は、毎年度、道府県知事に対し、前年度の貨物割の申告の件数（更正、決定及び賦課決定の件数を含む。）、前年度の納付すべき貨物割額、前年度の貨物割に係る滞納の状況その他必要な事項を報告するものとする。（令35の16）

2　税関長に対する書類の閲覧等の請求

道府県知事は、税関長に対し、必要があると認める事項を示して、当該税関長に係る貨物割の賦課徴収又は申告納付に関する事項について、これらに関する書類を閲覧し、または記録することを請求することができる。この場合において、当該請求に理由があると認めるときは、税関長は、関係書類を道府県知事又はその指定する職員に閲覧させ、又は記録させるものとする。（法72の112②）

3　道府県知事及び市町村長に対する協力の要請

　税関長は、貨物割の賦課徴収を行うため必要があるときは、道府県知事及び市町村長に対し、当該事務に関し参考となるべき資料又は情報の提供その他の協力を求めることができる。(法72の112③)

十四　貨物割に係る徴収取扱費の支払

　道府県は、国が貨物割の賦課徴収に関する事務を行うために要する費用を補償するため、(1)及び(2)で定めるところにより、徴収取扱費を国に支払わなければならない。(法72の113①)

　　　(徴収取扱費の支払)
(1)　道府県は、毎年度、**十四**に規定する徴収取扱費として、次に掲げる各期間(以下(1)、(2)及び(4)において「徴収取扱費算定期間」という。)ごとに、当該各徴収取扱費算定期間内に**四の3**《貨物割の納付があった場合の道府県への払込み》の規定により当該道府県に払い込むべき貨物割として納付された額の総額(当該各徴収取扱費算定期間内に**五**《貨物割の還付等》の規定により貨物割に係る還付金等(同3《貨物割の還付金等の還付の方式》に規定する還付金等をいう。以下(1)、(2)において同じ。)が還付された場合にあっては当該還付金等に相当する額を控除し、**六の2**《還付金等の返納額等の道府県への払込額への加算》の規定により加算されるべき額がある場合にあっては当該加算されるべき額を加算した額とする。)の22分の10に相当する額((4)において「徴収取扱費基礎額」という。)に100分の0.65を乗じて得た金額を、総務省令で定めるところにより、国に支払うものとする。(令35の17①)
　　(一)　前年度12月から前年度2月まで
　　(二)　前年度3月から5月まで
　　(三)　6月から8月まで
　　(四)　9月から11月まで
　　(注)　令和2年12月から令和3年2月までの期間以降の徴収取扱費算定期間に係る徴収取扱費の支払については、(8)の(注)を参照。(編者)

　　　(還付金等の額が徴収取扱費算定期間内に貨物割として納付された額を超える場合)
(2)　**五**の規定により貨物割に係る還付金等が還付された場合であって、当該還付金等に相当する額が当該還付金等を還付した日の属する徴収取扱費算定期間内に**四の3**の規定により当該道府県に払い込むべき貨物割として納付された額の総額(当該徴収取扱費算定期間内に**六の2**の規定により加算されるべき額がある場合にあっては、これを加算した額)を超えるときは、当該超える額に相当する還付金等が当該徴収取扱費算定期間の次の徴収取扱費算定期間内に還付されたものとみなして、(1)の規定を適用する。(令35の17②)

　　　(必要事項の通知)
(3)　国は、(4)で定めるところにより、**十四**の徴収取扱費の算定に関し必要な事項を道府県知事に通知しなければならない。(法72の113②)

　　　(通知の手続)
(4)　国は、各徴収取扱費算定期間ごとに、各道府県ごとの当該各徴収取扱費算定期間に係る徴収取扱費基礎額を、当該各徴収取扱費算定期間経過後3月以内に、各道府県知事に、(3)の通知として通知するものとする。(令35の18)

　　　(徴収取扱費の国庫納付)
(5)　道府県知事は、(3)の規定による通知があった場合においては、速やかに、当該通知があった日及び当該通知に係る徴収取扱費基礎額((1)に規定する徴収取扱費基礎額をいう。)により算定した徴収取扱費(**十四**に規定する徴収取扱費をいう。)の額を国に通知しなければならない。(規7の2の8①)

　　　(納入告知書に基づく納付)
(6)　道府県は、(5)の徴収取扱費の額を国が発行する納入告知書に基づき国庫に納付しなければならない。(規7の2の8②)

　　　(徴収取扱費の支払期限)
(7)　道府県知事は、(3)の規定による通知があった場合においては、その通知があった日から30日以内に、**十四**の徴

収取扱費を支払うものとする。（法72の113③）

(徴収取扱費の支払)
（8）貨物割にあっては、国から通知された（1）に規定する徴収取扱費基礎額（（1）に規定する徴収取扱費算定期間内に四の3《貨物割の納付があった場合の道府県への払込み》の規定により道府県に払い込むべき貨物割として納付された額の総額（当該各徴収取扱費算定期間内に五《貨物割の還付等》の規定により貨物割に係る還付金等が還付された場合にあっては当該還付金等に相当する額を控除し、六の2《還付金等の返納額等の道府県への払込額への加算》の規定により加算されるべき額がある場合にあっては当該加算されるべき額を加算した額とする。）の22分の10に相当する額）に100分の0.65を乗じて得た金額を、国からの通知があった日から30日以内に支払うものであること。（県通4-9（1））

第四節　清算及び交付

一　地方消費税の清算

1　地方消費税の清算

道府県は、当該道府県に納付された譲渡割額に相当する額及び第三節四の3《貨物割の納付があった場合の道府県への払込み》の規定により払い込まれた貨物割の納付額の合算額の22分の10に相当する額から第三節十四《貨物割に係る徴収取扱費の支払》の規定により国に支払った金額に相当する額を減額した額を、政令で定めるところにより、各道府県ごとの消費に相当する額に応じて按分し、当該按分した額のうち他の道府県に係る額を他の道府県に対し、それぞれ支払うものとする。（法72の114①）

（注）第五節十二《地方消費税の清算等の特例》を参照。（編者）

(各道府県ごとの消費に相当する額に応じて按分する合算額相当額)
（1）道府県は、1に規定する合算額の22分の12に相当する額を、2の（1）で定めるところにより、各道府県ごとの消費に相当する額に応じて按分し、当該按分した額のうち他の道府県に係る額を他の道府県に対し、それぞれ支払うものとする。（法72の114②）

(関係道府県間での相殺)
（2）1及び（1）の規定により他の道府県に支払うべき金額とこれらの規定により他の道府県から支払を受けるべき金額は、関係道府県間で、それぞれ相殺するものとする。（法72の114③）

(各道府県ごとの消費に相当する額)
（3）1及び（1）の各道府県ごとの消費に相当する額とは、各道府県ごとに、当該道府県の小売年間販売額（統計法第2条第4項に規定する基幹統計である商業統計の最近に公表された結果に基づき総務省令で定める額をいう。）と当該道府県の当該小売年間販売額に相当する消費以外の消費に相当する額（消費に関連する指標で政令で定めるものを基準として政令で定めるところにより算定した額をいう。）とを合計して得た額をいう。（法72の114④）

（注）（3）中＿＿＿部分「商業統計」を「経済構造統計（（4）で定めるものに限る。）」に改める令和6年度改正規定は、令和6年4月1日以後適用する。（令6改法附1）

(総務省令で定める経済構造統計等)
(4)　(3)に規定する(4)で定める経済構造統計は、経済センサス活動調査規則により令和3年6月1日現在において行った第一編第一章一の2（2）に規定する経済センサス活動調査の結果として公表された事業所に関する集計のうち次の各号に掲げるものをいう。（規7の2の9①）
(一)　産業別集計のうち卸売業、小売業に関する集計のうち品目編第2表（商品分類（小売）別事業所数及び年間商品販売額－全国、都道府県、市区、郡部）
(二)　産業横断的集計のうち売上（収入）金額等第1-1表（産業（中分類）、経営組織（3区分）別民営事業所数、従業者数、売上（収入）金額、1事業所当たり従業者数、1事業所当たり売上（収入）金額及び従業者1人当たり

売上（収入）金額－全国、都道府県）
(三)　産業別集計のうち卸売業、小売業に関する集計のうち産業編（都道府県表）第５表（小売業の都道府県別、東京特別区・政令指定都市別、産業分類小分類別、商品販売形態別の事業所数、年間商品販売額及び構成比）
(注)　(4)を追加する令和６年度改正規定は、令和６年４月１日以後に行われる地方消費税の清算について適用し、同日前に行われた地方消費税の清算については、なお従前の例による。（令６改規附１、３）

　　（小売年間販売額）
(5)　(3)に規定する統計法第２条第４項に規定する基幹統計である商業統計の最近に公表された結果に基づき総務省令で定める額は、商業統計調査規則によって平成26年７月１日現在によって行った同令第１条に規定する商業調査の結果として公表された平成26年商業統計表第四巻品目編第二表（区市郡別、商品（小売）別の事業所数及び年間商品販売額）の表頭「小売計」のうち「年間商品販売額」の表側「計」の欄の額から、同表の表頭「60　その他の小売」のうち「60331　医療用医薬品小売」のうち「年間商品販売額」の表側「計」の欄の額と、平成26年商業統計表第２巻産業編（都道府県表）第６表（小売業の都道府県別、東京特別区・政令指定都市別、産業分類小分類別、商品販売形態別の事業所数、年間商品販売額及び構成比）の表頭「小売計」のうち「商品販売形態」のうち「通信・カタログ販売」のうち「年間商品販売額」の表側「小売業計」の欄の額及び同表の表頭「小売計」のうち「商品販売形態」のうち「インターネット販売」のうち「年間商品販売額」の表側「小売業計」の欄の額及び同表の表頭「小売計」のうち「商品販売形態」のうち「自動販売機による販売」のうち「年間商品販売額」の表側「小売業計」の欄の額の合計額と、平成26年商業統計表業態別統計編（小売業）第五表（都道府県別、業態別、商品販売形態別の事業所数、年間商品販売額及び構成比）の表頭「小売計」のうち「年間商品販売額」の表側「百貨店」の欄の額から同表の表頭「商品販売形態別」のうち「通信・カタログ販売」のうち「年間商品販売額」の表側「百貨店」の欄の額、同表の表頭「商品販売形態別」のうち「インターネット販売」のうち「年間商品販売額」の表側「百貨店」の欄の額及び同表の表頭「商品販売形態別」のうち「自動販売機による販売」のうち「年間商品販売額」の表側「百貨店」の欄の額を控除した額、同表の表頭「小売計」のうち「年間商品販売額」の表側「衣料品専門店」の欄の額から同表の表頭「商品販売形態別」のうち「通信・カタログ販売」のうち「年間商品販売額」の表側「衣料品専門店」の欄の額、同表の表頭「商品販売形態別」のうち「インターネット販売」のうち「年間商品販売額」の表側「衣料品専門店」の欄の額及び同表の表頭「商品販売形態別」のうち「自動販売機による販売」のうち「年間商品販売額」の表側「衣料品専門店」の欄の額を控除した額、同表の表頭「小売計」のうち「年間商品販売額」の表側「家電大型専門店」の欄の額から同表の表頭「商品販売形態別」のうち「通信・カタログ販売」のうち「年間商品販売額」の表側「家電大型専門店」の欄の額、同表の表頭「商品販売形態別」のうち「インターネット販売」のうち「年間商品販売額」の表側「家電大型専門店」の欄の額及び同表の表頭「商品販売形態別」のうち「自動販売機による販売」のうち「年間商品販売額」の表側「家電大型専門店」の欄の額を控除した額並びに同表の表頭「小売計」のうち「年間商品販売額」の表側「衣料品中心店」の欄の額から同表の表頭「商品販売形態別」のうち「通信・カタログ販売」のうち「年間商品販売額」の表側「衣料品中心店」の欄の額、同表の表頭「商品販売形態別」のうち「インターネット販売」のうち「年間商品販売額」の表側「衣料品中心店」の欄の額及び同表の表頭「商品販売形態別」のうち「自動販売機による販売」のうち「年間商品販売額」の表側「衣料品中心店」の欄の額を控除した額の合計額に相当する額として総務大臣が定める額との合計額を控除した額とする。ただし、当該額が公表された後において都道府県の境界にわたって市町村の設置又は境界の変更があったため都道府県の境界に変更があったときは、次に掲げる額を合計して得た額を、当該境界変更のあった区域が従来属していた都道府県については当該都道府県の額から減じたものとし、当該区域が新たに属することとなった都道府県については当該都道府県の額に加えたものとする。（規７の２の９②）
(一)　境界変更のあった区域が従来属していた都道府県の額の２分の１の額に、当該区域の人口（国勢調査令（昭和55年政令第98号）によって調査した令和２年10月１日現在における人口の確定数又はこれに相当する人口として総務大臣が別に定める人口をいう。以下（一）及び（6）の（一）において同じ。）を当該都道府県の人口で除して得た率を乗じて得た額
(二)　境界変更のあった区域が従来属していた都道府県の額の２分の１の額に、当該区域の従業者数（経済センサス基礎調査規則によって調査した平成26年７月１日現在における従業者数又はこれに相当する従業者数として総務大臣が別に定める従業者数をいう。以下（二）及び（6）の（二）において同じ。）を当該都道府県の従業者数で除して得た率を乗じて得た額
(注)　(5)中＿＿部分を「(3)に規定する経済構造統計の最近に公表された結果に基づき総務省令で定める額は、(4)の（一）に規定する統計表の表頭「品目（小売）」のうち「Ｉ２　小売商品計」のうち「年間商品販売額」の表側都道府県名が記載されている欄の額と(4)の（二）に規定する統計表の表頭「売上（収入）金額」の表側「Ｉ２　小売業」のうち「１　個人」の欄の額の合計額から、(4)の（一）に規定する統計表の表頭「品目（小売）」のうち「60331　医療用医薬品小売」のうち「年間商品販売額」の表側都道府県名が記載されている欄の

第二編第六章《地方消費税》第四節《清算及び交付》

額と、(4)の(三)に規定する統計表の表頭「商品販売形態別」のうち「3　通信・カタログ販売」のうち「年間商品販売額」の表側「Ⅰ2　小売業計」の欄の額、同表の表頭「商品販売形態別」のうち「4　インターネット販売」のうち「年間商品販売額」の表側「Ⅰ2　小売業計」の欄の額及び同表の表頭「商品販売形態別」のうち「5　自動販売機による販売」のうち「年間商品販売額」の表側「Ⅰ2　小売業計」の欄の額の合計額と、(4)に規定する経済センサス活動調査の結果に基づき、商業統計調査規則及び特定サービス産業実態調査規則を廃止する省令（令和元年経済産業省令第14号）による廃止前の商業統計調査規則（昭和27年通商産業省令第60号）により平成26年7月1日現在において行った同令第1条に規定する商業調査の結果として公表された」に改め、＿＿部分を加える令和6年度改正規定は、令和6年4月1日以後に行われる地方消費税の清算について適用し、同日前に行われた地方消費税の清算については、なお従前の例による。（令6改規附1、3）

（消費に関する指標）
(6)　(3)に規定する消費に関連する指標で政令で定めるものは、次に掲げる指標とする。（令35の20①）
(一)　道府県のサービス業対個人事業収入額（統計法第2条第4項に規定する基幹統計でサービス業に係るものの最近に公表された結果に基づき総務省令で定める額をいう。(9)において同じ。）
(二)　官報で公示された最近の国勢調査の結果による道府県の人口
　　（注）　(6)中＿＿部分「でサービス業に係るもの」を「である経済構造統計（(7)で定めるものに限る。）」に改める令和6年度改正規定は、令和6年4月1日以後適用する。（令6改令附1）

（総務省令で定める経済構造統計等）
(7)　(6)の(一)に規定する(7)で定める経済構造統計は、経済センサス活動調査規則により令和3年6月1日現在において行った第一編第一章一の2の(2)に規定する経済センサス活動調査の結果として公表された事業所に関する集計のうち産業別集計のうちサービス関連産業に関する集計第一表（サービス関連産業（小分類）、単独・本所・支所別民営事業所数、従業者数、売上（収入）金額及び収入を得た相手先別収入額―全国、都道府県）とする。（規7の2の10①）
　　（注）　(7)を追加する令和6年度改正規定は、令和6年4月1日以後に行われる地方消費税の清算について適用し、同日前に行われた地方消費税の清算については、なお従前の例による。（令6改規附1、3）

（サービス業対個人事業収入額）
(8)　(6)の(一)に規定する統計法第2条第4項に規定する基幹統計でサービス業に係るものの最近に公表された結果に基づき総務省令で定める額は、経済センサス活動調査規則（平成23年総務省・経済産業省令第1号）によって平成28年6月1日現在によって行った同令第1条に規定する経済センサス活動調査の結果として公表された事業所に関する集計のうち産業別集計のうちサービス関連産業Bに関する集計第七表（サービス関連産業B（細分類）、単独・本所・支所（三区分）別民営事業所数、従業者数、売上（収入）金額及び収入を得た相手先別収入額－全国、都道府県）の表頭「総数」のうち「（収入を得た相手先別収入額）個人（一般消費者）」の表側「K　不動産業、物品賃貸業」の欄の額から「681　建物売買業、土地売買業」、「691　不動産賃貸業（貸家業、貸間業を除く）」、「692　貸家業、貸間業」及び「694　不動産管理業」、「7011　総合リース業」及び「702　産業用機械器具賃貸業」の各欄の額を控除した額、表側「L　学術研究、専門・技術サービス業」の欄の額から「728　経営コンサルタント業、純粋持株会社」、「73　広告業」、「7462　商業写真業」及び「749　その他の技術サービス業」の各欄の額を控除した額、表側「M　宿泊業、飲食サービス業」の欄の額、表側「N　生活関連サービス業、娯楽業」の欄の額から「791　旅行業」、「795　火葬・墓地管理業」、「803　競輪・競馬等の競走場、競技団」及び「8096　娯楽に附帯するサービス業」の各欄の額を控除した額、表側「O　教育、学習支援業」の欄の額から「8216　社会通信教育」の欄の額を控除した額並びに表側「R　サービス業（他に分類されないもの）」の欄の額から「882　産業廃棄物処理業」、「901　機械修理業（電気機械器具を除く）」、「912　労働者派遣業」、「9221　ビルメンテナンス業」及び「929　他に分類されない事業サービス業」の各欄の額を控除した額の合計額とする。ただし、当該額が公表された後において都道府県の境界にわたって市町村の設置又は境界の変更があったため都道府県の境界に変更があったときは、次に掲げる額を合計して得た額を、当該境界変更のあった区域が従来属していた都道府県については当該都道府県の額から減じたものとし、当該区域が新たに属することとなった都道府県については当該都道府県の額に加えたものとする。（規7の2の10）
(一)　境界変更のあった区域が従来属していた都道府県の額の2分の1の額に、当該区域の人口を当該都道府県の人口で除して得た率を乗じて得た額
(二)　境界変更のあった区域が従来属していた都道府県の額の2分の1の額に、当該区域の従業者数を当該都道府県の従業者数で除して得た率を乗じて得た額
　　（注）　(8)を以下のように改める令和6年度改正規定は、令和6年4月1日以後に行われる地方消費税の清算について適用し、同日前に行われた地方消費税の清算については、なお従前の例による。（令6改規附1、3）

(8) (6)の(一)に規定する経済構造統計の最近に公表された結果に基づき総務省令で定める額は、(7)に規定する統計表の表頭「収入を得た相手先別収入額 個人(一般消費者)」の表側「K 不動産業、物品賃貸業」のうち「〇 総数」の欄の額から「681 建物売買業、土地売買業」のうち「〇 総数」、「691 不動産賃貸業(貸家業、貸間業を除く)」のうち「〇 総数」、「692 貸家業、貸間業」のうち「〇 総数」、「694不動産管理業」のうち「〇 総数」、「70C 総合リース業」のうち「〇 総数」、「702 産業用機械器具賃貸業」のうち「〇 総数」及び「704 自動車賃貸業」のうち「〇 総数」の各欄の額を控除した額、表側「L 学術研究、専門・技術サービス業」のうち「〇 総数」の欄の額から「71 学術・開発研究機関」のうち「〇 総数」、「728 経営コンサルタント業、純粋持株会社」のうち「〇 総数」、「73 広告業」のうち「〇 総数」、「74E 商業写真業」のうち「〇 総数」及び「749 その他の技術サービス業」のうち「〇 総数」の各欄の額を控除した額、表側「M 宿泊業、飲食サービス業」のうち「〇 総数」の欄の額、表側「N 生活関連サービス業、娯楽業」のうち「〇 総数」の欄の額から「791 旅行業」のうち「〇 総数」、「795 火葬・墓地管理業」のうち「〇 総数」、「803 競輪・競馬等の競走場、競技団」のうち「〇 総数」及び「80Q 娯楽に附帯するサービス業」のうち「〇 総数」の各欄の額を控除した額、表側「O 教育、学習支援業」のうち「〇 総数」の欄の額から「82N 社会通信教育」のうち「〇 総数」の欄の額を控除した額並びに表側「R サービス業(他に分類されないもの)」のうち「〇 総数」の欄の額から「882 産業廃棄物処理業」のうち「〇 総数」、「901 機械修理業(電気機械器具を除く)」のうち「〇 総数」、「912 労働者派遣業」のうち「〇 総数」、「92A ビルメンテナンス業」のうち「〇 総数」及び「929 他に分類されない事業サービス業」のうち「〇 総数」の各欄の額を控除した額の合計額とする。ただし、当該額が公表された後において都道府県の境界にわたって市町村の設置又は境界の変更があったため都道府県の境界に変更があったときは、次に掲げる額を合計して得た額を、当該境界変更のあった区域が従来属していた都道府県については当該都道府県の額から減じたものとし、当該区域が新たに属することとなった都道府県については当該都道府県の額に加えたものとする。(規7の2の10②)
  (一) 境界変更のあった区域が従来属していた都道府県の額の2分の1の額に、当該区域の人口を当該都道府県の人口で除して得た率を乗じて得た額
  (二) 境界変更のあった区域が従来属していた都道府県の額の2分の1の額に、当該区域の従業者数を当該都道府県の従業者数で除して得た率を乗じて得た額

  (道府県の人口)
(9) (6)の(二)の人口は、国勢調査令によって調査した令和2年10月1日現在における人口の確定数とする。ただし、当該人口の確定数が官報で公示された後において地方自治法施行令第176条第1項の規定に基づいて都道府県知事が当該都道府県の人口を告示したときは、その人口とする。(規7の2の11)

  (小売年間販売額に相当する消費以外の消費に相当する額)
(10) (3)に規定する当該道府県の当該小売年間販売額に相当する消費以外の消費に相当する額は、次に掲げる額を合計して得た額とする。(令35の20②)
  (一) 当該道府県のサービス業対個人事業収入額
  (二) (3)に規定する道府県の小売年間販売額の総額及び道府県のサービス業対個人事業収入額の総額の合算額を(6)の人口で按分して得られる当該道府県の額

  (端数処理)
(11) (10)の(二)並びに(5)ただし書及び(8)ただし書に掲げる額を計算する場合において、その額に100万円未満の額があるときは、その100万円未満の額を四捨五入する。(規7の2の13)

  (総務大臣が定める人口及び従業者数)
(12) 令和2年12月1日に東京都と神奈川県との境界に変更があったことから、(5)の(一)及び(二)の規定に基づき、総務大臣が定める人口及び従業者数を次のように定め、公布の日(令和3年1月25日)から施行する。(令3総務省告示第14号)
  (一) (5)の(一)の規定に基づき総務大臣が定める人口は、次のとおりとする。
    イ 東京都に編入された区域　　　4人
    ロ 神奈川県に編入された区域　　0人
  (二) (5)の(二)の規定に基づき総務大臣が定める従業者数は、次のとおりとする。
    イ 東京都に編入された区域　　　0人
    ロ 神奈川県に編入された区域　　0人

2　地方消費税の清算の時期等

　道府県は、1の規定により地方消費税の清算を行う場合には、次の表の左欄に定める期間内に当該道府県が収入した譲渡割額に相当する額(当該期間内に譲渡割に係る還付金等(第三節五の3《貨物割の還付金等の還付の方式》に規定する

還付金等をいう。）を歳出予算から支出した場合には、その支出した額を控除した額（１）並びに二の（５）及び（６）において同じ。）及び同節四の３《貨物割の納付があった場合の道府県への払込み》の規定により払い込まれた貨物割の納付額の合算額の22分の10に相当する額（当該期間内に同節十四《貨物割に係る徴収取扱費の支払》に規定する徴収取扱費を国に支払った場合には、その支払った金額に相当する額を減額した額）を、各道府県ごとの消費に相当する額（１の（３）に規定する各道府県ごとの消費に相当する額をいう。（１）において同じ。）に応じて按分し、当該按分した額のうち他の道府県に係る額に相当する金額（１の（１）の規定により他の道府県に支払うべき金額と他の道府県から支払を受けるべき金額で相殺が行われた場合には、当該相殺後の金額をいう。（１）において同じ。）を他の道府県に対し、同表の右欄に定める月にそれぞれ支払うものとする。（令35の19①）

期　　　　　　間	支　払　月
前年度１月から前年度３月まで	５月
４月から６月まで	８月
７月から９月まで	11月
10月から12月まで	２月

　（注）　地方消費税の清算の時期等については、上記にかかわらず、当分の間、第五節十二の（１）《地方消費税の清算の時期等の特例》の規定が適用される。（編者）

　　　（地方消費税の清算を行う場合の各道府県ごとの消費に相当する額に応じて按分する合算額相当額）
（１）　道府県は、１の（１）の規定により地方消費税の清算を行う場合には、２の表の左欄に定める期間内に当該道府県が収入した譲渡割額に相当する額及び第三節四の３《貨物割の納付があった場合の道府県への払込み》の規定により払い込まれた貨物割の納付額の合算額の22分の12に相当する額を、各道府県ごとの消費に相当する額に応じて按分し、当該按分した額のうち他の道府県に係る額に相当する金額を他の道府県に対し、同表の右欄に定める月にそれぞれ支払うものとする。（令35の19②）

　　　（各支払月に未払額又は超過支払額がある場合）
（２）　２又は（１）に規定する各支払月ごとに支払うことができなかった金額があるとき、又は各支払月において支払うべき額を超えて支払った金額があるときは、それぞれこれらの金額を、次の支払月に支払うべき額に加算し、又はこれから減額するものとする。（令35の19③）

　　　（支払額の算定に錯誤があった場合の加算又は減算）
（３）　２又は（１）の規定によって他の道府県に対して支払うべき額を支払った後において、その支払った額の算定に錯誤があったため、支払った額を増加し、又は減少する必要が生じた場合においては、当該錯誤に係る額を当該錯誤を発見した日以後に到来する支払月において、当該支払うべき額に加算し、又はこれから減額するものとする。（令35の19④）

　　　（端数処理）
（４）　２又は（１）に規定する支払月ごとに他の道府県に対し支払うべき額としてこれらの規定を適用して計算する場合において、当該計算した金額に1,000円未満の端数金額があるときは、その端数金額を控除した金額をもって、当該支払月ごとに支払うべき額とする。（令35の19⑤）

二　地方消費税の市町村に対する交付

　道府県は、一の１に規定する合算額の22分の10に相当する額から同節十四《貨物割に係る徴収取扱費の支払》の規定により国に支払った金額に相当する額を減額した額に、一の１の規定により他の道府県から支払を受けた金額に相当する額を加算し、同１の規定により他の道府県に支払った金額に相当する額を減額して得た合計額の２分の１に相当する額を、政令で定めるところにより、当該道府県内の市町村（特別区を含む。以下二において同じ。）に対し、官報で公示された最近の国勢調査の結果による各市町村の人口及び統計法第２条に規定する指定統計である事業所統計の最近に公表された結果による各市町村の従業者数に按分して交付するものとする。（法72の115①）
　（注１）　第五節十二《地方消費税の清算等の特例》を参照。（編者）

第二編第六章《地方消費税》第四節《清算及び交付》

(注2) 二中___部分「事業所統計」を「経済構造統計((3)で定めるものに限る。)」に改める令和6年度改正規定は、令和6年4月1日以後適用する。(令6改法附1)

(各道府県ごとの消費に相当する額に応じて按分する合算額相当額の2分の1相当額の市町村への交付)
(1) 道府県は、一の1に規定する合算額の22分の12に相当する額に、同(1)の規定により他の道府県から支払を受けた金額に相当する額を加算し、同(1)の規定により他の道府県に支払った金額に相当する額を減額して得た合計額の2分の1に相当する額を、(5)で定めるところにより、当該道府県内の市町村に対し、二の人口に按分して交付するものとする。(法72の115②)

(市町村の人口)
(2) 二に規定する最近の国勢調査の結果による各市町村の人口は、国勢調査令によって調査した令和2年10月1日現在における人口の確定数とする。ただし、当該人口の確定数が官報で公示された後において地方自治法施行令第177条第1項の規定に基づいて都道府県知事が市町村(特別区を含む。(2)において同じ。)の人口を告示したときは、その人口とする。(規7の2の14)

(総務省令で定める経済構造統計等)
(3) 二に規定する(3)で定める経済構造統計は、経済センサス活動調査規則により令和3年6月1日現在において行った第一編第一章一の2の(2)に規定する経済センサス活動調査の結果として公表された事業所に関する集計のうち産業横断的集計のうち事業所数、従業者数第1-1表(経営組織(二区分)別全事業所数、男女別従業者数、1平方キロメートル当たり事業所数及び従業者数-全国、都道府県、郡・支庁等、市区町村)とする。(規7の2の15①)
(注) (3)を追加する令和6年度改正規定は、令和6年4月1日以後適用する。(令6改規附1)

(市町村の従業者数)
(4) 二に規定する事業所統計の最近に公表された結果による各市町村の従業者数は、経済センサス基礎調査規則によって調査した令和3年7月1日現在における従業者数とする。ただし、当該従業者数が公表された後において市町村の廃置分合若しくは境界変更があったとき又は市町村の境界が確定したときは、道府県知事が必要と認める場合に限り、当該廃置分合若しくは境界変更又は境界確定に係る区域の従業者数を関係市町村の従業者数に加え、又は関係市町村の従業者数から減じたものとすることができる。(規7の2の15)
(注) (4)中___部分「事業所統計」を「経済構造統計」に、「経済センサス基礎調査規則によって調査した令和3年7月1日現在における」を「(3)に規定する統計表に記載された」に改める令和6年度改正規定は、令和6年4月1日以後適用する。(令6改法附1)

(人口及び従業者数のあん分割合)
(5) 二の場合においては、市町村に対して交付すべき額の2分の1の額を二の人口で、他の2分の1の額を二の従業者数で按分するものとする。(法72の115③)

(地方消費税の交付月及び交付月ごとの人口及び従業者数の按分による交付額)
(6) 道府県は、毎年度、二の規定により二に規定する額を当該道府県内の市町村(特別区を含む。以下(6)〜(10)において同じ。)に対し交付する場合には、次の表の左欄に掲げる交付月の10日までに、当該右欄に定める額の2分の1の額を二の人口で、他の2分の1の額を二の従業者数で按分して得た額を交付する。(令35の21①)

交付月	交付月ごとに交付すべき額
6月	前年度1月から前年度3月までの間に収入した譲渡割額に相当する額及び第三節四の3《貨物割の納付があった場合の道府県への払込み》の規定により払い込まれた貨物割の納付額の合算額の22分の10に相当する額(当該期間内に第三節十四に規定する徴収取扱費を国に支払った場合には、その支払った金額に相当する額を減額した額。以下同じ。)に、一の2の規定により5月に他の道府県から支払を受けた金額に相当する額を加算し、一の2の規定により5月に他の道府県に支払をした金額に相当する額を減額して得た合計額の2分の1に相当する額
9月	4月から6月までの間に収入した譲渡割額に相当する額及び第三節四の3の規定により払い込まれた貨物割の納付額の合算額の22分の10に相当する額に、一の2の規定により8月に他の道府県から支払を受けた金額に相当する額を加算し、一の2の規定により8月に他の道府県に支払をした金額に相当する額を減額

第二編第六章《地方消費税》第四節《清算及び交付》

	して得た合計額の2分の1に相当する額
12月	7月から9月までの間に収入した譲渡割額に相当する額及び第三節四の3の規定により払い込まれた貨物割の納付額の合算額の22分の10に相当する額に、一の2の規定により11月に他の道府県から支払を受けた金額に相当する額を加算し、一の2の規定により11月に他の道府県に支払をした金額に相当する額を減額して得た合計額の2分の1に相当する額
3月	10月から12月までの間に収入した譲渡割額に相当する額及び第三節四の3の規定により払い込まれた貨物割の納付額の合算額の22分の10に相当する額に、一の2の規定により2月に他の道府県から支払を受けた金額に相当する額を加算し、一の2の規定により2月に他の道府県に支払をした金額に相当する額を減額して得た合計額の2分の1に相当する額

(地方消費税の交付月及び交付月ごとの人口按分による交付額)

(7) 道府県は、毎年度、(1)の規定により(1)に規定する額を当該道府県内の市町村に対し交付する場合には、次の表の左欄に掲げる交付月の10日までに、当該右欄に定める額を二の人口で按分して得た額を交付する。(令35の21②)

交付月	交付月ごとに交付すべき額
6月	前年度1月から前年度3月までの間に収入した譲渡割額に相当する額及び第三節四の3《貨物割の納付があった場合の道府県への払込み》の規定により払い込まれた貨物割の納付額の合算額の22分の12に相当する額に、一の2の(1)の規定により5月に他の道府県から支払を受けた金額に相当する額を加算し、同(1)の規定により5月に他の道府県に支払をした金額に相当する額を減額して得た合計額の2分の1に相当する額
9月	4月から6月までの間に収入した譲渡割額に相当する額及び第三節四の3の規定により払い込まれた貨物割の納付額の合算額の22分の12に相当する額に、一の2の(1)の規定により8月に他の道府県から支払を受けた金額に相当する額を加算し、同(1)の規定により8月に他の道府県に支払をした金額に相当する額を減額して得た合計額の2分の1に相当する額
12月	7月から9月までの間に収入した譲渡割額に相当する額及び第三節四の3の規定により払い込まれた貨物割の納付額の合算額の22分の12に相当する額に、一の2の(1)の規定により11月に他の道府県から支払を受けた金額に相当する額を加算し、同(1)の規定により11月に他の道府県に支払をした金額に相当する額を減額して得た合計額の2分の1に相当する額
3月	10月から12月までの間に収入した譲渡割額に相当する額及び第三節四の3の規定により払い込まれた貨物割の納付額の合算額の22分の12に相当する額に、一の2の(1)の規定により2月に他の道府県から支払を受けた金額に相当する額を加算し、同(1)の規定により2月に他の道府県に支払をした金額に相当する額を減額して得た合計額の2分の1に相当する額

(各交付月に未交付額又は超過交付額がある場合)

(8) (6)及び(7)に規定する各交付月ごとに交付することができなかった金額があるとき、又は各交付月において交付すべき額を超えて交付した金額があるときは、それぞれこれらの金額を、次の交付月に交付すべき額に加算し、又はこれから減額するものとする。(令35の21③)

(交付額の算定に錯誤があった場合の加算又は減算)

(9) (6)又は(7)の規定によって市町村に対して交付すべき額を交付した後において、その交付した額の算定に錯誤があったため、交付した額を増加し、又は減少する必要が生じた場合においては、当該錯誤に係る額を当該錯誤を発見した日以後に到来する交付月において、当該交付すべき額に加算し、又はこれから減額するものとする。(令35の21④)

(端数処理)

(10) (6)又は(7)に規定する交付月ごとに各市町村に対し交付すべき額としてこれらの規定を適用して計算する場合において、当該計算した金額に1,000円未満の端数金額があるときは、その端数金額を控除した金額をもって、当該交付月ごとに交付すべき額とする。(令35の21⑤)

三　地方消費税の使途等

　道府県は、二の(1)に規定する合計額から同(1)の規定により当該道府県内の市町村に交付した額を控除した額に相当する額を、消費税法第1条第2項《趣旨等》に規定する経費その他社会保障施策（社会福祉、社会保険及び保健衛生に関する施策をいう。(1)において同じ。）に要する経費に充てるものとする。（法72の116①）

　　　（市町村が道府県から交付を受けた額の使途等）
(1)　市町村は、二の(1)の規定により道府県から交付を受けた額に相当する額を、消費税法第1条第2項に規定する経費その他社会保障施策に要する経費に充てるものとする。（法72の116②）

　　　（地方消費税の使途についての留意事項）
(2)　地方消費税の使途については、次の諸点に留意すること。（県通4－12）
　イ　道府県は、当該道府県に第三節四の3《貨物割の納付があった場合の道府県への払込み》の規定により払い込まれた貨物割の納付額及び第五節三の3《譲渡割の納付があった場合の道府県への払込み》の規定により払い込まれた譲渡割の納付額の合算額の22分の12に相当する額に、一の1《地方消費税の清算》の清算により他の道府県から支払を受けた金額に相当する額を加算し、他の道府県に支払った金額に相当する額を減額して得た合計額から二の(1)により当該道府県内の市町村に交付した額を控除した額に相当する額を、消費税法第1条第2項に規定する経費その他社会保障施策（社会福祉、社会保険及び保健衛生に関する施策をいう。）に要する経費に充てるものであること。
　ロ　市町村（特別区を含む。）は、二の(1)により道府県から交付を受けた額に相当する額を、消費税法第1条第2項に規定する経費その他社会保障施策（社会福祉、社会保険及び保健衛生に関する施策をいう。）に要する経費に充てるものであること。
　ハ　三に規定する引上げ分に係る地方消費税の上記社会保障施策に要する経費への充当については、予算書及び決算書の説明資料等において明示することにより議会に対しその使途を明らかにするとともに、住民に対しても周知することが適当であること。使途の明確化に当たっては、「引上げ分に係る地方消費税の使途の明確化について」（平成26年1月24日付総税都第2号）を参照すること。

第五節　譲渡割の特例

一　譲渡割の賦課徴収の特例等

1　譲渡割の賦課徴収の特例

　譲渡割の賦課徴収は、当分の間、七《譲渡割に係る充当等の特例》の規定を除くほか、法第9条から第20条の13まで、第一節八《譲渡割に係る徴税吏員の質問検査権》、第二節三の2《譲渡割の還付申告》後段及び3《中間納付額の還付又は充当》、同節五《更正の請求の特例》、八《譲渡割の更正及び決定等》並びに九《課税資産の譲渡等に係る消費税に関する書類の供覧等》の規定にかかわらず、国が、消費税の賦課徴収の例により、消費税の賦課徴収と併せて行うものとする。この場合において、国税通則法第71条《国税の更正、決定等の期間制限の特例》第1項第1号の規定に基づき同法第58条第1項第1号イに規定する更正決定等（八の注において「更正決定等」という。）をすることができる期間については、譲渡割及び消費税は、同一の税目に属する国税とみなして同法第71条第1項第1号の規定を適用するものとする。（法附9の4①）

2　譲渡割に係る延滞税及び加算税

　譲渡割に係る延滞税、利子税及び加算税（その賦課徴収について消費税の例によることとされる譲渡割について納付される延滞税及び利子税並びに課される加算税をいう。六において同じ。）は、譲渡割として、この節の規定を適用する。（法附9の4②）

二　譲渡割の申告の特例

　譲渡割の申告は、当分の間、法第9条から第20条の13まで、第二節四《譲渡割の期限後申告及び修正申告納付》、同節四

の7の後段及び8から19まで並びに第一編第十一章一の(3)の(三)の規定にかかわらず、消費税の申告の例により、消費税の申告と併せて、税務署長にしなければならない。この場合において、第二節二の1、同2、同3並びに第二節三の1及び同2前段の規定による申告に係る第二節二の1、同2、同3、第二節三の1及び同2前段、第二節四の4、同5、同6並びに地方税法第762条の規定の適用については、次の表の左欄に掲げる規定中同表の中欄に掲げる字句は、それぞれ同表の右欄に掲げる字句とする。（法附9の5）

第二節二の1	第二節二の2の各号に掲げる事業者の区分に応じ当該各号に定める場所の所在する道府県（以下「譲渡割課税道府県」という。）の知事	税務署長
	譲渡割課税道府県の知事	税務署長
第二節二の2及び同3並びに第二節三の1及び同2前段	譲渡割課税道府県の知事	税務署長
第二節四の4	、三の1及び同2並びに二の1、同2、同3	並びに三の1及び同2
	）は、二の1、同2、同3及び三の1、同2並びに1、2、3	）は、二の1、同2、同3又は三の1若しくは同2前段
	、三の1若しくは同2又は1、2、3	又は三の1若しくは同2
	については、二の1、同2、同3及び三の1、同2並びに1、2、3	については、二の1、同2、同3並びに三の1及び同2前段
	、地方税関係手続用電子情報処理組織（地方税法第762条第1号に規定する地方税関係手続用電子情報処理組織をいう。7から19において同じ。）を使用し、かつ、地方税共同機構（6及び18において「機構」という。）を経由して行う方法により譲渡割課税道府県の知事（2の事業者にあっては、2に規定する道府県知事。6から19において同じ。）に	あらかじめ税務署長に届け出て行う電子情報処理組織（国税庁の使用に係る電子計算機（入出力装置を含む。以下4及び6において同じ。）とその申告をする事業者の使用に係る電子計算機とを電気通信回線で接続した電子情報処理組織をいう。）を使用する方法として総務省令で定める方法により
第二節四の6	第762条第1号の機構	同項の国税庁
	電子計算機（入出力装置を含む。）	電子計算機
	同項に規定する譲渡割課税道府県の知事	税務署長
第二節四の7前段	4の	消費税法第46条の3第1項の規定の適用を受けている
	電気通信回線の故障、災害その他の理由により地方税関係手続用電子情報処理組織を使用することが困難であると認められる場合で、かつ、4の規定を適用しないで納税申告書等を提出することができると認められる場合において、4の規定を適用しないで納税申告書等を提出することについて4に規定する譲渡割課税道府県の知事の承認を受けたときは、当該譲渡割課税道府県の知事	同項の規定によりその納税地を所轄する税務署長
	4の申告	同項の申告
地方税法第762条第2号ロ(1)	第4項、第72条の89の2第1項及び第3項	第4項

三　譲渡割の納付の特例等

1　譲渡割の納付の特例

　譲渡割の納税義務者は、当分の間、法第9条から第20条の13まで及び第二節**四**《譲渡割の期限後申告及び修正申告納付》の規定にかかわらず、譲渡割を、消費税の納付の例により、消費税の納付と併せて国に納付しなければならない。この場合において、同節**二**《譲渡割の中間申告納付》及び**三の1**《譲渡割の確定申告》の規定による納付については、これらの規定中「当該譲渡割課税道府県に」とあるのは「国に」とする。（法附9の6①）

2　譲渡割及び消費税の納付があった場合のあん分

　譲渡割及び消費税の納付があった場合においては、その納付額を**一**《譲渡割の賦課徴収の特例等》又は**二**《譲渡割の申告の特例》の規定により併せて賦課され又は申告された譲渡割及び消費税の額にあん分した額に相当する譲渡割及び消費税の納付があったものとする。（法附9の6②）

　　　（譲渡割納付額の端数計算等）
（1）　譲渡割及び消費税の納付があった場合において、2の規定により譲渡割の納付があったものとされる額（以下（2）までにおいて「譲渡割納付額」という。）に1円未満の端数があるとき、又は譲渡割納付額の全額が1円未満であるときであって、その端数金額又は譲渡割納付額の全額に切捨て累計額（納付があった譲渡割及び消費税に係る**一**又は**二**の規定により併せて賦課され又は申告された譲渡割及び消費税につき、既に納付された譲渡割及び消費税がある場合において、既に納付された譲渡割及び消費税の各納付額につき（1）の規定の適用により切り捨てられた額の累計額をいい、当該切り捨てられた額がない場合には零とする。）を加算した額から切上げ累計額（納付があった譲渡割及び消費税に係る**一**又は**二**の規定により併せて賦課され又は申告された譲渡割及び消費税につき、既に納付された譲渡割及び消費税がある場合において、既に納付された譲渡割及び消費税の各納付額につき（1）の規定により1円とされた額を1円から控除した額の累計額をいい、当該1円とされた額がない場合には零とする。）を控除した残額が50銭未満となるとき又は残額がないときは、その端数金額又は譲渡割納付額の全額を切り捨てるものとし、50銭以上となるときは、その端数金額又は譲渡割納付額の全額を1円とする。（令附6の3①）

　　　（消費税の納付があったものとされる額）
（2）　（1）の場合における2の規定により消費税の納付があったものとされる額は、譲渡割及び消費税の納付額から（1）の規定を適用して計算した譲渡割納付額を控除した額に相当する額とする。（令附6の3②）

3　譲渡割の納付があった場合の道府県への払込み

　国は、譲渡割の納付があった場合においては、当該納付があった月の翌々月の末日までに、政令で定めるところにより、譲渡割として納付された額を当該譲渡割に併せて納付された消費税の納税地所在の道府県に払い込むものとする。この場合において、当該払込みを受けた道府県は、当該払込みを受けた金額のうち他の道府県の譲渡割に係るものを当該他の道府県に支払うものとする。（法附9の6③）
　　(注)　第六節**五**《関係道府県間における譲渡割に係る金額の支払の停止》の規定があることに留意。（(3)参照）（編者）

　　　（譲渡割の払込みの方法）
（1）　国は、3の規定による払込みを行う場合には、3の規定により払い込む譲渡割の納付額その他必要な事項を道府県知事に通知するものとする。（令附6の4）

　　　（関係道府県間での相殺）
（2）　3の規定により国から払込みを受けた道府県が他の道府県に支払うべき金額と他の道府県から支払を受けるべき金額は、政令〈未定〉で定めるところにより、関係道府県間でそれぞれ相殺するものとする。（法附9の6④）
　　　(注)　上記3の(注)を参照。（編者）

　　　（地方消費税の払込みに当たっての留意事項）
（3）　国は、地方消費税の納付があった場合においては、当該納付があった月の翌々月の末日までに、道府県に払い込むこととされていること。この場合において、貨物割については当該貨物割の課税団体たる道府県に払い込むこととされているが、譲渡割については必ずしも当該譲渡割の課税団体たる道府県に払い込まれず、当該譲渡割に併せて納

付された消費税の納税地所在の道府県に払い込むこととされていることに留意すること。ただし、道府県が払込みを受けた金額のうち他の道府県の譲渡割に係るものについては、当分の間、当該他の道府県が払込みを受けた金額のうち当該道府県の譲渡割に係るものと同額とみなす〚第六節五参照〛こととされていることから、これを当該他の道府県に支払う必要がないことに留意すること。（県通4－8）

四　譲渡割の還付の特例等

譲渡割に係る還付金又は過誤納金の還付は、当分の間、法第9条から第20条の13までの規定並びに第二節三の2《譲渡割の還付申告》後段及び3《中間納付額の還付又は充当》の規定にかかわらず、国が、消費税の還付の例により、消費税に係る還付金又は過誤納金（これらに加算すべき還付加算金を含む。五及び七において「還付金等」という。）と併せて行わなければならない。（法附9の7）

五　譲渡割に係る還付金等の道府県への払込額からの控除等

1　譲渡割に係る還付金等の道府県への払込額からの控除

国は、四の規定により譲渡割に係る還付金等を還付した場合には、当該還付金等に相当する額を、当該譲渡割に係る三の3《譲渡割の納付があった場合の道府県への払込み》に規定する道府県に同3の規定により払い込む譲渡割として納付された額で当該還付金等を還付した日の属する月に納付されたものの総額から控除するものとする。（法附9の8①）

　　　（還付金等の額が譲渡割として納付された額を超える場合──還付月に貨物割の納付額がある場合）
（1）　1の規定により控除すべき還付金等に相当する額が、当該還付金等を還付した日の属する月に譲渡割として納付された額の総額（同月に2の規定による加算すべき額がある場合にあっては、これを加算した額）を超える場合で、同月に第三節四の3《貨物割の納付があった場合の道府県への払込み》の規定により当該道府県に払い込むべき貨物割として納付された額があるときは、当該超える額を同月に当該貨物割として納付された額の総額から控除するものとする。この場合において、控除しきれなかった額があるときは、当該控除しきれなかった額に相当する還付金等をその翌月に還付したものとみなして、1の規定を適用する。（法附9の8③）

　　　（還付金等の額が譲渡割として納付された額を超える場合──還付月に貨物割の納付額がない場合）
（2）　1の規定により控除すべき還付金等に相当する額が、当該還付金等を還付した日の属する月に譲渡割として納付された額の総額（同月に2の規定による加算すべき額がある場合にあっては、これを加算した額）を超える場合で、同月に第三節四の3《貨物割の納付があった場合の道府県への払込み》の規定により当該道府県に払い込むべき貨物割として納付された額がないときは、当該超える額に相当する還付金等をその翌月に還付したものとみなして、1の規定を適用する。（法附9の8④）

2　還付金等の返納額等の道府県への払込額への加算

譲渡割として納付された額の総額から1の規定によりその相当額が控除された還付金等について返納があった場合その他政令で定める事由が生じた場合には、当該返納があった額その他政令で定める額に相当する額を、三の3《譲渡割の納付があった場合の道府県への払込み》の規定により当該道府県に払い込む譲渡割として納付された額で当該返納があった又は政令で定める事由が生じた日の属する月に納付されたものの総額に加算するものとする。（法附9の8②）

　　　（払込額への加算を要する事由）
（1）　2に規定する政令で定める事由は、時効の完成その他の事由により2に規定する還付金等の支払を要しなくなったこととする。（令附6の5①）

　　　（払込額に加算する額）
（2）　2に規定する政令で定める額は、（1）に規定する事由によりその支払を要しなくなった額とする。（令附6の5②）

3　譲渡割の納付額がある場合の貨物割に係る還付金等の控除の特例

その月に三の3《譲渡割の納付があった場合の道府県への払込み》の規定により当該道府県に払い込むべき譲渡割とし

て納付された額（1又は2の規定による控除し、又は加算すべき額がある場合にあっては、当該控除又は加算をした後の額）がある場合（同月に第三節**四**の3《貨物割の納付があった場合の道府県への払込み》の規定により当該道府県に払い込むべき貨物割として納付された額がある場合を除く。）における同節**六**の1の注《還付金等の額が貨物割として納付された額を超える場合》の規定の適用については、同注中「当該超える額に相当する還付金等」とあるのは、「当該超える額を、同月に第五節**三**の3の規定により当該道府県に払い込むべき譲渡割として納付された額の総額から控除するものとする。この場合において、控除しきれなかった額があるときは、当該控除しきれなかった額に相当する還付金等」とする。（法附9の8⑤）

六　譲渡割に係る延滞税等の計算の特例

1　延滞税等の計算

　譲渡割に係る延滞税、利子税及び加算税〘**一**の2参照〙並びに消費税に係る延滞税、利子税及び加算税並びにこれらの延滞税及び利子税の免除に係る金額（以下**六**において「延滞税等」という。）の計算については、譲渡割及び消費税の合算額により行い、算出された延滞税等をその計算の基礎となった譲渡割及び消費税の額に按分した額に相当する金額を譲渡割又は消費税に係る延滞税等の額とする。（法附9の9①）

　　（譲渡割に係る延滞税等の端数計算）
　注　1の規定により計算した譲渡割に係る延滞税等の額（以下注において「譲渡割延滞税等の額」という。）に50銭未満の端数があるとき、又は譲渡割延滞税等の額の全額が50銭未満であるときは、その端数金額又は譲渡割延滞税等の額の全額を切り捨て、譲渡割延滞税等の額に50銭以上1円未満の端数があるとき、又は譲渡割延滞税等の額の全額が50銭以上1円未満であるときは、その端数金額又は譲渡割延滞税等の額の全額を1円とする。この場合において、注の規定を適用して計算した譲渡割延滞税等の額を、1の規定により算出された延滞税等の額から控除した額を1の規定により計算した消費税に係る延滞税等の額とする。（令附6の6①）

2　還付加算金の計算

　譲渡割及び消費税に係る還付加算金の計算については、譲渡割及び消費税に係る還付金又は過誤納金の合算額により行い、算出された還付加算金をその計算の基礎となった譲渡割及び消費税に係る還付金又は過誤納金の額に按分した額に相当する金額を譲渡割又は消費税に係る還付加算金の額とする。（法附9の9②）

　　（譲渡割に係る還付加算金の端数計算）
　注　2の規定により計算した譲渡割に係る還付加算金の額（以下注において「譲渡割還付加算金の額」という。）に50銭未満の端数があるとき、又は譲渡割還付加算金の額の全額が50銭未満であるときは、その端数金額又は譲渡割還付加算金の額の全額を切り捨て、譲渡割還付加算金の額に50銭以上1円未満の端数があるとき、又は譲渡割還付加算金の額の全額が50銭以上1円未満であるときは、その端数金額又は譲渡割還付加算金の額の全額を1円とする。この場合において、注の規定を適用して計算した譲渡割還付加算金の額を2の規定により算出された還付加算金の額から控除した額を2の規定により計算した消費税に係る還付加算金の額とする。（令附6の6②）

3　端数計算

　1及び2の規定により譲渡割及び消費税に係る延滞税等及び還付加算金の計算をする場合の端数計算は、譲渡割及び消費税を一の税とみなして、これを行う。（法附9の9③）

七　譲渡割に係る充当等の特例

　国税通則法第57条《充当》の規定は、次の各号のいずれかに該当する還付金等〘**四**参照〙については適用しない。ただし、**一**《譲渡割の賦課徴収の特例等》の規定により併せて更正され若しくは決定され又は**二**《譲渡割の申告の特例》の規定により併せて申告された譲渡割及び消費税に係る還付金をその額の計算の基礎とされた課税期間（第一節**二**の2の(4)《場所の判定の日》に規定する課税期間をいう。**八**の注において同じ。）の譲渡割及び消費税で納付すべきこととなっているものに充当する場合は、この限りでない。（法附9の10①）

| ① | **一**の規定により併せて更正され若しくは決定され若しくは**二**の規定により併せて申告され又は**三**の規定により併せ |

②	国税に係る還付金等（①に該当するものを除く。）の還付を受けるべき者につき一又は二の規定により併せて賦課され又は申告された譲渡割及び消費税で納付すべきこととなっているもの（（1）及び（2）において「未納譲渡割等」という。）がある場合における当該還付金等
	て納付された譲渡割及び消費税に係る還付金等の還付を受けるべき者につき納付すべきこととなっている国税がある場合における当該還付金等

（未納譲渡割等又はその他の未納国税への納付委託）
（1） 七の表の①に規定する場合にあっては、同①の還付金等の還付を受けるべき者は、当該還付をすべき国税局長又は税務署長に対し、当該還付金等（未納譲渡割等又は納付すべきこととなっているその他の国税に係る金額に相当する額を限度とする。）により未納譲渡割等又は納付すべきこととなっているその他の国税を納付することを委託したものとみなす。（法附9の10②）

（未納譲渡割等への納付委託）
（2） 七の表の②に規定する場合にあっては、同②の還付金等の還付を受けるべき者は、当該還付をすべき国税局長又は税務署長に対し、当該還付金等（未納譲渡割等に係る金額に相当する額を限度とする。）により未納譲渡割等を納付することを委託したものとみなす。（法附9の10③）

（委託納付に相当する額の還付及び納付があったとみなされる時）
（3） （1）又は（2）の規定が適用される場合には、これらの規定の委託をするのに適することとなった時として政令で定める時に、その委託納付に相当する額の還付及び納付があったものとみなす。（法附9の10④）

（政令で定める時）
（4） （3）に規定する政令で定める時は、七の表の②に規定する未納譲渡割等又は納付すべきこととなっているその他の国税（以下（4）において「国税等」という。）の国税通則法第2条第8号に規定する法定納期限（次の各号に掲げる国税等（延滞税及び利子税を除く。）については、当該各号に定める時とし、その国税等に係る延滞税及び利子税については、その納付又は徴収の基因となった国税等に係る当該各号に定める時とする。）と還付金等（七の表の各号に規定する還付金等をいう。以下（4）において同じ。）が生じた時（還付加算金については、その計算の基礎となった還付金等が生じた時）とのいずれか遅い時とする。ただし、国税通則法第11条《災害等による期限の延長》の規定による同法第37条第1項《督促》に規定する納期限の延長若しくは同法第46条第1項《納税の猶予の要件等》の規定による納税の猶予に係る国税等又は所得税法若しくは相続税法の規定による延納に係る国税につき、当該延長、猶予又は延納の申請又は届出があった日（当該延長につき申請を要しないときは、当該延長の基因となる理由が生じた日）以後に生じた還付金等に（1）又は（2）の規定を適用するときは、当該延長、猶予又は延納に係る期限と当該還付金等が生じた時とのいずれか遅い日とする。（令附6の7）

（一）	国税通則法第2条第8号に規定する法定納期限（以下（4）において「法定納期限」という。）後に納付すべき税額が確定した国税等（印紙税法第20条第1項及び第3項に規定する過怠税を含むものとし、（五）に掲げるものを除く。）	当該国税等の国税通則法第28条第1項に規定する更正通知書若しくは決定通知書又は同法第36条第2項に規定する納税告知書（（四）において「納税告知書」という。）を発した時（同法第16条第1項第1号に規定する申告納税方式による国税等で申告により納付すべき税額が確定したものについては、その申告があった時）
（二）	法定納期限前に国税通則法第38条第1項《繰上請求》の規定による請求がされた国税等	当該請求に係る期限
（三）	相続税法第35条第2項の決定又は更正により納付すべき税額が確定した相続税又は贈与税（（二）に掲げる国税等を除く。）	当該相続税又は贈与税に係る国税通則法第35条第2項第2号の規定による納期限
（四）	法定納期限後に納税告知書が発せられた国税通則法第15条第3項第2号から第4号まで又は第6号に掲げる国税	当該納税告知書を発した時

(五)	国税等に係る国税通則法第69条に規定する加算税	その賦課決定通知書を発した時
(六)	国税徴収法第2条第8号に規定する保証人又は同条第7号に規定する第二次納税義務者として納付すべき国税等	国税通則法第52条第2項又は国税徴収法第32条第1項に規定する納付通知書を発した時
(七)	国税等に係る国税徴収法第136条に規定する滞納処分費	その生じた時

　（委託をしたものとみなされた者に対する通知）
（5）（1）又は（2）の規定が適用される場合には、これらの規定による納付をした国税局長又は税務署長は、遅滞なくその旨をこれらの規定により委託したものとみなされた者に通知しなければならない。（法附9の10⑤）

八　譲渡割に係る処分に関する不服審査等の特例

　一の1《譲渡割の賦課徴収の特例》の規定により税務署長が消費税の賦課徴収の例により消費税と併せて賦課徴収を行う譲渡割に関する処分は、不服申立て及び訴訟については、国税に関する法律に基づく処分とみなして、国税通則法第八章《不服審査及び訴訟》、国税通則法施行令第八章及び国税通則法施行規則第3条の規定を適用する。この場合において、次表の左欄の規定中同表の中欄に掲げる字句は同表の右欄に定める字句とする。（法附9の11①、令附6の8、規附3の2）

国税通則法第85条第1項	消費税	消費税、地方消費税の譲渡割
国税通則法第86条第1項	消費税	消費税、地方消費税の譲渡割
	処分に係る国税	処分に係る国税又は地方消費税の譲渡割
国税通則法第105条第2項	処分に係る国税	処分に係る国税若しくは地方消費税の譲渡割
国税通則法第105条第3項	処分に係る国税	処分に係る国税又は地方消費税の譲渡割
国税通則法第105条第4項	処分に係る国税	処分に係る国税又は地方消費税の譲渡割
	当該国税	当該国税若しくは地方消費税の譲渡割
国税通則法第105条第5項	処分に係る国税	処分に係る国税又は地方消費税の譲渡割
国税通則法第105条第6項	処分に係る国税	処分に係る国税若しくは地方消費税の譲渡割
国税通則法施行令第37条第1項	異議申立てに係る国税	異議申立てに係る国税又は地方消費税の譲渡割
	処分に係る国税	処分に係る国税又は地方消費税の譲渡割
	当該国税	当該国税又は地方消費税の譲渡割
国税通則法施行規則第12条第1項	消費税をいう。）	消費税をいう。）、地方消費税の譲渡割
	当該国税	当該国税又は地方消費税の譲渡割
国税通則法施行規則第12条第2項第2号	国税の	国税又は地方消費税の譲渡割の

　（他の消費税又は譲渡割についてされた更正決定等がある場合）
注　八の規定により国税に関する法律に基づく処分とみなされた処分に係る譲渡割又は消費税に係る更正決定等〖一の1参照〗について不服申立てがされている場合において、当該譲渡割又は消費税と納税義務者及び課税期間〖七参照〗が同一である他の消費税又は譲渡割についてされた更正決定等があるときは、国税通則法第90条第1項若しくは第2項、第104条第2項又は第115条第1項第2号の規定の適用については、当該他の消費税又は譲渡割についてされた更正決定等は、当該譲渡割又は消費税の同法第19条第1項に規定する課税標準等又は税額等についてされた他の更正決定等とみなす。（法附9の11②）

九　譲渡割に係る犯則取締りの特例

　譲渡割に関する犯則事件については、当分の間、第一編第十章17及び18の規定にかかわらず、間接国税以外の国税に関する犯則事件とみなして、国税通則法第11章の規定を適用する。（法附9の12、令附6の9）

十　譲渡割の賦課徴収又は申告納付に関する報告等

1　道府県知事に対する報告

　税務署長は、注で定めるところにより、道府県知事に対し、譲渡割の申告の件数、譲渡割額、譲渡割に係る滞納の状況その他必要な事項を報告するものとする。(法附9の13①)

　　(報告の方法)
　注　税務署長は、毎年度、道府県知事に対し、前年度の譲渡割の確定申告の件数(決定の件数を含む。)、前年度に終了した課税期間に係る納付すべき譲渡割額、前年度の譲渡割に係る滞納の状況その他必要な事項を報告するものとする。(令附6の10)

2　税務署長に対する書類の閲覧等の請求

　道府県知事は、税務署長に対し、必要があると認める事項を示して、当該税務署長に係る譲渡割の賦課徴収又は申告納付に関する事項について、これらに関する書類を閲覧し、又は記録することを請求することができる。この場合において、当該請求に理由があると認めるときは、税務署長は、関係書類を道府県知事又はその指定する職員に閲覧させ、又は記録させるものとする。(法附9の13②)

3　道府県知事及び市町村長に対する協力の要請

　税務署長は、譲渡割の賦課徴収を行うため必要があるときは、道府県知事及び市町村長に対し、当該事務に関し参考となるべき資料又は情報の提供その他の協力を求めることができる。(法附9の13③)

十一　譲渡割に係る徴収取扱費の支払

　道府県は、国が譲渡割の賦課徴収に関する事務を行うために要する費用を補償するため、政令で定めるところにより、徴収取扱費を国に支払わなければならない。(法附9の14①)

　　(徴収取扱費の支払)
(1)　道府県は、毎年度、十一に規定する徴収取扱費として、次に掲げる各期間(以下(1)、(2)及び(4)において「徴収取扱費算定期間」という。)ごとに、当該各徴収取扱費算定期間内に三の3《譲渡割の納付があった場合の道府県への払込み》の規定により当該道府県に払い込むべき譲渡割として納付された額の総額(当該各徴収取扱費算定期間内に四《譲渡割の還付の特例等》の規定により譲渡割に係る還付金等(四に規定する還付金等をいう。以下(1)及び(2)において同じ。)が還付された場合にあっては当該還付金等に相当する額を控除し、五の2《還付金等の返納額等の道府県への払込額への加算》の規定により加算されるべき額がある場合にあっては当該加算されるべき額を加算した額とする。)の22分の10に相当する額((4)において「徴収取扱費基礎額」という。)に100分の0.55を乗じて得た金額を、(5)及び(6)で定めるところにより、国に支払うものとする。(令附6の11①)
(一)　前年度12月から前年度2月まで
(二)　前年度3月から5月まで
(三)　6月から8月まで
(四)　9月から11月まで

　　(還付金等の額が徴収取扱費算定期間内に譲渡割として納付された額を超える場合)
(2)　四の規定により譲渡割に係る還付金等が還付された場合であって、当該還付金等に相当する額が当該還付金等を還付した日の属する徴収取扱費算定期間内に三の3の規定により当該道府県に払い込むべき譲渡割として納付された額の総額(当該徴収取扱費算定期間内に五の2の規定により加算されるべき額がある場合にあっては、これを加算した額)を超えるときは、当該超える額に相当する還付金等が当該徴収取扱費算定期間の次の徴収取扱費算定期間内に還付されたものとみなして、(1)の規定を適用する。(令附6の11②)

　　(必要事項の通知)
(3)　国は、(4)で定めるところにより、十一の徴収取扱費の算定に関し必要な事項を道府県知事に通知しなければならない。(法附9の14②)

（通知の手続）
（4）　国は、各徴収取扱費算定期間ごとに、各道府県ごとの当該各徴収取扱費算定期間に係る徴収取扱費基礎額を、当該各徴収取扱費算定期間経過後3月以内に、各道府県知事に、（3）の通知として通知するものとする。（令附6の12）

　　　（国に対する徴収取扱費の額の通知）
（5）　道府県知事は、（3）の規定による通知があった場合においては、速やかに、当該通知があった日及び当該通知に係る（1）に規定する徴収取扱費基礎額により算定した**十一**に規定する徴収取扱費の額を国に通知しなければならない。（規附3の2の3①）

　　　（納入告知書に基づく納付）
（6）　道府県は、（5）の徴収取扱費の額を国が発行する納入告知書に基づき国庫に納付しなければならない。（規附3の2の3②）

　　　（徴収取扱費の支払期限）
（7）　道府県知事は、（3）の規定による通知があった場合においては、その通知があった日から30日以内に、**十一**の徴収取扱費を支払うものとする。（法附9の14③）

　　　（徴収取扱費の支払）
（8）　譲渡割にあっては国から通知された（1）に規定する徴収取扱費基礎額（（1）に規定する徴収取扱費算定期間内に**三の3**《譲渡割の納付があった場合の道府県への払込み》の規定により道府県に払い込むべき譲渡割として納付された額の総額（当該各徴収取扱費算定期間内に**四**《譲渡割の還付の特例等》の規定により譲渡割に係る還付金等が還付された場合にあっては当該還付金等に相当する額を控除し、**五の2**《還付金等の返納額等の道府県への払込額への加算》の規定により加算されるべき額がある場合にあっては当該加算されるべき額を加算した額とする。）の22分の10に相当する額）に100分の0.55を乗じて得た金額を、国からの通知があった日から30日以内に支払うものであること。（県通4－9（2））

十二　地方消費税の清算等の特例

　第四節一《地方消費税の清算》から三《地方消費税の使途等》までの規定の適用については、当分の間、第四節一の1中「納付された譲渡割額に相当する額及び第三節**四の3**《貨物割の納付があった場合の道府県への払込み》の規定により払い込まれた貨物割の納付額」とあるのは「第三節**四の3**の規定により払い込まれた貨物割の納付額及び第五節**三の3**《譲渡割の納付があった場合の道府県への払込み》前段の規定により払い込まれた譲渡割の納付額から同3後段の規定により他の道府県に支払うべき金額に相当する額を減額し、他の道府県から支払を受けるべき金額に相当する額を加算して得た額」と、第四節二中「第三節**十四**《貨物割に係る徴収取扱費の支払》」とあるのは「第三節**十四**及び第五節**十一**《譲渡割に係る徴収取扱費の支払》」とする。（法附9の15）

　　　（地方消費税の清算の時期等の特例）
（1）　当分の間、第四節一の2《地方消費税の清算の時期等》の規定の適用については、第四節一の2中「第四節一の1《地方消費税の清算》の規定」とあるのは「**十二**の規定により読み替えて適用される第四節一の1の規定」と、「当該道府県が収入した譲渡割額に相当する額（当該期間内に譲渡割に係る還付金等（第三節**五の3**《貨物割の還付金等の還付の方式》に規定する還付金等をいう。）を歳出予算から支出した場合には、その支出した額を控除した額。第四節二の（5）及び（6）において同じ。）及び第三節**四の3**《貨物割の納付があった場合の道府県への払込み》の規定により払い込まれた貨物割の納付額の合算額」とあるのは「当該道府県に第三節**四の3**の規定により払い込まれた貨物割の納付額及び**三の3**《譲渡割の納付があった場合の道府県への払込み》前段の規定により払い込まれた譲渡割の納付額から同3の後段の規定により他の道府県に支払うべき金額に相当する額を減額し、他の道府県から支払を受けるべき金額に相当する額を加算して得た額の合算額」と、「第三節**十四**《貨物割に係る徴収取扱費の支払》」に規定する徴収取扱費」とあるのは「第三節**十四**及び**十一**《譲渡割に係る徴収取扱費の支払》に規定する徴収取扱費」と、第四節一の2の表中「前年度1月から前年度3月まで」とあるのは「前年度2月から4月まで」と、「4月から6月まで」とあるのは「5月から7月まで」と、「7月から9月まで」とあるのは「8月から10月まで」と、「10月から12月まで」とあるのは「11月から1月まで」と、第四節一の2の（1）中「第四節一の1の（1）の規定」とあるのは「**十二**の規定に

より読み替えて適用される第四節一の１の（１）の規定」と、「当該道府県が収入した譲渡割額に相当する額及び第三節四の３の規定により払い込まれた貨物割の納付額の合算額」とあるのは「当該道府県に第三節四の３の規定により払い込まれた貨物割の納付額及び三の３前段の規定により払い込まれた譲渡割の納付額から同３後段の規定により他の道府県に支払うべき金額に相当する額を減額し、他の道府県から支払を受けるべき金額に相当する額を加算して得た額の合算額」とする。（令附６の13、令35の19①）

　　（地方消費税の交付月及び交付月ごとの交付額の特例）
（２）　当分の間、第四節二の（５）から（９）までの規定の適用については、同二の（５）中「同二の規定」とあるのは「十二の規定により読み替えて適用される同二の規定」と、同二の（５）の表中「前年度１月から前年度３月までの間」とあるのは「前年度２月から４月までの間」と、「収入した譲渡割額に相当する額及び第三節四の３の規定により払い込まれた貨物割の納付額の合算額」とあるのは「第三節四の３の規定により払い込まれた貨物割の納付額及び三の３前段の規定により払い込まれた譲渡割の納付額から同３の後段の規定により他の道府県に支払うべき金額に相当する額を減額し、他の道府県から支払を受けるべき金額に相当する額を加算して得た額の合算額」と、「第三節十四に規定する徴収取扱費」とあるのは「第三節十四及び十一に規定する徴収取扱費」と、「第四節一の２の規定」とあるのは「（１）の規定により読み替えて適用される第四節一の２の規定」と、「４月から６月までの間」とあるのは「５月から７月までの間」と、「７月から９月までの間」とあるのは「８月から10月までの間」と、「10月から12月までの間」とあるのは「11月から１月までの間」と、第四節二の（６）中「第四節二の（１）の規定」とあるのは「十二の規定により読み替えて適用される第四節二の（１）の規定」と、第四節二の（６）の表中「前年度１月から前年度３月までの間」とあるのは「前年度２月から４月までの間」と、「収入した譲渡割額に相当する額及び第三節四の３の規定により払い込まれた貨物割の納付額の合算額」とあるのは「第三節四の３の規定により払い込まれた貨物割の納付額及び三の３前段の規定により払い込まれた譲渡割の納付額から同３の後段の規定により他の道府県に支払うべき金額に相当する額を減額し、他の道府県から支払を受けるべき金額に相当する額を加算して得た額の合算額」と、「第四節一の２の（１）の規定」とあるのは「（１）の規定により読み替えて適用される第四節一の２の（１）の規定」と、「４月から６月までの間」とあるのは「５月から７月までの間」と、「７月から９月までの間」とあるのは「８月から10月までの間」と、「10月から12月までの間」とあるのは「11月から１月までの間」とする。（令附６の14、令35の21①）

第七章　不動産取得税

◆令和6年度改正事項◆

（1）　鉄道事業者が取得する地域公共交通の活性化及び再生に関する法律に規定する鉄道事業再構築事業を実施する路線に係る鉄道事業の用に供する一定の不動産について、当該取得が令和8年3月31日までに行われたときに限り、非課税措置を講ずることとした。（法附10⑦、令附6の16⑤⑥、規附3の2⑥）

（2）　都市緑地法に規定する都市緑化支援機構が一定の業務により取得する土地について、当該取得が令和8年3月31日までに行われたときに限り、非課税措置を講ずることとした。（法附10⑧）

（3）　社会福祉法人等が児童福祉法に規定する児童福祉施設の用に供する不動産に係る非課税措置について、その対象資産の範囲に里親支援センターの用に供する不動産を追加することとした。（令36の8②三）

（4）　社会福祉法人等が社会福祉法に規定する社会福祉事業の用に供する不動産に係る非課税措置について、その対象資産の範囲に親子再統合支援事業、社会的養護自立支援拠点事業、意見表明等支援事業、妊産婦等生活援助事業、子育て世帯訪問支援事業、児童育成支援拠点事業及び親子関係形成支援事業の用に供する不動産を追加することとした。（令36の10②六、規7の3の4①）

（5）　高齢者の居住の安定確保に関する法律に規定するサービス付き高齢者向け住宅である一定の新築貸家住宅に係る課税標準の特例措置について、建築基準法の改正に伴い、所要の規定の整備を行うこととした。（令附7⑮二）

（6）　次のとおり非課税措置等の適用期限を延長することとした。

ア　マンションの建替え等の円滑化に関する法律に規定する施行者又はマンション敷地売却組合が、マンション建替事業又はマンション敷地売却事業により取得する特定要除却認定マンション又はその敷地に係る非課税措置の適用期限を令和8年3月31日まで延長すること。（法附10⑤）

イ　新築住宅を宅地建物取引業者等が取得したものとみなす日を住宅新築の日から1年（本則6月）を経過した日に緩和する特例措置の適用期限を令和8年3月31日まで延長すること。（法附10の3①）

ウ　新築住宅特例適用住宅用土地に係る税額の減額措置について、土地取得後の住宅新築までの経過年数要件を緩和する特例措置の適用期限を令和8年3月31日まで延長すること。（法附10の3②）

エ　河川法に規定する高規格堤防の整備に係る事業のために使用された土地の上に建築されていた家屋について移転補償金を受けた者が当該土地の上に取得する代替家屋に係る課税標準の特例措置の適用期限を令和8年3月31日まで延長すること。（法附11②）

オ　長期優良住宅の普及の促進に関する法律に規定する認定長期優良住宅の新築に係る課税標準の特例措置の適用期限を令和8年3月31日まで延長すること。（法附11⑧）

カ　中小事業者等が中小企業等経営強化法に規定する認定経営力向上計画に従って行う事業の譲受けにより取得する一定の不動産に係る課税標準の特例措置の適用期限を令和8年3月31日まで延長すること。（法附11⑬）

キ　独立行政法人鉄道建設・運輸施設整備支援機構が一定の業務により取得する土地に係る課税標準の特例措置の適用期限を令和9年3月31日まで延長すること。（法附11⑯）

ク　地域における医療及び介護の総合的な確保の促進に関する法律に規定する認定医療機関開設者が認定再編計画に記載された医療機関の再編の事業により取得する一定の不動産に係る課税標準の特例措置の適用期限を令和8年3月31日まで延長すること。（法附11⑰）

ケ　住宅及び土地の取得に係る標準税率（本則4%）を3%とする特例措置の適用期限を令和9年3月31日まで延長すること。（法附11の2）

コ　宅地評価土地の取得に係る課税標準を価格の2分の1とする特例措置の適用期限を令和9年3月31日まで延長すること。（法附11の5）

（7）　都市再生特別措置法に規定する低未利用土地権利設定等促進計画に基づき取得する低未利用土地権利設定等促進事業区域内にある一定の低未利用土地に係る課税標準の特例措置を廃止することとした。（旧法附11⑬、旧令附7㉓、旧規附3の2の21）

（注）　本章の規定は、別に定めがあるものを除き、令和6年4月1日以後の不動産の取得に対して課すべき不動産取得税について適用する。（令6

改法附1、11、令6改令附1、令6改規附1）

第一節 通　　則

一　用語の意義

不動産取得税について、次の各号に掲げる用語の意義は、それぞれ当該各号に定めるところによる。（法73）

項　目	定　義	留　意　事　項
(一) 不動産	土地及び家屋を総称する。	
(二) 土地	田、畑、宅地、塩田、鉱泉地、池沼、山林、牧場、原野その他の土地をいう。	不動産とは、土地及び家屋を総称するものであるが、土地には立木その他土地の定着物は含まれないものであること。（県通5－2（1））
(三) 家屋	住宅、店舗、工場、倉庫その他の建物をいう。	（1）　家屋の範囲については、固定資産税にいう家屋又は不動産登記法（平成16年法律第123号）上の建物（ただし、不動産登記法の一部を改正する等の法律（昭和35年法律第14号）附則第3条第3号の規定により各登記所について法務大臣が指定する登記用紙の表題部の改製及び新設を完了すべき期日までは家屋台帳法にいう家屋）の意義と同一であり、屋根及び周壁を有し、土地に定着した建造物であって、その目的とする用途に供しうる状態にあるものをいうものであるが、次の事項に留意すること。（県通5－2（2）） イ　電気設備、運搬設備等家屋と一体となって効用を果たす設備については、地方税法第388条第1項《固定資産評価基準の制定》の規定に基づき総務大臣が告示した固定資産評価基準における取扱いによって家屋に含まれるものであるか否かを判定するものであること。 ロ　土地の定着物であっても、いわゆる構築物は家屋ではないこと。家屋であるか構築物であるかの判定は、その構造、用途等を総合的に判断して行う必要があるが、いわゆる工業用サイロについては概ね家屋と解されること。 ハ　建築基準法第85条の規定による許可を受けた建築物については、当該許可から2年を超えて使用されている場合その他の一般家屋との均衡を失する場合を除き、家屋に該当しないものとして取り扱うことが適当であること。 ニ　鶏舎、豚舎等の畜舎、堆肥舎等は、一般に社会通念上家屋とは認められないと考えられるので、特に構造その他からみて一般家屋との均衡上課税客体とせざるを得ないものを除き、課税しないことが適当であること。 （2）　市町村が、地方税法第343条第10項に規定する特定附帯設備のうち家屋に属する部分を、同項の規定により家屋以外の資産とみなして固定資産税を課する場合であっても、不動産取得税については、従前のとおり当該部分は家屋として課税すること。 　なお、この場合における固定資産課税台帳に固定資産の価格が登録されている不動産の価格の決定については、道府県は、第二節一の3の①に規定するその他特別の事情があるものとして価格を決定するものとすること。（県通5－2（7））

(四)	住　宅	人の居住の用に供する家屋又は家屋のうち人の居住の用に供する部分で、別荘以外のものをいう。（令36①） 　　　　（別荘の意義） （1）　上記の別荘は、日常生活の用に供しないものとして総務省令で定める家屋又はその部分のうち専ら保養の用に供するものとする。（令36②） 　　　（総務省令で定める家屋等） （2）　（1）に規定する日常生活の用に供しないものとして総務省令で定める家屋又はその部分は、毎月1日以上の居住（これと同程度の居住を含む。）の用に供する家屋又はその部分以外の家屋又はその部分とする。（規7の2の16）	住宅を「人の居住の用に供する家屋又は家屋のうち人の居住の用に供する部分で、別荘以外のものをいう」としているのは、別荘を住宅の範囲に含めないこととするとともに、家屋の全体が居住の用に供するものである場合はもちろん、家屋の一部が人の居住の用に供するものである場合においても、人の居住の用に供される部分で別荘以外のものの価格については第二節一の4の①のイ《新築住宅に係る1,200万円控除》又は同①のハ《自己の居住の用に供する既存住宅に係る控除》の控除の規定を適用しようとする趣旨であること。 　この場合の「別荘」とは、日常生活の用に供しない家屋又はその部分（毎月1日以上の居住（これと同程度の居住を含む。）の用に供するもの以外のもの）のうち専ら保養の用に供するものをいい、例えば週末に居住するため郊外等に取得する家屋、遠距離通勤者が平日に居住するため職場の近くに取得する家屋等については、住宅の範囲に含めるのが適当であること。 （県通5－2（3））
(五)	価　格	適正な時価をいう。	
(六)	建　築	家屋を新築し、増築し、又は改築することをいう。	
(七)	増　築	家屋の床面積又は体積を増加することをいう。	
(八)	改　築	家屋の壁、柱、床、はり、屋根、天井、基礎、昇降の設備その他家屋と一体となって効用を果たす次の注に掲げる設備について行われた取替え又は取付けで、その取替え又は取付けのための支出が資本的支出と認められるものをいう。 　　　（家屋の附属設備） 注　上記の家屋と一体となって効用を果たす設備は次の各号に掲げる設備とする。（令36の	改築については、通常の修繕は含まれない趣旨であるが、その認定に当たっては、次の事項に留意すること。（県通5－2（4）） イ　家屋の「壁、柱、床、はり、屋根、天井、基礎、昇降の設備」には、間仕切壁、間柱、付け柱、揚げ床、最下階の床、廻り舞台の床、小ばり、ひさし、局部的な小階段、屋外階段その他これらに類する家屋の部分も含まれるものであること。 ロ　改築に含まれる家屋と一体となって効用を果たす設備については、左欄の注に定められているが、具体的判定については、地方税法第388条第1項《固定資産評価基準の制定》の規定に基づき総務大臣が告示した固定資産評価基準における取扱いによって家屋に含まれるものであるか否かを判定するものであること。 ハ　「取替え又は取付けのための支出が資本的支出」とは、所得税及び法人税の所得の計算に用いられる場合と概ね同様な観念であって、家屋の本来の耐用年数を延長させるようなものとか、あるいは価額を増加させるようなものであること。

		2） イ　消火設備 ロ　空気調和設備 ハ　衛生設備 ニ　じんかい処理設備 ホ　電気設備 ヘ　避雷針設備 ト　運搬設備（昇降の設備を除く。） チ　給排水設備 リ　ガス設備 ヌ　造付金庫 ル　固定座席設備、回転舞台設備及び背景吊下設備	

二　納税義務者

　不動産取得税は、不動産の取得に対し、当該不動産所在の道府県において、当該不動産の取得者に課する。（法73の2①）

　　　（納税義務者）
（1）　不動産取得税の納税義務者は、不動産の取得者であって、個人たると法人たるとを問わないものであること。（県通5－1）

　　　（不動産の取得の意義と取得の時期）
（2）　不動産の「取得」の認定については、次の諸点に留意すること。（県通5－3（1）～（3））
　（一）　不動産の取得とは、有償であると無償であるとを問わず、またその原因が売買、交換、贈与、寄附、法人に対する現物出資、建築、公有水面の埋立、干拓による土地の造成等原始取得、承継取得の別を問わないものであること。
　（二）　法人が組織変更し、又は人格なき社団が法人格を取得した場合には、不動産について実質的な所有権の移転があったものとは認められないことから、課税対象とはならないものであること。
　（三）　不動産の取得の時期は、契約内容その他から総合的に判断して現実に所有権を取得したと認められる時によるものであり、所有権の取得に関する登記の有無は問わないものであること。ただし、農地法（昭和27年法律第229号）の適用を受ける農地又は採草放牧地を承継取得した場合は、同法第3条第1項又は第5条第1項の規定による許可があった日又は同項第6号の規定による届出の効力が生じた日前においては、その取得はないものであること。なお、農地法の適用を受ける農地等であるか否かについては、登記簿の地目によるものではなく、現況主義によることとされているものであること。おって、その認定につき疑義がある場合には、農地関係部局と連絡をとられたいこと。

　　　（家屋の移転及び取得直後の取壊し）
（3）　家屋を原型のまま他の場所に移転することは不動産の取得には含まれないものであること。これに反して、家屋を解体し、これを材料として他の場所に同一の構造で再建するいわゆる移築は、新築に該当するものであるが、負担の均衡上改築の場合に準じてその移築により増加した価格を課税標準として課税することが適当であること。
　　また、取り壊すことを条件として家屋を取得し、取得後使用することなく、直ちに取り壊した場合には、不動産としてではなく、動産を取得したとみられるときに限り、課税対象とはならないものであること。（県通5－2（5）、（6））

三　不動産の取得等

1　新築等による家屋の取得

①　家屋の新築の場合の取得者
　家屋が新築された場合においては、当該家屋について最初の使用又は譲渡（独立行政法人都市再生機構、地方住宅供給公社又は家屋を新築して譲渡することを業とする者で（2）で定めるものに基づく当該注文者に対する請負人からの譲渡が当該家屋の新築後最初に行われた場合は、当該譲渡の後最初に行われた使用又は譲渡。以下①において同じ。）が行われた日において家屋の取得がなされたものとみなし、当該家屋の所有者又は譲受人を取得者とみなして、これに対して不動産取得税を課する。ただし、家屋が新築された日から6月を経過して、なお、当該家屋について最初の使用又は譲渡が行われない場合においては、当該家屋が新築された日から6月を経過した日において家屋の取得がなされたものとみなし、当該家屋の所有者を取得者とみなして、これに対して不動産取得税を課する。（法73の2②）
　（注）　上記ただし書の規定の関連規定については、第四節二の9を参照。（編者）

（みなし取得日の特例）
（1）　独立行政法人都市再生機構、地方住宅供給公社又は家屋を新築して譲渡することを業とする者で（2）で定めるものが売り渡す新築の住宅に係る①ただし書の規定の適用については、当該住宅の新築が平成10年10月1日から令和8年3月31日までの間に行われた場合に限り、①ただし書中「6月」とあるのは「1年」とする。（法附10の3①）

（家屋を新築して譲渡する者）
（2）　（1）に規定する家屋を新築して譲渡することを業とする者は、家屋を新築して譲渡することを業とする者で宅地建物取引業法第2条第3号に規定する宅地建物取引業者であるもの及び日本勤労者住宅協会とする。（令36の2の2、令附6の18①）

（家屋の新築の時）
（3）　①に規定する家屋が「新築された」とは、事実上家屋の新築が完了したときをいうものであり、新築されたか否かの判定は一般社会通念によるものであるが、次の事項に留意すること。（県通5－3（4））
　（一）　一般的には、その家屋について当初の新築計画に基づいてその新築が完了した場合をいうものであること。
　（二）　その判定が困難な場合は、建築基準法の適用がある家屋については、同法第7条第5項又は第7条の2第5項の規定による検査済証の交付をうけうる程度であるかどうかで認定することもできるが、一般的には主要構造部について概ね工事を終了し、最低限度の附帯設備の取付けを終わり、家屋として使用しうる状態になったときをいうものであること。
　（三）　この判定は原則として家屋全体について行うのであるが、工事の段階を設けて長期間にわたって工事を行っている場合には各工事部分について行うことができるものであること。

2　家屋の改築による取得
　家屋を改築したことにより、当該家屋の価格が増加した場合においては、当該改築をもって家屋の取得とみなして、不動産取得税を課する。（法73の2③）

（増築又は改築の納税義務者）
　注　増築又は改築による不動産取得税の納税義務者とは、当該増築又は改築部分が社会経済上独立性を失わないもの（即ち家屋に附属したまま当該家屋と別に所有権の対象となりうるもの）で、増築又は改築をした者の権原により附属せしめたものである場合以外には、当該家屋の所有者をいうものであること。（県通5－3（5））

3　区分所有家屋の取得

①　専有部分の取得があった場合
　建物の区分所有等に関する法律第2条第3項の専有部分の取得があった場合においては、当該専有部分の属する一むねの建物（同法第4条第2項の規定により共用部分とされた附属の建物を含む。）の価格を同法第14条第1項から第3項までに規定する計算の例によって算定して得られる専有部分の床面積の割合（専有部分の天じょうの高さ、附帯設備の程度等

について著しい差違がある場合においては、その差違に応じて②の(1)で定めるところにより当該割合を補正した割合。②において同じ。)によってあん分して得た額に相当する価格の家屋の取得があったものとみなして、不動産取得税を課する。(法73の2④)

② 共用部分のみの取得があった場合
　建物の区分所有等に関する法律第2条第4項の共用部分のみの建築があった場合においては、当該建築に係る共用部分に係る同条第2項の区分所有者が、当該建築に係る共用部分の価格を同法第14条第1項から第3項までに規定する計算の例によって算定して得られる専有部分の床面積の割合によってあん分して得た額に相当する価格の家屋を取得したものとみなして、不動産取得税を課する。(法73の2⑤)

　　　(専有部分の床面積による割合の補正)
(1)　①の規定による建物の区分所有等に関する法律第14条第1項から第3項までに規定する計算の例によって算定して得られる専有部分の床面積の割合の補正は、当該割合に、次の各号の算式により計算した数値(当該各号の二以上に該当する場合においては、それぞれの数値を加えた数値)に1を加えた数値を乗じて行うものとする。(規7の3①)

　(一)　専有部分の天じょうの高さに差違がある場合

$$\frac{家屋の評価額 - 専有部分に係る附帯設備の評価額相当額の合計額 - 専有部分に係る仕上部分の評価額相当額の合計額}{家屋の評価額} \times 天じょうの高さの差違に応ずる数値$$

　(二)　専有部分の附帯設備の程度に差違がある場合

$$\frac{専有部分に係る附帯設備の評価額相当額の合計額}{家屋の評価額} \times \left(\frac{当該専有部分に係る附帯設備の単位床面積当りの評価額相当額}{専有部分に係る附帯設備の単位床面積当りの評価額相当額} - 1\right)$$

　(三)　専有部分の仕上部分の程度に差違がある場合

$$\frac{専有部分に係る仕上部分の評価額相当額の合計額}{家屋の評価額} \times \left(\frac{当該専有部分に係る仕上部分の単位床面積当りの評価額相当額}{専有部分に係る仕上部分の単位床面積当りの評価額相当額} - 1\right)$$

　(注)　上記(一)から(三)までの算式において、家屋とは専有部分の属する一棟の建物(建物の区分所有等に関する法律第4条第2項の規定により共用部分とされた附属の建物を含む。以下(2)までにおいて「家屋」という。)をいい、天じょうの高さの差違に応ずる数値とは専有部分に係る天じょうの高さと当該家屋の専有部分に係る天じょうの平均の高さとの差違のメートル数(1メートル未満の端数は、切り捨てるものとする。)に0.1を乗じて得た数値をいう。この場合において、専有部分に係る天じょうの高さが当該家屋の専有部分に係る天じょうの平均の高さよりも低い場合においては、当該数値は、負数とするものとする。(規7の3②)

　　　(区分所有者の全員が協議により定めた補正の方法の適用)
(2)　(1)の補正は、当該家屋の区分所有者の全員が専有部分の天じょうの高さ、附帯設備の程度等の差違に応じて協議して定めた補正の方法を当該道府県の条例の定めるところによって道府県知事に申し出た場合において道府県知事が当該補正の方法によることが適当と認めるときは、同項の規定にかかわらず、当該補正の方法によって行うことができる。ただし、当該家屋に係る固定資産税について地方税法施行規則第15条の3第3項〔第三編第三章第一節三の1の④の(3)参照〕の規定により市町村長が当該補正の方法によることが適当と認めるものがある場合においては、当該補正の方法によって行うことができる。(規7の3③)

　　　(専有部分の床面積の割合の補正)
(3)　建物の区分所有等に関する法律第2条第3項に規定する専有部分(以下(3)及び(4)において「専有部分」という。)の取得があった場合には、当該専有部分の属する家屋(同法第4条第2項の規定により同法第2条第4項に規定する共用部分((4)において「共用部分」という。)とされた附属の建物を含む。)の価格を同法第14条第1項から第3項までの規定の例により算定した専有部分の床面積の割合(専有部分の天井の高さ、附帯設備の程度その他(1)で定める事項(仕上部分の程度)について著しい差違がある場合には、その差違に応じて(1)で定めるところにより当該割合を補正した割合)により按分して得た額に相当する価格の家屋の取得があったものとみなして、不動産取得税を課するものであること。(県通5-3(6))

(専有部分の床面積の当該居住用超高層建築物の全ての専有部分の床面積の合計に対する割合の補正)
(4) 建築基準法第20条第1項第1号に規定する建築物(高さが60メートルを超える建築物)であって、複数の階に人の居住の用に供する専有部分を有し、かつ、当該専有部分の個数が2個以上のもの(以下(4)において「居住用超高層建築物」という。)において、専有部分の取得があった場合には、(3)の規定にかかわらず、当該専有部分の属する居住用超高層建築物(建物の区分所有等に関する法律第4条第2項の規定により共用部分とされた附属の建物を含む。)の価格を、次に掲げる専有部分の区分に応じ、それぞれ次に定める専有部分の床面積の当該居住用超高層建築物の全ての専有部分の床面積の合計に対する割合(専有部分の天井の高さ、附帯設備の程度その他(1)で定める事項(仕上部分の程度)について著しい差違がある場合には、その差違に応じて(1)で定めるところにより当該割合を補正した割合)により按分して得た額に相当する価格の家屋の取得があったものとみなして、不動産取得税を課するものであること。(県通5-3(7))
　イ　人の居住の用に供する専有部分　当該専有部分の床面積(当該専有部分に係る区分所有者が建物の区分所有等に関する法律第3条に規定する一部共用部分(附属の建物であるものを除く。)で床面積を有するものを所有する場合には、当該一部共用部分の床面積を同法第14条第2項及び第3項の規定の例により算入した当該専有部分の床面積。イにおいて同じ。)を全国における居住用超高層建築物の各階ごとの取引価格の動向を勘案して(1)で定めるところにより補正した当該専有部分の床面積
　ロ　イに掲げるもの以外の専有部分　当該専有部分の床面積

　(留意事項)
(5) 共用部分のみの建築があった場合には、当該建築に係る共用部分を管理者等が所有する場合であっても、管理者等に課税するものでないことに留意すること。(県通5-3(8))

4　家屋の附帯設備の取得

　家屋が建築された場合において、当該家屋のうち造作その他の附帯設備に属する部分でそれらの部分以外の部分(以下「**主体構造部**」という。)と一体となって家屋として効用を果しているものについては、主体構造部の取得者以外の者がこれを取付けたものであっても、主体構造部の取得者が附帯設備に属する部分をも併せて当該家屋を取得したものとみなして、これに対して不動産取得税を課することができる。この場合においては、主体構造部の取得者が納税通知書の交付を受けた日から30日以内に、附帯設備に属する部分の取得者と協議の上、当該不動産取得税の課税標準となるべき価額のうち附帯設備に属する部分の取得者の所有に属する部分の価額を申し出たときは、その部分の価額に基づいて附帯設備に属する部分の取得者に不動産取得税を課するものとし、主体構造部の取得者に課した不動産取得税の税額から附帯設備の取得者に課した不動産取得税の税額に相当する額を減額するものとする。(法73の2⑥)

　　(還　付)
(1) 道府県は、4の前段の規定により家屋の取得に対して課する不動産取得税に係る地方団体の徴収金を徴収した場合において、4の後段の規定の適用があることとなったときは、家屋の主体構造部の取得者の申請に基づいて、4の後段の規定によって減額すべき額に相当する税額及びこれに係る地方団体の徴収金を還付するものとする。(法73の2⑦)

　　(充　当)
(2) 道府県は、(1)の規定により、不動産取得税額及びこれに係る地方団体の徴収金を還付する場合において、還付を受ける納税義務者の未納に係る地方団体の徴収金があるときは、当該還付すべき額をこれに充当することができる。(法73の2⑧)

　　(還付加算金の起算日)
(3) (1)又は(2)の規定によって不動産取得税額及びこれに係る地方団体の徴収金を還付し、又は充当する場合においては、(1)の規定による還付の申請があった日から起算して10日を経過した日を地方税法第17条の4《還付加算金》第1項各号の還付加算金の起算日とみなして、同項の規定を適用する。(法73の2⑨)

5 土地区画整理事業等に係る土地の仮換地等又は保留地予定地等の取得

① 仮換地等の取得

　土地区画整理法による土地区画整理事業（農住組合法第8条第1項の規定により土地区画整理法の規定が適用される農住組合法第7条第1項第1号の事業及び密集市街地における防災街区の整備の促進に関する法律第46条第1項の規定により土地区画整理法の規定が適用される密集市街地における防災街区の整備の促進に関する法律第45条第1項第1号の事業並びに大都市地域における住宅及び住宅地の供給の促進に関する特別措置法による住宅街区整備事業を含む。②において同じ。）又は土地改良法による土地改良事業の施行に係る土地について法令の定めるところによって仮換地又は一時利用地（以下①において「仮換地等」という。）の指定があった場合において、当該仮換地等である土地について使用し、又は収益することができることとなった日以後に当該仮換地等である土地に対応する従前の土地（以下①において「従前の土地」という。）の取得があったときは、当該従前の土地の取得をもって当該仮換地等である土地の取得とみなし、当該従前の土地の取得者を取得者とみなして、不動産取得税を課する。（法73の2⑩）

② 保留地予定地等の取得

　土地区画整理法による土地区画整理事業の施行に係る土地について当該土地区画整理事業の施行者が同法第100条の2（農住組合法第8条第1項及び密集市街地における防災街区の整備の促進に関する法律第46条第1項において適用する場合並びに大都市地域における住宅及び住宅地の供給の促進に関する特別措置法第83条において準用する場合を含む。）の規定によって管理する土地（以下②において「保留地予定地等」という。）がある場合において、当該施行者以外の者が、当該土地区画整理事業に係る換地処分の公告がある日までの間当該保留地予定地等である土地について使用し、若しくは収益することができること及び同日の翌日に当該施行者が取得する当該保留地予定地等である土地を取得することを目的とする契約が締結されたとき又は同日の翌日に土地区画整理組合の参加組合員が取得する当該保留地予定地等である土地について当該参加組合員が使用し、若しくは収益することができることを目的とする契約が締結されたときは、それらの契約の効力が発生した日として注で定める日においてそれらの保留地予定地等である土地の取得がされたものとみなし、それらの保留地予定地等である土地を取得することとされている者を取得者とみなして、不動産取得税を課する。（法73の2⑪）

（保留地予定地等の取得契約の効力が発生した日）
注　②に規定する契約の効力が発生した日は、②の契約に基づき②の保留地予定地等である土地について使用し、又は収益することができることとなった日とする。（令36の2の3）

四　非課税の範囲

1　国等に対する不動産取得税の非課税

① 国及び非課税独立行政法人並びに地方団体等に対する非課税

　道府県は、国、非課税独立行政法人、国立大学法人等、日本年金機構及び福島国際研究教育機構並びに都道府県、市町村、特別区、地方公共団体の組合、財産区、地方開発事業団、合併特例区及び地方独立行政法人に対しては、不動産取得税を課することができない。（法73の3①）

（旧民法第34条の法人から移行した法人等に係る特例）
注　一般社団法人及び一般財団法人に関する法律及び公益社団法人及び公益財団法人の認定等に関する法律の施行に伴う関係法律の整備等に関する法律（平成18年法律第50号。以下注において「整備法」という。）第40条第1項の規定により存続する一般社団法人であって整備法第106条第1項の登記をしていないもの《特定一般社団法人》については公益社団法人とみなし、整備法第40条第1項の規定により存続する一般財団法人であって整備法第106条第1項の登記をしていないもの《特定一般財団法人》については公益財団法人とみなして、2の表の3、3の2及び7の規定を適用する。（法附41③）

② 皇位とともに伝わるべき不動産の非課税

　不動産取得税は、皇室経済法第7条に規定する皇位とともに伝わるべき由緒ある物である不動産については、課することができない。（法73の3②）

2　用途による非課税

　道府県は、次の表の各号に規定する者が不動産をそれぞれ当該各号に掲げる不動産として使用するために取得した場合においては、当該不動産の取得に対しては、不動産取得税を課することができない。（法73の4①）

1	独立行政法人郵便貯金・簡易生命保険管理機構、独立行政法人水資源機構、独立行政法人鉄道建設・運輸施設整備支援機構、日本放送協会、土地改良区、土地改良区連合、国立研究開発法人日本原子力研究開発機構、国立研究開発法人理化学研究所及び国立研究開発法人量子科学技術研究開発機構が直接その本来の事業の用に供する不動産で右欄(1)及び(3)から(9)までで定めるもの	（独立行政法人郵便貯金・簡易生命保険管理機構の非課税不動産） (1)　独立行政法人郵便貯金・簡易生命保険管理機構が直接その本来の事業の用に供する非課税不動産は、次に掲げる不動産以外の不動産とする。（令36の3①） 　(一)　宿舎（業務上宿舎を使用すべき義務がある者が使用するものとされている宿舎を除く。）の用に供する不動産 　(二)　職員の福利及び厚生の用に供する不動産（病院及び診療所の用に供するものを除く。） 　(三)　前2号に掲げるもののほか、他の者に貸し付ける不動産（国又は地方公共団体に無償で貸し付けるものを除く。） 　(四)　直接その本来の事業の用に供するものとして建設計画が確定していない不動産 　(五)　郵政民営化法等の施行に伴う関係法律の整備等に関する法律（平成17年法律第102号）附則第5条第1項の規定によりなおその効力を有するものとされる同法第2条の規定による廃止前の郵便貯金法第7条第1項各号に規定する郵便貯金の周知宣伝に必要な施設の用に供する不動産 　(六)　郵政民営化法等の施行に伴う関係法律の整備等に関する法律附則第16条第1項の規定によりなおその効力を有するものとされる同法第2条の規定による廃止前の簡易生命保険法第2条に規定する簡易生命保険の保険契約者、被保険者及び保険金受取人の福祉を増進するため必要な施設の用に供する不動産（病院又は診療所の用に供するものにあっては、その利用について対価又は負担として支払うべき金額の定めのある駐車施設その他の施設で総務省令で定めるものの用に供するものに限る。） （総務省令で定める施設） (2)　(1)の(六)に規定する総務省令で定める施設は、飲食店、喫茶店及び物品販売施設（これらの施設のうち同(六)に規定する病院又は診療所の利用者の利便に供することを目的とするものを除く。）並びに駐車施設とする。（規7の3の2） （日本放送協会の非課税不動産） (3)　日本放送協会が直接その本来の事業の用に供する非課税不動産は、次に掲げる不動産以外の不動産とする。（令36の3②） 　(一)　事務所の用に供する不動産 　(二)　宿舎（放送業務の現業部門に属する従業員で通常の勤務時間外においても当該業務に係る非常勤務に従事するものが居住するものとされている宿舎を除く。）の用に供する不動産 　(三)　職員の福利及び厚生の用に供する不動産 　(四)　前2号に掲げるもののほか、他の者に貸付ける不動産（国又は地方公共団体に貸付けるものにあっては、有料で貸付けるものに限る。） 　(五)　直接その本来の事業の用に供するものとして建設計画が確定していない不動産 　(六)　車両、機械、器具及び被服の製造の用に供する不動産 （独立行政法人水資源機構の非課税不動産） (4)　独立行政法人水資源機構が直接その本来の事業の用に供する非課税不動産

は、次に掲げるものとする。(令36の3③)
(一) ダム、堰、湖沼水位調節施設又は水路の用に供する不動産
(二) 倉庫又は前号の施設の操作若しくは監視の用に直接供する家屋

(独立行政法人鉄道建設・運輸施設整備支援機構の非課税不動産)
(5) 独立行政法人鉄道建設・運輸施設整備支援機構が直接その本来の事業の用に供する非課税不動産は、次に掲げる不動産とする。(令36の3④)
(一) 独立行政法人鉄道建設・運輸施設整備支援機構法第13条第1項第3号の規定により新幹線鉄道の営業を行う者に譲渡する鉄道施設又は同項第6号の規定により鉄道事業者に譲渡する鉄道施設若しくは軌道施設の用に供する不動産
(二) 独立行政法人鉄道建設・運輸施設整備支援機構法第13条第1項第3号又は第6号の規定により鉄道事業者(日本国有鉄道改革法第11条第2項に規定する承継法人に限る。)に貸し付ける鉄道施設の用に供する不動産のうち、事務所又は宿舎(業務上宿舎を使用すべき義務がある者が使用するものとされている宿舎を除く。)の用に供する不動産以外のもの
(三) 鉄道に関する工事又はこれに関する調査、測量、設計、試験若しくは研究の用に供する不動産
(四) 昭和62年4月1日において日本国有鉄道清算事業団の債務等の処理に関する法律(以下(四)において「債務等処理法」という。)附則第2条第1項の規定による解散前の日本国有鉄道清算事業団(以下(四)において「旧日本国有鉄道清算事業団」という。)が所有する土地であって独立行政法人鉄道建設・運輸施設整備支援機構法附則第2条第1項の規定による解散前の日本鉄道建設公団が債務等処理法附則第2条第1項の規定により旧日本国有鉄道清算事業団から承継したものの上に旅客鉄道株式会社及び日本貨物鉄道株式会社に関する法律第1条第2項に規定する貨物会社(以下(四)において「貨物会社」という。)又は旅客鉄道株式会社及び日本貨物鉄道株式会社に関する法律の一部を改正する法律(平成13年法律第61号。以下(四)において「旅客会社法改正法」という。)附則第2条第1項に規定する新会社(同項第1号に規定する東日本旅客鉄道株式会社及び同項第2号に規定する者(旅客会社法改正法の施行の日の前日において当該東日本旅客鉄道株式会社が経営している鉄道事業の全部又は一部を譲受け、合併若しくは分割又は相続により旅客会社法改正法の施行の日以後経営する者に限る。)を除く。以下(四)において「新会社」という。)が日本国有鉄道改革法第22条の規定により日本国有鉄道から承継した家屋(新幹線鉄道に係る鉄道施設の譲渡等に関する法律第2条に規定する旅客鉄道株式会社が同条の規定により同法第5条第1項の規定による解散前の新幹線鉄道保有機構から譲り受けた家屋を含み、昭和62年3月31日において地方税法及び国有資産等所在市町村交付金及び納付金に関する法律の一部を改正する法律(昭和61年法律第94号)第1条の規定による改正前の地方税法第348条第2項第2号の規定の適用があったものに限る。)を所有していた場合において、当該貨物会社又は新会社に当該家屋に対応するものとして譲渡するために取得する家屋

(土地改良区又は土地改良区連合の非課税不動産)
(6) 土地改良区又は土地改良区連合が直接その本来の事業の用に供する非課税不動産は、次に掲げる不動産とする。(令36の3⑤)
(一) 倉庫
(二) 農業用用排水施設及びその用に供する土地
(三) (二)の施設の操作又は監視の用に供する不動産
(四) 防風林

　　　　　(五)　土砂防止林

　　　　(国立研究開発法人日本原子力研究開発機構の非課税不動産)
(7)　国立研究開発法人日本原子力研究開発機構が直接その本来の事業の用に供する非課税不動産は、国立研究開発法人日本原子力研究開発機構法（平成16年法律第155号）第17条第1項各号（第5号及び第10号を除く。）に規定する業務の用に供する不動産のうち次に掲げるもの以外のものとする。（令36の3⑥）
　　(一)　原子力発電施設の用に供する不動産
　　(二)　発電用施設周辺地域整備法施行令第3条各号に掲げる施設の用に供する不動産
　　(三)　事務所の用に供する不動産
　　(四)　宿舎（監視所、番所その他これらに類する施設に附属する宿舎を除く。）の用に供する不動産
　　(五)　職員の福利及び厚生の用に供する不動産
　　(六)　前2号に掲げるもののほか、他の者に貸し付ける不動産（国又は地方公共団体に貸し付けるものにあっては、有料で貸し付けるものに限る。）
　　(七)　直接その本来の事業の用に供するものとして建設計画が確定していない不動産

　　　　(国立研究開発法人理化学研究所の非課税不動産)
(8)　国立研究開発法人理化学研究所が直接その本来の事業の用に供する非課税不動産は、次に掲げる不動産以外の不動産とする。（令36の3⑦）
　　(一)　特定先端大型研究施設の共用の促進に関する法律第2条第2項に規定する特定先端大型研究施設（同法第1条に規定する研究者等の共用に供される部分に限る。）の用に供する不動産
　　(二)　事務所の用に供する不動産
　　(三)　宿舎の用に供する不動産
　　(四)　職員の福利及び厚生の用に供する不動産
　　(五)　(一)及び前2号に掲げるもののほか、他の者に貸し付ける不動産（国又は地方公共団体に貸し付けるものにあっては、有料で貸し付けるものに限る。）
　　(六)　直接その本来の事業の用に供するものとして建設計画が確定していない不動産
　　(七)　車両、機械、器具及び被服の製造の用に供する不動産

　　　　(国立研究開発法人量子科学技術研究開発機構の非課税不動産)
(9)　国立研究開発法人量子科学技術研究開発機構が直接その本来の事業の用に供する不動産で(9)で定めるものは、国立研究開発法人量子科学技術研究開発機構法（平成11年法律第176号）第16条第1項各号（第8号を除く。）に規定する業務の用に供する不動産のうち次に掲げるもの以外のものとする。（令36の3⑧）
　　(一)　事務所の用に供する不動産
　　(二)　宿舎（国立研究開発法人量子科学技術研究開発機構法第16条第1項第5号に規定する放射線の人体への影響、放射線による人体の障害の予防、診断及び治療並びに放射線の医学的利用に関する研究者並びに同項第6号に規定する放射線による人体の障害の予防、診断及び治療並びに放射線の医学的利用に関する技術者のための宿舎並びに監視所、番所その他これらに類する施設に附属する宿舎を除く。）の用に供する不動産
　　(三)　職員の福利及び厚生の用に供する不動産
　　(四)　(二)、(三)に掲げるもののほか、他の者に貸し付ける不動産（国又は地

		方公共団体に貸し付けるものにあっては、有料で貸し付けるものに限る。） （五） 直接その本来の事業の用に供するものとして建設計画が確定していない不動産
2	宗教法人が専らその本来の用に供する宗教法人法第3条に規定する境内建物及び境内地（旧宗教法人令の規定による宗教法人のこれに相当する建物及び土地を含む。）	
3	学校法人又は私立学校法第64条第4項の法人（以下3において「学校法人等」という。）がその設置する学校において直接保育又は教育の用に供する不動産（4の4に該当するものを除く。）、学校法人等がその設置する寄宿舎で学校教育法第1条の学校又は同法第124条の専修学校に係るものにおいて直接その用に供する不動産、公益社団法人若しくは公益財団法人、宗教法人又は社会福祉法人がその設置する幼稚園において直接保育の用に供する不動産（4の4に該当するものを除く。）及び公益社団法人若しくは公益財団法人で職業能力開発促進法第24条の規定による認定職業訓練を行うことを目的とするもの又は職業訓練法人で右欄（3）で定めるもの若しくは都道府県職業能力開発協会がその職業訓練施設において直接職業訓練の用に供する不動産並びに公益社団法人若しくは公益財団法人がその設置する図書館において直接その用に供する不動産及び公益社団法人若しくは公益財団法人又は宗教法人がその設置する博物館法第2条第1項の博物館において直接その用に供する不動産 （注1） 旧民法第34条の法人から移行した法人等に係る特例については、表外の（1）を参照。（編者） （注2） 3中____部分「第64条第4項」を「第152条第5項」に改める令和6年度改正規定は、令和7年4月1日以後適用する。（令6改法附1三）	（職業訓練法人） 注 左欄の職業訓練法人は、職業能力開発促進法第2条第1項に規定する求職者に対する職業訓練を行うこと、同法第24条第3項に規定する認定職業訓練のための施設を他の同法第13条に規定する事業主等の行う職業訓練のために使用させること又は委託を受けて他の同条に規定する事業主等に係る同法第2条第1項に規定する労働者に対する職業訓練を行うことをその業務の全部又は一部とする職業訓練法人（中小企業団体の組織に関する法律第5条に規定する中小企業者以外の者が社員の3分の1を超える職業訓練法人を除く。）とする。（令36の4）

3の2	医療法第31条の公的医療機関の開設者、医療法人（右欄（1）で定めるものに限る。）、公益社団法人及び公益財団法人、一般社団法人（非営利型法人（法人税法第2条第9号の2に規定する非営利型法人をいう。以下3の2において同じ。）に該当するものに限る。）及び一般財団法人（非営利型法人に該当するものに限る。）、社会福祉法人、健康保険組合及び健康保険組合連合会並びに国家公務員共済組合及び国家公務員共済組合連合会がその設置する看護師、准看護師、歯科衛生士その他右欄（2）で定める医療関係者の養成所において直接教育の用に供する不動産	（医療法人） （1） 左欄の医療法人は、医療法第42条の2第1項に規定する社会医療法人及び租税特別措置法第67条の2《特定の医療法人の法人税率の特例》第1項の承認を受けている医療法人とする。（令36の5） （医療関係者） （2） 左欄の医療関係者は、歯科技工士、助産師、臨床検査技師、理学療法士及び作業療法士とする。（令36の6）
4	社会福祉法人（日本赤十字社を含む。4の2から4の7までにおいて同じ。）が生活保護法第38条第1項に規定する保護施設の用に供する不動産で右欄の注で定めるもの	（非課税不動産） 注 左欄の非課税不動産は、生活保護法第38条第2項に規定する救護施設、同条第3項に規定する更生施設、同条第4項に規定する医療保護施設、同条第5項に規定する授産施設及び同条第6項に規定する宿所提供施設の用に供する不動産とする。（令36の7）
4の2	社会福祉法人その他右欄の注で定める者が児童福祉法第6条の3第10項に規定する小規模保育事業の用に供する不動産	（非課税対象者） 注 左欄の非課税対象者は、社会福祉法人（日本赤十字社を含む。4の3から4の8までにおいて同じ。）以外の者で児童福祉法（昭和22年法律第164号）第34条の15第2項の規定により同法第6条の3第10項に規定する小規模保育事業の認可を得たものとする。（令36の7の2）
4の3	社会福祉法人その他右欄（1）で定める者が児童福祉法第7条第1項に規定する児童福祉施設の用に供する不動産で右欄（2）で定めるもの（4の4に該当するものを除く。）	（非課税対象者） （1） 左欄の非課税対象者は、次に掲げる者とする。（令36の8①） 　（一） 公益社団法人、公益財団法人、農業協同組合、農業協同組合連合会、消費生活協同組合、消費生活協同組合連合会及び医療法人 　（二） 学校法人 　（三） （一）及び（二）に掲げる者以外の者で児童福祉法第35条第4項の規定による認可を得たもの （非課税不動産） （2） 左欄の非課税不動産は、次に掲げる不動産とする。（令36の8②） 　（一） 社会福祉法人又は（1）の（一）に掲げる者が経営する児童福祉法第37条に規定する乳児院、同法第38条に規定する母子生活支援施設、同法第40条に規定する児童厚生施設、同法第41条に規定する児童養護施設、同法第43条の2に規定する児童心理治療施設又は同法第44条に規定する児童自立支援施設の用に供する不動産 　（二） 社会福祉法人又は（1）の（一）若しくは（二）に掲げる者が経営する児童福祉法第42条に規定する障害児入所施設又は同法第43条に規定する児童発達支援センターの用に供する不動産 　（三） 社会福祉法人又は（1）の（一）から（三）までに掲げる者が経営する児童福祉法第36条に規定する助産施設、同法第39条に規定する保育所、同法第44条

		の2第1項に規定する児童家庭支援センター<u>又は同法第44条の3第1項に規定する里親支援センター</u>の用に供する不動産 （注）（2）中____部分を加える令和6年度改正規定は、令和6年4月1日以後の不動産の取得に対して課すべき不動産取得税について適用し、同日前の不動産の取得に対して課する不動産取得税については、なお従前の例による。（令6改令附1、3）
4の4	学校法人、社会福祉法人その他右欄の注で定める者が就学前の子どもに関する教育、保育等の総合的な提供の推進に関する法律（平成18年法律第77号）第2条第6項に規定する認定子ども園の用に供する不動産	（非課税対象者） 注　左欄の非課税対象者は、学校法人及び社会福祉法人以外の者で就学前の子どもに関する教育、保育等の総合的な提供の推進に関する法律第3条第1項若しくは第3項の認定又は同法第17条第1項の設置の認可を受けたものとする。（令36の8の2）
4の5	社会福祉法人その他右欄（1）で定める者が老人福祉法第5条の3に規定する老人福祉施設の用に供する不動産で右欄（2）で定めるもの	（非課税対象者） （1）　左欄の非課税対象者は、次に掲げる者とする。（令36の9①） 　（一）　老人福祉法附則第6条の2の規定により社会福祉法人とみなされる農業協同組合連合会 　（二）　公益社団法人、公益財団法人、農業協同組合、農業協同組合連合会（（一）に掲げるものを除く。）、消費生活協同組合、消費生活協同組合連合会、健康保険組合、健康保険組合連合会、厚生年金基金、企業年金連合会、企業年金基金、国家公務員共済組合、国家公務員共済組合連合会、国民健康保険組合、国民健康保険団体連合会、国民年金基金、国民年金基金連合会、商工組合（組合員に出資をさせないものに限る。）、商工組合連合会（会員に出資をさせないものに限る。）、石炭鉱業年金基金、全国市町村職員共済組合連合会、地方公務員共済組合、地方公務員共済組合連合会、日本私立学校振興・共済事業団及び医療法人 　（三）　（一）及び（二）に掲げる者以外の者で老人福祉法第20条の7の2に規定する老人介護支援センターの設置について同法第15条第2項の規定により届け出たもの （非課税不動産） （2）　左欄の非課税不動産は、次に掲げる不動産とする。（令36の9②） 　（一）　社会福祉法人が経営する老人福祉法第20条の4に規定する養護老人ホームの用に供する不動産 　（二）　社会福祉法人及び（1）の（一）に掲げる者が経営する老人福祉法第20条の5に規定する特別養護老人ホームの用に供する不動産 　（三）　社会福祉法人並びに（1）の（一）及び（二）に掲げる者が経営する老人福祉法第20条の2の2に規定する老人デイサービスセンター、同法第20条の3に規定する老人短期入所施設、同法第20条の6に規定する軽費老人ホーム及び同法第20条の7に規定する老人福祉センターの用に供する不動産 　（四）　社会福祉法人及び（1）の（一）から（三）までに掲げる者が経営する老人福祉法第20条の7の2に規定する老人介護支援センターの用に供する不動産
4の6	社会福祉法人が障害者の日常生活及び社会生活を総合的に支援するための法律第5条第11項に規定する障害者支援施設の用に供する不動産	
4の7	4から4の6までに掲げる不動産のほか、社会福祉法人その他右欄（1）に定める者が社会福祉	（非課税対象者） （1）　左欄の非課税対象者は、次に掲げる者とする。（令36の10①） 　（一）　公益社団法人、公益財団法人、農業協同組合、農業協同組合連合会、消

費生活協同組合及び消費生活協同組合連合会
  (二) 健康保険組合、健康保険組合連合会、厚生年金基金、企業年金連合会、企業年金基金、国家公務員共済組合、国家公務員共済組合連合会、国民健康保険組合、国民健康保険団体連合会、国民年金基金、国民年金基金連合会、商工組合（組合員に出資をさせないものに限る。）、商工組合連合会（会員に出資をさせないものに限る。）、石炭鉱業年金基金、全国市町村職員共済組合連合会、地方公務員共済組合、地方公務員共済組合連合会及び日本私立学校振興・共済事業団
  (三) 医療法人
  (四) (一)から(三)までに掲げる者以外の者で総務省令で定めるもの

法第２条第１項に規定する社会福祉事業（同条第３項第１号の２に掲げる事業を除く。）の用に供する不動産で右欄(3)に定めるもの

　　（総務省令で定める者）
(2) (1)の(四)に規定する総務省令で定める者は、(3)の(三)の規定を適用する場合にあっては社会福祉法第２条第３項第９号に掲げる事業を経営する者とし、(3)の(六)の規定を適用する場合にあっては社会福祉法第２条第３項第２号に掲げる障害児通所支援事業、障害児相談支援事業、児童自立生活援助事業、放課後児童健全育成事業、子育て短期支援事業、乳児家庭全戸訪問事業、養育支援訪問事業、地域子育て支援拠点事業、一時預かり事業、小規模住居型児童養育事業、病児保育事業、子育て援助活動支援事業、親子再統合支援事業、社会的養護自立支援拠点事業、意見表明等支援事業、妊産婦等生活援助事業、子育て世帯訪問支援事業、児童育成支援拠点事業、親子関係形成支援事業及び児童の福祉の増進について相談に応ずる事業、同項第２号の３に掲げる事業、同項第４号の２に掲げる障害福祉サービス事業、一般相談支援事業、特定相談支援事業、移動支援事業及び地域活動支援センターを経営する事業、同項第５号に掲げる身体障害者生活訓練等事業、手話通訳事業、介助犬訓練事業、聴導犬訓練事業及び身体障害者の更生相談に応ずる事業並びに同項第６号並びに第12号に掲げる事業を経営する者又はこれらの事業を経営することが確実であると見込まれる者とする。（規７の３の４①）

　　（非課税不動産）
(3) 左欄に規定する非課税不動産は、次に掲げる不動産とする。（令36の10②）
  (一) 社会福祉法人又は(1)の(一)に掲げる者が実施する社会福祉法第２条第２項第１号に掲げる生計困難者に対して助葬を行う事業、同項第６号若しくは第７号に掲げる事業又は同条第３項第１号、第３号、第８号、第11号若しくは第13号に掲げる事業の用に供する不動産
  (二) 社会福祉法人又は(1)の(一)に掲げる者（同(一)に掲げる者にあっては、公益社団法人又は公益財団法人に限る。）で、道路交通法施行令第８条第２項の規定による国家公安委員会の指定を受けたものが実施する社会福祉法第２条第３項第５号に規定する盲導犬訓練施設を経営する事業の用に供する不動産（規７の３の３②）
  (三) 社会福祉法人又は(1)の(一)若しくは(四)に掲げる者（同(四)に掲げる者にあっては、社会福祉の増進のための社会福祉事業法等の一部を改正する等の法律（平成12年法律第111号）第１条の規定による改正前の社会福祉事業法第２条第３項第５号に掲げる事業の経営について平成11年３月31日までに同法第64条第１項の規定により届け出た宗教法人に限る。）が実施する社会福祉法第２条第３項第９号に掲げる事業の用に供する不動産（規７の３の３③）
  (四) 社会福祉法人又は(1)の(一)若しくは(三)に掲げる者が実施する社会福祉法第２条第３項第４号の２に掲げる福祉ホームを経営する事業、同項第５号に掲げる身体障害者福祉センター、補装具製作施設及び視聴覚障害者情報提供施設を経営する事業並びに同項第10号に掲げる事業の用に供する不動産

第二編第七章《不動産取得税》第一節《通則（非課税の範囲）》

		（五） 社会福祉法人又は（1）の（一）から（三）までに掲げる者が実施する社会福祉法第2条第3項第4号に掲げる老人居宅介護等事業、老人デイサービス事業、老人短期入所事業、小規模多機能型居宅介護事業、認知症対応型老人共同生活援助事業又は複合型サービス福祉事業の用に供する不動産 （六） 社会福祉法人又は（1）の（一）から（四）までに掲げる者が実施する社会福祉法第2条第3項第2号に掲げる障害児通所支援事業、障害児相談支援事業、児童自立生活援助事業、放課後児童健全育成事業、子育て短期支援事業、乳児家庭全戸訪問事業、養育支援訪問事業、地域子育て支援拠点事業、一時預かり事業、小規模住居型児童養育事業、病児保育事業、子育て援助活動支援事業、<u>親子再統合支援事業、社会的養護自立支援拠点事業、意見表明等支援事業、妊産婦等生活援助事業、子育て世帯訪問支援事業、児童育成支援拠点事業、親子関係形成支援事業</u>若しくは児童の福祉の増進について相談に応ずる事業、同項第2号の3に掲げる事業、同項第4号の2に掲げる障害福祉サービス事業、一般相談支援事業、特定相談支援事業、移動支援事業若しくは地域活動支援センターを経営する事業、同項第5号に掲げる身体障害者生活訓練等事業、手話通訳事業、介助犬訓練事業、聴導犬訓練事業若しくは身体障害者の更生相談に応ずる事業並びに同項第6号若しくは第12号に掲げる事業の用に供する不動産 （注1） 3の左欄の（注1）を参照。（編者） （注2） （3）の（六）中___部分を加える令和6年度改正規定は、令和6年4月1日以後の不動産の取得に対して課すべき不動産取得税について適用し、同日前の不動産の取得に対して課する不動産取得税については、なお従前の例による。（令6改令附1、3） （旧民法第34条の法人から移行した法人等に係る特例） （4） 法附則第41条《旧民法第34条の法人から移行した法人等に係る地方税の特例》第3項に規定する特定一般社団法人又は特定一般財団法人については、公益社団法人又は公益財団法人とみなして、（3）の（二）の規定を適用する。（規附22①）
4の8	更生保護法人が更生保護事業法第2条第1項に規定する更生保護事業の用に供する不動産で右欄の注で定めるもの	（非課税不動産） 注 左欄の非課税不動産は、更生保護事業法第2条第2項に規定する宿泊型保護事業、同条第3項に規定する通所・訪問型保護事業及び同条第4項に規定する地域連携・助成事業の用に供する不動産とする。（令36の11）
4の9	介護保険法第115条の47第1項の規定により市町村から同法第115条の46第1項に規定する包括的支援事業の委託を受けた者が当該事業の用に供する不動産	
4の10	児童福祉法第34条の15第2項の規定により同法第6条の3第12項に規定する事業所内保育事業の認可を得た者が当該事業（利用定員が6人以上であるものに限る。）の用に供する不動産	
5	3の2から4の7までに掲げる不動産のほか、日本赤十字社が直接その本来の事業の用に供する不動産で右欄（1）で定めるもの	（非課税不動産） （1） 左欄の非課税不動産は、医療施設、介護保険法（平成9年法律第123号）第8条第28項に規定する介護老人保健施設、同条第29項に規定する介護医療院、救護員養成施設若しくは救護用物品貯蔵施設又は採血、血液製剤の製造その他の血液事業の用に供する施設の用に供する不動産のうち、その利用について対価又は負担として支払うべき金額の定めのある駐車施設その他の施設で総務省

		令で定めるものの用に供するもの以外のものとする。（令37） （総務省令で定める施設） （2） （1）に規定する総務省令で定める施設は、飲食店、喫茶店及び物品販売施設（これらの施設のうち（1）に規定する施設の利用者の利便に供することを目的とするものを除く。）並びに駐車施設とする。（規7の4）
6	独立行政法人国立重度知的障害者総合施設のぞみの園が独立行政法人国立重度知的障害者総合施設のぞみの園法第11条第1号又は第2号に規定する業務の用に供する不動産で右欄の注に定めるもの	（独立行政法人国立重度知的障害者総合施設のぞみの園の非課税不動産） 注　独立行政法人国立重度知的障害者総合施設のぞみの園が独立行政法人国立重度知的障害者総合施設のぞみの園法第11条第1号又は第2号に規定する業務の用に供する非課税不動産は、これらの業務の用に供する不動産のうち次に掲げるもの以外のものとする。（令37の2） （一）　事務所の用に供する不動産 （二）　宿舎の用に供する不動産
7	公益社団法人又は公益財団法人で学術の研究を目的とするものがその目的のため直接その研究の用に供する不動産	
8	健康保険組合、健康保険組合連合会、国民健康保険組合、国民健康保険団体連合会、日本私立学校振興・共済事業団並びに国家公務員共済組合法、地方公務員等共済組合法、農業協同組合法、消費生活協同組合法、水産業協同組合法による組合及び連合会が経営する病院及び診療所の用に供する不動産で右欄（1）で定めるもの	（非課税不動産） （1）　左欄の非課税不動産は、その利用について対価又は負担として支払うべき金額の定めのある駐車施設その他の施設で総務省令で定めるものの用に供する不動産以外の不動産とする。（令37の2の2） （総務省令で定める施設） （2）　（1）に規定する総務省令で定める施設は、飲食店、喫茶店及び物品販売施設（これらの施設のうち左欄に規定する病院及び診療所の利用者の利便に供することを目的とするものを除く。）並びに駐車施設とする。（規7の4の2）
8の2	医療法第42条の2第1項に規定する社会医療法人が直接同項第4号に規定する救急医療等確保事業に係る業務（同項第5号に規定する基準に適合するものに限る。）の用に供する不動産で右欄（1）で定めるもの	（社会医療法人の非課税不動産） （1）　左欄に規定する不動産で（1）で定めるものは、当該業務の用に供する不動産のうち、その利用について対価又は負担として支払うべき金額の定めのある駐車施設その他の施設で（2）で定めるものの用に供する不動産以外のものとする。（令37の2の3） （（1）の施設） （2）　（1）に規定する（2）で定める施設は、飲食店、喫茶店及び物品販売施設並びに駐車施設とする。（規7の4の3）
9	農業共済組合及び農業共済組合連合会が経営する家畜診療所の用に供する不動産並びにこれらの組合及び連合会が直接農業保険法第131条第1項（同法第172条、第174条及び第187条において準用する場合を含む。）の規定による損害の額の認定の用に供する不動産	
10	独立行政法人自動車事故対策機構が独立行政法人自動車事故対	

	策機構法第13条第3号に規定する施設において直接その用に供する不動産	
11	独立行政法人都市再生機構が独立行政法人都市再生機構法第11条第1項第1号から第3号まで、第7号又は第15号イに規定する業務の用に供する土地で右欄（1）で定めるもの及び同項第1号から第3号までに規定する業務を行う場合における敷地の整備若しくは宅地の造成又は同項第13号若しくは第16号の賃貸住宅の建設と併せて建設する家屋で国又は地方公共団体が公用又は公共の用に供するもののうち右欄（2）で定めるもの	（独立行政法人都市再生機構の非課税土地） （1）　独立行政法人都市再生機構（以下（2）までにおいて「機構」という。）が独立行政法人都市再生機構法（以下（2）までにおいて「機構法」という。）第11条第1項第1号から第3号まで、第7号又は第15号イに規定する業務の用に供する非課税土地は、次に掲げる土地とする。（令37の2の4①） （一）　機構法第11条第1項第1号から第3号までに規定する業務のうち次に掲げる業務の用に供する土地 　イ　住宅の敷地の整備又は住宅の用に供する宅地の造成並びに当該敷地又は当該宅地の管理及び譲渡 　ロ　機構が建設する賃貸住宅の居住者又は機構が整備する住宅の敷地若しくは機構が造成する住宅の用に供する宅地の利用者の利便に供する施設の敷地の整備又は当該施設の用に供する宅地の造成並びに当該敷地又は当該宅地の管理及び譲渡 　ハ　機構が行う住宅の敷地の整備又は住宅の用に供する宅地の造成と併せて整備されるべき健全な市街地の形成のため必要な施設の敷地の整備又は当該施設の用に供する宅地の造成並びに当該敷地又は当該宅地の管理及び譲渡 　ニ　国又は地方公共団体が公用又は公共の用に供する施設の敷地の整備又は当該施設の用に供する宅地の造成並びに当該敷地又は当該宅地の管理及び譲渡 （二）　機構法第11条第1項第3号に規定する業務（（一）に規定する業務を除く。）のうち次に掲げる業務の用に供する土地 　イ　都市再開発法による市街地再開発事業の施行 　ロ　機構が行う賃貸住宅の建設又は敷地の整備若しくは宅地の造成と併せて整備されるべき公共の用に供する施設の敷地の整備又は当該施設の用に供する宅地の造成並びに当該敷地又は当該宅地の管理及び譲渡（イに掲げる業務を除く。） （三）　機構法第11条第1項第7号に規定する業務のうち同項第1号から第3号までに規定する業務の実施と併せて整備されるべき公共の用に供する施設の敷地の整備又は当該施設の用に供する宅地の造成並びに当該敷地又は当該宅地の管理及び譲渡の用に供する土地 （四）　機構法第11条第1項第15号イに規定する業務のうち同号イに規定する公共の用に供する施設の敷地の整備又は当該施設の用に供する宅地の造成並びに当該敷地又は当該宅地の管理及び譲渡の用に供する土地 （独立行政法人都市再生機構の非課税家屋） （2）　機構が機構法第11条第1項第1号から第3号までに規定する業務を行う場合における敷地の整備若しくは宅地の造成又は同項第13号若しくは第16号の賃貸住宅の建設と併せて建設する家屋で国又は地方公共団体が公用又は公共の用に供するもののうち非課税とされるものは、同項第1号から第3号までの規定による住宅の敷地の整備若しくは住宅の用に供する宅地の造成又は同項第13号若しくは第16号の規定による賃貸住宅の建設と併せて建設する家屋とする。（令37の2の4②）
12	地方住宅供給公社が地方住宅供給公社法第21条第1項又は第3項第2号若しくは第4号に規定	

	する業務の用に供する土地及び同項第1号の住宅の建設又は同項第2号の宅地の取得若しくは造成と併せ、同項第6号に規定する業務として土地又は家屋で国又は地方公共団体が公用又は公共の用に供するものを取得し、若しくは造成し、又は建設する場合における当該土地及び家屋	
13	独立行政法人労働者健康安全機構が独立行政法人労働者健康安全機構法第12条第1項第1号、第3号、第4号又は第7号に規定する業務の用に供する不動産で右欄(1)で定めるもの	(独立行政法人労働者健康安全機構の非課税不動産) (1) 独立行政法人労働者健康安全機構が独立行政法人労働者健康安全機構法第12条第1項第1号、第3号、第4号又は第7号に規定する業務の用に供する不動産は、これらの業務の用に供する不動産のうち次に掲げるもの以外のものとする。（令37の2の5） (一) 事務所の用に供する不動産 (二) 宿舎（業務上宿舎を使用すべき義務がある者が使用するものとされている宿舎その他これに準ずる宿舎で(2)に定めるものを除く。）の用に供する不動産 (三) その利用について対価又は負担として支払うべき金額の定めのある駐車施設その他の施設で総務省令で定めるものの用に供する不動産 (非課税の宿舎) (2) (1)の(二)の宿舎は、独立行政法人労働者健康安全機構法第12条第1項第1号の療養施設に係る看護師が使用するものとされている宿舎とする。（規7の4の4①） (総務省令で定める施設) (3) (1)の(三)に規定する総務省令で定める施設は、飲食店、喫茶店及び物品販売施設（これらの施設のうち独立行政法人労働者健康安全機構法第12条第1項第1号の療養施設及び同項第7号の納骨堂の利用者の利便に供することを目的とするものを除く。）並びに駐車施設とする。（規7の4の4②）
14	独立行政法人日本芸術文化振興会が独立行政法人日本芸術文化振興会法第14条第1項第1号から第5号までに規定する業務の用に供する不動産で右欄の注で定めるもの	(独立行政法人日本芸術文化振興会の非課税不動産) 注　左欄の非課税不動産は、左欄の業務の用に供する不動産のうち次に掲げるもの以外のものとする。（令37の2の6） (一) 事務所の用に供する不動産（劇場施設と一体となって機能を発揮しているものを除く。） (二) 宿舎の用に供する不動産
15	独立行政法人日本スポーツ振興センターが独立行政法人日本スポーツ振興センター法第15条第1項第1号に規定する業務の用に供する不動産で右欄の注で定めるもの	(独立行政法人日本スポーツ振興センターの非課税不動産) 注　左欄の非課税不動産は、左欄に規定する業務の用に供する不動産のうち次に掲げるもの以外のものとする。（令37の2の7） (一) 事務所の用に供する不動産 (二) 宿舎の用に供する不動産
16	削　除	
17	独立行政法人高齢・障害・求職者雇用支援機構が独立行政法人高齢・障害・求職者雇用支援機	(独立行政法人高齢・障害・求職者雇用支援機構の非課税不動産) (1) 左欄の非課税不動産は、左欄に規定する業務の用に供する不動産のうち、次に掲げるもの以外のものとする。（令37の3）

	構法第14条第1項第4号若しくは第7号又は附則第5条第3項第3号に規定する業務の用に供する不動産で右欄（1）で定めるもの	（一）　事務所の用に供する不動産 （二）　宿舎（業務上宿舎を使用すべき義務がある者が使用するものとされている宿舎その他これに準ずる宿舎で（2）で定めるものを除く。）の用に供する不動産 （非課税の宿舎） （2）　（1）の（二）の宿舎は、独立行政法人高齢・障害・求職者雇用支援機構が障害者の雇用の促進等に関する法律第19条第1項に規定する障害者職業センターの行う同法第2条第7号に規定する職業リハビリテーションを受ける者のために設置する宿舎及び独立行政法人高齢・障害・求職者支援機構が公共職業能力開発施設の行う職業訓練を受けるために設置する宿舎とする。（規7の5）
18	国立研究開発法人科学技術振興機構が国立研究開発法人科学技術振興機構法第18条第1号、第3号（同条第1号に係る部分に限る。）、第6号イ又は第8号に規定する業務の用に供する不動産で右欄（1）（3）で定めるもの	（国立研究開発法人科学技術振興機構法第18条第1号、第3号又は第8号に規定する業務の用に供する非課税不動産） （1）　国立研究開発法人科学技術振興機構が国立研究開発法人科学技術振興機構法第18条第1号、第3号（同条第1号に係る部分に限る。）又は第8号に規定する業務の用に供する非課税不動産は、これらの業務の用に供する不動産のうち次に掲げるもの以外のものとする。（令37の4①） （一）　事務所の用に供する不動産 （二）　宿舎の用に供する不動産 （三）　その利用について対価又は負担として支払うべき金額の定めのある駐車施設その他の施設で総務省令で定めるものの用に供する不動産 （総務省令で定める施設） （2）　（1）の（三）及び（3）の（二）に規定する総務省令で定めるものは、宿泊施設、駐車施設、遊技施設、飲食店、喫茶店及び物品販売施設とする。（規7の5の3） （国立研究開発法人科学技術振興機構法第18条第6号イに規定する業務の用に供する非課税不動産） （3）　国立研究開発法人科学技術振興機構が国立研究開発法人科学技術振興機構法第18条第6号イに規定する業務の用に供する非課税不動産は、次に掲げる不動産とする。（令37の4②） （一）　国立研究開発法人科学技術振興機構法第18条第6号イに規定する外国の研究者のための宿舎の用に供する不動産のうち総務省令で定めるもの以外のもの （二）　会議場施設の用に供する家屋（当該会議場施設に含まれる部分に限るものとし、当該会議場施設の用に供する事務所、宿舎その他その利用について対価又は負担として支払うべき金額の定めのあるもので総務省令で定めるものを除く。）及びその用に供する土地
19	削　除	
20	削　除	
21	独立行政法人中小企業基盤整備機構が独立行政法人中小企業基盤整備機構法第15条第1項第2号に規定する業務の用に供する不動産で右欄（1）で定めるもの及び中心市街地の活性化に関する法律第39条第1項の業務（右欄（2）で定めるものに限る。）の用に供する土地	（独立行政法人中小企業基盤整備機構の非課税不動産） （1）　左欄の独立行政法人中小企業基盤整備機構の非課税不動産は、左欄に規定する業務の用に供する不動産のうち次に掲げるもの以外のものとする。（令37の5①） （一）　事務所の用に供する不動産 （二）　宿舎の用に供する不動産 （中心市街地の活性化に関する法律に係る非課税業務） （2）　左欄の中心市街地の活性化に関する法律第39条第1項第2号に規定する業

		務で政令で定めるものは、同法第7条第3項に規定する都市型新事業の用に供する工場又は事業場の整備並びにこれらの賃貸その他の管理及び譲渡を行う業務とする。（令37の5②）
22	削　除	
23	成田国際空港株式会社が成田国際空港株式会社法第5条第1項第1号、第2号又は第4号に規定する事業の用に供する不動産で右欄（1）で定めるもの、新関西国際空港株式会社が関西国際空港及び大阪国際空港の一体的かつ効率的な設置及び管理に関する法律第9条第1項第1号、第2号又は第4号に規定する事業の用に供する不動産で右欄（2）で定めるもの及び同法第12条第1項第1号に規定する指定会社が同項第2号に掲げる事業の用に供する不動産で右欄（4）で定めるもの並びに中部国際空港の設置及び管理に関する法律第4条第2項に規定する指定会社が同法第6条第1項第1号又は第2号に規定する事業の用に供する不動産で右欄（5）で定めるもの	（成田国際空港株式会社の非課税不動産） （1）　成田国際空港株式会社の左欄の非課税不動産は、次に掲げる不動産とする。（令37の5の2①） 　（一）　滑走路、着陸帯、誘導路又はエプロンの用に供する土地及びこれらの土地によって囲まれる土地 　（二）　成田国際空港株式会社法第5条第1項第2号に規定する航空保安施設の用に供する不動産 　（三）　緑地帯、公園その他の緩衝地帯の用に供する土地 　（四）　航空機の騒音によりその機能が害されるおそれの少ない施設の用に供する土地で国又は地方公共団体が公用又は公共の用に供するもの 　（五）　公共用飛行場周辺における航空機騒音による障害の防止等に関する法律第8条の2に規定する第一種区域内から住居を移転する者のための住宅及びその用に供する土地 （新関西国際空港株式会社等の非課税不動産） （2）　新関西国際空港株式会社が関西国際空港及び大阪国際空港の一体的かつ効率的な設置及び管理に関する法律（以下「関空等統合法」という。）第9条第1項第1号、第2号又は第4号に規定する事業の用に供する不動産で（2）で定めるものは、次に掲げる不動産とする。（令37の5の2②） 　（一）　滑走路、着陸帯、誘導路又はエプロンの用に供する土地及びこれらの土地によって囲まれる土地 　（二）　排水施設、照明施設、護岸その他（一）の施設の機能を補完する施設として（3）で定めるものの用に供する不動産（関空等統合法附則第19条の規定による廃止前の関西国際空港株式会社法第7条第1項に規定する特定事業が行われる区域として同項の規定により告示された区域及び大阪国際空港の区域内にあるものに限る。） 　（三）　関空等統合法第9条第1項第2号に規定する両空港航空保安施設（以下「両空港航空保安施設」という。）の用に供する不動産 　（四）　公共用飛行場周辺における航空機騒音による障害の防止等に関する法律第9条第2項の規定により買い入れる土地 （施設の機能を補完する施設） （3）　（2）の（二）に規定する（3）で定める施設は、ショルダー、ランプ車両通行帯、場周道路、保安道路及び航空貨物、航空機燃料、航空機装備品又は航空機部品の輸送の用に供する道路並びに（2）の（一）の施設に隣接する緑地帯とする。（規7の5の5①） （指定会社の非課税不動産） （4）　関空等統合法第12条第1項第1号に規定する指定会社が同項第2号に掲げる事業の用に供する不動産で（4）で定めるものは、当該事業の用に供する不動産のうち（2）の（二）に掲げるものとする。（令37の5の2③） （中部国際空港に係る指定会社の非課税不動産） （5）　中部国際空港の設置及び管理に関する法律第4条第2項に規定する指定会社の左欄の非課税不動産は、次に掲げる不動産とする。（令37の5の2④）

		(一) 滑走路、着陸帯、誘導路又はエプロンの用に供する土地及びこれらの土地によって囲まれる土地 (二) 排水施設、照明施設、護岸その他(一)の施設の機能を補完する施設として(6)で定めるものの用に供する不動産 (三) 中部国際空港の設置及び管理に関する法律第6条第1項第2号に規定する航空保安施設の用に供する不動産 (施設の機能を補完する施設) (6) (5)の(二)に規定する(6)で定める施設は、ショルダー、ランプ車両通行帯、場周道路、保安道路及び航空貨物、航空機燃料、航空機装備品又は航空機部品の輸送の用に供する道路並びに(5)の(一)の施設に隣接する緑地帯（都市計画法第7条第3項の市街化調整区域内にあるものに限る。）とする。（規7の5の5②）
24	削　除	
25	独立行政法人国際協力機構が独立行政法人国際協力機構法第13条第1項第1号イ若しくはロ、第4号イ、ロ若しくはニ又は第5号イに規定する業務の用に供する不動産で右欄の注で定めるもの	(独立行政法人国際協力機構の非課税不動産) 注　独立行政法人国際協力機構の左欄に規定する非課税不動産は、これらの業務の用に供する不動産のうち次に掲げるもの以外のものとする。（令37の6） (一) 事務所の用に供する不動産 (二) 宿舎の用に供する不動産
26	国立研究開発法人宇宙航空研究開発機構が国立研究開発法人宇宙航空研究開発機構法第18条第1号から第4号までに規定する業務の用に供する不動産で右欄の注で定めるもの	(国立研究開発法人宇宙航空研究開発機構の非課税不動産) 注　左欄の国立研究開発法人宇宙航空研究開発機構の非課税不動産は、これらの業務の用に供する不動産のうち次に掲げるもの以外のものとする。（令37の7） (一) 事務所の用に供する不動産 (二) 宿舎（業務上宿舎を使用すべき義務がある者が使用するものとされている宿舎を除く。）の用に供する不動産
27	国立研究開発法人海洋研究開発機構が国立研究開発法人海洋研究開発機構法第17条第1号、第3号、第4号又は第6号に規定する業務の用に供する不動産で右欄の注で定めるもの	(国立研究開発法人海洋研究開発機構の非課税不動産) 注　左欄の国立研究開発法人海洋研究開発機構の非課税不動産は、これらの業務の用に供する不動産のうち次に掲げるもの以外のものとする。（令37の8） (一) 事務所の用に供する不動産 (二) 宿舎の用に供する不動産
28	独立行政法人国民生活センターが独立行政法人国民生活センター法第10条第1号から第5号までに規定する業務の用に供する不動産で右欄の注で定めるもの	(独立行政法人国民生活センターの非課税不動産) 注　独立行政法人国民生活センターの左欄に規定する非課税不動産は、これらの業務の用に供する不動産のうち次に掲げるもの以外のものとする。（令37の9） (一) 事務所の用に供する不動産 (二) 宿舎の用に供する不動産
29	削　除	
30	日本下水道事業団が日本下水道事業団法第26条第1項第7号又は第8号までに規定する業務の用に供する不動産で右欄の注で定めるもの	(日本下水道事業団の非課税不動産) 注　日本下水道事業団の左欄に規定する非課税不動産は、これらの業務の用に供する不動産のうち、次に掲げるもの以外のものとする。（令37の9の3） (一) 事務所の用に供する不動産 (二) 宿舎の用に供する不動産 (三) 職員の福利及び厚生の用に供する不動産
31	商工会議所又は日本商工会議所が商工会議所法第9条又は第65条に規定する事業の用に供する	(商工会議所等の非課税不動産) 注　左欄の非課税不動産は、左欄に規定する事業の用に供する不動産のうち次に掲げるもの以外のものとする。（令37の9の4）

	不動産及び商工会又は都道府県商工会連合会若しくは全国商工会連合会が商工会法第11条又は第55条の8第1項若しくは第2項に規定する事業の用に供する不動産で右欄の注で定めるもの	（一）　宿舎の用に供する不動産 （二）　他の者に貸し付ける不動産（国又は地方公共団体に無償で貸し付けるものを除く。） （三）　職員の福利及び厚生の用に供する不動産
32	国立研究開発法人農業・食品産業技術総合研究機構が国立研究開発法人農業・食品産業技術総合研究機構法（以下32において「機構法」という。）第14条第1項第1号に規定する業務（農業機械化促進法を廃止する等の法律第1条の規定による廃止前の農業機械化促進法第16条第1項第1号及び第3号から第5号までに規定する業務に該当するものを除く。）又は機構法第14条第1項第2号から第4号まで若しくは第2項から第4項までに規定する業務の用に供する不動産で右欄の注で定めるもの	（国立研究開発法人農業・食品産業技術総合研究機構の非課税不動産） 注　左欄の非課税不動産は、左欄に規定する業務の用に供する不動産で政令で定めるものは、これらの業務の用に供する不動産のうち次に掲げるもの以外のものとする。（令37の9の5） （一）　事務所の用に供する不動産 （二）　宿舎の用に供する不動産
33	国立研究開発法人水産研究・教育機構が国立研究開発法人水産研究・教育機構法第12条第1項第1号から第5号までに規定する業務の用に供する不動産で右欄の注で定めるもの	（国立研究開発法人水産研究・教育機構の非課税不動産） 注　国立研究開発法人水産研究・教育機構が国立研究開発法人水産研究・教育機構法（（二）において「機構法」という。）第12条第1項第1号から第5号までに規定する業務の用に供する不動産のうち次に掲げるもの以外のものとする。（令37の9の6） （一）　事務所の用に供する不動産 （二）　宿舎（機構法第12条第1項第5号に規定する水産に関する学理及び技術の教授を受ける者のための宿舎を除く。）の用に供する不動産
34	国立研究開発法人情報通信研究機構が国立研究開発法人情報通信研究機構法第14条第1項第1号から第8号までに規定する業務の用に供する不動産で右欄の注で定めるもの	（国立研究開発法人情報通信研究機構の非課税不動産） 注　左欄の非課税不動産は、左欄に規定する業務の用に供する不動産のうち次に掲げるもの以外のものとする。（令37の9の7） （一）　事務所の用に供する不動産 （二）　宿舎の用に供する不動産
35	独立行政法人日本学生支援機構が独立行政法人日本学生支援機構法第13条第1項第3号に規定する業務の用に供する不動産で右欄の注で定めるもの	（独立行政法人日本学生支援機構の非課税不動産） 注　左欄の非課税不動産は、独立行政法人日本学生支援機構法第13条第1項第3号に規定する外国人留学生の寄宿舎の用に供する不動産で、当該外国人留学生の生活の向上に資すると認められるものとする。（令37の9の8）
36	日本司法支援センターが総合法律支援法第30条第1項に規定する業務の用に供する不動産で右欄の注で定めるもの	（日本司法支援センターの非課税不動産） 注　左欄の非課税不動産は、業務の用に供する不動産のうち次に掲げるもの以外のものとする。（令37の9の9） （一）　事務所の用に供する不動産 （二）　宿舎の用に供する不動産
37	国立研究開発法人森林研究・整備機構が国立研究開発法人森林	（国立研究開発法人森林研究・整備機構の非課税不動産） 注　左欄の非課税不動産は、左欄の業務の用に供する不動産のうち次に掲げるも

	研究・整備機構法（平成11年法律第198号）第13条第1項第1号から第3号まで又は第2項第1号に規定する業務の用に供する不動産で右欄の注に定めるもの	の以外のものとする。（令37の9の10） （一）　事務所の用に供する不動産 （二）　宿舎の用に供する不動産
38	特定建設線（全国新幹線鉄道整備法（昭和45年法律第71号）第4条第1項に規定する基本計画に定められた同項に規定する建設線のうち右欄（1）で定めるものをいう。）の同法第6条第1項に規定する建設主体として同項の規定により国土交通大臣が指名した法人が同法第9条第1項の規定による国土交通大臣の認可を受けた当該特定建設線の工事実施計画に係る同法第2条に規定する新幹線鉄道の鉄道事業法（昭和61年法律第92号）第8条第1項に規定する鉄道施設の用に供する不動産で右欄（2）で定めるもの	（非課税対象となる建設線） （1）　左欄に掲げる建設線のうち非課税対象となるのは、左欄に掲げる建設線のうち国土交通大臣が総務大臣と協議して定めるものとする。（令37の9の11①） （非課税不動産） （2）　左欄に掲げる鉄道施設の用に供する不動産で非課税不動産となるのは、当該施設の用に供する不動産のうち次に掲げるもの以外のものとする。（令37の9の11②） （一）　事務所の用に供する不動産 （二）　宿舎（業務上宿舎を使用すべき義務がある者が使用するものとされている宿舎を除く。）の用に供する不動産
39	国立研究開発法人医薬基盤・健康・栄養研究所が国立研究開発法人医薬基盤・健康・栄養研究所法（平成16年法律第135号）第15条第1項第3号から第5号まで又は第2項に規定する業務の用に供する不動産で政令で定めるもの	（国立研究開発法人医薬基盤・健康・栄養研究所の非課税不動産） 注　左欄の非課税不動産は、左欄の業務の用に供する不動産のうち次に掲げるもの以外のものとする。（令37の9の12） （一）　事務所の用に供する不動産 （二）　宿舎の用に供する不動産

　　　（旧民法第34条の法人から移行した法人等に係る特例）
（1）　一般社団法人及び一般財団法人に関する法律及び公益社団法人及び公益財団法人の認定等に関する法律の施行に伴う関係法律の整備等に関する法律（平成18年法律第50号）第40条第1項の規定により存続する一般社団法人であって同法第106条第1項の登記をしていないものについては公益社団法人とみなし、同法第40条第1項の規定により存続する一般財団法人であって同法第106条第1項の登記をしていないものについては公益財団法人とみなして、**2**の表の**3**、**3の2**及び**7**の規定を適用する。（法附41③）

　　　（留意事項）
（2）　非課税の範囲には、国等に対する非課税、用途による非課税、形式的な所有権の移転等に対する非課税等があるが、いずれも限定列挙したものであるから、拡張解釈して非課税としないように留意すること。（県通5-4）

3　外国の政府が取得する不動産の非課税

　道府県は、外国の政府が不動産を次に掲げる施設の用に供する不動産として使用するために取得した場合においては、当該不動産の取得に対しては、不動産取得税を課することができない。ただし、（三）に掲げる施設の用に供する不動産については、外国が不動産取得税に相当する税を当該外国において日本国の（三）に掲げる施設の用に供する不動産の取得に対して課する場合においては、この限りでない。（法73の4②）
（一）　大使館、公使館又は領事館

(二)　専ら大使館、公使館若しくは領事館の長又は大使館若しくは公使館の職員の居住の用に供する施設
　(三)　専ら領事館の職員の居住の用に供する施設

4　公共用地の非課税

　道府県は、公共の用に供する道路の用に供するために不動産を取得した場合における当該不動産の取得又は保安林、墓地若しくは公共の用に供する運河用地、水道用地、用悪水路、ため池、堤とう若しくは井溝の用に供するために土地を取得した場合における当該土地（保安林の用に供するために取得した土地については、森林の保健機能の増進に関する特別措置法第2条第2項第2号に規定する施設の用に供する土地で注で定めるものを除く。）の取得に対しては、不動産取得税を課することができない。（法73の4③）

　　（保安林の用に供するために取得した土地で非課税とならないもの）
　注　4に規定する土地は、森林の保健機能の増進に関する特別措置法施行令各号に掲げる施設の用に供する土地のうち山林以外のものとする。（令37の10）

5　土地開発公社の不動産の取得等の非課税

　道府県は、土地開発公社が公有地の拡大の推進に関する法律第17条第1項第1号若しくは第2号又は第2項第1号に規定する業務の用に供する不動産で注で定めるものを取得する場合における当該不動産の取得に対しては、不動産取得税を課することができない。（法73の5）

　　（非課税となる不動産）
　注　①に規定する土地開発公社が公有地の拡大の推進に関する法律第17条第1項第1号若しくは第2号又は第2項第1号に規定する業務の用に供する不動産は、これらの業務の用に供する次に掲げる不動産とする。（令37の11）
　（一）　公有地の拡大の推進に関する法律第17条第1項第1号イからニまでに掲げる土地（同号ニに掲げる土地にあっては、同号ニに規定する政令で定める事業の用に供する土地を除く。）及び公有地の拡大の推進に関する法律施行令第7条第2項各号に掲げる土地
　（二）　公有地の拡大の推進に関する法律第17条第1項第2号に規定する住宅用地の造成事業の用に供する土地
　（三）　公有地の拡大の推進に関する法律第17条第2項第1号に規定する公用施設又は公共施設の用に供する家屋で国又は地方公共団体が公用又は公共の用に供するもの

6　土地改良事業の施行に伴う換地の取得等に対する非課税

①　土地改良法による換地の取得又は農用地の交換分合による土地の取得の非課税

　道府県は、土地改良法による土地改良事業の施行に伴う換地の取得で注で定めるもの又は同法による農用地の交換分合による土地の取得に対しては、不動産取得税を課することができない。（法73の6①）

　　（非課税となる換地の取得）
　注　①に規定する換地の取得は、土地改良法による土地改良事業の施行に伴う換地の取得のうち、次に掲げるもの以外のものとする。（令37の12）
　（一）　土地改良法第53条の3第1項（同法第84条、第89条の2第3項、第96条及び第96条の4第1項において準用する場合を含む。）の規定により換地計画において定められた換地の取得（農業用用排水施設、農業用道路その他農用地の保全又は利用上必要な施設の用に供する換地の取得を除く。）
　（二）　土地改良法第53条の3の2第1項（同法第84条、第89条の2第3項、第96条及び第96条の4第1項において準用する場合を含む。）の規定により換地計画において定められた換地の取得

②　土地収用法による損失の補償として土地を取得した場合の非課税

　道府県は、土地収用法第82条の規定によって土地をもって損失を補償された場合における当該土地の取得に対しては、不動産取得税を課することができない。（法73の6②）

③　土地区画整理法による換地等、共有持分又は保留地の取得の場合の非課税

　道府県は、土地区画整理法による土地区画整理事業の施行に伴う換地の取得（農住組合法第8条第1項及び密集市街地

における防災街区の整備の促進に関する法律第46条第1項において適用する土地区画整理法第104条第1項又は第9項の規定による換地の取得を含む。)、同法第104条第6項の規定により土地の共有持分を取得した場合における当該土地の共有持分の取得若しくは土地区画整理法第104条第7項(農住組合法第8条第1項及び密集市街地における防災街区の整備の促進に関する法律第46条第1項において適用する場合を含む。)の規定により建築物の一部(その建築物の共用部分の共有持分を含む。以下③において同じ。)及びその建築物の存する土地の共有持分を取得した場合における当該建築物の一部及びその建築物の存する土地の共有持分の取得又は土地区画整理法第104条第11項(農住組合法第8条第1項及び密集市街地における防災街区の整備の促進に関する法律第46条第1項において適用する場合並びに大都市地域における住宅及び住宅地の供給の促進に関する特別措置法第21条第2項、地方拠点都市地域の整備及び産業業務施設の再配置の促進に関する法律第28条第2項、被災市街地復興特別措置法第17条第2項、中心市街地の活性化に関する法律第16条第2項及び高齢者、障害者等の移動等の円滑化の促進に関する法律第39条第2項において準用する場合を含む。)の規定により保留地を取得した場合における当該保留地の取得に対しては、不動産取得税を課することができない。(法73の6③)

④ **大都市地域住宅等供給促進法若しくは被災市街地復興特別措置法による共有持分の取得の場合の非課税**
　道府県は、大都市地域における住宅及び住宅地の供給の促進に関する特別措置法第16条第4項若しくは被災市街地復興特別措置法第14条第4項の規定により土地の共有持分を取得した場合における当該土地の共有持分の取得又は同法第15条第5項の規定により住宅若しくは住宅等を取得した場合における当該住宅若しくは住宅等の取得に対しては、不動産取得税を課することができない。(法73の6④)

⑤ **住宅街区整備事業の施行に伴う換地等の取得の非課税**
　道府県は、大都市地域における住宅及び住宅地の供給の促進に関する特別措置法による住宅街区整備事業の施行に伴う換地の取得若しくは同法第83条において準用する土地区画整理法第104条第7項の規定により施設住宅の一部等を取得した場合若しくは大都市地域における住宅及び住宅地の供給の促進に関する特別措置法第90条第2項の規定により施設住宅の一部若しくは施設住宅の敷地若しくはその共有持分を取得した場合(住宅街区整備事業を施行する者及び住宅街区整備組合の参加組合員以外の者が取得した場合に限る。)における当該施設住宅の一部等若しくは施設住宅の一部若しくは施設住宅の敷地若しくはその共有持分の取得で注で定めるもの又は同法第83条において準用する土地区画整理法第104条第11項の規定により保留地を取得した場合における当該保留地の取得に対しては、不動産取得税を課することができない。(法73の6⑤)

　　(非課税とする取得)
　注　⑤に規定する施設住宅等の取得は、これらの取得のうち換地計画において大都市地域における住宅及び住宅地の供給の促進に関する特別措置法第76条第1項の規定により施設住宅の一部の床面積を増して定めた場合における当該増し床面積に相当する施設住宅の一部等又は施設住宅の一部若しくは施設住宅の敷地若しくはその共有持分の取得以外の取得とする。(令37の13)

⑥ **新都市基盤整備事業による換地の取得の非課税**
　道府県は、新都市基盤整備法による新都市基盤整備事業の施行に伴う換地の取得に対しては、不動産取得税を課することができない。(法73の6⑥)

7　形式的な所有権の移転等の場合の非課税
　道府県は、次に掲げる不動産の取得に対しては、不動産取得税を課することができない。(法73の7)

1	相続(包括遺贈及び被相続人から相続人に対してなされた遺贈を含む。)による不動産の取得
2	法人の合併又は(1)で定める分割による不動産の取得
2の2	法人が新たに法人を設立するために現物出資(現金出資をする場合における当該出資の額に相当する資産の譲渡を含む。)を行う場合((2)で定める場合に限る。)における不動産の取得
2の3	共有物の分割による不動産の取得(当該不動産の取得者の分割前の当該共有物に係る持分の割合を超える部分の取得を除く。)
2の4	会社更生法第183条(金融機関等の更生手続の特例等に関する法律(以下2の4において「更生特例法」という。)第104条又は第273条において準用する場合を含む。)、更生特例法第103条第1項(更生特例法第346条において準用

	する場合を含む。)又は更生特例法第272条(更生特例法第363条において準用する場合を含む。)の規定により更生計画において株式会社、協同組織金融機関(更生特例法第2条第2項に規定する協同組織金融機関をいう。以下2の4において同じ。)又は相互会社(更生特例法第2条第6項に規定する相互会社をいう。以下2の4において同じ。)から新株式会社、新協同組織金融機関又は新相互会社に移転すべき不動産を定めた場合における新会社、新協同組織金融機関又は新相互会社の当該不動産の取得
3	委託者から受託者に信託財産を移す場合における不動産の取得(当該信託財産の移転が三の1の①《家屋の新築の場合の取得者》の本文の規定に該当する場合における不動産の取得を除く。)
4	信託の効力が生じた時から引き続き委託者のみが信託財産の元本の受益者である信託により受託者から当該受益者(次のいずれかに該当する者に限る。)に信託財産を移す場合における不動産の取得 イ 当該信託の効力が生じた時から引き続き委託者である者 ロ 当該信託の効力が生じた時における委託者から1に規定する相続をした者 ハ 当該信託の効力が生じた時における委託者が合併により消滅した場合における当該合併後存続する法人又は当該合併により設立された法人 ニ 当該信託の効力が生じた時における委託者が2に規定する(1)で定める分割をした場合における当該分割により設立された法人又は当該分割により事業を承継した法人
5	信託の受託者の変更があった場合における新たな受託者による不動産の取得
5の2	相続税法第46条第1項《物納の撤回の承認》の規定による承認に基づき物納の許可があった不動産をその物納の許可を受けた者に移す場合における不動産の取得 (注) 所得税法等の一部を改正する等の法律(平成18年法律第10号)第3条による改正前の相続税法第43条第5項の規定による承認に基づき物納の許可があった不動産をその物納の許可を受けた者に移す場合における不動産の取得に対して課する不動産取得税については、なお従前の例による。(平18改法附8⑦)
6	建物の区分所有等に関する法律第2条第3項の専有部分の取得に伴わない同条第4項の共用部分である家屋の取得(当該家屋の建築による取得を除く。)
7	保険業法の規定によって会社がその保険契約の全部の移転契約に基づいて不動産を移転する場合における不動産の取得
8	譲渡により担保の目的となっている財産(以下この章において「**譲渡担保財産**」という。)により担保される債権の消滅により当該譲渡担保財産の設定の日から2年以内に譲渡担保財産の権利者(以下この章において「**譲渡担保権者**」という。)から譲渡担保財産の設定者(設定者が更迭した場合における新設定者を除く。以下この章において同じ。)に当該譲渡担保財産を移転する場合における不動産の取得
9	生産森林組合がその組合員となる資格を有する者から現物出資を受ける場合における土地の取得
10	削 除
11	沖縄振興開発金融公庫が沖縄振興開発金融公庫法第19条第1項第3号に規定する業務で(7)で定めるものを行う場合における不動産の取得
12	独立行政法人住宅金融支援機構又は沖縄振興開発金融公庫の貸付金の回収に関連する不動産の取得(独立行政法人住宅金融支援機構又は沖縄振興開発金融公庫が建築中の住宅を取得し、建築工事を完了した住宅の取得を含む。)
13	独立行政法人都市再生機構、独立行政法人中小企業基盤整備機構、地方住宅供給公社又は土地開発公社がその譲渡した不動産を当該不動産に係る譲渡契約の解除又は買戻し特約により取得する場合における当該不動産の取得
14	農業協同組合又は農業協同組合連合会が農業協同組合法第70条第1項の規定により権利を承継する場合における不動産の取得
15	漁業協同組合、漁業生産組合若しくは漁業協同組合連合会又は水産加工業協同組合若しくは水産加工業協同組合連合会が水産業協同組合法第91条の2第1項(同法第100条第5項において準用する場合を含む。)の規定により権利を承継する場合における不動産の取得
16	森林組合又は森林組合連合会が森林組合法第108条の3第1項の規定により権利を承継する場合における不動産の取得
17	農業共済組合が農業保険法第73条第2項の規定により権利を承継する場合における不動産の取得

18	厚生年金基金が確定給付企業年金法第109条第4項の規定により権利を承継する場合又は企業年金基金が同法第112条第4項の規定により権利を承継する場合における不動産の取得
19	預金保険法第2条第13項に規定する承継銀行が同法第91条第1項又は第2項の規定による同条第1項第2号に掲げる決定を受けて行う同法第2条第12項に規定する被管理金融機関からの同条第13項に規定する事業の譲受け等による不動産（同法第93条第2項の規定により当該承継銀行が保有する資産として適当であることの確認がされたものに限る。）の取得
20	保険業法第260条第6項に規定する承継保険会社が、保険契約者保護機構の同法第270条の3の2第6項の規定による同項第2号の決定を受けて行う同法第260条第2項に規定する破綻保険会社からの保険契約の移転による不動産の取得

（非課税となる法人の分割）
（1） 7の2に規定する分割は、次に掲げる要件に該当する分割で分割対価資産（法人税法第2条第12号の9イに規定する分割対価資産をいう。）として分割承継法人（法人税法第2条第12号の3に規定する分割承継法人をいう。以下（1）において同じ。）の株式（出資を含む。以下（1）において同じ。）以外の資産が交付されないもの（当該株式が交付される分割型分割（法人税法第2条第12号の9に規定する分割型分割をいう。）にあっては、当該株式が分割法人（法人税法第2条第12号の2に規定する分割法人をいう。以下（1）において同じ。）の株主等（法人税法第2条第14号に規定する株主等をいう。）の有する当該分割法人の株式の数（出資にあっては、金額）の割合に応じて交付されるものに限る。）とする。（令37の14）
（一）　当該分割により分割事業（分割法人の分割前に営む事業のうち、当該分割により分割承継法人において営まれることとなるものをいう。以下（1）において同じ。）に係る主要な資産及び負債が分割承継法人に移転していること。
（二）　当該分割に係る分割事業が分割承継法人において当該分割後に引き続き営まれることが見込まれていること。
（三）　当該分割の直前の分割事業に係る従業者のうち、その総数のおおむね100分の80以上に相当する数の者が当該分割後に分割承継法人の業務に従事することが見込まれていること。

（非課税となる現物出資）
（2）　7の2の2に規定する場合は、次に掲げる場合とする。（令37の14の2）
（一）　株式会社が新たに株式会社を設立ために現物出資（現金出資をする場合における当該出資の額に相当する資産の譲渡を含む。以下（2）において同じ。）を行う場合であって、当該新たに設立される株式会社（以下（一）において「新設株式会社」という。）の設立時において、次に掲げる要件が充足されるとき。
　イ　現物出資を行う株式会社（以下（一）において「出資株式会社」という。）が、新設株式会社の発行済株式の総数の100分の90以上の数を有していること。
　ロ　新設株式会社が出資株式会社の事業の一部を譲渡を受け、当該譲渡に係る事業を継続して行うことを目的としていること。
　ハ　新設株式会社の取締役の1人以上が出資株式会社の取締役又は監査役であること。
（二）　株式会社以外の法人が同種の法人を設立するために現物出資を行う場合であって、（一）に掲げる場合に類するとき。

（留意事項）
（3）　法人の合併又は政令で定める分割による不動産の取得は非課税とされているが、その取扱いに当たっては、次の諸点に留意すること。（県通5－5）
（一）　法人である労働組合の合同については合併と同様な効果が認められているので、不動産取得税の課税に当たっては、法人の合併と同様に取り扱うことが適当であること。
（二）　（1）の（三）の「当該分割の直前の分割事業に係る従業者」には、分割法人の役員や使用人だけではなく、他の法人から出向して分割法人の事業に従事している者など、現に分割法人の事業に従事している者が含まれること。

（共有物の分割による不動産の取得の場合の留意事項）
（4）　共有物の分割による不動産の取得のうち、分割前において有していた持分の割合を超えない取得であれば非課税とされているが、その取扱いに当たっては、次の諸点に留意すること。（県通5－5の2）
（一）　持分の割合とは、原則として、不動産の価格の割合と解すべきものであるが、意図的に租税回避を図ろうとす

る意思が認められない場合については、不動産の面積の割合によっても差し支えないこと。
　(二)　複数の共有地で互いに隣接し、その共有者が同一で、かつ持分割合が同じである場合において、合筆することなく当該隣接する複数の共有地を一体としてとらえて当該持分に応じた分割をしたと認められるときは、一の共有物を分割した場合に準じて非課税として取り扱って差し支えないこと。

　　　（信託契約の終了時において非課税規定が適用される場合）
（5）　7の4の信託契約の終了時における非課税規定が適用されるのは、同3の適用を受けた不動産を信託した場合に限らず、委託者が当初金銭を信託した場合において、受託者が当該金銭により不動産を取得し、信託の終了時に当該委託者に不動産を移転する場合も含まれるものであること。（県通5－6）

　　　（沖縄振興開発金融公庫の非課税業務）
（6）　7の11に規定する沖縄振興開発金融公庫が行う沖縄振興開発金融公庫法第19条第1項第3号に規定する業務のうち、不動産取得税を非課税とするものは、沖縄振興開発金融公庫法施行令第1条の3第2項第3号に規定する業務とする。（令37の15）

8　協定銀行が破綻金融機関の事業の譲受け又は資産の買取りにより不動産を取得した場合の非課税

　道府県は、預金保険法附則第7条第1項第1号に規定する協定銀行が、同項に規定する協定の定めにより同法附則第8条第1項第1号に規定する内閣総理大臣のあっせんを受けて行う同法附則第7条第1項に規定する破綻金融機関等の事業の譲受け又は同法附則第8条第1項第2号に規定する預金保険機構の委託（同法附則第10条第1項第1号及び第2号に掲げる場合に係るものに限る。）を受けて行う資産の買取により不動産を取得した場合には、当該あっせん又は当該委託の申出が平成13年4月1日から令和7年3月31日までの間に行われたときに限り、二《納税義務者》の規定にかかわらず、当該不動産の取得に対しては、不動産取得税を課することができない。（法附10①）

9　新幹線の営業開始に伴い廃止された鉄道事業に係る不動産を取得した場合の非課税

　道府県は、旅客鉄道株式会社及び日本貨物鉄道株式会社に関する法律第1条第1項に規定する旅客会社、旅客鉄道株式会社及び日本貨物鉄道株式会社に関する法律の一部を改正する法律（平成13年法律第61号）附則第2条第1項に規定する新会社又は旅客鉄道株式会社及び日本貨物鉄道株式会社に関する法律の一部を改正する法律（平成27年法律第36号）附則第2条第1項に規定する新会社（以下9において「旅客会社等」という。）が、平成9年4月1日から令和13年3月31日までの間に、全国新幹線鉄道整備法第8条の規定により昭和48年11月13日に運輸大臣が建設の指示を行った同法第4条第1項に規定する建設線（当該建設線の全部又は一部の区間について同法附則第9項の規定により国土交通大臣が同法附則第6項第1号に規定する新幹線鉄道規格新線の建設の指示を行った場合には、当該新幹線鉄道規格新線を含む。以下9において「建設線」という。）の全部又は一部の区間の営業を開始し、かつ、当該指示に係る建設線の区間のうち当該営業を開始した区間の全部又は一部とその両端が同一である当該旅客会社等の営業路線の全部又は一部の区間で(1)で定めるものの全部又は一部について鉄道事業法第28条の2第1項の規定による届出をして鉄道事業を廃止した場合において、当該廃止された鉄道事業による輸送に代わる輸送の確保のため必要となる鉄道事業を経営しようとする同法第7条第1項に規定する鉄道事業者で(2)で定めるものの譲渡を受けたときにおける当該不動産の取得に対しては、当該取得が平成28年4月1日から令和13年3月31日までの間に行われたときに限り、二《納税義務者》の規定にかかわらず、不動産取得税を課することができない。（法附10②）

　　　（対象となる廃止区間）
（1）　9に規定する区間は、9に規定する建設線の全部又は一部の区間の営業の開始により旅客輸送量が著しく減少すると見込まれる区間として総務大臣が指定する区間とする。（令附6の16①）
　　　（注）　(1)の総務大臣が指定する区間は、平成14年総務省告示第638号により指定されている。（編者）

　　　（鉄道事業者）
（2）　9に規定する鉄道事業者は、その発行済株式の総数又は出資金額若しくは拠出された金額の2分の1以上の数又は金額が地方公共団体により所有され、又は出資若しくは拠出をされている法人で総務大臣が指定するものとする。（令附6の16②）
　　　（注）　(2)の総務大臣が定める法人は、平成14年総務省告示第638号により定められている。（編者）

(非課税不動産)
(3) 9に規定する不動産は、鉄道事業の用に供する不動産であって、他の者に貸し付ける不動産（国又は地方公共団体に無償で貸し付けるものを除く。）以外のものとする。（令附6の16③）

10　協定銀行が保険契約者保護機構の委託を受けて行う破綻保険会社等の資産の買取りにより不動産を取得する場合の非課税

道府県は、保険業法附則第1条の2の3第1項第1号に規定する協定銀行が、同項に規定する協定の定めにより同法附則第1条の2の4第1項第1号に規定する保険契約者保護機構の委託を受けて行う同法第260条第2項に規定する破綻保険会社、同法第270条の3の6第1項第1号に規定する協定承継保険会社又は同法第265条の28第2項第3号に規定する清算保険会社の資産の買取りにより不動産を取得した場合には、当該委託の申出が令和7年3月31日までに行われたときに限り、二の規定にかかわらず、当該不動産の取得に対しては、不動産取得税を課することができない。（法附10③）

11　高速道路株式会社が事業の用に供する不動産を取得した場合等の非課税

道府県は、東日本高速道路株式会社、首都高速道路株式会社、中日本高速道路株式会社、西日本高速道路株式会社、阪神高速道路株式会社若しくは本州四国連絡高速道路株式会社が、高速道路株式会社法第5条第1項第1号、第2号若しくは第4号に規定する事業（本州四国連絡高速道路株式会社にあっては、同項第1号、第2号、第4号又は第5号ロに規定する事業）の用に供する不動産で政令で定めるものを取得した場合又は独立行政法人日本高速道路保有・債務返済機構が、独立行政法人日本高速道路保有・債務返済機構法第12条第1項第1号若しくは第10号に規定する業務の用に供する不動産で政令で定めるものを取得した場合には、これらの取得が令和8年3月31日までに行われたときに限り、二の規定にかかわらず、これらの不動産の取得に対しては、不動産取得税を課することができない。（法附10④）

(政令で定める不動産)
注　11に規定する東日本高速道路株式会社、首都高速道路株式会社、中日本高速道路株式会社、西日本高速道路株式会社、阪神高速道路株式会社若しくは本州四国連絡高速道路株式会社が高速道路株式会社法第5条第1項第1号、第2号若しくは第4号に規定する事業（本州四国連絡高速道路株式会社にあっては、同項第1号、第2号、第4号又は第5号ロに規定する事業）の用に供する不動産で政令で定めるもの又は独立行政法人日本高速道路保有・債務返済機構が独立行政法人日本高速道路保有・債務返済機構法（平成16年法律第100号）第12条第1項第1号若しくは第10号に規定する業務の用に供する不動産のうち、道路法（昭和27年法律第180号）第2条第1項に規定する道路、同法第91条第2項に規定する道路予定区域の区域内の土地及び都市計画法第62条第1項の規定により告示された同法第60条第2項第1号に規定する事業地内の土地とする。（令附6の16④）

12　マンション建替事業者又はマンション敷地売却組合が事業の用に供する不動産を取得した場合の非課税

道府県は、マンションの建替え等の円滑化に関する法律（平成14年法律第78号）第2条第1項第5号に規定する施行者又は同法第116条に規定するマンション敷地売却組合が、同項第4号に規定するマンション建替事業又は同法第9号に規定するマンション敷地売却事業により、同法第106条に規定する特定要除却認定マンション及びその敷地を取得した場合には、当該取得がマンションの管理の適正化の推進に関する法律及びマンションの建替え等の円滑化に関する法律の一部を改正する法律（令和2年法律第62号）附則第1条第3号に掲げる規定の施行の日から令和8年3月31日までの間に行われたときに限り、二《納税義務者》の規定にかかわらず、当該不動産の取得に対しては、不動産取得税を課することができない。（法附10⑤）

13　鉄道事業者が鉄道事業の用に供する不動産を取得した場合の非課税

道府県は、鉄道事業法第7条第1項に規定する鉄道事業者（以下「鉄道事業者」という。）で(1)で定めるものが、地域公共交通の活性化及び再生に関する法律第2条第9号に規定する鉄道事業再構築事業（以下「鉄道事業再構築事業」という。）の対象となる同条第2号イに規定する旅客鉄道事業（以下「旅客鉄道事業」という。）を経営する鉄道事業者（当該旅客鉄道事業を経営していたものを含む。）から同法第24条第8項（同法第29条の9において準用する場合を含む。）に規定する認定鉄道事業再構築実施計画に基づき鉄道事業再構築事業を実施する路線に係る鉄道事業の用に供する不動産で(3)で定めるものを取得した場合には、当該取得が令和8年3月31日までに行われたときに限り、二の規定にかかわらず、当該不動産の取得に対しては、不動産取得税を課することができない。（法附10⑦）

(政令で定める鉄道事業者)
(1) 13に規定する鉄道事業者で(1)で定めるものは、13に規定する旅客鉄道事業を経営する鉄道事業者に代わって引き続き13に規定する旅客鉄道事業を経営しようとする者として(2)で定めるものとする。(令附6の16⑤)

(旅客鉄道事業を経営する鉄道事業者に代わって引き続き旅客鉄道事業を経営しようとする者として総務省令で定めるもの)
(2) (1)に規定する旅客鉄道事業を経営する鉄道事業者に代わって引き続き旅客鉄道事業を経営しようとする者として(2)で定めるものは、鉄道事業法第7条第1項に規定する鉄道事業者((一)において「鉄道事業者」という。)で次に掲げるもの以外のものとする。(規附3の2の6①)
　(一) 13に規定する鉄道事業の用に供する不動産を取得する時点において、その営む鉄道に係る路線の長さの合計が35キロメートルを超えており、かつ、当該路線の全部又は一部が大都市(東京都、大阪市及び名古屋市をいう。)又は都市(横浜市及び福岡市をいう。)に存する鉄道事業者(大都市地域における宅地開発及び鉄道整備の一体的推進に関する特別措置法第7条第1項に規定する特定鉄道事業者を除く。)
　(二) 旅客鉄道株式会社及び日本貨物鉄道株式会社に関する法律の一部を改正する法律(平成13年法律第61号)附則第2条第1項第1号に掲げる者

(鉄道事業再構築事業を実施する路線に係る鉄道事業の用に供する不動産で政令で定めるもの)
(3) 13に規定する鉄道事業再構築事業を実施する路線に係る鉄道事業の用に供する不動産で(3)で定めるものは、当該鉄道事業の用に供する不動産のうち次に掲げるもの以外のものであることについて(4)で定めるところにより証明がされたものとする。(令附6の16⑥)
　(一) 宿舎の用に供する不動産
　(二) 職員の福利及び厚生の用に供する不動産
　(三) 他の者に貸し付ける不動産(鉄道事業法第13条第1項に規定する第二種鉄道事業者に貸し付けるもので(5)で定めるものを除く。)
　(四) 私人のための専用側線の用に供する不動産

(総務省令で定めるところにより証明がされた不動産)
(4) (3)に規定する(4)で定めるところにより証明がされた不動産は、13に規定する鉄道事業再構築事業を実施する路線に係る鉄道事業の用に供する不動産のうち(3)の(一)から(四)に掲げるもの以外のものであることについて国土交通大臣の証明を受けた不動産とする。(規附3の2の6②)

(第二種鉄道事業者に貸し付けるもので総務省令で定めるもの)
(5) (3)の(三)に規定する(5)で定めるものは、線路設備、電路設備、停車場、変電所、車庫、工場、倉庫及び詰所の用に供する不動産とする。(規附3の2の6③)

14　都市緑化支援機構が対象土地を取得した場合の非課税
　道府県は、都市緑地法第69条第1項の規定により指定された都市緑化支援機構が、同法第70条第1項に掲げる業務により同法第17条の2第1項に規定する対象土地を取得した場合又は古都における歴史的風土の保存に関する特別措置法第14条第1項第1号に掲げる業務により同法第13条第1項に規定する対象土地を取得した場合には、これらの取得が令和8年3月31日までに行われたときに限り、二の規定にかかわらず、これらの土地の取得に対しては、不動産取得税を課することができない。(法附10⑧)
　(注)　14を追加する令和6年度改正規定は、都市緑地法等の一部を改正する法律(令和6年法律第40号)の施行の日以後適用する。(令6改法附1八)

15　特定移行一般社団法人等が直接その用に供する不動産を取得した場合等の非課税
　道府県は、特定移行一般社団法人等(移行一般社団法人等のうち、非営利型法人に該当することその他注で定める要件に該当するものをいう。以下において同じ。)が次に掲げる不動産を取得した場合には、二の規定にかかわらず、当該不動産の取得に対しては、不動産取得税を課することができない。(法附41⑧)
　(一)　当該特定移行一般社団法人等が平成20年12月1日前から設置している幼稚園において当該特定移行一般社団法人等

	が直接保育の用に供する不動産
(二)	当該特定移行一般社団法人等が平成20年12月1日前から設置している図書館において当該特定移行一般社団法人等が直接その用に供する不動産
(三)	当該特定移行一般社団法人等が平成20年12月1日前から設置している博物館法第2条第1項の博物館において当該特定移行一般社団法人等が直接その用に供する不動産

　　　（政令で定める要件）
　注　15に規定する注で定める要件は、次の各号のいずれにも該当することとする。（令附23②）
　　　(一)　15に規定する移行一般社団法人等を公益社団法人及び公益財団法人の認定等に関する法律第2条第3号に規定する公益法人（以下(一)において「公益法人」という。）とみなして算定した前事業年度の末日における同法第16条第2項に規定する遊休財産額が、当該移行一般社団法人等を公益法人とみなして算定した同条第1項の内閣府令で定めるところにより算定した額を超えないこと。
　　　(二)　前事業年度に係る損益計算書の収益の部に計上した額の合計額が、5,000万円に当該前事業年度の月数（当該月数は、暦に従って計算し、1月に満たない端数を生じたときは、これを1月とする。）を乗じて得た金額を12で除して得た金額以下であること。

16　令和7年に開催される国際博覧会の用に供する家屋等を取得した場合の特例

　　道府県は、公益社団法人2025年日本国際博覧会協会（以下「博覧会協会」という。）が国際博覧会に関する条約の適用を受けて令和7年に開催される国際博覧会（以下16において「博覧会」という。）の会場内において博覧会の用に供する家屋又は博覧会の会場の周辺における交通を確保するために設置する家屋を取得した場合におけるこれらの家屋の取得に対しては、二の規定にかかわらず、不動産取得税を課することができない。ただし、博覧会協会が、博覧会の終了の日から6月を経過する日においてこれらの家屋を所有しているときは、同日においてこれらの家屋の取得があったものとみなし、これらの家屋の所有者を取得者とみなして不動産取得税を課する。（法附10の2①）

　　　（博覧会への出展参加契約を締結した者が家屋を取得した場合）
　(1)　道府県は、博覧会協会との間に博覧会への出展参加契約を締結した者（博覧会に参加する外国政府、外国の地方公共団体及び国際機関を除く。以下(1)において「参加者」という。）が博覧会の会場内において博覧会の用に供する家屋で(2)で定めるものを取得した場合における当該家屋の取得に対しては、二の規定にかかわらず、不動産取得税を課することができない。ただし、参加者が、博覧会の終了の日から6月を経過する日において当該家屋を所有しているときは、同日において当該家屋の取得があったものとみなし、当該家屋の所有者を取得者とみなして不動産取得税を課する。（法附10の2②）

　　　（政令で定める家屋）
　(2)　(1)に規定する(2)で定める家屋は、2025年日本国際博覧会に関する特権及び免除に関する日本国政府と博覧会国際事務局との間の協定第1条（j）に規定する博覧会に関連する非商業的活動の用に供する家屋とする。（令附6の17）

　　　（家屋貸与者が家屋を取得した場合）
　(3)　道府県は、博覧会協会との間に家屋を博覧会協会に無償で貸し付けることを内容とする契約を締結した者（以下(3)において「家屋貸与者」という。）が、当該家屋（博覧会の用に供されるものであって、博覧会協会に無償で貸し付けることにつき(4)で定めるところにより証明がされたものに限る。）を取得した場合における当該家屋の取得に対しては、二の規定にかかわらず、不動産取得税を課することができない。ただし、家屋貸与者が、博覧会の終了の日から6月を経過する日において当該家屋を所有しているときは、同日において当該家屋の取得があったものとみなし、当該家屋の所有者を取得者とみなして不動産取得税を課する。（法附10の2③）

　　　（総務省令で定めるところにより証明がされた家屋）
　(4)　(3)に規定する博覧会協会に無償で貸し付けることにつき(4)で定めるところにより証明がされた家屋は、(3)に規定する契約の契約書の写しを道府県知事に提出することにより証明がされた家屋とする。（規附3の2の7）

五　雑　則

1　徴税吏員の調査に係る質問検査権

　道府県の徴税吏員は、不動産取得税の賦課徴収に関する調査のために必要がある場合には、次に掲げる者に質問し、又は(一)から(三)までの者の帳簿書類（その作成又は保存に代えて電磁的記録（電子的方式、磁気的方式その他の人の知覚によっては認識することができない方式で作られる記録であって、電子計算機による情報処理の用に供されるものをいう。）の作成又は保存がされている場合における当該電磁的記録を含む。2の表の(一)及び(二)において同じ。）その他の物件を検査し、若しくは当該物件（その写しを含む。）の提示若しくは提出を求めることができる。（法73の8①）

(一)	納税義務者又は納税義務があると認められる者
(二)	(一)に掲げる者から金銭又は物品を受け取る権利があると認められる者
(三)	(一)に掲げる者にその者の取得に係る家屋を引き渡したと認められる者
(四)	(一)から(三)までに掲げる者以外の者で当該不動産取得税の賦課徴収に関し直接関係があると認められる者

　　　（分割承継法人及び分割法人に対する質問検査権）
（1）　1の(一)に掲げる者を分割法人（分割によりその有する資産及び負債の移転を行った法人をいう。以下(1)において同じ。）とする分割に係る分割承継法人（分割により分割法人から資産及び負債の移転を受けた法人をいう。以下(1)において同じ。）及び同(一)に掲げる者を分割承継法人とする分割に係る分割法人は、同(二)に規定する金銭又は物品を受け取る権利があると認められる者に含まれるものとする。（法73の8②）

　　　（身分証明証の提示）
（2）　1の場合には、当該徴税吏員は、その身分を証明する証票を携帯し、関係人の請求があったときは、これを提示しなければならない。（法73の8③）

　　　（提出物件の留置き）
（3）　道府県の徴税吏員は、（4）で定めるところにより、1の規定により提出を受けた物件を留め置くことができる。（法73の8④）

　　　（提出物件の留置きに関する書面の交付）
（4）　道府県の徴税吏員は、（3）の規定により物件を留め置く場合には、当該物件の名称又は種類及びその数量、当該物件の提出年月日並びに当該物件を提出した者の氏名及び住所又は居所その他当該物件の留置きに関し必要な事項を記載した書面を作成し、当該物件を提出した者にこれを交付しなければならない。（令37の15の2①）

　　　（提出物件の返還等）
（5）　道府県の徴税吏員は、（3）の規定により留め置いた物件につき留め置く必要がなくなったときは、遅滞なく、これを返還しなければならない。（令37の15の2②）

　　　（提出物件の管理義務）
（6）　道府県の徴税吏員は、（5）に規定する物件を善良な管理者の注意をもって管理しなければならない。（令37の15の2③）

　　　（滞納処分に関する調査についての不適用）
（7）　不動産取得税に係る滞納処分に関する調査については、1の規定にかかわらず、国税徴収法に規定する滞納処分の例による。（法73の8⑤、73の36⑥）

　　　（質問検査権の解釈）
（8）　1又は（3）の規定による道府県の徴税吏員の権限は、犯罪捜査のために認められたものと解釈してはならない。（法73の8⑥）

2 質問検査等に関する罪

次の各号のいずれかに該当する場合には、その違反行為をした者は、1年以下の懲役又は50万円以下の罰金に処する。（法73の9①）

(一)	1の規定による帳簿書類その他の物件の検査を拒み、妨げ、又は忌避したとき。
(二)	1の規定による物件の提示又は提出の要求に対し、正当な理由がなくこれに応ぜず、又は偽りの記載若しくは記録をした帳簿書類その他の物件（その写しを含む。）を提示し、若しくは提出したとき。
(三)	1の規定による徴税吏員の質問に対し答弁をしないとき、又は虚偽の答弁をしたとき。

（両罰規定）
注　法人の代表者又は法人若しくは人の代理人、使用人その他の従業者がその法人又は人の業務又は財産に関して2の違反行為をした場合には、その行為者を罰する外、その法人又は人に対し、2の罰金刑を科する。（法73の9②）

3 納税管理人

不動産取得税の納税義務者は、納税義務を負う道府県内に住所、居所、事務所又は事業所（以下3において「住所等」という。）を有しない場合においては、納税に関する一切の事項を処理させるため、当該道府県の条例で定める地域内に住所等を有する者のうちから納税管理人を定めて、これを道府県知事に申告し、又は当該地域外に住所等を有する者のうち当該事項の処理につき便宜を有するものを納税管理人として定めることについて道府県知事に申請してその承認を受けなければならない。納税管理人を変更し、又は変更しようとする場合においても、また、同様とする。（法73の10①）

（納税管理人を定めることを要しない場合）
（1）　3の規定にかかわらず、当該納税義務者は、当該納税義務者に係る不動産取得税の徴収の確保に支障がないことについて道府県知事に申請してその認定を受けたときは、納税管理人を定めることを要しない。（法73の10②）

（納税管理人に係る虚偽の申告等に関する罪）
（2）　3の規定により申告すべき納税管理人について虚偽の申告をし、又は偽りその他不正の手段により3の承認若しくは（1）の認定を受けたときは、その違反行為をした者は、30万円以下の罰金に処する。（法73の11①）

（両罰規定）
（3）　法人の代表者又は法人若しくは人の代理人、使用人その他の従業者がその法人又は人の業務又は財産に関して（2）の違反行為をした場合には、その行為者を罰するほか、その法人又は人に対し、（2）の刑を科する。（法73の11②）

（納税管理人に係る不申告に関する過料）
（4）　道府県は、（1）の認定を受けていない不動産取得税の納税義務者で3の承認を受けていないものが3の規定によって申告すべき納税管理人について正当な事由がなくて申告をしなかった場合においては、その者に対し、当該道府県の条例で10万円以下の過料を科する旨の規定を設けることができる。（法73の12）

第二節　課税標準及び税率

一　課税標準

1 不動産取得税の課税標準

不動産取得税の課税標準は、不動産を取得した時における**不動産の価格**とする。（法73の13①）

2 家屋の改築の場合の課税標準

家屋の改築をもって家屋の取得とみなした場合に課する不動産取得税の課税標準は、当該改築に因り増加した価格とす

る。(法73の13②)

3　不動産の価格

①　固定資産課税台帳に登録されている不動産の価格
　道府県知事は、固定資産課税台帳に固定資産の価格が登録されている不動産については、当該価格により当該不動産に係る不動産取得税の課税標準となるべき価格を決定するものとする。ただし、当該不動産について増築、改築、損かい、地目の変換その他特別の事情がある場合において当該固定資産の価格により難いときは、この限りでない。(法73の21①)

②　固定資産課税台帳に登録されていない不動産の価格等
　道府県知事は、固定資産課税台帳に固定資産の価格が登録されていない不動産又は①ただし書の規定に該当する不動産については、固定資産税の固定資産評価基準によって、当該不動産に係る不動産取得税の課税標準となるべき価格を決定するものとする。(法73の21②)
　(注)　②の規定により道府県知事が不動産の価格を決定する場合において、当該不動産が第三編第三章第六節二《令和4年度又は令和5年度における土地の価格の特例》の1又は2の規定の適用を受ける土地であるときにおける②の規定の適用については、②の規定中「固定資産評価基準」とあるのは、「固定資産評価基準及び第三編第三章第六節二の1の修正基準」と読み替えるものとする。(法附11の6)

　　　(増築、改築等による評価替え)
　(1)　固定資産課税台帳に固定資産の価格が登録されていない不動産及び増築、改築、損壊、地目の変換その他特別の事情がある不動産については、道府県知事が自ら不動産の価格を決定することができるが、次の諸点に留意するものであること。(県通5－20)
　(一)　①ただし書に規定する「その他特別の事情」とは、増築、改築、損壊、地目の変換等当該家屋又は土地自体の物理的変動があった場合はもとより、都市的諸施設の整備等地帯として環境に著しい変動があった場合、さらに固定資産税の賦課期日後に生じた地価の著しい変動といった事情も含まれ得るものであること。
　　　ただし、固定資産税の賦課期日後に生じた地価の著しい変動によって①ただし書を適用することができるのは、当該地価変動により固定資産課税台帳に登録されている価格が当該不動産の適正な時価を示しているといえない程度に達した場合に限られるものであること。
　　　また、農地について農地法第5条第1項《転用許可》の規定による道府県知事の許可を受けた場合も特別の事情に該当するものであること。
　(二)　道府県知事が自ら不動産の価格を決定する場合において必要があるときは、市町村長の評価見込額その他当該不動産の価格の決定について参考となるべき事項を市町村長から徴するものとすること。

　　　(決定価格の市町村への通知)
　(2)　道府県知事は、②の規定によって不動産の価格を決定した場合においては、直ちに、当該価格その他必要な事項を当該不動産の所在地の市町村長に通知しなければならない。(法73の21③)

　　　(価格の不均衡の是正についての助言)
　(3)　道府県知事は、不動産取得税の課税標準となるべき価格の決定を行った結果、固定資産課税台帳に登録されている不動産の価格について、市町村間に不均衡を認めた場合においては、理由を附して、関係市町村の長に対し、固定資産税の課税標準となるべき価格の決定について助言をするものとする。(法73の21④)

　　　(留意事項)
　(4)　道府県知事が自ら価格を決定した場合において当該価格の決定を通じ、市町村間に評価の不均衡を認めたときは関係市町村の長に対し、固定資産税の課税標準となるべき価格の決定について助言をするものとされているのであるが、この助言を行うに当たっては相当多数の実例を通じて慎重に検討して行うべきものであること。(県通5－21)

③　市町村長が申告書等を送付する際の不動産の価格等の通知
　市町村長は、第三節三の(3)の規定により送付又は通知をする場合には、道府県の条例で定めるところにより、当該不動産の価格その他当該不動産の価格の決定について参考となるべき事項を併せて道府県知事に通知するものとする。(法73の22)

④　道府県職員への固定資産課税台帳等の供覧

　道府県知事が市町村長に対し、固定資産課税台帳その他不動産取得税の課税標準となるべき不動産の価格の決定について参考となるべき帳簿書類を閲覧し、又は記録することを請求した場合においては、市町村長は、関係帳簿書類を道府県知事又はその指定する職員に閲覧させ、又は記録させるものとする。（法73の23）

4　課税標準の特例

① 住宅の取得に係る特例

イ　新築住宅に係る1,200万円控除

　住宅の建築（新築された住宅でまだ人の居住の用に供されたことのないものの購入を含むものとし、（1）で定めるものに限る。）をした場合における当該住宅の取得に対して課する不動産取得税の課税標準の算定については、1戸（共同住宅、寄宿舎その他これらに類する多数の人の居住の用に供する住宅（以下不動産取得税において「**共同住宅等**」という。）にあっては、居住の用に供するために独立的に区画された一の部分で（2）で定めるもの）について1,200万円を価格から控除するものとする。（法73の14①）

　　　（特例の対象となる住宅の建築）
（1）イに規定する特例の対象となる住宅の建築は、次の各号に掲げる住宅の建築の区分に応じ、当該各号に定める住宅の建築とする。（令37の16）

（一）	共同住宅等（イに規定する共同住宅等をいう。（二）並びに第四節一の1の①の（2）、（4）及び（5）において同じ。）以外の住宅の建築（新築された住宅でまだ人の居住の用に供されたことのないものの購入を含む。以下（1）及び第四節一の1の①の（4）及び（5）において同じ。）	当該建築に係る住宅（当該建築が住宅と一構となるべき住宅の新築である場合にあっては一構をなすこれらの住宅とし、当該建築が住宅の増築又は改築である場合にあっては当該増築又は改築がされた後の住宅とする。以下（2）までにおいて同じ。）の床面積（区分所有される住宅にあっては、居住の用に供する専有部分の床面積とし、当該専有部分の属する建物に共用部分があるときは、これを共用すべき各区分所有者の専有部分の床面積の割合により当該共用部分の床面積を按分して得た面積を当該専有部分の床面積に算入するものとする。ハの（1）《新築された住宅でまだ人の居住の用に供されたことのないもの以外の住宅》及び第四節一の1の①の（2）《特例適用住宅の要件》の（一）において同じ。）が50平方メートル（当該専有部分が貸家の用に供されるものである場合にあっては、40平方メートル）以上240平方メートル以下の住宅の建築
（二）	共同住宅等の住宅の建築	当該建築に係る住宅の居住の用に供するために独立的に区画された一の部分のいずれかの床面積（当該住宅に共同の用に供される部分（当該住宅が区分所有される住宅である場合には、当該住宅に係る共用部分を含む。）があるときは、これを共用すべき独立的に区画された各部分の床面積の割合により当該共同の用に供される部分の床面積を配分して、それぞれその各部分の床面積に算入するものとする。（2）及び第四節一の1の①の（2）の（二）において同じ。）が、50平方メートル（当該独立的に区画された一の部分が貸家の用に供されるものである場合にあっては、40平方メートル）以上240平方メートル以下の住宅の建築

　　　（居住の用に供するために独立的に区画された一の部分）
（2）イに規定する居住の用に供するために独立的に区画された一の部分は、当該建築に係る住宅の居住の用に供するために独立的に区画された一の部分でその床面積が50平方メートル（当該独立的に区画された一の部分が貸家の用に供されるものである場合にあっては、40平方メートル）以上240平方メートル以下のものとする。（令37の17）

　　　（建築後1年以内に行われた増築等への適用関係）
（3）共同住宅等以外の住宅の建築（新築された住宅でまだ人の居住の用に供されたことのないものの購入を含む。以

下（3）及びニにおいて同じ。）をした者が、当該住宅の建築後1年以内にその住宅と一構となるべき住宅を新築し、又はその住宅に増築した場合には、前後の住宅の建築をもって1戸の住宅の建築とみなして、イの規定を適用する。（法73の14②）

　　　（公営住宅の譲受け等による取得への適用）
（4）　公営住宅及びこれに準ずる住宅（以下（4）において「公営住宅等」という。）を地方公共団体から当該公営住宅等の入居者又は入居者の組織する団体が譲渡を受けた場合における当該公営住宅等の取得に対して課する不動産取得税の課税標準の算定については、当該譲渡に係る住宅をもって建築に係る住宅とみなして、イの規定を適用する。（法73の14⑤）

　　　（店舗等併用住宅の住宅部分）
（5）　家屋のうちに住宅部分とそれ以外の部分とがある場合における家屋の価格の算定については、住宅部分とそれ以外の部分とに区分してそれぞれ算定するものとし、区分の困難な共用部分については、住宅部分とそれ以外の部分とのそれぞれの床面積等により按分して算定するのが適当であること。この場合において、住宅部分とそれ以外の部分とに区分して価格を算定することが困難である家屋については、当該家屋の価格をそれぞれの床面積等により按分して算定することが適当であること。（県通5－17）

　　　（「一定の要件を満たす住宅の建築」の取扱い）
（6）　一定の要件を満たす住宅の建築（新築建売住宅の購入を含む。（7）及び第四節一の1の①の（8）《住宅を新築する土地の取得に対する減額等の留意事項》の（六）において同じ。）をした場合には、価格から1戸につき1,200万円を控除するものとされているが、一定の要件を満たす住宅の建築であるかどうかは、当該建築が住宅と一構となるべき住宅の新築である場合にあっては一構をなすこれらの住宅により、当該建築が住宅の増築又は改築である場合にあっては、当該増築又は改築がされた後の住宅により判断するものであること。この場合「一構となるべき住宅」とは、母屋と附属家屋との関係にあるもので、その建築の順序を問わず、不動産登記法上一個の建物（第一節一の（三）《家屋》の（1）の留意事項中かっこ書参照）とみられるべきものをいうものであること。（県通5－7）

　　　（（3）の規定の趣旨）
（7）　共同住宅等以外の住宅の建築をした者が、当該住宅の建築後1年以内にその住宅と一構となるべき住宅を新築し、又はその住宅に増築した場合には、前後の住宅の建築をもって1戸の住宅の建築とみなすこととされているが、この規定は、取得の時期を区分して課税を免れようとする脱法的行為を防止する趣旨であること。
　なお、この規定が適用される結果、前の建築に係る住宅についても、イの規定に基づく控除が受けられなくなる場合があり、この場合においては、不足税額を直ちに追徴しなければならないものであること。（県通5－8）

　　　（公営住宅に準ずる住宅）
（8）　公営住宅及びこれに準ずる住宅とは、公営住宅法（昭和26年法律第193号）にいう公営住宅及び地方団体が国の補助を受けないで建設し、その住民に賃貸する住宅若しくはいわゆる引揚者住宅又は戦災者住宅をいうものであること。（県通5－10）

　　　（②から④まで又は⑦の特例の適用を受ける場合の控除）
（9）　②から④まで又は⑦の規定が適用される家屋が一定の要件を満たす住宅であるときは、別にイ又はハに基づく控除を受けることができるものであること。
　この場合における課税標準の算定方法は、当該家屋の価格から②から④まで又は⑦の規定に基づく控除額を控除し、次にイ又はハの規定に基づく控除をすることとし、当該家屋（②から④まで又は⑦に規定する被収用不動産等、従前の宅地等又は従前の不動産に代わるものに限る。）のうちに住宅部分とそれ以外の部分とがある場合においては、前者の控除をした後の額を住宅部分とそれ以外の部分の価格によりあん分した上、住宅部分に相当する額からイ又はハの規定に基づく控除額を控除するものであること。（県通5－11）

ロ　新築の認定長期優良住宅の特例
　長期優良住宅の普及の促進に関する法律第10条第2号に規定する認定長期優良住宅である住宅の新築を令和4年3月31日までにした場合におけるイの規定の適用については、イ中「住宅の建築」とあるのは「長期優良住宅の普及の促進に関

する法律第10条第2号に規定する認定長期優良住宅である住宅の新築」と、「については」とあるのは「については、当該取得が令和4年3月31日までに行われたときに限り」と、「1,200万円」とあるのは「1,300万円」とする。（法附11⑧）

ハ　自己の居住の用に供する既存住宅に係る控除
　個人が自己の居住の用に供する耐震基準適合既存住宅（既存住宅（新築された住宅でまだ人の居住の用に供されたことのないもの以外の住宅で（1）で定めるものをいう。第四節一の1の①《住宅を新築する土地の取得に対する減額》の（6）において同じ。）のうち地震に対する安全性に係る基準として（2）で定める基準（同節一の1の⑥《耐震基準不適合既存住宅の取得に対する不動産取得税の減額》において「耐震基準」という。）に適合するものとして（3）で定めるものをいう。同節一の1の②《耐震基準適合既存住宅等の用に供する土地の取得に対する減額》及び同②の（1）において同じ。）を取得した場合における当該住宅の取得に対して課する不動産取得税の課税標準の算定については、1戸について、当該住宅が新築された時において施行されていたイの規定により控除するものとされていた額を価格から控除するものとする。（法73の14③）

《参考》　既存住宅が新築された時に控除するものとされていた額は次のとおり。（編者）

既存住宅の新築年月日	控除される額	既存住宅の新築年月日	控除される額
～昭38.12.31	100万円	昭56.7.1～昭60.6.30	420万円
昭39.1.1～昭47.12.31	150万円	昭60.7.1～平元.3.31	450万円
昭48.1.1～昭50.12.31	230万円	平元.4.1～平9.3.31	1,000万円
昭51.1.1～昭56.6.30	350万円	平9.4.1以後	1,200万円

　（新築された住宅でまだ人の居住の用に供されたことのないもの以外の住宅）
（1）　ハに規定する新築された住宅でまだ人の居住の用に供されたことのないもの以外の住宅で（1）で定めるものは、新築された住宅でまだ人の居住の用に供されたことのないもの以外の住宅のうちその床面積が50平方メートル以上240平方メートル以下のものとする。（令37の18①）

　（地震に対する安全性に係る基準として政令で定める基準）
（2）　ハに規定する地震に対する安全性に係る基準として（2）で定める基準は、建築基準法施行令第三章及び第五章の四に規定する基準又は国土交通大臣が総務大臣と協議して定める地震に対する安全性に係る基準とする。（令37の18②）
　　（注）　（2）に規定する国土交通大臣が総務大臣と協議して定める地震に対する安全性に係る基準は、平成18年国土交通省告示第185号において定める地震に対する安全上耐震関係規定に準ずるものとして国土交通大臣が定める基準とする。（平成17年国土交通省告示第384号…最終改正平成18年国土交通省告示第467号）

　（既存住宅のうち耐震基準に適合するもの）
（3）　ハに規定する既存住宅のうち耐震基準に適合するものとして（3）で定めるものは、既存住宅のうち次の各号に掲げる要件のいずれかに該当するものとする。（令37の18③、規7の6①）

(一)	昭和57年1月1日以後に新築されたものであること。
(二)	（2）の基準に適合することにつき（4）で定めるところにより証明がされたものであること。

　（総務省令で定める証明がされた住宅）
（4）　（3）の（二）に規定する総務省令で定めるところにより証明がされた住宅は、当該住宅が国土交通大臣が総務大臣と協議して定める（3）の（三）の基準に適合する旨を証する書類をニに規定する当該住宅の取得につきハの規定の適用があるべき旨の申告の際に道府県知事に提出することにより証明がされた住宅とする。（規7の6①）

ニ　特例を受けるための申告
　イ及びハの規定は、当該住宅の取得者から、当該道府県の条例で定めるところにより、当該住宅の取得につきこれらの規定の適用があるべき旨の申告がなされた場合に限り適用するものとする。この場合において、当該住宅が、住宅の建築

『イ(3)参照』後１年以内に、その住宅と一構となるべき住宅として新築された住宅であるとき、又はその住宅に増築された住宅であるときは、最初の住宅の建築に係る住宅の取得につき、イの規定の適用があるべき旨の申告がなされていたときに限り、適用するものとする。(法73の14④)

(留意事項)
注　道府県は、ニの前段又はニの後段の申告がなかった場合においても、当該住宅の取得がイ又はハに規定する要件に該当すると認められるときは、ニの規定にかかわらず、イ又はハの規定を適用することができる。(法73の14⑤)

② **収用等に伴う補償金で取得した代替資産の特例**
　土地若しくは家屋を収用することができる事業(以下「**公共事業**」という。)の用に供するため不動産を収用されて補償金を受けた者、公共事業を行う者に当該公共事業の用に供するため不動産を譲渡した者若しくは公共事業の用に供するため収用され、若しくは譲渡した土地の上に建築されていた家屋について移転補償金を受けた者又は地方公共団体、土地開発公社若しくは独立行政法人都市再生機構に公共事業の用に供されることが確実であると認められるものとして(2)で定める不動産を譲渡した者若しくは当該譲渡に係る土地の上に建築されていた家屋について移転補償金を受けた者が、当該収用され、譲渡し、又は移転補償金に係る契約をした日から２年以内に、当該収用され、譲渡し、又は移転補償金を受けた不動産(以下②において「**被収用不動産等**」という。)に代わるものと道府県知事が認める不動産を取得した場合には、当該不動産の取得に対して課する不動産取得税の課税標準の算定については、被収用不動産等の固定資産課税台帳に登録された価格(被収用不動産等の価格が固定資産課税台帳に登録されていない場合には、(3)で定めるところにより、道府県知事が固定資産評価基準により決定した価格)に相当する額を価格から控除するものとする。(法73の14⑦)

(注)　④の規定により道府県知事が不動産の価格を決定する場合において、当該不動産が第三編第三章第六節ニ《令和４年度又は令和５年度における土地の価格の特例》の１又は２の規定の適用を受ける土地であるときにおける④又は(1)の規定の適用については、④又は(1)の規定中「固定資産評価基準」とあるのは、「固定資産評価基準及び第三編第三章第六節ニの１の修正基準」と読み替えるものとする。(法附11の６)

(固定資産課税台帳に登録された価格中に宅地評価土地の価格がある場合の読替え)
(１)　平成18年４月１日から令和９年３月31日までの間において、②に規定する被収用不動産等を収用され若しくは譲渡した場合において、②に規定する固定資産課税台帳に登録された価格(当該価格が登録されていない場合には、道府県知事が固定資産評価基準『②の(注)参照』により決定した価格)中に５《宅地評価土地の取得に対して課する不動産取得税の課税標準の特例》に規定する宅地評価土地の価格があるときにおける②の規定の適用については、次の表の左欄に掲げる規定中同表の中欄に掲げる字句は、それぞれ同表の右欄に掲げる字句とする。(法附11の５③)

| ② | 登録された価格 | 登録された価格のうち５《宅地評価土地の取得に対して課する不動産取得税の課税標準の特例》に規定する宅地評価土地(以下「宅地評価土地」という。)の部分以外の部分の価格に相当する額に当該宅地評価土地の部分の価格の２分の１に相当する額を加算して得た額 |
| | 決定した価格 | 決定された価格のうち宅地評価土地の部分以外の部分の価格に相当する額に当該宅地評価土地の部分の価格の２分の１に相当する額を加算して得た額 |

(公共事業の用に供されることが確実であると認められる不動産)
(２)　②に規定する不動産は、地方公共団体、土地開発公社又は独立行政法人都市再生機構が②に規定する公共事業を行う者に代って取得する不動産で、その者によりその譲渡を受けてこれを当該公共事業の用に供する旨の証明がされたものとする。(令38)

(未登録不動産の価格の決定)
(３)　道府県知事は、次の各号に掲げる不動産でそれらの価格が固定資産課税台帳に登録されていないものについては、当該各号に掲げる日現在におけるその価格を決定するものとする。(令39)
　(一)　②に規定する被収用不動産等　収用され、若しくは譲渡し、又は移転補償金に係る契約をした日
　(二)～(六)…省略

(留意事項)
(４)　土地収用法(昭和26年法律第219号)等の規定により土地若しくは家屋を収用することができる公共事業の用に供

するため不動産を収用され補償金を受けた者、公共事業の用に供するため不動産を譲渡した者若しくは公共事業の用に供するため収用され、若しくは譲渡した土地の上に建築されていた家屋について移転補償金を受けた者又は地方公共団体、土地開発公社若しくは独立行政法人都市再生機構に、これらの者が公共事業を行う者に代わって取得する不動産で、その者によりその譲渡を受けてこれを当該公共事業の用に供する旨の証明がされたものを譲渡した者若しくは当該譲渡に係る土地の上に建築されていた家屋について移転補償金を受けた者が、当該収用され、譲渡し、又は移転補償金に係る契約をした日から2年以内に、当該収用され、譲渡し、又は移転補償金を受けた不動産に代わるものと道府県知事が認める不動産を取得した場合には、当該不動産の価格から被収用不動産等の価格を控除するものとされているが、「代わるもの」であるかどうかの認定に当たっては、必ずしも土地には土地、家屋には家屋というように物理的な代替性のみにとらわれることなく、被収用者の生業等の実態に即して判断すべきものであること。なお、「公共事業」とは、土地収用法第3条各号に掲げる事業又は他の法律の規定によって土地若しくは家屋を収用することができる事業をいい、必ずしも土地収用法又は他の法律の規定において収用することができる事業として認定を受けた事業であることを要しないものであること。また、「公共事業の用に供するため収用され、若しくは譲渡した土地の上に建築されていた家屋について移転補償金を受けた者」及び「当該譲渡に係る土地の上に建築されていた家屋について移転補償金を受けた者」とは、収用され又は譲渡した土地の上に建築されていた家屋の所有者であって、当該家屋の立退きを余儀なくされたことによって当該家屋に係る移転の補償金を受けた者であり、したがって、当該家屋の借家人等についてはこの特例規定は適用されないものであることに留意すること。(県通5-12)

③ 市街地再開発事業による権利変換があった場合の変換取得資産の特例

都市再開発法第73条第1項第2号若しくは第7号に規定する者又は同法第118条の7第1項第2号(同法第118条の25の3第3項の規定により読み替えて適用される場合を含む。)に規定する者が同法による市街地再開発事業の施行に伴い同法第73条第1項第3号若しくは第8号に規定する宅地、借地権若しくは建築物若しくは指定宅地若しくはその使用収益権又は同法第118条の7第1項第3号(同法第118条の25の3第3項の規定により読み替えて適用される場合を含む。)に規定する宅地、借地権若しくは建築物((二)において「従前の宅地等」という。)に対応して与えられる不動産を取得した場合における当該不動産の取得に対して課する不動産取得税の課税標準の算定については、当該不動産の価格から、当該不動産の価格に(一)に掲げる金額に対する(二)に掲げる金額の割合を乗じて得た金額を控除するものとする。(法73の14⑧)

(一)	次に掲げる価額(都市再開発法第103条第1項又は第118条の23第1項(同法第118条の25の3第3項の規定により読み替えて適用される場合を含む。(二)において同じ。)の規定により確定した価額をいう。以下(一)において同じ。)の合計額 イ 都市再開発法第73条第1項第4号に規定する施設建築敷地若しくはその共有持分又は施設建築物の一部等の価額 ロ 都市再開発法第73条第1項第9号に規定する個別利用区内の宅地又はその使用収益権の価額 ハ 都市再開発法第118条の7第1項第3号に規定する建築施設の部分の価額 ニ 都市再開発法第118条の25の3第3項の規定により読み替えて適用される同法第118条の7第1項第3号に規定する施設建築敷地又は施設建築物に関する権利の価額
(二)	従前の宅地等の価額(都市再開発法第72条の権利変換計画において定められ、又は同法第118条の23第1項の規定により確定した価額をいう。)の合計額

④ 清算金等で取得した代替資産の特例

土地区画整理法第94条の規定による清算金、都市再開発法第91条第1項の規定による補償金又は密集市街地における防災街区の整備の促進に関する法律第226条第1項の規定による補償金で、次の各号に掲げるものを受けた者が、当該各号に定める日から2年以内に、当該清算金又は補償金を受けた不動産(以下④において「従前の不動産」という。)に代わるものと道府県知事が認める不動産を取得した場合における当該不動産の取得に対して課する不動産取得税の課税標準の算定については、従前の不動産の固定資産課税台帳に登録された価格(従前の不動産の価格が固定資産課税台帳に登録されていない場合には、(5)で定めるところにより、道府県知事が固定資産評価基準により決定した価格)に相当する額を価格から控除するものとする。(法73の14⑨)

(一)	土地区画整理法第94条の規定による清算金で、同法第91条第4項の規定により換地を定めないこととされたことにより支払われるもの	土地区画整理法第103条第4項の規定による公告があった日

(二)	都市再開発法第91条第1項の規定による補償金で、同法第79条第3項若しくは同法第111条の規定により読み替えられた同法第79条第3項の規定により施設建築物の一部等若しくは建築施設の部分が与えられないように定められたことにより支払われるもの又はやむを得ない事情により同法第71条第1項の規定による申出をしたと認められる場合として(2)で定める場合における当該申出に基づき支払われるもの	都市再開発法第73条第1項第24号の権利変換期日
(三)	密集市街地における防災街区の整備の促進に関する法律第226条第1項の規定による補償金で、同法第212条第3項の規定により同項に規定する防災施設建築物の一部等が与えられないように定められたことにより支払われるもの又はやむを得ない事情により同法第203条第1項の規定による申出をした場合として(3)で定める場合における当該申出に基づき支払われるもの	同法第205条第1項第22号の権利変換期日

(注)　④の規定により道府県知事が不動産の価格を決定する場合において、当該不動産が第三編第三章第六節二《令和4年度又は令和5年度における土地の価格の特例》の1又は2の規定の適用を受ける土地であるときにおける④又は(1)の規定の適用については、④又は(1)の規定中「固定資産評価基準」とあるのは、「固定資産評価基準及び第三編第三章第六節二の1に規定する修正基準」と読み替えるものとする。(法附11の6)

（固定資産課税台帳に登録された価格中に宅地評価土地の価格がある場合の読替え）
(1)　平成18年4月1日から令和9年3月31日までの間において、④に規定する従前の不動産について受けた④各号に掲げる清算金若しくは補償金に応じ当該各号に定める日がある場合において、④に規定する固定資産課税台帳に登録された価格（当該価格が登録されていない場合にあっては、道府県知事が固定資産評価基準〘④の(注)参照〙によって決定した価格）中に5《宅地評価土地の取得に対して課する不動産取得税の課税標準の特例》に規定する宅地評価土地の価格があるときにおける④の規定の適用については、次の表の左欄に掲げる規定中同表の中欄に掲げる字句は、それぞれ同表の右欄に掲げる字句とする。(法附11の5③)

| ④ | 登録された価格 | 登録された価格のうち5《宅地評価土地の取得に対して課する不動産取得税の課税標準の特例》に規定する宅地評価土地（以下「宅地評価土地」という。）の部分以外の部分の価格に相当する額に当該宅地評価土地の部分の価格の2分の1に相当する額を加算して得た額 |
| | 決定した価格 | 決定された価格のうち宅地評価土地の部分以外の部分の価格に相当する額に当該宅地評価土地の部分の価格の2分の1に相当する額を加算して得た額 |

（市街地再開発事業の場合の「やむを得ない事情」）
(2)　④の表の(二)の「やむを得ない……場合」とは、市街地再開発事業の施行者が、施設建築物の構造、配置設計、用途構成、環境又は利用状況等につき、都市再開発法第71条第1項の申出をした者の従前の生活又は事業を継続することを困難又は不適当とする事情があることにより同項の申出がされたと認める場合とする。(令39の2①)

（防災街区整備事業の場合の「やむを得ない事情」）
(3)　④の表の(三)の「やむを得ない……場合」とは、密集市街地における防災街区の整備の促進に関する法律第2条第5号に規定する防災街区整備事業の同法第117条第1号に規定する施行者が、同条第5号に規定する防災施設建築物の構造、配置設計、用途構成、環境又は利用状況等につき、同法第203条第1項の申出をした者の従前の生活又は事業を継続することを困難又は不適当とする事情があることにより同項の申出がされたと認める場合とする。(令39の2②)

（未登録不動産価格の決定）
(4)　道府県知事は、次の各号に掲げる不動産でそれらの価格が固定資産課税台帳に登録されていないものについては、当該各号に掲げる日現在におけるその価格を決定するものとする。(令39二〜四)
　(一)　…省略
　(二)　④に規定する従前の不動産で土地区画整理法第94条の規定による清算金を受けたもの　　換地処分の公告があった日
　(三)　④に規定する従前の不動産で都市再開発法第91条第1項の規定による補償金を受けたもの　　権利変換期日

(四)　④に規定する従前の不動産で密集市街地における防災街区の整備の促進に関する法律第226条第1項の規定による補償金を受けたもの　　　同法第205条第1項第24号の権利変換期日
　　(五)(六)…省略

　　　((2)に該当する場合の例示)
(5)　(2)の「施設建築物の構造、配置設計、用途構成、環境又は利用状況等につき、都市再開発法（昭和44年法律第38号）第71条第1項の申出をした者の従前の生活又は事業を継続することを困難又は不適当とする事情があること」とは、具体的には例えば次に掲げるような事情がある場合をいうものであること。
　　(一)　都市再開発法第71条第1項の申出をした者（以下(5)において「申出人」という。）の当該権利変換に係る建築物が、都市計画法（昭和43年法律第100号）の地域地区における建築基準法の用途の制限に触れることにより同法第3条第2項の適用を受けていたものであるため、新たに建築する場合には、同法及び同法に基づく条例の規定により、従前の建築物と同じ用途に供する建築物を建築することができなくなること。
　　(二)　申出人が当該権利変換に係る市街地再開発事業の施行地区（以下(5)において「施行地区」という。）内において施設建築物の保安上危険であり、又は衛生上有害である事業を営んでいること。
　　(三)　申出人が施行地区内において施設建築物に居住する者の生活又は施設建築物内における事業に対し著しい支障を与える事業（騒音、振動、悪臭等を生ずるもの）を営んでいること。
　　(四)　施行地区内において住居を有し若しくは事業を営む申出人又はその者と住居及び生計を一にしている者が老齢又は身体上の障害のため施設建築物において生活し又は事業を営むことが困難となること。
　　なお、申出人に上記の事情があるかどうかの認定は、市街地再開発事業の施行者が行うものとされているので、申出人が申告等をする際に、施行者のその旨を証する書類を添付させるものであること。（県通5－13）

⑤　農地の交換分合により取得した土地の特例

　農業振興地域の整備に関する法律第13条の2第1項の規定による交換分合により同法第6条第1項に規定する農業振興地域内にある土地を取得した場合における当該土地の取得（(2)で定める土地の取得を除く。）に対して課する不動産取得税の課税標準の算定については、次の各号に掲げる場合の区分に応じ、当該各号に定める額を価格から控除するものとする。（法73の14⑩）

(一)	(二)に掲げる場合以外の場合	交換分合により失った土地の固定資産課税台帳に登録された価格（交換分合により失った土地の価格が固定資産課税台帳に登録されていない場合には、(3)で定めるところにより、道府県知事が固定資産評価基準により決定した価格）に相当する額（(二)において「登録価格等に相当する額」という。）
(二)	当該土地の取得が、農業振興地域の整備に関する法律第8条第1項又は第13条第1項の規定により市町村が農業振興地域整備計画（同法第8条第1項の農業振興地域整備計画をいう。以下(二)において同じ。）を定め、又は変更しようとする場合における当該定めようとする農業振興地域整備計画又は当該変更後の農業振興地域整備計画に係る農用地区域内にある土地の取得である場合	登録価格等に相当する額又は当該土地の価格の3分の1に相当する額のいずれか多い額

(注)　⑤の規定により道府県知事が土地の価格を決定する場合において、当該土地が第三編第三章第六節二《令和4年度又は令和5年度における土地の価格の特例》の1又は2の規定の適用を受ける土地であるときにおける⑤又は(1)の規定の適用については、⑥又は(1)の規定中「固定資産評価基準」とあるのは、「固定資産評価基準及び第三編第三章第六節二の1に規定する修正基準」と読み替えるものとする。（法附11の6）

　　（固定資産課税台帳に登録された価格中に宅地評価土地の価格がある場合の読替え）
(1)　平成18年4月1日から令和9年3月31日までの間において、⑤に規定する交換分合によって失った土地に係る交換分合計画の公告があった場合において、⑤に規定する固定資産課税台帳に登録された価格（当該価格が登録されていない場合にあっては、道府県知事が固定資産評価基準《⑤の(注)参照》によって決定した価格）中に5《宅地評価土地の取得に対して課する不動産取得税の課税標準の特例》に規定する宅地評価土地の価格があるときにおける⑤の規定の適用については、次の表の左欄に掲げる規定中同表の中欄に掲げる字句は、それぞれ同表の右欄に掲げる字句

とする。(法附11の5③)

⑤の(一)	登録された価格	登録された価格のうち5《宅地評価土地の取得に対して課する不動産取得税の課税標準の特例》に規定する宅地評価土地(以下「宅地評価土地」という。)の部分以外の部分の価格に相当する額に当該宅地評価土地の部分の価格の2分の1に相当する額を加算して得た額
	決定した価格	決定された価格のうち宅地評価土地の部分以外の部分の価格に相当する額に当該宅地評価土地の部分の価格の2分の1に相当する額を加算して得た額

　　　(特例の対象から除かれる土地の取得)
(2)　⑤の特例の対象から除かれる土地の取得は、農業振興地域の整備に関する法律第13条の4第1項の規定により交換分合計画において当該交換分合計画に係る土地の所有者以外の者が取得すべき土地として定められた土地の取得とする。(令39の2の2)

　　　(未登録不動産の価格の決定)
(3)　道府県知事は、次の各号に掲げる不動産でそれらの価格が固定資産課税台帳に登録されていないものについては、当該各号に掲げる日現在におけるその価格を決定するものとする。(令39五)
　(一)～(四)、(六)　〔省略〕
　(五)　⑤の表の(一)の交換分合によって失った土地　　当該交換分合に係る交換分合計画の公告があった日

⑥　防災街区整備事業の施行に伴い従前の宅地等に対応して取得した不動産の特例
　密集市街地における防災街区の整備の促進に関する法律第205条第1項第2号又は第7号に規定する者が同法第2条第5号に規定する防災街区整備事業の施行に伴い同法第205条第1項第3号に規定する宅地、借地権若しくは建築物又は同項第8号に規定する指定宅地若しくはその使用収益権(以下⑥において「従前の宅地等」という。)に対応して与えられる不動産を取得した場合における当該不動産の取得に対して課する不動産取得税の課税標準の算定については、当該不動産の価格から当該不動産の価格に同条第1項第4号に規定する防災施設建築敷地若しくはその共有持分若しくは防災施設建築物の一部等又は同項第9号に規定する個別利用区内の宅地若しくはその使用収益権の価額(同法第247条第1項の規定により確定した価額とする。)の合計額に対する従前の宅地等の価格(同法第204条の権利変換計画において定められた価額とする。)の合計額の割合を乗じて得た額を控除するものとする。(法73の14⑪)

⑦　農用地利用集積計画に基づき農業振興地域内にある土地を取得した場合の特例
　農地中間管理事業の推進に関する法律第18条第7項の規定による公告があった農用地利用集積等促進計画又は福島復興再生特別措置法(平成24年法律第25号)第17条の20の規定による公告があった農用地利用集積等促進計画(同法第17条の19第2項第1号に掲げる行為に係る部分に限る。)に基づき農業振興地域の整備に関する法律第8条第2項第1号に規定する農用地区域内にある土地を取得した場合における当該土地の取得に対して課する不動産取得税の課税標準の算定については、当該取得が農業経営基盤強化促進法等の一部を改正する法律(令和4年法律第56号)の施行の日(令和5年4月1日)から令和7年3月31日までに行われたときに限り、当該土地の価格の3分の1に相当する額(当該取得が他の土地との交換による取得である場合には、当該3分の1に相当する額又は当該交換により失った土地の固定資産課税台帳に登録された価格(当該交換により失った土地の価格が固定資産課税台帳に登録されていない場合には、政令で定めるところにより、道府県知事が固定資産評価基準により決定した価格)に相当する額のいずれか多い額)を価格から控除するものとする。(法附11①)

　　　(固定資産課税台帳に登録された価格中に宅地評価土地の価格がある場合の読替え)
(1)　平成18年4月1日から令和9年3月31日までの間において、⑦に規定する交換によって土地が失われた場合において、⑦に規定する固定資産課税台帳に登録された価格(当該価格が登録されていない場合にあっては、道府県知事が固定資産評価基準〖⑦の(注)参照〗によって決定した価格)中に5《宅地評価土地の取得に対して課する不動産取得税の課税標準の特例》に規定する宅地評価土地の価格があるときにおける⑦の規定の適用については、次の表の左欄に掲げる規定中同表の中欄に掲げる字句は、それぞれ同表の右欄に掲げる字句とする。(法附11の5③)

⑦	登録された価格	登録された価格のうち5《宅地評価土地の取得に対して課する不動産取得税の課税標準の特例》に規定する宅地評価土地（以下「宅地評価土地」という。）の部分以外の部分の価格に相当する額に当該宅地評価土地の部分の価格の2分の1に相当する額を加算して得た額
	決定した価格	決定された価格のうち宅地評価土地の部分以外の部分の価格に相当する額に当該宅地評価土地の部分の価格の2分の1に相当する額を加算して得た額

　　　（未登録不動産の価格の決定）
（2）　道府県知事は、⑦に規定する交換により失った土地でその価格が固定資産課税台帳に登録されていないもの（以下「未登録不動産」という。）については、当該未登録不動産が失われた日現在における価格を決定するものとする。（令附7①）

　　　（留意事項）
（3）　⑦に規定する「農用地区域内にある土地」とは、農用地区域内にある農地、採草放牧地、混牧林地及び農道、かんがい排水施設等の農地保全利用施設の敷地のほかに、農業振興地域の整備に関する法律（昭和44年法律第58号）第10条第3項の農用地利用計画において今後これらの農用地等として開発されることが予定されている山林、原野等が含まれるものであること。（県通5－14）

⑧　河川法に規定する高規格堤防の整備事業の用に供する土地の上に従前の家屋に代わる家屋を取得した場合の特例
　河川法第6条第2項（同法第100条第1項において準用する場合を含む。以下⑧において同じ。）に規定する高規格堤防の整備に係る事業の用に供するため使用された土地の上に建築されていた家屋（以下⑧において「従前の家屋」という。）について移転補償金を受けた者が、当該土地について同法第6条第4項（同法第100条第1項において準用する場合を含む。）の規定による同法第6条第2項に規定する高規格堤防特別区域の公示があった日から2年以内に、当該土地の上に従前の家屋に代わるものと道府県知事が認める家屋を取得した場合における当該家屋の取得に対して課する不動産取得税の課税標準の算定については、当該取得が令和8年3月31日までに行われたときに限り、従前の家屋の固定資産課税台帳に登録された価格（従前の家屋の価格が固定資産課税台帳に登録されていない場合には、注で定めるところにより、道府県知事が固定資産評価基準により決定した価格）に相当する額を価格から控除するものとする。（法附11②）

　　　（従前の家屋の価格が登録されていない場合の額）
　注　道府県知事は、⑧に規定する従前の家屋でその価格が固定資産課税台帳に登録されていないものについては、当該従前の家屋が存する土地についての河川法第6条第2項（同法第100条第1項において準用する場合を含む。）に規定する高規格堤防の整備に係る事業の用に供するための土地収用法の規定に基づく使用に係る権利が取得された日又は当該従前の家屋についての移転補償金に係る契約が締結された日現在における価格を決定するものとする。（令附7②）

⑨　特定目的会社が資産流動化計画に基づき取得した不動産の特例
　資産の流動化に関する法律第2条第3項に規定する特定目的会社（同法第4条第1項の規定による届出を行ったものに限る。）で（1）で定めるものが同法第2条第4項に規定する資産流動化計画に基づき同条第1項に規定する特定資産のうち不動産（宅地建物取引業法第2条第1号に掲げる宅地又は建物をいう。以下⑨から⑪まで及び⑲において同じ。）で（3）で定めるものを取得した場合における当該不動産の取得に対して課する不動産取得税の課税標準の算定については、当該取得が現下の厳しい経済状況及び雇用情勢に対応して税制の整備を図るための地方税法等の一部を改正する法律（平成23年法律第83号。以下「平成23年改正法」という。）の施行の日の翌日（平成23年7月1日）から令和7年3月31日までの間に行われたときに限り、当該不動産の価格の5分の3に相当する額を価格から控除するものとする。（法附11③）

　　　（対象となる特定目的会社）
（1）　⑨に規定する特定目的会社は、次に掲げる要件に該当することにつき総務省令で定めるところにより証明がされた資産の流動化に関する法律第2条第3項に規定する特定目的会社（以下（1）及び（3）において「特定目的会社」という。）とする。（令附7③）
　（一）　資産の流動化に関する法律第2条第4項に規定する資産流動化計画（以下（1）において「資産流動化計画」と

いう。）に同条第11項に規定する資産対応証券を発行する旨の記載があること。
　（二）　資産流動化計画に資産の流動化に関する法律第2条第12項に規定する特定目的借入れについての定めがあるときは、当該特定目的借入れが当該特定目的会社に対して同条第6項に規定する特定出資をした者からのものではないこと。
　（三）　資産流動化計画に特定不動産（特定目的会社が取得する資産の流動化に関する法律第2条第1項に規定する特定資産（以下（三）において「特定資産」という。）のうち不動産、不動産の賃借権、地上権又は不動産、土地の賃借権若しくは地上権を信託する信託の受益権をいう。）の価額（資産の流動化に関する法律第4条第3項第3号に規定する契約書に記載されている価額をいう。以下（三）において同じ。）の合計額の当該特定目的会社の有する特定資産の価額の合計額に占める割合（（3）において「特定不動産の割合」という。）を100分の75以上とする旨の記載があること。

　　（総務省令で定めるところにより証明がされた特定目的会社）
（2）　（1）に規定する総務省令で定めるところにより証明がされた特定目的会社は、（1）各号に掲げる要件に該当するものとして資産の流動化に関する法律施行令第77条第1項の規定により同項に規定する長官権限を委任された同項に規定する財務局長（（4）及び⑪の（2）において「財務局長」という。）又は内閣府設置法第45条第1項の規定により財務局の長とみなされた沖縄総合事務局の長（（4）及び⑪の（2）において「沖縄総合事務局長」という。）の証明がされた特定目的会社とする。（規附3の2の8①）

　　（対象となる不動産）
（3）　⑨に規定する不動産は、次に掲げる要件のいずれかに該当することにつき総務省令で定めるところにより証明がされた不動産とする。（令附7④）
　（一）　特定不動産の割合が100分の75以上である特定目的会社が取得するもの
　（二）　⑨の規定の適用を受けようとする不動産を取得することにより、特定不動産の割合が100分の75以上となる特定目的会社が取得するもの

　　（総務省令で定めるところにより証明がされた不動産）
（4）　（3）に規定する総務省令で定めるところにより証明がされた不動産は、（3）各号に掲げる要件のいずれかに該当するものとして財務局長又は沖縄総合事務局長の証明がされた不動産とする。（規附3の2の8②）

⑩　信託会社等が投資信託の引受けにより投資信託約款に従い不動産を取得した場合の特例

　投資信託及び投資法人に関する法律第3条に規定する信託会社等が、同法第2条第3項に規定する投資信託で（1）で定めるものの引受けにより、同法第4条第1項又は第49条第1項に規定する投資信託約款に従い同法第2条第1項に規定する特定資産（⑩において「特定資産」という。）のうち不動産で（3）で定めるものを取得した場合における当該不動産の取得に対して課する不動産取得税の課税標準の算定については、当該取得が平成23年改正法の施行の日の翌日（平成23年7月1日）から令和7年3月31日までの間に行われたときに限り、当該不動産の価格の5分の3に相当する額を価格から控除するものとする。（法附11④）

　　（対象となる投資信託）
（1）　⑩に規定する投資信託は、投資信託及び投資法人に関する法律（以下（1）及び⑩の（1）において「投資法人法」という。）第2条第3項に規定する投資信託（以下（1）において「投資信託」という。）で、次に掲げる要件に該当することにつき、総務省令で定めるところにより証明がされたものとする。（令附7⑤）
　（一）　投資法人法第4条第1項又は第49条第1項に規定する投資信託約款に投資信託の運用の方針として、特定不動産（投資法人法第3条に規定する信託会社等（（四）において「信託会社等」という。）が取得する投資法人法第2条第1項に規定する特定資産（以下（一）及び（四）並びに⑪の（1）において「特定資産」という。）のうち不動産（宅地建物取引業法の宅地又は建物をいう。以下（一）から⑪の（4）までにおいて同じ。）、不動産の賃借権、地上権又は不動産、土地の賃借権若しくは地上権を信託する信託の受益権をいう。）の価額の合計額の当該投資信託の信託財産のうち特定資産の価額の合計額に占める割合（（四）において「特定不動産の割合」という。）を100分の75以上とする旨の記載があること。
　（二）　当該投資信託が投資法人法第2条第1項に規定する委託者指図型投資信託である場合には、当該投資信託に係る同条第11項に規定する投資信託委託会社が宅地建物取引業法第50条の2第1項の認可を受けていること。

（三）　受託者が信託に必要な資金の借入れをする場合には、金融商品取引法第2条第3項第1号の適格機関投資家の
　　　　うち総務省令で定めるものからのものであること。
　　　（四）　当該投資信託において運用されている特定資産が次に掲げる要件のいずれかに該当するものであること。
　　　　イ　特定不動産の割合が100分の75以上であること。
　　　　ロ　信託会社等が⑩の規定の適用を受けようとする不動産を取得することにより、特定不動産の割合が100分の75
　　　　　以上となること。

　　　（総務省令で定めるところにより証明がされた投資信託）
（2）　（1）に規定する総務省令で定めるところにより証明がされた投資信託は、（1）の（一）、（三）及び（四）に掲げる要
　件に該当するものとして金融庁長官の証明、（1）の（二）に掲げる要件に該当するものとして国土交通大臣の証明が、
　それぞれされた投資信託とする。（規附3の2の9①）

　　　（総務省令で定める適格機関投資家）
（3）　（1）の（三）に規定する適格機関投資家のうち総務省令で定めるものは、次に掲げるものとする。ただし、（二）に
　掲げる者以外の者については金融商品取引法第2条に規定する定義に関する内閣府令（平成5年大蔵省令第14号。以
　下（3）及び⑪の（3）において「定義内閣府令」という。）第10条第1項ただし書の規定により金融庁長官が指定する者
　を除き、（二）に掲げる者については同項ただし書の規定により金融庁長官が指定する者に限る。（規附3の2の9②）
　　（一）　定義内閣府令第10条第1項第1号から第9号まで、第11号から第14号まで、第16号から第22号まで、第25号及
　　　　び第26号に掲げる者
　　（二）　定義内閣府令第10条第1項第15号に掲げる者
　　（三）　定義内閣府令第10条第1項第23号に掲げる者（同号イに掲げる要件に該当する者に限る。）のうち次に掲げる者
　　　　イ　有価証券報告書（金融商品取引法第24条第1項に規定する有価証券報告書をいう。以下（三）において同じ。）を
　　　　　提出している者で、定義内閣府令第10条第1項第23号の届出を行った日以前の直近に提出した有価証券報告書に
　　　　　記載された当該有価証券報告書に係る事業年度及び当該事業年度の前事業年度の貸借対照表（企業内容等の開示
　　　　　に関する内閣府令（昭和48年大蔵省令第5号）第1条第20号の4に規定する外国会社（以下（三）において「外国
　　　　　会社」という。）である場合には、財務諸表等の用語、様式及び作成方法に関する規則（昭和38年大蔵省令第59
　　　　　号。以下（三）において「財務諸表等規則」という。）第1条第1項に規定する財務書類）における財務諸表等規則
　　　　　第17条第1項第6号に掲げる有価証券（外国会社である場合には、同号に掲げる有価証券に相当するもの）の金
　　　　　額及び財務諸表等規則第32条第1項第1号に掲げる投資有価証券（外国会社である場合には、同号に掲げる投資
　　　　　有価証券に相当するもの）の金額の合計額が100億円以上であるもの
　　　　ロ　海外年金基金（企業年金基金又は確定給付企業年金法に規定する企業年金連合会に類するもので次に掲げる要
　　　　　件の全てを満たすものをいう。）によりその発行済株式の全部を保有されている内国法人（資産の流動化に関する
　　　　　法律第2条第3項に規定する特定目的会社及び投資信託及び投資法人に関する法律（昭和26年法律第198号）第2
　　　　　条第12項に規定する投資法人を除く。ハにおいて同じ。）
　　　　　（イ）　外国の法令に基づいて組織されていること。
　　　　　（ロ）　外国において主として退職年金、退職手当その他これらに類する報酬を管理し、又は給付することを目的
　　　　　　として運営されること。
　　　　ハ　定義内閣府令第10条第1項第26号に掲げる者によりその発行済株式の全部を保有されている内国法人

　　　（対象となる不動産）
（4）　⑩に規定する不動産は、総務省令で定める家屋（以下（4）において「特定家屋」という。）又は当該特定家屋の敷
　地の用に供されている土地若しくは当該特定家屋の敷地の用に供するものとして建設計画が確定している土地とする。
　（令附7⑥）

　　　（総務省令で定める家屋）
（5）　（4）に規定する総務省令で定める家屋は、次の各号に掲げる家屋のいずれかに該当することについて国土交通大
　臣の証明がされたものとする。（規附3の2の10）
　　（一）　住宅（床面積（共同住宅、寄宿舎その他これらに類する多数の人の居住の用に供する住宅にあっては、居住の
　　　　用に供するために、独立的に区画された一の部分の全ての床面積）が50平方メートル（高齢者の居住の安定確保に
　　　　関する法律（平成13年法律第26号）第7条第1項の登録を受けた同法第5条第1項に規定するサービス付き高齢者

向け住宅であってその全部又は一部が専ら住居として貸家の用に供される家屋にあっては、30平方メートル）以上のものに限る。）で都市計画法第7条第1項に規定する市街化区域（（二）から（四）までにおいて「市街化区域」という。）内に所在するもの
(二) 事務所で市街化区域内に所在するもの
(三) 店舗で市街化区域内に所在するもの
(四) 駐車場法第2条第2号に規定する路外駐車場（複数の階に設けられるもの、地下に設けられるもの又は垂直循環方式（垂直面内に配列された多数の自動車の駐車の用に供する部分が循環移動する方式をいう。）若しくはエレベーター方式（昇降装置と多層に設けられた自動車の駐車の用に供する部分の組合せで立体的に構成させる方式をいう。）による駐車装置を用いて設けられるものに限る。）で市街化区域内に所在するもの
(五) 旅館業法第2条第2項に規定する旅館・ホテル営業の用に供する家屋（その構造及び設備が同法第3条第2項に規定する基準を満たすものに限るものとし、風俗営業等の規制及び業務の適正化等に関する法律第2条第6項第4号に定める施設を除く。）
(六) 大規模小売店舗立地法第2条第2項に規定する大規模小売店舗
(七) 民間資金等の活用による公共施設等の整備等の促進に関する法律第7条の規定により選定された民間事業者が同法第6条の規定により選定された特定事業において取得する建物
(八) 倉庫（床面積が3,000平方メートル以上のものに限る。）であって、流通加工の用に供する空間を有するもの
(九) 医療法第1条の5第1項に規定する病院又は同条第2項に規定する診療所
(十) 地域における医療及び介護の総合的な確保の促進に関する法律（平成元年法律第64号）第2条第3項に規定する公的介護施設等又は同条第4項に規定する特定民間施設
(十一) (一)から(三)まで及び(五)から(八)までに掲げる家屋又はこれらの家屋の敷地内に設ける自動車若しくは自転車の駐車のための施設（専らこれらの家屋の利用者の用に供するものに限る。）

⑪ 投資法人が投資信託及び投資法人に関する法律に規定する特定資産のうち不動産を取得した場合の特例
　投資信託及び投資法人に関する法律第2条第12項に規定する投資法人（同法第187条の登録を受けたものに限る。）で(1)で定めるものが、同法第67条第1項に規定する規約に従い特定資産のうち不動産で(3)で定めるものを取得した場合における当該不動産の取得に対して課する不動産取得税の課税標準の算定については、当該取得が平成23年改正法の施行の日の翌日（平成23年7月1日）から令和7年3月31日までの間に行われたときに限り、当該不動産の価格の5分の3に相当する額を価格から控除するものとする。（法附11⑤）

　　　　　（対象となる投資法人）
(1)　⑪に規定する投資法人は、投資法人法第2条第12項に規定する投資法人（以下(1)において「投資法人」という。）で、次に掲げる要件に該当することにつき総務省令で定めるところにより証明がされたものとする。（令附7⑦）
　(一) 投資法人法第67条第1項に規定する規約に資産の運用の方針として、特定不動産（投資法人が取得する特定資産のうち不動産、不動産の賃借権、地上権又は不動産、土地の賃借権若しくは地上権を信託する信託の受益権をいう。）の価額の合計額の当該投資法人の有する特定資産の価額の合計額に占める割合（(四)において「特定不動産の割合」という。）を100分の75以上とする旨の記載があること。
　(二) 当該投資法人から投資法人法第198条の規定によりその資産の運用に係る業務を委託された投資法人法第2条第21項に規定する資産運用会社が、宅地建物取引業法第50条の2第1項の認可を受けていること。
　(三) 資金の借入れをする場合には、金融商品取引法第2条第3項第1号の適格機関投資家のうち総務省令で定めるものからのものであること。
　(四) 当該投資法人が運用する特定資産が次に掲げる要件のいずれかに該当するものであること。
　　イ 特定不動産の割合が100分の75以上であること。
　　ロ 投資法人が⑪の規定の適用を受けようとする不動産を取得することにより、特定不動産の割合が100分の75以上となること。

　　　　　（総務省令で定めるところにより証明がされた投資法人）
(2)　(1)に規定する総務省令で定めるところにより証明がされた投資法人は、(1)の(一)、(三)及び(四)に掲げる要件に該当するものとして財務局長又は沖縄総合事務局長〔⑨の(2)参照〕の証明、(1)の(二)に掲げる要件に該当するものとして国土交通大臣の証明が、それぞれされた投資法人とする。（規附3の2の11①）

(総務省令で定める適格機関投資家)
（３）　（１）の(三)に規定する適格機関投資家のうち総務省令で定めるものは、⑩の（３）各号に掲げるものとする。ただし、同（３）の(三)に掲げる者以外の者については定義内閣府令第10条第１項ただし書の規定により金融庁長官が指定する者を除き、同(三)に掲げる者については定義内閣府令第10条第１項ただし書の規定により金融庁長官が指定する者に限る。(規附３の２の11②)

(対象となる不動産)
（４）　⑪に規定する不動産は、⑩の（４）に規定する不動産とする。（令附７⑧）

⑫　民間資金等の活用による公共施設等の整備等の促進に関する法律の選定事業者が選定事業により公共施設等の用に供する家屋を取得した場合の特例
　　民間資金等の活用による公共施設等の整備等の促進に関する法律第２条第５項に規定する選定事業者が同法第10条第１項に規定する事業計画又は協定に従って実施する同法第２条第４項に規定する選定事業で政令で定めるもの（法律の規定により同条第３項第１号又は第２号に掲げる者がその事務又は事業として実施するものであることを当該者が証明したものに限る。）により同条第１項に規定する公共施設等の用に供する家屋で政令で定めるものを取得した場合における当該家屋の取得に対して課する不動産取得税の課税標準の算定については、当該取得が令和７年３月31日までに行われたときに限り、当該家屋の価格の２分の１に相当する額を価格から控除するものとする。（法附11⑥）

(政令で定める選定事業)
（１）　⑫に規定する選定事業で政令で定めるものは、民間資金等の活用による公共施設等の整備等の促進に関する法律第２条第４項に規定する選定事業のうち、当該選定事業に係る経費の全額を当該選定事業を選定した同条第３項第１号又は第２号に掲げる者（以下（１）及び（２）において「地方公共団体等」という。）が負担し、かつ、同法第10条第１項に規定する事業計画又は協定において当該選定事業に係る同法第２条第１項に規定する公共施設等が当該地方公共団体等に譲渡される旨が定められているものとする。（令附７⑨）

(政令で定める家屋)
（２）　⑫に規定する公共施設等の用に供する家屋で政令で定めるものは、次に掲げる家屋以外の家屋とする。（令附７⑩）
　(一)　当該家屋を所有する民間資金等の活用による公共施設等の整備等の促進に関する法律第２条第５項に規定する選定事業者（(四)において「選定事業者」という。）以外の者又は当該家屋に係る選定事業を選定した地方公共団体等以外の者が使用するものとされている家屋（国家公務員宿舎法第10条の公邸及び同法第12条の無料宿舎の用に供するものを除く。）
　(二)　空港法第４条第１項各号に掲げる空港及び同法第５条第１項に規定する地方管理空港の用に供する家屋（（３）で定めるものを除く。）
　(三)　水道法第３条第１項に規定する水道の用に供するダム（ダムと一体となってその効用を全うする施設及び工作物を含む。）の用に供する家屋（（４）で定めるものを除く。）
　(四)　選定事業者の事務所の用に供する家屋

((２)の(二)の家屋)
（３）　（２）の(二)に規定する空港の用に供する家屋から除かれる家屋は、次に掲げる家屋とする。（規附３の２の12）
　(一)　国家公務員宿舎法第10条の公邸及び同法第12条の無料宿舎の用に供する家屋
　(二)　無償で公共の用に供する駐車場の用に供する家屋
　(三)　税関の支署及び出張所、地方入国管理局及びその支局並びにこれらの出張所、検疫機関、総合通信局の出張所、警察機関、国土交通省設置法第32条第１項に規定する地方整備局の事務所のうち港湾空港工事事務所及び空港工事事務所、海上保安庁法第13条に規定する管区海上保安部の事務所のうち航空基地並びに地方航空局並びにその事務所のうち空港事務所及び空港出張所の用に供する家屋

((２)の(三)の家屋)
（４）　（２）の(三)に規定する水道の用に供するダムの用に供する家屋から除かれる家屋は、水道の用に供するダムにより貯留されている水の当該ダム所在の市町村の区域内における供給に係る部分（当該家屋の価格に当該供給される水

の量の当該ダムにより水道に供給されている水の量に対する割合を乗じて得た額に係るものとして区分された家屋をいう。）とする。（規附3の2の13）

⑬　都市再生特別措置法の認定事業者が認定事業の用に供する不動産を取得した場合の特例
　都市再生特別措置法第23条に規定する認定事業者が同法第24条第1項に規定する認定計画に基づき当該認定計画に係る事業区域の区域内において同法第25条に規定する認定事業（その事業区域の全部又は一部が特別区の区域内にあるものにあっては、政令で定める要件を満たすものに限る。）の用に供する不動産を取得した場合における当該不動産の取得に対して課する不動産取得税の課税標準の算定については、当該取得が令和5年4月1日から令和8年3月31日までの間に行われたときに限り、当該不動産の価格の5分の1を参酌して10分の1以上10分の3以下の範囲内において道府県の条例で定める割合に相当する額を価格から控除するものとする。ただし、当該取得が同法第2条第5項に規定する特定都市再生緊急整備地域の区域内において行われた場合には、当該不動産の価格の2分の1を参酌して5分の2以上5分の3以下の範囲内において道府県の条例で定める割合に相当する額を価格から控除するものとする。（法附11⑦）

　　　（政令で定める要件）
　（1）　⑬に規定する（1）で定める要件は、次の各号のいずれかに該当することとする。（令7⑪）
　　（一）　都市再生特別措置法第2条第5項に規定する特定都市再生緊急整備地域（（二）において「特定都市再生緊急整備地域」という。）以外の同条第3項に規定する都市再生緊急整備地域（以下（一）において「都市再生緊急整備地域」という。）内において施行される同法第25条に規定する認定事業（以下（一）及び（二）において「認定事業」という。）であり、かつ、その事業区域の面積が1ヘクタール以上（当該都市再生緊急整備地域内において当該認定事業の事業区域に隣接し、又は近接してこれと一体的に他の都市開発事業（同法第2条第1項に規定する都市開発事業をいい、当該都市再生緊急整備地域に係る同法第15条第1項に規定する地域整備方針に定められた都市機能の増進を主たる目的とするものに限る。以下（一）において同じ。）が施行され、又は施行されることが確実であると見込まれ、かつ、当該認定事業及び当該他の都市開発事業の事業区域の面積の合計が1ヘクタール以上となることについて（2）で定めるところにより証明がされた場合における当該認定事業にあっては、0.5ヘクタール以上）であること。
　　（二）　特定都市再生緊急整備地域内において施行される認定事業であること。

　　　（総務省令で定めるところにより証明がされた認定事業）
　（2）　（1）の（一）に規定する（2）で定めるところにより証明がされた認定事業は、当該認定事業（（1）の（一）に規定する認定事業をいう。以下（2）において同じ。）が施行される（1）の（一）に規定する都市再生緊急整備地域内において当該認定事業の事業区域に隣接し、又は近接してこれと一体的に他の都市開発事業（（1）の（一）に規定する他の都市開発事業をいう。以下（2）において同じ。）が施行され、又は施行されることが確実であると見込まれ、かつ、当該認定事業及び当該他の都市開発事業の事業区域の面積の合計が1ヘクタール以上となることについて、国土交通大臣の証明がされた認定事業とする。（規3の2の14）

⑭　認定長期優良住宅である新築住宅に係る控除の特例
　長期優良住宅の普及の促進に関する法律（平成20年法律第87号）第11条第1項に規定する認定長期優良住宅である住宅の新築を令和8年3月31日までにした場合における①のイの規定の適用については、同項中「住宅の建築」とあるのは「長期優良住宅の普及の促進に関する法律（平成20年法律第87号）第11条第1項に規定する認定長期優良住宅である住宅の新築」と、「については」とあるのは「については、当該取得が令和8年3月31日までに行われたときに限り」と、「1,200万円」とあるのは「1,300万円」とする。（法附11⑧）

⑮　公益社団法人又は公益財団法人が重要無形文化財の公演の用に供する不動産を取得した場合の特例
　公益社団法人又は公益財団法人が文化財保護法第71条第1項に規定する重要無形文化財の公演のための施設で政令で定めるものの用に供する不動産で政令で定めるものを取得した場合における当該不動産の取得に対して課する不動産取得税の課税標準の算定については、当該取得が令和7年3月31日までに行われたときに限り、当該不動産の価格の2分の1に相当する額を価格から控除するものとする。（法附11⑨）

　　　（政令で定める施設の用に供する政令で定める不動産）
　注　⑮に規定する政令で定める施設は、⑮に規定する重要無形文化財を公演するための専用の舞台を備えた施設とし、⑮に規定する政令で定める不動産は、当該施設の用に供する不動産のうち、その利用について対価又は負担として支

払うべき金額の定めのある駐車施設その他の施設で総務省令で定めるもの〔飲食店、喫茶店及び物品販売施設並びに駐車施設〕の用に供するもの以外のものとする。（令附7⑫、規附3の2の15）

⑯　**農業近代化資金の貸付けを受けて取得する農林漁業用共同利用施設の特例**
　　農業近代化資金融通法第2条第3項に規定する農業近代化資金で（1）で定めるものの貸付け又は株式会社日本政策金融公庫法別表第一第8号若しくは第9号の下欄に掲げる資金の貸付け若しくは沖縄振興開発金融公庫法第19条第1項第4号の規定に基づく資金の貸付けを受けて、農林漁業経営の近代化又は合理化のための共同利用に供する施設で（2）で定めるものを取得した場合における当該施設の取得に対して課する不動産取得税の課税標準の算定については、当該取得が平成29年4月1日から令和7年3月31日までの間に行われたときに限り、価格に当該施設の取得価額に対する当該貸付けを受けた額の割合（当該割合が2分の1を超える場合には、2分の1）を乗じて得た額を価格から控除するものとする。（法附11⑩）

　　　　（農業近代化資金で政令で定めるもの）
（1）　⑯に規定する農業近代化資金で（1）で定めるものは、農業近代化資金融通法第2条第3項に規定する農業近代化資金で政府又は都道府県の利子補給に係るものとする。（令附7⑬）

　　　　（農林漁業経営の近代化又は合理化のための共同利用に供する施設で政令で定めるもの）
（2）　⑯に規定する農林漁業経営の近代化又は合理化のための共同利用に供する施設で（2）で定めるものは、沖縄振興開発金融公庫法第19条第1項第4号の資金のうち沖縄振興開発金融公庫法施行令第2条第10号に掲げるものの貸付けを受けて取得する施設以外の施設であって、次の各号に掲げる場合の区分に応じ、当該各号に定める施設とする。（令附7⑭）
（一）　⑯の資金（（二）に定める資金を除く。）の貸付けを受けて取得する場合　　農業協同組合、農業協同組合連合会、農事組合法人、たばこ耕作組合、たばこ耕作組合連合会、森林組合、生産森林組合、森林組合連合会、水産業協同組合又は事業協同組合（事業協同組合にあっては、木材に関する事業を行うものに限る。）が保管、生産又は加工の用に供する家屋
（二）　株式会社日本政策金融公庫法別表第一第9号の下欄に掲げる資金又は沖縄振興開発金融公庫法第19条第1項第4号の資金のうち沖縄振興開発金融公庫法施行令第2条第5号若しくは第7号に掲げるものの貸付けを受けて取得する場合　　農業協同組合、農業協同組合連合会、水産業協同組合、中小企業等協同組合（企業組合を除く。）又は商工組合が保管若しくは加工又は共同計算センターの用に供する施設

　　　　（留意事項）
（3）　⑯の課税標準の特例規定が適用されるのは、農業協同組合等特定の者が取得する保管、生産又は加工の用に供する家屋及び共同計算センターに限られるのであるが、その取扱いに当たっては、次の諸点に留意すること。（県通5－15）
（一）　農業協同組合等が、生産の用に供する家屋の中には、直接生産の用に供する家屋のみならず、生産資材の生産及び生産管理の用に供する家屋例えば家畜診療施設、装蹄施設、農林漁業用機械器具修理施設、農林漁業用通信施設、集出荷所及び荷さばき所等の用に供する家屋も含まれるものであること。
（二）　農業協同組合等が株式会社日本政策金融公庫法（平成19年法律第57号）別表第1第9号の下欄に掲げる資金又は沖縄振興開発金融公庫法（昭和47年法律第31号）第19条第1項第4号の資金のうち沖縄振興開発金融公庫法施行令（昭和47年法律第186号）第2条第5号若しくは第6号に掲げるものの貸付けを受けて取得する保管又は加工の用に供する家屋は、具体的には、倉庫、冷蔵倉庫、処理加工施設及び配達センターの用に供する家屋をいうものであり、卸売場建物、仲買売場建物等の施設の用に供する家屋を含まないものであること。

⑰　**サービス付き高齢者向け住宅である貸家住宅の新築に係る特例**
　　高齢者の居住の安定確保に関する法律第7条第1項の登録を受けた同法第5条第1項に規定するサービス付き高齢者向け住宅である貸家住宅（その全部又は一部が専ら住居として貸家の用に供される家屋をいう。）で（1）で定めるものの新築を令和7年3月31日までにした場合における①のイの規定の適用については、同イ中「住宅の建築」とあるのは「高齢者の居住の安定確保に関する法律第7条第1項の登録を受けた同法第5条第1項に規定するサービス付き高齢者向け住宅である貸家住宅（その全部又は一部が専ら住居として貸家の用に供される家屋をいう。）で（1）で定めるものの新築」と、「含むものとし、（1）で定めるものに限る」とあるのは「含む」と、「1戸（共同住宅、寄宿舎その他これらに類する多数の人

の居住の用に供する住宅（以下不動産取得税において「共同住宅等」という。）にあっては、居住の用に供するために独立的に区画された一の部分で(2)で定めるもの)」とあるのは「当該取得が令和7年3月31日までに行われたときに限り、居住の用に供するために独立的に区画された一の部分で(2)で定めるもの」とする。(法附11⑪)

（サービス付き高齢者向け貸家住宅の政令で定める要件）
（1）　⑰及び⑰の規定により読み替えて適用される①のイに規定する貸家住宅で(1)で定めるものは、次に掲げる要件のいずれにも該当する貸家住宅とする。(令附7⑮)
　　（一）　当該貸家住宅の居住の用に供するために独立的に区画された一の部分のいずれかの床面積（当該貸家住宅に共同の用に供される部分があるときは、これを共用すべき独立的に区画された各部分の床面積の割合により当該共同の用に供される部分の床面積を配分して、それぞれその各部分の床面積に算入するものとする。(2)において同じ。）が30平方メートル以上160平方メートル以下であること。
　　（二）　当該貸家住宅が主要構造部を耐火構造とした建築物、建築基準法第2条第9号の3イ又はロのいずれかに該当する建築物その他(3)で定める建築物であること。
　　（三）　当該貸家住宅の建築に要する費用について、政府の補助で(4)で定めるものを受けていること。
　　（四）　当該貸家住宅に係る高齢者の居住の安定確保に関する法律第7条第2項に規定するサービス付き高齢者向け住宅登録簿に記載されたサービス付き高齢者向け住宅（同条第1項の登録を受けた同法第5条第1項に規定するサービス付き高齢者向け住宅をいう。）の戸数が10戸以上であること。
　　（注）　(1)中____部分「主要構造部を耐火構造とした建築物、建築基準法第2条第9号の3イ」を「建築基準法第2条第9号の2イに規定する特定主要構造部を耐火構造とした建築物、同条第9号の3イ」に改める令和6年度改正規定は、令和6年4月1日以後に新築される(1)に規定する貸家住宅の取得に対して課すべき不動産取得税について適用し、同日前に新築された改正前の(1)に規定する貸家住宅の取得に対して課する不動産取得税については、なお従前の例による。(令6改令附1、3②)

（居住の用に供するために独立的に区画された一の部分で政令で定めるもの）
（2）　⑰の規定により読み替えて適用される①のイに規定する居住の用に供するために独立的に区画された一の部分で(2)で定めるものは、当該貸家住宅の居住の用に供するために独立的に区画された一の部分でその床面積が30平方メートル以上160平方メートル以下のものとする。(令附7⑯)

（サービス付き高齢者向け貸家住宅の総務省令で定める要件）
（3）　(1)の(二)に規定する(3)で定める建築物は、次に掲げる要件に該当する建築物とする。(規附3の2の16)
　　（一）　外壁及び軒裏が、建築基準法第2条第8号に規定する防火構造であること。
　　（二）　屋根が、建築基準法施行令第136条の2の2第1号及び第2号に掲げる技術的基準に適合するものであること。
　　（三）　天井及び壁の室内に面する部分が、通常の火災時の加熱に15分間以上耐える性能を有するものであること。
　　（四）　（一）から（三）までに掲げるもののほか、建築物の各部分が、防火上支障のない構造であること。

（サービス付き高齢者向け貸家住宅の建築に要する費用について政府の補助で総務省令で定めるもの）
（4）　(1)の(三)に規定する政府の補助で(4)で定めるものは、スマートウェルネス住宅等推進事業のうちサービス付き高齢者向け住宅（高齢者専用賃貸住宅の整備を行う事業により建設されたものを除く。）の整備を行う事業に係る補助とする。(規附3の2の17)

（留意事項）
（5）　⑰及び第四節の一の4に規定する「サービス付き高齢者向け住宅である貸家住宅」については、契約方式が賃貸借契約であるものに限るものであること。(県通5－16)

⑱　不動産特定共同事業契約に係る不動産の取得に対して課する不動産取得税

不動産特定共同事業法（平成6年法律第77号）第2条第7項に規定する小規模不動産特定共同事業者（（一）において「小規模不動産特定共同事業者」という。）、同条第9項に規定する特例事業者（以下⑱において「特例事業者」という。）又は同条第11項に規定する適格特例投資家限定事業者で(7)で定めるもの（（二）において「特定適格特例投資家限定事業者」という。）が、同条第3項に規定する不動産特定共同事業契約（同項第2号に掲げる契約のうち(1)で定めるものに限る。）に係る不動産取引の目的となる不動産で次の各号に掲げる者の区分に応じ当該各号に定めるものを取得した場合における当該不動産の取得に対して課する不動産取得税の課税標準の算定については、当該取得が平成31年4月1日から令和7年

3月31日までの間に行われたときに限り、当該不動産の価格の2分の1に相当する額を価格から控除するものとする。（法附11⑫）

(一)	小規模不動産特定共同事業者及び特例事業者（不動産特定共同事業法第22条の2第3項に規定する小規模特例事業者（（二）において「小規模特例事業者」という。）に限る。）　　次に掲げる不動産 イ　昭和57年1月1日前に新築された家屋のうち、(2)で定める用途に供する家屋とするために増築、改築、修繕又は模様替をすることが必要なものとして(3)で定めるもの ロ　イに掲げる家屋の敷地の用に供されている土地
(二)	特例事業者（小規模特例事業者を除く。）及び特定適格特例投資家限定事業者　　次に掲げる不動産 イ　建替え（建替えが必要な家屋として(4)で定めるものの当該建替えに限る。）その他(8)で定める行為により家屋（都市機能の向上に資する家屋として(5)で定めるものに限る。以下⑱において「特定家屋」という。）の新築をする場合において、当該特定家屋の敷地の用に供することとされている土地 ロ　イに掲げる土地を敷地とするイに掲げる建替えが必要な家屋として(4)で定めるもの ハ　イに掲げる土地の上に新築される特定家屋 ニ　特定家屋とするために増築、改築、修繕又は模様替をすることが必要な家屋として(6)で定めるもの ホ　ニに掲げる家屋の敷地の用に供されている土地

　　　（不動産特定共同事業契約のうち政令で定めるもの）
（1）⑱に規定する契約のうち(1)で定めるものは、不動産特定共同事業法第2条第3項第2号に掲げる契約（（一）のイ及び（二）のイにおいて「事業契約」という。）の内容として、次の各号に掲げる者の区分に応じ、当該各号に定める事項が定められているものとする。（令附7⑰）
　（一）⑱に規定する小規模不動産特定共同事業者及び⑱の（一）に規定する小規模特例事業者（（二）において「小規模特例事業者」という。）（イ及びロにおいて「小規模不動産特定共同事業者等」という。）　　次に掲げる全ての事項
　　イ　小規模不動産特定共同事業者等による事業契約に係る不動産取引の目的となる⑱の（一）に定める不動産の取得（同号ロに掲げる土地の地上権又は賃借権の取得を含む。ロ及びハにおいて「小規模対象不動産の取得等」という。）は、当該事業契約締結後に行うものであること。
　　ロ　小規模不動産特定共同事業者等が、小規模対象不動産の取得等を行うものであること。
　　ハ　⑱の（一）イに掲げる家屋について、小規模対象不動産の取得等後2年以内に当該家屋の増築、改築、修繕又は模様替に着手すること。
　　ニ　その他国土交通大臣が総務大臣と協議して定める事項
　（二）⑱に規定する特例事業者（小規模特例事業者を除く。）及び⑱に規定する特定適格特例投資家限定事業者（イ及びロにおいて「特定特例事業者等」という。）　　次に掲げる全ての事項
　　イ　特定特例事業者等による事業契約に係る不動産取引の目的となる⑱の（二）に定める不動産（ハにおいて「特例対象不動産」という。）の取得（同号イ及びホに掲げる土地の地上権又は賃借権の取得を含む。）は、当該事業契約締結後に行うものであること。
　　ロ　特定特例事業者等が、⑱の（二）イに掲げる土地若しくは当該土地の地上権若しくは賃借権及び同ハに掲げる特定家屋又は同ニに掲げる家屋及び同ホに掲げる土地若しくは当該土地の地上権若しくは賃借権を取得するものであること。
　　ハ　次に掲げる特例対象不動産の区分に応じ、それぞれ次に定める事項
　　　（イ）⑱の（二）ハに掲げる特定家屋　　同イに掲げる土地又は当該土地の地上権若しくは賃借権の取得後2年以内に当該特定家屋の新築に着手すること。
　　　（ロ）⑱の（二）ニに掲げる家屋　　当該家屋及び同ホに掲げる土地又は当該土地の地上権若しくは賃借権の取得後2年以内に当該家屋の増築、改築、修繕又は模様替に着手すること。
　　ニ　その他国土交通大臣が総務大臣と協議して定める事項

　　　（昭和57年1月1日前に新築された家屋のうち政令で定める用途）
（2）⑱の（一）イに規定する(2)で定める用途は、住宅、事務所、店舗、旅館、ホテル、料理店、駐車場法第2条第2号に規定する路外駐車場（(5)において「路外駐車場」という。）、学校、病院、介護施設（地域における医療及び介護の総合的な確保の促進に関する法律（平成元年法律第64号）第2条第3項に規定する公的介護施設等又は同条第4

項に規定する特定民間施設をいう。（5）において同じ。）、保育所、図書館、博物館、会館、公会堂、映画館、遊技場又は倉庫であることとする。ただし、風俗営業等の規制及び業務の適正化等に関する法律第2条第6項に規定する店舗型性風俗特殊営業及び同条第9項に規定する店舗型電話異性紹介営業の用に供するものを除くものとする。（令附7⑱）

　　　（増築、改築、修繕又は模様替をすることが必要な家屋として政令で定めるもの）
（3）⑱の（一）イに規定する増築、改築、修繕又は模様替をすることが必要な家屋として（3）で定めるものは、当該家屋について行う増築、改築、修繕又は模様替の工事（当該工事と併せて行う家屋と一体となって効用を果たす設備の取替え又は取付けに係る工事を含む。以下（3）及び（6）において「増築等の工事」という。）に要した費用の額（当該増築等の工事の費用に充てるために国又は地方公共団体から補助金等（当該増築等の工事を含む工事の費用に充てるために交付される補助金その他これに準ずるものをいう。）の交付を受ける場合には、当該増築等の工事に要した費用の額から当該補助金等の額を控除した額。（6）において同じ。）が300万円以上であることについて（12）で定めるところにより証明がされた家屋とする。（令附7⑲）

　　　（建替えをすることが必要な家屋として政令で定めるもの）
（4）⑱の（二）イ及びロに規定する建替えが必要な家屋として（4）で定めるものは、次の各号のいずれかに該当する家屋とする。（令附7⑳）
　（一）　新築された日から起算して10年を経過した家屋
　（二）　震災、風水害、落雷、火災その他これらに類する災害により全壊、流失、半壊、床上浸水その他これらに準ずる損害を受けた家屋

　　　（都市機能の向上に資する家屋として政令で定めるもの）
（5）⑱の（二）イに規定する都市機能の向上に資する家屋として（5）で定めるものは、耐火建築物（建築基準法第2条第9号の2に規定する耐火建築物をいう。）又は準耐火建築物（建築基準法第2条第9号の3に規定する準耐火建築物をいう。）のうち、建築基準法施行令第3章及び第5章の4に規定する基準又は国土交通大臣が総務大臣と協議して定める地震に対する安全性に係る基準に適合することについて（9）で定めるところにより証明がされたものであって、当該家屋の用途が、住宅、事務所、店舗、旅館、ホテル、料理店、路外駐車場、学校、病院、介護施設、保育所、図書館、博物館、会館、公会堂、映画館、遊技場又は倉庫であるもの（風俗営業等の規制及び業務の適正化等に関する法律第2条第6項に規定する店舗型性風俗特殊営業及び同条第9項に規定する店舗型電話異性紹介営業の用に供するものを除く。）であることについて（10）で定めるところにより証明がされたものとする。（令附7㉑）

　　　（増築、改築、修繕又は模様替をすることが必要な家屋として政令で定めるもの）
（6）⑱の（二）ニに規定する増築、改築、修繕又は模様替をすることが必要な家屋として（6）で定めるものは、⑱の各号のいずれかに該当する家屋のうち、当該家屋について行う増築等の工事に要した費用の額が、1,000万円又は当該家屋の取得価額の100分の1に相当する額のいずれか多い額を超えるものであることについて（12）で定めるところにより証明がされた家屋とする。（令附7㉒）

　　　（適格特例投資家限定事業者等として総務省令で定めるもの）
（7）⑱に規定する適格特例投資家限定事業者のうち（7）で定めるものは、次に掲げる要件のいずれにも該当する者として国土交通大臣の証明を受けたものをいう。（規附3の2の18①）
　（一）　不動産特定共同事業法第2条第11項に規定する適格特例投資家限定事業者であること。
　（二）　⑱に規定する不動産特定共同事業契約に基づき営まれる不動産取引に係る業務の全てを宅地建物取引業法（昭和27年法律第176号）第2条第3号に規定する宅地建物取引業者に委託する者であること。

　　　（総務省令で定める行為）
（8）⑱の（二）イに規定する（8）で定める行為は、更地である土地の上に家屋を新築する行為とする。（規附3の2の18②）

　　　（総務省令で定める証明がされた家屋）
（9）（3）に規定する（9）で定めるところにより証明がされた家屋は、当該家屋について行う（3）に規定する増築等の

工事に要した費用の額（(12)において「増築等の工事に要した費用の額」という。）が300万円以上であることについて国土交通大臣の証明がされた家屋とする。（規附3の2の19）

　　　（地震に対する安全性に係る基準に適合することについて総務省令で定める証明がされた家屋）
(10)　(5)に規定する建築基準法施行令第3章及び第5章の4に規定する基準又は国土交通大臣が総務大臣と協議して定める地震に対する安全性に係る基準に適合することにつき(9)で定めるところにより証明がされた家屋は、当該家屋が国土交通大臣が総務大臣と協議して定める(5)の基準に適合する旨を証する書類を道府県知事に提出することにより証明がされた家屋とする。（規附3の2の20①）

　　　（家屋の用途について総務省令で定める証明がされた家屋）
(11)　(5)に規定する家屋の用途が(5)に規定する用途であるものとして(10)で定めるところにより証明がされた家屋は、当該家屋の用途が(5)に規定する用途のいずれかであることについて国土交通大臣の証明がされた家屋とする。（規附3の2の20②）

　　　（増改築等の工事費用についての証明がされた家屋）
(12)　(6)に規定する総務省令で定めるところにより証明がされた家屋は、当該家屋について行う増築等の工事に要した費用の額が、1,000万円又は当該家屋の取得価額の100分の1に相当する額のいずれか多い額を超えるものであることについて国土交通大臣の証明がされた家屋とする。（規附3の2の21）

⑲　**中小企業者が認定経営力向上計画に従って行う事業の譲受けによる不動産の取得に対して課する不動産取得税の特例**
　租税特別措置法第10条第8項第6号に規定する中小企業者又は同法第42条の4第19項第7号に規定する中小企業者が中小企業等経営強化法第18条第2項に規定する認定経営力向上計画（同法第17条第2項第3号に掲げる事項として同法第2条第10項第7号の事業の譲受けが記載されているものに限る。）に従って行う当該事業の譲受けにより注で定める不動産を取得した場合における当該不動産の取得に対して課する不動産取得税の課税標準の算定については、当該取得が令和8年3月31日までに行われたときに限り、当該不動産の価格の6分の1に相当する額を価格から控除するものとする。（法附11⑬）

　　　（政令で定める不動産）
　注　⑲に規定する不動産で注で定めるものは、次に掲げる不動産以外の不動産とする。（令附7㉓）
　　（一）　事務所の用に供する不動産
　　（二）　宿舎（業務上宿舎を使用すべき義務がある者が使用するものとされている宿舎を除く。）の用に供する不動産
　　（三）　職員の権利及び厚生の用に供する不動産
　　（四）　(一)から(三)までに掲げるもののほか、他の者に貸し付ける不動産

⑳　**福島復興再生特別措置法に規定する帰還環境整備推進法人が対象特定公共施設等の用に供する土地の取得に対して課する不動産取得税の課税標準の特例**
　福島復興再生特別措置法第48条の14第1項に規定する帰還・移住等環境整備推進法人が同法第33条第1項に規定する帰還・移住等環境整備事業計画に記載された事業（同法第32条第1項に規定する特定公益的施設又は特定公共施設のうち注の総務省令で定めるもの（以下⑳において「対象特定公共施設等」という。）の整備に関する事業に限る。）により整備する対象特定公共施設等の用に供する土地の取得に対して課する不動産取得税の課税標準の算定については、当該取得が令和3年4月1日から令和7年3月31日までの間行われたときに限り、当該土地の価格の5分の1に相当する額を価格から控除するものとする。（法附11⑭）

　　　（政令で定める特定公益的施設等）
　注　⑳に規定する特定公益的施設又は特定公共施設のうち総務省令で定めるものは、福島復興再生特別措置法施行規則（平成24年復興庁令第3号）第18条第1項第6号に掲げる事業により整備する同号イ及びロに掲げる施設とする。（規附3の2の22）

㉑ **都市再生特別措置法に規定する居住誘導区域等権利設定等促進計画に基づき取得する居住誘導区域等権利設定等促進事業区域内にある不動産の取得に対して課する不動産取得税の特例**

都市再生特別措置法第109条の7第2項第1号に規定する者が同法第109条の9の規定による公告があった同法第109条の7第1項に規定する居住誘導区域等権利設定等促進計画に基づき同法第81条第1項に規定する立地適正化計画に記載された同条第13項に規定する居住誘導区域等権利設定等促進事業区域内にある不動産を取得した場合における当該不動産の取得に対して課する不動産取得税の課税標準の算定については、当該取得が令和7年3月31日までに行われたときに限り、当該不動産の価格の5分の1に相当する額を価格から控除するものとする。（法附11⑮）

㉒ **独立行政法人鉄道建設・運輸施設整備支援機構が一定の業務により取得する土地に係る不動産取得税の特例**

独立行政法人鉄道建設・運輸施設整備支援機構が日本国有鉄道清算事業団の債務等の処理に関する法律附則第7条第1項第1号に規定する業務により土地を取得した場合における当該土地の取得に対して課する不動産取得税の課税標準の算定については、当該取得が令和9年3月31日までに行われたときに限り、当該土地の価格の3分の2に相当する額を価格から控除するものとする。（法附11⑯）

㉓ **家庭的保育事業の認可を得た者が直接当該事業の用に供する家屋の取得に対して課する不動産取得税の特例**

児童福祉法第34条の15第2項の規定により同法第6条の3第9項に規定する家庭的保育事業の認可を得た者が直接当該事業の用に供する家屋（当該事業の用以外の用に供されていないものに限る。）の取得に対して課する不動産取得税の課税標準の算定については、当該家屋の価格の2分の1を参酌して3分の1以上3分の2以下の範囲内において道府県の条例で定める割合に相当する額を価格から控除するものとする。（法73の14⑫）

㉔ **居宅訪問型保育事業の認可を得た者が直接当該事業の用に供する家屋の取得に対して課する不動産取得税の特例**

児童福祉法第34条の15第2項の規定により同法第6条の3第11項に規定する居宅訪問型保育事業の認可を得た者が直接当該事業の用に供する家屋（当該事業の用以外の用に供されていないものに限る。）の取得に対して課する不動産取得税の課税標準の算定については、当該家屋の価格の2分の1を参酌して3分の1以上3分の2以下の範囲内において道府県の条例で定める割合に相当する額を価格から控除するものとする。（法73の14⑬）

㉕ **事業所内保育事業の認可を得た者が直接当該事業の用に供する家屋の取得に対して課する不動産取得税の特例**

児童福祉法第34条の15第2項の規定により同法第6条の3第12項に規定する事業所内保育事業の認可を得た者が直接当該事業（利用定員が5人以下であるものに限る。）の用に供する家屋（当該事業の用以外の用に供されていないものに限る。）の取得に対して課する不動産取得税の課税標準の算定については、当該家屋の価格の2分の1を参酌して3分の1以上3分の2以下の範囲内において道府県の条例で定める割合に相当する額を価格から控除するものとする。（法73の14⑭）

㉖ **社会福祉法人その他政令で定める者が認定生活困窮者就労訓練事業の用に供する不動産の取得に対して課する不動産取得税の特例**

社会福祉法人その他注で定める者が直接生活困窮者自立支援法（平成25年法律第105号）第16条第3項に規定する認定生活困窮者就労訓練事業（社会福祉法第2条第1項に規定する社会福祉事業として行われるものに限る。）の用に供する不動産の取得に対して課する不動産取得税の課税標準の算定については、当該不動産の価格の2分の1に相当する額を価格から控除するものとする。（法73の14⑮）

　　（政令で定める者）
　注　㉖に規定する注で定める者は、公益社団法人、公益財団法人、農業協同組合、農業協同組合連合会、消費生活協同組合及び消費生活協同組合連合会とする。（令39の2の3）

㉗ **認定医療機関開設者が医療機関の再編の事業により不動産を取得した場合の不動産取得税の特例**

地域における医療及び介護の総合的な確保の促進に関する法律（平成元年法律第64号）第12条の7に規定する認定医療機関開設者が同条に規定する認定再編計画に記載された同法第12条の2第1項に規定する医療機関の再編の事業により(1)で定める不動産を取得した場合における当該不動産の取得に対して課する不動産取得税の課税標準の算定については、当該取得が令和8年3月31日までに行われたときに限り、当該不動産の価格の2分の1に相当する額を価格から控除するものとする。（法附11⑰）

(政令で定める不動産)
（１）　㉗に規定する（１）で定める不動産は、次に掲げる不動産以外の不動産とする。（令附7㉔）
　（一）　宿舎の用に供する不動産
　（二）　その利用について対価又は負担として支払うべき金額の定めのある駐車施設その他の施設で（２）で定めるものの用に供する不動産

　　　(総務省令で定めるもの)
（２）　（↑)の(二)に規定する（２）で定めるものは、宿泊施設、駐車施設、遊技施設、飲食店、喫茶店及び物品販売施設とする。（規附3の2の23）

5　宅地評価土地の取得に対して課する不動産取得税の課税標準の特例

　宅地評価土地（宅地及び宅地比準土地（宅地以外の土地で当該土地の取得に対して課する不動産取得税の課税標準となるべき価格が、当該土地とその状況が類似する宅地の不動産取得税の課税標準とされる価格に比準する価格により決定されるものをいう。）をいう。）を取得した場合における当該土地の取得に対して課する不動産取得税の課税標準は、1《課税標準》の規定にかかわらず、当該取得が平成18年1月1日から令和9年3月31日までの間に行われた場合に限り、当該土地の価格の2分の1の額とする。（法附11の5①）

　　　(留意事項)
　注　令和6年度の固定資産税の評価替えに関連し、宅地評価土地の取得に対して課する不動産取得税の課税標準は、1の規定にかかわらず、当該取得が平成18年1月1日から令和9年3月31日までの間に行われた場合に限り、当該土地の価格の2分の1の額としているが、宅地評価土地とは、地目が宅地であるもの及び地目が宅地以外となっている土地でその価格がその土地と状況が類似する宅地に比準して求められるものをいうものであり、固定資産税にいう宅地評価土地の意義と同一であること。（県通5－30）

6　東日本大震災による被災家屋の代替家屋等の取得に係る不動産取得税の課税標準の特例

　東日本大震災により滅失し、又は損壊した家屋（以下6及び（１）において「**被災家屋**」という。）の所有者その他の（２）で定める者が、当該被災家屋に代わるものと道府県知事が認める家屋（以下6及び（１）において「**代替家屋**」という。）の取得をした場合における当該代替家屋の取得に対して課する不動産取得税の課税標準の算定については、当該取得が令和8年3月31日までに行われたときに限り、価格に当該代替家屋の床面積に対する当該被災家屋の床面積の割合（当該割合が1を超える場合は、1）を乗じて得た額を価格から控除するものとする。（法附51①）

　　　(代替家屋の敷地の用に供する土地の取得に係る不動産取得税の課税標準の特例)
（１）　被災家屋の敷地の用に供されていた土地（以下6において「**従前の土地**」という。）の所有者その他の（３）で定める者が、代替家屋の敷地の用に供する土地で当該従前の土地に代わるものと道府県知事が認める土地の取得をした場合における当該土地の取得に対して課する不動産取得税の課税標準の算定については、当該取得が令和8年3月31日までに行われたときに限り、価格に当該土地の面積に対する当該従前の土地の面積の割合（当該割合が1を超える場合は、1）を乗じて得た額を価格から控除するものとする。（法附51②）

　　　(被災家屋の代替家屋等の取得に係る不動産取得税の課税標準の特例の適用を受ける者の範囲)
（２）　6に規定する（２）で定める者は、次に掲げる者とする。（令附31①）
　（一）　被災家屋（6に規定する被災家屋をいう。（四）において同じ。）の所有者
　（二）　（一）に掲げる者（（二）に規定する相続人を含む。）が個人である場合においてその者について相続があったときにおけるその者の相続人
　（三）　6に規定する代替家屋（（３）の（三）において「**代替家屋**」という。）に個人である（一）に掲げる者と同居するその者の三親等内の親族
　（四）　（一）に掲げる者（（四）に規定する合併後存続する法人若しくは合併により設立された法人又は分割承継法人を含む。）が法人である場合において、当該法人が合併により消滅したときにおけるその合併に係る合併後存続する法人若しくは合併により設立された法人又は当該法人が分割により被災家屋に係る事業を承継させたときにおけるその分割に係る法人税法第2条第12号の3に規定する分割承継法人

（代替家屋の敷地の用に供する土地の取得に係る不動産取得税の課税標準の特例の適用を受ける者の範囲）
（３）　（１）に規定する（３）で定める者は、次に掲げる者とする。（令附31②）
　（一）　従前の土地（（２）に規定する従前の土地をいう。（四）において同じ。）の所有者
　（二）　（一）に掲げる者（（二）に規定する相続人を含む。）が個人である場合においてその者について相続があったときにおけるその者の相続人
　（三）　個人である（一）に掲げる者（以下（三）において「従前土地所有者」という。）の三親等内の親族で、（６）に規定する代替家屋の敷地の用に供する土地で当該従前の土地に代わるものと道府県知事が認める土地の上にある代替家屋に当該従前土地所有者と同居する者又は当該土地の上に新築される代替家屋に当該従前土地所有者と同居する予定であると道府県知事が認める者
　（四）　（一）に掲げる者（（四）に規定する合併後存続する法人若しくは合併により設立された法人又は分割承継法人を含む。）が法人である場合において、当該法人が合併により消滅したときにおけるその合併に係る合併後存続する法人若しくは合併により設立された法人又は当該法人が分割により被災家屋に係る事業を承継させたときにおけるその分割に係る法人税法第２条第12号の３に規定する分割承継法人

（被災農用地に代わるものと道府県知事が認める農用地の取得をした場合の不動産取得税の課税標準の算定）
（４）　東日本大震災により耕作又は養畜の用に供することが困難となった農用地（農業経営基盤強化促進法第４条第１項第１号に規定する農用地をいう。以下において同じ。）であると農業委員会（農業委員会等に関する法律第３条第１項ただし書又は第５項の規定により農業委員会を置かない市町村にあっては、市町村長）が認めるもの（以下（４）において「被災農用地」という。）の平成23年３月11日における所有者（農業を営む者に限る。）その他の（５）で定める者が、当該被災農用地に代わるものと道府県知事が認める農用地の取得をした場合における当該農用地の取得に対して課する不動産取得税の課税標準の算定については、当該取得が令和８年３月31日までに行われたときに限り、価格に当該農用地の面積に対する当該被災農用地の面積の割合（当該割合が１を超える場合は、１）を乗じて得た額を価格から控除するものとする。（法附51③）

（被災農用地の所有者の要件）
（５）　（４）に規定する（５）で定める者は、次に掲げる者とする。（令附31③）
　（一）　被災農用地（（４）に規定する被災農用地をいう。（四）において同じ。）の平成23年３月11日における所有者
　（二）　（一）に掲げる者（（二）に規定する相続人を含む。）が個人である場合においてその者について相続があったときにおけるその者の相続人
　（三）　個人である（一）に掲げる者の三親等内の親族
　（四）　（一）に掲げる者（（四）に規定する合併後存続する法人若しくは合併により設立された法人又は分割承継法人を含む。）が法人である場合において、当該法人が合併により消滅したときにおけるその合併に係る合併後存続する法人若しくは合併により設立された法人又は当該法人が分割により被災農用地に係る事業を承継させたときにおけるその分割に係る法人税法第２条第12号の３に規定する分割承継法人

（居住困難区域内の対象区域内家屋の代替家屋の取得をした場合の不動産取得税の課税標準の算定）
（６）　平成23年３月11日に発生した東北地方太平洋沖地震に伴う原子力発電所の事故（以下単に「原子力発電所の事故」という。）に関して原子力災害対策特別措置法第30条第３項又は第５項の規定により原子力災害対策本部長（同法第17条第１項に規定する原子力災害対策本部長をいう。以下同じ。）が市町村長又は都道府県知事に対して行った法附則第55条第１項第１号に掲げる指示の対象区域（原子力発電所の事故に関して同法第30条第３項又は第５項の規定により原子力災害対策本部長が市町村長又は都道府県知事に対して行った指示において近く同号に掲げる指示が解除される見込みであるとされた区域を除く。法附則第52条第２項第１号において「避難指示区域」という。）のうち当面の居住に適さない区域として総務大臣が指定して公示した区域（以下「居住困難区域」という。）内に当該居住困難区域を指定する旨の公示があった日において所在していた家屋（以下（６）において「対象区域内家屋」という。）の同日における所有者その他の（７）で定める者が、当該対象区域内家屋に代わるものと道府県知事が認める家屋（以下（６）及び（８）において「代替家屋」という。）の取得をした場合における当該代替家屋の取得に対して課する不動産取得税の課税標準の算定については、当該取得が同日から当該居住困難区域の指定を解除する旨の公示があった日から起算して３月（代替家屋が同日後に新築されたものであるときは、１年）を経過する日までの間に行われたときに限り、価格に当該代替家屋の床面積に対する当該対象区域内家屋の床面積の割合（当該割合が１を超える場合は、１）を乗じて得た額を価格から控除するものとする。（法附51④）

　　　　（代替家屋の取得に係る不動産取得税の課税標準の特例の適用を受ける者の範囲）
（7）　（6）に規定する（7）で定める者は、次に掲げる者とする。（令附31④）
　（一）　対象区域内家屋（（6）に規定する対象区域内家屋をいう。（四）において同じ。）の（6）に規定する居住困難区域を指定する旨の公示があった日における所有者
　（二）　（一）に掲げる者（（二）に規定する相続人を含む。）が個人である場合においてその者について相続があったときにおけるその者の相続人
　（三）　（6）に規定する代替家屋（（9）の（三）において「代替家屋」という。）に個人である（一）に掲げる者と同居するその者の三親等内の親族
　（四）　（一）に掲げる者（（四）に規定する合併後存続する法人若しくは合併により設立された法人又は分割承継法人を含む。）が法人である場合において、当該法人が合併により消滅したときにおけるその合併に係る合併後存続する法人若しくは合併により設立された法人又は当該法人が分割により対象区域内家屋に係る事業を承継させたときにおけるその分割に係る法人税法第2条第12号の3に規定する分割承継法人

　　　　（居住困難区域内に所在した対象土地に代わるものを取得した場合の不動産取得税の課税標準の算定）
（8）　居住困難区域を指定する旨の公示があった日において当該居住困難区域内に所在した家屋の敷地の用に供されていた土地（以下（8）において「対象土地」という。）の同日における所有者その他の（9）で定める者が、代替家屋の敷地の用に供する土地で当該対象土地に代わるものと道府県知事が認める土地の取得をした場合における当該土地の取得に対して課する不動産取得税の課税標準の算定については、当該取得が同日から当該居住困難区域の指定を解除する旨の公示があった日から起算して3月を経過する日までの間に行われたときに限り、価格に当該土地の面積に対する当該対象土地の面積の割合（当該割合が1を超える場合は、1）を乗じて得た額を価格から控除するものとする。（法附51⑤）

　　　　（代替家屋の敷地の用に供する土地の取得に係る不動産取得税の課税標準の特例の適用を受ける者の範囲）
（9）　（8）に規定する（9）で定める者は、次に掲げる者とする。（令附31⑤）
　（一）　対象土地（（8）に規定する対象土地をいう。（四）において同じ。）の（8）に規定する居住困難区域を指定する旨の公示があった日における所有者
　（二）　（一）に掲げる者（（二）に規定する相続人を含む。）が個人である場合においてその者について相続があったときにおけるその者の相続人
　（三）　個人である（一）に掲げる者（以下（三）において「対象土地所有者」という。）の三親等内の親族で、（8）に規定する代替家屋の敷地の用に供する土地で当該対象土地に代わるものと道府県知事が認める土地の上にある代替家屋に当該対象土地所有者と同居する者又は当該土地の上に新築される代替家屋に当該対象土地所有者と同居する予定であると道府県知事が認める者
　（四）　（一）に掲げる者（（四）に規定する合併後存続する法人若しくは合併により設立された法人又は分割承継法人を含む。）が法人である場合において、当該法人が合併により消滅したときにおけるその合併に係る合併後存続する法人若しくは合併により設立された法人又は当該法人が分割により対象土地に係る事業を承継させたときにおけるその分割に係る法人税法第2条第12号の3に規定する分割承継法人

　　　　（対象区域内農用地に代わるものと道府県知事が認める農用地の取得をした場合の不動産取得税の課税標準の算定）
（10）　居住困難区域を指定する旨の公示があった日において当該居住困難区域内に所在していた農用地（以下（10）において「対象区域内農用地」という。）の同日における所有者（農業を営む者に限る。）その他の（11）で定める者が、当該対象区域内農用地に代わるものと道府県知事が認める農用地の取得をした場合における当該農用地の取得に対して課する不動産取得税の課税標準の算定については、当該取得が同日から当該居住困難区域の指定を解除する旨の公示があった日から起算して3月を経過する日までの間に行われたときに限り、価格に当該農用地の面積に対する当該対象区域内農用地の面積の割合（当該割合が1を超える場合は、1）を乗じて得た額を価格から控除するものとする。（法附51⑥）

　　　　（対象区域内農用地の所有者の要件）
（11）　（10）に規定する（10）で定める者は、次に掲げる者とする。（令附31⑥）
　（一）　対象区域内農用地（（10）に規定する対象区域内農用地をいう。（四）において同じ。）の（10）に規定する居住困難

区域を指定する旨の公示があった日における所有者
(二) (一)に掲げる者((二)に規定する相続人を含む。)が個人である場合においてその者について相続があったときにおけるその者の相続人
(三) 個人である(一)に掲げる者の三親等内の親族
(四) (一)に掲げる者((四)に規定する合併後存続する法人若しくは合併により設立された法人又は分割承継法人を含む。)が法人である場合において、当該法人が合併により消滅したときにおけるその合併に係る合併後存続する法人若しくは合併により設立された法人又は当該法人が分割により対象区域内農用地に係る事業を承継させたときにおけるその分割に係る法人税法第2条第12号の3に規定する分割承継法人

　　(道府県知事への書類の提出)
(12) (2)、(3)、(7)及び(9)に規定する者が6、(1)、(6)及び(8)の規定の適用を受けようとする場合には、(13)で定める書類をこれらの項に規定する道府県知事に提出しなければならない。(令附31⑦)

　　(総務省令で定める書類)
(13) (12)に規定する(13)で定める書類は、次の各号に掲げる場合の区分に応じ、当該各号に定める書類とする。(規附22の3)
(一) 6又は(1)の規定の適用を受けようとする場合　　次に掲げる書類
　イ　6に規定する被災家屋(以下(一)において「被災家屋」という。)又は(1)に規定する従前の土地(以下(一)において「従前の土地」という。)の所有者の氏名又は名称及び住所又は本店若しくは主たる事務所の所在地並びに当該被災家屋又は当該従前の土地の所在地を記載した書類並びに当該被災家屋が東日本大震災により被害を受けたことについて当該被災家屋の所在地の市町村長が証する書類その他の当該被災家屋が東日本大震災により滅失し、又は損壊した旨を証する書類
　ロ　被災家屋の床面積及び6に規定する代替家屋(以下ロにおいて「代替家屋」という。)の床面積を証する書類又は従前の土地の面積及び代替家屋の敷地の用に供する土地の面積を証する書類
　ハ　(2)の(二)から(四)までに掲げる者又は(3)の(二)から(四)までに掲げる者(以下ハにおいて「相続人等」という。)が、6又は(1)の規定の適用を受けようとする場合にあっては、イ及びロに掲げるもののほか、戸籍の謄本又は法人の登記事項証明書その他のその適用を受けようとする者が相続人等に該当する旨を証する書類
　ニ　(3)の(三)に掲げる者が、(1)の規定の適用を受けようとする場合にあっては、イからハまでに掲げるもののほか、(3)の(一)に掲げる者と同居する予定であることを約する書類
(二) (4)の規定の適用を受けようとする場合　　次に掲げる書類
　イ　(4)に規定する被災農用地(以下(二)において「被災農用地」という。)の所有者の氏名又は名称及び住所又は本店若しくは主たる事務所の所在地並びに当該被災農用地の所在地を記載した書類、当該被災農用地が東日本大震災により耕作又は養畜の用に供することが困難となった農用地であると農業委員会(農業委員会等に関する法律第3条第1項ただし書又は第5項の規定により農業委員会を置かない市町村にあっては、市町村長)が証する書類並びに当該被災農用地を平成23年3月11日において所有していた旨を証する書類
　ロ　被災農用地の面積及び(4)に規定する当該被災農用地に代わる農用地の面積を証する書類
　ハ　(5)の(一)に掲げる者が、(4)の規定の適用を受けようとする場合にあっては、イ及びロに掲げるもののほか、農業を営む者であることを証する書類
　ニ　(5)の(二)から(四)までに掲げる者(以下ニにおいて「相続人等」という。)が、(4)の規定の適用を受けようとする場合にあっては、イ及びロに掲げるもののほか、戸籍の謄本又は法人の登記事項証明書その他のその適用を受けようとする者が相続人等に該当する旨を証する書類
(三) (6)又は(8)の規定の適用を受けようとする場合　　次に掲げる書類
　イ　(6)に規定する対象区域内家屋(以下(二)において「対象区域内家屋」という。)又は(8)に規定する対象土地(以下(二)において「対象土地」という。)の所有者の氏名又は名称及び住所又は本店若しくは主たる事務所の所在地並びに当該対象区域内家屋又は当該対象土地の所在地を記載した書類並びに当該対象区域内家屋を(6)又は(8)に規定する居住困難区域を指定する旨の公示があった日において所有していた旨を証する書類
　ロ　対象区域内家屋の床面積及び(6)に規定する代替家屋(以下ロにおいて「代替家屋」という。)の床面積を証する書類又は対象土地の面積及び代替家屋の敷地の用に供する土地の面積を証する書類
　ハ　(7)の(二)から(四)までに掲げる者又は(9)の(二)から(四)までに掲げる者(以下ハにおいて「相続人等」という。)が、(7)又は(9)の規定の適用を受けようとする場合にあっては、イ及びロに掲げるもののほか、戸籍の

ニ　（9）の（三）に掲げる者が、（8）の規定の適用を受けようとする場合にあっては、イからハまでに掲げるもののほか、（9）の（一）に掲げる者と同居する予定であることを約する書類
（四）　（10）の規定の適用を受けようとする場合　　次に掲げる書類
イ　（10）に規定する対象区域内農用地（以下（四）において「対象区域内農用地」という。）の所有者の氏名又は名称及び住所又は本店若しくは主たる事務所の所在地並びに当該対象区域内農用地の所在地を記載した書類並びに当該対象区域内農用地を（10）に規定する居住困難区域を指定する旨の公示があった日において所有していた旨を証する書類
ロ　対象区域内農用地の面積及び（10）に規定する当該対象区域内農用地に代わる農用地の面積を証する書類
ハ　（11）の（一）に掲げる者が、（11）の規定の適用を受けようとする場合にあっては、イ及びロに掲げるもののほか、農業を営む者であることを証する書類
ニ　（11）の（二）から（四）までに掲げる者（以下ニにおいて「相続人等」という。）が、（10）の規定の適用を受けようとする場合にあっては、イ及びロに掲げるもののほか、戸籍の謄本又は法人の登記事項証明書その他のその適用を受けようとする者が相続人等に該当する旨を証する書類

7　東日本大震災に係る津波により被害を受けた区域における換地の取得に対して課する不動産取得税の課税標準の特例

　土地改良法第53条の3の2第2項（同法第89条の2第3項、第96条及び第96条の4第1項において準用する場合を含む。）において準用する同法第53条の3第2項に規定する土地を取得することが適当と認める者が、同法第53条の3の2第1項（同法第89条の2第3項、第96条及び第96条の4第1項において準用する場合を含む。以下7において同じ。）の規定により換地計画（当該換地計画に係る地域の全部又は一部が地方税法等の一部を改正する法律（平成27年法律第2号）第1条による改正前の地方税法附則第55条第1項の規定により公示された区域内にあるものに限る。）において定められた換地であって、土地改良法第53条の3の2第1項第1号に掲げる土地として定められたものを取得した場合における当該土地の取得に対して課する不動産取得税の課税標準の算定については、当該取得が令和5年3月31日までに行われたときに限り、当該土地の価格の3分の1に相当する額を価格から控除するものとする。（法附51の2）

二　税　　　率

1　標準税率

　不動産取得税の標準税率は、100分の4とする。（法73の15）

2　不動産取得税の税率の特例

　平成18年4月1日から令和9年3月31日までの間に住宅又は土地の取得が行われた場合における不動産取得税の標準税率は、1の規定にかかわらず、100分の3とする。（法附11の2①）

　　　　（住宅又は土地の「税率」の読替え）
（1）　2に規定する住宅又は土地の取得が第四節一の1の①から②まで、⑥、2又は3、5若しくは6の規定に該当する場合におけるこれらの規定の適用については、これらの規定中「税率」とあるのは、「当該税額の算定に用いられた税率」とする。（法附11の2②）

　　　　（留意事項）
（2）　2及び（1）に規定する住宅の取得に対する不動産取得税の税率の特例の適用に当たっては、次の諸点に留意すること。（県通5－28）
（一）　規模の大小、価格の高低等にかかわらず、また、新築住宅、中古住宅を問わず、すべて3パーセントの税率が適用されるものであること。
（二）　家屋のうちに住宅部分とそれ以外の部分とがある場合においては、それぞれ異なる税率が適用されることとなるが、この場合における住宅部分とそれ以外の部分の価格の算定については、一の4の①のイの（5）に準じて取り扱うものであること。

三　免税点

① 免税点

　道府県は、不動産取得税の課税標準となるべき額が、土地の取得にあっては10万円、家屋の取得のうち建築に係るものにあっては１戸（共同住宅等にあっては、居住の用に供するために独立的に区画された一の部分をいう。以下三において同じ。）につき23万円、その他のものにあっては１戸につき12万円に満たない場合においては、不動産取得税を課することができない。（法73の15の２①）

② 前１年以内に取得した土地又は家屋との通算

　土地を取得した者が当該土地を取得した日から１年以内に当該土地に隣接する土地を取得した場合又は家屋を取得した者が当該家屋を取得した日から１年以内に当該家屋と一構となるべき家屋を取得した場合においては、それぞれその前後の取得に係る土地又は家屋の取得をもって一の土地の取得又は１戸の家屋の取得とみなして、①の規定を適用する。（法73の15の２②）

　　（仮換地等に対応する従前の土地の取得に対する適用）
（１）　第一節三の５の①《仮換地等の取得》に規定する土地区画整理法による土地区画整理事業又は土地改良法による土地改良事業の施行に係る土地について法令の定めるところによって同①に規定する仮換地等の指定があった場合において、当該仮換地等である土地について使用し、又は収益することができることとなった日前における当該仮換地等に対応する従前の土地の取得について②の規定を適用するときは、②中「当該土地に隣接する土地」とあるのは、「当該土地に対応する仮換地等に隣接する土地」と読み替えるものとする。（法73の29、令39の８）

　　（留意事項）
（２）　免税点の適用に当たっては、次の諸点に留意すること。（県通５－18）
　（一）　土地の取得の場合、取得した個々の土地ごとに免税点を適用するものであるが、隣接する二以上の土地を同時に取得した場合には、その契約の態様の如何にかかわらず、当該隣接する二以上の土地全体を一の土地として免税点を適用するものであること。これに対して、隣接しない二以上の土地を同時に取得した場合には、たとえ契約が一の場合であっても、それぞれの土地に対して別個に免税点を適用するものであること。
　（二）　不動産を共同取得した場合においては、各人の持分ごとに免税点を適用するものであること。
　（三）　家屋を取得した場合、１戸について免税点を適用するものとされているが、主体構造部の取得者と附帯設備の取得者とが異なるため、第一節三の４《家屋の附帯設備の取得》の（１）の後段の規定の適用を受ける場合には、それぞれの取得ごとに免税点を適用するよう取り扱うこと。

第三節　賦課及び徴収

一　納　期

　不動産取得税の納期については、当該道府県の条例の定めるところによる。（法73の16）

二　徴収の方法

　不動産取得税の徴収については、普通徴収の方法によらなければならない。（法73の17①）

　　（納税通知書）
（１）　不動産取得税を徴収しようとする場合において納税者に交付すべき納税通知書は、遅くとも、その納期限前10日までに納税者に交付しなければならない。（法73の17②）

　　（分割徴収）
（２）　賦課徴収は、不動産の取得の事実があった後なるべく早期に行うべきものであるが、情状によっては、納税者の

申請により分割納付の方法等を認めることも差し支えないものであること。（県通5－19）

三 賦課徴収に関する申告又は報告の義務

　不動産を取得した者は、当該道府県の条例で定めるところにより、条例で定める期間内に、不動産の取得の事実その他不動産取得税の賦課徴収に関し条例で定める事項を申告し、又は報告しなければならない。ただし、当該不動産の取得について、当該期間内に不動産登記法第18条の規定により表示に関する登記又は所有権の登記の申請をした場合（同法第25条の規定により当該申請が却下された場合を除く。）は、この限りでない。（法73の18①）

　　　（留意事項）
（1）　三のただし書の場合においても、道府県知事は、不動産取得税の賦課徴収について必要があると認めるときは、当該道府県の条例で定めるところにより、不動産を取得した者に、不動産取得税の賦課徴収に関し条例で定める事項を申告させ、又は報告させることができる。（法73の18②）

　　　（市町村の経由）
（2）　三の規定による申告又は報告は、文書をもってし、当該不動産の所在地の市町村長を経由しなければならない。（法73の18③）

　　　（申告書等の道府県への送付又は取得の事実の通知）
（3）　市町村長は、（2）の規定による申告書若しくは報告書を受け取った場合又は自ら不動産の取得の事実を発見した場合には、その日から10日以内に当該申告書若しくは報告書を道府県知事に送付し、又は当該取得の事実を通知するものとする。（法73の18④）

　　　（虚偽の申告等に係る罪）
（4）　三の規定により申告し、又は報告すべき事項について虚偽の申告又は報告をしたときは、その違反行為をした者は、1年以下の懲役又は50万円以下の罰金に処する。（法73の19①）

　　　（両罰規定）
（5）　法人の代表者又は法人若しくは人の代理人、使用人その他の従業者がその法人又は人の業務又は財産に関して（3）の違反行為をした場合には、その行為者を罰するほか、その法人又は人に対し（4）の罰金刑を科する。（法73の19②）

　　　（不申告等に係る過料）
（6）　道府県は、不動産の取得者が三の規定によって申告し、又は報告すべき事項について正当な事由がなくて申告又は報告をしなかった場合においては、その者に対し、当該道府県の条例で10万円以下の過料を科する旨の規定を設けることができる。（法73の20）

四 脱税に関する罪

　偽りその他不正の行為により不動産取得税の全部又は一部を免れたときは、その違反行為をした者は、5年以下の懲役若しくは100万円以下の罰金に処し、又はこれを併科する。（法73の30①）

　　　（脱税額が100万円を超える場合の罰金額の加重）
（1）　四の免れた税額が100万円を超える場合には、情状により、四の罰金の額は、四の規定にかかわらず、100万円を超える額でその免れた税額に相当する額以下の額とすることができる。（法73の30②）

　　　（故意の不申告等に関する罪）
（2）　四に規定するもののほか、三の規定により申告し、又は報告すべき事項について申告又は報告をしないことにより、不動産取得税の全部又は一部を免れたときは、その違反行為をした者は、3年以下の懲役若しくは50万円以下の罰金に処し、又はこれを併科する。（法73の30③）

(脱税額が50万円を超える場合の罰金額の加重)
(3) (2)の免れた税額が50万円を超える場合には、情状により、(2)の罰金の額は、(2)の規定にかかわらず、50万円を超える額でその免れた税額に相当する額以下の額とすることができる。(法73の30④)

(両罰規定)
(4) 法人の代表者又は法人若しくは人の代理人、使用人その他の従業者がその法人又は人の業務又は財産に関して四又は(2)の違反行為をした場合には、その行為者を罰するほか、その法人又は人に対し、四又は(2)の罰金刑を科する。(法73の30⑤)

(罰金刑を科する場合の時効の期間)
(5) (4)の規定により四の違反行為につき法人又は人に罰金刑を科する場合における時効の期間は、四の罪についての時効の期間による。(法73の30⑥)

五　減　　免

　道府県知事は、天災その他特別の事情がある場合において不動産取得税の減免を必要とすると認める者その他特別の事情がある者に限り、当該道府県の条例の定めるところにより、不動産取得税を減免することができる。(法73の31)

(留意事項)
注　減免については、天災その他の災害により滅失又は損壊した不動産に代わるものと道府県知事が認める不動産を取得した場合などが考えられるのであるが、その他の場合にあっても十分実情を調査したうえ、負担の均衡又はその能力等をも考慮して、減免を必要と認められるものには適宜減免の措置を講ずるなど実態に即した運用に努められたいこと。(県通5-27)

六　延　滞　金

　不動産取得税の納税者は、一の納期限(納期限の延長があった場合においては、その延長された納期限とする。以下同じ。)後にその税金を納付する場合においては、当該税額に、その納期限の翌日から納付の日までの期間の日数に応じ、年14.6パーセント(当該納期限(徴収猶予をした税額にあっては、当該徴収猶予をした期間の末日)の翌日から1月を経過する日までの期間については、年7.3パーセント)の割合を乗じて計算した金額に相当する延滞金額を加算して納付しなければならない。(法73の32①)

(注)　六に規定する延滞金の年7.3パーセントの割合については、第一編第十章12の①《延滞金の割合の特例》を参照。(編者)

(延滞金の減免)
注　道府県知事は、納税者が一の納期限までに税金を納付しなかったことについてやむを得ない事由があると認める場合においては、六の延滞金額を減免することができる。(法73の32②)

七　督促及び滞納処分

1　督　　促

　納税者が納期限までに不動産取得税に係る地方団体の徴収金を完納しない場合においては、道府県の徴税吏員は、納期限後20日以内に、督促状を発しなければならない。ただし、繰上徴収をする場合においては、この限りでない。(法73の34①)

(特別の事情がある場合の督促状の発付期限)
(1) 特別の事情がある道府県においては、当該道府県の条例で1に規定する期間と異なる期間を定めることができる。(法73の34②)

(督促手数料の徴収)
(2) 道府県の徴税吏員は、督促状を発した場合においては、当該道府県の条例の定めるところによって、手数料を徴収することができる。(法73の35)

2　滞納処分

①　滞納処分

　不動産取得税に係る滞納者が次の各号の一に該当するときは、道府県の徴税吏員は、当該不動産取得税に係る地方団体の徴収金につき、滞納者の財産を差し押えなければならない。（法73の36①）

(一)	滞納者が督促を受け、その督促状を発した日から起算して10日を経過した日までにその督促に係る不動産取得税に係る地方団体の徴収金を完納しないとき。
(二)	滞納者が繰上徴収に係る告知により指定された納期限までに不動産取得税に係る地方団体の徴収金を完納しないとき。

　　　　（第二次納税義務者又は保証人に対する催告）
（1）　第二次納税義務者又は保証人について①の規定を適用する場合には、同（一）中「督促状」とあるのは、「納付の催告書」とする。（法73の36②）

　　　　（繰上差押え）
（2）　不動産取得税に係る地方団体の徴収金の納期限後①の（一）に規定する10日を経過した日までに、督促を受けた滞納者につき法第13条の2第1項各号の繰上徴収の基因となる事実が生じたときは、道府県の徴税吏員は、直ちにその財産を差し押えることができる。（法73の36③）

　　　　（強制換価手続が行われた場合の交付要求）
（3）　滞納者の財産につき強制換価手続が行われた場合には、道府県の徴税吏員は、執行機関（破産法第114条第1号に掲げる請求権に係る不動産取得税に係る地方団体の徴収金の交付要求を行う場合には、その交付要求に係る破産事件を取り扱う裁判所）に対し、滞納に係る不動産取得税に係る地方団体の徴収金につき、交付要求をしなければならない。（法73の36④）

　　　　（参加差押え）
（4）　道府県の徴税吏員は、①から（2）までの規定により差押えをすることができる場合において、滞納者の財産で国税徴収法第86条第1項各号に掲げるものにつき、すでに他の地方団体の徴収金若しくは国税の滞納処分又はこれらの滞納処分の例による処分による差押えがされているときは、当該財産についての交付要求は、参加差押えによりすることができる。（法73の36⑤）

　　　　（国税徴収法の例による滞納処分）
（5）　①から（4）までに定めるものその他不動産取得税に係る地方団体の徴収金の滞納処分については、国税徴収法に規定する滞納処分の例による。（法73の36⑥）

　　　　（道府県の区域外における処分）
（6）　①から（5）までの規定による処分は、当該道府県の区域外においても行うことができる。（法73の36⑦）

②　滞納処分に関する罪

　不動産取得税の納税者が滞納処分の執行を免れる目的でその財産を隠蔽し、損壊し、若しくは道府県の不利益に処分し、その財産に係る負担を偽って増加する行為をし、又はその現状を改変して、その財産の価額を減損し、若しくはその滞納処分に係る滞納処分費を増大させる行為をしたときは、その者は、3年以下の懲役若しくは250万円以下の罰金に処し、又はこれを併科する。（法73の37①）

　　　　（財産占有者に対する罰則）
（1）　納税者の財産を占有する第三者が納税者に滞納処分の執行を免れさせる目的で②の行為をしたときも、②と同様とする。（法73の37②）

(情を知った違反行為の相手方に対する罰則)
(2) 情を知って②又は(1)の行為につき納税者又はその財産を占有する第三者の相手方となったときは、その相手方としてその違反行為をした者は、2年以下の懲役若しくは150万円以下の罰金に処し、又はこれを併科する。(法73の37③)

(両罰規定)
(3) 法人の代表者又は法人若しくは人の代理人、使用人その他の従業者がその法人又は人の業務又は財産に関して②から(2)までの違反行為をした場合には、その行為者を罰する外、その法人又は人に対し、②から(2)までの罰金刑を科する。(法73の37④)

③ 滞納処分に関する検査拒否等の罪
次の各号のいずれかに該当する場合には、その違反行為をした者は、1年以下の懲役又は50万円以下の罰金に処する。(法73の38①)

(一)	①の(5)により国税徴収法の例によって不動産取得税の滞納処分をする場合において、国税徴収法第141条の規定の例により行う道府県の徴税吏員の質問に対して答弁をせず、又は偽りの陳述をしたとき
(二)	①の(5)により国税徴収法の例によって不動産取得税の滞納処分をする場合において、国税徴収法第141条の規定の例により行う道府県の徴税吏員の帳簿書類(同条に規定する帳簿書類をいう。(三)において同じ。)その他の物件の検査を拒み、妨げ、又は忌避したとき。
(三)	①の(5)の場合において、国税徴収法第141条の規定の例により行う道府県の徴税吏員の物件の提示又は提出の要求に対し、正当な理由がなくこれに応じず、又は偽りの記載若しくは記録をした帳簿書類その他の物件(その写しを含む。)を提示し、若しくは提出したとき。

(両罰規定)
注 法人の代表者又は法人若しくは人の代理人、使用人その他の従業者がその法人又は人の業務又は財産に関して③の違反行為をした場合には、その行為者を罰する外、その法人又は人に対し、③の罰金刑を科する。(法73の38②)

第四節　減額、納税義務の免除及び徴収猶予

一　減　　　額

1　住宅の用に供する土地の取得に対する減額等

① 住宅を新築する土地の取得に対する減額
道府県は、次の各号のいずれかに該当する場合には、当該土地の取得に対して課する不動産取得税については、当該税額から150万円(当該土地に係る不動産取得税の課税標準となるべき価格(第二節一5《宅地評価土地の取得に対して課する不動産取得税の課税標準の特例》の規定の適用がある土地の取得については、不動産取得税の課税標準となるべき価格の2分の1に相当する金額)を当該土地の面積の平方メートルで表した数値で除して得た額に当該土地の上に新築した住宅((3)で定める住宅に限る。以下①から③までにおいて「**特例適用住宅**」という。)1戸(共同住宅等にあっては、居住の用に供するために独立的に区画された一の部分で(4)で定めるもの)についてその床面積の2倍の面積の平方メートルで表した数値(当該数値が200を超える場合には、200とする。)を乗じて得た金額が150万円を超えるときは、当該乗じて得た金額)に当該税額の算定に用いられた税率を乗じて得た額を減額するものとする。(法73の24①、法附11の2②、11の5②)

《参考》 減額される額の計算は次のとおり。（令和３年度）
- 45,000円（＝150万円×３％）
- 土地１㎡当たりの課税標準となるべき価格 × 住宅の床面積（200㎡を限度） × ２ × ３％

のいずれか高い方の額

※ ②の既存住宅等の場合も同様。

（一）	土地を取得した日から２年以内に当該土地の上に特例適用住宅が新築された場合（当該取得をした者（以下（一）において「取得者」という。）が当該土地を当該特例適用住宅の新築の時まで引き続き所有している場合又は当該特例適用住宅の新築が当該取得者から当該土地を取得した者により行われる場合に限る。）
（二）	土地を取得した者が当該土地を取得した日前１年の期間内に当該土地の上に特例適用住宅を新築していた場合
（三）	新築された特例適用住宅でまだ人の居住の用に供されたことのないもの及び当該特例適用住宅の用に供する土地を当該特例適用住宅が新築された日から１年以内に取得した場合

（注） 上記の税率については、第二節二の２《不動産取得税の税率の特例》を参照。（編者）

（①の（一）に係る新築期限の特例）
（１） 土地が取得され、かつ、当該土地の上に①に規定する特例適用住宅が新築された場合における①の（一）及び④の規定の適用については、当該土地の取得が平成16年４月１日から令和８年３月31日までの間に行われたときに限り、①の（一）中「２年」とあるのは「３年（同日から３年以内に特例適用住宅が新築されることが困難である場合として政令で定める場合（特例適用住宅が居住の用に供するために独立的に区画された部分が100以上ある共同住宅等（第二節一の４の①のイ《新築住宅に係る1,200万円控除》に規定する共同住宅等をいう。）であって、土地を取得した日から当該共同住宅等が新築されるまでの期間が３年を超えると見込まれることについてやむを得ない事情があると道府県知事が認めた場合）には、４年）」と、④中「２年」とあるのは「３年（同号に規定する政令で定める場合（特例適用住宅が居住の用に供するために独立的に区画された部分が100以上ある共同住宅等（第二節一の４の①のイに規定する共同住宅等をいう。）であって、土地を取得した日から当該共同住宅等が新築されるまでの期間が３年を超えると見込まれることについてやむを得ない事情があると道府県知事が認めた場合）には、４年）」とする。（法附10の３②、令附６の18②）

（特例適用住宅の要件）
（２） ①に規定する特例適用住宅は、次の各号に掲げる住宅の区分に応じ、当該各号に定める住宅とする。（令39の２の４①）

（一）	共同住宅等以外の住宅	床面積が50平方メートル（区分所有される住宅の居住の用に供する専有部分が貸家の用に供されるものである場合にあっては、40平方メートル）以上240平方メートル以下の住宅
（二）	共同住宅等	居住の用に供するために独立的に区画された一の部分のいずれかの床面積が、50平方メートル（当該独立的に区画された一の部分が貸家の用に供されるものである場合にあっては、40平方メートル）以上240平方メートル以下の住宅

（注） 上表の共同住宅等については、第二節一の４の①のイ及び同（１）の（一）を参照（（４）及び（５）について同じ。）。また、上表の（一）及び（二）の床面積については、同イの（１）の表の（一）及び（二）を参照。（編者）

（居住の用に供するために独立的に区画された一の部分）
（３） ①の居住の用に供するために独立的に区画された一の部分で減額の対象となるものは、第二節一の４の①のイの（２）に規定する一の部分とする。（令39の２の４②）

（①の（一）の適用の場合の建築後１年以内に行われた増築等への適用関係）
（４） 共同住宅等以外の住宅の新築がされたことにより①の（一）の規定の適用がある場合において、当該住宅の新築をした者が当該住宅の新築後１年以内にその住宅と一構となるべき住宅を新築し、又はその住宅に増築したときは、これらの前後の住宅の建築〖第二節一の４①イ（１）の（一）参照〗をもって１戸の住宅の新築とみなし、その新築が同

(一)に規定する期間内にあったものとみなして同(一)の規定を適用する。(令39の3①)

(①の(二)又は(三)の適用の場合の建築後1年以内に行われた増築等への適用関係)
(5) 共同住宅等以外の住宅の建築〘第二節一の4①イ(1)の(一)参照〙をして①の(二)又は(三)の規定の適用を受ける者が、当該住宅の建築後1年以内にその住宅と一構となるべき住宅を新築し、又はその住宅に増築した場合においては、これらの前後の住宅の建築をもって1戸の住宅の新築又は取得とみなし、その新築又は取得が同(二)又は(三)に規定する期間内にあったものとみなして同(二)又は(三)の規定を適用する。(令39の3②)

(前1年以内に取得した土地の通算)
(6) 土地を取得した者が当該土地を取得した日から1年以内に当該土地に隣接する土地を取得した場合には、前後の取得に係る土地の取得をもって一の土地の取得と、最初に土地を取得した日をもってこれらの土地を取得した日とみなして、①の規定を適用する。(法73の24④)

(仮換地等に対応する従前の土地の取得に関する読替適用)
(7) 第一節三の5の①《仮換地等の取得》に規定する土地区画整理法による土地区画整理事業又は土地改良法による土地改良事業の施行に係る土地について法令の定めるところによって同①に規定する仮換地等の指定があった場合において、当該仮換地等である土地について使用し、又は収益することができることとなった日前における当該仮換地等に対応する従前の土地の取得について①及び(6)の規定を適用するときは、次の表の左欄に掲げる規定中同表の中欄に掲げる字句は、同表の右欄に掲げる字句にそれぞれ読み替えるものとする。(法73の29、令39の8)

| ①の表以外の部分及び表の(一) | 当該土地の上に | 当該土地に対応する仮換地等の上に |
| (6) | 当該土地に隣接する土地 | 当該土地に対応する仮換地等に隣接する土地 |

(留意事項)
(8) 新築の特例適用住宅の用に供する土地の取得に対する不動産取得税の減額措置の運用については、次の諸点に留意すべきものであること。(県通5-22)
(一) ①に規定する「特例適用住宅が新築された場合」又は「特例適用住宅を新築していた場合」には、建築会社等に請け負わせて特例適用住宅を新築させた場合も含まれるものであること。
(二) 共同取得した土地の共有者のうち一部の者が特例適用住宅の新築の時まで当該土地を引き続き所有していた場合又はその土地の上に特例適用住宅を新築していた場合若しくは単独で土地を取得した者がそれ以外の者と共同してその土地の上に特例適用住宅を新築していた場合にも減額の取扱いを受けられるものであること。
(三) ①の(三)の規定は、特例適用住宅及び当該特例適用住宅に係る土地を同時に取得した場合に限らず、これらの取得の時期が異なった場合にも適用して差し支えないものであること。
(四) 土地を取得した日から2年以内(土地の取得が平成16年4月1日から令和8年3月31日までの間に行われたときに限り、3年(土地の取得の日から3年以内に特例適用住宅が新築されることが困難である場合として政令で定める場合においては、4年)以内)に特例適用住宅が新築されたかどうか又は土地を取得した日前1年の期間内に特例適用住宅が新築されていたかどうかの認定については、その実態に応じて判断すること。
(五) 土地を取得してから、当該土地を駐車場など住宅以外のものの用に一度供した後に、特例適用住宅が新築された場合、(1)に規定するやむを得ない事情があるとはいえなのものであること。
(六) 次に掲げる場合にあっては、①の規定に基づく減額の取扱いを受けられなくなる場合があり、この場合においては不足税額を直ちに追徴しなければならないものであること。
  ア 共同住宅等以外の住宅の新築がされたことにより①の(一)の規定が適用された場合において、当該住宅の新築をした者が当該住宅の新築後1年以内にその住宅と一構となるべき住宅を新築し、又はその住宅に増築した場合
  イ 共同住宅等以外の住宅の建築をして①の(二)又は(三)の規定の適用を受けた者が、当該住宅の建築後1年以内にその住宅と一構となるべき住宅を新築し、又はその住宅に増築した場合
(七) 更地について減額されるべき部分について徴収猶予の申請があった場合においては、特に疑わしいものを除き原則としてこれを容認すること。

② 耐震基準適合既存住宅等の用に供する土地の取得に対する減額

　道府県は、次の各号のいずれかに該当する場合には、当該土地の取得に対して課する不動産取得税については、当該税額から150万円（当該土地に係る不動産取得税の課税標準となるべき価格（第二節一の5《宅地評価土地の取得に対して課する不動産取得税の課税標準の特例》の規定の適用がある土地の取得については、不動産取得税の課税標準となるべき価格の2分の1に相当する金額）を当該土地の面積の平方メートルで表した数値で除して得た額に当該土地の上にある耐震基準適合既存住宅等（耐震基準適合既存住宅及び新築された特例適用住宅でまだ人の居住の用に供されたことのないもののうち当該特例適用住宅に係る土地について①の規定の適用を受けるもの以外のものをいう。以下②において同じ。）1戸についてその床面積の2倍の面積の平方メートルで表した数値（当該数値が200を超える場合には、200とする。）を乗じて得た金額が150万円を超えるときは、当該乗じて得た金額）に当該税額の算定に用いられた税率を乗じて得た額を減額するものとする。（法73の24②、法附11の2②、11の5②）

（一）	土地を取得した者が当該土地を取得した日から1年以内に当該土地の上にある自己の居住の用に供する耐震基準適合既存住宅等を取得した場合
（二）	土地を取得した者が当該土地を取得した日前1年の期間内に当該土地の上にある自己の居住の用に供する耐震基準適合既存住宅等を取得していた場合

（注）　上記の税率については、第二節二の2《不動産取得税の税率の特例》を参照。（編者）

　　　（前1年以内に取得した土地の通算）
（1）　土地を取得した者が当該土地を取得した日から1年以内に当該土地に隣接する土地を取得した場合には、前後の取得に係る土地の取得をもって一の土地の取得と、最初に土地を取得した日をもってこれらの土地を取得した日とみなして、②の規定を適用する。（法73の24④）

　　　（仮換地等に対応する従前の土地の取得に関する読替適用）
（2）　第一節三の5の①《仮換地等の取得》に規定する土地区画整理法による土地区画整理事業又は土地改良法による土地改良事業の施行に係る土地について法令の定めるところによって同①に規定する仮換地等の指定があった場合において、当該仮換地等である土地について使用し、又は収益することができることとなった日前における当該仮換地等に対応する従前の土地の取得について②及び（1）の規定を適用するときは、次の表の左欄に掲げる規定中同表の中欄に掲げる字句は、同表の右欄に掲げる字句にそれぞれ読み替えるものとする。（法73の29、令39の8）

②の表以外の部分及び表の（一）	当該土地の上に	当該土地に対応する仮換地等の上に
（1）	当該土地に隣接する土地	当該土地に対応する仮換地等に隣接する土地

③ 耐震基準不適合既存住宅等の用に供する土地の取得に対する減額

　道府県は、次の各号のいずれかに該当する場合には、当該土地の取得に対して課する不動産取得税については、当該税額から150万円（当該土地に係る不動産取得税の課税標準となるべき価格を当該土地の面積の平方メートルで表した数値で除して得た額に当該土地の上にある耐震基準不適合既存住宅（既存住宅のうち耐震基準適合既存住宅以外のものをいう。以下③から⑦までにおいて同じ。）1戸についてその床面積の2倍の面積の平方メートルで表した数値（当該数値が200を超える場合には、200とする。）を乗じて得た金額が150万円を超えるときは、当該乗じて得た金額）に税率を乗じて得た額を減額するものとする。（法73の24③）

（一）	土地を取得した者が当該土地を取得した日から1年以内に当該土地の上にある耐震基準不適合既存住宅を取得した場合（当該耐震基準不適合既存住宅の取得が⑦の規定に該当する場合に限る。）
（二）	土地を取得した者が当該土地を取得した日前1年の期間内に当該土地の上にある耐震基準不適合既存住宅を取得していた場合（当該耐震基準不適合既存住宅の取得が⑦の規定に該当する場合に限る。）

　　　（前1年以内に取得した土地の通算）
（1）　土地を取得した者が当該土地を取得した日から1年以内に当該土地に隣接する土地を取得した場合には、前後の取得に係る土地の取得をもって一の土地の取得と、最初に土地を取得した日をもってこれらの土地を取得した日とみなして、③の規定を適用する。（法73の24④）

(仮換地等に対応する従前の土地の取得に関する読替適用)
（２）　第一節三の５の①《仮換地等の取得》に規定する土地区画整理法による土地区画整理事業又は土地改良法による土地改良事業の施行に係る土地について法令の定めるところにより同①に規定する仮換地等の指定があった場合において、当該仮換地等である土地について使用し、又は収益することができることとなった日前における当該仮換地等である土地に対応する従前の土地の取得について③及び(１)の規定を適用するときは、次の表の左欄に掲げる規定中同表の中欄に掲げる字句は、それぞれ同表の右欄に掲げる字句とする。（法73の29、令39の８）

| ③ | 額に当該土地 | 額に当該土地に対応する仮換地等 |
| ③の(一) | の上 | に対応する仮換地等の上 |

④　**減額を受けるための申告**
　①から③までの規定は、当該土地の取得に対して課する不動産取得税につき⑤の規定により徴収猶予がなされた場合その他(１)で定める場合を除き、当該土地の取得者から、当該道府県の条例で定めるところにより、当該土地の取得につきこれらの規定の適用があるべき旨の申告がなされた場合に限り適用するものとする。この場合において、当該土地が、土地を取得した日から１年以内に取得したその土地に隣接する土地であるときは、最初の取得に係る土地の取得につき、これらの規定の適用があるべき旨の申告がなされていたときに限り、適用するものとする。（法73の24⑤）

　　　（申告要件が適用されない場合）
（１）　④に規定する減額申告の規定の適用が除外される場合は、当該土地を取得した時において土地の利用につき法令による制限があり住宅を新築することができない場合その他当該土地を取得した時において住宅を新築することができないことにつき真にやむを得ない理由がある場合とする。（令39の３の２）

　　　（仮換地等に対応する従前の土地の取得に関する読替適用）
（２）　第一節三の５の①《仮換地等の取得》に規定する土地区画整理法による土地区画整理事業又は土地改良法による土地改良事業の施行に係る土地について法令の定めるところによって同①に規定する仮換地等の指定があった場合において、当該仮換地等である土地について使用し、又は収益することができることとなった日前における当該仮換地等に対応する従前の土地の取得について④の規定を適用するときは、④中「土地に」とあるのは「土地に対応する仮換地等に」と読み替えるものとする。（法73の29、令39の８）

　　　（留意事項）
（３）　道府県は、④の前段又は④の後段の申告がなかった場合においても、当該土地の取得が①から③に規定する要件に該当すると認められるときは、④の規定にかかわらず、①から③の規定を適用することができる。（法73の24⑥）

⑤　**住宅の用に供する土地の取得に対する徴収猶予**（①から③までの土地に係るもの）
　道府県は、土地の取得に対して課する不動産取得税を賦課徴収する場合において、当該土地の取得者から、当該道府県の条例で定めるところにより、当該不動産取得税について①の(一)、②の(一)又は③の規定の適用があるべき旨の申告があり、当該申告が真実であると認められるときは、①の(一)の規定の適用を受ける土地の取得にあっては当該取得の日から２年以内、②の(一)の規定の適用を受ける土地の取得にあっては当該取得の日から１年以内、③の(一)の規定の適用を受ける土地の取得にあっては当該取得の日から１年６月以内、同(二)の規定の適用を受ける土地の取得（当該土地の上にある耐震基準不適合住宅の取得が⑦の規定に該当することとなった日前に行われたものに限る。）にあっては当該土地の取得の日から６月以内の期間を限って、当該土地に係る不動産取得税額のうち①の(一)又は②の(一)の規定により減額すべき額に相当する税額を徴収猶予するものとする。（法73の25①）

　　　（徴収猶予期限の特例）
（１）　土地が取得され、かつ、当該土地の上に①に規定する特例適用住宅が新築された場合における⑤の規定の適用については、当該土地の取得が平成16年４月１日から令和６年３月31日までの間に行われたときに限り、⑤中「２年」とあるのは「３年（同号に規定する政令で定める場合（特例適用住宅が居住の用に供するために独立的に区画された部分が100以上ある共同住宅等（第二節一の４の①のイに規定する共同住宅等をいう。）であって、土地を取得した日から当該共同住宅等が新築されるまでの期間が３年を超えると見込まれることについてやむを得ない事情があると道

府県知事が認めた場合）には、4年）」とする。（法附10の3②、令附6の18②）

　　　（留意事項）
（2）　⑤に関する留意事項は、①の(10)の(四)から(七)までを参照。（編者）

　　　（総則規定の準用）
（3）　第一編総則の納税の猶予に関する規定中、徴収猶予に関する納税者への通知（法15④）及び徴収猶予の効果（法15の2①）の規定は、⑤の規定による徴収猶予について準用する。（法73の25②）

　　　（徴収猶予期間に対する延滞金の免除）
（4）　道府県は、⑤の規定により徴収猶予をした場合には、その徴収猶予をした税額に係る延滞金額中当該徴収猶予をした期間に対応する部分の金額を免除するものとする。（法73の25③）

　　　（徴収猶予の取消し）
（5）　道府県は、⑤の規定により徴収猶予をした場合において、当該徴収猶予に係る不動産取得税について①の表の(一)、②の(一)若しくは③の規定の適用がないことが明らかとなったとき、又は徴収猶予の事由の一部に変更があることが明らかとなったときは、当該徴収猶予をした税額の全部又は一部についてその徴収猶予を取り消し、これを直ちに徴収することができる。（法73の26①）

　　　（総則規定の準用）
（6）　第一編総則の徴収猶予の取消しに関する規定（法15の3③）は、（5）の規定による徴収猶予の取消しについて準用する。（法73の26②）

⑥　**住宅の用に供する土地の取得に対する還付**（①から③までの土地に係るもの）
　道府県は、土地の取得に対して課する不動産取得税に係る地方団体の徴収金を徴収した場合において、当該不動産取得税について①の(一)、②の(一)若しくは③の規定の適用があることとなったときは、納税義務者の申請に基づいて、これらの規定により減額すべき額に相当する税額及びこれに係る地方団体の徴収金を還付するものとする。（法73の27①）

　　　（還付金の充当）
（1）　道府県は、⑥により、不動産取得税額及びこれに係る地方団体の徴収金を還付する場合において、還付を受ける納税義務者の未納に係る地方団体の徴収金があるときは、当該還付すべき額をこれに充当することができる。（法73の27②において準用する法73の2⑧）

　　　（還付加算金の起算日）
（2）　⑥又は（1）の規定によって不動産取得税額及びこれに係る地方団体の徴収金を還付し、又は充当する場合においては、⑥の規定による還付の申請があった日から起算して10日を経過した日を還付加算金の起算日とみなして、還付加算金（法17の4①）の規定を適用する。（法73の27②において準用する法73の2⑨）

⑦　**耐震基準不適合既存住宅の取得に対する不動産取得税の減額等**
　道府県は、個人が耐震基準不適合既存住宅を取得した場合において、当該個人が、当該耐震基準不適合既存住宅を取得した日から6月以内に、当該耐震基準不適合既存住宅に耐震改修（建築物の耐震改修の促進に関する法律（平成7年法律第123号）第2条第2項に規定する耐震改修をいい、一部の除却及び敷地の整備を除く。）を行い、当該住宅が耐震基準に適合することにつき（1）で定めるところにより証明を受け、かつ、当該住宅をその者の居住の用に供したときは、当該耐震基準不適合既存住宅の取得に対して課する不動産取得税については、当該税額から当該耐震基準不適合既存住宅が新築された時において施行されていた第二節―4の①のイ《新築住宅に係る1,200万円控除》の規定により控除するものとされていた額に税率を乗じて得た額を減額するものとする。（法73の27の2①）

　　　（耐震基準に適合することの証明を受ける方法）
（1）　⑦に規定する（1）で定める証明を受ける方法は、⑦の規定の適用を受けるべき住宅が国土交通大臣が総務大臣と協議して定める第二節―4の①のハ《自己の居住の用に供する既存住宅に係る控除》の（2）の基準に適合する旨を

　　　　　証する書類を、⑦に規定する当該耐震基準不適合既存住宅を取得した日から６月以内に、⑦の規定の適用があるべき旨の申告をした道府県知事に提出する方法とする。(規７の７)

　　　(徴収猶予)
　(２)　道府県は、住宅の取得に対して課する不動産取得税を賦課徴収する場合において、当該住宅の取得者から、当該道府県の条例で定めるところにより、当該不動産取得税について⑦の規定の適用があるべき旨の申告があり、当該申告が真実であると認められるときは、当該取得の日から６月以内の期間を限って、当該住宅に係る不動産取得税額のうち⑦の規定により減額すべき額に相当する税額を徴収猶予するものとする。(法73の27の２②)

　　　(徴収金の還付についての準用)
　(３)　⑤の(３)から(６)まで及び⑥の規定は、(２)の場合における不動産取得税額の徴収猶予及びその取消し並びに⑦の場合における当該不動産取得税に係る地方団体の徴収金の還付について準用する。(法73の27の２③)

　　　(留意事項)
　(４)　⑦の規定の適用に当たっては、次の諸点に留意すること。(県通５－24)
　　(一)　この規定の適用を受けようとする個人が、耐震基準不適合既存住宅を取得した日から６月以内に、次に掲げる全てを完了させること。
　　　イ　当該耐震基準不適合既存住宅に⑦に規定する耐震改修((二)において「耐震改修」という。)を行うこと。
　　　ロ　当該住宅が⑦に規定する耐震基準に適合することにつき(１)で定めるところにより証明を受けること。
　　　ハ　当該住宅をその者の居住の用に供すること。
　　(二)　耐震基準不適合既存住宅について行う耐震改修は、この規定の適用を受けようとする個人が当該住宅を自己の居住の用に供する前に完了させること。

⑧　新型コロナウイルス感染症等に係る耐震基準不適合既存住宅の取得に対する不動産取得税の減額等の特例

　③に規定する耐震基準不適合既存住宅を取得し、当該耐震基準不適合既存住宅の⑦に規定する耐震改修に係る契約を(２)の政令で定める日までに締結している個人が、新型コロナウイルス感染症及びそのまん延防止のための措置の影響により当該耐震改修をして当該耐震基準不適合既存住宅をその取得の日から６月以内にその者の居住の用に供することができなかったことにつき(３)の総務省令で定めるところにより証明がされた場合において、当該耐震改修をして当該耐震基準不適合既存住宅を令和４年３月31日までにその者の居住の用に供したとき(当該耐震基準不適合既存住宅を当該耐震改修の日から６月以内にその者の居住の用に供した場合に限る。)は、同項の規定の適用については、同項中「当該耐震基準不適合既存住宅を取得した日から６月以内に、当該」とあるのは「当該」と、「行い」とあるのは「行い、当該住宅の当該耐震改修の日から６月以内に」とする。(法附62①)

　　　(⑧の適用がある場合の読替え)
　(１)　⑧の規定の適用がある場合における⑤及び⑦の(２)の規定の適用については、次の表の左欄に掲げる規定中同表の中欄に掲げる字句は、それぞれ同表の右欄に掲げる字句とする。(法附62②)

⑤	１年６月以内、同(二)	当該土地の上にある耐震基準不適合既存住宅の耐震改修(⑦に規定する耐震改修をいう。以下⑤において同じ。)の日後６月以内の日まで、同(二)
	から６月以内	から当該土地の上にある耐震基準不適合既存住宅の耐震改修の日後６月以内の日まで
⑦の(２)	６月以内	⑦の耐震改修の日後６月以内の日まで

　　　(政令で定める日)
　(２)　⑧に規定する(２)の政令で定める日は、個人が⑧に規定する耐震基準不適合既存住宅を取得した日から５月を経過する日又は地方税法等の一部を改正する法律(令和２年法律第26号)の施行の日(令和２年４月30日)から２月を経過する日のいずれか遅い日とする。(令附38)

(総務省令で定める証明)
(3) ⑧に規定する(3)の総務省令で定めるところにより証明がされた場合は、次の各号に掲げる書類のいずれかを⑧に規定する耐震改修(以下(3)において「耐震改修」という。)の日から6月以内に、同項に規定する耐震基準不適合既存住宅につき同項の規定により読み替えて適用される⑧の規定の適用があるべき旨の申告をした道府県知事に提出することにより証明がされた場合とする。(規附28①)
(一) 当該耐震基準不適合既存住宅の耐震改修に係る工事を請け負った建設業者その他の者から交付を受けた書類で新型コロナウイルス感染症及びそのまん延防止のための措置の影響により⑧の個人が当該耐震基準不適合既存住宅の取得をした日から6月以内に耐震改修に係る工事が完了しなかった旨、耐震改修に係る契約を締結した年月日及び耐震改修をした年月日を明らかにする書類
(二) ⑧の個人の当該耐震基準不適合既存住宅をその取得の日から6月以内にその者の居住の用に供することができなかった事実の詳細、耐震改修に係る契約を締結した年月日及び耐震改修をした年月日を明らかにする書類

(⑧の適用がある場合の読替え)
(4) ⑧の規定の適用がある場合における⑦の(1)の規定の適用については、「当該耐震基準不適合既存住宅を取得した」とあるのは、「耐震改修の」とする。(規附28②)

2 被収用不動産等の代替不動産の取得に対する減額等

道府県は、不動産を取得した者が当該不動産を取得した日から1年以内に、公共事業〘第二編一の4の④参照〙の用に供するため当該不動産以外の不動産を収用されて補償金を受け、公共事業を行う者に当該公共事業の用に供するため当該不動産以外の不動産を譲渡し、若しくは公共事業の用に供するため収用され、若しくは譲渡した土地の上に建築されていた家屋について移転補償金を受けた場合又は地方公共団体、土地開発公社若しくは独立行政法人都市再生機構が公共事業を行う者に代わって取得する不動産で、その者によりその譲渡を受けてこれを当該公共事業の用に供する旨の証明がされたもので当該取得した不動産以外のものを譲渡し、若しくは当該譲渡に係る土地の上に建築されていた家屋について移転補償金を受けた場合において、当該取得した不動産が当該収用され、譲渡し、又は移転補償金を受けた不動産(以下2において「**被収用不動産等**」という。)に代わるものと認められるときは、当該不動産の取得に対して課する不動産取得税については、当該税額から被収用不動産等の固定資産課税台帳に登録された価格(被収用不動産等の価格が固定資産課税台帳に登録されていない場合にあっては、道府県知事が収用され、若しくは譲渡し、又は移転補償金に係る契約をした日現在の価格として固定資産評価基準により決定した価格)に相当する額に税率を乗じて得た額を減額するものとする。(法73の27の3①、令39六、39の4、38)

(注) 2の規定により道府県知事が不動産の価格を決定する場合において、当該不動産が第三編第三章第六節二《令和4年度又は令和5年度における土地の価格の特例》の1又は2の規定の適用を受ける土地であるときにおける2又は(2)の規定の適用については、2又は(2)の規定中「固定資産評価基準」とあるのは、「固定資産評価基準及び第三編第三章第六節二の1の修正基準」と読み替えるものとする。(法附11の6)

(住宅又は土地の取得に係る「税率」の読替え)
(1) 平成18年4月1日から令和9年3月31日までの間に行われた住宅又は土地の取得が1の①若しくは②、⑥、2又は3若しくは5の規定に該当する場合におけるこれらの規定の適用については、これらの規定中「税率」とあるのは、「当該税額の算定に用いられた税率」とする。(法附11の2②、①)

(固定資産課税台帳に登録された価格中に宅地評価土地の価格がある場合の読替え)
(2) 平成18年4月1日から令和9年3月31日までの間において、2に規定する被収用不動産等を収用され若しくは譲渡した場合において、2に規定する固定資産課税台帳に登録された価格(当該価格が登録されていない場合にあっては、道府県知事が固定資産評価基準〘2の(注)参照〙によって決定した価格)中に第二節一の5《宅地評価土地の取得に対して課する不動産取得税の課税標準の特例》に規定する宅地評価土地の価格があるときにおける2の規定の適用については、次の表の左欄に掲げる規定中同表の中欄に掲げる字句は、それぞれ同表の右欄に掲げる字句とする。
(法附11の5③)

| 2 | 登録された価格 | 登録された価格のうち宅地評価土地の部分以外の部分の価格に相当する額に当該宅地評価土地の部分の価格の2分の1に相当する額を加算して得た額 |
| | 決定した価格 | 決定した価格のうち宅地評価土地の部分以外の部分の価格に相当する額に当該宅地評価土地の部分の価格の2分の1に相当する額を加算して得た額 |

(減額相当税額の徴収猶予)
（３）　道府県は、不動産の取得に対して課する不動産取得税を賦課徴収する場合において、当該不動産の取得者から、当該道府県の条例で定めるところにより、当該不動産取得税について２の規定の適用があるべき旨の申告があり、当該申告が真実であると認められるときは、当該取得の日から１年以内の期間を限って、当該不動産に係る不動産取得税額のうち２の規定により減額すべき額に相当する税額を徴収猶予するものとする。(法73の27の３②)

(住宅を新築する土地の取得に対する徴収猶予及び還付規定の準用)
（４）　１の⑤の（３）から（６）まで及び１の⑤の規定は、（３）の場合における不動産取得税額の徴収猶予及びその取消し並びに２の場合における当該不動産取得税に係る地方団体の徴収金の還付について準用する。(法73の27の３③)

３　高齢者の居住の安定確保に関する法律のサービス付き高齢者向け住宅を新築等した場合の減額

　高齢者の居住の安定確保に関する法律第７条第１項の登録を受けた同法第５条第１項に規定するサービス付き高齢者向け住宅である貸家住宅（その全部又は一部が専ら住居として貸家の用に供される家屋をいう。）で（１）で定めるものの用に供する土地の取得を令和７年３月31日までにした場合における１の①の規定の適用については、同①中「については」とあるのは「については、当該取得が令和７年３月31日までに行われたときに限り」と、「住宅（（３）で定める住宅に限る。以下３から５までにおいて「特例適用住宅」という。）１戸（共同住宅等にあっては、居住の用に供するために独立的に区画された一の部分で（４）で定めるもの）」とあるのは「高齢者の居住の安定確保に関する法律第７条第１項の登録を受けた同法第５条第１項に規定するサービス付き高齢者向け住宅である貸家住宅（その全部又は一部が専ら住居として貸家の用に供される家屋をいう。）で（２）で定めるもの（以下この項において「特例適用サービス付き高齢者向け住宅」という。）の居住の用に供するために独立的に区画された一の部分で（２）で定めるもの」と、同①の（一）から（三）中「特例適用住宅」とあるのは「特例適用サービス付き高齢者向け住宅」とする。(法附11の４①)

(サービス付き高齢者向け貸家住宅の政令で定める要件)
（１）　３及び３の規定により読み替えて適用される１の①に規定する貸家住宅で（１）で定めるものは、第二節―の４の⑰の（１）に規定する貸家住宅とする。(令附８①)

(居住の用に供するために独立的に区画された一の部分で政令で定めるもの)
（２）　３の規定により読み替えて適用される１の①に規定する居住の用に供するために独立的に区画された一の部分で（２）で定めるものは、第二節―の４の⑰の（２）に規定する一の部分とする。(令附８②)

４　宅地建物取引業者の改修工事対象住宅の取得に対する減額

　道府県は、宅地建物取引業法第２条第３号に規定する宅地建物取引業者（以下３から５までにおいて「宅地建物取引業者」という。）が改修工事対象住宅（新築された日から10年以上を経過した住宅（共同住宅等にあっては、居住の用に供するために独立的に区画された一の部分をいう。）であって、まだ人の居住の用に供されたことのない住宅以外のものをいう。以下３から５までにおいて同じ。）を取得した場合において、当該宅地建物取引業者が、当該改修工事対象住宅を取得した日から２年以内に、当該改修工事対象住宅について安全性、耐久性、快適性、エネルギーの使用の効率性その他の品質又は性能の向上に資する改修工事で（１）で定めるもの（以下４及び５において「住宅性能向上改修工事」という。）を行った後、当該住宅性能向上改修工事を行った当該改修工事対象住宅で（２）で定めるもの（以下４及び５において「住宅性能向上改修住宅」という。）を個人に対し譲渡し、当該個人が当該住宅性能向上改修住宅をその者の居住の用に供したときは、当該宅地建物取引業者による当該改修工事対象住宅の取得に対して課する不動産取得税については、当該取得が令和７年３月31日までの間に行われたときに限り、当該税額から当該改修工事対象住宅が新築された時において施行されていた第二節―の４の①のイの規定により控除するものとされていた額に税率を乗じて得た額を減額するものとする。(法附11の４②)

(改修工事等)
（１）　４に規定する安全性、耐久性、快適性、エネルギーの使用の効率性その他の品質又は性能の向上に資する改修工事で（１）で定めるものは、（一）及び（二）又は（一）及び（三）に掲げる要件を満たす改修工事とする。(令附９①)
　（一）　次に掲げる工事に要した費用の額の合計額が、４に規定する住宅性能向上改修住宅（５において「住宅性能向上改修住宅」という。）の４の個人に対する譲渡の対価の額の100分の20に相当する金額（当該金額が300万円を超える場合には、300万円）以上であること。

イ　増築、改築、建築基準法第2条第14号に規定する大規模の修繕又は同条第15号に規定する大規模の模様替
　　ロ　第二節一の4の①のイの(1)の表の(一)に規定する共同住宅等の居住の用に供するために独立的に区画された一の部分について行う次に掲げるいずれかの修繕又は模様替（イに掲げる工事に該当するものを除く。）
　　　(イ)　当該独立的に区画された一の部分の床（建築基準法第2条第5号に規定する主要構造部（以下ロにおいて「主要構造部」という。）である床及び最下階の床をいう。）の過半又は主要構造部である階段の過半について行う修繕又は模様替
　　　(ロ)　当該独立的に区画された一の部分の間仕切壁（主要構造部である間仕切壁及び建築物の構造上重要でない間仕切壁をいう。）の室内に面する部分の過半について行う修繕又は模様替（その間仕切壁の一部について位置の変更を伴うものに限る。）
　　　(ハ)　当該独立的に区画された一の部分の主要構造部である壁の室内に面する部分の過半について行う修繕又は模様替（当該修繕又は模様替に係る壁の過半について遮音又は熱の損失の防止のための性能を向上させるものに限る。）
　　ハ　5に規定する改修工事対象住宅（以下「改修工事対象住宅」という。）のうち居室、調理室、浴室、便所その他の室で国土交通大臣が総務大臣と協議して定めるものの一室の床又は壁の全部について行う修繕又は模様替（イ及びロに掲げる工事に該当するものを除く。）
　　ニ　改修工事対象住宅について行う建築基準法施行令第3章及び第5章の4の規定又は国土交通大臣が総務大臣と協議して定める地震に対する安全性に係る基準に適合させるための修繕又は模様替（イからハまでに掲げる工事に該当するものを除く。）
　　ホ　改修工事対象住宅について行う国土交通大臣が総務大臣と協議して定める第三編第三章第二節二の3の⑪のイに規定する高齢者等（以下同じ。）の居住の安全性及び高齢者等に対する介助の容易性の向上に資する修繕又は模様替（イからニまでに掲げる工事に該当するものを除く。）
　　ヘ　改修工事対象住宅について行う国土交通大臣が総務大臣と協議して定める外壁、窓等を通しての熱の損失の防止に資する修繕又は模様替（イからホまでに掲げる工事に該当するものを除く。）
　　ト　改修工事対象住宅について行う給水管、排水管又は雨水の浸入を防止する部分（住宅の品質確保の促進等に関する法律施行令（平成12年政令第64号）第5条第2項に規定する雨水の浸入を防止する部分をいう。）に係る修繕又は模様替（当該改修工事対象住宅の瑕疵を担保すべき責任の履行に関し国土交通大臣が総務大臣と協議して定める保証保険契約が締結されているものに限り、イからヘまでに掲げる工事に該当するものを除く。）
　(二)　(一)のイからヘまでに掲げる工事に要した費用の額の合計額が100万円を超えること。
　(三)　(一)のニからトまでに掲げる工事のうちいずれか一の工事に要した費用の額が50万円を超えること。

　（改修工事対象住宅の要件）
(2)　4に規定する住宅性能向上改修工事を行った改修工事対象住宅で(2)で定めるものは、住宅性能向上改修住宅のうち次に掲げる要件のいずれにも該当するものとする。（令附9②）
　(一)　床面積が50平方メートル以上240平方メートル以下のものであること。
　(二)　第二節一の4の①のハの(3)表に掲げる要件のいずれかに該当するものであること。

　（改修工事対象住宅の取得に対する徴収猶予及び還付規定の準用）
(3)　1の④及び⑤の規定は、4の規定による宅地建物取引業者による改修工事対象住宅の取得に対して課する不動産取得税の税額の徴収猶予及びその取消し並びに当該不動産取得税に係る地方団体の徴収金の還付について準用する。この場合において、これらの規定中「土地」とあるのは「4に規定する宅地建物取引業者による同項に規定する改修工事対象住宅」と、④の規定中「土地の取得者」とあるのは「宅地建物取引業者」と、「①の(一)の規定の適用を受ける土地の取得にあっては当該取得の日から2年以内、②の(一)の規定の適用を受ける土地の取得にあっては当該取得の日から1年以内」とあるのは「当該取得の日から2年以内」と、「当該土地に」とあるのは「当該改修工事対象住宅に」と読み替えるほか、所要の読替えを行うものとする。（法附11の4③）

　（留意事項）
(4)　4及び5の規定の適用にあたっては、次の諸点について留意すること。（県通5－29）
　(一)　この規定の適用を受けようとする宅地建物取引業法（昭和27年法律第176号）第2条第3号に規定する宅地建物取引業者が、4に規定する改修工事対象住宅を取得した日から2年以内に、次に掲げる全てを完了させること。
　　イ　当該改修工事対象住宅について4に規定する安全性、耐久性、快適性、エネルギーの使用の効率性その他の品

質又は性能の向上に資する改修工事で政令で定めるものを行うこと。
　　　　ロ　4に規定する住宅性能向上改修住宅を個人に対し譲渡すること。
　　　　ハ　当該個人が当該住宅性能向上改修住宅をその者の居住の用に供すること。
　　(二)　宅地建物取引業者が取得する改修工事対象住宅については、その取得の時点において新築された日から10年以上経過していること。

5　宅地建物取引業者の改修工事対象住宅の敷地の用に供する土地の取得に対する減額

　　道府県は、宅地建物取引業者が改修工事対象住宅の敷地の用に供する土地（当該改修工事対象住宅とともに取得したものに限る。以下5において「改修工事対象住宅用地」という。）を取得した場合において、当該宅地建物取引業者が、当該改修工事対象住宅用地を取得した日から2年以内に、当該改修工事対象住宅について住宅性能向上改修工事を行った後、当該住宅性能向上改修住宅で(1)で定めるもの（以下5において「特定住宅性能向上改修住宅」という。）の敷地の用に供する土地を個人に対して譲渡し、当該個人が当該特定住宅性能向上改修住宅をその者の居住の用に供したときは、当該宅地建物取引業者による当該改修工事対象住宅用地の取得に対して課する不動産取得税については、当該取得が令和7年3月31日までに行われたときに限り、当該税額から150万円（当該改修工事対象住宅用地に係る不動産取得税の課税標準となるべき価格を当該土地の面積の平方メートルで表した数値で除して得た額に当該改修工事対象住宅用地の上にある改修工事対象住宅1戸（共同住宅等にあっては、居住の用に供するために独立的に区画された一の部分）についてその床面積の2倍の面積の平方メートルで表した数値（当該数値が200を超える場合には、200とする。）を乗じて得た金額が150万円を超えるときは、当該乗じて得た金額）に税率を乗じて得た額を減額するものとする。（法附11の4④）

　　　（住宅性能向上改修住宅で政令で定めるもの）
　(1)　5に規定する住宅性能向上改修住宅で(1)で定めるものは、住宅性能向上改修住宅のうち次に掲げる要件のいずれかに該当するものとする。（令附9の2）
　　(一)　次に掲げる要件のいずれにも該当することについて(2)で定めるところにより証明がされたものであること。
　　　　イ　当該住宅性能向上改修住宅を譲渡する4に規定する宅地建物取引業者（(二)において「宅地建物取引業者」という。）が国土交通大臣が総務大臣と協議して定める要件に該当するものであること。
　　　　ロ　当該住宅性能向上改修住宅が国土交通大臣が総務大臣と協議して定める地震に対する安全性その他の品質又は性能に係る基準に適合するものであること。
　　(二)　宅地建物取引業者と特定住宅瑕疵担保責任の履行の確保等に関する法律（平成19年法律第66号）第17条第1項に規定する保険法人との間に当該住宅性能向上改修住宅の瑕疵を担保すべき責任の履行に関し国土交通大臣が総務大臣と協議して定める保証保険契約が締結されていることについて(2)で定めるところにより証明がされたものであること。

　　　（総務省令で定めるところにより証明がされた住宅性能向上改修住宅）
　(2)　(1)に規定する(2)で定めるところにより証明がされた住宅性能向上改修住宅は、当該住宅性能向上改修住宅が(1)の(一)及び(二)に掲げる要件のいずれかに該当する旨を証する書類を5に規定する改修工事対象住宅用地を取得した日から2年以内に、5の規定の適用があるべき旨の申告の際に道府県知事に提出することにより証明がされた住宅性能向上改修住宅とする。（規附3の2の24）

二　納税義務の免除及び徴収猶予

1　譲渡担保財産の取得に係る納税義務の免除等

　　道府県は、譲渡担保権者が譲渡担保財産の取得（第一節三の1の①《家屋の新築の場合の取得者》本文の規定が適用されるものを除く。）をした場合において、当該譲渡担保財産により担保される債権の消滅により当該譲渡担保財産の設定の日から2年以内に譲渡担保権者から譲渡担保財産の設定者に当該譲渡担保財産を移転したときは、譲渡担保権者による当該譲渡担保財産の取得に対する不動産取得税に係る地方団体の徴収金に係る納税義務を免除するものとする。（法73の27の4①）

　　　（徴収猶予）
　(1)　道府県は、不動産の取得に対して課する不動産取得税を賦課徴収する場合において、当該不動産の取得者から、当該道府県の条例で定めるところにより、当該不動産取得税について1の規定の適用があるべき旨の申告があり、当

該申告が真実であると認められるときは、当該取得の日から2年以内の期間を限って、当該不動産に係る不動産取得税額を徴収猶予するものとする。(法73の27の4②)

　　　(住宅を取得する土地の取得に対する徴収猶予規定の準用)
(2)　一の1の⑤の(3)から(6)までの規定は、(1)の規定による徴収猶予について準用する。(法73の27の4③)

　　　(還　付)
(3)　道府県は、不動産の取得に対して課する不動産取得税に係る地方団体の徴収金を徴収した場合において、当該不動産取得税について1の規定の適用があることとなったときは、当該譲渡担保権者の申請に基づいて、当該地方団体の徴収金を還付するものとする。(法73の27の4④)

　　　(充当及び還付加算金)
(4)　一の1の⑤の(1)《還付金の充当》及び(2)《還付加算金の起算日》の規定は、(3)の規定による還付をする場合について準用する。(法73の27の4⑤)

2　再開発会社の第二種市街地再開発事業の施行に伴う建設施設部分の取得に係る納税義務の免除等

道府県は、都市再開発法第50条の2第3項に規定する再開発会社(以下2において「再開発会社」という。)が同法第2条第1号に規定する第二種市街地再開発事業(以下2において「第二種市街地再開発事業」という。)の施行に伴い同法第118条の7第1項第3号の建築施設の部分(以下2において「建築施設の部分」という。)を取得した場合において同法第118条の17の規定による建築工事の完了の公告があった日の翌日に同法第118条の11第1項に規定する譲受け予定者が当該建築施設の部分を取得したとき又は再開発会社が第二種市街地再開発事業の施行に伴い同法第2条第4号に規定する公共施設(以下2において「公共施設」という。)の用に供する不動産を取得した場合において同法第118条の20第1項の規定による公共施設の整備に関する工事の完了の公告の日の翌日に国又は地方公共団体が当該不動産を取得したときは、当該再開発会社による当該不動産の取得に対する不動産取得税に係る地方団体の徴収金に係る納税義務を免除するものとする。(法73の27の5①)

　　　(徴収猶予及び還付)
注　1の(1)から(4)までの規定は、再開発会社が第二種市街地再開発事業の施行に伴い建築施設の部分を取得した場合又は公共施設の用に供する不動産を取得した場合における不動産取得税額の徴収猶予及び当該不動産取得税に係る地方団体の徴収金の還付について準用する。この場合において、1の(1)中「当該取得の日から2年以内」とあるのは「建築施設の部分の取得にあっては都市再開発法第118条の17の規定による建築工事の完了の公告があった日の翌日まで、公共施設の用に供する不動産の取得にあっては同法第118条の20第1項の規定による公共施設の整備に関する工事の完了の公告があった日の翌日まで」と、1の(3)中「当該譲渡担保権者」とあるのは「当該再開発会社」と読み替えるものとする。(法73の27の5②)

3　農地利用集積円滑化団体等の農地の取得に係る納税義務の免除等

道府県は、農業経営基盤強化促進法第11条の14に規定する農地利用集積円滑化団体又は農地中間管理事業の推進に関する法律(平成25年法律第101号)第2条第4項に規定する農地中間管理機構(以下3において「農地利用集積円滑化団体等」という。)が、農業経営基盤強化促進法第4条第3項第1号ロに規定する農地売買等事業又は同法第7条第1号ロに掲げる事業(それぞれ同法第4条第1項に規定する農地等の貸付けであってその貸付期間(当該期間のうち延長に係るものを除く。)が5年を超えるものを行うことを目的として当該農用地等を取得するものを除く。)の実施により農業振興地域の整備に関する法律第8条第2項第1号に規定する農用地区域内の農地、採草放牧地又は開発して農地とすることが適当な土地を取得した場合において、これらの土地(開発して農地とすることが適当な土地について開発をした場合にあっては、開発後の農地)をその取得の日から5年以内(これらの土地の取得の日から5年以内に、これらの土地について土地改良法による土地改良事業で同法第2条第2項第2号、第3号、第5号又は第7号に掲げるもの(これらの事業に係る調査で国の行政機関の定めた計画に基づくものが行われる場合には、当該調査)が開始された場合において、これらの事業の完了の日として(1)で定める日以後1年を経過する日がこれらの土地の取得の日から5年を経過する日後に到来することとなったときは、当該1年を経過する日までの間)に当該事業の実施により売り渡し、若しくは交換し、又は農業経営基盤強化促進法第7条第3号に掲げる事業の実施により現物出資したときは、当該農地利用集積円滑化団体等によるこれらの土地の取得に対して課する不動産取得税に係る地方団体の徴収金に係る納税義務を免除するものとする。(法73の27の6

①、令39の5）

　　　　　（土地改良事業の完了の日）
（1）　3に規定する土地改良法による土地改良事業の完了の日は、次の各号に掲げる場合の区分に応じ、当該各号に掲げる日とする。（令39の6、規7の8）
　　（一）　当該土地について土地改良法第2条第2項第2号、第3号、第5号又は第7号に掲げる事業（以下(1)において「特定土地改良事業」という。）で換地計画を定めないものが行われる場合（（三）及び（四）に掲げる場合を除く。）　当該特定土地改良事業に係る同法第113条の2第2項又は第3項の規定による工事の完了の公告があった日
　　（二）　当該土地について特定土地改良事業で換地計画を定めるものが行われる場合（（三）及び（四）に掲げる場合を除く。）　当該特定土地改良事業に係る換地処分の公告があった日
　　（三）　当該土地について特定土地改良事業に該当する二以上の事業が行われる場合（（四）に掲げる場合を除く。）　（三）に該当しないものとした場合におけるこれらの事業に係る（一）又は（二）に掲げる日のうち最も遅い日
　　（四）　当該土地について行われる特定土地改良事業が廃止される場合　次のイからハまでの区分に応じそれぞれに定める日
　　　　イ　当該土地について行われる特定土地改良事業が一である場合　当該特定土地改良事業について土地改良法第48条第11項（同法第84条、第95条の2第3項又は第96条の3第5項の規定において準用する場合を含む。）の規定による事業の廃止の認可の公告があった日（以下「廃止公告の日」という。）又は当該特定土地改良事業に係る同法第87条第1項若しくは第87条の2第1項の土地改良事業計画の取消しがあった日（以下「取消しの日」という。）
　　　　ロ　当該土地について行われる特定土地改良事業が二以上であって、これらの事業のすべてが廃止される場合　これらの事業に係る廃止公告の日及び取消しの日のうち最も遅い日
　　　　ハ　当該土地について行われる特定土地改良事業が二以上であって、これらの事業のうちの一部の事業のみが廃止される場合　次の（イ）及び（ロ）に掲げる日のうち最も遅い日
　　　　　（イ）　廃止される特定土地改良事業に係る廃止公告の日及び取消しの日
　　　　　（ロ）　廃止されない特定土地改良事業に係る土地改良法第113条の2第2項又は第3項の規定による工事の完了の公告があった日及び換地処分の公告があった日

　　　　　（徴収猶予）
（2）　道府県は、不動産の取得に対して課する不動産取得税を賦課徴収する場合において、当該不動産の取得者から、当該道府県の条例で定めるところにより、当該不動産取得税について3の規定の適用があるべき旨の申告があり、当該申告が真実であると認められるときは、当該取得の日から5年以内の期間（当該不動産が3に定める土地改良事業に係るものである場合には、当該取得の日から3に定める1年を経過する日までの期間）を限って、当該不動産に係る不動産取得税額を徴収猶予するものとする。（法73の27の6②）

　　　　　（住宅を新築する土地の取得に対する徴収猶予及び還付規定の準用）
（3）　一の1の⑤の(3)から(6)まで及び⑤の規定は、(2)の場合における不動産取得税額の徴収猶予及びその取消し並びに3の場合における当該不動産取得税に係る地方団体の徴収金の還付について準用する。（法73の27の6③）

4　土地改良区の換地の取得に係る納税義務の免除等

　道府県は、土地改良区が土地改良法第53条の3第1項又は第53条の3の2第1項の規定により換地計画において定められた換地（(1)で定めるものに限る。）を取得した場合において、当該換地をその取得の日から2年以内に譲渡したときは、当該土地改良区による当該換地の取得に対して課する不動産取得税に係る地方団体の徴収金に係る納税義務を免除するものとする。（法73の27の7①）

　　　　　（免除の対象となる換地）
（1）　4の免除の対象となる換地は、次に掲げるものとする。（令39の7）
　　（一）　土地改良法第53条の3第1項の規定により換地計画において定められた換地であって、土地改良法第53条の3第1項第2号ロに掲げる施設（特定農山村地域における農林業等の活性化のための基盤整備の促進に関する法律第14条第1項の規定により同号ロに掲げる施設とみなされる施設を含む。）の用に供するもの（土地改良法第53条の2の2第1項の規定により地積を特に減じて換地を定め、又は換地を定めない従前の土地がある場合におけるその特に減じた地積又はその換地を定めない従前の土地の地積を合計した面積を超えない部分に限る。）

（二） 土地改良法第53条の3の2第1項の規定により換地計画において定められた換地であって、土地改良法第53条の3の2第1項第2号に掲げる土地として定められたもの

　　　（徴収猶予及び還付）
（2）　1の（1）から（4）までの規定は、土地改良区が3の換地を取得した場合における不動産取得税額の徴収の猶予及びその取消し並びに当該不動産取得税に係る地方団体の徴収金の還付について準用する。（法73の27の7②）

5　独立行政法人都市再生機構の譲渡する土地又は住宅に係る課税の特例

①　住宅の新築後6か月以内に最初の使用又は譲渡が行われない場合の土地に対する課税

　独立行政法人都市再生機構が、その譲渡する住宅の用に供する土地で当該住宅の譲渡と併せて譲渡するものを取得した場合において、当該土地の上に新築した当該住宅が第一節三の1の①《家屋の新築の場合の取得者》の規定により独立行政法人都市再生機構が不動産取得税の納税義務を負うこととなるものであるときは、当該土地の取得については、当該納税義務を負うこととなった日にその取得があったものとみなして、不動産取得税を課する。この場合においては、同節四の2《用途による非課税》の表の11の規定は、適用がないものとする。（法73の28①）

②　独立行政法人都市再生機構から課税済不動産を取得した場合の非課税

　道府県は、①の規定の適用を受ける土地及び第一節三の1の①の規定により独立行政法人都市再生機構が不動産取得税の納税義務を負うこととなる住宅について、独立行政法人都市再生機構から最初に譲渡が行われた場合における当該不動産の取得に対しては、不動産取得税を課することができない。（法73の28②）

　　　（仮換地等に対応する従前の土地に対する適用）
（1）　第一節三の5の①《仮換地等の取得》に規定する土地区画整理法による土地区画整理事業又は土地改良法による土地改良事業（独立行政法人緑資源機構が独立行政法人緑資源機構法により行う同法第11条第1項第7号イの事業を含む。）の施行に係る土地について法令の定めるところによって仮換地等の指定があった場合において、当該仮換地等である土地について使用し、又は収益することができることとなった日前における当該仮換地等に対応する従前の土地の取得について①の規定を適用するときは、次の表の左欄に掲げる①中の字句は、同表の右欄に掲げる字句にそれぞれ読み替えるものとする。（法73の29、73の2⑩、令39の8）

| その譲渡する住宅の用に供する土地で | 土地でそれに対応する仮換地等がその譲渡する住宅の用に供されるもののうち |
| 当該土地の上に | 当該土地に対応する仮換地等の上に |

　　　（留意事項）
（2）　5の規定の適用に当たっては、次の諸点に留意すること。（県通5－26）
　（一）　賃貸住宅及びその用に供する土地については、この特例規定の適用はないものであること。
　（二）　②に規定する「最初に譲渡が行われた場合」とは、独立行政法人都市再生機構がその譲渡した不動産を譲渡契約の解除又は買戻し特約により、再び取得し、更にその不動産を譲渡する場合を除く意味であること。
　（三）　独立行政法人都市再生機構が取得した土地について土地区画整理事業等による仮換地の指定があった場合に当該仮換地の上に住宅を建築したときにおいても適用があるものであること。

6　農地等の生前贈与による取得に係る徴収猶予等

①　生前贈与による取得の場合の徴収猶予

　租税特別措置法第70条の4第1項《農地等を贈与した場合の贈与税の納税猶予》に規定する受贈者の同項に規定する農地等の取得に対して課する不動産取得税については、政令で特別の定めをするものを除き、同項、同条第2項、第4項から第8項まで、第10項、第11項、第15項、第17項、第18項、第22項及び第23項並びに第70条の4の2第1項、第2項、第4項、第7項、第8項（同条第4項及び第7項に係る部分に限る。）、第9項及び第10項（同法第70条の4第3項、第9項、第12項から第14項まで、第16項、第19項から第21項まで及び第24項から第39項までに係る部分を除く。）の規定の例によっ

てその徴収を猶予するものとする。(法附12①)

　　　　(租税特別措置法等の準用)
(1)　①の規定により不動産取得税の徴収の猶予をする場合には、租税特別措置法第70条の4第9項、第12項、第13項、第18項、第19項、第20項、第24項、第27項から第31項まで、第32項第2号及び第35項、第70条の4の2第3項、第5項、第6項、第8項(同条第3項、第5項及び第6項に係る部分に限る。)及び第10項(同法第70条の4第9項、第12項、第13項、第19項、第20項、第24項、第27項から第31項まで、第32項第2号及び第35項に係る部分に限る。)、第70条の8第1項及び第2項《納税猶予に係る利子税の特例》、第93条第5項並びに第96条《利子税等の割合の特例》の規定を準用する。この場合において、これらの規定の準用について必要な技術的読替えは、政令で定める。(法附12②)
　　　(注)　租税特別措置法、同施行令及び同施行規則を①の適用に当たって準用する場合の読替規定(令附10④、⑤、規附4②、③)は省略した。
　　　　(編者)

　　　　(担保の不徴取)
(2)　道府県知事は、①の規定により不動産取得税の徴収を猶予しようとする場合において、当該不動産取得税の納税義務者が提供すべき担保を徴する必要がないと認めるときは、担保を徴しないで、徴収を猶予することができる。(令附10①)

　　　　(徴収猶予の申請手続)
(3)　①の規定の適用を受けようとする受贈者は、その適用を受けようとする租税特別措置法第70条の4第1項に規定する農地等((32)を除き、以下6において「農地等」という。)の取得につき、当該取得の日の属する年の翌年の3月15日(当該取得に係る不動産取得税について既に納税通知書が交付されているときは、当該通知書に記載された納期限)までに、①の規定の適用を受けたい旨を申請しなければならない。(令附10②)

　　　　(贈与税の納税猶予を受けない場合の明細書の提出)
(4)　①の規定の適用を受けようとする者(租税特別措置法第70条の4第1項の規定により贈与税の納税の猶予を受ける者を除く。)は、①の規定の適用を受けようとする農地等の贈与を受けた日の属する年の翌年の3月15日までに、当該農地等の明細その他の次に定める事項を記載した書類を道府県知事に提出しなければならない。(令附10③、規附4①)
　(一)　①の規定によりその例によるものとされる租税特別措置法第70条の4第1項に規定する農地等の同法第70条の4第1項本文に規定する贈与(同項の規定により贈与税の納税の猶予を受ける者にする贈与を除く。以下「**贈与**」という。)をした者が、農業を営む個人で当該農地等の贈与をした日まで引続き3年以上農業を営んでいた個人に該当する者である旨及び当該贈与を受けた者が次のイからハに規定する要件に該当する者である旨の当該農地等の所在地を管轄する農業委員会(農業委員会を置かない市町村にあっては市町村)の証明書〔租税特別措置法施行令40の6①⑥参照〕
　　イ　贈与者から贈与により農地等を取得した日における年齢が18歳以上であること。
　　ロ　贈与者から贈与により農地等を取得した日まで引続き3年以上農業に従事していたこと。
　　ハ　贈与者から贈与により農地及び採草放牧地を取得した日後速やかに当該農地及び採草放牧地に係る農業経営を行うと認められること。
　(二)　(一)に規定する贈与をした者(以下「**贈与者**」という。)から贈与により農地等を取得した者が当該贈与者の推定相続人に該当することを証する書類
　(三)　贈与者から贈与により農地等を取得した場合における当該贈与に係る契約書その他の事実を証する書類
　(四)　贈与者から贈与により取得した農地等の地目及び地積その他の明細を記載した書類

　　　　(貸付特例適用農地等に係る農用地利用集積計画に基づく賃借権等が消滅した場合の届出)
(5)　①の規定によりその例によることとされる租税特別措置法第70条の4第8項《貸付特例適用農地等に係る贈与税の納税猶予》の規定の適用を受ける貸付特例適用農地等につき、当該貸付特例適用農地等に係る同項に規定する農用地利用集積等促進計画に基づく賃借権等の存続期間が満了をしたことにより当該賃借権等が消滅した場合又は当該存続期間の満了する前に当該賃借権等の解約が行われたことにより当該賃借権等が消滅した場合には、その消滅した旨その他(6)で定める事項を記載した届出書を、当該賃借権等の消滅した日から2月以内に道府県知事に提出しなければならない。(令附10⑥)

第二編第七章《不動産取得税》第四節《減額、納税義務の免除及び徴収猶予》

　　　（届出書の記載事項）
(6)　(5)に規定する(6)で定める事項は、次の各号に掲げる場合の区分に応じ次に掲げる事項とする。（規附4④）
　(一)　①の規定によりその例によることとされる租税特別措置法第70条の4第8項に規定する貸付特例適用農地等（以下(6)において「貸付特例適用農地等」という。）に係る同条第8項に規定する農用地利用集積等促進計画（以下(6)において「貸付特例適用農地等に係る農用地利用集積等促進計画」という。）の定めるところによる使用貸借による権利又は賃借権（以下(6)において「賃借権等」という。）の存続期間が満了をしたことにより当該賃借権等が消滅した場合　　次に掲げる事項
　　イ　届出者の氏名、住所及び個人番号（行政手続における特定の個人を識別するための番号の利用等に関する法律第2条第5項に規定する個人番号をいう。以下同じ。）（個人番号を有しない者にあっては、氏名及び住所）
　　ロ　当該貸付特例適用農地等に係る賃借権等の存続期間が満了をした年月日並びに当該貸付特例適用農地等の所在、地番、地目及び面積
　　ハ　当該貸付特例適用農地等に係る贈与者の氏名、住所及び当該贈与者から贈与により当該貸付特例適用農地等を取得した年月日
　　ニ　その他参考となるべき事項
　(二)　貸付特例適用農地等に係る農用地利用集積等促進計画に基づく賃借権等の存続期間の満了する前に当該賃借権等の解約が行われたことにより当該賃借権等が消滅した場合　　次に掲げる事項
　　イ　届出者の氏名、住所及び個人番号（個人番号を有しない者にあっては、氏名及び住所）
　　ロ　当該貸付特例適用農地等に係る賃借権等の解約をした年月日並びに当該貸付特例適用農地等の所在、地番、地目及び面積
　　ハ　当該貸付特例適用農地等に係る贈与者の氏名、住所及び当該贈与者から贈与により当該貸付特例適用農地等を取得した年月日

　　　（一時的道路用地等につき地上権等が消滅した場合の届出）
(7)　①の規定によりその例によることとされる租税特別措置法第70条の4第18項《一時的道路用地等の用に供するために地上権等を設定した場合の納税猶予の継続》の規定の適用を受ける受贈者が、同項に規定する一時的道路用地等（以下この6において「**一時的道路用地等**」という。）の用に供されている農地等につき、当該農地等に係る同項に規定する貸付期限（以下この6において「**貸付期限**」という。）の到来により租税特別措置法施行令第40条の6第44項に規定する地上権等（以下この6において「**地上権等**」という。）が消滅した場合には、その消滅した旨、当該農地等を受贈者の農業の用に供している旨その他(8)で定める事項を記載した届出書に、農業委員会の証明書で(9)で定めるところにより当該受贈者の農業の用に供されている旨を証するものその他(10)で定める書類を添付し、これを地上権等の消滅した日から2月以内に、道府県知事に提出しなければならない。（令附10⑦）

　　　（届出書の記載事項）
(8)　(7)に規定する(8)で定める事項は、次に掲げる事項とする。（規附4⑤）
　(一)　届出者の氏名、住所及び個人番号（個人番号を有しない者にあっては、氏名及び住所）
　(二)　一時的道路用地等の用に供されていた農地等の明細
　(三)　貸付期限
　(四)　一時的道路用地等の用に供されていた農地等の貸付けの直前の利用状況及び租税特別措置法施行令第40条の6第44項の届出書の提出時における当該農地等の利用状況又は予定している利用方法
　(五)　当該農地等を受贈者の農業の用に供した日又は供する見込みの日
　(六)　その他参考となるべき事項

　　　（農業委員会の証明の手続）
(9)　(7)に規定する証明は、一時的道路用地等の用に供されていた農地等の所在地を管轄する農業委員会が、当該一時的道路用地等の用に供されていた土地が農地等に復したこと及び租税特別措置法第70条の4第1項の規定の適用を受けている受贈者が当該農地等を耕作していること又は遅滞なく耕作する見込みであること（当該一時的道路用地等の用に供されていた土地が租税特別措置法施行令第40条の6第66項第2号又は第3号に規定する敷地又は用地となる場合には、当該土地が租税特別措置法第70条の4第1項の規定の適用を受けていたものであること）を証する書類を発行することにより行うものとする。（規附4⑥）

(届出書に添付すべき書類)
(10) (7)に規定する(10)で定める書類は、次に掲げる書類とする。(規附4⑦)
  (一) 一時的道路用地等の用に供していた農地等を借り受ける契約が終了した旨及び終了した日を証する事業の施行者の書類
  (二) 租税特別措置法施行令第40条の6第44項に規定する地上権等(以下(二)において「地上権等」という。)が当期されていた場合には、一時的道路用地等の用に供していた土地の登記事項証明書(当該地上権等の消滅後に取得したものに限る。)
  (三) 受贈者が、①の規定によりその例によることとされる租税特別措置法第70条の4第6項の規定の適用を受ける農地等を一時的道路用地等の用に供していた場合には、次に掲げる場合の区分に応じ次に定める書類
    イ 当該農地等の全部について一時的道路用地等の用に供していた場合　次に掲げる書類
      (イ) 租税特別措置法施行規則第23条の7第10項第1号に掲げる書類(同号に掲げる農業委員会の書類にあっては、受贈者の推定相続人が租税特別措置法施行令第40条の6第15項第3号に掲げる要件に該当することを明らかにする事実を記載したものとする。)
      (ロ) 租税特別措置法施行規則第23条の7第10項第2号に掲げる書類
      (ハ) 租税特別措置法施行規則第23条の7第10項第3号に掲げる農業委員会の書類
    ロ イに掲げる場合以外の場合　租税特別措置法施行規則第23条の7第10項第2号に掲げる書類

(貸付期限の到来前に地上権等の解約が行われた場合のみなし規定)
(11) ①及び(1)の規定において租税特別措置法第70条の4の規定を準用し、又はその例による場合においては、(7)の場合であって貸付期限の到来前に地上権等の解約が行われたことにより当該地上権等が消滅したときは、当該地上権等が消滅した日を貸付期限とみなす。(令附10⑧)

(一時的道路用地等に係る事業の遅延等により貸付期限が延長される場合の届出)
(12) ①の規定によりその例によることとされる租税特別措置法第70条の4第18項の規定の適用を受けて農地等を一時的道路用地等の用に供している場合において、当該一時的道路用地等に係る事業の施行の遅延等により貸付期限が延長されることとなったときは、受贈者は、引き続き同項の規定の適用を受けようとする旨及び次に掲げる事項を記載した届出書に、貸付期限を延長する事情の詳細を記載した当該事業の施行者の書類その他(13)で定める書類を添付し、これを当該貸付期限の到来する日から1月以内に、道府県知事に提出しなければならない。(令附10⑨)
  (一) 届出者の氏名、住所及び個人番号(行政手続における特定の個人を識別するための番号の利用等に関する法律第2条第5項に規定する個人番号をいう。以下(一)において同じ。)(個人番号を有しない者にあっては、氏名及び住所)
  (二) 当該貸付期限の延長に係る農地等の証明
  (三) 延長されることとなった期限
  (四) 当該貸付期限の延長に係る農地等を当該受贈者の農業の用に供する予定年月日
  (五) その他参項となるべき事項

(届出書に添付すべき書類)
(13) (12)に規定する(13)で定める書類は、租税特別措置法施行規則第23条の7第27項に規定する契約書又は裁決書若しくは和解調書の写しその他の書類で貸付期限が延長されることが明らかとなるものとする。(規附4⑧)

(貸付期限が延長された場合のみなし規定)
(14) ①及び(1)の規定において租税特別措置法第70条の4の規定を準用し、又はその例による場合においては、(12)の場合であって貸付期限が延長されることとなったときは、当該延長されることとなった期限を貸付期限とみなす。(令附10⑩)

(都市営農農地等を一時的道路用地等の用に供した場合)
(15) ①及び(1)の規定において租税特別措置法第70条の4(第6項から第15項までを除く。)の規定を準用し、又はその例による場合においては、受贈者が①の規定によりその例によることとされる租税特別措置法第70条の4第2項第4号に規定する都市営農農地等に該当する農地等を一時的道路用地等の用に供した場合には、当該農地等は、同号に規定する都市営農農地等に該当するものとする。(令附10⑪)

(営農困難時貸付農地等に関する届出書に記載すべき事項)
(16) ①の規定によりその例によることとされる租税特別措置法第70条の4第22の規定の適用を受ける受贈者が同項に規定する営農困難時貸付農地等（以下(16)において「営農困難時貸付農地等」という。）について(1)において準用する租税特別措置法第70条の4第27項の規定により提出する同項の届出書には、営農困難時貸付農地等に係る事項その他の(17)で定める事項を記載しなければならない。（令附10⑫）

(届出書の記載事項)
(17) (16)に規定する(17)で定める事項は、引き続いて①の規定によりその例によることとされる租税特別措置法第70条の4第22項の規定の適用を受けたい旨及び同項に規定する営農困難時貸付農地等に係る同項に規定する営農困難時貸付け（(四)において「営農困難時貸付け」という。）に関する事項で次の各号に掲げるものとする。（規附4⑨）
　(一) 当該営農困難時貸付農地等の所在、地番、地目及び面積
　(二) 当該営農困難時貸付けを行った年月日
　(三) 当該営農困難時貸付けに係る存続期間
　(四) 当該営農困難時貸付農地等について引き続き営農困難時貸付けを行っている旨

(一時的道路用地等の用に供するために賃借権等を消滅させ地上権等の設定に基づき貸付けを行った場合)
(18) (1)において準用する租税特別措置法第70条の4第19項及び第20項の規定は、①の規定によりその例によることとされる租税特別措置法第70条の4第22項の規定により同項に規定する営農困難時貸付け（以下「営農困難時貸付け」という。）を行った受贈者が、当該営農困難時貸付けに係る農地等の全部又は一部について、一時的道路用地等の用に供するために当該営農困難時貸付けに係る地上権、永小作権、使用貸借による権利又は賃借権（(32)において「賃借権等」という。）を消滅させ、かつ、当該一時的道路用地等の用に供するために地上権等の設定に基づき貸付けを行った場合について準用する。（令附10⑬）

(道府県知事の徴収猶予に関する通知)
(19) 道府県知事は、(3)の申請があった場合において、①の規定の適用があるときは、当該申請に係る農地等の取得に対して課する不動産取得税については、当該取得の日の属する年の翌年の3月15日を納期限とする旨及びその徴収を猶予する旨を通知するものとする。（令附10⑮）

(農地等の権利の移転、転用があった場合の道府県知事への通知)
(20) 農林水産大臣、市町村長又は農業委員会は、租税特別措置法第70条の4第36項《権利の移転等を知った場合の税務署長等への通知》の規定により、同項の事実が生じた旨を国税庁長官又は①の農地等の所在地の所轄税務署長に通知した場合には、遅滞なく、(21)で定めるところにより、その旨を当該農地、採草放牧地及び準農地の所在地の道府県知事に通知しなければならない。（令附10⑯）

(通知事項)
(21) 農林水産大臣、市町村長又は農業委員会は、(20)に規定する農地、採草放牧地及び準農地（以下(21)において「農地等」という。）について、租税特別措置法第70条の4第36項の規定により、同項の事実が生じた旨を国税庁長官又は当該農地等の所在地の所轄税務署長に通知した場合には、その旨及び次に掲げる事項を、書面により、当該農地等の所在地の道府県知事に通知しなければならない。（規附4⑫）
　(一) 租税特別措置法第70条の4第36項の事実が生じた当該農地等の地目、面積及び所在場所並びに当該農地等につき①の規定の適用を受けている受贈者の氏名及び住所又は居所
　(二) (一)の農地等につき生じた(一)の事実の詳細及び当該事実の生じた年月日並びに当該事実に関し行った当該許可、あっせん、届出の受理その他の行為の内容
　(三) その他参考となるべき事項

(準農地の受贈後10年を経過した場合の使用状況の道府県知事への通知)
(22) 農業委員会（農業委員会を置かない市町村にあっては、市町村長。以下(23)において同じ。）は、租税特別措置法第70条の4第37項の規定により、①の規定の適用を受けた同項の準農地の利用の形態その他の現況を当該準農地の所在地の所轄税務署長に通知した場合には、遅滞なく、(23)で定めるところにより、その旨を当該準農地の所在地の道府県知事に通知しなければならない。（令附10⑰）

(通知事項)
(23) 農業委員会は、租税特別措置法第70条の4第37項の規定により、①の規定の適用を受けた準農地の利用の形態その他の現況を当該準農地の所在地の所轄税務署長に通知した場合には、その旨及び次に掲げる事項を、書面により、当該準農地の所在地の道府県知事に通知しなければならない。(規附4⑬)
(一) 当該通知に係る①の規定の適用を受けている受贈者の氏名及び住所又は居所
(二) (一)の受贈者が租税特別措置法第70条の4第4項に規定する10年を経過する日において有する①の規定の適用を受けた準農地の地目、面積及び所在場所
(三) (二)の準農地につき、(二)の10年を経過する日における農地又は採草放牧地としての(一)の受贈者の農業の用、租税特別措置法第70条の4第4項に規定する農地又は採草放牧地の保全又は利用上必要な施設の用その他の用に供されているもののその利用の形態の別及びこれらの用に供されていないものの別に、地目及び面積並びに当該受贈者の利用の状況その他の現況の詳細
(四) その他参考となるべき事項

(道府県知事の必要事項の通知)
(24) 道府県知事は、(20)又は(22)の規定による通知の事務に関し必要があると認める場合には、これらの規定に規定する農林水産大臣又は市町村長若しくは農業委員会に対し、①の規定の適用を受ける受贈者並びに①の規定の適用を受ける農地等に関する事項その他(27)で定める事項を通知することができる。(令附10⑱)

(通知事項)
(25) (24)に規定する(25)で定める事項は、次の各号に掲げる事項とする。(規附4⑭)
(一) ①の規定の適用を受ける受贈者の氏名、住所又は居所及び個人番号(個人番号を有しない者にあっては、氏名及び住所又は居所)
(二) ①の規定の適用を受ける農地等(当該農地等が二以上ある場合には、それぞれの農地又は採草放牧地をいう。)の所在、地番、地目及び面積
(三) ①の規定によりその例によることとされる租税特別措置法第70条の4第1項ただし書、第4項及び第5項並びに(1)において準用する租税特別措置法第70条の4第30項及び第31項の規定の適用があった場合には、その旨
(四) 当該受贈者が①の規定によりその例によることとされる租税特別措置法第70条の4第15項第3号の規定の適用を受ける農地又は採草放牧地を取得した場合には、その旨及び当該農地又は採草放牧地の所在、地番、地目及び面積
(五) ①の規定によりその例によることとされる租税特別措置法第70条の4第22項の規定の適用があった場合には、その旨及び同項に規定する営農困難時貸付農地等の所在、地番、地目及び面積
(六) ②の規定の適用があった場合には、その旨
(七) その他参考となるべき事項

(徴収の猶予を受ける農地等に該当するもの)
(26) 次に掲げるものについては、①の規定の適用を受ける農地等に該当するものとして、(一)に掲げるものにあっては、租税特別措置法第70条の4(第6項から第15項までを除く。)の規定を準用し、又はその例によることとし、(二)及び(三)に掲げるものにあっては同条(第6項から第14項までを除く。)の規定を準用し、又はその例によることとする。(令附10⑲)
(一) 一時的道路用地等の用に供されている農地等
(二) 租税特別措置法施行令第40条の6第9項《受贈者が耕作又は養畜の事業に係る事務所等の用に供するための転用》に規定する事務所、作業場、倉庫その他の施設又は使用人の宿舎の敷地
(三) 租税特別措置法施行令第40条の6第13項《農地等の保全又は利用上必要な施設》に規定する道路、用水路、排水路、かんがい用施設その他これらに類する施設の用地

(都市営農農地等を耕作等の事業に係る事務所等の敷地に転用した場合)
(27) 受贈者が、①の規定によりその例によることとされる租税特別措置法第70条の4第2項第4号に規定する都市営農農地等に該当する農地等を(26)の(二)に掲げるものに転用した場合においては、当該農地等は同条第2項第4号に規定する都市営農農地等に該当するものとして、同条(第6項から第14項までを除く。)の規定を準用し、又はその例によることとする。(令附10⑳)

(特定貸付農地等について租税特別措置法等により準用する届出書の記載)
(28) ①の規定によりその例によることとされる租税特別措置法第70条の4の2第1項の規定の適用を受ける同項に規定する猶予適用者（(32)において「猶予適用者」という。）が、同条第1項に規定する特定貸付農地等（以下(28)及び(32)において「特定貸付農地等」という。）について、(1)において準用する租税特別措置法第70条の4第27の規定により提出する同項の届出書には、特定貸付農地等に係る特定貸付け（①の規定によりその例によることとされる租税特別措置法第70条の4の2第1項に規定する特定貸付けをいう。(34)において同じ。）に関する事項その他の(29)で定める事項を記載しなければならない。（令附10㉑）

(特定貸付農地等について租税特別措置法等により準用する届出書の記載事項)
(29) (28)に規定する(29)で定める事項は、引き続いて①の規定によりその例によることとされる租税特別措置法第70条の4の2第1項の規定の適用を受けたい旨及び同項に規定する特定貸付農地等に係る特定貸付け（同項に規定する特定貸付けをいう。以下(29)及び(30)において同じ。）に関する事項で次に掲げるものとする。（規附4⑮）
　(一)　当該特定貸付農地等の所在、地番、地目及び面積
　(二)　当該特定貸付けを行った年月日
　(三)　当該特定貸付農地等を借り受けた者の氏名及び住所若しくは居所又は名称及び本店若しくは主たる事務所の所在地
　(四)　当該特定貸付けに係る①の規定によりその例によることとされる租税特別措置法第70条の4の2第1項に規定する地上権（民法第269条の2第1項の地上権を除く。）、永小作権、使用貸借による権利又は賃借権の存続期間
　(五)　当該特定貸付農地等について引き続き特定貸付けを行っている旨

(特定市街化区域農地等の準用)
(30) ①及び(1)の規定において租税特別措置法第70条の4の規定を準用し、又はその例による場合においては、①の規定によりその例によることとされる租税特別措置法第70条の4の2第9項第1号又は第2号に掲げる受贈者が同条第10項の規定により①の規定によりその例によることとされる租税特別措置法第70条の4第1項に規定する受贈者とみなされた場合であって当該受贈者が有する租税特別措置法の一部を改正する法律（昭和50年法律第16号）による改正前の租税特別措置法第70条の4第1項本文又は租税特別措置法の一部を改正する法律（平成3年法律第16号）による改正前の租税特別措置法第70条の4第1項本文に規定する農地等のうちに①の規定によりその例によることとされる租税特別措置法第70条の4第2項第3号に規定する特定市街化区域農地等があるときは、当該特定市街化区域農地等については同条第1項に規定する農地等とみなす。（令附10㉒）

(①の読替規定)
(31) 次の各号に掲げる受贈者（当該各号に掲げる受贈者の区分に応じ当該各号に定める規定の適用を受けているものに限る。）が①の規定によりその例によることとされる租税特別措置法第70条の4の2第10項の規定により①の規定によりその例によることとされる租税特別措置法第70条の4第1項に規定する受贈者とみなされた場合における令附10④の規定により読み替えられた(1)において準用する租税特別措置法第70条の4第27項の規定の適用については、同項中「同項の不動産取得税の納期限」とあるのは「同項の規定によりその例によることとされる次条第1項の届出書を提出した日」と、「引き続いて同項」とあるのは「引き続いて①」とする。（令附10㉓）
　(一)　①の規定によりその例によることとされる租税特別措置法第70条の4の2第9項第2号に掲げる受贈者　租税特別措置法の一部を改正する法律（平成3年法律第16号）附則19条第1項の規定によりなお従前の例によることとされる場合における同法による改正前の租税特別措置法第70条の4第10項の規定
　(二)　①の規定によりその例によることとされる租税特別措置法第70条の4の2第9項第3号に掲げる受贈者　租税特別措置法の一部を改正する法律（平成7年法律第55号）附則第36条第2項の規定によりなおその効力を有するものとされる同法による改正前の租税特別措置法第70条の4第13項の規定

((1)の準用規定)
(32) (1)において準用する租税特別措置法第70条の4第19項及び第20項の規定は、特定貸付けを行った猶予適用者が、当該特定貸付けに係る特定貸付農地等の全部又は一部について、一時的道路用地等の用に供するために当該特定貸付けに係る賃借権等を消滅させ、かつ、当該用に供するために地上権等の設定に基づき貸付けを行った場合について準用する。（令附10㉔）

②　贈与者又は受贈者が死亡した場合の納税義務の免除

　①の規定による不動産取得税の徴収の猶予があった場合において、当該不動産取得税に係る農地等贈与者又は受贈者が死亡したとき（その死亡の日前に、①の規定によりその例によるものとされる租税特別措置法第70条の４第１項ただし書（同条第７項、第10項、第13項、第18項第２号、第20項若しくは第23項第１号若しくは第５号又は同法第70条の４の２第７項（同条第８項において読み替えて準用する場合を含む。以下②において同じ。）の規定の適用があった場合を含む。）の規定又は①の（１）において準用する同法第70条の４第30項若しくは第31項の規定の適用があった場合を除く。）は、道府県は、当該不動産取得税（①の規定によりその例によるものとされる同条第４項（同条第７項、第10項、第13項、第18項第２号、第20項若しくは第23項第１号若しくは第５号又は同法第70条の４の２第７項の規定の適用があった場合を含む。）の規定又は第１項の規定によりその例によるものとされる同法第70条の４第５項の適用があった部分の金額に相当する不動産取得税を除く。）に係る地方団体の徴収金に係る納税義務を免除するものとする。（法附12③）

　　　（贈与者又は受贈者の死亡の届出）
（１）　①の規定による不動産取得税の徴収の猶予があった場合において、当該不動産取得税に係る農地等の受贈者又は贈与者（これらの者のうち贈与税の納税猶予を受ける者並びにその者に当該農地等を贈与した者を除く。）が死亡したときは、（２）で定める者は、（３）で定める事項を記載した届出書を、その死亡の日後、遅滞なく、道府県知事に提出しなければならない。（令附10⑭）

　　　（届出義務者）
（２）　（１）に定める（２）で定める者は、次の各号に掲げる場合の区分に応じ、当該各号に掲げる者とする。（規附４⑩）
　　（一）　（１）に規定する受贈者が死亡した場合　　贈与者又は当該受贈者の相続人（包括受遺者を含む。）
　　（二）　贈与者が死亡した場合　　受贈者

　　　（届出事項）
（３）　（１）に定める（３）で定める事項は、次に掲げる事項とする。（規附４⑪）
　　（一）　届出書を提出する者の氏名、住所及び個人番号（個人番号を有しない者にあっては、氏名及び住所）並びに死亡した受贈者又は死亡した贈与者との続柄
　　（二）　死亡した受贈者又は死亡した贈与者の氏名及び住所並びに当該受贈者又は贈与者が死亡した年月日
　　（三）　②の規定による不動産取得税の免除を受けたい旨
　　（四）　免除を受ける不動産取得税の額

第八章　ゴルフ場利用税

第一節　納税義務者等及び税率

一　納税義務者等

1　納税義務者

　ゴルフ場利用税は、ゴルフ場の利用に対し、利用の日ごとに定額によって、当該ゴルフ場所在の道府県において、その利用者に課する。（法75）

　　　（ゴルフ場の意義）
　注　ゴルフ場利用税の課税客体は、ゴルフ場の利用行為であるが、この場合における「ゴルフ場」とは、ホールの数が18ホール以上であり、かつ、コースの総延長をホールの数で除して得た数値（以下「ホールの平均距離」という。）が100メートル以上の施設（当該施設の総面積が10万平方メートル未満のものを除く。）及びホールの数が18ホール未満のものであっても、ホールの数が9ホール以上であり、かつ、ホールの平均距離がおおむね150メートル以上の施設をいうものであること。（県通7－1）

2　非課税

　　（注）　①及び②に関する留意事項につき県通7－2を参照。（編者）

① **年少者等のゴルフ場の利用に対するゴルフ場利用税の非課税**
　道府県は、次の各号に掲げる者がゴルフ場の利用を行う場合（次の各号に掲げる者が当該各号に掲げる者である旨を証明する場合に限る。）には、当該ゴルフ場の利用に対しては、ゴルフ場利用税を課することができない。（法75の2）
（一）　年齢18歳未満の者
（二）　年齢70歳以上の者
（三）　第一章《個人の道府県民税》第一節一の1《用語の意義》の(八)に規定する障害者（前2号に掲げる者を除く。）

② **国民体育大会等の場合におけるゴルフ場利用税の非課税**
　①に定めるもののほか、道府県は、次に掲げるゴルフ場の利用に対しては、ゴルフ場利用税を課することができない。（法75の3）
（一）　スポーツ振興法第6条第1項に規定する国民体育大会のゴルフ競技に参加する選手が当該国民体育大会のゴルフ競技として、又はその公式の練習のためにゴルフを行う場合（道府県知事又は道府県の教育委員会がその旨を証明する場合に限る。）の当該ゴルフ場の利用
（二）　学校教育法第1条に規定する学校（幼稚園を除く。）の学生、生徒若しくは児童又はこれらの者を引率する教員が当該学校の教育活動（総務省令で定めるものに限る。）としてゴルフを行う場合（当該学校の学長又は校長がその旨を証明する場合に限る。）の当該ゴルフ場の利用

　　　（総務省令で定める教育活動）
　注　②の(二)の総務省令で定める教育活動は、次に掲げるものとする。（規8の12）
　　（一）　体育の授業その他法令の規定により学校教育法第1条に規定する学校（幼稚園を除く。(二)において同じ。）が編成した教育課程に基づく授業
　　（二）　(一)に定めるもののほか、当該学校の教育活動としてゴルフを実施する団体（当該学校の学長又は校長（以下

③ 国際競技大会の場合におけるゴルフ場利用税の非課税

　道府県は、当分の間、スポーツ基本法第2条第6項に規定する国際競技大会（同法第27条第1項の規定による措置その他の我が国への招致又は開催の支援のための措置を講ずることが閣議において決定され、又は了解されたものに限る。）のゴルフ競技に参加する選手が当該国際競技大会のゴルフ競技として、又はその公式の練習のためにゴルフを行う場合（当該国際競技大会のゴルフ競技の準備及び運営を行う者がその旨を証明する場合に限る。）のゴルフ場の利用に対しては、第75条の規定にかかわらず、ゴルフ場利用税を課することができない。

二　税　　率

1　標準税率

　ゴルフ場利用税の標準税率は、1人1日につき800円とする。（法76①）

2　制限税率

　道府県は、1に定める標準税率を超える税率でゴルフ場利用税を課する場合には、1,200円を超える税率で課することができない。（法76②）

3　ゴルフ場の整備状況等に応ずる税率

　道府県は、ゴルフ場の整備の状況等に応じて、ゴルフ場利用税の税率に差等を設けることができる。この場合においては、2の規定を準用する。（法76③）

4　税率の決定に当たっての留意事項

　ゴルフ場利用税は、利用の日ごとに定額によって課税するものであるが、その税率の決定に当たっては、次の諸点に留意すること。（県通7－3）

(一)　ゴルフ場のうち800円の標準税率が適用されるものは、ホールの数が18ホール以上であり、かつ、施設の整備の状況等が標準的であるゴルフ場であること。

(二)　標準税率の適用されるゴルフ場以外のゴルフ場については、標準税率の適用されるゴルフ場との利用料金の相違によるほか、ホールの数、施設の整備の状況等の相違を勘案して数段階の税率区分を設けることができるものであること。

(三)　パブリックコースのゴルフ場についてはその特殊性にかんがみ、施設が同程度であるメンバーコースのゴルフ場に比べ1段階程度下位の税率が適用されることとなるよう留意すること。

(四)　ゴルフ場で、セルフプレー以外のプレーを認めていないゴルフ場（以下「セルフプレーゴルフ場」という。）のうち、(一)から(三)までにより標準税率以下の税率が適用されるゴルフ場であって、当該ゴルフ場に係るカートフィー等がキャディー付きのゴルフ場に係るキャディーフィーと同程度又はそれ以下であるものについては、その特殊性にかんがみ、施設の整備の状況等が同程度であるセルフプレーゴルフ場以外のゴルフ場に比べ1段階程度下位の税率が適用されることとなるよう留意すること。

第二節　質問検査権・納税管理人等

1　徴税吏員の調査に係る質問検査権

　道府県の徴税吏員は、ゴルフ場利用税の賦課徴収に関する調査のために必要がある場合においては、次に掲げる者に質問し、又は(一)から(三)までの者の事業に関する帳簿書類（その作成又は保存に代えて電磁的記録（電子的方式、磁気的方式その他の人の知覚によっては認識することができない方式で作られる記録であって、電子計算機による情報処理の用に供されるものをいう。）の作成又は保存がされている場合における当該電磁的記録を含む。2の(一)及び(二)において同じ。）その他の物件を検査し、若しくは当該物件（その写しを含む。）の提示若しくは提出を求めることができる。（法77①）

（一）　特別徴収義務者
（二）　納税義務者又は納税義務があると認められる者
（三）　（一）又は（二）に掲げる者に金銭又は物品を給付する義務があると認められる者
（四）　（一）から（三）までに掲げる者以外の者で当該ゴルフ場利用税の賦課徴収に関し直接関係があると認められる者

　　　　（分割承継法人及び分割法人に対する質問検査権）
（１）　１の（一）に掲げる者を分割法人（分割によりその有する資産及び負債の移転を行った法人をいう。以下（１）において同じ。）とする分割に係る分割承継法人（分割により分割法人から資産及び負債の移転を受けた法人をいう。以下（１）において同じ。）及び同（一）に掲げる者を分割承継法人とする分割に係る分割法人は、１の（三）に規定する金銭又は物品を給付する義務があると認められる者に含まれるものとする。（法77②）

　　　　（身分証明証の提示）
（２）　１の場合においては、当該徴税吏員は、その身分を証明する証票を携帯し、関係人の請求があったときは、これを提示しなければならない。（法77③）

　　　　（提出物件の留置き）
（３）　道府県の徴税吏員は、（４）で定めるところにより、１の規定により提出を受けた物件を留め置くことができる。（法77④）

　　　　（提出物件の留置きに関する書面の交付）
（４）　道府県の徴税吏員は、（３）の規定により物件を留め置く場合には、当該物件の名称又は種類及びその数量、当該物件の提出年月日並びに当該物件を提出した者の氏名及び住所又は居所その他当該物件の留置きに関し必要な事項を記載した書面を作成し、当該物件を提出した者にこれを交付しなければならない。（令40①）

　　　　（提出物件の返還）
（５）　道府県の徴税吏員は、（３）の規定により留め置いた物件につき留め置く必要がなくなったときは、遅滞なく、これを返還しなければならない。（令40②）

　　　　（提出物件の管理義務）
（６）　道府県の徴税吏員は、（５）に規定する物件を善良な管理者の注意をもって管理しなければならない。（令40③）

　　　　（滞納処分に関する調査についての不適用）
（７）　ゴルフ場利用税に係る滞納処分に関する調査については、１の規定にかかわらず、第四節２の⑤の（１）《国税徴収法の例による滞納処分》の定めるところによる。（法77⑤）

　　　　（質問検査権の解釈）
（８）　１又は（３）の規定による道府県の徴税吏員の権限は、犯罪捜査のために認められたものと解釈してはならない。（法77⑥）

２　検査拒否等に関する罪
　次の各号のいずれかに該当する場合には、その違反行為をした者は、１年以下の懲役又は50万円以下の罰金に処する。（法78①）
（一）　１の規定による帳簿書類その他の物件の検査を拒み、妨げ、又は忌避したとき
（二）　１の規定による物件の提示又は提出の要求に対し、正当な理由がなくこれに応ぜず、又は偽りの記載若しくは記録をした帳簿書類その他の物件（その写しを含む。）を提示し、若しくは提出したとき
（三）　１の規定による徴税吏員の質問に対し答弁をしないとき、又は虚偽の答弁をしたとき

　　　　（両罰規定）
　注　法人の代表者又は法人若しくは人の代理人、使用人その他の従業者がその法人又は人の業務又は財産に関して２の違反行為をした場合には、その行為者を罰するほか、その法人又は人に対し、２の罰金刑を科する。（法78②）

3　納税管理人

　ゴルフ場利用税の特別徴収義務者は、納入義務を負う道府県内に住所、居所、事務所又は事業所（以下3において「住所等」という。）を有しない場合においては、納入に関する一切の事項を処理させるため、当該道府県の条例で定める地域内に住所等を有する者のうちから納税管理人を定めてこれを道府県知事に申告し、又は当該地域外に住所等を有する者のうち当該事項の処理につき便宜を有するものを納税管理人として定めることについて道府県知事に申請してその承認を受けなければならない。納税管理人を変更し、又は変更しようとする場合においても、また、同様とする。（法79①）

　　（納税管理人を定めることを要しない場合）
　注　3の規定にかかわらず、当該特別徴収義務者は、当該特別徴収義務者に係るゴルフ場利用税の徴収の確保に支障がないことについて道府県知事に申請してその認定を受けたときは、納税管理人を定めることを要しない。（法79②）

4　納税管理人に係る虚偽の申告等に関する罪

　3の規定により申告すべき納税管理人について虚偽の申告をし、又は偽りその他不正の手段により3の承認若しくは3の注の認定を受けたときは、その違反行為をした者は、30万円以下の罰金に処する。（法80①）

　　（両罰規定）
　注　法人の代表者又は法人若しくは人の代理人、使用人その他の従業者がその法人又は人の業務に関して4の違反行為をした場合には、その行為者を罰するほか、その法人又は人に対し、4の刑を科する。（法80②）

5　納税管理人に係る不申告に関する過料

　道府県は、3の注の認定を受けていないゴルフ場利用税の特別徴収義務者で3の承認を受けていないものが3の規定によって申告すべき納税管理人について正当な理由がなくて申告をしなかった場合においては、その者に対し、当該道府県の条例で10万円以下の過料を科する旨の規定を設けることができる。（法81）

第三節　賦課及び徴収

一　徴収の方法

　ゴルフ場利用税の徴収については、特別徴収の方法によらなければならない。（法82）

二　特別徴収の手続等

1　特別徴収義務者の指定

　ゴルフ場利用税を特別徴収によって徴収しようとする場合においては、ゴルフ場の経営者その他徴収の便宜を有する者を当該道府県の条例によって特別徴収義務者として指定し、これに徴収させなければならない。（法83①）

　　（特別徴収義務者の指定に関する留意事項）
　注　ゴルフ場利用税の徴収については、特別徴収の方法によるものとされているが、特別徴収義務者の指定に当たっては、次の諸点に留意するものであること。（県通7－4（1））
　　イ　特別徴収の方法によって徴収する場合においては、1に規定するゴルフ場の経営者その他徴収の便宜を有する者を道府県の条例により特別徴収義務者と指定し、その指定した特別徴収義務者にゴルフ場利用税を徴収させなければならないものであること。
　　ロ　「経営者」とは、もとより社会通念によって判定すべきであるが、名義上の経営者のみならず、実質上の経営者がこれと異なる場合においては、その実質上の経営者も「経営者」の概念に含まれるものであること。したがって、ゴルフ場の実質上の経営者であるにもかかわらず、使用人等を名義上の経営者とし、表面上は自己は単にゴルフ場の建物等施設の所有者となっているような場合においては、条例、規則等において経営者を特別徴収義務者として包括指定をすれば、実質上の経営者及び名義上の経営者は、ともにゴルフ場利用税の特別徴収義務者として指定されるものであること。

2　特別徴収義務者の申告納入

　　1の特別徴収義務者は、当該道府県の条例で定める納期限までにその徴収すべきゴルフ場利用税に係る課税標準の総数、税額その他同条例で定める事項を記載した納入申告書を道府県知事に提出し、及びその納入金を当該道府県に納入する義務を負う。（法83②）

　　　　（申告納入に関する留意事項）
　　注　特別徴収義務者が特別徴収すべきゴルフ場利用税に係る納入金の申告納入については、次の諸点に留意すること。（県通7-4(2)）
　　　イ　道府県の条例で定める納期限は、毎月15日までに前月1日から同月末日までの期間において徴収すべきゴルフ場利用税について申告納入すべきものとすることが適当であること。ただし、当該ゴルフ場の事業を廃止した場合においては、その廃止した日から5日以内に廃止した日までに徴収すべきゴルフ場利用税について申告納入すべきものとすること。
　　　ロ　条例で定める納期限までに徴収して納入すべきゴルフ場利用税に係る納入金の全部又は一部を納入しなかった場合には、三《脱税に関する罪》の規定の適用があることはもとより、併せて滞納処分に着手することができるものであること。
　　　ハ　特別徴収義務者が納入すべき納入金は、その徴収すべきゴルフ場利用税に係る納入金であるから、特別徴収義務者が現実にゴルフ場利用税を徴収すると否とにかかわらず、その者が徴収すべき税額について納入義務を負うものであること。
　　　ニ　特別徴収義務者の交替は、相続又は法人の合併によるものであって、法第9条《相続による納税義務の承継》又は法第9条の3《法人の合併による納税義務》の規定の適用がある場合を除いては納付又は納入の義務の承継を生じないものであるから留意すること。

3　納税者に対する求償権

　　2の規定によって納入した納入金のうちゴルフ場利用税の納税者が特別徴収義務者に支払わなかった税金に相当する部分については、特別徴収義務者は、当該納税者に対して求償権を有する。（法83③）

　　　　（求償権に基づく訴えに対する援助義務）
　　注　特別徴収義務者が3の求償権に基づいて訴えを提起した場合においては、道府県の徴税吏員は、職務上の秘密に関する場合を除くほか、証拠の提供その他必要な援助を与えなければならない。（法83④）

4　特別徴収義務者としての登録等

①　登録の申請

　　1の規定によってゴルフ場利用税の特別徴収義務者として指定された者は、当該道府県の条例の定めるところによって、その特別徴収すべきゴルフ場利用税に係るゴルフ場ごとに、当該ゴルフ場におけるゴルフ場利用税の特別徴収義務者としての登録を道府県知事に申請しなければならない。（法84①）

　　　　（登録手続等を定める条例の制定に当たっての留意事項）
　　注　特別徴収義務者としての登録手続等は条例で定めることとされているのであるが、条例の制定に当たっては、次の諸点に留意すること。（県通7-4(3)）
　　　イ　登録申請の期限は、原則としてゴルフ場の経営を開始しようとする日前5日までに、当該ゴルフ場ごとに特別徴収義務者としての登録を道府県知事に申請しなければならないものであること。登録の申請事項に異動を生じた場合においては、当該事項についてその異動を生じた日から5日以内にその登録の変更を申請せしめることとすること。
　　　ロ　登録を申請する場合において提出すべき申請書には、概ね次に掲げる事項を記載させることが必要であること。
　　　　（イ）特別徴収義務者の住所及び氏名又は名称
　　　　（ロ）経営ゴルフ場又は借り受けたゴルフ場の所在地及び名称
　　　　（ハ）利用料金
　　　　（ニ）経営ゴルフ場又は借り受けたゴルフ場の構造、その他設備の概要
　　　　（ホ）経営期間

　　　　（ヘ）　経営開始の年月日
　　　　（ト）　その他必要な事項
　　ハ　当該ゴルフ場の経営を継承した特別徴収義務者は、提出すべき登録申請書に被継承者の連署を必要とする旨を規定することが適当であること。

② 　証票の交付
　道府県知事は、①の登録の申請を受理した場合においては、その申請をした者に対し、当該道府県の条例の定めるところによって、その者がゴルフ場利用税を徴収すべき義務を課せられた者であることを証する証票を交付しなければならない。（法84②）

　　　　（証票の掲示）
（１）　②の証票の交付を受けた者は、これを当該ゴルフ場の公衆に見やすい箇所に掲示しなければならない。（法84③）

　　　　（証票の貸付等の禁止）
（２）　②の証票は、他人に貸し付け、又は譲り渡してはならない。（法84④）

　　　　（証票の返還）
（３）　②の証票の交付を受けた者は、当該ゴルフ場に係るゴルフ場利用税の特別徴収の義務が消滅した場合においては、その消滅した日から10日以内にその証票を道府県知事に返さなければならない。（法84⑤）

5 　特別徴収義務者の登録等に関する罪
　次の各号のいずれかに該当する場合には、その違反行為をした者は、1年以下の懲役又は50万円以下の罰金に処する。（法85①）
（一）　4の①の規定による登録の申請をしなかったとき
（二）　4の②の（１）から（３）までの規定のいずれかに違反したとき

　　　　（両罰規定）
　注　法人の代表者又は法人若しくは人の代理人、使用人その他の従業者がその法人又は人の業務に関して5の違反行為をした場合には、その行為者を罰するほか、その法人又は人に対し、5の罰金刑を科する。（法85②）

三 　脱税に関する罪

　二の2《特別徴収義務者の申告納入》の規定により徴収して納入すべきゴルフ場利用税に係る納入金の全部又は一部を納入しなかったときは、その違反行為をした者は、5年以下の懲役若しくは100万円以下の罰金に処し、又はこれを併科する。（法86①）

　　　　（脱税額が100万円を超える場合の罰金額の加重）
（１）　三の納入しなかった金額が100万円を超える場合には、情状により、三の罰金の額は、三の規定にかかわらず、100万円を超える額でその納入しなかった金額に相当する額以下の額とすることができる。（法86②）

　　　　（両罰規定）
（２）　法人の代表者又は法人若しくは人の代理人、使用人その他の従業者がその法人又は人の業務に関して三の違反行為をした場合には、その行為者を罰するほか、その法人又は人に対し、三の罰金刑を科する。（法86③）

　　　　（時効の期間）
（３）　（２）の規定により三の違反行為につき法人又は人に罰金刑を科する場合における時効の期間は、三の罪についての時効の期間による。（法86④）

四　更正又は決定

1　更　正

　道府県知事は、二の2《特別徴収義務者の申告納入》の規定による納入申告書（以下ゴルフ場利用税について「**申告書**」という。）の提出があった場合においては、当該納入申告に係る課税標準の総数又は税額がその調査したところと異なるときは、これを更正することができる。（法87①）

2　決　定

　道府県知事は、特別徴収義務者が申告書を提出しなかった場合においては、その調査によって、納入申告すべき課税標準の総数及び税額を決定することができる。（法87②）

3　再更正

　道府県知事は、1又は2の規定によって更正し、又は決定した課税標準の総数又は税額について、調査によって、過大であることを発見した場合、又は過少であり、かつ、過少であることが特別徴収義務者の詐偽その他不正の行為によるものであることを発見した場合に限り、これを更正することができる。（法87③）

4　更正又は決定の通知

　道府県知事は、1から3までの規定によって更正し、又は決定した場合においては、遅滞なく、これを特別徴収義務者に通知しなければならない。（法87④）

五　延滞金及び加算金等

1　不足金額及びその延滞金の徴収

①　不足金額の徴収

　道府県の徴税吏員は、四の1から3まで《更正・決定・再更正》の規定による更正又は決定があった場合において、不足金額（更正による納入金の不足額又は決定による納入金額をいう。以下ゴルフ場利用税について同じ。）があるときは、同4《更正又は決定の通知》の通知をした日から15日を経過した日を納期限として、これを徴収しなければならない。（法88①）

②　延滞金の徴収

　①の場合においては、その不足金額に二の2《特別徴収義務者の申告納入》の納期限（納期限の延長があったときは、その延長された納期限とする。以下ゴルフ場利用税について同じ。）の翌日から納入の日までの期間の日数に応じ、年14.6パーセント（①の納期限までの期間又は当該納期限の翌日から1月を経過する日までの期間については、年7.3パーセント）の割合を乗じて計算した金額に相当する延滞金額を加算して徴収しなければならない。（法88②）
　　（注）　②に規定する延滞金の年7.3パーセントの割合については特例規定が設けられているので、第一編第十章12の①《延滞金の割合の特例》を参照。（編者）

③　延滞金の減免

　道府県知事は、特別徴収義務者が四の1《更正》又は2《決定》の規定による更正又は決定を受けたことについてやむを得ない理由があると認める場合においては、②の延滞金額を減免することができる。（法88③）

2　期限後納入に係る延滞金

①　納期限後納入の延滞金

　ゴルフ場利用税の特別徴収義務者は、二の2《特別徴収義務者の申告納入》の納期限後にその納入金を納入する場合においては、当該納入金額に、その納期限の翌日から納入の日までの期間の日数に応じ、年14.6パーセント（当該納期限の翌日から1月を経過する日までの期間については、年7.3パーセント）の割合を乗じて計算した金額に相当する延滞金額を加算して納入しなければならない。（法89①）
　　（注）　①に規定する延滞金の年7.3パーセントの割合については特例規定が設けられているので、第一編第十章12の①《延滞金の割合の特例》を参

照。(編者)

② 延滞金の減免

　道府県知事は、特別徴収義務者が二の2《特別徴収義務者の申告納入》の納期限までに納入金を納入しなかったことについてやむを得ない理由があると認める場合においては、①の延滞金額を減免することができる。(法89②)

3　加　算　金

① 過少申告加算金

　申告書の提出期限までにその提出があった場合(申告書の提出期限後にその提出があった場合において、②ただし書又は⑧の規定の適用があるときを含む。以下①において同じ。)において、四の1《更正》又は3《再更正》の規定による更正があったときは、道府県知事は、当該更正前の納入申告に係る課税標準の総数又は税額に誤りがあったことについて正当な理由がないと認める場合には、当該更正による不足金額(以下①において「対象不足金額」という。)に100分の10の割合を乗じて計算した金額(当該対象不足金額(当該更正前にその更正に係るゴルフ場利用税について更正があった場合には、その更正による不足金額の合計額(当該更正前の納入申告に係る課税標準の総数又は税額に誤りがあったことについて正当な理由があると認められたときは、その更正による不足金額を控除した金額とし、当該ゴルフ場利用税についてその納入すべき金額を減少させる更正又は更正に係る不服申立て若しくは訴えについての決定、裁決若しくは判決による原処分の異動があったときは、これらにより減少した部分の金額に相当する金額を控除した金額とする。)を加算した金額とする。)が申告書の提出期限までにその提出があった場合における当該申告書に係る税額に相当する金額と50万円とのいずれか多い金額を超えるときは、その超える部分に相当する金額(当該対象不足金額が当該超える部分に相当する金額に満たないときは、当該対象不足金額)に100分の5の割合を乗じて計算した金額を加算した金額とする。)に相当する過少申告加算金額を徴収しなければならない。(法90①)

② 不申告加算金

　次の各号のいずれかに該当する場合には、道府県知事は、当該各号に規定する申告、決定又は更正により納入すべき税額に100分の15の割合を乗じて計算した金額に相当する不申告加算金額を徴収しなければならない。ただし、申告書の提出期限までにその提出がなかったことについて正当な理由があると認められる場合には、この限りでない。(法90②)
　(一)　申告書の提出期限後にその提出があった場合又は四の2《決定》の規定による決定があった場合
　(二)　申告書の提出期限後にその提出があった後において四の1《更正》又は3《再更正》の規定による更正があった場合
　(三)　四の2《決定》の規定による決定があった後において同3《再更正》の規定による更正があった場合

③ 不申告加算金の加重

　②の規定に該当する場合(②ただし書又は⑧の規定の適用がある場合を除く。④及び⑤において同じ。)において、②に規定する納入すべき税額(②の(二)又は(三)に該当する場合には、これらの規定に規定する更正前にされた当該ゴルフ場利用税に係る申告書の提出期限後の申告又は四の1から3まで《更正・決定・再更正》の規定による更正若しくは決定により納入すべき税額の合計額(当該納入すべき税額を減少させる更正又は更正に係る不服申立て若しくは訴えについての決定、裁決若しくは判決による原処分の異動があったときは、これらにより減少した部分の税額に相当する金額を控除した金額とする。④において「累積納入税額」という。)を加算した金額。④において「加算後累積納入税額」という。)が50万円を超えるときは、②に規定する不申告加算金額は、②の規定にかかわらず、②の規定により計算した金額に、その超える部分に相当する金額(②に規定する納入すべき税額が当該超える部分に相当する金額に満たないときは、当該納入すべき税額)に100分の5の割合を乗じて計算した金額を加算した金額とする。(法90③)

④ 更正等があった日の前日から起算して5年前の日までの間に不申告加算金等を徴収されたことがある場合の不申告加算金額の計算

　②の規定に該当する場合において、加算後累積納入税額(当該加算後累積納入税額の計算の基礎となった事実のうちに②各号に規定する申告、決定又は更正前の税額の計算の基礎とされていなかったことについて当該特別徴収義務者の責めに帰すべき事由がないと認められるものがあるときは、その事実に基づく税額として注で定めるところにより計算した金額を控除した税額)が300万円を超えるときは、②に規定する不申告加算金額は、②及び③の規定にかかわらず、加算後累積納入税額を次の各号に掲げる金額に区分してそれぞれの金額に当該各号に定める割合を乗じて計算した金額の合計額か

ら累積納入税額を当該各号に掲げる金額に区分してそれぞれの金額に当該各号に定める割合を乗じて計算した金額の合計額を控除した金額とする。
 (一)　50万円以下の部分に相当する金額　　100分の15の割合
 (二)　50万円を超え300万円以下の部分に相当する金額　　100分の20の割合
 (三)　300万円を超える部分に相当する金額　　100分の30の割合

　　　（政令で定めるところにより計算した金額）
　注　④に規定する注で定めるところにより計算した金額は、④に規定する当該特別徴収義務者の責めに帰すべき事由がないと認められる事実のみに基づいて②各号に規定する申告、決定又は更正があったものとした場合におけるその申告、決定又は更正により納入すべき税額とする。（令40の2）

⑤　**不申告加算金の加算規定**
　②の規定に該当する場合において、次の各号のいずれかに該当するときは、②に規定する不申告加算金額は、②から④の規定にかかわらず、これらの規定により計算した金額に、②に規定する納入すべき税額に100分の10の割合を乗じて計算した金額を加算した金額とする。（法90⑤）
 (一)　申告書の提出期限後のその提出（当該納入申告書に係るゴルフ場利用税について道府県知事の調査による決定があるべきことを予知してされたものに限る。(二)において同じ。）又は四の1から3までの規定による更正若しくは決定があった日の前日から起算して5年前の日までの間に、ゴルフ場利用税について、不申告加算金（⑥の規定の適用があるものを除く。(二)において同じ。）又は重加算金（4の③の(一)において「不申告加算金等」という。）を徴収されたことがある場合
 (二)　申告書の提出期限後のその提出又は四の1から3までの規定による更正若しくは決定に係るゴルフ場利用税の特別徴収義務が成立した日の属する年の前年及び前々年に特別徴収義務が成立したゴルフ場利用税について、不申告加算金若しくは重加算金（4の②の規定の適用があるものに限る。）（以下(二)及び4の③の(二)において「特定不申告加算金等」という。）を徴収されたことがあり、又は特定不申告加算金等に係る決定をすべきと認める場合

⑥　**申告書の提出が決定があることを予知してされたものでない場合の軽減**
　申告書の提出期限後にその提出があった場合において、その提出が当該申告書に係るゴルフ場利用税額について道府県知事の調査による決定があるべきことを予知してされたものでないときは、当該申告書に係る税額に係る②の不申告加算金額は、②から④の規定にかかわらず、当該税額に100分の5の割合を乗じて計算した金額に相当する額とする。（法90⑥）

⑦　**過少申告加算金額又は不申告加算金額の決定の通知**
　道府県知事は、①の規定によって徴収すべき過少申告加算金額又は②の規定によって徴収すべき不申告加算金額を決定した場合においては、遅滞なく、これを特別徴収義務者に通知しなければならない。（法90⑦）

⑧　**申告書の提出期限までに提出する意思があったと認められる場合の不申告加算金の不徴収**
　②の規定は、⑥の規定に該当する申告書の提出があった場合において、その提出が、申告書の提出期限までに提出する意思があったと認められる場合として注で定める場合に該当して行われたものであり、かつ、申告書の提出期限から1月を経過する日までに行われたものであるときは、適用しない。（法90⑧）

　　　（申告書の提出期限までに提出する意思があったと認められる場合）
　注　⑧に規定する申告書の提出期限までに提出する意思があったと認められる場合は、次の各号のいずれにも該当する場合とする。（令40の3）

(一)	⑧に規定する申告書の提出があった日の前日から起算して1年前の日までの間に、ゴルフ場利用税について、②の(一)に該当することにより不申告加算金額又は重加算金額を課されたことがない場合であって、⑧の規定の適用を受けていないとき。
(二)	(一)に規定する申告書に係る納入すべき税額の全額が、次に掲げる場合の区分に応じ、それぞれ次に定める日までに納入されていた場合 　イ　ロに掲げる場合以外の場合　　当該納入すべき税額に係る二の2《特別徴収義務者の申告納入》の納期限（納期限の延長があったときは、その延長された納期限）

ロ　道府県知事が当該申告書に係る納入について口座振替の方法による旨の申出を受けていた場合　当該申告書の提出があった日

4　重加算金

① 　過少申告加算金に代えて徴収する重加算金
　　3の①の規定に該当する場合において、特別徴収義務者が課税標準の総数の計算の基礎となるべき事実の全部又は一部を隠蔽し、又は仮装し、かつ、その隠蔽し、又は仮装した事実に基づいて申告書又は第一編第十章10の④に規定する更正請求書（②において「更正請求書」という。）を提出したときは、道府県知事は、注で定めるところにより、同①に規定する過少申告加算金額に代えて、その計算の基礎となるべき更正による不足金額に100分の35の割合を乗じて計算した金額に相当する重加算金額を徴収しなければならない。（法91①）
　　（注）　①中　　部分を加える令和6年度改正規定は、令和7年1月1日以後に四の1に規定する申告書の提出期限が到来するゴルフ場利用税について適用し、同日前に当該提出期限が到来したゴルフ場利用税については、なお従前の例による。（令6改法附1二、13）

　　　（重加算金額の計算）
　　注　①又は③（①の重加算金に係る部分に限る。以下同じ）の規定により、過少申告加算金額に代えて、重加算金額を徴収する場合には、①又は③の規定による重加算金額の算定の基礎となるべき①又は③に規定する不足金額に相当する金額を、3の①に規定する対象不足金額から控除して計算するものとした場合における過少申告加算金額以外の部分の過少申告加算金額に代え、重加算金額を徴収するものとする。（令34①、41）

② 　不申告加算金に代えて徴収する重加算金
　　3の②の規定に該当する場合（同②ただし書の規定の適用がある場合を除く。）において、特別徴収義務者が課税標準の総数の計算の基礎となるべき事実の全部又は一部を隠蔽し、又は仮装し、かつ、その隠蔽し、又は仮装した事実に基づいて申告書の提出期限までにこれを提出せず、又は申告書の提出期限後にその提出をし、若しくは更正請求書を提出したときは、道府県知事は、同②に規定する不申告加算金額に代えて、その計算の基礎となるべき税額に100分の40の割合を乗じて計算した金額に相当する重加算金額を徴収しなければならない。（法91②）
　　（注）　②中　　部分を加える令和6年度改正規定は、令和7年1月1日以後に四の1に規定する申告書の提出期限が到来するゴルフ場利用税について適用し、同日前に当該提出期限が到来したゴルフ場利用税については、なお従前の例による。（令6改法附1二、13）

③ 　更正等があった日の前日から起算して5年前の日までの間に不申告加算金等を徴収されたことがある場合の重加算金額の計算
　　①及び②の規定に該当する場合において、次の各号のいずれか（①の規定に該当する場合にあっては、（一））に該当するときは、①及び②に規定する重加算金額は、これらの規定にかかわらず、これらの規定により計算した金額に、①の規定に該当するときは①に規定する計算の基礎となるべき更正による不足金額に、②の規定に該当するときは②に規定する計算の基礎となるべき税額に、それぞれ100分の10の割合を乗じて計算した金額を加算した金額とする。（法91③）
（一）　①及び②に規定する課税標準の総数の計算の基礎となるべき事実で隠蔽し、又は仮装されたものに基づき申告書の提出期限後のその提出又は四の1から3までの規定による更正若しくは決定があった日の前日から起算して5年前の日までの間に、ゴルフ場利用税について、不申告加算金等を徴収されたことがある場合
（二）　申告書の提出期限後のその提出又は四の1から3までの規定による更正若しくは決定に係るゴルフ場利用税の特別徴収義務が成立した日の属する年の前年及び前々年に特別徴収義務が成立したゴルフ場利用税について、特定不申告加算金等を徴収されたことがあり、又は特定不申告加算金等に係る決定をすべきと認める場合

④ 　申告書の提出が決定があることを予知してされたものでない場合の不徴収
　　道府県知事は、②の規定に該当する場合において申告書の提出について3の⑥に規定する理由があるときは、当該納入申告に係る税額を基礎として計算した重加算金額を徴収しない。（法91④）

⑤ 　重加算金額の決定の通知
　　道府県知事は、①又は②の規定によって徴収すべき重加算金額を決定した場合においては、遅滞なく、これを特別徴収義務者に通知しなければならない。（法91⑤）

第四節　督促・滞納処分

1　督　　促

　特別徴収義務者が納期限（更正又は決定があった場合においては、不足金額の納期限をいう。以下ゴルフ場利用税について同じ。）までにゴルフ場利用税に係る地方団体の徴収金を完納しない場合においては、道府県の徴税吏員は、納期限後20日以内に、督促状を発しなければならない。ただし、繰上徴収をする場合においては、この限りでない。（法92①）

　　　　（特別の事情がある場合の督促状の発付期限）
（1）　特別の事情がある道府県においては、当該道府県の条例で1に規定する期間と異なる期間を定めることができる。（法92②）

　　　　（督促手数料の徴収）
（2）　道府県の徴税吏員は、督促状を発した場合においては、当該道府県の条例の定めるところによって、手数料を徴収することができる。（法93）

2　滞納処分

① 　滞納処分

　ゴルフ場利用税に係る滞納者が次の各号の一に該当するときは、道府県の徴税吏員は、当該ゴルフ場利用税に係る地方団体の徴収金につき、滞納者の財産を差し押さえなければならない。（法94①）
（一）　滞納者が督促を受け、その督促状を発した日から起算して10日を経過した日までにその督促に係るゴルフ場利用税に係る地方団体の徴収金を完納しないとき。
（二）　滞納者が繰上徴収に係る告知により指定された納期限までにゴルフ場利用税に係る地方団体の徴収金を完納しないとき。

② 　第二次納税義務者又は保証人に対する催告

　第二次納税義務者又は保証人について①の規定を適用する場合には、①の（一）中「督促状」とあるのは、「納入の催告書」とする。（法94②）

③ 　繰上差押え

　ゴルフ場利用税に係る地方団体の徴収金の納期限後①の（一）に規定する10日を経過した日までに、督促を受けた滞納者につき法第13条の2第1項各号《繰上徴収》の一に該当する事実が生じたときは、道府県の徴税吏員は、直ちにその財産を差し押さえることができる。（法94③）

④ 　強制換価手続が行われた場合の交付要求

　滞納者の財産につき強制換価手続が行われた場合には、道府県の徴税吏員は、執行機関（破産法第114条第1号に掲げる請求権に係るゴルフ場利用税に係る地方団体の徴収金の交付要求を行う場合には、その交付要求に係る破産事件を取り扱う裁判所）に対し、滞納に係るゴルフ場利用税に係る地方団体の徴収金につき、交付要求をしなければならない。（法94④）

⑤ 　参加差押え

　道府県の徴税吏員は、①から③までの規定により差押えをすることができる場合において、滞納者の財産で国税徴収法第86条第1項各号《参加差押えのできる財産》に掲げるものにつき、既に他の地方団体の徴収金若しくは国税の滞納処分又はこれらの滞納処分の例による処分による差押えがされているときは、当該財産についての交付要求は、参加差押えによりすることができる。（法94⑤）

(国税徴収法の例による滞納処分)
（１）　①から⑤までに定めるもののほか、ゴルフ場利用税に係る地方団体の徴収金の滞納処分については、国税徴収法に規定する滞納処分の例による。（法94⑥）

(道府県の区域外における処分)
（２）　①から⑤まで又は（１）の規定による処分は、当該道府県の区域外においても行うことができる。（法94⑦）

⑥　滞納処分に関する罪
　ゴルフ場利用税の特別徴収義務者が滞納処分の執行を免れる目的でその財産を隠蔽し、損壊し、若しくは道府県の不利益に処分し、その財産に係る負担を偽って増加する行為をし、又はその現状を改変して、その財産の価額を減損し、若しくはその滞納処分に係る滞納処分費を増大させる行為をしたときは、その者は、3年以下の懲役若しくは250万円以下の罰金に処し、又はこれを併科する。（法95①）

(財産占有者に対する罰則)
（１）　特別徴収義務者の財産を占有する第三者が特別徴収義務者に滞納処分の執行を免れさせる目的で⑥の行為をしたときも、⑥と同様とする。（法95②）

(情を知った違反行為の相手方に対する罰則)
（２）　情を知って⑥又は（１）の行為につき特別徴収義務者又はその財産を占有する第三者の相手方となったときは、その相手方としてその違反行為をした者は、2年以下の懲役若しくは150万円以下の罰金に処し、又はこれを併科する。（法95③）

(両罰規定)
（３）　法人の代表者又は法人若しくは人の代理人、使用人その他の従業者がその法人又は人の業務又は財産に関して⑥又は（１）、（２）の違反行為をした場合には、その行為者を罰するほか、その法人又は人に対し、当該各項の罰金刑を科する。（法95④）

⑦　滞納処分に関する検査拒否等の罪
　次の各号のいずれかに該当する場合には、その違反行為をした者は、1年以下の懲役又は50万円以下の罰金に処する。（法96①）
(一)　⑤の（１）の場合において、国税徴収法第141条《質問及び検査》の規定の例により行う道府県の徴税吏員の質問に対して答弁をせず、又は偽りの陳述をしたとき
(二)　⑤の（１）の場合において、国税徴収法第141条の規定の例により行う道府県の徴税吏員の帳簿書類（同条に規定する帳簿書類をいう。（三）において同じ。）その他の物件の検査を拒み、妨げ、又は忌避したとき。
(三)　⑤の（１）の場合において、国税徴収法第141条の規定の例により行う道府県の徴税吏員の物件の提示又は提出の要求に対し、正当な理由がなくこれに応ぜず、又は偽りの記載若しくは記録をした帳簿書類その他の物件（その写しを含む。）を提示し、若しくは提出したとき。

(両罰規定)
　注　法人の代表者又は法人若しくは人の代理人、使用人その他の従業者がその法人又は人の業務又は財産に関して⑦の違反行為をした場合には、その行為者を罰するほか、その法人又は人に対し、⑦の罰金刑を科する。（法96②）

第五節　ゴルフ場所在市町村に対する交付

　ゴルフ場所在市町村に対する交付に関する次の規定は省略した。（編者）
①　ゴルフ場利用税のゴルフ場所在の市町村に対する交付（法103）
②　交付時期及び交付時期ごとの交付額（規8の13）

第九章　軽油引取税

◆令和6年度改正事項◆

（1）　軽油の引取りに係る課税免除の特例措置については、その適用期限を令和9年3月31日まで延長することとした。（法附12の2の7①）
（2）　船舶の動力源に供する免税軽油の引取りを行った自衛隊の船舶の使用者が、重要影響事態に際して我が国の平和及び安全を確保するための措置に関する法律、重要影響事態等に際して実施する船舶検査活動に関する法律、武力攻撃事態等及び存立危機事態におけるアメリカ合衆国等の軍隊の行動に伴い我が国が実施する措置に関する法律又は国際平和共同対処事態に際して我が国が実施する諸外国の軍隊等に対する協力支援活動等に関する法律に基づき、当該引取りに係る軽油を譲渡する場合における課税免除の特例措置については、その適用期限を令和9年3月31日まで延長することとした。（法附12の2の7⑤）
（3）　船舶の動力源に供する免税軽油の引取りを行った自衛隊の船舶の使用者が、我が国と我が国以外の締約国との間の物品又は役務の相互の提供に関する条約その他の国際約束で一定のものに基づき、当該引取りに係る軽油を当該締約国の軍隊の船舶の動力源に供するため譲渡する場合における課税免除の特例措置については、その適用期限を令和9年3月31日まで延長することとした。（法附12の2の7⑥）
（4）　船舶の動力源に供する免税軽油の引取りを行ったオーストラリア軍隊の船舶の使用者が、当該引取りに係る軽油を自衛隊に譲渡する場合における課税免除の特例措置については、その適用期限を令和9年3月31日まで延長することとした。（法附12の2の7⑦）
（5）　専らレクリエーションの用（レクリエーションに関する事業の用を除く。）に供する船舶の使用者が当該船舶の動力源に供する軽油の引取りに係る課税免除の特例措置については、令和7年3月31日をもって廃止することとした。（法附12の2の7①一、令附10の2の2①）
（6）　課税免除の特例措置に係る軽油の引取りを行おうとする者であることを証する書面の有効期間は、道府県知事が定める期間を経過する日が令和9年3月31日以後に到来する場合には、同日までとすることとした。（令附10の2の2⑧）
（7）　（5）の特例措置に係る免税証等の有効期間は、道府県知事が定める期間を経過する日が令和7年4月1日以後に到来する場合には、当該有効期間は令和7年3月31日に満了したものとみなすこととした。（令6改令第137号附②）

第一節　通　　則

一　用語の意義

軽油引取税について、次の各号に掲げる用語の意義は、それぞれ当該各号に定めるところによる。（法144①）

（一）	軽　油	\multicolumn{2}{l|}{温度15度において0.8017を超え、0.8762に達するまでの比重を有する炭化水素油をいい、次に掲げる規格のいずれかに該当する炭化水素油を含まないものとする。（令43①）}
		イ	分留性状90パーセント留出温度が267度を超えないこと。
		ロ	分留性状90パーセント留出温度が400度を超えること。
		ハ	ロに掲げるもののほか、残留炭素分が0.2パーセントを超えること。
		ニ	ロ及びハに掲げるもののほか、引火点が温度130度を超えること。
		\multicolumn{2}{l|}{（注）　上表の規格は、工業標準化法によって定められる石油製品の試験等の方法に関する日本工業規格により認定するも}

のとする。(令43②)

(軽油に炭化水素油以外のものを混和した場合)
(1) 軽油引取税が課される引取りが行われる前に軽油に炭化水素油以外のものを混和した場合においては、その混和により生じたものを(一)の軽油とみなす。(法144②)

(混和により生じたものが課税対象とされる場合)
(2) 軽油引取税が課されていない軽油に炭化水素油以外のものを混和した場合においては、その混和により生じたものが課税対象となる軽油とみなされるのであるが、これは、軽油にセタン価を向上するため、硝酸又は亜硝酸アルキル、ニトロ化合物などが添加剤として用いられる場合又は軽油に環境対策の観点などから脂肪酸メチルエステル等が混合される場合において、適用されるものであること。(県通9－5)

(軽油の認定に当たっての留意事項)
(3) 軽油引取税の課税対象である軽油については、一般に軽油として市販されているものを捉えようとする趣旨から、法律及び政令において、比重、分留性状90パーセント留出温度、残留炭素分又は引火点によって、一定範囲の炭化水素油を規定したのであるが、具体的には、元売業者又は特約業者が通常軽油として取引しているものを課税対象として取扱うことが適当であること。なお、その認定に当たっては、次の諸点に留意するものであること。(県通9－2)
(一) 燃料油は、その性状及び用途の相違によって、揮発油、灯油、軽油、重油の4種類に大別することができ、これらのうち、揮発油は最も比重が軽く、かつ、沸騰点が低く、以下灯油、軽油、重油の順に沸騰点が高い留分であること。軽油は、灯油と重油との中間の性状を有するもので、比重は、通常0.840前後で、また沸騰点の範囲は、おおむね、温度200度から400度程度までであり、淡黄色又は淡褐色を呈し、原油蒸留の際の留出油を比較的簡単な精製を行って製品とするが、その用途は、石油発動機燃料、高速ディーゼル機関燃料、洗油等であり、その他瓦、スレート瓦製造の際の型抜油、切削油原料として用いられること。
(二) 炭化水素油とは、炭素と水素のみからなる各種の炭化水素化合物を主成分とする混合物で、常温(温度15度)、常圧(水銀柱760ミリメートル)において油状をなしているものをいい、単一の炭化水素化合物(ベンゾール等)、常温、常圧において気状(プロパンを主成分とする液化ガス)、固状又は半固状(パラフィン、ワセリン等)を呈する炭化水素の混合物はこれに含まれないこと。なお、燃料炭化水素油、混和軽油等の販売又は消費に対する課税の規定(二の3、4及び5)における「炭化水素油」は、炭化水素とその他の物との混合物又は単一の炭化水素で、1気圧において温度15度で液状であるものを含むものであること。
(三) 0.8017及び0.8762の比重は、常温における比重であるから、温度差による比重換算に当たっては、産業標準化法第20条に規定する日本産業規格(以下「日本産業規格」という。)による「燃料油の温度に対する密度換算表」を参照すること。
(四) 法律において規定する範囲の比重を有する炭化水素油には、軽油のほかに一般に灯油及び重油と称せられるものの相当部分が含まれることとなるので、政令において、分留性状90パーセント留出温度、残留炭素分又は引火点によって、これらの灯油及び重油を課税対象とならないように規定しているのであるが、この場合において次の諸点に注意すること。
 イ 分留性状90パーセント留出温度、残留炭素分又は引火点の試験の方法は、日本産業規格による分留試験、残留炭素分試験及び引火点試験をいうのであるが、現実に課税対象から除外されるものであるか否かについて問題が生じた場合においては、その最終的認定については、専門的技術的な知識を必要とするので、分析機関に委託する等、適切な措置を講ずること。
 ロ 「分留性状90パーセント留出温度が267度を超えないこと」によって灯油を除外し、「分留性状90パーセント留出温度が400度を超えること」又は「残留炭素分が0.2パーセントを超えること」によって重油を除外するものであるが、これらの規格によっては、特殊の用途に供する潤滑油が除外されないので、これを除外するため、「引火点が温度130度を超えること」の規格を加えたものであること。

(二)	元売業者	軽油を製造することを業とする者、軽油を輸入することを業とする者又は軽油を販売することを業とする者で、六の1《元売業者の指定》の規定により総務大臣の指定を受けている者をいう。
(三)	特約業者	元売業者との間に締結された販売契約に基づいて当該元売業者から継続的に軽油の供給を受け、これを販売することを業とする者で、七の2の①《特約業者の指定》の規定により道府県知事の指定を受けている者をいう。

(軽油引取税の運営に当たっての一般的留意事項)
注 軽油引取税の税務運営に当たっては、特に次の諸点に留意するものであること。(県通9-1)
 (一) 軽油引取税の制度を適正かつ効率的に運営するため、元売業者、特約業者及び仮特約業者の指定、製造等の承認並びに軽油の引取り等に係る報告等の制度の運用を厳正に行うとともに、課税の適正な執行を確保し、軽油の流通経路の複雑さを利用した脱税や軽油と軽油以外の炭化水素油を混和することによる脱税等を防止するための有効適切な措置をとるものであること。
 (二) 本税については、特定の用途に供される軽油の引取りに対して免税の措置がとられているのであるが、免税の手続等については、法律、政令、総務省令及び通知において詳細に規定されているものであること。なお、本税の免税手続は、免税証の交付と密接不可分のものであり、法定の免税証のみが全国的流通の効力を有するものとされているが、その免税証交付の範囲も法律に規定されているところに限定され、道府県の条例でこれを拡げることはできないものであること。
 (三) 免税軽油の引取り及び使用については、免税証の不正受給、不正行使若しくは譲渡又は免税軽油の横流れ等の事態が生ずることのないよう、常時広報活動を通じて、本税の趣旨、免税の手続等について一般住民への周知徹底を図るため有効適切な措置をとるべきこと。

二 納税義務者等

1 軽油の引取りを行う者に対する課税

軽油引取税は、特約業者又は元売業者からの**軽油の引取り**(特約業者の元売業者からの引取り及び元売業者の他の元売業者からの引取りを除く。2において同じ。)で当該引取りに係る軽油の現実の納入を伴うものに対し、その数量を課税標準として、当該軽油の納入地(石油製品の販売業者が軽油の引取りを行う場合にあっては、販売業者の当該納入に係る事業所。第二節二の2《特別徴収義務者の申告納入義務》及び同1の②《特別徴収義務者の登録等》において同じ。)所在の道府県において、その引取りを行う者に課する。(法144の2①)

(軽油の引取り及び現実の納入についての留意事項)
(1) 軽油引取税は、特約業者又は元売業者からの軽油の引取りで当該引取りに係る軽油の現実の納入を伴うものに対して課されるのであるが、これらの課税客体の把握に当たっては、次の諸点に留意するものであること。(県通9-6)
 (一) 「軽油の引取り」とは、一般に軽油の取引において、軽油を所有し、使用し、又は譲渡する目的をもって一の人格者から他の人格者に当該軽油の実力的支配権が移転することをいうのであるが、この場合においては、次の諸点に留意すること。
  イ 軽油引取税にいう「軽油の引取り」は、民法に規定する「引渡し」に対応する観念であって単なる「庫出し」ではないこと。したがって、軽油の引取り形態は、民法上の現実の引渡しのみならず、簡易の引渡し、占有改定又は指図による占有の移転が含まれるものであること。
  ロ 軽油の引取りを行う場合においては、軽油を所有し、使用し、又は譲渡する目的をもって締結された私法上の売買、交換等の契約が存在することが前提とされているので、相続等による軽油の取得、運送業者が他の者の委託を受けて運送のために行う軽油の引取り、倉庫業者が保管のために行う軽油の引取り等は、軽油引取税にいう軽油の引取りとはならないこと。
  ハ 特約業者又は元売業者において、本店と支店又は支店相互の間において軽油の引取り(通常「社内転送」という。)が行われても、これらの場合は、特約業者又は元売業者の同一の人格者の内部における移動であるから、軽油引取税にいう軽油の引取りとはならないこと。
  ニ 軽油について販売契約等が成立した場合においても、必ずしも同時に当該軽油の引取りが行われるとは限らないものであること。したがって、軽油の引取りが行われたか否かについては、個々具体的な取引について事実に即して検討すべきものであり、通常は、特約業者又は元売業者の営業所の帳簿上の仕切等によって判断すること

が適当と考えられるものであること。
- （二）特約業者又は元売業者からの軽油の引取りであっても、次に掲げる軽油の引取りは、課税の対象である軽油の引取りから除外されているので留意すること。
  - イ　特約業者が元売業者から軽油の引取りを行う場合における当該軽油の引取り
  - ロ　元売業者が他の元売業者から軽油の引取りを行う場合（通称「ジョイント」という。）における当該軽油の引取り
- （三）「現実の納入」とは、一般に、軽油の取引において、軽油が一の人格者から他の人格者の直接的支配下に移転することをいうものであること。
  なお、次に掲げる場合にあっては、その段階では現実の納入には該当しないので留意すること。
  - イ　占有改定の方法によった場合
  - ロ　指図による占有移転の方法によった場合
  - ハ　倉庫業者若しくは他の者に寄託している軽油又は運送中の軽油について倉庫証券又は貨物引換証が発行された場合において、これら証券の裏書交付の方法によった場合
- （四）軽油の現実の納入の時期について例示をすれば、次に掲げるところによるべきものと解されること。
  - イ　現実の引渡しの方法によった場合においては、その現実の引渡しが行われたとき。
  - ロ　着地渡し又は庭先渡しの方法によった場合においては、現実の引渡しが行われたとき。
  - ハ　簡易の引渡しの方法によった場合においては、当事者間においてその旨の意思表示が行われたとき。

（納入地についての留意事項）
（2）軽油引取税については、軽油の引取りで当該引取りに係る軽油の現実の納入を伴うものに係る当該軽油の納入地所在の道府県が課税権を有するものであるが、この場合の「納入地」とは、特約業者又は元売業者からの引取りに係る軽油の現実の納入があったときの当該納入に係る場所、すなわち、当該軽油が引取者の直接的支配下に移転した際の当該場所をいうものであること。
　なお、石油製品販売業者が当該引取りを行った場合の当該軽油の「納入地」については、当該納入に係る軽油を現実に納入した当該石油製品販売業者の事業所とされているので留意すること。（県通9－7）

2　納入を伴う引取りを行う者に対するみなし課税

　1の場合において、特約業者又は元売業者からの軽油の引取りを行う者が当該引取りに係る軽油の現実の納入を受けない場合に当該軽油につき現実の納入を伴う引取りを行う者があるときは、その者が当該納入の時に当該特約業者又は元売業者から当該納入に係る軽油の引取りを行ったものとみなして、1の規定を適用する。（法144の2②）

3　燃料炭化水素油を自動車の燃料として販売した者に対する課税

　軽油引取税は、1及び2に規定する場合のほか、特約業者又は元売業者が炭化水素油（炭化水素とその他の物との混合物又は単一の炭化水素で、1気圧において温度15度で液状であるものを含む。以下同じ。）で軽油又は揮発油（揮発油税法第2条第1項に規定する揮発油（同法第6条において揮発油とみなされるものを含む。）をいう。以下同じ。）以外のもの（同法第16条又は第16条の2に規定する揮発油のうち灯油に該当するものを含む。以下「**燃料炭化水素油**」という。）を自動車の内燃機関の燃料として販売した場合においては、その販売量（第二節**七**の1の①《製造等の承認を受ける義務》の表の（三）の規定により譲渡の承認を受けた当該販売に係る燃料炭化水素油に既に軽油引取税又は揮発油税が課され、又は課されるべき軽油又は揮発油が含まれているときは、当該含まれている軽油又は揮発油に相当する部分の炭化水素油の数量を控除した数量とする。）を課税標準として、当該特約業者又は元売業者の事業所所在の道府県において、当該特約業者又は元売業者に課する。（法144の2③）
（注）当分の間、3に規定する揮発油には、租税特別措置法第88条の6の規定により揮発油とみなされる揮発油類似品を含むものとする。（法附12の2の6）

（課税標準となる販売量）
（1）特約業者又は元売業者が燃料炭化水素油を自動車の内燃機関の燃料として販売した場合には、当該燃料炭化水素油の販売量が課税標準となるものであるが、この場合において当該販売量に既に軽油引取税又は揮発油税が課され、又は課されるべき軽油又は揮発油が含まれているときは、当該燃料炭化水素油の譲渡について、第二節七の1の①の表の（三）の規定により道府県知事の承認を受けた場合に限り、当該課され又は課されるべき軽油又は揮発油に相当する部分の数量を当該販売量から控除するものであること。（県通9－13（2）要約）

(留意事項)
（2） 3に規定する「炭化水素とその他の物との混合物」とは、炭化水素に炭化水素化合物以外の物、例えば、メタノール等を混和して生じたものをいい、「単一の炭化水素」とは、炭素と水素のみからなる1種類の炭化水素化合物をいうものであること。また、「自動車」とは、道路運送車両法（昭和26年法律第185号）第4条に規定する登録を受けた自動車をいうものであること。（県通9－8（1））

4　混和軽油等を販売した石油製品販売業者に対する課税
軽油引取税は、1から3までに規定する場合のほか、特約業者又は元売業者以外の石油製品の販売業者（以下「**石油製品販売業者**」という。）が、軽油に軽油以外の炭化水素油を混和し若しくは軽油以外の炭化水素油と軽油以外の炭化水素油を混和して製造された軽油を販売した場合又は燃料炭化水素油を自動車の内燃機関の燃料として販売した場合においては、その販売量（第二節七の1の①《製造等の承認を受ける義務》の表の（一）若しくは（二）の規定により製造の承認を受けた当該販売に係る軽油又は同（三）の規定により譲渡の承認を受けた当該販売に係る燃料炭化水素油に既に軽油引取税又は揮発油税が課され、又は課されるべき軽油又は揮発油が含まれているときは、当該含まれている軽油又は揮発油に相当する部分の炭化水素油の数量を控除した数量とする。）を課税標準として、当該石油製品販売業者の事業所所在の道府県において、当該石油製品販売業者に課する。（法144の2④）

(課税標準となる販売量)
（1）　石油製品販売業者が混和軽油を販売し又は燃料炭化水素油を自動車の内燃機関の燃料として販売した場合には、当該混和軽油又は燃料炭化水素油の販売量が課税標準となるものであるが、この場合において、当該販売量に既に軽油引取税又は揮発油税が課され、又は課されるべき軽油又は揮発油が含まれているときは、当該混和軽油の製造又は燃料炭化水素油の譲渡について、第二節七の1の①の表の（一）、（二）又は（三）の規定により道府県知事の承認を受けた場合に限り、当該課され又は課されるべき軽油又は揮発油に相当する部分の数量を当該販売量から控除するものであること。（県通9－13（2）要約）

(留意事項)
（2）　4に規定する「軽油に軽油以外の炭化水素油を混和し又は軽油以外の炭化水素油と軽油以外の炭化水素油を混和して製造された軽油」とは、例えば、軽油に灯油を混和して軽油となった炭化水素油、重油と灯油を混和して軽油となった炭化水素油等をいうものであること。なお、「製造された軽油を販売した場合」には、石油製品販売業者自身が混和軽油を製造し販売した場合はもとより、石油製品販売業者が他から混和軽油を購入して販売した場合もこれに含まれるものであること。（県通9－8（2））

5　炭化水素油を燃料とする自動車の保有者に対する課税
軽油引取税は、1から4までに規定する場合のほか、自動車の保有者（自動車の所有者その他自動車を使用する権利を有する者で、自己のために自動車を運行の用に供するものをいう。以下同じ。）が炭化水素油を自動車の内燃機関の燃料として消費した場合（当該自動車を道路において運行の用に供するため消費した場合に限る。）においては、当該炭化水素油の消費に対し、消費量（当該消費に係る炭化水素油（燃料炭化水素油にあっては、第二節七の1の①《製造等の承認を受ける義務》の表の（四）の規定により消費の承認を受け、又は同④《自動車用炭化水素油譲渡証の作成・交付》の規定により自動車用炭化水素油譲渡証の交付を受けたものをいう。）に既に軽油引取税又は揮発油税が課され、又は課されるべき軽油若しくは燃料炭化水素油又は揮発油が含まれているときは、当該含まれている軽油若しくは燃料炭化水素油又は揮発油に相当する部分の炭化水素油の数量を控除した数量とする。）を課税標準として、当該自動車の主たる定置場所在の道府県において、当該自動車の保有者に課する。（法144の2⑤）

(自動車の保有者についての留意事項)
（1）　5に規定する「自動車の保有者」とは、自動車の所有者その他自動車を使用する権利を有する者で自己のために自動車を運行の用に供するものをいい、自動車損害賠償保障法第2条第3項に規定するものと同意義であるが、この場合において、「使用する権利」とは、所有権に基づくものたると否とを問わないものであり、また、「自己のために」とは、その使用により享受する利益が自己のために帰属することをいうものであること。したがって、例えば自己の自動車を自動車運送会社に貸与し、自己が自動車運送会社の従業員として勤務する場合には、当該従業員は自動車の保有者には該当せず、当該自動車運送会社が「自動車の保有者」になるものであること。（県通9－8（3））

(課税標準についての留意事項)
(2) 自動車の保有者が炭化水素油を自動車の内燃機関の燃料として消費した場合には、当該炭化水素油の消費量が課税標準となるものであるが、この場合において、当該消費量に既に軽油引取税又は揮発油税が課され、又は課されるべき軽油若しくは燃料炭化水素油又は揮発油が含まれているときは、当該課され又は課されるべき軽油若しくは燃料炭化水素油又は揮発油に相当する部分の数量を当該消費量から控除するものであること。
　なお、燃料炭化水素油にあっては、第二節七の1の①の表の(四)の規定により道府県知事の承認を受け、又は同④の規定により自動車用炭化水素油譲渡証の交付を受けたものに限り、当該消費量から当該課され又は課されるべき軽油若しくは燃料炭化水素油又は揮発油に相当する部分の数量が控除されることに留意すること。(県通9－13(3))

6　特別徴収義務が消滅した者が所有する軽油に対する課税

　軽油引取税は、1から5までに規定する場合のほか、軽油引取税の特別徴収義務者がその特別徴収の義務が消滅した時に軽油を所有している場合(特別徴収義務者が引渡しを行った軽油につき現実の納入が行われていない場合を含む。)においては、その所有に係る軽油(引渡しの後現実の納入が行われていない軽油を含む。以下6及び第二節三《申告納付》の表の(四)において同じ。)の数量(当該所有に係る軽油に既に軽油引取税が課され、又は課されるべき軽油が含まれているときは、当該所有に係る軽油の数量から当該含まれている軽油に相当する部分の数量を控除して得た数量。以下6において同じ。)から次に掲げる軽油の数量を控除して得た数量を課税標準として、その者の事務所又は事業所(以下「**事務所等**」という。)で当該軽油を直接管理するものが所在する道府県において、その者に課する。(法144の2⑥、令43の2)

(一)	特別徴収の義務の消滅した者が元売業者である場合において、当該特別徴収の義務が消滅した者の所有に係る軽油を第二節三の表の(四)の期限までに他の元売業者が引取りを行ったときにおける当該引取りに係る軽油の数量
(二)	軽油引取税の特別徴収義務者の死亡又は合併により特別徴収の義務が消滅した場合において、その者の相続人又は当該合併に係る合併後存続する法人若しくは合併により設立した法人で当該特別徴収の義務が消滅した者の所有に係る軽油を承継したものが、引き続き特別徴収義務者として指定されているときにおける当該承継に係る軽油の数量

(課税の趣旨及び取扱いの留意点)
(1) 特別徴収の義務が消滅した者の所有に係る軽油に対する課税については、次の諸点に留意すること。(県通9－9)
　(一) 6に規定する「特別徴収の義務が消滅した時」とは、特別徴収の義務の消滅の原因となる元売業者又は特約業者の指定の取消し、死亡等があった時をいうものであること。
　(二) 6の(一)に規定する「他の元売業者が引取りを行ったとき」とは、特別徴収の義務が消滅した時後において、当該特別徴収の義務が消滅した元売業者の所有していた軽油を当該元売業者又はその相続人等から、最初に他の元売業者が引取りを行った場合をいうものであること。
　(三) 「軽油を直接管理するもの」とは、当該特別徴収の義務が消滅した時に軽油を直接管理していた事務所又は事業所をいうものであり、この場合の「直接管理する」とは、当該管理の義務を第一次的に行うことをいうものであること。

(課税済軽油が含まれている場合の留意事項)
(2) 特別徴収の義務が消滅した者が所有している軽油(特別徴収義務者が引渡しを行った軽油につき現実の納入が行われていない場合の当該軽油を含む。)に対する軽油引取税の課税標準となる軽油の数量は、当該特別徴収の義務が消滅した時に所有する軽油(引渡しの後現実の納入が行われていない軽油を含む。)の数量を基礎として、6の定めるところによって算定するものであるが、その軽油の数量のうちに当該特別徴収の義務が消滅した時にすでに軽油引取税が課され、又は課されるべきこととなっていた軽油(以下「課税済軽油」という。)が含まれているときは、その軽油に相当する部分の数量を控除して得た数量によるものであること。また、6の表の(一)及び(二)に規定する数量についても同様であること。したがって、同(一)又は(二)の軽油の数量のうち課税済軽油の数量が物理的に識別し得る場合には当該課税済軽油の数量を控除するものであるが、課税済軽油の数量が物理的に識別し得ない場合には特別徴収の義務が消滅した時に所有している軽油の総数量に占める課税済軽油の数量の割合を当該(一)又は(二)の軽油の数量にそれぞれ乗じて得た数量を控除することとして差支えないこと。(県通9－13(4))

三　みなし課税

1　軽油の消費、譲渡又は輸入をする者に対するみなし課税

　軽油引取税は、二に規定する場合のほか、次の各号に掲げる者の当該各号に掲げる消費、譲渡又は輸入に対し、当該消費、譲渡又は輸入を同1に規定する引取りと、当該消費、譲渡又は輸入をする者を同1に規定する引取りを行う者とみなし、その数量を課税標準として、(一)又は(二)の場合にあっては、当該消費をする者の当該消費について直接関係を有する事務所等（事務所等がない者にあっては、住所。以下同じ。）所在の道府県において、(三)又は(四)の場合にあっては当該軽油に係る五の2の③のイ《免税証の交付申請》に規定する免税証を交付した道府県において、(五)の場合にあっては当該消費又は譲渡をする者の当該消費又は譲渡について直接関係を有する事務所等所在の道府県において、(六)の場合にあっては当該輸入をする者（関税法第67条の輸入の許可を受ける場合には当該許可を受ける者をいう。以下1において同じ。）の当該輸入について直接関係を有する事務所等所在の道府県において、それぞれ当該消費、譲渡又は輸入をする者に課する。（法144の3①）

(一)	特約業者が軽油を自ら消費する場合における当該軽油の消費
(二)	元売業者が軽油を自ら消費する場合における当該軽油の消費
(三)	**五の2の①**《用途による課税免除》に規定する軽油の引取りを行った者が他の者に当該引取りに係る軽油を譲渡する場合における当該軽油の譲渡
(四)	**五の2の①**に規定する軽油の引取りを行った者が同①に規定する用途以外の用途に供するため当該引取りに係る軽油を自ら消費する場合における当該軽油の消費
(五)	特約業者及び元売業者以外の者が軽油の製造をして、当該製造に係る軽油を自ら消費し、又は他の者に譲渡する場合における当該軽油の消費又は譲渡
(六)	特約業者及び元売業者以外の者が軽油の輸入をする場合における当該軽油の輸入

　　　（用語の意義）
（1）　1の各号に掲げる軽油の消費、譲渡又は輸入が行われる場合においては、当該軽油の消費、譲渡又は輸入を軽油の引取りとみなして、軽油引取税が課されるものであること。ただし、(9)の規定が適用される軽油の輸入に対しては、1の表の(六)の規定にかかわらず、軽油引取税は課されないものであること。また、1の「消費」とは、通常の消費のみならず、原料としての消費をも含むものであり、「譲渡」とは、有償たると無償たるとを問わず、当事者間の契約によって所有権を他人に移転することをいうものであり、「輸入」とは関税法第2条に規定する輸入と同義であること（同法第67条の輸入の許可を受ける場合には、当該許可を受けることをいうものであること。）。
　　なお、1の(三)の「他の者」とは、当該者以外の者をいうものであって、他の免税軽油使用者も含まれるものであり、1の(五)の「製造」とは、混和して製造するもののみならず、廃油の再生又は原油の精製によるものも含まれるものであること。（県通9－10(1)）

　　　（免税軽油の譲渡をしようとする者の承認の申請）
（2）　1の(三)に掲げる軽油の譲渡をしようとする者は、(3)で定めるところにより、あらかじめ、当該軽油に係る**五の2の③のイ**に規定する免税証を交付した道府県知事にその旨を届出て、その承認を受けなければならない。（法144の3③）

　　　（免税軽油の譲渡に係る承認の申請手続）
（3）　1の(三)に掲げる軽油の譲渡をしようとする者は、(2)の承認を受けようとする場合においては、あらかじめ、その譲渡をしようとする軽油の数量その他必要な事項を記載した届出書を(2)の道府県知事に提出して当該道府県知事の承認書の交付を受けなければならない。（令43の4①）
　　　（注）　(3)の届出書及び承認書（免税軽油譲渡届出書及び免税軽油譲渡承認書）の様式は、第16号の15様式による。（令43の4②、規8の28）

　　　（譲渡承認のない免税軽油の譲受けの禁止）
（4）　何人も、譲渡について(2)の承認のなかった軽油を譲り受けてはならない。（法144の3④）

(承認を受けないで免税軽油の譲渡をした者の罪)
(5) (2)の規定に違反して道府県知事の承認を受けないで免税軽油の譲渡を行ったときは、その違反行為をした者は、1年以下の懲役又は50万円以下の罰金に処する。(法144の26①)

(譲渡承認のない免税軽油を譲り受けた者の罪)
(6) (4)の規定に違反して免税軽油を譲り受けたときも、(5)と同様とする。(法144の26②)

(両罰規定)
(7) 法人の代表者又は法人若しくは人の代理人、使用人その他の従業者がその法人又は人の業務に関して(5)又は(6)の違反行為をした場合には、その行為者を罰するほか、その法人又は人に対し、当該各項の罰金刑を科する。(法144の26③)

(免税軽油の譲渡についての留意事項)
(8) 免税軽油の譲渡をしようとする者は、あらかじめ、当該軽油に係る免税証を交付した道府県知事に届出をしなければならないものであること。ただし、**五の2の②の(5)**から(7)の規定の適用がある譲渡をしようとする場合においては、当該軽油に係る免税証を交付した道府県知事に対する届出及び道府県知事の承認は要しないものであること。なお、何人も当該道府県知事の承認のなかった軽油を譲り受けてはならないもの(**五の2の②の(5)**から(7)の規定の適用がある譲渡を除く。)とされており、承認なくして免税軽油の譲渡を行った者及びその者から軽油を譲り受けた者については罰則の適用があるものであること。(県通9-10(3))

(日本国の自衛隊とオーストラリア国防軍との間におけるみなし課税の特例)
(9) 道府県は、日本国の自衛隊とオーストラリア国防軍との間における相互のアクセス及び協力の円滑化に関する日本国とオーストラリアとの間の協定に基づきオーストラリア軍隊(同協定第一条(c)に規定する訪問部隊として日本国内に所在するオーストラリアの軍隊をいう。**五の2の①の(3)**において同じ。)が公用に供する軽油の輸入をする場合における当該軽油の輸入に対しては、第一項(第六号に係る部分に限る。)の規定にかかわらず、軽油引取税を課さないものとする。(法144の3⑤)

2　軽油以外の炭化水素油の製造に係る軽油の消費の適用除外

　特約業者又は元売業者が軽油を使用して軽油以外の炭化水素油(自動車の内燃機関の用に供することができると認められる炭化水素油で次に掲げる規格を有するものを除き、金属圧延の用に供する炭化水素油その他の炭化水素油で総務大臣が指定するものを含むものとする。)を製造する場合における当該軽油の使用は、1の(一)又は(二)に掲げる軽油の消費に含まれないものとする。(法144の3②、令43の3①)

(一)	温度15度における比重が0.8762を超えないこと。
(二)	分留性状90パーセント留出温度が267度を超えないこと。
(三)	残留炭素分が0.2パーセントを超えないこと。

　(注)　一の(一)の(注)の規定は、上表の(一)から(三)までの規格について準用する。(令43の3③)

(適用除外となる揮発油)
(1) 2の(一)から(三)までの規格を有する炭化水素油には、揮発油税法第2条第1項《揮発油の定義》に規定する揮発油(同法第6条《揮発油等とみなす場合》において揮発油とみなされるものを含み、同法第16条《移出に係る燈油の免税》又は第16条の2《引取りに係る燈油の免税》に規定する揮発油のうち灯油に該当するものを除く。)を含まないものとする。(令43の3②)

　(注)　当分の間、(1)に規定する揮発油には、租税特別措置法第88条の6《みなし揮発油等の特例》の規定により揮発油とみなされる揮発油類似品を含むものとする。(令附則10の2)

(留意事項)
(2) 特約業者又は元売業者が軽油を使用して軽油以外の炭化水素油を製造する場合とは、通常「ブレンド」と呼ばれているもので軽油と重油とを混合してより良質の重油を製造する場合をいうものであるから、単なる混合によるもの

で分離されるような場合は含まれないこと。この場合における当該軽油の使用は、軽油引取税の課税客体とはならないものであるが、軽油以外の炭化水素油でも自動車の内燃機関の用に供することができると認められる炭化水素油を製造する場合の軽油の消費については、当該消費した軽油についてみなし課税をすることができることとされていること。なお、軽油以外の炭化水素油で自動車の内燃機関の用に供することができると認められる炭化水素油とは、揮発油税の課税対象となる炭化水素油と軽油引取税の課税対象となる炭化水素油との間に位する規格の炭化水素油をいうものであり、これは一般に灯油に該当する炭化水素油であるが、この範囲には、自動車の内燃機関の用に供することのできないと認められる炭化水素油が含まれることもあるので、かかるものについては別途総務省告示によって指定するものであること。(県通9-10(2))

四　補完的納税義務

　第二節七の1の①の(一)又は(二)の規定に違反して道府県知事の承認を受けないで製造された軽油について、二の4又は三の1の表の(五)の規定により軽油引取税を納付する義務を負う者(以下四において「**納税義務者**」という。)が特定できないとき又はその所在が明らかでないときは、当該軽油の製造を行った者又は当該軽油の製造の用に供した施設若しくは設備を所有する者で(1)で定めるものは、当該納税義務者と連帯して当該軽油引取税に係る地方団体の徴収金を納付する義務を負う。(法144の4①)

　　　(施設又は設備を所有する者)
(1)　四に規定する施設又は設備を所有する者は、四に規定する施設又は設備(以下(1)において「施設等」という。)を所有する者で四に規定する納税義務者又は四に規定する軽油の製造を行った者に施設等を貸し付け、又は使用させた者とする。(令43の5)

　　　(納税義務者が特定できないとき等のみなし規定)
(2)　四の場合において、納税義務者が特定できないとき、又は納税義務者の所在が明らかでないときであって当該納税義務者の二の4に規定する事業所若しくは三の1の表の(五)に規定する軽油の消費若しくは譲渡について直接関係を有する事務所若しくは事業所(以下(2)において「事業所等」という。)が明らかでないときは、この章の適用については、当該軽油の製造が行われた場所を事業所等とみなす。(法144の4②)

　　　(留意事項)
(3)　次の諸点に留意すること。
(一)　四に規定する「軽油の製造を行った者」とは、他の者の委託を受けて軽油を製造した者等、物理的に軽油の製造を行った者をいうものであること。また、「特定できないとき」には、軽油の製造を行った者のほかに四に規定する納税義務者が存在することが明らかではあるが当該納税義務者が特定できないときはもとより、軽油の製造を行った者のほかに四に規定する納税義務者が存在するかどうか明らかでないときもこれに含まれるものであること。
　　(県通9-11(1))
(二)　(1)に規定する「施設等を貸し付け、又は使用させた者」には、民法でいう賃貸借若しくは使用貸借による貸付けを行った者、又は民法が典型契約として規定する賃貸借契約以外の契約(非典型契約)により施設等を使用させた者のほか、次に掲げる者もこれに含まれるものであること。(県通9-11(2))
イ　施設等を貸し付け又は使用させた相手が、四に規定する納税義務者又は四に規定する軽油の製造を行った者に、当該施設等を更に貸し付け又は使用させた場合において、これを承諾し又は容認した者
ロ　イに掲げる者のほか、四に規定する納税義務者又は四に規定する軽油の製造を行った者が施設等を使用した場合において、これを承諾し又は容認した者
(三)　四に規定する納税義務者の所在が明らかでないときであって同(2)に規定する事業所等が明らかなときは、二の4又は三の1に規定するとおり、当該事業所等所在の道府県が課税団体となること。(県通9-11(3))

五　課税免除

1　輸出又は二重課税の排除のための課税免除

　道府県は、次に掲げる軽油の引取りに対しては、第二節二の2の(2)《免税軽油についての知事の承認》の規定による道府県知事の承認があった場合に限り、軽油引取税を課さないものとする。(法144の5)

（一）	軽油の引取りで本邦からの輸出として行われたもの
（二）	既に軽油引取税を課された軽油に係る引取り

(注) 1の（一）の「軽油の引取りで本邦からの輸出として行われたもの」とは、特約業者又は元売業者からの軽油の引取りが本邦からの輸出に該当するものをいい、特約業者又は元売業者から引き取られた軽油が流通した後に輸出されたものはこれに該当しないものであり、「輸出」とは、関税法第2条に規定する輸出と同義であること（同法第67条の輸出の許可を受ける場合には、当該許可を受けることをいうものであること。）。なお、外国船籍の船舶の当該船舶の船用品として使用するものについても輸出として取り扱っても差し支えないものであること。（県通9－12（1）要約）

2　用途による課税免除等

① 用途による課税免除

　道府県は、石油化学製品を製造する事業を営む者が当該事業の事業場においてエチレンその他の（1）で定める石油化学製品を製造するためにその原料の用途その他の（1）で定める用途に供する軽油の引取りに対しては、③のイ《免税証の交付申請》の規定による免税証の交付があった場合又は第二節六の2《引取り後に免税用途に供した場合の措置》若しくは同（2）《免税取扱特別徴収義務者以外の販売業者から引取りを行った場合》の規定による道府県知事の承認があった場合に限り、軽油引取税を課さないものとする。（法144の6）

　　　　（石油化学製品及び用途）
（1）　①に規定する石油化学製品は、次の表の左欄に掲げるものとし、①に規定する原料の用途その他の用途は、同表の左欄に掲げる石油化学製品について、それぞれ同表の右欄に掲げる用途とする。（令43の6）

（一）	エチレン、プロピレン、ブチレン、ノルマルパラフィン、硝安油剤爆薬、潤滑油、グリース又は印刷インキ用溶剤	原料（ノルマルパラフィンにあっては、ノルマルパラフィンとなる部分に限る。）の用途
（二）	ポリプロピレン	製造工程における物性改良のためのアモルファスポリマーの粘性低下の用途

　　　　（用途による課税免除及びその特例の取扱い）
（2）　石油化学製品を製造する事業を営む者が行う一定の石油化学製品の原料の用途その他一定の用途に供する軽油の引取り及び令和9年3月31日までに行われる一定の軽油の引取りについては軽油引取税を課さないこととされているが、これらの取扱いについては、別途「軽油引取税の課税免除について」（平成21年4月1日総税都第20号）により了知されたいこと。（県通9－12（2））

　　　　（オーストラリア軍隊が一定の軽油又は燃料炭化水素油を消費した場合）
（3）　道府県は、オーストラリア軍隊が、三の1の（9）の規定により軽油引取税を課さないこととされる輸入に係る軽油又は自ら輸入をした公用に供する燃料炭化水素油を自動車の内燃機関の燃料として消費した場合（当該自動車を道路において運行の用に供するため消費した場合に限る。）における当該軽油又は燃料炭化水素油の消費に対しては、二の5の規定にかかわらず、軽油引取税を課さないものとする。（法144の6の2）

② 用途による課税免除の特例

　道府県は、令和9年3月31日までに行われる次に掲げる軽油の引取りに対しては、二の1及び2の規定にかかわらず、（1）において読み替えて準用する③のイ《免税証の交付申請》の規定による免税証の交付があった場合又は（1）において読み替えて準用する第二節六の2《引取り後に免税用途に供した場合の措置》若しくは同（2）《免税取扱特別徴収義務者以外の販売業者から引取りを行った場合》の規定による道府県知事の承認があった場合に限り、軽油引取税を課さないものとする。（法附12の2の7①）

（一）	船舶（専らレクリエーションの用（レクリエーションに関する事業の用を除く。）に供する船舶を除く。）の使用者が当該船舶の動力源に供する軽油の引取り（令10の2の2①）
（二）	自衛隊又は三の1の（9）に規定するオーストラリア軍隊（（7）において「オーストラリア軍隊」という。）が通信の用に供する機械、自動車（道路運送車両法第4条の規定により登録を受けている同法第2条第2項に規定する自動車並びに自衛隊法第114条第1項の規定により道路運送車両法の規定が適用されない自動車のうち同条第3項の規

	定により番号及び標識を付されたものを除く。）その他これらに類するもの（レーダー、射撃統制装置、音波機械、整備教育用エンジン、火砲及び誘導武器の発射装置並びに通信の用に供する機械及びレーダーの整備用機械等）の電源又は動力源に供する軽油の引取り（令附10の２の２②③、規附４の７①）	
(三)	次に掲げる者が鉄道用車両、軌道用車両又はこれらの車両に類するもので政令で定めるもの（日本貨物鉄道株式会社にあっては、日本貨物鉄道株式会社が駅（専用側線のために設けられたものを除く。）の構内その他これに類するコンテナ貨物の取扱いを行う場所において専らコンテナ貨物の積卸しの用に供するフォークリフトその他これに類する機械で、道路運送車両法第４条《登録の一般的効力》の規定による登録を受けているもの以外のものを含む。）の動力源に供する軽油の引取り（令附10の２の２④⑤）	
	イ	鉄道事業又は軌道事業を営む者
	ロ	専用の鉄道を設置する者
	ハ	専用側線において車両の入換作業を営む者
(四)	農業又は林業を営む者、農作業のうち基幹的な作業（専ら機械を使用して行われるものをいう。）の全ての委託を受けて農作業を行う者、農地の造成又は改良を主たる業務とする者及び前年度の素材の生産量が1,000立方メートル以上である素材生産業を営む者が農業又は林業の用に供する機械、農地の造成又は改良の業務の用に供する機械及び素材生産業の用に供する機械で次に掲げるものの動力源に供する軽油の引取り（令附10の２の２⑥⑦、規附４の７②③）	
	イ	動力耕うん機その他の耕うん整地用機械、栽培管理用機械、収穫調整用機械、植物繊維用機械及び畜産用機械
	ロ	製材機、集材機、積込機及び可搬式チップ製造機
(五)	次表の左欄に掲げる事業を営む者がそれぞれ同表の右欄に掲げる用途に供する軽油の引取り（令附10の２の２⑧）	
	セメント製品製造業（生コンクリート製造業を除く。）	セメント製品製造業（生コンクリート製造業を除く。）を営む者の事業場内において専らセメント製品又はその原材料の積卸しのために使用するフォークリフトその他これに類する機械で、道路運送車両法第４条の規定による登録を受けているもの以外のものの動力源の用途
	生コンクリート製造業	生コンクリート製造業を営む者（製造した生コンクリートを事業場外において自ら運搬するものを除く。）の事業場内において専ら骨材の積卸しのために使用するフォークリフトその他これに類する機械で、道路運送車両法第４条の規定による登録を受けているもの以外のものの動力源の用途
	鉱物（岩石及び砂利を含む。以下この表において同じ。）の掘採事業	削岩機及び動力付試すい機並びに鉱物の掘採事業を営む者の事業場（砂利を洗浄する場所を含む。）内において専ら鉱物の掘採、積込み又は運搬のために使用する機械（道路運送車両法第４条の規定による登録を受けているものを除く。）の動力源の用途
	建設業法第３条の規定によるとび・土工工事業の許可を受けて専らとび・土工・コンクリート工事を行うものが営むとび・土工工事業（規附４の７④）	とび・土工・コンクリート工事の工事現場において専らくい打ち、くい抜き、掘削又は運搬のために使用する建設機械（カタピラを有しないもの又は道路運送車両法第４条の規定により登録を受けているものを除く。）の動力源の用途
	鉱さいバラス製造業	鉱さいバラス製造業を営む者（租税特別措置法第10条第８項第６号に規定する中小事業者又は同法第42条の４第19項第７号に規定する中小企業者（以下この表において「中小事業者等」という。）に限る。）の事業場内において専ら鉱さいの破砕又は鉱さいバラスの集積若しくは積込みのために使用する機械（道路運送車両法第４条の規定による登録を受けているものを除く。）の動力源の用途
	港湾運送業	港湾において専ら港湾運送のために使用されるブルドーザーその他これに類する機械で、道路運送車両法第４条《登録の一般的効力》の規定による登録を受けているもの以

	外のものの動力源の用途
倉庫業	倉庫業法第3条《営業の許可》の規定による登録を受けて倉庫業を営む者の倉庫において専ら当該倉庫業のために使用するフォークリフトその他これに類する機械で、道路運送車両法第4条の規定による登録を受けているもの以外のものの動力源の用途
鉄道（軌道を含む。）に係る貨物利用運送事業又は鉄道貨物積卸業	駅（専用側線のために設けられたものを除く。）の構内において専ら貨物利用運送事業法第2条第6項に規定する貨物利用運送事業のうち同条第4項に規定する鉄道運送事業者の行う貨物の運送に係るもの又は鉄道（軌道を含む。）により運送される貨物の鉄道（軌道を含む。）の車両への積込み若しくは取卸しの事業のために使用するフォークリフトその他これに類する機械で、道路運送車両法第4条の規定による登録を受けているもの以外のものの動力源の用途
航空運送サービス業で飛行場において航空機への旅客乗降用設備の供用、航空貨物の積卸し若しくは運搬又は航空機の整備を行う事業（規附4の7⑤）	空港法第4条第1項各号に掲げる空港、同法第5条第1項に規定する地方管理空港その他の公共の飛行場で(注)で定めるものにおいて専ら航空機への旅客の乗降、航空貨物の積卸し若しくは運搬又は航空機の整備のために使用するパッセンジャーステップ、ベルトローダー、高所作業車その他これらに類する作業用機械で、道路運送車両法第4条の規定による登録を受けているもの以外のものの動力源の用途 (注) 上記の公共の飛行場は、新千歳空港、旭川空港、釧路空港、帯広空港、函館空港、女満別空港、青森空港、仙台空港、秋田空港、成田国際空港、東京国際空港、新潟空港、富山空港、小松飛行場、静岡空港、中部国際空港、関西国際空港、大阪国際空港、神戸空港、出雲空港、岡山空港、広島空港、山口宇部空港、高松空港、徳島飛行場、松山空港、高知空港、福岡空港、北九州空港、長崎空港、熊本空港、大分空港、宮崎空港、鹿児島空港、奄美空港、那覇空港、宮古空港及び新石垣空港とする。（規附4の7⑥）
廃棄物処理事業	廃棄物処理事業を営む者が廃棄物の埋立地（廃棄物の処理及び清掃に関する法律施行令第3条第3号ロ《一般廃棄物の埋立処分の方法》に規定する埋立地をいう。以下この表において同じ。）内において専ら廃棄物の処分のために使用する機械（道路運送車両法第4条の規定による登録を受けているものを除く。）で、廃棄物の処理及び清掃に関する法律第14条第12項に規定する産業廃棄物処分業者又は同法第14条の4第12項に規定する特別管理産業廃棄物処分業者（これらの者のうち中小事業者等を除く。）が廃棄物の埋立地内において専ら産業廃棄物の処分のために使用するもの（一般廃棄物の処分のために使用することが必要であると認められるものを除く。）以外のものの動力源の用途
一般製材業、単板製造業、床板製造業、木材チップ製造業、造作材製造業、合板製造業、建築用木製組立材料製造業、パーティクルボード製造業及び木材防腐処理業（規附4の7⑦）	左欄に掲げる事業を営む者の事業場内において専ら木材の積卸しのために使用する機械（道路運送車両法第4条の規定による登録を受けているものを除く。）の動力源の用途
木材市場業で木材取引のために開設される市場で、売場を設けて定期に又は継続して開場され、かつ、その売買が原則としてせり売り又は入札の方法により行われるものを開設し、又は経営する事業（令56の57①、規附4の7⑧）	左欄に掲げる事業を営む者の事業場内において専ら木材の積卸しのために使用する機械（道路運送車両法第4条の規定による登録を受けているものを除く。）の動力源の用途

堆肥製造業で肥料の品質の確保等に関する法律第22条第1項の規定により届出がされた同項第3号の事業場内で行われるバーク堆肥製造業（規附4の7⑨）	左欄に掲げる事業を営む者の事業場内において、専ら堆肥の製造工程において使用する機械（道路運送車両法第4条の規定により登録を受けているものを除く。以下この表において同じ。）又は堆肥若しくはその原材料の積卸し若しくは運搬のために使用する機械の動力源の用途
索道事業	鉄道事業法第32条の規定による許可を受けて索道事業を営む者のスキー場において専ら当該スキー場の整備のために使用する積雪を圧縮するための特殊な構造を有する装置を備えた機械（道路運送車両法第4条の規定による登録を受けているものを除く。以下この表において同じ。）又は雪を製造するための装置を備えた機械の動力源の用途

（注1） 用途による課税免除の特例の取扱いについては、①の（2）を参照。（編者）
（注2） ②の（一）中___部分を加える令和6年度改正規定は、令和7年4月1日以後の軽油の引取りに対して課すべき軽油引取税について適用し、同日前の軽油の引取りに対して課する軽油引取税については、なお従前の例による。（令6改法附1三、15）

（免税の手続等の準用）
（1） ③、④、⑥、⑦《用途による課税免除の手続等》並びに第二節六の2《軽油の引取り後に免税用途に供した場合の措置》及び3《還付加算金の計算》の規定は、②の規定により軽油引取税を課さないこととされる軽油の引取りについて準用する。この場合において、③のイ中「①に規定する」とあるのは「②の各号に掲げる」と、「①の」とあるのは「②の」と、「①に規定する」とあるのは「②の各号に掲げる」と、同（2）中「①に規定する」とあるのは「②の各号に掲げる」と、第二節六の2及び同（2）中「第一節五の2の①に規定する」とあるのは「第一節五の2の②の各号に掲げる」と、「同①に規定する」とあるのは「同②の各号に掲げる」と、同3中「1、2」とあるのは「2」と読み替えるものとする。（法附12の2の7②）

（免税の手続及び免除又は還付の手続の準用）
（2）イ　軽油引取税に係る免税の手続の規定（令43の15）は、（1）において準用する③及び④の規定による免税の手続について準用する。この場合において、③のイの（5）中「又は設備」とあるのは「、車両又は設備」と、同（8）中「経過する日」とあるのは「経過する日（当該経過する日が令和9年3月31日以後に到来する場合には、同日）」と読み替えるものとする。（令附10の2の2⑨）
　　ロ　免税軽油使用者証の記載事項等の規定（規8の38）は、（1）において準用する③及び④の規定による免税の手続について準用する。この場合において、③のイの（5）の（三）中「又は設備」とあるのは「、車両又は設備」と読み替えるものとする。（規附4の7⑩）
　　ハ　第二節六の2の（1）の免除又は還付の手続の規定（令43の17）は、（1）において準用する第二節六の2の規定による免除又は還付の手続について準用する。（令附10の2の2⑩）
　　ニ　免税軽油の引取り等に係る報告書の記載事項等の規定（規8の39）は、（1）において準用する⑦の規定による免税軽油の引取り等に係る報告義務について準用する。（規附4の7⑪）

（免税の手続等の準用による免税軽油又は免税証の適用）
（3）　（1）において読み替えて準用する③のイに規定する免税軽油又は免税証は、それぞれ③のイに規定する免税軽油又は免税証とみなして、⑤、⑥、⑦の（4）、同（5）、三の1の（5）から（7）まで《承認を受けないでする免税軽油の譲渡に関する罪》及び第二節十四の3《脱税に関する罪》の規定を適用する。（法附12の2の7③）

（読替規定）
（4）　②、（1）及び（3）の場合における⑥の（1）から（5）まで《免税証の譲渡の禁止に関する罪等》、⑦の（4）及び（5）《免税軽油の引取り等に係る報告義務違反に関する罪》、三《みなし課税》、同1の（5）から（7）まで《承認を受けないでする免税軽油の譲渡に関する罪》、第二節一《徴収の方法》、同節二の1の①《特別徴収義務者の指定》及び同2《特別徴収義務者の申告納入義務》、同節三《申告納付》、同節四《徴収猶予》、同節十二《更正及び決定等》、同節十三の1《延滞金》、同節十四の3《脱税に関する罪》、第三節一《督促》及び同節二の1《滞納処分》の規定の適用については、次の表の左欄に掲げる規定中同表の中欄に掲げる字句は、それぞれ同表の右欄に掲げる字句とする。（法附

12の2の7④)

⑥の(1)	⑥	⑥ (②の(1)において準用する場合を含む。(2)において同じ。)
⑦の(4)	⑦	⑦ (②の(1)において準用する場合を含む。)
三の1	五の2の③のイ	五の2の③のイ (同②の(1)において読み替えて準用する場合を含む。(2)において同じ。)
同1の表の(三)及び(四)	五の2の①	五の2の①又は②
同表の(四)	同①	これらの規定
三の1の(5)	(2)	(2) (五の2の②の(3)の規定により読み替えて適用される場合を含む。)
同(6)	(4)	(4) (五の2の②の(3)の規定により読み替えて適用される場合を含む。)
第二節一	三	三 (第一節五の2の②の(3)の規定により読み替えて適用される場合を含む。)
同節二の2及び同(2)	又は同2の①	若しくは同2の①又は②
同節二の2の(2)及び三の表の(六)	第一節五の2の③のイ	第一節五の2の③のイ (同②の(1)において読み替えて適用される場合を含む。)
同節三の表の(六)	第一節三の1の表の(三)又は(四)	第一節三の1の表の(三)又は(四) (同節五の2の②の(3)の規定により読み替えて適用される場合を含む。)
第二節四、十二の1の①、同2の②、十三の1及び十四の3の表の(一)、	二の2	二の2 (第一節五の2の②の(3)の規定により読み替えて適用される場合を含む。)
第二節十二の1の①、同2の②、十三の1及び十四の3の表の(二)	三	三 (第一節五の2の②の(3)の規定により読み替えて適用される場合を含む。)
第二節十四の3の表の(三)	2	2 (第一節五の2の②の(1)において読み替えて準用する場合を含む。)
	同(2)	同(2) (第一節五の2の②の(1)において読み替えて準用する場合を含む。)
第二節十三の1、第三節一及び二の1の表の(二)	第一節五の2の⑤の(3) (同⑥の(5)において準用する場合を含む。)	第一節五の2の⑤の(3) (同②の(3)の規定により読み替えて適用される場合を含む。以下同じ。)若しくは同⑥の(5) (同②の(3)の規定により読み替えて適用される場合を含む。)において準用する同⑤の(3)

(注) 三の1の(3)《免税軽油の譲渡に係る承認の申請手続》の規定は、(4)の規定により読み替えて適用される同1の(三)に規定する五の2の②に規定する軽油の引取りに係る軽油の譲渡をしようとする者について準用する。(令附10の2の2⑪)

　(軽油の引取りを行った自衛隊の船舶の使用者がその軽油を譲渡する場合の特例)
(5) ②の表中(一)に掲げる軽油の引取りを行った自衛隊の船舶の使用者が、令和9年3月31日までに次に掲げる規定により当該引取りに係る軽油を譲渡する場合には、当該軽油の譲渡については、(4)の規定により読み替えられた三の1 (同表中(三)に係る部分に限る。)並びに三の1の(2)及び同(4)の規定にかかわらず、軽油引取税を課さないものとする。(法附12の2の7⑤)
(一) 重要影響事態に際して我が国の平和及び安全を確保するための措置に関する法律(平成11年法律第60号)第6条第1項(同法第7条第8項及び重要影響事態等に際して実施する船舶検査活動に関する法律(平成12年法律第145号)第5条第7項において準用する場合を含む。)
(二) 武力攻撃事態等及び存立危機事態におけるアメリカ合衆国等の軍隊の行動に伴い我が国が実施する措置に関す

る法律(平成16年法律第113号)第10条第1項
 (三) 国際平和共同対処事態に際して我が国が実施する諸外国の軍隊等に対する協力支援活動等に関する法律(平成27年法律第77号)第7条第1項(同法第8条第8項及び重要影響事態等に際して実施する船舶検査活動に関する法律第5条第7項において準用する場合を含む。)

(軽油の引取りを行った自衛隊の船舶の使用者が締約国の軍隊の船舶の動力源に供するため譲渡する場合の特例)
(6) ②の表中(一)に掲げる軽油の引取りを行った自衛隊の船舶の使用者が、我が国と我が国以外の締約国との間の物品又は役務の相互の提供に関する条約その他の国際約束で(8)で定めるものに基づき、令和9年3月31日までに当該引取りに係る軽油を当該締約国の軍隊の船舶の動力源に供するため譲渡する場合には、(5)の規定の適用があるときを除き、当該軽油の譲渡については、(4)の規定により読み替えられた三の1(表内(三)に係る部分に限る。)並びに三の1の(3)及び(4)の規定にかかわらず、軽油引取税を課さないものとする。(法附12の2の7⑥)

(オーストラリア軍隊の船舶の使用者が軽油を自衛隊に譲渡する場合)
(7) ②の表の(一)に掲げる軽油の引取りを行ったオーストラリア軍隊の船舶の使用者が、令和9年3月31日までに当該引取りに係る軽油を自衛隊に譲渡する場合には、当該軽油の譲渡については、(四)の規定により読み替えられた三の1((三)に係る部分に限る。)並びに三の1の(2)及び同(4)の規定にかかわらず、軽油引取税を課さないものとする。(法附12の2の7⑦)

(読替規定)
(8) (5)から(7)の規定の適用がある場合における(1)において準用する⑦の規定の適用については、⑦中「並びに前月」とあるのは「、前月」と、「その他」とあるのは「並びに前月の初日から末日までの間に行った(5)から(7)に規定する譲渡に関する事実及びその数量その他」とする。(法附12の2の7⑧)

(政令で定める規定)
(9) (6)に規定する(9)で定める国際約束は、次のとおりとする。(令附10の2の2⑫)
 (一) 日本国の自衛隊とオーストラリア国防軍との間における物品又は役務の相互の提供に関する日本国政府とオーストラリア政府との間の協定
 (二) 日本国の自衛隊とグレートブリテン及び北アイルランド連合王国の軍隊との間における物品又は役務の相互の提供に関する日本国政府とグレートブリテン及び北アイルランド連合王国政府との間の協定
 (三) 日本国の自衛隊とフランス共和国の軍隊との間における物品又は役務の相互の提供に関する日本国政府とフランス共和国政府との間の協定
 (四) 日本国の自衛隊とカナダ軍隊との間における物品又は役務の相互の提供に関する日本国政府とカナダ政府との間の協定
 (五) 日本国の自衛隊とインド軍隊との間における物品又は役務の相互の提供に関する日本国政府とインド共和国政府との間の協定
 (六) 日本国の自衛隊とドイツ連邦共和国の軍隊との間における物品又は役務の相互の提供に関する日本国政府とドイツ連邦共和国政府との間の協定

(読替規定)
(9) (5)から(7)の規定の適用がある場合における(2)のニにおいて準用する免税軽油の引取り等に係る報告書の記載事項等の規定(規8の39)の適用については、次の表の左欄に掲げる規定中同表の中欄に掲げる字句は、同表の右欄に掲げる字句とする。(規附4の7⑫)

⑦の(1)	(八) 当該報告対象期間内に行った当該免税軽油使用者証に係る報告対象免税軽油の使用に関する事実及びその数量(その事実がない場合には、その旨)	(八) 当該報告対象期間内に行った当該免税軽油使用者証に係る報告対象免税軽油の使用に関する事実及びその数量(その事実がない場合には、その旨) (八の二) 当該報告対象期間内に行った(5)又は(6)に規定する譲渡に関する事実及びその数量
⑦の(2)	第16号の30様式	第16号の30の2様式
	(一) 報告対象免税軽油の引取り	(一) 報告対象免税軽油の引取りを行った日及びその数量並

	を行った日及びその数量並びに当該報告対象免税軽油の引渡しを行った販売業者の氏名又は名称を証するに足る書類	びに当該報告対象免税軽油の引渡しを行った販売業者の氏名又は名称を証するに足りる書類 （一の二）（6）又は（7）に規定する譲渡を行った数量及び譲渡先の名称を証するに足りる書類
⑦の（2）の（二）	前号	前2号

　（手続等の読替規定）
(10) 　（4）の場合における六の1の(11)から(14)まで《軽油を販売することを業とする者に係る基準》、第二節二の2の(3)《軽油引取税を課さないこととされる軽油の数量を証する書類の提出》及び同節十の(1)から(6)まで《帳簿記載義務》の規定の適用については、六の1の(11)中「第一節五の2の③のイ」とあるのは「第一節五の2の③のイ（同②の(1)において読み替えて準用する場合を含む。）」と、第二節二の2の(3)中「第一節五の2の①」とあるのは「第一節五の2の①又は②」と、「第一節五の2の③のイ」とあるのは「第一節五の2の③のイ（同②の(1)において読み替えて準用する場合を含む。）」と、第二節十の(2)中「又は同2の①」とあるのは「又は同2の①若しくは②」とする。（規附4の7⑬）

　（免税の手続等を準用する場合の免税証の様式）
(11) イ　（1）において準用する③のロの規定により交付される免税証の様式は、第16号の13様式とする。（規附4の8①）
　　ロ　（2）イにおいて準用する軽油引取税に係る免税の手続の規定（令43の15）による免税証の手続に係る様式は、第16号の16様式から第16号の24様式及び第16号の30様式とする。（規附4の8②）
　　ハ　（4）の（注）において準用する三の1の（3）の規定による届出及びその承認の様式は、第16号の15様式とする。（規附4の8③）

③　免税の手続

イ　免税証の交付申請
　①に規定する用途に供するため、①の規定によってその引取りについて軽油引取税を課さないこととされる軽油（以下この章において「**免税軽油**」という。）の引取りを行おうとする①に規定する者（以下この章において「**免税軽油使用者**」という。）は、政令で定めるところにより、免税軽油使用者の当該免税軽油の使用に係る事務所等所在地の道府県知事に、当該道府県知事から交付を受けた（1）に規定する免税軽油使用者証を提示するとともに、免税軽油の数量、免税軽油の引取りを行おうとする販売業者の事務所等所在地及び氏名又は名称その他必要な事項を記載した申請書を提出して**免税証**（免税軽油の引取りであることを証する書面をいう。以下の章において同じ。）の交付を受け、その免税証を当該免税証の交付を行った道府県に係る登録特別徴収義務者に提出しなければならない。ただし、免税軽油使用者は、特別の事情によりこれにより難い場合にあっては、政令で定めるところにより、その主たる事務所等所在地の道府県知事又は当該免税軽油の使用に係る事務所等を管理する事務所等所在地の道府県知事に、当該道府県知事から交付を受けた（1）に規定する免税軽油使用者証を提示して免税証の交付を申請することができる。（法144の21①）

　　（免税軽油使用者証の交付を受ける義務）
（1）　イの規定により免税証の交付を受けようとする免税軽油使用者は、あらかじめ、政令で定めるところにより、免税証の交付を受けようとする道府県知事に申請書を提出して免税軽油使用者であることを証する書面（以下この章において「**免税軽油使用者証**」という。）の交付を受けておかなければならない。この場合において、免税軽油使用者のうち当該道府県知事の承認を受けた者にあっては、2人以上の者が代表者を定めて免税軽油使用者証の交付を受けることができる。（法144の21②）

　　（免税軽油使用者証の交付）
（2）　道府県知事は、（1）の申請があった場合において、免税軽油使用者が引取りを行おうとする免税軽油の用途が①に規定する用途に該当しないときその他（3）の政令で定めるときを除き、免税軽油使用者証を交付しなければならない。（法144の21③）

(政令で定める免税軽油使用者証が交付されないとき)
(3) (2)に規定する政令で定めるときは、次の(一)から(五)のいずれかに該当するときとする。(令43の15⑮)
　(一) 免税軽油使用者が地方税に関する法令の規定に違反したことにより(4)の規定により免税軽油使用者証及び免税証の返納を命ぜられ、その日から起算して2年を経過しない者であるとき。
　(二) 免税軽油使用者が国税又は地方税の滞納処分を受け、その滞納処分の日から起算して2年を経過しない者であるとき。
　(三) 免税軽油使用者が国税若しくは地方税に関する法令の規定により罰金以上の刑に処せられ、又は国税通則法第157条第1項、関税法第138条第1項(とん税法第14条及び特別とん税法第12条において準用する場合を含む。)若しくは第一編第十章19の③の規定により通告処分を受け、それぞれ、その刑の執行を終わり、若しくは執行を受けることがなくなった日又はその通告の旨を履行した日から起算して3年を経過しない者であるとき。
　(四) 免税軽油使用者が法人であって、その役員のうちに(一)から(三)までのいずれかに該当する者があるとき。
　(五) 前各号に掲げるときのほか、免税軽油使用者証を交付することが軽油引取税の取締り又は保全上特に不適当と認めるとき。

(免税軽油使用者証等の返納命令)
(4) 免税軽油使用者証の交付を受けた者((1)後段の規定により2人以上の者が代表者を定めて免税軽油使用者証の交付を受けた場合にあっては、そのいずれかの者)が地方税に関する法令の規定に違反したときその他軽油引取税の取締り又は保全上特に必要があると認めるときは、当該免税軽油使用者証を交付した道府県知事は、当該免税軽油使用者証及び当該免税軽油使用者証の提示を受けて交付した免税証の返納を命ずることができる。(法144の21④)

(免税軽油使用者証の交付申請)
(5) イに規定する免税軽油使用者は、免税軽油使用者証の交付を受けようとする場合には、免税軽油の用途、当該用途に係る機械又は設備(以下「免税機械等」という。)の明細その他次に掲げる事項を記載した申請書に、(3)の(一)から(四)までのいずれにも該当しないことを誓約する書面を添付して、これをその交付を受けようとする道府県知事に提出しなければならない。(令43の15①、規8の38①)
　(一) 免税軽油使用者の住所又は事務所等の所在地、氏名又は名称及び個人番号(行政手続における特定の個人を識別するための番号の利用等に関する法律第2条第5項に規定する個人番号をいう。以下第十章について同じ。)又は法人番号(同条第15項に規定する法人番号をいう。以下第十章について同じ。)(個人番号若しくは法人番号を有しない者又は③のイの(1)後段の規定により代表者を定めて免税軽油使用者証の交付を受けようとするそれぞれの者にあっては、住所又は事務所若しくは事業所の所在地及び氏名又は名称)
　(二) 業種
　(三) 免税軽油の用途に係る機械又は設備ごとの免税軽油の年間所要見込数量及びその合計数量
　(四) (1)後段の規定により2人以上の者が代表者を定めて免税軽油使用者証の交付を受ける場合にあっては、当該代表者の住所又は事務所若しくは事業所の所在地、氏名又は名称及び個人番号又は法人番号(個人番号又は法人番号を有しない者にあっては、住所又は事務所若しくは事業所の所在地及び氏名又は名称)
　　(注) (5)の免税軽油使用者証の交付申請書は第16号の16様式及び第16号の17様式、書面は第16号の18様式による。(令43の15②、規8の28(七)、(八))

(免税軽油使用者証の交付に当たっての留意事項)
(6) 免税軽油使用者証の交付に当たっては、次の諸点に留意すること。(県通9-18(2))
　イ 免税軽油使用者証は、免税軽油使用者が引取りを行おうとする免税軽油の用途が①及び②の表の各号に掲げる用途のいずれにも該当しないときその他(3)各号に定めるときを除き交付するものであり、その審査に当たっては、当該各号に係る事実の調査等を十分に行うこと。
　ロ 免税軽油使用者証交付申請書の「用途」欄には①及び②の表の各号に掲げる用途について具体的に記載させるものであること。
　ハ 免税機械等の明細については、これらに係る事項の正確な把握が免税制度の適正な運営にとって必要不可欠なものであることにかんがみ、その認定に当たっては、免税機械等が免税軽油使用者証交付申請書に記載された所在地に現存するものであることを現地調査等を通じて確認すること。また、免税機械等の使用者が当該免税機械等の所有者でなく、他人の所有に係る免税機械等を使用している場合においては、その内容を十分調査し、事実使用しているものであることを確認すること。

ニ　免税軽油使用者証交付申請書の「型式」欄には、免税機械等の製作所名及び通常称されている型の名称を記載させるものであるが、単にディーゼルエンジンと称されているものであっても、種類によっては重油を使用するものもあるので、仕様書等によって当該免税機械等が軽油を使用するものであることを確認すること。また、ケロシーンエンジンと称する５馬力前後の石油発動機は、主に灯油を使用するものであるから注意すること。

（免税軽油使用者証の記載事項等）
(7)　免税軽油使用者証には、免税軽油の用途、当該用途に係る免税機械等の明細、有効期間その他次に掲げる事項を記載するものとし、その様式は、総務省令で定める（令43の15③、規８の38②）
　(一)　免税軽油使用者の住所又は事務所等の所在地及び氏名又は名称
　(二)　業種
　(三)　免税軽油使用者証の交付年月日及び番号
　(四)　当該免税軽油使用者証を提示して交付を受けた免税証に係る免税軽油の数量及び当該数量の計算の基礎となった期間
　(五)　(1)後段の規定により２人以上の者が代表者を定めて免税軽油使用者証の交付を受ける場合にあっては、当該代表者の住所又は事務所等の所在地及び氏名又は名称
　　（注）　(7)の免税軽油使用者証は、第16号の19及び第16号の20様式による。（規８の28(九)）

（免税軽油使用者証の有効期間）
(8)　免税軽油使用者証の有効期間は、免税軽油使用者証を交付した日から起算して３年を超えない範囲内において免税軽油使用者証ごとに当該道府県知事が定める期間を経過する日までとする。（令43の15④）

（記載事項に変更が生じた場合の免税軽油使用者証の書換え）
(9)　免税軽油使用者は、免税軽油使用者証の交付を受けた後において、当該免税軽油使用者証の記載事項に変更を生じた場合には、遅滞なく、その交付を受けた道府県知事に申請して当該免税軽油使用者証の書換えを受けなければならない。（令43の15⑤）

（免税軽油使用者証の返納）
(10)　免税軽油使用者は、免税軽油使用者証の交付を受けた後において、免税軽油の引取りを必要としなくなったとき、又は当該免税軽油使用者証の有効期間が満了したときは、遅滞なく、当該免税軽油使用者証をその交付を受けた道府県知事に返納しなければならない。（令43の15⑥）

（免税証の交付申請をする場合の免税軽油使用者証の提示）
(11)　免税軽油使用者が免税証の交付を受けようとする場合には、その都度、免税軽油使用者証を提示してイの規定による申請書を道府県知事に提出しなければならない。（令43の15⑦）
　　（注）　(11)の免税証の交付申請書は、第16号の21様式による。（令43の15⑫、規８の28(十)）

（免税証の交付の共同申請）
(12)　免税証の交付申請は、原則として免税軽油使用者ごとに単独申請を行わせるものであること。ただし、免税証の交付申請数量が、18リットルを超える場合においてもその数量の認定等について支障のない限り、共同申請の方法によって差支えないものであること。（県通９−18(4)オ）

（申請に係る免税軽油の最低数量）
(13)　(11)の申請書に記載する免税軽油の数量は、18リットルを下らないようにするものとする。（令43の15⑧）

（代表者による免税証の申請）
(14)　(11)の規定による申請は、２人以上の免税軽油使用者が引取りを行おうとする免税軽油の数量を取りまとめ、その代表者からすることができる。この場合においては、当該代表者は、それぞれの者の免税軽油使用者証又は(1)後段の規定により交付を受けた免税軽油使用者証を提示するとともに、(11)の申請書に免税軽油使用者ごとにその氏名又は名称を記載した明細書を添付しなければならない。（令43の15⑨）
　　（注）　(14)の明細書は、第16号の22様式による。（令43の15⑨、規８の28(十一)）

第二編第九章《軽油引取税》第一節《通則（課税免除）》

(代表者による免税証の交付申請)
(15)　(1)後段の規定により2人以上の免税軽油使用者が代表者を定めて免税軽油使用者証の交付を受けた場合においては、当該代表者から免税証の交付を申請させるものであること。(県通9－18(4)カ)

(主たる事務所等所在地の道府県知事等に対する免税証の交付申請手続)
(16)　免税軽油使用者は、その主たる事務所等所在地の道府県知事又は当該免税軽油の使用に係る事務所等を管理する事務所等所在地の道府県知事に免税証の交付を申請しようとする場合には、当該免税軽油の使用に係る事務所等所在地の道府県知事に対し、当該道府県知事以外の道府県知事に免税証の交付を申請する旨並びに免税証の交付を受けようとする道府県ごとの免税機械等の種類、数量及び所在地その他必要な事項を記載した届出書を提出するとともに、その写しを免税証の交付を受けようとする道府県知事に提出しなければならない。ただし、免税軽油使用者である国の行政機関の長が免税証の交付を申請しようとするときは、この限りでない。(令43の15⑬)
　　(注)　(16)の免税証の交付申請の届出書は、第16号の23様式による。(令43の15⑭、規8の28(十二))

(届出書の提出についての留意事項)
(17)　免税軽油使用者が主たる事務所等所在地の道府県知事又は当該免税軽油の使用に係る事務所等を管理する事務所等所在地の道府県知事に免税証の交付を申請する場合において、それぞれその道府県知事に提出すべき届出書の写しには、必ず当該免税軽油の使用に係る事務所等所在地の道府県知事の受付印が押印されていることが必要であること。(県通9－18(5))

ロ　免税証の交付
　道府県知事は、イの申請があった場合において、免税軽油使用者が引取りを行おうとする軽油の数量がその用途及び使用期間に照らし、適当でないと認めるときその他(2)の政令で定めるときを除き、免税証を交付しなければならない。免税証には、免税軽油の数量、有効期間並びに免税軽油使用者が申請書に記載した販売業者の事務所等所在地及び氏名又は名称を記載するものとし、その様式は、総務省令で定める。(法144の21⑥)
　(注)　ロの免税証の様式は、第16号の13様式による。(規8の28(四))

(免税証の有効期間)
(1)　免税証の有効期間は、免税証を交付した日から起算して1年を超えない範囲内において免税軽油使用者証ごとに当該道府県知事が定める期間を経過する日までとする。(令43の15⑩)
　(注)　イの(10)の規定は、免税証について準用する。(令43の15⑪)

(政令で定める免税証が交付されないとき)
(2)　ロに規定する政令で定めるときは、次の(一)から(三)のいずれかに該当するときとする。(令43の15⑯)
　(一)　免税軽油使用者がイの(3)の(一)から(四)までのいずれかに該当するに至ったとき。
　(二)　免税軽油使用者が⑦の規定に違反して報告書を提出しないとき。
　(三)　前2号に掲げるときのほか、免税証を交付することが軽油引取税の取締り又は保全上特に不適当と認めるとき。

(免税証の交付に当たっての留意事項)
(3)　免税証の交付に当たっては、次の諸点に留意すること。(県通9－18(4)ア～エ)
　イ　免税証は、免税軽油使用者が引取りを行おうとする軽油の数量がその用途及び使用期間に照らし、適当でないと認めるときその他(2)各号に定めるときを除き交付するものであり、その審査に当たっては、免税機械等の確認、所要数量の精査、当該(2)各号に係る事実の調査等を十分に行うこと。
　ロ　免税証交付申請書の「所要数量の計算期間」については、業種、所要数量等に応じた合理的な期間を設定すべきものであり、所要数量計算期間が長期にわたり、かつ、当該期間における所要数量が多量であると認められる場合には、適宜これを短縮し、改めて免税証交付申請書を提出させること。また、免税証の有効期間は、道府県知事が免税軽油使用者ごとに、免税証を交付した日から起算して1年を超えない範囲内において免税軽油使用者証ごとに当該道府県知事が定める期間を経過する日までとすることとされているが、当該期間についても、上記と同様の趣旨から、免税証の交付事務に支障のない範囲で、できる限り短い期間を設定することが望ましいものであること。
　ハ　所要数量の計算基礎については、最近の実績、生産量、稼動日数、稼動時間等により明細に記載した計算書を添付させることとなっているのであるが、所要数量の認定に当たっては、稼動実態について調査するとともに、経済

調査報告その他の統計資料等を有効に活用することにより、別個に標準的な所要数量を算定し、これらを基に検討することが必要であること。
　ニ　免税証には免税軽油使用者が申請書に記載した販売業者の氏名又は名称及び事務所等の所在地を記載することとされているが、これは、免税証が不正に流通することを防止する趣旨に出ずるものであり、道府県知事が一方的に販売業者を指定するがごときことは法律上許されないものであること。

ハ　他の道府県に所在する販売業者から引取りを行うための免税証を交付した場合
　道府県知事は、イのただし書の規定による申請に基づき、免税軽油使用者が当該道府県以外の道府県に事務所等が所在する販売業者から免税軽油の引取りを行うための免税証を交付したときは、遅滞なく、政令で定めるところにより、当該免税証に記載された数量その他必要な事項を当該販売業者に係る当該事務所等所在地の道府県知事に通知しなければならない。（法144の21⑨）

　　　（免税証を交付した場合の通知）
　注　ハの規定による通知は、総務省令で定める様式の通知書でしなければならない。（令43の15⑰）
　　　（注）　注の通知書は、第16号の24様式による。（規8の28（十三））

④　免税軽油の引取り
　免税軽油の引取りは、免税証に記載された販売業者から行うものとする。ただし、免税軽油使用者が当該販売業者の事務所等所在地以外の地において軽油の引取りを行う必要が生じたことその他やむを得ない理由がある場合においては、免税軽油使用者は、引取りを行う販売業者の事務所等所在の道府県の条例で定めるところにより、他の販売業者から免税軽油の引取りを行うことができる。（法144の21⑦）

　　　（「その他やむを得ない理由」の意義）
（1）　④に規定する「その他やむを得ない理由」とは、軽油を必要とするときにたまたま希望した販売業者が軽油を所有していなかったことにより販売業者を変更する必要があること等を予想しているものであること。この場合においては、全国的な免税秩序の確保を期するため、条例において、免税証に他の販売業者から軽油の引取りを行ったことについての免税軽油使用者の氏名又は名称を記載しなければならない旨の規定を必ず設けるものとすること。（県通9－18(8)）

　　　（免税取扱特別徴収義務者の免税証の受取義務）
（2）　免税取扱特別徴収義務者（③のイ《免税証の交付申請》の規定により免税証を提出すべき登録特別徴収義務者をいう。以下この章において同じ。）は、免税証を提出して免税軽油の引取りを行おうとする者に対して免税軽油の引渡しをする場合においては、当該免税証を受け取らなければならない。（法144の23、144の21⑧）

　　　（代金決済時における免税証の提出）
（3）　免税軽油使用者が免税軽油の引取りを行う場合においては、免税証を免税軽油の引取りと引換えに当該免税軽油の引渡しを行った販売業者に提出しなければならないものであること。ただし、免税軽油使用者が代金決済時に免税証を提出することとしている場合には、当該免税証がいずれの免税軽油の引取りに対応するものであるかが明らかであり、かつ、第二節二の2の（2）《免税軽油についての知事の承認》の規定による免税証の添付に支障を来たさないと認められる場合に限り、例外的にそのような取扱いを認めて差し支えないものであること。（県通9－18(6)）

　　　（免税取扱特別徴収義務者以外の販売業者に免税軽油の引取りを求めた場合）
（4）　免税軽油使用者が免税証を当該免税証の交付を行った道府県に係る免税取扱特別徴収義務者である者以外の軽油の販売業者に提出して、免税軽油の引取りを求めた場合においては、当該販売業者は、当該免税軽油使用者に代わって、当該免税証を当該免税証の交付を行った道府県に係る免税取扱特別徴収義務者である販売業者に提出して免税軽油の引取りを行うものとする。（法144の21⑧）

　　　（免税軽油の引取りの期限）
（5）　免税軽油使用者は、免税証の有効期間の末日までに当該免税証の交付を行った道府県に係る免税取扱特別徴収義務者から免税証に記載された数量の軽油の引取りを行わなければならないものであること。したがって、免税取扱特

別徴収義務者以外の販売業者が、免税軽油使用者に代わって免税軽油の引取りを行う場合においても同様であること。
(県通9-18(7))

⑤ 免税証の不正受給による免税軽油の引取りがあった場合の罰則及び課税
　偽りその他不正の行為により免税証の交付を受け、免税軽油の引取りを行ったときは、その違反行為をした者は、10年以下の懲役若しくは1,000万円以下の罰金に処し、又はこれを併科する。(法144の22①)

　　(両罰規定)
（1）　法人の代表者又は法人若しくは人の代理人、使用人その他の従業者がその法人又は人の業務に関して⑤の違反行為をした場合には、その行為者を罰するほか、その法人又は人に対し、⑤の罰金刑を科する。(法144の22②)

　　(罰金刑を科する場合における時効の期間)
（2）　(1)の規定により⑤の違反行為につき法人又は人に罰金刑を科する場合における時効の期間は、⑤の罪についての時効の期間による。(法144の22③)

　　(免税証の不正受給により免税軽油の引取りを行った場合の課税)
（3）　⑤の場合には、当該免税証を交付した道府県は、当該軽油の引取りを二の1《軽油の引取りを行う者に対する課税》に規定する引取りとみなし、当該免税証に記載された免税軽油の数量を課税標準量として、直ちに、普通徴収の例により、軽油引取税を徴収するものとする。(法144の22④)

⑥ 免税証の譲渡の禁止及び違反行為があった場合の罰則及び課税
　免税証は、これを他人に譲り渡し、又は他人から譲り受けてはならない。(法144の24)

　　(違反行為に対する罰則)
（1）　⑥の規定に違反したときは、その違反行為をした者は、1年以下の懲役又は50万円以下の罰金に処する。(法144の25①)

　　(違反行為により免税軽油の引取りを行った者に対する罰則)
（2）　⑥の規定に違反して免税証を譲り受け、免税軽油の引取りを行ったときは、その違反行為をした者は、10年以下の懲役若しくは1,000万円以下の罰金に処し、又はこれを併科する。(法144の25②)

　　(両罰規定)
（3）　法人の代表者又は法人若しくは人の代理人、使用人その他の従業者がその法人又は人の業務に関して(1)又は(2)の違反行為をした場合には、その行為者を罰するほか、その法人又は人に対し、当該各項の罰金刑を科する。(法144の25③)

　　(罰金刑を科する場合における時効の期間)
（4）　(3)の規定により(2)の違反行為につき法人又は人に罰金刑を科する場合における時効の期間は、(2)の罪についての時効の期間による。(法144の25④)

　　(免税証を譲り受けて免税軽油の引取りを行った者に対する課税)
（5）　⑤の(3)の規定は(2)の場合について準用する。(法144の25⑤)

⑦ 免税軽油の引取り等に係る報告義務
　免税軽油使用者証の交付を受けた者(③のイの(1)後段の規定により2人以上の者が代表者を定めて免税軽油使用者証の交付を受けた場合にあっては、それぞれの者。以下⑦及び(3)において同じ。)は、毎月末日までに((3)の規定により異なる提出期限が定められている場合には、当該期限までに)、前月の初日から末日までの間に行った当該免税軽油使用者証に係る報告対象免税軽油(免税軽油使用者証を提示して交付を受けた免税証により引取りを行った免税軽油をいう。以下⑦及び(3)において同じ。)の引取りに関する事実及びその数量(その事実がない場合には、その旨)、当該報告対象免税軽油の引渡しを行った販売業者の事務所等所在地及び氏名又は名称、当該販売業者に提出した当該免税軽油使用者証を

提示して交付を受けた免税証に関する事項並びに前月の初日から末日までの間に行った当該免税軽油使用者証に係る報告対象免税軽油の使用に関する事実及びその数量（その事実がない場合には、その旨）その他の（１）で定める事項を記載した報告書を、当該免税軽油使用者証を交付した道府県知事に提出しなければならない。ただし、前月の初日から末日までの間を通じて、当該免税軽油使用者証の交付を受けた者が当該免税軽油使用者証を提示して交付を受けた免税証を有せず、かつ、当該免税軽油使用者証に係る報告対象免税軽油を保有していない場合は、この限りでない。（法144の27①）

　　　（免税軽油の引取り等に係る報告書の記載事項）
（１）⑦に規定する記載事項は、次に掲げる事項とする。（規８の39①）
　（一）　免税軽油使用者の住所又は事務所若しくは事業所の所在地、氏名又は名称及び個人番号又は法人番号（個人番号又は法人番号を有しない者にあっては、住所又は事務所若しくは事業所の所在地及び氏名又は名称）
　（二）　業種
　（三）　免税軽油使用者証の番号
　（四）　⑦の規定による報告の対象となる期間（以下（１）において「報告対象期間」という。）の初日及び末日の年月日
　（五）　当該報告対象期間内に行った当該免税軽油使用者証に係る報告対象免税軽油（免税軽油使用者証を提示して交付を受けた免税証により引取りを行った免税軽油をいう。以下（１）及び（２）において同じ。）の引取りに関する事実及びその数量（その事実がない場合には、その旨）
　（六）　当該報告対象免税軽油の引渡しを行った販売業者の事務所等所在地及び氏名又は名称
　（七）　当該販売業者に提出した当該免税軽油使用者証を提示して交付を受けた免税証に関する事項
　（八）　当該報告対象期間内に行った当該免税軽油使用者証に係る報告対象免税軽油の使用に関する事実及びその数量（その事実がない場合には、その旨）
　（九）　当該報告対象期間の初日の前日及び末日における免税軽油の保有数量
　（十）　当該報告対象期間の末日において有する免税証の種類及び枚数

　　　（報告書に添付を要する書類）
（２）⑦の規定により報告書を提出しようとする免税軽油使用者証の交付を受けた者は、第16号の30様式による報告書に次に掲げる書類を添付して、これを当該免税軽油使用者証を交付した道府県知事に提出しなければならない。（規８の39②）
　（一）　報告対象免税軽油の引取りを行った日及びその数量並びに当該報告対象免税軽油の引渡しを行った販売業者の氏名又は名称を証するに足りる書類
　（二）　（一）に掲げるもののほか、道府県知事が当該報告書に記載された事項についての事実を証する書類として特に必要と認める書類

　　　（特別の事情があると認められる場合の報告書の提出期限）
（３）道府県は、引取りを行う当該免税軽油使用者証に係る報告対象免税軽油の数量が少量であることその他の特別の事情があると認められる免税軽油使用者証の交付を受けた者については、⑦の報告書の提出の期限について、当該道府県の条例で⑦に規定する期限と異なる期限を定めることができる。（法144の27②）

　　　（免税軽油の引取り等に係る報告義務違反に関する罪）
（４）⑦の規定に違反して報告書を提出せず、又は虚偽の記載をした報告書を提出したときは、その違反行為をした者は、１年以下の懲役又は50万円以下の罰金に処する。（法144の28①）

　　　（両罰規定）
（５）法人の代表者又は法人若しくは人の代理人、使用人その他の従業者がその法人又は人の業務に関して（４）の違反行為をした場合には、その行為者を罰するほか、その法人又は人に対し、（４）の罰金刑を科する。（法144の28②）

　　　（免税軽油の引取り等に係る報告義務についての留意事項）
（６）免税軽油の引取り等に係る報告制度は、道府県知事から交付を受けた免税証により販売業者から引取りを行った免税軽油について、その引取り及び使用の状況を事後的に確認し、免税制度の適正な運営を担保するために設けられたものであるから、その運用に当たっては、次の諸点に留意すること。（県通９－20）
　（一）　③のイの（１）後段の規定により２人以上の免税軽油使用者が代表者を定めて免税軽油使用者証の交付を受けた

場合においては、当該免税軽油使用者証に記載された免税軽油使用者ごとに免税軽油の引取り等に係る報告書（以下「報告書」という。）を作成し、当該免税軽油使用者証を交付した道府県知事に提出するものであること。
(二) (一)の場合を含め、③のイの(14)の規定により２人以上の免税軽油使用者が引取りを行おうとする免税軽油の数量を取りまとめ、その代表者を定めて免税証の交付を受けた場合においては、それぞれの免税軽油使用者に係る報告書について、当該免税軽油使用者以外の者が代わって作成し、又は取りまとめて提出して差し支えないものであるが、その場合であっても、当該報告書の作成及び提出に関する一切の事項についての責任はそれぞれの免税軽油使用者が負うものであること。
(三) 免税軽油使用者証の交付を受けた者は、当該免税軽油使用者証を提示して交付を受けた免税証を有せず、かつ、当該免税軽油使用者証に係る報告対象免税軽油（免税軽油使用者証を提示して交付を受けた免税証により引取りを行った免税軽油をいう。以下同じ。）を保有していない場合を除き、報告書を提出しなければならないものであり、これは、免税軽油使用者証の有効期間にはかかわらないものであること。
(四) (三)の場合において、「免税証を有」し、又は「報告対象免税軽油を保有」する場合とは、免税軽油使用者証の交付を受けた者が、当該免税軽油使用者証を提示して交付を受けた免税証を所有し、又は当該免税証により引取りを行った免税軽油を所有している場合をいい、これは、当該免税軽油使用者が免税証又は免税軽油を現に所持している場合に限らないものであること。したがって、例えば、免税軽油使用者が引取りを行った免税軽油を請負人に現物支給している場合や当該免税軽油の保管を他の者に委託している場合は、⑦のただし書に規定する報告書の提出を要しない場合には該当しないものであること。
(五) 報告書の記載内容の確認に当たっては、免税軽油使用者証交付申請書、免税証交付申請書、特別徴収義務者から提出を受けた納入申告書等における記載事項との照合を行うとともに、免税軽油が免税証交付申請書に記載された内容に沿って使用されているものであるかを適宜調査すべきものであること。
　なお、必要に応じて、当該免税軽油の用途に係る機械、車両又は設備についての詳細な使用実績等を徴することにより必要な確認を行うこと。
(六) 報告書に記載する免税軽油の使用数量とは、当該免税軽油の用途に係る免税機械等に装置された計量器等によって計測される実際の使用数量（消費数量）をいい、報告の対象となる期間（以下「報告対象期間」という。）の末日において、免税機械等に残っている免税軽油の数量はこれに含まれないものであること。ただし、免税軽油の使用の実態等にかんがみ、報告対象期間において使用した免税軽油の数量の正確な把握が困難であると認められる場合には、当該免税機械等への給油数量をもって、その使用数量として報告させて差し支えないものであること。
(七) 報告書に記載する滅失等による免税軽油の欠減量とは、報告対象期間の初日の前日において保有する免税軽油の数量及び当該報告対象期間に引取りを行った免税軽油の数量の合計から当該報告対象期間に使用した免税軽油の数量を控除して算出される計算上の保有数量と当該報告対象期間の末日において現に保有する数量との差に相当する数量をいうものであること。
(八) 報告書の提出期限について毎月末日までとしているのは、１月ごとの報告を求めることにより、従来免税証の交付申請時にのみ行っていた免税軽油の所要数量等に係る審査を制度上補完し、より短い期間を区切って免税軽油の引取り及び使用等に関する実績を把握しようとするものであるから、当該期限については、業務に差し支えない限り毎月とするのが適当であること。したがって報告期限の特例を設ける場合にあっても本制度の趣旨にかんがみ、安易に長期にわたる期限を定めることのないよう厳格に運用すべきものであり、例えば、免税証の有効期間を超えた期間に係る報告期限を設けることは、通常予定されていないものであること。
(九) 道府県は、報告対象免税軽油の数量が少量であることその他の特別の事情があると認められる免税軽油使用者について報告書の提出期限の特例を条例で定めることができることとされているが、これは、免税軽油の使用数量が少量であること、その使用が特定の時期に集中していること等により毎月の報告が過重な事務負担となると考えられる場合、免税軽油使用者が国の行政機関の長その他これに準ずる者等であって免税証の不正譲渡や免税軽油の用途外使用が通常想定し難い場合、当該免税軽油使用者の営む業務の特殊性等により毎月の報告が困難であると認められる場合等において、免税軽油使用者の便宜を図る観点から例外的措置として設けるものであるから、提出期限の特例を定めるに当たっては、次の諸点に留意すること。
　イ　提出期限の特例は、当該免税軽油使用者に係る免税軽油の用途、当該用途に係る免税軽油の使用数量、業務の内容及び実態等を勘案して定めるべきものであり、おおむね免税軽油使用者の業種ごとに同一の期限を定めることが適当であること。ただし、同一業種の免税軽油使用者間において、その免税軽油の使用数量に相当の格差がある場合には、それぞれについて異なる報告期限を定めて差し支えないものであること。
　ロ　免税軽油の数量が少量であることとは、当該免税軽油使用者に係る免税軽油の用途、業務の内容及び実態、それぞれの地域における実情等を踏まえて判断すべき事項であり、必ずしも何リットルという一律の基準をもって

判断する必要はないものであること。
(十) 報告書に添付することとされている報告対象免税軽油の引取りを行った日及びその数量並びに当該報告対象免税軽油の引渡しを行った販売業者の氏名又は名称を証するに足りる書類とは、当該販売業者から軽油を納入した際に受け取った領収書、納品書その他これらに類する書面の写し等をいうものであること。
(十一) ②の(6)又は(7)の規定の適用がある場合においては、譲渡を行った日及びその数量並びに譲渡先の名称を記載した報告書を提出するものであること。この場合において、報告書に添付することとされている譲渡を行った数量及び譲渡先の名称を証するに足りる書類とは、受領書その他これに類する書面の写し等をいうものであること。

六 元売業者の指定

1 元売業者の指定

　総務大臣は、次に掲げる者のうち、軽油引取税の徴収の確保に支障がないと認められることその他の(1)で定める要件に該当するものを、これらの者の申請に基づき、元売業者として指定するものとする。(法144の7①)

(一)	軽油を製造することを業とする者（軽油の製造量その他の事項について(3)で定める基準に該当する者に限る。）
(二)	軽油を輸入することを業とする者（軽油の輸入量その他の事項について(7)で定める基準に該当する者に限る。）
(三)	軽油を販売することを業とする者（軽油の販売量その他の事項について(11)で定める基準に該当する者に限る。）

　　　（元売業者の指定の要件）
(1) 1に規定する要件は、次の各号のすべてに該当することとする。(令43の7)
　(一) その事業を適確に遂行するに足りる経理的基礎を有することその他の事情から軽油引取税の徴収の確保に支障がないと認められること。
　(二) 次のいずれにも該当しない者であること。
　　イ 2の規定により元売業者の指定を取り消された者（2の(1)の(二)又は(三)の要件により元売業者の指定を取り消された者を除く。ロにおいて同じ。）で、その取消しの日から起算して2年を経過しないもの
　　ロ 2の規定により元売業者の指定を取り消された者が法人である場合において、その取消しの原因となった事実があった日以前1年以内に当該法人の役員（業務を執行する社員、取締役、執行役又はこれらに準ずる者をいい、相談役、顧問その他いかなる名称を有する者であるかを問わず、法人に対し業務を執行する社員、取締役、執行役又はこれらに準ずる者と同等以上の支配力を有するものと認められる者を含む。ホ及び七の1の①の(1)において同じ。）であった者で当該取消しの日から起算して2年を経過しないもの
　　ハ 国税又は地方税の滞納処分を受け、その滞納処分の日から起算して2年を経過しない者
　　ニ 国税若しくは地方税に関する法令の規定により罰金以上の刑に処せられ、又は国税通則法第157条第1項、関税法第138条第1項（とん税法第14条及び特別とん税法第12条において準用する場合を含む。）若しくは第一編第十章19の③の規定により通告処分を受け、それぞれ、その刑の執行を終わり、若しくは執行を受けることがなくなった日又はその通告の旨を履行した日から起算して3年を経過しない者
　　ホ 法人であって、その役員のうちにイからニまでのいずれかに該当する者があるもの

　　　（元売業者の指定要件についての留意事項）
(2) (1)の各号に規定する指定要件については、次の諸点に留意する。（県通9－3(1)イ）
　(一) (1)の(一)に規定する「経理的基礎を有することその他の事情」とは、軽油引取税の特別徴収義務の履行及び元売業者としての報告義務等の履行に支障がないと認められる財務的能力の状況及び事業経営のために必要な資金、経済的信用、貯蔵設備、販売設備等の財産の状況をいうものであること。
　(二) (1)の(二)のロに規定する「その取消しの原因となった事実があった日」とは、例えば、次に掲げる日をいうものであること。
　　イ 偽りその他不正の行為により元売業者の指定を受けた場合には、その指定を受けた日
　　ロ 偽りその他不正の手段により第二節七の1の①《製造等の承認を受ける義務》の承認を受けた場合には、その承認の日
　　ハ この章の規定により罰金以上の刑に処せられ、又は第一編第十章19の③の通告処分を受けた場合には、その違反した事実のあった日

（三）　（1）の（二）のハに規定する「滞納処分の日」とは、国税徴収法又は地方税法の規定による滞納処分により財産を差し押さえられ、又は交付要求がなされた日のうちもっとも遅い日をいうものであること。

　　（軽油を製造することを業とする者に係る基準）
（3）　1の（一）に規定する基準は、次に掲げるとおりとする。（規8の29①）
　（一）　石油の備蓄の確保等に関する法律第23条第1項の規定による届出を適正に行った者であること。
　（二）　次のいずれかに該当すること。
　　イ　最近の3年間における軽油の年間の製造量の平均が20万キロリットル以上であること。
　　ロ　石油の備蓄の確保等に関する法律第23条第1項の規定による届出の日から起算して3年を経過しない者である場合にあっては、申請の日の属する年の前年における軽油の年間の製造量が20万キロリットル以上であること。

　　（元売業者の指定を受けている法人が最近の3年において合併した場合の製造量の基準）
（4）　1の規定により1の（一）に該当する者として元売業者の指定を受けている法人が最近の3年において合併した場合における当該合併後存続する法人又は当該合併により設立した法人に係る（3）の（二）のイの規定の適用については、同イ中「最近の3年における軽油の年間の製造量の平均が20万キロリットル」とあるのは、「合併により消滅した法人及び合併後存続する法人の当該合併前の軽油の製造量と当該合併により設立した法人又は当該合併後存続する法人の当該合併後の軽油の製造量の最近の3年における合計が60万キロリットル」とする。（規8の29②）

　　（元売業者の指定を受けている法人が最近の3年において分割等をした場合の分割法人等の製造量の基準）
（5）　1の規定により1の（一）に該当する者として元売業者の指定を受けている法人が最近の3年において分割等（分割、現物出資、法人税法第2条第12号の5の2に規定する現物分配又は同法第61条の11第1項の規定の適用を受ける同項に規定する譲渡損益調整資産の譲渡をいう。（6）から（14）までにおいて同じ。）をした場合における当該分割等に係る分割法人等（同法第2条第12号の2に規定する分割法人、同条第12号の4に規定する現物出資法人、同条第12号の5の2に規定する現物分配法人又は同法第61条の11第1項に規定する譲渡損益調整資産を譲渡した法人をいう。（7）から（14）までにおいて同じ。）に係る（3）の（二）のイの規定の適用については、同イ中「最近の3年における軽油の年間の製造量の平均が20万キロリットル」とあるのは、「分割法人等（（5）に規定する分割法人等をいう。以下（二）において同じ。）の分割等（（5）に規定する分割等をいう。以下（二）において同じ。）前の軽油の製造量を元売業者の指定を受けている当該分割法人等及び元売業者の指定を受けようとする分割承継法人等（（6）に規定する分割承継法人等をいう。）の法人数の合計で除して得た量と当該分割法人等の分割等後の軽油の製造量の最近3年における合計が60万キロリットル」とする。（規8の29③）

　　（元売業者の指定を受けている法人が最近の3年において分割等をした場合の分割承継法人等の製造量の基準）
（6）　1の規定により1の（一）に該当する者として元売業者の指定を受けている法人が最近の3年において分割等をした場合における当該分割等に係る分割承継法人等（法人税法第2条第12号の3に規定する分割承継法人、同条第12号の5に規定する被現物出資法人、同条第12号の5の3に規定する被現物分配法人又は同法第61条の11第2項に規定する譲受法人をいう。（7）から（14）までにおいて同じ。）に係る（3）の（二）のイの規定の適用については、同イ中「最近の3年における軽油の年間の製造量の平均が20万キロリットル」とあるのは、「分割法人等（（5）に規定する分割法人等をいう。以下（二）において同じ。）の分割等（（5）に規定する分割等をいう。以下（二）において同じ。）前の軽油の製造量を元売業者の指定を受けている当該分割法人等及び元売業者の指定を受けようとする分割承継法人等（（6）に規定する分割承継法人等をいう。以下（二）において同じ。）の法人数の合計で除して得た量と当該分割承継法人等の分割等後の軽油の製造量の最近3年における合計が60万キロリットル」とする。（規8の29④）

　　（軽油を輸入することを業とする者に係る基準）
（7）　1の（二）に規定する基準は、次に掲げるとおりとする。（規8の30①）
　（一）　石油の備蓄の確保等に関する法律第13条の規定による登録を受けた者であること。
　（二）　最近の3年における軽油の年間の輸入量の平均が5万キロリットル以上であること。

　　（元売業者の指定を受けている法人が最近の3年において合併した場合の輸入量の基準）
（8）　1の規定により1の（二）に該当する者として元売業者の指定を受けている法人が最近の3年において合併した場合における当該合併後存続する法人又は当該合併により設立した法人に係る（7）の（二）の規定の適用については、同

第二編第九章《軽油引取税》第一節《通則（元売業者の指定等）》

(二)中「最近の３年における軽油の年間の輸入量の平均が５万キロリットル」とあるのは、「合併により消滅した法人及び合併後存続する法人の当該合併前の軽油の輸入量と当該合併により設立した法人又は当該合併後存続する法人の当該合併後の軽油の輸入量の最近の３年における合計が15万キロリットル」とする。（規８の30②）

　　（元売業者の指定を受けている法人が最近の３年において分割等をした場合の分割法人等の輸入量の基準）
(９)　１の規定により１の(二)に該当する者として元売業者の指定を受けている法人が最近の３年において分割等をした場合における当該分割等に係る分割法人等に係る(７)の(二)の規定の適用については、同(二)中「最近の３年における軽油の年間の輸入量の平均が５万キロリットル」とあるのは、「分割法人等（(９)に規定する分割法人等をいう。以下(二)において同じ。）の分割等（(９)に規定する分割等をいう。以下(二)において同じ。）前の軽油の輸入量を元売業者の指定を受けている当該分割法人等及び元売業者の指定を受けようとする分割承継法人等（(10)に規定する分割承継法人等をいう。）の法人数の合計で除して得た量と当該分割法人等の分割等後の軽油の輸入量の最近３年における合計が15万キロリットル」とする。（規８の30③）

　　（元売業者の指定を受けている法人が最近の３年において分割等をした場合の分割承継法人等の輸入量の基準）
(10)　１の規定により１の(二)に該当する者として元売業者の指定を受けている法人が最近の３年において分割等をした場合における当該分割等に係る分割承継法人等に係る(７)の(二)の規定の適用については、同(二)中「最近の３年における軽油の年間の輸入量の平均が５万キロリットル」とあるのは、「分割法人等（(９)に規定する分割法人等をいう。以下(二)において同じ。）の分割等（(９)に規定する分割等をいう。以下(二)において同じ。）前の軽油の輸入量を元売業者の指定を受けている当該分割法人等及び元売業者の指定を受けようとする分割承継法人等（(10)に規定する分割承継法人等をいう。以下(二)において同じ。）の法人数の合計で除して得た量と当該分割承継法人等の分割等後の軽油の輸入量の最近３年における合計が15万キロリットル」とする。（規８の30④）

　　（軽油を販売することを業とする者に係る基準）
(11)　１の(三)に規定する基準は、次の各号のいずれかに該当することとする。（規８の31①）
　(一)　次のすべてに該当すること。
　　イ　最近の３年における他の元売業者以外の者に対する軽油の年間の販売量（現実の納入を伴う販売に係るものに限る。以下同じ。）の平均が30万キロリットル以上であること。
　　ロ　その者との間に、その者から継続的に軽油の供給を受け、これを販売することを内容とする販売契約を締結している石油製品の販売業者で、他にこれと同様の販売契約を締結していないもの（ハ及び(16)の(三)において「系列販売業者」という。）の数が150以上であること。
　　ハ　系列販売業者の主たる事務所等が30以上の道府県に所在すること。
　　ニ　主として元売業者以外の者に対し軽油を販売するものであること。
　(二)　その行う事業によってその組合員又は会員のために奉仕することを目的とする全国を地区とする組合である場合にあっては、次のいずれかに該当すること。
　　イ　主として免税軽油を取り扱う石油製品の販売業者と継続的に軽油の供給を行う販売契約を締結し、専ら当該販売業者に対し軽油を販売するものであること。
　　ロ　その組合員又は会員（当該組合員又は会員の組合員又は会員等を含む。(16)の(三)において同じ。）中の**五**の**２**の③のイに規定する免税軽油使用者（以下「免税軽油使用者」という。）の数が30万以上であること。

　　（元売業者の指定を受けている法人が最近の３年において合併した場合の販売量の基準）
(12)　１の規定により１の(三)に該当する者として元売業者の指定を受けている法人が最近の３年において合併した場合における当該合併後存続する法人又は当該合併により設立した法人に係る(11)の(一)のイの規定の適用については、同イ中「最近の３年における他の元売業者以外の者に対する軽油の年間の販売量（現実の納入を伴う販売に係るものに限る。以下同じ。）の平均が30万キロリットル」とあるのは、「合併により消滅した法人及び合併後存続する法人の当該合併前の軽油の販売量（現実の納入を伴う販売に係るものに限る。(一)及び(16)の(三)において同じ。）と当該合併により設立した法人又は当該合併後存続する法人の当該合併後の軽油の販売量の最近の３年における合計（他の元売業者以外の者に対する販売量の合計に限る。）が90万キロリットル」とする。（規８の31②）

　　（元売業者の指定を受けている法人が最近の３年において分割等をした場合の分割法人等の販売量の基準）
(13)　１の規定により１の(三)に該当する者として元売業者の指定を受けている法人が最近の３年において分割等をし

た場合における当該分割等に係る分割法人等に係る(11)の(一)のイの規定の適用については、同イ中「最近の３年における他の元売業者以外の者に対する軽油の年間の販売量（現実の納入を伴う販売に係るものに限る。以下同じ。）の平均が30万キロリットル」とあるのは、「分割法人等の分割等前の軽油の販売量（現実の納入を伴う販売に係るものに限る。以下(一)及び(16)の(三)において同じ。）を元売業者の指定を受けている当該分割法人等及び元売業者の指定を受けようとする分割承継法人等の法人数の合計で除して得た量と当該分割法人等の分割等後の軽油の販売量の最近３年における合計（他の元売業者以外の者に対する販売量の合計に限る。）が90万キロリットル」とする。（規８の31③）

　　　　（元売業者の指定を受けている法人が最近の３年において分割等をした場合の分割承継法人等の販売量の基準）
(14)　１の規定により１の(三)に該当する者として元売業者の指定を受けている法人が最近の３年において分割等をした場合における当該分割等に係る分割承継法人等に係る(11)の(一)のイの規定の適用については、同イ中「最近の３年における他の元売業者以外の者に対する軽油の年間の販売量（現実の納入を伴う販売に係るものに限る。以下同じ。）の平均が30万キロリットル」とあるのは、「分割法人等の分割等前の軽油の販売量（現実の納入を伴う販売に係るものに限る。以下(一)及び(16)の(三)において同じ。）を元売業者の指定を受けている当該分割法人等及び元売業者の指定を受けようとする分割承継法人等の法人数の合計で除して得た量と当該分割承継法人等の分割等後の軽油の販売量の最近３年における合計（他の元売業者以外の者に対する販売量の合計に限る。）が90万キロリットル」とする。（規８の31④）

　　　　（元売業者の資格要件についての留意事項）
(15)　六の１の各号に規定する資格要件については、次の諸点に留意する。（県通９－３(1)ア）
　（一）　(3)の(二)のイ、(7)の(二)及び(11)の(一)のイに規定する「最近の３年」には、元売業者の指定の申請の日の属する年を含まないこと。
　（二）　(3)の(二)のロに規定する「前年」は元売業者の指定の申請の日の属する年の前年をいうものであること。
　（三）　(11)の(一)のイに規定する「現実の納入を伴う販売」とは、「自己が所有し、かつ、直接的支配下にある軽油を他に納入する方法により行う販売」及び「販売の相手方に当該販売に係る軽油が現実に納入される方法により行う販売」をいうものであること。ただし、二の２《納入を伴う引取りを行う者に対するみなす課税》の規定により「軽油の引取りを行ったもの」とみなされる者がある場合においては、同２の特約業者又は元売業者の当該引取りに係る販売は「現実の納入を伴う販売」であり、当該「軽油の引取りを行ったもの」とみなされる者に当該軽油の販売を行った者の当該販売は「現実の納入を伴う販売」ではないものであること。
　（四）　(11)の(一)のロ及びハ並びに(16)の(三)に規定する「系列販売業者」とは、元売業者の指定を申請しようとする者から継続的に軽油の供給を受け、これを販売することを内容とする販売契約を締結している石油製品販売業者で、他にこれと同様の販売契約を締結していないものをいうものであり、継続的に軽油の供給を受け、これを販売することを内容とする販売契約を二以上の者と締結している者は、「系列販売業者」に含まれないこと。
　（五）　(11)の(一)のニに規定する「主として元売業者以外の者に対し軽油を販売するもの」とは、その者に係る軽油の総販売量のうちに占める元売業者以外の者に対する販売量の割合が、２分の１を超えるものをいうこと。

　　　　（元売業者の指定の申請の手続）
(16)　１の規定により元売業者の指定を申請しようとする者（以下(16)において「申請者」という。）は、第16号の25様式による申請書に次に掲げる書類を添付して、これをその主たる事務所等所在地の道府県知事を経由して総務大臣に提出しなければならない。（規８の32①）
　（一）　１の(一)に掲げる者〘軽油を製造することを業とする者〙にあっては、次に掲げる書類
　　イ　石油の備蓄の確保等に関する法律第23条第１項の規定による届出を適正に行った者であることを証する書面
　　ロ　次の表の左欄に掲げる区分に応じ、それぞれその右欄に掲げる書類

（イ）(3)の(二)のイの基準に該当する者	申請の日の属する年の前３年の軽油の製造量並びに申請の日の属する年の軽油の製造量並びに製造計画量及びその算出の基礎を記載した書面
（ロ）(3)の(二)のロの基準に該当する者	申請の日の属する年の前年の軽油の製造量並びに申請の日の属する年の軽油の製造量並びに製造計画量及びその算出の基礎を記載した書面

　（二）　１の(二)に掲げる者〘軽油を輸入することを業とする者〙にあっては、次に掲げる書類

イ　石油の備蓄の確保等に関する法律第13条の規定による登録を受けた者であることを証する書面
ロ　申請の日の属する年の前3年の軽油の輸入量並びに申請の日の属する年の軽油の輸入量並びに輸入計画量及びその算出の基礎を記載した書面

(三)　1の(三)に掲げる者〖軽油を販売することを業とする者〗にあっては、次の表の左欄に掲げる区分に応じ、それぞれその右欄に掲げる書類

イ　(11)の(一)の基準に該当する者	①　申請の日の属する年の前3年の軽油の販売量及び他の元売業者に対する軽油の販売量並びに申請の日の属する年の軽油の販売量並びに販売計画量（現実の納入を伴う販売に係るものに限る。以下同じ。）及びその算出基礎を記載した書面 ②　系列販売業者〖(11)の(一)のロ参照〗の氏名又は名称、住所又は所在地及び事業の概要を記載した書面 ③　系列販売業者であることを証する書面
ロ　(11)の(二)のイの基準に該当する者	①　継続的に軽油の供給を行う販売契約を締結している販売業者の氏名又は名称、住所又は所在地並びに申請の日の属する年の前年の軽油及び免税軽油の販売数量を記載した書面 ②　申請の日の属する年の前年の販売先ごとの販売数量を記載した書面 ③　(11)の(二)のイに規定する販売契約に係る契約書の写し
ハ　(11)の(二)のロの基準に該当する者	組合員又は会員〖(11)の(一)のロ参照〗の氏名又は名称及び住所又は所在地並びにその組合員又は会員中の免税軽油使用者の数を記載した書面

(四)　(1)の(二)のイからホまでのいずれにも該当しないことを誓約する第16号の26様式により作成した書面
(五)　誠実に事業を行うことを誓約する第16号の27様式により作成した書面
(六)　申請者が法人である場合にあっては、次に掲げる書類
イ　定款又は寄附行為及び登記事項証明書
ロ　申請の日の属する事業年度の直前の事業年度における貸借対照表及び損益計算書
ハ　役員の名簿及び履歴書
(七)　申請者が個人である場合にあっては、次に掲げる書類
イ　戸籍抄本又は本籍（外国人にあっては、国籍等（住民基本台帳法第30条の45に規定する国籍等をいう。七の1の①の(3)の(六)のイ及び七の2の①の(4)の(六)のイにおいて同じ。））の記載のある住民票の写し
ロ　財産目録
ハ　履歴書
(八)　事務所等の名称及び所在地を記載した書類

　　（元売業者の指定の申請についての留意事項）
(17)　(16)の申請の手続については、次の諸点に留意する。（県通9－3(1)ウ）
(一)　「主たる事務所等」とは、申請者の実質上の主たる事務所等をいい、必ずしも、登記上の本店に限られないこと。
(二)　申請書の提出を受けた道府県知事は、提出書類に不備がないかを確認した上、当該申請書を受け付けること。
(三)　(1)に規定する要件のうち、(1)の(二)のハからホまで（ホにあっては、ハ及びニに係る部分に限る。）に係る事実について調査すること。

　　（道府県知事から総務大臣への申請書の送付）
(18)　道府県知事は、(16)の申請書の提出を受けたときは、当該申請書について調査し、遅滞なく、その申請書を総務大臣に送付しなければならない。（規8の32②）

　　（元売業者の指定及び指定の取消しの公示）
(19)　総務大臣は、1の規定による元売業者の指定をした場合においては、その旨を官報によって公示するものとする。公示した事項に変更があったとき又は2の規定により元売業者の指定を取り消したときも、同様とする。（規8の32③）

(元売業者の指定において告示すべき事項)
(20) 総務大臣は元売業者の指定を行った場合においては、次の事項を総務省告示により公示するものであること。(県通9－3(1)エ)
   (一) 元売業者の氏名又は名称
   (二) 主たる事務所等の所在地
   (三) 指定の年月日

(主たる事務所等が移転した場合の報告)
(21) 元売業者は、当該元売業者の主たる事務所等が他の道府県に移転したときは、その旨を速やかに移転前の主たる事務所等所在地の道府県知事に報告するものであることに留意すること。
   なお、報告を受けた道府県知事は、その旨を、速やかに移転後の主たる事務所等所在地の道府県知事に通知するものであること。(県通9－3(3))

2 元売業者の指定の取消し

総務大臣は、元売業者が1に規定する要件に該当しなくなったときその他(1)で定める要件に該当するときは、元売業者の指定を取り消すことができる。(法144の7②)
(注) 1の(19)を参照。(編者)

(元売業者の指定の取消しの要件)
(1) 2に規定する要件は、次の各号のいずれかに該当することとする。(令43の8)

(一)	偽りその他不正の行為により1の規定による元売業者の指定を受けたこと。
(二)	1の各号に該当しなくなったこと。
(三)	1年以上引き続き軽油の製造、輸入又は販売をしていないこと。
(四)	元売業者又は元売業者の代理人、使用人その他の従業者(以下(1)、七の1の②の(1)及び同2の②の注において「代理人等」という。)が、九の1《徴税吏員の質問検査権》若しくは第二節十四の1の①《総務省の職員の質問検査権等》の規定によるこれらの規定に規定する帳簿書類その他の物件の検査又は九の1の(4)若しくは第二節十四の1の①の(1)の規定による採取を拒み、妨げ、又は忌避したこと(元売業者の代理人等がその行為をした場合において、その行為を防止するため、当該元売業者が相当の注意及び監督を尽くしたときを除く。)。
(五)	元売業者又は元売業者の代理人等が、九の1又は第二節十四の1の①の帳簿書類で虚偽の記載又は記録をしたものを提示したこと(元売業者の代理人等がその行為をした場合において、その行為を防止するため、当該元売業者が相当の注意及び監督を尽くしたときを除く。)。
(六)	元売業者又は元売業者の代理人等が、九の1の規定による徴税吏員の質問又は第二節十四の1の①の規定による総務省の職員の質問に対し、答弁をしないこと又は虚偽の答弁をしたこと(元売業者の代理人等が答弁をせず、又は虚偽の答弁をした場合において、その者が答弁をしないこと又は虚偽の答弁をすることを防止するため、当該元売業者が相当の注意及び監督を尽くしたときを除く。)。
(七)	第二節七の1の①《製造等の承認を受ける義務》の規定に違反して道府県知事の承認を受けないで同①各号の行為を行い、又は偽りその他不正の手段により同①の承認を受けたこと。
(八)	第二節七の1の③《製造等の承認を受けた者の帳簿記載義務》又は同節十《帳簿記載義務》の規定による帳簿の記載をせず、若しくは偽り、又はその帳簿を隠匿したこと。
(九)	第二節七の2《製造等の承認を受ける義務等に関する罪》の(1)又は(2)の罪に当たる行為をしたこと。
(十)	第二節八《事業の開廃等の届出》の1から3までの規定による届出をせず、又は偽ったこと。
(十一)	第二節九の1《軽油の引取り等の報告義務》若しくは同(3)《報告事項に異動を生じた場合の報告》の規定による報告若しくは同2《元売業者が特約業者の指図に基づき納入を行った場合の通知》の規定による通知をせず、又はその報告若しくは通知を偽ったこと。
(十二)	元売業者の代理人等又は元売業者の代理人等であった者が、当該代理人等である間の事実により、この章の規定により罰金以上の刑に処せられ、又は第一編第十章19の③の規定により通告処分を受け、その通告の旨を履

	行したこと。
(十三)	軽油引取税の特別徴収義務者として、第二節二の2《特別徴収義務者の申告納入義務》の規定により徴収して納入すべき軽油引取税に係る納入金の全部又は一部を納入しなかったこと。
(十四)	軽油引取税の特別徴収義務者として、第二節二の3《保全担保の徴取》の規定により命じられた担保の提供、増担保の提供、保証人の変更その他担保を確保するため必要な行為を、その指定された期限までにしなかったこと。

　　　（留意事項）
（2）元売業者が1の（1）の各号に規定する指定要件に該当しなくなったとき又は（1）各号に規定する元売業者の指定の取消要件に該当することとなったときは、元売業者の指定を取り消すことができることとされているが、この場合については、次の諸点に留意すること。（県通9－3（2））
　（一）（1）の各号に規定する元売業者の指定の取消要件
　　イ　（1）の（三）に規定する「1年以上引き続き軽油の製造、輸入又は販売をしていないこと」とは、1年以上の期間にわたって一度も軽油の製造、輸入又は販売をした事実がない場合をいい、この場合には、元売業者の指定を取り消すことができること。
　　ロ　（1）の（四）に規定する「代理人」とは、委任代理人の外、法定代理人をも含むものであること。また、「使用人その他の従業者」とは、直接又は間接に、業務主の統制、監督の下に当該事業に従事している者をいうものであること。
　（二）道府県知事の報告
　　　元売業者の取消要件に該当する事実が発生した場合には、当該事実を了知した道府県知事は、速やかに次の事項を総務大臣に報告すること。
　　イ　元売業者の氏名又は名称（法人にあっては代表者の氏名を含む。）
　　ロ　主たる事務所等の所在地
　　ハ　取消要件に該当する事実の概要
　　ニ　その他参考となる事項

七　特約業者の指定等

1　仮特約業者の指定等

①　仮特約業者の指定
　道府県知事は、元売業者との間に締結された販売契約に基づいて当該元売業者から継続的に軽油の供給を受け、これを販売することを業とする者（その経営の基礎その他の事項を勘案して（1）で定める要件に該当する者を除く。）で、当該道府県内に主たる事務所等を有するものを、その者の申請に基づき、仮特約業者として指定するものとする。（法144の8①）

　　（仮特約業者の指定を受けられない者の要件）
（1）①に規定する要件は、次の各号のいずれかに該当することとする。（令43の9）

(一)	破産手続開始の決定を受けて復権を得ていない者その他その経営の基礎が薄弱であると認められる者であること。 （注）「経営の基礎が薄弱であると認められる者」とは、事業経営のために必要な資金の欠乏、経済的信用の薄弱、販売設備の不十分、経営能力の貧困等、経営の基礎となる人的、物的要素に欠陥があって、事業の経営が適切に行われるとは認められない者をいうものであること。（県通9－4（1）イ）
(二)	②の規定により仮特約業者の指定を取り消された者（②の（1）《仮特約業者の指定を取り消すことができる場合》の（二）に該当するものとして仮特約業者の指定を取り消された者を除く。（四）において同じ。）で、その取消しの日から起算して2年を経過しないものであること。
(三)	2の②《特約業者の指定の取消し》、同③の（1）《取消しの請求を受けた道府県知事の措置》本文又は同（2）《総務大臣の指示があった場合の指定の取消し》後段の規定により特約業者の指定を取り消された者（2の①の（1）《特約業者の指定の要件》の（二）、（四）若しくは（五）の要件に該当せず、又は同②の注《特約業者の指

	定の取消しの要件》の(二)の要件に該当することにより、特約業者の指定を取り消された者を除く。(四)において同じ。)で、その取消しの日から起算して2年を経過しないものであること。
(四)	②の規定により仮特約業者の指定を取り消された者又は2の②《特約業者の指定の取消し》、同③の(1)《取消しの請求を受けた道府県知事の措置》本文若しくは同(2)《総務大臣の指示があった場合の指定の取消し》後段の規定により特約業者の指定を取り消された者が法人である場合において、その取消しの原因となった事実があった日以前1年以内に当該法人の役員であった者で当該取消しの日から起算して2年を経過しないものであること。
(五)	国税又は地方税の滞納処分を受け、その滞納処分の日から起算して2年を経過しない者であること。
(六)	国税若しくは地方税に関する法令の規定により罰金以上の刑に処せられ、又は国税通則法第157条第1項、関税法第138条第1項(とん税法第14条及び特別とん税法第12条において準用する場合を含む。)若しくは第一編第十章19の③の規定により通告処分を受け、それぞれ、その刑の執行を終わり、若しくは執行を受けることがなくなった日又はその通告の旨を履行した日から起算して3年を経過しない者であること。
(七)	法人であって、その役員『六の1(1)の(二)のロ参照』のうちに(二)から(六)までのいずれかに該当する者があること。

　　　　(仮特約業者の指定の有効期間)
(2)　①の規定による仮特約業者の指定の有効期間は、指定を受けた日から起算して1年とする。ただし、仮特約業者が2の①の規定による特約業者の指定を受けたときは、当該仮特約業者の指定は、その効力を失う。(法144の8②)

　　　　(仮特約業者の指定の申請の手続)
(3)　①の規定により仮特約業者の指定を申請しようとする者(以下(3)において「申請者」という。)は、第16号の28様式による申請書に次に掲げる書類を添付して、これをその主たる事務所等所在地の道府県知事に提出しなければならない。(規8の33)
(一)　元売業者との間に締結された販売契約書の写し
(二)　(1)各号のいずれにも該当しないことを誓約する第16号の26様式により作成した書面
(三)　誠実に事業を行うことを誓約する第16号の27様式により作成した書面
(四)　申請の日の属する年の前年の軽油の販売量並びに申請の日の属する年の軽油の販売量並びに販売計画量及びその算出の基礎を記載した書面
(五)　申請者が法人である場合にあっては、次に掲げる書類
　イ　定款又は寄附行為及び登記事項証明書
　ロ　申請の日の属する事業年度の直前の事業年度における貸借対照表及び損益計算書
　ハ　役員の名簿及び履歴書
(六)　申請者が個人である場合にあっては、次に掲げる書類
　イ　戸籍抄本又は本籍(外国人にあっては、国籍等)の記載のある住民票の写し
　ロ　財産目録
　ハ　履歴書
(七)　事務所等の名称及び所在地を記載した書類

　　　　(仮特約業者の指定の効果の及ぶ範囲)
(4)　①の規定により仮特約業者としての指定があったときは、当該仮特約業者の指定の効果は、すべての道府県に及ぶものであること。(県通9－4(1)ア)

　　　　(主たる事務所等が移転した場合の報告)
(5)　仮特約業者は、当該仮特約業者の主たる事務所等が他の道府県に移転したときは、その旨を速やかに移転前の主たる事務所等所在地の道府県知事に報告するものであること。なお、報告を受けた道府県知事は、その旨を、速やかに移転後の主たる事務所等所在地の道府県知事に通知するものであること。(県通9－4(1)エ)

第二編第九章《軽油引取税》第一節《通則（特約業者の指定等）》

② 仮特約業者の指定の取消し
　①の道府県知事は、仮特約業者が①の（1）で定める要件に該当することとなったときその他（1）で定める場合には、仮特約業者の指定を取り消すことができる。（法144の8③）

　　（仮特約業者の指定を取り消すことができる場合）
（1）②に規定する場合は、次の（一）から（十一）のいずれかに該当する場合とする。（令43の10）

（一）	偽りその他不正の行為により①の規定による仮特約業者の指定を受けた場合
（二）	元売業者との間に締結された販売契約に基づいて当該元売業者から継続的に軽油の供給を受け、これを販売することを業とする者でなくなった場合
（三）	仮特約業者又は仮特約業者の代理人等〔六の2（1）の（四）参照〕が、九の1《徴税吏員の質問検査権》若しくは第二節十四の1の①《総務省の職員の質問検査権》の規定によるこれらの規定に規定する帳簿書類その他の物件の検査又は九の1の（4）若しくは第二節十四の1の①の（1）の規定による採取を拒み、妨げ、又は忌避した場合（仮特約業者の代理人等がその行為をした場合において、その行為を防止するため、当該仮特約業者が相当の注意及び監督を尽くしたときを除く。）
（四）	仮特約業者又は仮特約業者の代理人等が、九の1又は第二節十四の1の①の帳簿書類で虚偽の記載又は記録をしたものを提示した場合（仮特約業者の代理人等がその行為をした場合において、その行為を防止するため、当該仮特約業者が相当の注意及び監督を尽くしたときを除く。）
（五）	仮特約業者又は仮特約業者の代理人等が、九の1の規定による徴税吏員の質問又は第二節十四の1の①の規定による総務省の職員の質問に対し、答弁をせず、又は虚偽の答弁をした場合（仮特約業者の代理人等が答弁をせず、又は虚偽の答弁をした場合において、その者が答弁をしないこと又は虚偽の答弁をすることを防止するため、当該仮特約業者が相当の注意及び監督を尽くしたときを除く。）
（六）	第二節七の1の①《製造等の承認を受ける義務》の規定に違反して道府県知事の承認を受けないで同①の表の各号の行為を行い、又は偽りその他不正の手段により同①の承認を受けた場合
（七）	第二節七の1の③《製造等の承認を受けた者の帳簿記載義務》又は同節十《帳簿記載義務》の規定による帳簿の記載をせず、若しくは偽り、又はその帳簿を隠匿した場合
（八）	第二節七の2《製造等の承認を受ける義務等に関する罪》の（1）又は（2）の罪に当たる行為をした場合
（九）	第二節八《事業の開廃等の届出》の1から3までの規定による届出をせず、又は偽った場合
（十）	第二節九の1《軽油の引取り等の報告義務》、同（2）又は同（3）の規定による報告をせず、又は偽った場合
（十一）	仮特約業者の代理人等又は仮特約業者の代理人等であった者が、当該代理人等である間の事実により、本章の規定により罰金以上の刑に処せられ、又は第一編第十章19の③の規定により通告処分を受け、その通告の旨を履行した場合

　　（指定を取り消すべき事実を了知した場合の通知）
（2）仮特約業者の指定を行った道府県知事は、当該仮特約業者が①の（1）各号に定める要件に該当することとなったとき又は（1）に定める場合には、仮特約業者の指定を取り消すことができることとされているが、当該仮特約業者の指定を取り消すべき事実が発生した場合には、当該事実を了知した道府県知事は、当該仮特約業者の指定に係る道府県知事に対し、当該事実を通知するものであること。（県通9－4（1）ウ）

③ 仮特約業者の指定又は指定の取消しの通知
　①の道府県知事は、仮特約業者の指定又は指定の取消しを行った場合には、その旨を関係道府県知事に通知しなければならない。（法144の8④）

　　（関係道府県知事に対する通知事項）
　注　仮特約業者の指定又は指定の取消しを行った場合については、おおむね次の事項を関係道府県知事に通知するものであること。（県通9－4（1）オ）
　（一）仮特約業者の氏名又は名称（法人にあっては代表者の氏名を含む。）

(二) 主たる事務所等の所在地
(三) 仮特約業者の指定又は指定の取消しの年月日
(四) 当該道府県に係る事務所等について、その事務所等ごとの名称及び所在地
(五) 取消しの理由その他の参考となるべき事項

2 特約業者の指定等

① 特約業者の指定

　道府県知事は、当該道府県内に主たる事務所等を有する仮特約業者のうち、軽油引取税の徴収の確保に支障がないと認められることその他の(1)で定める要件に該当するものを、当該仮特約業者の申請に基づき、特約業者として指定するものとする。この場合において、道府県知事は、あらかじめ関係道府県知事の意見を聴かなければならない。（法144の9①）

（特約業者の指定の要件）
（1）①の政令で定める要件は、次の各号のすべてに該当することとする。（令43の11）

(一)	その事業を適確に遂行するに足りる経理的基礎を有することその他の事情から軽油引取税の徴収の確保に支障がないと認められること。
(二)	元売業者との間に締結された販売契約に基づいて当該元売業者から継続的に軽油の供給を受け、これを販売することを業とする者であること。
(三)	1の①の(1)《仮特約業者の指定を受けられない者の要件》の各号のいずれにも該当しないこと。
(四)	次のいずれかに該当する者であること。 イ　仮特約業者として1年以上引き続き軽油（(二)の販売契約に基づき、当該元売業者から供給を受けた軽油に限る。ロにおいて同じ。）の販売をしている者 ロ　仮特約業者として3月以上引き続き軽油の販売をしている者で、当該仮特約業者の納入すべき軽油引取税に係る地方団体の徴収金について当該元売業者が(2)で定めるところにより保証する者 　(注)　仮特約業者が、当該仮特約業者の指定に係る道府県以外の道府県に主たる事務所等を移転した場合における仮特約業者である期間の計算については、それぞれの道府県に所在していた期間を通算するものであること。（県通9－4(2)イ）
(五)	軽油の販売量その他の事項について(3)で定める基準に該当する者であること。

（元売業者の保証）
（2）(1)の(四)に規定する保証を行おうとする元売業者は、当該仮特約業者の引渡しに係る軽油の納入地（二の1《軽油の引取りを行う者に対する課税》に規定する納入地をいう。以下同じ。）の道府県知事に対し、当該道府県知事が指定する金額及び期間について保証を行うことを証する文書を提出しなければならない。（規8の35）
　(注)　(2)に規定する「当該道府県知事が指定する金額及び期間」の取扱いについては、(1)の(四)のイの規定により特約業者の指定を受ける者との均衡を考慮して、仮特約業者である期間の短縮を受ける期間及び当該期間における軽油引取税の額に相当する額を指定することが適当であること。（県通9－4(2)ウ）

（軽油の販売量その他の事項の基準）
（3）(1)の(五)に規定する基準は、次の各号（(1)の(四)のロに該当する場合にあっては、(一)から(三)までの各号）に掲げるとおりとする。（規8の36）
（一）　石油の備蓄の確保等に関する法律第24条第1項の規定により石油販売業の届出を義務付けられている者にあっては、当該届出を適正に行っていること。
（二）　専ら元売業者以外の者に対し軽油を販売するものであること。
（三）　専ら特約業者以外の者に対し軽油を販売するものであること。
（四）　最近の3年における軽油の年間の販売量の平均が70キロリットル以上であること。

（特約業者の指定の申請の手続）
（4）①の規定により特約業者の指定を申請しようとする者（以下(4)において「申請者」という。）は第16号の29様式による申請書に次に掲げる書類を添付して、これをその主たる事務所等所在地の道府県知事に提出しなければならな

い（規8の34）
（一） 元売業者との間に締結された販売契約書の写し
（二） 1の①の（1）《仮特約業者の指定を受けられない者の要件》の各号のいずれにも該当しないことを誓約する第16号の26様式により作成した書面
（三） 誠実に事業を行うことを誓約する第16号の27様式により作成した書面
（四） 申請の日の属する年の前3年の軽油の販売量、元売業者に対する軽油の販売量及び特約業者に対する軽油の販売量並びに申請の日の属する年の軽油の販売量並びに販売計画量及びその算出の基礎を記載した書面
（五） 申請者が法人である場合にあっては、次に掲げる書類
　イ　定款又は寄附行為及び登記事項証明書
　ロ　申請の日の属する事業年度の直前の事業年度における貸借対照表及び損益計算書
　ハ　役員の名簿及び履歴書
（六） 申請者が個人である場合にあっては、次に掲げる書類
　イ　戸籍抄本又は本籍（外国人にあっては、国籍等）の記載のある住民票の写し
　ロ　財産目録
　ハ　履歴書
（七） 事務所等の名称及び所在地を記載した書類

　　（特約業者の指定の効果の及ぶ範囲）
（5） ①の規定により道府県知事が特約業者を指定したときは、当該特約業者の指定の効果は、すべての道府県に及ぶものであること。（県通9－4（2）ア）

　　（主たる事務所等が移転した場合の報告）
（6） 特約業者は、当該特約業者の主たる事務所等が他の道府県に移転したときは、その旨を速やかに移転前の主たる事務所等所在地の道府県知事に報告するものであること。
　なお、報告を受けた道府県知事は、その旨を、速やかに移転後の主たる事務所等所在地の道府県知事に通知するものであること。（県通9－4（2）キ）

　　（関係道府県知事に対する通知及び総務大臣に対する報告）
（7） ①の道府県知事は、特約業者の指定を行ったときは、その旨を関係道府県知事に通知するとともに、総務大臣に報告しなければならない。（法144の9②）

　　（特約業者の指定又は指定の取消しについての留意事項）
（8） 特約業者の指定又は指定の取消しについては、次の諸点に留意する。（県通9－4（2）エ～カ）
（一） 特約業者の指定又は指定の取消しを行った場合については、おおむね次の事項を関係道府県知事に通知するものであること。
　イ　特約業者の氏名又は名称（法人にあっては代表者の氏名を含む。）
　ロ　主たる事務所等の所在地
　ハ　特約業者の指定又は指定の取消しの年月日
　ニ　関係道府県に係る事務所等について、その事務所等ごとの名称及び所在地
　ホ　取消しの理由その他の参考となるべき事項
（二） 特約業者の指定又は指定の取消しに係る総務大臣への報告については、（一）のイからハに掲げる事項のほか、指定の取消しについてはその理由について報告するものであること。
（三） 道府県知事は、特約業者の指定若しくは指定の取消しを行った場合又は特約業者の指定若しくは指定の取消しのあった旨の通知があった場合は、次の事項を道府県の公報に登載するものであること。
　イ　特約業者の氏名又は名称
　ロ　主たる事務所等の所在地
　ハ　特約業者の指定又は指定の取消しの年月日

② **特約業者の指定の取消し**
　特約業者の主たる事務所等所在地の道府県知事は、特約業者が①に規定する要件に該当しなくなったときその他注で定

める要件に該当するときは、特約業者の指定を取り消すことができる。（法144の9③）

　　（特約業者の指定の取消しの要件）
　注　②に規定する要件は、次の各号のいずれかに該当することとする。（令43の12）

(一)	偽りその他不正の行為により①の規定による特約業者の指定を受けたこと。
(二)	1年以上引き続き軽油の販売をしていないこと。
(三)	特約業者又は特約業者の代理人等が、九の1《徴税吏員の質問検査権》若しくは第二節十四の1の①《総務省の職員の質問検査権》の規定によるこれらの規定に規定する帳簿書類その他の物件の検査又は九の1の(4)若しくは第二節十四の1の①の(1)の規定による採取を拒み、妨げ、又は忌避したこと（特約業者の代理人等がその行為をした場合において、その行為を防止するため、当該特約業者が相当の注意及び監督を尽くしたときを除く。）。
(四)	特約業者又は特約業者の代理人等〚六の2(1)の(四)参照〛が、九の1又は第二節十四の1の①の帳簿書類で虚偽の記載又は記録をしたものを提示したこと（特約業者の代理人等がその行為をした場合において、その行為を防止するため、当該特約業者が相当の注意及び監督を尽くしたときを除く。）。
(五)	特約業者又は特約業者の代理人等が、九の1の規定による徴税吏員の質問又は第二節十四の1の①の規定による総務省の職員の質問に対し、答弁をしないこと又は虚偽の答弁をしたこと（特約業者の代理人等が答弁をせず、又は虚偽の答弁をした場合において、その者が答弁をしないこと又は虚偽の答弁をすることを防止するため、当該特約業者が相当の注意及び監督を尽くしたときを除く。）。
(六)	第二節七の1の①《製造等の承認を受ける義務》の規定に違反して道府県知事の承認を受けないで同①の表の各号の行為を行い、又は偽りその他不正の手段により同①の承認を受けたこと。
(七)	第二節七の1の③《製造等の承認を受けた者の帳簿記載義務》又は同節十《帳簿記載義務》の規定による帳簿の記載をせず、若しくは偽り、又はその帳簿を隠匿したこと。
(八)	第二節七の2《製造等の承認を受ける義務等に関する罪》の(1)又は(2)の罪に当たる行為をしたこと。
(九)	第二節八《事業の開廃等の届出》の1から3までの規定による届出をせず、又は偽ったこと。
(十)	第二節九の1《軽油の引取り等の報告義務》若しくは同(3)《報告事項に異動を生じた場合の報告》の規定による報告をせず、又はその報告を偽ったこと。
(十一)	特約業者の代理人等又は特約業者の代理人等であった者が、当該代理人等である間の事実により、本章の規定により罰金以上の刑に処せられ、又は第一編第十章19の③の規定により通告処分を受け、その通告の旨を履行したこと。
(十二)	軽油引取税の特別徴収義務者として、第二節二の2《特別徴収義務者の申告納入義務》の規定により徴収して納入すべき軽油引取税に係る納入金の全部又は一部を納入しなかったこと。
(十三)	軽油引取税の特別徴収義務者として、第二節二の3《保全担保の徴取》の規定により命じられた担保の提供、増担保の提供、保証人の変更その他担保を確保するため必要な行為を、その指定された期限までにしなかったこと。

③　関係道府県知事の特約業者の指定の取消しの請求
　関係道府県知事は、特約業者について②の規定による指定の取消しの必要があると認めるときは、その理由を記載した書類を添えて、当該特約業者の主たる事務所等所在地の道府県知事に対し、特約業者の指定の取消しの請求をしなければならない。（法144の9④）

　　（取消しの請求を受けた道府県知事の措置）
（1）　特約業者の主たる事務所等所在地の道府県知事は、当該特約業者について③の規定による指定の取消しの請求に係る書類を受け取った場合において、必要があると認めるときは、当該特約業者の指定を取り消さなければならない。ただし、関係道府県知事と意見を異にする場合においては、当該書類を受け取った日から2月以内に、自己の意見を付して、当該書類を総務大臣に送付するとともに、その指示を求めなければならない。（法144の9⑤）

（総務大臣の指示があった場合の指定の取消し）
（２）　総務大臣は、（１）ただし書の規定による指示の請求があった場合において、特約業者の指定の取消しの必要があると認めるときは、その特約業者の主たる事務所等所在地の道府県知事に対し、その特約業者の指定の取消しの指示をしなければならない。この場合においては、当該特約業者の主たる事務所等所在地の道府県知事は、その指示に基づいて当該特約業者の指定を取り消さなければならない。（法144の9⑥）

（指定の取消しの必要がない旨の総務大臣の通知）
（３）　総務大臣は、（１）ただし書の規定による指示の請求があった場合において、特約業者の指定の取消しの必要がないと認めるときは、その旨を当該特約業者の主たる事務所等所在地の道府県知事及び関係道府県知事に通知しなければならない。（法144の9⑦）

（地方財政審議会の意見の聴取）
（４）　総務大臣は、（２）前段の指示又は（３）の規定による通知をしようとするときは、地方財政審議会の意見を聴かなければならない。（法144の9⑧）

④　特約業者の指定の取消しを行った場合の通知及び報告
　特約業者の主たる事務所等所在地の道府県知事は、②、③の（１）本文又は同（２）後段の規定によって当該特約業者の指定の取消しを行った場合には、その旨を関係道府県知事に通知するとともに、総務大臣に報告しなければならない。（法144の9⑨）
　（注）　①の（8）の留意事項も参照。（編者）

八　税率及び税率の特例

１　税　　率
　軽油引取税の税率は、１キロリットルにつき、15,000円とする。（法144の10）

（特別徴収が行われる場合の課税標準となる数量）
　注　軽油引取税の課税標準は、軽油の引取りで当該引取りに係る軽油の現実の納入を伴うものに係る軽油の数量であるが、特別徴収が行われる場合の課税標準たる数量（当該数量にリットル位未満4位以下の端数があるときは、その端数を切り捨てた後の数量）は、当該軽油の引取数量について第二節二の２の（１）《課税標準となる数量》に規定する減少すべき軽油の数量として同（１）の各号に規定する率を乗じて得た数量を控除した数量であるから留意すること。
　　（県通９－13（１））

２　税率の特例
　軽油引取税の税率は、１の規定にかかわらず、当分の間、１キロリットルにつき、32,100円とする（法附12の２の８）

３　揮発油価格高騰時における軽油引取税の税率の特例規定の適用停止

① 特例規定の適用停止
　２の規定の適用がある場合において、租税特別措置法第89条《揮発油価格高騰時における揮発油税及び地方揮発油税の税率の特例規定の適用停止》第１項の規定による告示の日の属する月の翌月の初日以後に二の１若しくは二の２に規定する軽油の引取り、二の３の燃料炭化水素油の販売、二の４の軽油若しくは燃料炭化水素油の販売、二の５の炭化水素油の消費若しくは三の（一）～（六）の軽油の消費、譲渡若しくは輸入が行われた場合又は同日以後に軽油引取税の特別徴収義務者が二の６に該当するに至った場合における軽油引取税については、２の規定の適用を停止する。（法附12の２の9①）

② 特例規定の適用停止の解除
　①の規定により２の規定の適用が停止されている場合において、租税特別措置法第89条《揮発油価格高騰時における揮発油税及び地方揮発油税の税率の特例規定の適用停止》第２項の規定による告示の日の属する月の翌月の初日以後に二の１若しくは二の２に規定する軽油の引取り、二の３の燃料炭化水素油の販売、二の４の軽油若しくは燃料炭化水素油の販

売、二の5の炭化水素油の消費若しくは三の(一)～(六)の軽油の消費、譲渡若しくは輸入が行われた場合又は同日以後に軽油引取税の特別徴収義務者が二の6の規定に該当するに至った場合における軽油引取税については、①の規定にかかわらず、②の規定を適用する。(法附12の2の9②)

③ 揮発油価格高騰時における軽油引取税の税率の特例規定の適用停止措置の停止

　上記①、②の規定は、震災特例法第44条の別に法律に定める日までの間、その適用を停止する。(法附53)

九　徴税吏員の質問検査権等

1　徴税吏員の調査に係る質問検査権

　道府県の徴税吏員は、軽油引取税の賦課徴収に関する調査のために必要がある場合においては、次に掲げる者に質問し、又はその者の事業に関する帳簿書類(その作成又は保存に代えて電磁的記録(電子的方式、磁気的方式その他の人の知覚によっては認識することができない方式で作られる記録であって、電子計算機による情報処理の用に供されるものをいう。)の作成又は保存がされている場合における当該電磁的記録を含む。以下この章において同じ。)その他の物件を検査し、若しくは当該物件(その写しを含む。)の提示若しくは提出を求めることができる。(法144の11①)

(一)	特別徴収義務者
(二)	納税義務者又は納税義務があると認められる者
(三)	軽油を内燃機関の燃料として使用することができると認められる自動車の保有者
(四)	(一)から(三)までに掲げる者に金銭又は物品を給付する義務があると認められる者
(五)	石油製品販売業者、石油製品を運搬する者その他(一)から(四)までに掲げる者以外の者で、当該軽油引取税の賦課徴収に関し直接関係があると認められるもの

　　　(分割承継法人及び分割法人に対する質問検査権)
(1)　1の(一)から(三)までに掲げる者を分割法人(分割によりその有する資産及び負債の移転を行った法人をいう。以下(1)において同じ。)とする分割に係る分割承継法人(分割により分割法人から資産及び負債の移転を受けた法人をいう。以下(1)において同じ。)及び1の表の(一)から(三)までに掲げる者を分割承継法人とする分割に係る分割法人は、同(四)に規定する金銭又は物品を給付する義務があると認められる者に含まれるものとする。(法144の11②)

　　　(「金銭又は物品を給付する義務があると認められる者」の範囲)
(2)　「金銭又は物品を給付する義務があると認められる者」には、いわゆる特別徴収義務者以外の石油製品販売業者はもとより、その他次に掲げる者もこれに含まれるものであること。(県通9－15(1))
　　(一)　金銭又は土地建物等の貸借関係を有する者
　　(二)　特別徴収義務者の事業経営に必要とする物品を供給する者、例えば、元売業者その他の特約業者
　　(三)　金融上の取引先

　　　(「賦課徴収に関し直接関係があると認められるもの」の範囲)
(3)　「賦課徴収に関し直接関係があると認められるもの」とは、例えば、かつて取引関係があった者、従業員又は家人等課税について直接的な関係を有する一切の者をいうものであること。(県通9－15(2))

　　　(見本品の採取)
(4)　1の場合においては、当該徴税吏員は、軽油その他の石油製品について、必要最少限度の数量を見本品として採取することができる。(法144の11③)

　　　(見本品の採取についての留意事項)
(5)　必要最少限度の数量を見本品として採取する場合においては、小さなドラム缶、たる及びブリキ缶については単純な汲取等によっても比重は大差ないが、タンク車又は油槽所タンク等については、上部と下部において比重の相異が大きいので特に留意すること。なお、採取に当たっては、日本産業規格の「原油及び石油製品試料採取方法K2251」に定められた方法によることが適当であること。(県通9－15(3))

(身分証明証の提示)
（6）1及び（4）の場合においては、当該徴税吏員は、その身分を証明する証票を携帯し、関係人の請求があったときは、これを提示しなければならない。（法144の11④）

(提出物件の留置き)
（7）道府県の徴税吏員は、（8）で定めるところにより、1の規定により提出を受けた物件を留め置くことができる。（法144の11⑤）

(提出物件に関する書面の交付)
（8）道府県の徴税吏員は、（7）の規定により物件を留め置く場合には、当該物件の名称又は種類及びその数量、当該物件の提出年月日並びに当該物件を提出した者の氏名及び住所又は居所その他当該物件の留置きに関し必要な事項を記載した書面を作成し、当該物件を提出した者にこれを交付しなければならない。（令43の12の2①）

(提出物件の返還)
（9）道府県の徴税吏員は、（7）の規定により留め置いた物件につき留め置く必要がなくなったときは、遅滞なく、これを返還しなければならない。（令43の12の2②）

(提出物件の管理義務)
（10）道府県の徴税吏員は、（9）に規定する物件を善良な管理者の注意をもって管理しなければならない。（令43の12の2③）

(滞納処分に関する調査についての不適用)
（11）軽油引取税に係る滞納処分に関する調査については、1の規定にかかわらず、第三節二の1の（5）《国税徴収法の例による滞納処分》の定めるところによる。（法144の11⑥）

(質問検査権等の解釈)
（12）1、（4）又は（7）に規定する道府県の徴税吏員の権限は、犯罪捜査のために認められたものと解釈してはならない。（法144の11⑦）

2　検査拒否等に関する罪

次の各号のいずれかに該当する場合には、その違反行為をした者は、1年以下の懲役又は50万円以下の罰金に処する。（法144の12①）

(一)	1の規定による帳簿書類その他の物件の検査又は1の（4）の規定による採取を拒み、妨げ、又は忌避したとき
(二)	1の規定による物件の提示又は提出の要求に対し、正当な理由がなくこれに応ぜず、又は偽りの記載若しくは記録をした帳簿書類その他の物件（その写しを含む。）を提示し、若しくは提出したとき
(三)	1の規定による徴税吏員の質問に対し、答弁をしないとき、又は虚偽の答弁をしたとき

(両罰規定)
注　法人の代表者又は法人若しくは人の代理人、使用人その他の従業者がその法人又は人の業務又は財産に関して2の違反行為をした場合には、その行為者を罰するほか、その法人又は人に対し、2の罰金刑を科する。（法144の12②）

第二編第九章《軽油引取税》第二節《徴収》

第二節 徴　　収

一　徴収の方法

　軽油引取税の徴収については、特別徴収の方法によらなければならない。ただし、第一節二の３《燃料炭化水素油を自動車の燃料として販売した者に対する課税》から６《特別徴収義務が消滅した者が所有する軽油に対する課税》まで又は三《みなし課税》の規定によって軽油引取税を課する場合その他特別の必要がある場合における徴収は、申告納付の方法によるものとする。(法144の13)

　　（留意事項）
　注　軽油引取税の徴収については、第一節二の３から６まで又は三の規定によってみなし課税を行う場合その他特別の必要がある場合を除くほか、特別徴収の方法によるものとされているものであること。(県通９－16前文)

二　特別徴収等

１　特別徴収義務者の指定及び登録等

①　特別徴収義務者の指定
　軽油引取税を特別徴収によって徴収しようとする場合においては、元売業者又は特約業者その他徴収の便宜を有する者を当該道府県の条例によって特別徴収義務者として指定し、これに徴収させなければならない。(法144の14①)

　　（包括指定）
　注　すべての「元売業者及び特約業者」は各道府県の条例により特別徴収義務者として包括指定されるものであること。
　　（県通９－16（１））

②　特別徴収義務者の登録等
　軽油引取税の特別徴収義務者は、その事務所等所在地の道府県知事及び当該特別徴収義務者からの引取りに係る軽油の納入地の道府県知事に、当該道府県の条例で定めるところにより、特別徴収義務者としての登録を申請しなければならない。(法144の15①)
　（注）　平成21年４月１日において現にされている旧法第700条の11の２第１項《特別徴収義務者の登録等》の規定による特別徴収義務者の登録の申請は、②の規定による特別徴収義務者の登録の申請とみなす。(平21改法附６⑨)

　　（登録及び登録の通知）
（１）　道府県知事は、②の登録の申請を受理した場合には、当該特別徴収義務者を当該道府県に係る登録特別徴収義務者として登録するとともに、その旨を当該特別徴収義務者に対し通知しなければならない。(法144の15②)

　　（登録の消除及び消除の通知）
（２）　道府県知事は、当該道府県に係る登録特別徴収義務者（（１）の規定により登録を受けた特別徴収義務者をいう。以下この章において同じ。）から（１）の登録の消除の申請があったときその他条例で定める場合には、条例で定めるところにより、当該登録特別徴収義務者の登録を消除するとともに、その旨を当該消除に係る者に対し通知するものとする。(法144の15③)

　　（留意事項）
（３）　特別徴収義務者としての登録手続等は、条例で定めることとされているのであるが、条例の制定に当たっては、次の諸点に留意すること。(県通９－16（３））
　（一）　特別徴収義務者については、事務所等の営業を開始しようとする場合にはその５日前までに、事務所等の営業を開始した後において特別徴収義務者として指定された場合にはその指定された日の５日後までに、その引渡しに

係る軽油の納入が行われることとなった場合にはその納入の日の属する月の翌月の末日までに、登録特別徴収義務者としての登録を当該道府県知事に必ず申請させなければならないこと。
　(二)　登録を申請する場合において提出すべき申請書には、次のイからハに掲げる場合の区分に応じ、それぞれ次に掲げる事項を記載させる旨の規定を設けることが適当であること。
　　イ　事務所等の営業を開始しようとする場合
　　　(イ)　特別徴収義務者の氏名又は名称、住所又は所在地及び個人番号（番号利用法第２条第５項に規定する個人番号をいう。）又は法人番号（同条第15項に規定する法人番号をいう。）（個人番号又は法人番号を有しない者にあっては、氏名又は名称及び住所又は所在地）並びに法人にあっては代表者の氏名
　　　(ロ)　事務所等の名称及び所在地並びに事務所等の代表者の氏名
　　　(ハ)　軽油の貯蔵設備がある場合には、その概要
　　　(ニ)　事務所等の営業開始年月日
　　　(ホ)　(イ)から(ニ)に掲げるもののほか、道府県知事において必要があると認める事項
　　ロ　事務所等の営業を開始した後において特別徴収義務者として指定された場合
　　　(イ)　イの(イ)から(ハ)までに掲げる事項
　　　(ロ)　特別徴収義務者として指定された年月日
　　　(ハ)　(イ)及び(ロ)に掲げるもののほか、道府県知事において必要があると認める事項
　　ハ　引渡しに係る軽油の納入が行われることとなった場合
　　　(イ)　特別徴収義務者の氏名又は名称及び住所並びに法人にあっては代表者の氏名
　　　(ロ)　軽油の納入地
　　　(ハ)　当該納入を受ける者の氏名又は名称及び住所
　　　(ニ)　(イ)から(ハ)までに掲げるもののほか、道府県知事において必要があると認める事項
　(三)　道府県知事は、登録特別徴収義務者から登録の消除の申請があったとき又は当該登録特別徴収義務者が特別徴収義務者でなくなったときには、遅滞なく当該登録特別徴収義務者の登録を消除するほか、登録特別徴収義務者が次のいずれにも該当するときは、その登録を消除することができるものとすること。
　　イ　当該道府県内に当該登録特別徴収義務者の事務所等が所在しないこと。
　　ロ　当該道府県内において１年以上軽油の納入を行わないこと。

③　特別徴収義務者の証票の交付等
　道府県知事は、②の登録の申請を受理した場合には、その申請をした者のうち当該道府県内に事務所等を有するものに対し、当該道府県の条例で定めるところにより、その者の当該道府県内に所在する事務所等ごとに、その者が軽油引取税を徴収すべき義務を課せられた者であることを証する総務省令で定める証票を交付しなければならない。（法144の16①）
　（注）③の証票は、第16号の11様式による。（規８の28(二)）

　　　（証票の掲示）
（１）③の証票の交付を受けた者は、これを事務所等の公衆の見やすい箇所に掲示しなければならない。（法144の16②）

　　　（証票の貸付け又は譲渡の禁止）
（２）③の証票は、他人に貸し付け、又は譲り渡してはならない。（法144の16③）

　　　（特別徴収義務が消滅した場合の証票の返還）
（３）③の証票の交付を受けた者は、軽油引取税の特別徴収の義務が消滅した場合又は事務所等を廃止した場合には、その消滅し、又は廃止した日から10日以内にその証票を道府県知事に返さなければならない。（法144の16④）

④　特別徴収義務者の登録等に関する罪
　次の各号のいずれかに該当する場合には、その違反行為をした者は、１年以下の懲役又は50万円以下の罰金に処する。（法144の17①）

(一)	②の規定による登録の申請をしなかったとき
(二)	③の(１)から(３)までの規定のいずれかに違反したとき

(両罰規定)
注 法人の代表者又は法人若しくは人の代理人、使用人その他の従業者がその法人又は人の業務に関して④の違反行為をした場合には、その行為者を罰するほか、その法人又は人に対し、④の罰金刑を科する。(法144の17②)

2　特別徴収義務者の申告納入義務

軽油引取税の特別徴収義務者は、毎月末日までに、総務省令で定める様式によって、前月の初日から末日までの間において徴収すべき軽油引取税に係る課税標準たる数量(以下この章において「**課税標準量**」という。)及び税額並びに第一節五《課税免除》の1又は同2の①の規定によって軽油引取税を課さないこととされる引取りに係る軽油の数量その他必要な事項を記載した納入申告書を、当該特別徴収義務者からの引取りに係る軽油の納入地所在の道府県ごとにその道府県知事に提出し、及びその納入金を当該道府県に納入する義務を負う。(法144の14②)

(注) 2の納入申告書は、第16号の10様式による。(規8の28(一))

(課税標準となる数量)
(1) 2の課税標準量は、当該引取りに係る軽油の数量から引取りの際減少すべき軽油の数量として次に掲げる数量を控除した数量とする。(法144の14③、令43の13)
(一) 特約業者からの引取りに係る軽油については当該軽油の数量に100分の1を乗じて得た数量
(二) 元売業者からの引取りに係る軽油については当該軽油の数量に100分の0.3を乗じて得た数量

(免税軽油についての知事の承認)
(2) 2の場合において、第一節五の1又は同2の①の規定によって軽油引取税を課さないこととされる引取りに係る軽油の数量については、(3)で定めるところにより、1の②の(2)に規定する登録特別徴収義務者は、当該登録に係る道府県知事が交付した第一節五の2の③のイ《免税証の交付申請》に規定する免税証その他当該数量を証するに足りる書面を添付して、当該道府県知事の承認を受けなければならない。(法144の14④)

(軽油引取税を課さないこととされる軽油の数量を証する書類の提出)
(3) (2)の規定によって、道府県知事の承認を受けようとする登録特別徴収義務者は、当該登録特別徴収義務者からの引取りに係る軽油の納入地所在の道府県ごとに次の各号に掲げる軽油の数量の区分に応じ、当該各号に定める書類を2の納入申告書に添付して、これを当該道府県知事に提出しなければならない。(規8の37)
(一) 第一節五の1《輸出又は二重課税の排除のための課税免除》の表の(一)の規定によって軽油引取税を課さないこととされる引取りに係る軽油の数量　軽油の引取りで本邦からの輸出として行われたものであることを証するに足りる書類で、次に掲げる事項が記載されたもの
イ　輸出した者の氏名又は名称及び住所又は所在地
ロ　輸出の年月日
ハ　輸出した軽油の数量
ニ　輸出先
(二) 第一節五の1の表の(二)の規定によって軽油引取税を課さないこととされる引取りに係る軽油の数量　次に掲げる事項が記載された書類
イ　当該軽油の数量
ロ　先に軽油引取税を課された状況
ハ　軽油引取税を課された後の当該軽油の流通の状況
(三) 第一節五の2の①《用途による課税免除》の規定によって軽油引取税を課さないこととされる引取りに係る軽油の数量　当該道府県知事の交付した免税証(第一節五の2の③のイに規定する免税証をいう。以下同じ。)

(納入税額がない場合の納入申告書の提出義務)
(4) 1の②の(2)に規定する登録特別徴収義務者は、2の期間について当該登録に係る道府県に納入すべき軽油引取税額がない場合においても、2及び(2)の規定に準じて納入申告書を提出しなければならない。(法144の14⑤)

(納税者に対する求償権)
(5) 2の規定によって納入した納入金のうち、軽油引取税の納税者が軽油引取税の特別徴収義務者に支払わなかった税金に相当する部分については、当該特別徴収義務者は、当該納税者に対して求償権を有する。(法144の14⑥)

(求償権に基づく訴えに対する援助義務)
(6) 軽油引取税の特別徴収義務者が(5)の求償権に基づいて訴えを提起した場合においては、道府県の徴税吏員は、職務上の秘密に関する場合を除くほか、証拠の提供その他必要な援助を与えなければならない。(法144の14⑦)

(元売業者又は特約業者の指定を取り消された場合)
(7) 軽油引取税の特別徴収義務者が元売業者又は特約業者の指定を取り消された場合には、道府県の条例で定めるところにより、その取消しの日に特別徴収義務者でなくなるものとする。(法144の14⑧)

(申告納入についての留意事項)
(8) 特別徴収義務者が特別徴収すべき軽油引取税に係る納入金の申告納入については、次の諸点に留意すること。(県通9-16(2))
 (一) 納期限までに徴収して納入すべき軽油引取税に係る納入金の全部又は一部を納入しなかった場合には、**十四の3**《軽油引取税に係る脱税に関する罪》の規定の適用があることはもとより、併せて滞納処分に着手することができるものであること。
 (二) 特別徴収義務者が納入すべき納入金は、その徴収すべき軽油引取税に係る納入金であるから、特別徴収義務者が現実に軽油引取税を徴収すると否とにかかわらず、その者が徴収すべき税額について納入の義務を負うものであること。

(納入申告書の提出があった場合の留意事項)
(9) 2の納入申告書の提出があった場合においては、次の諸点に留意すること。(県通9-16(4))
 (一) 課税対象とならない数量については、(3)に規定するこれらの数量を証する書面並びに免税証を添付せしめることとしているが、単に本人の覚書程度のものによって承認することなく輸出港所轄税関の交付する輸出の許可書又は船積証明書等及び当該月における引取りを行った者の受領書又は特別徴収義務者の提出書類及び関係業者の関係帳簿等によって承認するものとすること。なお、免税証その他の書面は(2)の規定によって、納入申告書に添付して承認を受けることとなっているが、この規定は事前に承認を受けることを排除しているものでないので、免税証以外のその他の書面については、納入申告書の提出時における税務行政の混乱及び承認について摩擦をさけるため、事前に承認を受けるよう指導することが望ましいものであること。
 (二) (1)に規定する欠減量は、同(一)又は(二)の規定により、特約業者からの引取りに係る軽油については100分の1、元売業者からの引取りに係る軽油については100分の0.3を当該月における課税対象となるそれぞれの引渡しを行った数量に乗じて算定するものであるが、当該月における課税対象となる軽油の引渡数量の合計数量にそれぞれ100分の1又は100分の0.3を乗じて算定することとしても差し支えないものであること。この場合において、算定した欠減量にリットル位未満4位以下の端数があるときは、その端数を切り上げるものであること。また、軽油引取税額に1円未満の端数が生じたときは切り捨てるものであること。

3　保全担保の徴取

道府県知事は、軽油引取税に係る地方団体の徴収金の保全のため必要があると認めるときは、政令で定めるところにより、軽油引取税に係る地方団体の徴収金の担保として、軽油引取税の特別徴収義務者又は納税者に対し、金額及び期間を指定して、次の各号に掲げる担保又は金銭の提供を命ずることができる。(法144の20①、16①一～六)

(一)	国債及び地方債
(二)	地方団体の長が確実と認める社債(特別の法律により設立された法人が発行する債券を含む。)その他の有価証券
(三)	土地
(四)	保険に付した建物、立木、船舶、航空機、自動車及び建設機械
(五)	鉄道財団、工場財団、鉱業財団、軌道財団、運河財団、漁業財団、港湾運送事業財団、道路交通事業財団及び観光施設財団
(六)	地方団体の長が確実と認める保証人の保証

（担保を提供すべき期限の指定）
（1）　道府県知事は、3の規定に基づき担保の提供を命ずる場合には、これを提供すべき期限を指定するものとする。（令43の14①）

　　　（担保の分割提供）
（2）　（1）の担保は、道府県知事の承認を受けた場合には、順次その総額を分割して提供することができる。（令43の14②）

　　　（道府県知事の指定する担保の期間及び金額）
（3）　3の規定により指定する期間は1年を限度とし、3の規定により指定する金額はその提供を命ずる期間における軽油引取税の額に相当する額として道府県知事が認める額を限度とする。（令43の14③）

　　　（担保に関する総則の規定の準用）
（4）　次に掲げる規定は、3の規定による担保について準用する。（法144の20②、令43の14④）
　（一）　増担保、保証人の変更等の要求〚第一編第五章第二節一（2）〛
　（二）　国債等の担保、土地等の担保及び保証による担保の提供手続〚同（3）～（6）〛
　（三）　金銭を担保とする場合の供託、保全担保の提供命令等の手続、保全担保の提供期限の繰上げ及び担保の提供手続の規定の準用〚同節三の1（2）～（5）〛
　（四）　担保の処分〚同節**五**〛

　　　（留意事項）
（5）　保全担保制度の運用に当たっては、次の諸点に留意するものであること。（県通9－17）
　（一）　3に規定する「納税者」とは、三に規定する納税者をいうものであること。
　（二）　保全のため必要があると認めるときとは、およそ次のようなときをいうものであること。
　　イ　新たに開業した特別徴収義務者については、資力が乏しいと認められるとき又は資力より多くの引取りを行っていると認められるとき。
　　ロ　既に営業を行っている特別徴収義務者については、イに該当する場合のほかこの章の規定に違反して通告処分を受け、又は告発されたものであってその犯則の手段、方法等を考慮して、特に担保の提供を命ずる必要があると認められるとき。
　　ハ　納税者については、ロに該当する場合のほか、資力が乏しいと認められるとき又は資力より多くの軽油の消費若しくは譲渡をしていると認められるとき。
　（三）　担保の提供を求めるに当たっては、必要に応じ、特約業者が販売契約を締結している相手方の元売業者の保証を担保として徴することが適当であること。なお、土地又は建物を担保として求める場合にあっては、あらかじめ、不動産鑑定士その他適当と認められる者の当該土地又は建物に係る評価の証明等を求めることが適当であること。

三　申告納付

　一ただし書の規定によって軽油引取税を申告納付すべき納税者（以下この章において「**納税者**」という。）は、次に定めるところによって申告した税額をそれぞれ道府県に納付しなければならない。（法144の18①）

（一）	第一節二の3《燃料炭化水素油を自動車の燃料として販売した者に対する課税》に該当する特約業者又は元売業者にあっては、毎月末日までに、前月の初日から末日までの間における当該販売に係る軽油引取税の課税標準量、税額その他必要な事項を記載した申告書を当該特約業者又は元売業者の事業所所在地の道府県知事に提出すること。
（二）	第一節二の4《混和軽油等を販売した石油製品販売業者に対する課税》に該当する石油製品販売業者にあっては、毎月末日までに、前月の初日から末日までの間における当該販売に係る軽油引取税の課税標準量、税額その他必要な事項を記載した申告書を当該石油製品販売業者の事業所所在地の道府県知事に提出すること。
（三）	第一節二の5《炭化水素油を燃料とする自動車の保有者に対する課税》に該当する自動車の保有者にあっては、毎月末日までに、前月の初日から末日までの間における当該消費に係る軽油引取税の課税標準量、税額その他必要な事項を記載した申告書を当該消費に係る自動車の主たる定置場所在地の道府県知事に提出すること。

(四)	第一節二の6《特別徴収義務が消滅した者が所有する軽油に対する課税》に該当する者にあっては、その者に係る特別徴収の義務が消滅した日の属する月の翌月の末日までに、その所有に係る軽油〖第一節二の6参照〗に係る軽油引取税の課税標準量、税額その他必要な事項を記載した申告書をその者の事務所等で当該軽油を直接管理するものの所在地の道府県知事に提出すること。
(五)	第一節三の1《軽油の消費、譲渡又は輸入をする者に対するみなす課税》の(一)、(二)又は(五)に掲げる者にあっては、毎月末日までに、前月の初日から末日までの間における当該消費又は譲渡に係る軽油引取税の課税標準量、税額その他必要な事項を記載した申告書を当該納税者の当該消費又は譲渡について直接関係を有する事務所等所在地の道府県知事に提出すること。
(六)	第一節三の1の(三)又は(四)に掲げる者にあっては、当該消費又は譲渡をした日から30日以内に当該消費又は譲渡に係る軽油引取税の課税標準量、税額その他必要な事項を記載した申告書を当該軽油に係る同節五の2の③のイに規定する免税証を交付した道府県知事に提出すること。
(七)	第一節三の1の(六)に掲げる者にあっては、当該軽油の輸入の時までに、当該輸入に係る軽油引取税の課税標準量、税額その他必要な事項を記載した申告書を当該納税者の当該輸入について直接関係を有する事務所等所在地の道府県知事に提出すること。

(注) 三の(一)から(七)までに規定する申告書は、第16号の12様式による。(法144の18②、規8の28(三))

　　　(故意不申告の罪)
(1)　正当な理由がなくて三の各号の規定による申告書を当該各号に規定する申告書の提出期限までに提出しなかったときは、その違反行為をした者は、1年以下の懲役又は50万円以下の罰金に処する。ただし、情状により、その刑を免除することができる。(法144の19①)

　　　(両罰規定)
(2)　法人の代表者又は法人若しくは人の代理人、使用人その他の従業者が、その法人又は人の業務又は財産に関して(1)の違反行為をした場合には、その行為者を罰するほか、その法人又は人に対し、(1)の罰金刑を科する。(法144の19②)

　　　(留意事項)
(3)イ　軽油引取税に係る故意不申告の罪は、偽りその他不正の行為を伴わない単純な不申告の場合について成立するものであり、偽り等の不正行為により不申告で税を免れた場合には脱税に関する規定が適用されるものであること。(県通9－18(1))
　　ロ　(1)の「正当な理由」とは、社会通念に従って個々の具体的事情に照らして判断されるものであるが、例えば、天災等何らかの物理的障害によって申告書の提出が阻まれた場合ややむを得ない納税者の錯誤により申告書の提出がなされなかった場合等をいうものであること。
　　　　また、「情状により、その刑を免除」とは、故意不申告の罪が適正な申告を促すために設けられた規定であることにかんがみ、例えば、申告期限後ではあるが、自発的に正当な申告がなされた場合等、強いて刑事責任を追求する必要性が認められない場合において、その刑を免除し得る旨を規定したものであること。(県通9－18(2))

四　徴収猶予

　道府県知事は、軽油引取税の特別徴収義務者が軽油の代金及び軽油引取税の全部又は一部を二の2の納期限までに受取ることができなかったことにより、その納入すべき軽油引取税に係る地方団体の徴収金の全部又は一部を納入することができないと認める場合には、当該特別徴収義務者の申請により、その納入することができないと認められる金額を限度として、2月以内の期間を限ってその徴収を猶予するものとする。この場合において、道府県知事は、(1)で定める要件に該当して担保を徴する必要がないと認めるときを除き、その猶予に係る金額に相当する担保で二の3の各号に掲げるものを、政令で定めるところにより徴しなければならない。(法144の29①)

　　　(担保の提供を免除する場合の要件)
(1)　四に規定する要件は、四の規定による徴収猶予の申請をした軽油引取税の特別徴収義務者が当該徴収猶予の申請

をした日前３年以内において軽油引取税に係る地方団体の徴収金について滞納処分を受けたことがなく、かつ、最近における軽油引取税に係る地方団体の徴収金の納入状況からみてその徴収猶予された期間の末日までに当該徴収猶予に係る軽油引取税を納入することが確実と認められることとする。（令43の16①）

　　（徴収猶予又は担保についての総則の規定の準用）
（２）（一）に掲げる規定は四の規定による徴収猶予について、（二）に掲げる規定は四の規定による担保について準用する。（法144の29②、令43の16②）

（一）	イ	徴収猶予をした場合の納税者又は特別徴収義務者に対する通知〚第一編第五章第一節二の３〛
	ロ	徴収猶予の効果〚同４〛
	ハ	徴収猶予の取消し〚同５〛
	ニ	納付又は納入の委託、納付受託証書等の交付、取立て及び納付等の再委任〚同章第二節二・同（１）（３）〛
（二）	イ	第二次納税義務の通則〚第一編第二章三の１〛
	ロ	徴収金に係る差押財産がある場合の担保の額、増担保、保証人の変更等の要求〚同編第五章第二節一（１）（２）〛
	ハ	委託に係る有価証券の提供による担保〚同節二（４）〛
	ニ	担保の処分、処分の代金が徴収金等の額に不足する場合の滞納処分〚同節五・同（１）〛
	ホ	国債等の担保の提供手続、土地等の担保の提供手続及び保証による担保の提供手続〚同節一（３）～（６）〛

　　（徴収猶予税額に係る延滞金の免除）
（３）道府県知事は、四の規定によって徴収猶予をした場合においては、その徴収猶予をした税額に係る延滞金額のうち当該徴収猶予をした期間に対応する部分の金額を免除するものとする。（法144の29③）

　　（運用に当たっての留意事項）
（４）軽油引取税の徴収猶予の制度は、軽油引取税の特別徴収義務者である特約業者又は元売業者が石油製品を販売する場合における取引の実情にかんがみ、特別徴収義務者が軽油の引取りを行う者から徴収することができなかった税金相当額の納入について、特別徴収義務者の負担を緩和するために設けられたものであるから、その運用に当たっては次の諸点に留意するものであること。（県通９－21）
（一）徴収猶予の具体的な取扱いは、次によるものであること。
　　イ　特別徴収義務者が軽油の代金及び軽油引取税の全部又は一部を受け取ることができなかったかどうかは、売掛となった売上金額の明細が帳簿等に記載されているかどうかにより認定するものであること。
　　ロ　特別徴収義務者が客から軽油の代金及び軽油引取税を受け取った場合におけるその代金及び軽油引取税は常に不離一体のものと観念すべきであるから、たとえ、特別徴収義務者が現実に受け取った金額が代金分に相当する金額である等代金及び軽油引取税額の全額を受け取らなかった場合においても、代金及び軽油引取税をそれぞれの割合により受け取ったものとみなされるものであること。
　　ハ　徴収猶予は、特別徴収義務者の申請があった場合においてはじめて行われるのであるが、その申請は条例で定める様式の申請書によって行わなければならないものであること。この場合においては、１月間における売掛金の計算書を添付させるとともに、その裏付として帳簿等の証拠書類を提示させるものとすること。
　　ニ　徴収猶予は２月以内の期間を限って行われるのであるから、当該特別徴収義務者が通常売掛金を回収しうる期間及び徴収猶予をしようとする税額の金高等に応じて適宜その期間を定めるものとし、また、徴収猶予の期間を定める場合において、納期限までになされた徴収猶予の申請に係るものにあっては納期限から２月以内の期間を限って定めるものとし、納期限を過ぎてなされた徴収猶予の申請に係るものにあっては納期限までになされた徴収猶予の申請との均衡上、納期限から２月以内の期間を超えることとならないように定めるものであること。なお、納期限を過ぎた後になされた徴収猶予の申請を認めた場合にあっては、納期限の翌日から徴収猶予の始期の前日までは、当然に十三の１に定める延滞金の計算期間に算入されるものであるから、徴収猶予の申請は、納期限までに行うよう指導するものであること。
（二）軽油引取税の徴収猶予においては（１）で定める要件に該当して担保を徴する必要がないと認めるときを除き、その徴収猶予に係る金額に相当する担保を徴するものであるが、この場合の担保の種類及び限度額等については、特に次の諸点に留意すること。

イ　担保の種類は、二の3の各号に掲げるものであるが、そのうちで「地方団体の長が確実と認める保証人の保証」としては、銀行、信用金庫等の金融機関の保証その他特別徴収義務者が特約業者である場合には当該特約業者が販売契約を締結している元売業者の保証が適当であること。

ロ　担保を徴する場合において、徴収猶予額の合計額が毎月おおむね一定することが予想されるときには、毎月担保を徴することは煩雑であるので、あらかじめ、2月分の徴収猶予額に相当する担保を徴することが適当であること。

（三）　道府県知事は、徴収猶予の申請をした特別徴収義務者が（1）に規定する要件に該当することにより担保を徴する必要がないと認めるときは、その担保の提供を免除することができるものとされているが、これは当該特別徴収義務者について、担保を徴さなくても、その徴収猶予された期間の末日までに当該徴収猶予に係る軽油引取税を納入することが確実と認められるものについて適用しようとするものであること。従って、担保の提供を免除するか否かは、最近における軽油引取税の納入状況及び最近において軽油引取税について更正又は決定を受けたことがあるか否か等を参しゃくして決定することが適当であり、また、新たに事業を開始した者については、相当期間の軽油引取税の納入実績をみた上で決定することが適当であること。

（四）　徴収猶予をした税額に係る延滞金額は免除されることとなるが、これは徴収猶予をした期間に対応する部分に限られるものであるから、当該期間を超える部分については、当然延滞金が徴収されるものであること。

五　徴収不能額等の還付又は納入義務の免除

　道府県知事は、軽油引取税の特別徴収義務者が軽油の代金及び軽油引取税の全部又は一部を受取ることができなくなったことについて正当な理由があると認める場合又は徴収した軽油引取税額を失ったことについて天災その他避けることのできない理由があるものと認める場合においては、当該特別徴収義務者の申請によりその軽油引取税額が既に納入されているときはこれに相当する額を還付し、四の規定により徴収猶予をしているとき、その他その軽油引取税額がまだ納入されていないときはその納入の義務を免除するものとする。（法144の30①）

　　（注）　上記の申請に用いる申請書は、第16号の14様式による。（規8の28（五））

　　　　　　（徴収不能額等の還付金の充当）

（1）　道府県知事は、五の規定により、軽油引取税額に相当する額を還付する場合において、還付を受ける特別徴収義務者の未納に係る地方団体の徴収金があるときは、当該還付すべき額をこれに充当することができる。（法144の30②）

　　（注）　（1）による充当については、過誤納金等の充当通知《第一編第六章一の2④（1）》の規定を準用する。（令6の14②）

　　　　　　（還付又は免除をするかどうかの通知）

（2）　道府県知事は、五の規定による申請を受理した場合においては、五又は（1）に規定する措置を採るかどうかについて、その申請を受理した日から60日以内に特別徴収義務者に通知しなければならない。（法144の30③）

　　　　　　（運用に当たっての留意事項）

（3）　五の規定により、軽油引取税について徴収不能額等の還付又は納入義務の免除の制度が認められたのであるが、これは軽油引取税については発生主義の建前をとっているために、軽油の代金及び軽油引取税の全部又は一部が正当な理由で貸倒れになった場合又は特別徴収義務者がいったん徴収した軽油引取税を災害等の理由で亡失した場合においても特別徴収義務者は納税者が負担して納めるべき軽油引取税を立て替えて納入しなければならないこととされているが、軽油引取税の円滑な運営を期するため、徴収猶予の場合と同様の理由により特別徴収義務者の負担を緩和するために設けられたものであるから、その運用に当たっては次の諸点に留意すること。（県通9-22）

（一）　軽油引取税の徴収不能額等の還付又は納入義務の免除の具体的な認定に当たっては次の諸点に留意すること。

イ　「正当な理由があると認める場合」とは、特約業者又は元売業者からの軽油の引取り（特約業者の元売業者からの引取り及び元売業者の他の元売業者からの引取りを除く。）を行った者に、例えば次に掲げるような事情があるため、特別徴収義務者が軽油の代金及び軽油引取税の全部又は一部を徴収することが不可能となった場合をいうものであること。

（イ）　破産、強制執行若しくは整理の手続に入り、又は解散若しくは事業閉鎖を行うに至ったため、又はこれらに準ずる状態に陥ったため、特別徴収義務者が軽油の代金及び軽油引取税の全部又は一部を徴収することができないと認められること。

（ロ）　死亡、失踪、行方不明又は刑の執行その他これらに準ずる事情により、特別徴収義務者が軽油の代金及び

軽油引取税の全部又は一部を徴収することができないと認められること。
(ハ) 天災その他避けることのできない理由により、特別徴収義務者が軽油の代金及び軽油引取税の全部又は一部を徴収することができないと認められること。
(ニ) その他(イ)から(ハ)に類する理由で道府県知事が正当であると認めた理由が生じたこと。
ロ 「天災その他避けることのできない理由」のうち「天災」とは震災、風水害、落雷等をいい、「その他避けることのできない理由」とは、火災、爆発物等による破壊、盗難等をいうものであるが、いずれの場合もその事実があったこと及びそれによって既収の軽油引取税額を亡失したことを明確に立証するに足りるものでなければならないこと。

(二) (一)に該当すると認める場合においては、特別徴収義務者の申請により、その軽油引取税が既に納入されているときはこれを還付し、徴収猶予をしているときその他軽油引取税額が未だ納入されていないときは、その納入の義務を免除することになるのであるが、その取扱いに当たっては次の諸点に留意すること。
イ 特別徴収義務者の申請があった場合において、道府県知事は、それが(一)のイ及びロの理由に該当すると認めるときは、徴収不能額等の還付又は納入義務の免除をしなければならないものであること。この場合における申請は、徴収猶予の場合に準じ、申請書によって行うように指導すること。
ロ イの申請書の提出があった場合においては、道府県知事は、その申請書を受理した日から60日以内に、その特別徴収義務者に対して、還付又は免除をするかどうかについての通知をしなければならないこととされていること。なお、この場合において60日を経過してもその通知がない場合においてはその期間を経過した日から異議の申立てをすることができることとなっているから注意すること。

(三) 五の規定によって軽油引取税を還付する場合における還付金は、過誤納金の還付〔第一編第六章一の1〕に規定する過誤納金に該当しないものであるが、特別徴収義務者の未納に係る地方団体の徴収金がある場合においては、(1)の規定により、当該還付すべき額を充当することができるものであること。なお、当該還付すべき金額は、過誤納金の還付加算金〔第一編第六章三の1〕の規定による還付加算金は附されないものであること。

六 軽油を返還した場合及び引取り後に免税用途に供した場合の措置

1 軽油を返還した場合の措置

軽油引取税の特別徴収義務者から軽油引取税が課される軽油の引取りが行われた後販売契約の解除により、その引取りに係る軽油の全部又は一部を当該特別徴収義務者に返還した場合において、その引取りに係る軽油の軽油引取税額がまだ納入されていないときは、当該軽油の引取りは行われなかったものとみなし、既に軽油引取税額の全部又は一部が納入されているときは、道府県知事は、当該納入に係る軽油引取税額のうち当該返還された軽油に対応する部分の税額及びこれに係る地方団体の徴収金を、当該特別徴収義務者の申請により、還付するものとする。この場合においては、当該特別徴収義務者は、その返還があったこと及びその数量を証するに足りる書類を道府県知事に提出しなければならない。(法144の31①)

　　(特別徴収義務者に対する求償権)
(1) 1の場合において、当該軽油の引取りを行った者が既に当該引取りに係る軽油の代金及び軽油引取税額を支払っているときは、その者は、当該返還した軽油に対応する代金及び軽油引取税額に相当する額について当該特別徴収義務者に対して求償権を有する。(法144の31②)

　　(求償権の特例)
(2) 軽油引取税が課される軽油の引取りを行った者が、軽油引取税の特別徴収義務者から当該特別徴収義務者以外の者を経由して当該引取りを行った場合における(1)の規定の適用については、(1)中「当該特別徴収義務者に」とあるのは、「当該軽油の引渡しを行った者で当該特別徴収義務者以外のもの又は当該特別徴収義務者に」とする。(規8の40①)
　　(注) (2)の規定は、当該特別徴収義務者以外の者が、その返還した軽油に対応する代金及び軽油引取税額に相当する額を支払った場合におけるその者の当該特別徴収義務者に対する求償権の行使を妨げない。(規8の40②)

　　(求償権に基づく訴えに対する援助義務)
(3) 軽油の引取りを行った者が(1)の求償権に基づいて訴えを提起した場合においては、道府県の徴税吏員は、職務上の秘密に関する場合を除くほか、証拠の提供その他必要な援助を与えなければならない。(法144の31③)

　　　　（留意事項）
（４）　軽油引取税の特別徴収義務者から軽油の引取りが行われた後において販売契約の解除によって軽油の全部又は一部が当該特別徴収義務者に返還された場合における措置については、次の諸点に留意するものであること。（県通９－23(1)）
　（一）　軽油引取税額の全部又は一部が既に道府県に納入されているときは、道府県知事は、その納入に係る軽油引取税額のうち、その返還された軽油に対応する部分の税額及びこれに係る地方団体の徴収金を特別徴収義務者の申請があった日から起算して10日を経過した日に納入があったものとみなして還付するものであること。
　（二）　軽油引取税額がまだ納入されていない場合においては申請書を提出する際に、（一）の場合においては還付申請書を提出する際に、それぞれ軽油の返還があったこと及び返還された軽油の数量を証するに足る書類（例えば、戻入伝票、契約解除の一件書類）を併せて提出しなければならないものであること。

２　引取り後に免税用途に供した場合の措置

　第一節五の２の①《用途による課税免除》に規定する者が、免税証の交付を受けた後当該免税証に記載された数量を超える数量の軽油を同①に規定する用途に供する必要が生じたため、当該免税証を交付した道府県に係る免税取扱特別徴収義務者から免税軽油以外の軽油の引取りを行ってこれを同①に規定する用途に供した場合において、その事実及び数量を当該免税証を交付した道府県知事に証明してその承認を得たときは、当該道府県知事は、政令で定めるところにより、当該免税取扱特別徴収義務者の申請により、当該軽油に係る軽油引取税額がまだ納入されていない場合にあってはその納入を免除し、既に軽油引取税の全部又は一部が納入されている場合にあっては当該納入に係る軽油引取税額のうち当該使用に係る軽油に対応する部分の税額及びこれに係る地方団体の徴収金を当該免税取扱特別徴収義務者に還付するものとする。（法144の31④）

　　　　（知事の承認を得たことを証する書面の提出）
（１）　道府県知事は、２の規定により軽油引取税額の納入を免除し、又は納入に係る軽油引取税額を還付しようとする場合においては、２の免税取扱特別徴収義務者に、２の規定により免税証を交付した道府県知事の承認を得たことを証する書面を提出させなければならない。（令43の17）

　　　　（免税取扱特別徴収義務者以外の販売業者から引取りを行った場合）
（２）　第一節五の２の①に規定する者が、免税証の交付を受けた後当該免税証に記載された数量を超える数量の軽油を同①に規定する用途に供する必要が生じたため、当該免税証を交付した道府県に係る免税取扱特別徴収義務者以外の販売業者から免税軽油以外の軽油の引取りを行ってこれを同①に規定する用途に供したことについてその事実及び数量を当該免税証を交付した道府県知事に証明してその承認を得た場合において、その旨を当該販売業者を通じて当該販売業者に当該軽油の引渡しを行った当該道府県に係る免税取扱特別徴収義務者に申し出たときも、２と同様とする。（法144の31⑤）

　　　　（求償権の規定の準用）
（３）　１の(１)及び(３)の規定は、２及び(２)の場合について準用する。（法144の31⑥）

　　　　（運用に当たっての留意事項）
（４）　免税軽油使用者が免税証の交付を受けた後、当該免税証の交付申請書に記載された免税機械等について、免税軽油以外の軽油の引取りを行い当該軽油を当該免税用途に供した場合において、特別徴収義務者の申請により軽油引取税について納入の免除又は還付の措置が認められたのは、免税軽油使用者が緊急やむを得ないこと等により、事前に免税証の交付を申請する暇がない場合において、免税軽油以外の軽油の引取りを行い、当該軽油を免税用途に供したときは、その事実及び数量が証明される限り、当該軽油の引取りに対する軽油引取税を負担させるべきではないとの趣旨に出ずるものであるが、その運用に当たっては、次の諸点に留意すべきものであること。（県通９－23(2)）
　（一）　軽油引取税の免除については、事前に免税軽油使用者に免税証の交付を申請させ、その申請に基づいて適当と認められる数量の軽油の引取りを行うために必要な免税証を交付し、免税軽油使用者は、交付を受けた免税証によって、免税軽油の引取りを行う建前をとっているのであるから、本措置によって免除又は還付をするのは例外的に認められるものであること。
　（二）　免税軽油使用者が免税証の交付を受けた後において、免税証に記載された軽油の数量を超えて軽油を免税用途に供する必要が生じた場合においても、免除又は還付の措置によらず、できるだけ、免税証の追加交付の申請をさ

せるよう指導するものであること。
　（三）　免除又は還付の措置は、特別徴収義務者の申請により行うものであるが、この場合においては、免税証を交付した道府県知事の承認書を提出するものとされているものであること。
　　　なお、承認書の交付申請書には少なくとも次に掲げる事項が記載されていることが必要であること。
　　イ　免税軽油使用者が免税証の交付を申請している軽油の数量
　　ロ　イに掲げる軽油の数量のうち、道府県知事が交付した免税証に係る数量
　　ハ　免税軽油以外の軽油を免税用途に供する必要が生じた理由
　　ニ　ハに掲げる軽油を免税用途に供した年月日及びその数量
　　ホ　免税証の交付を申請することができなかった理由

3　還付加算金の計算

　1、2又は同（2）の規定によって軽油引取税及びこれに係る地方団体の徴収金を還付する場合においては、特別徴収義務者の還付の申請があった日から起算して10日を経過した日を第一編第六章三の1《過誤納金の還付加算金》の各号に掲げる日とみなして、同1の規定を適用する。（法144の31⑦）

七　製造等の承認を受ける義務等

1　製造等の承認を受ける義務等

①　製造等の承認を受ける義務

　元売業者（（一）及び（二）に掲げる場合にあっては、第一節六の1の表の（一）に掲げる者で、同1の規定により元売業者としての指定を受けたものを除く。）、特約業者、石油製品販売業者、軽油製造者等（軽油の製造又は輸入をする者で元売業者以外のものをいう。）及び自動車の保有者は、次に掲げる場合には、製造、譲渡又は消費（以下1において「**製造等**」という。）を行う時期、数量その他の（1）で定める事項を定めて、製造等を行う場所（（四）に掲げる場合にあっては、当該自動車の主たる定置場）の所在地の道府県知事の承認を受けなければならない。（法144の32①）

（一）	軽油と軽油以外の炭化水素油を混和して炭化水素油を製造するとき。
（二）	（一）に掲げる場合のほか、軽油を製造するとき。
（三）	燃料炭化水素油を自動車の内燃機関の燃料として譲渡するとき。
（四）	燃料炭化水素油（①の承認を受けて譲渡された（三）の燃料炭化水素油を除く。）を自動車の内燃機関の燃料として消費するとき。

　（注）　オーストラリア軍隊が自ら輸入をした公用に供する燃料炭化水素油を自動車の内燃機関の燃料として消費するときは、①（（四）に係る部分に限る。）の規定は、適用しない。（法144の32⑨）

　　　（製造等を行う時期、数量その他の事項）
（1）　①で定める事項は、次の各号に掲げる場合の区分に応じ、当該各号に定める事項とする。（規8の41）
　（一）　①の（一）又は（二）の炭化水素油の製造を行う場合　　次に掲げる事項
　　イ　承認を受けようとする者の氏名又は名称、住所又は所在地及び個人番号又は法人番号（個人番号又は法人番号を有しない者にあっては、氏名又は名称及び住所又は所在地）（事業の委託をしている場合にあっては、承認を受けようとする者の氏名又は名称、住所又は所在地及び個人番号又は法人番号（個人番号又は法人番号を有しない者にあっては、氏名又は名称及び住所又は所在地）並びにその委託を受けている者の氏名又は名称及び住所又は所在地）
　　ロ　製造を行う年月日
　　ハ　製造を行う場所
　　ニ　製造に使用する炭化水素油その他の原材料の性状及び数量
　　ホ　炭化水素油の製造方法
　　ヘ　製造に使用する炭化水素油その他の原材料の仕入先の氏名又は名称及び住所又は所在地並びに仕入先ごとの仕入数量
　　ト　製造する炭化水素油の性状及び数量

チ　製造する炭化水素油の用途
リ　製造する炭化水素油の貯蔵場所
ヌ　製造する炭化水素油の譲渡先及び譲渡又は消費の予定年月日
(二)　①の(三)の燃料炭化水素油の譲渡を行う場合　　次に掲げる事項
イ　承認を受けようとする者の氏名又は名称、住所又は所在地及び個人番号又は法人番号（個人番号又は法人番号を有しない者にあっては、氏名又は名称及び住所又は所在地）
ロ　譲渡を行う年月日
ハ　譲渡を行う場所
ニ　譲渡しようとする燃料炭化水素油の性状及び数量
ホ　譲渡しようとする相手方の氏名又は名称及び住所又は所在地
ヘ　譲渡に係る自動車の自動車登録番号
(三)　①の(四)の燃料炭化水素油の消費を行う場合　　次に掲げる事項
イ　承認を受けようとする者の氏名又は名称、住所又は所在地及び個人番号又は法人番号（個人番号又は法人番号を有しない者にあっては、氏名又は名称及び住所又は所在地）
ロ　消費を行う年月日
ハ　消費しようとする燃料炭化水素油の性状及び数量
ニ　消費に係る自動車の自動車登録番号
ホ　消費に係る自動車の主たる定置場

　　　（道府県知事の承認）
（２）　①の場合において、道府県知事は、軽油引取税の取締り又は保全上特に必要があると認めるときを除き、①の承認を与えるものとする。（法144の32②）

　　　（①の(一)又は(二)に該当する場合の承認手続）
（３）　元売業者（第一節六の１の(一)に掲げる者で同１の規定により元売業者としての指定を受けたものを除く。（４）において同じ。）、特約業者、石油製品販売業者、軽油製造者等及び自動車の保有者は、①の(一)又は(二)に該当する場合には、それぞれ当該各号に掲げる行為をしようとする日前10日までに第16号の31様式による承認申請書に過去における炭化水素油の製造の状況、軽油引取税に係る納入金の納入又は軽油引取税の納付の状況及び炭化水素油の製造又は貯蔵の用に供する施設又は設備の詳細を記載した書面を添付して、これを①に規定する道府県知事に提出しなければならない。（規８の42①）

　　　（元売業者が炭化水素油の製造を行う場合の承認の申請）
（４）　元売業者が①の(一)又は(二)の炭化水素油の製造を行う場合おける①の承認の申請については、（３）に規定する道府県知事が軽油引取税の取締り又は保全上支障がないと認めるときに限り、（３）の規定にかかわらず、当該元売業者が、３月ごとに、申請の日から３月間の炭化水素油の製造についての計画を記載した承認申請書に過去３月間における炭化水素油の製造の状況及び製造された炭化水素油の用途を記載した書面を添付して、これを（３）に規定する道府県知事に提出する方法で行うことができる。（規８の42②）

　　　（燃料炭化水素油を自動車の内燃機関の燃料として譲渡する場合の承認手続）
（５）　元売業者、特約業者、石油製品販売業者、軽油製造者等及び自動車の保有者は、①の(三)に該当する場合には、その行為をしようとする日前10日までに第16号の32様式による承認申請書に、当該燃料炭化水素油が混和して製造されたものであるときは、当該製造に係る製造等承認証を、その者が過去において同(三)の承認を受けた者であるときは、前回承認を受けた際の当該譲渡に係る自動車用炭化水素油譲渡証の交付の状況及び軽油引取税の納付の状況を記載した書面を添付して、これを①に規定する道府県知事に提出しなければならない。（規８の42③）

　　　（自動車の保有者が燃料炭化水素油を自動車の内燃機関の燃料として消費する場合の承認手続）
（６）　自動車の保有者は、①の(四)に該当する場合には、その行為をしようとする日前10日までに第16号の33様式による承認申請書に過去における燃料炭化水素油の消費の状況及び軽油引取税の納付の状況を記載した書面を添付して、これを①に規定する道府県知事に提出しなければならない。（規８の42④）

(製造等承認証の様式)
(7) 次の表の左欄に掲げる製造等承認証の様式は、それぞれその右欄に掲げるところによるものとする。(規8の42⑤)

製造等承認証の種類	様式
(一) ①の表の(一)又は(二)の承認に係る製造等承認証	第16号の31様式
(二) ①の表の(三)の承認に係る製造等承認証	第16号の32様式
(三) ①の表の(四)の承認に係る製造等承認証	第16号の33様式

(留意事項)
(8) 元売業者、特約業者、石油製品販売業者、軽油製造者等及び自動車の保有者は、①の各号に掲げる製造等を行う場合(第一節六の1の(一)に掲げる者で、同1の規定により元売業者としての指定を受けた者が、①の(一)又は(二)に掲げる製造を行う場合を除く。)は、あらかじめ、製造等を行う場所(同(四)に掲げる場合にあっては、当該自動車の主たる定置場)の所在地の道府県知事の承認を受けなければならないこととされているが、これは、製造等に係る数量等の一定の事項を道府県知事の承認事項とすることにより、道府県知事が製造等の実態を把握できるものとし、もって軽油引取税の課税の適正化を図るために設けられたものであるので、この趣旨を踏まえ、次の諸点に留意してその運営の適正を期するものであること。(県通9-23)
(一) ①の(二)に規定する「軽油を製造するとき」には、軽油以外の炭化水素油と軽油以外の炭化水素油を混和して軽油を製造するときはもとより、廃油の再生又は原油の精製により軽油を製造するときも含まれるものであること。
(二) 元売業者(第一節六の1の(一)に掲げる者で、同1の規定により元売業者としての指定を受けた者を除く。)に係る製造の承認については、製造に係る行為ごとの承認に代え、3月間の製造について道府県知事が3月ごとに承認することとされているが、軽油引取税の取締り又は保全上支障がある事実が生じた場合については、直ちに製造等に係る行為ごとの承認に切り替えるものであること。
(三) 製造等について道府県知事の承認を受けた者が当該承認に係る製造等を行うとき又は当該製造等に係る炭化水素油を保有しているときは、製造等承認証を所持していなければならないものであること。この場合の「所持」については、必ずしもその者が携帯することを要しないものであるが、徴税吏員の請求があったときは、これを速やかに提示することができる状態になければならないものであること。ただし、①の(四)に係る承認を受けた者が、燃料炭化水素油を自動車の内燃機関の燃料として消費する場合には、製造等承認証を携帯させるよう指導すること。

② 製造等承認証の交付及び所持
①の承認は、製造等承認証を交付して行う。(法144の32④)

(製造等承認証の所持義務)
注 ①の承認を受けた者は、当該承認に係る製造等を行うとき、又は当該製造等に係る炭化水素油を保有しているときは、②の製造等承認証を所持していなければならない。(法144の32⑤)

③ 製造等の承認を受けた者の帳簿記載義務
①の承認を受けた者は、帳簿を備え、製造等を行った時期、数量その他当該承認を受けた事項に関する事実をこれに記載しなければならない。(法144の32③)
(注) ③に規定する帳簿の保存方法等については、第一編第十一章に規定が設けられている。(編者)

(①の(一)又は(二)の承認を受けた者の帳簿記載事項)
(1) ①の(一)又は(二)の承認を受けた者は、事務所等(事業の委託をしている場合にあっては、その委託を受けている者の事務所等を含む。以下同じ。)ごとに、次に掲げる事項を帳簿に記載しなければならない。(規8の44①)
(一) 製造を行った年月日
(二) 製造を行った場所
(三) 製造に使用した炭化水素油その他の原材料の性状及び数量
(四) 炭化水素油の製造方法
(五) 製造に使用した炭化水素油その他の原材料の仕入先の氏名又は名称及び住所又は所在地並びに仕入先ごとの仕

入数量
- （六） 製造した炭化水素油の性状及び数量
- （七） 製造した炭化水素油の用途
- （八） 製造した炭化水素油の貯蔵場所及び在庫数量
- （九） 製造した炭化水素油を譲渡し、又は消費したときは、その譲渡先の氏名又は名称及び住所又は所在地、その譲渡又は消費の年月日並びにその譲渡数量又は消費数量

　　　（①の(三)の承認を受けた者の帳簿記載事項）
（２） ①の(三)の承認を受けた者は、事務所等ごとに、次に掲げる事項を帳簿に記載しなければならない。（規８の44②）
- （一） 譲渡を行った年月日
- （二） 譲渡を行った場所
- （三） 譲渡した燃料炭化水素油の性状及び数量
- （四） 譲渡した相手方の氏名又は名称及び住所又は所在地並びに当該譲渡に係る自動車の自動車登録番号
  - （注） ①の(三)の承認を受けた者が、その者の事務所等において当該承認に係る燃料炭化水素油を自動車の保有者に譲渡し、④の規定により自動車用炭化水素油譲渡証の交付を行った場合には、(四)に掲げる事項のうち譲渡した相手方の氏名又は名称及び住所又は所在地に係る事項の記載を省略することができる。ただし、道府県知事が特に必要があると認めてその記載を命じたときは、この限りでない。（規８の44④）
- （五） 交付した自動車用炭化水素油譲渡証の番号
- （六） 燃料炭化水素油の貯蔵場所及び在庫数量

　　　（①の(四)の承認を受けた者の帳簿記載事項）
（３） ①の(四)の承認を受けた者は、消費に係る自動車の主たる定置場ごとに、次に掲げる事項を帳簿に記載しなければならない。（規８の44③）
- （一） 消費を行った年月日
- （二） 消費した燃料炭化水素油の性状及び数量
- （三） 消費に係る自動車の自動車登録番号
- （四） 燃料炭化水素油の在庫数量

　　　（留意事項）
（４） 製造等について道府県知事の承認を受けた元売業者、特約業者、石油製品販売業者、軽油製造者等及び自動車の保有者は、その事務所等（①の(四)の承認を受けた者にあっては、当該自動車の主たる定置場）ごとに、当該承認に係る(1)から(3)までに定める事項を帳簿に記載しなければならないのであるが、その運用に当たっては、次の諸点に留意すること。（県通９－26）
- （一） 帳簿の記載に当たっては、当該事項を日計によって記載するものであること。
- （二） ①の(三)に係る承認を受けた者が、その者の事務所等において当該承認に係る燃料炭化水素油を自動車の保有者に譲渡し、当該譲渡に係る自動車用炭化水素油譲渡証の交付を行った場合の帳簿の記載に当たっては、当該事項のうち「譲渡した相手方の氏名又は名称及び住所又は所在地」に係る事項の記載について省略することができるものであるが、自動車の自動車登録番号についてはその記載を要するものであること。

④ **自動車用炭化水素油譲渡証の作成・交付**
　①の(三)に係る承認を受けた者は、当該承認に係る燃料炭化水素油を自動車の内燃機関の燃料として自動車の保有者に譲渡するときは、自動車用炭化水素油譲渡証及びその写しを作成して、当該自動車用炭化水素油譲渡証を当該自動車の保有者に交付するとともに、その写しを保管しなければならない。（法144の32⑥）

　　　（自動車用炭化水素油譲渡証の携帯義務）
（１） 自動車の保有者は、①の(三)に係る承認を受けて譲渡された燃料炭化水素油を自動車の内燃機関の燃料として消費するときは、④の自動車用炭化水素油譲渡証を携帯していなければならない。（法144の32⑦）

(自動車用炭化水素油譲渡証の作成・保管・返納)
(2) 自動車用炭化水素油譲渡証の作成・保管・返納については次による。(規8の43①～⑤)
(一) 自動車用炭化水素油譲渡証及びその写しは、道府県知事の交付する用紙によって作成しなければならない。
(二) (一)の自動車用炭化水素油譲渡証及びその写しの用紙には一連の番号を付けなければならない。
(三) 自動車用炭化水素油譲渡証及びその写しの様式は、第16号の34様式による。
(四) ①の(三)の承認を受けた者は、自動車用炭化水素油譲渡証の写しを、当該自動車用炭化水素油譲渡証を交付した日から起算して、1年間保管しなければならない。
(五) ①の(三)の承認を受けた者は、当該承認に係る燃料炭化水素油の譲渡が完了した際に(一)の用紙を所持しているときは、遅滞なく、これを交付した道府県知事に対し返納しなければならない。

(留意事項)
(3) 燃料炭化水素油を自動車の内燃機関の燃料として譲渡することにつき道府県知事の承認を受けた者が、当該燃料炭化水素油を自動車の内燃機関の燃料として自動車の保有者に譲渡する場合においては、④の規定により自動車用炭化水素油譲渡証(以下「譲渡証」という。)を交付しなければならないこととされているが、これは譲渡証の交付及びその写しの作成を義務付けることによって、(イ)当該燃料炭化水素油を消費する者の事務手続に対して配慮するとともに、(ロ)自動車の保有者に当該譲渡証の携帯を義務付けることにより、税務調査の際に、道府県知事の承認を受けないで、燃料炭化水素油を自動車の内燃機関の燃料として消費している者が容易に判別でき、(ハ)また、当該譲渡を行う者が石油製品販売業者である場合に、その者の納付する軽油引取税額がそれぞれの譲渡証の交付に係る数量に対応することとなり、これらにより軽油引取税の課税の適正化が図られることから設けられたものであるので、その運用に当たっては次の諸点に留意するものであること。(県通9-27)
(一) 譲渡証の交付制度は、軽油引取税の取締り又は保全のため設けられたものであり、制度の実効性を担保するための罰則等の措置が講じられていることから、本制度の運営をめぐる摩擦を避けるため、常時広報活動を通じて、本制度の趣旨について自動車の保有者への周知徹底を図るため有効適切な措置をとるべきこと。
(二) 譲渡証については、道府県知事が交付する用紙により作成されたもののみがその効力を有するものであること。また、当該交付に当たっては、道府県知事の譲渡の承認を受けた者からの申請により行うこと。
なお、道府県知事の承認を受けた者が、当該承認に係る燃料炭化水素油の譲渡が完了した際に当該用紙を所持しているときは、譲渡証の不正譲渡等を防止する観点から、遅滞なくこれを返納させるものであること。
(三) 譲渡証に付ける一連番号については、道府県知事が交付の際これを付けるものであること。
(四) ④の規定により自動車の保有者に譲渡証を交付するときは、当該燃料炭化水素油の消費に係る自動車ごとに行うものであること。

⑤ 製造等承認証等の譲渡及び譲受けの禁止
　製造等承認証及び自動車用炭化水素油譲渡証は、これを他人に譲り渡し、又は他人から譲り受けてはならない。(法144の32⑧)

2　製造等の承認を受ける義務等に関する罪
　1の①の規定に違反して道府県知事の承認を受けないで同①の(一)若しくは(二)の行為を行ったとき、又は偽りその他不正の手段により同①の承認を受け同①の(一)若しくは(二)の行為を行ったときは、その違反行為をした者は、10年以下の懲役若しくは1,000万円以下の罰金に処し、又はこれを併科する。(法144の33①)

(幇助の罪)
(1) 情を知って、2の罪に当たる行為に要する資金、土地、建物、艦船、車両、設備、機械、器具、原材料又は薬品を提供し、又は運搬したときは、その違反行為をした者は、7年以下の懲役若しくは700万円以下の罰金に処し、又はこれを併科する。(法144の33②)

(不正軽油等譲受罪)
(2) 2の犯罪に係る炭化水素油について、情を知ってこれを運搬し、保管し、有償若しくは無償で取得し、又は処分の媒介若しくはあっせんをしたときは、その違反行為をした者は、3年以下の懲役若しくは300万円以下の罰金に処し、又はこれを併科する。(法144の33③)

(譲渡又は消費についての罪)
(3) 1の①の規定に違反して道府県知事の承認を受けないで同①の(三)若しくは(四)の行為を行ったとき、又は偽りその他不正の手段により同①の承認を受けたときは、その違反行為をした者は、2年以下の懲役又は100万円以下の罰金に処する。(法144の33④)

(帳簿記載義務違反等に対する罰金)
(4) 次の各号のいずれかに該当する場合には、その違反行為をした者は、1年以下の懲役又は50万円以下の罰金に処する。(法144の33⑤)

| (一) | 1の③の規定による帳簿の記載をせず、若しくは偽り、又はその帳簿を隠匿したとき |
| (二) | 1の②の注、同④、同(1)及び同⑤の規定に違反したとき |

(両罰規定及び法人重課)
(5) 法人の代表者又は法人若しくは人の代理人、使用人その他の従業者がその法人又は人の業務に関して2又は(1)から(4)までの違反行為をした場合には、その行為者を罰するほか、その法人に対して次の各号に掲げる違反行為の区分に応じ当該各号に定める罰金刑を、その人に対して当該2又は(1)から(4)までの罰金刑を科する。(法144の33⑥)
　(一)　2の違反行為　　3億円以下の罰金刑
　(二)　(1)の違反行為　　2億円以下の罰金刑
　(三)　(2)の違反行為　　1億円以下の罰金刑
　(四)　(3)又は(4)の違反行為　　当該各項の罰金刑

(時効の期間)
(6) (5)の規定により、2又は(1)の違反行為につき法人又は人に罰金刑を科する場合における時効の期間は、これらの項の罪についての時効の期間による。(法144の33⑦)

(留意事項)
(7) イ　2の(1)に規定する「情を知って」とは、提供し又は運搬する資金、土地、建物、艦船、車両、設備、機械、器具、原材料又は薬品が2の罪の用に供されるものであることを知りながらという意味であること。(県通9-25(1))
　ロ　(2)に規定する「2の犯罪に係る炭化水素油」とは、次に掲げる炭化水素油をいうものであること。(県通9-25(2))
　　(一)　1の①の規定に違反して道府県知事の承認を受けないで軽油と軽油以外の炭化水素油を混和して製造された炭化水素油
　　(二)　1の①の規定に違反して道府県知事の承認を受けないで製造された軽油
　　(三)　偽りその他不正の手段により1の①の承認を受けて軽油と軽油以外の炭化水素油を混和して製造された炭化水素油
　　(四)　偽りその他不正の手段により1の①の承認を受けて製造された軽油
　ハ　(2)に規定する「情を知って」とは、(2)に規定する炭化水素油が1の①の規定に違反して道府県知事の承認を受けないで製造されたものであること、又は偽りその他不正の手段により1の①の承認を受けて製造されたものであることを知っていることをいうものであること。(県通9-25(3))

八　事業の開廃等の届出

1　事業の開廃等の届出

元売業者、特約業者、石油製品販売業者及び軽油製造業者等(軽油の製造又は輸入をすることを業とする者で元売業者以外のものをいう。以下この章において同じ。)は、事業を開始しようとするときは、その旨を、当該事務所等ごとに、主たる事務所等所在地の道府県知事に(元売業者にあっては、当該道府県知事を経由して総務大臣に)届け出なければならない。その事業を廃止し、又は休止しようとするときも、同様とする。(法144の34①)

（届出書の提出手続）
（1）　1の規定による届出をしようとする元売業者、特約業者、石油製品販売業者及び軽油製造業者等は、事業を開始し、廃止し、又は休止しようとする日の5日前までに第16号の35様式による届出書を、主たる事務所等所在地の道府県知事に（元売業者にあっては、当該道府県知事を経由して総務大臣に）提出しなければならない。（規8の45①）

　　　（留意事項）
（2）　事業の開廃等の届出については、次の諸点に留意すること。（県通9－28）
　（一）　事業の開廃等の届出は、元売業者、特約業者、石油製品販売業者及び軽油製造業者等の事務所等ごとに行うものであること。なお、「事務所等」とは、軽油を管理する事務所等をいうものであり、単に軽油を貯蔵又は保管しているにすぎない場所であっても、人的、物的設備を有し継続的に事業活動が行われる場所である限り、当該場所も「事務所等」に含まれるものであること。
　（二）　事業の休止については、その期間が1月を超えないと認められるような場合には、届出を省略させて差し支えないものであること。
　（三）　元売業者については、主たる事務所等所在地の道府県知事を経由して総務大臣に届け出なければならないものであるが、その取扱いについては、次の諸点に留意すること。
　　イ　主たる事務所等所在地の道府県知事は、当該届出があった場合、届出書について確認の上、遅滞なくこれを総務大臣に提出すること。
　　ロ　届出書は、事業を開始し、廃止し、又は休止しようとするときは、その5日前までに主たる事務所等所在地の道府県知事を経由して総務大臣に提出しなければならないこととされているが、期限内に当該道府県知事に当該届出書の提出があった場合には、当該期限内に総務大臣に対する届出があったものとして取り扱うものであること。
　　ハ　元売業者の氏名又は名称の異動や元売業者の主たる事務所又は事業所の所在地の異動については、総務省告示により公示する事項である。このため、異動の届出があった場合、主たる事務所又は事業所所在地の道府県知事は、当該届出が前記事項に係る届出に該当するかどうかを厳正に確認のうえ、当該届出に係る届出書を直ちに総務大臣に提出すること。

2　軽油の継続的供給を行う販売契約を締結した場合の届出

　元売業者又は軽油製造業者等が、特約業者、石油製品販売業者又は軽油製造業者等と、継続的に軽油の供給を行う販売契約を締結したときは、その当事者は、その旨を、主たる事務所等所在地の道府県知事に（元売業者にあっては、当該道府県知事を経由して総務大臣に）届け出なければならない。当該販売契約が終了したときも、同様とする。（法144の34②）

　　　（届出書の提出手続）
　注　2の規定による届出をしようとする元売業者、特約業者、石油製品販売業者及び軽油製造業者等は、当該販売契約の締結又は終了の日から5日以内に第16号の36様式による届出書を主たる事務所等所在地の道府県知事に（元売業者にあっては、当該道府県知事を経由して総務大臣に）提出しなければならない。（規8の45②）

3　届出事項に異動を生じた場合の届出

　元売業者、特約業者、石油製品販売業者及び軽油製造業者等は、1又は2の規定により届け出た事項に異動を生じた場合には、遅滞なく、その旨を1又は2の規定に準じて総務大臣又は道府県知事に届け出なければならない。（法144の34③）

　　　（届出書の提出手続）
　注　3の規定による届出をしようとする元売業者、特約業者、石油製品販売業者及び軽油製造業者等は、遅滞なく、当該異動に係る事項を記載した第16号の35様式又は第16号の36様式による届出書を主たる事務所等所在地の道府県知事に（元売業者にあっては、当該道府県知事を経由して総務大臣に）提出しなければならない。（規8の45③）

4　関係道府県知事に対する通知

　1から3までの規定により届出を受けた道府県知事は、当該届出に係る事項を、速やかに関係道府県知事に通知するものとする。（法144の34④）
　1の(1)、2の注又は3の注の規定による届出書の提出を受けた道府県知事は、速やかに、次表の右欄に掲げる事項を関係道府県知事に通知するものとする。（規8の46）

（一） 1の(1)の規定による届出書の提出を受けた道府県知事	イ 元売業者、特約業者、石油製品販売業者及び軽油製造業者等の氏名又は名称及び住所又は所在地 ロ 事務所等の名称及び所在地 ハ 事業の開始若しくは廃止の年月日又は休止期間
（二） 2の注の規定による届出書の提出を受けた道府県知事	イ 契約の当事者それぞれの氏名又は名称及び住所又は所在地 ロ 契約の締結又は終了の年月日
（三） 3の注の規定による届出書の提出を受けた道府県知事	当該異動に係る事項

九　軽油の引取りの報告等

1　軽油の引取り等の報告義務

　元売業者、特約業者及び軽油製造業者等は、毎月末日までに、前月の初日から末日までの間に行った軽油の引取り、引渡し、納入、製造及び輸入に関する事実並びにその数量、前月の末日における軽油の在庫数量その他の(1)で定める事項を、(1)で定める道府県知事に報告しなければならない。（法144の35①）

　　　　（報告事項及び報告先の道府県知事）
（1）　1に規定する事項は、次の表の左欄に掲げる者の区分に応じ、それぞれ同表の中欄に掲げる事項とし、1に規定する道府県知事は、同表の左欄に掲げる者及び同表の中欄に掲げる事項の区分に応じ、それぞれ同表の右欄に掲げる道府県知事とする。（規8の47）

元　売　業　者	① 納入を行った軽油についての引取りを行った者の氏名又は名称及び住所又は所在地並びに引取りを行った者ごとの引渡数量 ② 納入を行った軽油についての納入を受けた者の事務所等の名称及び所在地並びに当該事務所等ごとの納入数量 ③ 納入を行った後返還を受けた軽油についての引取りを行った者の氏名又は名称及び住所又は所在地並びに引取りを行った者ごとの返還数量 ④ 納入を行った後返還を受けた軽油についての納入を受けた者の事務所等の名称及び所在地並びに当該事務所等ごとの返還数量 ⑤ 納入を行った軽油についての元売業者の事務所等の名称及び所在地並びに当該事務所等ごとの納入数量 ⑥ 納入を行った後返還を受けた軽油についての返還を受けた元売業者の事務所等の名称及び所在地並びに当該事務所等ごとの返還数量	軽油の納入地の道府県知事
	① 軽油の製造を行った事業所の名称及び所在地並びに事業所ごとの軽油の製造数量 ② 軽油の輸入の許可（関税法第67条に規定する輸入の許可をいう。以下(1)、(2)及び十の(3)において同じ。）に係る税関、輸入の許可を受けた年月日、税関ごと及び輸入の許可ごとの軽油の輸入数量並びに輸入した軽油に係る関税定率法別表の品名及び関税法第102条の規定に基づく輸出統計品目表及び輸入統計品目表（昭和62年大蔵省告示第94号）の輸入統計品目表（以下(1)、(2)及び十の(3)において「輸入統計品目表」という。）の統計番号 ③ 引取りを行った軽油についての引渡しを行った者の氏名又は名称及び引渡しを行った者ごとの引取数量並びに引渡しを行った者の事務所等所在の道府県ごとの引取数量 ④ 納入を受けた軽油についての納入を行った者の氏名又は名称及び納入を行った者ごとの納入数量並びに納入を行った者の事務所等所在の道府県ごとの納入数量 ⑤ 引取りを行った後返還を行った軽油についての引渡しを行った者の氏	主たる事務所等所在地の道府県知事

	名又は名称及び引渡しを行った者ごとの返還数量並びに引渡しを行った者の事務所等所在の道府県ごとの返還数量 ⑥　納入を受けた後返還を行った軽油についての納入を行った者の氏名又は名称及び納入を行った者ごとの返還数量並びに納入を行った者の事務所等所在の道府県ごとの返還数量 ⑦　引渡しを行った軽油についての引取りを行った者の氏名又は名称及び引取りを行った者ごとの引渡数量並びに引取りを行った者の事務所等所在の道府県ごとの引渡数量 ⑧　納入を行った軽油についての納入を受けた者の氏名又は名称及び納入を受けた者ごとの納入数量並びに納入を受けた者の事務所等所在の道府県ごとの納入数量 ⑨　消費を行った事務所等ごとの消費数量 ⑩　引渡しを行った後返還を受けた軽油についての引取りを行った者の氏名又は名称及び引取りを行った者ごとの返還数量並びに引取りを行った者の事務所等所在の道府県ごとの返還数量 ⑪　納入を行った後返還を受けた軽油についての納入を受けた者の氏名又は名称及び納入を受けた者ごとの返還数量並びに納入を受けた者の事務所等所在の道府県ごとの返還数量 ⑫　元売業者の事務所等ごとの各月末日における軽油の在庫数量	
特　約　業　者	①　軽油の製造を行った事業所の名称及び所在地並びに事業所ごとの軽油の製造数量 ②　軽油の輸入の許可に係る税関、輸入の許可を受けた年月日、税関ごと及び輸入の許可ごとの軽油の輸入数量並びに輸入した軽油に係る関税定率法別表の品名及び輸入統計品目表の統計番号 ③　引取りを行った軽油についての引渡しを行った者の氏名又は名称及び引渡しを行った者ごとの引取数量並びに引渡しを行った者の事務所等所在の道府県ごとの引取数量 ④　納入を受けた軽油についての納入を行った者の氏名又は名称及び納入を行った者ごとの納入数量並びに納入を行った者の事務所等所在の道府県ごとの納入数量 ⑤　引取りを行った後返還を行った軽油についての引渡しを行った者の氏名又は名称及び引渡しを行った者ごとの返還数量並びに引渡しを行った者の事務所等所在の道府県ごとの返還数量 ⑥　納入を受けた後返還を行った軽油についての納入を行った者の氏名又は名称及び納入を行った者ごとの返還数量並びに納入を行った者の事務所等所在の道府県ごとの返還数量 ⑦　引渡しを行った軽油についての引取りを行った者の氏名又は名称及び引取りを行った者ごとの引渡数量並びに引取りを行った者の事務所等所在の道府県ごとの引渡数量 ⑧　納入を行った軽油についての納入を受けた者の氏名又は名称及び納入を受けた者ごとの納入数量並びに納入を受けた者の事務所等所在の道府県ごとの納入数量 ⑨　消費を行った事務所等ごとの消費数量 ⑩　引渡しを行った後返還を受けた軽油についての引取りを行った者の氏名又は名称及び引取りを行った者ごとの返還数量並びに引取りを行った者の事務所等所在の道府県ごとの返還数量 ⑪　納入を行った後返還を受けた軽油についての納入を受けた者の氏名又は名称及び納入を受けた者ごとの返還数量並びに納入を受けた者の事務所等所在の道府県ごとの返還数量	主たる事務所等所在地の道府県知事

	⑫ 特約業者の事務所等ごとの各月末日における軽油の在庫数量	
軽油製造業者等	① 軽油の製造を行った事業所の名称及び所在地並びに事業所ごとの軽油の製造数量 ② 軽油の輸入の許可に係る税関、輸入の許可を受けた年月日、税関ごと及び輸入の許可ごとの軽油の輸入数量並びに輸入した軽油に係る関税定率法別表の品名及び輸入統計品目表の統計番号 ③ 引取りを行った軽油についての引渡しを行った者の氏名又は名称及び引渡しを行った者ごとの引取数量並びに引渡しを行った者の事務所等所在の道府県ごとの引取数量 ④ 納入を受けた軽油についての納入を行った者の氏名又は名称及び納入を行った者ごとの納入数量並びに納入を行った者の事務所等所在の道府県ごとの納入数量 ⑤ 引取りを行った後返還を行った軽油についての引渡しを行った者の氏名又は名称及び引渡しを行った者ごとの返還数量並びに引渡しを行った者の事務所等所在の道府県ごとの返還数量 ⑥ 納入を受けた後返還を行った軽油についての納入を行った者の氏名又は名称及び納入を行った者ごとの返還数量並びに納入を行った者の事務所等所在の道府県ごとの返還数量 ⑦ 引渡しを行った軽油についての引取りを行った者の氏名又は名称及び引取りを行った者ごとの引渡数量並びに引取りを行った者の事務所等所在の道府県ごとの引渡数量 ⑧ 納入を行った軽油についての納入を受けた者の氏名又は名称及び納入を受けた者ごとの納入数量並びに納入を受けた者の事務所等所在の道府県ごとの納入数量 ⑨ 消費を行った事務所等ごとの消費数量 ⑩ 引渡しを行った後返還を受けた軽油についての引取りを行った者の氏名又は名称及び引取りを行った者ごとの返還数量並びに引取りを行った者の事務所等所在の道府県ごとの返還数量 ⑪ 納入を行った後返還を受けた軽油についての納入を受けた者の氏名又は名称及び納入を受けた者ごとの返還数量並びに納入を受けた者の事務所等所在の道府県ごとの返還数量 ⑫ 軽油製造業者等の事務所等ごとの各月末日における軽油の在庫数量	主たる事務所等所在地の道府県知事

（元売業者、特約業者及び軽油製造業者等以外の者が軽油の製造をした場合の報告）
(2)　1に規定する者以外の者は、軽油の製造をした場合には、当該製造をした日から30日以内に軽油の製造に関する事実及びその数量その他の次に定める事項を、主たる事務所等所在地の道府県知事に報告しなければならない。（法144の35②、規8の48）
(一)　製造をした者の氏名又は名称、住所又は所在地及び個人番号又は法人番号（個人番号又は法人番号を有しない者にあっては、氏名又は名称及び住所又は所在地）
(二)　製造をした年月日
(三)　製造をした場所
(四)　製造に使用した炭化水素油その他の原材料の性状及び数量並びに軽油の製造方法
(五)　製造した軽油の数量
(六)　製造した軽油の用途
(七)　製造した軽油を譲渡しようとする相手方の氏名又は名称及び住所又は所在地並びに譲渡又は消費の予定年月日
(八)　製造した軽油を譲渡し、又は消費したときは、その譲渡先の氏名又は名称及び住所又は所在地、その譲渡又は消費の年月日並びにその譲渡数量又は消費数量

（報告事項に異動を生じた場合の報告）
（３）　１又は（２）に規定する者は、これらの規定により報告した事項に異動を生じた場合には、遅滞なく、その旨をこれらの規定の道府県知事に報告しなければならない。（法144の35③）

　　　（関係道府県知事に対する通知）
（４）　１又は（２）若しくは（３）の規定により報告を受けた道府県知事は、当該報告に係る事項を速やかに関係道府県知事に通知するものとする。（法144の35④）

　　　（報告の手続）
（５）　１又は（２）の規定による報告は、次の表の左欄に掲げる事項の区分に応じ、それぞれ同表の右欄に掲げる様式によるものとする。（規８の51①）

（一）　１の元売業者が軽油の納入地の道府県知事に対し報告すべき事項	第16号の37様式から第16号の40様式まで
（二）　１の元売業者、特約業者及び軽油製造業者等がその主たる事務所等所在地の道府県知事に対し報告すべき事項	第16号の41様式
（三）　（２）の規定による報告をしようとする者がその主たる事務所等所在地の道府県知事に対し報告すべき事項	第16号の42様式

　　　（現実の納入を伴う軽油の引渡しを行った場合の報告事項の省略）
（６）　元売業者、特約業者及び軽油製造業者等がその事務所等において行う自動車の保有者に対する現実の納入を伴う軽油の引渡しについては、（１）の表の中欄に掲げる事項のうち、引渡しを行った軽油についての引取りを行った者の氏名又は名称及び引取りを行った者ごとの引渡数量並びに引取りを行った者の事務所等所在の道府県ごとの引渡数量並びに納入を行った軽油についての納入を受けた者の氏名又は名称及び納入を受けた者ごとの納入数量並びに納入を受けた者の事務所等所在の道府県ごとの納入数量を省略する方法により報告することができる。ただし、道府県知事が特に必要があると認めてその報告を命じたときは、この限りでない。（規８の51②）

　　　（留意事項）
（７）　軽油の引取りの報告等については、次の諸点に留意すること。（県通９－29）
　（一）　元売業者、特約業者及び軽油製造業者等が軽油の引取り、引渡し、納入、製造又は輸入を行った場合については、その取引形態、取引数量等にかかわらず１の規定に基づき報告を行うものであること。
　（二）　元売業者、特約業者及び軽油製造業者等以外の者が軽油の製造をした場合については、その取引数量等にかかわらず（２）の規定に基づき報告を行うものであること。
　（三）　（４）に規定する「当該報告に係る事項」とは、（１）の表の中欄に掲げる事項及び（２）各号に規定する事項をいうものであること。

２　元売業者が特約業者の指図に基づき納入を行った場合の通知

　元売業者は、特約業者が当該元売業者から引取りを行った軽油について当該特約業者の指図に基づき納入を行った場合には、その納入に関する事実その他の（１）で定める事項を、当該特約業者に通知しなければならない。（法144の35⑤）

　　　（特約業者に対する通知事項）
（１）　２に規定する事項は、次に掲げる事項とする。（規８の49）
　（一）　軽油の納入先の氏名又は名称及び住所又は所在地
　（二）　納入を行った年月日
　（三）　納入を行った軽油の数量

　　　（特約業者に対する通知の手続）
（２）　元売業者は、毎月末日までに、前月の初日から末日までの間に２の規定による納入を行った軽油に係る（１）に規定する事項を、当該特約業者に対し通知しなければならない。（規８の51③）

3　軽油の引取りを行った者の特別徴収義務者への書類の提出

　第一節二の1《軽油の引取りを行う者に対する課税》又は2《納入を伴う引取りを行う者に対するみなす課税》に規定する軽油の引取りを行った者は、その事務所等ごとにその納入を受けた軽油の数量その他の（1）で定める事項を記載した書類を、当該引取りに係る特別徴収義務者に対し提出しなければならない。（法144の35⑥）

　　（記載事項）
（1）　3に規定する事項は、次に掲げる事項とする。（規8の50）
　（一）　納入を受けた軽油の引渡しを行った者の氏名又は名称及び住所又は所在地
　（二）　納入を受けた軽油の納入を行った者の氏名又は名称及び住所又は所在地
　（三）　納入を受けた年月日
　（四）　納入を受けた軽油の数量

　　（特別徴収義務者への書類の提出の手続）
（2）　第一節二の1又は2に規定する軽油の引取りを行った者は、毎月末日までに、前月の初日から末日までの間に納入を受けた軽油に係る（1）に規定する事項を記載した書類を、当該引取りに係る特別徴収義務者に提出しなければならない。（規8の51④）
　　（注）　自動車の保有者が元売業者又は特約業者の事務所等において現実の納入を伴う軽油の引取りを行う場合においての（2）の書類の提出については、特別徴収義務者が（1）に規定する事項を記載した書類を当該自動車の保有者が確認する方法で行うことができる。（規8の51⑤）

　　（特別徴収義務者の書類保存義務）
（3）　3の規定により書類の提出を受けた特別徴収義務者は、これを当該書類の提出を受けた日から7年間、当該特別徴収義務者の事務所等に保存しなければならない。（法144の35⑦、規8の52）

十　帳簿記載義務

　元売業者、特約業者、石油製品販売業者及び軽油製造業者等は、帳簿を備え、（1）から（6）までに定めるところにより、軽油又は燃料炭化水素油の引取り、引渡し、納入、貯蔵及び消費に関する事実をこれに記載しなければならない。（法144の36）
　（注）　十の帳簿の保存方法等については、第一編第十一章に規定が設けられている。（編者）

　　（帳簿記載事項）
（1）　元売業者、特約業者、石油製品販売業者及び軽油製造業者等は、事務所等ごとに、次に掲げる事項を帳簿に記載しなければならない。（規8の53①）
　（一）　引取りを行った軽油の数量及び引取りを行った年月日並びに引渡しを行った者の氏名又は名称及び引渡しを行った者の事務所等の名称及び所在地
　（二）　納入を受けた軽油の数量及び納入を受けた年月日並びに納入を行った者の氏名又は名称及び納入を行った者の事務所等の名称及び所在地
　（三）　引渡しを行った軽油の数量及び引渡しを行った年月日並びに引取りを行った者の氏名又は名称及び引取りを行った者の事務所等の名称及び所在地
　（四）　納入を行った軽油の数量及び納入を行った年月日並びに納入を受けた者の氏名又は名称及び納入を受けた者の事務所等の名称及び所在地
　（五）　各月末日における軽油の在庫数量
　（六）　消費した軽油の数量及び消費の年月日
　（七）　引取りを行った後返還を行った軽油の数量及び返還を行った年月日並びに返還を受けた者の氏名又は名称及び返還を受けた者の事務所等の名称及び所在地
　（八）　納入を受けた後返還を行った軽油の数量及び返還を行った年月日並びに返還を受けた者の氏名又は名称及び返還を受けた者の事務所等の名称及び所在地
　（九）　引渡しを行った後返還を受けた軽油の数量及び返還を受けた年月日並びに返還を行った者の氏名又は名称及び返還を行った者の事務所等の名称及び所在地

（十）　納入を行った後返還を受けた軽油の数量及び返還を受けた年月日並びに返還を行った者の氏名又は名称及び返還を行った者の事務所等の名称及び所在地

　　（課税免除の適用がある場合の付記）
　（2）　（1）の場合において、軽油が第一節五の1《輸出又は二重課税の排除のための課税免除》又は同2の①《用途による課税免除》の規定の適用を受けた、又は受けるべきものであるときには、その旨を付記しなければならない。（規8の53②）

　　（元売業者、特約業者及び軽油製造業者等の追加記載事項）
　（3）　元売業者、特約業者及び軽油製造業者等は、（1）各号に掲げる事項のほか、次に掲げる事項を記載しなければならない。（規8の53③）
　　（一）　軽油の製造を行った事業所の名称及び所在地、製造を行った年月日並びに事業所ごとの軽油の製造数量
　　（二）　軽油の輸入の許可に係る税関、輸入の許可を受けた年月日、税関ごと及び輸入の許可ごとの軽油の輸入数量並びに輸入した軽油に係る関税定率法別表の品名及び輸入統計品目表の統計番号

　　（課税軽油に係る帳簿とその他の軽油に係る帳簿の区分）
　（4）　元売業者、特約業者、石油製品販売業者及び軽油製造業者等は、帳簿を既に軽油引取税が課され又は課されるべき軽油に係るものとその他の軽油に係るものに区分しなければならない。（規8の53④）

　　（販売事業の一部の委託を受けている者の帳簿の区分）
　（5）　元売業者又は特約業者がその販売事業の一部を他の者に委託している場合においては、当該事業の委託を受けている者は、帳簿を当該委託者ごとのものとその他のものに区分し、（1）各号に掲げる事項及び当該委託に係る事項を記載しなければならない。（規8の53⑤）

　　（現実の納入を伴う軽油の引渡しを行った場合の記載事項の省略）
　（6）　元売業者、特約業者、石油製品販売業者及び軽油製造業者等がその事務所等において行う自動車の保有者に対する現実の納入を伴う軽油の引渡しについては、（1）の（三）及び（四）に掲げる事項（引渡しを行った軽油の数量及び引渡しを行った年月日並びに納入を行った軽油の数量及び納入を行った年月日を除く。）の記載を省略することができる。ただし、道府県知事が特に必要であると認めてその記載を命じたときは、この限りでない。（規8の53⑥）

　　（留意事項）
　（7）　帳簿記載義務については、次の諸点に留意する。（県通9－30）
　　（一）　元売業者、特約業者、石油製品販売業者及び軽油製造業者等は、その事務所等ごとに、（1）に規定されている事項を帳簿に記載しなければならないのであるが、記載に当たっては、日計によって記載するものであること。
　　（二）　帳簿に記載する場合において、当該記載に係る軽油が第一節五の1、同2の①又は②の規定によって軽油引取税を課さないこととされる引取りに係るものであるときは、その旨を付記しなければならないものであるが、免税証に係る軽油の引取り又は引渡しが行われたときは、当該免税証の交付に係る道府県名及び当該免税証の番号を付記するものであること。
　　（三）　元売業者、特約業者、石油製品販売業者及び軽油製造業者等がその事務所等において、自動車の保有者に対し現実の納入を伴う軽油の引渡しを行った場合については、帳簿に記載すべき事項のうち一定の事項の記載を省略することができることとしているものであるが、これは、事業者の事務の繁雑さに配慮する趣旨に出たものであること。この場合において、「現実の納入を伴う軽油の引渡し」とは、例えば、給油設備から直接自動車の燃料タンクに軽油を給油する場合をいうものであること。

十一　事業の開廃等に係る虚偽の届出等に関する罪

　次の各号のいずれかに該当する場合には、その違反行為をした者は、1年以下の懲役又は50万円以下の罰金に処する。（法144の37①）

| （一） | 八の1から3までの規定による届出をせず、又は偽ったとき |

(二)	九の1、同1の(2)及び同(3)の規定による報告若しくは同2の規定による通知をせず、又は偽ったとき
(三)	九の3の規定による書類を提出せず、又は虚偽の記載をしたものを提出したとき
(四)	九の3の(3)の規定に違反したとき
(五)	十の規定による帳簿の記載をせず、若しくは偽り、又はその帳簿を隠匿したとき

　　　（両罰規定）
　注　法人の代表者又は法人若しくは人の代理人、使用人その他の従業者がその法人又は人の業務に関して**十一**の違反行為をした場合には、その行為者を罰するほか、その法人又は人に対し、**十一**の罰金刑を科する。（法144の37②）

十二　更正及び決定等

1　更正及び決定

① 更　正
　道府県知事は、二の2の規定による納入申告書又は三の規定による申告書（以下この章において「**申告書**」と総称する。）の提出があった場合において、当該納入申告又は申告に係る課税標準量又は税額がその調査したところと異なるときは、これを更正することができる。（法144の44①）

② 決　定
　道府県知事は、軽油引取税の特別徴収義務者又は納税者が申告書を提出しなかった場合においては、その調査によって、納入申告し、又は申告すべき課税標準量及び税額を決定することができる。（法144の44②）

③ 再更正
　道府県知事は、①若しくは③の規定によって更正し、又は②の規定によって決定した課税標準量又は税額について、調査によって、過大又は過少であることを発見した場合においては、これを更正することができる。（法144の44③）

④ 決定又は更正の通知
　道府県知事は、①から③までの規定によって更正し、又は決定した場合においては、遅滞なく、これを軽油引取税の特別徴収義務者又は納税者に通知しなければならない。（法144の44④）

2　更正等に伴う不足金額及びその延滞金の徴収

① 更正又は決定があった場合の不足金額の徴収
　道府県の徴税吏員は、1の①から③までの規定による更正又は決定があった場合において、**不足金額**（更正による納入金若しくは税金の不足額又は決定による納入金額若しくは税額をいう。以下この章において同じ。）があるときは、1の④の通知をした日から15日を経過した日を納期限として、これを徴収しなければならない。（法144の45①）

② 不足金額に係る延滞金の徴収
　①の場合においては、その不足金額に二の2又は三の納期限（納期限の延長があったときは、その延長された納期限とする。以下この章において同じ。）の翌日から納入又は納付の日までの期間の日数に応じ、年14.6パーセント（①の納期限までの期間又は当該納期限（**四**の規定により徴収を猶予した税額にあっては、当該猶予した期間の末日）の翌日から1月を経過する日までの期間については、年7.3パーセント）の割合を乗じて計算した金額に相当する延滞金額を加算して徴収しなければならない。（法144の45②）
　　（注）　②に規定する延滞金の年7.3パーセントの割合については特例規定が設けられているので、第一編第十章12の①《延滞金の割合の特例》を参照。（編者）

　　　（延滞金の減免）
　注　道府県知事は、軽油引取税の特別徴収義務者又は納税者が1の①の規定による更正又は同②の規定による決定を受けたことについてやむを得ない理由があると認める場合においては、②の延滞金額を減免することができる。（法144

の45③)

十三　延滞金及び各種加算金

1　納期限後の申告納入又は納付に係る延滞金

軽油引取税の特別徴収義務者又は納税者は、二の2、三又は第一節五の2の⑤の（3）《免税証の不正受給により免税軽油の引取りを行った場合の課税》（同⑥の（5）《免税証を譲り受けて免税軽油の引取りを行った者に対する課税》において準用する場合を含む。）の納期限後にその納入金を納入し、又はその税金を納付する場合においては、当該納入金額又は税額に、これらの規定の納期限の翌日から納入又は納付の日までの期間の日数に応じ、年14.6パーセント（当該納期限（四の規定により徴収を猶予した税額にあっては、当該猶予した期間の末日）の翌日から1月を経過する日までの期間については、年7.3パーセント）の割合を乗じて計算した金額に相当する延滞金額を加算して納入し、又は納付しなければならない。（法144の46①）

（注）　1に規定する延滞金の年7.3パーセントの割合については特例規定が設けられているので、第一編第十章12の①《延滞金の割合の特例》を参照。（編者）

（延滞金の減免）

注　道府県知事は、軽油引取税の特別徴収義務者又は納税者が二の2又は三の納期限までに納入金を納入しなかったこと又は税金を納付しなかったことについてやむを得ない理由があると認める場合においては、1の延滞金額を減免することができる。（法144の46②）

2　過少申告加算金及び不申告加算金

（一）	過少申告加算金	申告書の提出期限までにその提出があった場合（申告書の提出期限後にその提出があった場合において、（二）ただし書又は（6）の規定の適用があるときを含む。以下（一）において同じ。）において、十二の1の①又は③の規定による更正があったときは、道府県知事は、当該更正前の納入申告又は申告に係る課税標準量又は税額に誤りがあったことについて正当な理由がないと認める場合には、当該更正による不足金額（以下（一）において「対象不足金額」という。）に100分の10の割合を乗じて計算した金額（当該対象不足金額（当該更正前にその更正に係る軽油引取税について更正があった場合には、その更正による不足金額の合計額（当該更正前の納入申告又は申告に係る課税標準量又は税額に誤りがあったことについて正当な理由があると認められたときは、その更正による不足金額を控除した金額とし、当該軽油引取税についてその納入すべき金額若しくは納付すべき税額を減少させる更正又は更正に係る不服申立て若しくは訴えについての決定、裁決若しくは判決による原処分の異動があったときは、これらにより減少した部分の金額に相当する金額を控除した金額とする。）を加算した金額とする。）が申告書の提出期限までにその提出があった場合における当該申告書に係る税額に相当する金額と50万円とのいずれか多い金額を超えるときは、その超える部分に相当する金額（当該対象不足金額が当該超える部分に相当する金額に満たないときは、当該対象不足金額）に100分の5の割合を乗じて計算した金額を加算した金額とする。）に相当する過少申告加算金額を徴収しなければならない。（法144の47①）
（二）	不申告加算金	次の各号のいずれかに該当する場合には、道府県知事は、当該各号に規定する申告、決定又は更正により納入し、又は納付すべき税額に100分の15の割合を乗じて計算した金額に相当する不申告加算金額を徴収しなければならない。ただし、申告書の提出期限までにその提出がなかったことについて正当な理由があると認められる場合は、この限りでない。（法144の47②）
		イ　申告書の提出期限後にその提出があった場合又は十二の1の②の規定による決定があった場合
		ロ　申告書の提出期限後にその提出があった後において十二の1の①又は③の規定による更正があった場合
		ハ　十二の1の②の規定による決定があった後において同③の規定による更正があった場合

(納付すべき税額が50万円を超える場合の加算)
(1) (二)の規定に該当する場合((二)ただし書又は(4)の規定の適用がある場合を除く。(2)及び(4)において同じ。)において、(二)に規定する納入し、又は納付すべき税額((二)のロ又はハに該当する場合には、これらの規定に規定する更正前にされた当該軽油引取税に係る申告書の提出期限後の申告又は十二の1の①から③までの規定による更正若しくは決定により納入し、又は納付すべき税額の合計額(当該納入し、若しくは納付すべき税額を減少させる更正又は更正に係る不服申立て若しくは訴えについての決定、裁決若しくは判決による原処分の異動があったときは、これらにより減少した部分の税額に相当する金額を控除した金額とする。(2)において「累積税額」という。)を加算した金額。(2)において「加算後累積税額」という。)が50万円を超えるときは、(二)に規定する不申告加算金額は、(二)の規定にかかわらず、(二)の規定により計算した金額に、その超える部分に相当する金額((二)に規定する納入し、又は納付すべき税額が当該超える部分に相当する金額に満たないときは、当該納入し、又は納付すべき税額)に100分の5の割合を乗じて計算した金額を加算した金額とする。(法144の47③)

(更正等があった日の前日から起算して5年前の日までの間に不申告加算金等を徴収されたことがある場合の不申告加算金額の計算)
(2) (二)の規定に該当する場合において、加算後累積税額(当該加算後累積税額の計算の基礎となった事実のうちに(二)各号に規定する申告、決定又は更正前の税額(還付金の額に相当する税額を含む。)の計算の基礎とされていなかったことについて当該特別徴収義務者又は納税者の責めに帰すべき事由がないと認められるものがあるときは、その事実に基づく税額として(3)で定めるところにより計算した金額を控除した税額)が300万円を超えるときは、(二)に規定する不申告加算金額は、(二)及び(1)の規定にかかわらず、加算後累積税額を次の各号に掲げる金額に区分してそれぞれの金額に当該各号に定める割合を乗じて計算した金額の合計額から累積税額を当該各号に掲げる金額に区分してそれぞれの金額に当該各号に定める割合を乗じて計算した金額の合計額を控除した金額とする。(法144の47④)
 (一) 50万円以下の部分に相当する金額　　100分の15の割合
 (二) 50万円を超え300万円以下の部分に相当する金額　　100分の20の割合
 (三) 300万円を超える部分に相当する金額　　100分の30の割合

(政令で定めるところにより計算した金額)
(3) (2)に規定する(3)で定めるところにより計算した金額は、(2)に規定する当該特別徴収義務者又は納税者の責めに帰すべき事由がないと認められる事実のみに基づいて(二)各号に規定する申告、決定又は更正があったものとした場合におけるその申告、決定又は更正により納入し、又は納付すべき税額とする。(令43の17の4)

(4) **不申告加算金の加算規定**
　(二)の規定に該当する場合において、次の各号のいずれかに該当するときは、(二)に規定する不申告加算金額は、(二)、(1)、(2)の規定にかかわらず、これらの規定により計算した金額に、(二)に規定する納入し、又は納付すべき税額に100分の10の割合を乗じて計算した金額を加算した金額とする。(法144の47⑤)
 (一) 申告書の提出期限後のその提出(当該申告書に係る軽油引取税について道府県知事の調査による決定があるべきことを予知してされたものに限る。(二)において同じ。)又は十二の1の①から③までの規定による更正若しくは決定があった日の前日から起算して5年前の日までの間に、軽油引取税について、不申告加算金((5)の規定の適用があるものを除く。(二)において同じ。)又は重加算金(3の(二)の(1)の(一)において「不申告加算金等」という。)を徴収されたことがある場合
 (二) 申告書の提出期限後のその提出又は十二の1の①から③までの規定による更正若しくは決定に係る軽油引取税の特別徴収義務又は納税義務が成立した日の属する年の前年及び前々年に特別徴収義務又は納税義務が成立した軽油引取税について、不申告加算金若しく

は重加算金（3の(二)の規定の適用があるものに限る。）（以下(二)及び3の(二)の(1)の(一)において「特定不申告加算金等」という。）を徴収されたことがあり、又は特定不申告加算金等に係る決定をすべきと認める場合

　　　　（申告書の提出が決定があることを予知してされたものでない場合の軽減）
(5)　申告書の提出期限後にその提出があった場合において、その提出が当該申告書に係る軽油引取税について道府県知事の調査による決定があるべきことを予知してされたものでないときは、当該申告書に係る税額に係る(二)に規定する不申告加算金額は、(二)から(2)までの規定にかかわらず、当該税額に100分の5の割合を乗じて計算した金額に相当する額とする。（法144の47⑥）

　　　　（不申告加算金を徴収されない場合）
(6)　(二)の規定は、(5)の規定に該当する申告書の提出があった場合において、その提出が、申告書の提出期限までに提出する意思があったと認められる場合として(7)で定める場合に該当して行われたものであり、かつ、申告書の提出期限から1月を経過する日までに行われたものであるときは、適用しない。（法144の47⑧）

　　　　（申告書の提出期限までに提出する意思があったと認められる場合）
(7)　(6)に規定する申告書の提出期限までに提出する意思があったと認められる場合は、次の各号のいずれにも該当する場合とする。（令43の18）
(一)　(6)に規定する申告書の提出があった日の前日から起算して1年前の日までの間に、軽油引取税について、(二)の表のイに該当することにより不申告加算金額又は重加算金額を課されたことがない場合であって、(6)の規定の適用を受けていないとき。
(二)　(一)に規定する申告書に係る納入し、又は納付すべき税額の全額が、次に掲げる場合の区分に応じ、それぞれ次に定める期限又は日までに納入され、又は納付されていた場合
　イ　ロに掲げる場合以外の場合　当該納入し、又は納付すべき税額に係る二の2又は三の納期限（納期限の延長があったときは、その延長された納期限）
　ロ　道府県知事が当該申告書に係る納入又は納付について口座振替の方法による旨の申出を受けていた場合　当該申告書の提出があった日

　　（過少申告加算金額又は不申告加算金額の決定の通知）
注　道府県知事は、2の(一)の規定により徴収すべき過少申告加算金額又は同(二)の規定により徴収すべき不申告加算金額を決定した場合には、遅滞なく、これを軽油引取税の特別徴収義務者又は納税者に通知しなければならない。（法144の47⑦）

3　重　加　算　金

(一)	過少申告加算金に代えて徴収する重加算金	2の(一)の規定に該当する場合において、軽油引取税の特別徴収義務者又は納税者が課税標準量の計算の基礎となるべき事実の全部又は一部を隠蔽し、又は仮装し、かつ、その隠蔽し、又は仮装した事実に基づいて申告書又は第一編第十章10の④に規定する更正請求書（(二)において「更正請求書」という。）を提出したときは、道府県知事は、注で定めるところにより同(一)に規定する過少申告加算金額に代えて、その計算の基礎となるべき更正による不足金額に100分の35の割合を乗じて計算した金額に相当する重加算金額を徴収しなければならない。（法144の48①） （注）　(一)中＿＿部分を加える令和6年度改正規定は、令和7年1月1日以後に十二の1の①に規定する申告書の提出期限が到来する軽油引取税について適用し、同日前に当該提出期限が到来した軽油引取税については、なお従前の例による。（令6改法附1二、14） （重加算金額の計算） 注　(一)又は(二)の(1)（(二)の重加算金に係る部分に限る。以下同じ。）の規定により、過少申告加算金額に代えて、重加算金額を徴収する場合には、(一)又は(二)の(1)の規定による

		重加算金額の算定の基礎となるべき(一)又は(二)の(1)に規定する不足金額に相当する金額を、2の(一)に規定する対象不足金額から控除して計算するものとした場合における過少申告加算金額以外の部分の過少申告加算金額に代えて、重加算金額を徴収するものとする。(令43の19)
(二)	不申告加算金に代えて徴収する重加算金	2の(二)の規定に該当する場合(同(二)ただし書の規定の適用がある場合を除く。)において、特別徴収義務者又は納税者が課税標準量の計算の基礎となるべき事実の全部又は一部を隠蔽し、又は仮装し、かつ、その隠蔽し、又は仮装した事実に基づいて申告書の提出期限までにこれを提出せず、又は申告書の提出期限後にその提出を<u>し、若しくは更正請求書を提出した</u>ときは、道府県知事は、同(二)に規定する不申告加算金額に代えて、その計算の基礎となるべき税額に100分の40の割合を乗じて計算した金額に相当する重加算金額を徴収しなければならない。(法144の48②) (注) (二)中___部分を加える令和6年度改正規定は、令和7年1月1日以後に十二の1の①に規定する申告書の提出期限が到来する軽油引取税について適用し、同日前に当該提出期限が到来した軽油引取税については、なお従前の例による。(令6改法附1二、14) (更正等があった日の前日から起算して5年前の日までの間に不申告加算金等を徴収されたことがある場合の重加算金額の計算) (1) (一)又は(二)の規定に該当する場合において、次の各号のいずれか((一)の規定に該当する場合にあっては、(1)の(一))に該当するときは、(一)又は(二)に規定する重加算金額は、これらの規定にかかわらず、これらの規定により計算した金額に、(一)の規定に該当するときは(一)に規定する計算の基礎となるべき更正による不足金額に、(二)の規定に該当するときは(二)に規定する計算の基礎となるべき税額に、それぞれ100分の10の割合を乗じて計算した金額を加算した金額とする。(法144の48③) (一) (一)及び(二)に規定する課税標準量の計算の基礎となるべき事実で隠蔽し、又は仮装されたものに基づき申告書の提出期限後のその提出又は十二の1の①から③までの規定による更正若しくは決定があった日の前日から起算して5年前の日までの間に、軽油引取税について、不申告加算金等を徴収されたことがある場合 (二) 申告書の提出期限後のその提出又は十二の1の①から③までの規定による更正若しくは決定に係る軽油引取税の特別徴収義務又は納税義務が成立した日の属する年の前年及び前々年に特別徴収義務又は納税義務が成立した軽油引取税について、特定不申告加算金等を徴収されたことがあり、又は特定不申告加算金等に係る決定をすべきと認める場合 (申告書の提出が決定があることを予知してされたものでない場合の不徴収) (2) 道府県知事は、(二)の規定に該当する場合において申告書の提出について2の(二)の(5)に規定する理由があるときは、当該納入申告又は申告に係る税額を基礎として計算した重加算金額を徴収しない。(法144の48④)

(重加算金額の決定の通知)
注 道府県知事は、3の(一)又は(二)の規定によって徴収すべき重加算金額を決定した場合においては、遅滞なく、これを軽油引取税の特別徴収義務者又は納税者に通知しなければならない。(法144の48⑤)

十四 雑 則

1 総務省の職員の質問検査権等及び罰則

① 総務省の職員の調査に係る質問検査権

総務大臣は、軽油引取税の徴収について適正な運営を図るため必要があると認める場合においては、その指定する職員(以下「総務省指定職員」という。)をして、次に掲げる者に質問させ、又はこれらの者の事業に関する帳簿書類その他の物件を検査させ、若しくは当該物件(その写しを含む。)の提示若しくは提出を求めさせることができる。(法144の38①)

(一)	元売業者又は元売業者の指定の申請を行った者その他第一節六の1《元売業者の指定》の各号に該当すると認められる者
(二)	(一)の者から軽油その他の石油製品の引取りを行う者

　　　（見本品の採取）
（１）　①の場合においては、当該職員は、軽油その他の石油製品について必要最少限度の数量を見本品として採取することができる。（法144の38②）

　　　（身分証明証の提示）
（２）　①及び（１）の場合においては、当該職員は、その身分を証明する証票を携帯し、関係人の請求があったときは、これを提示しなければならない。（法144の38③）

　　　（提出物件の留置き）
（３）　総務省指定職員は、（４）で定めるところにより、①の規定により提出を受けた物件を留め置くことができる。（法144の38④）

　　　（提出物件に関する書面の交付）
（４）　①に規定する総務省指定職員は、（３）の規定により物件を留め置く場合には、当該物件の名称又は種類及びその数量、当該物件の提出年月日並びに当該物件を提出した者の氏名及び住所又は居所その他当該物件の留置きに関し必要な事項を記載した書面を作成し、当該物件を提出した者にこれを交付しなければならない。（令43の17の2①）

　　　（提出物件の返還）
（５）　総務省指定職員は、（３）の規定により留め置いた物件につき留め置く必要がなくなったときは、遅滞なく、これを返還しなければならない。（令43の17の2②）

　　　（提出物件の管理）
（６）　総務省指定職員は、（５）に規定する物件を善良な管理者の注意をもって管理しなければならない。（令43の17の2③）

　　　（質問検査権の解釈）
（７）　①、（１）又は（３）に規定する総務省指定職員の権限は、犯罪捜査のために認められたものと解釈してはならない。（法144の38⑤）

② 総務省の職員の調査の事前通知等
　総務大臣は、総務省指定職員に①の(一)に掲げる者（以下「元売業者等」という。）に対し実地の調査において①の規定による質問、検査又は提示若しくは提出の要求（以下「質問検査等」という。）を行わせる場合には、あらかじめ、当該元売業者等（当該元売業者等について税務代理人（税理士法第30条（同法第48条の16において準用する場合を含む。）の書面を提出している税理士若しくは同法第48条の2に規定する税理士法人又は同法第51条第1項の規定による通知をした弁護士若しくは同条第3項の規定による通知をした弁護士法人をいう。以下同じ。）がある場合には、当該税務代理人を含む。）に対し、その旨及び次に掲げる事項を通知するものとする。（法144の38の2①）

(一)	質問検査等を行う実地の調査（以下単に「調査」という。）を開始する日時
(二)	調査を行う場所
(三)	調査の目的
(四)	軽油引取税に関する調査である旨
(五)	調査の対象となる期間
(六)	調査の対象となる帳簿書類その他の物件
(七)	その他調査の適正かつ円滑な実施に必要なものとして（１）で定める事項

(調査の事前通知に係る通知事項)
（１） ②の(七)に規定する（１）で定める事項は、次に掲げる事項とする。（令43の17の３①）
　(一) 調査（②の(一)に規定する調査をいう。以下同じ。）の相手方である②に規定する元売業者等の氏名及び住所又は居所
　(二) 調査を行う総務省指定職員の氏名（総務省指定職員が複数であるときは、総務省指定職員を代表する者の氏名）
　(三) ②の(一)又は(二)に掲げる事項の変更に関する事項
　(四) （３）の規定の趣旨

(調査の事前通知に係る通知事項に併せて通知する事項)
（２） ②の各号に掲げる事項のうち、同(二)に掲げる事項については調査を開始する日時において②に規定する質問検査等を行おうとする場所を、同(三)に掲げる事項については軽油引取税の徴収について適正な運営を図るための調査である旨を、それぞれ通知するものとし、同(六)に掲げる事項については、同(六)に掲げる物件が地方税に関する法令の規定により備付け又は保存をしなければならないこととされているものである場合にはその旨を併せて通知するものとする。（令43の17の３②）

(変更通知事項に関する協議)
（３） 総務大臣は、②の規定による通知を受けた元売業者等から合理的な理由を付して②の(一)又は(二)に掲げる事項について変更するよう求めがあった場合には、当該事項について協議するよう努めるものとする。（法144の38の２②）

(調査の事前通知事項以外の質問検査等)
（４） ②の規定は、総務指定職員が、当該調査により当該調査に係る②の(三)から(六)までに掲げる事項以外の事項について軽油引取税の徴収について適正な運営を図る必要があると認めることとなった場合において、当該事項に関し質問検査等を行うことを妨げるものではない。この場合において、②の規定は、当該事項に関する質問検査等については、適用しない。（法144の38の２③）

(元売業者に税務代理人がある場合の調査の事前通知)
（５） 元売業者等について税務代理人がある場合において、当該元売業者等の同意がある場合として（６）で定める場合に該当するときは、当該元売業者等への②の規定による通知は、当該税務代理人に対してすれば足りる。（法144の38の２④）

(調査の事前通知の税務代理権限証書への記載)
（６） （５）に規定する（６）で定める場合は、税理士法施行規則第15条の税務代理権限証書（（８）において「税務代理権限証書」という。）に、②に規定する元売業者等への調査の通知は②に規定する税務代理人に対してすれば足りる旨の記載がある場合とする。（規８の53の２①）

(元売業者等について税務代理人が数人ある場合)
（７） 元売業者等について税務代理人が数人ある場合において、当該元売業者等がこれらの税務代理人のうちから代表する税務代理人を定めた場合として（８）で定める場合に該当するときは、これらの税務代理人への②の規定による通知は、当該代表する税務代理人に対してすれば足りる。（法144の38の２⑤）

(税務代理人が数人ある場合に代表して税務代理権限証書を提出する者を定めた旨の記載)
（８） （７）に規定する（８）で定める場合は、税務代理権限証書に、当該税務代理権限証書を提出する者を（７）の代表する税務代理人として定めた旨の記載がある場合とする。（規８の53の２②）

(事前通知を要しない場合)
（９） ②の規定にかかわらず、総務大臣が調査の相手方である元売業者等の過去の調査結果の内容又はその営む事業内容に関する情報その他総務大臣が保有する情報に鑑み、違法又は不当な行為を容易にし、正確な事実の把握を困難にするおそれその他軽油引取税に関する調査の適正な遂行に支障を及ぼすおそれがあると認める場合には、②の規定による通知を要しない。（法144の38の３）

③　総務省の職員の調査の終了の際の手続
　総務大臣は、軽油引取税に関する実地の調査を行った結果、元売業者等のうち元売業者について第一節六の2《元売業者の指定の取消し》の規定により元売業者の指定を取り消すことができると認められない場合には、元売業者であって当該調査において質問検査等の相手方となった者に対し、その時点において同2の規定により元売業者の指定を取り消すことができると認められない旨を書面により通知するものとし、元売業者等のうち元売業者以外の者について同1に規定する要件に該当すると認められる場合には、元売業者以外の者であって当該調査において質問検査等の相手方となった者に対し、その時点において同1に規定する要件に該当すると認められる旨を書面により通知するものとする。（法144の38の4①）

　　　（元売業者等の指定の取消しに対する理由の説明）
（1）　総務大臣は、軽油引取税に関する調査の結果、元売業者等のうち元売業者について第一節六の2の規定により元売業者の指定を取り消すことができると認められる場合には、当該元売業者に対し、その時点において同2の規定により元売業者の指定を取り消すことができると認められる旨及びその理由を説明するものとし、元売業者等のうち元売業者以外の者について同1に規定する要件に該当すると認められない場合には、当該元売業者以外の者に対し、その時点において同1に規定する要件に該当すると認められない旨及びその理由を説明するものとする。（法144の38の4②）

　　　（実地調査により質問検査等を行った元売業者等に税務代理人がある場合）
（2）　実地の調査により質問検査等を行った元売業者等について税務代理人がある場合において、当該元売業者等の同意がある場合には、当該元売業者への③又は（1）の規定による通知又は説明に代えて、当該税務代理人へのこれらの規定による通知又は説明を行うことができる。（法144の38の4③）

④　検査拒否等に関する罪
　次の各号のいずれかに該当する場合には、その違反行為をした者は、1年以下の懲役又は50万円以下の罰金に処する。（法144の39①）

(一)	①の規定による帳簿書類その他の物件の検査又は①の（1）の規定による採取を拒み、妨げ、又は忌避したとき
(二)	①の規定による物件の提示又は提出の要求に対し、正当な理由がなくこれに応ぜず、又は偽りの記載若しくは記録をした帳簿書類その他の物件（その写しを含む。）を提示し、若しくは提出したとき
(三)	①の規定による総務省指定職員の質問に対し、答弁をしないとき、又は虚偽の答弁をしたとき

　　　（両罰規定）
　注　法人の代表者又は法人若しくは人の代理人、使用人その他の従業者がその法人又は人の業務又は財産に関して②の違反行為をした場合には、その行為者を罰するほか、その法人又は人に対し、②の罰金刑を科する。（法144の39②）

2　道府県間の協力
　道府県は、軽油引取税の取締り又は保全に関し、他の道府県と緊密な連絡を保ち、相互に協力しなければならない。（法144の40）

　　　（留意事項）
　注　道府県は、軽油引取税の取締り又は保全に関し、他の道府県と緊密な連絡を保ち、相互に協力しなければならないこととされているが、これは、軽油の取引の広域化の進展等により、税のほ脱をめぐる動きも広域化、複雑化している現状にかんがみ、道府県においても、広域的な調査体制を確立することにより、計画的な税のほ脱を防止するとともにその早期摘発を図る必要があること等から規定されたものであるので、道府県は法の趣旨を十分に踏まえ、個々の調査において必要な協力を行うことはもちろんのこと、次の諸点に留意してその協力体制の確立に万全を期するものであること。（県通9－31）
　　（一）　九に規定する軽油の引取りの報告等に係る関係道府県知事への通知については、九の1、同（2）及び同（3）の規定によるすべての報告事項を関係道府県知事に通知するものであること。
　　（二）　軽油の輸入等に係る課税の適正化を図るため、関税等に関する書類の供覧等に関する規定が設けられたところ

であるが、本制度の運用に当たっても、閲覧事項についての関係道府県知事への通知等について、十分に配意するものであること。

(三) 特約業者の主たる事務所又は事業所所在地の道府県知事が特約業者の指定及び指定の取消しを行う場合においても、関係道府県知事は十分に協力を行うものであること。

3 脱税に関する罪

(一)	特別徴収義務者に対する罰則	二の2の規定により徴収して納入すべき軽油引取税に係る納入金の全部又は一部を納入しなかったときは、その違反行為をした者は、10年以下の懲役若しくは1,000万円以下の罰金に処し、又はこれを併科する。（法144の41①）
(二)	納税者に対する罰則	偽りその他不正の行為により三の規定により納付すべき軽油引取税の全部又は一部を免れたときは、その違反行為をした者は、10年以下の懲役若しくは1,000万円以下の罰金に処し、又はこれを併科する。（法144の41②）
(三)	特別徴収義務者に対する罰則	偽りその他不正の行為により五又は六の1、2若しくは同(2)の規定による還付を受けたときは、その違反行為をした者は、10年以下の懲役若しくは1,000万円以下の罰金に処し、又はこれを併科する。（法144の41③）

(脱税額が1,000万円を超える場合の罰金額の加重)
(1) 3の(一)の納入しなかった金額、同(二)の免れた税額又は同(三)の還付を受けた金額が1,000万円を超える場合には、情状により当該各項の罰金の額は、当該各号の規定にかかわらず、1,000万円を超える額でその納入しなかった金額、免れた税額又は還付を受けた金額に相当する額以下の額とすることができる。（法144の41④）

(不申告に関する罪)
(2) 3の(二)に規定するもののほか、三の各号の規定による申告書を当該各号に規定する申告書の提出期限までに提出しないことにより、三の規定により納付すべき軽油引取税の全部又は一部を免れたときは、その違反行為をした者は、5年以下の懲役若しくは500万円以下の罰金に処し、又はこれを併科する。（法144の41⑤）

(脱税額が500万円を超える場合の罰金額の加重)
(3) (2)の免れた税額が500万円を超える場合には、情状により、(2)の罰金の額は、(2)の規定にかかわらず、500万円を超える額でその免れた税額に相当する額以下の額とすることができる。（法144の41⑥）

(両罰規定)
(4) 法人の代表者又は法人若しくは人の代理人、使用人その他の従業者がその法人又は人の業務に関して3の(一)から(三)まで又は(2)の違反行為をした場合には、その行為者を罰するほか、その法人又は人に対し、同(一)から(三)までの罰金刑を科する。（法144の41⑦）

(罰金刑を科する場合における時効の期間)
(5) (4)の規定により3の(一)から(三)まで又は(2)の違反行為につき法人又は人に罰金刑を科する場合における時効の期間は、これらの項の罪についての時効の期間による。（法144の41⑧）

4 減　　免

道府県知事は、天災その他特別の事情がある場合において軽油引取税の減免を必要とすると認められる納税者に限り、当該道府県の条例の定めるところにより、軽油引取税を減免することができる。（法144の42）

5 関税等に関する書類の供覧等

道府県知事が軽油引取税の賦課徴収について、政府に対し、関税又は外国貨物（関税法第2条第1項第3号に規定する外国貨物をいう。）に係る内国消費税（輸入品に対する内国消費税の徴収等に関する法律第2条第1号に規定する内国消費税をいう。）の納税義務者が政府に提出した申告書、政府がした更正又は決定に関する書類その他参考となるべき帳簿書類を閲覧し、又は記録することを請求した場合においては、政府は、関係帳簿書類を道府県知事又はその指定する職員に閲

覧させ、又は記録させるものとする。(法144の43)

第三節　督促、滞納処分

一　督　　促

　軽油引取税の特別徴収義務者又は納税者が納期限(更正又は決定があった場合においては、不足金額の納期限をいう。以下この章において同じ。)までに軽油引取税に係る地方団体の徴収金を完納しない場合においては、道府県の徴税吏員は、納期限後20日以内に、督促状を発しなければならない。ただし、繰上徴収をする場合又は第一節五の2の⑤の(3)《免税証の不正受給により免税軽油の引取りを行った場合の課税》(第一節五の2の⑥の(5)《免税証を譲り受けて免税軽油の引取りを行った者に対する課税》において準用する場合を含む。)の規定により徴収する場合においては、この限りでない。(法144の49①)

　　　(特別の事情がある場合の督促状の発付期限)
（1）　特別の事情がある道府県においては、当該道府県の条例で一に規定する期間と異なる期間を定めることができる。(法144の49②)

　　　(督促手数料の徴収)
（2）　道府県の徴税吏員は、督促状を発した場合においては、当該道府県の条例で定めるところにより、手数料を徴収することができる。(法144の50)

二　滞納処分

1　滞納処分
　軽油引取税に係る滞納者が次の各号のいずれかに該当するときは、道府県の徴税吏員は、当該軽油引取税に係る地方団体の徴収金につき、滞納者の財産を差し押えなければならない。(法144の51①)

(一)	滞納者が督促を受け、その督促状を発した日から起算して10日を経過した日までにその督促に係る軽油引取税に係る地方団体の徴収金を完納しないとき。
(二)	滞納者が繰上徴収に係る告知又は第一節五の2の⑤の(3)(同⑥の(5)において準用する場合を含む。)の規定による徴収に係る告知により指定された納期限までに軽油引取税に係る地方団体の徴収金を完納しないとき。

　　　(第二次納税義務者又は保証人に対する催告)
（1）　第二次納税義務者又は保証人について1の規定を適用する場合には、1の(一)中「督促状」とあるのは、「納入又は納付の催告書」とする。(法144の51②)

　　　(繰上差押え)
（2）　軽油引取税に係る地方団体の徴収金の納期限後1の(一)に規定する10日を経過した日までに、督促を受けた滞納者につき繰上徴収の事由〖第一編第三章二の1〗のいずれかに該当する事実が生じたときは、道府県の徴税吏員は、直ちにその財産を差し押えることができる。(法144の51③)

　　　(強制換価手続が行われた場合の交付要求)
（3）　滞納者の財産につき強制換価手続が行われた場合には、道府県の徴税吏員は、執行機関(破産法第114条第1号に掲げる請求権に係る軽油引取税に係る地方団体の徴収金の交付要求を行う場合には、その交付要求に係る破産事件を取り扱う裁判所)に対し、滞納に係る軽油引取税に係る地方団体の徴収金につき、交付要求をしなければならない。(法144の51④)

(参加差押え)
(4) 道府県の徴税吏員は、1、(1)及び(2)の規定により差押えをすることができる場合において、滞納者の財産で国税徴収法第86条第1項《参加差押えができる財産》各号に掲げるものにつき、既に他の地方団体の徴収金若しくは国税の滞納処分又はこれらの滞納処分の例による処分による差押えがされているときは、当該財産についての交付要求は、参加差押えによりすることができる。(法144の51⑤)

(国税徴収法の例による滞納処分)
(5) 2及び(1)から(4)までに定めるものその他軽油引取税に係る地方団体の徴収金の滞納処分については、国税徴収法に規定する滞納処分の例による。(法144の51⑥)

(道府県の区域外における処分)
(6) 2及び(1)から(5)までの規定による処分は、当該道府県の区域外においても行うことができる。(法144の51⑦)

2 滞納処分に関する罪

① 滞納処分に関する罪
　軽油引取税の特別徴収義務者又は納税者が滞納処分の執行を免れる目的でその財産を隠蔽し、損壊し、若しくは道府県の不利益に処分し、その財産に係る負担を偽って増加する行為をし、又はその現状を改変して、その財産の価額を減損し、若しくはその滞納処分に係る滞納処分費を増大させる行為をしたときは、その者は、3年以下の懲役若しくは250万円以下の罰金に処し、又はこれを併科する。(法144の52①)

(財産占有者に対する罰則)
(1) 特別徴収義務者又は納税者の財産を占有する第三者が特別徴収義務者又は納税者に滞納処分の執行を免れさせる目的で①の行為をしたときも、①と同様とする。(法144の52②)

(情を知った違反行為の相手方に対する罰則)
(2) 情を知って①又は(1)の行為につき特別徴収義務者若しくは納税者又はその財産を占有する第三者の相手方となったときは、その相手方としてその違反行為をした者は、2年以下の懲役若しくは150万円以下の罰金に処し、又はこれを併科する。(法144の52③)

(両罰規定)
(3) 法人の代表者又は法人若しくは人の代理人、使用人その他の従業者がその法人又は人の業務又は財産に関して②、(1)及び(2)の違反行為をした場合には、その行為者を罰するほか、その法人又は人に対し、②、(1)及び(2)の罰金刑を科する。(法144の52④)

② 滞納処分に関する検査拒否等の罪
　次の各号のいずれかに該当する場合には、その違反行為をした者は、1年以下の懲役又は50万円以下の罰金に処する。(法144の53①)

(一)	1の(5)の場合において、国税徴収法第141条《質問及び検査》の規定の例により行う道府県の徴税吏員の質問に対して答弁をせず、又は偽りの陳述をしたとき。
(二)	1の(5)の場合において、国税徴収法第141条の規定の例により行う道府県の徴税吏員の帳簿書類(同条に規定する帳簿書類をいう。(三)において同じ。)その他の物件の検査を拒み、妨げ、又は忌避したとき。
(三)	1の(5)の場合において、国税徴収法第141条の規定の例により行う道府県の徴税吏員の物件の提示又は提出の要求に対し、正当な理由がなくこれに応じず、又は偽りの記載若しくは記録をした帳簿書類その他の物件(その写しを含む。)を提示し、若しくは提出したとき。

(両罰規定)
注　法人の代表者又は法人若しくは人の代理人、使用人その他の従業者がその法人又は人の業務又は財産に関して②の

違反行為をした場合においては、その行為者を罰するほか、その法人又は人に対し、②の罰金刑を科する。（法144の53②）

③ **国税徴収法の例による軽油引取税に係る滞納処分に関する虚偽の陳述の罪**
　1の(5)の場合において、国税徴収法第99条の2《暴力団員等に該当しないこと等の陳述》（同法第109条第4項において準用する場合を含む。）の規定の例により道府県知事に対して陳述すべき事項について虚偽の陳述をした者は、6月以下の懲役又は50万円以下の罰金に処する。（法144の54）

第四節　交付及び使途

軽油引取税の交付に関する次の規定は省略した。（編者）
① 指定市に対する交付（法144の60）
② 法第144条の60第1項の率（令43の20）
③ 法第144条の60第1項の総務省令で定める道路（規8の54）
④ 交付時期及び交付時期ごとの交付額（規8の55）
⑤ 交付額の算定に用いる資料の提出義務（規8の56）
⑥ 一般国道等の面積の算定及び補正（規8の57、8の58）
⑦ 総務大臣が定める率の算定に用いる資料の提出義務（規8の59）
⑧ 交付すべき額の算定に錯誤があった場合の措置（規8の60）

第十章　自動車税

第一節　通　則

1　用語の意義

自動車税について、次の各号に掲げる用語の意義は、それぞれ当該各号に定めるところによる。（法145）

(一)	環境性能割	自動車のエネルギー消費効率の基準エネルギー消費効率に対する達成の程度その他の環境への負荷の低減に資する程度に応じ、自動車に対して課する自動車税をいう。
(二)	種別割	自動車の種別、用途、総排気量、最大積載量、乗車定員その他の諸元の区分に応じ、自動車に対して課する自動車税をいう。
(三)	自動車	道路運送車両法（昭和26年法律第185号）第2条第2項に規定する自動車（自動車に付加して一体となっている物として(1)で定めるものを含む。）のうち、同法第3条に規定する普通自動車及び同条に規定する小型自動車のうち三輪以上のものをいう。
(四)	エネルギー消費効率	エネルギーの使用の合理化等に関する法律（昭和54年法律第49号）第80条第1号イに規定するエネルギー消費効率をいう。
(五)	基準エネルギー消費効率	エネルギーの使用の合理化等に関する法律第78条第1項の規定により定められるエネルギー消費機器等製造事業者等の判断の基準となるべき事項を勘案して総務省令で定めるエネルギー消費効率をいう。

　　　（1の表の(三)の自動車の付加物）
（1）　1の表の(三)に規定する自動車に付加して一体となっている物として(1)で定めるものは、次に掲げる物とする。（令44）
　（一）　ラジオ、ヒーター、クーラーその他の自動車に取り付けられる自動車の附属物
　（二）　特殊の用途にのみ用いられる自動車に装備される特別な機械又は装置のうち、人又は物を運送するために用いられるもの

　　　（1の表の(五)のエネルギー消費効率）
（2）　1の表の(五)に規定するエネルギーの使用の合理化及び非化石エネルギーへの転換等に関する法律第149条第1項の規定により定められるエネルギー消費機器等製造事業者等の判断の基準となるべき事項を勘案して(2)で定めるエネルギー消費効率は、次の各号に掲げる自動車の区分に応じ、当該各号に定めるエネルギー消費効率とする。（規9）
　（一）　エネルギーの使用の合理化及び非化石エネルギーへの転換等に関する法律施行令第18条第1号に掲げる乗用自動車　乗用自動車のエネルギー消費性能の向上に関するエネルギー消費機器等製造事業者等の判断の基準等（平成25年経済産業省・国土交通省告示第2号）に定める基準エネルギー消費効率
　（二）　エネルギーの使用の合理化及び非化石エネルギーへの転換等に関する法律施行令第18条第8号に掲げる貨物自動車　貨物自動車のエネルギー消費性能の向上に関するエネルギー消費機器等製造事業者等の判断の基準等（平成27年経済産業省・国土交通省告示第1号）に定める基準エネルギー消費効率

　　　（課税客体）
（3）　自動車税の課税客体である自動車とは、道路運送車両法第3条に規定する普通自動車及び小型自動車（3輪以上のものに限る。）をいい、通常道路において運行する自動車をいうのであるから、その具体的認定に当たっては、道路運送車両法第4条の規定による登録の有無によっても差し支えないものであること。（県通10－1）

（自動車の種別又は用途の認定）
（4） 自動車の種別又は用途の認定に当たっては、次によること。（県通10－2）
　（一） 種別については、自動車登録番号の分類番号により、次のとおり認定すること。
　　（イ） 乗用車　　分類番号が3、30から39まで、300から399まで、30Aから39Zまで、3A0から3Z9まで及び3AAから3ZZまでのもの又は分類番号が5、7、50から59まで、70から79まで、500から599まで、700から799まで、50Aから59Zまで、70Aから79Zまで、5A0から5Z9まで、7A0から7Z9まで、5AAから5ZZまで及び7AAから7ZZまでのものであって、その乗車定員が10人以下のもの（ただし、三輪の小型自動車を除く。）
　　（ロ） トラック　　分類番号が1、10から19まで、100から199まで、10Aから19Zまで、1A0から1Z9まで及び1AAから1ZZまで又は4、6、40から49まで、60から69まで、400から499まで、600から699まで、40Aから49Zまで、60Aから69Zまで、4A0から4Z9まで、6A0から6Z9まで、4AAから4ZZまで及び6AAから6ZZまでのもの（ただし、三輪の小型自動車を除く。）
　　（ハ） バス　　分類番号が2、20から29まで、200から299まで、20Aから29Zまで、2A0から2Z9まで及び2AAから2ZZまでのもの又は分類番号が5、7、50から59まで、70から79まで、500から599まで、700から799まで、50Aから59Zまで、70Aから79Zまで、5A0から5Z9まで、7A0から7Z9まで、5AAから5ZZまで及び7AAから7ZZまでのものであって、その乗車定員が11人以上のもの（ただし、三輪の小型自動車を除く。）
　　（ニ） 三輪の小型自動車　　分類番号が5、7、50から59まで、70から79まで、500から599まで、700から799まで、50Aから59Zまで、70Aから79Zまで、5A0から5Z9まで、7A0から7Z9まで、5AAから5ZZまで及び7AAから7ZZまで又は4、6、40から49まで、60から69まで、400から499まで、600から699まで、40Aから49Zまで、60Aから69Zまで、4A0から4Z9まで、6A0から6Z9まで、4AAから4ZZまで及び6AAから6ZZまでのものであって、三輪のもの
　　（ホ） 特種用途車　　分類番号が8、80から89まで、800から899まで、80Aから89Zまで、8A0から8Z9まで及び8AAから8ZZまでのもの
　（二） 用途については、次のとおり認定すること。
　　（イ） 営業用の自動車とは、道路運送法第2条第2項に規定する自動車運送事業の用に供する自動車をいい、その具体的判定に当たっては、自動車検査証に事業用と記載されたものをいうこと。
　　（ロ） 自家用の自動車とは、営業用の自動車以外のすべての自動車をいうものであること。

　　（自動車に取り付けられる自動車の附属物）
（5）（1）の（一）に規定する「自動車に取り付けられる自動車の附属物」には、自動車の付属用品のうち通常自動車の取付用品といわれているものがこれに該当するものであること。また、（1）の（二）に規定する「特殊の用途にのみ用いられる自動車」とは、いわゆる特種用途自動車（自動車登録番号の分類番号が8、80から89まで、800から899まで、80Aから89Zまで、8A0から8Z9まで及び8AAから8ZZまでの自動車）をいい、当該自動車に装備されている特別な機械又は装置については、人又は物を運送するために用いられる物のみが自動車に含まれるものであること。
　　（県通10－3）

2　納税義務者等

　自動車税は、自動車に対し、当該自動車の取得者に環境性能割によって、当該自動車の所有者に種別割によって、それぞれ当該自動車の主たる定置場所在の道府県が課する。（法146①）

　　（2に規定する自動車の取得者）
（1）　2に規定する自動車の取得者には、製造により自動車を取得した自動車製造業者、販売のために自動車を取得した自動車販売業者その他運行（道路運送車両法第2条第5項に規定する運行をいう。3の（2）及び（3）において同じ。）以外の目的に供するために自動車を取得した者として（2）で定めるものを含まないものとする。（法146②）

　　（運行以外の目的に供するために自動車を取得した者）
（2）（1）に規定する運行以外の目的に供するために自動車を取得した者として（2）で定めるものは、道路（道路運送車両法第2条第6項に規定する道路をいう。）以外の場所のみにおいてその用い方に従い用いられる自動車その他（1）

に規定する運行の用に供されない自動車を取得した者とする。(令44の２)

　　　(自動車の所有者が種別割を課することができない者である場合)
(３)　自動車の所有者が４の①の規定により種別割を課することができない者である場合には、２の規定にかかわらず、当該自動車の使用者に種別割を課する。ただし、公用又は公共の用に供する自動車については、この限りでない。(法146③)

　　　(主たる定置場)
(４)　２に規定する「主たる定置場」とは、自動車を使用しない場合において、主として自動車を止めて置く場所をいうのであるが、その認定に当たっては、道路運送車両法第６条第１項に規定する自動車登録ファイルに登録された使用の本拠の位置をもって主たる定置場とすること。(県通10－４)

　　　(環境性能割における自動車の取得者)
(５)　環境性能割における自動車の取得者とは、自動車の所有権を取得した者をいうが、製造により自動車製造業者が取得した自動車及び自動車販売業者等が販売のために取得した自動車については、これに含まないこととされているものであること。(県通10－５)
　　なお、これについては次の諸点に留意すること。
(一)　自動車販売業者(以下「販売業者」という。)とは、自動車を販売することを業とする者をいい、自動車製造業者又は自動車修理業者が自動車を販売することを業とする場合には、これらの者もここにいう販売業者に含まれるものであること。
　　なお、中古車の販売をすることを業とする者は、すべて古物営業法第３条の許可を受けなければならないものとされていること。
(二)　販売業者が販売のために取得した自動車とは、販売業者が商品として取得した自動車のことをいうものであること。したがって、販売業者が自己の使用に供するために取得した自動車は、販売のために取得した自動車に含まれないこと。
　　なお、販売業者が販売のために取得した自動車であっても、後日、自己の使用に供することとなったときは、自動車の取得者として環境性能割が課されるものであること。
(三)　いわゆる下取りによって取得された中古車は、通常、販売業者が販売のために取得した自動車に該当するものであること。
(四)　(２)における運行の用に供されない自動車を例示すれば、次のような自動車であるが、これらの自動車に該当するかどうかは原則として登録の有無によって判定するよう取り扱うこと。
　　(イ)　自動車教習所の敷地内でのみ用いられる教習用自動車
　　(ロ)　工場等の敷地内でのみ用いられる自動車
　　(ハ)　展示用に、又は店舗として用いられる自動車
　　(ニ)　スクラップにされる自動車
　　また、自動車の新規登録又は移転登録(販売業者の商品自動車の取得に係る移転登録を除く。)がされた場合には、自動車が取得されたものと推定されるが、当該自動車の抹消登録をした者が同一の自動車について新規登録をしたような場合には、新たに自動車が取得されたものではないことから、環境性能割は課税できないものであること。

３　自動車税のみなし課税
　自動車の売買契約において売主が当該自動車の所有権を留保している場合には、自動車税の賦課徴収については、買主を前条第一項に規定する自動車の取得者(以下この節において「自動車の取得者」という。)及び自動車の所有者とみなして、自動車税を課する。(法147①)

　　　(買主の変更があった場合)
(１)　３の規定の適用を受ける売買契約に係る自動車について、買主の変更があったときは、新たに買主となる者を自動車の取得者及び自動車の所有者とみなして、自動車税を課する。(法147②)

　　　(販売業者等が取得した自動車について新規登録を受けた場合)
(２)　自動車製造業者、自動車販売業者又は２の(２)で定める自動車を取得した者(以下(２)において「販売業者等」

という。）が、その製造により取得した自動車又はその販売のためその他運行以外の目的に供するため取得した自動車について、当該販売業者等が、道路運送車両法第7条第1項に規定する新規登録（以下「新規登録」という。）を受けた場合（当該新規登録前に3の規定の適用を受ける売買契約の締結が行われた場合を除く。）には、当該販売業者等を自動車の取得者とみなして、環境性能割を課する。（法147③）

　　　（みなし規定）
（3）　この法律の施行地外で自動車を取得した者が、当該自動車をこの法律の施行地内に持ち込んで運行の用に供した場合には、当該自動車を運行の用に供する者を自動車の取得者とみなして、環境性能割を課する。（法147④）

　　　（留意事項）
（4）　みなす課税については、次の点に留意すること。（県通10－6）
　（一）　3に規定する「自動車の売買契約において売主が当該自動車の所有権を留保している場合」とは、例えば所有権留保付割賦販売の場合をいい、この場合には、当該自動車について現実に使用又は収益をしている買主を取得者及び所有者とみなして、自動車税を課するものとされていること。
　（二）　3の（1）に規定する「前項の規定の適用を受ける売買契約に係る自動車について、買主の変更があったとき」とは、所有権留保付で売買され、買主への所有権の移転がなお完了していない自動車について、①代金の残金は新買主が支払う、②代金の支払いの後の自動車の使用収益は新買主が行う、③代金の残金の支払いが完了すれば、売主から新買主に所有権が移転する形態等の契約によって買主の変更が行われる場合をいうものであること。

4　非課税の範囲

①　国等に対する非課税

　道府県は、国、非課税独立行政法人、国立大学法人等及び日本年金機構並びに都道府県、市町村、特別区、これらの組合、財産区、合併特例区及び地方独立行政法人に対しては、自動車税を課することができない。（法148①）

　　　（日本赤十字社が所有する自動車に対する非課税）
（1）　道府県は、日本赤十字社が所有する自動車のうち直接その本来の事業の用に供する救急自動車その他これに類するもので道府県の条例で定めるものに対しては、自動車税を課することができない。（法148②）

　　　（オーストラリア軍隊が所有する自動車で公用に供するものの非課税措置）
（2）　道府県は、オーストラリア軍隊（日本国の自衛隊とオーストラリア国防軍との間における相互のアクセス及び協力の円滑化に関する日本国とオーストラリアとの間の協定第1条（c）に規定する訪問部隊として日本国内に所在するオーストラリアの軍隊をいう。）が所有する自動車のうち公用に供するものに対しては、自動車税を課することができない。（法148③）

②　環境への負荷の低減に著しく資する自動車に対する環境性能割の非課税

　道府県は、次に掲げる自動車に対しては、環境性能割を課することができない。（法149①）

（一）	電気自動車（電気を動力源とする自動車で内燃機関を有しないものをいう。）
（二）	次に掲げる天然ガス自動車（専ら可燃性天然ガスを内燃機関の燃料として用いる自動車で（1）で定めるものをいう。イ及びロにおいて同じ。） イ　車両総重量（道路運送車両法第40条第3号に規定する車両総重量をいう。以下同じ。）が3.5トン以下の天然ガス自動車のうち、同法第41条の規定により平成30年10月1日以降に適用されるべきものとして定められた自動車排出ガスに係る保安基準又は公害防止その他の環境保全上の技術基準（以下「排出ガス保安基準」という。）で（2）で定めるものに適合するもの ロ　道路運送車両法第41条の規定により平成21年10月1日（車両総重量が3.5トンを超え12トン以下の天然ガス自動車にあっては、平成22年10月1日）以降に適用されるべきものとして定められた排出ガス保安基準で（3）で定めるもの（以下このロにおいて「平成21年天然ガス車基準」という。）に適合し、かつ、窒素酸化物の排出量が平成21年天然ガス車基準に定める窒素酸化物の値の10分の9を超えない天然ガス自動車で（4）で定めるもの
（三）	充電機能付電力併用自動車（電力併用自動車（内燃機関を有する自動車で併せて電気その他（5）で定めるものを動

力源として用いるものであって、廃エネルギーを回収する機能を備えていることにより大気汚染防止法（昭和43年法律第97号）第2条第17項に規定する自動車排出ガスの排出の抑制に資するもので(6)で定めるものをいう。）のうち、動力源として用いる電気を外部から充電する機能を備えているもので(7)で定めるものをいう。）

(四) 次に掲げるガソリン自動車（ガソリンを内燃機関の燃料として用いる自動車をいい、（三）に掲げる自動車に該当するものを除く。第二節─の2の①の（一）及び同②の（一）において同じ。）
　イ　営業用の乗用車のうち、次のいずれにも該当するもので(8)で定めるもの
　　（イ）次のいずれかに該当すること。
　　　（ⅰ）道路運送車両法第41条の規定により平成30年10月１日以降に適用されるべきものとして定められた排出ガス保安基準で(9)で定めるもの（以下「平成30年ガソリン軽中量車基準」という。）に適合し、かつ、窒素酸化物の排出量が平成30年ガソリン軽中量車基準に定める窒素酸化物の値の２分の１を超えないこと。
　　　（ⅱ）道路運送車両法第41条の規定により平成17年10月１日以降に適用されるべきものとして定められた排出ガス保安基準で(10)で定めるもの（以下「平成17年ガソリン軽中量車基準」という。）に適合し、かつ、窒素酸化物の排出量が平成17年ガソリン軽中量車基準に定める窒素酸化物の値の４分の１を超えないこと。
　　（ロ）エネルギー消費効率が基準エネルギー消費効率であって令和12年度以降の各年度において適用されるべきものとして定められたもの（以下「令和12年度基準エネルギー消費効率」という。）に100分の80を乗じて得た数値以上であること。
　　（ハ）エネルギー消費効率が基準エネルギー消費効率であって令和２年度以降の各年度において適用されるべきものとして定められたもの（以下「令和２年度基準エネルギー消費効率」という。）以上であること。
　ロ　自家用の乗用車のうち、次のいずれにも該当するもので(11)で定めるもの
　　（イ）次のいずれかに該当すること。
　　　（ⅰ）平成30年ガソリン軽中量車基準に適合し、かつ、窒素酸化物の排出量が平成30年ガソリン軽中量車基準に定める窒素酸化物の値の２分の１を超えないこと。
　　　（ⅱ）平成17年ガソリン軽中量車基準に適合し、かつ、窒素酸化物の排出量が平成17年ガソリン軽中量車基準に定める窒素酸化物の値の４分の１を超えないこと。
　　（ロ）エネルギー消費効率が令和12年度基準エネルギー消費効率に100分の85を乗じて得た数値以上であること。
　　（ハ）エネルギー消費効率が令和２年度基準エネルギー消費効率以上であること。
　ハ　車両総重量が3.5トン以下のバスのうち、次のいずれにも該当するもので(12)で定めるもの
　　（イ）次のいずれかに該当すること。
　　　（ⅰ）平成30年ガソリン軽中量車基準に適合し、かつ、窒素酸化物の排出量が平成30年ガソリン軽中量車基準に定める窒素酸化物の値の２分の１を超えないこと。
　　　（ⅱ）平成17年ガソリン軽中量車基準に適合し、かつ、窒素酸化物の排出量が平成17年ガソリン軽中量車基準に定める窒素酸化物の値の４分の１を超えないこと。
　　（ロ）エネルギー消費効率が令和２年度基準エネルギー消費効率に100分の105を乗じて得た数値以上であること。
　ニ　車両総重量が3.5トン以下のバスのうち、次のいずれにも該当するもので(13)で定めるもの
　　（イ）次のいずれかに該当すること。
　　　（ⅰ）平成30年ガソリン軽中量車基準に適合し、かつ、窒素酸化物の排出量が平成30年ガソリン軽中量車基準に定める窒素酸化物の値の４分の３を超えないこと。
　　　（ⅱ）平成17年ガソリン軽中量車基準に適合し、かつ、窒素酸化物の排出量が平成17年ガソリン軽中量車基準に定める窒素酸化物の値の２分の１を超えないこと。
　　（ロ）エネルギー消費効率が令和２年度基準エネルギー消費効率に100分の110を乗じて得た数値以上であること。
　ホ　車両総重量が3.5トン以下のトラックのうち、次のいずれにも該当するもので(14)で定めるもの
　　（イ）次のいずれかに該当すること。
　　　（ⅰ）平成30年ガソリン軽中量車基準に適合し、かつ、窒素酸化物の排出量が平成30年ガソリン軽中量車基準に定める窒素酸化物の値の２分の１を超えないこと。
　　　（ⅱ）平成17年ガソリン軽中量車基準に適合し、かつ、窒素酸化物の排出量が平成17年ガソリン軽中量車基準に定める窒素酸化物の値の４分の１を超えないこと。
　　（ロ）エネルギー消費効率が基準エネルギー消費効率であって令和４年度以降の各年度において適用されるべき

	ものとして定められたもの（以下「令和４年度基準エネルギー消費効率」という。）以上（車両総重量が2.5トン以下のトラックにあっては、令和４年度基準エネルギー消費効率に100分の105を乗じて得た数値以上）であること。
	ヘ　車両総重量が2.5トンを超え3.5トン以下のトラックのうち、次のいずれにも該当するもので(16)で定めるもの
	（イ）　次のいずれかに該当すること。
	（ⅰ）　平成30年ガソリン軽中量車基準に適合し、かつ、窒素酸化物の排出量が平成30年ガソリン軽中量車基準に定める窒素酸化物の値の4分の3を超えないこと。
	（ⅱ）　平成17年ガソリン軽中量車基準に適合し、かつ、窒素酸化物の排出量が平成17年ガソリン軽中量車基準に定める窒素酸化物の値の2分の1を超えないこと。
	（ロ）　エネルギー消費効率が令和４年度基準エネルギー消費効率に100分の105を乗じて得た数値以上であること
（五）	次に掲げる石油ガス自動車（液化石油ガスを内燃機関の燃料として用いる自動車をいい、（三）に掲げる自動車に該当するものを除く。第二節一の２の①の（二）及び同②の（二）において同じ。） イ　営業用の乗用車のうち、次のいずれにも該当するもので(17)で定めるもの 　（イ）　次のいずれかに該当すること。 　　（ⅰ）　道路運送車両法第41条の規定により平成30年10月１日以降に適用されるべきものとして定められた排出ガス保安基準で(16)で定めるもの（以下「平成30年石油ガス軽中量車基準」という。）に適合し、かつ、窒素酸化物の排出量が平成30年石油ガス軽中量車基準に定める窒素酸化物の値の2分の1を超えないこと。 　　（ⅱ）　道路運送車両法第41条の規定により平成17年10月１日以降に適用されるべきものとして定められた排出ガス保安基準で(17)で定めるもの（以下「平成17年石油ガス軽中量車基準」という。）に適合し、かつ、窒素酸化物の排出量が平成17年石油ガス軽中量車基準に定める窒素酸化物の値の4分の1を超えないこと。 　（ロ）　エネルギー消費効率が令和12年度基準エネルギー消費効率に100分の80を乗じて得た数値以上であること。 　（ハ）　エネルギー消費効率が令和２年度基準エネルギー消費効率以上であること。 ロ　自家用の乗用車のうち、次のいずれにも該当するもので(20)で定めるもの 　（イ）　次のいずれかに該当すること。 　　（ⅰ）　平成30年石油ガス軽中量車基準に適合し、かつ、窒素酸化物の排出量が平成30年石油ガス軽中量車基準に定める窒素酸化物の値の2分の1を超えないこと。 　　（ⅱ）　平成17年石油ガス軽中量車基準に適合し、かつ、窒素酸化物の排出量が平成17年石油ガス軽中量車基準に定める窒素酸化物の値の4分の1を超えないこと。 　（ロ）　エネルギー消費効率が令和12年度基準エネルギー消費効率に100分の85を乗じて得た数値以上であること。 　（ハ）　エネルギー消費効率が令和２年度基準エネルギー消費効率以上であること。
（六）	次に掲げる軽油自動車（軽油を内燃機関の燃料として用いる自動車をいい、（三）に掲げる自動車に該当するものを除く。第二節一の２の①の（三）及び同②の（三）において同じ。） イ　営業用の乗用車のうち、次のいずれにも該当するもので(21)で定めるもの 　（イ）　道路運送車両法第41条第１項の規定により平成30年10月１日以降に適用されるべきものとして定められた排出ガス保安基準で(22)で定めるもの（以下「平成30年軽油軽中量車基準」という。）又は同項の規定により平成21年10月１日以降に適用されるべきものとして定められた排出ガス保安基準で(23)で定めるもの（以下「平成21年軽油軽中量車基準」という。）に適合すること。 　（ロ）　エネルギー消費効率が令和12年度基準エネルギー消費効率に100分の80を乗じて得た数値以上であること。 　（ハ）　エネルギー消費効率が令和２年度基準エネルギー消費効率以上であること。 ロ　自家用の乗用車のうち、次のいずれにも該当するもので(24)で定めるもの 　（イ）　平成30年軽油軽中量車基準又は平成21年軽油軽中量車基準に適合すること。 　（ロ）　エネルギー消費効率が令和12年度基準エネルギー消費効率に100分の85を乗じて得た数値以上であること。 　（ハ）　エネルギー消費効率が令和２年度基準エネルギー消費効率以上であること ハ　車両総重量が3.5トン以下のバスのうち、次のいずれにも該当するもので(25)で定めるもの 　（イ）　次のいずれかに該当すること。 　　（ⅰ）　平成30年軽油軽中量車基準に適合すること。 　　（ⅱ）　平成21年軽油軽中量車基準に適合し、かつ、窒素酸化物及び粒子状物質の排出量が平成21年軽油軽中量車基準に定める窒素酸化物及び粒子状物質の値の10分の9を超えないこと。 　（ロ）　エネルギー消費効率が令和２年度基準エネルギー消費効率に100分の105を乗じて得た数値以上であるこ

　　　　　と。
　　ニ　車両総重量が3.5トン以下のバスのうち、次のいずれにも該当するもので(26)で定めるもの
　　　(イ)　平成21年軽油軽中量車基準に適合すること。
　　　(ロ)　エネルギー消費効率が令和2年度基準エネルギー消費効率に100分の110を乗じて得た数値以上であること。
　　ホ　車両総重量が2.5トンを超え3.5トン以下のトラックのうち、次のいずれにも該当するもので(27)で定めるもの
　　　(イ)　次のいずれかに該当すること。
　　　　(ⅰ)　平成30年軽油軽中量車基準に適合すること。
　　　　(ⅱ)　平成21年軽油軽中量車基準に適合し、かつ、窒素酸化物及び粒子状物質の排出量が平成21年軽油軽中量車基準に定める窒素酸化物及び粒子状物質の値の10分の9を超えないこと。
　　　(ロ)　エネルギー消費効率が令和4年度基準エネルギー消費効率以上であること。
　　ヘ　車両総重量が2.5トンを超え3.5トン以下のトラックのうち、次のいずれにも該当するもので(28)で定めるもの
　　　(イ)　平成21年軽油中量車基準に適合すること。
　　　(ロ)　エネルギー消費効率が令和4年度基準エネルギー消費効率に100分の105を乗じて得た数値以上であること。
　　ト　車両総重量が3.5トンを超えるバス又はトラックのうち、次のいずれにも該当するもので(29)で定めるもの
　　　(イ)　次のいずれかに該当すること。
　　　　(ⅰ)　道路運送車両法第41条第1項の規定により平成28年10月1日（車両総重量が3.5トンを超え7.5トン以下のものにあっては、平成30年10月1日）以降に適用されるべきものとして定められた排出ガス保安基準で(30)で定めるもの（以下「平成28年軽油重量車基準」という。）に適合すること。
　　　　(ⅱ)　道路運送車両法第41条第1項の規定により平成21年10月1日（車両総重量が12トン以下のものにあっては、平成22年10月1日）以降に適用されるべきものとして定められた排出ガス保安基準で(31)で定めるもの（以下「平成21年軽油重量車基準」という。）に適合し、かつ、窒素酸化物及び粒子状物質の排出量が平成21年軽油重量車基準に定める窒素酸化物及び粒子状物質の値の10分の9を超えないこと。
　　　(ロ)　エネルギー消費効率が基準エネルギー消費効率であって平成27年度以降の各年度において適用されるべきものとして定められたもの（以下「平成27年度基準エネルギー消費効率」という。）に100分の115を乗じて得た数値以上であること。

(注)　表の(四)から(六)中「100分の80」を「100分の90」に、「100分の85」を「100分の95」に改め、(六)のトの(ロ)を「エネルギー消費効率が基準エネルギー消費効率であって令和7年度以降の各年度において適用されるべきものとして定められたもの（以下「令和7年度基準エネルギー消費効率」という。）に100分の105を乗じて得た数値以上であること。」に改める令和5年度改正規定は、令和7年4月1日以後に取得された自動車に対して課すべき自動車税の環境性能割について適用し、同日前に取得された自動車に対して課する自動車税の環境性能割については、なお従前の例による。（令5改法附1四、12①）

　　　　(②の(二)の専ら可燃性天然ガスを内燃機関の燃料として用いる自動車等)
（1）　②の(二)に規定する専ら可燃性天然ガスを内燃機関の燃料として用いる自動車で(1)で定めるものは、内燃機関の燃料として可燃性天然ガスを用いる自動車で当該自動車に係る道路運送車両法（昭和26年法律第185号）第58条に規定する自動車検査証（以下「自動車検査証」という。）において燃料が可燃性天然ガスである旨が明らかにされているもの（可燃性天然ガス以外の燃料を用いる旨が併せて明らかにされているものを除く。）とする。（規9の2①）

　　　　(②の(二)のイに規定する平成30年10月1日以降に適用される排出ガス保安基準)
（2）　②の(二)のイに規定する平成30年10月1日以降に適用されるべきものとして定められた排出ガス保安基準で(2)で定めるものは、道路運送車両の保安基準の細目を定める告示（平成14年国土交通省告示第619号。以下「細目告示」という。）第41条第1項第11号の基準とする。（規9の2②）

　　　　(②の(二)のロに規定する平成21年10月1日以降に適用される排出ガス保安基準)
（3）　②の(二)のロに規定する平成21年10月1日（車両総重量が3.5トンを超え12トン以下の天然ガス自動車にあっては、平成22年10月1日）以降に適用されるべきものとして定められた排出ガス保安基準で(3)で定めるものは、次の各号に掲げる自動車の区分に応じ、当該各号に定める基準とする。（規9の2③）
　(一)　車両総重量（道路運送車両法第40条第3号に規定する車両総重量をいう。以下同じ。）が3.5トン以下の自動車　道路運送車両の保安基準の細目を定める告示及び道路運送車両の保安基準第2章及び第3章の規定の適用

関係の整理のため必要な事項を定める告示の一部を改正する告示（平成30年国土交通省告示第528号）による改正前の細目告示（以下「旧細目告示」という。）第41条第１項第11号イの基準又は道路運送車両の保安基準第２章及び第３章の規定の適用関係の整理のため必要な事項を定める告示（平成15年国土交通省告示第1318号。以下「適用関係告示」という。）第28条第133項の基準
　（二）　車両総重量が3.5トンを超える自動車　　細目告示第41条第１項第９号の基準

　　　（窒素酸化物排出量が平成21年天然ガス車基準に定める窒素酸化物の値の10分の９を超えない天然ガス自動車）
（４）　②の（二）のロに規定する窒素酸化物の排出量が平成21年天然ガス車基準に定める窒素酸化物の値の10分の９を超えない天然ガス自動車で（４）で定めるものは、次の各号に掲げる自動車の区分に応じ、当該各号に定める要件に該当する自動車とする。（規９の２④）
　（一）　車両総重量が3.5トン以下の自動車　　窒素酸化物の排出量が旧細目告示第41条第１項第11号イの表の（１）から（３）までに掲げる自動車の種別に応じ、同表の窒素酸化物の欄に掲げる値の10分の９を超えない自動車で、かつ、低排出ガス車認定実施要領（平成12年運輸省告示第103号）第５条の規定による認定（以下「低排出ガス車認定」という。）を受けたものであること。
　（二）　車両総重量が3.5トンを超える自動車　　窒素酸化物の排出量が細目告示第41条第１項第９号に定める窒素酸化物の値の10分の９を超えない自動車で、かつ、低排出ガス車認定を受けたものであること。

　　　（総務省令で定める動力源）
（５）　②の（三）に規定する（５）で定める動力源は、電気及び蓄圧器に蓄えられた圧力とする。（規９の２⑤）

　　　（自動車排出ガスの排出の抑制に資する自動車で総務省令で定めるもの）
（６）　②の（三）に規定する自動車排出ガスの排出の抑制に資する自動車で（６）で定めるものは、当該自動車に係る自動車検査証においてハイブリッド自動車である旨が明らかにされている自動車とする。（規９の２⑥）

　　　（動力源として用いる電気を外部から充電する機能を備えている自動車で総務省令で定めるもの）
（７）　②の（三）に規定する動力源として用いる電気を外部から充電する機能を備えている自動車で（７）で定めるものは、当該自動車に係る自動車検査証においてプラグインハイブリッド自動車である旨が明らかにされている自動車とする。（規９の２⑦）

　　　（②の（四）のイに規定する乗用車で総務省令で定めるもの）
（８）　②の（四）のイに規定する乗用車で（８）で定めるものは、次に掲げる要件に該当する自動車とする。（規９の２⑧）
　（一）　次に掲げる自動車の区分に応じ、それぞれ次に定める要件に該当すること。
　　イ　平成30年ガソリン軽中量車基準（②の（四）のイの（イ）の（ⅰ）に規定する平成30年ガソリン軽中量車基準をいう。以下同じ。）に適合する自動車　　窒素酸化物の排出量が細目告示第41条第１項第３号イの表の（１）の窒素酸化物の欄に掲げる値の２分の１を超えない自動車で、かつ、低排出ガス車認定を受けたものであること。
　　ロ　平成17年ガソリン軽中量車基準（②の（四）のイの（イ）の（ⅱ）に規定する平成17年ガソリン軽中量車基準をいう。以下同じ。）に適合する自動車　　窒素酸化物の排出量が旧細目告示第41条第１項第３号イの表の（１）の窒素酸化物の欄に掲げる値の４分の１を超えない自動車で、かつ、低排出ガス車認定を受けたものであること。
　（二）　自動車の燃費性能の評価及び公表に関する実施要領（平成16年国土交通省告示第61号。以下「燃費評価実施要領」という。）第４条の５に規定する令和12年度燃費基準達成・向上達成レベル（以下「令和12年度燃費基準達成レベル」という。）が80以上であること及び当該自動車に係る自動車検査証においてその旨が明らかにされていること。
　（三）　燃費評価実施要領第４条の２に規定する令和２年度燃費基準達成・向上達成レベル（以下「令和２年度燃費基準達成レベル」という。）が100以上であること及び当該自動車に係る自動車検査証においてその旨が明らかにされていること。
　　（注）　（８）中＿＿＿部分「80以上」を「90以上」に改める令和５年度改正規定は、令和７年４月１日以後適用する。（令５総務省令第37号附１）

　　　（②の（四）のイの（イ）の（ⅰ）に規定する平成30年10月１日以降に適用される排出ガス保安基準）
（９）　②の（四）のイの（イ）の（ⅰ）に規定する平成30年10月１日以降に適用されるべきものとして定められた排出ガス保安基準で（９）で定めるものは、細目告示第41条第１項第３号イ（粒子状物質に係る部分を除く。）の基準とする。（規９の２⑨）

(②の(四)のイの(イ)の(ⅱ)に規定する平成17年10月１日以降に適用される排出ガス保安基準)
(10) ②の(四)のイの(イ)の(ⅱ)に規定する平成17年10月１日以降に適用されるべきものとして定められた排出ガス保安基準で(10)で定めるものは、細目告示第41条第１項第３号イ（粒子状物質に係る部分を除く。）の基準又は適用関係告示第28条第108項の基準とする。（規９の２⑩）

(②の(四)のロに規定する乗用車で総務省令で定めるもの)
(11) ②の(四)のロに規定する乗用車で(11)で定めるものは、次に掲げる要件に該当する自動車とする。（規９の２⑪）
(一) 次に掲げる自動車の区分に応じ、それぞれ次に定める要件に該当すること。
　イ　平成30年ガソリン軽中量車基準に適合する自動車　窒素酸化物の排出量が細目告示第41条第１項第３号イの表の(1)の表のイの窒素酸化物の欄に掲げる値の２分の１を超えない自動車で、かつ、低排出ガス車認定を受けたものであること。
　ロ　平成17年ガソリン軽中量車基準に適合する自動車　窒素酸化物の排出量が旧細目告示第41条第１項第３号イの表の(1)の窒素酸化物の欄に掲げる値の４分の１を超えない自動車で、かつ、低排出ガス車認定を受けたものであること。
(二) 令和12年度燃費基準達成レベルが85以上であること及び当該自動車に係る自動車検査証においてその旨が明らかにされていること。
(三) 令和２年度燃費基準達成レベルが100以上であること及び当該自動車に係る自動車検査証においてその旨が明らかにされていること。
　(注)　(11)中＿＿＿部分「85以上」を「95以上」に改める令和５年度改正規定は、令和７年４月１日以後適用する。（令５総務省令第37号附１）

(②の(四)のハに規定する車両総重量が3.5トン以下のバスで総務省令で定めるもの)
(12) ②の(四)のハに規定する車両総重量が3.5トン以下のバスで(12)で定めるものは、次に掲げる要件に該当する自動車とする。（規９の２⑫）
(一) 次に掲げる自動車の区分に応じ、それぞれ次に定める要件に該当すること。
　イ　平成30年ガソリン軽中量車基準に適合する自動車　窒素酸化物の排出量が細目告示第41条第１項第３号イの表の(2)又は(3)に掲げる自動車の種別に応じ、同表の窒素酸化物の欄に掲げる値の２分の１を超えない自動車で、かつ、低排出ガス車認定を受けたものであること。
　ロ　平成17年ガソリン軽中量車基準に適合する自動車　窒素酸化物の排出量が旧細目告示第41条第１項第３号イの表の(2)又は(3)に掲げる自動車の種別に応じ、同表の窒素酸化物の欄に掲げる値の４分の１を超えない自動車で、かつ、低排出ガス車認定を受けたものであること。
(二) 令和２年度燃費基準達成レベルが105以上であること及び当該自動車に係る自動車検査証においてその旨が明らかにされていること

(②の(四)のニに規定する車両総重量が3.5トン以下のバスで総務省令で定めるもの)
(13) ②の(四)のニに規定する車両総重量が3.5トン以下のバスで(13)で定めるものは、次に掲げる要件に該当する自動車とする。（規９の２⑬）
(一) 次に掲げる自動車の区分に応じ、それぞれ次に定める要件に該当すること。
　イ　平成30年ガソリン軽中量車基準に適合する自動車　窒素酸化物の排出量が細目告示第41条第１項第３号イの表の(2)又は(3)に掲げる自動車の種別に応じ、同表の窒素酸化物の欄に掲げる値の４分の３を超えない自動車で、かつ、低排出ガス車認定を受けたものであること。
　ロ　平成17年ガソリン軽中量車基準に適合する自動車　窒素酸化物の排出量が旧細目告示第41条第１項第３号イの表の(2)又は(3)に掲げる自動車の種別に応じ、同表の窒素酸化物の欄に掲げる値の２分の１を超えない自動車で、かつ、低排出ガス車認定を受けたものであること。
(二) 令和２年度燃費基準達成レベルが110以上であること及び当該自動車に係る自動車検査証においてその旨が明らかにされていること。

(②の(四)のホに規定する車両総重量が3.5トン以下のトラックで総務省令で定めるもの)
(14) ②の(四)のホに規定する車両総重量が3.5トン以下のトラックで(14)で定めるものは、次に掲げる要件に該当する自動車とする。（規９の２⑭）
(一) 次に掲げる自動車の区分に応じ、それぞれ次に定める要件に該当すること。

イ 平成30年ガソリン軽中量車基準に適合する自動車　窒素酸化物の排出量が細目告示第41条第1項第3号イの表の(2)又は(3)に掲げる自動車の種別に応じ、同表の窒素酸化物の欄に掲げる値の2分の1を超えない自動車で、かつ、低排出ガス車認定を受けたものであること。

ロ 平成17年ガソリン軽中量車基準に適合する自動車　窒素酸化物の排出量が旧細目告示第41条第1項第3号イの表の(2)又は(3)に掲げる自動車の種別に応じ、同表の窒素酸化物の欄に掲げる値の4分の1を超えない自動車で、かつ、低排出ガス車認定を受けたものであること。

(二) 燃費評価実施要領第4条の3に規定する令和4年度燃費基準達成・向上達成レベル(以下「令和4年度燃費基準達成レベル」という。)が100(車両総重量が2.5トン以下のトラックにあっては、令和4年度燃費基準達成レベルが105)以上であること及び当該自動車に係る自動車検査証においてその旨が明らかにされていること。

(②の(四)のへに規定する車両総重量が2.5トンを超え3.5トン以下のトラックで総務省令で定めるもの)

(15) ②の(四)のへに規定する車両総重量が2.5トンを超え3.5トン以下のトラックで(15)で定めるものは、次に掲げる要件に該当する自動車とする。(規9の2⑮)

(一) 次に掲げる自動車の区分に応じ、それぞれ次に定める要件に該当すること。

イ 平成30年ガソリン軽中量車基準に適合する自動車　窒素酸化物の排出量が細目告示第41条第1項第3号イの表の(3)の窒素酸化物の欄に掲げる値の4分の3を超えない自動車で、かつ、低排出ガス車認定を受けたものであること。

ロ 平成17年ガソリン軽中量車基準に適合する自動車　窒素酸化物の排出量が旧細目告示第41条第1項第3号イの表の(3)の窒素酸化物の欄に掲げる値の2分の1を超えない自動車で、かつ、低排出ガス車認定を受けたものであること。

(二) 令和4年度燃費基準達成レベルが105以上であること及び当該自動車に係る自動車検査証においてその旨が明らかにされていること。

(②の(五)のイに規定する乗用車で総務省令で定めるもの)

(16) ②の(五)のイに規定する乗用車で(16)で定めるものは、次に掲げる要件に該当する自動車とする。(規9の2⑯)

(一) 次に掲げる自動車の区分に応じ、それぞれ次に定める要件に該当すること。

イ 平成30年石油ガス軽中量車基準(②の(五)のイの(イ)の(ⅰ)に規定する平成30年石油ガス軽中量車基準をいう。以下同じ。)に適合する自動車　窒素酸化物の排出量が細目告示第41条第1項第3号イの表の(1)の窒素酸化物の欄に掲げる値の2分の1を超えない自動車で、かつ、低排出ガス車認定を受けたものであること。

ロ 平成17年石油ガス軽中量車基準(②の(五)のイの(イ)の(ⅱ)に規定する平成17年石油ガス軽中量車基準をいう。以下同じ。)に適合する自動車　窒素酸化物の排出量が旧細目告示第41条第1項第3号イの表の(1)の窒素酸化物の欄に掲げる値の4分の1を超えない自動車で、かつ、低排出ガス車認定を受けたものであること。

(二) 令和12年度燃費基準達成レベルが80以上であること及び当該自動車に係る自動車検査証においてその旨が明らかにされていること。

(三) 令和2年度燃費基準達成レベルが100以上であること及び当該自動車に係る自動車検査証においてその旨が明らかにされていること。

(注) (16)中___部分「80以上」を「90以上」に改める令和5年度改正規定は、令和7年4月1日以後適用する。(令5総務省令第37号附1)

(②の(五)のイの(イ)の(ⅰ)に規定する平成30年10月1日以降に適用される排出ガス保安基準)

(17) ②の(五)のイの(イ)の(ⅰ)に規定する平成30年10月1日以降に適用されるべきものとして定められた排出ガス保安基準で(17)で定めるものは、細目告示第41条第1項第3号イ(粒子状物質に係る部分を除く。)の基準とする。(規9の2⑰)

(②の(五)のイの(イ)の(ⅱ)に規定する平成17年10月1日以降に適用される排出ガス保安基準)

(18) ②の(五)のイの(イ)の(ⅱ)に規定する平成17年10月1日以降に適用されるべきものとして定められた排出ガス保安基準で(18)で定めるものは、旧細目告示第41条第1項第3号イ(粒子状物質に係る部分を除く。)の基準又は適用関係告示第28条第108項の基準とする。(規9の2⑱)

(②の(五)のロに規定する乗用車で総務省令で定めるもの)

(19) ②の(五)のロに規定する乗用車で(19)で定めるものは、次に掲げる要件に該当する自動車とする。(規9の2⑲)

(一)　次に掲げる自動車の区分に応じ、それぞれ次に定める要件に該当すること。
　　イ　平成30年石油ガス軽中量車基準に適合する自動車　　窒素酸化物の排出量が細目告示第41条第1項第3号イの表の(1)の窒素酸化物の欄に掲げる値の2分の1を超えない自動車で、かつ、低排出ガス車認定を受けたものであること。
　　ロ　平成17年石油ガス軽中量車基準に適合する自動車　　窒素酸化物の排出量が旧細目告示第41条第1項第3号イの表の(1)の窒素酸化物の欄に掲げる値の4分の1を超えない自動車で、かつ、低排出ガス車認定を受けたものであること。
　(二)　令和12年度燃費基準達成レベルが<u>85以上</u>であること及び当該自動車に係る自動車検査証においてその旨が明らかにされていること。
　(三)　令和2年度燃費基準達成レベルが100以上であること及び当該自動車に係る自動車検査証においてその旨が明らかにされていること。
　　(注)　(19)中＿＿部分「85以上」を「95以上」に改める令和5年度改正規定は、令和7年4月1日以後適用する。（令5総務省令第37号附1）

　　　　（②の(六)のイに規定する乗用車で総務省令で定めるもの）
(20)　②の(六)のイに規定する乗用車で(20)で定めるものは、次に掲げる要件に該当する自動車とする。（規9の2⑳）
　(一)　令和12年度燃費基準達成レベルが<u>80以上</u>であること及び当該自動車に係る自動車検査証においてその旨が明らかにされていること。
　(二)　令和2年度燃費基準達成レベルが100以上であること及び当該自動車に係る自動車検査証においてその旨が明らかにされていること。
　　(注)　(20)中＿＿部分「80以上」を「90以上」に改める令和5年度改正規定は、令和7年4月1日以後適用する。（令5総務省令第37号附1）

　　　　（②の(六)のイの(イ)に規定する平成30年10月1日以降に適用される排出ガス保安基準）
(21)　②の(六)のイの(イ)に規定する平成30年10月1日以降に適用されるべきものとして定められた排出ガス保安基準で(21)で定めるものは、細目告示第41条第1項第7号の基準とする。（規9の2㉑）

　　　　（②の(六)のイの(イ)に規定する平成21年10月1日以降に適用される排出ガス保安基準）
(22)　②の(六)のイの(イ)に規定する平成21年10月1日以降に適用されるべきものとして定められた排出ガス保安基準で(22)で定めるものは、細目告示第41条第1項第7号イの基準とする。（規9の2㉒）

　　　　（②の(六)のロに規定する乗用車で総務省令で定めるもの）
(23)　②の(六)のロに規定する乗用車で(23)で定めるものは、次に掲げる要件に該当する自動車とする。（規9の2㉓）
　(一)　令和12年度燃費基準達成レベルが<u>85以上</u>であること及び当該自動車に係る自動車検査証においてその旨が明らかにされていること。
　(二)　令和2年度燃費基準達成レベルが100以上であること及び当該自動車に係る自動車検査証においてその旨が明らかにされていること。
　　(注)　(23)中＿＿部分「85以上」を「95以上」に改める令和5年度改正規定は、令和7年4月1日以後適用する。（令5総務省令第37号附1）

　　　　（②の(六)のハに規定する車両総重量が3.5トン以下のバスで総務省令で定めるもの）
(24)　②の(六)のハに規定する車両総重量が3.5トン以下のバスで(24)で定めるものは、次に掲げる要件（平成30年軽油軽中量車基準（同号イの(イ)に規定する平成30年軽油軽中量車基準をいう。以下同じ。）に適合する自動車にあっては、(一)に掲げる要件を除く。）に該当する自動車とする。（規9の2㉔）
　(一)　窒素酸化物及び粒子状物質の排出量が旧細目告示第41条第1項第7号イの表の(2)又は(3)に掲げる自動車の種別に応じ、同表の窒素酸化物及び粒子状物質の欄に掲げる値の10分の9を超えない自動車で、かつ、低排出ガス車認定を受けたものであること。
　(二)　令和2年度燃費基準達成レベルが105以上であること及び当該自動車に係る自動車検査証においてその旨が明らかにされていること。

　　　　（②の(六)のニに規定する車両総重量が3.5トン以下のバスで総務省令で定めるもの）
(25)　②の(六)のニに規定する車両総重量が3.5トン以下のバスで(25)で定めるものは、令和2年度燃費基準達成レベルが110以上である自動車（当該自動車に係る自動車検査証においてその旨が明らかにされている自動車に限る。）とす

る。(規9の2㉕)

(②の(六)のホに規定する車両総重量が2.5トンを超え3.5トン以下のトラックで総務省令で定めるもの)
(26) ②の(六)のホに規定する車両総重量が2.5トンを超え3.5トン以下のトラックで(26)で定めるものは、次に掲げる要件（平成30年軽油軽中量車基準に適合する自動車にあっては、(一)に掲げる要件を除く。）に該当する自動車とする。(規9の2㉖)
(一) 窒素酸化物及び粒子状物質の排出量が旧細目告示第41条第1項第7号イの表の(3)の窒素酸化物及び粒子状物質の欄に掲げる値の10分の9を超えない自動車で、かつ、低排出ガス車認定を受けたものであること。
(二) 令和4年度燃費基準達成レベルが100以上であること及び当該自動車に係る自動車検査証においてその旨が明らかにされていること。

(②の(六)のヘに規定する車両総重量が2.5トンを超え3.5トン以下のトラックで総務省令で定めるもの)
(27) ②の(六)のヘに規定する車両総重量が2.5トンを超え3.5トン以下のトラックで(27)で定めるものは、令和2年度燃費基準達成レベルが105以上である自動車（当該自動車に係る自動車検査証においてその旨が明らかにされている自動車に限る。）とする。(規9の2㉗)

(②の(六)のトに規定する車両総重量が3.5トンを超えるバス又はトラックで総務省令で定めるもの)
(28) ②の(六)のトに規定する車両総重量が3.5トンを超えるバス又はトラックで(28)で定めるものは、次に掲げる要件（平成28年軽油重量車基準（②の(六)のトの(イ)の(ⅰ)に規定する平成28年軽油重量車基準をいう。以下同じ。）に適合する自動車にあっては、(一)に掲げる要件を除く。）に該当する自動車とする。(規9の2㉘)
(一) 窒素酸化物及び粒子状物質の排出量が適用関係告示第28条第164項第1号に定める窒素酸化物及び粒子状物質の値の10分の9を超えない自動車で、かつ、低排出ガス車認定を受けたものであること。
(二) 燃費評価実施要領第4条に規定する平成27年度燃費基準達成・向上達成レベル（以下「平成27年度燃費基準達成レベル」という。）が115以上であること及び当該自動車に係る自動車検査証においてその旨が明らかにされていること。
（注） (28)中___部分を「第4条の4に規定する令和7年度燃費基準達成・向上達成レベル（以下「令和7年度燃費基準達成レベル」という。）が105」に改める令和5年度改正規定は、令和7年4月1日以後適用する。(令5総務省令第37号附1)

(②の(六)のトの(イ)の(ⅰ)に規定する平成28年10月1日以降に適用される排出ガス保安基準)
(29) ②の(六)のトの(イ)の(ⅰ)に規定する平成28年10月1日（車両総重量が3.5トンを超え7.5トン以下のものにあっては、平成30年10月1日）以降に適用されるべきものとして定められた排出ガス保安基準で(29)で定めるものは、細目告示第41条第1項第5号の基準とする。(規9の2㉙)

(②の(六)のトの(イ)の(ⅱ)に規定する平成21年10月1日以降に適用される排出ガス保安基準)
(30) ②の(六)のトの(イ)の(ⅱ)に規定する平成21年10月1日（車両総重量が12トン以下のものにあっては、平成22年10月1日）以降に適用されるべきものとして定められた排出ガス保安基準で(30)で定めるものは、適用関係告示第28条第164項第1号の基準とする。(規9の2㉚)

(読替規定)
(31) ②（(四)のイ、ロ及びホに係る部分に限る。）の規定は、令和12年度基準エネルギー消費効率を算定する方法として(31)で定める方法並びに令和2年度基準エネルギー消費効率及び平成27年度基準エネルギー消費効率を算定する方法として(32)で定める方法によりエネルギー消費効率を算定していない自動車であって、基準エネルギー消費効率であって平成22年度以降の各年度において適用されるべきものとして定められたものを算定する方法として(33)で定める方法によりエネルギー消費効率を算定している自動車（第二節―の2の④において「平成22年度基準エネルギー消費効率算定自動車」という。）について準用する。この場合において、次の表の左欄に掲げる②の規定中同表の中欄に掲げる字句は、それぞれ同表の右欄に掲げる字句に読み替えるものとする。(法149②)

| ②の(四)のイの(ロ) | 令和12年度以降の各年度において適用されるべきものとして定められたもの（以下「令和12年度基準エネルギー消費効率」という。）に<u>100</u> | 平成22年度以降の各年度において適用されるべきものとして定められたもの（以下「平成22年度基準エネルギー消費効率」という。） |

		分の80	に100分の173
②の(四)のイの(ハ)		基準エネルギー消費効率であって令和２年度以降の各年度において適用されるべきものとして定められたもの(以下「令和２年度基準エネルギー消費効率」という。)	平成22年度基準エネルギー消費効率に100分の150を乗じて得た数値
②の(四)のロの(ロ)		令和12年度基準エネルギー消費効率に<u>100分の85</u>	平成22年度基準エネルギー消費効率に<u>100分の184</u>
②の(四)のロの(ハ)		令和２年度基準エネルギー消費効率	平成22年度基準エネルギー消費効率に100分の150を乗じて得た数値
②の(四)のホの(ロ)		令和４年度基準エネルギー消費効率に100分の105	平成22年度基準エネルギー消費効率に100分の163

(注) (31)中___部分「100分の80」を「100分の90」に、「100分の173」を「100分の194」に、「100分の85」を「100分の95」に、「100分の184」を「100分の205」に改める令和５年度改正規定は、令和７年４月１日以後に取得された自動車に対して課すべき自動車税の環境性能割について適用し、同日前に取得された自動車に対して課する自動車税の環境性能割については、なお従前の例による。(令５改法附１四、12①)

(令和12年度基準エネルギー消費効率を算定する方法)
(32) (31)に規定する令和12年度基準エネルギー消費効率を算定する方法として(32)で定める方法は、自動車のエネルギー消費効率の算定等に関する省令に規定する国土交通大臣が告示で定める方法(平成18年国土交通省告示第350号。以下「エネルギー消費効率算定告示」という。)第１条第１項第３号に掲げる方法とする。(規９の２㉛)

(令和２年度基準エネルギー消費効率及び平成27年度基準エネルギー消費効率を算定する方法として総務省令で定める方法)
(33) (31)に規定する令和４年度基準エネルギー消費効率及び令和２年度基準エネルギー消費効率を算定する方法として(33)で定める方法は、エネルギー消費効率算定告示第１条第１項第２号に掲げる方法とする。(規９の２㉜)

(平成22年度以降の各年度に適用されるべきものとして定められた基準エネルギー消費効率を算定する方法)
(34) (31)に規定する基準エネルギー消費効率であって平成22年度以降の各年度において適用されるべきものとして定められたものを算定する方法として(34)で定める方法は、エネルギー消費効率算定告示第１条第１項第１号に掲げる方法とする。(規９の２㉝)

(読替規定)
(35) (31)において準用する②((四)のイ、ロ及びホに係る部分に限る。)の規定の適用がある場合における(8)、(11)及び(14)の規定の適用については、次の表の左欄に掲げる規定中同表の中欄に掲げる字句は、それぞれ同表の右欄に掲げる字句とする。(規９の２㉞)

(8)の(二)	第４条の５に規定する令和12年度燃費基準達成・向上達成レベル(以下「令和12年度燃費基準達成レベル」という。)が<u>80以上</u>であること及び	第３条に規定する10・15モード燃費値(以下「10・15モード燃費値」という。)が同告示第３条第１号に規定する平成22年度基準エネルギー消費効率(以下「平成22年度基準エネルギー消費効率」という。)に<u>100分の173</u>を乗じて得た数値以上であること並びに
	その旨	その旨並びに自動車のエネルギー消費効率の算定等に関する省令に規定する国土交通大臣が告示で定める方法(平成18年国土交通省告示第350号)第１条第１項第２号及び第３号に掲げる方法(以下「ＪＣ08モード法及びＷＬＴＣモード法」という。)により当該自動車のエネルギー消費効率が算定されていない旨
(8)の(三)	第４条の２に規定する令和２年度燃費基準達成・向上達成レベル(以下「令和２年度燃費基準達成レベ	10・15モード燃費値が平成22年度基準エネルギー消費効率に100分の150を乗じて得た数値以上であること並びに

	ル」という。）が100以上であること及び	
	その旨	その旨並びにＪＣ08モード法及びＷＬＴＣモード法により当該自動車のエネルギー消費効率が算定されていない旨
(11)の(二)	令和12年度燃費基準達成レベルが85以上であること及び	10・15モード燃費値が平成22年度基準エネルギー消費効率に100分の184を乗じて得た数値以上であること並びに
	その旨	その旨並びにＪＣ08モード法及びＷＬＴＣモード法により当該自動車のエネルギー消費効率が算定されていない旨
(11)の(三)	令和２年度燃費基準達成レベルが100以上であること及び	10・15モード燃費値が平成22年度基準エネルギー消費効率に100分の150を乗じて得た数値以上であること並びに
	その旨	その旨並びにＪＣ08モード法及びＷＬＴＣモード法により当該自動車のエネルギー消費効率が算定されていない旨
(14)の(二)	燃費評価実施要領第４条の３に規定する令和４年度燃費基準達成・向上達成レベル（以下「令和４年度燃費基準達成レベル」という。）が100（車両総重量が2.5トン以下のトラックにあっては、令和４年度燃費基準達成レベルが105）以上であること及び	10・15モード燃費値が平成22年度基準エネルギー消費効率に100分の163を乗じて得た数値以上であること並びに
	その旨	その旨並びにＪＣ08モード法及びＷＬＴＣモード法により当該自動車のエネルギー消費効率が算定されていない旨

（注）　(35)中___部分「80以上」を「90以上」に、「100分の173」を「100分の194」に、「85以上」を「95以上」に、「100分の184」を「100分の205」に改める令和５年度改正規定は、令和７年４月１日以後適用する。（令５総務省令第37号附１）

（読替規定）
(36)　②（(四)のイ及びロ、(五)並びに(六)のイ及びロに係る部分に限る。）の規定は、令和12年度基準エネルギー消費効率を算定する方法として(37)で定める方法によりエネルギー消費効率を算定していない自動車であって、令和２年度基準エネルギー消費効率及び平成27年度基準エネルギー消費効率を算定する方法として(38)で定める方法によりエネルギー消費効率を算定している自動車（第二節―２の⑤において「令和２年度基準エネルギー消費効率等算定自動車」という。）について準用する。この場合において、次の表の左欄に掲げる②の規定中同表の中欄に掲げる字句は、それぞれ同表の右欄に掲げる字句に読み替えるものとする。（法149③）

②の(四)のイの(ロ)	令和12年度以降の各年度において適用されるべきものとして定められたもの（以下「令和12年度基準エネルギー消費効率」という。）に100分の80	令和２年度以降の各年度において適用されるべきものとして定められたものに100分の116
②の(四)のロの(ロ)	令和12年度基準エネルギー消費効率に100分の85	令和２年度基準エネルギー消費効率に100分の123
②の(五)のイの(ロ)	令和12年度基準エネルギー消費効率に100分の80	令和２年度基準エネルギー消費効率に100分の116
②の(五)のロの(ロ)	令和12年度基準エネルギー消費効率に100分の85	令和２年度基準エネルギー消費効率に100分の123
②の(六)のイの(ロ)	令和12年度基準エネルギー消費効率に100分の80	令和２年度基準エネルギー消費効率に100分の116
②の(六)のロの(ロ)	令和12年度基準エネルギー消費効率に100分の85	令和２年度基準エネルギー消費効率に100分の123

(注) (36)中＿＿部分「100分の80」を「100分の90」に、「100分の116」を「100分の130」に、「100分の85」を「100分の95」に、「100分の123」を「100分の138」に改める令和5年度改正規定は、令和7年4月1日以後に取得された自動車に対して課すべき自動車税の環境性能割について適用し、同日前に取得された自動車に対して課する自動車税の環境性能割については、なお従前の例による。（令5改法附1四、12①）

　（令和12年度基準エネルギー消費効率を算定する方法として総務省令で定める方法）
(37)　(36)に規定する令和12年度基準エネルギー消費効率を算定する方法として(37)で定める方法は、エネルギー消費効率算定告示第1条第1項第3号に掲げる方法とする。（規9の2㉟）

　（令和2年度基準エネルギー消費効率及び平成27年度基準エネルギー消費効率を算定する方法として総務省令で定める方法）
(38)　(36)に規定する令和2年度基準エネルギー消費効率及び平成27年度基準エネルギー消費効率を算定する方法として(38)で定める方法は、エネルギー消費効率算定告示第1条第1項第2号に掲げる方法とする。（規9の2㊱）

　（準用規定）
(39)　(36)において準用する②（(四)のイ及びロ、(五)並びに(六)のイ及びロに係る部分に限る。）の規定の適用がある場合における(8)、(11)、(16)、(19)、(20)及び(23)の規定の適用については、次の表の左欄に掲げる規定中同表の中欄に掲げる字句は、それぞれ同表の右欄に掲げる字句とする。（規9の2㊲）

(8)の(二)	第4条の5に規定する令和12年度燃費基準達成・向上達成レベル（以下「令和12年度燃費基準達成レベル」という。）が<u>80以上</u>であること及び	第4条の2に規定する令和2年度燃費基準達成・向上達成レベルが<u>116以上</u>であること並びに
	その旨	その旨及び自動車のエネルギー消費効率の算定等に関する省令に規定する国土交通大臣が告示で定める方法（平成18年国土交通省告示第350号）第1条第1項第3号に掲げる方法（以下「WLTCモード法」という。）により当該自動車のエネルギー消費効率が算定されていない旨
(11)の(二)	令和12年度燃費基準達成レベルが<u>85以上</u>であること及び	令和2年度燃費基準達成レベルが<u>123以上</u>であること並びに
	その旨	その旨及びWLTCモード法により当該自動車のエネルギー消費効率が算定されていない旨
(16)の(二)	令和12年度燃費基準達成レベルが<u>80以上</u>であること及び	令和2年度燃費基準達成レベルが<u>116以上</u>であること並びに
	その旨	その旨及びWLTCモード法により当該自動車のエネルギー消費効率が算定されていない旨
(19)の(二)	令和12年度燃費基準達成レベルが<u>85以上</u>であること及び	令和2年度燃費基準達成レベルが<u>123以上</u>であること並びに
	その旨	その旨及びWLTCモード法により当該自動車のエネルギー消費効率が算定されていない旨
(20)の(一)	令和12年度燃費基準達成レベルが<u>80以上</u>であること及び	令和2年度燃費基準達成レベルが<u>116以上</u>であること並びに
	その旨	その旨及びWLTCモード法により当該自動車のエネルギー消費効率が算定されていない旨
(23)の(一)	令和12年度燃費基準達成レベルが<u>85以上</u>であること及び	令和2年度燃費基準達成レベルが<u>123以上</u>であること並びに
	その旨	その旨及びWLTCモード法により当該自動車のエネルギー消費

| | | 効率が算定されていない旨 |

　　　(注)　(39)中＿＿部分「80以上」を「90以上」に、「116以上」を「130以上」に、「85以上」を「95以上」に、「123以上」を「138以上」に改める令和5年度改正規定は、令和7年4月1日以後適用する。(令5総務省令第37号附1)

　　(読替規定)
(40)　②((六)のトに係る部分に限る。)の規定は、令和7年度基準エネルギー消費効率を算定する方法として(42)で定める方法によりエネルギー消費効率を算定していない自動車であって、平成27年度基準エネルギー消費効率を算定する方法として(43)で定める方法によりエネルギー消費効率を算定している自動車(以下「平成27年度基準エネルギー消費効率算定自動車」という。)について準用する。この場合において、②の(六)のトの(ロ)中「令和7年度以降の各年度において適用されるべきものとして定められたもの(以下「令和7年度基準エネルギー消費効率」という。)に100分の105」とあるのは、「平成27年度以降の各年度において適用されるべきものとして定められたものに100分の115」と読み替えるものとする。(法149④)

　　　(注)　(40)から(43)を追加する令和5年度改正規定は、令和7年4月1日以後に取得された自動車に対して課すべき自動車税の環境性能割について適用し、同日前に取得された自動車に対して課する自動車税の環境性能割については、なお従前の例による。(令5改法附1四、12①、令5総務省令第37号附1)

　　(総務省令で定める令和7年度基準エネルギー消費効率を算定する方法)
(41)　(40)に規定する令和7年度基準エネルギー消費効率を算定する方法として(41)で定める方法は、エネルギー消費効率算定告示第2条第2号に掲げる方法とする。(規9の2㊳)

　　(総務省令で定める平成27年度基準エネルギー消費効率を算定する方法)
(42)　(40)に規定する平成27年度基準エネルギー消費効率を算定する方法として(42)で定める方法は、エネルギー消費効率算定告示第2条第1号に掲げる方法とする。(規9の2㊴)

　　(準用規定)
(43)　(40)において準用する②((六)のトに係る部分に限る。)の規定の適用がある場合における(28)の規定の適用については、(28)の(二)中「第4条の4に規定する令和7年度燃費基準達成・向上達成レベル(以下「令和7年度燃費基準達成レベル」という。)が105以上であること及び」とあるのは「第4条に規定する平成27年度燃費基準達成・向上達成レベルが115以上であること並びに」と、「その旨」とあるのは「その旨及び自動車のエネルギー消費効率の算定等に関する省令に規定する国土交通大臣が告示で定める方法第2条第1号に掲げる方法により当該自動車のエネルギー消費効率が算定されていない旨」とする。(規9の2㊵)

　　(読替規定)
(44)　国土交通大臣の認定等(第二節一の3に規定する国土交通大臣の認定等をいう。以下(44)及び第二節一の2の⑤の(2)において同じ。)の申請をした者が偽りその他不正の手段(当該申請をした者に当該申請に必要な情報を直接又は間接に提供した者の偽りその他不正の手段を含む。第二節一の2の⑤の(2)において同じ。)により国土交通大臣の認定等を受けたことを事由として国土交通大臣が当該国土交通大臣の認定等を取り消した場合であって、当該取消し後にその対象となった自動車が新たに受けた国土交通大臣の認定等が自動車登録ファイル(道路運送車両法第4条に規定する自動車登録ファイルをいう。第二節一の2の⑤の(2)において同じ。)に記録されてから、当該新たに受けた国土交通大臣の認定等が当該自動車に係る自動車検査証において明らかにされるまでの間においては、当該自動車に対する(8)、(11)から(16)まで、(19)、(20)及び(23)から(28)まで(これらの規定を(35)及び(39)の規定により読み替えて適用する場合を含む。)の規定の適用については、これらの規定中「当該自動車に係る自動車検査証」とあるのは「道路運送車両法第4条に規定する自動車登録ファイル」と読み替えるものとする。(規9の2㊳)

　　　(注)　(44)中＿＿部分「規9の2㊳」を「規9の2㊶」に改める令和5年度改正規定は、令和7年4月1日以後適用する。(令5総務省令第37号附1)

　　(見直し規定)
(45)　②、(31)及び(36)の規定の適用を受ける自動車の範囲については、2年ごとに見直しを行うものとする。(法149④)

　　　(注)　(45)中＿＿部分「法149④」を「法149⑤」に改める令和5年度改正規定は、令和7年4月1日以後適用する。(令5改法附1四)

③ 形式的な所有権の移転により取得した自動車に対する環境性能割の非課税
　道府県は、次に掲げる自動車に対しては、環境性能割を課することができない。(法150①)
(一)　相続(被相続人から相続人に対してされた遺贈を含む。)により取得した自動車
(二)　法人の合併又は政令で定める分割により取得した自動車
(三)　法人が新たに法人を設立するために現物出資(現金出資をする場合における当該出資の額に相当する資産の譲渡を含む。)を行う場合(政令で定める場合に限る。)における当該新たに設立された法人が取得した自動車
(四)　会社更生法第183条(金融機関等の更生手続の特例等に関する法律(以下「更生特例法」という。)第104条又は第273条において準用する場合を含む。)、更生特例法第103条第1項(更生特例法第346条において準用する場合を含む。)又は更生特例法第272条(更生特例法第363条において準用する場合を含む。)の規定により更生計画において株式会社、更生特例法第2条第2項に規定する協同組織金融機関又は同条第6項に規定する相互会社から会社更生法第183条第1号に規定する新会社(以下「新会社」という。)、更生特例法第103条第1項第1号に規定する新協同組織金融機関(以下「新協同組織金融機関」という。)又は更生特例法第272条第1号に規定する新相互会社(以下「新相互会社」という。)に移転すべき自動車を定めた場合における当該新会社、新協同組織金融機関又は新相互会社が取得した自動車
(五)　委託者から受託者に信託財産を移す場合における当該受託者が取得した自動車
(六)　信託の効力が生じた時から引き続き委託者のみが信託財産の元本の受益者である信託により受託者から当該受益者(当該信託の効力が生じた時から引き続き委託者である者に限る。以下同じ。)に信託財産を移す場合における当該受益者が取得した自動車
(七)　信託の受託者の変更があった場合における新たな受託者が取得した自動車
(八)　保険業法の規定により保険会社がその保険契約の全部を他の保険会社に移転した場合における当該他の保険会社が取得した自動車
(九)　譲渡により担保の目的となっている財産(以下(九)及び第二節二の6において「譲渡担保財産」という。)により担保される債権の消滅により当該譲渡担保財産の設定の日から6月以内に譲渡担保財産の権利者(第二節二の6及び同(5)において「譲渡担保権者」という。)から譲渡担保財産の設定者(設定者が交代した場合に新たに設定者となる者を除く。以下(九)及び第二節二の6において同じ。)に当該譲渡担保財産を移転する場合における当該譲渡担保財産の設定者が取得した自動車

　　(売買契約に基づき自動車の所有権が移転したとき)
　注　道府県は、3又は3の(1)の規定の適用を受ける売買契約に基づき自動車の所有権がこれらの規定に規定する買主に移転したときは、当該買主が取得した自動車に対しては、重ねて環境性能割を課することができない。(法150②)

④ 東日本大震災による被災自動車等の代替自動車等に対する自動車税の環境性能割の非課税等
　道府県は、東日本大震災により滅失し、又は損壊した自動車のうち三輪以上のもの(以下④及び⑤において「被災自動車等」という。)の所有者(3に規定する場合には、これらの規定に規定する買主)その他の(1)で定める者が、被災自動車等に代わるものと道府県知事が認める自動車(以下「代替自動車」という。)の取得をした場合には、当該代替自動車の取得が令和3年3月31日までに行われたときに限り、2の規定にかかわらず、当該代替自動車に対しては、自動車税の環境性能割を課することができない。(法附53の2①)

　　(東日本大震災に係る自動車税の環境性能割の特例の適用を受ける者の範囲)
(1)　④に規定する(1)で定める者は、次に掲げる者とする。(令附32①)
(一)　被災自動車等(④に規定する被災自動車等をいう。(三)において同じ。)の所有者(3に規定する場合には、これらの規定に規定する買主)
(二)　(一)に掲げる者((二)に規定する相続人を含む。)が個人である場合において、その者について相続があったときにおけるその者の相続人
(三)　(一)に掲げる者((三)に規定する合併後存続する法人若しくは合併により設立された法人又は分割承継法人を含む。)が法人である場合において、当該法人が合併により消滅したときにおけるその合併に係る合併後存続する法人若しくは合併により設立された法人又は当該法人が分割により被災自動車等に係る事業を承継させたときにおけるその分割に係る法人税法第2条第12号の3に規定する分割承継法人(以下「分割承継法人」という。)

　　(対象区域内用途廃止等自動車の代替自動車の取得をした場合の自動車取得税の非課税)
(2)　道府県は、次の各号に掲げる自動車のうち三輪以上のもの(以下(2)及び(5)において「自動車等」という。)で

（3）で定めるもの（以下「対象区域内用途廃止等自動車等」という。）の当該各号に規定する自動車等持出困難区域を指定する旨の公示があった日における所有者（3に規定する場合には、これらの規定に規定する買主）その他の（4）で定める者が、対象区域内用途廃止等自動車等に代わるものと道府県知事が認める自動車（以下「代替自動車」という。）の取得をした場合には、当該代替自動車の取得が同日から令和3年3月31日までの間に行われたときに限り、2の規定にかかわらず、当該代替自動車に対しては、自動車税の環境性能割を課することができない。（法附53の2②）

(一) 避難指示区域であって平成24年1月1日において原子力発電所の事故に関して原子力規制委員会設置法（平成24年法律第47号）附則第54条による改正前の原子力災害対策特別措置法第20条第3項の規定により原子力災害対策本部長が市町村長に対して行った同法第28条第2項の規定により読み替えて適用される災害対策基本法第63条第1項の規定による警戒区域の設定を行うことの指示の対象区域であった区域のうち立入りが困難であるため当該区域内の自動車等を当該区域の外に移動させることが困難な区域として総務大臣が指定して公示した区域（以下「自動車等持出困難区域」という。）内に当該自動車等持出困難区域を指定する旨の公示があった日から継続してあった自動車等で、当該自動車等持出困難区域内にある間に用途を廃止したもの

(二) 自動車等持出困難区域を指定する旨の公示があった日から当該自動車等持出困難区域の指定を解除する旨の公示があった日までの間継続して当該自動車等持出困難区域内にあった自動車等で、次に掲げる自動車等の区分に応じそれぞれ次に定めるもの

　　イ　自動車等であって、使用済自動車の再資源化等に関する法律（平成14年法律第87号）第2条第1項に規定する自動車に該当するもの　　当該自動車等持出困難区域の指定を解除する旨の公示があった日から2月以内に用途を廃止し、又は同条第11項に規定する引取業者（ロにおいて「引取業者」という。）に引き渡したもの

　　ロ　イに掲げる自動車等以外の自動車等　　当該自動車等持出困難区域の指定を解除する旨の公示があった日から2月以内に用途を廃止したもの又は同日から9月以内に解体したもの

(三) 自動車等持出困難区域を指定する旨の公示があった日から当該自動車等持出困難区域の外に移動させた日までの間継続して当該自動車等持出困難区域内にあった自動車等で、次に掲げる自動車等の区分に応じそれぞれ次に定めるもの

　　イ　自動車等であって、使用済自動車の再資源化等に関する法律第2条第1項に規定する自動車に該当するもの　　当該移動させた日から2月以内に用途を廃止し、又は引取業者に引き渡したもの

　　ロ　イに掲げる自動車等以外の自動車等　　当該移動させた日から2月以内に用途を廃止したもの又は同日から9月以内に解体したもの

　　（対象区域内用途廃止等自動車の範囲）
(3) （2）に規定する（3）で定める自動車等は、次に掲げる（2）に規定する自動車等とする。（令附32②）

(一) 自動車であって、用途の廃止又は解体を事由として道路運送車両法第15条の規定により永久抹消登録がされたもの又は同法第16条第2項の規定による届出がされたもの

(二) 第三編第五章《軽自動車税》一の1《用語の意義》の（二）に規定する軽自動車のうち三輪以上のものであって、用途の廃止又は解体を事由として道路運送車両法第69条の2第1項の規定による届出がされたもの

　　（警戒区域設定指示が行われた日における所有者その他の政令で定める者）
(4) （2）に規定する（4）で定める者は、次に掲げる者とする。（令附32③）

(一) 対象区域内用途廃止等自動車等（（2）に規定する対象区域内用途廃止等自動車等をいう。（三）において同じ。）の（2）各号に規定する自動車等持出困難区域を指定する旨の公示があった日における所有者（3に規定する場合には、これらの規定に規定する買主）

(二) （一）に掲げる者（（二）に規定する相続人を含む。）が個人である場合においてその者について相続があったときにおけるその者の相続人

(三) （一）に掲げる者（（三）に規定する合併後存続する法人若しくは合併により設立された法人又は分割承継法人を含む。）が法人である場合において、当該法人が合併により消滅したときにおけるその合併に係る合併後存続する法人若しくは合併により設立された法人又は当該法人が分割により対象区域内用途廃止等自動車等に係る事業を承継させたときにおけるその分割に係る法人税法第2条第12号の3に規定する分割承継法人

　　（他の自動車の取得をした後に対象区域内自動車が対象区域内用途廃止等自動車に該当することとなった場合）
(5) 道府県は、自動車等持出困難区域内の自動車等（以下（5）及び⑤の（8）において「対象区域内自動車等」という。）の当該自動車等持出困難区域を指定する旨の公示があった日における所有者（3に規定する場合には、これらの規定

第二編第十章《自動車税》第一節《通則》

に規定する買主)その他の(6)で定める者が対象区域内自動車等以外の自動車(以下(5)及び⑤の(2)において「他の自動車」という。)の取得をした場合において、当該他の自動車の取得をした後に、対象区域内自動車等が対象区域内用途廃止等自動車等に該当することとなり、かつ、当該取得した他の自動車を対象区域内用途廃止等自動車等に代わるものと道府県知事が認めるときは、当該他の自動車の取得が同日から令和3年3月31日までの間に行われたときに限り、当該他の自動車に対して課する自動車税の環境性能割に係る地方団体の徴収金に係る納税義務を免除するものとする。(法附53の2③)

　　(自動車持出困難区域を指定する旨の公示があった日における所有者その他の政令で定める者)
(6)　(5)に規定する(6)で定める者は、次に掲げる者とする。(令附32④)
　(一)　対象区域内自動車等((5)に規定する対象区域内自動車等をいう。(三)において同じ。)の(5)に規定する自動車等持出困難区域を指定する旨の公示があった日における所有者(3に規定する場合には、これらの規定に規定する買主)
　(二)　(一)に掲げる者((二)に規定する相続人を含む。)が個人である場合においてその者について相続があったときにおけるその者の相続人
　(三)　(一)に掲げる者((三)に規定する合併後存続する法人若しくは合併により設立された法人又は分割承継法人を含む。)が法人である場合において、当該法人が合併により消滅したときにおけるその合併に係る合併後存続する法人若しくは合併により設立された法人又は当該法人が分割により対象区域内自動車等に係る事業を承継させたときにおけるその分割に係る法人税法第2条第12号の3に規定する分割承継法人

　　(総務省令で定める書類の提出)
(7)　(1)、(4)又は(6)に規定する者が④、(2)、(5)の規定の適用を受けようとする場合には、(8)、(9)で定める書類を④、(2)、(5)に規定する道府県知事に提出しなければならない。(令附32⑤)

　　(代替自動車の取得をした場合の自動車取得税の非課税の適用を受ける場合の提出書類)
(8)　(1)に規定する者が④の規定の適用を受けようとする場合における(7)に規定する(8)で定める書類は、次に掲げる書類とする。(規附23①)
　(一)　次に掲げる事項を記載した書類
　　イ　被災自動車等(④に規定する被災自動車等をいう。以下同じ。)の所有者(3又は第三編第五章第一節の2の②に規定する場合には、これらの規定に規定する買主。以下(一)において同じ。)の氏名又は名称及び住所又は本店若しくは主たる事務所の所在地、当該被災自動車等の自動車登録番号又は車両番号及び主たる定置場並びに当該被災自動車等が営業用又は自家用のいずれであるかの別
　　ロ　④の規定の適用を受けようとする自動車(以下(一)において「申請自動車」という。)の所有者の氏名又は名称、住所又は本店若しくは主たる事務所の所在地及び個人番号(行政手続における特定の個人を識別するための番号の利用等に関する法律第2条第5項に規定する個人番号をいう。以下同じ。)又は法人番号(同法第2条第15項に規定する法人番号をいう。以下同じ。)(個人番号又は法人番号を有しない者にあっては、氏名又は名称及び住所又は本店若しくは主たる事務所の所在地)、当該申請自動車の自動車登録番号、車台番号、種別及び主たる定置場並びに当該申請自動車が営業用又は自家用のいずれであるかの別
　　ハ　当該被災自動車等の所有者につき、次に掲げる自動車等(自動車又は第三編第五章第一節の1の(五)に規定する軽自動車のうち三輪以上のものをいう。以下同じ。)がある場合には、その台数、自動車登録番号又は車両番号及び車台番号
　　　(イ)　既に④の規定の適用を受けた④に規定する代替自動車
　　　(ロ)　既に(2)(地方税法等の一部を改正する等の法律(平成31年法律第2号。以下(8)において「平成31年改正法」という。)附則第11条第5項から第7項までの規定によりみなして適用される場合を含む。以下同じ。)の規定の適用を受けた(2)に規定する代替自動車
　　　(ハ)　既に(5)(平成31年改正法附則第11条第5項及び第6項の規定によりみなして適用される場合を含む。以下同じ。)の規定の適用を受けた法附則(5)に規定する他の自動車
　　　(ニ)　既に第三編第五章第一節の3の⑤の規定の適用を受けた同項に規定する代替軽自動車
　　　(ホ)　既に第三編第五章第一節の3の⑤の(2)(平成31年改正法附則第18条第5項から第7項までの規定によりみなして適用される場合を含む。以下同じ。)の規定の適用を受けた第三編第五章第一節の3の⑤の(2)に規定する代替軽自動車

第二編第十章《自動車税》第一節《通則》

　　(ヘ)　既に第三編第五章第一節の3の⑤の(5)（平成31年改正法附則第18条第5項及び第6項の規定によりみなして適用される場合を含む。以下同じ。）の規定の適用を受けた第三編第五章第一節の3の⑤の(5)に規定する他の三輪以上の軽自動車
　　(ト)　既に地方税法等の一部を改正する等の法律（平成28年法律第13号）第2条の規定による改正前の地方税法（以下「元年10月旧法」という。）附則第52条第1項の規定の適用を受けた同項に規定する代替自動車
　　(チ)　既に元年10月旧法附則第52条第2項（地方税法及び国有資産等所在市町村交付金法の一部を改正する法律（平成24年法律第17号。以下「平成24年改正法」という。）附則第15条第2項の規定により読み替えて適用される場合を含む。以下同じ。）の規定の適用を受けた元年10月旧法附則第52条第2項に規定する代替自動車
　　(リ)　既に元年10月旧法附則第52条第3項（平成24年改正法附則第15条第2項の規定により読み替えて適用される場合を含む。以下同じ。）の規定の適用を受けた元年10月旧法附則第52条第3項に規定する他の自動車
　　(ヌ)　既に平成24年改正法第1条の規定による改正前の地方税法（以下「平成24年改正前の地方税法」という。）附則第52条第2項（東日本大震災における原子力発電所の事故による災害に対処するための地方税法及び東日本大震災に対処するための特別の財政援助及び助成に関する法律の一部を改正する法律（平成23年法律第96号。以下(一)において「地方税法等改正法」という。）附則第2条の規定により読み替えて適用される場合又は平成24年改正法附則第5条第2項の規定によりなお従前の例によることとされる場合を含む。以下同じ。）の規定の適用を受けた平成24年改正前の地方税法附則第52条第2項に規定する代替自動車
　　(ル)　平成24年改正前の地方税法附則第52条第3項（地方税法等改正法附則第2条の規定により読み替えて適用される場合又は平成24年改正法附則第5条第3項の規定によりなお従前の例によることとされる場合を含む。以下同じ。）の規定の適用を受けた平成24年改正前の地方税法附則第52条第3項に規定する他の自動車
　ニ　イからハまでに規定するもののほか、申請自動車が被災自動車等に代わるものと認めるに際し、④に規定する道府県知事が必要と認める事項
　(二)　道路運送車両法第22条第1項に規定する登録事項等証明書又は同法第72条の3に規定する軽自動車検査ファイルに記録されている事項を証明した書面であって滅失し、又は損壊した自動車が被災自動車であることを証するもの
　(三)　(二)に規定する書類をやむを得ない理由により提出することができない場合には、滅失し、又は損壊した自動車等が被災自動車等であることについて当該自動車等が滅失し、若しくは損壊した場所の所在地又は当該自動車等の主たる定置場所在地の道府県知事又は市町村長が証する書類
　(四)　(1)の(二)及び(三)に掲げる者（(四)において「相続人等」という。）が、④の規定の適用を受けようとする場合には、(一)から(三)までに掲げるもののほか、戸籍の謄本又は法人に係る登記事項証明書その他のその適用を受けようとする者が相続人等に該当する旨を証する書類

　（対象区域内用途廃止等自動車の代替自動車の取得をした場合の提出書類）
(9)　(4)又は(6)に規定する者が(2)又は(5)の規定の適用を受けようとする場合における(7)に規定する(9)で定める書類は、次に掲げる書類とする。(規附23②)
　(一)　次に掲げる事項を記載した書類
　　イ　対象区域内用途廃止等自動車等（(2)に規定する対象区域内用途廃止等自動車等をいう。以下同じ。）の(2)の各号又は(5)に規定する自動車等持出困難区域を指定する旨の公示があった日における所有者（3又は第三編第五章第一節の2の②に規定する場合には、3又は第三編第五章第一節の2の②に規定する買主。以下(一)において同じ。）の氏名又は名称及び住所又は本店若しくは主たる事務所の所在地、当該対象区域内用途廃止等自動車等の自動車登録番号又は車両番号、車台番号及び主たる定置場並びに当該対象区域内用途廃止等自動車等が営業用又は自家用のいずれかであるかの別
　　ロ　(2)又は(5)の規定の適用を受けようとする自動車（以下(一)において「申請自動車」という。）の所有者の氏名又は名称、住所又は本店若しくは主たる事務所の所在地及び個人番号又は法人番号（個人番号又は法人番号を有しない者にあっては、氏名又は名称及び住所又は本店若しくは主たる事務所の所在地）、当該申請自動車の自動車登録番号、車台番号、種別及び主たる定置場並びに当該申請自動車が営業用又は自家用のいずれかであるかの別
　　ハ　当該対象区域内用途廃止等自動車等の所有者につき、次に掲げる自動車等がある場合には、その台数、自動車登録番号又は車両番号及び車台番号
　　(イ)　既に④の規定の適用を受けた④に規定する代替自動車
　　(ロ)　既に(2)の規定の適用を受けた(2)に規定する代替自動車

(ハ) 既に(5)の規定の適用を受けた(5)に規定する他の自動車
(ニ) 既に第三編第五章第一節の3の⑤の規定の適用を受けた第三編第五章第一節の3の⑤に規定する代替軽自動車
(ホ) 既に第三編第五章第一節の3の⑤の(2)の規定の適用を受けた第三編第五章第一節の3の⑤の(2)に規定する代替軽自動車
(ヘ) 既に第三編第五章第一節の3の⑤の(5)の規定の適用を受けた第三編第五章第一節の3の⑤の(5)に規定する他の三輪以上の軽自動車
(ト) 既に元年旧法附則第52条第1項の規定の適用を受けた同項に規定する代替自動車
(チ) 既に元年旧法附則第52条第2項の規定の適用を受けた同項に規定する代替自動車
(リ) 既に元年旧法附則第52条第3項の規定の適用を受けた同項に規定する他の自動車
(ヌ) 既に平成24年改正前の地方税法附則第52条第2項の規定の適用を受けた同項に規定する代替自動車
(ル) 平成24年改正前の地方税法附則第52条第3項の規定の適用を受けた同項に規定する他の自動車

ニ 当該対象区域内用途廃止等自動車等の(2)の各号又は(5)に規定する自動車等持出困難区域を指定する旨の公示があった日における所在地

ホ 当該対象区域内用途廃止等自動車等が(2)の(二)に掲げる自動車等に該当する場合には、同(二)に規定する自動車等持出困難区域の指定を解除する旨の公示があった日

ヘ 当該対象区域内用途廃止等自動車等が(2)の(三)に掲げる自動車等に該当する場合には、同(三)に規定する移動させた日

ト 当該対象区域内用途廃止等自動車等の用途を廃止し、(2)の(二)のイ若しくは(三)のイに規定する引取業者に引き渡し又は解体した日

チ イからトまでに規定するもののほか、申請自動車が対象区域内用途廃止等自動車等に代わるものと認めるに際し、(2)又は(5)に規定する道府県知事が必要と認める事項

(二) 次に掲げるいずれかの書類

イ (3)に規定する主たる定置場所在の道府県の知事が⑤の(8)に規定する対象区域内自動車等が対象区域内用途廃止等自動車等に該当することとなったことを証する書類

ロ 第三編第五章第一節の3の⑥の(28)に規定する主たる定置場所在の市町村の長が第三編第五章第一節の3の⑥の(27)に規定する対象区域内自動車等が対象区域内用途廃止等自動車等に該当することとなったことを証する書類

ハ 次に掲げる場合の区分に応じ次に定める書類

(イ) 対象区域内用途廃止等自動車等が(2)の(二)に掲げる自動車等(用途を廃止したものを除く。)に該当する場合　道路運送車両法第22条第1項に規定する登録事項等証明書((イ)から(ニ)までにおいて「登録事項等証明書」という。)であって解体した自動車等が対象区域内用途廃止等自動車等に該当することとなったことを証するもの又は同法第72条の3に規定する軽自動車検査ファイルに記録されている事項を証明した書面((ロ)から(ニ)までにおいて「検査記録事項等証明書」という。)であって解体した自動車等が対象区域内用途廃止等自動車等に該当することとなったことを証するもの及び当該自動車等を同号イに規定する引取業者に引き渡したことを証する書類又は当該自動車等を解体したことを証する書類

(ロ) 対象区域内用途廃止等自動車等が(2)の(三)に掲げる自動車等(用途を廃止したものに限る。)に該当する場合　登録事項等証明書であって用途を廃止した自動車等が対象区域内用途廃止等自動車等に該当することとなったことを証するもの又は検査記録事項等証明書であって用途を廃止した自動車等が対象区域内用途廃止等自動車等に該当することとなったことを証するもののうち用途を廃止した日の記載がされているもの及び同(三)に規定する移動させた日を証する書類(当該移動させた日を証する書類をやむを得ない理由により提出することができない場合には、当該移動させた日を確認するため(2)又は(5)に規定する道府県知事が適当と認める書類。以下(二)において同じ。)

(ハ) 対象区域内用途廃止等自動車等が(2)の(三)に掲げる自動車等(用途を廃止したものを除く。)に該当する場合　登録事項等証明書であって解体した自動車等が対象区域内用途廃止等自動車等に該当することとなったことを証するもの又は検査記録事項等証明書であって解体した自動車等が対象区域内用途廃止等自動車等に該当することとなったことを証するもの、(2)の(三)に規定する移動させた日を証する書類及び当該自動車等を(2)の(三)のイに規定する引取業者に引き渡したことを証する書類又は当該自動車等を解体したことを証する書類

(ニ) (イ)から(ハ)までに掲げる場合以外の場合　登録事項等証明書であって用途を廃止した自動車等が対象

区域内用途廃止等自動車等に該当することとなったことを証するもの又は検査記録事項等証明書であって用途を廃止した自動車等が対象区域内用途廃止等自動車等に該当することとなったことを証するもののうち用途を廃止した日の記載がされているもの
　(三)　(4)の(二)及び(三)又は(6)の(二)及び(三)に掲げる者（以下(三)において「相続人等」という。）が、(2)又は(5)の規定の適用を受けようとする場合には、(一)及び(二)に掲げるもののほか、戸籍の謄本又は法人に係る登記事項証明書その他のその適用を受けようとする者が相続人等に該当する旨を証する書類

　　（地方団体の徴収金の還付）
(10)　道府県は、自動車税の環境性能割に係る地方団体の徴収金を徴収した場合において、当該自動車税の環境性能割について(5)の規定の適用があることとなったときは、(5)の政令で定める者の申請に基づいて、当該地方団体の徴収金を還付するものとする。（法附53の2④）

　　（環境性能割に係る地方団体の徴収金を還付する場合に還付を受ける者の未納に係る徴収金があるとき）
(11)　道府県知事は、(10)の規定により自動車税の環境性能割に係る地方団体の徴収金を還付する場合において、還付を受ける者の未納に係る地方団体の徴収金があるときは、当該還付すべき額をこれに充当しなければならない。（法附53の2⑤）

　　（みなし規定）
(12)　(10)及び(11)の規定により自動車税の環境性能割に係る地方団体の徴収金を還付し、又は充当する場合には、(10)の規定による還付の申請があった日から起算して10日を経過した日を第一編第六章三の1の各号に掲げる日とみなして、同項の規定を適用する。（法附53の2⑥）

⑤　**東日本大震災による被災自動車等の代替自動車等に対する自動車税の種別割の非課税等**
　道府県は、④の(1)で定める者が、被災自動車等に代わるものと道府県知事が認める自動車を次の各号に掲げる期間に取得した場合における当該取得された自動車に対しては、2の規定にかかわらず、それぞれ当該各号に定める年度分の自動車税の種別割を課することができない。（法附54①）

| (一) | 平成31年4月1日から令和2年3月31日までの期間 | 令和元年度分及び令和2年度分 |
| (二) | 令和2年4月1日から令和3年3月31日までの期間 | 令和2年度分及び令和3年度分 |

　　（対象区域内用途廃止等自動車等の取得をした場合の自動車税の非課税）
(1)　道府県は、④の(4)で定める者が、対象区域内用途廃止等自動車等に代わるものと道府県知事が認める自動車を④に掲げる期間に取得した場合における当該取得された自動車に対しては、2の規定にかかわらず、それぞれ当該各号に定める年度分の自動車税の種別割を課することができない。（法附54②）

　　（地方団体の徴収金に係る納税義務の免除）
(2)　道府県は、④の(6)で定める者が、(5)の規定の適用を受けることとなった場合には、⑤の各号に掲げる期間に取得された他の自動車に対する当該各号に定める年度分の自動車税の種別割に係る地方団体の徴収金に係る納税義務を免除するものとする。（法附54③）

　　（地方団体の徴収金に係る納税義務の免除の適用を受ける場合の書類の提出）
(3)　④の(6)に規定する者が(2)の規定の適用を受けようとする場合には、(4)で定める書類を(2)に規定する道府県の知事に提出しなければならない。（令附32の2①）

　　（納税義務の免除の適用を受ける場合の提出書類）
(4)　(3)に規定する(4)で定める書類は、次に掲げる書類とする。（規附23の2①）
　(一)　次に掲げる事項を記載した書類
　　イ　対象区域内用途廃止等自動車等の④の(5)に規定する自動車等持出困難区域を指定する旨の公示があった日における所有者（3又は第三編第五章第一節の2の②に規定する場合には、これらの規定に規定する買主。以下(一)

において同じ。）の氏名又は名称及び住所又は本店若しくは主たる事務所の所在地、当該対象区域内用途廃止等自動車等の自動車登録番号又は車両番号、車台番号及び主たる定置場並びに当該対象区域内用途廃止等自動車等が営業用又は自家用のいずれであるかの別
　　ロ　（2）の規定の適用を受けようとする自動車（以下（一）において「申請自動車」という。）の所有者の氏名又は名称、住所又は本店若しくは主たる事務所の所在地、個人番号又は法人番号（個人番号又は法人番号を有しない者にあっては、氏名又は名称及び住所又は本店若しくは主たる事務所の所在地）、当該申請自動車の自動車登録番号、車台番号及び主たる定置場並びに当該申請自動車が営業用又は自家用のいずれであるかの別
　　ハ　当該対象区域内用途廃止等自動車等の所有者につき、次に掲げる自動車等がある場合には、その台数、自動車登録番号又は車両番号及び車台番号
　　　（イ）　既に④の規定の適用を受けた同項に規定する代替自動車
　　　（ロ）　既に④の（2）の規定の適用を受けた同項に規定する代替自動車
　　　（ハ）　既に④の（5）の規定の適用を受けた同項に規定する他の自動車
　　　（ニ）　既に第三編第五章第一節の３の⑤の規定の適用を受けた同項に規定する代替軽自動車
　　　（ホ）　既に第三編第五章第一節の３の⑤の（2）の規定の適用を受けた同項に規定する代替軽自動車
　　　（ヘ）　既に第三編第五章第一節の３の⑤の（5）の規定の適用を受けた同項に規定する他の三輪以上の軽自動車
　　　（ト）　既に元年10月旧法附則第52条第１項の規定の適用を受けた同項に規定する代替自動車
　　　（チ）　既に元年10月旧法附則第52条第２項の規定の適用を受けた同項に規定する代替自動車
　　　（リ）　既に元年10月旧法附則第52条第３項の規定の適用を受けた同項に規定する他の自動車
　　　（ヌ）　既に平成24年改正前の地方税法附則第52条第２項の規定の適用を受けた同項に規定する代替自動車
　　　（ル）　平成24年改正前の地方税法附則第52条第３項の規定の適用を受けた同項に規定する他の自動車
　　ニ　当該対象区域内用途廃止等自動車等の④の（5）に規定する自動車等持出困難区域を指定する旨の公示があった日における所在地
　　ホ　当該対象区域内用途廃止等自動車等が④の（2）の（二）に掲げる自動車等に該当する場合には、④の（2）の（二）に規定する自動車等持出困難区域の指定を解除する旨の公示があった日
　　ヘ　当該対象区域内用途廃止等自動車等が④の（2）の（三）に掲げる自動車等に該当する場合には、④の（2）の（三）に規定する移動させた日
　　ト　当該対象区域内用途廃止等自動車等の用途を廃止し、④の（2）の（二）のイ若しくは同（三）のイに規定する引取業者に引き渡し、又は解体した日
　　チ　イからトまでに規定するもののほか、申請自動車が対象区域内用途廃止等自動車等に代わるものと認めるに際し、（2）に規定する道府県の知事が必要と認める事項
　（二）　④の（5）の規定の適用を受けたことを証する書類
　（三）　④の（6）の（二）及び（三）に掲げる者（以下（三）において「相続人等」という。）が、（2）の規定の適用を受けようとする場合には、（一）及び（二）に掲げるもののほか、戸籍の謄本又は法人に係る登記事項証明書その他のその適用を受けようとする者が相続人等に該当する旨を証する書類

　　（地方団体の徴収金の還付）
（5）　道府県は、自動車税の種別割に係る地方団体の徴収金を徴収した場合において、当該自動車税の種別割について（2）の規定の適用があることとなったときは、④の（6）で定める者の申請に基づいて、当該地方団体の徴収金を還付するものとする。（法附54④）

　　（地方団体の徴収金を還付する場合の充当）
（6）　道府県知事は、（5）の規定により自動車税の種別割に係る地方団体の徴収金を還付する場合において、還付を受ける者の未納に係る地方団体の徴収金があるときは、当該還付すべき額をこれに充当しなければならない。（法附54⑤）

　　（地方団体の徴収金の還付及び充当）
（7）　（5）及び（6）の規定により自動車税の種別割に係る地方団体の徴収金を還付し、又は充当する場合には、（5）の規定による還付の申請があった日から起算して10日を経過した日を第一編第六章三の１の各号に掲げる日とみなして、（5）の規定を適用する。（法附54⑥）

(納税義務の免除のみなし規定)
(8) 対象区域内自動車等(自動車であるものに限る。以下(8)において同じ。)が対象区域内用途廃止等自動車等に該当することとなった場合には、当該対象区域内自動車等は、2の規定の適用については、当該対象区域内自動車等に係る自動車等持出困難区域を指定する旨の公示があった日以後2に規定する自動車でなかったものとみなす。(法附54⑦)

(納税義務の免除のみなし規定の適用を受ける場合の書類の提出)
(9) (8)に規定する場合には、(8)に規定する対象区域内自動車等の所有者(3又は第三編第五章第一節の2の②に規定する場合には、これらの規定に規定する買主)は、(10)で定める書類を当該対象区域内自動車等の主たる定置場所在の道府県の知事に提出しなければならない。(令附32の2②)

(納税義務の免除のみなし規定の適用を受ける場合の書類)
(10) (9)に規定する(10)で定める書類は、次に掲げる書類とする。(規附23の2②)
 (一) 次に掲げる事項を記載した書類
  イ 対象区域内用途廃止等自動車等の所有者(3又は第三編第五章第一節の2の②に規定する場合には、これらの規定に規定する買主。ロにおいて同じ。)の氏名又は名称、住所又は本店若しくは主たる事務所の所在地、個人番号又は法人番号(個人番号又は法人番号を有しない者にあっては、氏名又は名称及び住所又は本店若しくは主たる事務所の所在地)、当該対象区域内用途廃止等自動車等の自動車登録番号又は車両番号、車台番号及び主たる定置場並びに当該対象区域内用途廃止等自動車等が営業用又は自家用のいずれであるかの別
  ロ 当該対象区域内用途廃止等自動車等の(8)に規定する自動車等持出困難区域を指定する旨の公示があった日における所有者の氏名又は名称
  ハ 当該対象区域内用途廃止等自動車等の(8)に規定する自動車等持出困難区域を指定する旨の公示があった日における所在地
  ニ 当該対象区域内用途廃止等自動車等が④の(2)の(二)に掲げる自動車等に該当する場合には、④の(2)の(二)に規定する自動車等持出困難区域の指定を解除する旨の公示があった日
  ホ 当該対象区域内用途廃止等自動車等が④の(2)の(三)に掲げる自動車等に該当する場合には、④の(2)の(三)に規定する移動させた日
  ヘ 当該対象区域内用途廃止等自動車等の用途を廃止し、④の(2)の(二)イ若しくは同(三)イに規定する引取業者に引き渡し、又は解体した日
  ト イからヘまでに規定するもののほか、(8)に規定する対象区域内自動車等が対象区域内用途廃止等自動車等に該当することとなったと認めるに際し、当該対象区域内自動車等の主たる定置場所在の道府県の知事が必要と認める事項
 (二) 道路運送車両法第22条第1項に規定する登録事項等証明書であって当該対象区域内自動車等が対象区域内用途廃止等自動車等に該当することとなったことを証するもの
 (三) 対象区域内用途廃止等自動車等が④の(2)の(二)に掲げる自動車等に該当する場合には、当該自動車等を④の(2)の(二)のイに規定する引取業者に引き渡したことを証する書類又は当該自動車等を解体したことを証する書類
 (四) 対象区域内用途廃止等自動車等が④の(2)の(三)に掲げる自動車に該当する場合には、④の(2)の(三)に規定する移動させた日を証する書類(当該移動させた日を証する書類をやむを得ない理由により提出することができない場合には、当該移動させた日を確認するため当該自動車等の主たる定置場所在の道府県の知事が適当と認める書類)及び当該自動車等を④の(2)の(三)のイに規定する引取業者に引き渡したことを証する書類又は当該自動車等を解体したことを証する書類

⑥ 自動車税の環境性能割の非課税

道府県は、道路運送法第3条第1号イに規定する一般乗合旅客自動車運送事業を経営する者が地域住民の生活に必要な路線で輸送人員の減少等により運行の維持が困難になっているものとして道府県の条例で定めるものの運行の用に供する一般乗合用のバスに対しては、当該一般乗合用のバスの取得が令和7年3月31日までに行われたときに限り、2の規定にかかわらず、自動車税の環境性能割を課することができない。(法附12の2の10①)

(軽油自動車の取得期間(令和4年4月1日~令和5年3月31日)による環境性能割の非課税)
注 道府県は、第二節一の2の①の(三)のイ若しくはロ又は同2の②の(三)のイ若しくはロに掲げる軽油自動車に対し

ては、当該軽油自動車の取得が令和4年4月1日から令和5年12月31日までの間に行われたときに限り、2の規定にかかわらず、自動車税の環境性能割を課することができない。（法附12の2の10②）

(注) ⑥中注を削除する令和5年度改正規定は、令和7年4月1日以後適用する。（令5改法附1四）

⑦ **国際博覧会の開催に伴う自動車税の非課税**

　道府県は、令和6年度分及び令和7年度分の自動車税に限り、公益社団法人2025年日本国際博覧会協会が取得し、又は所有する一般貸切用のバスで国際博覧会に関する条約の適用を受けて令和7年に開催される国際博覧会の観客の輸送の用に供するものに対しては、2の規定にかかわらず、自動車税を課することができない。（法附12の2の9の2）

5 徴税吏員の質問検査権等

① 徴税吏員の調査に係る質問検査権

　道府県の徴税吏員は、自動車税の賦課徴収に関する調査のために必要がある場合には、次に掲げる者に質問し、又は(一)若しくは(二)に掲げる者の事業に関する帳簿書類（その作成又は保存に代えて電磁的記録（電子的方式、磁気的方式その他の人の知覚によっては認識することができない方式で作られる記録であって、電子計算機による情報処理の用に供されるものをいう。）の作成又は保存がされている場合における当該電磁的記録を含む。②の(一)及び同(二)において同じ。）その他の物件を検査し、若しくは当該物件（その写しを含む。）の提示若しくは提出を求めることができる。（法151①）

(一)	納税義務者又は納税義務があると認められる者
(二)	(一)に掲げる者に金銭又は物品を給付する義務があると認められる者
(三)	(一)及び(二)に掲げる者以外の者で当該自動車税の賦課徴収に関し直接関係があると認められる者

　　　　（分割承継法人及び分割法人に対する質問検査権）

（1）　①の(一)に掲げる者を分割法人（分割によりその有する資産及び負債の移転を行った法人をいう。以下（1）において同じ。）とする分割に係る分割承継法人（分割により分割法人から資産及び負債の移転を受けた法人をいう。以下（1）において同じ。）及び①の(一)に掲げる者を分割承継法人とする分割に係る分割法人は、①の(二)に規定する金銭又は物品を給付する義務があると認められる者に含まれるものとする。（法151②）

　　　　（身分証明証の提示）

（2）　①の場合には、当該徴税吏員は、その身分を証明する証票を携帯し、関係人の請求があったときは、これを提示しなければならない。（法151③）

　　　　（提出物件の留置き）

（3）　道府県の徴税吏員は、（4）で定めるところにより、①の規定により提出を受けた物件を留め置くことができる。（法151④）

　　　　（徴税吏員の自動車税に関する書面の交付）

（4）　道府県の徴税吏員は、（3）の規定により物件を留め置く場合には、当該物件の名称又は種類及びその数量、当該物件の提出年月日並びに当該物件を提出した者の氏名及び住所又は居所その他当該物件の留置きに関し必要な事項を記載した書面を作成し、当該物件を提出した者にこれを交付しなければならない。（令44の4①）

　　　　（提出物件の返還）

（5）　道府県の徴税吏員は、（3）の規定により留め置いた物件につき留め置く必要がなくなったときは、遅滞なく、これを返還しなければならない。（令44の4②）

　　　　（提出物件の管理義務）

（6）　道府県の徴税吏員は、（3）の規定により留め置いた物件を善良な管理者の注意をもって管理しなければならない。（令44の4③）

　　　　（滞納処分に関する調査についての不適用）
（７）　自動車税に係る滞納処分に関する調査については、①の規定にかかわらず、第二節三の３の（５）及び第三節三の２の（５）に定めるところによる。（法151⑤）

　　　　（質問検査権の解釈）
（８）　①又は（３）の規定による道府県の徴税吏員の権限は、犯罪捜査のために認められたものと解釈してはならない。（法151⑥）

② 　検査拒否等に関する罪
　　次の各号のいずれかに該当する場合には、その違反行為をした者は、１年以下の懲役又は50万円以下の罰金に処する。（法152①）

(一)	①の規定による徴税吏員の帳簿書類その他の物件の検査を拒み、妨げ、又は忌避したとき。
(二)	①の規定による徴税吏員の物件の提示又は提出の要求に対し、正当な理由がなくこれに応じず、又は偽りの記載若しくは記録をした帳簿書類その他の物件（その写しを含む。）を提示し、若しくは提出したとき。
(三)	①の規定による徴税吏員の質問に対し答弁をしないとき、又は虚偽の答弁をしたとき。

　　　　（両罰規定）
　　注　法人の代表者又は法人若しくは人の代理人、使用人その他の従業者がその法人又は人の業務又は財産に関して②の違反行為をした場合には、その行為者を罰するほか、その法人又は人に対し、②の罰金刑を科する。（法152②）

6　種別割の納税管理人等

①　種別割の納税管理人の申告
　種別割の納税義務者は、納税義務を負う道府県内に住所、居所、事務所又は事業所（以下①において「住所等」という。）を有しない場合には、納税に関する一切の事項を処理させるため、当該道府県の条例で定める地域内に住所等を有する者のうちから納税管理人を定めてこれを道府県知事に申告し、又は当該地域外に住所等を有する者のうち当該事項の処理につき便宜を有するものを納税管理人として定めることについて道府県知事に申請してその承認を受けなければならない。納税管理人を変更し、又は変更しようとする場合も、同様とする。（法153①）

　　　　（納税管理人を定めることを要しない場合）
　　注　①の規定にかかわらず、当該納税義務者は、当該納税義務者に係る種別割の徴収の確保に支障がないことについて道府県知事に申請してその認定を受けたときは、納税管理人を定めることを要しない。（法153②）

②　種別割の納税管理人に係る虚偽の申告等に関する罪
　①の規定により申告すべき納税管理人について虚偽の申告をし、又は偽りその他不正の手段により①の承認若しくは①の注の認定を受けたときは、その違反行為をした者は、30万円以下の罰金に処する。（法154①）

　　　　（両罰規定）
　　注　法人の代表者又は法人若しくは人の代理人、使用人その他の従業者がその法人又は人の業務又は財産に関して②の違反行為をした場合には、その行為者を罰するほか、その法人又は人に対し、②の刑を科する。（法154②）

③　種別割の納税管理人に係る不申告に関する過料
　道府県は、①の注の認定を受けていない種別割の納税義務者で①の承認を受けていないものが①の規定により申告すべき納税管理人について正当な事由がなくて申告をしなかった場合には、その者に対し、当該道府県の条例で10万円以下の過料を科する旨の規定を設けることができる。（法155）

第二節　環境性能割

一　環境性能割の課税標準及び税率

1　環境性能割の課税標準

① 課税標準
　環境性能割の課税標準は、自動車の取得のために通常要する価額として（1）で定めるところにより算定した金額（2の⑥において「通常の取得価額」という。）とする。（法156）

　　　　（自動車の取得のために通常要する価額）
（1）　①に規定する自動車の取得のために通常要する価額として（1）で定めるところにより算定した金額は、次の各号に掲げる自動車の区分に応じ、当該各号に定める金額とする。（規9の3）
　（一）　初めて道路運送車両法第7条第1項に規定する新規登録を受けるべき自動車　　当該自動車を通常の取引の条件に従って自動車等の販売業者から取得するとした場合における当該自動車の販売価額に相当する金額
　（二）　（一）に掲げる自動車以外の自動車　　当該自動車が初めて（一）に規定する新規登録（以下（二）において「初回新規登録」という。）を受けたときにおける（一）に定める金額に、初回新規登録を受けた日の属する年の1月1日から起算した期間に応じて総務大臣が定める割合を乗じて得た額

　　　　（環境性能割の課税標準である自動車の通常の取得価額の留意点）
（2）　環境性能割の課税標準である自動車の通常の取得価額とは、自動車の取得のために通常要する価額をいうものであるが、次の点に留意すること。（県通10－7）
　（一）　最初の新規登録（以下「初回新規登録」という。）を受ける自動車（いわゆる新車をいう。）については、当該自動車を通常の取引の条件に従って販売業者等から取得するとした場合における対価として支払うべき金額をいうものであり、その算定に当たっては、下取り車の有無や契約の方法（割賦販売契約等）にかかわらないものであること。
　　　なお、いわゆる公表小売価格のある自動車については、現実の取引価額（実勢価額）が、公表小売価格を若干下回っていることが通例であることに留意すること。
　（二）　初回新規登録を受ける自動車以外の自動車（いわゆる中古車をいう。）については、初回新規登録からの経過年数や使用状況等により同種の自動車であっても現実の取引価額が異なることから、（一）に基づき算定した当該自動車が初回新規登録を受けたときにおける通常の取得価額に、初回新規登録からの経過年数に応じて別に総務大臣が定める割合を乗じることとしていること。
　（三）　取得された自動車について、第一節一の（1）に規定する「自動車の付加物」に該当しない付属物があるときは、当該付属物の価額は課税標準には算入されないものであること。

② 課税標準の特例
　道路運送法第3条第1号イに規定する一般乗合旅客自動車運送事業を経営する者が同法第5条第1項第3号に規定する路線定期運行の用に供する自動車又は同法第3条第1号ロに規定する一般貸切旅客自動車運送事業を経営する者がその事業の用に供する自動車（以下「路線バス等」という。）のうち、次の各号のいずれにも該当するものであって乗降口から車椅子を固定することができる設備までの通路に段がないもの（（1）で定めるものに限る。）で最初の第一節の3の（2）に規定する新規登録（以下「初回新規登録」という。）を受けるものに対する①の規定の適用については、当該路線バス等の取得が令和7年3月31日までに行われたときに限り、①中「という。）」とあるのは、「という。）から千万円を控除して得た額」とする。（法附12の2の13①）
　（一）　高齢者、障害者等の移動等の円滑化の促進に関する法律第3条第1項に規定する基本方針（（3）の（一）及び（6）の（一）において「基本方針」という。）に令和7年度までに導入する台数が目標として定められた自動車に該当するものであること。
　（二）　高齢者、障害者等の移動等の円滑化の促進に関する法律第8条第1項に規定する公共交通移動等円滑化基準（（3）

の(二)及び(6)の(二)において「公共交通移動等円滑化基準」という。)で(2)で定めるものに適合するものであること。

　　　(②の路線バス等で総務省令で定めるもの)
(1)　②に規定する乗降口から車椅子を固定することができる設備までの通路に段がない路線バス等であって(1)で定めるものは、当該路線バス等に係る第一節4の②の(1)に規定する自動車検査証(以下「自動車検査証」という。)においてノンステップバスである旨が明らかにされているものとする。(規附4の11①)

　　　(②の(二)に規定する公共交通移動等円滑化基準で総務省令で定めるもの)
(2)　②の(二)に規定する公共交通移動等円滑化基準で(2)で定めるものは、次の各号に掲げる自動車の区分に応じ、当該各号に定める基準とする。(規附4の11②)
(一)　②に規定する一般乗合旅客自動車運送事業を経営する者が②に規定する路線定期運行の用に供する自動車((6)の(一)において「乗合バス」という。)　移動等円滑化のために必要な旅客施設又は車両等の構造及び設備並びに旅客施設及び車両等を使用した役務の提供の方法に関する基準を定める省令(平成18年国土交通省令第111号。以下「公共交通移動等円滑化基準省令」という。)第37条から第42条までの基準
(二)　②に規定する一般貸切旅客自動車運送事業を経営する者がその事業の用に供する自動車((6)の(二)において「貸切バス」という。)　公共交通移動等円滑化基準省令第38条第1項及び第40条第2項並びに公共交通移動等円滑化基準省令第43条の2において準用する公共交通移動等円滑化基準省令第3章第3節(第38第1項、第39条第5号及び第6号、第39条の2、第40条第2項、第41条第2項及び第3項並びに第43条を除く。)の基準

　　　(読替規定)
(3)　路線バス等のうち、次の各号のいずれにも該当するものであって車椅子を使用したまま円滑に乗降するための昇降機を備えるもの((4)で定めるものに限る。)で初回新規登録を受けるものに対する①の規定の適用については、当該路線バス等の取得が令和7年3月31日までに行われたときに限り、①中「という。)」とあるのは、「という。)から650万円(乗車定員30人以上の(3)に規定する路線バス等のうち、道路運送法(昭和26年法律第183号)第3条第1号イに規定する一般乗合旅客自動車運送事業を経営する者が同法第5条第1項第3号に規定する路線定期運行の用に供する自動車(空港法(昭和31年法律第80号)第2条に規定する空港又は同法附則第2条第1項の政令で定める飛行場を起点又は終点とするもので(5)で定めるものに限る。)にあっては800万円とし、乗車定員30人未満の(3)に規定する路線バス等にあっては200万円とする。)を控除して得た額」とする。(法附12の2の13②)
(一)　基本方針に令和7年度までに導入する台数が目標として定められた自動車に該当するものであること。
(二)　公共交通移動等円滑化基準で(5)で定めるものに適合するものであること。

　　　(車椅子を使用したまま円滑に乗降するための昇降機を備える路線バス等であって総務省令で定めるもの)
(4)　(3)に規定する車椅子を使用したまま円滑に乗降するための昇降機を備える路線バス等であって(4)で定めるものは、当該路線バス等に係る自動車検査証においてリフト付きバスである旨が明らかにされているものとする(規附4の11③)

　　　(空港又飛行場を起点又は終点とする自動車で総務省令で定めるもの)
(5)　(3)に規定する空港法(昭和31年法律第80号)第2条に規定する空港又は同法附則第2条第1項の政令で定める飛行場を起点又は終点とする自動車で(5)で定めるものは、当該自動車に係る自動車検査証において空港アクセスバスである旨が明らかにされているものとする。(規附4の11④)

　　　((3)の(二)に規定する公共交通移動等円滑化基準で総務省令で定めるもの)
(6)　(3)の(二)に規定する公共交通移動等円滑化基準で(5)で定めるものは、次の各号に掲げる自動車の区分に応じ、当該各号に定める基準とする。(規附4の11⑤)
(一)　乗合バス　公共交通移動等円滑化基準省令第37条第1項、第38条第2項及び第42条の基準
(二)　貸切バス　公共交通移動等円滑化基準省令第43条の2において準用する公共交通移動等円滑化基準省令第3章第3節(第38条第1項、第39条第5号及び第6号、第39条の2、第40条第2項、第41条第2項及び第3項並びに第43条を除く。)の基準

(読替規定)
(7) 道路運送法第3条第1号ハに規定する一般乗用旅客自動車運送事業を経営する者がその事業の用に供する乗用車のうち、次の各号のいずれにも該当するものであってその構造及び設備が高齢者、障害者等の移動等の円滑化の促進に関する法律第2条第1号に規定する高齢者、障害者等((三)において「高齢者、障害者等」という。)の移動上の利便性を特に向上させるもの((8)で定めるものに限る。)で初回新規登録を受けるものに対する①の規定の適用については、当該乗用車の取得が令和7年3月31日までに行われたときに限り、①中「という。」とあるのは、「という。)から100万円を控除して得た額」とする。(法附12の2の13③)
　(一)　基本方針に令和7年度までに導入する台数が目標として定められた自動車に該当するものであること。
　(二)　公共交通移動等円滑化基準で(9)で定めるものに適合するものであること。
　(三)　高齢者、障害者等を含む全ての利用者の移動上の利便性を向上させる機能を有する構造及び設備が特に優れたものとして国土交通大臣が認めたものであること。

　　((8)に規定する高齢者、障害者等の移動上の利便性を特に向上させる乗用車であって総務省令で定めるもの)
(8)　(8)に規定する高齢者、障害者等の移動上の利便性を特に向上させる乗用車であって(8)で定めるものは、移動等円滑化の促進に関する基本方針において移動等円滑化の目標が定められているノンステップバスの基準等を定める告示(平成24年国土交通省告示第257号)第4条第1項の認定を受けたものとして、当該乗用車に係る自動車検査証において認定ユニバーサルデザインタクシーである旨が明らかにされているものとする。(規附4の11⑥)

　　((7)の(二)に規定する公共交通移動等円滑化基準で総務省令で定めるもの)
(9)　(7)の(二)に規定する公共交通移動等円滑化基準で(9)で定めるものは、公共交通移動等円滑化基準省令第45条第1項の基準とする。(規附4の11⑦)

(読替規定)
(10)　車両総重量(道路運送車両法第40条第3号に規定する車両総重量をいう。(15)及び(17)において同じ。)が8トンを超えるトラック(総務省令で定める被けん引自動車を除く。(15)及び(17)において同じ。)であって、同法第41条第1項の規定により令和4年5月1日以降に適用されるべきものとして定められた左側面への衝突に対する安全性の向上を図るための装置(以下(10)及び(15)において「側方衝突警報装置」という。)に係る保安上又は公害防止その他の環境保全上の技術基準で総務省令で定めるもの((15)において「側方衝突警報装置に係る保安基準」という。)及び同条第1項の規定により令和7年9月1日以降に適用されるべきものとして定められた前方障害物との衝突に対する安全性の向上を図るための装置(以下(10)及び(17)において「衝突被害軽減制動制御装置」という。)に係る保安上又は公害防止その他の環境保全上の技術基準で総務省令で定めるもの((17)において「衝突被害軽減制動制御装置に係る保安基準」という。)のいずれにも適合するもののうち、側方衝突警報装置及び衝突被害軽減制動制御装置を備えるもの(総務省令で定めるものに限る。)で初回新規登録を受けるものに対する①の規定の適用については、当該自動車の取得が令和6年4月30日までに行われたときに限り、同条中「という。」とあるのは、「という。)から350万円を控除して得た額」とする。(法附12の2の13④)

　　(総務省令で定める自動車)
(11)　(10)に規定する総務省令で定める自動車は、当該自動車に係る自動車検査証において側方衝突警報装置((10)に規定する側方衝突警報装置をいう。(12)及び(16)において同じ。)及び衝突被害軽減制動制御装置((10)に規定する衝突被害軽減制動制御装置をいう。(13)及び(18)において同じ。)を搭載した車両である旨が明らかにされているものとする。(規附4の11⑧)

　　(総務省令で定める側方衝突警報装置に係る保安上又は公害防止その他の環境保全上の技術基準)
(12)　(10)に規定する側方衝突警報装置に係る保安上又は公害防止その他の環境保全上の技術基準で総務省令で定めるものは、道路運送車両の保安基準の細目を定める告示(以下「細目告示」という。)第67条の5及び第145条の5の基準とする。(規附4の11⑨)

　　(総務省令で定める衝突被害軽減制動制御装置に係る保安上又は公害防止その他の環境保全上の技術基準)
(13)　(10)に規定する衝突被害軽減制動制御装置に係る保安上又は公害防止その他の環境保全上の技術基準で総務省令で定めるものは、細目告示第15条第7項及び第93条第8項の基準とする。(規附4の11⑩)

(総務省令で定める被けん引自動車)
(14) (10)に規定する総務省令で定める被けん引自動車は、当該自動車に係る自動車検査証において被けん引自動車である旨が明らかにされているものとする。(規附4の11⑪)

(読替規定)
(15) 車両総重量が8トンを超えるトラックであって、道路運送車両法第41条第1項の規定により令和4年5月1日以降に適用されるべきものとして定められた側方衝突警報装置に係る保安基準に適合するもののうち、側方衝突警報装置を備えるもの(総務省令で定めるものに限る。)で初回新規登録を受けるものに対する①の規定の適用については、当該自動車の取得が令和6年4月30日までに行われたときに限り、同条中「という。)」とあるのは、「という。)から175万円を控除して得た額」とする。(法附12の2の13⑤)

(総務省令で定める自動車)
(16) (15)に規定する総務省令で定める自動車は、当該自動車に係る自動車検査証において側方衝突警報装置を搭載した車両である旨が明らかにされているものとする。(規附4の11⑫)

(読替規定)
(17) 乗用車(総務省令で定めるものに限る。)、バス(総務省令で定めるものに限る。)又は車両総重量が3.5トンを超えるトラックであって、道路運送車両法第41条第1項の規定により令和7年9月1日以降に適用されるべきものとして定められた衝突被害軽減制動制御装置に係る保安基準に適合するもののうち、衝突被害軽減制動制御装置を備えるもの(総務省令で定めるものに限る。)で初回新規登録を受けるものに対する①の規定の適用については、当該自動車の取得が令和7年3月31日までに行われたときに限り、同条中「という。)」とあるのは、「という。)から175万円を控除して得た額」とする。(法附12の2の13⑥)

(総務省令で定める自動車)
(18) (17)に規定する総務省令で定める自動車は、当該自動車に係る自動車検査証において衝突被害軽減制動制御装置を搭載した車両である旨が明らかにされているものとする。(規附4の11⑬)

(総務省令で定める乗用車)
(19) (17)に規定する総務省令で定める乗用車は、乗車定員が10人であり、かつ、立席を有しないものとする。(規附4の11⑭)

(総務省令で定めるバス)
(20) (17)に規定する総務省令で定めるバスは、立席を有しないものとする。(規附4の11⑮)

(申告書等の記載事項)
(21) ②、(3)、(7)、(10)、(15)、(17)の規定は、二の2又は同3の規定により提出される申告書又は修正申告書に、当該自動車につき②、(3)、(7)、(10)、(15)、(17)の規定の適用を受けようとする旨その他の(22)で定める事項の記載がある場合に限り、適用する。(法附12の2の13⑦)

((21)に規定する総務省令で定める事項)
(22) (21)に規定する(22)で定める事項は、次の各号に掲げる場合の区分に応じ、当該各号に定める事項とする。(規附4の11⑯)
　(一) ②、(3)、(7)の規定の適用を受けようとする場合　　次に掲げる事項
　　イ　②、(3)、(7)の規定の適用を受けようとする旨
　　ロ　自動車の通常の取得価額(①に規定する通常の取得価額をいう。(二)のロにおいて同じ。)
　　ハ　自動車の乗車定員
　(二) (10)、(15)、(17)の規定の適用を受けようとする場合　　次に掲げる事項((9)の(三)及び(17)に掲げる自動車にあっては、ニに掲げる事項を除く。)
　　イ　(10)、(15)、(17)の規定の適用を受けようとする旨
　　ロ　自動車の通常の取得価額

ハ　自動車の車両総重量（第一節の４の②の（２）の（一）に規定する車両総重量をいう。）
　　ニ　自動車の乗車定員

　　（申告書等の記載事項の省略）
(23)　(22)の(一)のハ又は同(二)のハ及びニに掲げる事項は、当該自動車に係る二の２若しくは同３の規定により提出された申告書又は同３の(1)の規定により提出された修正申告書に既にこれらの事項が記載されていた場合に限り、(22)の規定にかかわらず、記載を省略することができる。（規附４の11⑰）

２　税　　　率

①　環境性能割の税率が100分の１となる自動車

　次に掲げる自動車（第一節の４の②（第一節の４の②の(27)において準用する場合を含む。②及び③において同じ。）の規定の適用を受けるものを除く。）に対して課する環境性能割の税率は、100分の１とする。（法157①）
(一)　次に掲げるガソリン自動車
　イ　営業用の乗用車のうち、次のいずれにも該当するもので(1)で定めるもの
　　(イ)　次のいずれかに該当すること。
　　　(i)　平成30年ガソリン軽中量車基準に適合し、かつ、窒素酸化物の排出量が平成30年ガソリン軽中量車基準に定める窒素酸化物の値の２分の１を超えないこと。
　　　(ii)　平成17年ガソリン軽中量車基準に適合し、かつ、窒素酸化物の排出量が平成17年ガソリン軽中量車基準に定める窒素酸化物の値の４分の１を超えないこと。
　　(ロ)　エネルギー消費効率が令和12年度基準エネルギー消費効率に100分の70を乗じて得た数値以上であること。
　　(ハ)　エネルギー消費効率が令和２年度基準エネルギー消費効率以上であること。
　ロ　自家用の乗用車のうち、次のいずれにも該当するもので(2)で定めるもの
　　(イ)　次のいずれかに該当すること。
　　　(i)　平成30年ガソリン軽中量車基準に適合し、かつ、窒素酸化物の排出量が平成30年ガソリン軽中量車基準に定める窒素酸化物の値の２分の１を超えないこと。
　　　(ii)　平成17年ガソリン軽中量車基準に適合し、かつ、窒素酸化物の排出量が平成17年ガソリン軽中量車基準に定める窒素酸化物の値の４分の１を超えないこと。
　　(ロ)　エネルギー消費効率が令和12年度基準エネルギー消費効率に100分の80を乗じて得た数値以上であること。
　　(ハ)　エネルギー消費効率が令和２年度基準エネルギー消費効率以上であること。
　ハ　車両総重量が3.5トン以下のバスのうち、次のいずれにも該当するもので(3)で定めるもの
　　(イ)　次のいずれかに該当すること。
　　　(i)　平成30年ガソリン軽中量車基準に適合し、かつ、窒素酸化物の排出量が平成30年ガソリン軽中量車基準に定める窒素酸化物の値の２分の１を超えないこと。
　　　(ii)　平成17年ガソリン軽中量車基準に適合し、かつ、窒素酸化物の排出量が平成17年ガソリン軽中量車基準に定める窒素酸化物の値の４分の１を超えないこと。
　　(ロ)　エネルギー消費効率が令和２年度基準エネルギー消費効率以上であること。
　ニ　車両総重量が3.5トン以下のバスのうち、次のいずれにも該当するもので(4)で定めるもの
　　(イ)　次のいずれかに該当すること。
　　　(i)　平成30年ガソリン軽中量車基準に適合し、かつ、窒素酸化物の排出量が平成30年ガソリン軽中量車基準に定める窒素酸化物の値の４分の３を超えないこと。
　　　(ii)　平成17年ガソリン軽中量車基準に適合し、かつ、窒素酸化物の排出量が平成17年ガソリン軽中量車基準に定める窒素酸化物の値の２分の１を超えないこと。
　　(ロ)　エネルギー消費効率が令和２年度基準エネルギー消費効率に100分の105を乗じて得た数値以上であること。
　ホ　車両総重量が3.5トン以下のトラックのうち、次のいずれにも該当するもので(5)で定めるもの
　　(イ)　次のいずれかに該当すること。
　　　(i)　平成30年ガソリン軽中量車基準に適合し、かつ、窒素酸化物の排出量が平成30年ガソリン軽中量車基準に定める窒素酸化物の値の２分の１を超えないこと。
　　　(ii)　平成17年ガソリン軽中量車基準に適合し、かつ、窒素酸化物の排出量が平成17年ガソリン軽中量車基準に定める窒素酸化物の値の４分の１を超えないこと。

(ロ) エネルギー消費効率が令和4年度基準エネルギー消費効率に100分の95を乗じて得た数値（車両総重量が2.5トン以下のトラックにあっては、令和4年度基準エネルギー消費効率）以上であること。
ヘ　車両総重量が2.5トンを超え3.5トン以下のトラックのうち、次のいずれにも該当するもので(6)で定めるもの
(イ) 次のいずれかに該当すること。
（ⅰ）平成30年ガソリン軽中量車基準に適合し、かつ、窒素酸化物の排出量が平成30年ガソリン軽中量車基準に定める窒素酸化物の値の4分の3を超えないこと。
（ⅱ）平成17年ガソリン軽中量車基準に適合し、かつ、窒素酸化物の排出量が平成17年ガソリン軽中量車基準に定める窒素酸化物の値の2分の1を超えないこと。
(ロ) エネルギー消費効率が令和4年度基準エネルギー消費効率以上であること。

(二) 次に掲げる石油ガス自動車
イ　営業用の乗用車のうち、次のいずれにも該当するもので(7)で定めるもの
(イ) 次のいずれかに該当すること。
（ⅰ）平成30年石油ガス軽中量車基準に適合し、かつ、窒素酸化物の排出量が平成30年石油ガス軽中量車基準に定める窒素酸化物の値の2分の1を超えないこと。
（ⅱ）平成17年石油ガス軽中量車基準に適合し、かつ、窒素酸化物の排出量が平成17年石油ガス軽中量車基準に定める窒素酸化物の値の4分の1を超えないこと。
(ロ) エネルギー消費効率が令和12年度基準エネルギー消費効率に<u>100分の70</u>を乗じて得た数値以上であること。
(ハ) エネルギー消費効率が令和2年度基準エネルギー消費効率以上であること。
ロ　自家用の乗用車のうち、次のいずれにも該当するもので(8)で定めるもの
(イ) 次のいずれかに該当すること。
（ⅰ）平成30年石油ガス軽中量車基準に適合し、かつ、窒素酸化物の排出量が平成30年石油ガス軽中量車基準に定める窒素酸化物の値の2分の1を超えないこと。
（ⅱ）平成17年石油ガス軽中量車基準に適合し、かつ、窒素酸化物の排出量が平成17年石油ガス軽中量車基準に定める窒素酸化物の値の4分の1を超えないこと。
(ロ) エネルギー消費効率が令和12年度基準エネルギー消費効率に<u>100分の80</u>を乗じて得た数値以上であること。
(ハ) エネルギー消費効率が令和2年度基準エネルギー消費効率以上であること。

(三) 次に掲げる軽油自動車
イ　営業用の乗用車のうち、次のいずれにも該当するもので(9)で定めるもの
(イ) 平成30年軽油軽中量車基準又は平成21年軽油軽中量車基準に適合すること。
(ロ) エネルギー消費効率が令和12年度基準エネルギー消費効率に<u>100分の70</u>を乗じて得た数値以上であること。
(ハ) エネルギー消費効率が令和2年度基準エネルギー消費効率以上であること。
ロ　自家用の乗用車のうち、次のいずれにも該当するもので(10)で定めるもの
(イ) 平成30年軽油軽中量車基準又は平成21年軽油軽中量車基準に適合すること。
(ロ) エネルギー消費効率が令和12年度基準エネルギー消費効率に<u>100分の80</u>を乗じて得た数値以上であること。
(ハ) エネルギー消費効率が令和2年度基準エネルギー消費効率以上であること。
ハ　車両総重量が3.5トン以下のバスのうち、次のいずれにも該当するもので総務省令で定めるもの
(イ) 次のいずれかに該当すること。
（ⅰ）平成30年軽油軽中量車基準に適合すること。
（ⅱ）平成21年軽油軽中量車基準に適合し、かつ、窒素酸化物及び粒子状物質の排出量が平成21年軽油軽中量車基準に定める窒素酸化物及び粒子状物質の値の10分の9を超えないこと。
(ロ) エネルギー消費効率が令和2年度基準エネルギー消費効率以上であること。
ニ　車両総重量が3.5トン以下のバスのうち、次のいずれにも該当するもので総務省令で定めるもの
(イ) 平成21年軽油軽中量車基準に適合すること。
(ロ) エネルギー消費効率が令和2年度基準エネルギー消費効率に100分の105を乗じて得た数値以上であること。
ホ　車両総重量が2.5トンを超え3.5トン以下のトラックのうち、次のいずれにも該当するもので(11)で定めるもの
(イ) 次のいずれかに該当すること。
（ⅰ）平成30年軽油軽中量車基準に適合すること。
（ⅱ）平成21年軽油軽中量車基準に適合し、かつ、窒素酸化物及び粒子状物質の排出量が平成21年軽油軽中量車基準に定める窒素酸化物及び粒子状物質の値の10分の9を超えないこと。
(ロ) エネルギー消費効率が令和4年度基準エネルギー消費効率に100分の95を乗じて得た数値以上であること。

へ　車両総重量が2.5トンを超え3.5トン以下のトラックのうち、次のいずれにも該当するもので(12)で定めるもの
　(イ)　平成21年軽油軽中量車基準に適合すること。
　(ロ)　エネルギー消費効率が令和4年度基準エネルギー消費効率以上であること。
ト　車両総重量が3.5トンを超えるバス又はトラックのうち、次のいずれにも該当するもので(13)で定めるもの
　(イ)　次のいずれかに該当すること。
　　（ⅰ）　平成28年軽油重量車基準に適合すること。
　　（ⅱ）　平成21年軽油重量車基準に適合し、かつ、窒素酸化物及び粒子状物質の排出量が平成21年軽油重量車基準に定める窒素酸化物及び粒子状物質の値の10分の9を超えないこと。
　(ロ)　エネルギー消費効率が<u>平成27年度基準エネルギー消費効率に100分の110</u>を乗じて得た数値以上であること。
(注)　①中＿＿部分「100分の70」を「100分の80」に、「100分の80」を「100分の85」に、「平成27年度基準エネルギー消費効率に100分の110」を「令和7年度基準エネルギー消費効率」に改める令和5年改正規定は、令和7年4月1日以後に取得された自動車に対して課すべき自動車税の環境性能割について適用し、同日前に取得された自動車に対して課する自動車税の環境性能割については、なお従前の例による。(令5改法附1四、12①)

　　（①の(一)のイに規定する乗用車で総務省令で定めるもの）
(1)　①の(一)のイに規定する乗用車で(1)で定めるものは、次に掲げる要件に該当する自動車とする。（規9の4①）
　(一)　次に掲げる自動車の区分に応じ、それぞれ次に定める要件に該当すること。
　　イ　平成30年ガソリン軽中量車基準に適合する自動車　窒素酸化物の排出量が細目告示第41条第1項第3号イの表の(1)の窒素酸化物の欄に掲げる値の2分の1を超えない自動車で、かつ、低排出ガス車認定を受けたものであること。
　　ロ　平成17年ガソリン軽中量車基準に適合する自動車　窒素酸化物の排出量が旧細目告示第41条第1項第3号イの表の(1)の窒素酸化物の欄に掲げる値の4分の1を超えない自動車で、かつ、低排出ガス車認定を受けたものであること。
　(二)　令和12年度燃費基準達成レベルが<u>70以上80未満</u>であること及び当該自動車に係る自動車検査証においてその旨が明らかにされていること。
　(三)　令和2年度燃費基準達成レベルが100以上であること及び当該自動車に係る自動車検査証においてその旨が明らかにされていること。
　　(注)　(1)中＿＿部分「70以上80未満」を「80以上90未満」に改める令和5年改正規定は、令和7年4月1日以後適用する。(令5総務省令第37号附1)

　　（①の(一)のロに規定する乗用車で総務省令で定めるもの）
(2)　①の(一)のロに規定する乗用車で(2)で定めるものは、次に掲げる要件に該当する自動車とする。（規9の4②）
　(一)　次に掲げる自動車の区分に応じ、それぞれ次に定める要件に該当すること。
　　イ　平成30年ガソリン軽中量車基準に適合する自動車　窒素酸化物の排出量が細目告示第41条第1項第3号イの表の(1)の窒素酸化物の欄に掲げる値の2分の1を超えない自動車で、かつ、低排出ガス車認定を受けたものであること。
　　ロ　平成17年ガソリン軽中量車基準に適合する自動車　窒素酸化物の排出量が旧細目告示第41条第1項第3号イの表の(1)の窒素酸化物の欄に掲げる値の4分の1を超えない自動車で、かつ、低排出ガス車認定を受けたものであること。
　(二)　令和12年度燃費基準達成レベルが<u>80以上85未満</u>であること及び当該自動車に係る自動車検査証においてその旨が明らかにされていること。
　(三)　令和2年度燃費基準達成レベルが100以上であること及び当該自動車に係る自動車検査証においてその旨が明らかにされていること。
　　(注)　(2)中＿＿部分「80以上85未満」を「85以上95未満」に改める令和5年改正規定は、令和7年4月1日以後適用する。(令5総務省令第37号附1)

　　（①の(一)のハに規定する車両総重量が3.5トン以下のバスで総務省令で定めるもの）
(3)　①の(一)のハに規定する車両総重量が3.5トン以下のバスで(3)で定めるものは、次に掲げる要件に該当する自動車とする。（規9の4③）
　(一)　次に掲げる自動車の区分に応じ、それぞれ次に定める要件に該当すること。
　　イ　平成30年ガソリン軽中量車基準に適合する自動車　窒素酸化物の排出量が細目告示第41条第1項第3号イの

表の(2)又は(3)に掲げる自動車の種別に応じ、同表の窒素酸化物の欄に掲げる値の２分の１を超えない自動車で、かつ、低排出ガス車認定を受けたものであること。
　　　ロ　平成17年ガソリン軽中量車基準に適合する自動車　　窒素酸化物の排出量が旧細目告示第41条第１項第３号イの表の(2)又は(3)に掲げる自動車の種別に応じ、同表の窒素酸化物の欄に掲げる値の４分の１を超えない自動車で、かつ、低排出ガス車認定を受けたものであること。
　　(二)　令和２年度燃費基準達成レベルが100以上105未満であること及び当該自動車に係る自動車検査証においてその旨が明らかにされていること。

　　　　(①の(一)のニに規定する車両総重量が3.5トン以下のバスで総務省令で定めるもの)
　(４)　①の(一)のニに規定する車両総重量が3.5トン以下のバスで(４)で定めるものは、次に掲げる要件に該当する自動車とする。(規９の４④)
　　(一)　次に掲げる自動車の区分に応じ、それぞれ次に定める要件に該当すること。
　　　イ　平成30年ガソリン軽中量車基準に適合する自動車　　窒素酸化物の排出量が細目告示第41条第１項第３号イの表の(2)又は(3)に掲げる自動車の種別に応じ、同表の窒素酸化物の欄に掲げる値の４分の３を超えない自動車で、かつ、低排出ガス車認定を受けたものであること。
　　　ロ　平成17年ガソリン軽中量車基準に適合する自動車　　窒素酸化物の排出量が旧細目告示第41条第１項第３号イの表の(2)又は(3)に掲げる自動車の種別に応じ、同表の窒素酸化物の欄に掲げる値の２分の１を超えない自動車で、かつ、低排出ガス車認定を受けたものであること。
　　(二)　令和２年度燃費基準達成レベルが105以上110未満であること及び当該自動車に係る自動車検査証においてその旨が明らかにされていること。

　　　　(①の(一)のホに規定する車両総重量が3.5トン以下のトラックで総務省令で定めるもの)
　(５)　①の(一)のホに規定する車両総重量が3.5トン以下のトラックで(５)で定めるものは、次に掲げる要件に該当する自動車とする。(規９の４⑤)
　　(一)　次に掲げる自動車の区分に応じ、それぞれ次に定める要件に該当すること。
　　　イ　平成30年ガソリン軽中量車基準に適合する自動車　　窒素酸化物の排出量が細目告示第41条第１項第３号イの表の(2)又は(3)に掲げる自動車の種別に応じ、同表の窒素酸化物の欄に掲げる値の２分の１を超えない自動車で、かつ、低排出ガス車認定を受けたものであること。
　　　ロ　平成17年ガソリン軽中量車基準に適合する自動車　　窒素酸化物の排出量が旧細目告示第41条第１項第３号イの表の(2)又は(3)に掲げる自動車の種別に応じ、同表の窒素酸化物の欄に掲げる値の４分の１を超えない自動車で、かつ、低排出ガス車認定を受けたものであること。
　　(二)　令和４年度燃費基準達成レベルが95以上100未満(車両総重量が2.5トン以下のトラックにあっては、令和４年度燃費基準達成レベルが100以上105未満)であること及び当該自動車に係る自動車検査証においてその旨が明らかにされていること。

　　　　(①の(一)のヘに規定する車両総重量が2.5トンを超え3.5トン以下のトラックで総務省令で定めるもの)
　(６)　①の(一)のヘに規定する車両総重量が2.5トンを超え3.5トン以下のトラックで(６)で定めるものは、次に掲げる要件に該当する自動車とする。(規９の４⑥)
　　(一)　次に掲げる自動車の区分に応じ、それぞれ次に定める要件に該当すること。
　　　イ　平成30年ガソリン軽中量車基準に適合する自動車　　窒素酸化物の排出量が細目告示第41条第１項第３号イの表の(3)の窒素酸化物の欄に掲げる値の４分の３を超えない自動車で、かつ、低排出ガス車認定を受けたものであること。
　　　ロ　平成17年ガソリン軽中量車基準に適合する自動車　　窒素酸化物の排出量が旧細目告示第41条第１項第３号イの表の(3)の窒素酸化物の欄に掲げる値の２分の１を超えない自動車で、かつ、低排出ガス車認定を受けたものであること。
　　(二)　令和４年度燃費基準達成レベルが100以上105未満であること及び当該自動車に係る自動車検査証においてその旨が明らかにされていること。

　　　　(①の(二)のイに規定する乗用車で総務省令)
　(７)　①の(二)のイに規定する乗用車で(７)で定めるものは、次に掲げる要件に該当する自動車とする。(規９の４⑦)

(一)　次に掲げる自動車の区分に応じ、それぞれ次に定める要件に該当すること。
　イ　平成30年石油ガス軽中量車基準に適合する自動車　　窒素酸化物の排出量が細目告示第41条第1項第3号イの表の(1)の窒素酸化物の欄に掲げる値の2分の1を超えない自動車で、かつ、低排出ガス車認定を受けたものであること。
　ロ　平成17年石油ガス軽中量車基準に適合する自動車　　窒素酸化物の排出量が旧細目告示第41条第1項第3号イの表の(1)の窒素酸化物の欄に掲げる値の4分の1を超えない自動車で、かつ、低排出ガス車認定を受けたものであること。
(二)　令和12年度燃費基準達成レベルが<u>70以上80未満</u>であること及び当該自動車に係る自動車検査証においてその旨が明らかにされていること。
(三)　令和2年度燃費基準達成レベルが100以上であること及び当該自動車に係る自動車検査証においてその旨が明らかにされていること。
　　(注)　(7)中___部分「70以上80未満」を「80以上90未満」に改める令和5年度改正規定は、令和7年4月1日以後適用する。(令5総務省令第37号附1)

　　　　(①の(二)のロに規定する乗用車で総務省令で定めるもの)
(8)　①の(二)のロに規定する乗用車で(8)で定めるものは、次に掲げる要件に該当する自動車とする。(規9の4⑧)
(一)　次に掲げる自動車の区分に応じ、それぞれ次に定める要件に該当すること。
　イ　平成30年石油ガス軽中量車基準に適合する自動車　　窒素酸化物の排出量が細目告示第41条第1項第3号イの表の(1)の窒素酸化物の欄に掲げる値の2分の1を超えない自動車で、かつ、低排出ガス車認定を受けたものであること。
　ロ　平成17年石油ガス軽中量車基準に適合する自動車　　窒素酸化物の排出量が旧細目告示第41条第1項第3号イの表の(1)の窒素酸化物の欄に掲げる値の4分の1を超えない自動車で、かつ、低排出ガス車認定を受けたものであること。
(二)　令和12年度燃費基準達成レベルが<u>80以上85未満</u>であること及び当該自動車に係る自動車検査証においてその旨が明らかにされていること。
(三)　令和2年度燃費基準達成レベルが100以上であること及び当該自動車に係る自動車検査証においてその旨が明らかにされていること。
　　(注)　(8)中___部分「80以上85未満」を「85以上95未満」に改める令和5年度改正規定は、令和7年4月1日以後適用する。(令5総務省令第37号附1)

　　　　(①の(三)のイに規定する乗用車で総務省令で定めるもの)
(9)　①の(三)のイに規定する乗用車で(9)で定めるものは、次に掲げる要件に該当する自動車とする。(規9の4⑨)
(一)　令和12年度燃費基準達成レベルが<u>70以上80未満</u>であること及び当該自動車に係る自動車検査証においてその旨が明らかにされていること。
(二)　令和2年度燃費基準達成レベルが100以上であること及び当該自動車に係る自動車検査証においてその旨が明らかにされていること。
　　(注)　(9)中___部分「70以上80未満」を「80以上90未満」に改める令和5年度改正規定は、令和7年4月1日以後適用する。(令5総務省令第37号附1)

　　　　(①の(三)のロに規定する乗用車で総務省令で定めるもの)
(10)　①の(三)のロに規定する乗用車で(10)で定めるものは、次に掲げる要件に該当する自動車とする。(規9の4⑩)
(一)　令和12年度燃費基準達成レベルが<u>80以上85未満</u>であること及び当該自動車に係る自動車検査証においてその旨が明らかにされていること。
(二)　令和2年度燃費基準達成レベルが100以上であること及び当該自動車に係る自動車検査証においてその旨が明らかにされていること。
　　(注)　(10)中___部分「80以上85未満」を「85以上95未満」に改める令和5年度改正規定は、令和7年4月1日以後適用する。(令5総務省令第37号附1)

　　　　(①の(三)のハに規定する車両総重量が3.5トン以下のバスで総務省令で定めるもの)
(11)　①の(三)のハに規定する車両総重量が3.5トン以下のバスで総務省令で定めるものは、次に掲げる要件（平成30年軽油軽中量車基準に適合する自動車にあっては、(一)に掲げる要件を除く。）に該当する自動車とする。(規9の4

⑪)
(一) 窒素酸化物及び粒子状物質の排出量が旧細目告示第41条第1項第7号イの表の(2)又は(3)に掲げる自動車の種別に応じ、同表の窒素酸化物及び粒子状物質の欄に掲げる値の10分の9を超えない自動車で、かつ、低排出ガス車認定を受けたものであること。
(二) 令和2年度燃費基準達成レベルが100以上105未満であること及び当該自動車に係る自動車検査証においてその旨が明らかにされていること。

(①の(三)のニに規定する車両総重量が3.5トン以下のバスで総務省令で定めるもの)
(12) ①の(三)のニに規定する車両総重量が3.5トン以下のバスで総務省令で定めるものは、令和2年度燃費基準達成レベルが105以上110未満である自動車（当該自動車に係る自動車検査証においてその旨が明らかにされている自動車に限る。）とする。(規9の4⑫)

(①の(三)のホに規定する車両総重量が2.5トンを超え3.5トン以下のトラックで総務省令で定めるもの)
(13) ①の(三)のホに規定する車両総重量が2.5トンを超え3.5トン以下のトラックで(13)で定めるものは、次に掲げる要件（平成30年軽油軽中量車基準に適合する自動車にあっては、(一)に掲げる要件を除く。）に該当する自動車とする。(規9の4⑬)
(一) 窒素酸化物及び粒子状物質の排出量が旧細目告示第41条第1項第7号イの表の(3)の窒素酸化物及び粒子状物質の欄に掲げる値の10分の9を超えない自動車で、かつ、低排出ガス車認定を受けたものであること。
(二) 令和4年度燃費基準達成レベルが95以上100未満であること及び当該自動車に係る自動車検査証においてその旨が明らかにされていること。

(①の(三)のヘに規定する車両総重量が2.5トンを超え3.5トン以下のトラックで総務省令で定めるもの)
(14) ①の(三)のヘに規定する車両総重量が2.5トンを超え3.5トン以下のトラックで(14)で定めるものは、令和4年度燃費基準達成レベルが100以上105未満である自動車（当該自動車に係る自動車検査証においてその旨が明らかにされている自動車に限る。）とする。(規9の4⑭)

(①の(三)のトに規定する車両総重量が3.5トンを超えるバス又はトラックで総務省令で定めるもの)
(15) ①の(三)のトに規定する車両総重量が3.5トンを超えるバス又はトラックで(13)で定めるものは、次に掲げる要件（平成28年軽油重量車基準に適合する自動車にあっては、(一)に掲げる要件を除く。）に該当する自動車とする。(規9の4⑮)
(一) 窒素酸化物及び粒子状物質の排出量が適用関係告示第28条第164項第1号に定める窒素酸化物及び粒子状物質の値の10分の9を超えない自動車で、かつ、低排出ガス車認定を受けたものであること。
(二) 平成27年度燃費基準達成レベルが110以上115未満であること及び当該自動車に係る自動車検査証においてその旨が明らかにされていること。
(注) (15)中＿＿部分「平成27年度」を「令和7年度」に、「110以上115未満」を「100以上105未満」に改める令和5年度改正規定は、令和7年4月1日以後適用する。(令5総務省令第37号附1)

② 環境性能割の税率が100分の2となる自動車

次に掲げる自動車（第一節の4の②及び①（④又は⑤において準用する場合を含む。）の規定の適用を受けるものを除く。）に対して課する環境性能割の税率は、100分の2とする。(法157②)
(一) 次に掲げるガソリン自動車
　イ　営業用の乗用車のうち、次のいずれにも該当するもので(1)で定めるもの
　　(イ) 次のいずれかに該当すること。
　　　(i) 平成30年ガソリン軽中量車基準に適合し、かつ、窒素酸化物の排出量が平成30年ガソリン軽中量車基準に定める窒素酸化物の値の2分の1を超えないこと。
　　　(ii) 平成17年ガソリン軽中量車基準に適合し、かつ、窒素酸化物の排出量が平成17年ガソリン軽中量車基準に定める窒素酸化物の値の4分の1を超えないこと。
　　(ロ) エネルギー消費効率が令和12年度基準エネルギー消費効率に100分の60を乗じて得た数値以上であること。
　　(ハ) エネルギー消費効率が令和2年度基準エネルギー消費効率以上であること。
　ロ　自家用の乗用車のうち、次のいずれにも該当するもので(2)で定めるもの

（イ）次のいずれかに該当すること。
　　　　（ⅰ）平成30年ガソリン軽中量車基準に適合し、かつ、窒素酸化物の排出量が平成30年ガソリン軽中量車基準に定める窒素酸化物の値の２分の１を超えないこと。
　　　　（ⅱ）平成17年ガソリン軽中量車基準に適合し、かつ、窒素酸化物の排出量が平成17年ガソリン軽中量車基準に定める窒素酸化物の値の４分の１を超えないこと。
　　　（ロ）エネルギー消費効率が令和12年度基準エネルギー消費効率に100分の70を乗じて得た数値以上であること。
　　　（ハ）エネルギー消費効率が令和２年度基準エネルギー消費効率以上であること。
　　ハ　車両総重量が3.5トン以下のバスのうち、次のいずれにも該当するもので(3)で定めるもの
　　　（イ）次のいずれかに該当すること。
　　　　（ⅰ）平成30年ガソリン軽中量車基準に適合し、かつ、窒素酸化物の排出量が平成30年ガソリン軽中量車基準に定める窒素酸化物の値の４分の３を超えないこと。
　　　　（ⅱ）平成17年ガソリン軽中量車基準に適合し、かつ、窒素酸化物の排出量が平成17年ガソリン軽中量車基準に定める窒素酸化物の値の２分の１を超えないこと。
　　　（ロ）エネルギー消費効率が令和２年度基準エネルギー消費効率以上であること。
　　ニ　車両総重量が2.5トン以下のトラックのうち、次のいずれにも該当するもので総務省令で定めるもの
　　　（イ）次のいずれかに該当すること。
　　　　（ⅰ）平成30年ガソリン軽中量車基準に適合し、かつ、窒素酸化物の排出量が平成30年ガソリン軽中量車基準に定める窒素酸化物の値の２分の１を超えないこと。
　　　　（ⅱ）平成17年ガソリン軽中量車基準に適合し、かつ、窒素酸化物の排出量が平成17年ガソリン軽中量車基準に定める窒素酸化物の値の４分の１を超えないこと。
　　　（ロ）エネルギー消費効率が令和４年度基準エネルギー消費効率に100分の95を乗じて得た数値以上であること。
　　ホ　車両総重量が2.5トンを超え3.5トン以下のトラックのうち、次のいずれにも該当するもので(4)で定めるもの
　　　（イ）次のいずれかに該当すること。
　　　　（ⅰ）平成30年ガソリン軽中量車基準に適合し、かつ、窒素酸化物の排出量が平成30年ガソリン軽中量車基準に定める窒素酸化物の値の４分の３を超えないこと。
　　　　（ⅱ）平成17年ガソリン軽中量車基準に適合し、かつ、窒素酸化物の排出量が平成17年ガソリン軽中量車基準に定める窒素酸化物の値の２分の１を超えないこと。
　　　（ロ）エネルギー消費効率が令和２年度基準エネルギー消費効率に100分の95を乗じて得た数値以上であること。
　（二）次に掲げる石油ガス自動車
　　イ　営業用の乗用車のうち、次のいずれにも該当するもので総務省令で定めるもの
　　　（イ）次のいずれかに該当すること。
　　　　（ⅰ）平成30年石油ガス軽中量車基準に適合し、かつ、窒素酸化物の排出量が平成30年石油ガス軽中量車基準に定める窒素酸化物の値の２分の１を超えないこと。
　　　　（ⅱ）平成17年石油ガス軽中量車基準に適合し、かつ、窒素酸化物の排出量が平成17年石油ガス軽中量車基準に定める窒素酸化物の値の４分の１を超えないこと。
　　　（ロ）エネルギー消費効率が令和12年度基準エネルギー消費効率に100分の60を乗じて得た数値以上であること。
　　　（ハ）エネルギー消費効率が令和２年度基準エネルギー消費効率以上であること。
　　ロ　自家用の乗用車のうち、次のいずれにも該当するもので総務省令で定めるもの
　　　（イ）次のいずれかに該当すること。
　　　　（ⅰ）平成30年石油ガス軽中量車基準に適合し、かつ、窒素酸化物の排出量が平成30年石油ガス軽中量車基準に定める窒素酸化物の値の２分の１を超えないこと。
　　　　（ⅱ）平成17年石油ガス軽中量車基準に適合し、かつ、窒素酸化物の排出量が平成17年石油ガス軽中量車基準に定める窒素酸化物の値の４分の１を超えないこと。
　　　（ロ）エネルギー消費効率が令和12年度基準エネルギー消費効率に100分の70を乗じて得た数値以上であること。
　　　（ハ）エネルギー消費効率が令和２年度基準エネルギー消費効率以上であること。
　　　　　さらに、同日以後、（三）のロを以下のように改める。
　　ハ　自家用の乗用車のうち、次のいずれにも該当するもので総務省令で定めるもの
　　　（イ）平成30年軽油軽中量車基準又は平成21年軽油軽中量車基準に適合すること。
　　　（ロ）エネルギー消費効率が令和12年度基準エネルギー消費効率に100分の70を乗じて得た数値以上であること。
　　　（ハ）エネルギー消費効率が令和２年度基準エネルギー消費効率以上であること。

(三)　次に掲げる軽油自動車
　イ　営業用の乗用車のうち、次のいずれにも該当するもので(6)で定めるもの
　　(イ)　平成30年軽油軽中量車基準又は平成21年軽油軽中量車基準に適合すること。
　　(ロ)　エネルギー消費効率が令和12年度基準エネルギー消費効率に<u>100分の60</u>を乗じて得た数値以上であること。
　　(ハ)　エネルギー消費効率が令和２年度基準エネルギー消費効率以上であること。
　ロ　車両総重量が2.5トンを超え3.5トン以下のバス又はトラックのうち、次のいずれにも該当するもので(7)で定めるもの
　　(イ)　次のいずれかに該当すること。
　　　(ⅰ)　平成30年軽油軽中量車基準に適合すること。
　　　(ⅱ)　平成21年軽油軽中量車基準に適合し、かつ、窒素酸化物及び粒子状物質の排出量が平成21年軽油軽中量車基準に定める窒素酸化物及び粒子状物質の値の10分の９を超えないこと。
　　(ロ)　エネルギー消費効率が平成27年度基準エネルギー消費効率に100分の105を乗じて得た数値以上であること。
　ハ　車両総重量が3.5トン以下のバスのうち、次のいずれにも該当するもので総務省令で定めるもの
　　(イ)　平成21年軽油軽中量車基準に適合すること。
　　(ロ)　エネルギー消費効率が令和２年度基準エネルギー消費効率以上であること。
　ニ　車両総重量が2.5トンを超え3.5トン以下のトラックのうち、次のいずれにも該当するもので(8)で定めるもの
　　(イ)　平成21年軽油軽中量車基準に適合すること。
　　(ロ)　エネルギー消費効率が令和４年度基準エネルギー消費効率に100分の95を乗じて得た数値以上であること。
　ホ　車両総重量が3.5トンを超えるバス又はトラックのうち、次のいずれにも該当するもので(9)で定めるもの
　　(イ)　次のいずれかに該当すること。
　　　(ⅰ)　平成28年軽油重量車基準に適合すること。
　　　(ⅱ)　平成21年軽油重量車基準に適合し、かつ、窒素酸化物及び粒子状物質の排出量が平成21年軽油重量車基準に定める窒素酸化物及び粒子状物質の値の10分の９を超えないこと。
　　(ロ)　エネルギー消費効率が<u>平成27年度基準エネルギー消費効率</u>に<u>100分の105</u>を乗じて得た数値以上であること。
　　　(注)　②中＿＿部分「100分の60」を「100分の70」に、「100分の70」を「100分の75」に、「平成27年度」を「令和７年度」に、「100分の105」を「100分の95」に改める令和５年度改正規定は、令和７年４月１日以後に取得された自動車に対して課すべき自動車税の環境性能割について適用し、同日前に取得された自動車に対して課する自動車税の環境性能割については、なお従前の例による。(令５改法附１四、12①)

　　　(②の(一)のイに規定する乗用車で総務省令で定めるもの)
(1)　②の(一)のイに規定する乗用車で(1)で定めるものは、次に掲げる要件に該当する自動車とする。(規９の４⑯)
　(一)　次に掲げる自動車の区分に応じ、それぞれ次に定める要件に該当すること。
　　イ　平成30年ガソリン軽中量車基準に適合する自動車　　窒素酸化物の排出量が細目告示第41条第１項第３号イの表の(1)の窒素酸化物の欄に掲げる値の２分の１を超えない自動車で、かつ、低排出ガス車認定を受けたものであること。
　　ロ　平成17年ガソリン軽中量車基準に適合する自動車　　窒素酸化物の排出量が旧細目告示第41条第１項第３号イの表の(1)の窒素酸化物の欄に掲げる値の４分の１を超えない自動車で、かつ、低排出ガス車認定を受けたものであること。
　(二)　令和12年度燃費基準達成レベルが<u>60以上70未満</u>であること及び当該自動車に係る自動車検査証においてその旨が明らかにされていること。
　(三)　令和２年度燃費基準達成レベルが100以上であること及び当該自動車に係る自動車検査証においてその旨が明らかにされていること。
　　　(注)　(1)中＿＿部分「60以上70未満」を「70以上80未満」に改める令和５年度改正規定は、令和７年４月１日以後適用する。(令５総務省令第37号附１)

　　　(②の(一)のロに規定する乗用車で総務省令で定めるもの)
(2)　②の(一)のロに規定する乗用車で(2)で定めるものは、次に掲げる要件に該当する自動車とする。(規９の４⑰)
　(一)　次に掲げる自動車の区分に応じ、それぞれ次に定める要件に該当すること。
　　イ　平成30年ガソリン軽中量車基準に適合する自動車　　窒素酸化物の排出量が細目告示第41条第１項第３号イの表の(1)の窒素酸化物の欄に掲げる値の２分の１を超えない自動車で、かつ、低排出ガス車認定を受けたものであること。

ロ　平成17年ガソリン軽中量車基準に適合する自動車　窒素酸化物の排出量が旧細目告示第41条第１項第３号イの表の(1)の窒素酸化物の欄に掲げる値の４分の１を超えない自動車で、かつ、低排出ガス車認定を受けたものであること。
(二)　令和12年度燃費基準達成レベルが<u>70以上80未満</u>であること及び当該自動車に係る自動車検査証においてその旨が明らかにされていること。
(三)　令和２年度燃費基準達成レベルが100以上であること及び当該自動車に係る自動車検査証においてその旨が明らかにされていること。
　　(注)　(2)中___部分「70以上80未満」を「75以上85未満」に改める令和５年度改正規定は、令和７年４月１日以後適用する。(令５総務省令第37号附１)

　　　　　(②の(一)のハに規定する車両総重量が3.5トン以下のバスで総務省令で定めるもの)
(3)　②の(一)のハに規定する車両総重量が3.5トン以下のバスで(3)で定めるものは、次に掲げる要件に該当する自動車とする。(規９の４⑱)
(一)　次に掲げる自動車の区分に応じ、それぞれ次に定める要件に該当すること。
　　イ　平成30年ガソリン軽中量車基準に適合する自動車　窒素酸化物の排出量が細目告示第41条第１項第３号イの表の(2)又は(3)に掲げる自動車の種別に応じ、同表の窒素酸化物の欄に掲げる値の４分の３を超えない自動車で、かつ、低排出ガス車認定を受けたものであること。
　　ロ　平成17年ガソリン軽中量車基準に適合する自動車　窒素酸化物の排出量が旧細目告示第41条第１項第３号イの表の(2)又は(3)に掲げる自動車の種別に応じ、同表の窒素酸化物の欄に掲げる値の２分の１を超えない自動車で、かつ、低排出ガス車認定を受けたものであること。
(二)　令和２年度燃費基準達成レベルが100以上105未満であること及び当該自動車に係る自動車検査証においてその旨が明らかにされていること。

　　　　　(②の(一)のニに規定する車両総重量が2.5トン以下のトラックで総務省令で定めるもの)
(4)　②の(一)のニに規定する車両総重量が2.5トン以下のトラックで総務省令で定めるものは、次に掲げる要件に該当する自動車とする。(規９の４⑲)
(一)　次に掲げる自動車の区分に応じ、それぞれ次に定める要件に該当すること。
　　イ　平成30年ガソリン軽中量車基準に適合する自動車　窒素酸化物の排出量が細目告示第41条第１項第３号イの表の(2)又は(3)に掲げる自動車の種別に応じ、同表の窒素酸化物の欄に掲げる値の２分の１を超えない自動車で、かつ、低排出ガス車認定を受けたものであること。
　　ロ　平成17年ガソリン軽中量車基準に適合する自動車　窒素酸化物の排出量が旧細目告示第41条第１項第３号イの表の(2)又は(3)に掲げる自動車の種別に応じ、同表の窒素酸化物の欄に掲げる値の４分の１を超えない自動車で、かつ、低排出ガス車認定を受けたものであること。
(二)　令和４年度燃費基準達成レベルが95以上100未満であること及び当該自動車に係る自動車検査証においてその旨が明らかにされていること。

　　　　　(②の(一)のホに規定する車両総重量が2.5トンを超え3.5トン以下のトラックで総務省令で定めるもの)
(5)　②の(一)のホに規定する車両総重量が2.5トンを超え3.5トン以下のトラックで(5)で定めるものは、次に掲げる要件に該当する自動車とする。(規９の４⑳)
(一)　次に掲げる自動車の区分に応じ、それぞれ次に定める要件に該当すること。
　　イ　平成30年ガソリン軽中量車基準に適合する自動車　窒素酸化物の排出量が細目告示第41条第１項第３号イの表の(3)の窒素酸化物の欄に掲げる値の４分の３を超えない自動車で、かつ、低排出ガス車認定を受けたものであること。
　　ロ　平成17年ガソリン軽中量車基準に適合する自動車　窒素酸化物の排出量が旧細目告示第41条第１項第３号イの表の(3)の窒素酸化物の欄に掲げる値の２分の１を超えない自動車で、かつ、低排出ガス車認定を受けたものであること。
(二)　令和４年度燃費基準達成レベルが95以上100未満であること及び当該自動車に係る自動車検査証においてその旨が明らかにされていること。

第二編第十章《自動車税》第二節《環境性能割》

(②の(二)のイに規定する乗用車で総務省令で定めるもの)
(6) ②の(二)のイに規定する乗用車で(6)で定めるものは、次に掲げる要件に該当する自動車とする。(規9の4㉑)
　(一)　次に掲げる自動車の区分に応じ、それぞれ次に定める要件に該当すること。
　　イ　平成30年石油ガス軽中量車基準に適合する自動車　　窒素酸化物の排出量が細目告示第41条第1項第3号イの表の(1)の窒素酸化物の欄に掲げる値の2分の1を超えない自動車で、かつ、低排出ガス車認定を受けたものであること。
　　ロ　平成17年石油ガス軽中量車基準に適合する自動車　　窒素酸化物の排出量が旧細目告示第41条第1項第3号イの表の(1)の窒素酸化物の欄に掲げる値の4分の1を超えない自動車で、かつ、低排出ガス車認定を受けたものであること。
　(二)　令和12年度燃費基準達成レベルが<u>60以上70未満</u>であること及び当該自動車に係る自動車検査証においてその旨が明らかにされていること。
　(三)　令和2年度燃費基準達成レベルが100以上であること及び当該自動車に係る自動車検査証においてその旨が明らかにされていること。
　　(注)　(6)中___部分「60以上70未満」を「70以上80未満」に改める令和5年度改正規定は、令和7年4月1日以後適用する。(令5総務省令第37号附1)

(②の(二)のロに規定する乗用車で総務省令で定めるもの)
(7) ②の(二)のロに規定する乗用車で総務省令で定めるものは、次に掲げる要件に該当する自動車とする。(規9の4㉒)
　(一)　次に掲げる自動車の区分に応じ、それぞれ次に定める要件に該当すること。
　　イ　平成30年石油ガス軽中量車基準に適合する自動車　　窒素酸化物の排出量が細目告示第41条第1項第3号イの表の(1)の窒素酸化物の欄に掲げる値の2分の1を超えない自動車で、かつ、低排出ガス車認定を受けたものであること。
　　ロ　平成17年石油ガス軽中量車基準に適合する自動車　　窒素酸化物の排出量が旧細目告示第41条第1項第3号イの表の(1)の窒素酸化物の欄に掲げる値の4分の1を超えない自動車で、かつ、低排出ガス車認定を受けたものであること。
　(二)　令和12年度燃費基準達成レベルが<u>70以上80未満</u>であること及び当該自動車に係る自動車検査証においてその旨が明らかにされていること。
　(三)　令和2年度燃費基準達成レベルが100以上であること及び当該自動車に係る自動車検査証においてその旨が明らかにされていること。
　　(注)　(7)中___部分「70以上80未満」を「75以上85未満」に改める令和5年度改正規定は、令和7年4月1日以後適用する。(令5総務省令第37号附1)

(②の(三)のイに規定する乗用車で総務省令で定めるもの)
(8) ②の(三)のイに規定する乗用車で(8)で定めるものは、次に掲げる要件に該当する自動車とする。(規9の4㉓)
　(一)　令和12年度燃費基準達成レベルが<u>60以上70未満</u>であること及び当該自動車に係る自動車検査証においてその旨が明らかにされていること。
　(二)　令和2年度燃費基準達成レベルが100以上であること及び当該自動車に係る自動車検査証においてその旨が明らかにされていること。
　　(注)　(8)中___部分「60以上70未満」を「70以上80未満」に改める令和5年度改正規定は、令和7年4月1日以後適用する。(令5総務省令第37号附1)

(②の(三)のロに規定する乗用車で総務省令で定めるもの)
(9) ②の(三)のロに規定する乗用車で(9)で定めるものは、次に掲げる要件に該当する自動車とする。(規9の4㉔)
　(一)　令和12年度燃費基準達成レベルが<u>70以上80未満</u>であること及び当該自動車に係る自動車検査証においてその旨が明らかにされていること。
　(二)　平成27年度燃費基準達成レベルが100以上であること及び当該自動車に係る自動車検査証においてその旨が明らかにされていること。
　　(注)　(9)中___部分「70以上80未満」を「75以上85未満」に改める令和5年度改正規定は、令和7年4月1日以後適用する。(令5総務省令第37号附1)

(②の(三)のハに規定する車両総重量が3.5トン以下のバスで総務省令で定めるもの)
(10) ②の(三)のハに規定する車両総重量が3.5トン以下のバスで総務省令で定めるものは、令和2年度燃費基準達成レベルが100以上105未満である自動車（当該自動車に係る自動車検査証においてその旨が明らかにされている自動車に限る。）とする。（規9の4㉕）

(②の(三)のニに規定する車両総重量が2.5トンを超え3.5トン以下のトラックで総務省令で定めるもの)
(11) ②の(三)のニに規定する車両総重量が2.5トンを超え3.5トン以下のトラックで(11)で定めるものは、令和4年度燃費基準達成レベルが95以上100未満である自動車(当該自動車に係る自動車検査証においてその旨が明らかにされている自動車に限る。）とする。（規9の4㉖）

(②の(三)のニに規定する車両総重量が3.5トンを超えるバス又はトラックで総務省令で定めるもの)
(12) ②の(三)のニに規定する車両総重量が3.5トンを超えるバス又はトラックで(12)で定めるものは、次に掲げる要件（平成28年軽油重量車基準に適合する自動車にあっては、（一）に掲げる要件を除く。）に該当する自動車とする。（規9の4㉗）
　（一）窒素酸化物及び粒子状物質の排出量が適用関係告示第28条第164項第1号に定める窒素酸化物及び粒子状物質の値の10分の9を超えない自動車で、かつ、低排出ガス車認定を受けたものであること。
　（二）平成27年度燃費基準達成レベルが105以上110未満であること及び当該自動車に係る自動車検査証においてその旨が明らかにされていること。
　　（注）(12)中___部分「平成27年度燃費基準達成レベルが105以上110未満」を「令和7年度燃費基準達成レベルが95以上100未満」に改める令和5年度改正規定は、令和7年4月1日以後適用する。（令5総務省令第37号附1）

③　環境性能割の税率が100分の3となる自動車
第一節4の②及び①、②（これらの規定を④又は⑤において準用する場合を含む。）の規定の適用を受ける自動車以外の自動車に対して課する環境性能割の税率は、100分の3とする。（法157③）

④　平成22年度基準エネルギー消費効率算定自動車への準用に係る読替規定
①（①の(一)のイ、ロ及びホに係る部分に限る。）及び②（②の(一)のイ、ロ及びニまでに係る部分に限る。）の規定は、平成22年度基準エネルギー消費効率算定自動車について準用する。この場合において、次の表の左欄に掲げる規定中同表の中欄に掲げる字句は、それぞれ同表の右欄に掲げる字句に読み替えるものとする。（法157④）

①の(一)のイの(ロ)	令和12年度基準エネルギー消費効率に100分の70	第一節の4の②の(31)に規定する基準エネルギー消費効率であって平成22年度以降の各年度において適用されるべきものとして定められたもの（以下「平成22年度基準エネルギー消費効率」という。）に100分の151
①の(一)のイの(ハ)	令和2年度基準エネルギー消費効率	平成22年度基準エネルギー消費効率に100分の150を乗じて得た数値
①の(一)のロの(ロ)	令和12年度基準エネルギー消費効率に100分の80	平成22年度基準エネルギー消費効率に100分の173
①の(一)のロの(ハ)	令和2年度基準エネルギー消費効率	平成22年度基準エネルギー消費効率に100分の150を乗じて得た数値
①の(一)のホの(ロ)	令和4年度基準エネルギー消費効率	平成22年度基準エネルギー消費効率に100分の155を乗じて得た数値
②の(一)のイの(ロ)	令和12年度基準エネルギー消費効率に100分の60	平成22年度基準エネルギー消費効率に100分の130
②の(一)のイの(ハ)	令和2年度基準エネルギー消費効率	平成22年度基準エネルギー消費効率に100分の150を乗じて得た数値
①の(一)のロの(ロ)	令和12年度基準エネルギー消費効率に100分の70	平成22年度基準エネルギー消費効率に100分の151

②の(一)のロの(ハ)	令和２年度基準エネルギー消費効率	平成22年度基準エネルギー消費効率に100分の150を乗じて得た数値
②の(一)のニの(ロ)	令和４年度基準エネルギー消費効率に100分の95	平成22年度基準エネルギー消費効率に100分の147

(注) ④中＿＿部分「100分の70」を「100分の80」に、「100分の151」を「100分の173」に、「100分の80」を「100分の85」に、「100分の173」を「100分の184」に、「100分の60」を「100分の70」に、「100分の130」を「100分の151」に、「100分の70」を「100分の75」に、「100分の151」を「100分の162」に改める令和５年度改正規定は、令和７年４月１日以後に取得された自動車に対して課すべき自動車税の環境性能割について適用し、同日前に取得された自動車に対して課する自動車税の環境性能割については、なお従前の例による。(令５改法附１四、12①)

(④において準用する規定がある場合における読替規定)

注 ④において準用する①((一)のイ、ロ及びホに係る部分に限る。)又は②((一)のイ、ロ及びニまでに係る部分に限る。)の規定の適用がある場合における①の(1)、同(2)、同(5)、②の(1)、同(2)、同(4)の規定の適用については、次の表の左欄に掲げる規定中同表の中欄に掲げる字句は、それぞれ同表の右欄に掲げる字句とする。(規９の４㉘)

①の(1)の(二)	令和12年度燃費基準達成レベルが70以上80未満であること及び	自動車の燃費性能の評価及び公表に関する実施要領第３条に規定する10・15モード燃費値(以下「10・15モード燃費値」という。)が告示第３条第１号に規定する平成22年度基準エネルギー消費効率(以下「平成22年度基準エネルギー消費効率」という。)に100分の151を乗じて得た数値以上であること並びに
	その旨	その旨並びに自動車のエネルギー消費効率の算定等に関する省令に規定する国土交通大臣が告示で定める方法第１条第１項第２号及び第３号に掲げる方法(以下「ＪＣ08モード法及びWLTCモード法」という。)により当該自動車のエネルギー消費効率が算定されていない旨
①の(1)の(三)	令和２年度燃費基準達成レベルが100以上であること及び	10・15モード燃費値が平成22年度基準エネルギー消費効率に100分の150を乗じて得た数値以上であること並びに
	その旨	その旨並びにＪＣ08モード法及びWLTCモード法により当該自動車のエネルギー消費効率が算定されていない旨
①の(2)の(二)	令和12年度燃費基準達成レベルが80以上85未満であること及び	10・15モード燃費値が平成22年度基準エネルギー消費効率に100分の173を乗じて得た数値以上であること並びに
	その旨	その旨並びにＪＣ08モード法及びWLTCモード法により当該自動車のエネルギー消費効率が算定されていない旨
①の(2)の(三)	令和２年度燃費基準達成レベルが100以上であること及び	10・15モード燃費値が平成22年度基準エネルギー消費効率に100分の150を乗じて得た数値以上であること並びに
	その旨	その旨並びにＪＣ08モード法及びWLTCモード法により当該自動車のエネルギー消費効率が算定されていない旨
①の(5)の(二)	令和４年度燃費基準達成レベルが95以上100未満(車両総重量が2.5トン以下のトラックにあっては、令和４年度燃費基準達成レベルが100以上105未満)であること及び	10・15モード燃費値が平成22年度基準エネルギー消費効率に100分の155を乗じて得た数値以上であること並びに
	その旨	その旨並びにＪＣ08モード法及びWLTCモード法により当該自動車のエネルギー消費効率が算定されていない旨
②の(1)の(二)	令和12年度燃費基準達成レベルが60以上70未満であること及び	10・15モード燃費値が平成22年度基準エネルギー消費効率に100分の130を乗じて得た数値以上であること並びに
	その旨	その旨並びにＪＣ08モード法及びWLTCモード法により当該自動車のエネルギー消費効率が算定されていない旨

②の(1)の(三)	令和2年度燃費基準達成レベルが100以上であること及び	10・15モード燃費値が平成22年度基準エネルギー消費効率に100分の150を乗じて得た数値以上であること並びに
	その旨	その旨並びにJC08モード法及びWLTCモード法により当該自動車のエネルギー消費効率が算定されていない旨
②の(2)の(二)	令和12年度燃費基準達成レベルが70以上80未満であること及び	10・15モード燃費値が平成22年度基準エネルギー消費効率に100分の151を乗じて得た数値以上であること並びに
	その旨	その旨並びにJC08モード法及びWLTCモード法により当該自動車のエネルギー消費効率が算定されていない旨
②の(2)の(三)	令和2年度燃費基準達成レベルが100以上であること及び	10・15モード燃費値が平成22年度基準エネルギー消費効率に100分の150を乗じて得た数値以上であること並びに
	その旨	その旨並びにJC08モード法及びWLTCモード法により当該自動車のエネルギー消費効率が算定されていない旨
②の(4)の(二)	令和4年度燃費基準達成レベルが95以上100未満であること及び	10・15モード燃費値が平成22年度基準エネルギー消費効率に100分の147を乗じて得た数値以上であること並びに
	その旨	その旨並びにJC08モード法及びWLTCモード法により当該自動車のエネルギー消費効率が算定されていない旨

(注) 注中＿＿＿部分「70以上80未満」を「80以上90未満」に、「100分の151」を「100分の173」に、「80以上85未満」を「85以上95未満」に、「100分の173」を「100分の184」に、「60以上70未満」を「70以上80未満」に、「100分の130」を「100分の151」に、「70以上80未満」を「75以上85未満」に、「100分の151」を「100分の162」に改める令和5年度改正規定は、令和7年4月1日以後適用する。(令5総務省令第37号附1)

⑤ 令和2年度基準エネルギー消費効率等算定自動車への準用に係る読替規定

① (①の(一)のイ及びロ、①の(二)並びに①の(三)のイ及びロに係る部分に限る。)及び②(②の(一)のイ及びロ、②の(二)並びに(三)にイ及びロに係る部分に限る。)の規定は、令和2年度基準エネルギー消費効率等算定自動車について準用する。この場合において、次の表の左欄に掲げる規定中同表の中欄に掲げる字句は、それぞれ同表の右欄に掲げる字句に読み替えるものとする。(法157⑤)

①の(一)のイの(ロ)	令和12年度基準エネルギー消費効率に100分の70	令和2年度基準エネルギー消費効率に100分の102
①の(一)のロの(ロ)	令和12年度基準エネルギー消費効率に100分の80	令和2年度基準エネルギー消費効率に100分の116
①の(二)のイの(ロ)	令和12年度基準エネルギー消費効率に100分の70	令和2年度基準エネルギー消費効率に100分の102
①の(二)のロの(ロ)	令和12年度基準エネルギー消費効率に100分の80	令和2年度基準エネルギー消費効率に100分の116
①の(三)のイの(ロ)	令和12年度基準エネルギー消費効率に100分の70	令和2年度基準エネルギー消費効率に100分の102
①の(三)のロの(ロ)	令和12年度基準エネルギー消費効率に100分の80	令和2年度基準エネルギー消費効率に100分の116
②の(一)のイの(ロ)	令和12年度基準エネルギー消費効率に100分の60	令和2年度基準エネルギー消費効率に100分の87
②の(一)のロの(ロ)	令和12年度基準エネルギー消費効率に100分の70	令和2年度基準エネルギー消費効率に100分の102
②の(二)のイの(ロ)	令和12年度基準エネルギー消費効率に100分の60	令和2年度基準エネルギー消費効率に100分の87

②の(二)のロの(ロ)	令和12年度基準エネルギー消費効率に100分の70	令和２年度基準エネルギー消費効率に100分の102
②の(三)のイの(ロ)	令和12年度基準エネルギー消費効率に100分の60	令和２年度基準エネルギー消費効率に100分の87
②の(三)のロの(ロ)	令和12年度基準エネルギー消費効率に100分の70	令和２年度基準エネルギー消費効率に100分の102

(注) ⑤中＿＿部分「100分の70」を「100分の80」に、「100分の102」を「100分の116」に、「100分の80」を「100分の85」に、「100分の116」を「100分の123」に、「100分の60」を「100分の70」に、「100分の87」を「100分の102」に、「100分の70」を「100分の75」に、「100分の102」を「100分の109」に改める令和５年度改正規定は、令和７年４月１日以後に取得された自動車に対して課すべき自動車税の環境性能割について適用し、同日前に取得された自動車に対して課する自動車税の環境性能割については、なお従前の例による。(令５改法附１四、12①)

(⑤において準用する規定がある場合における読替規定)
(１) ⑤において準用する①(①の(一)のイ及びロ、①の(二)並びに①の(三)のイ及びロに係る部分に限る。)及び②(②の(一)のイ及びロ、②の(二)及び②の(三)のイ及びロに係る部分に限る。)の規定の適用がある場合における①の(１)、(２)、(７)から(10)まで、②の(１)、(２)及び(６)から(９)の規定の適用については、次の表の左欄に掲げる規定中同表の中欄に掲げる字句は、それぞれ同表の右欄に掲げる字句とする。(規９の４㉙)

①の(１)の(二)	令和12年度燃費基準達成レベルが70以上80未満であること及び	令和２年度燃費基準達成レベルが102以上であること並びに
	その旨	その旨及び自動車のエネルギー消費効率の算定等に関する省令に規定する国土交通大臣が告示で定める方法第１条第１項第３号に掲げる方法(以下「ＷＬＴＣモード法」という。)により当該自動車のエネルギー消費効率が算定されていない旨
①の(２)の(二)	令和12年度燃費基準達成レベルが80以上85未満であること及び	令和２年度燃費基準達成レベルが116以上であること並びに
	その旨	その旨及びＷＬＴＣモード法により当該自動車のエネルギー消費効率が算定されていない旨
①の(７)の(二)	令和12年度燃費基準達成レベルが70以上80未満であること及び	令和２年度燃費基準達成レベルが102以上であること並びに
	その旨	その旨及びＷＬＴＣモード法により当該自動車のエネルギー消費効率が算定されていない旨
①の(８)の(二)	令和12年度燃費基準達成レベルが80以上85未満であること及び	令和２年度燃費基準達成レベルが116以上であること並びに
	その旨	その旨及びＷＬＴＣモード法により当該自動車のエネルギー消費効率が算定されていない旨
①の(９)の(一)	令和12年度燃費基準達成レベルが70以上80未満であること及び	令和２年度燃費基準達成レベルが102以上であること並びに
	その旨	その旨及びＷＬＴＣモード法により当該自動車のエネルギー消費効率が算定されていない旨
①の(10)の(一)	令和12年度燃費基準達成レベルが80以上85未満であること及び	令和２年度燃費基準達成レベルが116以上であること並びに
	その旨	その旨及びＷＬＴＣモード法により当該自動車のエネルギー消費効率が算定されていない旨
②の(１)の(二)、②の(５)の(二)	令和12年度燃費基準達成レベルが60以上70未満であること及び	令和２年度燃費基準達成レベルが87以上であること並びに
	その旨	その旨及びＷＬＴＣモード法により当該自動車のエネルギー消費

第二編第十章《自動車税》第二節《環境性能割》

及び②の(6)の(一)		効率が算定されていない旨
②の(2)の(二)	令和12年度燃費基準達成レベルが<u>70以上80未満</u>であること及び	令和２年度燃費基準達成レベルが<u>102以上</u>であること並びに
	その旨	その旨及びＷＬＴＣモード法により当該自動車のエネルギー消費効率が算定されていない旨
②の(6)の(二)	令和12年度燃費基準達成レベルが<u>60以上70未満</u>であること及び	令和２年度燃費基準達成レベルが<u>87以上</u>であること並びに
	その旨	その旨及びＷＬＴＣモード法により当該自動車のエネルギー消費効率が算定されていない旨
②の(7)の(二)	令和12年度燃費基準達成レベルが<u>70以上80未満</u>であること及び	令和２年度燃費基準達成レベルが<u>102以上</u>であること並びに
	その旨	その旨及びＷＬＴＣモード法により当該自動車のエネルギー消費効率が算定されていない旨
②の(8)の(一)	令和12年度燃費基準達成レベルが<u>60以上70未満</u>であること及び	令和２年度燃費基準達成レベルが<u>87以上</u>であること並びに
	その旨	その旨及びＷＬＴＣモード法により当該自動車のエネルギー消費効率が算定されていない旨
②の(9)の(一)	令和12年度燃費基準達成レベルが<u>70以上80未満</u>であること及び	令和２年度燃費基準達成レベルが<u>102以上</u>であること並びに
	その旨	その旨及びＷＬＴＣモード法により当該自動車のエネルギー消費効率が算定されていない旨

(注) (1)中＿＿部分「70以上80未満」を「80以上90未満」に、「102以上」を「116以上」に、「80以上85未満」を「85以上95未満」に、「116以上」を「123以上」に、「60以上70未満」を「70以上80未満」に、「87以上」を「102以上」に、「70以上80未満」を「75以上85未満」に、「102以上」を「109以上」に改める令和５年度改正規定は、令和７年４月１日以後適用する。(令５総務省令第37号附１)

　　　(読替規定)
(2)　①((三)のトに係る部分に限る。)及び②((三)のホに係る部分に限る。)の規定は、平成27年度基準エネルギー消費効率算定自動車について準用する。この場合において、①の(三)のトの(ロ)中「令和７年度基準エネルギー消費効率」とあるのは「基準エネルギー消費効率であって平成27年度以降の各年度において適用されるべきものとして定められたもの(以下「平成27年度基準エネルギー消費効率」という。)に100分の110を乗じて得た数値」と、②の(三)のホの(ロ)中「令和７年度基準エネルギー消費効率に100分の95」とあるのは「平成27年度基準エネルギー消費効率に100分の105」と読み替えるものとする。(法157⑥)
　　(注)　(2)を追加する令和５年度改正規定は、令和７年４月１日以後適用する(令５改法附１四)

　　　(準用規定)
(3)　(2)において準用する①((三)のトに係る部分に限る。)又は②((三)のホに係る部分に限る。)の規定の適用がある場合における第15項及び第27項の規定の適用については、第15項第２号中「令和７年度燃費基準達成レベルが100以上105未満であること及び」とあるのは「自動車の燃費性能の評価及び公表に関する実施要領第４条に規定する平成27年度燃費基準達成・向上達成レベル(第27項第２号において「平成27年度燃費基準達成レベル」という。)が110以上であること並びに」と、「その旨」とあるのは「その旨及び自動車のエネルギー消費効率の算定等に関する省令に規定する国土交通大臣が告示で定める方法(第27項第２号において「エネルギー消費効率算定告示」という。)第２条第１号に掲げる方法により当該自動車のエネルギー消費効率が算定されていない旨」と、第27項第２号中「令和７年度燃費基準達成レベルが95以上100未満であること及び」とあるのは「平成27年度燃費基準達成レベルが105以上であること並びに」と、「その旨」とあるのは「その旨及びエネルギー消費効率算定告示第２条第１号に掲げる方法により当該自動車のエネルギー消費効率が算定されていない旨」とする。(規９の４㉚)
　　(注)　(3)を追加する令和５年度改正規定は、令和７年４月１日以後適用する。(令５総務省令第37号附１)

(読替規定)
（４） 国土交通大臣の認定等の申請をした者が偽りその他不正の手段により国土交通大臣の認定等を受けたことを事由として国土交通大臣が当該国土交通大臣の認定等を取り消した場合であって、当該取消し後にその対象となった自動車が新たに受けた国土交通大臣の認定等が自動車登録ファイルに記録されてから、当該新たに受けた国土交通大臣の認定等が当該自動車に係る自動車検査証において明らかにされるまでの間においては、当該自動車に対する①の（１）から同(13)まで及び②の（１）から同（９）まで（これらの規定を④の注及び(1)の規定により読み替えて適用する場合を含む。）の規定の適用については、これらの規定中「当該自動車に係る自動車検査証」とあるのは「道路運送車両法第４条に規定する自動車登録ファイル」と読み替えるものとする。（規９の４㉚）

　　（注）　（４）中___部分「規９の４㉚」を「規９の４㉛」に改める令和５年度改正規定は、令和７年４月１日以後適用する。（令５総務省令第37号附１）

⑥　見直し規定
　①、②、③、④、⑤、⑥の各規定の適用を受ける自動車の範囲については、２年ごとに見直しを行うものとする。（法157⑥）

　　（注）　⑥中___部分を加え、___部分を「法157⑥」を「法157⑦」に改める令和５年度改正規定は、令和７年４月１日以後適用する（令５改法附１四）

⑦　環境性能割の免税点
　道府県は、通常の取得価額が50万円以下である自動車に対しては、環境性能割を課することができない。（法158）

⑧　環境性能割の税率の特例
　営業用の自動車に対する①及び②（これらの規定を④又は⑤、同（２）において準用する場合を含む。）並びに③の規定の適用については、当分の間、次の表の左欄に掲げる①、②、③の規定中同表の中欄に掲げる字句は、それぞれ同表の右欄に掲げる字句とする。（法附12の２の12①）

①（④又は⑤、同（２）において準用する場合を含む。）	100分の１	100分の0.5
②（④又は⑤、同（２）において準用する場合を含む。）	100分の２	100分の１
③	100分の３	100分の２

　　（注）　⑧中___部分を追加する令和５年度改正規定は、令和７年４月１日以後適用する（令５改法附１四）

　　（読替規定）
　注　自家用の乗用車に対する②（④又は⑤において準用する場合を含む。以下同じ。）及び③の規定の適用については、当該自家用の乗用車の取得が特定期間に行われたときに限り、②中「100分の２」とあるのは「100分の１」と、③中「100分の３」とあるのは「100分の２」とする。（法附12の２の12②）

３　環境性能割の賦課徴収の特例
　道府県知事は、当分の間、自動車税の環境性能割の賦課徴収に関し、自動車が第一節の４の②（第一節の４の②の(32)又は同②の(37)及び同②の(41)において準用する場合を含む。以下同じ。）又は２の①若しくは同②（これらの規定を２の④又は２の⑤及び同⑤の（２）において準用する場合を含む。以下同じ。）に規定する窒素酸化物の排出量若しくは粒子状物質の排出量又はエネルギー消費効率についての基準（以下「窒素酸化物排出量等基準」という。）につき第一節の４の②又は２の①若しくは同②の規定の適用を受ける自動車（以下「非課税対象車等」という。）に該当するかどうかの判断をするときは、国土交通大臣の認定等（申請に基づき国土交通大臣が行った自動車についての認定又は評価であって、当該認定又は評価の事実に基づき自動車が窒素酸化物排出量等基準につき非課税対象車等に該当するかどうかの判断をすることが適当であるものとして（１）で定めるものをいう。（２）において同じ。）に基づき当該判断をするものとする。（法附12の２の11①）

　　（注）　３中___部分を追加する令和５年度改正規定は、令和７年４月１日以後適用する（令５改法附１四）

　　（総務省令で定める認定又は評価）
（１）　３に規定する（１）で定める認定又は評価は、低排出ガス車認定実施要領第５条の規定による認定（以下「低排出ガス車認定」という。）又は自動車の燃費性能の評価及び公表に関する実施要領（以下「燃費評価実施要領」という。）

第３条から第４条の３までの規定による評価とする。（規附４の10）

　　　（みなし規定）
（２）　道府県知事は、当分の間、納付すべき自動車税の環境性能割の額について不足額があることを二の２の納期限（納期限の延長があったときは、その延長された納期限）後において知った場合において、当該事実が生じた原因が、国土交通大臣の認定等の申請をした者が偽りその他不正の手段（当該申請をした者に当該申請に必要な情報を直接又は間接に提供した者の偽りその他不正の手段を含む。）により国土交通大臣の認定等を受けたことを事由として国土交通大臣が当該国土交通大臣の認定等を取り消したことによるものであるときは、当該申請をした者又はその一般承継人を当該不足額に係る自動車について二の２に規定する申告書を提出すべき当該自動車の取得者とみなして、二の９の（１）の規定その他の自動車税の環境性能割に関する規定（二の11及び12の規定を除く。）を適用する。（法附12の２の11②）

　　　（（２）の規定の適用がある場合の環境性能割の額）
（３）　（２）の規定の適用がある場合における二の９の（１）の規定による決定により納付すべき自動車税の環境性能割の額は、（２）の不足額に、これに100分の35の割合を乗じて計算した金額を加算した金額とする。（法附12の２の11③）

　　　（読替規定）
（４）　（２）の規定の適用がある場合における第一編第七章一の２の①及び第一編第七章二の１の規定の適用については、第一編第七章一の２の①中「５年」とあるのは「７年」と、第一編第七章二の１中「５年間」とあるのは「７年間」とする。（法附12の２の11④）

　　　（読替規定）
（５）　（２）の規定の適用を受けた国土交通大臣の認定等の申請をした者又はその一般承継人に対する法人税法の規定の適用については、同法第55条第４項中「次に掲げるもの」とあるのは、「次に掲げるもの及び地方税法附則第12条の２の11第２項の規定による自動車税の環境性能割」とする。（法附12の２の11⑤）

二　申告納付並びに更正及び決定等

１　環境性能割の徴収の方法
　環境性能割の徴収については、申告納付の方法によらなければならない。（法159）

２　環境性能割の申告納付
　環境性能割の納税義務者は、次の各号に掲げる自動車の区分に応じ、当該各号に定める時又は日までに、（２）で定める様式により、環境性能割の課税標準額、環境性能割額その他必要な事項を記載した申告書を道府県知事に提出するとともに、その申告に係る環境性能割額を当該道府県に納付しなければならない。（法160①）
（一）　新規登録を受ける自動車　　当該新規登録の時
（二）　道路運送車両法第13条第１項の規定による移転登録（以下（二）及び第三節二の５の①において「移転登録」という。）を受けるべき自動車　　当該移転登録を受けるべき事由があった日から15日を経過する日（その日前に当該移転登録を受けたときは、当該移転登録の時）
（三）　（一）及び（二）に掲げる自動車以外の自動車で、道路運送車両法第67条第１項の規定による自動車検査証の記入を受けるべき自動車　　当該記入を受けるべき事由があった日から15日を経過する日（その日前に当該記入を受けたときは、当該記入の時）
（四）　（一）から（三）に掲げる自動車以外の自動車　　当該自動車の取得の日から15日を経過する日

　　　（道府県知事への報告書の提出）
（１）　自動車の取得者（環境性能割の納税義務者を除く。以下（１）において同じ。）は、２の各号に掲げる区分に応じ、当該各号に定める時又は日までに、（２）で定める様式により、当該自動車の取得者が取得した自動車について必要な事項を記載した報告書を道府県知事に提出しなければならない。（法160②）

　　　　（環境性能割に係る申告書等の様式）
（２）　２の規定により提出すべき申告書又は（１）の規定により提出すべき報告書の様式は、第16号の43様式によるものとする。（規９の５）

　　　　（環境性能割の徴収方法が申告納付とされている理由）
（３）　環境性能割の徴収方法が申告納付とされているのは、地方運輸局運輸支局（運輸監理部を含む。）における登録等の手続の際に原則として本税の課税関係の事務をすべて終了させることによって、徴収の簡素化及び納税者の便宜を図るためであること。（県通10－８）

　　　　（留意事項）
（４）　自動車の取得がされる場合には通常自動車の登録等がされるものであるから、環境性能割の申告納付期限は原則として登録を基準として定められているのであるが、次の点に留意すること。（県通10－９）
　（一）　次に掲げる場合は、いずれも２の（一）に該当し、新規登録が申告納付期限となるものであること。
　　イ　新規登録のされていない自動車について所有権留保付売買契約の締結があった場合
　　ロ　新規登録のされていない自動車について販売業者等が新規登録をした場合
　　ハ　自動車を国内に持ち込んで運行の用に供する場合
　（二）　次に掲げる場合は、２の（三）に該当し、自動車検査証の記入の時が申告納付期限となるものであること。
　　イ　既に登録のされている自動車について所有権留保付売買契約の締結があった場合
　　ロ　所有権留保付売買に係る自動車について買主の変更があった場合
　（三）　販売業者等が既に取得し、移転登録をしている商品自動車等を運行の用に供する場合は、２の（四）に該当し、当該運行の用に供した日から15日を経過する日が申告納付期限となるものであること。

　　　　（徴収の留意点）
（５）　環境性能割の証紙徴収の取扱方法としては、環境性能割の申告書に証紙を貼付する方法と、これに代えて環境性能割の申告書に証紙の額面金額に相当する金額を証紙代金収納計器で表示する方法又は証紙の額面金額に相当する現金の納付を受けた後環境性能割の申告書に納税済印を押す方法とあるが、申告窓口における納付の便宜の観点から、原則として申告書に証紙を貼付する方法によることとしていることに留意すること。
　　なお、証紙代金収納計器による払込みの方法は、納税義務者が証紙代金収納計器の取扱人に証紙の額面金額に相当する現金を支払って環境性能割の申告書に当該金額の表示を受けることにより、環境性能割を払い込むものであること。この場合、証紙代金収納計器の取扱人は、証紙代金収納計器の取扱いにつき道府県知事の承認を受けた者とし、証紙代金収納計器により表示することができる金額を道府県に納付するとともに、当該金額を限度として証紙代金収納計器を取り扱うものであること。
　　証紙徴収の方法による場合の経理その他の手続については次によること。（県通10－10）
　イ　納税義務者の租税債務は、証紙が道府県の印で消されたとき、証紙代金収納計器によって金額を表示させた申告書が受理されたとき又は納税済印の押印を受けたときに履行されたものとするものであること。
　ロ　証紙による払込み又は証紙代金収納計器による払込みに代えて現金で納付する場合に小切手による納付を受けるときは、地方自治法施行令第156条第１項第１号に掲げる小切手に該当し、その支払地が地方運輸局運輸支局（運輸監理部を含む。）の所在地であり、その提示期間の到来しているものであって、かつ、支払いが確実であると認められるものに限り納付を認めるものとすること。
　ハ　証紙による払込み又は証紙代金収納計器による払込みに過誤納があった場合は、当該過誤納に係る現年度の還付金は、一般会計より歳入戻出するものとし、還付加算金は一般会計の歳出から支出するものとすること。

　　　　（報告）
（６）　自動車の取得者で納税義務者以外の者についても、（１）で定めるところにより報告書を提出しなければならないこととされているが、これは、通常の取得価額が免税点以下である自動車を取得した者及び非課税とされる自動車を取得した者についてその旨の確認をするためのものであること。（県通10－11）

3　環境性能割の期限後申告及び修正申告納付

　２の規定により２に規定する申告書（以下この目において「申告書」という。）を提出すべき者は、２の各号に規定する申告書の提出期限（以下「申告書の提出期限」という。）後においても、９の（３）の規定による決定の通知があるまでの間

は、2の規定により申告納付することができる。(法161①)

　　　　(修正申告書の提出)
(1)　2若しくは3若しくは(1)の規定により申告書若しくは修正申告書を提出した者又は9から同(2)までの規定による更正若しくは決定を受けた者は、当該申告書若しくは修正申告書又は当該更正若しくは決定に係る課税標準額又は環境性能割額について不足額がある場合には、遅滞なく、(2)で定める事項を記載した修正申告書を道府県知事に提出するとともに、その修正により増加した環境性能割額を当該道府県に納付しなければならない。(法161②)

　　　　(環境性能割の修正申告書の記載事項)
(2)　(1)に規定する(2)で定める事項は、次に掲げる事項とする。(規9の6)
　(一)　納税義務者の氏名又は名称及び住所
　(二)　自動車を譲渡した者の氏名又は名称及び住所
　(三)　自動車の取得がされた年月日
　(四)　自動車の取得の原因
　(五)　自動車の種別、用途、車名及び型式
　(六)　自動車の定置場
　(七)　既に納付の確定した環境性能割額
　(八)　環境性能割の課税標準額及び環境性能割額
　(九)　(八)の環境性能割額に相当する金額から(七)の環境性能割額に相当する金額を控除した金額
　(十)　(一)から(九)に掲げるもののほか道府県の条例で定める事項

4　環境性能割の納付の方法
　環境性能割の納税義務者は、2又は3の規定により環境性能割額を納付する場合(10の(3)及び同(4)の規定により当該環境性能割額に係る延滞金額を納付する場合を含む。(1)において同じ。)には、申告書又は3の(1)に規定する修正申告書(以下「修正申告書」という。)に道府県が発行する証紙を貼ってしなければならない。ただし、当該道府県の条例で当該環境性能割額(当該環境性能割額に係る延滞金額を含む。(1)において同じ。)に相当する金額を証紙代金収納計器で表示させる納付の方法が定められている場合には、これによることができる。(法162①)

　　　　(証紙に代える現金納付)
(1)　道府県は、環境性能割の納税義務者が2又は3の規定により環境性能割額を納付する場合において、当該道府県の条例で、4の証紙に代えて、当該環境性能割額に相当する現金を納付することができる旨を定めることができる。(法162②)

　　　　(納税義務者が証紙を貼った場合)
(2)　道府県は、4の規定により納税義務者が証紙を貼った場合には、当該証紙を貼った紙面と当該証紙の彩紋とにかけて当該道府県の印で判明にこれを消さなければならない。(法162③)

　　　　(道府県の条例で定める事項)
(3)　4の証紙の取扱いに関しては、当該道府県の条例で定めなければならない。(法162④)

5　環境性能割に係る不申告等に関する過料
　道府県は、環境性能割の納税義務者が2の規定により申告し、又は報告すべき事項について正当な事由がなくて申告又は報告をしなかった場合には、その者に対し、当該道府県の条例で10万円以下の過料を科する旨の規定を設けることができる。(法163)

6　譲渡担保財産に対して課する環境性能割の納税義務の免除等
　道府県は、譲渡担保権者が譲渡担保財産として自動車の取得をした場合において、当該譲渡担保財産により担保される債権の消滅により当該取得の日から6月以内に譲渡担保権者から譲渡担保財産の設定者に当該譲渡担保財産を移転したときは、譲渡担保権者が取得した当該譲渡担保財産に対する環境性能割に係る地方団体の徴収金に係る納税義務を免除するものとする。(法164①)

(地方団体の徴収金の徴収猶予)
（1） 道府県知事は、自動車の取得者から環境性能割について6の規定の適用があるべき旨の申告があり、当該申告が真実であると認めるときは、当該取得の日から6月以内の期間を限って、当該自動車に対する環境性能割に係る地方団体の徴収金の徴収を猶予するものとする。（法164②）

(猶予期間に対応する金額の免除)
（2） 道府県知事は、（1）の規定による徴収の猶予をした場合には、当該徴収の猶予がされた環境性能割額に係る延滞金額のうち当該徴収を猶予した期間に対応する部分の金額を免除するものとする。（法164③）

(徴収猶予の取消し)
（3） 道府県知事は、（1）の規定による徴収の猶予をした場合において、当該徴収の猶予に係る環境性能割について6の規定の適用がないことが明らかとなったときは、当該徴収の猶予を取り消さなければならない。この場合において、徴収の猶予を取り消された者は、直ちに当該徴収の猶予がされた環境性能割に係る地方団体の徴収金を納付しなければならない。（法164④）

(準用規定)
（4） 第一編第五章二の3及び同4の①の規定は（1）の規定による徴収の猶予について、第一編第五章二の5の（2）の規定は（3）の規定による徴収の猶予の取消しについて、それぞれ準用する。（法164⑤）

(徴収金の還付)
（5） 道府県が環境性能割に係る地方団体の徴収金を徴収した場合において、当該環境性能割について6の規定の適用があることとなったときは、道府県知事は、同項の譲渡担保権者の申請に基づいて、当該地方団体の徴収金を還付するものとする。（法164⑥）

(還付を受けるべき者の未納に係る地方団体の徴収金があるとき)
（6） 道府県知事は、（5）の規定により環境性能割に係る地方団体の徴収金を還付する場合において、還付を受けるべき者の未納に係る地方団体の徴収金があるときは、当該還付すべき額をこれに充当しなければならない。（法164⑦）

(みなし規定)
（7） （5）及び（6）の規定により環境性能割に係る地方団体の徴収金を還付し、又は充当する場合には、（5）の規定による還付の申請があった日から起算して10日を経過した日を第一編第六章三の1各号に定める日とみなして、同1の規定を適用する。（法164⑧）

7　自動車の返還があった場合の環境性能割の納税義務の免除等

道府県は、自動車販売業者から自動車の取得をした者（以下7及び(2)において「自動車の取得をした者」という。）が、当該自動車の性能が良好でないことその他これに類する理由で（1）で定めるものにより、当該自動車の取得の日から1月以内に当該自動車を当該自動車販売業者に返還した場合には、当該自動車の取得をした者が取得した自動車に対する環境性能割に係る納税義務を免除するものとする。（法165①）

(自動車の性能が良好でないことに類する理由)
（1） 7に規定する（1）で定める理由は、自動車の車体の塗色等が当該自動車の取得に係る契約の内容と異なることとする。（規9の7）

(環境性能割相当額の還付)
（2） 道府県が環境性能割を徴収した場合において、当該環境性能割について7の規定の適用があることとなったときは、道府県知事は、自動車の取得をした者の申請に基づいて、当該環境性能割額に相当する額を還付するものとする。（法165②）

(準用規定)
（3） 6の（6）の規定は、（2）の規定により環境性能割額を還付する場合について準用する。（法165③）

(納付義務の免除の留意点)
（４）　自動車の返還があった場合の環境性能割の還付又は納付義務の免除については、次の諸点に留意すること。（県通10－12）
　　（一）　７の規定による納付義務の免除等は、７の規定に該当する自動車の返還があった場合にはすべて適用されるものであり、それが売買契約の解除によるものであると、単なる自動車の取換えであるとを問わないものであること。
　　　　なお、自動車の売買契約が解除された場合であっても、７に規定する場合に該当しない限り、同条の課税免除の適用はないものであること。
　　（二）　課税免除されるのは、返還の理由が専ら販売業者の責めに帰すべき場合であり、買主の使用が適正でないことにより性能が良好でなくなったような場合は、これに含まれないものであること。
　　（三）　既に納付されている税額を還付する場合は、その還付する金額に還付加算金を加算しないものであること。

8　雑　　　則

①　環境性能割の脱税に関する罪
偽りその他不正の行為により環境性能割の全部又は一部を免れたときは、その違反行為をした者は、５年以下の懲役若しくは100万円以下の罰金に処し、又はこれを併科する。（法166①）

(不正行為による脱税額が100万円を超える場合)
（１）　①の免れた税額が100万円を超える場合には、情状により、①の罰金の額は、①の規定にかかわらず、100万円を超える額でその免れた税額に相当する額以下の額とすることができる。（法166②）

(申告書の不提出に対する罰則)
（２）　①に規定するもののほか、申告書を申告書の提出期限までに提出しないことにより、環境性能割の全部又は一部を免れたときは、その違反行為をした者は、３年以下の懲役若しくは50万円以下の罰金に処し、又はこれを併科する。（法166③）

(申告書の不提出による脱税額が50万円を超える場合)
（３）　（２）の免れた税額が50万円を超える場合には、情状により、（２）の罰金の額は、（２）の規定にかかわらず、50万円を超える額でその免れた税額に相当する額以下の額とすることができる。（法166④）

(法人の代表者又はその代理人等が法人の業務又は財産に関して違反行為をした場合)
（４）　法人の代表者又は法人若しくは人の代理人、使用人その他の従業者がその法人又は人の業務又は財産に関して①又は（２）の違反行為をした場合には、その行為者を罰するほか、その法人又は人に対し、①又は（２）の罰金刑を科する。（法166⑤）

(罰金刑を科する場合における時効の期間)
（５）　（４）の規定により①の違反行為につき法人又は人に罰金刑を科する場合における時効の期間は、①の罪についての時効の期間による。（法166⑥）

②　環境性能割の減免
道府県知事は、天災その他特別の事情がある場合において環境性能割の減免を必要とすると認める者その他特別の事情がある者に限り、当該道府県の条例で定めるところにより、環境性能割を減免することができる。（法167）

9　環境性能割の更正及び決定
道府県知事は、申告書又は修正申告書の提出があった場合において、当該申告書又は修正申告書に係る課税標準額又は環境性能割額がその調査したところと異なるときは、これを更正する。（法168①）

(申告書を提出すべき者が当該申告書を提出しなかった場合)
（１）　道府県知事は、申告書を提出すべき者が当該申告書を提出しなかった場合には、その調査により、申告すべき課税標準額及び環境性能割額を決定する。（法168②）

（課税標準額又は環境性能割額について過不足額があることを知ったとき）
（２）　道府県知事は、９若しくは（２）の規定により更正し、又は（１）の規定により決定した課税標準額又は環境性能割額について過不足額があることを知ったときは、その調査により、これを更正する。（法168③）

（課税標準額又は環境性能割額の更正・決定の通知）
（３）　道府県知事は、９、（１）、（２）の規定により課税標準額又は環境性能割額を更正し、又は決定した場合には、遅滞なく、これを納税者に通知しなければならない。（法168④）

10　環境性能割の不足税額及びその延滞金の徴収
　道府県の徴税吏員は、９、同（１）、同（２）の規定による更正又は決定があった場合において、不足税額（更正による不足税額又は決定による税額をいう。以下同じ。）があるときは、９の（３）の通知をした日から１月を経過する日を納期限として、これを徴収しなければならない。（法169①）

（不足税額に係る延滞金）
（１）　10の場合においては、その不足税額に２の各号に規定する納期限（納期限の延長があったときは、その延長された納期限。以下同じ。）の翌日から納付の日までの期間の日数に応じ、年14.6％（10の納期限までの期間又は当該納期限（６の（１）の規定により徴収を猶予した税額にあっては、当該猶予した期間の末日）の翌日から１月を経過する日までの期間については、年7.3％）の割合を乗じて計算した金額に相当する延滞金額を加算して徴収しなければならない。（法169②）

（不足税額に係る延滞金の減免）
（２）　道府県知事は、納税者が９、同（１）、同（２）の規定による更正又は決定を受けたことについてやむを得ない理由があると認める場合には、（１）の延滞金額を減免することができる。（法169③）

（納期限後納付に係る延滞金）
（３）　環境性能割の納税者は、２の各号に規定する納期限後にその税金を納付する場合には、当該税額に、当該納期限の翌日から納付の日までの期間の日数に応じ、年14.6パーセント（次の各号に掲げる税額の区分に応じ、当該各号に定める日までの期間については、年7.3パーセント）の割合を乗じて計算した金額に相当する延滞金額を加算して納付しなければならない。（法170①）
　（一）　申告書の提出期限までに提出した申告書に係る税額（（四）に掲げる税額を除く。（二）及び（三）において同じ。）　当該税額に係る納期限の翌日から１月を経過する日
　（二）　申告書の提出期限後に提出した申告書に係る税額　当該提出した日又はその日の翌日から１月を経過する日
　（三）　修正申告書に係る税額　修正申告書を提出した日又はその日の翌日から１月を経過する日
　（四）　６の（１）の規定により徴収を猶予した税額　当該猶予した期間の末日の翌日から１月を経過する日

（納期限後納付に係る延滞金の減免）
（４）　道府県知事は、納税者が２の各号に規定する納期限までに税金を納付しなかったことについてやむを得ない理由があると認める場合には、（３）の延滞金額を減免することができる。（法170②）

11　環境性能割の過少申告加算金及び不申告加算金
　申告書の提出期限までに申告書の提出があった場合（申告書の提出期限後に申告書の提出があった場合において、（１）ただし書又は（７）の規定の適用があるときを含む。以下11において同じ。）において、９若しくは９の（２）の規定による更正があったとき、又は修正申告書の提出があったときは、道府県知事は、当該更正又は修正申告前の申告又は修正申告に係る税額に誤りがあったことについて正当な理由がないと認める場合には、当該更正による不足税額又は当該修正申告により増加した税額（以下11において「対象不足税額等」という。）に100分の10の割合を乗じて計算した金額（当該対象不足税額等（当該更正又は修正申告前にその更正又は修正申告に係る環境性能割について更正又は修正申告書の提出があった場合には、その更正による不足税額又は修正申告により増加した税額の合計額（当該更正又は修正申告前の申告又は修正申告に係る税額に誤りがあったことについて正当な理由があると認めるときは、その更正による不足税額又は修正申告により増加した税額を控除した金額とし、当該環境性能割についてその納付すべき税額を減少させる更正又は更正に係る審査請求若しくは訴えについての裁決若しくは判決による原処分の異動があったときは、これらにより減少した部分の税

額に相当する金額を控除した金額とする。）を加算した金額とする。）が申告書の提出期限までに申告書の提出があった場合における当該申告書に係る税額に相当する金額と50万円とのいずれか多い金額を超えるときは、その超える部分に相当する金額（当該対象不足税額等が当該超える部分に相当する金額に満たないときは、当該対象不足税額等）に100分の5の割合を乗じて計算した金額を加算した金額とする。）に相当する過少申告加算金額を徴収しなければならない。ただし、修正申告書の提出があった場合において、その提出が当該修正申告書に係る環境性能割額について9又は9の（2）の規定による更正があるべきことを予知してされたものでないときは、この限りでない。（法171①）

　　　（不申告加算金額の徴収）
（1）次の各号のいずれかに該当する場合には、道府県知事は、当該各号に規定する申告、決定又は更正により納付すべき税額に100分の15の割合を乗じて計算した金額に相当する不申告加算金額を徴収しなければならない。ただし、申告書の提出期限までに申告書の提出がなかったことについて正当な理由があると認める場合は、この限りでない。（法171②）
　（一）申告書の提出期限後に申告書の提出があった場合又は9の（1）の規定による決定があった場合
　（二）申告書の提出期限後に申告書の提出があった後において修正申告書の提出又は9若しくは9の（2）の規定による更正があった場合
　（三）9の（1）の規定による決定があった後において修正申告書の提出又は9の（2）の規定による更正があった場合

　　　（不申告加算金額が50万円を超える場合）
（2）（1）の規定に該当する場合（（1）ただし書又は（7）の規定の適用がある場合を除く。（3）及び（4）において同じ。）において、（1）に規定する納付すべき税額（（1）の（二）又は同（三）に該当する場合には、これらの規定に規定する修正申告又は更正前にされた当該環境性能割に係る申告書の提出期限後の申告又は9又は9の（1）、9の（2）の規定による更正若しくは決定により納付すべき税額の合計額（当該納付すべき税額を減少させる更正又は更正に係る審査請求若しくは訴えについての裁決若しくは判決による原処分の異動があったときは、これらにより減少した部分の税額に相当する金額を控除した金額とする。（3）において「累積納付税額」という。）を加算した金額。（3）において「加算後累積納付税額」という。）が50万円を超えるときは、（1）に規定する不申告加算金額は、（1）の規定にかかわらず、（1）の規定により計算した金額に、その超える部分に相当する金額（（1）に規定する納付すべき税額が当該超える部分に相当する金額に満たないときは、当該納付すべき税額）に100分の5の割合を乗じて計算した金額を加算した金額とする。（法171③）

　　　（加算後累積納付税額が300万円を超える場合の不申告加算金額）
（3）（1）の規定に該当する場合において、加算後累積納付税額（当該加算後累積納付税額の計算の基礎となった事実のうちに（1）の各号に規定する申告、決定又は更正前の税額（還付金の額に相当する税額を含む。）の計算の基礎とされていなかったことについて当該納税者の責めに帰すべき事由がないと認められるものがあるときは、その事実に基づく税額として政令で定めるところにより計算した金額を控除した税額）が300万円を超えるときは、（1）に規定する不申告加算金額は、（1）及び（2）の規定にかかわらず、加算後累積納付税額を次の各号に掲げる金額に区分してそれぞれの金額に当該各号に定める割合を乗じて計算した金額の合計額から累積納付税額を当該各号に掲げる金額に区分してそれぞれの金額に当該各号に定める割合を乗じて計算した金額の合計額を控除した金額とする。（法171④）
　（一）50万円以下の部分に相当する金額　　　100分の15の割合
　（二）50万円を超え300万円以下の部分に相当する金額　　　100分の20の割合
　（三）300万円を超える部分に相当する金額　　　100分の30の割合

　　　（政令で定めるところにより計算した金額）
（4）（3）に規定する政令で定めるところにより計算した金額は、（3）に規定する当該納税者の責めに帰すべき事由がないと認められる事実のみに基づいて（1）の各号に規定する申告、決定又は更正があったものとした場合におけるその申告、決定又は更正により納付すべき税額とする。（令44の4の2）

　　　（不申告加算金額の計算）
（5）（1）の規定に該当する場合において、次の各号のいずれかに該当するときは、（1）に規定する不申告加算金額は、（1）から（3）の規定にかかわらず、これらの規定により計算した金額に、（1）に規定する納付すべき税額に100分の10の割合を乗じて計算した金額を加算した金額とする。（法171⑤）

(一) 申告書の提出期限後の申告書の提出若しくは修正申告書の提出（当該申告書又は修正申告書に係る環境性能割について9から9の(2)までの規定による更正又は決定があるべきことを予知してされたものに限る。(二)において同じ。）又は9から9の(2)までの規定による更正若しくは決定があった日の前日から起算して5年前の日までの間に、環境性能割について、不申告加算金（(6)の規定の適用があるものを除く。(二)において同じ。）又は重加算金（12の(3)の(一)において「不申告加算金等」という。）を徴収されたことがある場合

(二) 申告書の提出期限後の申告書の提出若しくは修正申告書の提出又は9から9の(2)までの規定による更正若しくは決定に係る環境性能割の納税義務が成立した日の属する年の前年及び前々年に納税義務が成立した環境性能割について、不申告加算金若しくは重加算金（12の(2)の規定の適用があるものに限る。）（以下「特定不申告加算金等」という。）を徴収されたことがあり、又は特定不申告加算金等に係る決定をすべきと認める場合

（更正又は決定があることを予知せず納期限後申告等を行った場合）
(6) 申告書の提出期限後に申告書の提出があった場合又は修正申告書の提出があった場合において、その提出が当該申告書又は修正申告書に係る環境性能割について9、9の(1)、9の(2)の規定による更正又は決定があるべきことを予知してされたものでないときは、当該申告書又は修正申告書に係る税額に係る(1)に規定する不申告加算金額は、(1)から(3)及び(5)の規定にかかわらず、当該税額に100分の5の割合を乗じて計算した金額に相当する額とする。（法171⑥）

（納税者への通知）
(7) 道府県知事は、9の規定により徴収すべき過少申告加算金額又は9の(1)の規定により徴収すべき不申告加算金額を決定した場合には、遅滞なく、納税者に通知しなければならない。（法171⑦）

（申告書の提出期限までに提出する意思があったと認められる場合）
(8) 9の(1)の規定は、(6)の規定に該当する申告書の提出があった場合において、その提出が、申告書の提出期限までに提出する意思があったと認められる場合として(9)で定める場合に該当して行われたものであり、かつ、申告書の提出期限から1月を経過する日までに行われたものであるときは、適用しない。（法171⑧）

（申告書の提出期限までに提出する意思があったと認められるものとして政令で定める場合）
(9) (8)に規定する申告書の提出期限までに提出する意思があったと認められる場合として(9)で定める場合は、次の各号のいずれにも該当する場合とする。（令44の5）
(一) (8)に規定する申告書の提出があった日の前日から起算して5年前の日までの間に、環境性能割について、(1)の(一)に該当することにより不申告加算金額又は重加算金額を課されたことがない場合であって、(8)の規定の適用を受けていないとき。
(二) (一)に規定する申告書に係る納付すべき税額の全額が、次に掲げる場合の区分に応じ、それぞれ次に定める期限又は日までに納付されていた場合
イ ロに掲げる場合以外の場合　当該納付すべき税額に係る2の各号に規定する納期限（納期限の延長があったときは、その延長された納期限）
ロ 道府県知事が当該申告書に係る納付について口座振替の方法による旨の申出を受けていた場合　当該申告書の提出があった日

12　環境性能割の重加算金

11の規定に該当する場合において、納税者が課税標準額の計算の基礎となるべき事実の全部又は一部を隠蔽し、又は仮装し、かつ、その隠蔽し、又は仮装した事実に基づいて申告書又は修正申告書を提出したときは、道府県知事は、政令で定めるところにより、11に規定する過少申告加算金額に代えて、その計算の基礎となるべき更正による不足税額又は修正申告により増加した税額に100分の35の割合を乗じて計算した金額に相当する重加算金額を徴収しなければならない。（法172①）

(注)　12中＿＿部分「又は修正申告書」を「、修正申告書又は第一編第十章10の④に規定する更正請求書（(2)において「更正請求書」という。）」に改める令和6年度改正規定は、令和7年1月1日以後に3に規定する申告書の提出期限が到来する自動車税の環境性能割について適用し、同日前に当該提出期限が到来した自動車税の環境性能割については、なお従前の例による。（令6改法附1二、16）

(環境性能割の重加算金額を徴収する場合の過少申告加算金額の取扱い)
（１）　11又は（２）（11の重加算金に係る部分に限る。以下（１）において同じ。）の規定により、過少申告加算金額に代えて、重加算金額を徴収する場合には、11又は（２）の規定による重加算金額の算定の基礎となるべき税額に相当する金額を、11に規定する対象不足税額等から控除して計算するものとした場合における過少申告加算金額以外の部分の過少申告加算金額に代えて、重加算金額を徴収するものとする。（令44の６）

(重加算金額の徴収)
（２）　11の（１）の規定に該当する場合（11の（１）ただし書の規定の適用がある場合を除く。）において、納税者が課税標準額の計算の基礎となるべき事実の全部又は一部を隠蔽し、又は仮装し、かつ、その隠蔽し、又は仮装した事実に基づいて、申告書の提出期限までに申告書を提出せず、又は申告書の提出期限後に申告書の提出をし、若しくは修正申告書を提出したときは、道府県知事は、同項に規定する不申告加算金額に代えて、その計算の基礎となるべき税額に100分の40の割合を乗じて計算した金額に相当する重加算金額を徴収しなければならない。（法172②）
　　　（注）　（２）中＿＿＿部分「若しくは修正申告書」を「修正申告書を提出し、若しくは更正請求書」に改める令和６年度改正規定は、令和７年１月１日以後に３に規定する申告書の提出期限が到来する自動車税の環境性能割について適用し、同日前に当該提出期限が到来した自動車税の環境性能割については、なお従前の例による。（令６改法附１二、16）

(過去５年間に不申告加算金を徴収されたことがある場合)
（３）　11又は（２）の規定に該当する場合において、次の各号のいずれか（12の規定に該当する場合にあっては、（一））に該当するときは、11又は（２）に規定する重加算金額は、これらの規定にかかわらず、これらの規定により計算した金額に、第１項の規定に該当するときは同項に規定する計算の基礎となるべき更正による不足税額又は修正申告により増加した税額に、前項の規定に該当するときは同項に規定する計算の基礎となるべき税額に、それぞれ100分の10の割合を乗じて計算した金額を加算した金額とする。（法172③）
　（一）　12及び（２）に規定する課税標準額の計算の基礎となるべき事実で隠蔽し、又は仮装されたものに基づき申告書の提出期限後の申告書の提出、修正申告書の提出又は９から９の（２）までの規定による更正若しくは決定があった日の前日から起算して５年前の日までの間に、環境性能割について、不申告加算金等を徴収されたことがある場合
　（二）　申告書の提出期限後の申告書の提出、修正申告書の提出又は９から９の（２）までの規定による更正若しくは決定に係る環境性能割の納税義務が成立した日の属する年の前年及び前々年に納税義務が成立した環境性能割について、特定不申告加算金等を徴収されたことがあり、又は特定不申告加算金等に係る決定をすべきと認める場合

(更正又は決定があることを予知せず申告書又は修正申告書の提出を行った場合)
（４）　道府県知事は、12、（２）、（３）の規定に該当する場合において、申告書又は修正申告書の提出について11のただし書又は同（６）に規定する理由があるときは、当該申告により納付すべき税額又は当該修正申告により増加した税額を基礎として計算した重加算金額を徴収しない。（法172④）

(納税者への通知)
（５）　道府県知事は、12又は（２）の規定により徴収すべき重加算金額を決定した場合には、遅滞なく、納税者に通知しなければならない。（法172⑤）

三　督促及び滞納処分

１　環境性能割に係る督促
　納税者が納期限（更正又は決定があった場合には、不足税額の納期限。以下１及び３の（２）において同じ。）までに環境性能割に係る地方団体の徴収金を完納しない場合には、道府県の徴税吏員は、納期限後20日以内に、督促状を発しなければならない。ただし、繰上徴収をする場合は、この限りでない。（法173①）

(特別な事情がある場合の期間の特例)
注　特別の事情がある道府県においては、当該道府県の条例で１に規定する期間と異なる期間を定めることができる。（法173②）

2　環境性能割に係る督促手数料

道府県の徴税吏員は、督促状を発した場合には、当該道府県の条例で定めるところにより、手数料を徴収することができる。（法174）

3　環境性能割に係る滞納処分

環境性能割に係る滞納者が次の各号のいずれかに該当するときは、道府県の徴税吏員は、当該環境性能割に係る地方団体の徴収金につき、滞納者の財産を差し押さえなければならない。（法175①）

（一）　滞納者が督促を受け、その督促状を発した日から起算して10日を経過した日までにその督促に係る環境性能割に係る地方団体の徴収金を完納しないとき。

（二）　滞納者が繰上徴収に係る告知により指定された納期限までに環境性能割に係る地方団体の徴収金を完納しないとき。

　　　（読替規定）
（1）　第二次納税義務者又は保証人について3の規定を適用する場合には、3の（一）中「督促状」とあるのは、「納付の催告書」とする。（法175②）

　　　（財産の差押え）
（2）　環境性能割に係る地方団体の徴収金の納期限後、3の（一）に規定する10日を経過した日までに、督促を受けた滞納者につき第一編第三章二の1の各号のいずれかに該当する事実が生じたときは、道府県の徴税吏員は、直ちにその財産を差し押さえることができる。（法175③）

　　　（地方団体の徴収金の交付要求）
（3）　滞納者の財産につき強制換価手続が行われた場合には、道府県の徴税吏員は、執行機関（破産法第114条第1号に掲げる請求権に係る環境性能割に係る地方団体の徴収金の交付要求を行う場合には、その交付要求に係る破産事件を取り扱う裁判所）に対し、滞納に係る環境性能割に係る地方団体の徴収金につき、交付要求をしなければならない。（法175④）

　　　（参加差押えによる交付要求）
（4）　道府県の徴税吏員は、3、（1）、（2）の規定により差押えをすることができる場合において、滞納者の財産で国税徴収法第86条第1項各号に掲げるものにつき、既に他の地方団体の徴収金若しくは国税の滞納処分又はこれらの滞納処分の例による処分による差押えがされているときは、当該財産についての交付要求は、参加差押えによりすることができる。（法175⑤）

　　　（地方団体の徴収金の滞納処分）
（5）　3から3の（4）に定めるもののほか、環境性能割に係る地方団体の徴収金の滞納処分については、国税徴収法に規定する滞納処分の例による。（法175⑥）

　　　（滞納処分の区域）
（6）　3から3の（5）の規定による処分は、当該道府県の区域外においても行うことができる。（法175⑦）

4　環境性能割に係る滞納処分に関する罪

環境性能割の納税者が滞納処分の執行を免れる目的でその財産を隠蔽し、損壊し、若しくは道府県の不利益に処分し、その財産に係る負担を偽って増加する行為をし、又はその現状を改変して、その財産の価額を減損し、若しくはその滞納処分に係る滞納処分費を増大させる行為をしたときは、その者は、3年以下の懲役若しくは250万円以下の罰金に処し、又はこれを併科する。（法176①）

　　　（納税者の財産を占有する第三者が財産の隠蔽等を行った場合）
（1）　納税者の財産を占有する第三者が納税者に滞納処分の執行を免れさせる目的で4の行為をしたときも、4と同様とする。（法176②）

(罰則規定)
(２) 情を知って４又は(１)の行為につき納税者又はその財産を占有する第三者の相手方となったときは、その相手方としてその違反行為をした者は、２年以下の懲役若しくは150万円以下の罰金に処し、又はこれを併科する。(法176③)

(両罰規定)
(３) 法人の代表者又は法人若しくは人の代理人、使用人その他の従業者がその法人又は人の業務又は財産に関して４、(１)、(２)の違反行為をした場合には、その行為者を罰するほか、その法人又は人に対し、当該各項の罰金刑を科する。(法176④)

５　国税徴収法の例による環境性能割に係る滞納処分に関する検査拒否等の罪

次の各号のいずれかに該当する場合には、その相手方としてその違反行為をした者は、１年以下の懲役又は50万円以下の罰金に処する。(法177①)
(一)　３の(５)の場合において、国税徴収法第141条の規定の例により行う道府県の徴税吏員の質問に対して答弁をせず、又は偽りの陳述をしたとき。
(二)　３の(５)の場合において、国税徴収法第141条の規定の例により行う道府県の徴税吏員の帳簿書類(同条に規定する帳簿書類をいう。(三)において同じ。)その他の物件の検査を拒み、妨げ、又は忌避したとき。
(三)　３の(５)の場合において、国税徴収法第141条の規定の例により行う道府県の徴税吏員の物件の提示又は提出の要求に対し、正当な理由がなくこれに応じず、又は偽りの記載若しくは記録をした帳簿書類その他の物件(その写しを含む。)を提示し、若しくは提出したとき。

(両罰規定)
注　法人の代表者又は法人若しくは人の代理人、使用人その他の従業者がその法人又は人の業務又は財産に関して５の違反行為をした場合には、その行為者を罰するほか、その法人又は人に対し、５の罰金刑を科する。(法177②)

６　国税徴収法の例による環境性能割に係る滞納処分に関する虚偽の陳述の罪

３の(５)の場合において、国税徴収法第99条の２(同法第109条第４項において準用する場合を含む。)の規定の例により道府県知事に対して陳述すべき事項について虚偽の陳述をした者は、６月以下の懲役又は50万円以下の罰金に処する。(法177の２)

四　交　付

道府県は、当該道府県に納付された環境性能割額に相当する額に(１)で定める率を乗じて得た額の100分の65に相当する額を、(２)で定めるところにより、当該道府県内の市町村(特別区を含む。以下四において同じ。)に対し、当該市町村が管理する市町村道(当該市町村がその管理について経費を負担しないものその他(注)で定めるものを除く。)の延長及び面積に按分して交付するものとする。(法177の６①)

(注)　四に規定する(注)で定める市町村道は、渡船施設、路面幅員が2.5メートル未満である市町村道(橋梁を除く。)及び道路整備特別措置法(昭和31年法律第７号)の規定により料金を徴収する市町村道とする。(規９の８)

(政令で定める率)
(１)　四及び(７)の(１)で定める率は、100分の95とする。(令44の７)

(環境性能割の交付基準及び交付時期等)
(２)　道府県は、毎年度、四の規定により四に規定する額を当該道府県内の市町村(特別区を含む。)に対し交付する場合には、当該額の２分の１の額を市町村道(四に規定する市町村道をいう。以下同じ。)の延長で、他の２分の１の額を市町村道の面積で按分して、(３)に定めるところにより交付するものとする。(令44の８①)

(交付時期と交付額)
(３)　道府県は、次の表の左欄に掲げる交付時期に、それぞれ同表の右欄に掲げる額を交付するものとする。(令44の８②)

交付時期	交付時期ごとに交付すべき額
8月	前年度3月における同月において収入すべき環境性能割の収入見込額と同月において収入した環境性能割の収入額（当該期間内に過誤納に係る環境性能割の還付金を歳出予算から支出した場合には、その支出した額を控除した額。以下この表において同じ。）との差額を、4月から7月までの間に収入した環境性能割の収入額に加算し、又はこれから減額した額の100分の40.85に相当する額
12月	8月から11月までの間に収入した環境性能割の収入額の100分の40.85に相当する額
3月	12月から2月までの間に収入した環境性能割の収入額と3月において収入すべき環境性能割の収入見込額との合算額の100分の40.85に相当する額

（交付時期に交付することができなかった金額がある場合等）
（4）（3）に規定する各交付時期に交付することができなかった金額があるとき、又は当該交付時期において交付すべき額を超えて交付した金額があるときは、それぞれこれらの金額を、その次の交付時期に交付すべき額に加算し、又はこれから減額するものとする。（令44の8③）

（端数処理）
（5）（3）に規定する各交付時期に各市町村に交付すべき額として（2）の規定を適用して計算する場合において、市町村道の延長で按分して得た額又は市町村道の面積で按分して得た額に千円未満の端数金額があるときは、その端数金額を控除した金額をもって、当該交付時期に交付すべき額とする。（令44の8④）

（留意事項）
（6）環境性能割の市町村（特別区を含む。）に対する交付については、次の点に留意すること。（県通10－13）
　（一）交付の対象となるのは、環境性能割の本税額のみであり、延滞金及び各種加算金等は含まれないものであること。
　（二）交付は、毎年度8月、12月、3月において行うものであるが、このうち3月において交付すべき額の一部となる3月中の収入見込額の算定については、前年同月における収入額、当該年度において既に収入した額の対前年度伸び率等を勘案して適正に行うこと。

（交付割合）
（7）道路法第7条第3項に規定する指定市（以下「指定市」という。）を包括する道府県（以下「指定道府県」という。）は、四の規定によるほか、（8）で定めるところにより、当該指定道府県に納付された環境性能割額に相当する額に（1）で定める率を乗じて得た額の100分の35に相当する額に、当該指定道府県の区域内に存する一般国道等（一般国道、高速自動車国道及び都道府県道（当該指定道府県又は指定市がその管理について経費を負担しないものその他(11)で定めるものを除く。）をいう。以下（7）において同じ。）の延長及び面積のうちに占める当該指定市の区域内に存する一般国道等の延長及び面積の割合を乗じて得た額を当該指定市に対して交付するものとする。（法177の6②）

（交付割合の算定）
（8）（7）に規定する指定市を包括する指定道府県は、毎年度、（7）の規定により（7）に規定する額を当該指定市に対し交付する場合には、次に掲げる金額の合算額を交付するものとする。（令44の9①）
　（一）当該指定道府県が収入した環境性能割額の100分の33.25の額の2分の1に相当する額に、当該指定道府県の区域内に存する一般国道等（（7）に規定する一般国道等をいう。以下（8）において同じ。）の延長のうちに占める当該指定市の区域内に存する一般国道等の延長の割合を乗じて得た額
　（二）当該指定道府県が収入した環境性能割額の100分の33.25の額の2分の1に相当する額に、当該指定道府県の区域内に存する一般国道等の面積のうちに占める当該指定市の区域内に存する一般国道等の面積の割合を乗じて得た額

（端数処理）
（9）（8）の割合を算定する場合において、当該割合に小数点3位未満の端数があるときは、これを切り捨てる。（令44の9②）

第二編第十章《自動車税》第二節《環境性能割》

(読替規定)
(10) (3)及び(4)の規定は、指定道府県が(7)の規定により(7)に規定する額を指定市に対し交付する場合について準用する。この場合において、(3)中「の100分の40.85に相当する額」とあるのは、「を基礎として計算した(8)の各号に掲げる金額の合算額」と読み替えるものとする。(令44の9③)

(総務省令で定める道路)
(11) (7)に規定する(11)で定める道路は、渡船施設、路面幅員が2.5メートル未満である道路(橋梁を除く。)及び道路整備特別措置法の規定により料金を徴収する道路とする。(規9の9)

(道路の延長及び面積)
(12) 四及び(7)の道路の延長及び面積は、(13)で定めるところにより算定するものとする。ただし、道路の種類、幅員による道路の種別その他の事情を参酌して、(16)で定めるところにより補正することができる。(法177の6③)

(道路の延長及び面積の算定)
(13) (12)本文に規定する道路の延長及び面積は、道路の延長にあっては道路法(昭和27年法律第180号)第28条に規定する道路台帳に記載されている道路(同法第9条の路線の認定の公示、同法第18条第1項の道路の区域の決定の公示及び同条第2項の供用開始の公示が行われたものをいう。)の延長(道路法施行令(昭和27年政令第479号)第34条の開発道路にあっては、その延長に0.5を乗じた延長)とし、道路の面積にあっては当該道路の延長に当該道路の路面幅員を乗じて算定するものとする。この場合において、その算定をした数に1メートル又は1平方メートル未満の端数があるときは、その端数を四捨五入する。(規9の10①)

(道路の延長及び面積の算定の特例)
(14) (13)の算定は、毎年度、前年の4月1日現在において行うものとする。ただし、前年の4月2日からその年の4月1日までの間において、市町村の廃置分合、大規模な境界変更又は(7)の指定市の指定等により道路を管理する都道府県又は市町村に変更があったときは、都道府県知事が必要と認める場合に限り(13)及び(14)本文の規定による算定は、その年の4月1日現在における道路の管理者の区分により行うことができる。(規9の10②)

(環境性能割交付金を計算する場合に係る経過措置)
(15) 当分の間、(13)及び(14)の規定により道路の延長及び面積を算定する場合には、道路台帳が調製されていない道路にあっては、道路橋りよう現況調書に記載されている延長及び路面幅員によることができる。(規附4の9)

(市町村道の延長及び面積の補正)
(16) (13)及び(14)の規定により算定した市町村道の延長及び面積は、(17)から(20)まで及び(25)から(28)までに規定する方法により、補正するものとする。(規9の11①)

(市町村道の延長の補正率)
(17) 市町村道の延長は、次の表の左欄に掲げる市町村道の種別に応じ、それぞれ同表の右欄に掲げる率を乗じて補正するものとする。(規9の11②)

市町村道の種別	率
路面幅員4.5メートル以上の市町村道(橋梁を除く。以下この表において同じ。)	0.9
路面幅員4.5メートル未満の市町村道	1.0
木橋	42.0
橋梁(木橋を除く。)	1.0

(注) 「木橋」とは、前年の4月1日現在において道路法第28条に規定する道路台帳に記載されている木橋をいう。(規9の11④)

((17)の規定により補正された市町村道の延長補正)
(18) (17)の規定により補正された市町村道の延長は、更に、当該市町村(特別区を含む。以下(18)、(20)及び(30)から(32)までにおいて同じ。)に係る市町村道の延長((13)及び(14)の規定により算定した市町村道の延長をいう。)を

千メートルで除して得た数値で当該市町村の人口を除して得た数による次の表の左欄に掲げる市町村の区分に応じ、それぞれ同表の右欄に掲げる率を乗じて補正するものとする。（規9の11③）

市町村の区分	率
50人以下のもの	1.0
50人を超え100人以下のもの	1.3
100人を超え150人以下のもの	1.5
150人を超え200人以下のもの	1.7
200人を超え250人以下のもの	2.0
250人を超え300人以下のもの	2.2
300人を超え350人以下のもの	2.4
350人を超え400人以下のもの	2.7
400人を超え450人以下のもの	2.9
450人を超え500人以下のもの	3.1
500人を超え550人以下のもの	3.3
550人を超え600人以下のもの	3.6
600人を超え650人以下のもの	3.8
650人を超え700人以下のもの	4.0
700人を超え750人以下のもの	4.3
750人を超え800人以下のもの	4.5
800人を超え850人以下のもの	4.7
850人を超え900人以下のもの	5.0
900人を超え950人以下のもの	5.2
950人を超え1,000人以下のもの	5.4
1,000人を超え1,050人以下のもの	5.6
1,050人を超え1,100人以下のもの	5.9
1,100人を超え1,150人以下のもの	6.1
1,150人を超え1,200人以下のもの	6.3
1,200人を超え1,250人以下のもの	6.6
1,250人を超え1,300人以下のもの	6.8
1,300人を超えるもの	7.0

（市町村道の面積の補正率）
(19) 市町村道の面積は、次の表の左欄に掲げる市町村道の種別に応じ、それぞれ同表の右欄に掲げる率を乗じて補正するものとする。（規9の11⑤）

市町村道の種別	率
路面幅員6.5メートル以上の市町村道（橋梁を除く。以下この表において同じ。）	1.1
路面幅員4.5メートル以上6.5メートル未満の市町村道	1.0
路面幅員4.5メートル未満の市町村道	0.7
橋梁	10.8

((19)の規定により補正された市町村道の面積補正)
(20) (19)の規定により補正された市町村道の面積は、更に、当該市町村に係る市町村道の面積((13)及び(14)の規定により算定した市町村道の面積をいう。)を千平方メートルで除して得た数値で当該市町村の人口を除して得た数による次の表の左欄に掲げる市町村の区分に応じ、それぞれ同表の右欄に掲げる率を乗じて補正するものとする。(規9の11⑥)

市町村の区分	率
10人以下のもの	1.0
10人を超え20人以下のもの	1.2
20人を超え30人以下のもの	1.4
30人を超え40人以下のもの	1.6
40人を超え50人以下のもの	1.8
50人を超え60人以下のもの	2.0
60人を超え70人以下のもの	2.1
70人を超え80人以下のもの	2.3
80人を超え90人以下のもの	2.5
90人を超え100人以下のもの	2.7
100人を超え110人以下のもの	2.9
110人を超え120人以下のもの	3.1
120人を超え130人以下のもの	3.2
130人を超え140人以下のもの	3.4
140人を超え150人以下のもの	3.6
150人を超え160人以下のもの	3.8
160人を超え170人以下のもの	4.0
170人を超え180人以下のもの	4.1
180人を超え190人以下のもの	4.3
190人を超え200人以下のもの	4.5
200人を超えるもの	4.7

(一般国道等の延長及び面積の補正)
(21) (13)及び(14)の規定により算定した一般国道等((7)に規定する一般国道等をいう。以下同じ。)の延長及び面積は、(22)から(28)までに規定する方法により補正するものとする。(規9の12①)

(一般国道等の延長の補正率)
(22) 一般国道等の延長は、(7)の指定道府県(以下「指定道府県」という。)に係る一般国道等の延長((13)の規定により算定した一般国道等の延長をいう。以下(22)において同じ。)を千メートルで除して得た数値又は指定市に係る一般国道等の延長を千メートルで除して得た数値で当該指定道府県の人口(当該指定市の人口を除く。(24)において同じ。)又は当該指定市の人口を除して得た数による次の表の左欄に掲げる指定道府県又は指定市の区分に応じ、それぞれ同表の右欄に掲げる率を乗じて補正するものとする。(規9の12②)

指定道府県又は指定市の区分	率
1,000人以下のもの	1.0
1,000人を超え2,000人以下のもの	1.5
2,000人を超え3,000人以下のもの	1.9

3,000人を超え4,000人以下のもの		2.3
4,000人を超え5,000人以下のもの		2.7
5,000人を超え6,000人以下のもの		3.1
6,000人を超え7,000人以下のもの		3.6
7,000人を超え8,000人以下のもの		4.0
8,000人を超え9,000人以下のもの		4.4
9,000人を超え10,000人以下のもの		4.8
10,000人を超え11,000人以下のもの		5.2
11,000人を超え12,000人以下のもの		5.7
12,000人を超え13,000人以下のもの		6.1
13,000人を超え14,000人以下のもの		6.5
14,000人を超えるもの		6.9

　　　（一般国道等の面積の補正率）
(23)　一般国道等の面積は、次の表の左欄に掲げる一般国道等の種別に応じ、それぞれ同表の右欄に掲げる率を乗じて補正するものとする。（規9の12③）

一般国道等の種別			率
一般国道（橋梁を除く。）	指定区間内の一般国道	砂利道	0.7
		舗装道	0.6
	指定区間外の一般国道	砂利道	1.0
		舗装道	0.6
高速自動車国道（橋梁を除く。）			0.6
都道府県道（橋梁を除く。）	砂利道		1.0
	舗装道		0.5
橋梁			4.3

　　（注）　「指定区間」とは、道路法第13条第1項に規定する政令で指定する区間をいう。（規9の12⑤）

　　　（(23)の規定により補正された一般国道等の面積）
(24)　(23)の規定により補正された一般国道等の面積は、更に、当該指定道府県に係る一般国道等の面積（(13)及び(14)の規定により算定した一般国道等の面積をいう。以下(24)において同じ。）を千平方メートルで除して得た数値又は当該指定市に係る一般国道等の面積を千平方メートルで除して得た数値で当該指定道府県の人口又は当該指定市の人口を除して得た数による次の表の左欄に掲げる指定道府県又は指定市の区分に応じ、それぞれ同表の右欄に掲げる率を乗じて補正するものとする。（規9の12④）

指定道府県又は指定市の区分	率
50人以下のもの	1.0
50人を超え100人以下のもの	1.2
100人を超え150人以下のもの	1.4
150人を超え200人以下のもの	1.6
200人を超え250人以下のもの	1.8
250人を超え300人以下のもの	2.0
300人を超え350人以下のもの	2.3

350人を超え400人以下のもの	2.5
400人を超え450人以下のもの	2.7
450人を超え500人以下のもの	2.9
500人を超え550人以下のもの	3.1
550人を超え600人以下のもの	3.3
600人を超え650人以下のもの	3.5
650人を超え700人以下のもの	3.7
700人を超えるもの	3.9

(人口の定義等)
(25) (18)及び(20)並びに(22)及び(24)において「人口」とは、官報で公示された最近の国勢調査の結果による人口をいう。この場合において、第三編第三章第二節―の7の①(2)の規定は(18)及び(20)並びに(22)及び(24)の人口について準用する。(規9の13①)

(市町村の昼間人口に加える人口)
(26) 市町村の昼間人口(従業地、通学地による人口が統計法第8条の規定により公表されている最近の国勢調査の結果による当該人口をいう。以下(26)及び(27)において同じ。)を当該市町村の常住人口(当該国勢調査の結果による官報で公示された人口をいう。以下(26)及び(27)において同じ。)で除して得た率が1.1を超える市町村の(18)及び(20)の人口は、(25)の規定にかかわらず、昼間人口から常住人口に1.1を乗じて得た人口を控除した人口の2分の1の人口(1人未満の端数があるときは、その端数を四捨五入する。)を(25)の人口に加えた人口とする。(規9の13②)

(みなし人口)
(27) 市町村の廃置分合若しくは境界変更があった場合又は市町村の境界が確定した場合には、当該廃置分合若しくは境界変更又は境界確定後の関係市町村について地方自治法施行令第177条第1項の規定に基づき都道府県知事が告示した人口を基礎として同項の規定に準じて当該市町村に係る昼間人口及び常住人口に相当する人口として算定した人口をそれぞれ(26)の昼間人口及び常住人口とみなして、(26)の規定を適用する。(規9の13③)

(端数処理)
(28) (26)及び(27)の規定により市町村道又は一般国道等の延長又は面積を補正する場合において、(17)、(19)及び(23)の道路の種別ごとの延長若しくは面積の数、(17)、(19)及び(23)に定める率を乗じた後の数又は(18)、(20)、(22)若しくは(24)に定める率を乗じた後の数に1メートル又は1平方メートル未満の端数があるときは、その端数をそれぞれ四捨五入する。(規9の13④)

(環境性能割額の交付額の算定に用いる資料の提出義務)
(29) 市町村長(特別区の区長を含む。)は、道府県知事の定めるところにより、環境性能割額の交付額の算定に用いる道路の延長及び面積に関する資料を当該道府県知事に提出しなければならない。(規9の14)

(交付すべき額の算定に錯誤があった場合の措置)
(30) 道府県は、四の規定により市町村に対し環境性能割額を交付した後において、その交付した額の算定に錯誤があったため、交付した額を増加し、又は減少する必要が生じた場合には、当該錯誤に係る額を発見した日以後最初に到来する交付時期(当該錯誤に係る額が(30)後段に規定するものである場合には、当該錯誤に係る額を発見した日の属する年度における最後の交付時期)において当該交付すべき額に加算し、又はこれを減額するものとする。この場合において、当該市町村に係る市町村道の延長又は面積((16)から(20)の規定による補正をした後の延長又は面積をいう。以下(30)において同じ。)に錯誤があったことにより生じた錯誤に係る額は、次の算式により得た率(小数点以下3位未満の端数があるときは、これを四捨五入する。)を錯誤があった年度において当該市町村に交付した環境性能割額に乗じて得た額とする。(規9の15①)
{((錯誤を修正した後の市町村道の延長-錯誤を修正する前の市町村道の延長)/錯誤を修正する前の市町村道の延

長）＋((錯誤を修正した後の市町村道の面積－錯誤を修正する前の市町村道の面積)／錯誤を修正する前の市町村道の面積)}×（1／2）

(錯誤があった場合の交付額の算定)
(31) (30)の場合においては、(30)の交付時期において各市町村に交付する額は、(3)の規定により当該交付時期に交付すべき額から(30)の加算すべき額を減額し、及びこれに(30)の減額すべき額を加算して得た額を当該交付時期に交付する(3)の交付額として算定した各市町村に交付すべき額に相当する額に(30)の加算すべき額を加算し、又は当該交付すべき額に相当する額から当該減額すべき額を減額して得た額とするものとする。（規9の15②）

(端数処理)
(32) (30)後段の錯誤に係る額に千円未満の端数金額があるときは、その端数金額を控除した金額をもって、当該錯誤に係る額とする。（規9の15③）

(準用規定)
(33) (30)前段の規定は、指定道府県が(7)の規定により指定市に対し環境性能割額を交付する場合について準用する。（規9の15④）

第三節　種別割

一　税率

1　種別割の標準税率

次の各号に掲げる自動車に対して課する種別割の標準税率は、1台について、それぞれ当該各号に定める額とする。（法177の7①）

(一)	乗用車（三輪の小型自動車であるものを除く。）	イ　営業用		
		（1）　総排気量が1リットル以下のもの	年額	7,500円
		（2）　総排気量が1リットルを超え、1.5リットル以下のもの	年額	8,500円
		（3）　総排気量が1.5リットルを超え、2リットル以下のもの	年額	9,500円
		（4）　総排気量が2リットルを超え、2.5リットル以下のもの	年額	13,800円
		（5）　総排気量が2.5リットルを超え、3リットル以下のもの	年額	15,700円
		（6）　総排気量が3リットルを超え、3.5リットル以下のもの	年額	17,900円
		（7）　総排気量が3.5リットルを超え、4リットル以下のもの	年額	20,500円
		（8）　総排気量が4リットルを超え、4.5リットル以下のもの	年額	23,600円
		（9）　総排気量が4.5リットルを超え、6リットル以下のもの	年額	27,200円
		（10）　総排気量が6リットルを超えるもの	年額	40,700円
		ロ　自家用		
		（1）　総排気量が1リットル以下のもの	年額	25,000円
		（2）　総排気量が1リットルを超え、1.5リットル以下のもの	年額	30,500円
		（3）　総排気量が1.5リットルを超え、2リットル以下のもの	年額	36,000円
		（4）　総排気量が2リットルを超え、2.5リットル以下のもの	年額	43,500円
		（5）　総排気量が2.5リットルを超え、3リットル以下のもの	年額	50,000円
		（6）　総排気量が3リットルを超え、3.5リットル以下のもの	年額	57,000円
		（7）　総排気量が3.5リットルを超え、4リットル以下のもの	年額	65,500円
		（8）　総排気量が4リットルを超え、4.5リットル以下のもの	年額	75,500円
		（9）　総排気量が4.5リットルを超え、6リットル以下のもの	年額	87,000円
		（10）　総排気量が6リットルを超えるもの	年額	110,000円
(二)	トラック（三	イ　営業用（けん引自動車であるもの及び被けん引自動車であるものを除く。）		

	輪の小型自動車であるものを除く。）	（1） 最大積載量が1トン以下のもの	年額	6,500円
		（2） 最大積載量が1トンを超え、2トン以下のもの	年額	9,000円
		（3） 最大積載量が2トンを超え、3トン以下のもの	年額	12,000円
		（4） 最大積載量が3トンを超え、4トン以下のもの	年額	15,000円
		（5） 最大積載量が4トンを超え、5トン以下のもの	年額	18,500円
		（6） 最大積載量が5トンを超え、6トン以下のもの	年額	22,000円
		（7） 最大積載量が6トンを超え、7トン以下のもの	年額	25,500円
		（8） 最大積載量が7トンを超え、8トン以下のもの	年額	29,500円
		（9） 最大積載量が8トンを超えるもの	年額	29,500円に最大積載量が8トンを超える部分1トンまでごとに4,700円を加算した額
		ロ　自家用（けん引自動車であるもの及び被けん引自動車であるものを除く。）		
		（1） 最大積載量が1トン以下のもの	年額	8,000円
		（2） 最大積載量が1トンを超え、2トン以下のもの	年額	11,500円
		（3） 最大積載量が2トンを超え、3トン以下のもの	年額	16,000円
		（4） 最大積載量が3トンを超え、4トン以下のもの	年額	20,500円
		（5） 最大積載量が4トンを超え、5トン以下のもの	年額	25,500円
		（6） 最大積載量が5トンを超え、6トン以下のもの	年額	30,000円
		（7） 最大積載量が6トンを超え、7トン以下のもの	年額	35,000円
		（8） 最大積載量が7トンを超え、8トン以下のもの	年額	40,500円
		（9） 最大積載量が8トンを超えるもの	年額	40,500円に最大積載量が8トンを超える部分1トンまでごとに6,300円を加算した額
		ハ　けん引自動車		
		（1）　営業用		
		（i）　小型自動車であるもの	年額	7,500円
		（ii）　普通自動車であるもの	年額	15,100円
		（2）　自家用		
		（i）　小型自動車であるもの	年額	10,200円
		（ii）　普通自動車であるもの	年額	20,600円
		ニ　被けん引自動車		
		（1）　営業用		
		（i）　小型自動車であるもの	年額	3,900円
		（ii）　普通自動車であるもので最大積載量が8トン以下のもの	年額	7,500円
		（iii）　普通自動車であるもので最大積載量が8トンを超えるもの	年額	7,500円に最大積載量が8トンを超える部分1トンまでごとに3,800円を加算した額
		（2）　自家用		
		（i）　小型自動車であるもの	年額	5,300円
		（ii）　普通自動車であるもので最大積載量が8トン以下のもの	年額	10,200円
		（iii）　普通自動車であるもので最大積載量が8トンを超えるもの	年額	10,200円に最大積載量が8トンを超える部分1トンまでごとに5,100円を加算した額
（三）	バス（三輪の小型自動車であるものを除く。以下（三）	イ　営業用		
		（1）　一般乗合用バス（道路運送法第5条第1項第3号に規定する路線定期運行の用に供するバスをいう。（2）において同じ。）		
		（i）　乗車定員が30人以下のもの	年額	12,000円

	において同じ。）	（ⅱ） 乗車定員が30人を超え、40人以下のもの		年額	14,500円
		（ⅲ） 乗車定員が40人を超え、50人以下のもの		年額	17,500円
		（ⅳ） 乗車定員が50人を超え、60人以下のもの		年額	20,000円
		（ⅴ） 乗車定員が60人を超え、70人以下のもの		年額	22,500円
		（ⅵ） 乗車定員が70人を超え、80人以下のもの		年額	25,500円
		（ⅶ） 乗車定員が80人を超えるもの		年額	29,000円
		（2） 一般乗合用バス以外のバス			
		（ⅰ） 乗車定員が30人以下のもの		年額	26,500円
		（ⅱ） 乗車定員が30人を超え、40人以下のもの		年額	32,000円
		（ⅲ） 乗車定員が40人を超え、50人以下のもの		年額	38,000円
		（ⅳ） 乗車定員が50人を超え、60人以下のもの		年額	44,000円
		（ⅴ） 乗車定員が60人を超え、70人以下のもの		年額	50,500円
		（ⅵ） 乗車定員が70人を超え、80人以下のもの		年額	57,000円
		（ⅶ） 乗車定員が80人を超えるもの		年額	64,000円
		ロ　自家用			
		（1） 乗車定員が30人以下のもの		年額	33,000円
		（2） 乗車定員が30人を超え、40人以下のもの		年額	41,000円
		（3） 乗車定員が40人を超え、50人以下のもの		年額	49,000円
		（4） 乗車定員が50人を超え、60人以下のもの		年額	57,000円
		（5） 乗車定員が60人を超え、70人以下のもの		年額	65,500円
		（6） 乗車定員が70人を超え、80人以下のもの		年額	74,000円
		（7） 乗車定員が80人を超えるもの		年額	83,000円
（四）	三輪の小型自動車	イ　営業用　年額　4,500円			
		ロ　自家用　年額　6,000円			

　　（トラックのうち最大乗車定員が4人以上であるものの標準税率）
（1）　1の（二）に掲げる自動車のうち最大乗車定員が4人以上であるものに対して課する種別割の標準税率は、1の規定にかかわらず、1の（二）に定める額に、次の各号の区分に応じ当該各号に定める額を、それぞれ加算した額とする。（法177の7②）
　（一）　営業用
　　　イ　総排気量が1リットル以下のもの　　3,700円
　　　ロ　総排気量が1リットルを超え、1.5リットル以下のもの　　4,700円
　　　ハ　総排気量が1.5リットルを超えるもの　　6,300円
　（二）　自家用
　　　イ　総排気量が1リットル以下のもの　　5,200円
　　　ロ　総排気量が1リットルを超え、1.5リットル以下のもの　　6,300円
　　　ハ　総排気量が1.5リットルを超えるもの　　8,000円

　　（積雪により自動車を運行の用に供することができない場合の種別割の標準税率）
（2）　積雪により、通常、一定の期間において自動車を運行の用に供することができないと認められる地域に主たる定置場を有する自動車に対して課する種別割の標準税率は、1及び（1）の規定にかかわらず、1及び（1）の税率に、それぞれ（3）で定める割合を乗じた税率とする。ただし、その割合は、10分の7を下ることができない。（法177の7③）

　　（（2）の種別割の税率に乗ずる割合）
（3）　（2）に規定する（3）で定める割合は、10分の10から積雪により自動車を運行の用に供することができないと認められる期間の月数（当該月数が4を超える場合には、4）に10分の0.75を乗じて得た数を控除したものとする。（令44の11①）
　　（注）　（3）の月数は、暦に従って計算し、1月に満たない端数を生じたときは、切り捨てる。（令44の11②）

　　　　(制限税率)
（４）道府県は、１及び（１）、（２）に定める標準税率を超える税率で種別割を課する場合には、１及び（１）、（２）の税率に、それぞれ1.5を乗じて得た率を超える税率で課することができない。（法177の７④）

　　　　(区分が難しい自動車の種別割の税率)
（５）道府県は、１の各号に掲げる自動車以外の自動車及び１の各号に掲げる自動車で当該各号の区分により難いものについては、１の各号の区分とは別に、用途、総排気量、定格出力、最大積載量、乗車定員その他の自動車の諸元により区分を設けて、種別割の税率を定めることができる。この場合においては、１及び（１）、（２）、（４）の規定を適用して定められる税率と均衡を失しないようにしなければならない。（法177の７⑤）

　　　　(「総排気量」の意義)
（６）「総排気量」とは、シリンダーの内部の断面積に行程を乗じたそれぞれの気筒容積の総計をいうものであること。（県通10－16）

　　　　(電気自動車等の税率の区分)
（７）電気自動車である乗用車に係る税率については、総排気量１リットル以下の区分の税率によることが適当であること。また、ロータリーエンジンを搭載する乗用車に係る税率については、単室容積にロータ一数を乗じて得た値に1.5を乗じて得た値を総排気量とみなして税率区分を適用することが適当であること。（県通10－17）

　　　　(「一般乗合用バス」の意義)
（８）１の（三）に規定する「一般乗合用バス」とは、道路運送法第３条第１号イに規定する一般乗合旅客自動車運送事業（乗合旅客を運送する一般旅客自動車運送事業）の用に供するバスのうち、路線を定めて定期に運行するものをいい、一般に路線バスと呼ばれるものがこれに該当するものであること。なお、定期観光バス及び廃止路線代替バスと呼ばれているものもこれに含まれるものであること。（県通10－18）

　　　　(留意事項)
（９）道府県は、（５）の規定により別に区分を設けて税率を定める場合には、次に掲げる事項について留意すること。（県通10－19）
（一）（５）にいう「１の各号に掲げる自動車以外の自動車」とは、霊きゅう車、放送宣伝カー等の特種用途車をいうものであること。
（二）（５）にいう「１の各号に掲げる自動車で当該各号の区分により難いもの」とは、電気自動車又はロータリーエンジン搭載車その他の同項各号に掲げる区分により難い自動車をいうものであること。
（三）自動車の諸元とは、用途、総排気量、定格出力、最大積載量、乗車定員のほか、自動車の構造（長さ、幅、高さ等）、装置等自動車を構成している諸要素をいうものであり、具体的には、自動車型式認証実施要領に掲げる諸元表の項目がこれに該当するものであること。

２　種別割の税率の特例

(注)　①から③までの規定の適用がない自動車に対する自動車税の標準税率は、１に規定するところによることに留意。（編者）

① 初回新規登録後一定期間を経過した自動車の重課税率

次の（ｉ）又は（ii）に掲げる自動車（電気自動車（第一節４の②の（一）に規定する電気自動車をいう。以下同じ。）、天然ガス自動車（第一節４の②の（二）に規定する天然ガス自動車をいう。以下同じ。）、メタノール自動車（専らメタノールを内燃機関の燃料として用いる自動車で（２）で定めるものをいう。）、混合メタノール自動車（メタノールとメタノール以外のものとの混合物で（３）で定めるものを内燃機関の燃料として用いる自動車で（２）で定めるものをいう。以下同じ。）及びガソリンを内燃機関の燃料として用いる電力併用自動車（第149条第１項第３号に規定する電力併用自動車をいう。以下同じ。）並びに自家用の乗用車（三輪の小型自動車であるものを除く。以下同じ。）、第177条の７第１項第３号イの（イ）に規定する一般乗合用バス及び被けん引自動車を除く。）に対する当該各号に定める年度以後の年度分の自動車税の種別割に係る税率の適用については、次の表の各号に掲げる自動車に対し、１台について、それぞれ当該各号に定める額とする。（法附12の３①、法177の７①）

（ｉ）ガソリン自動車又は石油ガス自動車で平成25年３月31日までに初回新規登録を受けたもの　　初回新規登録を受け

た日から起算して14年を経過した日の属する年度
（ⅱ）軽油自動車その他の（ⅰ）に掲げる自動車以外の自動車で平成27年3月31日までに初回新規登録を受けたもの　初回新規登録を受けた日から起算して12年を経過した日の属する年度

（一）	乗用車（三輪の小型自動車であるものを除く。）	イ　営業用		
		（1）　総排気量が1リットル以下のもの	年額	8,600円
		（2）　総排気量が1リットルを超え、1.5リットル以下のもの	年額	9,700円
		（3）　総排気量が1.5リットルを超え、2リットル以下のもの	年額	10,900円
		（4）　総排気量が2リットルを超え、2.5リットル以下のもの	年額	15,800円
		（5）　総排気量が2.5リットルを超え、3リットル以下のもの	年額	18,000円
		（6）　総排気量が3リットルを超え、3.5リットル以下のもの	年額	20,500円
		（7）　総排気量が3.5リットルを超え、4リットル以下のもの	年額	23,500円
		（8）　総排気量が4リットルを超え、4.5リットル以下のもの	年額	27,100円
		（9）　総排気量が4.5リットルを超え、6リットル以下のもの	年額	31,200円
		（10）　総排気量が6リットルを超えるもの	年額	46,800円
		ロ　自家用		
		（1）　総排気量が1リットル以下のもの	年額	25,000円
		（2）　総排気量が1リットルを超え、1.5リットル以下のもの	年額	30,500円
		（3）　総排気量が1.5リットルを超え、2リットル以下のもの	年額	36,000円
		（4）　総排気量が2リットルを超え、2.5リットル以下のもの	年額	43,500円
		（5）　総排気量が2.5リットルを超え、3リットル以下のもの	年額	50,000円
		（6）　総排気量が3リットルを超え、3.5リットル以下のもの	年額	57,000円
		（7）　総排気量が3.5リットルを超え、4リットル以下のもの	年額	65,500円
		（8）　総排気量が4リットルを超え、4.5リットル以下のもの	年額	75,500円
		（9）　総排気量が4.5リットルを超え、6リットル以下のもの	年額	87,000円
		（10）　総排気量が6リットルを超えるもの	年額	110,000円
（二）	トラック（三輪の小型自動車であるものを除く。）	イ　営業用（けん引自動車であるもの及び被けん引自動車であるものを除く。）		
		（1）　最大積載量が1トン以下のもの	年額	7,100円
		（2）　最大積載量が1トンを超え、2トン以下のもの	年額	9,900円
		（3）　最大積載量が2トンを超え、3トン以下のもの	年額	13,200円
		（4）　最大積載量が3トンを超え、4トン以下のもの	年額	16,500円
		（5）　最大積載量が4トンを超え、5トン以下のもの	年額	20,300円
		（6）　最大積載量が5トンを超え、6トン以下のもの	年額	24,200円
		（7）　最大積載量が6トンを超え、7トン以下のもの	年額	28,000円
		（8）　最大積載量が7トンを超え、8トン以下のもの	年額	32,400円
		（9）　最大積載量が8トンを超えるもの	年額	32,400円に最大積載量が8トンを超える部分1トンまでごとに5,100円円を加算した額
		ロ　自家用（けん引自動車であるもの及び被けん引自動車であるものを除く。）		
		（1）　最大積載量が1トン以下のもの	年額	8,800円
		（2）　最大積載量が1トンを超え、2トン以下のもの	年額	12,600円
		（3）　最大積載量が2トンを超え、3トン以下のもの	年額	17,600円
		（4）　最大積載量が3トンを超え、4トン以下のもの	年額	22,500円
		（5）　最大積載量が4トンを超え、5トン以下のもの	年額	28,000円
		（6）　最大積載量が5トンを超え、6トン以下のもの	年額	33,000円
		（7）　最大積載量が6トンを超え、7トン以下のもの	年額	38,500円
		（8）　最大積載量が7トンを超え、8トン以下のもの	年額	44,500円
		（9）　最大積載量が8トンを超えるもの	年額	44,500円に最大積載量が8トンを超える部分1トンまでごとに6,900円を加算した額

		ハ　けん引自動車		
		（１）　営業用		
		（ⅰ）　小型自動車であるもの	年額　　8,200円	
		（ⅱ）　普通自動車であるもの	年額　16,600円	
		（２）　自家用		
		（ⅰ）　小型自動車であるもの	年額　11,200円	
		（ⅱ）　普通自動車であるもの	年額　22,600円	
		ニ　被けん引自動車		
		（１）　営業用		
		（ⅰ）　小型自動車であるもの	年額　　3,900円	
		（ⅱ）　普通自動車であるもので最大積載量が８トン以下のもの	年額　　7,500円	
		（ⅲ）　普通自動車であるもので最大積載量が８トンを超えるもの	年額　7,500円に最大積載量が８トンを超える部分１トンまでごとに3,800円を加算した額	
		（２）　自家用		
		（ⅰ）　小型自動車であるもの	年額　　5,300円	
		（ⅱ）　普通自動車であるもので最大積載量が８トン以下のもの	年額　10,200円	
		（ⅲ）　普通自動車であるもので最大積載量が８トンを超えるもの	年額　10,200円に最大積載量が８トンを超える部分１トンまでごとに5,100円を加算した額	
（三）	バス（三輪の小型自動車であるものを除く。以下（三）において同じ。）	イ　営業用		
		（１）　一般乗合用バス（道路運送法第５条第１項第３号に規定する路線定期運行の用に供するバスをいう。（２）において同じ。）		
		（ⅰ）　乗車定員が30人以下のもの	年額　12,000円	
		（ⅱ）　乗車定員が30人を超え、40人以下のもの	年額　14,500円	
		（ⅲ）　乗車定員が40人を超え、50人以下のもの	年額　17,500円	
		（ⅳ）　乗車定員が50人を超え、60人以下のもの	年額　20,000円	
		（ⅴ）　乗車定員が60人を超え、70人以下のもの	年額　22,500円	
		（ⅵ）　乗車定員が70人を超え、80人以下のもの	年額　25,500円	
		（ⅶ）　乗車定員が80人を超えるもの	年額　29,000円	
		（２）　一般乗合用バス以外のバス		
		（ⅰ）　乗車定員が30人以下のもの	年額　29,100円	
		（ⅱ）　乗車定員が30人を超え、40人以下のもの	年額　35,200円	
		（ⅲ）　乗車定員が40人を超え、50人以下のもの	年額　41,800円	
		（ⅳ）　乗車定員が50人を超え、60人以下のもの	年額　48,400円	
		（ⅴ）　乗車定員が60人を超え、70人以下のもの	年額　55,500円	
		（ⅵ）　乗車定員が70人を超え、80人以下のもの	年額　62,700円	
		（ⅶ）　乗車定員が80人を超えるもの	年額　70,400円	
		ロ　自家用		
		（１）　乗車定員が30人以下のもの	年額　36,300円	
		（２）　乗車定員が30人を超え、40人以下のもの	年額　45,100円	
		（３）　乗車定員が40人を超え、50」人以下のもの	年額　53,900円	
		（４）　乗車定員が50人を超え、60人以下のもの	年額　62,700円	
		（５）　乗車定員が60人を超え、70人以下のもの	年額　72,000円	
		（６）　乗車定員が70人を超え、80人以下のもの	年額　81,400円	
		（７）　乗車定員が80人を超えるもの	年額　91,300円	
（四）	三輪の小型自	イ　営業用　年額　5,100円		

| | 動車 | ロ 自家用 年額 6,900円 | |

(トラックのうち最大乗車定員が4人以上であるものの標準税率)
(1) ①の(二)に掲げる自動車のうち最大乗車定員が4人以上であるものに対して課する種別割の標準税率は、①の規定にかかわらず、①の(二)に定める額に、次の各号の区分に応じ当該各号に定める額を、それぞれ加算した額とする。(法附12の3①、法177の7②)
　(一)　営業用
　　　イ　総排気量が1リットル以下のもの　　4,100円
　　　ロ　総排気量が1リットルを超え、1.5リットル以下のもの　　5,200円
　　　ハ　総排気量が1.5リットルを超えるもの　　6,900円
　(二)　自家用
　　　イ　総排気量が1リットル以下のもの　　5,700円
　　　ロ　総排気量が1リットルを超え、1.5リットル以下のもの　　6,900円
　　　ハ　総排気量が1.5リットルを超えるもの　　8,800円

(重課税率の対象とならないもの)
(2) ①に規定する専らメタノールを内燃機関の燃料として用いる自動車で(2)で定めるもの及びメタノールとメタノール以外のものとの混合物を内燃機関の燃料として用いる自動車で(2)で定めるものは、当該燃料による走行が可能となるよう内燃機関に着火性、耐腐食性等を高めるための所要の改良を施した自動車で当該自動車に係る自動車検査証において主燃料がメタノールである旨が明らかにされているものとする。(規附5①)

(メタノールとメタノール以外のものとの混合物で総務省令で定めるもの)
(3) ①に規定するメタノールとメタノール以外のものとの混合物で(3)で定めるものは、温度15度かつ1,013ヘクトパスカルの気圧において、当該燃料に混合されたメタノールの容積を当該燃料に混合されたメタノール以外のものの容積で除して得た数値が4以上となるものとする。(規附5②)

(「専らメタノールを内燃機関の燃料として用いる自動車」の意義)
(4) ①に規定する「専らメタノールを内燃機関の燃料として用いる自動車」とは、メタノールのみを燃料とする内燃機関(当該内燃機関を始動させるに当たり補助的にメタノール以外のものを燃料とするものを含む。)により走行するものをいう。(県通10-20)

② **電気自動車や一定の基準を満たす自動車等の税率の軽減**
次に掲げる自動車に対する標準税率は、当該自動車が令和4年4月1日から令和8年3月31日までの間に初回新規登録を受けた場合には、当該初回新規登録を受けた日の属する年度の翌年度分の自動車税の種別割に限り、次の表に掲げる字句とする。(法附12の3②)
(一)　電気自動車
(二)　天然ガス自動車のうち、道路運送車両法第41条第1項の規定により平成30年10月1日以降に適用されるべきものとして定められた第一節の4の②の(二)のイに規定する排出ガス保安基準で(2)で定めるものに適合するもの又は同(二)のロに規定する平成21年天然ガス車基準(以下「平成21年天然ガス車基準」という。)に適合し、かつ、窒素酸化物の排出量が平成21年天然ガス車基準に定める窒素酸化物の値の10分の9を超えないもので(3)で定めるもの
(三)　第一節の4の②の(三)に規定する充電機能付電力併用自動車
(四)　ガソリン自動車(営業用の乗用車に限る。)のうち、窒素酸化物の排出量が第一節の4の②の(四)のイの(イ)の(ⅰ)に規定する平成30年ガソリン軽中量車基準(以下「平成30年ガソリン軽中量車基準」という。)に定める窒素酸化物の値の2分の1を超えないもの又は窒素酸化物の排出量が同(四)のイの(イ)の(ⅱ)に規定する平成17年ガソリン軽中量車基準(以下「平成17年ガソリン軽中量車基準」という。)に定める窒素酸化物の値の4分の1を超えないものであって、エネルギー消費効率が同(四)のイの(ロ)に規定する令和12年度基準エネルギー消費効率(以下「令和12年度基準エネルギー消費効率」という。)に100分の90を乗じて得た数値以上かつ同(四)のイの(ハ)に規定する令和2年度基準エネルギー消費効率(以下「令和2年度基準エネルギー消費効率」という。)以上のもので(4)で定めるもの
(五)　石油ガス自動車(営業用の乗用車に限る。)のうち、窒素酸化物の排出量が第一節の4の②の(五)のイの(イ)の(ⅰ)

に規定する平成30年石油ガス軽中量車基準（以下「平成30年石油ガス軽中量車基準」という。）に定める窒素酸化物の値の2分の1を超えないもの又は窒素酸化物の排出量が第一節の4の②の（五）のイの（イ）の（ⅱ）に規定する平成17年石油ガス軽中量車基準（以下「平成17年石油ガス軽中量車基準」という。）に定める窒素酸化物の値の4分の1を超えないものであって、エネルギー消費効率が令和12年度基準エネルギー消費効率に100分の90を乗じて得た数値以上かつ令和2年度基準エネルギー消費効率以上のもので（5）で定めるもの

（六）　軽油自動車（営業用の乗用車に限る。）のうち、第一節の4の②の（六）のイの（イ）に規定する平成30年軽油軽中量車基準（以下「平成30年軽油軽中量車基準」という。）又は同（六）のイの（イ）に規定する平成21年軽油軽中量車基準（以下「平成21年軽油軽中量車基準」という。）に適合するものであって、エネルギー消費効率が令和12年度基準エネルギー消費効率に100分の90を乗じて得た数値以上かつ令和2年度基準エネルギー消費効率以上のもので（6）で定めるもの

（一） 乗用車（三輪の小型自動車であるものを除く。）	イ　営業用		
	（1）　総排気量が1リットル以下のもの	年額	2,000円
	（2）　総排気量が1リットルを超え、1.5リットル以下のもの	年額	2,500円
	（3）　総排気量が1.5リットルを超え、2リットル以下のもの	年額	2,500円
	（4）　総排気量が2リットルを超え、2.5リットル以下のもの	年額	3,500円
	（5）　総排気量が2.5リットルを超え、3リットル以下のもの	年額	4,000円
	（6）　総排気量が3リットルを超え、3.5リットル以下のもの	年額	4,500円
	（7）　総排気量が3.5リットルを超え、4リットル以下のもの	年額	5,500円
	（8）　総排気量が4リットルを超え、4.5リットル以下のもの	年額	6,000円
	（9）　総排気量が4.5リットルを超え、6リットル以下のもの	年額	7,000円
	（10）　総排気量が6リットルを超えるもの	年額	10,500円
	ロ　自家用		
	（1）　総排気量が1リットル以下のもの	年額	6,500円
	（2）　総排気量が1リットルを超え、1.5リットル以下のもの	年額	8,000円
	（3）　総排気量が1.5リットルを超え、2リットル以下のもの	年額	9,000円
	（4）　総排気量が2リットルを超え、2.5リットル以下のもの	年額	11,000円
	（5）　総排気量が2.5リットルを超え、3リットル以下のもの	年額	12,500円
	（6）　総排気量が3リットルを超え、3.5リットル以下のもの	年額	14,500円
	（7）　総排気量が3.5リットルを超え、4リットル以下のもの	年額	16,500円
	（8）　総排気量が4リットルを超え、4.5リットル以下のもの	年額	19,000円
	（9）　総排気量が4.5リットルを超え、6リットル以下のもの	年額	22,000円
	（10）　総排気量が6リットルを超えるもの	年額	27,500円
（二） トラック（三輪の小型自動車であるものを除く。）	イ　営業用（けん引自動車であるもの及び被けん引自動車であるものを除く。）		
	（1）　最大積載量が1トン以下のもの	年額	2,000円
	（2）　最大積載量が1トンを超え、2トン以下のもの	年額	2,500円
	（3）　最大積載量が2トンを超え、3トン以下のもの	年額	3,000円
	（4）　最大積載量が3トンを超え、4トン以下のもの	年額	4,000円
	（5）　最大積載量が4トンを超え、5トン以下のもの	年額	5,000円
	（6）　最大積載量が5トンを超え、6トン以下のもの	年額	5,500円
	（7）　最大積載量が6トンを超え、7トン以下のもの	年額	6,500円
	（8）　最大積載量が7トンを超え、8トン以下のもの	年額	7,500円
	（9）　最大積載量が8トンを超えるもの	年額	7,500円に最大積載量が8トンを超える部分1トンまでごとに1,200円を加算した額
	ロ　自家用（けん引自動車であるもの及び被けん引自動車であるものを除く。）		
	（1）　最大積載量が1トン以下のもの	年額	2,000円
	（2）　最大積載量が1トンを超え、2トン以下のもの	年額	3,000円
	（3）　最大積載量が2トンを超え、3トン以下のもの	年額	4,000円
	（4）　最大積載量が3トンを超え、4トン以下のもの	年額	5,500円
	（5）　最大積載量が4トンを超え、5トン以下のもの	年額	6,500円

		（6） 最大積載量が5トンを超え、6トン以下のもの	年額　7,500円
		（7） 最大積載量が6トンを超え、7トン以下のもの	年額　9,000円
		（8） 最大積載量が7トンを超え、8トン以下のもの	年額　10,500円
		（9） 最大積載量が8トンを超えるもの	年額　10,500円に最大積載量が8トンを超える部分1トンまでごとに1,600円を加算した額
		ハ　けん引自動車 （1）　営業用 　（i）　小型自動車であるもの　　年額　2,000円 　（ii）　普通自動車であるもの　　年額　4,000円 （2）　自家用 　（i）　小型自動車であるもの　　年額　3,000円 　（ii）　普通自動車であるもの　　年額　5,500円	
（三）	バス（三輪の小型自動車であるものを除く。以下（三）において同じ。）	イ　営業用 （1）　一般乗合用バス（道路運送法第5条第1項第3号に規定する路線定期運行の用に供するバスをいう。（2）において同じ。） 　（i）　乗車定員が30人以下のもの　　　　　　　　年額　3,000円 　（ii）　乗車定員が30人を超え、40人以下のもの　　年額　4,000円 　（iii）　乗車定員が40人を超え、50人以下のもの　　年額　4,500円 　（iv）　乗車定員が50人を超え、60人以下のもの　　年額　5,000円 　（v）　乗車定員が60人を超え、70人以下のもの　　年額　6,000円 　（vi）　乗車定員が70人を超え、80人以下のもの　　年額　6,500円 　（vii）　乗車定員が80人を超えるもの　　　　　　　年額　7,500円 （2）　一般乗合用バス以外のバス 　（i）　乗車定員が30人以下のもの　　　　　　　　年額　7,000円 　（ii）　乗車定員が30人を超え、40人以下のもの　　年額　8,000円 　（iii）　乗車定員が40人を超え、50人以下のもの　　年額　9,500円 　（iv）　乗車定員が50人を超え、60人以下のもの　　年額　11,000円 　（v）　乗車定員が60人を超え、70人以下のもの　　年額　13,000円 　（vi）　乗車定員が70人を超え、80人以下のもの　　年額　14,500円 　（vii）　乗車定員が80人を超えるもの　　　　　　　年額　16,000円 ロ　自家用 （1）　乗車定員が30人以下のもの　　　　　　　　　年額　8,500円 （2）　乗車定員が30人を超え、40人以下のもの　　　年額　10,500円 （3）　乗車定員が40人を超え、50人以下のもの　　　年額　12,500円 （4）　乗車定員が50人を超え、60人以下のもの　　　年額　14,500円 （5）　乗車定員が60人を超え、70人以下のもの　　　年額　16,500円 （6）　乗車定員が70人を超え、80人以下のもの　　　年額　18,500円 （7）　乗車定員が80人を超えるもの　　　　　　　　年額　21,000円	
（四）	三輪の小型自動車	イ　営業用　年額　1,500円 ロ　自家用　年額　1,500円	

（1）　1の（二）に掲げる自動車のうち最大乗車定員が4人以上であるものに対して課する種別割の標準税率は、1の規定にかかわらず、1の（二）に定める額に、次の各号の区分に応じ当該各号に定める額を、それぞれ加算した額とする。
　　（法附12の3②、法177の7②）
　（一）　営業用
　　イ　総排気量が1リットル以下のもの　　　1,000円
　　ロ　総排気量が1リットルを超え、1.5リットル以下のもの　　　1,200円

ハ　総排気量が1.5リットルを超えるもの　　　1,600円
　(二)　自家用
　　　イ　総排気量が1リットル以下のもの　　　1,300円
　　　ロ　総排気量が1リットルを超え、1.5リットル以下のもの　　　1,600円
　　　ハ　総排気量が1.5リットルを超えるもの　　　2,000円

　　(平成30年10月1日以降に適用される排出ガス保安基準で総務省令で定めるもの)
(2)　②の(二)に規定する平成30年10月1日以降に適用されるべきものとして定められた排出ガス保安基準で(2)で定めるものは、細目告示第41条第1項第11号の基準とする。(規附5の2①)

　　(窒素酸化物排出量が平成21年天然ガス車基準に定める窒素酸化物の値の10分の9を超えない天然ガス自動車)
(3)　②の(二)に規定する窒素酸化物の排出量が平成21年天然ガス車基準に定める窒素酸化物の値の10分の9を超えない天然ガス自動車で(3)で定めるものは、次の各号に掲げる自動車の区分に応じ、当該各号に定める要件に該当する天然ガス自動車とする。(規附5の2②)
　(一)　車両総重量が3.5トン以下の自動車　　窒素酸化物の排出量が道路運送車両の保安基準の細目を定める告示及び道路運送車両の保安基準第2章及び第3章の規定の適用関係の整理のため必要な事項を定める告示の一部を改正する告示(平成30年国土交通省告示第528号)による改正前の細目告示(以下「旧細目告示」という。)第41条第1項第11号イの表の(1)から(3)までに掲げる自動車の種別に応じ、同表の窒素酸化物の欄に掲げる値の10分の9を超えない自動車で、かつ、低排出ガス車認定を受けたものであること。
　(二)　車両総重量が3.5トンを超える自動車　　窒素酸化物の排出量が細目告示第41条第1項第9号に定める窒素酸化物の値の10分の9を超えない自動車で、かつ、低排出ガス車認定を受けたものであること。

　　(②の(四)に規定するガソリン自動車で総務省令で定めるもの)
(4)　②の(四)に規定するガソリン自動車で(4)で定めるものは、次に掲げる要件に該当するガソリン自動車とする。(規附5の2③)
　(一)　次に掲げる要件のいずれかに該当すること。
　　　イ　窒素酸化物の排出量が細目告示第41条第1項第3号イの表の(1)の窒素酸化物の欄に掲げる値の2分の1を超えない自動車で、かつ、低排出ガス車認定を受けたものであること。
　　　ロ　窒素酸化物の排出量が旧細目告示第41条第1項第3号イの表の(1)の窒素酸化物の欄に掲げる値の4分の1を超えない自動車で、かつ、低排出ガス車認定を受けたものであること。
　(二)　第一節の4の(8)の(二)に規定する令和12年度燃費基準達成レベル(以下「令和12年度燃費基準達成レベル」という。)が90以上である自動車であること及び当該自動車に係る自動車検査証においてその旨が明らかにされていること。
　(三)　令和2年度燃費基準達成レベルが100以上である自動車であること及び当該自動車に係る自動車検査証においてその旨が明らかにされていること。

　　(②の(五)に規定する石油ガス自動車で総務省令で定めるもの)
(5)　②の(五)に規定する石油ガス自動車で(5)で定めるものは、次に掲げる要件に該当する石油ガス自動車とする。(規附5の2④)
　(一)　次に掲げる要件のいずれかに該当すること。
　　　イ　窒素酸化物の排出量が細目告示第41条第1項第3号イの表の(1)の窒素酸化物の欄に掲げる値の2分の1を超えない自動車で、かつ、低排出ガス車認定を受けたものであること。
　　　ロ　窒素酸化物の排出量が旧細目告示第41条第1項第3号イの表の(1)の窒素酸化物の欄に掲げる値の4分の1を超えない自動車で、かつ、低排出ガス車認定を受けたものであること。
　(二)　令和12年度燃費基準達成レベルが90以上である自動車であること及び当該自動車に係る自動車検査証においてその旨が明らかにされていること。
　(三)　令和2年度燃費基準達成レベルが100以上である自動車であること及び当該自動車に係る自動車検査証においてその旨が明らかにされていること。

(②の(六)に規定する軽油自動車で総務省令で定めるもの)
(6) ②の(六)に規定する軽油自動車で(6)で定めるものは、次に掲げる要件に該当する軽油自動車とする。(規附5の2⑤)
   (一) 令和12年度燃費基準達成レベルが90以上である自動車であること及び当該自動車に係る自動車検査証においてその旨が明らかにされていること。
   (二) 令和2年度燃費基準達成レベルが100以上である自動車であること及び当該自動車に係る自動車検査証においてその旨が明らかにされていること。

③ ガソリン・石油ガス自動車等で一定の基準を満たす自動車等の税率の軽減
　次に掲げる自動車のうち、営業用の乗用車(②の規定の適用を受けるものを除く。)に対する標準税率は、当該営業用の乗用車が令和4年4月1日から令和7年3月31日までの間に初回新規登録を受けた場合には当該初回新規登録を受けた日の属する年度の翌年度分の自動車税の種別割に限り、次の表に掲げる字句とする。(法附12の3③)
(一) ガソリン自動車のうち、窒素酸化物の排出量が平成30年ガソリン軽中量車基準に定める窒素酸化物の値の2分の1を超えないもの又は窒素酸化物の排出量が平成17年ガソリン軽中量車基準に定める窒素酸化物の値の4分の1を超えないものであって、エネルギー消費効率が令和12年度基準エネルギー消費効率に100分の70を乗じて得た数値以上かつ令和2年度基準エネルギー消費効率以上のもので(1)で定めるもの
(二) 石油ガス自動車のうち、窒素酸化物の排出量が平成30年石油ガス軽中量車基準に定める窒素酸化物の値の2分の1を超えないもの又は窒素酸化物の排出量が平成17年石油ガス軽中量車基準に定める窒素酸化物の値の4分の1を超えないものであって、エネルギー消費効率が令和12年度基準エネルギー消費効率に100分の70を乗じて得た数値以上かつ令和2年度基準エネルギー消費効率以上のもので(2)で定めるもの
(三) 軽油自動車のうち、平成30年軽油軽中量車基準又は平成21年軽油軽中量車基準に適合するものであって、エネルギー消費効率が令和12年度基準エネルギー消費効率に100分の70を乗じて得た数値以上かつ令和2年度基準エネルギー消費効率以上のもので(3)で定めるもの

		営業用	
(一)	乗用車(三輪の小型自動車であるものを除く。)	(1) 総排気量が1リットル以下のもの	年額　4,000円
		(2) 総排気量が1リットルを超え、1.5リットル以下のもの	年額　4,500円
		(3) 総排気量が1.5リットルを超え、2リットル以下のもの	年額　5,000円
		(4) 総排気量が2リットルを超え、2.5リットル以下のもの	年額　7,000円
		(5) 総排気量が2.5リットルを超え、3リットル以下のもの	年額　8,000円
		(6) 総排気量が3リットルを超え、3.5リットル以下のもの	年額　9,000円
		(7) 総排気量が3.5リットルを超え、4リットル以下のもの	年額　10,500円
		(8) 総排気量が4リットルを超え、4.5リットル以下のもの	年額　12,000円
		(9) 総排気量が4.5リットルを超え、6リットル以下のもの	年額　14,000円
		(10) 総排気量が6リットルを超えるもの	年額　20,500円
(二)	三輪の小型自動車	営業用　年額　2,500円	

(③の(一)に規定するガソリン自動車で総務省令で定めるもの)
(1) ③の(一)に規定するガソリン自動車で(1)で定めるものは、次に掲げる要件に該当するガソリン自動車とする。(規附5の2⑥)
   (一) 次に掲げる要件のいずれかに該当すること。
      イ 窒素酸化物の排出量が細目告示第41条第1項第3号イの表の(1)の窒素酸化物の欄に掲げる値の2分の1を超えない自動車で、かつ、低排出ガス車認定を受けたものであること。
      ロ 窒素酸化物の排出量が旧細目告示第41条第1項第3号イの表の(1)の窒素酸化物の欄に掲げる値の4分の1を超えない自動車で、かつ、低排出ガス車認定を受けたものであること。
   (二) 令和12年度燃費基準達成レベルが70以上90未満である自動車であること及び当該自動車に係る自動車検査証においてその旨が明らかにされていること。
   (三) 令和2年度燃費基準達成レベルが100以上である自動車であること及び当該自動車に係る自動車検査証におい

てその旨が明らかにされていること。

　　　（③の（二）に規定する石油ガス自動車で総務省令で定めるもの）
（２）　③の（二）に規定する石油ガス自動車で（２）で定めるものは、次に掲げる要件に該当する石油ガス自動車とする。（規附５の２⑦）
　（一）　次に掲げる要件のいずれかに該当すること。
　　イ　窒素酸化物の排出量が細目告示第41条第１項第３号イの表の（１）の窒素酸化物の欄に掲げる値の２分の１を超えない自動車で、かつ、低排出ガス車認定を受けたものであること。
　　ロ　窒素酸化物の排出量が旧細目告示第41条第１項第３号イの表の（１）の窒素酸化物の欄に掲げる値の４分の１を超えない自動車で、かつ、低排出ガス車認定を受けたものであること。
　（二）　令和12年度燃費基準達成レベルが70以上90未満である自動車であること及び当該自動車に係る自動車検査証においてその旨が明らかにされていること。
　（三）　令和２年度燃費基準達成レベルが100以上である自動車であること及び当該自動車に係る自動車検査証においてその旨が明らかにされていること。

　　　（③の（三）に規定する軽油自動車で総務省令で定めるもの）
（３）　③の（三）に規定する軽油自動車で（３）で定めるものは、次に掲げる要件に該当する軽油自動車とする。（規附５の２⑧）
　（一）　令和12年度燃費基準達成レベルが70以上90未満である自動車であること及び当該自動車に係る自動車検査証においてその旨が明らかにされていること。
　（二）　令和２年度燃費基準達成レベルが100以上である自動車であること及び当該自動車に係る自動車検査証においてその旨が明らかにされていること。

　　　（読替規定）
（４）　国土交通大臣の認定等（第三節四の１に規定する国土交通大臣の認定等をいう。以下（８）において同じ。）の申請をした者が偽りその他不正の手段（当該申請をした者に当該申請に必要な情報を直接又は間接に提供した者の偽りその他不正の手段を含む。）により国土交通大臣の認定等を受けたことを事由として国土交通大臣が当該国土交通大臣の認定等を取り消した場合であって、当該取消し後にその対象となった自動車が新たに受けた国土交通大臣の認定等が自動車登録ファイル（道路運送車両法第４条に規定する自動車登録ファイルをいう。）に記録されてから、当該新たに受けた国土交通大臣の認定等が当該自動車に係る自動車検査証において明らかにされるまでの間においては、当該自動車に対する②の（４）から（６）まで、（１）から（３）までの規定の適用については、これらの規定中「当該自動車に係る自動車検査証」とあるのは「道路運送車両法第４条に規定する自動車登録ファイル」と読み替えるものとする。（規附５の２⑨）

④　一定の期日までに初回新規登録を受けた自家用の乗用車の税率の軽減
　地方税法等の一部を改正する法律（平成31年法律第２号）附則第１条第２号に掲げる規定の施行の日（令和元年10月１日）（以下④において「特定日」という。）の前日までに初回新規登録を受けた自家用の乗用車であって地方税法等の一部を改正する等の法律（平成28年法律第13号）第２条の規定による改正前の地方税法（以下④において「平成28年改正前の地方税法」という。）第145条第１項若しくは第３項の規定により平成28年改正前の地方税法に規定する自動車税を課されたもの（同日までに初回新規登録を受けた自家用の乗用車であって、平成28年改正前の地方税法第146条その他の地方税に関する法律及びこれらの法律に基づく条例の規定により平成28年改正前の地方税法に規定する自動車税を課されなかったものを含む。）又は同日までにこの法律の施行地外において第一節の２の（１）に規定する運行に相当するものとして（１）で定めるものの用に供されたことがある自家用の乗用車であって特定日以後に初回新規登録を受けたものに対して課する自動車税の種別割の標準税率は、１の規定にかかわらず、１台について、次の各号に掲げる自家用の乗用車の区分に応じ、当該各号に定める額とする。（法附12の４①）
　（一）　総排気量が１リットル以下のもの　　　　　　　　　年額　　29,500円
　（二）　総排気量が１リットルを超え、1.5リットル以下のもの　年額　　34,500円
　（三）　総排気量が1.5リットルを超え、２リットル以下のもの　年額　　39,500円
　（四）　総排気量が２リットルを超え、2.5リットル以下のもの　年額　　45,000円
　（五）　総排気量が2.5リットルを超え、３リットル以下のもの　年額　　51,000円

(六)	総排気量が3リットルを超え、3.5リットル以下のもの	年額　58,000円
(七)	総排気量が3.5リットルを超え、4リットル以下のもの	年額　66,500円
(八)	総排気量が4リットルを超え、4.5リットル以下のもの	年額　76,500円
(九)	総排気量が4.5リットルを超え、6リットル以下のもの	年額　88,000円
(十)	総排気量が6リットルを超えるもの	年額　111,000円

　　　（総務省令で定める運行に相当するもの）
（1）　④に規定する第一節の2の(1)に規定する運行に相当するものとして(1)で定めるものは、人又は物品を運送するとしないとにかかわらず、自動車を当該装置の用い方に従い用いることをいう。（規附5の2の2）

　　　（準用規定）
（2）　1の(2)、同(4)、同(5)の規定は、④の規定の適用を受ける自家用の乗用車について準用する。（法附12の4②）

　　　（①に掲げるものに対する読替規定）
（3）　④の規定の適用を受ける自家用の乗用車（電気自動車、天然ガス自動車、メタノール自動車、混合メタノール自動車及びガソリンを内燃機関の燃料として用いる電力併用自動車を除く。）のうち、①の各号に掲げるものに対する当該各号に定める年度以後の年度分の自動車税の種別割に係る④の規定の適用については、次の表の左欄に掲げる同項の規定中同表の中欄に掲げる字句は、それぞれ同表の右欄に掲げる字句とする。（法附12の4③）

(一)	29,500円	33,900円
(二)	34,500円	39,600円
(三)	39,500円	45,400円
(四)	45,000円	51,700円
(五)	51,000円	58,600円
(六)	58,000円	66,700円
(七)	66,500円	76,400円
(八)	76,500円	87,900円
(九)	88,000円	101,200円
(十)	111,000円	127,600円

二　賦課及び徴収

1　種別割の賦課期日

　種別割の賦課期日は、4月1日とする。（法177の8）

2　種別割の納期

　種別割の納期は、5月中において、当該道府県の条例で定める。ただし、特別の事情がある場合には、これと異なる納期を定めることができる。（法177の9）

3　種別割の納税義務の発生、消滅等に伴う賦課

① 種別割の賦課期日後に納税義務が発生した場合

　1に規定する種別割の賦課期日（以下「賦課期日」という。）後に納税義務が発生した者には、その発生した月の翌月から、月割をもって、種別割を課する。（法177の10①）

　　　（「賦課期日後」の意義）
　注　種別割の「賦課期日後」とは、月割課税の制度が設けられている趣旨にかんがみ、4月1日午前零時後をいうもの

であること。(県通10-21(1))

② 賦課期日後に納税義務が消滅した場合
　賦課期日後に納税義務が消滅した者には、その消滅した月まで、月割をもって、種別割を課する。(法177の10②)

③ 賦課期日後の用途変更により適用すべき種別割の税率に異動があった場合
　賦課期日後に用途その他の自動車の諸元の変更により適用すべき種別割の税率に異動があった場合には、当該自動車に対して課する種別割の納税義務者には、当該年度については、異動前の適用すべき種別割の税率により、種別割を課する。(法177の10③)

④ 賦課期日後に定置場の変更又は所有者の変更があった場合
　賦課期日後にその主たる定置場が一の道府県から他の道府県に変更された場合又は自動車の所有者の変更があった場合には、当該年度の末日に当該変更があったものとみなして、①及び②の規定を適用する。ただし、自動車の所有者の変更があった場合において、変更前の所有者又は変更後の所有者のいずれかが、④以外の法令の規定に基づき当該自動車に対して種別割を課されないときは、この限りでない。(法177の10④)

　　　(「法令の規定に基づき当該自動車に対して種別割を課されない場合」の意義)
(1)　④のただし書の「法令の規定に基づき当該自動車に対して種別割を課されないとき」とは、条約、法律、命令又は条例の規定に基づき種別割が課されない場合をいうものであって、種別割が減免されている場合は含まれないものであること。(県通10-21(2))

　　　(自動車検査証の返付の取扱い)
(2)　種別割の徴収を確保するため、道路運送車両法及び同法施行令の規定に基づき、継続検査及び構造等変更検査において自動車検査証の返付を受けようとする際、当該自動車の使用者は、当該自動車について現に自動車税の滞納(天災その他やむを得ない事由によるものを除く。)がないことを証するに足る書面を地方運輸局運輸支局長(運輸監理部長を含む。)に提示しなければならないものとされ、提示がない場合においては、地方運輸局運輸支局長(運輸監理部長を含む。)が自動車検査証の返付をしないものとされている。この場合において、自動車検査証の返付を受けようとする使用者及び所有者に必要以上の手数を強いないよう考慮すること。
　なお、当該自動車について現に自動車税の滞納があるかどうかは、継続検査及び構造等変更検査において自動車検査証の返付を受けようとする際に当該自動車に係る種別割を負担すべき者についていうものであるから、④の本文の規定の適用を受ける場合には、前の所有者についての証明を要するものであることに留意すること。ただし、一の道府県から他の道府県に移転登録したことにより、前の所有者についての証明が困難と判断される相当な理由のある場合については、現在の所有者が当該自動車に係る種別割の滞納がないことの証明でも差し支えないものであること。
(県通10-23)

4　種別割の徴収の方法

① 普通徴収
　種別割の徴収については、普通徴収の方法によらなければならない。(法177の11①)

　　　(納税通知書の交付)
　注　種別割を普通徴収の方法によって徴収しようとする場合において納税者に交付すべき納税通知書は、遅くとも、その納期限前10日までに納税者に交付しなければならない。(法177の11②)

② 証紙徴収
　新規登録の申請があった自動車について3の①の規定により課する種別割の徴収については、賦課期日後翌年2月末日までの間に納税義務が発生した場合に限り、①の規定にかかわらず、証紙徴収の方法によらなければならない。(法177の11③)

　　　　（証紙徴収の手続）
（１）　道府県は、②の規定により種別割を証紙徴収の方法によって徴収しようとする場合には、納税者が新規登録の申請をしたときに、当該道府県が発行する証紙を５の①の規定により提出すべき申告書又は報告書に貼らせることによりその税金を払い込ませなければならない。この場合においては、当該道府県の条例で定めるところにより証紙の額面金額に相当する金額を証紙代金収納計器で表示させることにより、又は証紙の額面金額に相当する現金の納付を受けた後納税済印を押すことにより、証紙に代えることができる。（法177の11④）

　　　　（証紙を貼った場合の消印）
（２）　道府県は、（１）の規定により納税者が証紙を貼った場合には、当該証紙を貼った紙面と当該証紙の彩紋とにかけて当該道府県の印で判明にこれを消さなければならない。（法177の11⑤）

　　　　（証紙の取扱いについての条例への委任）
（３）　（１）の証紙の取扱いに関しては、当該道府県の条例で定めなければならない。（法177の11⑥）

　　　　（申告書又は報告書の提出がない場合の普通徴収）
（４）　（１）の申告書又は報告書の提出がなかったことにより、②の規定により種別割を証紙徴収の方法によって徴収することができない場合には、当該種別割の徴収については、普通徴収の方法によらなければならない。（法177の11⑦）

　　　　（無登録自動車について納税通知書が交付された後に登録の申請があった場合の徴収）
（５）　無登録自動車について普通徴収の方法により納税通知書が交付された後において当該自動車につき道路運送車両法第７条の規定による登録の申請があった場合は、証紙徴収の方法によらず、既に交付した納税通知書の定めるところにより、普通徴収するものであること。（県通10－21（３））

③　種別割の徴収の方法の特例
　道府県は、納税者が行政手続等における情報通信の技術の利用に関する法律第３条第１項の規定により同項に規定する電子情報処理組織を使用して新規登録の申請及び５の規定による申告書又は報告書の提出を行う場合には、②から同（３）までの規定によるほか、当該道府県の条例で定めるところにより、当該納税者が当該登録の申請をした際に、当該登録の申請に係る自動車に対して課する種別割を道府県知事から得た納付情報により納付する方法により徴収することができる。（法177の12、規９の16）

５　種別割の賦課徴収に関する申告又は報告の義務

①　納税義務者の申告又は報告の義務
　種別割の納税義務者は、新規登録、道路運送車両法第12条第１項に規定する変更登録又は移転登録の申請をした場合その他当該道府県の条例で定める場合には、総務省令で定める様式により、種別割の賦課徴収に関し必要な事項を記載した申告書又は報告書を道府県知事に提出しなければならない。（法177の13①）
　（注）　①の規定により提出すべき申告書又は報告書の様式は、第16号の43様式によるものとする。（規９の17）

②　所有権留保付自動車の売主の報告義務
　第一節の３に規定する自動車の売主は、当該道府県の条例で定めるところにより、当該道府県知事から当該自動車の買主の住所又は居所が不明であることを理由として請求があった場合には、当該自動車の買主の住所又は居所その他当該自動車に対して課する種別割の賦課徴収に関し必要な事項を報告しなければならない。（法177の13②）

　　　　（留意事項）
　注　所有権留保付自動車については、当該自動車の買主を所有者とみなして種別割を課することとされているが、買主の住所又は居所が不明である場合には、道府県知事は、売主に対して当該道府県の条例の定めるところにより、当該買主の住所又は居所その他当該自動車に対して課する種別割の賦課徴収に関し必要な事項の報告を求めることができるものであるが、この報告は売主に対して現に知りえている事実の報告義務を課しているものであり、新たな調査義務を課しているものではないことに留意すること。
　　なお、円滑な運営を図るため、売主等と緊密な連絡を保つことが望ましいこと。（県通10－22）

6　申告等に関する罪

①　種別割に係る虚偽の申告等に関する罪

5の規定により申告し、又は報告すべき事項について虚偽の申告又は報告をしたときは、その違反行為をした者は、1年以下の懲役又は50万円以下の罰金に処する。(法177の14①)

　　(両罰規定)
　注　法人の代表者又は法人若しくは人の代理人、使用人その他の従業者がその法人又は人の業務又は財産に関して①の違反行為をした場合には、その行為者を罰するほか、その法人又は人に対し、①の罰金刑を科する。(法177の14②)

②　種別割に係る不申告等に関する過料

道府県は、種別割の納税義務者又は第一節の3に規定する自動車の売主が5の規定により申告し、又は報告すべき事項について正当な事由がなくて申告又は報告をしなかった場合には、その者に対し、当該道府県の条例で10万円以下の過料を科する旨の規定を設けることができる。(法177の15)

7　雑　　則

①　種別割の脱税に関する罪

偽りその他不正の行為により種別割の全部又は一部を免れたときは、その違反行為をした者は、5年以下の懲役若しくは100万円以下の罰金に処し、又はこれを併科する。(法177の16①)

　　(脱税額が100万円を超える場合の罰金額の加重)
（１）　①の免れた税額が100万円を超える場合には、情状により、①の罰金の額は、①の規定にかかわらず、100万円を超える額でその免れた税額に相当する額以下の額とすることができる。(法177の16②)

　　(申告又は報告をしないことによる脱税に関する罪)
（２）　①に規定するもののほか、5の①の規定により申告し、又は報告すべき事項について申告又は報告をしないことにより、種別割の全部又は一部を免れたときは、その違反行為をした者は、3年以下の懲役若しくは50万円以下の罰金に処し、又はこれを併科する。(法177の16③)

　　(脱税額が50万円を超える場合の罰金額)
（３）　(2)の免れた税額が50万円を超える場合には、情状により、(2)の罰金の額は、(2)の規定にかかわらず、50万円を超える額でその免れた税額に相当する額以下の額とすることができる。(法177の16④)

　　(両罰規定)
（４）　法人の代表者又は法人若しくは人の代理人、使用人その他の従業者がその法人又は人の業務又は財産に関して①又は(2)の違反行為をした場合には、その行為者を罰するほか、その法人又は人に対し、当該規定の罰金刑を科する。(法177の16⑤)

　　(時効の期間)
（５）　(4)の規定により①の違反行為につき法人又は人に罰金刑を科する場合における時効の期間は、①の罪についての時効の期間による。(法177の16⑥)

②　種別割の減免

道府県知事は、天災その他特別の事情がある場合において種別割の減免を必要とすると認める者に限り、当該道府県の条例で定めるところにより、種別割を減免することができる。(法177の17)

③　延滞金

イ　納期限後等に納付する種別割の延滞金

種別割の納税者は、2の納期限(納期限の延長があった場合には、その延長された納期限とする。以下同じ。)後にその

税金を納付する場合には、当該税額に、当該納期限の翌日から納付の日までの期間の日数に応じ、年14.6パーセント（当該納期限の翌日から1月を経過する日までの期間については、年7.3パーセント）の割合を乗じて計算した金額に相当する延滞金額を加算して納付しなければならない。（法177の18①）

ロ　証紙徴収すべき税額を普通徴収により徴収する場合の延滞金
　　4の②の(4)の規定により普通徴収の方法によって種別割を徴収する場合には、道府県の徴税吏員は、イの規定にかかわらず、当該税額に、当該種別割に係る納税通知書を発した日の翌日から納付の日までの期間の日数に応じ、年14.6パーセント（当該納税通知書において納付すべきこととされる日までの期間又はその日の翌日から1月を経過する日までの期間については、年7.3パーセント）の割合を乗じて計算した金額に相当する延滞金額を加算して徴収しなければならない。（法177の18②）

ハ　延滞金の減免
　　道府県知事は、納税者が2の納期限まで又は4の②の(1)若しくは4の③の規定により税金を払い込むべき日に税金を納付しなかったことについてやむを得ない事由があると認める場合には、イ又はロの延滞金額を減免することができる。（法177の18③）

三　督促及び滞納処分

1　種別割に係る督促
　納税者が納期限までに種別割に係る地方団体の徴収金を完納しない場合には、道府県の徴税吏員は、納期限後20日以内に、督促状を発しなければならない。ただし、繰上徴収をする場合には、この限りでない。（法177の19①）

　　　（特別の事情がある場合の督促状の発付期限）
（1）　特別の事情がある道府県においては、当該道府県の条例で1に規定する期間と異なる期間を定めることができる。（法177の19②）

　　　（種別割に係る督促手数料の徴収）
（2）　道府県の徴税吏員は、督促状を発した場合には、当該道府県の条例で定めるところにより、手数料を徴収することができる。（法177の20）

2　種別割に係る滞納処分
　種別割に係る滞納者が次の各号のいずれかに該当するときは、道府県の徴税吏員は、当該種別割に係る地方団体の徴収金につき、滞納者の財産を差し押さえなければならない。（法177の21①）
（一）　滞納者が督促を受け、その督促状を発した日から起算して10日を経過した日までにその督促に係る種別割に係る地方団体の徴収金を完納しないとき。
（二）　滞納者が繰上徴収に係る告知により指定された納期限までに種別割に係る地方団体の徴収金を完納しないとき。

　　　（第二次納税義務者又は保証人に対する催告）
（1）　第二次納税義務者又は保証人について2の規定を適用する場合には、2の(一)中「督促状」とあるのは、「納付の催告書」とする。（法177の21②）

　　　（繰上差押え）
（2）　種別割に係る地方団体の徴収金の納期限後2の(一)に規定する10日を経過した日までに、督促を受けた滞納者につき繰上徴収の事由〔第一編第三章二の1〕の一に該当する事実が生じたときは、道府県の徴税吏員は、直ちにその財産を差し押さえることができる。（法177の21③）

　　　（強制換価手続が行われた場合の交付要求）
（3）　滞納者の財産につき強制換価手続が行われた場合には、道府県の徴税吏員は、執行機関（破産法第114条第1号に掲げる請求権に係る種別割に係る地方団体の徴収金の交付要求を行う場合には、その交付要求に係る破産事件を取り扱う裁判所）に対し、滞納に係る種別割に係る地方団体の徴収金につき、交付要求をしなければならない。（法177の

21④)

　　　（参加差押え）
（4）　道府県の徴税吏員は、2から（2）までの規定により差押えをすることができる場合において、滞納者の財産で国税徴収法第86条第1項各号に掲げるものにつき、既に他の地方団体の徴収金若しくは国税の滞納処分又はこれらの滞納処分の例による処分による差押えがされているときは、当該財産についての交付要求は、参加差押えによりすることができる。（法177の21⑤）

　　　（国税徴収法の例による滞納処分）
（5）　2から（4）までに定めるものその他種別割に係る地方団体の徴収金の滞納処分については、国税徴収法に規定する滞納処分の例による。（法177の21⑥）

　　　（道府県の区域外における処分）
（6）　2から（5）までの規定による処分は、当該道府県の区域外においても行うことができる。（法177の21⑦）

3　種別割に係る滞納処分に関する罪
　種別割の納税者が滞納処分の執行を免れる目的でその財産を隠蔽し、損壊し、若しくは道府県の不利益に処分し、その財産に係る負担を偽って増加する行為をし、又はその現状を改変して、その財産の価額を減損し、若しくはその滞納処分に係る滞納処分費を増大させる行為をしたときは、その者は、3年以下の懲役若しくは250万円以下の罰金に処し、又はこれを併科する。（法177の22①）

　　　（財産占有者に対する罰則）
（1）　納税者の財産を占有する第三者が納税者に滞納処分の執行を免れさせる目的で3の行為をしたときも、3と同様とする。（法177の22②）

　　　（情けを知った違反行為の相手方に対する罰則）
（2）　情を知って3又は（1）の行為につき納税者又はその財産を占有する第三者の相手方となったときは、その相手方としてその違反行為をした者は、2年以下の懲役若しくは150万円以下の罰金に処し、又はこれを併科する。（法177の22③）

　　　（両罰規定）
（3）　法人の代表者又は法人若しくは人の代理人、使用人その他の従業者がその法人又は人の業務又は財産に関して3から（2）までの違反行為をした場合には、その行為者を罰するほか、その法人又は人に対し、当該3から（2）までの罰金刑を科する。（法177の22④）

4　種別割に係る滞納処分に関する検査拒否等の罪
　次の各号のいずれかに該当する場合には、その違反行為をした者は、1年以下の懲役又は50万円以下の罰金に処する。（法177の23①）
（一）　2の（5）の場合において、国税徴収法第141条の規定の例により行う道府県の徴税吏員の質問に対して答弁をせず、又は偽りの陳述をしたとき。
（二）　2の（5）の場合において、国税徴収法第141条の規定の例により行う道府県の徴税吏員の帳簿書類（同条に規定する帳簿書類をいう。（三）において同じ。）その他の物件の検査を拒み、妨げ、又は忌避したとき。
（三）　2の（5）の場合において、国税徴収法第141条の規定の例により行う道府県の徴税吏員の物件の提示又は提出の要求に対し、正当な理由がなくこれに応じず、又は偽りの記載若しくは記録をした帳簿書類その他の物件（その写しを含む。）を提示し、若しくは提出したとき。

　　　（両罰規定）
注　法人の代表者又は法人若しくは人の代理人、使用人その他の従業者がその法人又は人の業務又は財産に関して4の違反行為をした場合には、その行為者を罰するほか、その法人又は人に対し、4の罰金刑を科する。（法177の23②）

5　国税徴収法の例による種別割に係る滞納処分に関する虚偽の陳述の罪

　２の(5)の場合において、国税徴収法第99条の２（同法第109条第４項において準用する場合を含む。）の規定の例により道府県知事に対して陳述すべき事項について虚偽の陳述をした者は、６月以下の懲役又は50万円以下の罰金に処する。（法177の24）

四　種別割の賦課徴収の特例

1　窒素酸化物の排出量又はエネルギー消費効率についての基準に該当するかどうかの判断

　道府県知事は、自動車税の種別割の賦課徴収に関し、自動車が一の２の②、③に規定する窒素酸化物の排出量又はエネルギー消費効率についての基準（以下１において「窒素酸化物排出量等基準」という。）につき一の２の②若しくは同③の規定の適用を受ける自動車（以下１において「減税対象車」という。）に該当するかどうかの判断をするときは、国土交通大臣の認定等（申請に基づき国土交通大臣が行った自動車についての認定又は評価であって、当該認定又は評価の事実に基づき自動車が窒素酸化物排出量等基準につき減税対象車に該当するかどうかの判断をすることが適当であるものとして注で定めるものをいう。２及び５において同じ。）に基づき当該判断をするものとする。（法附12の５①）

　　　（総務省令で定める認定又は評価）
　注　１に規定する注で定める認定又は評価は、低排出ガス車認定又は燃費評価実施要領第３条から第４条の３までの規定による評価とする。（規附５の２の３）

2　納付すべき自動車税の種別割の額について不足額があった場合

　道府県知事は、納付すべき自動車税の種別割の額について不足額があることを二の２の納期限（納期限の延長があったときは、その延長された納期限）後において知った場合において、当該事実が生じた原因が、国土交通大臣の認定等の申請をした者が偽りその他不正の手段（当該申請をした者に当該申請に必要な情報を直接又は間接に提供した者の偽りその他不正の手段を含む。）により国土交通大臣の認定等を受けたことを事由として国土交通大臣が当該国土交通大臣の認定等を取り消したことによるものであるときは、当該申請をした者又はその一般承継人を賦課期日現在における当該不足額に係る自動車の所有者とみなして、自動車税の種別割に関する規定（二の５及び６の規定を除く。）を適用する。（法附12の５②）

3　不足額があった場合の納付すべき自動車税の種別割の額

　２の規定の適用がある場合における納付すべき自動車税の種別割の額は、２の不足額に、これに100分の35の割合を乗じて計算した金額を加算した金額とする。（法附12の５③）

4　読替規定

　２の規定の適用がある場合における第一編第七章一の２の③、同章二の１及び二の７の③のイの規定の適用については、第一編第七章一の２の③中「３年」とあるのは「７年」と、第一編第七章二の１中「５年間」とあるのは「７年間」と、二の７の③のイ中「納期限の延長があった場合には、その延長された納期限とする。以下同じ」とあるのは「四の２の規定の適用がないものとした場合の当該自動車の所有者についての自動車税の種別割の納期限とし、当該納期限の延長があった場合には、その延長された納期限とする。以下同じ」とする。（法附12の５④）

5　読替規定

　２の規定の適用を受けた国土交通大臣の認定等の申請をした者又はその一般承継人に対する法人税法の規定の適用については、同法第55条第４項中「次に掲げるもの」とあるのは、「次に掲げるもの及び地方税法附則第12条の５第２項の規定による自動車税の種別割」とする。（法附12の５⑤）

第十一章　その他の道府県税の概要

> 以下に掲げる道府県税については、その概要のみを収録している。

一　道府県たばこ税

1	納税義務者等	①　小売販売業者に売り渡す場合の課税 　道府県たばこ税（以下「たばこ税」という。）は、製造たばこの製造者、特定販売業者又は卸売販売業者（以下「卸売販売業者等」という。）が製造たばこを小売販売業者に売り渡す場合（当該小売販売業者が卸売販売業者等である場合においては、その卸売販売業者等に卸売販売用として売り渡すときを除く。）において、当該売渡しに係る製造たばこに対し、当該小売販売業者の営業所所在の道府県において、当該売渡しを行う卸売販売業者等に課する。（法74の2①） ②　消費者等に売渡しをし、又は消費等をする場合の課税 　たばこ税は、①に規定する場合のほか、卸売販売業者等が製造たばこにつき、卸売販売業者等及び小売販売業者以外の者（以下「消費者等」という。）に売渡しをし、又は消費その他の処分（以下「消費等」という。）をする場合においては、当該売渡し又は消費等に係る製造たばこに対し、当該卸売販売業者等の事務所又は事業所で当該売渡し又は消費等に係る製造たばこを直接管理するものが所在する道府県において、当該卸売販売業者等に課する。（法74の2②）
2	みなし課税	①　卸売販売業者等が委託者に製造たばこを引き渡した場合のみなし課税 　卸売販売業者等が、小売販売業者又は消費者等からの買受けの委託により他の卸売販売業者等から製造たばこの売渡しを受けた場合において、当該卸売販売業者等が当該委託をした者に当該製造たばこの引渡しをしたときは、当該卸売販売業者等が当該引渡しの時に当該製造たばこを当該委託をした者に売り渡したものとみなして、1の①又は②の規定を適用する。（法74の3①） ②　卸売販売業者等が代物弁済等により製造たばこを引き渡した場合のみなし課税 　卸売販売業者等が、小売販売業者又は消費者等に対し、民法第482条《代物弁済》に規定する他の給付又は同法第549条《贈与》若しくは第553条《負担附贈与》に規定する贈与若しくは同法第586条第1項《交換》に規定する交換に係る財産権の移転として製造たばこの引渡しをした場合には、当該卸売販売業者等が当該引渡しの時に当該製造たばこを当該引渡しを受けた者に売り渡したものとみなして、1の①又は②の規定を適用する。（法74の3②） ③　特定販売業者又は卸売販売業者が営業を廃止し、又は登録を取り消された場合のみなし課税 　特定販売業者又は卸売販売業者がその営業を廃止し、又はたばこ事業法第11条第1項若しくは第20条の規定による登録を取り消された時に製造たばこを所有している場合においては、当該廃止又は取消しの時に当該特定販売業者又は卸売販売業者が当該製造たばこにつき、消費者等に対する売渡し又は消費等をしたものとみなして、1の②の規定を適用する。（法74の3③） ④　卸売販売業者等が所有する製造たばこを他の者が売渡し又は消費等をした場合のみなし課税 　卸売販売業者等が所有している製造たばこにつき、当該卸売販売業者等以外の者が売渡し又は消費等をした場合においては、当該卸売販売業者等が売渡し又は消費等をしたものとみなして、1の①又は②の規定を適用する。ただし、その売渡し又は消費等がされたことにつき、当該卸売販売業者等の責めに帰することができない場合には、当該売渡し又は消費等をした者を卸売販売業者等とみなして、1の①又は②の規定を適用する。（法74の3④） ⑤　製造たばことみなす場合 　加熱式たばこの喫煙用具であって加熱により蒸気となるグリセリンその他の物品又はこれらの混合物を充填したもの（たばこ事業法第3条第1項に規定する会社その他の政令で定める者により売渡し、消費等又は引渡しがされたもの及び輸入されたものに限る。以下「特定加熱式たばこ喫煙用具」という。）は、製造たばことみなして、一の規定を適用する。この場合において、特定加熱式たばこ喫煙用具に係る製造たばこの区分は、加熱式たばことする。（法74の3の2）

3 課税標準	① 課税標準
	たばこ税の課税標準は、1の①の売渡し又は同②の売渡し若しくは消費等（③において「売渡し等」という。）に係る製造たばこの本数とする。（法74の4①） ② 製造たばこの本数 　①の製造たばこ（加熱式たばこを除く。）の本数は、紙巻たばこの本数によるものとし、次の表の左欄に掲げる製造たばこの本数の算定については、同欄の区分に応じ、それぞれ同表の右欄に定める重量をもって紙巻たばこの1本に換算するものとする。ただし、1本当たりの重量が1グラム未満の葉巻たばこの本数の算定については、当該葉巻たばこの1本をもって紙巻たばこの1本に換算するものとする。（法74の4②） |区　　　　　　　分|重　　　量| |---|---| |一　喫煙用の製造たばこ 　イ　葉巻たばこ 　ロ　パイプたばこ 　ハ　刻みたばこ| 1グラム 1グラム 2グラム| |二　かみ用の製造たばこ|2グラム| |三　かぎ用の製造たばこ|2グラム| ③ 加熱式たばこに係る標準税率の製造たばこの本数 　加熱式たばこに係る①の製造たばこの本数は、次に掲げる方法により換算した紙巻たばこの本数の合計数によるものとする。（法74の4③） （一）　加熱式たばこの重量（フィルターその他の総務省令で定めるものに係る部分の重量を除く。）の0.4グラムをもって紙巻たばこの0.5本に換算する方法 （二）　次に掲げる加熱式たばこの区分に応じ、それぞれ次に定める金額の紙巻たばこの1本の金額に相当する金額として政令で定めるところにより計算した金額をもって紙巻たばこの0.5本に換算する方法 　（イ）　売渡し等の時における小売定価（たばこ事業法第33条第1項又は第2項の認可を受けた小売定価をいう。）が定められている加熱式たばこ　当該小売定価に相当する金額（消費税法の規定により課されるべき消費税に相当する金額及び第6章《地方消費税》の規定により課されるべき地方消費税に相当する金額を除く。） 　（ロ）　（イ）に掲げるもの以外の加熱式たばこ　たばこ税法第10条第3項第2号ロ及び第4項の規定の例により算定した金額
4 税　率	① 税　率 　たばこ税の税率は、1,000本につき1,070円とする。（法74の5） ② 旧3級品の紙巻たばこに係る税率の特例の平成27年度改正に伴う経過措置 　下表の左欄に掲げる期間内に、1の①に規定する売渡し又は1の②に規定する売渡し若しくは消費等が行われる紙巻たばこ3級品に係る道府県たばこ税の税率は、①の規定にかかわらず、下表の右欄に定める税率とする。（平27改法附12②） |平成28年4月1日から平成29年3月31日まで|1000本につき481円| |---|---| |平成29年4月1日から平成30年3月31日まで|1000本につき551円| |平成30年4月1日から令和元年9月30日まで|1000本につき656円|
5 課税免除	① 課税免除の対象となる売渡し又は消費等 　道府県は、卸売販売業者等が次に掲げる製造たばこの売渡し又は消費等をする場合には、当該売渡し又は消費等に係る製造たばこに対しては、たばこ税を免除する。（法74の6①） |（一）|製造たばこの本邦からの輸出又は輸出の目的で行われる輸出業者（他から購入した製造たばこの販売を業とする者で常時製造たばこの輸出を行うものをいう。）に対する売渡し| |---|---| |（二）|本邦と外国との間を往来する本邦の船舶（これに準ずる遠洋漁業船その他の船舶で政令（令39の10）で定めるものを含む。）又は航空機に船用品又は機用品（関税法第2条第1項第9号又は第10号に規定する船用品又は機用品をいう。）として積み込むための製造たばこの売|

			渡し
		(三)	品質が悪変し、又は包装が破損し、若しくは汚染した製造たばこその他販売に適しないと認められる製造たばこの廃棄
		(四)	既にたばこ税を課された製造たばこ（8の①又は②の規定による控除又は還付が行われた、又は行われるべき製造たばこを除く。）の売渡し又は消費等
	② **課税免除に該当することを証する書類の保存** ①（（一）又は（二）に係る部分に限る。）の規定は、卸売販売業者等が、①の（一）又は同（二）に掲げる製造たばこの売渡し又は消費等について、7の①又は同③の規定による申告書に①（（一）又は（二）に係る部分に限る。）の適用を受けようとする製造たばこに係るたばこ税額を記載し、かつ、総務省令で定めるところにより当該製造たばこの売渡し又は消費等が①の（一）又は同（二）に掲げる製造たばこの売渡し又は消費等に該当することを証するに足りる書類を保存している場合に限り、適用する。（法74の6②） ③ **課税免除に該当することを証する書類の提出** ①（（三）又は（四）に係る部分に限る。）の規定は、卸売販売業者等が、①の（三）又は同（四）に掲げる製造たばこの売渡し又は消費等について7の①又は同③の規定による申告書を提出すべき道府県知事に対し、総務省令（規8の4）で定めるところにより、当該製造たばこの売渡し又は消費等が①の（三）又は同（四）に掲げる製造たばこの売渡し又は消費等に該当することを証するに足りる書類を提出している場合に限り、適用する。（法74の6③） ④ **輸出業者に対するみなし課税** ①の表の（一）の規定によりたばこ税を免除された製造たばこにつき、①に規定する輸出業者が小売販売業者若しくは消費者等に売渡しをし、又は消費等をした場合には、当該製造たばこについて、当該輸出業者を卸売販売業者等とみなして、1の規定を適用する。（法74の6④）		
6	徴収の方法	たばこ税の徴収については、申告納付の方法によらなければならない。ただし、2の④のただし書の規定によって卸売販売業者等とみなされた者に対したばこ税を課する場合における徴収は、普通徴収の方法によるものとする。（法74の9）	
7	申告納付の手続	① **申告納付** 6の規定によってたばこ税を申告納付すべき者（以下「申告納税者」という。）は、総務省令（規8の5①）で定める様式によって、毎月末日までに、前月の初日から末日までの間における当該道府県の区域内に所在する小売販売業者の営業所に係る1の①の売渡し又は当該道府県の区域内に所在する卸売販売業者等の事務所又は事業所が直接管理する製造たばこに係る1の②の売渡し若しくは消費等に係る製造たばこの品目ごとの課税標準たる本数の合計数（以下「課税標準数量」という。）及び当該課税標準数量に対するたばこ税額、5の①の規定により免除を受けようとする場合にあっては同①の適用を受けようとする製造たばこに係るたばこ税額並びに8の①の規定により控除を受けようとする場合にあっては同①の適用を受けようとするたばこ税額その他必要な事項を記載した申告書を当該道府県知事に提出するとともに、その申告書により納付すべき税額を当該道府県に納付しなければならない。（法74の10①前段） ② **申告納付すべき税額がない場合の申告書の提出** 卸売販売業者等は、前月の初日から末日までの間における当該卸売販売業者等の主たる事務所又は事業所所在の道府県に申告納付すべきたばこ税額及びその基礎となるべき課税標準数量がない場合においても、総務省令（規8の7）で定めるところにより、①の規定に準じて、申告書を当該道府県知事に提出しなければならない。（法74の10②） ③ **申告書の提出期限の特例** 卸売販売業者等で、製造たばこの取扱数量が政令（令39の11）で定める数量以下であることその他の政令（令39の11）で定める要件に該当するものとして、総務省令（規8の8）で定めるところにより、総務大臣が指定したものが、申告納税者である場合には、①又は②の規定によって次の表の左欄に掲げる月に提出すべき申告書の提出期限は、これらの規定にかかわらず、同欄に掲げる区分に応じ、同表の右欄に掲げる月にこれらの規定によって提出すべき申告書の提出期限と同一の期限とする。（法74の10③）	

| 1月及び2月 | 3月 | 7月及び8月 | 9月 |
| 4月及び5月 | 6月 | 10月及び11月 | 12月 |

		④ 還付を受けるための申告書の提出 　8の①の製造たばこの返還を受けた卸売販売業者等のうち、同①の規定による控除を受けるべき月において①から③までの規定による申告書の提出を要しない者で、8の①の規定による控除を受けるべき金額に相当する金額の還付を受けようとするものは、総務省令（規8の9）で定めるところにより、当該還付を受けようとする金額その他の事項を記載した申告書を当該返還を受けた製造たばこに係る小売販売業者の営業所所在地の道府県知事に提出することができる。（法74の10⑤前段）
8	製造たばこの返還があった場合の控除等	① 製造たばこの返還があった場合の控除 　卸売販売業者等が、販売契約の解除その他やむを得ない理由により、当該道府県の区域内に小売販売業者の営業所の所在する小売販売業者に売り渡した製造たばこの返還を受けた場合には、当該卸売販売業者等が当該返還を受けた日の属する月の翌月以後に当該道府県知事に提出すべき7の①又は③の規定による申告書（これらの規定に規定する期限内に提出するものに限る。）に係る課税標準数量に対するたばこ税額（5の①の規定により免除を受ける場合には、同①の適用を受ける製造たばこに係るたばこ税額を控除した後の金額とする。②において同じ。）から当該返還に係る製造たばこにつき納付された、又は納付されるべきたばこ税額（当該たばこ税額につき①の規定による控除が行われている場合には、その控除前の金額とする。）に相当する金額を控除する。（法74の14①） ② 控除額又は控除不足額の還付 　①に規定する場合において、道府県知事は、①の規定による控除を受けるべき月の課税標準数量に対するたばこ税額から①の規定により控除を受けようとする金額を控除してなお不足額があるとき、又は①の規定による控除を受けるべき月において当該返還を受けた製造たばこに係る小売販売業者の営業所所在地の道府県知事に申告すべき課税標準数量に対するたばこ税額がないときは、それぞれ、7の①から④までの規定による申告書に記載された当該不足額又は①の規定による控除を受けるべき金額に相当する金額を還付する。（法74の14②）

二　鉱区税

1	納税義務者等	鉱区税は、鉱区に対し、面積を課税標準として、鉱区所在の道府県において、その鉱業権者（鉱業法第20条《みなし試掘権》又は第42条《特定開発者である試掘権者の試掘権のみなし存続期間》の規定により試掘権が存続するものとみなされる期間において試掘することができる者を含む。）に課する。（法178） 　（注）　鉱業法施行法第1条第2項《旧採鉱権又は砂鉱権の新法へのみなし規定》の規定により鉱業法による採掘権となったものとみなされ、又は鉱業法施行法第17条第1項《砂鉱の出願》の規定により鉱業法による採掘権の設定の出願とみなされて設定された砂鉱を目的とする鉱業権の鉱区で河床に存するものに対する1の規定の適用については、1中「面積」とあるのは「河床の延長」とする。（法附13）
2	非　課　税	道府県は、国、非課税独立行政法人及び国立大学法人等並びに都道府県、市町村、特別区、これらの組合、合併特例区及び地方独立行政法人に対しては、鉱区税を課することはできない。（法179）
3	税　　　率	① 税　率 　鉱区税の税率は、次の各号に掲げる鉱区について、それぞれ当該各号に定める額とする。（法180①） | (一)	砂鉱を目的としない鉱業権の鉱区	試掘鉱区	面積100アールごとに　年額200円 | | | | 採掘鉱区	面積100アールごとに　年額400円 | | (二)	砂鉱を目的とする鉱業権の鉱区	面積100アールごとに　年額200円 | 　（注）　1の（注）の適用がある場合における①の規定の適用については、①の表の（二）中「面積100アールごとに　年額200円」とあるのは「延長1,000メートルごとに　年額600円」とする。（法附13）

		② 石油又は可燃性天然ガスを目的とする鉱区の税率 　石油又は可燃性天然ガスを目的とする鉱業権の鉱区についての鉱区税の税率は、①の規定にかかわらず、①の表の(一)に規定する税率の3分の2とする。(法180②)
4	賦課期日	鉱区税の賦課期日は、4月1日とする。(法181)
5	納　期	鉱区税の納期は、5月中において、当該道府県の条例で定める。ただし、特別の事情がある場合においては、これと異なる納期を定めることができる。(法182)
6	徴収の方法	鉱区税の徴収については、普通徴収の方法によらなければならない。(法184①)
7	申告等の義務	鉱区税の納税義務者は、当該道府県の条例の定めるところによって、鉱区税の賦課徴収に関し同条例で定める事項を申告し、又は報告しなければならない。(法185)

三　狩　猟　税

1	納税義務者等	狩猟税は、道府県知事の狩猟者の登録を受けるものに対し、当該道府県において課する。(法700の51)		
2	税　率	① 税　率 　狩猟税の税率は、次の各号に掲げる者に対し、それぞれ当該各号に定める額とする。(法700の52①)		
		(一)	第1種銃猟免許に係る狩猟者の登録を受ける者で、(二)に規定する者以外のもの	16,500円
		(二)	第1種銃猟免許に係る狩猟者の登録を受ける者で、当該年度の道府県民税の所得割額を納付することを要しないもののうち、法第23条第1項第7号に規定する控除対象配偶者又は同項第8号に規定する扶養親族に該当する者(農業、水産業又は林業に従事している者を除く。)以外の者	11,000円
		(三)	網猟免許又はわな猟免許に係る狩猟者の登録を受ける者で、(四)に掲げる者以外のもの	8,200円
		(四)	網猟免許又はわな猟免許に係る狩猟者の登録を受ける者で、当該年度の道府県民税の所得割額を納付することを要しないもののうち、法第23条第1項第7号に規定する控除対象配偶者又は同項第8号に規定する扶養親族に該当する者(農業、水産業又は林業に従事している者を除く。)以外の者	5,500円
		(五)	第2種銃猟免許に係る狩猟者の登録を受ける者	5,500円
		② 対象鳥獣捕獲員に対する狩猟税の課税免除 　道府県は、当該道府県内の市町村に所属する対象鳥獣捕獲員(鳥獣による農林水産業等に係る被害の防止のための特別措置に関する法律(平成19年法律第134号。③において「鳥獣被害防止特措法」という。)第9条第6項の規定により読み替えられた鳥獣の保護及び管理並びに狩猟の適正化に関する法律(③から⑤において「鳥獣保護管理法」という。)第56条に規定する対象鳥獣捕獲員をいう。)に係る狩猟者の登録が、平成27年4月1日から令和11年3月31日までの間に行われた場合には、①の規定にかかわらず、当該対象鳥獣捕獲員に対しては、狩猟税を課さないものとする。(法附32①) ③ 認定鳥獣捕獲等事業者に対する狩猟税の課税免除 　道府県は、認定鳥獣捕獲等事業者(鳥獣保護管理法第18条の5第2項第1号に規定する認定鳥獣捕獲等事業者をいう。⑤において同じ。)が、当該道府県の区域を対象として鳥獣保護管理法第9条第1項(鳥獣被害防止特措法第6条第1項の規定により読み替えて適用される場合を含む。④において同じ。)の規定による許可を受け、又は鳥獣保護管理法第14条の2第9項の規定により鳥獣保護管理法第9条第1項の規定による許可を受けた者とみなされた場合において、同条第8項(鳥獣保護管理法第14条の2第9項又は鳥獣被害防止特措法第6条第1項の規定により読み替えて適用される場合を含む。⑤において同じ。)に規定する従事者証(⑤において「従事者証」という。)の交付を受けた当該認定鳥獣捕獲等事業者の従事者に係る狩猟者の登録が、平成27年5月		

29日から令和11年３月31日までの間に行われたときは、①の規定にかかわらず、当該従事者に対しては、狩猟税を課さないものとする。（法附32②）

④　狩猟者の登録を受ける者に係る税率の軽減

平成27年４月１日から令和11年３月31日までの間に受ける狩猟者の登録であって、当該狩猟者の登録を受ける者が鳥獣保護管理法第56条に規定する申請書（以下「狩猟者登録の申請書」という。）を提出する日前１年以内の期間（以下④及び⑤において「特定捕獲等期間」という。）に当該道府県の区域を対象とする鳥獣保護管理法第９条第１項の規定による許可を受け、当該許可に係る鳥獣の捕獲等（以下④及び⑤において「許可捕獲等」という。）を行った場合における狩猟税の税率は、①の規定にかかわらず、①に規定する税率に２分の１を乗じた税率（以下「軽減税率」という。）とする。ただし、軽減税率が適用される狩猟者の登録（以下「軽減税率適用登録」という。）の要件を満たす者が、特定捕獲等期間に許可捕獲等を行った後、軽減税率適用登録の対象となる狩猟期間（鳥獣保護管理法第２条第９項に規定する狩猟期間をいう。以下同じ。）の直近の狩猟期間について狩猟者登録の申請書を提出し、既にその狩猟者の登録を受けた場合には、この限りでない。（法附32の２①）

⑤　読替規定

④の規定は、狩猟者の登録を受ける者が、当該道府県内の区域において、従事者（鳥獣保護管理法第９条第８項に規定する従事者をいい、認定鳥獣捕獲等事業者に係るものを除く。）として、従事者証の交付を受けて特定捕獲等期間に許可捕獲等を行った場合における狩猟税の税率について準用する。この場合において、④中「受け、」とあるのは、「受けた同条第８項（鳥獣保護管理法第14条の２第９項又は鳥獣による農林水産業等に係る被害の防止のための特別措置に関する法律第６条第１項の規定により読み替えて適用される場合を含む。以下同じ。）に規定する者（鳥獣保護管理法第18条の５第２項第１号に規定する認定鳥獣捕獲等事業者を除く。）の従事者（鳥獣保護管理法第９条第８項に規定する従事者をいう。）として、同項に規定する従事者証の交付を受けて」と読み替えるものとする。（法附32の２②）

⑥　放鳥獣猟区のみに係る狩猟者の登録に係る税率の軽減

狩猟者の登録が次の各号に掲げる登録のいずれかに該当する場合における当該狩猟者の登録に係る狩猟税の税率は、①の規定にかかわらず、①に規定する税率に当該各号の右欄に定める割合を乗じた税率とする。（法700の52②）

(一)	放鳥獣猟区（鳥獣の保護及び狩猟の適正化に関する法律第68条第２項第４号に規定する放鳥獣猟区をいう。(二)において同じ。）のみに係る狩猟者の登録	４分の１
(二)	(一)の狩猟者の登録を受けている者が受ける放鳥獣猟区及び放鳥獣猟区以外の場所に係る狩猟者の登録	４分の３

３　賦課徴収	①　賦課期日及び納期 　狩猟税の賦課期日及び納期は、当該道府県の条例で定める。（法700の53） ②　徴収の方法 　狩猟税の徴収については、当該道府県の条例で定めるところによって、普通徴収又は証紙徴収の方法によらなければならない。（法700の54） ③　申告又は報告の義務 　狩猟税の納税義務者は、当該道府県の条例で定めるところによって、狩猟税の賦課徴収に関し同条例で定める事項を申告し、又は報告しなければならない。（法700の56）	
４　証紙徴収の手続	道府県は、狩猟税を証紙徴収によって徴収しようとする場合においては、納税者に当該道府県が発行する証紙をもってその税金を払い込ませなければならない。この場合においては、道府県は、狩猟税を納付する義務が発生することを証する書類に証紙をはらせ、又は証紙の額面金額に相当する現金の納付を受けた後納税済印を押すことによって、証紙に代えることができる。（法700の69①）	

四　道府県法定外普通税

1	新設・変更	① 総務大臣の同意 　道府県は、道府県法定外普通税の新設又は変更（道府県法定外普通税の税率の引下げ、廃止その他の政令（令45の2）で定める変更を除く。）をしようとする場合においては、あらかじめ、総務大臣に協議し、その同意を得なければならない。（法259①） ② 財務大臣に対する通知義務 　総務大臣は、①の規定による協議の申出を受けた場合においては、その旨を財務大臣に通知しなければならない。（法260①） ③ 財務大臣の異議の申出 　財務大臣は、②の通知を受けた場合において、その協議の申出に係る道府県法定外普通税の新設又は変更について異議があるときは、総務大臣に対してその旨を申し出ることができる。（法260②） ④ 地方財政審議会の意見の聴取 　総務大臣は、①の同意については、地方財政審議会の意見を聴かなければならない。（法260の2）
2	総務大臣の同意	総務大臣は、1の①の規定による協議の申出を受けた場合には、当該協議の申出に係る道府県法定外普通税について次に掲げる事由のいずれかがあると認める場合を除き、これに同意しなければならない。（法261） （一）　国税又は他の地方税と課税標準を同じくし、かつ、住民の負担が著しく過重となること。 （二）　地方団体間における物の流通に重大な障害を与えること。 （三）　（一）又は（二）に掲げるものを除くほか、国の経済施策に照らして適当でないこと。
3	非課税の範囲	道府県は、次に掲げるものに対しては、道府県法定外普通税を課することができない。（法262） （一）　道府県外に所在する土地、家屋、物件及びこれらから生ずる収入 （二）　道府県外に所在する事務所及び事業所において行われる事業並びにこれらから生ずる収入 （三）　公務上又は業務上の事由による負傷又は疾病に基因して受ける給付で政令（令45の2の2）で定めるもの
4	徴収の方法	道府県法定外普通税の徴収については、徴収の便宜に従い、当該道府県の条例の定めるところによって、普通徴収、申告納付、特別徴収又は証紙徴収の方法によらなければならない。（法263）
5	申告又は報告の義務	道府県法定外普通税の納税義務者は、当該道府県の条例の定めるところによって、当該道府県法定外普通税の賦課徴収に関し同条例で定める事項を申告し、又は報告しなければならない。（法271）
6	申告納付の手続	道府県法定外普通税を申告納付すべき納税者は、当該道府県の条例で定める期間内における課税標準額、税額その他同条例で定める事項を記載した申告書を同条例で定める納期限までに道府県知事に提出し、及びその申告した税額を当該道府県に納付しなければならない。（法274の2①）
7	特別徴収の手続	① 特別徴収の手続 　道府県法定外普通税を特別徴収によって徴収しようとする場合においては、当該道府県法定外普通税の徴収の便宜を有する者を当該道府県の条例によって特別徴収義務者として指定し、これに徴収させなければならない。（法275①） ② 特別徴収義務者の納入金の納入義務 　①の特別徴収義務者は、当該道府県法定外普通税の納期限までにその徴収すべき道府県法定外普通税に係る課税標準額、税額その他同条例で定める事項を記載した納入申告書を道府県知事に提出し、及びその納入金を当該道府県に納入する義務を負う。（法275②）
8	証紙徴収の手続	道府県は、道府県法定外普通税を証紙徴収によって徴収しようとする場合においては、納税者に当該道府県が発行する証紙をもってその税金を払い込ませなければならない。この場合においては、道府県は、当該道府県法定外普通税を納付する義務が発生することを証する書類その他の物件に証紙をはらせ、又は証紙の額面金額に相当する現金の納付を受けた後納税済印を押すことによって、証紙に代えることができる。（法290①）

五　水利地益税及び法定外目的税

水利地益税及び法定外目的税は、道府県又は市町村が課税団体とされているので第三編に収録した。（編者）〖第三編第八章六・九参照〗

第三編
市町村税

第三編

市川 団十郎

第一章　個人の市町村民税

◆令和6年度改正事項◆

（1）居住用財産の買換え等の場合の譲渡損失の繰越控除等の適用期限を令和7年12月31日まで延長することとした。（法附4①一）
（2）特定居住用財産の譲渡損失の繰越控除等の適用期限を令和7年12月31日まで延長することとした。（法附4の2①一）
（3）個人の市町村民税について、定額による特別税額控除を次により実施することとした。
　ア　令和6年度分の個人の市町村民税に限り、次の措置を講ずることとした。（法附5の8④～⑥、5の9～5の11、令附4の10）
　　①　前年の合計所得金額が1,805万円以下である所得割の納税義務者（イにおいて「特別税額控除対象納税義務者」という。）の所得割の額から市町村民税特別税額控除額を控除すること。
　　②　都道府県等に対する寄附金に係る寄附金税額控除における特例控除額の控除限度額及び公的年金等に係る所得に係る仮特別徴収税額の算定の基礎となる令和6年度分の所得割の額について、特別税額控除前の所得割の額とすること。
　　③　普通徴収について、令和6年6月に徴収すべき税額から特別税額控除を行い、なお控除しきれない金額は、以後令和6年度中に普通徴収すべき税額から、順次控除する等所要の措置を講ずること。
　　④　特別税額控除対象納税義務者の給与所得に係る特別徴収について、均等割の額及び所得割の額ともに令和6年6月において徴収せず、特別税額控除後の給与所得に係る特別徴収税額を同年7月から翌年5月まで、それぞれの給与の支払をする際毎月徴収すること。
　　⑤　公的年金等に係る所得に係る特別徴収について、令和6年10月1日以後最初に支払を受ける公的年金等に係る所得に係る特別徴収税額から特別税額控除を行い、なお控除しきれない金額は、以後令和6年度中に特別徴収される公的年金等に係る所得に係る特別徴収税額から、順次控除する等所要の措置を講ずること。
　イ　令和7年度分の個人の市町村民税に限り、特別税額控除対象納税義務者（同一生計配偶者（控除対象配偶者及びこの法律の施行地に住所を有しない者を除く。）を有するものに限る。）の所得割の額から市町村民税特別税額控除額を控除することとした。（法附5の12③④）
（4）新たな公益信託制度の創設に伴い、公益信託の信託財産とするために支出された当該公益信託に係る信託事務に関連する寄附金を寄附金税額控除の対象とする等の措置を講ずることとした。（法314の7①三、法附3の2の3③、令附3の2の3②）
（5）特定中小会社が発行した株式に係る譲渡損失の繰越控除等について、特定株式の譲渡等の範囲を明確化することとした。（令附18の6㉔）
（6）新たな公益信託制度の創設に伴い、公益信託の信託財産について生ずる所得について、公益信託の委託者等が当該公益信託の信託財産に属する資産及び負債を有するものとみなすこととする特例措置を廃止することとした。（旧法附3の2の3）
（7）令和6年能登半島地震災害の被災者の負担の軽減を図るため、令和6年能登半島地震災害によりその者の有する資産について受けた損失の金額については、所得割の納税義務者の選択により、令和5年において生じた損失の金額として、令和6年度以後の年度分の個人の市町村民税の雑損控除額の控除及び雑損失の金額の控除の特例を適用することができることとした。（法附4の4、令附4の5、4の6）

第一節　通　則

一　定　義

1　用語の意義

個人の市町村民税について、次の各号に掲げる用語の意義は、それぞれ当該各号に定めるところによる。（法292①一、二、五〜十三）

（一）	均等割	均等の額により課する個人の市町村民税をいう。
（二）	所得割	所得により課する個人の市町村民税をいう。
（三）	給与所得	所得税法第28条第1項《給与所得》に規定する給与所得をいう。
（四）	退職手当等	所得税法第30条第1項《退職所得》に規定する退職手当等（同法第31条《退職手当等とみなす一時金》において退職手当等とみなされる一時金及び租税特別措置法第29条の4《退職勤労者が弁済を受ける未払賃金に係る課税の特例》において退職手当等とみなされる金額を含む。）をいう。
（五）	同一生計配偶者	個人の市町村民税の納税義務者の配偶者でその納税義務者と生計を一にするもの（第二節二の1《青色事業専従者給与の必要経費算入等》に規定する青色事業専従者に該当するもので同1に規定する給与の支払を受けるもの及び同2の①《事業専従者控除額の必要経費算入》に規定する事業専従者に該当するものを除く。）のうち、当該年度の初日の属する年の前年（以下この章において「前年」という。）の合計所得金額〘（十二）参照〙が48万円以下である者をいう。 （配偶者及び親族の範囲） （1）（五）の配偶者及び（七）の親族とは、民法の規定するところに従い、配偶者並びに6親等内の血族及び3親等内の姻族をいうものであり、いわゆる内縁の配偶者はこれに含まれないものであること。（市通2-1前段） （同一生計配偶者又は扶養親族認定上の留意事項） （2）課税の特例の対象となる肉用牛の売却による事業所得を有する者が同一生計配偶者又は扶養親族に該当するかどうかの判定は、当該所得と他の所得との合計額について行うものであること。（市通2-2（1））
（六）	控除対象配偶者	同一生計配偶者のうち、前年の合計所得金額が1,000万円以下である市町村民税の納税義務者の配偶者をいう。
（七）	扶養親族	市町村民税の納税義務者の親族（その納税義務者の配偶者を除く。）並びに児童福祉法第27条第1項第3号《児童を里親に委託することについての都道府県知事のとるべき措置》の規定により同法第6条の4第1項に規定する里親に委託された児童及び老人福祉法第11条第1項第3号《老人を養護受託者に委託することについての都道府県知事のとるべき措置》の規定により同号に規定する養護受託者に委託された老人でその納税義務者と生計を一にするもの（第二節二の1《青色事業専従者給与の必要経費算入等》に規定する青色事業専従者に該当するもので同1に規定する給与の支払を受けるもの及び同2の①《事業専従者控除額の必要経費算入》に規定する事業専従者に該当するものを除く。）のうち、前年の合計所得金額〘（十二）参照〙が48万円以下である者をいう。 （「里親に委託された児童」の判定） 注　（七）に規定する「里親に委託された児童」は、扶養親族に該当するかどうかを判定すべき時の現況において原則として年齢が18歳未満の者に限られるものであること。（市通2-2（2））
（八）	障害者	精神上の障害により事理を弁識する能力を欠く常況にある者、失明者その他の精神又は身体に障害がある者で次に掲げるものをいう。（令46、7） イ　精神上の障害により事理を弁識する能力を欠く常況にある者又は児童相談所、知的障害者福祉法

第9条第6項に規定する知的障害者更生相談所、精神保健及び精神障害者福祉に関する法律第6条第1項に規定する精神保健福祉センター若しくは精神保健指定医の判定により知的障害者とされた者

ロ　イに掲げる者のほか、精神保健及び精神障害者福祉に関する法律第45条第2項の規定により精神障害者保健福祉手帳の交付を受けている者

ハ　身体障害者福祉法第15条《身体障害者手帳の交付》第4項の規定により交付を受けた身体障害者手帳に身体上の障害がある者として記載されている者

ニ　イからハまでに掲げる者のほか、戦傷病者特別援護法第4条《戦傷病者手帳の交付》の規定により戦傷病者手帳の交付を受けている者

ホ　ハ又はニに掲げる者のほか、原子爆弾被爆者に対する援護に関する法律第11条《認定》第1項の規定による厚生労働大臣の認定を受けている者

ヘ　イからホまでに掲げる者のほか、常に就床を要し、複雑な介護を要する者

ト　イからヘまでに掲げる者のほか、精神又は身体に障害のある年齢65歳以上の者で、その障害の程度がイ又はハに掲げる者に準ずるものとして市町村長（社会福祉法に定める福祉に関する事務所が老人福祉法第5条の4第2項各号に掲げる業務を行っている場合には、当該福祉に関する事務所の長。第三節―の7《障害者控除額》の(1)のヘにおいて「市町村長等」という。）の認定を受けている者

（注）　特別障害者の範囲は、第三節―の7の(1)《特別障害者の範囲》を参照。（編者）

(九) 寡婦

次に掲げる者でひとり親に該当しないものをいう。

イ　夫と離婚した後婚姻をしていない者のうち、次に掲げる要件を満たすもの
　(イ)　扶養親族を有すること。
　(ロ)　前年の合計所得金額が500万円以下であること。
　(ハ)　その者と事実上婚姻関係と同様の事情にあると認められる者として(2)で定めるものがいないこと。

ロ　夫と死別した後婚姻をしていない者又は夫の生死の明らかでない者で(1)で定めるもののうち、イの(ロ)及び(ハ)に掲げる要件を満たすもの

（夫の生死が明らかでない寡婦の範囲）
(1)　(九)のロに規定する夫の生死が明らかでない者は、次に掲げる者の妻とする。（令46の2）
　イ　太平洋戦争の終結の当時もとの陸海軍に属していた者で、まだ法の施行地内に帰らないもの
　ロ　イに掲げる者以外の者で、太平洋戦争の終結の当時法の施行地外にあってまだ法の施行地内に帰らず、かつ、その帰らないことについてイに掲げる者と同様の事情があると認められるもの
　ハ　船舶が沈没し、転覆し、滅失し、若しくは行方不明となった際現にその船舶に乗っていた者若しくは船舶に乗っていてその船舶の航行中に行方不明となった者又は航空機が墜落し、滅失し、若しくは行方不明となった際現にその航空機に乗っていた者若しくは航空機に乗っていてその航空機の航行中に行方不明となった者で、3月以上その生死が明らかでないもの
　ニ　ハに掲げる者以外の者で、死亡の原因となるべき危難に遭遇した者のうちその危難が去った後1年以上その生死が明らかでないもの
　ホ　イからニまでに掲げる者を除くほか、3年以上その生死が明らかでない者

（事実上婚姻関係と同様の事情にあると認められる者の範囲）
(2)　(九)のイの(ハ)に規定する(2)で定める者は、次の各号に掲げる場合の区分に応じ当該各号に定める者とする。（規1の9の7）
　イ　その者が住民票に世帯主と記載されている者である場合　その者と同一の世帯に属する者の住民票に住民基本台帳法（昭和42年法律第81号）第7条第4号に掲げる世帯主との続柄（ロ及び(十)の(3)において「世帯主との続柄」という。）が世帯主の未届の夫である旨その他の世帯主と事実上婚姻関係と同様の事情にあると認められる続柄である旨の記載がされた者
　ロ　その者が住民票に世帯主と記載されている者でない場合　その者の住民票に世帯主との続柄が世帯主の未届の妻である旨その他の世帯主と事実上婚姻関係と同様の事情にあると認めら

第三編第一章《個人の市町村民税》第一節《通則（定義）》

		れる続柄である旨の記載がされているときのその世帯主
		（「夫、妻、離婚、婚姻」の意義） （３）　（九）の夫、離婚及び婚姻並びに（十）の婚姻とはそれぞれ民法の規定するところによるものであること。（市通２－１中段） 　　ただし、当分の間、四の１《所得割の非課税》の表の（二）の規定による非課税の範囲を認定する場合において寡婦であるかどうかの判定に当たっては、その者が太平洋戦争終結前に元の陸海軍に属していた者（戦死若しくは戦病死した者又は引き続いて生死が明らかでない者に限る。）と死亡当時又は太平洋戦争終結当時内縁関係にあった場合は、寡婦として取り扱うものとすること。（市通２－１ただし書） （婚姻関係と同様の事情にあると認められる者の認定） （４）　寡婦及びひとり親に係る事実上婚姻関係と同様の事情にあると認められる者については、自ら内縁関係にあることを届け出たこと等により、住民票上の世帯主との続柄として、次に掲げる場合の区分に応じそれぞれ次に定める記載があることによって認定するものであること。（市通２－２の２） 　イ　（２）のイに掲げる場合　　「夫（未届）」その他これと同一の内容の記載 　ロ　（２）のロに掲げる場合　　「妻（未届）」その他これと同一の内容の記載 　ハ　（十）の（３）のイ及びロに掲げる場合　　「夫（未届）」又は「妻（未届）」その他これらと同一の内容の記載
（十）	ひとり親	現に婚姻をしていない者又は配偶者の生死の明らかでない者で（１）で定めるもののうち、次に掲げる要件を満たすものをいう。 　イ　その者と生計を一にする子で（２）で定めるものを有すること。 　ロ　前年の合計所得金額が500万円以下であること。 　ハ　その者と事実上婚姻関係と同様の事情にあると認められる者として（３）で定めるものがいないこと。 （ひとり親の範囲） （１）　（十）に規定する配偶者の生死が明らかでない者で（１）で定めるものは、（九）の（１）の各号に掲げる者の配偶者とする。（令46の２の２①） （政令で定める子） （２）　（十）のイに規定する（２）で定める子は、当該年度の初日の属する年の前年の第二節一の１の総所得金額、退職所得金額及び山林所得金額の合計額が48万円以下の子（他の者の同一生計配偶者又は扶養親族とされている者を除く。）とする。（令46の２の２②） （総務省令で定める者） （３）　（十）のハに規定する（３）で定める者は、次の各号に掲げる場合の区分に応じ当該各号に定める者とする。（規１の９の８） 　イ　その者が住民票に世帯主と記載されている者である場合　　その者と同一の世帯に属する者の住民票に世帯主との続柄が世帯主の未届の夫又は未届の妻である旨その他の世帯主と事実上婚姻関係と同様の事情にあると認められる続柄である旨の記載がされた者 　ロ　その者が住民票に世帯主と記載されている者でない場合　　その者の住民票に世帯主との続柄が世帯主の未届の夫又は未届の妻である旨その他の世帯主と事実上婚姻関係と同様の事情にあると認められる続柄である旨の記載がされているときのその世帯主
（十一）	合計所得金額	第二節三の１《青色申告者の純損失の繰越控除》及び２《変動所得の損失・被災事業用資産の損失・雑損失の繰越控除》並びに５の⑤《居住用財産の買換え等の場合の譲渡損失の繰越控除》又は６の④《特定居住用財産の譲渡損失の繰越控除》の規定による控除前の同節一の１《所得割の課税標準の算定》の総所得金額等、退職所得金額及び山林所得金額の合計額をいう。（法附４⑬一、４の２⑬一、33

| | の2⑦一、33の3⑦一、34⑥一、35⑧一、35の2⑧一、35の4⑤一）
（注）「総所得金額等」の意義は、第二節一の1を参照。（編者） |

2　二以上の納税義務者がある場合の所属

①　二以上の納税義務者がある場合の控除対象配偶者の所属

　市町村民税の納税義務者の配偶者がその納税義務者の同一生計配偶者に該当し、かつ、他の市町村民税の納税義務者の扶養親族にも該当する場合には、その配偶者は、これらのうちいずれか一にのみ該当するものとみなす。（法292②）

　　　　（二以上の納税義務者がある場合の同一生計配偶者の所属）
（1）　①に規定する配偶者が①に規定する同一生計配偶者又は扶養親族のいずれに該当するかは、第六節1の①《申告書の記載事項等》の申告書を提出する義務を有する者にあっては当該申告書、第六節6の①又は④の規定により給与支払報告書又は公的年金等支払報告書を提出する義務がある者から1月1日現在において第六節1の①に規定する給与又は所得税法第35条第3項に規定する公的年金等（以下(1)において「**公的年金等**」という。）の支払を受けている者で前年中において1の(三)《給与所得》に掲げる給与所得以外の所得又は公的年金等に係る所得以外の所得を有しなかったもの（第六節1の②《提出期限内に給与支払報告書又は公的年金等支払報告書が提出されなかった場合の申告》の規定により同①の申告書を提出する義務を有する者を除く。以下(1)及び②の(1)において「給与所得等以外の所得を有しなかった者」という。）にあっては当該給与支払報告書又は公的年金等支払報告書に記載されたところによる。ただし、給与所得等以外の所得を有しなかった者が、総務省令で定めるところにより、自己の同一生計配偶者又は扶養親族とする者の氏名その他必要な事項を記載した申請書を賦課期日現在の住所所在地の市町村長に提出したときは、当該申請書に記載されたところによる。（令46の3①）

　　　　（二以上の納税義務者につき控除対象配偶者又は扶養親族として申告したとき等の所属）
（2）　(1)の場合において、二以上の納税義務者につき同一人が同一生計配偶者又は扶養親族として(1)の申告書、給与支払報告書若しくは公的年金等支払報告書又は申請書に記載されたとき、その他(1)の規定によって同一生計配偶者又は扶養親族のいずれに該当するかを定められないときは、その夫又は妻である市町村民税の納税義務者の同一生計配偶者とする。（令46の3②）

②　二以上の納税義務者がある場合の扶養親族の所属

　二以上の市町村民税の納税義務者の扶養親族に該当する者がある場合には、その者は、これらの納税義務者のうちいずれか一の納税義務者の扶養親族にのみ該当するものとみなす。（法292③）

　　　　（二以上の納税義務者がある場合の扶養親族の所属）
（1）　②に規定する二以上の市町村民税の納税義務者の扶養親族に該当する者をいずれの納税義務者の扶養親族とするかは、第六節1の①《申告書の記載事項等》の申告書を提出する義務を有する者にあっては当該申告書、給与所得等以外の所得を有しなかった者にあっては同6の①の給与支払報告書又は同6の④の公的年金等支払報告書に記載されたところによる。ただし、給与所得等以外の所得を有しなかった者が、自己の扶養親族とする者の氏名その他必要な事項を記載した申請書を賦課期日現在の住所所在地の市町村長に提出したときは、当該申請書に記載されたところによる。（令46の4①）

　　　　（二以上の納税義務者につき同一人が扶養親族として申告書等に記載されたとき等の所属）
（2）　(1)の場合において、二以上の納税義務者につき同一人が扶養親族として(1)の申告書、給与支払報告書若しくは公的年金等支払報告書又は申請書に記載されたとき、その他(1)の規定によっていずれの納税義務者の扶養親族とするかを定められないときは、当該二以上の納税義務者のうち前年の第二節一の1《所得割の課税標準の算定》の総所得金額等（上場株式等に係る配当所得の金額は、第五節五の4の①又は②の適用後の金額とし、同節一の1の(2)の規定により適用される場合を含む。株式等に係る譲渡所得等の金額は、同節五の4の②及び同節六の2の①の適用後の金額とし、同節五の3の規定により適用される場合を含む。先物取引に係る雑所得等の金額は同節七の2の適用後の金額とする。）、退職所得金額及び山林所得金額の合計額が最も大きいものの扶養親族とする。（令46の4②、令附16の2の11②、16の3⑥、17④、17の3⑧、18⑩、18の5㉒、㉔、18の6㉛、18の7⑥、18の7の2⑮、平20改令附

7⑨、⑭

3 所得税法その他の所得税に関する法令を引用する場合の所得の意義

市町村民税について所得税法その他の所得税に関する法令を引用する場合（退職手当等〖1の(四)〗、第六節6《給与支払報告書及び公的年金等支払報告書》、第七節四の2《特別徴収義務者の指定等》及び第十節《退職所得の課税の特例》において引用する場合を除く。）には、これらの法令は、前年の所得について適用されたものをいうものとする。（法292④）

二　課税団体及び納税義務者

市町村民税は、(一)に掲げる者に対しては均等割額及び所得割額の合算額により、(二)に掲げる者に対しては均等割額により課する。（法294①一、二）
(一)　市町村内に住所を有する個人
(二)　市町村内に事務所、事業所又は家屋敷を有する個人で当該市町村内に住所を有しない者
　（注）　法人課税信託の引受けを行うことにより法人税を課される個人については、第二章《法人の市町村民税》を参照。（編者）

　　　（「市町村内に住所を有する個人」の意義）
(1)　(一)の市町村内に住所を有する個人とは、住民基本台帳法の適用を受ける者については、当該市町村の住民基本台帳に記録されている者をいう。（法294②）

　　　（みなす規定者に対する課税市町村）
(2)　市町村は、当該市町村の住民基本台帳に記録されていない個人が当該市町村に住所を有する者である場合には、その者を当該住民基本台帳に記録されている者とみなして、その者に市町村民税を課することができる。この場合において、市町村長は、その者が他の市町村の住民基本台帳に記録されていることを知ったときは、その旨を当該他の市町村の長に通知しなければならない。（法294③）

　　　（みなす規定者に対する課税関係）
(3)　(2)の規定により市町村民税を課された者に対しては、その者が記録されている住民基本台帳に係る市町村は、(1)の規定にかかわらず、市町村民税を課することができない。（法294④）

　　　（住所の認定上の留意事項）
(4)　この場合における住所とは、納税義務者本人の生活の本拠をいい、地方税法上その施行地を通じて1人1箇所に限られるものであること。
　　　住所の具体的な認定に当たっては住民基本台帳法の施行に伴う住所の認定に関する諸通知によるものであるが、次の点に特に留意すること。（市通2－6）
　イ　勤務する事務所又は事業所との関係上家族と離れて居住している者の住所は、本人の日常生活関係、家族との連絡状況の実情を調査確認して認定するものであるが、確定困難な者で、勤務日以外には家族のもとにおいて生活をともにする者については、家族の居住地にあるものとする。
　ロ　職業の関係上家族の居住地を離れて転々と居を移している者又は職務の性質上年間において一定期間家族の居住地を離れて別に起居している者の住所は、家族の居住地にあるものとして取り扱うこと。ただし、同一場所に1年以上居住している場合においては、本人の住所は、当該場所にあるものとして取り扱うこと。
　ハ　船舶に乗組んでいる船員の住所については、航海と航海の中間期間又は休暇等に際して妻子その他の家族のもとにおいて生活をともにする関係を失わず、かつ、本人が船舶及び家族の居住地以外に居を構えてそこを生活の中心としているような状況がない限り、その住所は、家族の居住地にあるものとして取扱うこと。もし本人と家族の居住地との間に上のような関係がなく、又は船舶及び家族の居住地以外の場所に本人の生活の中心が存しない場合には、本人の住所は、航海を終れば通常帰航する関係にある主たる定けい港所在の市町村にあるものとして取り扱うこと。
　ニ　新たに法施行地に居住することとなった者及び法施行地に居住しないこととなった者の住所については、別途「外国人等に対する個人の住民税の取扱いについて」（昭和41年5月31日自治府第54号）により取り扱うこと。
　ホ　自衛隊隊員の住所については別途「自衛隊隊員の住所の認定等について」（昭和30年12月1日付自丙市発第137号）

に、海上保安庁所属船舶職員の住所については別途「海上保安庁所属船舶職員の住所の認定について」（昭和37年7月13日付自丙市発第18号）により、それぞれ取り扱うこと。

三　所得の帰属

1　法人課税信託の受託者に関する個人の市町村民税の規定の適用

　法人課税信託の受託者は、各法人課税信託の信託資産等（信託財産に属する資産及び負債並びに当該信託財産に帰せられる収益及び費用をいう。以下1及び（1）において同じ。）及び固有資産等（法人課税信託の信託資産等以外の資産及び負債並びに収益及び費用をいう。（1）において同じ。）ごとに、それぞれ別の者とみなして、この章（二、2、3、五の2、同3、第六節7、第九節2、第十節8の（2）、同節12を除く。（2）において同じ。）の規定を適用する。（法294の2①）

　　　（法人課税信託の信託資産等の帰属）
（1）　1の場合において、各法人課税信託の信託資産等及び固有資産等は、1の規定によりみなされた各別の者にそれぞれ帰属するものとする。（法294の2②）

　　　（所得税法の規定の準用）
（2）　所得税法第6条の3《法人課税信託の受託法人等に関する所得税法の適用》の規定は、1及び（1）の規定をこの章の規定中個人の市町村民税に関する規定において適用する場合について準用する。（法294の2③）
　　　（注）　法人課税信託の受託者又は受益者についての市町村民税に関する規定の適用については、第二章第一節三の1《法人課税信託の受託者に関する法人の市町村民税の規定の適用》の（3）から（8）までを参照。（編者）

2　実質所得者課税の原則

　資産又は事業から生ずる収益が法律上帰属するとみられる者が単なる名義人であって、当該収益を享受せず、その者以外の者が当該収益を享受する場合においては、当該収益に係る市町村民税は、当該収益を享受する者に課するものとする。（法294の2の2）

3　信託財産に係る所得の帰属

　信託財産について生ずる所得については、信託の受益者（受益者としての権利を現に有するものに限る。）が当該信託の信託財産に属する資産及び負債を有するものとみなして、この章の規定を適用する。ただし、集団投資信託（所得税法第13条第3項第1号に規定する集団投資信託をいう。）、退職年金等信託（同項第2号に規定する退職年金等信託をいう。）又は法人課税信託の信託財産について生ずる所得については、この限りでない。（法294の3①）

　　　（受益者とみなす者）
（1）　信託の変更をする権限（軽微な変更をする権限として（2）で定めるものを除く。）を現に有し、かつ、当該信託の信託財産の給付を受けることとされている者（受益者を除く。）は、3に規定する受益者とみなして、3の規定を適用する。（法294の3②）

　　　（軽微な変更をする権限）
（2）　（1）に規定する権限は、信託の目的に反しないことが明らかである場合に限り信託の変更をすることができる権限とする。（令47の2の2①）

　　　（信託を変更する権限を含むもの）
（3）　（1）に規定する信託の変更をする権限には、他の者との合意により信託の変更をすることができる権限を含むものとする。（令47の2の2②）

　　　（停止条件が付された信託財産の給付を受ける権利を有する者）
（4）　停止条件が付された信託財産の給付を受ける権利を有する者は、（1）に規定する信託財産の給付を受けることとされている者に該当するものとする。（令47の2の2③）

(受益者が二以上ある場合の適用)
（５）　３に規定する受益者（（１）の規定により３に規定する受益者とみなされる者を含む。以下（５）において同じ。）が二以上ある場合における３の規定の適用については、３の信託の信託財産に属する資産及び負債の全部をそれぞれの受益者がその有する権利の内容に応じて有するものとする。（令47の２の２④）

4　公益信託に係る所得の帰属

当分の間、公益信託（公益信託ニ関スル法律第１条に規定する公益信託（法人税法第37条第６項に規定する特定公益信託を除く。）をいう。以下４において同じ。）の信託財産について生ずる所得については、公益信託の委託者又はその相続人その他の一般承継人が当該公益信託の信託財産に属する資産及び負債を有するものとみなして、この章の規定を適用する。（法附３の２の３①）

(注)　４及び注を削除する令和６年度改正規定は、公益信託に関する法律（令和６年法律第30号）の施行の日以後適用する。（令６改法附１十）

(公益信託と法人課税信託の関係)
注　公益信託は、法人課税信託に該当しないものとする。（法附３の２の３②）

5　公益法人等に係る課税の特例

市町村は、当分の間、租税特別措置法第40条第３項後段（同条第６項から第10項まで及び第11項（同条第12項において準用する場合を含む。以下５において同じ。）の規定によりみなして適用する場合を含む。）の規定の適用を受けた同条第３項に規定する公益法人等（同条第６項から第11項までの規定により特定贈与等に係る公益法人等とみなされる法人を含む。）を同条第３項に規定する贈与又は遺贈を行った個人とみなして、（１）で定めるところにより、これに同項に規定する財産（同条第６項から第11項までの規定により特定贈与等に係る財産とみなされる資産を含む。）に係る山林所得の金額、譲渡所得の金額又は雑所得の金額に係る市町村民税の所得割を課する。（法附３の２の４②）

(注)　５を以下のように改める令和６年度改正規定は、公益信託に関する法律（令和６年法律第30号）の施行の日の属する年の翌年の１月１日以後適用する。（令６改法附１十一）

市町村は、当分の間、租税特別措置法第40条第３項後段（同条第６項から第12項まで及び第13項（同条第14項において準用する場合を含む。以下５において同じ。）の規定によりみなして適用する場合を含む。）の規定の適用を受けた同条第３項に規定する公益法人等（同条第６項から第13項までの規定により特定贈与等に係る公益法人等とみなされる者を含む。）を同条第３項に規定する贈与又は遺贈を行った個人とみなして、（１）で定めるところにより、これに同項に規定する財産（同条第６項から第13項までの規定により特定贈与等に係る財産とみなされる資産を含む。）に係る山林所得の金額、譲渡所得の金額又は雑所得の金額に係る市町村民税の所得割を課する。（法附３の２の３②）

(公益法人等に係る住所の特例)
（１）　５の規定により５に規定する公益法人等に市町村民税の所得割を課する場合における当該公益法人等の住所は、当該公益法人等の主たる事務所又は事業所の所在地にあるものとする。（令附３の２の３②）

(注)　（１）を以下のように改める令和６年度改正規定は、公益信託に関する法律（令和６年法律第30号）の施行の日の属する年の翌年の１月１日以後適用する。（令６政令第138号附二）

（１）　５の規定により５に規定する公益法人等（（３）の（三）の規定の適用がある場合には、（３）の（三）に規定する主宰受託者）に市町村民税の所得割を課する場合における当該公益法人等（個人を除く。）の住所は、当該公益法人等の本店又は主たる事務所若しくは事業所の所在地にあるものとする。（令附３の２の３②）

(留意事項)
（２）　公益法人等に対して財産を寄附した場合の譲渡所得等の非課税の特例の対象となる法人が寄附を受けた財産が公益目的事業の用に供されなくなったこと等一定の事由により非課税承認が取り消された場合には、当該寄附を受けた公益法人等に対して、寄附時の譲渡所得等に係る個人住民税の所得割を課するものであること。
なお、この場合における当該公益法人等（個人を除く。）の住所は、当該公益法人等の主たる事務所又は事業所の所在地にあるものとすること。（市通２-７の２）

(注)　（２）中＿＿部分を加え、＿＿部分「法人」を「者」に、「主たる事務所又は」を「本店又は主たる事務所若しくは」に改める令和６年度改正規定は、公益信託に関する法律（令和６年法律第30号）の施行の日の属する年の翌年の４月１日が属する年度以後の年度分の個人の市町村民税に適用する。（令６総税市第32号記二）

(法人税法の規定の適用)
（３）　５の規定の適用を受けた５に規定する公益法人等に対する法人税法の規定の適用については、同法第38条第２項第２号中「係るもの」とあるのは、「係るもの及び同法附則第３条の２の４第１項又は第２項の規定によるもの（当該

道府県民税又は市町村民税に係るこれらの規定に規定する財産の価額がこれらの規定に規定する当該公益法人等の各事業年度の所得の金額の計算上益金の額に算入された場合における当該道府県民税又は市町村民税に限る。)」とする。(法附3の2の4③)

(注) (3)を以下のように改める令和6年度改正規定は、公益信託に関する法律(令和6年法律第30号)の施行の日の属する年の翌年の1月1日以後適用する。(令6改法附1十一)

　　　5の規定の適用がある場合には、次に定めるところによる。(法附3の2の3③)
　(一)　5の規定の適用を受けた公益法人等(租税特別措置法第40条第1項第1号に掲げる者に限る。)に対する法人税法の規定の適用については、同法第38条第2項第2号中「係るもの」とあるのは、「係るもの及び同法附則第3条の2の3第1項又は第2項の規定によるもの(当該道府県民税又は市町村民税に係るこれらの規定に規定する財産の価額がこれらの規定に規定する当該公益法人等の各事業年度の所得の金額の計算上益金の額に算入された場合における当該道府県民税又は市町村民税に限る。)」とする。
　(二)　5の規定の適用を受けた公益法人等(租税特別措置法第40条第1項第2号に掲げる者に限る。)に対する第9条の4の規定の適用については、同条第1項及び第2項中「事由」とあるのは、「事由又は公益信託に関する法律(令和6年法律第30号)第33条第3項の規定により読み替えて適用する信託法第56条第1項に規定する特定終了事由」とする。
　(三)　5の規定の適用を受ける公益法人等が租税特別措置法第40条第1項第2号に規定する公益信託の受託者である場合において、当該公益信託の受託者が2以上あるときは、当該公益信託の信託事務を主宰する受託者(以下(三)において「主宰受託者」という。)を5に規定する個人とみなしてこれらの規定を適用する。この場合において、当該主宰受託者に課するこれらの規定の財産に係る道府県民税又は市町村民税の所得割については、当該主宰受託者以外の受託者は、その道府県民税又は市町村民税の所得割について、連帯納付の責めに任ずる。

四　非課税の範囲

1　所得割及び均等割の非課税

市町村は、次の各号のいずれかに該当する者に対しては市町村民税((二)に該当する者にあっては、第十節1《退職手当等に係る所得割》の規定により課する所得割(以下「**分離課税に係る所得割**」という。)を除く。)を課することができない。ただし、この法律の施行地に住所を有しない者については、この限りでない。(法295①)

(一)　生活保護法の規定による生活扶助を受けている者
(二)　障害者、未成年者、寡婦又はひとり親(これらの者の前年の合計所得金額が135万円を超える場合を除く。)

(注)「**合計所得金額**」の意義は、一の1の(十一)を参照。(編者)

　　　(分離課税に係る所得割の非課税対象者の判定)
(1)　分離課税に係る所得割につき1の(一)の規定を適用する場合における同(一)に掲げる者であるかどうかの判定は、退職手当等の支払を受けるべき日の属する年の1月1日の現況によるものとする。(法295②)

　　　(寡婦が扶養親族を有することの意義)
(2)　1の(二)の規定による非課税の範囲を認定する場合において、寡婦が扶養親族を有するとは、原則として、当該寡婦が扶養控除の規定の適用を受ける控除対象扶養親族又は控除対象扶養親族以外の扶養親族(一の2の②の規定の適用がある場合には、同②の規定により当該寡婦の扶養親族に該当する者に限る。)を有することをいうものであるが、当該扶養親族が他の納税義務者の扶養親族とされている場合においても、当該寡婦が当該扶養親族の扶養費の一部を負担している場合においては、扶養親族を有するものとして取り扱うことが適当であること。(市通2-3)

2　市町村民税所得割の非課税の特例

市町村は、当分の間、市町村民税の所得割を課すべき者のうち、その者の前年の所得について第二節一の1《所得割の課税標準の算定》の規定により算定した総所得金額等、退職所得金額及び山林所得金額の合計額が、35万円にその者の同一生計配偶者及び扶養親族(年齢16歳未満の者及び第三節一の13に規定する控除対象扶養親族に限る。)の数に1を加えた数を乗じて得た金額に10万円を加算した金額(その者が同一生計配偶者又は扶養親族を有する場合には、当該金額に32万円を加算した金額)以下である者に対しては、二の規定にかかわらず、市町村民税の所得割(分離課税に係る所得割を除く。)を課することができない。(法附3の3④、33の2⑦五、33の3⑦五、34⑥五、35⑧五、35の2⑧五、35の4⑤五)

(注)　総所得金額等に含まれる上場株式等に係る配当所得の金額は、第五節五の4《上場株式等に係る譲渡損失の損益通算及び繰越控除》の①又は②の適用後の金額とし、株式等に係る譲渡所得等の金額は、同節五の4の②《上場株式等に係る譲渡損失の繰越控除》及び同節六の2の①《特定株式に係る譲渡損失の繰越控除》の適用後の金額とし、先物取引に係る雑所得等の金額は、同節七の2《先物取引の差金等決済に係る損失の繰越控除》の適用後の金額とする。(令附18の5⑯⑱、18の6③⑪、18の7の2⑮)

(留意事項)

注　当分の間、市町村民税の所得割を課すべき者のうち、その者の前年の所得について算定した総所得金額等、退職所得金額及び山林所得金額の合計額（分離課税に係る所得割の課税標準である退職所得の金額を除く。）が、35万円にその者の同一生計配偶者及び扶養親族（年齢16歳未満の者及び控除対象扶養親族に限る。）の数に1を加えた数を乗じて得た金額に10万円を加算した金額（その者が同一生計配偶者又は扶養親族を有する場合には、当該金額に32万円を加算した金額）以下である者に対しては、市町村民税の所得割（分離課税に係る所得割を除く。）を課税しないものであることに留意すること。（市通2－4）

3　均等割の非課税

市町村は、地方税法の施行地に住所を有する者で均等割のみを課すべきもののうち、前年の合計所得金額が次に掲げる基準に従い当該市町村の条例で定める金額以下である者に対しては、均等割を課すことができない。（法295③、令47の3）

(注)　「合計所得金額」の意義は、一の1の（十二）を参照。（編者）

(一)	市町村の条例で定める金額は、当該条例で基本額として定める一定金額に、地方税法の施行地に住所を有する者の同一生計配偶者及び扶養親族（年齢16歳未満の者及び第三節一の13に規定する控除対象扶養親族に限る。以下（一）において同じ。）の数に1を加えた数を乗じて得た金額に、10万円を加算した金額（その者が同一生計配偶者又は扶養親族を有する場合には、当該金額に当該条例で加算額として定める一定金額を加算した金額）とするものとすること。
(二)	（一）の基本額として定める一定金額は、35万円を超えない範囲内において、35万円に、生活保護法第8条第1項《基準及び程度の原則》の規定により厚生労働大臣が定める保護の基準における地域の級地区分（前年の12月31日における地域の級地区分とする。）ごとに、（1）の総務省令で定める世帯につき前年において同法第11条第1項第1号から第3号まで《生活扶助・教育扶助・住宅扶助》に掲げる扶助に要した費用として算定される金額を勘案して（2）の総務省令で定める率で、当該市町村が同日において該当した当該地域の級地区分に係るものを乗じて得た金額を参酌して定めるものとすること。
(三)	（一）の加算額として定める一定金額は、21万円を超えない範囲において、21万円に、（二）に規定する総務省令で定める率で当該市町村が前年の12月31日において該当した（二）に規定する地域の級地区分に係るものを乗じて得た金額を参酌して定めるものとすること。

　　　（総務省令で定める世帯）
（1）　3の（二）の総務省令で定める世帯は、次の次号のいずれにも該当する世帯とする。（規9の2の3①）
　イ　夫、妻及び2人の子からなる世帯であること。
　ロ　借家に居住する世帯であること。
　ハ　収入のない世帯であること。

　　　（総務省令で定める率）
（2）　3の（二）の総務省令で定める率は、次の各号に掲げる生活保護法第8条第1項《基準及び程度の原則》の規定により厚生労働大臣が定める保護の基準における地域の級地区分（前年の12月31日における地域の級地区分とする。）に応じ、当該各号に定める率とする。（規9の2の3②）
　イ　一級地　　　1.0
　ロ　二級地　　　0.9
　ハ　三級地　　　0.8

五　質問検査権及び納税管理人

1　徴税吏員の調査に係る質問検査権

①　質問検査権

市町村の徴税吏員は、市町村民税の賦課徴収に関する調査のために必要がある場合においては、次に掲げる者に質問し、又は（一）から（三）までの者の事業に関する帳簿書類（その作成又は保存に代えて電磁的記録（電子的方式、磁気的方式そ

第三編第一章《個人の市町村民税》第一節《通則（質問検査権及び納税管理人）》

の他の人の知覚によっては認識することができない方式で作られる記録であって、電子計算機による情報処理の用に供されるものをいう。）の作成又は保存がされている場合における当該電磁的記録を含む。2の(一)及び(二)において同じ。）その他の物件を検査し、若しくは当該物件（その写しを含む。）の提示若しくは提出を求めることができる。（法298①）
(一)　納税義務者又は納税義務があると認められる者
(二)　(一)に規定する者に金銭又は物品を給付する義務があると認められる者
(三)　給与支払報告書を提出する義務がある者及び特別徴収義務者
(四)　(一)から(三)までに掲げる者以外の者で当該市町村民税の賦課徴収に関し直接関係があると認められる者

　　　　（身分証明証の呈示）
(1)　①の場合においては、当該徴税吏員は、その身分を証明する証票を携帯し、関係人の請求があったときは、これを呈示しなければならない。（法298②）

　　　　（滞納処分に関する調査についての不適用）
(2)　市町村民税に係る滞納処分に関する調査については、①の規定にかかわらず、第十一節二の1の(5)《国税徴収法の例による滞納処分》の定めるところによる。（法298④）

　　　　（質問検査権の解釈）
(3)　①又は②の規定による市町村の徴税吏員の権限は、犯罪捜査のために認められたものと解釈してはならない。（法298⑤）

② 提出物件の留置き
　市町村の徴税吏員は、(1)から(3)までで定めるところにより、①の規定により提出を受けた物件を留め置くことができる。（法298③）

　　　　（留置きの手続）
(1)　市町村の徴税吏員は、②の規定により物件を留め置く場合には、当該物件の名称又は種類及びその数量、当該物件の提出年月日並びに当該物件を提出した者の氏名及び住所又は居所その他当該物件の留置きに関し必要な事項を記載した書面を作成し、当該物件を提出した者にこれを交付しなければならない。（令47の5①）

　　　　（提出物件の返還）
(2)　市町村の徴税吏員は、②の規定により留め置いた物件につき留め置く必要がなくなったときは、遅滞なく、これを返還しなければならない。（令47の5②）

　　　　（善良な管理者の注意義務）
(3)　市町村の徴税吏員は、(2)に規定する物件を善良な管理者の注意をもって管理しなければならない。（令47の5③）

2　検査拒否等に関する罪
　次の各号のいずれかに該当する者は、1年以下の懲役又は50万円以下の罰金に処する。（法299①）
(一)　1の①の規定による帳簿書類その他の物件の検査を拒み、妨げ、又は忌避した者
(二)　1の①の規定による物件の提示又は提出の要求に対し、正当な理由がなくこれに応ぜず、又は偽りの記載若しくは記録をした帳簿書類その他の物件（その写しを含む。）を提示し、若しくは提出した者
(三)　1の①の規定による徴税吏員の質問に対し答弁をしない者又は虚偽の答弁をした者

　　　　（両罰規定）
注　法人（法人でない社団又は財団で代表者又は管理人の定めのあるもの（人格のない社団等を除く。以下注において同じ。）を含む。以下同じ。）の代表者（人格のない社団等の管理人及び法人でない社団又は財団で代表者又は管理人の定めのあるものの代表者又は管理人を含む。以下同じ。）又は法人若しくは人の代理人、使用人その他の従業者がその法人又は人の業務又は財産に関して2の違反行為をした場合においては、その行為者を罰するほか、その法人又は人に対し、2の罰金刑を科する。（法299②）
　　（注）「人格のない社団等」については、第二章第一節二の1の(6)を参照。（編者）

3　納税管理人及び納税管理人に係る申告に関する罪等

①　納税管理人

　市町村民税の納税義務者は、納税義務を負う市町村内に住所、居所、事務所、事業所又は寮等を有しない場合においては、納税に関する一切の事項を処理させるため、当該市町村の条例で定める地域内に住所、居所、事務所若しくは事業所を有する者のうちから納税管理人を定めてこれを市町村長に申告し、又は当該地域外に住所、居所、事務所若しくは事業所を有する者のうち当該事項の処理につき便宜を有するものを納税管理人として定めることについて市町村長に申請してその承認を受けなければならない。納税管理人を変更し、又は変更しようとする場合においても、また、同様とする。（法300①）

　　　（納税管理人を定めることを要しない場合）
　注　①の規定にかかわらず、当該納税義務者は、当該納税義務者に係る市町村民税の徴収の確保に支障がないことについて市町村長に申請してその認定を受けたときは、納税管理人を定めることを要しない。（法300②）

②　納税管理人に係る虚偽の申告等に関する罪

　①の規定によって申告すべき納税管理人について虚偽の申告をし、又は偽りその他不正の手段により①の承認若しくは①の注の認定を受けた者は、30万円以下の罰金に処する。（法301①）

　　　（両罰規定）
　注　法人の代表者（人格のない社団等の管理人を含む。）又は法人若しくは人の代理人、使用人その他の従業者がその法人又は人の業務又は財産に関して②の違反行為をした場合においては、その行為者を罰するほか、その法人又は人に対し、②の罰金刑を科する。（法301②）

③　納税管理人に係る不申告に関する過料

　市町村は、①の注の認定を受けていない市町村民税の納税義務者で①の承認を受けていないものが①の規定によって申告すべき納税管理人ついて正当な事由がなくて申告をしなかった場合においては、その者に対し、当該市町村の条例で10万円以下の過料を科する旨の規定を設けることができる。（法302）

第二節　所得割の課税標準及びその計算

一　所得割の課税標準

1　所得割の課税標準の算定

　所得割の課税標準は、前年の所得について算定した総所得金額、上場株式等に係る配当所得の金額、土地等に係る事業所得等の金額、長期譲渡所得の金額、短期譲渡所得の金額、株式等に係る譲渡所得等の金額及び先物取引に係る雑所得等の金額（以下これらを第一章において「**総所得金額等**」という。）並びに退職所得金額及び山林所得金額とする。（法313①、法附33の2⑦二、33の3⑦二、34⑥二、35⑧二、35の2⑧二、35の4⑤二）

2　総所得金額等の算定方法

　1の総所得金額等、退職所得金額又は山林所得金額は、この法律又はこれに基づく政令で特別の定めをする場合を除くほか、それぞれ所得税法その他の所得税に関する法令の規定による所得税法第22条第2項又は第3項《総所得金額等の計算》の総所得金額等、退職所得金額又は山林所得金額の計算の例により算定するものとする。ただし、同法第60条の2から第60条の4までの規定《国外転出をする場合の譲渡所得等の特例、贈与等により非居住者に資産が移転した場合の譲渡所得等の特例及び外国転出時課税の規定の適用を受けた場合の譲渡所得等の特例》の例によらないものとする。（法313②、法附33の2⑦二、33の3⑦二、34⑥二、35⑧二、35の2⑧二、35の4⑤二）

　　　（総所得金額の算定の特例）
　（1）　2の規定により1の総所得金額を算定する場合には、所得税法第35条第4項第1号中「第2条第1項第30号（定

第三編第一章《個人の市町村民税》第二節《所得割の課税標準及びその計算》

義)に規定する合計所得金額」とあるのは「地方税法(昭和25年法律第226号)第292条第1項第13号に規定する合計所得金額」と、租税特別措置法第41条の3の3第4項第3号中「所得税法第2条第1項第34号に規定する扶養親族」とあるのは「地方税法(昭和25年法律第226号)第292条第1項第9号に規定する扶養親族」と、同項第4号中「所得税法第2条第1項第33号に規定する同一生計配偶者」とあるのは「地方税法第292条第1項第7号に規定する同一生計配偶者」と、同法第41条の15の3第1項中「同条第4項(同法第165条第1項において適用する場合を含む。)」とあるのは「地方税法第313条第2項の規定によりその例によることとされる所得税法第35条第4項」と、「については、同法」とあるのは「については、地方税法施行令第48条の5の2の規定により読み替えられた同法」として、これらの規定の例によるものとする。(令48の5の2)

　(注)　(1)中＿＿部分「第41条の3の3」を「第41条の3の11」に改める令和6年度改正規定は、令和7年1月1日以後適用する。(令6改令附1一)

　　(非居住者期間を有する所得割の納税義務者の課税標準の算定)
(2)　前年中に所得税法第2条第1項第5号《非居住者の定義》に規定する非居住者であった期間を有する者の同法第7条第1項第1号及び第2号《居住者の課税所得の範囲》に規定する所得並びに同法第164条《非居住者に対する課税の方法》に規定する国内源泉所得に係る1の総所得金額等(上場株式等に係る配当所得の金額は、第五節五の4の①又は②の適用後の金額とし、株式等に係る譲渡所得等の金額は、同節五の4の②又は同節六の2の①の適用後の金額とし、先物取引に係る雑所得等の金額は同節七の2の適用後の金額とする。)、退職所得金額又は山林所得金額は、法又は法に基づく政令で特別の定めをする場合を除くほか、所得税法その他の所得税に関する法令の規定による同法第165条《非居住者に対する総合課税に係る所得税の課税標準、税額等の計算》及び所得税法施行令第258条《年の中途で非居住者が居住者となった場合の税額の計算》の所得税の課税標準の計算の例によって算定するものとする。(令48の5の3①、令附16の2の11②、16の3⑥、17④、17の3⑧、18⑩、18の5㉒五、㉔五、18の6㉛、18の7⑥、18の7の2⑮)

　　(読替規定)
(3)　(2)の規定により(2)の総所得金額を算定する場合には、所得税法第165条の規定により準ずることとされる同法第35条第4項第1号中「第2条第1項第30号(定義)に規定する合計所得金額」とあるのは「地方税法(昭和25年法律第226号)第292条第1項第13号に規定する合計所得金額」と、租税特別措置法第41条の3の3第4項第3号中「所得税法第2条第1項第34号に規定する扶養親族」とあるのは「地方税法(昭和25年法律第226号)第292条第1項第9号に規定する扶養親族」と、同項第4号中「所得税法第2条第1項第33号に規定する同一生計配偶者」とあるのは「地方税法第292条第1項第7号に規定する同一生計配偶者」と、同法第41条の15の3第1項中「同条第4項(同法第165条第1項において適用する場合を含む。)」とあるのは「同法第165条の規定により準ずることとされる同法第35条第4項」と、「については、同法」とあるのは「については、地方税法施行令第48条の5の3第2項の規定により読み替えられた同法」と、所得税法施行令第258条第2項中「法第35条第4項」とあるのは「地方税法施行令第48条の5の3第2項の規定により読み替えられた法第35条第4項」として、これらの規定の例によるものとする。(令48の5の3②)

　(注)　(3)中＿＿部分「第41条の3の3」を「第41条の3の11」に改める令和6年度改正規定は、令和7年1月1日以後適用する。(令6改令附1一)

　　(所得割の課税標準の算定に当たっての留意事項)
(4)　所得割の課税標準は、前年の所得について算定した総所得金額等、退職所得金額及び山林所得金額とするものとされているが、総所得金額等、退職所得金額又は山林所得金額の算定については、地方税法又はこれに基づく政令で特別の定めをする場合を除くほか、それぞれ所得税法その他所得税に関する法令の規定による所得税法第22条第2項又は第3項の総所得金額等、退職所得金額又は山林所得金額の計算の例によるものとされているものであること。従って、収入金額の計算、必要経費の計算、損益の通算等については、原則として所得税の例によるものであること。ただし、同法第60条の2から第60条の4までの規定の例によらないものとする。なお、この場合においては次の諸点に留意すること。(市通2-12)

　イ　所得税における非課税所得は総所得金額等、退職所得金額又は山林所得金額には含まれないものであること。
　ロ　過去5年前における地方税の課税誤り等によって生じた納税者の損害に関して地方団体から支給される金銭で、当該金銭の支給に係る地方団体の要綱等において、当該金銭が、地方税の過誤納のうち地方税法の規定により還付不能となった税相当額等について、納税者の不利益を補填することを目的とするもの、又はこれに類するものであることが明らかとされているものについては、所得税法第9条第1項第17号及び同法施行令第30条の規定により、

非課税所得に該当するものであること。
ハ 次に掲げるものは、それぞれの規定により所得税法第22条第2項の総所得金額から除かれているので、所得割の課税標準となる総所得金額等には含まれないものであること。
 (イ) 租税特別措置法第3条第1項に規定する一般利子等
 (ロ) 租税特別措置法第3条の3第1項に規定する国外一般公社債等の利子等
 (ハ) 租税特別措置法第4条の4第1項に規定する勤労者財産形成貯蓄保険契約等に基づき支払を受ける差益
 (ニ) 租税特別措置法第8条の2第1項に規定する私募公社債等運用投資信託等の収益の分配に係る配当等
 (ホ) 租税特別措置法第8条の3第1項に規定する国外私募公社債等運用投資信託等の配当等
 (ヘ) 租税特別措置法第41条の9第1項に規定する懸賞金付預貯金等の懸賞金等
 (ト) 租税特別措置法第41条の10第1項に規定する給付補塡金等
 (チ) 預金保険法第53条第1項の規定による支払(同法第58条の2第1項の規定により同項第1号に掲げる利子、同項第2号若しくは第3号に掲げる給付補塡金、同項第4号に掲げる収益の分配又は同項第5号に掲げる利子の額とみなされる金額に相当する部分に限る。)
 (リ) 預金保険法第70条第1項による買取りの対価(同法第73条第1項の規定により同項第1号に掲げる利子、同項第2号若しくは第3号に掲げる給付補塡金、同項第4号に掲げる収益の分配又は同項第5号に掲げる利子の額とみなされる金額に相当する部分に限る。)
 (ヌ) 預金保険法第70条第2項ただし書の規定による支払(同法第73条第2項の規定により同条第1項第1号に掲げる利子、同項第2号若しくは第3号に掲げる給付補塡金、同項第4号に掲げる収益の分配又は同項第5号に掲げる利子の額とみなされる金額に相当する部分に限る。)
 (ル) 農水産業協同組合貯金保険法第55条第1項の規定による支払(同法第60条の2第1項の規定により同項第1号に掲げる利子、同項第2号に掲げる給付補塡金、同項第3号に掲げる収益の分配又は同項第4号に掲げる利子の額とみなされる金額に相当する部分に限る。)
 (ヲ) 農水産業協同組合貯金保険法第70条第1項の規定による買取りの対価(同法第73条第1項の規定により同項第1号に掲げる利子、同項第2号に掲げる給付補塡金、同項第3号に掲げる収益の分配又は同項第4号に掲げる利子の額とみなされる金額に相当する部分に限る。)
 (ワ) 農水産業協同組合貯金保険法第70条第2項ただし書の規定による支払(同法第73条第2項の規定により同条第1項第1号に掲げる利子、同項第2号に掲げる給付補塡金、同項第3号に掲げる収益の分配又は同項第4号に掲げる利子の額とみなされる金額に相当する部分に限る。) なお、これらの利子等は、道府県民税利子割の課税対象となるものであること。
 (カ) 民間公益活動を促進するための休眠預金等に係る資金の活用に関する法律第7条第2項に規定する休眠預金等代替金の支払(同法第45条第1項の規定により同法第4条第2項第1号若しくは第2号に掲げる利子、同項第3号又は第4号に掲げる給付補塡金、同項第5号に掲げる収益の分配又は同項第6号に掲げる利子の額とみなされる金額に相当する部分に限る。)
ニ 課税の特例の対象となる肉用牛の売却による事業所得は、総所得金額に算入されるものであること。
ホ 所得税の例により所得割の課税標準である総所得金額を算定する場合において、所得税法第35条第4項に規定する公的年金等控除額の算定の基礎となる同項第1号の公的年金等に係る雑所得以外の所得に係る合計所得金額については、個人の市町村民税における他の所得控除等と同様に、退職手当等(第十節の1に規定する退職手当等に限る。)を含まない合計所得金額を用いること。
ヘ 前年中に所得税法第2条第1項第5号《非居住者の定義》に規定する非居住者であった期間を有する者の所得割の課税標準である総所得金額等、退職所得金額又は山林所得金額は、同法第7条第1項第1号及び第2号《課税所得の範囲》に規定する所得並びに同法第164条《非居住者に対する課税の方法》に規定する国内源泉所得について、地方税法又は地方税法に基づく政令で特別の定めをする場合を除くほか所得税法その他の所得税に関する法令の規定による同法第165条《非居住者に対する総合課税に係る所得税の課税標準、税額等の計算》及び同法施行令第258条《年の中途で非居住者が居住者となった場合の税額の計算》の所得税の課税標準の計算の例によって算定するものであること。
 なお、所得税法第169条第3号から第5号までの規定により所得税の分離課税を受けた所得については、所得税法の取扱いと異なり、他の所得に合算されるものであることに留意すること。

二　親族が事業から受ける対価

1　青色事業専従者給与の必要経費算入等

　所得税法第2条第1項第40号《青色申告書の定義》に規定する青色申告書（三及び六の1において「**青色申告書**」という。）を提出することにつき国の税務官署の承認を受けている所得割の納税義務者と生計を一にする配偶者その他の親族（年齢15歳未満である者を除く。）で、専ら当該納税義務者の営む同法第56条《事業から対価を受ける親族がある場合の必要経費の特例》に規定する事業に従事するもの（以下1において「**青色事業専従者**」という。）が、当該事業から同法第57条第2項《青色事業専従者給与に関する届出書》の書類に記載されている方法に従いその記載されている金額の範囲内において給与の支払を受けた場合には、同条第1項《青色事業専従者給与額》の規定による計算の例により当該納税義務者の不動産所得の金額、事業所得の金額又は山林所得の金額及び当該青色事業専従者の給与所得の金額を算定するものとする。前年分の所得税につき納税義務を負わないと認められたことその他前年分の所得税につき青色事業専従者を所得税法第2条第1項第33号《同一生計配偶者の定義》の同一生計配偶者又は同項第34号《扶養親族の定義》の扶養親族としたことにより青色事業専従者給与に関する届出書を提出しなかった所得割の納税義務者に係る青色事業専従者が当該事業から給与の支払を受けた場合において、青色事業専従者給与額（所得税法第57条第1項の規定による計算の例によって算定した同項の必要経費に算入される金額をいう。）に関する事項を記載した第六節1の①の申告書（同1の④の（1）《前年前3年内に生じた居住用財産の買換え等の場合の通算後譲渡損失の金額の繰越控除の適用がある場合の読替え》又は（3）《前年前3年内に生じた特定居住用財産の通算後譲渡損失の金額の繰越控除の適用がある場合の読替え》の規定により読み替えて適用される同④の規定、第五節五の4の②の口《前年前3年内に生じた上場株式等に係る譲渡損失の繰越控除の適用がある場合の準用》において準用する第六節1の④の規定、第五節六の5において準用する第六節1の④の規定及び第五節七の2の③において準用する第六節1の④の規定による申告書を含む。）（当該事項の記載がないことについてやむを得ない事情があると市町村長が認めるものを含む。）を提出しているとき（その提出期限後において市町村民税の納税通知書が送達される時までに提出しているときを含む。）及び同1の①《申告書の記載事項等》のただし書の規定により申告書を提出する義務がないときも、同様とする。（法313③、令48の2の2、7の5③、令附4㉒、4の2⑲、18の5㉖、18の6㉝、18の7の2⑰）

　　（注）　1の規定は、一の2の（1）に掲げる非居住者に係る総所得金額等、退職所得金額又は山林所得金額の算定について準用する。（令48の5の3②、令附16の2の11②、16の3⑥、17④、17の3⑧、18⑩、18の5㉒、㉔、18の6㉛、18の7⑥、18の7の2⑮）

　　（事業に専ら従事する親族の範囲）
（1）　1及び2の所得割の納税義務者と生計を一にする配偶者その他の親族で専ら当該納税義務者の経営する事業に従事するものとは、その年を通じて6月を超える期間当該納税義務者の経営する所得税法第56条《事業から対価を受ける親族がある場合の必要経費の特例》に規定する事業に専ら従事する者をいう。ただし、1の場合において、次の各号のいずれかに該当するときは、当該事業に従事することができると認められる期間を通じてその2分の1に相当する期間を超える期間当該事業に専ら従事すれば足りるものとする。（令48の2の2、7の5①）
　　（一）　当該事業が年の中途における開業、廃業、休業又はその所得割の納税義務者の死亡、当該事業が季節営業であることその他の理由によりその年中を通じて営まれなかったこと。
　　（二）　当該事業に従事する者の死亡、長期にわたる病気、婚姻その他相当の理由によりその年中を通じてその所得割の納税義務者と生計を一にする親族として当該事業に従事することができなかったこと。

　　（事業に専ら従事する者に該当しないもの）
（2）　（1）の場合において、次の各号のいずれかに該当する者は、（1）の事業に従事していても、その該当する者である期間は、当該事業に専ら従事する者に該当しないものとする。（令48の2の2、7の5②）
　　（一）　学校教育法第1条《学校の範囲》、第82条の2《専修学校》又は第83条《各種学校》の学校の学生又は生徒である者（夜間において授業を受ける者で昼間を主とする当該事業に従事するもの、昼間において授業を受ける者で夜間を主とする当該事業に従事するもの、同法第82条の2又は第83条の学校の生徒で常時修学しないものその他事業に専ら従事することが妨げられないと認められる者を除く。）
　　（二）　他に職業を有する者（その職業に従事する時間が短い者その他事業に専ら従事することが妨げられないと認められる者を除く。）
　　（三）　老衰その他心身の障害により事業に従事する能力が著しく阻害されている者

第三編第一章《個人の市町村民税》第二節《所得割の課税標準及びその計算》

　　　　（親族の年齢が15歳未満であるかどうかの判定）
（3）　1又は2の場合において、親族の年齢が15歳未満であるかどうかの判定は、前年の12月31日（前年の中途においてその者が死亡した場合には、死亡当時）の現況によるものとする。（法313⑦）

　　　　（青色事業専従者給与の取扱い）
（4）　青色申告者が所得税法第57条第2項の書類《青色専従者給与に関する届出書》を提出した場合において、所得税につきその書類に記載されている金額の範囲内において青色事業専従者の労務の対価として相当であると認められた給与の額は、所得割の課税標準となる不動産所得の金額、事業所得の金額又は山林所得の金額の計算上必要経費に算入されるものであること。青色事業専従者に対して給与を支給した青色申告者が、次に掲げる理由により、その書類を提出しなかった場合においても、青色専従者給与額に関する事項を記載した市町村民税の申告書を提出しているときはこれに準じて計算するものであること。（市通2－13）
（一）　前年分の所得税につき納税義務を負わないと認められたこと。
（二）　青色事業専従者を前年分の所得税につき控除対象配偶者又は扶養親族としたこと。

2　事業専従者がある場合の必要経費の特例

①　事業専従者控除額の必要経費算入

　所得割の納税義務者（1に該当する者を除く。）が所得税法第56条《事業から対価を受ける親族がある場合の必要経費の特例》に規定する事業を経営している場合において、その納税義務者と生計を一にする配偶者その他の親族（年齢15歳未満である者を除く。）で専ら当該事業に従事するもの（以下「**事業専従者**」という。）があるときは、各事業専従者について、次の各号に掲げる金額のうちいずれか低い金額を当該事業に係る不動産所得の金額、事業所得の金額又は山林所得の金額の計算上必要経費とみなす。（法313④）

　上記により必要経費とみなされた金額（以下「**事業専従者控除額**」という。）は、事業専従者の給与所得に係る収入金額とみなす。（法313⑤）

（一）	次に掲げる事業専従者の区分に応じそれぞれ次に定める金額 イ　当該納税義務者の配偶者である事業専従者　　86万円 ロ　イに掲げる者以外の事業専従者　　50万円
（二）	当該事業に係る不動産所得の金額、事業所得の金額又は山林所得の金額（①の規定を適用しないで計算した金額とする。）を事業専従者の数に1を加えた数で除して得た金額

（注）　①の規定は、一の2の（1）に掲げる非居住者に係る総所得金額等、退職所得金額又は山林所得金額の算定について準用する。（令48の5の3②、令附16の2の11②、16の3⑥、17④、17の3⑧、18⑩、18の5㉒、㉔、18の6㉛、18の7⑥、18の7の2⑮、平20改令附7⑨、⑭）

　　　　（事業専従者控除額の計算上の事業所得の金額）
（1）　①の表の（二）の不動産所得の金額、事業所得の金額又は山林所得の金額は、それぞれ所得税法第26条第2項《不動産所得の金額》に規定する不動産所得の金額、同法第27条第2項《事業所得の金額》に規定する事業所得の金額又は同法第32条第3項《山林所得の特別控除額》に規定する残額とする。（令48の2の2、7の6）

　　　　（事業が二以上ある場合における事業専従者控除額の計算）
（2）　所得割の納税義務者が不動産所得、事業所得又は山林所得のうち二以上の所得を生ずべき事業（①の事業専従者の従事する事業に限る。）を経営する場合における①の表の（二）の適用については、当該事業に係る同（二）の不動産所得の金額、事業所得の金額又は山林所得の金額の合計額及び当該事業に従事するすべての事業専従者の数を基礎として同（二）の規定による金額を計算するものとする。（令48の2の2、7の7）

　　　　（事業専従者が二以上の事業に従事した場合の事業専従者控除額の配分）
（3）　所得割の納税義務者が不動産所得、事業所得又は山林所得のうち二以上の所得を生ずべき事業を経営し、かつ、同一の事業専従者が二以上の当該事業に従事する場合には、当該事業に係る①の事業専従者控除額は、当該事業専従者に係る事業専従者控除額を当該事業専従者のそれぞれの事業に従事した分量に応じて配分して計算した金額とする。ただし、その分量が明らかでない場合は、それぞれの事業に均等に従事したものとして計算した金額によるものとする。（令48の2の2、7の8）

(事業専従者控除額の計算上の留意事項)
(4) 青色申告者以外の者についての事業専従者控除額の計算に当っては、不動産所得の金額、事業所得の金額又は山林所得の金額と事業専従者の数を基準としてその額を調整する措置がとられていることに留意すること。この場合の不動産所得の金額、事業所得の金額又は山林所得の金額は、損益通算並びに純損失の金額のうち変動所得の計算上生じた損失の金額、被災事業用資産の損失の金額及び雑損失の金額の繰越控除をする前の金額によるものであること。
(市通2－14)

② 申告書への記載等
　①の規定は、第六節1の①《申告書の記載事項等》の規定による申告書（その提出期限後において市町村民税の納税通知書が送達される時までに提出されたもの及びその時までに提出された同節1の④の(1)《前年前3年内に生じた居住用財産の買換え等の場合の通算後譲渡損失の金額の繰越控除の適用がある場合の読替え》又は(3)《前年前3年内に生じた特定居住用財産の通算後譲渡損失の金額の繰越控除の適用がある場合の読替え》の規定により読み替えて適用される同④の規定、第五節五の4の②のロ《前年前3年内に生じた上場株式等に係る譲渡損失の繰越控除の適用がある場合の準用》において準用する第六節1の④の規定、第五節六の5において準用する第六節1の④の規定及び第五節七の2の③において準用する第六節1の④の規定による申告書を含む。）に事業専従者控除額に関する事項の記載がない場合には、適用しない。ただし、同節1の①のただし書の規定により申告書を提出する義務がない場合又は当該申告書に当該事項の記載がないことについてやむを得ない事情があると市町村長が認める場合は、この限りでない。（法313⑥、令附4㉒、4の2㉑、18の5㉖、18の6㉝、18の7の2⑰）

三　損失の繰越控除

1　青色申告者の純損失の繰越控除

　一及び二の規定により所得割の納税義務者の総所得金額等、退職所得金額又は山林所得金額を算定する場合において、当該納税義務者の前年前3年間における総所得金額等、退職所得金額又は山林所得金額の計算上生じた所得税法第2条第1項第25号《純損失の金額の定義》の純損失の金額（1の規定により前年前において控除されたものを除く。）は、当該純損失の金額が生じた年分の所得税につき青色申告書を提出し、かつ、当該純損失の金額の生じた年の末日の属する年度の翌々年度以後の年度分の市町村民税について連続して第六節1の①《申告書の記載事項等》又は③《給与所得以外の所得又は公的年金等に係る所得以外の所得を有しない者が雑損控除等の控除を受ける場合の申告》の規定による申告書（同節1の④の(1)《前年前3年内に生じた居住用財産の買換え等の場合の通算後譲渡損失の金額の繰越控除の適用がある場合の読替え》又は(3)《前年前3年内に生じた特定居住用財産の通算後譲渡損失の金額の繰越控除の適用がある場合の読替え》の規定により読み替えて適用される同④の規定、第五節五の4の②のロ《前年前3年内に生じた上場株式等に係る譲渡損失の繰越控除の適用がある場合の準用》において準用する第六節1の④の規定、第五節六の5において準用する第六節1の④の規定及び第五節七の2の③において準用する第六節1の④の規定による申告書を含む。）を提出しているときに限り、当該納税義務者の総所得金額等、退職所得金額又は山林所得金額の計算上控除する。（法313⑧、法附33の3⑦三、令附4㉒、4の2㉑、18の5㉖、18の6㉝、18の7の2⑰）
(注1)　総所得金額等のうちに上場株式等に係る配当所得（申告分離課税の適用を受けようとするものに限る。）土地建物等の長期譲渡所得・短期譲渡所得の金額、株式等に係る譲渡所得等の金額又は先物取引に係る雑所得等の金額がある場合には、これらの金額からは、1に規定する純損失の金額を控除することができないことに留意する。（法附33の2⑦三、34⑥三、35⑧三、35の2⑧三、35の4⑤三、平20改法附8⑱）（編者）
(注2)　東日本大震災に係る損失の繰越控除の特例については、7を参照。（編者）

(居住用財産の買換え等の場合の譲渡損失に係る純損失の金額がある場合の適用)
(1) 市町村民税の所得割の納税義務者の前年前3年間において生じた純損失の金額のうちに特定純損失の金額（適用期間内に行った譲渡資産の特定譲渡による譲渡所得の金額の計算上生じた損失の金額に係る純損失の金額として(2)で定めるところにより計算した金額をいう。）がある場合における1の規定の適用については、1中「控除されたもの」とあるのは、「控除されたもの及び(1)に規定する特定純損失の金額」とする。（法附4⑪）
(注)　「適用期間」、「譲渡資産」及び「特定譲渡」については、5の③を参照。（編者）

(買換え等の場合の譲渡資産の特定譲渡により生じた損失の金額に係る純損失の金額)
(2) (1)に規定する(2)で定めるところにより計算した金額は、所得税法その他の所得税に関する法令の規定の例により計算したその年における譲渡資産の特定譲渡（5の③に規定する適用期間内に行ったものに限る。）による譲渡所

得の金額の計算上生じた損失の金額に係る居住用財産の譲渡損失の金額のうち、その年において生じた純損失の金額から当該純損失の金額が生じた年分の所得税法その他の所得税に関する法令の規定の例により計算した不動産所得の金額、事業所得の金額、山林所得の金額又は譲渡所得の金額（第五節三の1の①に規定する長期譲渡所得の金額及び同節四の1に規定する短期譲渡所得の金額を除く。）の計算上生じた損失の金額の合計額（当該合計額が当該純損失の金額を超える場合には、当該純損失の金額に相当する金額）を控除した金額に達するまでの金額とする。（令附4⑰）

(注)　「譲渡資産」及び「特定譲渡」については、5の③の(2)を参照。(編者)

　　　（特定居住用財産の譲渡損失に係る純損失の金額がある場合の適用）
(3)　市町村民税の所得割の納税義務者の前年前3年間において生じた純損失の金額のうちに特定純損失の金額（適用期間内に行った譲渡資産の特定譲渡による譲渡所得の金額の計算上生じた損失の金額に係る純損失の金額として(4)で定めるところにより計算した金額をいう。）がある場合における1の規定の適用については、1中「控除されたもの」とあるのは、「控除されたもの及び(3)に規定する特定純損失の金額」とする。（法附4の2⑪）

(注)　「適用期間」、「譲渡資産」及び「特定譲渡」については、6の③を参照。(編者)

　　　（特定居住用財産の特定譲渡により生じた損失の金額に係る純損失の金額）
(4)　(3)に規定する(4)で定めるところにより計算した金額は、所得税法その他の所得税に関する法令の規定の例により計算したその年における譲渡資産の特定譲渡（6の③に規定する適用期間内に行ったものに限る。）による譲渡所得の金額の計算上生じた損失の金額に係る特定居住用財産の譲渡損失の金額のうち、その年において生じた純損失の金額から当該純損失の金額が生じた年分の所得税法その他の所得税に関する法令の規定の例により計算した不動産所得の金額、事業所得の金額、山林所得の金額又は譲渡所得の金額（第五節三の1の①に規定する長期譲渡所得の金額及び同節四の1に規定する短期譲渡所得の金額を除く。）の計算上生じた損失の金額の合計額（当該合計額が当該純損失の金額を超える場合には、当該純損失の金額に相当する金額）を控除した金額に達するまでの金額とする。（令附4の2⑭）

(注)　「譲渡資産」及び「特定譲渡」については、6の③の(2)を参照。(編者)

　　　（純損失の繰越控除の適用と申告書の関係）
(5)　純損失の繰越控除については、当該純損失が生じた年分の所得税につき青色申告書を提出するとともに市町村民税についても第六節1の①又は③の規定による申告書を連続して提出したときにおいてのみ認められるものであること。なお、変動所得の計算上生じた損失の金額、被災事業用資産の損失の金額、雑損失の金額又は5の居住用財産の買換え等の場合の通算後譲渡損失の金額又は6の特定居住用財産の通算後譲渡損失の金額については、青色申告書を提出しない者についても第六節1の①又は③の規定による申告書を連続して提出したとき（第六節1の④の(1)《前年前3年内に生じた居住用財産の買換え等の場合の通算後譲渡損失の金額の繰越控除の適用がある場合の読替え》又は同④の(3)《前年前3年内に生じた特定居住用財産の通算後譲渡損失の金額の繰越控除の適用がある場合の読替え》の規定による申告書を提出したときを含む。）においては繰越控除が認められるものであること。（市通2-15）

　　　（純損失の繰越控除を行う理由）
(6)　青色申告書を提出する個人が、所得税法第142条《純損失の繰戻しによる還付の手続等》の規定によって所得税額について純損失の繰戻しによる還付を受けた場合においても、個人の市町村民税については繰戻還付を行わず、繰越控除するものとされているが、その趣旨は地方団体の財政規模が小さいために純損失の生じた年度において税収入の減少に加えて多額の還付金を生ずることが、その財政の運営に支障を来すものと考えられたことによるものであること。（市通2-16）

2　変動所得の損失・被災事業用資産の損失・雑損失の繰越控除

1の適用がない場合においても、所得割の納税義務者の前年前3年内の各年における総所得金額等、退職所得金額若しくは山林所得金額の計算上各年に生じた1の純損失の金額（1の規定により前年前において控除されたものを除く。）のうち、当該各年に生じた変動所得（漁獲から生ずる所得、著作権の使用料に係る所得その他の所得で年々の変動の著しいもののうち漁獲若しくはのりの採取から生ずる所得、はまち、まだい、ひらめ、かき、うなぎ、ほたて貝若しくは真珠（真珠貝を含む。）の養殖から生ずる所得、原稿若しくは作曲の報酬に係る所得又は著作権の使用料に係る所得をいう。）の金額の計算上生じた損失の金額若しくは被災事業用資産の損失の金額に達するまでの金額（既に2の規定により前年前において控除されたものを除く。）又は当該納税義務者の前年前3年内の各年に生じた雑損失の金額（第三節一の1《雑損控除

額》の表のイ、ロ又はハに掲げる場合の区分に応じ、それぞれ同イ、ロ又はハに定める金額を超える場合におけるその超える金額をいい、2又は第三節一《所得控除額》の規定により前年前において控除されたものを除く。）は、当該純損失又は雑損失の金額の生じた年の末日の属する年度の翌年度の市町村民税について第六節1の①又は③の規定よる申告書（同1の④の（1）《前年前3年内に生じた居住用財産の買換え等の場合の通算後譲渡損失の金額の繰越控除の適用がある場合の読替え》又は（3）《前年前3年内に生じた特定居住用財産の通算後譲渡損失の金額の繰越控除の適用がある場合の読替え》の規定により読み替えて適用される同④の規定による申告書、第五節五の4の②のロ《前年前3年内に生じた上場株式等に係る譲渡損失の繰越控除の適用がある場合の準用》において準用する第六節1の④の規定による申告書、第五節六の5《特定株式の譲渡損失の金額がある場合の申告》において準用する第六節1の④の規定による申告書及び第五節七の2の③《先物取引の差金等決済に係る損失の繰越控除を受ける場合の申告》において準用する第六節1の④の規定による申告書を含む。）を提出し、かつ、その後の年度分の市町村民税について連続してこれらの申告書を提出しているときに限り、当該納税義務者の総所得金額等、退職所得金額又は山林所得金額の計算上控除するものとする。（法313⑨、法附33の3⑦三、令48の3の2、48の3の3、7の9の2、7の9の3、令附4㉒、4の2㉑、18の5㉑、18の6㉚、18の7の2⑭）

(注1) 総所得金額等のうちに上場株式等に係る配当所得（申告分離課税の適用を受けようとするものに限る。）、土地建物等の長期譲渡所得・短期譲渡所得の金額、株式等に係る譲渡所得等の金額又は先物取引に係る雑所得等の金額がある場合には、これらの金額からは、雑損失の金額のみを控除することができる。（法附33の2⑦三、34⑥三、35⑧三、35の2⑧三、35の4⑤三、平20改法附8⑱）（編者）

(注2) 東日本大震災に係る損失の繰越控除の特例については、7を参照。（編者）

3　被災事業用資産の損失の金額

2の「被災事業用資産の損失の金額」とは、たな卸資産（事業所得を生ずべき事業に係る商品、製品、半製品、仕掛品、原材料その他の資産（有価証券及び山林を除く。）でたな卸をすべきものとして（1）で定めるものをいう。）、不動産所得、事業所得若しくは山林所得を生ずべき事業の用に供される固定資産その他これに準ずる資産で（2）で定めるもの又は山林の災害（震災、風水害、火災その他（3）で定める災害をいう。以下同じ。）による損失の金額（その災害に関連するやむを得ない支出で次に掲げるものの金額を含むものとし、保険金、損害賠償金その他これらに類するものにより埋められた部分の金額を除く。）で2の変動所得の金額の計算上生じた損失の金額に該当しないものをいう。（法313⑩、令48の5②、7の10の4）

(一)	災害により3に規定する資産（以下「事業用資産」という。）が滅失し、損壊し、又はその価値が減少したことによる当該事業用資産の取壊し又は除去のための費用その他の付随費用
(二)	災害により事業用資産が損壊し、又はその価値が減少した場合その他災害により当該事業用資産を業務の用に供することが困難となった場合において、その災害のやんだ日の翌日から1年を経過する日（大規模な災害の場合その他やむを得ない事情がある場合には、3年を経過する日）までに支出する次に掲げる費用その他これらに類する費用 イ　災害により生じた土砂その他の障害物を除去するための費用 ロ　当該事業用資産の原状回復のための修繕費 ハ　当該事業用資産の損壊又はその価値の減少を防止するための費用
(三)	災害により事業用資産につき現に被害が生じ、又はまさに被害が生ずるおそれがあると見込まれる場合において、当該事業用資産に係る被害の拡大又は発生を防止するため緊急に必要な措置を講ずるための費用

　　　（たな卸資産の範囲）
（1）　3のたな卸をすべきものとされる資産は、次に掲げる資産とする。（令48の4①、7の10）
　　イ　商品又は製品（副産物及び作業くずを含む。）
　　ロ　半製品
　　ハ　仕掛品（半成工事を含む。）
　　ニ　主要原材料
　　ホ　補助原材料
　　ヘ　消耗品で貯蔵中のもの
　　ト　イからヘまでに掲げる資産に準ずるもの

(固定資産に準ずる資産の範囲)
(2) 3の固定資産に準ずる資産は、不動産所得、事業所得又は山林所得を生ずべき事業に係る所得税法第2条第1項第20号《繰延資産の定義》に規定する繰延資産のうちまだ必要経費に算入されていない部分とする。(令48の4②、7の10の2)

(災害の範囲)
(3) 3に規定するその他の災害は、冷害、雪害、干害、落雷、噴火その他の自然現象の異変による災害並びに鉱害、火薬類の爆発その他の人為による異常な災害及び害虫、害獣その他の生物による異常な災害とする。(令48の5①、7の10の3)

4 純損失又は雑損失の繰越控除の順序

1又は2による損失の金額の控除に関しては、次に定めるところによる。(令48の3①、令附16の2の11②、16の3⑥、17④、17の3⑧、18⑩、18の5㉒、㉔、18の6㉛、18の7⑥、18の7の2⑮、平20改令附7⑨、⑭)

(一)		控除する損失の金額が前年前3年間(**六の1から4**までの規定の適用がある場合には、前年前5年間。(二)において同じ。)の2以上の年に生じたものであるときは、これらの年のうち最も前の年に生じた損失の部分の金額から順次控除を行う。
(二)		前年前3年間の一の年において生じた損失の金額の控除については、次に定めるところによる。
	イ	純損失の金額のうちに総所得金額等の計算上の損失の部分の金額(**一の2**《所得割の総所得金額等の算定方法》により所得税法施行令第198条第1号から第5号まで《損益通算の順序》の規定による計算の例によってもなお控除することができない損失の金額をいう。以下4において同じ。)があるときは、これをまず総所得金額等から控除する。
	ロ	純損失の金額のうちに山林所得金額の計算上の損失の部分の金額(**一の2**《所得割の総所得金額等の算定方法》の規定により所得税法施行令第198条第6号《山林所得の金額の損益通算》の規定による計算の例によってもなお控除することができない損失の金額をいう。以下4において同じ。)があるときは、これをまず山林所得金額から控除する。
	ハ	イによってもなお控除することができない総所得金額等の計算上の損失の部分の金額は、山林所得金額(ロによる控除が行われる場合には、当該控除後の金額)から控除し、次に退職所得金額から控除する。
	ニ	ロによってもなお控除することができない山林所得金額の計算上の損失の部分の金額は、総所得金額等(イによる控除が行われる場合には、当該控除後の金額)から控除し、次に退職所得金額(ハによる控除が行われる場合には、当該控除後の金額)から控除する。
	ホ	雑損失の金額で前年前において控除されなかった部分に相当する金額があるときは、これを総所得金額等、山林所得金額、退職所得金額(イからニまでによる控除が行われる場合には、それぞれこれらの控除後の金額)の順序に従い、順次その金額から控除する。
(三)		前年の所得の金額の計算上の損失の金額があるときは、まず**一の2**《所得割の総所得金額等の算定方法》の規定により所得税法第69条《損益通算》の規定の例による控除を行った後、1又は2による控除を行う。

(注1) 総所得金額等のうちに上場株式等に係る配当所得、土地建物等の長期譲渡所得・短期譲渡所得の金額、株式等に係る譲渡所得等の金額又は先物取引に係る雑所得等の金額がある場合には、1の(注)及び2の(注)を参照。(編者)
(注2) 東日本大震災に係る損失の繰越控除の特例については、7を参照。(編者)

(他の純損失金額の生じた年が特例対象純損失金額の生じた年又はその翌年である場合の控除)
(1) 4(1又は2の規定による純損失の金額の控除に係る部分に限る。以下(1)において同じ。)の規定の適用がある場合において、その者の有する他の純損失金額(**六の1から3**までに規定する特定非常災害発生年純損失金額、被災純損失金額及び特定非常災害発生年特定純損失金額(以下(1)及び(2)において「特例対象純損失金額」という。)以外の純損失の金額をいう。以下(1)及び(2)において同じ。)の生じた年がその者の有する特例対象純損失金額の生じた年又はその翌年であるときは、当該他の純損失金額は当該特例対象純損失金額よりも前の年に生じたものとして4の規定による控除を行う。(令48の3②)

(他の雑損失金額又は他の純損失金額の生じた年がその者の有する特例対象純損失金額又は特定雑損失金額の生じた年又はその翌年である場合の控除)
（2） 4（2の規定による雑損失の金額の控除に係る部分に限る。以下（2）において同じ。）の規定の適用がある場合において、その者の有する他の雑損失金額（六の4に規定する特定雑損失金額（以下（2）及び第三節一の1の（7）において「特定雑損失金額」という。）以外の雑損失の金額をいう。以下（2）及び第三節一の1の（7）において同じ。）又は他の純損失金額の生じた年がその者の有する特例対象純損失金額又は特定雑損失金額の生じた年又はその翌年であるときは、当該他の雑損失金額又は当該他の純損失金額は当該特例対象純損失金額又は当該特定雑損失金額よりも前の年に生じたものとして4の規定による控除を行う。（令48の3③）

5　居住用財産の買換え等の場合の譲渡損失の損益通算及び繰越控除

①　損益通算の適用の特例
　市町村民税の所得割の納税義務者の平成17年度以後の各年度分の市町村民税に係る譲渡所得の金額の計算上生じた居住用財産の譲渡損失の金額がある場合には、当該居住用財産の譲渡損失の金額については、第五節三の1の②《長期譲渡所得の損益通算の不適用》の規定は、適用しない。ただし、当該納税義務者が前年前3年内の年において生じた当該居住用財産の譲渡損失の金額以外の居住用財産の譲渡損失の金額につき①の規定の適用を受けているときは、この限りでない。（法附4⑧）

②　申告要件
　①の規定は、当該居住用財産の譲渡損失の金額が生じた年の末日の属する年度の翌年度分の第六節1の①《申告書の記載事項》又は③《給与所得以外の所得又は公的年金等に係る所得以外の所得を有しない者が雑損控除等の控除を受ける場合の申告》の規定による申告書（その提出期限後において市町村民税の納税通知書が送達される時までに提出されたもの及びその時までに提出された同節2の①の確定申告書を含む。）に①の規定の適用を受けようとする旨の記載があるとき（これらの申告書にその記載がないことについてやむを得ない理由があると市町村長が認めるときを含む。）に限り、適用する。（法附4⑨）

③　居住用財産の譲渡損失の金額の意義
　市町村民税の所得割の納税義務者が、平成11年1月1日から令和7年12月31日までの期間（以下5において「**適用期間**」という。）内に、租税特別措置法第41条の5《居住用財産の買換え等の場合の譲渡損失の損益通算及び繰越控除》第7項第1号に規定する譲渡資産（以下5において「**譲渡資産**」という。）の同号に規定する特定譲渡（以下5において「**特定譲渡**」という。）をした場合（当該納税義務者がその年の前年若しくは前々年における資産の譲渡につき同法第31条の3第1項《居住用財産を譲渡した場合の長期譲渡所得の課税の特例》、第35条第1項《居住用財産の譲渡所得の特別控除》（同条第3項《空き家に係る譲渡所得の特別控除の特例》の規定により適用する場合を除く。）、第36条の2若しくは第36条の5《特定の居住用財産の場合の長期譲渡所得の課税の特例》の規定の適用を受けている場合又は当該納税義務者がその年若しくはその年の前年以前3年内における資産の譲渡につき6の①の規定の適用を受け、若しくは受けている場合を除く。）において、平成11年1月1日（当該特定譲渡の日が平成12年1月1日以後であるときは、当該特定譲渡の日の属する年の前年1月1日）から当該特定譲渡の日の属する年の翌年12月31日（特定非常災害の被害者の権利利益の保全等を図るための特別措置に関する法律第2条第1項の規定により特定非常災害として指定された非常災害に基因するやむを得ない事情により、同日までに同号に規定する買換資産（以下5において「**買換資産**」という。）の同号に規定する取得（以下5において「**取得**」という。）をすることが困難となった場合において、同日後2年以内に買換資産の取得をする見込みであり、かつ、（3）で定めるところにより市町村長の承認を受けたとき（同号の税務署長の承認を受けたときを含む。）は、同日の属する年の翌々年12月31日。④において「取得期限」という。）までの間に、買換資産の取得をして当該取得をした日の属する年の12月31日において当該買換資産に係る住宅借入金等の金額を有し、かつ、当該取得の日から当該取得の日の属する年の翌年12月31日までの間に当該納税義務者の居住の用に供したとき、又は供する見込みであるときにおける当該譲渡資産の特定譲渡（その年において当該特定譲渡が二以上ある場合には、当該納税義務者が（1）で定めるところにより選定した一の特定譲渡に限る。）による譲渡所得の金額の計算上生じた損失の金額のうち、当該特定譲渡をした日の属する年の末日の属する年度の翌年度分の市町村民税に係る第五節三の1の①に規定する長期譲渡所得の金額又は同節四の1に規定する短期譲渡所得の金額の計算上控除してもなお控除することができない部分の金額として（2）で定めるところにより計算した金額をいう。（法附4⑩一）

(特定譲渡の選定)
(1) ③の選定は、③に規定する納税義務者が、②の規定により提出すべき③に掲げる居住用財産の譲渡損失の金額が生じた年の末日の属する年度の翌年度の市町村民税の申告書に、総務省令で定める附属申告書《特定の居住用財産の譲渡損失明細書》を添付し、当該附属申告書に一の特定譲渡(③に規定する特定譲渡をいう。以下同じ。)に係る居住用財産の譲渡損失の金額の控除に関する事項を記載することにより行うものとする。(令附4①)

(控除しきれない部分の金額)
(2) ③に規定する(2)で定めるところにより計算した金額は、所得税法その他の所得税に関する法令の規定の例により計算した③に規定する譲渡資産の特定譲渡(その年において当該特定譲渡が二以上ある場合には、当該納税義務者が(1)の規定により選定した一の特定譲渡に限る。以下5において同じ。)による譲渡所得の金額の計算上生じた損失の金額のうち、当該特定譲渡をした日の属する年の末日の属する年度の翌年度分の市町村民税に係る第五節三の1(同2又は同3の規定により適用される場合を含む。以下5において同じ。)に規定する長期譲渡所得の金額の計算上生じた損失の金額(当該長期譲渡所得の金額の計算上生じた損失の金額のうちに同節四の1の規定により同1に規定する短期譲渡所得の金額の計算上控除する金額がある場合には、当該長期譲渡所得の金額の計算上生じた損失の金額から当該控除する金額に相当する金額を控除した金額)に達するまでの金額とする。(令附4②)

(居住用財産の買換え等の場合の譲渡損失の損益通算及び繰越控除)
(3) ③に規定する市町村長の承認を受けようとする納税義務者は、③に規定する取得期限の属する年の翌年3月15日までに、特定譲渡をした譲渡資産について③の承認を受けようとする旨、③の特定非常災害として指定された非常災害に基因するやむを得ない事情により買換資産の取得をすることが困難であると認められる事情の詳細、取得をする予定の買換資産の取得予定年月日及びその取得価額の見積額その他の明細を記載した申請書に、当該非常災害に基因するやむを得ない事情により買換資産の取得をすることが困難であると認められる事情を証する書類を添付して、当該市町村長に提出しなければならない。ただし、市町村長においてやむを得ない事情があると認める場合には、当該書類を添付することを要しない。(規附2①)

④ 買換資産を取得しない場合等の申告
①の規定の適用を受けた者は、取得期限までに買換資産の取得をしない場合、買換資産の取得をした日の属する年の12月31日において当該買換資産に係る住宅借入金等の金額を有しない場合又は買換資産の取得をした日の属する年の翌年12月31日までに当該買換資産をその者の居住の用に供しない場合には、取得期限又は同日から4月を経過する日までに(1)で定めるところにより、その旨を市町村長に申告しなければならない。(法附4⑭)

(申告の手続)
(1) ④の規定による申告は、次の各号に掲げる場合の区分に応じ当該各号に掲げる事項を記載した様式によってしなければならない。(規附2③)
(一) 特定譲渡の日の属する年の翌年12月31日までに買換資産の取得をしない場合
　イ 譲渡資産の所在地及び当該譲渡の年月日
　ロ 当該買換資産の取得をしないこととなった旨
　ハ 当該納税義務者の氏名及び住所
　ニ その他参考となるべき事項
(二) 買換資産の取得をした日の属する年の12月31日において当該買換資産に係る⑥の(二)に規定する住宅借入金等(以下「住宅借入金等」という。)の金額を有しない場合
　イ (一)のイ、ハ及びニに掲げる事項
　ロ 取得をした買換資産の所在地及び当該取得の年月日
　ハ 当該買換資産に係る住宅借入金等の金額を有しないこととなった旨
(三) 買換資産の取得をした日の属する年の翌年12月31日までに当該買換資産をその者の居住の用に供しない場合
　イ (二)のイ及びロに掲げる事項
　ロ 当該買換資産を居住の用に供しないこととなった旨

(賦課決定の期間制限又は消滅時効の特例)
(2) ④に定める場合に課されることとなる市町村民税の所得割については、第一編第七章一の2の③《賦課決定の期

第三編第一章《個人の市町村民税》第二節《所得割の課税標準及びその計算》

間制限》及び④《課税標準又は税額を減少させる賦課決定の期間制限》並びに同章二の１《地方税の消滅時効》中「法定納期限」とあるのは、「第三編第一章第二節三の５の④《買換資産を取得しない場合等の申告》に規定する申告の期限」とする。（法附４⑯一）

　　　　（賦課額の決定又は変更の場合の延滞金の徴収等の特例）
（３）　④に定める場合に課されることとなる市町村民税の所得割については、第七節三の４の②《延滞金の徴収》中「不足税額をその決定があった日までの納期の数で除して得た額に２《納期》の各納期限」とあるのは「不足税額に当該不足税額に係る納税通知書において納付すべきこととされる日」と、「納付すべきこととされる日までの期間又はその日の翌日」とあるのは「納付すべきこととされる日の翌日」とし、同４の③《延滞金の計算期間から控除される期間》の規定は、適用しない。（法附４⑯二）

⑤　**繰越控除の適用の特例**
　　市町村民税の所得割の納税義務者の前年前３年内の年に生じた通算後譲渡損失の金額（⑤の規定により前年前において控除されたものを除く。）は、当該納税義務者が前年12月31日において当該通算後譲渡損失の金額に係る買換資産に係る住宅借入金等の金額を有する場合において、居住用財産の譲渡損失の金額の生じた年の末日の属する年度の翌年度の市町村民税について②の申告書を提出した場合であって、その後の年度分の市町村民税について連続して通算後譲渡損失の金額の控除に関する事項を記載した第六節１の①又は③の規定による申告書（その提出期限後において市町村民税の納税通知書が送達される時までに提出されたもの及びその時までに提出された同１の④の（１）の規定により読み替えて適用される同④《給与所得以外の所得又は公的年金等に係る所得以外の所得を有しない者等に純損失又は雑損失の金額がある場合の申告》の規定による申告書を含む。以下⑤において同じ。）を提出しているときに限り、第五節三の１の②の規定にかかわらず、（１）で定めるところにより、当該納税義務者の当該連続して提出された申告書に係る各年度分の市町村民税に係る同１の①に規定する長期譲渡所得の金額、同節四の１に規定する短期譲渡所得の金額、総所得金額、同節二の１に規定する土地等に係る事業所得等の金額、退職所得金額又は山林所得金額の計算上控除する。ただし、当該納税義務者の前年の合計所得金額が3,000万円を超える年度分の市町村民税の所得割については、この限りでない。（法附４⑩、33の２⑦一、33の３⑦一、34⑥一、35⑧一、35の２⑧一、35の４⑤一、平20改法附８⑪、⑱、令附４⑱）
　　（注）　「合計所得金額」の意義は、第一節一の１の（十一）を参照。（編者）

　　　　（通算後譲渡損失の金額の控除順序）
（１）　⑤に規定する通算後譲渡損失の金額に相当する金額は、第五節三の１に規定する長期譲渡所得の金額、同節四の１に規定する短期譲渡所得の金額、総所得金額、同節二の１に規定する土地等に係る事業所得等の金額、山林所得金額又は退職所得金額から順次控除する。（令附４⑭、⑲）

　　　　（他の損失の金額がある場合の控除順序）
（２）　市町村民税の所得割の納税義務者の前年の所得の金額の計算上生じた損失の金額がある場合又は１若しくは２の規定による控除が行われる場合には、まず一の２《所得割の総所得金額等の算定方法》の規定による所得税法第69条《損益通算》の規定の例による控除並びに１及び２（純損失の金額に係る部分に限る。）の規定による控除を行い、次に⑤の規定による控除及び２（雑損失の金額に係る部分に限る。）の規定による控除を順次行う。この場合において、控除する純損失の金額及び控除する雑損失の金額が前年前３年間（六の１から４までの規定の適用がある場合には、前年前５年間）の２以上の年に生じたものであるときは、これらの年のうち最も前の年に生じた損失の部分の金額から順次控除を行う。（令附４⑮）

　　　　（通算後譲渡損失の金額の生じた年がその者の有する特例対象純損失金額等の生じた年又はその翌年である場合の控除）
（３）　（２）の規定の適用がある場合において、その者の有する⑥に規定する通算後譲渡損失の金額の生じた年がその者の有する４の（１）に規定する特例対象純損失金額若しくは４の（２）に規定する特定雑損失金額の生じた年又はその翌年であるときは、当該通算後譲渡損失の金額は当該特例対象純損失金額又は当該特定雑損失金額よりも前の年に生じたものとして、（２）の規定による控除を行う。（令附４⑯）

　　　　（繰越控除の規定の適用がある場合の附属申告書の添付）
（４）　前年中に生じた⑥の表の（一）に規定する通算後譲渡損失の金額について、⑤の規定によって、その損失の生じた

年の末日に属する年度の翌々年度以降の年度分の市町村民税の第五節三に規定する長期譲渡所得の金額、同節四に規定する短期譲渡所得の金額、総所得金額、退職所得金額又は山林所得金額の計算上控除を受けようとする市町村民税の納税義務者は、第六節1の①《申告書の記載事項等》の申告書又は同③《給与所得以外の所得又は公的年金等に係る所得以外の所得を有しない者が雑損控除等の控除を受ける場合の申告》の申告書(同④の(1)の規定により読み替えて適用される同④の規定による申告書を含む。)に、第55号様式による附属申告書を添付しなければならない。(規附2⑤)

⑥ **用語の意義**
5において次の各号に掲げる用語の意義は、当該各号に定めるところによる。(法附4①二、三)

(一)	通算後譲渡損失の金額	当該市町村民税の所得割の納税義務者のその年において生じた1に規定する純損失の金額(以下5において「純損失の金額」という。)のうち、居住用財産の譲渡損失の金額に係るもの(当該居住用財産の譲渡損失の金額に係る譲渡資産のうちに土地又は土地の上に存する権利で(1)で定める面積が500平方メートルを超えるものが含まれている場合には、当該土地又は土地の上に存する権利のうち当該500平方メートルを超える部分に相当する金額を除く。)として(2)で定めるところにより計算した金額をいう。
(二)	住宅借入金等	租税特別措置法第41条の5第7項第4号に規定する住宅借入金等をいう。

(注) 「居住用財産の譲渡損失の金額」については、③を参照。(編者)

(土地又は土地の上に存する権利の面積)
(1) ⑥の表の(一)に規定する面積は、土地にあっては当該土地の面積(租税特別措置法施行令第26条の7第6項第2号に掲げる家屋については、その1棟の家屋の敷地の用に供する土地の面積に当該家屋の床面積のうちにその者の区分所有する同号に規定する独立部分の床面積の占める割合を乗じて計算した面積。以下(1)において同じ。)とし、土地の上に存する権利にあっては当該土地の面積とする。(令附4③)

(通算後譲渡損失の金額の計算)
(2) ⑥の表の(一)の通算後譲渡損失の金額として計算した金額は、居住用財産の譲渡損失の金額のうち、その年において生じた純損失の金額(次の各号に掲げる場合に該当する場合には、当該金額から、当該各号に掲げる場合の区分に応じ当該各号に定める金額を控除した金額)に達するまでの金額(当該居住用財産の譲渡損失の金額に係る譲渡資産のうちに土地又は土地の上に存する権利(以下(2)において「土地等」という。)で⑥の表の(一)に規定する(1)で定める面積(以下(2)において「面積」という。)が500平方メートルを超えるものが含まれている場合には、当該金額から、当該金額に当該居住用財産の譲渡損失の金額のうちに所得税法その他の所得税に関する法令の規定の例により計算した当該土地等の特定譲渡による譲渡所得の金額の計算上生じた損失の金額の占める割合を乗じて計算した金額に超過面積割合(当該土地等に係る面積のうちに当該500平方メートルを超える部分に係る当該面積の占める割合をいう。)を乗じて計算した金額を控除した金額)とする。(令附4④)

(一)	当該居住用財産の譲渡損失の金額が生じた年(その年分の所得税につき所得税法第2条第1項第40号に規定する青色申告書を提出する年に限る。)において、その年分の同法その他の所得税に関する法令の規定の例により計算した不動産所得の金額、事業所得の金額、山林所得の金額又は譲渡所得の金額(第五節三の1に規定する長期譲渡所得の金額及び同節四の1に規定する短期譲渡所得の金額を除く。)の計算上生じた損失の金額がある場合	当該損失の金額の合計額(当該合計額がその年において生じた純損失の金額を超えるときは、当該純損失の金額に相当する金額)
(二)	当該居住用財産の譲渡損失の金額が生じた年において生じた2に規定する変動所得の金額の計算上生じた損失の金額又は被災事業用資産の損失の金額がある場合((一)に掲げる場合を除く。)	当該損失の金額の合計額(当該合計額がその年において生じた純損失の金額を超えるときは、当該純損失の金額に相当する金額)

⑦ **買換資産を居住の用に供しない場合の申告**
⑤の規定の適用を受けた者は、当該適用に係る買換資産の取得をした日の属する年の翌年12月31日までに、当該買換資産をその者の居住の用に供しない場合には、同日から4月を経過する日までに、(1)で定めるところにより、その旨を市

　　　　　　（申告の手続）
（1）⑦の規定による申告は、次に掲げる事項を記載した書類によってしなければならない。（規附2④）
　（一）　譲渡資産の所在地及び当該譲渡の年月日
　（二）　取得をした買換資産の所在地及び当該取得の年月日
　（三）　当該買換資産を居住の用に供しないこととなった旨
　（四）　当該納税義務者の氏名及び住所
　（五）　その他参考となるべき事項

　　　　　　（賦課決定の期間制限又は消滅時効の特例）
（2）⑦に定める場合に課されることとなる市町村民税の所得割については、第一編第七章一の2の③《賦課決定の期間制限》及び④《課税標準又は税額を減少させる賦課決定の期間制限》並びに同章二の1《地方税の消滅時効》中「法定納期限」とあるのは、「第三編第一章第二節三の5の⑦《買換資産を居住の用に供しない場合の申告》に規定する申告の期限」とする。（法附4⑯一）

　　　　　　（賦課額の決定又は変更の場合の延滞金の徴収等の特例）
（3）⑦に定める場合に課されることとなる市町村民税の所得割については、第七節三の4の②《延滞金の徴収》中「不足税額をその決定があった日までの納期の数で除して得た額に2《納期》の各納期限」とあるのは「不足税額に当該不足税額に係る納税通知書において納付すべきこととされる日」と、「納付すべきこととされる日までの期間又はその日の翌日」とあるのは「納付すべきこととされる日の翌日」とし、同4の③《延滞金の計算期間から控除される期間》の規定は、適用しない。（法附4⑯二）

6　特定居住用財産の譲渡損失の損益通算及び繰越控除

①　損益通算の適用の特例
　市町村民税の所得割の納税義務者の平成17年度以後の各年度分の市町村民税に係る譲渡所得の金額の計算上生じた特定居住用財産の譲渡損失の金額がある場合には、当該特定居住用財産の譲渡損失の金額については、第五節三の1の②《長期譲渡所得の損益通算の不適用》の規定は、適用しない。ただし、当該納税義務者が前年前3年内の年において生じた当該特定居住用財産の譲渡損失の金額以外の特定居住用財産の譲渡損失の金額につき①の規定の適用を受けているときは、この限りでない。（法附4の2⑧）

②　申告要件
　①の規定は、当該特定居住用財産の譲渡損失の金額が生じた年の末日の属する年度の翌年度分の第六節1の①《申告書の記載事項》又は③《給与所得以外の所得又は公的年金等に係る所得以外の所得を有しない者が雑損控除等の控除を受ける場合の申告》の規定による申告書（その提出期限後において市町村民税の納税通知書が送達される時までに提出されたもの及びその時までに提出された同節2の①の確定申告書を含む。）に①の規定の適用を受けようとする旨の記載があるとき（これらの申告書にその記載がないことについてやむを得ない理由があると市町村長が認めるときを含む。）に限り、適用する。（法附4の2⑨）

③　特定居住用財産の譲渡損失の金額の意義
　市町村民税の所得割の納税義務者が、平成16年1月1日から令和7年12月31日までの期間（以下6において「**適用期間**」という。）内に、租税特別措置法第41条の5の2《特定居住用財産の譲渡損失の損益通算及び繰越控除》第7項第1号に規定する譲渡資産（以下6において「**譲渡資産**」という。）の同条第7項第1号に規定する特定譲渡（以下6において「**特定譲渡**」という。）をした場合（当該納税義務者が当該特定譲渡に係る契約を締結した日の前日において当該譲渡資産に係る住宅借入金等の金額を有する場合に限るものとし、当該納税義務者がその年の前年若しくは前々年における資産の譲渡につき同法第31条の3第1項《居住用財産を譲渡した場合の長期譲渡所得の課税の特例》、第35条第1項《居住用財産の譲渡所得の特別控除》（同条第3項《空き家に係る譲渡所得の特別控除の特例》の規定により適用する場合を除く。）、第36条の2若しくは第36条の5《特定の居住用財産の買換え・交換の場合の長期譲渡所得の課税の特例》の規定の適用を受けている場合又は当該納税義務者がその年若しくはその年の前年以前3年内における資産の譲渡につき5の①の規定の適用を受

け、若しくは受けている場合を除く。）において、当該譲渡資産の特定譲渡（その年において当該特定譲渡が二以上ある場合には、当該納税義務者が（1）で定めるところにより選定した一の特定譲渡に限る。）による譲渡所得の金額の計算上生じた損失の金額のうち、当該特定譲渡をした日の属する年の末日の属する年度の翌年度分の市町村民税に係る第五節三の1の①に規定する長期譲渡所得の金額及び同節四の1に規定する短期譲渡所得の金額の計算上控除してもなお控除することができない部分の金額として（2）で定めるところにより計算した金額（当該特定譲渡に係る契約を締結した日の前日における当該譲渡資産に係る住宅借入金等の金額の合計額から当該譲渡資産の譲渡の対価の額を控除した残額を限度とする。）をいう。（法附4の2①一）

　　　　　（特定譲渡の選定）
（1）　③の選定は、③に規定する納税義務者が、②の規定により提出すべき③に掲げる特定居住用財産の譲渡損失の金額が生じた年の末日の属する年度の翌年度の市町村民税の申告書に、総務省令で定める附属申告書を添付し、当該附属申告書に一の特定譲渡（③に規定する特定譲渡をいう。以下同じ。）に係る特定居住用財産の譲渡損失の金額の控除に関する事項を記載することにより行うものとする。（令附4の2①）

　　　　　（控除しきれない部分の金額）
（2）　③に規定する（2）で定めるところにより計算した金額は、所得税法その他の所得税に関する法令の規定の例により計算した③に規定する譲渡資産の特定譲渡（その年において当該特定譲渡が二以上ある場合には、当該納税義務者が（1）の規定により選定した一の特定譲渡に限る。）による譲渡所得の金額の計算上生じた損失の金額のうち、当該特定譲渡をした日の属する年の末日の属する年度の翌年度分の市町村民税に係る第五節三の1（同2又は同3の規定により適用される場合を含む。以下6において同じ。）に規定する長期譲渡所得の金額の計算上生じた損失の金額（当該長期譲渡所得の金額の計算上生じた損失の金額のうちに同節四の1の規定により同1に規定する短期譲渡所得の金額の計算上控除する金額がある場合には、当該長期譲渡所得の金額の計算上生じた損失の金額から当該控除する金額に相当する金額を控除した金額）に達するまでの金額とする。（令附4の2②）

④　繰越控除の適用の特例
　　市町村民税の所得割の納税義務者の前年前3年内の年に生じた通算後譲渡損失の金額（④の規定により前年前において控除されたものを除く。）は、特定居住用財産の譲渡損失の金額の生じた年の末日の属する年度の翌年度の市町村民税について②の申告書を提出した場合であって、その後の年度分の市町村民税について連続して通算後譲渡損失の金額の控除に関する事項を記載した第六節1の①又は③の規定による申告書（その提出期限後において市町村民税の納税通知書が送達される時までに提出されたもの及びその時までに提出された同④の（3）の規定により読み替えて適用される同④《給与所得以外の所得又は公的年金等に係る所得以外の所得を有しない者等に純損失又は雑損失の金額がある場合の申告》の規定による申告書を含む。以下④において同じ。）を提出しているときに限り、第五節三の1の②の規定にかかわらず、（1）で定めるところにより、当該納税義務者の当該連続して提出された申告書に係る各年度分の市町村民税に係る同1の①に規定する長期譲渡所得の金額、同節四の1に規定する短期譲渡所得の金額、総所得金額、同節二の1に規定する土地等に係る事業所得等の金額、退職所得金額又は山林所得金額の計算上控除する。ただし、当該納税義務者の前年の合計所得金額が3,000万円を超える年度分の市町村民税の所得割については、この限りでない。（法附4の2⑩、33の2⑦一、33の3⑦一、34⑥一、35⑧一、35の2⑧一、35の4⑤一、平20改法附8⑪、⑱、令附4の2⑰）
　（注）　「合計所得金額」の意義は、第一節一の1の（十一）を参照。（編者）

　　　　　（通算後譲渡損失の金額の控除順序）
（1）　④に規定する通算後譲渡損失の金額に相当する金額は、第五節三の1に規定する長期譲渡所得の金額、同節四の1に規定する短期譲渡所得の金額、総所得金額、同節二の1に規定する土地等に係る事業所得等の金額、山林所得金額又は退職所得金額から順次控除する。（令附4の2⑬、⑱）

　　　　　（他の損失の金額がある場合の控除順序）
（2）　市町村民税の所得割の納税義務者の前年の所得の金額の計算上生じた損失の金額がある場合又は1若しくは2の規定による控除が行われる場合には、まず一の2《所得割の総所得金額等の算定方法》の規定による所得税法第69条《損益通算》の規定の例による控除並びに1及び2（純損失の金額に係る部分に限る。）の規定による控除を行い、次に④の規定による控除及び2（雑損失の金額に係る部分に限る。）の規定による控除を順次行う。この場合において、控除する純損失の金額及び控除する雑損失の金額が前年前3年間（六の1から4までの規定の適用がある場合には、

前年前5年間)の2以上の年に生じたものであるときは、これらの年のうち最も前の年に生じた損失の部分の金額から順次控除を行う。(令附4の2⑭)

(通算後譲渡損失の金額の生じた年がその者の有する特例対象純損失金額等の生じた年又はその翌年である場合の控除)
(3) (2)の規定の適用がある場合において、その者の有する⑤に規定する通算後譲渡損失の金額の生じた年がその者の有する4の(1)に規定する特例対象純損失金額若しくは4の(2)に規定する特定雑損失金額の生じた年又はその翌年であるときは、当該通算後譲渡損失の金額は当該特例対象純損失金額又は当該特定雑損失金額よりも前の年に生じたものとして、(2)の規定による控除を行う。(令附4の2⑮)

(繰越控除の規定の適用がある場合の附属申告書の添付)
(4) 前年中に生じた⑤の表の(一)に規定する通算後譲渡損失の金額について、④の規定によって、その損失の生じた年の末日の属する年度の翌々年度以降の年度分の市町村民税の第五節三に規定する長期譲渡所得の金額、同節四に規定する短期譲渡所得の金額、総所得金額、退職所得金額又は山林所得金額の計算上控除を受けようとする市町村民税の納税義務者は、第六節1の①《申告書の記載事項等》の申告書又は同③《給与所得以外の所得又は公的年金等に係る所得以外の所得を有しない者が雑損控除等の控除を受ける場合の申告》の申告書(同④の(3)の規定により読み替えて適用される同④の規定による申告書を含む。)に、第55号の2様式による附属申告書を添付しなければならない。(規附2の2②)

⑤ 用語の意義
6において、次の各号に掲げる用語の意義は、当該各号に定めるところによる。(法附4の2①二、三)

(一)	通算後譲渡損失の金額	当該市町村民税の所得割の納税義務者のその年において生じた1に規定する純損失の金額(以下6において「純損失の金額」という。)のうち、特定居住用財産の譲渡損失の金額に係るものとして注で定めるところにより計算した金額をいう。
(二)	住宅借入金等	租税特別措置法第41条の5の2第7項第4号に規定する住宅借入金等をいう。

(注) 「特定居住用財産の譲渡損失の金額」については、③を参照。(編者)

(通算後譲渡損失の金額の計算)
注 ⑤の表の(一)に規定する注で定めるところにより計算した金額は、特定居住用財産の譲渡損失の金額のうち、その年において生じた純損失の金額(次の表の各号に掲げる場合に該当する場合には、当該金額から、当該各号に掲げる場合の区分に応じ当該各号に定める金額を控除した金額)に達するまでの金額とする。(令附4の2③)

(一)	当該特定居住用財産の譲渡損失の金額が生じた年(その年分の所得税につき所得税法第2条第1項第40号に規定する青色申告書を提出する年に限る。)において、その年分の同法その他の所得税に関する法令の規定の例により計算した不動産所得の金額、事業所得の金額、山林所得の金額又は譲渡所得の金額(第五節三の1に規定する長期譲渡所得の金額及び同節四の1に規定する短期譲渡所得の金額を除く。)の計算上生じた損失の金額がある場合	当該損失の金額の合計額(当該合計額がその年において生じた純損失の金額を超えるときは、当該純損失の金額に相当する金額)
(二)	当該特定居住用財産の譲渡損失の金額が生じた年において生じた2に規定する変動所得の金額の計算上生じた損失の金額又は被災事業用資産の損失の金額がある場合((一)に掲げる場合を除く。)	当該損失の金額の合計額(当該合計額がその年において生じた純損失の金額を超えるときは、当該純損失の金額に相当する金額)

7 東日本大震災に係る損失の繰越控除の特例

① 東日本大震災に係る雑損失の繰越控除の特例

所得割の納税義務者が**特定雑損失金額**(2に規定する雑損失の金額のうち、特例損失金額〔第三節一の14参照〕に係るものをいう。以下①において同じ。)を有する場合には、当該特定雑損失金額の生じた年の末日の属する年度の翌々年度以後5年度内の各年度分の個人の市町村民税に係る第二節の規定の適用については、2中「金額をいい、」とあるのは「金額

をいう。）で特定雑損失金額（7の①に規定する特定雑損失金額をいう。以下2において同じ。）以外のもの（」と、「除く。）は」とあるのは「除く。）及び当該納税義務者の前年前5年内において生じた特定雑損失金額（2又は第三節一の規定により前年前において控除されたものを除く。）は」とする。（法附43②）

（純損失又は雑損失の繰越控除の順序の規定の適用）
（1） ①の規定により第二節の規定を適用する場合における4《純損失又は雑損失の繰越控除の順序》の規定の適用については、4の表の（一）及び（二）中「前年前3年間」とあるのは、「前年前5年間」とする。（令附26⑤）

（他の雑損失金額又は他の純損失金額の生じた年が特定雑損失金額の生じた年又はその翌年である場合の繰越控除の順序）
（2） （1）の規定の適用がある場合において、その者の有する他の雑損失金額〔第三節一の14の（6）参照〕又は②のイの（3）に規定する他の純損失金額の生じた年がその者の有する特定雑損失金額の生じた年又はその翌年であるときは、当該他の雑損失金額又は当該他の純損失金額は当該特定雑損失金額よりも前の年に生じたものとして、4の規定を適用する。（令附26⑥）

（居住用財産の買換え等の場合の譲渡損失又は特定居住用財産の譲渡損失の損益通算及び繰越控除の規定の適用）
（3） ①の規定の適用がある場合における5《居住用財産の買換え等の場合の譲渡損失の損益通算及び繰越控除》及び6《特定居住用財産の譲渡損失の損益通算及び繰越控除》の規定の適用については、5の⑤の（2）及び6の④の（2）《他の損失の金額がある場合の控除順序》中「若しくは2」とあるのは「若しくは2（7の①の規定により読み替えて適用される場合を含む。以下（2）において同じ。）」と、「前年前3年間」とあるのは「前年前5年間」とする。（令附26⑦）

（通算後譲渡損失の金額の生じた年が特定雑損失金額の生じた年又はその翌年である場合の規定の適用）
（4） （3）の規定の適用がある場合において、その者の有する5の⑥の表の（一）又は6の⑤の表の（一）《用語の意義》に規定する通算後譲渡損失の金額の生じた年がその者の有する特定雑損失金額の生じた年又はその翌年であるときは、当該通算後譲渡損失の金額は当該特定雑損失金額よりも前の年に生じたものとして、5及び6の規定を適用する。（令附26⑧）

② 東日本大震災に係る純損失の繰越控除の特例

イ 平成23年純損失金額又は被災純損失金額を有する場合
　所得割の納税義務者のうち次に掲げる要件のいずれかを満たす者（平成23年分の所得税につき青色申告書（所得税法第2条《定義》第1項第40号に規定する青色申告書をいう。）を提出している者に限る。）が**平成23年純損失金額**（その者の平成23年において生じた1《青色申告者の純損失の繰越控除》の純損失の金額をいう。以下イにおいて同じ。）又は**被災純損失金額**（東日本大震災の被災者等に係る国税関係法律の臨時特例に関する法律（以下「震災特例法」という。）第7条第4項《純損失の繰越控除の特例》第3号に規定する被災純損失金額をいい、同年において生じたものを除く。以下イにおいて同じ。）を有する場合には、当該平成23年純損失金額又は当該被災純損失金額の生じた年の末日の属する年度の翌々年度以後5年度内の各年度分の個人の市町村民税に係る第二節の規定の適用については、1中「純損失の金額（」とあるのは「純損失の金額で平成23年純損失金額（7の②のイに規定する平成23年純損失金額をいう。以下1において同じ。）及び被災純損失金額（7の②のイに規定する被災純損失金額をいう。2において同じ。）以外のもの（」と、「を除く。）」とあるのは「を除く。）並びに当該納税義務者の前年前5年間において生じた平成23年純損失金額（1の規定により前年前において控除されたものを除く。）」と、2中「純損失の金額」とあるのは「純損失の金額で被災純損失金額以外のもの」と、「又は著作権の使用料に係る所得」とあるのは「又は著作権の使用料に係る所得及び当該納税義務者の前年前5年内において生じた被災純損失金額（2の規定により前年前において控除されたものを除く。）」とする。（法附44④）
（一） 事業資産震災損失額（震災特例法第7条第4項第4号に規定する事業資産震災損失額をいう。）の当該納税義務者の有する事業用固定資産（土地及び土地の上に存する権利以外の震災特例法第6条《被災事業用資産の損失の必要経費算入に関する特例等》第2項に規定する固定資産等をいう。（二）において同じ。）でその者の営む事業所得を生ずべき事業の用に供されるものの価額として（1）で定める金額に相当する金額の合計額のうちに占める割合が10分の1以上であること。
（二） 不動産等震災損失額（震災特例法第7条第4項第5号に規定する不動産等震災損失額をいう。）の当該納税義務者の

有する事業用固定資産でその者の営む不動産所得又は山林所得を生ずべき事業の用に供されるものの価額として（１）で定める金額に相当する金額の合計額のうちに占める割合が10分の１以上であること。

　　　（事業所得、不動産所得又は山林所得を生ずべき事業の用に供されるものの価額）
（１）　イの（一）又は（二）に規定する金額は、次の各号に掲げる資産の区分に応じ当該各号に定める金額とする。（令附27⑥）
　　（一）　固定資産（所得税法第２条《定義》第１項第18号に規定する固定資産をいう。）　東日本大震災（第三節―の14《東日本大震災に係る雑損控除の特例》に規定する東日本大震災をいう。以下同じ。）による損失が生じた日にその資産の譲渡があったものとみなして同法第38条《譲渡所得の金額の計算上控除する取得費》第１項又は第２項の規定を適用した場合にその資産の取得費とされる金額に相当する金額
　　（二）　繰延資産（所得税法第２条《定義》第１項第20号に規定する繰延資産をいう。）　その繰延資産の額からその償却費として同法第50条《繰延資産の償却費の計算及びその償却の方法》の規定により東日本大震災による損失が生じた日の属する年の前年以前の各年分の不動産所得の金額、事業所得の金額又は山林所得の金額の計算上必要経費に算入される金額の累積額を控除した金額

　　　（純損失又は雑損失の繰越控除の順序の規定の適用）
（２）　イからハまでの規定により第二節の規定を適用する場合における４《純損失又は雑損失の繰越控除の順序》の規定の適用については、４の表の（一）及び（二）中「前年前３年間」とあるのは、「前年前５年間」とする。（令附27⑦）

　　　（他の純損失金額又は他の雑損失金額の生じた年が特例対象純損失金額の生じた年又はその翌年である場合の繰越控除の順序）
（３）　（２）の規定の適用がある場合において、その者の有する他の純損失金額（イからハまでに規定する平成23年純損失金額、被災純損失金額及び平成23年特定純損失金額（（３）及び（５）において「特例対象純損失金額」という。）以外の純損失の金額をいう。以下（３）において同じ。）又は第三節―の14の（６）《特例損失金額と他の損失金額とがある場合の控除の順序》に規定する他の雑損失金額の生じた年がその者の有する特例対象純損失金額の生じた年又はその翌年であるときは、当該他の純損失金額又は当該他の雑損失金額は当該特例対象純損失金額よりも前の年に生じたものとして、４の規定を適用する。（令附27⑧）

　　　（居住用財産の買換え等の場合の譲渡損失又は特定居住用財産の譲渡損失の損益通算及び繰越控除の規定の適用）
（４）　イからハまでの規定の適用がある場合における５《居住用財産の買換え等の場合の譲渡損失の損益通算及び繰越控除》及び６《特定居住用財産の譲渡損失の損益通算及び繰越控除》の規定の適用については、５の⑤の（２）及び６の④の（２）《他の損失の金額がある場合の控除順序》中「若しくは２」とあるのは「若しくは２（７の②のイからハまでの規定により読み替えて適用される場合を含む。以下（２）において同じ。）」と、「前年前３年間」とあるのは「前年前５年間」とする。（令附27⑨）

　　　（通算後譲渡損失の金額の生じた年が特例対象純損失金額の生じた年又はその翌年である場合の規定の適用）
（５）　（４）の規定の適用がある場合において、その者の有する５の⑥の表の（一）又は６の⑤の表の（一）《用語の意義》に規定する通算後譲渡損失の金額の生じた年がその者の有する特例対象純損失金額の生じた年又はその翌年であるときは、当該通算後譲渡損失の金額は当該特例対象純損失金額よりも前の年に生じたものとして、５及び６の規定を適用する。（令附27⑩）

ロ　**平成23年特定純損失金額又は被災純損失金額を有する場合**
　所得割の納税義務者のうちイの各号に掲げる要件のいずれかを満たす者（イの規定の適用を受ける者を除く。）が**平成23年特定純損失金額**（震災特例法第７条第４項第６号に規定する平成23年特定純損失金額をいう。以下ロにおいて同じ。）又は**被災純損失金額**（同条第４項第３号に規定する被災純損失金額をいい、平成23年において生じたものを除く。以下ロにおいて同じ。）を有する場合には、当該平成23年特定純損失金額又は当該被災純損失金額の生じた年の末日の属する年度の翌々年度以後５年度内の各年度分の個人の市町村民税に係る第二節の規定の適用については、１中「純損失の金額（」とあるのは「純損失の金額で被災純損失金額（７の②のロに規定する被災純損失金額をいう。２において同じ。）以外のもの（」と、２中「純損失の金額（１」とあるのは「純損失の金額で平成23年特定純損失金額（７の②のロに規定する平成23年特定純損失金額をいう。以下２において同じ。）及び被災純損失金額以外のもの（１」と、「又は著作権の使用料に係る

所得」とあるのは「又は著作権の使用料に係る所得並びに当該納税義務者の前年前5年内において生じた平成23年特定純損失金額（2の規定により前年前において控除されたものを除く。）及び被災純損失金額（2の規定により前年前において控除されたものを除く。）」とする。（法附44⑤）

　（注）　ロの適用については、イの(2)から(5)までを参照。（編者）

ハ　被災純損失金額を有する場合
　所得割の納税義務者（イ又はロの規定の適用を受ける者を除く。）が**被災純損失金額**（震災特例法第7条第4項第3号に規定する被災純損失金額をいう。以下ハにおいて同じ。）を有する場合には、当該被災純損失金額の生じた年の末日の属する年度の翌々年度以後5年度内の各年度分の個人の市町村民税に係る第二節の規定の適用については、1中「純損失の金額（」とあるのは「純損失の金額で被災純損失金額（7の②のハに規定する被災純損失金額をいう。2において同じ。）以外のもの（」と、2中「純損失の金額」とあるのは「純損失の金額で被災純損失金額以外のもの」と、「又は著作権の使用料に係る所得」とあるのは「又は著作権の使用料に係る所得及び当該納税義務者の前年前5年内において生じた被災純損失金額（2の規定により前年前において控除されたものを除く。）」とする。（法附44⑥）

　（注）　ハの適用については、イの(2)から(5)までを参照。（編者）

③　東日本大震災に係る純損失の繰越控除の対象期間の特例
　その有する事業用資産（震災特例法第7条第7項に規定する事業用資産をいう。以下同じ。）が東日本大震災により損壊し、又はその価値が減少した場合その他東日本大震災により当該事業用資産を業務の用に供することが困難となった場合において、東日本大震災に関連する次に掲げる費用その他これらに類する費用（以下「震災関連原状回復費用」という。）について東日本大震災からの復興のための事業の状況その他のやむを得ない事情によりその災害のやんだ日の翌日から3年を経過した日の前日までにその支出をすることができなかった市町村民税の所得割の納税義務者が、当該事情がやんだ日の翌日から3年を経過した日の前日までに震災関連原状回復費用の支出をしたときは、当該支出をした金額は3に規定する表の(一)から(三)までに掲げる災害に関連するやむを得ない支出の金額とみなして、3の規定を適用する。（法附44⑧）

(一)　災害により生じた土砂その他の障害物を除去するための費用
(二)　当該事業用資産の原状回復のための修繕費
(三)　当該事業用資産の損壊又はその価値の減少を防止するための費用

④　東日本大震災に係る被災居住用財産に係る譲渡期限の延長の特例
　その有する家屋でその居住の用に供していたものが警戒区域設定指示等が行われた日において当該警戒区域設定指示等の対象区域内に所在し、当該警戒区域設定指示等が行われたことによりその居住の用に供することができなくなった市町村民税の所得割の納税義務者が、当該居住の用に供することができなくなった家屋又は当該家屋及び当該家屋の敷地の用に供されている土地等の譲渡をした場合には、次の表の左欄に掲げる規定中同表の中欄に掲げる字句は、それぞれ同表の右欄に掲げる字句として、5、6、第五節三の1から3、第五節四の1又は第七章十一の4の規定を適用する。（法附44の2⑥）

5の③	租税特別措置法第41条の5第7項第1号	東日本大震災の被災者等に係る国税関係法律の臨時特例に関する法律第11条の7第1項の規定により読み替えて適用される租税特別措置法第41条の5第7項第1号
	同法	租税特別措置法
	第36条の5	第36条の5（これらの規定が東日本大震災の被災者等に係る国税関係法律の臨時特例に関する法律第11条の7第1項の規定により適用される場合を含む。次条第1項第1号において同じ。）
6の③	租税特別措置法第41条の5の2第7項第1号	東日本大震災の被災者等に係る国税関係法律の臨時特例に関する法律第11条の7第1項の規定により読み替えて適用される租税特別措置法第41条の5の2第7項第1号
	同法	租税特別措置法
第五節三の1の①、②	第35条第1項	第35条第1項（東日本大震災の被災者等に係る国税関係法律の臨時特例に関する法律第11条の7第1項の規定により適用される場合を含む。）

	同法第31条第1項	租税特別措置法第31条第1項
第五節三の2の③	第35条の3まで、第36条の2、第36条の5	第34条の3まで、第35条（東日本大震災の被災者等に係る国税関係法律の臨時特例に関する法律第11条の7第1項の規定により適用される場合を含む。）、第35条の2、第35条の3、第36条の2若しくは第36条の5（これらの規定が東日本大震災の被災者等に係る国税関係法律の臨時特例に関する法律第11条の7第1項の規定により適用される場合を含む。）
第五節三の3	租税特別措置法第31条の3第1項	係る国税関係法律の臨時特例に関する法律第11条の7第1項の規定により適用される租税特別措置法第31条の3第1項
第五節四の1	第35条第1項	第35条第1項（東日本大震災の被災者等に係る国税関係法律の臨時特例に関する法律第11条の7第1項の規定により適用される場合を含む。）
	同法第32条第1項	租税特別措置法第32条第1項
第七章十一の4	第35条第1項	第35条第1項（東日本大震災の被災者等に係る国税関係法律の臨時特例に関する法律第11条の7第1項の規定により適用される場合を含む。）
	同法	租税特別措置法

　（警戒区域設定指示等により相続人が居住の用に供することができなくなった家屋等の譲渡）
（１）　その有していた家屋でその居住の用に供していたものが警戒区域設定指示等が行われた日において当該警戒区域設定指示等の対象区域内に所在し、当該警戒区域設定指示等が行われたことによりその居住の用に供することができなくなった市町村民税の所得割の納税義務者（以下（１）において「被相続人」という。）の相続人が、当該居住の用に供することができなくなった家屋又は当該家屋及び当該家屋の敷地の用に供されている土地等の譲渡をした場合における当該家屋及び当該家屋の敷地の用に供されている土地等（当該家屋及び当該家屋の敷地の用に供されている土地等のうちにその居住の用に供することができなくなった時の直前において当該家屋に居住していた者以外の者が所有していた部分があるときは、当該家屋及び当該家屋の敷地の用に供されている土地等のうち当該部分以外の部分に係るものに限る。以下（１）において同じ。）の譲渡については、当該相続人は、当該家屋を当該被相続人がその取得をした日として（５）で定める日から引き続き所有していたものと、当該直前において当該家屋の敷地の用に供されている土地等を所有していたものとそれぞれみなして、前項の規定により読み替えられた５、６、第五節三の１から３、第五節四の１又は第七章十一の４の規定を適用する。（法附44の２⑦）

　（東日本大震災により滅失した家屋の敷地の用に供されていた土地等を譲渡した場合の特例）
（２）　その有していた家屋でその居住の用に供していたものが東日本大震災により滅失（震災特例法第11条の7第4項に規定する滅失をいう。以下同じ。）をしたことによりその居住の用に供することができなくなった市町村民税の所得割の納税義務者が、当該滅失をした当該家屋の敷地の用に供されていた土地等の譲渡をした場合には、次の表の左欄に掲げる規定中同表の中欄に掲げる字句は、それぞれ同表の右欄に掲げる字句として、５、６、第四節二の２、第五節三の１から３まで、同節四の１から３まで又は第七章十一の４の規定を適用する。（法附44の２⑧）

5の③	租税特別措置法第41条の5第7項第1号	東日本大震災の被災者等に係る国税関係法律の臨時特例に関する法律第11条の7第4項の規定により読み替えて適用される租税特別措置法第41条の5第7項第1号
	同法	租税特別措置法
	第36条の5	第36条の5（これらの規定が東日本大震災の被災者等に係る国税関係法律の臨時特例に関する法律第11条の7第4項の規定により適用される場合を含む。次条第1項第1号において同じ。）
6の③	租税特別措置法第41条の5の2第7項第1号	東日本大震災の被災者等に係る国税関係法律の臨時特例に関する法律第11条の7第4項の規定により読み替えて適用される租税特別措置法第41条の5の2第7項第1号
	同法	租税特別措置法
第四節二の2	第31条の3	第31条の3（東日本大震災の被災者等に係る国税関係法律の臨時特例に関する

第三編第一章《個人の市町村民税》第二節《所得割の課税標準及びその計算》

①イの(ニ)ロ		法律第11条の7第4項の規定により適用される場合を含む。)
第五節三の1の①、②	第35条第1項	第35条第1項（東日本大震災の被災者等に係る国税関係法律の臨時特例に関する法律第11条の7第4項の規定により適用される場合を含む。)
	同法第31条第1項	租税特別措置法第31条第1項
第五節三の2の③	第35条の3まで、第36条の2、第36条の5	第34条の3まで、第35条（東日本大震災の被災者等に係る国税関係法律の臨時特例に関する法律第11条の7第4項の規定により適用される場合を含む。)、第35条の2、第35条の3、第36条の2若しくは第36条の5（これらの規定が東日本大震災の被災者等に係る国税関係法律の臨時特例に関する法律第11条の7第4項の規定により適用される場合を含む。)
第五節三の3	租税特別措置法第31条の3第1項	東日本大震災の被災者等に係る国税関係法律の臨時特例に関する法律第11条の7第4項の規定により適用される租税特別措置法第31条の3第1項
第五節四の1	第35条第1項	第35条第1項（東日本大震災の被災者等に係る国税関係法律の臨時特例に関する法律第11条の7第4項の規定により適用される場合を含む。)
	同法第32条第1項	租税特別措置法第32条第1項
第七章十一の4	第35条第1項	第35条第1項（東日本大震災の被災者等に係る国税関係法律の臨時特例に関する法律第11条の7第4項の規定により適用される場合を含む。)
	同法	租税特別措置法

　　　（相続人が滅失した旧家屋の敷地の用に供されていた土地等の譲渡をした場合）
（3）　その有していた家屋でその居住の用に供していたものが東日本大震災により滅失をしたことによりその居住の用に供することができなくなった市町村民税の所得割の納税義務者（以下（3）において「被相続人」という。）の相続人が、当該滅失をした旧家屋の敷地の用に供されていた土地等の譲渡をした場合における当該土地等（当該土地等のうちにその居住の用に供することができなくなった時の直前において旧家屋に居住していた者以外の者が所有していた部分があるときは、当該土地等のうち当該部分以外の部分に係るものに限る。以下（3）において同じ。）の譲渡については、当該相続人は、当該旧家屋を当該被相続人がその取得をした日として政令で定める日から引き続き所有していたものと、当該直前において当該旧家屋の敷地の用に供されていた土地等を所有していたものとそれぞれみなして、③の規定により読み替えられた5、6、第四節二の2、第五節三の1から3まで、同節四の1から3まで又は第七章十一の4の規定を適用する。（法附44の2⑨）

　　　（特例の適用要件）
（4）　④から（3）の規定は、これらの規定の適用を受けようとする年度分の第六節の1《市町村民税の申告書》の①又は③の規定による申告書（その提出期限後において市町村民税の納税通知書が送達される時までに提出されたもの及びその時までに提出された同2《確定申告書》の①の確定申告書を含む。）に、これらの規定の適用を受けようとする旨の記載があるとき（これらの申告書にその記載がないことについてやむを得ない理由があると市町村長が認めるときを含む。）に限り、適用する。（法附44の2⑩）

　　　（政令で定める日）
（5）　（1）及び（3）に規定する（5）で定める日は、（1）に規定する居住の用に供することができなくなった家屋又は（3）に規定する旧家屋（以下（5）において「居住不能家屋等」という。）を（1）又は（3）の被相続人がその取得（建設を含む。以下（5）において同じ。）をした日とする。ただし、当該居住不能家屋等が当該被相続人に係る次の各号に掲げる家屋に該当するものである場合には、当該各号に定める日とする。（令附27の2④）

(一)	交換により取得した家屋で所得税法第58条第1項の規定の適用を受けたもの	当該交換により譲渡をした家屋の取得をした日
(二)	昭和47年12月31日以前に所得税法の一部を改正する法律（昭和48年法律第8号）による改正前の所得税法第60条第1項各号に該当する贈与、相続、遺贈又	当該贈与をした者、当該相続に係る被相続人、当該遺贈に係る遺贈者又は当該譲渡をした者が当該家屋の取得をした日

	は譲渡により取得した家屋	
(三)	昭和48年1月1日以後に所得税法第60条第1項各号に該当する贈与、相続、遺贈又は譲渡により取得した家屋	当該贈与をした者、当該相続に係る被相続人、当該遺贈に係る遺贈者又は当該譲渡をした者が当該家屋の取得をした日

⑤ 東日本大震災に係る買換資産の取得期間等の延長の特例

　5の①の規定の適用を受ける市町村民税の所得割の納税義務者（平成22年1月1日から平成23年3月11日までの間に同③に規定する譲渡資産の譲渡をした者に限る。）が、東日本大震災に起因するやむを得ない事情により、同③に規定する買換資産を同③に規定する特定譲渡の日の属する年の前年1月1日から当該特定譲渡の日の属する年の翌年12月31日までの期間（以下④において「取得期間」という。）内に取得（同③に規定する取得をいう。以下④において同じ。）をすることが困難となった場合において、当該取得期間の初日から当該取得期間を経過した日以後2年以内の日で政令で定める日〔平成25年12月31日〕までの期間内に当該買換資産の取得をする見込みであり、かつ、注で定めるところにより市町村長の承認を受けたとき（震災特例法<u>第12条の2</u>第2項の税務署長の承認を受けたときを含む。）は、当該取得期間の初日から当該政令で定める日までの期間を取得期間とみなして、5の規定を適用する。（法附44の3③、令附27の3④）
　（注）⑤中＿＿部分「第12条の2」を「第12条」に改める令和6年度改正規定は、令和6年4月1日以後適用する。（令6改法附1）

（適用手続）
注　④に規定する市町村長の承認を受けようとする市町村民税の所得割の納税義務者は、平成24年3月15日までに、5の③に規定する特定譲渡をした同③に規定する譲渡資産について④の規定の適用を受けようとする旨、東日本大震災に起因するやむを得ない事情により同③に規定する買換資産の取得が困難であると認められる事情の詳細、取得をする予定の当該買換資産についての取得予定年月日及びその取得価額の見積額その他の明細を記載した申請書に、東日本大震災に起因するやむを得ない事情により同③に規定する買換資産の取得が困難であると認められる事情を証する書類を添付して、④に規定する市町村長に提出しなければならない。ただし、市町村長においてやむを得ない事情があると認める場合には、当該書類を添付することを要しない。（規附22の2④）

四　給与所得者の特定支出の控除の特例

　前年分の所得税につき納税義務を負わない所得割の納税義務者について、前年中の所得税法第57条の2《給与所得者の特定支出の控除の特例》第2項に規定する特定支出の額の合計額が同法第28条第2項に規定する給与所得控除額の2分の1に相当する金額を超える場合には、四の規定の適用を受ける旨及び当該特定支出の額の合計額を記載した第六節1の①の規定による申告書（同④の（1）《前年前3年内に生じた居住用財産の買換え等の場合の通算後譲渡損失の金額の繰越控除の適用がある場合の読替え》又は（3）《前年前3年内に生じた特定居住用財産の通算後譲渡損失の金額の繰越控除の適用がある場合の読替え》の規定により読み替えて適用される同④の規定、第五節五の4の②のロ《前年前3年内に生じた上場株式等に係る譲渡損失の繰越控除の適用がある場合の準用》において準用する第六節1の④の規定、第五節六の5において準用する第六節1の④の規定及び第五節七の2の③において準用する第六節1の④の規定による申告書を含む。）が、当該特定支出に関する明細書その他の注で定める必要な書類を添付して提出されているときに限り、同法第57条の2第1項の規定の例により、当該納税義務者の給与所得の計算上当該超える部分の金額を控除するものとする。（法313⑪、令附4㉒、4の2㉑、18の5㉖、18の6㉝、18の7の2⑰）

（添付書類）
注　四に規定する必要な書類は、次の各号に掲げるものとする。（規1の12）
　（一）　所得税法施行令第167条の4《特定支出に関する明細書の記載事項》に掲げる事項を記載した特定支出に関する明細書
　（二）　所得税法施行令第167条の5《特定支出の支出等を証する書類》に規定する書類

五　特定配当等及び特定株式等譲渡所得金額

1　特定配当等に係る所得の総所得金額からの除外

　特定配当等に係る所得を有する者に係る総所得金額は、当該特定配当等に係る所得の金額を除外して算定するものとす

る。(法313⑫)
> (注)　「特定配当等」については、第二編第三章第一節一の1《用語の意義》の(五)を参照。(編者)

2　特定配当等に係る所得を申告したときの総所得金額除外の不適用

1の規定は、前年分の所得税に係る第六節の2の①に規定する確定申告書に特定配当等に係る所得の明細に関する事項その他注で定める事項の記載があるときは、当該特定配当等に係る所得の金額については、適用しない。(法313⑬)

> (総務省令で定める事項)
> 注　2に規定する注で定める事項は、次の各号に掲げるものとする。(規1の12の2①)
> (一)　第四節二の5《配当割額又は株式等譲渡所得割額の控除》の規定により所得割額から控除する配当割額
> (二)　その他参考となるべき事項
>> (注)　(一)に掲げる事項は、第六節2の③の確定申告書に付記しなければならない事項とする。(規1の12の2②)

3　特定株式等譲渡所得金額に係る所得の総所得金額からの除外

特定株式等譲渡所得金額に係る所得を有する者に係る総所得金額は、当該特定株式等譲渡所得金額に係る所得の金額を除外して算定するものとする。(法313⑭)

> (注)　「特定株式等譲渡所得金額」については、第二編第三章第一節一の1の(六)を参照。(編者)

4　特定株式等譲渡所得金額に係る所得を申告したときの総所得金額除外の不適用

3の規定は、前年分の所得税に係る第六節の2の①に規定する確定申告書に特定株式等譲渡所得金額に係る所得の明細に関する事項その他注で定める事項の記載があるときは、当該特定株式等譲渡所得金額に係る所得の金額については、適用しない。(法313⑮)

> (総務省令で定める事項)
> 注　4に規定する注で定める事項は、次の各号に掲げるものとする。(規1の12の3①)
> (一)　第四節二の5の規定により所得割額から控除する株式等譲渡所得割額
> (二)　その他参考となるべき事項
>> (注)　(一)に掲げる事項は、第六節2の③の確定申告書に付記しなければならない事項とする。(規1の12の3②)

六　特定非常災害発生年純損失金額又は被災純損失金額を有する場合の特例

1　特定非常災害発生年純損失金額又は被災純損失金額を有する場合の特例適用の要件

所得割の納税義務者のうち次に掲げる要件のいずれかを満たす者(特定非常災害の被害者の権利利益の保全等を図るための特別措置に関する法律第2条第1項の規定により特定非常災害として指定された非常災害(5において「特定非常災害」という。)に係る同条第1項の特定非常災害発生日の属する年(以下1及び2において「特定非常災害発生年」という。)の年分の所得税につき青色申告書を提出している者に限る。)が特定非常災害発生年純損失金額(その者の当該特定非常災害発生年において生じた三の1の純損失の金額をいう。)又は被災純損失金額(所得税法第70条の2第4項第1号に規定する被災純損失金額をいい、当該特定非常災害発生年において生じたものを除く。以下1において同じ。)を有する場合には、当該特定非常災害発生年純損失金額又は当該被災純損失金額の生じた年の末日の属する年度の翌々年度以後5年度内の各年度分の個人の市町村民税に係る地方税法第313条の規定の適用については、三の1中「純損失の金額(」とあるのは「純損失の金額で特定非常災害発生年純損失金額(六の1に規定する特定非常災害発生年純損失金額をいう。以下1において同じ。)及び被災純損失金額(六の1に規定する被災純損失金額をいう。2において同じ。)以外のもの(」と、「を除く。)」とあるのは「を除く。)並びに当該納税義務者の前年前5年間において生じた特定非常災害発生年純損失金額(1の規定により前年前において控除されたものを除く。)」と、三の2中「純損失の金額」とあるのは「純損失の金額で被災純損失金額以外のもの」と、「で政令で定めるもの」とあるのは「で政令で定めるもの及び当該納税義務者の前年前5年内において生じた被災純損失金額(2の規定により前年前において控除されたものを除く。)」とする。(法314①)

(一)　事業資産特定災害損失額(所得税法第70条の2第4項第2号に規定する事業資産特定災害損失額をいう。)の当該納税義務者の有する事業用固定資産(同項第3号に規定する事業用固定資産をいう。(二)において同じ。)でその者の営む事業所得を生ずべき事業の用に供されるものの価額として注で定める金額に相当する金額の合計額のうちに占める割合が10分の1以上であること。

(二) 不動産等特定災害損失額（所得税法第70条の2第4項第4号に規定する不動産等特定災害損失額をいう。）の当該納税義務者の有する事業用固定資産でその者の営む不動産所得又は山林所得を生ずべき事業の用に供されるものの価額として注で定める金額に相当する金額の合計額のうちに占める割合が10分の1以上であること。

（政令で定める金額）
注　1の各号に規定する注で定める金額は、次の各号に掲げる資産の区分に応じ当該各号に定める金額とする。（令48の5の4①、7の12①）
(一) 固定資産（所得税法第2条第1項第18号に規定する固定資産をいう。）　1に規定する特定非常災害（（二）において「特定非常災害」という。）による損失が生じた日にその資産の譲渡があったものとみなして所得税法第38条第1項又は第2項の規定を適用した場合にその資産の取得費とされる金額に相当する金額
(二) 繰延資産（所得税法第2条第1項第20号に規定する繰延資産をいう。）　その繰延資産の額からその償却費として同法第50条の規定により特定非常災害による損失が生じた日の属する年の前年以前の各年分の不動産所得の金額、事業所得の金額又は山林所得の金額の計算上必要経費に算入される金額の累積額を控除した金額

2　特定非常災害発生年特定純損失金額又は被災純損失金額を有する場合の読替規定

所得割の納税義務者のうち1の各号に掲げる要件のいずれかを満たす者（1の規定の適用を受ける者を除く。）が特定非常災害発生年特定純損失金額（所得税法第70条の2第4項第5号に規定する特定非常災害発生年特定純損失金額をいう。）又は被災純損失金額（同条第4項第1号に規定する被災純損失金額をいい、特定非常災害発生年において生じたものを除く。以下2において同じ。）を有する場合には、当該特定非常災害発生年特定純損失金額又は当該被災純損失金額の生じた年の末日の属する年度の翌々年度以後5年度内の各年度分の個人の市町村民税に係る地方税法第313条の規定の適用については、三の1中「純損失の金額（」とあるのは「純損失の金額で被災純損失金額（六の2に規定する被災純損失金額をいう。2において同じ。）以外のもの（」と、三の2中「純損失の金額（1」とあるのは「純損失の金額で特定非常災害発生年特定純損失金額（六の2に規定する特定非常災害発生年特定純損失金額をいう。以下2において同じ。）及び被災純損失金額以外のもの（1」と、「で政令で定めるもの」とあるのは「で政令で定めるもの並びに当該納税義務者の前年前5年内において生じた特定非常災害発生年特定純損失金額（2の規定により前年前において控除されたものを除く。）及び被災純損失金額（2の規定により前年前において控除されたものを除く。）」とする。（法314②）

3　所得割の納税義務者が被災純損失金額を有する場合の読替規定

所得割の納税義務者（1及び2の規定の適用を受ける者を除く。）が被災純損失金額（所得税法第70条の2第4項第1号に規定する被災純損失金額をいう。以下3において同じ。）を有する場合には、当該被災純損失金額の生じた年の末日の属する年度の翌々年度以後5年度内の各年度分の個人の市町村民税に係る地方税法第313条の規定の適用については、三の1中「純損失の金額（」とあるのは「純損失の金額で被災純損失金額（六の3に規定する被災純損失金額をいう。2において同じ。）以外のもの（」と、三の2中「純損失の金額」とあるのは「純損失の金額で被災純損失金額以外のもの」と、「で政令で定めるもの」とあるのは「で政令で定めるもの及び当該納税義務者の前年前5年内において生じた被災純損失金額（3の規定により前年前において控除されたものを除く。）」とする。（法314③）

4　所得割の納税義務者が特定雑損失金額を有する場合の読替規定

所得割の納税義務者が特定雑損失金額を有する場合には、当該特定雑損失金額の生じた年の末日の属する年度の翌々年度以後5年度内の各年度分の個人の市町村民税に係る地方税法第313条の規定の適用については、三の2中「金額をいい、」とあるのは「金額をいう。）で特定雑損失金額（六の4に規定する特定雑損失金額をいう。以下2において同じ。）以外のもの（」と、「同条第1項」とあるのは「第314条の2第1項」と、「除く。）は」とあるのは「除く。）及び当該納税義務者の前年前5年内において生じた特定雑損失金額（2又は第三節一の規定により前年前において控除されたものを除く。）は」とする。（法314④）

5　特定雑損失金額の意義

4に規定する特定雑損失金額とは、雑損失の金額のうち、納税義務者又はその者と生計を一にする配偶者その他の親族で（1）で定めるものの有する第三節一の1に規定する資産について特定非常災害により生じた損失の金額（当該特定非常災害に関連するやむを得ない支出で（2）で定めるものの金額を含み、保険金、損害賠償金その他これらに類するものにより埋められた部分の金額を除く。）に係るものをいう。（法314⑤）

(読替規定)
（１）　地方税法施行令第48条の６の規定は、５に規定する（１）で定める親族について準用する。この場合において、地方税法施行令第48条の６第１項中「納税義務者の」とあるのは「納税義務者と生計を一にする」と、「する。」とあるのは「する。この場合において、納税義務者と生計を一にする配偶者その他の親族に該当するかどうかの判定は、地方税法第314条第５項の特定非常災害が発生した日の現況による。」と、地方税法施行令第48条の６第２項中「第314条の２第１項（第１号に係る部分に限る。）」とあるのは「第314条第４項」と読み替えるものとする。（令48の５の４②）

(やむを得ない支出で政令で定めるもの)
（１）　５に規定するやむを得ない支出で（２）で定めるものは、地方税法施行令第48条の６の２第１項第１号から第３号までに掲げる支出とする。（令48の５の４③）

第三節　所得控除

一　所得控除額

市町村は、所得割の納税義務者が次の各項の表の左欄に掲げる者に該当する場合には、それぞれ当該各項の表の右欄に定める金額をその者の前年の所得について算定した総所得金額等、退職所得金額又は山林所得金額から控除するものとする。（法314の２①、法附33の２⑦三、33の３⑦三、34⑥三、35⑧三、35の２⑩三、35の４⑤三、平20改法附８⑱）

（注）　上記の総所得金額等に含める上場株式等に係る配当所得の金額は、第五節五の４《上場株式等に係る譲渡損失の損益通算及び繰越控除》の①又は②の適用後の金額とし、株式等に係る譲渡所得等の金額は、第五節五の４の②《上場株式等に係る譲渡損失の繰越控除》及び同節六の２の①《特定株式に係る譲渡損失の繰越控除》の適用後の金額とし、先物取引に係る雑所得等の金額は、同節七の２《先物取引の差金等決済に係る損失の繰越控除》の適用後の金額とする。（令附18の５㉒、㉔、18の６㉛、18の７の２⑮）

1　雑損控除額

次の規定によって控除すべき金額を雑損控除額という。（法314の２①一、⑥、令48の６①、令附16の２の11②、16の３⑥、17④、17の３⑧、18⑩、18の５⑯⑱、18の６㉛、18の７⑥、18の７の２⑮）

前年中に災害又は盗難若しくは横領（以下１において「災害等」という。）により自己又は自己と生計を一にする配偶者その他の親族で前年の総所得金額等、退職所得金額及び山林所得金額の合計額が48万円以下であるものの有する資産（被災事業用資産『第二節三の３』及び生活に通常必要でない資産として（２）で定める資産を除く。）について損失を受けた場合（当該災害等に関連して（３）で定めるやむを得ない支出をした場合を含む。）において、当該損失の金額（当該支出をした金額を含み、保険金、損害賠償金その他これらに類するものにより埋められた部分の金額を除く。以下１において「損失の金額」という。）の合計額が、次に掲げる場合の区分に応じ、それぞれ次に定める金額を超える所得割の納税義務者 イ　損失の金額に含まれる災害関連支出の金額（損失の金額のうち災害に直接関連して支出をした金額として（４）で定める金額をいう。以下１において同じ。）が５万円以下である場合（災害関連支出の金額がない場合を含む。）　　当該納税義務者の前年の総所得金額等、退職所得金額及び山林所得金額の合計額の10分の１に相当する金額 ロ　損失の金額に含まれる災害関連支出の金額が５万円を超える場合　　損失の金額の合計額から災害関連支出の金額のうち５万円を超える部分の金額を控除した金額とイに定める金額とのいずれか低い金額 ハ　損失の金額が全て災害関連支出の金額である場合　　５万円とイに定める金額とのいずれか低い金額	左欄に掲げる場合の区分に応じ、それぞれ左欄に定める金額を超える場合におけるその超える金額

（注）　東日本大震災に係る雑損控除の特例については、15を参照。（編者）

(親族と生計を一にする所得割の納税義務者が２人以上ある場合)
（１）　１に規定する親族と生計を一にする所得割の納税義務者が２人以上ある場合における１の規定の適用については、

当該親族は、これらの納税義務者のうちいずれか一の納税義務者の親族にのみ該当するものとし、その親族がいずれの納税義務者の親族に該当するかについては、次の各号に掲げる場合の区分に応じ、当該各号に定める所得割の納税義務者の親族とする。(令48の6②、令附16の2の11②、16の3⑥、17④、17の3⑧、18⑩、18の5⑯⑱、18の6㉛、18の7⑥、18の7の2⑮、平20改令附7⑨⑭)
イ　その親族が同一生計配偶者又は扶養親族に該当する場合　その者を自己の同一生計配偶者又は扶養親族としている所得割の納税義務者
ロ　その親族が同一生計配偶者又は扶養親族に該当しない場合　次の(イ)又は(ロ)に掲げる場合の区分に応じ、それぞれ(イ)又は(ロ)に定める所得割の納税義務者
　(イ)　その親族が配偶者に該当する場合　その夫又は妻である所得割の納税義務者
　(ロ)　その親族が配偶者以外の親族に該当する場合　これらの納税義務者のうち前年の総所得金額、退職所得金額及び山林所得金額の合計額が最も大きいもの

　　(生活に通常必要でない資産の範囲)
(2)　1の「生活に通常必要でない資産」は、次に掲げる資産とする。(令48の7②、7の13の2)
イ　競走馬(その規模、収益の状況その他の事情に照らし事業と認められるものの用に供されるものを除く。)その他射こう的行為の手段となる動産
ロ　通常自己及び自己と生計を一にする親族が居住の用に供しない家屋で主として趣味、娯楽又は保養の用に供する目的で所有するものその他主として趣味、娯楽、保養又は鑑賞の目的で所有する資産(イ又はハに掲げる動産を除く。)
ハ　生活の用に供する動産で所得税法施行令第25条《譲渡所得について非課税とされる生活用動産の範囲》の規定に該当しないもの

　　(雑損控除額の控除の対象となるやむを得ない支出)
(3)　1に規定する「やむを得ない支出」は、次に掲げる支出とする。(令48の6の2①)
イ　災害により1に規定する資産(以下(3)において「住宅家財等」という。)が滅失し、損壊し、又はその価値が減少したことによる当該住宅家財等の取壊し又は除去のための支出その他の災害に付随する支出
ロ　災害により住宅家財等が損壊し、又はその価値が減少した場合その他災害により当該住宅家財等を使用することが困難となった場合において、その災害のやんだ日の翌日から1年を経過する日(大規模な災害の場合その他やむを得ない事情がある場合には、3年を経過する日)までにした次に掲げる支出その他これらに類する支出
　(イ)　災害により生じた土砂その他の障害物を除去するための支出
　(ロ)　当該住宅家財等の原状回復のための支出(当該災害により生じた当該住宅家財等の(5)の規定により計算される損失の金額に相当する部分の支出を除く。ニにおいて同じ。)
　(ハ)　当該住宅家財等の損壊又はその価値の減少を防止するための支出
ハ　災害により住宅家財等につき現に被害が生じ、又はまさに被害が生ずるおそれがあると見込まれる場合において、当該住宅家財等に係る被害の拡大又は発生を防止するため緊急に必要な措置を講ずるための支出
ニ　盗難又は横領による損失が生じた住宅家財等の原状回復のための支出その他これに類する支出

　　(災害に直接関連して支出した金額)
(4)　1のイに規定する災害に直接関連して支出した金額は、前年中における(3)のイからハまでに掲げる支出の金額(保険金、損害賠償金その他これらに類するものにより埋められた部分の金額を除く。)とする。(令48の6の2②)

　　(雑損控除額の控除の対象となる雑損失の金額の計算)
(5)　1の規定を適用する場合において、1に規定する資産について受けた損失の金額は、当該損失を生じた時の直前におけるその資産の価額(その資産が次の各号に掲げる資産である場合には、当該価額又は当該各号に掲げる資産の区分に応じ当該各号に定める金額)を基礎として計算するものとする。(令48の7①、令7の13の4①)
(一)　所得税法第38条第2項に規定する資産((二)及び(三)に掲げるものを除く。)　当該損失の生じた日にその資産の譲渡があったものとみなして同項の規定(その資産が次に掲げる資産である場合には、次に掲げる資産の区分に応じそれぞれ次に定める規定)を適用した場合にその資産の取得費とされる金額に相当する金額
　イ　昭和27年12月31日以前から引き続き所有していた資産　所得税法第61条第3項の規定
　ロ　所得税法第60条第1項第1号に掲げる相続又は遺贈により取得した配偶者居住権の目的となっている建物

同条第2項の規定
　　ハ　所得税法第60条第1項第1号に掲げる相続又は遺贈により取得した配偶者居住権を有する者がその後において取得した当該配偶者居住権の目的となっていた建物　　所得税法施行令第169条の2第7項の規定
　（二）　所得税法第60条第1項第1号に掲げる相続又は遺贈により取得した配偶者居住権　　当該損失の生じた日に当該配偶者居住権の消滅があったものとみなして同条第3項の規定を適用した場合に当該配偶者居住権の取得費とされる金額に相当する金額
　（三）　所得税法第60条第1項第1号に掲げる相続又は遺贈により取得した配偶者居住権の目的となっている建物の敷地の用に供される土地（土地の上に存する権利を含む。）を当該配偶者居住権に基づき使用する権利　　当該損失の生じた日に当該権利の消滅があったものとみなして同条第3項の規定を適用した場合に当該権利の取得費とされる金額に相当する金額

　　（特定非常災害により生じた損失の金額と他の損失金額とがある場合）
（6）　その年において生じた1に規定する損失の金額のうちに第二節六の5に規定する特定非常災害により生じた損失の金額（以下（6）において「特定非常災害により生じた損失の金額」という。）と他の損失金額（当該特定非常災害により生じた損失の金額以外の1に規定する損失の金額をいう。）とがある場合におけるその年において生じた雑損失の金額は、当該特定非常災害により生じた損失の金額から順次成るものとする。（令48の7①、7の13の4②）

　　（雑損失の金額のうちに特定雑損失金額と他の雑損失金額とがある場合）
（7）　（6）の場合において、雑損失の金額のうちに特定雑損失金額と他の雑損失金額とがあるときは、一の規定による控除については、当該他の雑損失金額から順次控除する。（令48の7①、7の13の4③）

　　（配当所得について源泉分離課税を選択した場合の留意事項）
（8）　第二節二の1の（4）《青色事業専従者給与の取扱い》又は同節三の1の（6）《純損失の繰越控除を行う理由》の適用があること等によって所得割の総所得金額等、退職所得金額又は山林所得金額が、所得税の総所得金額等、退職所得金額又は山林所得金額と異なる場合は、1の雑損控除額及び2の医療費控除額についても所得税の控除額と異なることに留意すること。（市通2－18）

　　（所得税の災害減免の適用を受けた場合の雑損控除）
（9）　所得割の納税義務者が災害を受けた場合において、所得税について、災害被害者に対する租税の減免、徴収猶予等に関する法律の規定による減免を受けた場合においても雑損控除を行うものであること。（市通2－19）

　　（令和6年能登半島地震災害に係る雑損控除額等の特例）
（10）　市町村は、所得割の納税義務者の選択により、令和6年能登半島地震災害（令和6年1月1日に発生した令和6年能登半島地震による災害をいう。以下（10）において同じ。）により1に規定する資産について受けた損失の金額（令和6年能登半島地震災害に関連するやむを得ない支出で（11）で定めるもの（以下（10）において「災害関連支出」という。）の金額を含み、保険金、損害賠償金その他これらに類するものにより埋められた部分の金額を除く。以下（10）において「特例損失金額」という。）がある場合には、特例損失金額（災害関連支出がある場合には、（12）に規定する申告書の提出の日の前日までに支出したものに限る。以下（10）において「損失対象金額」という。）について、令和5年において生じた1に規定する損失の金額として、第二節三の2（第二節六の4の規定により読み替えて適用する場合を含む。）及び一の規定を適用することができる。この場合において、これらの規定により控除された金額に係る当該損失対象金額は、その者の令和7年度以後の年度分で当該損失対象金額が生じた年の末日の属する年度の翌年度分の個人の市町村民税に関する規定の適用については、当該損失対象金額が生じた年において生じなかったものとみなす。（法附4の4④）

　　（令和6年能登半島地震災害に係る雑損控除額の特例の対象となる雑損失の範囲等）
（11）　（10）に規定するやむを得ない支出で（11）で定めるものは、（3）のイからハまでに掲げる支出とする。（令附4の5④）

　　（記載要件）
（12）　（11）の規定は、令和6年度分の第六節の1の①又は同③の規定による申告書（その提出期限後において市町村民

税の納税通知書が送達される時までに提出されたもの及びその時までに提出された第六節の2の①の確定申告書を含む。）に(10)の規定の適用を受けようとする旨の記載がある場合（これらの申告書にその記載がないことについてやむを得ない理由があると市町村長が認める場合を含む。）に限り、適用する。（法附4の4⑤）

　　　（読替規定）
(13)　(10)の規定により一の規定が適用される場合における(4)の規定の適用については、(4)中「支出」とあるのは、「支出（(12)に規定する申告書の提出の日の前日までにしたものに限る。）」とする。（令附4の5⑤）

　　　（準用規定）
(14)　(5)の規定は、(10)に規定する特例損失金額を計算する場合について準用する。（令附4の5⑥）

　　　（みなし規定）
(15)　市町村民税の所得割の納税義務者が(10)の規定の適用を受けた場合において、一の規定の適用により控除された金額に係る(10)に規定する損失対象金額のうちにその者と生計を一にする1に規定する親族の有する(10)に規定する資産について受けた損失の金額（以下(15)において「親族資産損失額」という。）があるときは、当該親族資産損失額は、当該親族の令和7年度以後の年度分で当該親族資産損失額が生じた年の末日の属する年度の翌年度分の個人の市町村民税に関する規定の適用については、当該親族資産損失額が生じた年において生じなかったものとみなす。（令附4の6②）

2　医療費控除額

次の規定により控除すべき金額を医療費控除額という。（法314の2①二、⑥、法附33の2⑦三、33の3⑦三、34⑥三、35⑧三、35の2⑧三、35の4⑤三）

前年中に自己又は自己と生計を一にする配偶者その他の親族に係る医療費（医師又は歯科医師による診療又は治療、治療又は療養に必要な医薬品の購入その他医療又はこれに関連する人的役務の提供の対価のうち通常必要であると認められるものをいう。）を支払い、その支払った医療費の金額（保険金、損害賠償金その他これらに類するものにより埋められた部分の金額を除く。）の合計額が、前年の総所得金額等、退職所得金額及び山林所得金額の合計額の100分の5に相当する金額（その金額が10万円を超える場合には、10万円）を超える所得割の納税義務者	その超える金額（その金額が200万円を超える場合には、200万円）

　　　（医療費の範囲）
（1）　医療費とは、医師又は歯科医師による診療又は治療、治療又は療養に必要な医薬品の購入その他医療又はこれに関連する人的役務の提供の対価のうち通常必要であると認められる次に掲げるものの対価のうち、その病状その他総務省令で定める状況に応じて一般的に支出される水準を著しく超えない部分の金額とする。（令48の7②、7の14）
　　イ　医師又は歯科医師による診療又は治療
　　ロ　治療又は療養に必要な医薬品の購入
　　ハ　病院、診療所（これに準ずるものとして総務省令で定めるものを含む。）又は助産所へ収容されるための人的役務の提供
　　ニ　あん摩マッサージ指圧師、はり師、きゅう師等に関する法律第3条の2に規定する施術者（同法第12条の2第1項の規定に該当する者を含む。）又は柔道整復師法第2条第1項に規定する柔道整復師による施術
　　ホ　保健師、看護師又は准看護師による療養上の世話
　　ヘ　助産師による分娩の介助
　　ト　介護福祉士による社会福祉士及び介護福祉士法第2条第2項に規定する喀痰吸引等又は同法附則第10条第1項に規定する認定特定行為業務従事者による同項に規定する特定行為

　　　（総務省令で定める状況）
（2）　(1)に規定する総務省令で定める状況は、次に掲げる状況とする。（規1の13①）
　　（一）　指定介護老人福祉施設（介護保険法第48条第1項第1号に規定する指定介護老人福祉施設をいう。(3)において同じ。）及び指定地域密着型介護老人福祉施設（同法第42条の2第1項に規定する指定地域密着型サービスに該当する同法第8条22項に規定する地域密着型介護老人福祉施設入所者生活介護の事業を行う同項に規定する地域密

着型介護福祉施設をいう。(3)において同じ。)における(1)各号に掲げるものの提供の状況
　(二)　高齢者の医療の確保に関する法律第18条第1項に規定する特定健康診査の結果に基づき同項に規定する特定保健指導(当該特定健康診査を行った医師の指示に基づき行われる積極的支援(特定健康診査及び特定保健指導の実施に関する基準(平成19年厚生労働省令第157号。以下(二)において「実施基準」という。)第8条第1項に規定する積極的支援をいう。)により行われるものに限る。)を受ける者のうちその結果が次のいずれかの基準に該当する者のその状態
　　イ　実施基準第1条第1項第5号に掲げる血圧の測定の結果が高血圧症と同等の状態であると認められる基準
　　ロ　実施基準第1条第1項第7号に規定する血中脂質検査の結果が脂質異常症と同等の状態であると認められる基準
　　ハ　実施基準第1条第1項第8号に掲げる血糖検査の結果が糖尿病と同等の状態であると認められる基準

　　(診療所に準ずるものとして総務省令で定めるもの)
(3)　(1)のハに規定する総務省令で定めるものは、指定介護老人福祉施設及び指定地域密着型介護老人福祉施設とする。(規1の13②)

　　(特定一般用医薬品等購入費を支払った場合の医療費控除の特例)
(4)　市町村は、平成30年度から令和9年度までの各年度分の個人の市町村民税に限り、医療保険各法等の規定により療養の給付として支給される薬剤との代替性が特に高い一般用医薬品等及びその使用による医療保険療養給付費の適正化の効果が著しく高いと認められる一般用医薬品等の使用を推進する観点から、所得割の納税義務者が前年中に自己又は自己と生計を一にする配偶者その他の親族に係る特定一般用医薬品等購入費(租税特別措置法第41条の17第1項《特定一般用医薬品等購入費を支払った場合の医療費控除の特例》に規定する特定一般用医薬品等購入費をいう。)を支払った場合において当該所得割の納税義務者が前年中に健康の保持増進及び疾病の予防への取組として(5)で定める取組を行っているときにおける前年の総所得金額、退職所得金額及び山林所得金額に係る2の規定による控除については、その者の選択により、同号中「前年中」とあるのは「前年(平成29年から令和8年までの各年に限る。)中」と、「医療費(医師又は歯科医師による診療又は治療、治療又は療養に必要な医薬品の購入その他医療又はこれに関連する人的役務の提供の対価のうち通常必要であると認められるもの」とあるのは「特定一般用医薬品等購入費(租税特別措置法第41条の17第1項《特定一般用医薬品等購入費を支払った場合の医療費控除の特例》に規定する特定一般用医薬品等購入費」と、「医療費の」とあるのは「特定一般用医薬品等購入費の」と、「前年の総所得金額、退職所得金額及び山林所得金額の合計額の100分の5に相当する金額(その金額が10万円を超える場合には、10万円)」とあるのは「12,000円」と、「200万円」とあるのは「88,000円」として、2の規定を適用することができる。(法附4の4③)

　　(政令で定める事項)
(5)　(4)に規定する(5)で定める取組は、租税特別措置法施行令第26条の27の2第1項《特定一般用医薬品等購入費を支払った場合の医療費控除の特例》に規定する取組とする。(令附4の5②)

3　社会保険料控除額

次の規定により控除すべき金額を社会保険料控除額という。(法314の2①三、⑥)

前年中に自己又は自己と生計を一にする配偶者その他の親族の負担すべき社会保険料(所得税法第74条第2項《社会保険料の定義》に規定する社会保険料(租税特別措置法第41条の7第2項において社会保険料とみなされる金銭の額を含む。)を支払った、又は給与から控除される所得割の納税義務者	その支払った、又は給与から控除される金額

4　小規模企業共済等掛金控除額

次の規定により控除すべき金額を小規模企業共済等掛金控除額という。(法314の2①四、⑥)

前年中に次に掲げる掛金を支払った所得割の納税義務者 イ　小規模企業共済法第2条第2項に規定する共済契約((1)で定めるものを除く。)に基づく掛金 ロ　確定拠出年金法第3条第3項第7号の2に規定する企業型年金加入者掛金又は同法第55条第2項第4号に規定する個人型年金加入者掛金	その支払った金額の合計額

ハ	条例の規定により地方公共団体が精神又は身体に障害のある者に関して実施する共済制度で(２)に掲げる心身障害者共済制度に係る契約に基づく掛金

（小規模企業共済等掛金控除額の控除の対象とならない共済契約）
（１）　４のイに規定する共済契約は、小規模企業共済法及び中小企業事業団法の一部を改正する法律（平成７年法律第44号）附則第５条第１項の規定により読み替えられた小規模企業共済法第９条第１項各号に掲げる事由により共済金が支給されることとなる契約とする。（令48の７②、７の14の２）

（小規模企業共済等掛金控除額の控除の対象となる心身障害者共済制度に係る契約の範囲）
（２）　４のハの心身障害者共済制度は、地方公共団体の条例において精神又は身体に障害のある者（以下この（２）において「心身障害者」という。）を扶養する者を加入者とし、その加入者が地方公共団体に掛金を納付し、当該地方公共団体が心身障害者の扶養のための給付金を定期に支給することを定めている制度（脱退一時金（加入者が当該制度から脱退する場合に支給される一時金をいう。）の支給に係る部分を除く。）で、次に掲げる要件を備えているものとする。（令48の７②、７の14の３）
（イ）　心身障害者の扶養のための給付金（その給付金の支給開始前に心身障害者が死亡した場合に加入者に対して支給される弔慰金を含む。）のみを支給するものであること。
（ロ）　（イ）の給付金の額は、心身障害者の生活のために通常必要とされる費用を満たす金額（（イ）の弔慰金にあっては、掛金の累積額に比して相当と認められる金額）を超えず、かつ、その額について、特定の者につき不当に差別的な取扱いをしないこと。
（ハ）　（イ）の給付金（（イ）の弔慰金を除く。（ニ）において同じ。）の支給は、加入者の死亡、重度の障害その他地方公共団体の長が認定した特別の事故を原因として開始されるものであること。
（ニ）　（イ）の給付金の受取人は、心身障害者又は（ハ）の事故発生後において心身障害者を扶養する者とするものであること。
（ホ）　（イ）の給付金に関する経理は、他の経理と区分して行い、かつ、掛金その他の資金が銀行その他の金融機関に対する運用の委託、生命保険への加入その他これらに準ずる方法を通じて確実に運用されるものであること。

5　生命保険料控除額

①　平成25年度以後の年度分に適用される生命保険料控除

次の規定によって控除すべき金額を生命保険料控除という。（法314の２①五、⑥）

前年中に**イ**に規定する新生命保険料若しくは旧生命保険料、**ロ**に規定する介護医療保険料又は**ハ**に規定する新個人年金保険料若しくは旧個人年金保険料を支払った所得割の納税義務者		次のイからハまでに掲げる場合の区分に応じ、それぞれイからハまでに定める金額の合計額（当該合計額が７万円を超える場合には、７万円）	
イ	新生命保険契約等に係る保険料若しくは掛金（②の(一)のイからハまでに掲げる契約に係るものにあっては生存又は死亡に基因して一定額の保険金、共済金その他の給付金（以下①及び②において「保険金等」という。）を支払うことを約する部分（ハにおいて「生存死亡部分」という。）に係るものその他（２）で定めるものに限るものとし、ロに規定する介護医療保険料及びハに規定する新個人年金保険料を除く。以下イ及びロにおいて「新生命保険料」という。）又	イ	次に掲げる場合の区分に応じ、それぞれ次に定める金額 （イ）　新生命保険料を支払った場合（（ハ）に掲げる場合を除く。）　次に掲げる場合の区分に応じ、それぞれ次に定める金額 （ⅰ）　前年中に支払った新生命保険料の金額の合計（前年中において新生命保険契約等に基づく剰余金の分配若しくは割戻金の割戻しを受け、又は新生命保険契約等に基づき分配を受ける剰余金若しくは割戻しを受ける割戻金をもって新生命保険料の払込みに充てた場合には、当該剰余金又は割戻金の額（新生命保険料に係る部分の金額として（４）で定めるところにより計算した金額に限る。）を控除した残額。以下（イ）及び（ハ）（ⅰ）において同じ。）が12,000円以下である場合　　当該合計額 （ⅱ）　前年中に支払った新生命保険料の金額の合計額が12,000円を超え32,000円以下である場合　　12,000円と当該合計額から12,000円	

	は旧生命保険契約等に係る保険料若しくは掛金（ハに規定する旧個人年金保険料その他（3）で定めるものを除く。以下イにおいて「旧生命保険料」という。）を支払った場合		を控除した金額の2分の1に相当する金額との合計額 （ⅲ）　前年中に支払った新生命保険料の金額の合計額が32,000円を超え56,000円以下である場合　　22,000円と当該合計額から32,000円を控除した金額の4分の1に相当する金額との合計額 （ⅳ）　前年中に支払った新生命保険料の金額の合計額が56,000円を超える場合　　28,000円 （ロ）　旧生命保険料を支払った場合（（ハ）に掲げる場合を除く。）　　次に掲げる場合の区分に応じ、それぞれ次に定める金額 （ⅰ）　前年中に支払った旧生命保険料の金額の合計額（前年中において旧生命保険契約等に基づく剰余金の分配若しくは割戻金の割戻しを受け、又は旧生命保険契約等に基づき分配を受ける剰余金若しくは割戻しを受ける割戻金をもって旧生命保険料の払込みに充てた場合には、当該剰余金又は割戻金の額（旧生命保険料に係る部分の金額に限る。）を控除した残額。以下（ロ）及び（ハ）（ⅱ）において同じ。）が15,000円以下である場合　　当該合計額 （ⅱ）　前年中に支払った旧生命保険料の金額の合計額が15,000円を超え40,000円以下である場合　　15,000円と当該合計額から15,000円を控除した金額の2分の1に相当する金額との合計額 （ⅲ）　前年中に支払った旧生命保険料の金額の合計額が40,000円を超え70,000円以下である場合　　27,500円と当該合計額から40,000円を控除した金額の4分の1に相当する金額との合計額 （ⅳ）　前年中に支払った旧生命保険料の金額の合計額が70,000円を超える場合　　35,000円 （ハ）　新生命保険料及び旧生命保険料を支払った場合　　その支払った次に掲げる保険料の区分に応じ、それぞれ次に定める金額の合計額（当該合計額が28,000円を超える場合には、28,000円） （ⅰ）　新生命保険料　　前年中に支払った新生命保険料の金額の合計額の（イ）（ⅰ）から（ⅳ）までに掲げる場合の区分に応じ、それぞれ（イ）（ⅰ）から（ⅳ）までに定める金額 （ⅱ）　旧生命保険料　　前年中に支払った旧生命保険料の金額の合計額の（ロ）（ⅰ）から（ⅳ）までに掲げる場合の区分に応じ、それぞれ（ロ）（ⅰ）から（ⅳ）までに定める金額
ロ	介護医療保険契約等に係る保険料又は掛金（病院又は診療所に入院して2に規定する医療費を支払ったことその他の（5）で定める事由（②の（二）及び（三）において「医療費等支払事由」という。）に基因して保険金等を支払うことを約する部分に係るものその他（6）で定めるものに限るものとし、新生命保険料を除く。以下ロにおいて「介護医療保険料」という。）を支払った場合	ロ	次に掲げる場合の区分に応じ、それぞれ次に定める金額 （イ）　前年中に支払った介護医療保険料の金額の合計額（同年中において介護医療保険契約等に基づく剰余金の分配若しくは割戻金の割戻しを受け、又は介護医療保険契約等に基づき分配を受ける剰余金若しくは割戻しを受ける割戻金をもって介護医療保険料の払込みに充てた場合には、当該剰余金又は割戻金の額（介護医療保険料に係る部分の金額として（7）で定めるところにより計算した金額に限る。）を控除した残額。以下ロにおいて同じ。）が12,000円以下である場合　　当該合計額 （ロ）　前年中に支払った介護医療保険料の金額の合計額が12,000円を超え32,000円以下である場合　　12,000円と当該合計額から12,000円を控除した金額の2分の1に相当する金額との合計額 （ハ）　前年中に支払った介護医療保険料の金額の合計額が32,000円を超え56,000円以下である場合　　22,000円と当該合計額から32,000円を控除した金額の4分の1に相当する金額との合計額 （ニ）　前年中に支払った介護医療保険料の金額の合計額が56,000円を超える場合　　28,000円

ハ 新個人年金保険契約等に係る保険料若しくは掛金（生存死亡部分に係るものに限る。以下ハにおいて「新個人年金保険料」という。）又は旧個人年金保険契約等に係る保険料若しくは掛金（その者の疾病又は身体の傷害その他これらに類する事由に基因して保険金等を支払う旨の特約が付されている契約にあっては、当該特約に係る保険料又は掛金を除く。以下ハにおいて「旧個人年金保険料」という。）を支払った場合	ハ 次に掲げる場合の区分に応じ、それぞれ次に定める金額 （イ） 新個人年金保険料を支払った場合（（ハ）に掲げる場合を除く。）次に掲げる場合の区分に応じ、それぞれ次に定める金額 　（ⅰ） 前年中に支払った新個人年金保険料の金額の合計額（前年中において新個人年金保険契約等に基づく剰余金の分配若しくは割戻金の割戻しを受け、又は新個人年金保険契約等に基づき分配を受ける剰余金若しくは割戻しを受ける割戻金をもって新個人年金保険料の払込みに充てた場合には、当該剰余金又は割戻金の額（新個人年金保険料に係る部分の金額として(8)で定めるところにより計算した金額に限る。）を控除した残額。以下（イ）及び（ハ）（ⅰ）において同じ。）が12,000円以下である場合　　当該合計額 　（ⅱ） 前年中に支払った新個人年金保険料の金額の合計額が12,000円を超え32,000円以下である場合　　12,000円と当該合計額から12,000円を控除した金額の2分の1に相当する金額との合計額 　（ⅲ） 前年中に支払った新個人年金保険料の金額の合計額が32,000円を超え56,000円以下である場合　　22,000円と当該合計額から32,000円を控除した金額の4分の1に相当する金額との合計額 　（ⅳ） 前年中に支払った新個人年金保険料の金額の合計額が56,000円を超える場合　　28,000円 （ロ） 旧個人年金保険料を支払った場合（（ハ）に掲げる場合を除く。）次に掲げる場合の区分に応じ、それぞれ次に定める金額 　（ⅰ） 前年中に支払った旧個人年金保険料の金額の合計額（前年中において旧個人年金保険契約等に基づく剰余金の分配若しくは割戻金の割戻しを受け、又は旧個人年金保険契約等に基づき分配を受ける剰余金若しくは割戻しを受ける割戻金をもって旧個人年金保険料の払込みに充てた場合には、当該剰余金又は割戻金の額（旧個人年金保険料に係る部分の金額に限る。）を控除した残額。以下（ロ）及び（ハ）（ⅱ）において同じ。）が15,000円以下である場合　　当該合計額 　（ⅱ） 前年中に支払った旧個人年金保険料の金額の合計額が15,000円を超え40,000円以下である場合　　15,000円と当該合計額から15,000円を控除した金額の2分の1に相当する金額との合計額 　（ⅲ） 前年中に支払った旧個人年金保険料の金額の合計額が40,000円を超え70,000円以下である場合　　27,500円と当該合計額から40,000円を控除した金額の4分の1に相当する金額との合計額 　（ⅳ） 前年中に支払った旧個人年金保険料の金額の合計額が70,000円を超える場合　　35,000円 （ハ） 新個人年金保険料及び旧個人年金保険料を支払った場合　　その支払った次に掲げる保険料の区分に応じ、それぞれ次に定める金額の合計額（当該合計額が28,000円を超える場合には、28,000円） 　（ⅰ） 新個人年金保険料　　前年中に支払った新個人年金保険料の金額の合計額の（イ）（ⅰ）から（ⅳ）までに掲げる場合の区分に応じ、それぞれ（イ）（ⅰ）から（ⅳ）までに定める金額 　（ⅱ） 旧個人年金保険料　　前年中に支払った旧個人年金保険料の金額の合計額の（ロ）（ⅰ）から（ⅳ）までに掲げる場合の区分に応じ、それぞれ（ロ）（ⅰ）から（ⅳ）までに定める金額

　（勤労者財産形成貯蓄保険契約等に係る保険料等の適用除外）
（１）　租税特別措置法第4条の4第1項に規定する勤労者財産形成貯蓄保険契約等に係る生命保険若しくは損害保険の保険料又は生命共済の共済掛金については、①及び6の規定は、適用しない。（法314の2⑤）

(新生命保険料の対象となる保険料又は掛金)
(2) ①の表のイに規定する新生命保険料の対象となる新生命保険契約等に係る保険料又は掛金は、次に掲げる保険料又は掛金とする。(令48の7①、7の15)
(一) ②の(一)のイに掲げる契約の内容と同(三)のイに掲げる契約の内容とが一体となって効力を有する一の保険契約のうち、所得税法施行令第208条の3第1項第1号の規定により定められたもの((6)において「特定介護医療保険契約」という。)以外のものに係る保険料
(二) ②の(一)のハに掲げる契約の内容と同(三)のロに掲げる生命共済契約等の内容とが一体となって効力を有する一の共済に係る契約のうち、所得税法施行令第208条の3第1項第2号の規定により定められたもの((6)において「特定介護医療共済契約」という。)以外のものに係る掛金

(旧生命保険料の対象とならない保険料)
(3) ①の表のイに規定する旧生命保険料の対象とならない旧生命保険契約等に係る保険料又は掛金は、次に掲げる保険料とする。(令48の7①、7の15の2)
(一) 一定の偶然の事故によって生ずることのある損害をてん補する旨の特約(②の(二)のニに掲げる契約又は②の表のイに規定する保険金等((5)及び②の(2)において「保険金等」という。)の支払事由が身体の傷害のみに基因することとされているもの((二)において「傷害保険契約」という。)を除く。)が付されている保険契約に係る保険料のうち、当該特約に係る保険料
(二) ②の(二)のニに掲げる契約の内容と6の(1)のイに掲げる契約(傷害保険契約を除く。)の内容とが一体となって効力を有する一の保険契約に係る保険料

(新生命保険料の金額から控除する剰余金等の額)
(4) ①の表のイの(イ)の(ⅰ)に規定する新生命保険料に係る部分の金額として計算した金額は、前年において②の(一)に規定する新生命保険契約等(当該新生命保険契約等が他の保険契約(共済に係る契約を含む。以下(4)において同じ。)に附帯して締結したものである場合には、当該他の保険契約及び当該他の保険契約に附帯して締結した当該新生命保険契約等以外の保険契約を含む。以下(4)において同じ。)に基づき分配を受けた剰余金の額及び割戻しを受けた割戻金の額並びに当該新生命保険契約等に基づき分配を受けた剰余金又は割戻しを受けた割戻金をもって当該新生命保険契約等に係る保険料又は掛金の払込みに充てた金額の合計額に、同年中に支払った当該新生命保険契約等に係る保険料又は掛金の金額の合計額のうちに当該新生命保険契約等に係る①の表のイに規定する新生命保険料の金額の占める割合を乗じて計算した金額とする。(令48の7①、7の15の3①)

(介護医療保険契約等に係る保険金等の支払事由の範囲)
(5) ①の表のロに規定する事由は、次に掲げる事由とする。(令48の7①、7の15の4)
(一) 疾病にかかったこと又は身体の傷害を受けたことを原因とする人の状態に基因して生ずる②の表のロに規定する医療費その他の費用を支払ったこと。
(二) 疾病若しくは身体の傷害又はこれらを原因とする人の状態(②の(三)に規定する介護医療保険契約等に係る約款に、これらの事由に基因して一定額の保険金等を支払う旨の定めがある場合に限る。)
(三) 疾病又は身体の傷害により就業することができなくなったこと。

(介護医療保険料の対象となる保険料又は掛金)
(6) ①の表のロに規定する介護医療保険料の対象となる保険料又は掛金は、次に掲げる保険料又は掛金とする。(令48の7①、7の15の5)
(一) ②の(一)のイに掲げる契約の内容と同(三)のイに掲げる契約の内容とが一体となって効力を有する一の保険契約のうち、特定介護医療保険契約に係る保険料
(二) ②の(一)のハに掲げる契約の内容と同(三)のロに掲げる生命共済契約等の内容とが一体となって効力を有する一の共済に係る契約のうち、特定介護医療共済契約に係る掛金

(介護医療保険料の金額から控除する剰余金等の額)
(7) ①の表のロの(イ)に規定する介護医療保険料に係る部分の金額として計算した金額は、前年において②の(三)に規定する介護医療保険契約等(当該介護医療保険契約等が他の保険契約(共済に係る契約を含む。以下(7)において同じ。)に附帯して締結したものである場合には、当該他の保険契約及び当該他の保険契約に附帯して締結した当該介護

医療保険契約等以外の保険契約を含む。以下（7）において同じ。）に基づき分配を受けた剰余金の額及び割戻しを受けた割戻金の額並びに当該介護医療保険契約等に基づき分配を受けた剰余金又は割戻しを受けた割戻金をもつて当該介護医療保険契約等に係る保険料又は掛金の払込みに充てた金額の合計額に、同年中に支払った当該介護医療保険契約等に係る保険料又は掛金の金額の合計額のうちに当該介護医療保険契約等に係る①の表のロに規定する介護医療保険料の金額の占める割合を乗じて計算した金額とする。（令48の7①、7の15の3②）

　　（新個人年金保険料の金額から控除する剰余金等の額）
（8）　①の表のハの（イ）の（ⅰ）に規定する新個人年金保険料に係る部分の金額として計算した金額は、前年において②の（四）に規定する新個人年金保険契約等（当該新個人年金保険契約等が他の保険契約（共済に係る契約を含む。以下（8）において同じ。）に附帯して締結したものである場合には、当該他の保険契約及び当該他の保険契約に附帯して締結した当該新個人年金保険契約等以外の保険契約を含む。以下（8）において同じ。）に基づき分配を受けた剰余金の額及び割戻しを受けた割戻金の額並びに当該新個人年金保険契約等に基づき分配を受けた剰余金又は割戻しを受けた割戻金をもつて当該新個人年金保険契約等に係る保険料又は掛金の払込みに充てた金額の合計額に、同年中に支払った当該新個人年金保険契約等に係る保険料又は掛金の金額の合計額のうちに当該新個人年金保険契約等に係る①の表のハに規定する新個人年金保険料の金額の占める割合を乗じて計算した金額とする。（令48の7①、7の15の3③）

②　**保険契約等の意義**（平成25年度以後の年度分に適用される生命保険料控除に係る保険契約等）
　①において、次の各号に掲げる用語の意義は、当該各号に定めるところによる。この場合において、平成24年1月1日以後に（二）に規定する旧生命保険契約等又は（五）に規定する旧個人年金保険契約等に附帯して（一）、（三）又は（四）に規定する新契約を締結したときは、当該旧生命保険契約等又は旧個人年金保険契約等は、同日以後に締結した契約とみなす。（法314の2⑦一～五）

（一）	新生命保険契約等	平成24年1月1日以後に締結した次に掲げる契約（失効した同日前に締結した当該契約が同日以後に復活したものを除く。以下（一）において「新契約」という。）若しくは他の保険契約（共済に係る契約を含む。（三）及び（四）において同じ。）に附帯して締結した新契約又は同日以後に確定給付企業年金法第3条第1項第1号その他（1）イの政令で定める規定（（二）において「承認規定」という。）の承認を受けたニに掲げる規約若しくは同項第2号その他（1）ロの政令で定める規定（（二）において「認可規定」という。）の認可を受けた同項第2号に規定する基金（（二）において「基金」という。）のニに掲げる規約（以下（一）及び（二）において「新規約」と総称する。）のうち、これらの新契約又は新規約に基づく保険金等の受取人の全てをその保険料若しくは掛金の払込みをする者又はその配偶者その他の親族とするもの イ　保険業法第2条第3項に規定する生命保険会社又は同条第8項に規定する外国生命保険会社等の締結した保険契約のうち生存又は死亡に基因して一定額の保険金等が支払われるもの（保険期間が5年に満たない保険契約で（2）イで定めるもの（（二）において「特定保険契約」という。）及び当該外国生命保険会社等がこの法律の施行地外において締結したものを除く。） ロ　郵政民営化法等の施行に伴う関係法律の整備等に関する法律第2条の規定による廃止前の簡易生命保険法第3条に規定する簡易生命保険契約（（二）及び（三）において「旧簡易生命保険契約」という。）のうち生存又は死亡に基因して一定額の保険金等が支払われるもの ハ　農業協同組合法第10条第1項第10号の事業を行う農業協同組合の締結した生命共済に係る契約（共済期間が5年に満たない生命共済に係る契約で（2）ロで定めるものを除く。）その他（3）で定めるこれに類する共済に係る契約（（二）及び（三）において「生命共済契約等」という。）のうち生存又は死亡に基因して一定額の保険金等が支払われるもの ニ　確定給付企業年金法第3条第1項に規定する確定給付企業年金に係る規約又はこれに類する退職年金に関する契約で（4）で定めるもの
（二）	旧生命保険契約等	平成23年12月31日以前に締結した次に掲げる契約（失効した同日以前に締結した当該契約が同日後に復活したものを含む。）又は同日以前に承認規定の承認を受けたホに掲げる規約若しくは認可規定の認可を受けた基金のホに掲げる規約（新規約を除く。）のうち、これらの契約又は規約に基づく保険金等の受取人の全てをその保険料若しくは掛金の払込みをする者又はその配偶者その他の親族とするもの イ　（一）のイに掲げる契約 ロ　旧簡易生命保険契約

		ハ　生命共済契約等
		ニ　(一)のイに規定する生命保険会社若しくは外国生命保険会社等又は保険業法第2条第4項に規定する損害保険会社若しくは同条第9項に規定する外国損害保険会社等の締結した疾病又は身体の傷害その他これらに類する事由に基因して保険金等が支払われる保険契約（イに掲げるもの、保険金等の支払事由が身体の傷害のみに基因することとされているもの、特定保険契約、当該外国生命保険会社等又は当該外国損害保険会社等がこの法律の施行地外において締結したものその他(2)ハで定めるものを除く。）のうち、医療費等支払事由に基因して保険金等が支払われるもの
		ホ　(一)のニに掲げる規約又は契約
(三)	介護医療保険契約等	平成24年1月1日以後に締結した次に掲げる契約（失効した同日前に締結した当該契約が同日以後に復活したものを除く。以下(三)において「新契約」という。）又は他の保険契約に附帯して締結した新契約のうち、これらの新契約に基づく保険金等の受取人の全てをその保険料若しくは掛金の払込みをする者又はその配偶者その他の親族とするもの
		イ　(二)のニに掲げる契約
		ロ　疾病又は身体の傷害その他これらに類する事由に基因して保険金等が支払われる旧簡易生命保険契約又は生命共済契約等（(一)のロ及びハに掲げるもの、保険金等の支払事由が身体の傷害のみに基因するものその他(2)ニで定めるものを除く。）のうち医療費等支払事由に基因して保険金等が支払われるもの
(四)	新個人年金保険契約等	平成24年1月1日以後に締結した(一)のイからハまでに掲げる契約（年金を給付する定めのあるもので(5)で定めるもの（(五)において「年金給付契約」という。）に限るものとし、失効した同日前に締結した当該契約が同日以後に復活したものを除く。以下(四)において「新契約」という。）又は他の保険契約に附帯して締結した新契約のうち、次に掲げる要件の定めのあるもの
		イ　当該契約に基づく年金の受取人は、ロの保険料若しくは掛金の払込みをする者又はその配偶者が生存している場合にはこれらの者のいずれかとするものであること。
		ロ　当該契約に基づく保険料又は掛金の払込みは、年金支払開始日前10年以上の期間にわたって定期に行うものであること。
		ハ　当該契約に基づくイに定める個人に対する年金の支払は、当該年金の受取人の年齢が60歳に達した日以後の日で当該契約で定める日以後10年以上の期間又は当該受取人が生存している期間にわたって定期に行うものであることその他の(7)で定める要件
(五)	旧個人年金保険契約等	平成23年12月31日以前に締結した(二)のイからハまでに掲げる契約（年金給付契約に限るものとし、失効した同日以前に締結した当該契約が同日後に復活したものを含む。）のうち、(四)のイからハまでに掲げる要件の定めのあるもの

(承認規定等の範囲)

(1) イ　②の(一)に規定する確定給付企業年金法第3条第1項第1号その他政令で定める規定は、同法第6条第1項（同法第79条第1項若しくは第2項、第81条第2項、第107条第1項、第110条の2第3項、第111条第2項又は附則第25条第1項に規定する権利義務の移転又は承継に伴う同法第3条第1項に規定する確定給付企業年金に係る規約（ロにおいて「規約」という。）の変更について承認を受ける場合に限る。）、第74条第4項及び第75条第2項の規定とする。（令48の7④、7の15の8①）

ロ　②の(一)に規定する確定給付企業年金法第3条第1項第2号その他政令で定める規定は、同法第16条第1項（同法第76条第4項、第77条第5項、第79条第1項若しくは第2項、第80条第2項、第107条第1項、第110条の2第3項又は附則第25条第1項に規定する権利義務の移転又は承継に伴う規約の変更について認可を受ける場合に限る。）、第76条第1項、第77条第1項及び第112条第1項の規定とする。（令48の7④、7の15の8②）

(生命保険料控除額の控除の対象とならない保険契約等)

(2) イ　②の(一)のイに規定する保険契約は、保険期間が5年に満たない保険業法第2条第3項に規定する生命保険会社又は同条第8項に規定する外国生命保険会社等の締結した保険契約のうち、被保険者が保険期間満了の日に生存している場合に限り保険金等を支払う定めのあるもの又は被保険者が保険期間満了の日に生存している場合及び当該期間中に災害、感染症の予防及び感染症の患者に対する医療に関する法律第6条第2項若しくは第3項に規定する一類感染症若しくは二類感染症その他これらに類する特別の理由により死亡した場合に限り保険金等

『①の(3)の(一)参照』を支払う定めのあるものとする。(令48の7④、7の15の9①)
- ロ ②の(一)のハに規定する生命共済に係る保険契約は、共済期間が5年に満たない生命共済に係る契約のうち、被共済者が共済期間の満了の日に生存している場合に限り保険金等を支払う定めのあるもの又は被共済者が共済期間の満了の日に生存している場合及び当該期間中に災害、イに規定する感染症その他これらに類する特別の理由により死亡した場合に限り保険金等を支払う定めのあるものとする。(令48の7④、7の15の9②)
- ハ ②の(二)のニに規定する保険契約は、外国への旅行のために住居を出発した後、住居に帰着するまでの期間（ニにおいて「海外旅行期間」という。）内に発生した疾病又は身体の傷害その他これらに類する事由に基因して保険金等が支払われる保険契約とする。(令48の7④、7の15の9③)
- ニ ②の(三)のロに規定する生命共済契約等は、海外旅行期間内に発生した疾病又は身体の傷害その他これらに類する事由に基因して保険金等が支払われる(一)のハに規定する生命共済契約等とする。(令48の7③、7の15の9④)

(生命共済契約等の範囲)
(3) ②の(一)のハに規定する生命共済に係る契約に類する共済に係る契約は、次に掲げる契約とする。(令48の7④、7の15の10)
- (一) 農業協同組合法第10条第1項第10号の事業を行う農業協同組合連合会の締結した生命共済に係る契約
- (二) 水産業協同組合法第11条第1項第12号若しくは第93条第1項第6号の2の事業を行う漁業協同組合若しくは水産加工業協同組合又は共済水産業協同組合連合会の締結した生命共済に係る契約（漁業協同組合又は水産加工業協同組合の締結した契約にあっては、所得税法施行令第210条第2号に規定する要件を備えているものに限る。)
- (三) 消費生活協同組合法第10条第1項第4号の事業を行う消費生活協同組合連合会の締結した生命共済に係る契約
- (四) 中小企業等協同組合法第9条の2第7項に規定する共済事業を行う同項に規定する特定共済組合、同法第9条の9第1項第3号に掲げる事業を行う協同組合連合会又は同条第4項に規定する特定共済組合連合会（同法第9条の6の2第1項の締結した生命共済に係る契約
- (五) 法律の規定に基づく共済に関する事業を行う法人の締結した生命共済に係る契約で、所得税法施行令第210条第5号《財務大臣が指定した共済事業法人の生命共済契約》の規定により指定されたもの

(退職年金に関する契約の範囲)
(4) ②の(一)のニに規定する退職年金に関する契約は、法人税法附則第20条第3項に規定する適格退職年金契約とする。(令48の7④、7の15の11)

(年金給付契約の対象となる契約の範囲)
(5) ②の(四)に規定する年金を給付する定めのある契約は、次に掲げる契約とする。(令48の7③、7の15の12)
- (一) ②の(一)のイに掲げる契約で年金の給付を目的とするもの（退職年金の給付を目的とするものを除く。）のうち、当該契約の内容（①のハに規定する特約が付されている契約又は他の保険契約に附帯して締結した契約にあっては、当該特約又は他の保険契約の内容を除く。）が次に掲げる要件を満たすもの
  - イ 当該契約に基づく年金以外の金銭の支払（剰余金の分配及び解約返戻金の支払を除く。）は、当該契約で定める被保険者が死亡し、又は重度の障害に該当することとなった場合に限り行うものであること。
  - ロ 当該契約で定める被保険者が死亡し、又は重度の障害に該当することとなった場合に支払う金銭の額は、当該契約の締結の日以後の期間又は支払保険料の総額に応じて逓増的に定められていること。
  - ハ 当該契約に基づく年金の支払は、当該年金の支払期間を通じて年1回以上定期に行うものであり、かつ、当該契約に基づき支払うべき年金の額（年金の支払開始日から一定の期間内に年金受取人が死亡してもなお年金を支払う旨の定めのある契約にあっては、当該一定の期間内に支払うべき年金の額とする。）の一部を一括して支払う旨の定めがないこと。
  - ニ 当該契約に基づく剰余金の金銭による分配（当該分配を受ける剰余金をもって当該契約に係る保険料の払込みに充てられる部分を除く。）は、年金の支払開始日前において行わないもの又は当該剰余金の分配をする日の属する年において払い込むべき当該保険料の金額の範囲内の額とするものであること。
- (二) ②の(一)のロに規定する旧簡易生命保険契約で年金の給付を目的とするもの（退職年金の給付を目的とするものを除く。）のうち、当該契約の内容（①のハに規定する特約が付されている契約にあっては、当該特約の内容を除く。）が(一)のイからニまでに掲げる要件を満たすもの
- (三) ②の(一)のハに規定する農業協同組合の締結した生命共済に係る契約又は(3)の(一)若しくは(二)に掲げる生

命共済に係る契約で、年金の給付を目的とするもの（退職年金の給付を目的とするものを除く。（四）において同じ。）のうち、当該契約の内容（①のハに規定する特約が付されている契約又は他の生命共済に係る契約に附帯して締結した契約にあっては、当該特約又は他の生命共済に係る契約の内容を除く。）が（一）のイからニまでに掲げる要件に相当する要件その他の（6）で定める要件を満たすもの
（四） （3）の（三）又は（五）に掲げる生命共済に係る契約で年金の給付を目的とするもののうち、所得税法施行令第211条第4号《財務大臣が指定した共済事業法人の生命共済契約》の規定により指定されたもの

　　（年金給付契約の対象となる共済に係る契約の要件の細目）
（6）　（5）の（三）に定める要件は、次に掲げる要件とする。（規1の14）
（一）　（5）の（三）に規定する生命共済に係る契約で年金の給付を目的とするもの（退職年金の給付を目的とするものを除く。以下（6）において「年金共済契約」という。）を締結する組合（農業協同組合法第10条第1項第10号の事業を行う農業協同組合若しくは農業協同組合連合会又は水産業協同組合法第11条第1項第11号若しくは第93条第1項第6号の2の事業を行う漁業協同組合若しくは水産加工業協同組合若しくは共済水産業協同組合連合会をいう。（二）において同じ。）の定める当該年金共済契約に係る共済規程は、当該年金共済契約に係る約款を全国連合会（農業協同組合法第10条第1項第10号の事業を行う農業協同組合連合会又は共済水産業協同組合連合会のうちその業務が全国の区域に及ぶものをいう。以下（6）において同じ。）が農林水産大臣の承認を受けて定める約款と同一の内容のものとする旨の定めがあるものであること（全国連合会の締結する年金共済契約に係る共済規程にあっては、農林水産大臣の承認を受けたものであること。）。
（二）　当該年金共済契約を締結する組合（全国連合会を除く。）が当該年金共済契約により負う共済責任は、当該組合がその全部を当該組合を会員とする全国連合会の共済に付していること又は当該組合が当該組合を会員とする全国連合会と連帯して負担していること（当該全国連合会との契約により当該組合がその共済責任についての当該負担部分を有しない場合に限る。）。
（三）　当該年金共済契約に基づく金銭の支払は、次に掲げる要件を満たすものであること。
　イ　当該年金共済契約に基づく年金以外の金銭の支払（割戻金の割戻し及び解約返戻金の支払を除く。）は、当該年金共済契約で定める被共済者が死亡し、又は重度の障害に該当することとなった場合に限り行うものであること。
　ロ　当該年金共済契約で定める被共済者が死亡し、又は重度の障害に該当することとなった場合に支払う金銭の額は、当該年金共済契約の締結の日以後の期間又は支払掛金の総額に応じて逓増的に定められていること。
　ハ　当該年金共済契約に基づく年金の支払は、当該年金の支払期間を通じて年1回以上定期に行うものであり、かつ、当該年金共済契約に基づき支払うべき年金の額（年金の支払開始日から一定の期間内に年金受取人が死亡してもなお年金を支払う旨の定めのある年金共済契約にあっては、当該一定の期間内に支払うべき年金の額とする。）の一部を一括して支払う旨の定めがないこと。
　ニ　当該年金共済契約に基づく割戻金の金銭による割戻し（当該割戻しを受ける割戻金をもって当該年金共済契約に係る掛金の払込みに充てられる部分を除く。）は、年金の支払開始日前において行わないもの又は当該割戻金の割戻しをする日の属する年において払い込むべき当該掛金の金額の範囲内の額とするものであること。

　　（生命保険料控除額の控除の対象となる年金給付契約の要件）
（7）　②の（四）のハに規定する要件は、（5）各号に掲げる契約に基づく②の（四）のイに規定する者に対する年金の支払を次のいずれかとするものであることとする。（令48の7③、7の15の13）
（一）　当該年金の受取人の年齢が60歳に達した日の属する年の1月1日以後の日（60歳に達した日が同年の1月1日から6月30日までの間である場合にあっては、同年の前年7月1日以後の日）で当該契約で定める日以後10年以上の期間にわたって定期に行うものであること。
（二）　当該年金の受取人が生存している期間にわたって定期に行うものであること。
（三）　（一）に定める年金の支払のほか、当該契約に係る被保険者又は被共済者の重度の障害を原因として年金の支払を開始し、かつ、当該年金の支払開始日以後10年以上の期間にわたって、又はその者が生存している期間にわたって定期に行うものであること。

6　地震保険料控除額

次の規定によって控除すべき金額を地震保険料控除額という。（法314の2①五の三、⑥）

前年中に、自己若しくは自己と生計を一にする配偶者その	前年中に支払った地震保険料の金額の合計額（前年中にお

他の親族の有する家屋で常時その居住の用に供するもの又はこれらの者の有する所得税法第9条第1項第9号《生活用資産》に規定する資産を保険又は共済の目的とし、かつ、地震若しくは噴火又はこれらによる津波を直接又は間接の原因とする火災、損壊、埋没又は流失による損害（以下6において「**地震等損害**」という。）によりこれらの資産について生じた損失の額を塡補する保険金又は共済金が支払われる損害保険契約等に係る地震等損害部分の保険料又は掛金（（2）で定めるものを除く。以下6において「**地震保険料**」という。）を支払った所得割の納税義務者	いて損害保険契約等に基づく剰余金の分配若しくは割戻金の割戻しを受け、又は損害保険契約等に基づき分配を受ける剰余金若しくは割戻しを受ける割戻金をもって地震保険料の払込みに充てた場合には、当該剰余金又は割戻金の額（地震保険料に係る部分の金額に限る。）を控除した残額）の2分の1に相当する金額（その金額が25,000円を超える場合には、25,000円）

（注） 勤労者財産形成貯蓄保険契約等に係る保険料については、5の①の(1)を参照。（編者）

　　　（損害保険契約等の意義）
（1）　6に規定する損害保険契約等とは、次に掲げる保険契約に附帯して締結されるもの又は当該契約と一体となって効力を有する一の保険契約若しくは共済に係る契約をいう。（法314の2⑦六）
　イ　保険業法第2条第4項に規定する損害保険会社又は同条第9項に規定する外国損害保険会社等の締結した保険契約のうち一定の偶然の事故によって生ずることのある損害を塡補するもの（5の②の(二)のニに掲げるもの及び当該外国損害保険会社等が地方税法の施行地外において締結したものを除く。）
　ロ　農業協同組合法第10条第1項第10号の事業を行う農業協同組合の締結した建物更生共済又は火災共済に係る契約その他(3)で定めるこれらに類する共済に係る契約

　　　（地震保険料控除額の控除の対象とならない保険料又は掛金）
（2）　6に規定する控除の対象から除かれる保険料又は掛金は、6に規定する損害保険契約等に係る地震等損害部分の保険料又は掛金のうち、次に掲げる保険料又は掛金とする。（令48の7①、7の15の6）
　(一)　6に規定する地震等損害（(二)において「地震等損害」という。）により臨時に生ずる費用、6に規定する資産（(二)において「家屋等」という。）の取壊し又は除去に係る費用その他これに類する費用に対して支払われる保険金又は共済金に係る保険料又は掛金
　(二)　6に規定する損害保険契約等（当該損害保険契約等においてイに掲げる額が地震保険に関する法律施行令第2条に規定する金額以上とされているものを除く。）においてイに掲げる額のロに掲げる額に対する割合が100分の20未満とされている場合における当該損害保険契約等に係る地震等損害部分の保険料又は掛金（(一)に掲げるものを除く。）
　　イ　地震等損害により家屋等について生じた損失の額をてん補する保険金又は共済金の額（当該保険金又は共済金の額の定めがない場合にあっては、当該地震等損害により支払われることとされている保険金又は共済金の限度額）
　　ロ　火災（地震若しくは噴火又はこれらによる津波を直接又は間接の原因とするものを除く。）による損害により家屋等について生じた損失の額をてん補する保険金又は共済金の額（当該保険金又は共済金の額の定めがない場合にあっては、当該火災による損害により支払われることとされている保険金又は共済金の限度額）

　　　（共済に係る契約）
（3）　(1)のロに規定する共済に係る契約は、次に掲げる契約とする。（令48の7④、7の15の14）
　イ　農業協同組合法第10条第1項第10号の事業を行う農業協同組合連合会の締結した建物更生共済又は火災共済に係る契約
　ロ　農業保険法第97条第1項第6号又は第163条第2項の事業を行う農業共済組合又は農業共済組合連合会の締結した火災共済その他建物を共済の目的とする共済に係る契約
　ハ　水産業協同組合法第11条第1項第12号若しくは第93条第1項第6号の2の事業を行う漁業協同組合若しくは水産加工業協同組合又は共済水産業協同組合連合会の締結した建物若しくは動産の共済期間中の耐存を共済事故とする共済又は火災共済に係る契約（漁業協同組合又は水産加工業協同組合の締結した契約にあっては、(4)で定める要件を備えているものに限る。）
　ニ　中小企業等協同組合法第9条の9第3項に規定する火災等共済組合の締結した火災共済に係る契約

ホ 消費生活協同組合法第10条第1項第4号の事業を行う消費生活協同組合連合会の締結した火災共済又は自然災害共済に係る契約
ヘ 法律の規定に基づく共済に関する事業を行う法人の締結した火災共済又は自然災害共済に係る契約で、所得税法施行令第214条第6号の規定により指定されたもの

(地震保険料控除額の控除の対象となる共済に係る契約の要件の細目)
(4) (3)のハに規定する(4)で定める要件は、同ハに規定する漁業協同組合又は水産加工業協同組合(以下(4)において「組合」という。)が、その締結した建物若しくは動産の共済期間中の耐存を共済事故とする共済又は火災共済に係る契約により負う共済責任を当該組合を会員とする共済水産業協同組合連合会(その業務が全国の区域に及ぶものに限る。)との契約により連帯して負担していること(当該契約により当該組合はその共済責任についての当該負担部分を有しない場合に限る。)とする。(規1の15)

《長期損害保険契約等に係る損害保険料を支払った場合の経過措置》
① 個人の市町村民税の所得割の納税義務者が、平成19年以後の各年において、平成18年12月31日までに締結した長期損害保険契約等(平成18年改正前の地方税法第314条の2第1項第5号の3《損害保険料控除額》に規定する損害保険契約等であって、当該損害保険契約等が保険期間又は共済期間の満了後満期返戻金を支払う旨の特約のある契約その他政令で定めるこれに準ずる契約(建物又は動産の共済期間中の耐存を共済事故とする共済に係る契約とする。)でこれらの期間が10年以上のものであり、かつ、平成19年1月1日以後に当該損害保険契約等の変更をしていないものに限るものとし、当該損害保険契約等の保険期間又は共済期間の始期(これらの期間の定めのないものにあっては、その効力を生ずる日)が平成19年1月1日以後であるものを除く。以下①及び②において同じ。)に係る損害保険料(同号に規定する損害保険料をいう。以下①において同じ。)を支払った場合には、6の規定により控除する金額は、6の規定にかかわらず、次の表の各号に掲げる場合の区分に応じ当該各号に定める金額として、6の規定を適用する。この場合において、6中「保険又は共済」とあるのは「保険若しくは共済」と、「保険金又は共済金」とあるのは「保険金若しくは共済金」と、「又は掛金」とあるのは「若しくは掛金」と、「を支払った」とあるのは「又は《長期損害保険契約等に係る損害保険料を支払った場合の経過措置》①に規定する長期損害保険契約等に係る同①に規定する損害保険料を支払った」とする。
(平18改法附11⑤、平18改令附2⑥)

(一)	前年中に支払った地震保険料等(6に規定する地震保険料(以下①において「地震保険料」という。)及び長期損害保険契約等に係る損害保険料(以下①において「旧長期損害保険料」という。)をいう。以下①において同じ。)に係る契約のすべてが6に規定する損害保険契約等(以下①及び②において「損害保険契約等」という。)に該当するものである場合	その支払った当該損害保険契約等に係る地震保険料の金額の合計額(前年中において損害保険契約等に基づく剰余金の分配若しくは割戻金の割戻しを受け、又は損害保険契約等に基づき分配を受ける剰余金若しくは割戻しを受ける割戻金をもって地震保険料の払込みに充てた場合には、当該剰余金又は割戻金の額(地震保険料に係る部分の金額に限る。)を控除した残額。(三)において同じ。)の2分の1に相当する金額(その金額が25,000円を超える場合には、25,000円)
(二)	前年中に支払った地震保険料等に係る契約のすべてが長期損害保険契約等に該当するものである場合	その支払った旧長期損害保険料の金額の合計額(前年中において長期損害保険契約等に基づく剰余金の分配若しくは割戻金の割戻しを受け、又は長期損害保険契約等に基づき分配を受ける剰余金若しくは割戻しを受ける割戻金をもって旧長期損害保険料の払込みに充てた場合には、当該剰余金又は割戻金の額を控除した残額。以下(二)及び(三)において同じ。)が5,000円以下である場合にあっては当該旧長期損害保険料の金額の合計額、当該旧長期損害保険料の金額の合計額が5,000円を超える場合にあっては5,000円にその超える金額(その金額が1万円を超えるときは、1万円)の2分の1に相当する金額を加算した金額
(三)	前年中に支払った地震保険料等に係る契約のうちに(一)に規定する契約と(二)に規定する契約とがある場合	その支払った(一)に規定する契約に係る地震保険料の金額の合計額につき(一)の規定に準じて計算した金額と、その支払った(二)に規定する契約に係る旧長期損害保険料の金額の合計額につき(二)の規定に準じて計算した金額との合計額(当該合計額が25,000円を超える場合には、25,000円)

② ①の表の各号に掲げる金額を計算する場合において、一の損害保険契約等又は一の長期損害保険契約等が①の表の(一)又は(二)に規定する契約のいずれにも該当するときは、注で定めるところにより、いずれか一の契約のみに該当するものとして、①の規定を適用する。（平18改法附11⑥）

(損害保険契約等が①の表の(一)又は(二)のいずれにも該当する場合)
注 ②の場合において、一の損害保険契約等又は一の長期損害保険契約等が①の表の(一)又は(二)に規定する契約のいずれに該当するかは、市町村民税に関する申告書を提出する義務を有する者にあっては当該申告書、第一節一の2の①の(1)に規定する給与所得等以外の所得を有しなかった者にあっては給与支払報告書又は公的年金等支払報告書に記載されたところによる。（平18改令附２⑦）

7　障害者控除額

次の規定によって控除すべき金額を障害者控除額という。（法314の2①六、③、⑥）

障害者である所得割の納税義務者又は障害者である同一生計配偶者若しくは扶養親族を有する所得割の納税義務者	(一)	各障害者につき26万円（その者が**特別障害者**（障害者のうち、精神又は身体に重度の障害がある者で次の(1)に掲げるものをいう。(二)及び二の1《扶養親族等の判定の時期》並びに第四節一の3《調整控除》において同じ。）である場合には、30万円）
	(二)	所得割の納税義務者の有する同一生計配偶者又は扶養親族が特別障害者で、かつ、当該納税義務者又は当該納税義務者の配偶者若しくは当該納税義務者と生計を一にするその他の親族のいずれかとの同居を常況としている者（第四節一の3において「同居特別障害者」という。）である場合には、当該特別障害者については53万円

(特別障害者の範囲)
(1) 障害者のうち、精神又は身体に重度の障害のある者は、次に掲げる者とする。（令48の7②、7の15の7）
イ 第一節一の1の(七)《障害者》のイに掲げる者のうち、精神上の障害により事理を弁識する能力を欠く況況にある者又は児童相談所、知的障害者福祉法第9条第5項に規定する知的障害者更生相談所、精神保健及び精神障害者福祉に関する法律第6条第1項に規定する精神保健福祉センター若しくは精神保健指定医の判定により重度の知的障害者とされた者
ロ 第一節一の1の(七)のロに掲げる者のうち、同ロの精神障害者保健福祉手帳に精神保健及び精神障害者福祉に関する法律施行令第6条第3項に規定する障害等級が1級である者として記載されている者
ハ 第一節一の1の(七)のハに掲げる者のうち、同ハの身体障害者手帳に身体上の障害の程度が1級又は2級である者として記載されている者
ニ 第一節一の1の(七)のニに掲げる者のうち、同ニの戦傷病者手帳に精神上又は身体上の障害の程度が恩給法別表第一号表ノ二の特別項症から第三項症までである者として記載されている者
ホ 第一節一の1の(七)のホ又はへに掲げる者
ヘ 第一節一の1の(七)のトに掲げる者のうち、その障害の程度がイ又はハに掲げる者に準ずるものとして市町村長等の認定を受けている者

(「重度の知的障害者」の意義)
(2) 7に規定する特別障害者とは、(1)に規定する者をいうものであるが、(1)のイ中「重度の知的障害者」とは、標準化された知能検査により測定された知能指数がおおむね35以下であって、日常生活において常時の介護を必要とする程度にある知的障害者をいうものであること。（市通２−21）

8　寡婦控除額

次の規定により控除すべき金額を寡婦控除額という。（法314の2①八、⑥）

寡婦である所得割の納税義務者	26万円

9　ひとり親控除額

次の規定により控除すべき金額をひとり親控除額という。（法314の2①八の二、⑥）

ひとり親である所得割の納税義務者	30万円

10　勤労学生控除額

次の規定により控除すべき金額を勤労学生控除額という。（法314の2①九、⑥）

勤労学生である所得割の納税義務者	26万円

（勤労学生の意義）

注　勤労学生とは、次に掲げる者で、自己の勤労に基づいて得た事業所得、給与所得、退職所得又は雑所得（以下「給与所得等」という。）を有するもののうち、当該年度の初日の属する年の前年（以下「前年」という。）の合計所得金額（第一節―の1の表内(十一)《合計所得金額》に規定する合計所得金額をいう。以下同じ。）が65万円以下であり、かつ、前年の合計所得金額のうち給与所得等以外の所得に係る部分の金額が10万円以下であるものをいう（第四節―の3において同じ。）。（法314の2⑨、所得税法2①三十二）

イ	学校教育法第1条《学校の範囲》に規定する学校の学生、生徒又は児童		
ロ	国、地方公共団体又は私立学校法第3条《定義》に規定する学校法人、同法第64条第4項《私立専修学校及び私立各種学校》の規定により設立された法人若しくはこれらに準ずるものとして次の(イ)に掲げる者の設置した学校教育法第124条《専修学校》に規定する専修学校又は同法第134条第1項《各種学校》に規定する各種学校の生徒で次の(ロ)に掲げる課程を履修するもの（所得税法施行令11の3）		
	(イ)	A	独立行政法人国立病院機構、独立行政法人労働者健康福祉機構、日本赤十字社、商工会議所、健康保険組合、健康保険組合連合会、国民健康保険団体連合会、国家公務員共済組合連合会、社会福祉法人、宗教法人、一般社団法人及び一般財団法人並びに農業協同組合法第10条第1項第11号《事業》に掲げる事業を行う農業協同組合連合会及び医療法人
		B	学校教育法第82条の2《専修学校》に規定する専修学校又は同法第83条第1項《各種学校》に規定する各種学校のうち、教育水準を維持するための教員の数その他の文部科学大臣が定める基準を満たすものを設置する者（Aに掲げる者を除く。）
	(ロ)	A 専修学校及び専門課程並びに高等課程等の課程	〈イ〉　職業に必要な技術の教授をすること。 〈ロ〉　その修業期間が1年以上であること。 〈ハ〉　その1年の授業時間数が800時間以上であること（夜間その他特別な時間において授業を行う場合には、その1年の授業時間数が450時間以上であり、かつ、その修業期間を通ずる授業時間数が800時間以上であること。）。 〈ニ〉　その授業が年2回を超えない一定の時期に開始され、かつ、その終期が明確に定められていること。
		B A以外に掲げる課程	〈イ〉　職業に必要な技術の教授をすること。 〈ロ〉　その修業期間（普通科、専攻科その他これらに類する区別された課程があり、それぞれの修業期間が1年以上であって一の課程に他の課程が継続する場合には、これらの課程の修業期間を通算した期間）が2年以上であること。 〈ハ〉　その1年の授業時間数（普通科、専攻科その他これらに類する区別された課程がある場合には、それぞれの課程の授業時間数）が680時間以上であること。 〈ニ〉　その授業が年2回を超えない一定の時期に開始され、かつ、その終期が明確に定められていること。
ハ	職業訓練法人の行う職業能力開発促進法第24条第3項《職業訓練の認定》に規定する認定職業訓練を受ける者でロの(ロ)のBに掲げる課程を履修するもの（所得税法施行令11の3）		

11　配偶者控除額

次の規定により控除すべき金額を配偶者控除額という。（法314の2①十、⑥）

控除対象配偶者を有する所得割の納税義務者	（一）	当該納税義務者の前年の合計所得金額が900万円以下である場合	33万円（その控除対象配偶者が老人控除対象配偶者（控除対象配偶者のうち、年齢70歳以上の者をいう。）である場合には、38万円）
	（二）	当該納税義務者の前年の合計所得金額が900万円を超え950万円以下である場合	22万円（その控除対象配偶者が老人控除対象配偶者である場合には、26万円）
	（三）	当該納税義務者の前年の合計所得金額が950万円を超え1,000万円以下である場合	11万円（その控除対象配偶者が老人控除対象配偶者である場合には、13万円）

12　配偶者特別控除額

次の規定により控除すべき金額を配偶者特別控除額という。（法314の2①十の二、⑥）

自己と生計を一にする配偶者（第二節二の1に規定する青色事業専従者に該当するもので同1に規定する給与の支払を受けるもの及び同2の①に規定する事業専従者に該当するものを除き、前年の合計所得金額が133万円以下であるものに限る。）で控除対象配偶者に該当しないものを有する所得割の納税義務者（その配偶者が11又は12に規定する所得割の納税義務者として12の規定の適用を受けているものを除き、前年の合計所得金額が1,000万円以下であるものに限る。）	（一）	当該納税義務者の前年の合計所得金額が900万円以下である場合　当該配偶者の次に掲げる区分に応じ、それぞれ次に定める金額 （イ）　前年の合計所得金額が100万円以下である配偶者　33万円 （ロ）　前年の合計所得金額が100万円を超え130万円以下である配偶者　38万円から当該配偶者の前年の合計所得金額のうち930,001円を超える部分の金額（当該超える部分の金額が5万円の整数倍の金額から3万円を控除した金額でないときは、5万円の整数倍の金額から3万円を控除した金額で当該超える部分の金額に満たないもののうち最も多い金額とする。）を控除した金額 （ハ）　前年の合計所得金額が130万円を超える配偶者　3万円
	（二）	当該納税義務者の前年の合計所得金額が900万円を超え950万円以下である場合　当該配偶者の（一）の（イ）から（ハ）までに掲げる区分に応じ、それぞれ（一）の（イ）から（ハ）までに定める金額の3分の2に相当する金額（当該金額に1万円未満の端数がある場合には、これを切り上げた金額）
	（三）	当該納税義務者の前年の合計所得金額が950万円を超え1,000万円以下である場合　当該配偶者の（一）の（イ）から（ハ）までに掲げる区分に応じ、それぞれ（一）の（イ）から（ハ）までに定める金額の3分の1に相当する金額（当該金額に1万円未満の端数がある場合には、これを切り上げた金額）

（注1）「合計所得金額」の意義は、第一節一の1の（十一）を参照。（編者）
（注2）　12中＿＿部分を加え、＿＿部分「12の」を「これらの」に改める令和5年度改正規定は、令和8年1月1日以後適用する。改正後の規定は、令和8年度以後の年度分の個人の市町村民税について適用し、令和7年度分までの個人の市町村民税については、なお従前の例による。
　　（令5改法附1五、15）

13　扶養控除額

次の規定により控除すべき金額を扶養控除額という。（法314の2①十一、④、⑥）

控除対象扶養親族（扶養親族のうち、（一）に掲げる者の区分に応じそれぞれ（一）に定める者をいう。以下同じ。）を有する所得割の納税義務者	（一）	各控除対象扶養親族につき33万円（その者が特定扶養親族（控除対象扶養親族のうち、年齢19歳以上23歳未満の者をいう。二の1《扶養親族等の判定の時期》及び第四節一の3《調整控除》において同じ。）である場合には、45万円、その者が老人扶養親族（控除対象扶養親族のうち、年齢70歳以上の者をいう。（三）及び二の1並びに第四節一の3《調整控除》において同じ。）である場合には38万円 イ　所得税法第2条第1項第3号に規定する居住者　年齢16歳以上の者 ロ　所得税法第2条第1項第5号に規定する非居住者　年齢16歳以上30歳未

		満の者及び年齢70歳以上の者並びに年齢30歳以上70歳未満の者であって次に掲げる者のいずれかに該当するもの （イ）　留学によりこの法律の施行地に住所及び居所を有しなくなった者 （ロ）　障害者 （ハ）　その市町村民税の納税義務者から前年において生活費又は教育費に充てるための支払を38万円以上受けている者
	（二）	所得割の納税義務者の有する老人扶養親族が当該納税義務者又は当該納税義務者の配偶者の直系尊属で、かつ、当該納税義務者又は当該配偶者のいずれかとの同居を常況としている者（第四節一の3において「同居直系尊属」という。）である場合には、当該老人扶養親族については、45万円

14　基礎控除額

　市町村は、前年の合計所得金額が2,500万円以下である所得割の納税義務者については、その者の前年の所得について算定した総所得金額、退職所得金額又は山林所得金額から、次の各号に掲げる場合の区分に応じ、当該各号に定める金額を控除するものとする。この規定によって控除すべき金額を基礎控除額という。（法314の2②⑥、法附33の2⑦三、33の3⑦三、34⑥三、35⑧三、35の2⑧三、35の4⑤三）

（一）　当該納税義務者の前年の合計所得金額が2,400万円以下である場合　　　43万円
（二）　当該納税義務者の前年の合計所得金額が2,400万円を超え2,450万円以下である場合　　　29万円
（三）　当該納税義務者の前年の合計所得金額が2,450万円を超え2,500万円以下である場合　　　15万円

15　東日本大震災に係る雑損控除の特例

①　東日本大震災に係る雑損控除の特例

　市町村は、所得割の納税義務者の選択により、**東日本大震災**（平成23年3月11日に発生した東北地方太平洋沖地震及びこれに伴う原子力発電所の事故による災害をいう。以下同じ。）により1に規定する資産について受けた損失の金額（東日本大震災に関連するやむを得ない支出で（2）で定めるもの（以下15において「**災害関連支出**」という。）の金額を含み、保険金、損害賠償金その他これらに類するものにより埋められた部分の金額を除く。以下15及び第二節三の7の①《東日本大震災に係る雑損失の繰越控除の特例》において「**特例損失金額**」という。）がある場合には、特例損失金額（災害関連支出がある場合には、（1）に規定する申告書の提出の日の前日までに支出したものに限る。以下15において「**損失対象金額**」という。）について、平成22年において生じた1に規定する損失の金額として、第二節三の2《変動所得の損失・被災事業用資産の損失・雑損失の繰越控除》及び一《所得控除額》の規定を適用することができる。この場合において、これらの規定により控除された金額に係る当該損失対象金額は、その者の平成24年度以後の年度分で当該損失対象金額が生じた年の末日の属する年度の翌年度分の個人の市町村民税に関する規定の適用については、当該損失対象金額が生じた年において生じなかったものとみなす。（法附42④）

　　　　（特例の適用要件）
（1）　15の①の規定は、平成23年度分の第六節1《市町村民税の申告書》の①又は③の規定による申告書（その提出期限後において市町村民税の納税通知書が送達される時までに提出されたもの及びその時までに提出された同2《確定申告書》の①の確定申告書を含む。）に15の規定の適用を受けようとする旨の記載がある場合（これらの申告書にその記載がないことについてやむを得ない理由があると市町村長が認める場合を含む。）に限り、適用する。（法附42⑤）

　　　　（東日本大震災に関連するやむを得ない支出）
（2）　15に規定するやむを得ない支出は、1の（3）イからハまでに掲げる支出とする。（令附24⑦）

　　　　（災害に直接関連して支出した金額）
（3）　15の①の規定により一の規定が適用される場合における1の（4）の規定の適用については、同（4）中「支出」とあるのは、「支出（15の（1）に規定する申告書の提出の日の前日までにしたものに限る。）」とする。（令附24⑧）

　　　　　（雑損控除額の控除の対象となる雑損失の金額の計算）
（４）　１の（５）の規定は、特例損失金額を計算する場合について準用する。（令附24⑨）

　　　　　（特例損失金額と他の損失金額とがある場合）
（５）　その年において生じた１に規定する損失の金額のうちに特例損失金額と他の損失金額（特例損失金額以外の１に規定する損失の金額をいう。（６）において同じ。）とがある場合におけるその年において生じた雑損失の金額は、特例損失金額から順次成るものとする。（令附24⑩）

　　　　　（特例損失金額と他の損失金額とがある場合の控除の順序）
（６）　（５）の場合において、雑損失の金額のうちに特例損失金額に係るものと他の損失金額に係るもの（以下（６）及び第二節三の７の①の（２）において「他の雑損失金額」という。）とがあるときは、一の規定による控除については、当該他の雑損失金額から順次控除する。（令附24⑪）

　　　　　（親族資産損失額がある場合の適用）
（７）　市町村民税の所得割の納税義務者が15の①の規定の適用を受けた場合において、一の規定の適用により控除された金額に係る15の①に規定する損失対象金額のうちにその者と生計を一にする１の表の左欄に規定する親族の有する15の①に規定する資産について受けた損失の金額（以下（７）において「**親族資産損失額**」という。）があるときは、当該親族資産損失額は、当該親族の平成24年度以後の年度分の個人の市町村民税に関する規定の適用については、当該親族資産損失額が生じた年において生じなかったものとみなす。（令附25②）

② 　東日本大震災に係る雑損控除の対象期間の特例
　　市町村民税の所得割の納税義務者又は１に規定する親族の有する１に規定する資産が東日本大震災により損壊し、又はその価値が減少した場合その他東日本大震災により当該資産を使用することが困難となった場合において、東日本大震災に関連する次に掲げる支出その他これらに類する支出（以下「震災関連原状回復支出」という。）について東日本大震災からの復興のための事業の状況その他のやむを得ない事情によりその災害のやんだ日の翌日から３年を経過した日の前日までにすることができなかった市町村民税の所得割の納税義務者が、当該事情がやんだ日の翌日から３年を経過した日の前日までに震災関連原状回復支出をしたときは、当該震災関連原状回復支出をした場合は１の（３）のイからハまでに規定するやむを得ない支出をした場合と、当該震災関連原状回復支出をした金額は１の（４）に規定する支出をした金額と、当該震災関連原状回復支出をした金額（保険金、損害賠償金その他これらに類するものにより埋められた部分の金額を除く。）は１の表中のイに規定する災害関連支出の金額とそれぞれみなして、一（１に限る。）の規定を適用する。（法附42⑥、令附24⑦）
（一）　災害により生じた土砂その他の障害物を除去するための支出
（二）　当該資産の原状回復のための支出（当該災害により生じた当該資産に係る損失の金額として計算される金額に相当する部分の支出を除く。）
（三）　当該資産の損壊又はその価値の減少を防止するための支出

　　　　　（②の（二）のかっこ書の損失の金額として計算される金額）
　注　②の（二）のかっこ書の損失の金額として計算される金額は、（二）の損失を生じた時の直前における（二）の資産の価額（その資産が所得税法第38条第２項に規定する資産である場合には、当該価額又は当該損失の生じた日にその資産の譲渡があったものとみなして同項の規定（その資産が昭和27年12月31日以前から引き続き所有していたものである場合には、同法第61条第３項の規定）を適用した場合にその資産の取得費とされる金額に相当する金額）を基礎として計算した金額とする。（令附24⑫）
　　（注１）　上記のかっこ書中の資産が所得税法第38条第２項に規定する使用又は期間の経過により減価する資産である場合における同項の規定を基礎として計算した金額とは、その資産の取得費から次のⅰ及びⅱの合計額を控除した金額をいう。（所得税法38②、同法施行令85）（編者）
　　　　ⅰ　その資産が不動産所得、事業所得、山林所得又は雑所得を生ずべき業務の用に供されていた期間にあっては、これらの金額の計算上、必要経費に算入されるその資産の減価償却費の額の累積額
　　　　ⅱ　ⅰ以外の期間にあっては、当該資産の同種の減価償却資産に係る耐用年数に1.5を乗じて計算した年数により旧定額法に準じて計算した金額に、当該資産の当該期間に係る年数を乗じて計算した金額
　　（注２）　上記のかっこ書中の資産が昭和27年12月31日以前から引き続き所有していたものである場合であって、所得税法第61条第３項の規定を適用した場合に、その資産の取得費とされる金額とは、その資産の昭和28年１月１日における現況に応じ、同日においてその資産に

つき相続税及び贈与税の課税標準の計算に用いるべきものとして国税庁長官が定めて公表した方法により計算した価額をいう。(所得税法61③、同法施行令172)(編者)

二 扶養親族等の判定の時期等

1 扶養親族等の判定の時期

一、一の7の(二)、一の13の(二)の場合において、特別障害者若しくはその他の障害者、寡婦、ひとり親若しくは勤労学生であるかどうか又は所得割の納税義務者の一の7の(二)の規定に該当する同一生計配偶者、老人控除対象配偶者若しくはその他の控除対象配偶者若しくはその他の同一生計配偶者若しくは一の12に規定する生計を一にする配偶者若しくは特定扶養親族、一の7の(二)の規定に該当する扶養親族、一の13の(二)の規定に該当する老人扶養親族若しくはその他の老人扶養親族若しくはその他の控除対象扶養親族若しくはその他の扶養親族であるかどうかの判定は、前年の12月31日(前年の中途においてその者が死亡した場合には、その死亡の時)の現況によるものとする。ただし、その所得割の納税義務者の子が同日前に既に死亡している場合には、当該子がその所得割の納税義務者の第一節一の1の(十)《ひとり親》の(2)で定める子に該当するかどうかの判定は、その死亡の時の現況によるものとする。(法314の2⑧)

(附属申告書等)
(1) 1及び第二編第一章第三節二の1の規定による判定をするときの現況において所得税法第2条第1項第5号に規定する非居住者である者(以下「国外居住者」という。)に係る障害者控除額、配偶者控除額又は配偶者特別控除額の控除に関する事項を記載した第六節1の①及び第二編第一章第六節八の1の①の申告書を提出する者は、当該国外居住者に係る所得税法施行規則第47条の2第5項及び第6項に規定する書類を当該申告書に添付し、又は市町村長に提示しなければならない。ただし、所得税法の規定に基づいて所得税の確定申告書に添付し、若しくは税務署長に提示し、若しくは同法<u>第194条第4項、第195条第4項</u>、第195条の2第2項若しくは第203条の6第3項の規定により提出し、若しくは提示し、又は第六節の2の③の(注1)若しくは同(注2)、第六節の4の①の(10)、同(11)若しくは同(13)若しくは第六節の5の①の(10)、同(11)若しくは同(13)の規定により提出した当該国外居住者に係るものについては、この限りでない。(規2の2④)

(注) (1)中___部分「第194条第4項、第195条第4項」を「第194条第5項、第195条第5項」に改める令和5年度改正規定は、令和7年1月1日以後適用する。(令5改規附1三)

(国外居住者に係る扶養控除額の控除に関する事項を記載した申告書の添付書類)
(2) 国外居住者に係る扶養控除額の控除に関する事項を記載した第六節一の1の①及び第二編第一章第六節八の1の①の申告書を提出する者は、次の各号に掲げる場合の区分に応じ当該各号に定める書類を当該申告書に添付し、又は市町村長に提示しなければならない。ただし、所得税法の規定に基づいて所得税の確定申告書に添付し、若しくは税務署長に提示し、若しくは同法<u>第194条第4項、第195条第4項</u>若しくは第203条の6第3項の規定により提出し、若しくは提示した当該国外居住者に係るものについては、この限りでない。(規2の2⑤)

(一) (二)及び(三)に掲げる場合以外の場合　当該国外居住者に係る次に掲げる書類
　イ　所得税法施行規則第47条の2第7項に規定する書類
　ロ　所得税法施行規則第47条の2第8項に規定する書類

(二) 当該国外居住者が一の13の(一)のロの(イ)及び第二編第三節一の13の(一)のロの(イ)に掲げる者に該当するものとして扶養控除額の控除に関する事項を記載する場合　当該国外居住者に係る次に掲げる書類
　イ　(一)のイに掲げる書類
　ロ　(一)のロに掲げる書類
　ハ　所得税法施行規則第47条の2第9項に規定する書類

(三) 当該国外居住者が一の13の(一)のロの(ハ)及び第二編第三節一の13の(一)のロの(ハ)に掲げる者に該当するものとして扶養控除額の控除に関する事項を記載する場合　当該国外居住者に係る次に掲げる書類
　イ　(一)のイに掲げる書類
　ロ　所得税法施行規則第47条の2第10項に規定する書類

(注) (2)中___部分「第194条第4項、第195条第4項」を「第194条第5項、第195条第5項」に改める令和5年度改正規定は、令和7年1月1日以後適用する。(令5改規附1三)

(控除対象外国外扶養親族)
(3) 国外居住者である扶養親族のうち1及び第二編第一章第三節二の1の規定による判定をするときの現況において

第三編第一章《個人の市町村民税》第三節《所得控除》

年齢16歳未満である者（以下「控除対象外国外扶養親族」という。）に係る扶養親族に関する事項又は国外居住者である同一生計配偶者（控除対象配偶者を除く。以下「控除対象外国外同一生計配偶者」という。）に関する事項を記載した第六節1の①及び第二編第一章第六節八の1の①の申告書を提出する者（以下（2）及び（3）において「申告者」という。）が第一節四の3及び第二編第一章第一節四の3又は第一節四の2及び第二編第一章第一節四の2の規定の適用を受ける者（第一節四の2及び第二編第一章第一節四の2並びに第一節四の3の表中（一）の同一生計配偶者及び扶養親族の数から当該控除対象外国外扶養親族又は当該控除対象外国外同一生計配偶者の数を除いた場合においても同節四の3及び第二編第一章第一節四の3又は第一節四の2及び第二編第一章第一節四の2の規定の適用を受けることとなる者を除く。以下「非課税限度額制度適用者」という。）である場合にあっては、当該申告者は、当該控除対象外国外扶養親族に係る国外扶養親族証明書類又は当該控除対象外国外同一生計配偶者に係る国外配偶者証明書類を当該申告書に添付し、又は市町村長に提示しなければならない。ただし、第六節2の③の（注3）、同節4の①の（12）若しくは同（13）又は同節5の①の（12）若しくは同（13）の規定により提出した当該控除対象外国外扶養親族に係る国外扶養親族証明書類及び第六節の2の③の（注2）の規定により提出した当該控除対象外国外同一生計配偶者に係る国外配偶者証明書類については、この限りでない。（規2の2⑥）

　　（国外扶養親族証明書類）
（4）（3）の国外扶養親族証明書類とは、次に掲げる書類（当該書類が外国語で作成されている場合には、その翻訳文を含む。）をいう。（規2の2⑦）

（一）	控除対象外国外扶養親族に係る次に掲げるいずれかの書類であって、当該控除対象外国外扶養親族が申告者の親族である旨を証するもの	
	イ	戸籍の附票の写しその他の国又は地方公共団体が発行した書類及び旅券（出入国管理及び難民認定法（昭和26年政令第319号）第2条第5号に規定する旅券をいう。）の写し
	ロ	外国政府又は外国の地方公共団体が発行した書類（当該控除対象外国外扶養親族の氏名、生年月日及び住所又は居所の記載があるものに限る。）
（二）	その年において申告者から控除対象外国外扶養親族の生活費又は教育費に充てるための支払が、必要の都度、行われたことを明らかにする書類で次に掲げるもの	
	イ	内国税の適正な課税の確保を図るための国外送金等に係る調書の提出等に関する法律（平成9年法律第110号）第2条第3号に規定する金融機関の書類又はその写しで、当該金融機関が行う為替取引によって当該申告者から当該控除対象外国外扶養親族に支払をしたことを明らかにするもの
	ロ	所得税法施行規則第47条の2第5項第2号に規定するクレジットカード等購入あっせん業者の書類又はその写しで、同号に規定するクレジットカード等を当該控除対象外国外扶養親族が提示し又は通知して、特定の販売業者から商品若しくは権利を購入し、又は特定の同号に規定する役務提供事業者から有償で役務の提供を受けたことにより支払うこととなる当該商品若しくは権利の代金又は当該役務の対価に相当する額の金銭を当該申告者から受領し、又は受領することとなることを明らかにするもの

　　（国外配偶者証明書類）
（5）（3）の国外配偶者証明書類とは、次に掲げる書類（当該書類が外国語で作成されている場合には、その翻訳文を含む。）をいう。（規2の2⑧）

（一）	控除対象外国外同一生計配偶者に係る次に掲げるいずれかの書類であって、当該控除対象外国外同一生計配偶者が申告者の親族である旨を証するもの	
	イ	戸籍の附票の写しその他の国又は地方公共団体が発行した書類及び旅券（出入国管理及び難民認定法第2条第5号に規定する旅券をいう。）の写し
	ロ	外国政府又は外国の地方公共団体が発行した書類（当該控除対象外国外同一生計配偶者の氏名、生年月日及び住所又は居所の記載があるものに限る。）
（二）	その年において申告者から控除対象外国外同一生計配偶者の生活費又は教育費に充てるための支払が、必要の都度、行われたことを明らかにする書類で次に掲げるもの	
	イ	内国税の適正な課税の確保を図るための国外送金等に係る調書の提出等に関する法律第2条第3号に規

定する金融機関の書類又はその写しで、当該金融機関が行う為替取引によって当該申告者から当該控除対象外国外同一生計配偶者に支払をしたことを明らかにするもの

ロ 所得税法施行規則第47条の2第6項第2号に規定するクレジットカード等購入あっせん業者の書類又はその写しで、同号に規定するクレジットカード等を当該控除対象外国外同一生計配偶者が提示し又は通知して、特定の販売業者から商品若しくは権利を購入し、又は特定の同号に規定する役務提供事業者から有償で役務の提供を受けたことにより支払うこととなる当該商品若しくは権利の代金又は当該役務の対価に相当する額の金銭を当該申告者から受領し、又は受領することとなることを明らかにするもの

2 所得割の納税義務者が再婚した場合における同一生計配偶者等の特例

前年の中途において所得割の納税義務者の配偶者が死亡し、前年中にその納税義務者が再婚した場合におけるその納税義務者の同一生計配偶者又は一の11に規定する生計を一にする配偶者に該当する者は、その死亡した配偶者又は再婚した配偶者のうち1人に限るものとする。(法314の2⑩、令48の7⑤、7の16)

三 所得控除の順序

1 所得控除の順序

一の規定による控除に当たっては、まず雑損控除額を控除し、次に医療費控除額、社会保険料控除額、小規模企業共済等掛金控除額、生命保険料控除額、地震保険料控除額、障害者控除額、寡婦控除額、ひとり親控除額、勤労学生控除額、配偶者控除額、配偶者特別控除額、扶養控除額又は基礎控除額を控除するものとする。(法314の2⑪前段)

2 二以上の所得金額がある場合の所得控除の順序

前年中の総所得金額、上場株式等に係る配当所得の金額、土地等に係る事業所得等の金額、分離課税の短期譲渡所得の金額、分離課税の長期譲渡所得の金額、株式等に係る譲渡所得等の金額、先物取引に係る雑所得等の金額、山林所得金額及び退職所得金額のうち、二以上の所得金額がある場合には、所得控除の金額は、まず総所得金額から差し引き、次に土地等に係る事業所得等の金額、分離課税の短期譲渡所得の金額、分離課税の長期譲渡所得の金額、上場株式等に係る配当所得の金額、一般株式等に係る譲渡所得等の金額、上場株式等に係る譲渡所得等の金額及び先物取引に係る雑所得等の金額の順、更に山林所得金額から差し引き、なお引ききれない控除額があるときは最後に退職所得金額から差し引くものとする。(法314の2⑪、法附33の2⑦三、33の3⑦三、34⑥三、35⑧三、35の2⑧三、35の2の2⑧、35の4⑤三、平20改法附8⑱、令附17の3⑦)

(注1) 上記の各種所得金額は、いずれも損益通算及び損失の繰越控除〘第二節三参照〙の規定の適用後の金額をいい、分離課税の譲渡所得については特別控除額控除後の金額をいう。ただし、上場株式等に係る配当所得の金額(申告分離課税の適用を受けようとするものに限る。)、土地建物等の長期譲渡所得・短期譲渡所得の金額、株式等に係る譲渡所得等の金額及び先物取引に係る雑所得等の金額は、損益通算及び純損失の繰越控除の対象とならない。(編者)

(注2) 所得金額から雑損控除額の金額を差し引くことができない場合には、その控除不足額を繰越雑損失の金額として翌年以後3年間に繰り越し、翌年以降の所得金額の計算に際して差し引くことが認められている。この場合の控除の方法については、雑損失の繰越控除〘第二節三の4〙を参照。(編者)

第四節 税額の計算

一 税率

1 均等割の税率

① 均等割の標準税率

個人の均等割の標準税率は、3,000円とする。(法310)

平成26年度から令和5年度までの各年度分の個人の市町村民税に限り、均等割の標準税率は、上記の規定にかかわらず、上記に規定する額に500円を加算した額とする。(平23法第118号2②)

② 均等割の税率の軽減
　市町村は、市町村民税の納税義務者が次の各号に掲げる者のいずれかに該当する場合には、その者に対して課する均等割の額を、当該市町村の条例で定めるところにより、軽減することができる。(法311)
(一)　均等割を納付する義務がある同一生計配偶者又は扶養親族(年齢16歳未満の者及び第三節一の13に規定する控除対象扶養親族に限る。)
(二)　(一)に掲げる者を2人以上有する者

　　　(税率の軽減に関する留意事項)
　注　個人の均等割に関しては、②の規定に基づいて税率を軽減する場合のほか、不均一の課税をすることは原則として適当でないこと。なお、道府県民税の個人の均等割については、②に相当する規定がないので、第九節1《天災等の場合の減免》の規定によって市町村民税の個人の均等割を減免した場合において法第45条《個人の道府県民税又は延滞金額の減免》の規定によって道府県民税の個人の均等割についても減免されることとなる場合を除くほか、②の規定の例による均等割の軽減を行うことはできないものであること。(市通2－22)

2　所得割の税率

　所得割の額は、課税総所得金額、課税退職所得金額及び課税山林所得金額の合計額に、**100分の6**(所得割の納税義務者が地方自治法第252条の19第1項の市(3及び二の3において「指定都市」という。)の区域内に住所を有する場合には、100分の8)の標準税率によって定める率を乗じて得た金額とする。この場合において、当該定める率は、一の率でなければならない。(法314の3①)

　　　(課税総所得金額、課税退職所得金額又は課税山林所得金額の意義)
　注　2の「課税総所得金額」、「課税退職所得金額」又は「課税山林所得金額」とは、それぞれ第三節《所得控除》の規定による控除後の前年の総所得金額、退職所得金額又は山林所得金額をいう。(法314の3②)

3　調整控除

　市町村は、前年の合計所得金額が2,500万円以下である所得割の納税義務者については、その者の2の規定による所得割の額並びに第五節一から五の4まで及び七に規定する上場株式等に係る配当所得の課税の特例、土地等の譲渡等に係る事業所得等の課税の特例、分離長期・短期譲渡所得の課税の特例、株式等の譲渡所得等の課税の特例、先物取引に係る雑所得等の課税の特例に係る市町村民税の所得割の額(4において、「**所得割の額等**」という。)から、次の各号に掲げる場合の区分に応じ、当該各号に定める金額を控除するものとする。(法314の6、法附4⑦一、4の2⑦一、33の2⑦一、四、33の3⑦一、四、34⑥一、四、35⑧一、四、35の2⑧一、四、35の4⑤一、四、平20改法附8⑪、⑱)
①　当該納税義務者の2の注に規定する課税総所得金額、課税退職所得金額及び課税山林所得金額の合計額(以下3において「合計課税所得金額」という。)が200万円以下である場合　次に掲げる金額のうちいずれか少ない金額の100分の3(当該納税義務者が指定都市の区域内に住所を有する場合には、100分の4)に相当する金額

　　イに掲げる金額　｝いずれか少ない額×3％
　　ロに掲げる金額

イ　5万円に、当該納税義務者が次の表の左欄に掲げる者に該当する場合には、当該納税義務者に係る同表の右欄に掲げる金額を合算した金額を加算した金額

(1)	障害者である所得割の納税義務者又は障害者である同一生計配偶者若しくは扶養親族(同居特別障害者である同一生計配偶者及び扶養親族を除く。)を有する所得割の納税義務者	(ⅰ)　(ⅱ)に掲げる場合以外の場合　当該障害者1人につき1万円 (ⅱ)　当該障害者が特別障害者である場合　当該特別障害者1人につき10万円
(2)	同居特別障害者である同一生計配偶者又は扶養親族を有する所得割の納税義務者	当該同居特別障害者1人につき22万円
(3)	寡婦又はひとり親で父である者である所得割の納税義務者	1万円
(4)	ひとり親で母である者である所得割の納税義務者	5万円
(5)	勤労学生である所得割の納税義務者	1万円

第三編第一章《個人の市町村民税》第四節《税額の計算》

(6)	控除対象配偶者を有する所得割の納税義務者	（ｉ）（ii）に掲げる場合以外の場合　５万円（当該納税義務者の前年の合計所得金額が900万円を超え950万円以下である場合には４万円、当該納税義務者の前年の合計所得金額が950万円を超え1,000万円以下である場合には２万円） （ii）当該控除対象配偶者が老人控除対象配偶者である場合　10万円（当該納税義務者の前年の合計所得金額が900万円を超え950万円以下である場合には６万円、当該納税義務者の前年の合計所得金額が950万円を超え1,000万円以下である場合には３万円）
(7)	自己と生計を一にする第三節一の11に規定する配偶者（前年の合計所得金額が55万円未満である者に限る。）で控除対象配偶者に該当しないものを有する所得割の納税義務者（当該配偶者が同11に規定する所得割の納税義務者として同11の規定の適用を受けているものを除き、前年の合計所得金額が1,000万円以下であるものに限る。）	（ｉ）（ii）に掲げる場合以外の場合　５万円（当該納税義務者の前年の合計所得金額が900万円を超え950万円以下である場合には４万円、当該納税義務者の前年の合計所得金額が950万円を超え1,000万円以下である場合には２万円） （ii）当該配偶者の前年の合計所得金額が50万円以上55万円未満である場合　３万円（当該納税義務者の前年の合計所得金額が900万円を超え950万円以下である場合には２万円、当該納税義務者の前年の合計所得金額が950万円を超え1,000万円以下である場合には１万円）
(8)	控除対象扶養親族（同居特別障害者である扶養親族及び同居直系尊属である老人扶養親族を除く。）を有する所得割の納税義務者	（ｉ）（ii）及び（iii）に掲げる場合以外の場合　当該控除対象扶養親族１人につき５万円 （ii）当該控除対象扶養親族が特定扶養親族である場合　当該特定扶養親族１人につき18万円 （iii）当該控除対象扶養親族が老人扶養親族である場合　当該老人扶養親族１人につき10万円
(9)	同居直系尊属である老人扶養親族を有する所得割の納税義務者	当該老人扶養親族１人につき13万円

ロ　当該納税義務者の合計課税所得金額
② 当該納税義務者の合計課税所得金額が200万円を超える場合　イに掲げる金額からロに掲げる金額を控除した金額（当該金額が５万円を下回る場合には、５万円とする。）の100分の３（当該納税義務者が指定都市の区域内に住所を有する場合には、100分の４）に相当する金額

$$\left.\begin{array}{l}（イに掲げる金額－ロに掲げる金額）\\ ５万円\end{array}\right\} いずれか多い金額×３％$$

イ　５万円に、当該納税義務者が①のイの表の左欄に掲げる者に該当する場合には、当該納税義務者に係る同表の右欄に掲げる金額を合算した金額を加算した金額
ロ　当該納税義務者の合計課税所得金額から200万円を控除した金額
(注)　「合計所得金額」の意義は、第一節一の１の（十一）を参照。（編者）

（留意事項）
注　調整控除の適用に当たっては、次の諸点に留意すること。（市通２－26）

(一)　合計課税所得金額は、課税総所得金額、課税退職所得金額及び課税山林所得金額の合計額であり、上場株式等に係る課税配当所得の金額、土地等に係る課税事業所得等の金額、課税長期譲渡所得金額、課税短期譲渡所得金額、株式等に係る課税譲渡所得等の金額又は先物取引に係る課税雑所得等の金額を含まないものであること。
　(二)　この控除の額は、他の税額控除に先立ち、税率適用後の所得割の額から控除するものであること。

4　市町村民税所得割の特例

　市町村は、当分の間、35万円に市町村民税の所得割の納税義務者の同一生計配偶者及び扶養親族の数に1を加えた数を乗じて得た金額に10万円を加算した金額（その者が同一生計配偶者又は扶養親族を有する場合には、当該金額に32万円を加算した金額）が、(一)に掲げる額から(二)に掲げる額と(三)に掲げる額との合計額を控除した金額を超えることとなるときは、当該超える金額に(二)に掲げる額を同(二)に掲げる額と(三)に掲げる額との合計額で除して得た数値を乗じて得た金額を、当該納税義務者の2及び3の規定を適用した場合の所得割の額等から控除するものとする。（法附3の3⑤、6③、⑥、33の2③五、⑦五、33の3③五、⑦五、34③五、⑥五、35④五、⑧五、35の2⑤五、⑧五、35の4②五、⑤五）

(一)	当該納税義務者の前年の所得について第二節《所得割の課税標準及びその計算》の規定により算定した総所得金額等、退職所得金額及び山林所得金額の合計額
	（注）　総所得金額等に含まれる上場株式等に係る配当所得の金額は、第五節五の4《上場株式等に係る譲渡損失の損益通算及び繰越控除》の①又は②の適用後の金額とし、株式等に係る譲渡所得等の金額は、同②《上場株式等に係る譲渡損失の繰越控除》及び同節六の2の①《特定株式に係る譲渡損失の繰越控除》の適用後の金額とし、先物取引に係る雑所得等の金額は、同節七の2《先物取引の差金等決済に係る損失の繰越控除》の適用後の金額とする。（令附18の5⑯⑱、18の6㉝、18の7の2⑮）
(二)	当該納税義務者の2、3及び二の1から4まで並びに三の2《免税対象飼育牛以外の肉用牛の売却による所得がある場合の課税の特例》の規定を適用して計算した場合の所得割の額等
(三)	当該納税義務者の第二編第一章第四節一の1《所得割の税率》、3《調整控除》及び同節二《税額控除》の1から4まで並びに同節三の2《免税対象飼育牛以外の肉用牛の売却による所得がある場合の課税の特例》の規定を適用して計算した場合の所得割の額及び第二編第一章第五節一から五の4まで及び七に規定する上場株式等に係る配当所得の課税の特例、土地の譲渡等に係る事業所得等の課税の特例、分離長期・短期譲渡所得の課税の特例、株式等の譲渡所得等の課税の特例、先物取引に係る雑所得等の課税の特例に係る道府県民税の所得割の額

二　税額控除

1　配当控除

　市町村は、当分の間、所得割の納税義務者の前年の総所得金額のうちに、配当所得（剰余金の配当（所得税法第92条第1項に規定する剰余金の配当をいう。以下1において同じ。）、利益の配当（同項に規定する利益の配当をいう。以下1において同じ。）、剰余金の分配（同項に規定する剰余金の分配をいう。以下1において同じ。）、金銭の分配（同項に規定する金銭の分配をいう。以下1において同じ。）又は証券投資信託又は証券投資信託（同法第2条第1項第13号に規定する証券投資信託をいう。以下1において同じ。）の収益の分配（同法第9条第1項第11号《非課税とされるオープン型の証券投資信託の収益の分配》に掲げるものを含まないものとする。以下1において同じ。）に係る同法第24条に規定する配当所得（地方税法の施行地に主たる事務所又は事業所を有する法人から受けるこれらの金額に係るものに限るものとし、租税特別措置法第9条第1項各号《配当控除の対象とならない配当等》に掲げる配当等に係るもの及び第五節一の1《上場株式等に係る配当所得の分離課税に係る所得割》に規定する上場株式等の配当等に係る配当所得（同1の規定の適用を受けようとするものに限る。）を除く。）をいう。以下1において同じ。）があるときは、次に掲げる金額の合計額を、その者の一の2《所得割の税率》及び3《調整控除》の規定を適用した場合の所得割の額並びに第五節一から五の4まで及び七に規定する上場株式等に係る配当所得の課税の特例、土地等の譲渡等に係る事業所得等の課税の特例、分離長期・短期譲渡所得の課税の特例、株式等の譲渡所得等の課税の特例、先物取引に係る雑所得等の課税の特例に係る市町村民税の所得割の額（2から5までにおいて「**所得割の額等**」という。）から控除するものとする。（法附5③、33の2⑦四、33の3⑦四、34⑥四、35⑧四、35の2⑧四、35の4⑤四）

(一)	剰余金の配当、利益の配当、剰余金の分配、金銭の分配又は特定株式投資信託（租税特別措置法第3条の2に規定する特定株式投資信託をいう。以下1において同じ。）に係る配当所得については、当該配当所得の金額の100分の1.6（当該納税義務者が指定都市の区域内に住所を有する場合には、100分の2.24）（課税総所得金額、上場株式等に係る課税配当所得の金額、土地の譲渡等に係る課税事業所得等の金額、課税長期譲渡所得の金額、課税短期譲渡所

	得の金額、株式等に係る課税譲渡所得等の金額及び先物取引に係る課税雑所得等の金額の合計額（以下第一章において「**課税総所得金額等**」という。）から特定株式投資信託以外の証券投資信託の収益の分配に係る配当所得の金額を控除した金額が1,000万円を超える場合には、当該剰余金の配当、利益の配当、剰余金の分配、金銭の分配又は特定株式投資信託の収益の分配に係る配当所得の金額のうちその超える金額に相当する金額（当該配当所得の金額がその超える金額に満たないときは、当該配当所得の金額）については、100分の0.8（当該納税義務者が指定都市の区域内に住所を有する場合には、100分の1.12））に相当する金額
(二)	特定株式投資信託以外の証券投資信託の収益の分配に係る配当所得（租税特別措置法第9条第4項に規定する一般外貨建等証券投資信託の収益の分配（以下1において「一般外貨建等証券投資信託の収益の分配」という。）に係るものを除く。以下(二)において「証券投資信託に係る配当所得」という。）については、当該証券投資信託に係る配当所得の金額の100分の0.8（当該納税義務者が指定都市の区域内に住所を有する場合には、100分の1.12）（課税総所得金額等から一般外貨建等証券投資信託の収益の分配に係る配当所得の金額を控除した金額が1,000万円を超える場合には、当該証券投資信託に係る配当所得の金額のうちその超える金額に相当する金額（当該証券投資信託に係る配当所得の金額がその超える金額に満たないときは、当該証券投資信託に係る配当所得の金額）については、100分の0.4（当該納税義務者が指定都市の区域内に住所を有する場合には、100分の0.56））に相当する金額
(三)	一般外貨建等証券投資信託の収益の分配に係る配当所得については、当該配当所得の金額の100分の0.4（当該納税義務者が指定都市の区域内に住所を有する場合には、100分の0.56）（課税総所得金額等が1,000万円を超える場合には、当該配当所得の金額のうちその超える金額に相当する金額（当該配当所得の金額がその超える金額に満たないときは、当該配当所得の金額）については、100分の0.2（当該納税義務者が指定都市の区域内に住所を有する場合には、100分の0.28））に相当する金額

2　住宅借入金等特別税額控除

①　**税源移譲に伴う住宅借入金等特別税額控除**（平成11年から平成18年までの居住分に適用）

イ　住宅借入金等特別税額控除額

　市町村は、平成20年度から平成28年度までの各年度分の個人の市町村民税に限り、所得割の納税義務者が前年分の所得税につき租税特別措置法第41条《住宅借入金等を有する場合の所得税額の特別控除》又は第41条の2の2《年末調整に係る住宅借入金等を有する場合の所得税額の特別控除》の規定の適用を受けた場合（同法第41条第1項に規定する居住年（以下2の①、②及び③において「居住年」という。）が平成11年から平成18年までの各年である場合に限る。）において、(一)に掲げる金額と(二)に掲げる金額とのいずれか少ない金額から(三)に掲げる金額を控除した金額（当該金額が零を下回る場合には、零とする。）の5分の3に相当する金額（ロ及び同(4)において「市町村民税の住宅借入金等特別税額控除額」という。）を、当該納税義務者の一の2及び3の規定を適用した場合の所得割の額等〖1参照〗から控除するものとする。（法附5の4⑥、33の2⑦四、33の3⑦四、34⑥四、35⑧四、35の2⑧四、35の4⑤四）

(一)	当該納税義務者の前年分の所得税に係る租税特別措置法第41条第2項から第4項まで若しくは第41条の2又は阪神・淡路大震災の被災者等に係る国税関係法律の臨時特例に関する法律第16条第1項から第3項までの規定を適用して計算した租税特別措置法第41条第1項に規定する住宅借入金等特別税額控除額（平成19年以後の居住年に係る同項に規定する住宅借入金等の金額を有する場合には、当該金額がなかったものとしてこれらの規定を適用して計算した同項に規定する住宅借入金等特別税額控除額）
(二)	イに掲げる金額とロに掲げる金額とを合計した金額からハに掲げる金額を控除した金額 　イ　当該納税義務者の前年分の所得税に係る所得税法第89条第2項に規定する課税総所得金額、課税退職所得金額又は課税山林所得金額につき所得税法等の一部を改正する等の法律（平成18年法律第10号。以下イにおいて「平成18年所得税法等改正法」という。）第14条の規定による廃止前の経済社会の変化等に対応して早急に講ずべき所得税及び法人税の負担軽減措置に関する法律第4条の規定により読み替えられた平成18年所得税法等改正法第1条の規定による改正前の所得税法第二編第三章第一節《税率》の規定を適用して計算した所得税の額 　ロ　当該納税義務者の前年分の租税特別措置法第8条の4第1項（所得税法等の一部を改正する法律（平成20年法律第23号。以下イにおいて「平成20年所得税法等改正法」という。）附則第32条第1項の規定により適用される場合を含む。）、第25条第2項、第28条の4第1項、第31条第1項（同法第31条の2又は第31条の3の規定により適用される場合を含む。）、第32条第1項若しくは第2項、第37条の10第1項（平成20年所得税法等改正法附則第43

	条第2項の規定により適用される場合を含む。）若しくは第41条の14第1項又は租税条約等の実施に伴う所得税法、法人税法及び地方税法の特例等に関する法律第3条の2第16項、第18項、第20項、第22項若しくは第24項の規定による所得税の額の合計額
ハ	当該納税義務者の前年分の所得税に係る租税特別措置法第25条の規定による免除額、所得税法第92条の規定による控除額、租税特別措置法第10条から第10条の5の3まで及び第10条の6（東日本大震災の被災者等に係る国税関係法律の臨時特例に関する法律（以下「**震災特例法**」という。）第10条の4《所得税の額から控除される特別控除額の特例》の規定により読み替えて適用される場合を含む。）の規定による控除額並びに震災特例法第10条の2から第10条の3の3までの規定による控除額の合計額
(三)	当該納税義務者の前年分の所得税の額（前年分の所得税について、租税特別措置法第41条、第41条の2の2、第41条の18、第41条の18の2第2項、第41条の18の3若しくは第41条の19の2から第41条の19の4まで、災害被害者に対する租税の減免、徴収猶予等に関する法律第2条又は所得税法第95条の規定の適用があった場合には、これらの規定の適用がなかったものとして計算した金額）

　　　（留意事項）
注　①の規定に基づく住宅借入金等特別税額控除の適用に当たっては、次の諸点に留意すること。（市通2－28(1)、(2)）
　イ　この控除は、取得した住宅を居住の用に供した年（以下「居住年」という。）が平成18年以前である所得割の納税義務者を対象とするものであり、居住年が平成19年以後である所得割の納税義務者は対象とならないものであること。また、二以上の居住年に係る住宅借入金等を有する所得割の納税義務者については、その居住年が平成18年以前である住宅借入金等のみを対象とし、居住年が平成19年以後である住宅借入金等はないものとして、控除すべき額を計算するものであること。
　ロ　イの（二）には、前年分の所得税につき平成18年度税制改正における税源移譲前の税率を適用した場合の所得税額が、同（三）には、前年分の所得税額が規定されているものであるが、これらの金額は、いずれも住宅借入金等特別税額控除を行う前の段階の所得税額であること。

ロ　**特別税額控除の適用要件**
　イの規定は、市町村民税の所得割の納税義務者が、当該年度の初日の属する年の3月15日までに、（1）で定めるところにより、イの規定の適用を受けようとする旨及び市町村民税の住宅借入金等特別税額控除額の控除に関する事項を記載した市町村民税住宅借入金等特別税額控除申告書（その提出期限後において市町村民税の納税通知書が送達される時までに提出されたものを含む。）を、当該年度の初日の属する年の1月1日現在における住所所在地の市町村長に提出した場合に限り、適用する。（法附5の4⑧）
　（注1）　ロの申告書の提出があった場合には、市町村長は、当該市町村の区域を管轄する税務署長に対し、遅滞なく、当該申告書に記載された事項を通知し、当該記載された事項について確認を求めるものとする。（法附5の4⑪）
　（注2）　税務署長は、（注1）の確認を求められた事項について、国の税務官署の保有する情報と異なるとき又は誤りがあることを発見したときは、遅滞なく、その内容を当該確認を求めた市町村長に通知するものとする。（法附5の4⑫）

　　　（申告書の提出）
(1)　ロの申告書の様式は、次の各号に掲げる区分に応じ、当該各号に定めるところによるものとする。（規附2の3①）

(一)	所得税法第190条の規定の適用を受け、かつ、第六節1《市町村民税の申告書》の①の申告書を提出しない者	第55号の3様式
(二)	(一)に掲げる者以外の者	第55号の4様式

　　（注）　上表の(一)に掲げる者は、同(一)に定める様式による申告書に所得税法第226条第1項に規定する源泉徴収票を添付しなければならない。（規附2の3②）

　　　（確定申告書を提出する場合の申告書の取扱い）
(2)　市町村民税の所得割の納税義務者が第六節2の①の確定申告書を提出する場合には、当該納税義務者は、ロの申告書を、税務署長を経由してロに規定する市町村長に提出することができる。（法附5の4⑨）

(申告書のみなし提出)
（３）　（２）の場合において、ロの申告書がその提出の際経由することができる税務署長に受理されたときは、当該申告書は、その受理された時にロに規定する市町村長に提出されたものとみなす。（法附５の４⑩）

(虚偽記載をした申告書を提出した者の罰則)
（４）　ロの申告書に市町村民税の住宅借入金等特別税額控除額の控除に関する事項に関し虚偽の記載をして提出した者は、１年以下の懲役又は50万円以下の罰金に処する。（法附５の４⑬）

(留意事項)
（５）　①の規定に基づく住宅借入金等特別税額控除の適用に当たっては、次の諸点に留意すること。（市通２－28（３）～（６））
イ　この控除の適用を受けようとする所得割の納税義務者は、適用を受けようとする年度ごとに、賦課期日現在における住所所在地の市町村長に適用を受けようとする旨及び市町村民税の住宅借入金等特別税額控除額に関する事項を記載した市町村民税住宅借入金等特別税額控除申告書を提出する必要があること。したがって、年末調整によって所得税における住宅借入金等特別税額控除の適用を受けた所得割の納税義務者についても、市町村民税住宅借入金等特別税額控除申告書を提出する必要があるものであること。
ロ　所得税の確定申告をする所得割の納税義務者は、税務署長を経由して、イの市町村民税住宅借入金等特別税額控除申告書を提出することができるものであること。
ハ　当該市町村民税住宅借入金等特別税額控除申告書は、毎年３月15日までに提出される必要があるが、その提出期限後においても市町村民税の納税通知書が送達される時までに提出された場合には、この控除の適用を受けることができるものであること。
ニ　市町村長は、当該市町村の区域を管轄する税務署長に対し、イの申告書に記載された事項について確認を求め、控除すべき額を決定するものであること。

②　平成11年から平成18年まで又は平成21年から令和７年までの各年に居住の用に供した場合の住宅借入金等特別税額控除

イ　住宅借入金等特別税額控除額
　市町村は、平成22年度から令和20年度までの各年度分の個人の市町村民税に限り、所得割の納税義務者が前年分の所得税につき租税特別措置法第41条《住宅借入金等を有する場合の所得税額の特別控除》又は第41条の２の２《年末調整に係る住宅借入金等を有する場合の所得税額の特別控除》の規定の適用を受けた場合（居住年が平成11年から平成18年まで又は平成21年から令和７年までの各年である場合に限る。）において、①のイの規定の適用を受けないときは、（一）に掲げる金額から（二）に掲げる金額を控除した金額（当該金額が零を下回る場合には、零とする。）の５分の３（当該納税義務者が指定都市の区域内に住所を有する場合には、５分の４）に相当する金額（以下イにおいて「控除額」という。）を、当該納税義務者の一の２《所得割の税率》及び３《調整控除》の規定を適用した場合の所得割の額等〖１参照〗から控除するものとする。この場合において、当該控除額が当該納税義務者の前年分の所得税に係る所得税法第89条第２項に規定する課税総所得金額、課税退職所得金額及び課税山林所得金額の合計額の100分の３（当該納税義務者が指定都市の区域内に住所を有する場合には、100分の４）に相当する金額（当該金額が58,500円（当該納税義務者が指定都市の区域内に住所を有する場合には、78,000円）を超える場合には、58,500円（当該納税義務者が指定都市の区域内に住所を有する場合には、78,000円）。以下イにおいて「控除限度額」という。）を超えるときは、当該控除額は、当該控除限度額に相当する金額とする。（法附５の４の２⑤、33の２⑦四、33の３⑦四、34⑥四、35⑧四、35の２⑧四、35の４⑤四）

（一）	当該納税義務者の前年分の所得税に係る租税特別措置法第41条第２項から第５項まで若しくは第10項から第19項まで若しくは第41条の２又は阪神・淡路大震災の被災者等に係る国税関係法律の臨時特例に関する法律第16条第１項から第３項までの規定を適用して計算した租税特別措置法第41条第１項に規定する住宅借入金等特別税額控除額 　（平成19年又は平成20年の居住年に係る同項に規定する住宅借入金等の金額を有する場合には、当該金額がなかったものとしてこれらの規定を適用して計算した同項に規定する住宅借入金等特別税額控除額）
（二）	当該納税義務者の前年分の所得税の額（前年分の所得税について、租税特別措置法第41条、第41条の２の２、第41条の18、第41条の18の２第２項、第41条の18の３若しくは第41条の19の２から第41条の19の４まで、災害被害者に対する租税の減免、徴収猶予等に関する法律第２条又は所得税法第95条若しくは第165条の６の規定の適用があった

場合には、これらの規定の適用がなかったものとして計算した金額）

(注) イ中＿＿＿部分「第19項」を「第21項」に改める令和6年度改正規定は、令和7年1月1日以後適用する。（令6改法附1二）

　（留意事項）
注　②の規定に基づく住宅借入金等特別税額控除の適用に当たっては、次の諸点に留意すること。（市通2－28の2）
　イ　この控除は、居住年が平成18年以前又は平成21年から令和7年までの各年である所得割の納税義務者を対象とするものであり、居住年が平成19年又は平成20年である所得割の納税義務者は対象とならないものであること。また、二以上の居住年に係る住宅借入金等を有する所得割の納税義務者については、その居住年が平成18年以前又は平成21年から令和7年までの各年である住宅借入金等のみを対象とし、居住年が平成19年又は平成20年である住宅借入金等はないものとして、控除すべき額を計算するものであること。
　ロ　この控除は、①の規定に基づく住宅借入金等特別税額控除の適用を受けた場合には適用されないものであること。
　ハ　イの(一)には、前年分の所得税に係る住宅借入金等特別税額控除額が規定されているものであるが、この控除額は、租税特別措置法第41条の3の2の規定（特定の増改築等に係る住宅借入金等特別税額控除の規定）については適用しないで計算するものであること。
　ニ　イの(二)には、前年分の所得税額が規定されているものであるが、この金額は、住宅借入金等特別税額控除を行う前の段階の所得税額であること。
　ホ　市町村が控除額を算出するために必要な情報を把握できるよう給与支払報告書等について改正を行うことにより、市町村民税住宅借入金等特別税額控除申告書の提出を不要としたものであること。

ロ　平成26年から令和3年までの各年に居住の用に供した場合の住宅借入金等特別税額控除
　所得割の納税義務者が、居住年が平成26年から令和3年までであって、かつ、租税特別措置法第41条第5項に規定する特定取得又は同条第14項に規定する特別特定取得に該当する同条第1項に規定する住宅の取得等に係る同項に規定する住宅借入金等の金額を有する場合における第1項の規定の適用については、同項中「100分の3」とあるのは「100分の4.2」と、「100分の4」とあるのは「100分の5.6」と、「58,500円」とあるのは「81,900円」と、「78,000円」とあるのは「109,200円」とする。（法附5の4の2⑦）

(注) ロ中＿＿＿部分「同条第14項」を「同条第16項」に改める令和6年度改正規定は、令和7年1月1日以後適用する。（令6改法附1二）

ハ　新型コロナウイルス感染症等に係る住宅借入金等特別税額控除の住宅供用期間の特例
　市町村民税の所得割の納税義務者が前年分の所得税につき新型コロナウイルス感染症特例法第6条の2第1項の規定の適用を受けた場合におけるロ及びハの規定の適用については、これらの規定中「令和3年」とあるのは、「令和4年」とする。（法附61②）

③　東日本大震災に係る住宅借入金等特別税額控除の特例

イ　居住の用に供することができなくなった場合の適用期間の特例
　市町村民税の所得割の納税義務者が前年分の所得税につき震災特例法第13条《住宅借入金等を有する場合の所得税額の特別控除等の適用期間に係る特例》第1項の規定の適用を受けた場合における①及び②の規定の適用については、次の表の左欄に掲げる規定中同表の中欄に掲げる字句は、同表の右欄に掲げる字句とする。（法附45④）

①のイ	租税特別措置法第41条又は第41条の2の2	東日本大震災の被災者等に係る国税関係法律の臨時特例に関する法律（平成23年法律第29号）第13条第1項の規定により読み替えて適用される租税特別措置法第41条又は同項の規定により適用される租税特別措置法第41条の2の2
①のイの表の(一)	租税特別措置法第41条第2項から第4項まで若しくは第41条の2	東日本大震災の被災者等に係る国税関係法律の臨時特例に関する法律第13条第1項の規定により読み替えて適用される租税特別措置法第41条第2項から第4項まで若しくは東日本大震災の被災者等に係る国税関係法律の臨時特例に関する法律第13条第1項の規定により読み替えて適用される租税特別措置法第41条の2
①のイの表の(三)	租税特別措置法第41条、第41条の2の2、	東日本大震災の被災者等に係る国税関係法律の臨時特例に関する法律第13条第1項の規定により読み替えて適用される租税特別措置法第41条、同項の規定により適用される租税特別措置法第41条の2の2若しくは租税特別措置法

②のイ	租税特別措置法第41条又は第41条の2の2	東日本大震災の被災者等に係る国税関係法律の臨時特例に関する法律第13条第1項の規定により読み替えて適用される租税特別措置法第41条又は同項の規定により適用される租税特別措置法第41条の2の2
②のイの表の(一)	租税特別措置法第41条第2項から第5項まで若しくは第10項から第19項まで若しくは第41条の2	東日本大震災の被災者等に係る国税関係法律の臨時特例に関する法律第13条第1項の規定により読み替えて適用される租税特別措置法第41条第2項から第5項まで若しくは第10項から第19項まで若しくは東日本大震災の被災者等に係る国税関係法律の臨時特例に関する法律第13条第1項の規定により適用される租税特別措置法第41条の2
②のイの表の(二)	租税特別措置法第41条、第41条の2の2	東日本大震災の被災者等に係る国税関係法律の臨時特例に関する法律第13条第1項の規定により読み替えて適用される租税特別措置法第41条、同項の規定により適用される租税特別措置法第41条の2の2若しくは租税特別措置法

　(注)　イ中＿＿部分「第19項」を「第21項」に改める令和6年度改正規定は、令和6年4月1日以後適用する。(令6改法附1)

ロ　住宅の再取得等の場合の特例

　市町村民税の所得割の納税義務者が前年分の所得税につき震災特例法第13条《住宅借入金等を有する場合の所得税額の特別控除等の適用期間等に係る特例》第3項若しくは第4項又は第13条の2《住宅借入金等を有する場合の所得税額の特別控除の控除額に係る特例》第1項から第4項まで若しくは第6項から第10項までの規定の適用を受けた場合における①及び②の規定の適用については、次の表の左欄に掲げる規定中同表の中欄に掲げる字句は、それぞれ同表の右欄に掲げる字句とし、①のハの規定は、適用しない。(法附45⑤)

①のイの表の(一)	阪神・淡路大震災の被災者等に係る国税関係法律の臨時特例に関する法律(平成7年法律第11号)第16条第1項から第3項まで	、阪神・淡路大震災の被災者等に係る国税関係法律の臨時特例に関する法律(平成7年法律第11号)第16条第1項から第3項まで又は東日本大震災の被災者等に係る国税関係法律の臨時特例に関する法律(平成23年法律第29号)第13条第3項若しくは第4項若しくは第13条の2第1項から第9項まで
	住宅借入金等の金額	住宅借入金等の金額(東日本大震災の被災者等に係る国税関係法律の臨時特例に関する法律第13条第3項又は第4項の規定の適用を受ける者の有する平成23年から平成27年までの居住年に係る同条第5項第1号に規定する新規住宅借入金等の金額を除く。)
	当該金額	当該住宅借入金等の金額
	これらの規定	租税特別措置法第41条第2項から第4項まで若しくは第41条の2、阪神・淡路大震災の被災者等に係る国税関係法律の臨時特例に関する法律第16条第1項から第3項まで又は東日本大震災の被災者等に係る国税関係法律の臨時特例に関する法律第13条第3項若しくは第4項若しくは第13条の2第1項から第9項までの規定
	計算した同項	計算した租税特別措置法第41条第1項
②のイの表の(一)	阪神・淡路大震災の被災者等に係る国税関係法律の臨時特例に関する法律第16条第1項から第3項まで	阪神・淡路大震災の被災者等に係る国税関係法律の臨時特例に関する法律第16条第1項から第3項まで又は東日本大震災の被災者等に係る国税関係法律の臨時特例に関する法律第13条第3項若しくは第4項若しくは第13条の2第1項から第4項まで若しくは第6項から第10項まで

　(注)　ロ中＿＿部分「第4項まで若しくは第6項から第10項」を「第5項まで若しくは第7項から第11項」に、「第9項」を「第10項」に改める令和6年度改正規定は、令和6年4月1日以後適用する。(令6改法附1)

ハ　平成26年から令和3年までの各年に居住の用に供した場合の住宅借入金等特別税額控除

　ロの場合において、当該納税義務者が平成26年から令和3年までの居住年に係る租税特別措置法第41条第1項に規定す

る住宅借入金等（居住年が平成26年である場合には、その同項に規定する居住日が平成26年4月1日から同年12月31日までの期間内の日であるものに限る。）の金額を有するときは、ロの規定により読み替えて適用される②のイ中「100分の3」とあるのは「100分の4.2」と、「100分の4」とあるのは「100分の5.6」と、「58,500円」とあるのは「81,900円」と、「78,000円」とあるのは「109,200円」とする。（法附45⑥）

3　寄附金税額控除

①　寄附金税額控除

　市町村は、所得割の納税義務者が、前年中に次に掲げる寄附金を支出し、当該寄附金の額の合計額（当該合計額が前年の総所得金額、退職所得金額及び山林所得金額並びに上場株式等に係る配当所得の金額、土地等に係る事業所得等の金額、長期譲渡所得の金額、短期譲渡所得の金額、株式等に係る譲渡所得等の金額及び先物取引に係る雑所得等の金額の合計額の100分の30に相当する金額を超える場合には、当該100分の30に相当する金額）が2,000円を超える場合には、その超える金額の100分の6（当該納税義務者が指定都市の区域内に住所を有する場合には、100分の8）に相当する金額（当該納税義務者が前年中に特例控除対象寄附金を支出し、当該特例控除対象寄附金の額の合計額が2,000円を超える場合には、当該100分の6（当該納税義務者が指定都市の区域内に住所を有する場合には、100分の8）に相当する金額に**特例控除額**を加算した金額。以下①において「控除額」という。）を当該納税義務者の一の2《所得割の税率》及び3《調整控除》の規定を適用した場合の所得割の額等〚1参照〛から控除するものとする。この場合において、当該控除額が当該所得割の額等の合計額を超えるときは、当該控除額は、当該所得割の額等の合計額に相当する金額とする。（法314の7①、法附33の2⑦四、33の3⑦四、34⑥四、35⑧四、35の2⑧四、35の4⑤四）

(一)	都道府県、市町村又は特別区（以下「都道府県等」という。）に対する寄附金（当該納税義務者がその寄附によって設けられた設備を専属的に利用することその他特別の利益が当該納税義務者に及ぶと認められるものを除く。）
(二)	社会福祉法第113条第2項に規定する共同募金会（その主たる事務所を当該納税義務者に係る賦課期日現在における住所所在の道府県内に有するものに限る。）に対する寄附金又は日本赤十字社に対する寄附金（当該納税義務者に係る賦課期日現在における住所所在を道府県内に事務所を有する日本赤十字社の支部において収納されたものに限る。）で、（1）で定めるもの
(三)	所得税法第78条第2項《特定寄附金の範囲》第2号及び第3号に掲げる寄附金（同条第3項《特定公益信託の信託財産とするための支出》の規定により特定寄附金とみなされるものを含む。）並びに租税特別措置法第41条の18の2第2項《認定特定非営利活動法人に寄附をした場合の所得税額の特別控除》に規定する特定非営利活動に関する寄附金（（四）に掲げる寄附金を除く。）のうち、住民の福祉の増進に寄与する寄附金として当該道府県の条例で定めるもの
(四)	特定非営利活動促進法第2条第2項《特定非営利活動法人の定義》に規定する特定非営利活動法人（以下(四)及び⑥において「特定非営利活動法人」という。）に対する当該特定非営利活動法人の行う同条第1項に規定する特定非営利活動に係る事業に関連する寄附金のうち、住民の福祉の増進に寄与する寄附金として当該市町村の条例で定めるもの（特別の利益が当該納税義務者に及ぶと認められるものを除く。）

（注1）　特定非営利活動促進法の一部を改正する法律（平23年法律第70号）附則第10条第6項の規定によりみなして適用する場合における旧認定特定非営利活動法人に対する新租税特別措置法第41条の18の2第2項に規定する特定非営利活動に関する寄附金については、①の表の（三）に規定する特定非営利活動に関する寄附金とみなして、同①の規定を適用する。（平23法第70号附11、12⑤）

（注2）　①中____部分「及び第3号に掲げる寄附金（同条第3項《特定公益信託の信託財産とするための支出》の規定により特定寄附金とみなされるものを含む。）並びに」を「から第4号までに掲げる寄附金及び」に改める令和6年度改正規定は、公益信託に関する法律（令和6年法律第30号）の施行の日の属する年の翌年の1月1日以後適用する。（令6改附十一）

（注3）　（注2）の規定の適用については、①の表の（三）中「寄附金及び」とあるのは、「寄附金（所得税法等の一部を改正する法律（令和6年法律第8号）附則第3条第1項の規定によりなおその効力を有するものとされる同法第1条の規定による改正前の所得税法第78条第3項の規定により特定寄附金とみなされるものを含む。）及び」とする。（令6改附19）

（寄附金税額控除の対象となる共同募金会又は日本赤十字社に対する寄附金の範囲）

（1）　①の表の（二）に規定する寄附金は、次に掲げる寄附金とする。（令48の8、7の17）

　イ　社会福祉法第113条第2項に規定する共同募金会（以下イ及びロにおいて「共同募金会」という。）に対して同法第112条の規定により厚生労働大臣が定める期間内に支出された寄附金で、当該共同募金会がその募集に当たり総務大臣の承認を受けたもの

ロ 社会福祉法第2条第1項に規定する社会福祉事業又は更生保護事業法第2条第1項に規定する更生保護事業に要する経費に充てるために共同募金会に対して支出された寄附金(イに該当するものを除く。)で総務大臣が定めるもの
ハ 日本赤十字社に対して支出された寄附金で、日本赤十字社が当該寄附金の募集に当たり総務大臣の承認を受けたもの
(注) (1)のイ及びハの総務大臣の承認については、第二編第一章第四節二の3の①の(1)の(注)を参照。(編者)

(寄附金税額控除額の控除の対象となる寄附金の特例)
(2) 租税特別措置法第40条第1項の規定の適用を受ける財産の贈与又は遺贈がある場合における①及び⑤の規定の適用については、①中「次に掲げる寄附金」とあるのは「次に掲げる寄附金(租税特別措置法第40条第1項の規定の適用を受けるもののうち、同項に規定する財産の贈与又は遺贈に係る所得税法第32条第3項に規定する山林所得の金額若しくは同法第33条第3項に規定する譲渡所得の金額で同法第32条第3項に規定する山林所得の特別控除額若しくは同法第33条第3項に規定する譲渡所得の特別控除額を控除しないで計算した金額又は同法第35条第2項に規定する雑所得の金額に相当する部分を除く。)」と、「に特例控除対象寄附金」とあるのは「に特例控除対象寄附金(租税特別措置法第40条第1項の規定の適用を受けるもののうち、同項に規定する財産の贈与又は遺贈に係る所得税法第32条第3項に規定する山林所得の金額若しくは同法第33条第3項に規定する譲渡所得の金額で同法第32条第3項に規定する山林所得の特別控除額若しくは同法第33条第3項に規定する譲渡所得の特別控除額を控除しないで計算した金額又は同法第35条第2項に規定する雑所得の金額に相当する部分を除く。)」と、⑤中「特例控除対象寄附金」とあるのは「特例控除対象寄附金(租税特別措置法第40条第1項の規定の適用を受けるもののうち、同項に規定する財産の贈与又は遺贈に係る所得税法第32条第3項に規定する山林所得の金額若しくは同法第33条第3項に規定する譲渡所得の金額で同法第32条第3項に規定する山林所得の特別控除額若しくは同法第33条第3項に規定する譲渡所得の特別控除額を控除しないで計算した金額又は同法第35条第2項に規定する雑所得の金額に相当する部分を除く。)」とする。(令48の9)

(寄附金税額控除額の控除の対象となる寄附金の範囲)
(3) 市町村は、所得割の納税義務者が、前年中に次に掲げる寄附金(ハからトまでに掲げるものに関しては、それぞれ当該市町村の条例に定めるものに限る。)を支出し、当該寄附金の額の合計額(当該合計額が前年の総所得金額、退職所得金額及び山林所得金額の合計額の100分の30に相当する金額を超える場合には、当該100分の30に相当する金額)が2,000円を超える場合には、その超える金額の100分の6(当該納税義務者が地方自治法第252条の19第1項の市(以下「指定都市」という。)の区域内に住所を有する場合には、100分の8)に相当する金額(当該納税義務者が前年中に②に規定する特例控除対象寄附金(以下「特例控除対象寄附金」という。)を支出し、当該特例控除対象寄附金の額の合計額が2,000円を超える場合には、当該100分の6(当該納税義務者が指定都市の区域内に住所を有する場合には、100分の8)に相当する金額に⑤に規定する特例控除額を加算した金額)を当該納税義務者の一の2及び一の3の規定を適用した場合の所得割の額から控除するものであること。この場合において、当該控除額が当該所得割の額を超えるときは、当該控除額は、当該所得割の額に相当する金額とすること。(市通2-24)
イ 都道府県、市町村又は特別区に対する寄附金(当該納税義務者がその寄附によって設けられた設備を専属的に利用することその他特別の利益が当該納税義務者に及ぶと認められるものを除く。)
ロ 社会福祉法(昭和26年法律第45号)第113条第2項に規定する共同募金会(その主たる事務所を当該納税義務者に係る賦課期日現在における住所所在の道府県内に有するものに限る。)に対する寄附金又は日本赤十字社に対する寄附金(当該納税義務者に係る賦課期日現在における住所所在の道府県内に事務所を有する日本赤十字社の支部において収納されたものに限る。)で、(1)の各号の規定により定められたもの
ハ 所得税法第78条第2項第2号の規定に基づき財務大臣が指定した寄附金
ニ 次に掲げる法人に対する当該法人の主たる目的である業務に関連する寄附金(出資に関する業務に充てられることが明らかなものを除く。)
 (イ) 所得税法施行令第217条第1号に規定する独立行政法人
 (ロ) 所得税法施行令第217条第1号の2に規定する地方独立行政法人(地方独立行政法人法第21条第1号又は第3号から第6号までに掲げる業務を主たる目的とするものに限る。)
 (ハ) 所得税法施行令第217条第2号に規定する法人(ロに掲げるものを除く。)
 (ニ) 所得税法施行令第217条第3号に規定する公益社団法人及び公益財団法人
 (ホ) 所得税法施行令第217条第4号に規定する学校法人

　　　　（ヘ）　所得税法施行令第217条第5号に規定する社会福祉法人
　　　　（ト）　所得税法施行令第217条第6号に規定する更生保護法人
　　ホ　所得税法第78条第3項に規定する特定公益信託の信託財産とするために支出した金銭
　　ヘ　租税特別措置法第41条の18の2第2項に規定する特定非営利活動に関する寄附金（その寄附をした者に特別の利益が及ぶと認められるもの、出資に関する業務に充てられることが明らかなもの及びトに掲げる寄附金を除く。）
　　ト　特定非営利活動促進法第2条第2項に規定する特定非営利活動法人（以下「特定非営利活動法人」という。）に対する当該特定非営利活動法人の行う同条第1項に規定する特定非営利活動に係る事業に関連する寄附金（特別の利益が当該納税義務者に及ぶと認められるものを除く。）
　　（注）（3）中＿＿部分「所得税法第78条第3項に規定する特定公益信託の信託財産とするために支出した金銭」を「所得税法第78条第2項第4号に規定する公益信託の信託財産とするために支出した当該公益信託に係る信託事務に関連する寄附金」に改める令和6年度改正規定は、公益信託に関する法律（令和6年法律第30号）の施行の日の属する年の翌年の4月1日が属する年度以後の年度分の個人の市町村民税に適用する。（令6総税市第32号記二）

　　　（留意事項）
（4）　①又は⑤の規定に基づく寄附金税額控除の適用に当たっては、次の諸点に留意すること。（市通2－24の4）
　　イ　共同募金会又は日本赤十字社に対する寄附金で寄附金税額控除の対象となるのは、賦課期日現在の住所所在の都道府県内に主たる事務所を有する共同募金会に対する寄附金又は賦課期日現在の住所所在の都道府県内に事務所を有する日本赤十字社の支部において収納された寄附金に限られ、住所地以外の都道府県共同募金会及び中央共同募金会に対する寄附金並びに住所地以外の日本赤十字社の支部及び日本赤十字社の本社において収納された寄附金は対象とならないこと。
　　ロ　金銭以外の財産により寄附がなされた場合においては、所得税における寄附金控除と同様、その財産の取得費等必要経費に相当する金額が、寄附金税額控除の対象となる金額となるものであること。
　　ハ　特定寄附信託の委託者が、当該特定寄附信託契約に基づき寄附金税額控除の対象となる公益法人等に対して寄附した金額のうち、非課税となった利子所得に相当する金額に係る部分は、寄附金税額控除は適用しないこととすること。なお、非課税となった利子所得に相当する金額は、前年中の非課税となっている特定寄附信託に係る利子等の金額に、同年中に特定寄附信託の信託財産から支出した市町村民税の寄附金税額控除の対象となる寄附金の合計額の同年中に当該信託財産から支出した所得税の寄附金控除の対象となる寄附金の合計額に対する割合を乗じて得た金額（当該金額に1円未満の端数があるとき、又は当該金額の全額が1円未満であるときは、その端数金額又はその全額を切り捨てた金額）とすること。

　　　（申告義務を免除されている者の寄附金税額控除の申告）
（5）　住民税の寄附金税額控除の適用のみ受けようとする者で、第二編第一章第六節八の1の①《道府県民税の申告書の記載事項等》ただし書及び第六節1の①《市町村民税の申告書の記載事項等》ただし書の規定により同節1の申告義務を免除されている者の寄附金税額控除（認定特定非営利活動法人等以外の特定非営利活動法人に対する寄附金に係る寄附金税額控除を除く。）の申告については、地方税法施行規則に定める第5号の5の2様式に従って市町村において作成された申告書によるものであること。
　　　なお、複数の寄附先がある場合には、1枚の申告書に全ての寄附金に関する事項を記載して提出することも、寄附先ごとに個別の申告書を提出することができるものであること。（市通2－24の5）

② **特例控除対象寄附金**
　①の特例控除対象寄附金とは、①の（一）に掲げる寄附金（以下「第一号寄附金」という。）であって、（一）、（四）及び（五）に掲げる基準（都道府県等が返礼品等（都道府県等が第一号寄附金の受領に伴い当該第一号寄附金を支出した者に対して提供する物品、役務その他これらに類するものとして総務大臣が定めるものをいう。以下②において同じ。）を提供する場合には、次に掲げる基準）に適合する都道府県等として総務大臣が指定するものに対するものをいう。（法314の7②）
（一）　都道府県等による第一号寄附金の募集の適正な実施に係る基準として総務大臣が定める基準に適合するものであること。
（二）　都道府県等が個別の第一号寄附金の受領に伴い提供する返礼品等の調達に要する費用の額として総務大臣が定めるところにより算定した額が、いずれも当該都道府県等が受領する当該第一号寄附金の額の100分の30に相当する金額以下であること。
（三）　都道府県等が提供する返礼品等が当該都道府県等の区域内において生産された物品又は提供される役務その他これ

らに類するものであって、総務大臣が定める基準に適合するものであること。
(四) 都道府県等が②の規定により受けようとする指定の効力を生ずる日前１年以内（当該都道府県等が②の規定による指定（以下「指定」という。）を受けていた期間に限る。(五)において「特定期間」という。）において(一)から(三)に掲げる基準のうち適合すべきこととされていたものに適合していたこと。
(五) 特定期間において行われた④の規定による報告の求めに対し、報告をしなかったことがなく、かつ、虚偽の報告をしたことがないこと。
(注) 令和５年４月１日から令和６年３月31日までの間に効力を生ずる②の規定の適用については、②の(四)中「②の規定により受けようとする指定の効力を生ずる日前１年以内」とあるのは、「令和５年４月１日から②の規定により受けようとする指定の効力を生ずる日の前日までの間」とする。(令５改法附１、14②)

③ 総務大臣に提出する申出書

指定を受けようとする都道府県等は、(1)で定めるところにより、第一号寄附金の募集の適正な実施に関し(5)で定める事項を記載した申出書に、②に規定する基準に適合していることを証する書類を添えて、これを総務大臣に提出しなければならない。(法314の7③)

（申出書の提出方法）
(１) ②の規定による指定を受けようとする都道府県等は、指定対象期間の初日の属する年の７月１日から同月31日までの間に、③に規定する申出書及び書類（以下「申出書等」という。）を総務大臣に（市町村又は特別区にあっては、都道府県知事を経由して総務大臣に）提出するものとする。(規１の16①)

（指定対象期間）
(２) (1)に規定する指定対象期間は、毎年10月１日から翌年９月30日までの期間とする。(規１の16②)

（指定を受けていない都道府県等の申出書等の提出）
(３) 指定を受けていない都道府県等（(2)の指定対象期間において既に(3)の規定により申出書等を提出した都道府県等及び④の(1)の規定により指定を取り消された都道府県等を除く。）は、(1)の規定にかかわらず、(2)の指定対象期間の初日の属する年の翌年の４月１日から同年８月31日までの間に、申出書等を総務大臣に（市町村又は特別区にあっては、都道府県知事を経由して総務大臣に）提出することができる。(規１の16③)

（指定を取り消された都道府県等の申告書等の提出）
(４) ④の(1)の規定により指定を取り消された都道府県等（既に(4)の規定により申出書等を提出した都道府県等を除く。）は、①の規定にかかわらず、当該取消しの日から起算して２年を経過する日の属する月の初日から末日までの間に、申出書等を総務大臣に（市町村又は特別区にあっては、都道府県知事を経由して総務大臣に）提出することができる。(規１の16④)

（(3)又は(4)の規定により申出書等を提出した都道府県等の指定対象期間）
(５) (3)又は(4)の規定により申出書等を提出した都道府県等が指定を受ける場合における指定対象期間は、当該指定をした旨の④の(2)の規定による告示をした日から(2)の指定対象期間の末日までの期間とする。(規１の16⑤)

（申出書の記載事項等）
(６) ③に規定する第一号寄附金の募集の適正な実施に関し(5)で定める事項は、次に掲げる事項（②に規定する返礼品等（(7)の(四)において「返礼品等」という。）を提供しない場合には、(一)及び(四)に掲げる事項）とする。(規１の17①)
(一) ②の(一)に掲げる基準に適合する旨
(二) ②の(二)に掲げる基準に適合する旨
(三) ②の(三)に掲げる基準に適合する旨
(四) ②の(四)に掲げる基準に適合する旨
(五) ②の(五)に掲げる基準に適合する旨
(六) (一)から(五)に掲げるもののほか、指定に関し必要な事項

(申出書の添付書類)
(7) ③に規定する申出書に添えるこれらの規定に規定する書類は、次に掲げる書類とする。(規1の17②)
　(一) 都道府県等が(2)に規定する指定対象期間((3)又は(4)の規定により申出書等を提出する都道府県等にあっては、(5)に規定する指定対象期間。(三)及び(四)において「指定対象期間」という。)に受領する①に掲げる寄附金((二)及び(三)において「第一号寄附金」という。)の額の見込額及びその募集に要する費用の額の見込額に関する書類
　(二) 都道府県等が前年度((2)に規定する指定対象期間の初日の属する年度の前年度をいう。)に受領した第一号寄附金の額及びその募集に要した費用の額に関する書類
　(三) 都道府県等が指定対象期間に行おうとする第一号寄附金の募集の取組の内容に関する書類
　(四) 都道府県等が指定対象期間に提供する返礼品等の内容に関する書類
　(五) (一)から(四)に掲げるもののほか、指定に関し必要な書類

(書類の省略)
(8) 総務大臣は、都道府県等の指定に関し支障がないと認める場合には、当該都道府県等について、(6)に掲げる書類の一部又は全部を省略させることができる。(規1の17③)

④　総務大臣の指定及び指定の取消し
　総務大臣は、指定をした都道府県等に対し、第一号寄附金の募集の実施状況その他必要な事項について報告を求めることができる。(法314の7⑤)

(指定の取消し)
(1) 総務大臣は、指定をした都道府県等が②に規定する基準のいずれかに適合しなくなった若しくは適合していなかったと認めるとき、又は④の規定による報告をせず、若しくは虚偽の報告をしたときは、指定を取り消すことができる。(法314の7⑥)

(指定取消しの告示)
(2) 総務大臣は、指定をし、又は(1)の規定による指定の取消し((4)において「指定の取消し」という。)をしたときは、直ちにその旨を告示しなければならない。(法314の7⑦)

(指定取消しを受けた場合)
(3) (1)の規定により指定を取り消され、その取消しの日から起算して2年を経過しない都道府県等は、指定を受けることができない。(法314の7④)

(指定取消しに係る地方財政審議会の意見)
(4) 総務大臣は、②に規定する基準若しくは②の規定による定めの設定、変更若しくは廃止又は指定若しくは指定の取消しについては、地方財政審議会の意見を聴かなければならない。(法314の7⑧)

(特例控除対象寄附金の判定)
(5) ①の場合において、②に規定する特例控除対象寄附金(⑤において「特例控除対象寄附金」という。)であるかどうかの判定は、所得割の納税義務者が第一号寄附金を支出した時に当該第一号寄附金を受領した都道府県等が指定をされているかどうかにより行うものとする。(法314の7⑨)

⑤　特例控除額
　①の特例控除額は、①の所得割の納税義務者が前年中に支出した特例控除対象寄附金の額の合計額のうち2,000円を超える金額に、次の表の各号に掲げる場合の区分に応じ、当該各号に定める割合を乗じて得た金額の5分の3(当該納税義務者が指定都市の区域内に住所を有する場合には、5分の4)に相当する金額(当該金額が当該納税義務者の一の2《所得割の税率》及び3《調整控除》の規定を適用した場合の所得割の額等の合計額の100分の20に相当する金額を超えるときは、当該100分の20に相当する金額)とする。(法314の7⑪、法附33の2⑦四、33の3⑦四、34⑥四、35⑧四、35の2⑧四、35の4⑤四)

		当該控除後の金額について、次の表の左欄に掲げる金額の区分に応じ、それぞれ同表の右欄に掲げる割合	
(一)	当該納税義務者が一の2の注《課税総所得金額等の意義》に規定する課税総所得金額（以下②において「課税総所得金額」という。）を有する場合において、当該課税総所得金額から当該納税義務者に係る一の3《調整控除》の①のイに掲げる金額（以下②において「人的控除差調整額」という。）を控除した金額が零以上であるとき	195万円以下の金額	100分の85
		195万円を超え330万円以下の金額	100分の80
		330万円を超え695万円以下の金額	100分の70
		695万円を超え900万円以下の金額	100分の67
		900万円を超え1,800万円以下の金額	100分の57
		1,800万円を超え4,000万円以下の金額	100分の50
		4,000万円を超える金額	100分の45
(二)	当該納税義務者が課税総所得金額を有する場合において、当該課税総所得金額から当該納税義務者に係る人的控除差調整額を控除した金額が零を下回るときであって、当該納税義務者が一の2の注に規定する課税山林所得金額（以下(三)において「課税山林所得金額」という。）及び一の2の注に規定する課税退職所得金額（以下(三)において「課税退職所得金額」という。）を有しないとき	100分の90	
(三)	当該納税義務者が課税総所得金額を有する場合において当該課税総所得金額から当該納税義務者に係る人的控除差調整額を控除した金額が零を下回るとき又は当該納税義務者が課税総所得金額を有しない場合であって、当該納税義務者が課税山林所得金額又は課税退職所得金額を有するとき	次のイ又はロに掲げる場合の区分に応じ、それぞれイ又はロに定める割合（イ及びロに掲げる場合のいずれにも該当するときは、当該イ又はロに定める割合のうちいずれか低い割合） イ　課税山林所得金額を有する場合　当該課税山林所得金額の5分の1に相当する金額について、(一)の右欄の表の左欄に掲げる金額の区分に応じ、それぞれ同表の右欄に掲げる割合 ロ　課税退職所得金額を有する場合　当該課税退職所得金額について、(一)の右欄の表の左欄に掲げる金額の区分に応じ、それぞれ同表の右欄に掲げる割合	

（注）　租税特別措置法第40条第1項の規定の適用がある場合における②の規定の適用については、①の(2)を参照。（編者）

⑥　特定非営利活動法人に対する寄附金の適用要件

イ　市町村の条例の定め

　①の表の(四)の規定による市町村の条例の定めは、当該寄附金を受け入れる特定非営利活動法人（以下⑥において「控除対象特定非営利活動法人」という。）からの申出があった場合において適切と認められるときに行うものとし、当該条例においては、当該控除対象特定非営利活動法人の名称及び主たる事務所の所在地を明らかにしなければならない。（法314の7⑫）

　　（留意事項）
　注　①の表の(四)の規定に基づく寄附金（以下「控除対象寄附金」という。）については、次の諸点に留意すること。（市通2－24の2）
　イ　控除対象寄附金を受け入れる法人（以下「控除対象特定非営利活動法人」という。）に対しては、寄附者名簿（各事業年度に当該法人が受け入れた寄附金の支払者ごとに当該支払者の氏名又は名称及びその住所又は事務所の所在地並びにその寄附金の額及び受け入れた年月日を記載した書類をいう。以下同じ。）の保存義務など一定の義務が課せられるため、法人からの申出があった場合において適切と認められるときに条例において定めるものであること。
　ロ　控除対象寄附金を支出する住民及び控除対象特定非営利活動法人並びに認定特定非営利活動法人及び特例認定特定非営利活動法人（以下「認定特定非営利活動法人等」という。）の認定機関等が各地方団体による指定の状況を確

認できる必要があること、また控除対象特定非営利活動法人が認定特定非営利活動法人等となった場合、その影響は国税である所得税及び法人税、更には他の地方団体にも及ぶため、より慎重な手続きが求められるとともに、住民の福祉の増進に寄与するものであることを当該地方団体の団体意思として明確にする必要があるため、条例において控除対象特定非営利活動法人の名称及び主たる事務所の所在地を明らかにしなければならないものであること。
ハ　控除対象特定非営利活動法人は、寄附者名簿を控除対象寄附金の受入れをした事業年度ごとに作成し、当該事業年度終了の日の翌日以後３月を経過する日から５年間その主たる事務所の所在地に保存しなければならないものであること。

　　なお、寄附者名簿の作成・保存義務は認定特定非営利活動法人等と同様のものであるが、認定特定非営利活動法人等は認定の有効期間内の日を含む各事業年度に作成することとされているが、控除対象特定非営利活動法人には認定期間がないため寄附金の受入れをした事業年度ごとに作成するものであること。
ニ　市町村長は、控除対象寄附金による控除すべき金額の計算のために必要があると認められるときには、控除対象特定非営利活動法人に対し、控除対象寄附金の受入れに関し報告又は寄附者名簿その他の資料の提出をさせることができるものであること。

ロ　寄附者名簿の備付け等
　控除対象特定非営利活動法人は、注で定めるところにより、寄附者名簿（各事業年度に当該法人が受け入れた寄附金の支払者ごとに当該支払者の氏名又は名称及びその住所又は事務所の所在地並びにその寄附金の額及び受け入れた年月日を記載した書類をいう。ハにおいて同じ。）を備え、これを保存しなければならない。（法314の7⑬）

　　（寄附者名簿の作成及び保存）
　注　ロの寄附者名簿は、①の表の(四)に掲げる寄附金の受入れをした事業年度ごとに作成するものとし、当該事業年度終了の日の翌日以後３月を経過する日から５年間その主たる事務所の所在地に保存しなければならない。（規１の18）

ハ　市町村長への資料の提出
　市町村長は、①（表の(四)に掲げる寄附金に係る部分に限る。）の規定により控除すべき金額の計算のために必要があると認めるときは、控除対象特定非営利活動法人に対し、同(四)に掲げる寄附金の受入れに関し報告又は寄附者名簿その他の資料の提出をさせることができる。（法314の7⑭）

⑦　寄附金税額控除における特例控除額の特例
　①から⑥までの規定の適用を受ける市町村民税の所得割の納税義務者が、⑤の表の(二)若しくは(三)に掲げる場合に該当する場合又は一の２の注《課税総所得金額等の意義》に規定する課税総所得金額、課税退職所得金額及び課税山林所得金額を有しない場合であって、当該納税義務者の前年中の所得について、第五節一の１《上場株式等に係る配当所得の分離課税》、同節二の１《土地の譲渡等に係る事業所得等の分離課税》、同節三の１《土地建物等の長期譲渡所得の分離課税》、同節四の１《土地建物等の短期譲渡所得の分離課税》、同節五の１《株式等の譲渡所得等の分離課税》又は同節七の１《先物取引に係る雑所得等の分離課税》の規定の適用を受けるときは、⑤に規定する特例控除額は、⑤の表の(二)及び(三)の規定にかかわらず、当該納税義務者が前年中に支出した②に規定する特例控除対象寄附金の額の合計額のうち2,000円を超える金額に、次の表の各号に掲げる場合の区分に応じ、当該各号に定める割合（当該各号に掲げる割合の二以上に該当するときは、当該各号に定める割合のうち最も低い割合）を乗じて得た金額の５分の３（当該納税義務者が指定都市の区域内に住所を有する場合には、５分の４）に相当する金額（当該金額が当該納税義務者の一の２《所得割の税率》及び３《調整控除》の規定を適用した場合の所得割の額の100分の20に相当する金額を超えるときは、当該100分の20に相当する金額）とする。（法附５の５②、法附33の２⑦四、33の３⑦四、34⑥四、35⑧四、35の２⑧四、35の４⑤四）

(一)	一の２の注に規定する課税山林所得金額を有する場合	当該課税山林所得金額の５分の１に相当する金額について、⑤の表の(一)の右欄の表の左欄に掲げる金額の区分に応じ、それぞれ同表の右欄に掲げる割合
(二)	一の２の注に規定する課税退職所得金額を有する場合	当該課税退職所得金額について、⑤の表の(一)の右欄の表の左欄に掲げる金額の区分に応じ、それぞれ同表の右欄に掲げる割合
(三)	前年中の所得について第五節二の１の規定の適用を受ける場合	100分の50

(四)	前年中の所得について第五節四の1の規定の適用を受ける場合	100分の60
(五)	前年中の所得について第五節一の1、同節三の1、同節五の1又は同節七の1の規定の適用を受ける場合	100分の75

（寄附金税額控除の対象となる寄附金の特例）
注　①の(1)の規定の適用がある場合における⑦の規定の適用については、⑦中「特例控除対象寄附金」とあるのは、「特例控除対象寄附金（租税特別措置法第40条第1項の規定の適用を受けるもののうち、同項に規定する財産の贈与又は遺贈に係る所得税法第32条第3項に規定する山林所得の金額若しくは同法第33条第3項に規定する譲渡所得の金額で同法第32条第3項に規定する山林所得の特別控除額若しくは同法第33条第3項に規定する譲渡所得の特別控除額を控除しないで計算した金額又は同法第35条第2項に規定する雑所得の金額に相当する部分を除く。）」とする。（令附4の7②）

⑧　**復興特別所得税の創設に伴う寄附金税額控除における特別控除額における特例**

　平成26年度から令和20年度までの各年度分の個人の市町村民税についての①《寄附金税額控除》及び⑤《特例控除額》並びに⑦《寄附金税額控除における特別控除額の特例》（これらの規定を⑨《寄附金税額控除の対象となる寄附金の特例》の規定により読み替えて適用する場合を含む。）の規定の適用については、⑤の表中の(一)右欄に掲げる割合である次の表の中欄に掲げる割合は、同表の右欄に掲げる割合とする。（法附5の6②）

195万円以下の金額	100分の85	100分の84.895
195万円を超え330万円以下の金額	100分の80	100分の79.79
330万円を超え695万円以下の金額	100分の70	100分の69.58
695万円を超え900万円以下の金額	100分の67	100分の66.517
900万円を超え1,800万円以下の金額	100分の57	100分の56.307
1,800万円を超え4,000万円以下の金額	100分の50	100分の49.16
4,000万円を超える金額	100分の45	100分の44.055

　また、⑦の表中の(三)から(五)までの割合である次の表の左欄に掲げる割合は、同表の右欄に掲げる割合とする。（法附5の6①）

100分の50	100分の49.16
100分の60	100分の59.37
100分の75	100分の74.685

⑨　**寄附金税額控除の対象となる寄附金の特例**

　租税特別措置法第4条の5第1項の規定の適用がある場合における①及び⑤並びに⑦の規定の適用については、①中「次に掲げる寄附金」とあるのは「次に掲げる寄附金（租税特別措置法第4条の5第1項の規定の適用を受けた同項に規定する利子等の金額のうち当該寄附金の支出に充てられたものとして政令で定めるところにより計算した金額に相当する部分を除く。）」と、「に特例控除対象寄附金」とあるのは「に特例控除対象寄附金（同項の規定の適用を受けた同項に規定する利子等の金額のうち当該特例控除対象寄附金の支出に充てられたものとして政令で定めるところにより計算した金額に相当する部分を除く。）」と、⑤及び⑦中「特例控除対象寄附金」とあるのは「特例控除対象寄附金（租税特別措置法第4条の5第1項の規定の適用を受けた同項に規定する利子等の金額のうち当該特例控除対象寄附金の支出に充てられたものとして政令で定めるところにより計算した金額に相当する部分を除く。）」とする。（法附5の7②）

（寄附金税額控除の対象となる寄附金の金額）
注　⑥の規定により読み替えて適用される①に規定する①の表の各号に掲げる寄附金の支出に充てられたものとして計算した金額は、前年中に寄附された租税特別措置法第4条の5第1項の規定の適用を受けた同項に規定する利子等の金額に、前年中に同項に規定する特定寄附信託の信託財産から支出した①の表の各号に掲げる寄附金の額の合計額の

第三編第一章《個人の市町村民税》第四節《税額の計算》

同年中に当該信託財産から支出した租税特別措置法第4条の5第2項に規定する対象特定寄附金の額の合計額に対する割合を乗じて得た金額（当該金額に1円未満の端数があるとき、又は当該金額の全額が1円未満であるときは、その端数金額又はその全額を切り捨てた金額）とする。（令附4の6②）

⑩ 寄附金税額控除に係る申告の特例等

②に規定する特例控除対象寄附金（以下⑩から(2)まで及び(5)において「特例控除対象寄附金」という。）を支出する者（特例控除対象寄附金を支出する年の年分の所得税について所得税法第120条第1項の規定による申告書を提出する義務がないと見込まれる者又は同法第121条（第1項ただし書を除く。）の規定の適用を受けると見込まれる者であって、特例控除対象寄附金について①（①の表中（一）に係る部分に限る。）及び⑤の規定によって控除すべき金額（以下⑩において「寄附金税額控除額」という。）の控除を受ける目的以外に、特例控除対象寄附金を支出する年の翌年の4月1日の属する年度分の市町村民税の所得割について第六節1の①から⑤までの規定による申告書の提出（同節2の①の規定により同節1の①から④までの規定による申告書が提出されたものとみなされる同法第2条第1項第37号に規定する確定申告書の提出を含む。(5)の表中（二）において同じ。）を要しないと見込まれるものに限る。(1)から(3)までにおいて「申告特例対象寄附者」という。）は、当分の間、寄附金税額控除額の控除を受けようとする場合には、同節1の③の規定による申告書の提出（同節八の2の①の規定により当該申告書が提出されたものとみなされる同法第2条第1項第37号に規定する確定申告書の提出を含む。）に代えて、特例控除対象寄附金を支出する際、総務省令で定めるところにより、特例控除対象寄附金を受領する都道府県の知事又は市町村若しくは特別区の長（以下「都道府県知事等」という。）に対し、当該都道府県知事等から賦課期日現在における住所所在地の市町村長に寄附金税額控除額の控除に関する事項を記載した書面（(1)、(4)及び(5)において「申告特例通知書」という。）を送付することを求めることができる。（法附7⑧）

（申告特例通知書の送付の求め）
(1) ⑦の規定による申告特例通知書の送付の求め（以下(1)から(5)までにおいて「申告特例の求め」という。）は、申告特例対象寄附者が当該申告特例の求めに係る特例控除対象寄附金を支出する年（(3)から(5)までにおいて「申告特例対象年」という。）に支出する特例控除対象寄附金について申告特例の求めを行う都道府県知事等の数が5以下であると見込まれる場合に限り、行うことができる。（法附7⑨）

（申告特例申請書の記載事項）
(2) 申告特例の求めは、総務省令で定めるところにより、次に掲げる事項を記載した申請書により行わなければならない。（法附7⑩）

（一）	当該申告特例の求めを行う者の氏名、住所及び生年月日
（二）	当該申告特例の求めを行う者が申告特例対象寄附者である旨
（三）	当該申告特例の求めに係る特例控除対象寄附金の額
（四）	(1)に規定する要件に該当する旨
（五）	その他総務省令で定める事項

（注1） 市町村民税の寄附金税額控除に係る申告特例申請書（(2)の申請書）の様式は、第55号の5様式によるものとする。（規附2の4（一））
（注2） 表中（五）に規定する総務省令で定める事項は、表中（三）に掲げる地方団体に対する寄附金の額を支出した年月日その他参考となるべき事項とする。（規附2の5）

（申告特例申請事項変更届出書）
(3) 申告特例の求めを行った申告特例対象寄附者は、当該申告特例の求めを行った日から賦課期日までの間に(2)の表中（一）に掲げる事項に変更があったときは、申告特例対象年の翌年の1月10日までに、当該申告特例の求めを行った都道府県知事等に対し、総務省令で定めるところにより、当該変更があった事項その他総務省令で定める事項を届け出なければならない。（法附7⑪）

（注） 市町村民税の寄附金税額控除に係る申告特例申請事項変更届出書（(3)の変更届出）の様式は、第55号の6様式によるものとする。（規附2の4（二））

（申告特例通知書の送付）
(4) 都道府県知事等は、申告特例の求めがあったときは、申告特例対象年の翌年の1月31日までに、(2)の規定によ

り申請書に記載された当該申告特例の求めを行った者の住所（（3）の規定により当該住所の変更の届出があったときは、当該変更後の住所）の所在地の市町村長に対し、総務省令で定めるところにより、申告特例通知書を送付しなければならない。（法附7⑫）
　　（注）　市町村民税の寄附金税額控除に係る申告特例通知書（（4）の申告特例通知書）の様式は、第55号の7様式によるものとする。（規附2の4（三））

　　　（申告特例の求めを行った者に対する通知その他の必要措置）
（5）　申告特例の求めを行った者が、次の各号のいずれかに該当する場合には、当該申告特例の求めを行った者が申告特例対象年に支出した特例控除対象寄附金に係る申告特例の求め及び（4）の規定による申告特例通知書の送付（（四）に該当する場合にあっては、（四）に係るものに限る。）については、いずれもなかったものとみなす。この場合において、当該申告特例通知書の送付を受けた市町村長は、当該申告特例の求めを行った者に対し、その旨の通知その他の必要な措置を講ずるものとする。（法附7⑬）

(一)	当該申告特例対象年の年分の所得税について所得税法第121条の規定の適用を受けないこととなったとき。
(二)	当該申告特例対象年の翌年の4月1日の属する年度分の道府県民税の所得割について第六節八の1の規定による申告書の提出をしたとき。
(三)	当該申告特例対象年に支出した特例控除対象寄附金について、（4）の規定により申告特例通知書を送付した都道府県知事等の数が5を超えたとき。
(四)	当該申告特例対象年に支出した特例控除対象寄附金について、（4）の規定により申告特例通知書の送付を受けた市町村長が賦課期日現在における住所所在地の市町村長と異なったとき。

　　　（寄附金税額控除に係る申告の特例の適用に当たっての留意事項）
（6）　⑦及び⑧の規定の適用に当たっては、次の諸点に留意すること。（市通2－24の6）
　イ　申告特例対象寄附者とは、特例控除対象寄附金を支出する者のうち、次に掲げる事項に該当すると見込まれる者をいうこと。
　　（イ）　特例控除対象寄附金を支出する年の年分の所得税について所得税法第120条第1項の規定による申告書を提出する義務がない者又は同法第121条（第1項ただし書を除く。）の規定の適用を受ける者
　　（ロ）　特例控除対象寄附金を支出する年の翌年の4月1日の属する年度分の市町村民税の所得割について、当該寄附金に係る寄附金税額控除額の控除を受ける目的以外に、地方税法第317条の2第1項から第5項の規定による申告書の提出（当該申告書の提出がされたものとみなされる確定申告書の提出を含む。）を要しない者
　ロ　申告特例の求めは、特例控除対象寄附金を支出する際行うことができるものであること。
　ハ　申告特例申請書の提出を受ける地方団体は、当該申請書に記載された事項が申告特例通知書により通知され課税資料となることに鑑み、適切に対応すること。
　ニ　申告特例対象寄附者が同一年に同一の地方団体に対して複数回寄附金を支出する場合、これらの寄附金に係る寄附金税額控除を受けるためには、寄附金を支出する毎に申告特例の求めを行う必要がある。この場合の申告特例の求めを行う都道府県知事等の数は、同一年に同一の都道府県知事等に対して行われた申告特例の求めについては、一であること。
　ホ　申告特例申請書及び申告特例申請事項変更届出書の様式は、総務省令に定められているので、この様式に従って市町村において作成された申請書により提出するものであること。これらの様式を総務省令で定めることとしたのは、できる限り納税義務者の負担を避けるため、全国的に統一した様式によろうとするものであるから、市町村は必ず法定された様式によらなければならないものであること。また、当該申請書に基づき寄附金税額控除が適用されるものであることから、総務省令で定められた様式にあるとおり、当該申請書の提出に当たっては、納税義務者の記名が必要であり、当該申請書は書面（正本に限る。）によらなければならないものであること。
　　　ただし、情報通信技術を活用した行政の推進等に関する法律第6条第1項の規定により電子情報処理組織を使用する場合は、当該申請書の提出が書面により行われたものとみなすことができるものであること。この場合、当該電子情報処理組織を使用する申告特例対象寄附者は、当該申請書を書面により提出するときに記載すべきこととされている事項を、申告特例対象寄附者の使用に係る電子計算機から入力することにより申請しなければならないこと。
　ヘ　申告特例の求めを受けた都道府県知事等は、申告特例対象年の翌年1月10日までは申告特例申請事項変更届出書

が提出される可能性があるため、申告特例通知書は申告特例対象年の翌年1月11日以降1月31日までに送付すること。

また、同一年に同一の申告特例対象者から複数の申告特例の求めを受けた都道府県知事等は、これらの申告特例の求めに係る特例控除対象寄附金の額については、一の通知においてその合計額を通知するものとすること。

ト 申告特例通知書の様式は、総務省令に定められているので、この様式に従って市町村において作成されたものを送付するものであること。

なお、これらの様式を総務省令で定めることとしたのは、できる限り申告特例通知書の送付を受ける市町村の負担を避けるため、全国的に統一した様式によろうとするものであるから、市町村は必ず法定された様式によらなければならないものであること。

チ 申告特例の求めを行った者が、申告特例対象年の翌年の4月1日の属する年度分の市町村民税の所得割について申告書の提出(当該申告書の提出がされたものとみなされる確定申告書の提出を含む。以下チからヲまでにおいて同じ。)をしたときは、当該申告書の記載内容及び提出時期にかかわらず、当該申告特例の求めを行った者が申告特例対象年に支出した特例控除対象寄附金に係る申告特例の求め及び申告特例通知書の送付については全てなかったものとみなされ、当該通知書の送付に基づく控除は適用されなくなるものであること。

リ 申告特例の求めを行った者が申告特例対象年に支出した特例控除対象寄附金について、申告特例通知書を送付した都道府県知事等の数が5を超えた場合は、申告特例の求め及び申告特例通知書の送付は、5を超えた部分に限らず全てなかったものとみなされ、当該通知書の送付に基づく控除は適用されなくなるものであること。

ヌ チ又はリ等の場合において、申告特例通知書の送付を受けていた市町村長は、申告特例の求め及び申告特例通知書の送付がなかったものとみなされた者について、当該通知書の送付に基づく控除が適用されなくなるものであること及び当該申告特例通知書に係る寄附金についての控除の適用は寄附金控除に関する事項を記載した申告書の提出等によって受けることとなることに鑑み、当該納税義務者が改めて必要な手続を行う契機等となるよう、申告特例の求め及び申告特例通知書の送付がなかったものとされた旨の通知その他必要な措置(寄附金控除を受けるための手続に関する解説等)を講ずるべきものであること。

ル 申告特例の求めを行った者が申告特例控除額の控除を受けていた場合については、地方税の税額を増加させる賦課決定であっても、法定納期限の翌日から起算して5年を経過する日まですることができるものであること。

ヲ ⑩に規定する事務の遂行に当たっては、これらの事務が申告書の提出に代えて行われるものであることに鑑み、納税義務者の個人情報を厳格に管理すること。

⑪ 申告特例通知書の送付があった場合の申告特例控除額の所得割額からの控除

市町村は、当分の間、所得割の納税義務者が前年中に②に規定する特例控除対象寄附金を支出し、かつ、当該納税義務者について⑩の(4)の規定による申告特例通知書の送付があった場合には、申告特例控除額を当該納税義務者の①及び⑤の規定を適用した場合の所得割の額から控除するものとする。(法附7の2④)

(申告特例控除額)
(1) ⑪の申告特例控除額は、⑤に規定する特例控除額に、次の表の左欄に掲げる一の2の注に規定する課税総所得金額から①の表中(一)のイに掲げる金額を控除した金額の区分に応じ、それぞれ同表の右欄に掲げる割合を乗じて得た金額とする。(法附7の2⑤)

195万円以下の金額	85分の5
195万円を超え330万円以下の金額	80分の10
330万円を超え695万円以下の金額	70分の20
695万円を超え900万円以下の金額	67分の23
900万円を超える金額	57分の33

(規定の適用)
(2) ⑪の規定の適用がある場合における第一編第七章一の2の③の規定の適用については、同③中「3年」とあるのは、「5年」とする。(法附7の2⑥)

⑫ 復興特別所得税に関連する寄附金税額控除の特例控除額の特例
　平成28年度から令和20年度までの各年度分の個人の市町村民税についての⑪及び同（１）の規定の適用については、（１）の表中「85分の５」とあるのは「84.895分の5.105」と、「80分の10」とあるのは「79.79分の10.21」と、「70分の20」とあるのは「69.58分の20.42」と、「67分の23」とあるのは「66.517分の23.483」と、「57分の33」とあるのは「56.307分の33.693」とする。（法附７の３②）

　　（寄附金税額控除に係る申告の特例の適用に当たっての留意事項）
　注　ふるさと納税に関する事務の遂行に当たっては、次の諸点に留意すること。（市通２－24の７）
　　イ　ふるさと納税に関する寄附金の募集については、②に規定する基準に適合するよう行われるべきものであり、その詳細な取扱いについては、別途「ふるさと納税に係る指定制度の運用について」（令和５年６月27日付総税市第65号）及び「ふるさと納税に係る指定制度の運用についてのＱ＆Ａについて」（令和５年７月21日付総税市第80号）を参照されたいこと。
　　　　このほか、ふるさと納税に関する事務の遂行に当たっての留意事項については、別途「ふるさと納税に係る返礼品の送付等について」（平成29年４月１日付総税市第28号）及び「ふるさと納税に係る返礼品の送付等について」（平成30年４月１日付総税市第37号）に示されている事項についても参照し、その趣旨を踏まえた適切な対応を行うべきものであること。
　　ロ　各地方団体においては、自団体がふるさと納税の対象であるかどうか（②の規定による指定を受けているかどうか）について、ふるさと納税を行おうとする所得割の納税義務者が、明確に把握できるよう適切な措置を講ずること。

⑬ 新型コロナウイルス感染症等に係る寄附金税額控除の特例
　市町村民税の所得割の納税義務者が、新型コロナウイルス感染症等の影響に対応するための国税関係法律の臨時特例に関する法律（令和２年法律第25号。以下「新型コロナウイルス感染症特例法」という。）第５条第４項に規定する指定行事の同条第１項に規定する中止等により生じた同条第１項に規定する入場料金等払戻請求権（注において「入場料金等払戻請求権」という。）の全部又は一部の放棄のうち住民の福祉の増進に寄与するものとして当該市町村の条例で定めるもの（注において「市町村払戻請求権放棄」という。）を同条第１項に規定する指定期間（注において「指定期間」という。）内にした場合には、当該納税義務者がその放棄をした日の属する年中に市町村放棄払戻請求権相当額の①の（三）に掲げる寄附金を支出したものとみなして、市町村民税に関する規定を適用する。（法附60③）

　　（市町村放棄払戻請求権相当額の計算）
　注　⑬に規定する市町村放棄払戻請求権相当額とは、⑬の納税義務者がその年の指定期間内において市町村払戻請求権放棄をした部分の入場料金等払戻請求権の価額に相当する金額（①の各号に掲げる寄附金の額及びその放棄をした者に特別の利益が及ぶと認められるものの金額を除く。）の合計額（当該合計額が20万円を超える場合には、20万円）をいう。（法附60④）

４　外国税額控除

① 外国税額控除
　市町村は、所得割の納税義務者が、外国の法令により課される所得税又は道府県民税の所得割、利子割、配当割及び株式等譲渡所得割若しくは市町村民税の所得割に相当する税（所得税法第２条第１項第５号に規定する非居住者であった期間を有する者の当該期間内に生じた所得につき課されるものにあっては、同法第161条第１項第１号に掲げる国内源泉所得につき外国の法令により課されるものに限る。以下４において「外国の所得税等」という。）を課された場合において、当該外国の所得税等の額のうち所得税法第95条第１項《外国税額控除》の控除限度額及び同法第165条の６第１項の控除限度額並びに個人の道府県民税に係る外国税額の控除限度額で政令で定めるもの〖第二編第一章第四節二の４の②〗の合計額を超える額があるときは、②で定めるところにより計算した額を限度として、政令で定めるところにより、当該超える金額（政令で定める金額に限る。）をその者の一《税率》の２、同３及び二《税額控除》の１から３までの規定を適用した場合の所得割の額等〖１参照〗から控除するものとする。（法314の８、法附５④、５の４⑦、５の４の２⑦、33の２⑦四、33の３⑦四、34⑥四、35⑧四、35の２⑧四、35の４⑤四）

(「外国の所得税等」の範囲等)
(1) ①に規定する外国の所得税等の範囲については所得税法施行令第221条の規定を準用し、外国の所得税等の額については所得税法第95条第１項に規定する控除対象外国所得税の額の計算の例による。(令48の９の２①)
(注) 所得税法施行令第221条及び所得税法第95条第１項は、第二編第一章《個人の道府県民税》第四節二の４の①の(１)を参照。(編者)

(外国の所得税等の額を控除する年度)
(2) ①の規定による外国の所得税等の額の控除は、所得税法第95条の規定により同条の外国の所得税の額を控除する年度の翌年度分の所得割の額についてするものとする。(令48の９の２⑧)

② 控除限度額の計算
　①の規定により外国の所得税等の額を控除する場合における限度額は、国税の控除限度額に100分の18(所得割の納税義務者が地方自治法第252条の19第１項の市(⑤及び⑥において「指定都市」という。)の区域内に住所を有する場合には、100分の24)を乗じて計算する。(令48の９の２④)

$$控除限度額 = \left[その年分の所得税の額 \times \frac{当該年分の国外所得総額}{その年分の所得総額}\right] \times \frac{18}{100}$$

③ 繰越外国所得税額の控除
　当該年において課された外国の所得税等の額が当該年の国税の控除限度額(注)、道府県民税の控除限度額(注)及び市町村民税の控除限度額の合計額に満たない場合において、当該年の前年以前３年内の各年(これらの年のうちにその課された外国の所得税等の額を所得割の課税標準である所得の計算上必要な経費に算入した年があるときは、当該必要な経費に算入した年以前の年を除く。以下４において「**前年以前３年内の各年**」という。)において課された外国の所得税等の額のうち所得税法第95条《外国税額控除》、道府県民税の外国税額控除《第二編第一章第四節二の４参照》及び①の規定により控除することができた額を超える部分の額があるときは、当該超える部分の額を、その最も古い年のものから順次当該年に係る国税の控除限度額、道府県民税の控除限度額及び市町村民税の控除限度額の合計額から当該年において課された外国の所得税等の額を控除した残額に充てるものとした場合に当該充てられるものとなる当該超える部分の額は、①の適用については、当該年において課された外国の所得税等の額とみなす。(令48の９の２②)
(注) 「国税の控除限度額」及び「道府県民税の控除限度額」については、第二編第一章《個人の道府県民税》第四節二の４の③を参照。(編者)

④ 繰越控除限度額による外国税額控除
　当該年において課された外国の所得税等の額が当該年の国税の控除限度額、道府県民税の控除限度額及び市町村民税の控除限度額の合計額を超える場合において、前年以前３年内の各年において課された外国の所得税等の額で①の規定により控除することができるもののうちに当該前年以前３年内の各年の市町村民税の控除限度額に満たないものがあるときは、当該年に係る①の規定により外国の所得税等の額を控除する場合における限度額は、②の規定にかかわらず、当該年の市町村民税の控除限度額に、前年以前３年内の各年の国税の控除余裕額、道府県民税の控除余裕額又は市町村民税の控除余裕額を前年以前３年内の各年のうち最も古い年のものから順次に、かつ、同一の年のものについては、国税の控除余裕額、道府県民税の控除余裕額及び市町村民税の控除余裕額の順に、当該年において課された外国の所得税等の額のうち当該年の国税の控除限度額、道府県民税の控除限度額及び市町村民税の控除限度額の合計額を超える部分の額に充てるものとした場合に当該超える部分の額に充てられることとなる市町村民税の控除余裕額の合計額に相当する額を加算して計算する。この場合において、前年以前３年内の各年において④の規定により当該前年以前３年内の各年の当該超える部分の額に充てられることとなる国税の控除余裕額、道府県民税の控除余裕額及び市町村民税の控除余裕額は、④の規定の適用については、ないものとみなす。(令48の９の２⑤)
(注) 上記の「控除余裕額」については、第二編第一章第四節二の４の④を参照。(編者)

⑤ 指定都市の区域内に住所を有する場合の特例
　所得割の納税義務者が賦課期日現在において指定都市の区域内に住所を有する場合には、前年以前３年内の各年(その翌年の１月１日に指定都市以外の市町村の区域内に住所を有した年に限る。以下⑤において同じ。)の④に規定する道府県民税の控除余裕額は、第二編第一章第四節二の４の④の規定にかかわらず、第二編第一章第四節二の４の④の規定により計算した額から当該前年以前３年内の各年の国税の控除限度額の100分の６に相当する額を控除した額(当該額が零に満たない場合には、零)とし、前年以前３年内の各年の④に規定する市町村民税の控除余裕額は、②の規定にかかわらず、②の規定により計算した額に当該前年以前３年内の各年の国税の控除限度額の100分の６に相当する額(当該額が当該前年以

前3年内の各年の②の規定により計算した④に規定する道府県民税の控除余裕額を超える場合には、当該道府県民税の控除余裕額）を加算した額とする。（令48の9の2⑥）

⑥ **指定都市以外の市町村の区域内に住所を有する場合の特例**
　所得割の納税義務者が賦課期日現在において指定都市以外の市町村の区域内に住所を有する場合において、前年以前3年内の各年（その翌年の1月1日に指定都市の区域内に住所を有した年に限る。以下⑥において同じ。）の第二編第一章第四節二の4の④の規定により計算した④に規定する市町村民税の控除余裕額が当該前年以前3年内の各年の国税の控除限度額の100分の18に相当する額を超えるときは、当該前年以前3年内の各年の④に規定する道府県民税の控除余裕額は、第二編第一章第四節二の4の④の規定にかかわらず、第二編第一章第四節二の4の④の規定により計算した額に当該超える部分の額を加算した額とし、当該前年以前3年内の各年の④に規定する市町村民税の控除余裕額は、第二編第一章第四節二の4の④の規定にかかわらず、当該前年以前3年内の各年の国税の控除限度額の100分の18に相当する額とする。（令48の9の2⑦）

⑦ **所得割額を超えるため控除されなかった部分の控除**
　所得割の納税義務者の当該年度の前年度以前3年度内の各年度における所得割額の計算上①の規定により控除することとされた外国の所得税等の額のうち、当該所得割額を超えることとなるため控除することができなかった額でこれらの各年度の所得割について控除されなかった部分の額は、当該納税義務者の所得割の額から控除するものとする。（令48の9の2⑨）

　　（控除することができなかった額が前年度以前3年度内の二以上の年度に生じたものである場合の控除順序）
　注　①の規定の適用に当たっては、次の諸点に留意すること。（市通2－25）
　（一）　所得割の納税義務者が、外国において外国の所得税等を課された場合には、当該外国において課された外国の所得税等の額のうち、所得税法第95条第1項《外国税額控除》の国税の控除限度額並びに道府県民税の控除限度額を超える額があるときは、国税の控除限度額に100分の18（当該納税義務者が指定都市の区域内に住所を有する場合は、100分の24）を乗じて得た額以内の額について所得割の額から税額控除が認められるものであるが、控除余裕額の限度額への加算その他外国税額控除制度の運用に当っては、法人の市町村民税における外国税額控除の取扱い《第二章第四節二参照》を参照すること。ただし、前年以前3年内の各年のうち翌年の1月1日に非居住者であるため所得割を課されない年に課された外国の所得税等の額は、繰り越して控除することができないこと。
　（二）　所得割の納税義務者の前年度以前3年度内の各年度における所得割額の計算上①の規定により控除すべき外国の所得税等の額のうち当該所得割を超えないこととなるため控除することができなかった額があるときは、所得税の場合と異なり、その額を還付することなく、その額を繰越控除するものであるが、この場合において控除することができなかった額が前年度以前3年度内の二以上の年度に生じたものであるときは、これらの年度のうち最も前の年度に生じた額から順次控除を行うものであること。
　（三）　控除余裕額は、次に掲げる場合には、前年以前3年内の各年の住所地にかかわらず、当該課税年度の賦課期日現在の住所地により計算するものであること。
　　イ　所得割の納税義務者が賦課期日現在において指定都市に住所を有する場合で、前年以前3年内の各年のうちに、その翌年の1月1日に指定都市以外の市町村に住所を有した年があるとき。
　　ロ　所得割の納税義務者が賦課期日現在において指定都市以外の市町村に住所を有する場合で、前年以前3年内の各年のうちに、その翌年の1月1日に指定都市に住所を有した年があるとき。

⑧ **外国税額控除の適用要件**
　①の規定による外国の所得税等の額の控除に関する規定は、第六節1の①《申告書の記載事項等》の規定による申告書（同節1の④の（1）《前年前3年内に生じた居住用財産の買換え等の場合の通算後譲渡損失の金額の繰越控除の適用がある場合の読替え》又は（3）《前年前3年内に生じた特定居住用財産の通算後譲渡損失の金額の繰越控除の適用がある場合の読替え》の規定により読み替えて適用される同④の規定、第五節五の4の②のロ《前年前3年内に生じた上場株式等に係る譲渡損失の繰越控除の適用がある場合の準用》において準用する第六節1の④の規定及び第五節六の5において準用する第六節1の④の規定及び第五節七の2の③において準用する第六節1の④の規定による申告書を含む。）に外国の所得税等の額の控除に関する明細書を添付して提出した場合（③、④又は⑦の規定については、当該申告書を提出し、かつ、当該規定の適用を受けようとする金額の生じた年以後の各年について連続して当該金額に関する事項の記載がある当該明細書を提出している場合）に限り適用するものとし、①の規定により控除されるべき金額の計算の基礎となる当該年にお

いて課された外国の所得税等の額その他の総務省令で定める金額は、当該明細書に当該計算の基礎となる金額として記載された金額を限度とする。ただし、市町村長において特例の事業があると認めるときは、この限りでない。(令48の9の2⑩、令附4㉒、4の2㉑、18の5㉖、18の6㉟、18の7の2⑰)

(総務省令で定める金額)
注　⑧に規定する総務省令で定める金額は、①の規定による控除をしようとする年において課されたこれらの規定に規定する外国の所得税等（以下「外国の所得税等」という。）の額とする。ただし、次の各号に掲げる規定に係る部分の金額については、当該各号に定める金額とする。(規1の19)

(一)	③若しくは④	③に規定する超える部分の額又は当該年において課された外国の所得税等の額
(二)	⑦	⑦に規定する控除されなかった額に係る年度のうち最も古い年度以後の各年度における所得割額の計算上法①の規定により控除することとされた外国の所得税等の額

5　配当割額又は株式等譲渡所得割額の控除

市町村は、所得割の納税義務者が、第二節五の2《特定配当等に係る所得を申告したときの総所得金額除外の不適用》に規定する確定申告書に記載した特定配当等に係る所得の金額の計算の基礎となった特定配当等の額について第二編第三章第三節《配当割》の規定により配当割額を課された場合又は第二節五の4《特定株式等譲渡所得金額に係る所得を申告したときの総所得金額除外の不適用》に規定する確定申告書に記載した特定株式等譲渡所得金額に係る所得の金額の計算の基礎となった特定株式等譲渡所得金額について第二編第三章第四節《株式等譲渡所得割》の規定により株式等譲渡所得割額を課された場合には、当該配当割額又は当該株式等譲渡所得割額に5分の3を乗じて得た金額を、その者の一の2《所得割の税率》、3及び4、二《税額控除》の1から4まで並びに三《肉用牛の売却による事業所得に係る課税の特例》の2の規定を適用した場合の所得割の額等〖1参照〗から控除するものとする。(法314の9①、法附3の3⑥、5④、5の4⑦、5の4の2⑦、6⑥、33の2⑦四、33の3⑦四、34⑥四、35⑧四、35の2⑧四、35の4⑤四)

(控除することができなかった金額の還付等)
(1)　5の規定により控除されるべき額で5の所得割の額から控除することができなかった金額があるときは、市町村は、(3)から(7)までで定めるところにより、5の納税義務者に対しその控除することができなかった金額を還付し、又は当該納税義務者の5の申告書に係る年度分の個人の道府県民税若しくは市町村民税に充当し、若しくは当該納税義務者の未納に係る地方団体の徴収金に充当するものとする。(法314の9②)

(道府県民税の控除不足額の還付等)
(2)　第二編第一章第四節二の5の規定により控除されるべき額で同5の所得割の額から控除することができなかった金額があるときは、市町村は、当該控除することができなかった金額を5の規定により控除されるべき額で5の所得割の額から控除することができなかった金額とみなして、(1)の規定を適用する。(法314の9③)

(配当割額又は株式等譲渡所得割額の控除不足額の充当)
(3)　市町村長は、5の納税義務者に(1)又は(2)に規定する控除することができなかった金額（以下(6)までにおいて「控除不足額」という。）がある場合には、当該納税義務者の5の確定申告書の個人の道府県民税又は市町村民税の第一編第六章三《還付加算金》に規定する賦課決定（第七節三の4の①《賦課額の変更又は決定》の規定による追徴に係るものを除く。）後、納税通知書を発する前に、当該控除不足額を当該個人の道府県民税又は市町村民税に充当するものとする。(令48の9の3①)
　　(注)　市町村長は、(3)の規定による充当をしたときは、納税通知書の交付に併せて、その旨を当該充当に係る納税義務者に通知しなければならない。(令48の9の3②)

(控除不足額のうち充当できなかった金額の充当)
(4)　控除不足額のうち(3)の規定による充当をすることができなかった部分の金額がある場合において、当該納税義務者に未納に係る地方団体の徴収金があるときは、次の各号の順序により、当該充当をすることができなかった部分の金額（(6)の規定により加算すべき金額を含む。）をこれに充当するものとする。(令48の9の3③)
　(一)　当該納税義務者の4の確定申告書の個人の道府県民税又は市町村民税で第七節三の4の①の規定により追徴すべきものがあるときは、当該個人の道府県民税又は市町村民税に充当する。

(二)　控除不足額のうち(3)及び(一)の規定による充当をすることができなかった部分の金額があるときは、その他の未納に係る地方団体の徴収金に充当する。
　　　(注1)　第一編第六章一の2の④の(1)の規定は、(4)の規定による充当について準用する。(令48の9の3④)
　　　(注2)　市町村長は、(4)の規定による充当をしたときは、遅滞なく、その旨を当該充当に係る納税義務者に通知しなければならない。(令48の9の3⑤)

　　(配当割額又は株式等譲渡所得割額の控除不足額の還付)
(5)　市町村長は、控除不足額のうち(3)及び(4)の規定による充当をすることができなかった部分の金額があるときは、当該金額を還付するものとする。(令48の9の4①)
　　(注)　市町村長は、(5)の規定による還付をしたときは、遅滞なく、その旨を当該還付に係る納税義務者に通知しなければならない。(令48の9の4②)

　　(配当割額又は株式等譲渡所得割額の還付金等の額に係る還付加算金の計算)
(6)　市町村長は、(3)若しくは(4)の規定による充当又は(5)の規定による還付をする場合においては、当該充当をし、又は還付をする金額(以下(6)において「還付金等の額」という。)に、当該控除不足額が確定した日の翌日からその充当をする日(同日前に充当をするのに適することとなった日があるときは、その日)又はその還付のための支出を決定する日までの期間の日数に応じ、年7.3パーセントの割合を乗じて計算した金額を当該還付金等の額に加算しなければならない。ただし、(3)又は(4)の(一)の規定による充当をする場合は、この限りでない。(令48の9の5①)
　　(注)　第一編第六章三の1の(1)の規定は上記の期間について、同編第十章3の表の(二)及び(五)の規定は上記の規定により還付金等の額に加算すべき金額について準用する。この場合において、同編第六章三の1の(1)中「過誤納金」とあり、及び同編第十章3の表の(二)中「税額」とあるのは、「第三編第一章第四節二の5の(6)に規定する還付金等の額」と読み替えるものとする。(令48の9の5②)

　　(未納の道府県民税又は市町村民税の延滞金の免除)
(7)　(4)の(一)の規定による充当をする場合においては、市町村長は、当該充当に係る未納の道府県民税又は市町村民税についての延滞金を免除する。(令48の9の6)

6　令和6年度分の個人の市町村民税の特別税額控除

　市町村は、令和6年度分の個人の市町村民税に限り、市町村民税に係る令和6年度分特別税額控除額を、特別税額控除対象納税義務者の一の2及び同注、一の3及び同4、二の1、同2の②のイ、同3の①〜⑦及び同⑪の規定を適用した場合の所得割の額から控除する。(法附5の8④)
　(注)　6から7までを追加する令和6年度改正規定は、令和6年4月1日以後適用する。(令6改法附1)

　　(令和6年度分の個人の市町村民税の特別税額控除額)
(1)　6の市町村民税に係る令和6年度分特別税額控除額は、個人の住民税の所得割の額が1万円(特別税額控除対象納税義務者が控除対象配偶者又は扶養親族(第三節二の1の規定による判定をするときの現況においてこの法律の施行地に住所を有しない者を除く。以下「控除対象配偶者等」という。)を有する場合には、1万円に当該控除対象配偶者等1人につき1万円を加算した金額)を超える場合には1万円(特別税額控除対象納税義務者が控除対象配偶者等を有する場合には、1万円に当該控除対象配偶者等1人につき1万円を加算した金額)から道府県民税特別税額控除額を控除して得た金額とし、個人の住民税の所得割の額が1万円(特別税額控除対象納税義務者が控除対象配偶者等を有する場合には、1万円に当該控除対象配偶者等1人につき1万円を加算した金額)を超えない場合には第二編第一章第四節二の6の(1)の(二)に掲げる額に相当する金額とする。(法附5の8⑤)

　　(読替規定)
(2)　6及び(1)の規定の適用がある場合における3の⑤、五の8及び第三節二の1の規定の適用については、3の⑤及び第三節二の1中「所得割の額」とあるのは「所得割の額(6及び(1)の規定の適用を受ける前のものをいう。)」と、五の8中「課した」とあるのは「6及び(1)の規定の適用がないものとした場合に課すべき」と、「の前々年中」とあるのは「のこれらの規定の適用がないものとした場合における前々年中」と、「、前々年中」とあるのは「、6及び(1)の規定の適用がないものとした場合における前々年中」とする。(法附5の8⑥)

　　(令和6年度分の個人の市町村民税の普通徴収に関する特例)
(3)　令和6年度分の個人の市町村民税に限り、第七節二の規定により普通徴収の方法によって徴収する個人の市町村

第三編第一章《個人の市町村民税》第四節《税額の計算》

民税（第七節五の1の③及び第十節の11の規定により徴収するものを除く。以下「普通徴収の個人の市町村民税」という。）の納期が第七節三の2本文の規定により定められている市町村における普通徴収の個人の市町村民税の当該定められている納期における徴収については、次に定めるところによる。（法附5の9①）
（一）　特別税額控除対象納税義務者の特別税額控除前の普通徴収に係る個人の市町村民税の額（6及び(1)の規定の適用がないものとした場合に算出される普通徴収の個人の市町村民税の額をいう。以下（一）において同じ。）からその者の普通徴収の個人の市町村民税の額を控除した額（以下「普通徴収の個人の市町村民税に係る特別税額控除額」という。）がその者の特別税額控除前の普通徴収に係る個人の市町村民税の額を4で除して得た金額（当該金額に1,000円未満の端数があるとき、又は当該金額の全額が1,000円未満であるときは、その端数金額又はその全額を切り捨てた金額。以下「分割金額」という。）に3を乗じて得た金額をその者の特別税額控除前の普通徴収に係る個人の市町村民税の額から控除した残額に相当する金額（以下「6月分金額」という。）に満たない場合には、6月中に定められている納期においてはその者の6月分金額からその者の普通徴収の個人の市町村民税に係る特別税額控除額を控除した残額に相当する税額を、その他のそれぞれの納期においてはその者の分割金額に相当する税額を、それぞれ徴収するものとする。
（二）　特別税額控除対象納税義務者の普通徴収の個人の市町村民税に係る特別税額控除額がその者の6月分金額以上であり、かつ、その者の6月分金額とその者の分割金額との合計額に満たない場合には、6月中に定められている納期において徴収すべき税額はないものとし、8月中に定められている納期においてはその者の6月分金額とその者の分割金額との合計額からその者の普通徴収の個人の市町村民税に係る特別税額控除額を控除した残額に相当する税額を、10月中に定められている納期及び1月中に定められている納期においてはその者の分割金額に相当する税額を、それぞれ徴収するものとする。
（三）　特別税額控除対象納税義務者の普通徴収の個人の市町村民税に係る特別税額控除額がその者の6月分金額とその者の分割金額との合計額以上であり、かつ、その者の6月分金額とその者の分割金額に2を乗じて得た金額との合計額に満たない場合には、6月中に定められている納期及び8月中に定められている納期において徴収すべき税額はないものとし、10月中に定められている納期においてはその者の6月分金額とその者の分割金額に2を乗じて得た金額との合計額からその者の普通徴収の個人の市町村民税に係る特別税額控除額を控除した残額に相当する税額を、1月中に定められている納期においてはその者の分割金額に相当する税額を、それぞれ徴収するものとする。
（四）　特別税額控除対象納税義務者の普通徴収の個人の市町村民税に係る特別税額控除額がその者の6月分金額とその者の分割金額に2を乗じて得た金額との合計額以上である場合には、6月中に定められている納期、8月中に定められている納期及び10月中に定められている納期において徴収すべき税額はないものとし、1月中に定められている納期においてはその者の普通徴収の個人の市町村民税の額に相当する税額を徴収するものとする。

　　（読替規定）
（4）　(3)の規定の適用がある場合における第七節三の2の規定の適用については、第七節三の2中「当該個人の市町村民税額」とあるのは、「(3)の（一）に規定する特別税額控除前の普通徴収に係る個人の市町村民税の額」とする。（法附5の9②）

　　（除外規定）
（5）　市町村が令和6年度分の個人の市町村民税（6月中に定められている納期から第七節四の6の規定により普通徴収の方法によって徴収されることとなったものを除く。）を第七節四の6の規定により普通徴収の方法によって徴収する場合については、(3)及び(4)の規定は、適用しない。（法附5の9③）

　　（令和6年度分の給与所得に係る個人の市町村民税の特別徴収に関する特例）
（6）　6及び(1)の規定の適用がある場合における第七節四の3の①の規定の適用については、令和6年度分の個人の市町村民税に限り、第七節四の3の①中「12分の1」とあるのは「11分の1」と、「6月」とあるのは「7月」とする。（法附5の10）

　　（令和6年度分の公的年金等に係る所得に係る個人の市町村民税の特別徴収に関する特例）
（7）　令和6年度分の個人の市町村民税に限り、第七節五の1の①の規定により特別徴収の方法によって徴収する第六節1の①に規定する公的年金等（以下「公的年金等」という。）に係る所得に係る個人の市町村民税（(9)において「年金所得に係る特別徴収の個人の市町村民税」という。）の徴収及び第七節五の1の③の規定により普通徴収の方法によって徴収する公的年金等に係る所得に係る個人の市町村民税の徴収については、次に定めるところによる。（法附5の

11①)
(一)　特別税額控除対象納税義務者の特別税額控除前の年金所得に係る個人の市町村民税の額（6及び(1)の規定の適用がないものとした場合に算出される第七節五の1の①に規定する前年中の公的年金等に係る所得に係る所得割額及び均等割額の合算額（第七節五の1の②の規定により給与所得及び公的年金等に係る所得以外の所得に係る所得割額を特別徴収の方法によって徴収する場合には、当該所得割額を加算した額とする。以下(一)及び(五)において「年金所得に係る所得割額及び均等割額の合算額」という。）をいう。以下(一)及び(9)の(一)において同じ。）からその者の年金所得に係る所得割額及び均等割額の合算額を控除した額（以下(7)及び(9)において「年金所得に係る個人の市町村民税に係る特別税額控除額」という。）がその者の特別税額控除前の普通徴収に係る個人の市町村民税の額（特別税額控除前の年金所得に係る個人の市町村民税の額から特別税額控除前の特別徴収に係る個人の市町村民税の額（特別税額控除前の年金所得に係る個人の市町村民税の額の2分の1に相当する額（当該額に100円未満の端数があるときはその端数金額を切り捨て、当該額が100円未満であるときは100円とする。）をいう。以下(一)において同じ。）を控除した額をいう。以下(一)において同じ。）を2で除して得た金額（当該金額に1,000円未満の端数があるとき、又は当該金額の全額が1,000円未満であるときは、その端数金額又はその全額を切り捨てた金額。以下「分割普通徴収金額」という。）をその者の特別税額控除前の普通徴収に係る個人の市町村民税の額から控除した残額に相当する金額（以下「6月分普通徴収金額」という。）に満たない場合には、第七節三の2本文の規定により6月中に定められている納期においてはその者の6月分普通徴収金額からその者の年金所得に係る個人の市町村民税に係る特別税額控除額を控除した残額に相当する税額を、同条本文の規定により8月中に定められている納期においてはその者の分割普通徴収金額に相当する税額を、普通徴収の方法によってそれぞれ徴収するものとし、当該年度の初日の属する年の10月1日から11月30日までの間においてはその者の特別税額控除前の特別徴収に係る個人の市町村民税の額を3で除して得た金額（当該金額に100円未満の端数があるとき、又は当該金額の全額が100円未満であるときは、その端数金額又はその全額を切り捨てた金額。以下「分割特別徴収金額」という。）に2を乗じて得た金額をその者の特別税額控除前の特別徴収に係る個人の市町村民税の額から控除した残額に相当する金額（以下「10月分特別徴収金額」という。）に相当する税額を、同年12月1日から翌年の3月31日までの間においてはその者の分割特別徴収金額に相当する税額を、それぞれの期間において第七節五の3の②に規定する特別徴収対象年金給付（以下(7)及び(9)において「特別徴収対象年金給付」という。）の支払をする際、特別徴収の方法によってそれぞれ徴収するものとする。

(二)　特別税額控除対象納税義務者の年金所得に係る個人の市町村民税に係る特別税額控除額がその者の6月分普通徴収金額以上であり、かつ、その者の6月分普通徴収金額とその者の分割普通徴収金額との合計額に満たない場合には、第七節三の2本文の規定により6月中に定められている納期において徴収すべき税額はないものとし、第七節三の2本文の規定により8月中に定められている納期においてはその者の6月分普通徴収金額とその者の分割普通徴収金額との合計額からその者の年金所得に係る個人の市町村民税に係る特別税額控除額を控除した残額に相当する税額を普通徴収の方法によって徴収するものとし、当該年度の初日の属する年の10月1日から11月30日までの間においてはその者の10月分特別徴収金額に相当する税額を、同年12月1日から翌年の3月31日までの間においてはその者の分割特別徴収金額に相当する税額を、それぞれの期間において特別徴収対象年金給付の支払をする際、特別徴収の方法によってそれぞれ徴収するものとする。

(三)　特別税額控除対象納税義務者の年金所得に係る個人の市町村民税に係る特別税額控除額がその者の6月分普通徴収金額とその者の分割普通徴収金額との合計額以上であり、かつ、その者の6月分普通徴収金額、その者の分割普通徴収金額及びその者の10月分特別徴収金額の合計額に満たない場合には、第七節三の2本文の規定により6月中に定められている納期及び第七節三の2本文の規定により8月中に定められている納期において徴収すべき税額はないものとし、当該年度の初日の属する年の10月1日から11月30日までの間においてはその者の6月分普通徴収金額、その者の分割普通徴収金額及びその者の10月分特別徴収金額の合計額からその者の年金所得に係る個人の市町村民税に係る特別税額控除額を控除した残額に相当する税額を、同年12月1日から翌年の3月31日までの間においてはその者の分割特別徴収金額に相当する税額を、それぞれの期間において特別徴収対象年金給付の支払をする際、特別徴収の方法によってそれぞれ徴収するものとする。

(四)　特別税額控除対象納税義務者の年金所得に係る個人の市町村民税に係る特別税額控除額がその者の6月分普通徴収金額、その者の分割普通徴収金額及びその者の10月分特別徴収金額の合計額以上であり、かつ、その者の6月分普通徴収金額、その者の分割普通徴収金額、その者の10月分特別徴収金額及びその者の分割特別徴収金額の合計額に満たない場合には、第七節三の2本文の規定により6月中に定められている納期及び第七節三の2本文の規定により8月中に定められている納期並びに当該年度の初日の属する年の10月1日から11月30日までの間において徴収すべき税額はないものとし、同年12月1日から翌年の1月31日までの間においてはその者の6月分普通徴収金額、

その者の分割普通徴収金額、その者の10月分特別徴収金額及びその者の分割特別徴収金額の合計額からその者の年金所得に係る個人の市町村民税に係る特別税額控除額を控除した残額に相当する税額を、同年2月1日から3月31日までの間においてはその者の分割特別徴収金額に相当する税額を、それぞれの期間において特別徴収対象年金給付の支払をする際、特別徴収の方法によってそれぞれ徴収するものとする。
(五)　特別税額控除対象納税義務者の年金所得に係る個人の市町村民税に係る特別税額控除額がその者の6月分普通徴収金額、その者の分割普通徴収金額、その者の10月分特別徴収金額及びその者の分割特別徴収金額の合計額以上である場合には、第七節三の2本文の規定により6月中に定められている納期及び同条本文の規定により8月中に定められている納期並びに当該年度の初日の属する年の10月1日から翌年の1月31日までの間において徴収すべき税額はないものとし、同年2月1日から3月31日までの間においてはその者の年金所得に係る所得割額及び均等割額の合算額に相当する税額を当該期間において特別徴収対象年金給付の支払をする際、特別徴収の方法によって徴収するものとする。

　　（読替規定）
(8)　(7)の規定の適用がある場合における第七節五の4の規定の適用については、第七節五の4(1)中「年金所得に係る特別徴収税額を当該年度の初日の属する年の10月1日から翌年の3月31日までの間における当該特別徴収対象年金所得者に係る特別徴収対象年金給付の支払の回数で除して得た額」とあるのは、「当該年度の初日の属する年の10月1日から翌年の3月31日までの間において特別徴収対象年金給付の支払をする際、(7)の各号の規定により特別徴収の方法によってそれぞれ徴収するものとされている額」とする。（法附5の11②）

　　（年金所得に係る特別徴収の個人の市町村民税の徴収）
(9)　令和6年度分の個人の市町村民税に限り、年金所得に係る特別徴収の個人の市町村民税の徴収（(7)の規定の適用があるものを除く。）については、次に定めるところによる。（法附5の11③）
(一)　特別税額控除対象納税義務者の年金所得に係る個人の市町村民税に係る特別税額控除額がその者の特別税額控除前の特別徴収に係る個人の市町村民税の額（特別税額控除前の年金所得に係る個人の市町村民税の額から第七節五の8に規定する年金所得に係る仮特別徴収税額を控除した額をいう。以下同じ。）を3で除して得た金額（当該金額に100円未満の端数があるとき、又は当該金額の全額が100円未満であるときは、その端数金額又はその全額を切り捨てた金額。以下「分割特別徴収金額」という。）に2を乗じて得た金額をその者の特別税額控除前の特別徴収に係る個人の市町村民税の額から控除した残額に相当する金額（以下「10月分特別徴収金額」という。）に満たない場合には、当該年度の初日の属する年の10月1日から11月30日までの間においてはその者の10月分特別徴収金額からその者の年金所得に係る個人の市町村民税に係る特別税額控除額を控除した残額に相当する税額を、同年12月1日から翌年の3月31日までの間においてはその者の分割特別徴収金額に相当する税額を、それぞれの期間において特別徴収対象年金給付の支払をする際、それぞれ徴収するものとする。
(二)　特別税額控除対象納税義務者の年金所得に係る個人の市町村民税に係る特別税額控除額がその者の10月分特別徴収金額以上であり、かつ、その者の10月分特別徴収金額とその者の分割特別徴収金額との合計額に満たない場合には、当該年度の初日の属する年の10月1日から11月30日までの間において徴収すべき税額はないものとし、同年12月1日から翌年の1月31日までの間においてはその者の10月分特別徴収金額とその者の分割特別徴収金額との合計額からその者の年金所得に係る個人の市町村民税に係る特別税額控除額を控除した残額に相当する税額を、同年2月1日から3月31日までの間においてはその者の分割特別徴収金額に相当する税額を、それぞれの期間において特別徴収対象年金給付の支払をする際、それぞれ徴収するものとする。
(三)　特別税額控除対象納税義務者の年金所得に係る個人の市町村民税に係る特別税額控除額がその者の10月分特別徴収金額とその者の分割特別徴収金額との合計額以上である場合には、当該年度の初日の属する年の10月1日から翌年の1月31日までの間において徴収すべき税額はないものとし、同年2月1日から3月31日までの間においてはその者の第七節五の8(1)の規定により読み替えられた第七節五の1の①に規定する年金所得に係る特別徴収税額に相当する税額を当該期間において特別徴収対象年金給付の支払をする際、徴収するものとする。

　　（読替規定）
(10)　(9)の規定の適用がある場合における第七節五の4の規定の適用については、第七節五の4(1)中「年金所得に係る特別徴収税額を当該年度の初日の属する年の10月1日から翌年の3月31日までの間における当該特別徴収対象年金所得者に係る特別徴収対象年金給付の支払の回数で除して得た額」とあるのは、「当該年度の初日の属する年の10月1日から翌年の3月31日までの間において特別徴収対象年金給付の支払をする際、(9)の各号の規定によりそれぞ

　　　　（普通徴収で徴収する場合）
(11)　市町村が令和6年度分の個人の市町村民税を第七節五の6の③の(1)、第七節五の10その他(12)で定める規定により普通徴収の方法によって徴収する場合については、(7)～(10)の規定は、適用しない。（法附5の11⑤）

　　　　（令和6年度分の公的年金等に係る所得に係る特別徴収に関する特例を適用しない場合）
(12)　(11)に規定する(12)で定める規定は、第七節五の7の(5)の規定とする。（令附4の10①）

　　　　（除外規定）
(13)　第七節五の7の規定の適用がある場合には、(7)～(10)までの規定は、適用しない。（令附4の10②）

7　令和7年度分の個人の市町村民税の特別税額控除

　市町村は、令和7年度分の個人の市町村民税に限り、市町村民税に係る令和7年度分特別税額控除額を、特別税額控除対象納税義務者（同一生計配偶者（控除対象配偶者及び第三節二の1の規定による判定をするときの現況においてこの法律の施行地に住所を有しない者を除く。）を有するものに限る。）の一の2及び同注、一の3及び同4、二の1、同2の②のイ、同3の①～⑦及び同⑪の規定を適用した場合の所得割の額から控除する。（法附5の12③）

　　　　（個人の住民税の所得割の額が1万円を超える場合）
　注　7の市町村民税に係る令和7年度分特別税額控除額は、個人の住民税の所得割の額が1万円を超える場合には1万円から道府県民税特別税額控除額を控除して得た金額とし、個人の住民税の所得割の額が1万円を超えない場合には第二編第一章二の7の注の（二）に掲げる額に相当する金額とする。（法附5の12④）

三　肉用牛の売却による事業所得に係る課税の特例

1　売却した肉用牛がすべて免税対象飼育牛である場合の所得割の免除

　市町村は、昭和57年度から令和9年度までの各年度分の個人の市町村民税に限り、所得割の納税義務者が前年中に租税特別措置法第25条第1項《肉用牛の売却による農業所得の課税の特例》各号に掲げる売却の方法により当該各号に定める肉用牛を売却し、かつ、その売却した肉用牛が全て同項に規定する免税対象飼育牛（2において「免税対象飼育牛」という。）である場合（その売却した肉用牛の頭数の合計が1,500頭以内である場合に限る。）において、市町村民税の申告書〚第六節1の①〛（その提出期限後において市町村民税の納税通知書が送達される時までに提出されたもの及びその時までに提出された前年分の所得税に係る確定申告書〚第六節2の①〛を含む。2において同じ。）にその肉用牛の売却に係る同法第25条第1項に規定する事業所得の明細に関する事項の記載があるとき（これらの申告書にその記載がないことについてやむを得ない理由があると市町村長が認めるときを含む。2において同じ。）は、当該事業所得に係る市町村民税の所得割の額（前年の総所得金額に係る市町村民税の所得割の額から、前年において生じた1の事業所得がなかったものとして計算した場合における前年の総所得金額に係る市町村民税の所得割の額を控除した金額をいう。）を免除するものとする。（法附6④、令附5②）

2　免税対象飼育牛以外の肉用牛の売却による所得がある場合の課税の特例

　市町村は、1に規定する各年度分の個人の市町村民税に限り、所得割の納税義務者が前年中に租税特別措置法第25条第1項各号に掲げる売却の方法により当該各号に定める肉用牛を売却し、かつ、その売却した肉用牛のうちに免税対象飼育牛に該当しないもの又は免税対象飼育牛に該当する肉用牛の頭数の合計が1,500頭を超える場合の当該超える部分の免税対象飼育牛が含まれている場合（その売却した肉用牛が全て免税対象飼育牛に該当しないものである場合を含む。）において、市町村民税に関する申告書にその肉用牛の売却に係る同法第25条第2項第2号に規定する事業所得の明細に関する事項の記載があるときは、その者の前年の総所得金額に係る市町村民税の所得割の額は、第二節から第四節二まで（第四節一の1及び4並びに同節二の3の⑤及び5の規定を除く。）の規定にかかわらず、次に掲げる金額の合計額とすることができる。（法附6⑤）

(一)	租税特別措置法第25条第2項第1号に規定する売却価額の合計額に100分の0.9（当該納税義務者が指定都市の区域内に住所を有する場合には、100分の1.2）を乗じて計算した金額

(二)	租税特別措置法第25条第2項第2号に規定する事業所得の金額がないものとみなして計算した場合における前年の総所得金額につき、第二節から第四節二まで（第四節一の1及び4並びに同節二の3の⑤及び5の規定を除く。）の規定により計算した所得割の額に相当する金額

四　市町村による所得の計算

1　市町村の自主調査決定に基づく所得割の算定

　市町村は、市町村内に住所を有する個人に対して所得割を課する場合においては、次の各号に定めるところによって、その者の第二節一の1《所得割の課税標準の算定》の総所得金額等（上場株式等に係る配当所得の金額は、第五節五の4の①又は②の適用後の金額とし、株式等に係る譲渡所得等の金額は、同②及び同節六の2の①の適用後の金額とし、先物取引に係る雑所得等の金額は同節七の2の適用後の金額とする。）、退職所得金額又は山林所得金額を算定するものとする。（法315、令附16の2の11②、16の3⑥、17④、17の3⑧、18⑩、18の5㉒四、㉓、㉔四、18の6㉛、㉜、18の7⑥、18の7の2⑮四、⑯）

(一)	その者が所得税に係る申告書を提出し、又は政府が総所得金額等、退職所得金額若しくは山林所得金額を更正し、若しくは決定した場合においては、当該申告書に記載され、又は当該更正し、若しくは決定した金額を基準として算定する。ただし、当該申告書に記載され、又は当該更正し、若しくは決定した金額が過少であると認められる場合においては、自ら調査し、その調査に基づいて算定する。
(二)	その者が(一)の申告書を提出せず、かつ、政府が(一)の決定をしない場合においては、自ら調査し、その調査に基づいて算定する。

2　所得の計算が著しく適正を欠く場合の自主調査決定

　市町村は、当該市町村の市町村民税の納税義務者に係る所得税の基礎となった所得の計算が当該市町村を通じて著しく適正を欠くと認められる場合においては、1の規定にかかわらず、総務大臣に協議し、その同意を得て、各納税義務者について、地方税法又はこれに基づく政令で特別の定めをする場合を除くほか、所得税法その他の所得税に関する法令に規定する所得の計算の方法に従い自らその所得を計算し、その計算したところに基づいて、市町村民税を課することができる。（法316）

3　市町村による所得の計算の通知

　市町村が1の表の(一)ただし書又は2の規定によって自ら所得を計算して市町村民税を課した場合においては、市町村長は、その算定に係る総所得金額等、退職所得金額又は山林所得金額を当該市町村の区域を管轄する税務署長に通知するものとする。（法317、令附16の2の11②、16の3⑥、17④、17の3⑧、18⑩、18の5㉒、㉔、18の6㉛、18の7⑥、18の7の2⑮）

第五節　所得割に係る課税の特例

一　上場株式等に係る配当所得等の課税の特例

1　上場株式等に係る配当所得等の分離課税に係る所得割

　市町村は、当分の間、市町村民税の所得割の納税義務者が前年中に租税特別措置法第8条の4第1項《上場株式等に係る配当所得の課税の特例》に規定する上場株式等の配当等（以下一において「**上場株式等の配当等**」という。）を有する場合には、当該上場株式等の配当等に係る利子所得及び配当所得については、第二節一の1《所得割の課税標準の算定》及び2《所得割の総所得金額等の算定方法》並びに第四節一の2《所得割の税率》の規定にかかわらず、他の所得と区分し、前年中の当該上場株式等の配当等に係る利子所得の金額及び配当所得の金額として政令で定めるところにより計算した金額（以下1において「**上場株式等に係る配当所得等の金額**」という。）に対し、上場株式等に係る課税配当所得等の金額（上場株式等に係る配当所得等の金額（総所得金額からの所得控除の控除不足額がある場合には、第三節三の2《二以上の所得金額がある場合の所得控除の順序》で定めるところにより当該控除不足額を控除した後の金額）をいう。）の100分の3

(当該納税義務者が指定都市の区域内に住所を有する場合には、100分の4)に相当する金額に相当する市町村民税の所得割を課する。(法附33の2⑤前段、⑦三、35の2の6⑭、⑰)

　　　（配当控除の不適用）
（1）　1の場合において、当該上場株式等の配当等に係る配当所得については、第四節二の1《配当控除》の規定は、適用しない。(法附33の2⑤後段)

　　　（平成21年1月1日から平成25年12月31日までの間に支払を受けるべき上場株式等の配当等に係る経過措置）
（2）　市町村民税の所得割の納税義務者が、平成21年1月1日から平成25年12月31日までの間に支払を受けるべき1に規定する上場株式等の配当等を有する場合には、当該上場株式等の配当等に係る配当所得については、1の規定により、上場株式等に係る課税配当所得の金額（1に規定する上場株式等に係る課税配当所得の金額をいう。以下(2)において同じ。)に対して課する市町村民税の所得割の額は、1の規定にかかわらず、当該上場株式等に係る課税配当所得の金額の100分の1.8に相当する金額とする。(平20改法附8⑩、⑫、平23改法附2)

　　　（留意事項）
（3）　市町村民税の所得割の納税義務者が、平成28年1月1日以後に支払を受けるべき租税特別措置法第8条の4第1項に規定する上場株式等の配当等に係る配当所得を有する場合、前年分の所得税につき分離課税を選択した場合に限り、市町村民税につき分離課税の適用があるものとし、当該上場株式等の配当等に係る配当所得の金額の100分の3（当該納税義務者が指定都市の区域内に住所を有する場合は、100分の4)に相当する金額の所得割を課するものであること。(市通2－72)
　　なお、この場合において次の諸点に留意すること。
　イ　申告分離課税を選択した場合には、配当控除は適用されないことに留意すること。
　ロ　当該納税義務者が支払を受けるべき上場株式等の配当等に係る配当所得の金額について、前年分の所得税につき総合課税の適用を受けた場合には、申告分離課税は適用しないこと。
　ハ　平成21年1月1日から平成25年12月31日までの間に支払を受けるべき上場株式等の配当等に係る配当所得の金額に対して課する所得割の額は、100分の1.8に相当する金額とされているものであること。

2　総合課税との選択適用

　1の規定のうち、租税特別措置法第8条の4第2項に規定する特定上場株式等の配当等（以下「特定上場株式等の配当等」という。）に係る配当所得に係る部分は、市町村民税の所得割の納税義務者が前年分の所得税について特定上場株式等の配当等に係る配当所得につき租税特別措置法第8条の4第1項の規定の適用を受けた場合に限り適用する。(法附33の2⑥)

二　土地の譲渡等に係る事業所得等の課税の特例

1　土地の譲渡等に係る事業所得等の分離課税に係る所得割

　市町村は、当分の間、市町村民税の所得割の納税義務者が前年中に租税特別措置法第28条の4第1項《土地の譲渡等に係る事業所得等の課税の特例》に規定する事業所得又は雑所得を有する場合には、当該事業所得及び雑所得については、第二節一の1《所得割の課税標準の算定》及び2《所得割の総所得金額等の算定方法》並びに第四節一の2《所得割の税率》の規定にかかわらず、他の所得と区分し、前年中の当該事業所得及び雑所得の金額として2で定めるところにより計算した金額（以下二において「土地等に係る事業所得等の金額」という。）に対し、次に掲げる金額のうちいずれか多い金額に相当する市町村民税の所得割を課する。(法附33の3⑤、⑦三)

(一)	土地等に係る事業所得等の金額（総所得金額からの所得控除の控除不足額がある場合には第三節三の2《二以上の所得金額がある場合の所得控除の順序》で定めるところにより当該控除不足額を控除した後の金額。(二)において「土地等に係る課税事業所得等の金額」という。）の100分の7.2（当該納税義務者が指定都市の区域内に住所を有する場合には、100分の9.6）に相当する金額
(二)	土地等に係る課税事業所得等の金額につき1の規定の適用がないものとした場合に算出される市町村民税の所得割の額として3《上積所得割の額》で定めるところにより計算した金額の100分の110に相当する金額

2　土地等に係る事業所得等の金額

　1に規定する土地等に係る事業所得等の金額は、1に規定する事業所得又は雑所得に係る租税特別措置法施行令第19条第4項《土地等に係る事業所得等の計算》の規定による収入金額から当該事業所得又は雑所得に係る同項の規定による原価等の額を控除した金額の合計額（市町村民税の所得割の課税標準の計算上その例によることとされている所得税法の規定による損益通算、損失の繰越控除の適用又は総所得金額からの所得控除の控除不足額がある場合には、その適用後又は控除不足額控除後の金額）とする。（令附16の3④）

3　土地の譲渡等に係る事業所得等に対する上積所得割の額

　1の表の(二)に規定する3で定めるところにより計算した金額は、同(二)に規定する土地等に係る課税事業所得等の金額と当該年度分の課税総所得金額との合計額を当該課税総所得金額とみなして計算した場合の所得割の額から、当該年度分の課税総所得金額に係る所得割の額を控除した金額とする。（令附16の3⑤）

4　優良宅地等の適用除外

　1の規定は、1に規定する事業所得又は雑所得で、その基因となる土地の譲渡等（租税特別措置法第28条の4第1項《土地の譲渡等に係る事業所得等の課税の特例》に規定する土地の譲渡等をいう。）が同条第3項各号に掲げる譲渡に該当することにつき総務省令で定めるところにより証明がされたものについては、適用しない。（法附33の3⑥）

（適用除外の証明書）
注　4に規定する総務省令で定めるところにより証明がされた譲渡は、次の各号に掲げる譲渡の区分に応じ当該各号に掲げる書類を第六節1の①《申告書の記載事項等》の規定による申告書（その提出期限後において市町村民税の納税通知書が送達される時までに提出されたもの及びその時までに提出された同節2《確定申告書》の①に規定する確定申告書を含む。）に添付することにより証明がされた譲渡とする。（規附13②、①）

(一)	租税特別措置法第28条の4第3項《優良宅地供給等の適用除外》第1号、第2号又は第4号から第8号までに掲げる譲渡	それぞれ租税特別措置法施行規則第11条第1項第1号、第2号又は第4号から第8号までに掲げる書類
(二)	租税特別措置法第28条の4第3項第3号に掲げる譲渡	次に掲げる書類 イ　租税特別措置法施行規則第14条第5項各号《収用等に伴い代替資産を取得した場合の特例の適用を受ける場合の申告書添付書類》に掲げる資産の区分に応じ当該各号に掲げる書類 ロ　当該土地等の譲渡が租税特別措置法施行令第19条第10項に規定する譲渡に該当し、かつ、当該譲渡に係る土地等の面積が1,000平方メートル以上である場合には、租税特別措置法施行規則第11条第1項第4号ロ(1)から(4)までに掲げる場合の区分に応じ、それぞれ同号ロ(1)から(4)までに掲げる書類

5　特例の適用停止

　1の規定は、1に規定する事業所得又は雑所得で、その基因となる土地の譲渡等が平成10年1月1日から令和8年3月31日までの間に行われたものについては、適用しない。（法附33の3⑧）

三　土地建物等の長期譲渡所得の課税の特例

1　長期譲渡所得の課税の特例

①　長期譲渡所得の分離課税に係る所得割の額

　市町村は、当分の間、市町村民税の所得割の納税義務者が前年中に租税特別措置法第31条第1項《長期譲渡所得の課税の特例》に規定する譲渡所得を有する場合には、当該譲渡所得については、第二節一の1《所得割の課税標準の算定》及び2《所得割の総所得金額等の算定方法》並びに第四節一の2《所得割の税率》の規定にかかわらず、他の所得と区分し、

第三編第一章《個人の市町村民税》第五節《所得割に係る課税の特例》

前年中の長期譲渡所得の金額に対し、**長期譲渡所得の金額**（同法第33条の4第1項若しくは第2項《収用交換等の場合の譲渡所得等の特別控除》、第34条第1項《特定土地区画整理事業等の譲渡所得の特別控除》、第34条の2第1項《特定住宅地造成事業等の譲渡所得の特別控除》、第34条の3第1項《農地保有合理化等の農地等の譲渡所得の特別控除》、第35条第1項《居住用財産の譲渡所得の特別控除》、第35条の2第1項《特定の土地等の長期譲渡所得の特別控除》、第35条の3第1項又は第36条《譲渡所得の特別控除額の特例等》の規定に該当する場合には、これらの規定の適用により同法第31条第1項に規定する長期譲渡所得の金額から控除する金額を控除した金額とし、これらの金額につき総所得金額からの所得控除の控除不足額がある場合には第三節三の2《二以上の所得金額がある場合の所得控除の順序》で定めるところにより、当該控除不足額を控除した金額。以下3までにおいて「**課税長期譲渡所得金額**」という。）の100分の3（当該納税義務者が指定都市の区域内に住所を有する場合には、100分の4）に相当する金額に相当する市町村民税の所得割を課する。（法附34④前段、⑥三）

　（注）　東日本大震災に係る土地建物等の譲渡所得の課税の特例については、八を参照。（編者）

② 　損益通算の不適用

　①の場合において、長期譲渡所得の金額の計算上生じた損失の金額があるときは、市町村民税に関する規定の適用については、当該損失の金額は生じなかったものとみなす。（法附34④後段）

③ 　長期譲渡所得の金額の計算

　①に規定する長期譲渡所得の金額とは、①に規定する譲渡所得について所得税法その他の所得税に関する法令の規定の例により計算した同法第33条第3項《譲渡所得の計算》の譲渡所得の金額（同項に規定する譲渡所得の特別控除額の控除をしないで計算したところによる。）をいい、四の1に規定する短期譲渡所得の金額の計算上生じた損失の金額があるときは、同1の注の規定にかかわらず、当該計算した金額を限度として当該損失の金額を控除した後の金額とする。（法附34⑤）

　　　（短期譲渡所得の損失を長期譲渡所得の金額から控除する場合の順序）
（1）　③の規定により四の1に規定する短期譲渡所得の金額の計算上生じた損失の金額を控除する場合において、①に規定する長期譲渡所得の金額のうちに租税特別措置法第33条の4第1項、第34条第1項、第34条の2第1項、第34条の3第1項、第35条第1項、第35条の2第1項又は第35条の3第1項の規定の適用に係る部分の金額とその他の部分の金額とがあるときは、当該損失の金額は、まず当該他の部分の金額から控除し、なお控除することができない当該損失の金額があるときは、これを順次同項又は同法第34条の3第1項、第35条の2第1項、第34条の2第1項、第34条第1項、第35条第1項若しくは第33条の4第1項の規定の適用に係る部分の金額から控除する。（令附17③）

　　　（長期譲渡所得の課税に当たっての留意点）
（2）　長期譲渡所得に係る所得割の課税に当たっては、次の諸点に留意すること。
　イ　長期譲渡所得の金額は、所得税法その他の所得税に関する法令の規定の例により計算するものであるが、短期譲渡所得の金額の計算上生じた損失の金額があるときは、当該計算した金額を限度して当該損失の金額を控除した後の金額とされているものであること。（市通2－77(1)）
　ロ　長期譲渡所得に係る所得割の額は、長期譲渡所得の金額に係る課税長期譲渡所得金額の100分の3（所得割の納税義務者が指定都市の区域内に住所を有する場合は、100分の4）に相当する金額とされているが、課税長期譲渡所得金額の計算に当たっては、租税特別措置法第33条の4第1項若しくは第2項、第34条第1項、第34条の2第1項、第34条の3第1項、第35条第1項、第35条の2第1項、第35条の3第1項又は第36条の規定に該当する場合には、イの長期譲渡所得の金額から、これらの規定により同法第31条第1項の長期譲渡所得の金額から控除する金額を控除した金額とされているものであること。（市通2－77(2)）
　ハ　長期譲渡所得の金額の計算上生じた損失の金額（短期譲渡所得の金額があるときは当該短期譲渡所得の金額を限度として当該損失の金額を控除してもなお控除することができない部分の金額）があるときは、市町村民税に関する規定の適用については、当該損失の金額は生じなかったものとみなされ、当該損失の金額と他の所得との通算及び当該損失の金額の翌年度以降への繰越しを行うことはできないものであること。また、長期譲渡所得以外の所得の金額の計算上生じた損失の金額は、長期譲渡所得の金額との通算はできないものであること。ただし、長期譲渡所得の金額の計算上生じた損失の金額が居住用財産の譲渡損失の金額又は特定居住用財産の譲渡損失の金額である場合には、一定の要件の下で、当該損失の金額と他の所得との通算及び当該損失の金額の翌年度以降への繰越しを行うことができるものであること。（市通2－77(5)）

2 優良住宅地の造成等のために土地等を譲渡した場合の長期譲渡所得の課税の特例

① 優良住宅地等のための譲渡がある場合の所得割の額

　昭和63年度から令和8年度までの各年度分の個人の市町村民税に限り、所得割の納税義務者が前年中に1の①に規定する譲渡所得の基因となる土地等（租税特別措置法第31条第1項《長期譲渡所得の課税の特例》に規定する土地等をいう。以下2、3、四及び八の2において同じ。）の譲渡（同法第31条第1項に規定する譲渡をいう。以下2、3、四及び八の2において同じ。）をした場合において、当該譲渡が**優良住宅地等のための譲渡**（同法第31条の2第2項各号《優良住宅地等のための譲渡に該当する譲渡》に掲げる譲渡に該当することにつき総務省令で定めるところにより証明がされたものをいう。）に該当するときにおける1の①に規定する譲渡所得（3の規定の適用を受ける譲渡所得を除く。②において同じ。）に係る課税長期譲渡所得金額に対して課する市町村民税の所得割の額は、1の①の規定にかかわらず、次の各号に掲げる場合の区分に応じ、当該各号に定める金額に相当する額とする。（法附34の2④）

(一)	課税長期譲渡所得金額が2,000万円以下である場合	当該課税長期譲渡所得金額の100分の2.4（当該納税義務者が指定都市の区域内に住所を有する場合には、100分の3.2）に相当する金額
(二)	課税長期譲渡所得金額が2,000万円を超える場合	次に掲げる金額の合計額 イ　48万円（当該納税義務者が指定都市の区域内に住所を有する場合には、64万円） ロ　当該課税長期譲渡所得金額から2,000万円を控除した金額の100分の3（当該納税義務者が指定都市の区域内に住所を有する場合には、100分の4）に相当する金額

　（注）　東日本大震災に係る土地建物等の譲渡所得の課税の特例については、八を参照。（編者）

　　（総務省令で定めるところにより証明がされた土地等の譲渡）
　注　①に規定する総務省令で定めるところにより証明がされた土地等の譲渡は、租税特別措置法施行規則第13条の3第1項各号に掲げる土地等の譲渡の区分に応じ、当該各号に定める書類（同条第2項に規定する書類を含む。）を第六節1の①《申告書の記載事項等》の規定による申告書（その提出期限後において市町村民税の納税通知書が送達される時までに提出されたもの及びその時までに提出された同節2の①に規定する確定申告書を含む。以下2において同じ。）に添付することにより証明がされた土地等の譲渡とする。（規附13の3⑤、①）

② 確定優良住宅地等予定地のための譲渡がある場合の所得割の額

　①の規定は、昭和63年度から令和8年度までの各年度分の個人の市町村民税に限り、所得割の納税義務者が前年中に1の①に規定する譲渡所得の基因となる土地等の譲渡をした場合において、当該譲渡が**確定優良住宅地等予定地のための譲渡**（その譲渡の日から同日以後2年を経過する日の属する年の12月31日までの期間（住宅建設の用に供される宅地の造成に要する期間が通常2年を超えることその他の**政令で定めるやむを得ない事情**がある場合には、その譲渡の日から**政令で定める日**までの期間。以下「予定期間」という。）内に租税特別措置法第31条の2第2項第13号から第16号までに掲げる土地等の譲渡に該当することとなることが確実であると認められることにつき総務省令で定めるところにより証明がされたものをいう。）に該当するときにおける1の①に規定する譲渡所得に係る課税長期譲渡所得金額に対して課する市町村民税の所得割について準用する。（法附34の2⑤）

　　（総務省令で定めるところにより証明がされた土地等の譲渡）
（1）　②に規定する総務省令で定めるところにより証明がされた土地等の譲渡は、②に規定する土地等の譲渡の次の各号に掲げる区分に応じ当該各号に定める書類を第六節1の①《申告書の記載事項等》の規定による申告書に添付することにより証明がされた土地等の譲渡とする。（規附13の3⑤、②）

| イ | 租税特別措置法第31条の2第2項第13号から第15号までに係る土地等の譲渡（(二)に掲げるものを除く。） | 当該土地等の買取りをする同項第13号若しくは第14号の造成又は同項第15号の建設を行うこれらの規定に規定する個人又は法人（以下イにおいて「土地等の買取りをする者」という。）から交付を受けた次に掲げる書類
（イ）　租税特別措置法施行規則第13条の3第8項第1号イ及びロに掲げる書類
（ロ）　土地等の買取りをする者の当該買い取った土地等を②に規定する2年を経過する日の属する年の12月31日までに、租税特別措置法第31条の2第2項第13号若しくは第14号の一団の宅地又は同項第15号の一団の住宅若しくは中高層の耐火共同住宅の用に供することを約する書類（既に第二編第一章第五 |

		節三の２の②の（１）に規定する市町村長の同（１）又は同（３）若しくは（８）の承認を受けて第二編第一章第五節三の２の②の（２）又は同（３）に規定する市町村長が認定した日の通知を受けている場合（租税特別措置法施行令第20条の２第22項に規定する所轄税務署長の同項又は同条第24項若しくは第25項の承認を受けて同条第23項又は第24項に規定する所轄税務署長が認定した日の通知を受けている場合を含む。ロの（ロ）及びハの（ロ）において「認定日の通知を受けている場合」という。）には、当該通知に係る文書の写し（ロの（ロ）及びハの（ロ）において「通知書の写し」という。））
ロ	租税特別措置法第31条の２第２項第14号に係る土地等の譲渡（同号の一団の宅地の造成を土地区画整理法による土地区画整理事業として行うこれらの規定に規定する個人又は法人に対するものに限る。）	当該土地等の買取りをする当該一団の宅地の造成を行う当該個人又は法人（以下ロにおいて「土地等の買取りをする者」という。）から交付を受けた次に掲げる書類 （イ）　租税特別措置法施行規則第13条の３第８項第２号イからハまでに掲げる書類 （ロ）　土地等の買取りをする者の当該買い取った土地等を②に規定する２年を経過する日の属する年の12月31日までに、租税特別措置法第31条の２第２項第14号の一団の宅地の用に供することを約する書類（認定日の通知を受けている場合には、通知書の写し）
ハ	租税特別措置法第31条の２第２項第16号に係る土地等の譲渡	当該土地等の買取りをする同号の住宅又は中高層の耐火共同住宅の建設を行う同号に規定する個人又は法人（以下ニにおいて「土地等の買取りをする者」という。）から交付を受けた次に掲げる書類 （イ）　租税特別措置法施行規則第13条の３第８項第３号イ及びハに掲げる書類 （ロ）　土地等の買取りをする者の当該買い取った土地等を②に規定する２年を経過する日の属する年の12月31日までに、租税特別措置法第31条の２第２項第16号の住宅又は中高層の耐火共同住宅の用に供することを約する書類（認定日の通知を受けている場合には、通知書の写し）

　（申告書提出後に市町村長が認定した日の通知を受けた場合等のみなし規定）
（２）　（１）の場合において、（１）各号に掲げる書類を添付した第六節１の①の規定による申告書が提出された後、②の規定の適用を受けた譲渡に係る土地等の買取りをした者が第二編第一章第五節三の２の②の（２）又は同（３）に規定する市町村長が認定した日の通知を受けたときは、（１）各号に規定する２年を経過する日の属する年の12月31日は、当該通知に係る市町村長が認定した日の属する年の12月31日であったものとし、当該土地等の譲渡について租税特別措置法施行令第20条の２第23項又は第24項に規定する所轄税務署長が認定した日の通知に関する文書の写しが納税地の所轄税務署長に提出されたときは、（１）各号に規定する２年を経過する日の属する年の12月31日は、当該通知に係る所轄税務署長が認定した日の属する年の12月31日であったものとする。（規附13の３⑤、③）

　（申告書提出後に税務署長が認定した日の通知に関する文書の交付を受けた場合）
（３）　（１）各号に掲げる書類を添付して第六節１の①の規定による申告書を提出した者が、当該申告書を提出した後、租税特別措置法施行令第20条の２第23項又は第24項に規定する所轄税務署長が認定した日の通知に関する文書の交付を受けた場合には、当該通知に関する文書の写しを、遅滞なく、市町村長に提出しなければならない。（規附13の３⑤、④）

　（確定優良住宅地造成等事業につき市町村長の承認を受ける場合の手続）
（４）　確定優良住宅地造成等事業を行う個人又は法人が、当該確定優良住宅地造成等事業につき、第二編第一章第五節三の２の②の（１）又は同（３）に規定する**市町村長の承認**を受けようとする場合には、同（１）に規定する２年を経過する日の属する年の12月31日（同（３）の承認にあっては、同（２）に規定する当初認定日の属する年の末日）の翌日から15日を経過する日までに、イに掲げる事項を記載した申請書にロに掲げる書類を添付して、市町村長に提出しなければならない。（規附13の３⑥）

イ	次に掲げる事項

	(イ)	申請者の氏名又は名称、住所又は本店若しくは主たる事務所の所在地及び個人番号又は法人番号並びに当該確定優良住宅地造成等事業に係る事務所、事業所その他これらに準ずるものの名称、所在地及びその代表者その他の責任者の氏名
	(ロ)	当該確定優良住宅地造成等事業につき第二編第一章第五節三の2の②の(1)のイ又はロに定める事由がある旨及び当該事由の詳細（同(3)の承認にあっては、同(3)に定める事由がある旨及び当該事由の詳細並びに同(2)に規定する市町村長が認定した日の年月日）
	(ハ)	当該承認を受けようとする確定優良住宅地造成等事業の着工予定年月日及び完成予定年月日
	(ニ)	当該承認を受けようとする確定優良住宅地造成等事業につき第二編第一章第五節三の2の②の(1)に規定する開発許可等を受けることができると見込まれる年月日及び同(2)又は同(3)に規定する市町村長の認定を受けようとする年月日
ロ		租税特別措置法施行規則第13条の3第10項第2号に掲げる書類

（②の規定の適用を受けた土地等の譲渡が①の特例適用譲渡となった場合の証明書類の交付）
（5） ②の規定の適用を受けた者から②の規定の適用を受けた譲渡に係る土地等の買取りをした租税特別措置法第31条の2第2項第13号及び第14号の造成又は同項第15号若しくは第16号の建設を行う個人又は法人は、当該譲渡の全部又は一部が予定期間内に同項第13号から第16号までに掲げる土地等の譲渡に該当することとなった場合には、当該②の規定の適用を受けた者に対し、遅滞なく、その該当することとなった当該譲渡についてその該当することとなったことを証する総務省令で定める書類を交付しなければならない。（法附34の2⑦）
　（注）（5）に規定する総務省令で定める書類は、租税特別措置法施行規則第13条の3第12項に規定する書類とする。（規附13の3⑧）

（①の特例適用譲渡に該当することとなったことを証する書類の提出）
（6） ②の規定の適用を受けた者は、②の規定の適用を受けた譲渡に係る（5）に規定する書類の交付を受けた場合には、遅滞なく、次に掲げる事項を記載した書類に当該交付を受けた書類（第六節1の①の規定による申告書に添付しているものを除く。）を添付して、市町村長に提出しなければならない。（法附34の2⑧、規附13の3⑨）

イ	②の適用を受けた譲渡に係る土地等のその譲渡をした年月日、当該土地等の面積及び所在地
ロ	当該土地等の買取りをした者の氏名又は名称及び住所又は本店若しくは主たる事務所の所在地
ハ	イに規定する譲渡に係る土地等のうち、当該交付を受けた書類を提出することにより租税特別措置法第31条の2第2項第13号から第16号までに掲げる土地等の譲渡に該当することとなったものの面積及び所在地
ニ	その他参考となるべき事項

（やむを得ない事情により②に規定する予定期間内の譲渡が困難な場合の特例）
（7） ②の規定の適用を受けた土地等の譲渡の全部又は一部が、特定非常災害の被害者の権利利益の保全等を図るための特別措置に関する法律第2条第1項の規定により特定非常災害として指定された非常災害に基因するやむを得ない事情により、②に規定する予定期間内に租税特別措置法第31条の2第2項第13号から第16号までに掲げる土地等の譲渡に該当することが困難となった場合で(8)で定める場合において、当該予定期間の初日から当該予定期間の末日後2年以内の日で(8)で定める日までの間に当該譲渡の全部又は一部が同項第13号から第16号までに掲げる土地等の譲渡に該当することとなることが確実であると認められることにつき(10)で定めるところにより証明がされたときは、②、(5)及び(8)から(10)の規定の適用については、第二編第一章第五節三の2の②の(2)に規定する予定期間は、当該初日から(8)で定める日までの期間とする。（法附34の2⑨）

（予定期間内に開発許可等を受けることが困難であるとして市町村長の承認を受けた場合）
（8） (7)に規定する(8)で定める場合は、確定優良住宅地造成等事業を行う個人又は法人が、(9)で定めるところにより、当該確定優良住宅地造成等事業につき(7)に規定する特定非常災害として指定された非常災害に基因するやむを得ない事情により第二編第一章第五節三の2の②に規定する予定期間内に開発許可等を受けることが困難であると認められるとして市町村長の承認を受けた場合（租税特別措置法施行令第20条の2第26項の税務署長の承認を受けた場合を含む。）とし、(7)に規定する(8)で定める日は、第二編第一章第五節三の2の②に規定する予定期間の末日か

ら同日以後2年を経過する日までの期間内の日で当該確定優良住宅地造成等事業につき開発許可等を受けることができると見込まれる日として市町村長が認定した日（当該確定優良住宅地造成等事業について、租税特別措置法施行令第20条の2第26項の税務署長の認定した日がある場合には、その日）の属する年の12月31日とする。（令附17の2④）

(市町村長の承認を受ける際に提出する書類の記載事項)
(9) 確定優良住宅地造成等事業を行う個人が、当該確定優良住宅地造成等事業につき、(8)に規定する市町村長の承認を受けようとする場合には、(8)に規定する予定期間の末日の属する年の翌年1月15日までに、次に掲げる事項を記載した申請書に(4)の表のロに掲げる書類を添付して、当該市町村長に提出しなければならない。（規附13の3⑩）

イ	(4)の表のイの(イ)に掲げる事項
ロ	当該確定優良住宅地造成等事業について、(7)の特定非常災害として指定された非常災害により(7)に規定する予定期間内に(7)に規定する開発許可等を受けることが困難となった事情の詳細
ハ	当該承認を受けようとする確定優良住宅地造成等事業の完成予定年月日
ニ	当該承認を受けようとする確定優良住宅地造成等事業につき(7)に規定する開発許可等を受けることができると見込まれる年月日
ホ	当該承認を受けようとする確定優良住宅地造成等事業につき第二編第一章第五節三の2の②の(1)、同(3)又は(8)の承認を受けたことがある場合には、その承認に係る第二編第一章第五節三の2の②の(2)、同(3)及び(8)に規定する市町村長が認定した日

(総務省令で定める証明)
(10) (9)の場合において、(4)に規定する書類を添付して第六節1の①の規定による申告書を提出した者が、当該申告書を提出した後、②の規定の適用を受けた譲渡に係る土地等の買取りをした者から当該土地等につき(8)に規定する市町村長が認定した日の通知に関する文書の写しの交付を受けたとき（租税特別措置法施行令第20条の2第25項に規定する税務署長の承認に係る通知書の写しの交付を受けたときを含む。）は、当該通知に関する文書の写しを、遅滞なく、市町村長に提出するものとし、当該通知に関する文書の写しの提出（当該申告書に添付した場合を含む。）があった場合には、(8)に規定する市町村長が認定した日は当該通知に係る市町村長が認定した日であったものと、当該土地等の譲渡は(7)に規定する(11)で定めるところにより証明がされたものとする。（規附13の3⑪）

(当該期間内に①の特例適用譲渡に該当しないこととなった場合の申告)
(11) ②の規定の適用を受けた者は、②の規定の適用を受けた譲渡の全部又は一部が第二編第一章第五節三の2の②に規定する予定期間内に租税特別措置法第31条の2第2項第13号から第16号までに掲げる土地等の譲渡に該当しないこととなった場合には、当該予定期間を経過した日から4月以内に、次に掲げる事項を記載した書類により、その旨を市町村長に申告しなければならない。（法附34の2⑩、規附13の3⑫）

イ	②の規定の適用を受けた譲渡に係る土地等のその譲渡をした年月日、当該土地等の面積及び所在地
ロ	当該土地等の買取りをした者の氏名又は名称及び住所又は本店若しくは主たる事務所の所在地
ハ	イに掲げる譲渡に係る土地等のうち、租税特別措置法第31条の2第2項第13号から第16号までに掲げる土地等の譲渡に該当しないこととなったもの
ニ	その他参考となるべき事項

(注1) (11)に定める場合には、その該当しないこととなった譲渡は、②の規定にかかわらず、②の規定に規定する確定優良住宅地等予定地のための譲渡ではなかったものとみなす。（法附34の2⑪）
(注2) (注1)の規定により課されることとなる市町村民税の所得割については、第一編第七章一の2の③《賦課決定の期間制限》及び④《課税標準又は税額を減少させる賦課決定の期間制限》並びに同章二の1《地方税の消滅時効》の規定中「法定納期限」とあるのは「第三編第一章第五節三の2の②の(10)に規定する申告の期限」とし、この章第七節三の4《賦課税額の変更・決定及び延滞金の徴収》の②中「不足税額をその決定があった日までの納期の数で除して得た額に2《納期》の各納期限」とあるのは「不足税額に当該不足税額に係る納税通知書において納付すべきこととされる日」と、「納付すべきこととされる日までの期間又はその日の翌日」とあるのは「納付すべきこととされる日の翌日」とし、同③の規定は、適用しない。（法附34の2⑫一、二）

③ 譲渡所得の課税の特例の適用を受ける場合の不適用
　①（②において準用する場合を含む。）の場合において、所得割の納税義務者が、その有する土地等につき、租税特別措置法第33条から第33条の4まで、第34条から第35条の3まで、第36条の2、第36条の5、第37条、第37条の4から第37条の6まで又は第37条の8の規定の適用を受けるときは、当該土地等の譲渡は、①に規定する優良住宅地等のための譲渡又は②に規定する確定優良住宅地等予定地のための譲渡に該当しないものとみなす。（法附34の2⑥）

3　居住用財産を譲渡した場合の長期譲渡所得の課税の特例

　市町村民税の所得割の納税義務者が前年中に租税特別措置法第31条の3第1項《居住用財産を譲渡した場合の長期譲渡所得の課税の特例》に規定する譲渡所得を有する場合には、当該譲渡所得については、1の①の規定により当該譲渡所得に係る課税長期譲渡所得金額に対し課する市町村民税の所得割の額は、1の①の規定にかかわらず、次の各号に掲げる場合の区分に応じ当該各号に定める金額に相当する額とする。（法附34の3③）

(一)	課税長期譲渡所得金額が6,000万円以下である場合	当該課税長期譲渡所得金額の100分の2.4（当該納税義務者が指定都市の区域内に住所を有する場合には、100分の3.2）に相当する金額
(二)	課税長期譲渡所得金額が6,000万円を超える場合	次に掲げる金額の合計額 イ　144万円（当該納税義務者が指定都市の区域内に住所を有する場合には、192万円） ロ　当該課税長期譲渡所得金額から6,000万円を控除した金額の100分の3（当該納税義務者が指定都市の区域内に住所を有する場合には、100分の4）に相当する金額

　（注）　東日本大震災に係る土地建物等の譲渡所得の課税の特例については、八を参照。（編者）

　　（特例適用に必要な要件）
　注　3の規定は、3の規定の適用を受けようとする年度分の市町村民税の申告書《第六節1の①》（その提出期限後において市町村民税の納税通知書が送達される時までに提出されたもの及びその時までに提出された確定申告書《同節2の①》を含む。）に3の譲渡所得の明細に関する事項の記載があるとき（これらの申告書にその記載がないことについてやむを得ない理由があると市町村長が認めるときを含む。）に限り、適用する。（法附34の3④）

四　土地建物等の短期譲渡所得の課税の特例

1　短期譲渡所得の分離課税に係る所得割の額

　市町村は、当分の間、所得割の納税義務者が前年中に租税特別措置法第32条第1項《短期譲渡所得の課税の特例》に規定する譲渡所得（同条第2項に規定する譲渡による所得を含む。）を有する場合には、当該譲渡所得については、第二節一の1《所得割の課税標準の算定》、2《所得割の総所得金額等の算定方法》並びに第四節一の2《所得割の税率》の規定にかかわらず、他の所得と区分し、前年中の短期譲渡所得の金額に対し、**課税短期譲渡所得金額（短期譲渡所得の金額**（同法33条の4第1項若しくは第2項《収用交換等の場合の譲渡所得の特別控除》、第34条第1項《特定土地区画整理事業等の譲渡所得の特別控除》、第34条の2第1項《特定住宅地造成事業等の譲渡所得の特別控除》、第34条の3第1項《農地保有合理化等の農地等の譲渡所得の特別控除》、第35条第1項《居住用財産の譲渡所得の特別控除》又は第36条《譲渡所得の特別控除額の特例等》の規定に該当する場合には、これらの規定の適用により同法第32条第1項に規定する短期譲渡所得の金額から控除する金額を控除した金額とし、これらの金額につき総所得金額からの所得控除の控除不足がある場合には第三節三の2《二以上の所得金額がある場合の所得控除の順序》で定めるところにより当該控除不足を控除した金額）をいう。の100分の5.4（当該納税義務者が指定都市の区域内に住所を有する場合には、100分の7.2）に相当する金額に相当する市町村民税の所得割を課する。（法附35⑤前段、⑧三）
　（注）　東日本大震災に係る土地建物等の譲渡所得の課税の特例については、八を参照。（編者）

　　（損益通算の不適用）
　注　1の場合において、短期譲渡所得の金額の計算上生じた損失の金額があるときは、市町村民税に関する規定の適用については、当該損失の金額は生じなかったものとみなす。（法附35⑤後段）

2 短期譲渡所得の金額の計算

1に規定する短期譲渡所得の金額とは、1に規定する譲渡所得について所得税法その他の所得税に関する法令の規定の例により計算した同法第33条第3項《譲渡所得の計算》の譲渡所得の金額（同項に規定する譲渡所得の特別控除額の控除をしないで計算したところによる。）をいい、三の1の①に規定する長期譲渡所得の金額の計算上生じた損失の金額があるときは、同②の規定にかかわらず、当該計算した金額を限度として当該損失の金額を控除した後の金額とする。（法附35⑥）

（長期譲渡所得の損失を短期譲渡所得の金額から控除する場合の順序）
（1） 2の規定により三の1の①に規定する長期譲渡所得の金額の計算上生じた損失の金額を控除する場合において、1に規定する短期譲渡所得の金額のうちに租税特別措置法第33条の4第1項、第34条第1項、第34条の2第1項、第34条の3第1項又は第35条第1項の規定の適用に係る部分の金額とその他の部分の金額とがあるときは、当該損失の金額は、まず当該他の部分の金額から控除し、なお控除することができない当該損失の金額があるときは、これを順次同法第34条の3第1項、第34条の2第1項、第34条第1項、第35条第1項又は第33条の4第1項の規定の適用に係る部分の金額から控除する。（令附17の3⑥）

（短期譲渡所得の課税に当たっての留意点）
（2） 短期譲渡所得に係る所得割の課税に当たっては、次の諸点に留意すること。
　イ　短期譲渡所得の金額は、所得税法その他の所得税に関する法令の規定の例により計算するものであるが、長期譲渡所得の金額の計算上生じた損失の金額があるときは、当該計算した金額を限度して当該損失の金額を控除した後の金額とされているものであること。（市通2－78(1)）
　ロ　短期譲渡所得に係る所得割の額は、短期譲渡所得の金額に係る課税短期譲渡所得金額の100分の5.4（所得割の納税義務者が指定都市の区域内に住所を有する場合には、100分の7.2）に相当する金額とされているが、課税短期譲渡所得金額の計算に当たっては、租税特別措置法第33条の4第1項若しくは第2項、第34条第1項、第34条の2第1項、第34条の3第1項、第35条第1項又は第36条の規定に該当する場合には、イの短期譲渡所得の金額から、これらの規定により同法第32条第1項の短期譲渡所得の金額から控除すべき金額を控除した金額とされているものであること。（市通2－78(2)）
　ハ　短期譲渡所得の金額の計算上生じた損失の金額（長期譲渡所得の金額があるときは当該長期譲渡所得の金額を限度として当該損失の金額を控除してもなお控除することができない部分の金額）があるときは、市町村民税に関する規定の適用については、当該損失の金額は生じなかったものとみなされ、当該損失の金額と他の所得との通算及び当該損失の金額の翌年度以降への繰越しを行うことはできないものであること。また、短期譲渡所得以外の所得の金額の計算上生じた損失の金額は、短期譲渡所得の金額との通算はできないものであること。（市通2－78(4)）

3 収用等の場合の短期譲渡所得の税率の軽減

1に規定する譲渡所得で、その基因となる土地等の譲渡が租税特別措置法第28条の4第3項第1号から第3号まで《土地の譲渡等に係る事業所得等の課税の特例》に掲げる譲渡に該当することにつき総務省令で定めるところにより証明がされたもの《**軽減税率対象土地等**》に係る1の規定の適用については、1中「100分の5.4」とあるのは、「100分の3」と、「100分の7.2」とあるのは「100分の4」とする。（法附35⑦）

（短期譲渡所得に軽減税率対象土地等に係る部分とその他の部分がある場合の計算）
（1） 1の場合において、1に規定する課税短期譲渡所得金額のうちに3に規定する土地等の譲渡に係る部分の金額とその他の部分の金額とがあるときは、これらの金額を区分してそのそれぞれにつき1の計算を行うものとする。（令附17の3⑤）

（軽減税率対象土地等の証明書）
（2） 二の4の注《適用除外の証明書》（租税特別措置法第28条の4第3項第1号から第3号までに掲げる譲渡に関する部分に限る。）の規定は、3に規定する総務省令で定めるところにより証明がされた譲渡について準用する。（規附14）

五　株式等の譲渡所得等の課税の特例

1　一般株式等の譲渡所得等の分離課税に係る所得割の額

　市町村は、当分の間、市町村民税の所得割の納税義務者が前年中に租税特別措置法第37条の10第1項《株式等に係る譲渡所得等の課税の特例》に規定する一般株式等に係る譲渡所得等を有する場合には、当該一般株式等に係る譲渡所得等については、第二節一の1《所得割の課税標準の算定》及び2《所得割の総所得金額等の算定方法》並びに第四節一の2《所得割の税率》の規定にかかわらず、他の所得と区分し、前年中の当該一般株式等に係る譲渡所得等の金額として政令で定めるところにより計算した金額（以下1において「**一般株式等に係る譲渡所得等の金額**」という。）に対し、一般株式等に係る課税譲渡所得等の金額（一般株式等に係る譲渡所得等の金額（総所得金額からの所得控除の控除不足額がある場合には、第三節三の2《二以上の所得金額がある場合の所得控除の順序》で定めるところにより、当該控除不足額を控除した金額）をいう。）の100分の3（当該納税義務者が指定都市の区域内に住所を有する場合には、100分の4）に相当する金額に相当する市町村民税の所得割を課する。

　この場合において、一般株式等に係る譲渡所得等の金額の計算上生じた損失の金額があるときは、市町村民税に関する規定の適用については、当該損失の金額は生じなかったものとみなす。（法附35の2⑤、⑧三、35の2の6⑰、35の3⑬）

①　一般株式等に係る譲渡所得等に係る収入金額とみなされる金額

　一般株式等を有する市町村民税の所得割の納税義務者が当該一般株式等につき交付を受ける租税特別措置法第37条の10第3項及び第4項並びに第37条の14の4第1項及び第2項の規定により所得税法及び租税特別措置法第2章の規定の適用上同法第37条の10第3項及び第4項並びに第37条の14の4第1項及び第2項に規定する一般株式等に係る譲渡所得等に係る収入金額とみなされる金額は、1前項に規定する一般株式等に係る譲渡所得等に係る収入金額とみなして、市町村民税に関する規定を適用する。（法附35の2⑥）

　　　（留意事項）
（1）　株式等の譲渡による譲渡所得については、一般株式等に係る譲渡所得等と上場株式等に係る譲渡所得等との区分を行い、それぞれ総所得金額から分離して所得割が課税されるものであること。（市通2－79）

　　　（留意事項）
（2）　一般株式等に係る所得割の課税に当たっては、次の諸点に留意すること。（市通2－79の2）
　イ　一般株式等に係る譲渡所得等に係る所得割の額は、1の政令で定めるところにより計算した金額に係る一般株式等に係る課税譲渡所得等の金額の100分の3（所得割の納税義務者が指定都市の区域内に住所を有する場合は、100分の4）に相当する金額とされているが、1の政令で定めるところにより計算した金額とは、所得税法その他の所得税に関する法令の規定（租税特別措置法施行令第25条の12第7項及び第8項、第25条の12の2第7項並びに第26条の28の3第6項の規定を除く。）の例により計算した一般株式等の譲渡による事業所得の金額、譲渡所得の金額及び雑所得の金額の合計額であること。
　ロ　一般株式等に係る譲渡所得等の金額の計算上生じた損失の金額は、一般株式等の譲渡による所得の金額からは控除できるが、それ以外の他の所得の金額から控除できないこととされ、また、一般株式等の譲渡による所得以外の所得の金額の計算上生じた損失の金額は、一般株式等の譲渡による事業所得、譲渡所得及び雑所得の金額から控除できないものであること。
　ハ　地方税法等の一部を改正する法律（平成20年法律第21号。以下「平成20年改正法」という。）の公布の日（平成20年4月30日）前までに払込みにより取得した特定株式の譲渡（平成20年改正法第1条の規定による改正前の法附則第35条の3第18項各号に定める譲渡に該当するものであって、その譲渡の日において当該特定株式の所有期間が3年を超える場合に限る。）に係る一般株式等に係る譲渡所得等の金額は、当該特定株式に係る譲渡所得等の金額の2分の1に相当する金額であること。

②　一般株式等に係る譲渡所得等の金額の計算

　1に規定する一般株式等に係る譲渡所得等の金額として政令で定めるところにより計算した金額は、1に規定する一般株式等に係る譲渡所得等の基因となる2の②に規定する一般株式等の同①に規定する譲渡（以下②において「一般株式等の譲渡」という。）による事業所得、譲渡所得及び雑所得について所得税法その他の所得税に関する法令の規定（租税特別措置法施行令第25条の12《特定中小会社の発行株式に係る取得費控除の適用を受けた場合の取得価額の圧縮》第7項及び第8項、第25条の12の2第7項並びに第26条の28の3《特定新規中小会社が発行した株式を取得した場合の課税の特例》

第６項の規定を除く。六までにおいて同じ。）の例により計算した当該一般株式等の譲渡に係る事業所得の金額、譲渡所得の金額及び雑所得の金額の合計額とする。この場合において、これらの金額の計算上生じた損失の金額があるときは、当該損失の金額は、当該損失の金額が生じた年において、次の各号に掲げる損失の金額の区分に応じ当該各号に定めるところにより控除する。（令附18⑥）

(一)	当該一般株式等の譲渡に係る事業所得の金額の計算上生じた損失の金額	当該損失の金額は、当該一般株式等の譲渡に係る譲渡所得の金額及び雑所得の金額から控除する。
(二)	当該一般株式等の譲渡に係る譲渡所得の金額の計算上生じた損失の金額	当該損失の金額は、当該一般株式等の譲渡に係る事業所得の金額及び雑所得の金額から控除する。
(三)	当該一般株式等の譲渡に係る雑所得の金額の計算上生じた損失の金額	当該損失の金額は、当該一般株式等の譲渡に係る事業所得の金額及び譲渡所得の金額から控除する。この場合において、当該一般株式等の譲渡に係る事業所得の金額又は譲渡所得の金額のうちに、公開等特定株式に係る事業所得の金額又は公開等特定株式に係る譲渡所得の金額があるときは、当該損失の金額は、まず、公開等特定株式に係る事業所得の金額及び公開等特定株式に係る譲渡所得の金額から控除するものとする。

（特定株式を譲渡した場合の譲渡所得等の特例の適用）
注　六の６の規定の適用がある場合における②の規定の適用については、②の表は次のとおりとする。（平20改令附７⑧、令附18①)

(一)	当該一般株式等の譲渡に係る事業所得の金額の計算上生じた損失の金額	当該損失の金額は、当該一般株式等の譲渡に係る譲渡所得の金額及び雑所得の金額から控除する。この場合において、当該一般株式等の譲渡に係る譲渡所得の金額又は雑所得の金額のうちに、公開等特定株式に係る譲渡所得の金額（３の②の（４）の（四）に規定する公開等特定株式に係る譲渡所得の金額をいう。以下同じ。）又は公開等特定株式に係る雑所得の金額（同（七）に規定する公開等特定株式に係る雑所得の金額をいう。以下同じ。）があるときは、当該損失の金額は、まず、公開等特定株式に係る譲渡所得の金額及び公開等特定株式に係る雑所得の金額から控除するものとする。
(二)	当該一般株式等の譲渡に係る譲渡所得の金額の計算上生じた損失の金額	当該損失の金額は、当該一般株式等の譲渡に係る事業所得の金額及び雑所得の金額から控除する。この場合において、当該一般株式等の譲渡に係る事業所得の金額又は雑所得の金額のうちに、公開等特定株式に係る事業所得の金額（３の②の（４）の（一）に規定する公開等特定株式に係る事業所得の金額をいう。以下同じ。）又は公開等特定株式に係る雑所得の金額があるときは、当該損失の金額は、まず、公開等特定株式に係る事業所得の金額及び公開等特定株式に係る雑所得の金額から控除するものとする。
(三)	当該一般株式等の譲渡に係る雑所得の金額の計算上生じた損失の金額	当該損失の金額は、当該一般株式等の譲渡に係る事業所得の金額及び譲渡所得の金額から控除する。この場合において、当該一般株式等の譲渡に係る事業所得の金額又は譲渡所得の金額のうちに、公開等特定株式に係る事業所得の金額又は公開等特定株式に係る譲渡所得の金額があるときは、当該損失の金額は、まず、公開等特定株式に係る事業所得の金額及び公開等特定株式に係る譲渡所得の金額から控除するものとする。

③ 一般株式等に係る譲渡所得等の金額の計算明細書の添付

　前年中において１に規定する一般株式等に係る譲渡所得等を有する市町村内に住所を有する個人が、第六節１《市町村民税の申告書》の①に規定する申告書を提出する場合には、租税特別措置法施行規則第18条の９第１項に掲げる項目を記載した一般株式等に係る譲渡所得等の金額（１に規定する一般株式等に係る譲渡所得等の金額をいう。）の計算に関する明細書を当該申告書に添付しなければならない。（令附18⑦、規附15①）

　　（特定株式の譲渡所得等を有する場合の申告書添付書類）
　注　③の者が租税特別措置法第29条の２第４項に規定する特定株式又は同項に規定する承継特定株式に係る１に規定する一般株式等に係る譲渡所得等を有する場合における③の規定の適用については、③中「明細書」とあるのは、「明細書及び租税特別措置法施行規則第11条の３第６項各号に規定する事項を記載した書類」とする。（令附18⑧、規附15②）
　　（注）③の注中＿＿部分「第６項」を「第10項」に改める令和６年度改正規定は、令和７年１月１日以後適用する。（令６改規附１一）

２　上場株式等に係る譲渡所得等に係る市町村民税の課税の特例

　市町村は、当分の間、市町村民税の所得割の納税義務者が前年中に租税特別措置法第37条の11第１項に規定する上場株式等に係る譲渡所得等を有する場合には、当該上場株式等に係る譲渡所得等については、第二節一の１及び同２並びに第四節一の２の規定にかかわらず、他の所得と区分し、前年中の当該上場株式等に係る譲渡所得等の金額として①で定めるところにより計算した金額（当該市町村民税の所得割の納税義務者が特定株式等譲渡所得金額に係る所得を有する場合には、当該特定株式等譲渡所得金額に係る所得の金額（第二節五の４の規定により同３の規定の適用を受けないものを除く。）を除外して算定するものとする。以下「上場株式等に係る譲渡所得等の金額」という。）に対し、上場株式等に係る課税譲渡所得等の金額（上場株式等に係る譲渡所得等の金額をいう。）の100分の３（当該納税義務者が指定都市の区域内に住所を有する場合には、100分の４）に相当する金額に相当する市町村民税の所得割を課する。この場合において、上場株式等に係る譲渡所得等の金額の計算上生じた損失の金額があるときは、市町村民税に関する規定の適用については、当該損失の金額は生じなかったものとみなす。（法附35の２の２⑤）

① 上場株式等に係る譲渡所得等の金額の計算

　２に規定する上場株式等に係る譲渡所得等の金額として①で定めるところにより計算した金額は、２に規定する上場株式等に係る譲渡所得等の基因となる上場株式等の譲渡による事業所得、譲渡所得及び雑所得について所得税法その他の所得税に関する法令の規定の例により計算した当該上場株式等の譲渡に係る事業所得の金額、譲渡所得の金額及び雑所得の金額の合計額とする。この場合において、これらの金額の計算上生じた損失の金額があるときは、当該損失の金額は、当該損失の金額が生じた年において、次の各号に掲げる損失の金額の区分に応じ、当該各号に定めるところにより控除する。（令附18の２⑤）

（一）	当該上場株式等の譲渡に係る事業所得の金額の計算上生じた損失の金額	当該損失の金額は、当該上場株式等の譲渡に係る譲渡所得の金額及び雑所得の金額から控除する。
（二）	当該上場株式等の譲渡に係る譲渡所得の金額の計算上生じた損失の金額	当該損失の金額は、当該上場株式等の譲渡に係る事業所得の金額及び雑所得の金額から控除する。
（三）	当該上場株式等の譲渡に係る雑所得の金額の計算上生じた損失の金額	当該損失の金額は、当該上場株式等の譲渡に係る事業所得の金額及び譲渡所得の金額から控除する。

② 上場株式等に係る譲渡所得等の金額の計算明細書の添付

　前年中において２に規定する上場株式等に係る譲渡所得等を有する第一節二の（一）の者が、第六節１の①に規定する申告書を提出する場合には、租税特別措置法施行規則第18条の10第２項において準用する同令第18条の９第２項に掲げる項目を記載した上場株式等に係る譲渡所得等の金額（２に規定する上場株式等に係る譲渡所得等の金額をいう。）の計算に関する明細書を当該申告書に添付しなければならない。（令附18の２⑥、規附16①）

③ 上場株式等に係る譲渡所得等を有する場合の申告書添付書類

　②の者が租税特別措置法第29条の２第４項に規定する特定株式又は②に規定する承継特定株式に係る２に規定する上場株式等に係る譲渡所得等を有する場合における②の規定の適用については、②中「明細書」とあるのは、「明細書及び租税特別措置法施行規則第11条の３第６項各号に規定する事項を記載した書類」とする。（令附18の２⑦、規附16②）
　（注）③中＿＿部分「第６項」を「第10項」に改める令和６年度改正規定は、令和７年１月１日以後適用する。（令６改規附１一）

④ 上場株式等に係る譲渡所得等に係る収入金額とみなされる金額

　上場株式等を有する市町村民税の所得割の納税義務者が当該上場株式等につき交付を受ける租税特別措置法第4条の4第3項、第37条の11第3項及び第4項並びに第37条の14の4第1項及び第2項の規定により所得税法及び租税特別措置法第2章の規定の適用上同法第4条の4第3項、第37条の11第3項及び第4項並びに第37条の14の4第1項及び第2項に規定する上場株式等に係る譲渡所得等に係る収入金額とみなされる金額は、2に規定する上場株式等に係る譲渡所得等に係る収入金額とみなして、市町村民税に関する規定を適用する。（法附35の2の2⑥）

3　特定管理株式等が価値を失った場合の株式等の譲渡所得等の課税の特例

① みなし譲渡損失の特例

　市町村民税の所得割の納税義務者について、その有する租税特別措置法第37条の11の2第1項《特定管理株式が価値を失った場合の株式等に係る譲渡所得等の課税の特例》に規定する特定管理株式等（以下3において「**特定管理株式等**」という。）又は同項に規定する特定口座内公社債（以下3において「**特定口座内公社債**」という。）が株式又は同法第37条の10第2項第7号に規定する公社債としての価値を失ったことによる損失が生じた場合として第37条の11の2第1項各号に掲げる事実が発生したときは、当該事実が発生したことは当該特定管理株式等又は特定口座内公社債の譲渡をしたことと、当該損失の金額として政令で定める金額は5の①のイに規定する上場株式等の譲渡をしたことにより生じた損失の金額とそれぞれみなして、2及び4の規定その他の市町村民税に関する規定を適用する。（法附35の2の3⑤）

　　　（損失の金額とみなされる金額）
（1）①に規定する損失の金額として政令で定める金額は、次の各号に掲げる株式の区分に応じ、当該各号に定める金額とする（令附18の3④）
　（一）特定管理株式　　当該特定管理株式につき①に規定する事実が発生した日において②の(2)に定めるところにより当該特定管理株式に係る1株当たりの金額に相当する金額を算出した場合における当該金額に当該事実の発生の直前において有する当該特定管理株式の数を乗じて計算した金額
　（二）特定口座内公社債（第二編第一章第五節五の3の①に規定する特定口座内公社債をいう。）　①に規定する事実が発生した特定口座内公社債につき当該事実が発生した日において6の①の注に定めるところにより当該特定口座内公社債に係る一単位当たりの金額に相当する金額を算出した場合における当該金額に当該事実の発生の直前において有する当該特定口座内公社債の数を乗じて計算した金額

　　　（留意事項）
（2）上場株式等に係る所得割の課税に当たっては、次の諸点に留意すること。（市通2－79の3(1)(2)）
　イ　上場株式等に係る譲渡所得等に係る所得割の額は、①の規定により政令で定めるところにより計算した金額に係る上場株式等に係る課税譲渡所得等の金額の100分の3（所得割の納税義務者が指定都市の区域内に住所を有する場合は、100分の4）に相当する金額とされているが、①の政令で定めるところにより計算した金額とは、所得税法その他の所得税に関する法令の規定の例により計算した上場株式等の譲渡による事業所得の金額、譲渡所得の金額及び雑所得の金額の合計額であること。
　ロ　上場株式等に係る譲渡所得等の金額の計算上生じた損失の金額は、上場株式等の譲渡による所得の金額からは控除できるが、それ以外の他の所得から控除できないこととされ、また、上場株式等の譲渡による所得以外の所得の金額の計算上生じた損失の金額は、上場株式等の譲渡による事業所得、譲渡所得及び雑所得の金額から控除できないものであること。

② 特定管理株式の譲渡所得等の金額の区分計算

　市町村民税の所得割の納税義務者が前年中に租税特別措置法第37条の11の2第1項に規定する特定管理口座（その者が二以上の特定管理口座を有する場合には、それぞれの特定管理口座。以下②において「特定管理口座」という。）に係る同条第1項に規定する振替口座簿（6の①において「振替口座簿」という。）に記載若しくは記録がされ、又は特定管理口座に保管の委託がされている特定管理株式等の**譲渡**（同法第37条の11の2第2項に規定する譲渡をいう。以下同じ。）をした場合には、政令で定めるところにより、当該特定管理株式等の譲渡による事業所得の金額、譲渡所得の金額又は雑所得の金額と当該特定管理株式等の譲渡以外の同法第37条の10第2項に規定する**株式等**（6及び8において「株式等」という。）の譲渡による事業所得の金額、譲渡所得の金額又は雑所得の金額とを区分して、これらの金額を計算するものとする。（法附35の2の3⑥）

(特例管理株式の譲渡による所得の区分計算)
注　特定管理株式の譲渡による事業所得の金額、譲渡所得の金額又は雑所得の金額は、市町村民税の所得割の納税義務者が有するそれぞれの特定管理口座ごとに、当該特定管理口座に係る特定管理株式の譲渡による事業所得、譲渡所得又は雑所得と当該特定管理株式の譲渡以外の株式等の譲渡による事業所得、譲渡所得又は雑所得とを区分して、所得税法その他の所得税に関する法令の規定の例により計算するものとする。(令附18の3⑤)

③　適用手続
　①の規定は、(注)で定めるところにより、①に規定する事実が発生した年の末日の属する年度の翌年度分の第六節1《市町村民税の申告書》の①又は③の規定による申告書(その提出期限後において市町村民税の納税通知書が送達される時までに提出されたもの及びその時までに提出された同節2の①の確定申告書を含む。)に①の規定の適用を受けようとする旨の記載があるとき(これらの申告書にその記載がないことについてやむを得ない理由があると市町村長が認めるときを含む。)に限り、適用する。(法附35の2の3⑦)
　(注)　①の規定の適用を受けようとする市町村民税の所得割の納税義務者は、③の申告書に、①の規定の適用を受けようとする旨の記載をしなければならない。ただし、当該申告書にその記載がないことについてやむを得ない理由があると市町村長が認めるときは、この限りでない。(令附18の3⑥)

4　平成21年1月1日から平成25年12月31日までの間に行われる上場株式等の譲渡所得等の分離課税に係る所得割の額

　市町村民税の所得割の納税義務者が、平成21年1月1日から平成25年12月31日までの間に5の①のイに規定する上場株式等(以下4において「上場株式等」という。)の譲渡(3の②に規定する譲渡をいう。)のうち租税特別措置法第37条の12の2第2項《上場株式等に係る譲渡損失の金額》各号に掲げる上場株式等の譲渡をした場合には、当該上場株式等の譲渡による事業所得、譲渡所得及び雑所得(同法第32条第2項《土地等の譲渡に類する株式等の譲渡所得の分離課税》の規定に該当する譲渡所得を除く。)については、1前段の規定により1前段に規定する株式等に係る譲渡所得等の金額のうち当該上場株式等の譲渡に係る事業所得の金額、譲渡所得の金額及び雑所得の金額として(1)で定めるところにより計算した金額(5の②《上場株式等に係る譲渡損失の繰越控除》又は六の2の①《特定株式に係る譲渡損失の繰越控除》の規定の適用がある場合には、その適用後の金額。以下4において「**上場株式等に係る譲渡所得等の金額**」という。)に対して課する市町村民税の所得割の額は、1前段の規定にかかわらず、上場株式等に係る課税譲渡所得等の金額(上場株式等に係る譲渡所得等の金額(総所得金額からの所得控除の控除不足額がある場合には、第三節三の2《二以上の所得金額がある場合の所得控除の順序》で定めるところにより当該控除不足額を控除した後の金額)をいう。)の100分の1.8に相当する金額とする。(平20改法附8⑰⑲⑳、平23改法附2)

(上場株式等の譲渡に係る事業所得等の金額の計算)
(1)　4に規定する計算した金額は、4に規定する事業所得、譲渡所得及び雑所得の基因となる上場株式等(4に規定する上場株式等をいう。以下(1)、(3)及び(4)において同じ。)の譲渡(4の規定の適用がある4に規定する譲渡をいう。以下(1)、(3)及び(4)において同じ。)による事業所得、譲渡所得及び雑所得について所得税法その他の所得税に関する法令の規定の例により計算した当該上場株式等の譲渡に係る事業所得の金額、譲渡所得の金額及び雑所得の金額の合計額とする。(平20改令附7⑩)

(準用規定)
(2)　(1)の場合において、1の②の注の規定は、1に規定する株式等に係る譲渡所得等の金額の計算上生じた損失の金額があるときについて準用する。この場合において1の②の注の表は次のとおりとする。(平20改令附7⑪)

(一)	当該株式等の譲渡に係る事業所得の金額の計算上生じた損失の金額	当該損失の金額は、当該株式等の譲渡に係る譲渡所得の金額及び雑所得の金額から控除する。この場合において、当該株式等の譲渡に係る譲渡所得の金額又は雑所得の金額のうちに、公開等特定株式に係る譲渡所得の金額((4)の(四)に規定する公開等特定株式に係る譲渡所得の金額をいう。以下同じ。)若しくは公開等特定株式に係る雑所得の金額(同(七)に規定する公開等特定株式に係る雑所得の金額をいう。以下同じ。)又は上場株式等に係る譲渡所得の金額(同(五)に規定する上場株式等に係る譲渡所得の金額をいう。以下同じ。)若しくは上場株式等に係る雑所得の金額(同(八)に規定する上場株式等に係る雑所得の金額をいう。以下同じ。)があるときは、当該損失の金額は、まず、公開等特定株式に係る譲渡所得の金額及び公開等特定株式に係る雑所得の金額から控除し、なお控除することができない損失の金額があるときは、上場

(二)	当該株式等の譲渡に係る事業所得の金額の計算上生じた損失の金額	当該損失の金額は、当該株式等の譲渡に係る譲渡所得の金額及び雑所得の金額から控除する。この場合において、当該株式等の譲渡に係る事業所得の金額又は雑所得の金額のうちに、公開等特定株式に係る事業所得の金額（(4)の(一)に規定する公開等特定株式に係る事業所得の金額をいう。以下同じ。）若しくは公開等特定株式に係る雑所得の金額又は上場株式等に係る事業所得の金額（同(二)に規定する上場株式等に係る事業所得の金額をいう。以下同じ。）若しくは上場株式等に係る雑所得の金額があるときは、当該損失の金額は、まず、公開等特定株式に係る事業所得の金額及び公開等特定株式に係る雑所得の金額から控除し、なお控除することができない損失の金額があるときは、上場株式等に係る事業所得の金額及び上場株式等に係る雑所得の金額から控除するものとする。
(三)	当該株式等の譲渡に係る雑所得の金額の計算上生じた損失の金額	当該損失の金額は、当該株式等の譲渡に係る事業所得の金額及び譲渡所得の金額から控除する。この場合において、当該株式等の譲渡に係る事業所得の金額又は譲渡所得の金額のうちに、公開等特定株式に係る事業所得の金額若しくは公開等特定株式に係る譲渡所得の金額又は上場株式等に係る事業所得の金額若しくは上場株式等に係る譲渡所得の金額があるときは、当該損失の金額は、まず、公開等特定株式に係る事業所得の金額及び公開等特定株式に係る譲渡所得の金額から控除し、なお控除することができない損失の金額があるときは、上場株式等に係る事業所得の金額及び上場株式等に係る譲渡所得の金額から控除するものとする。

（株式等に係る譲渡所得等の金額の計算における損失金額の控除の順序）

（3）　市町村民税の所得割の納税義務者が前年中にした1の②に規定する株主等の譲渡（租税特別措置法第37条の10第3項又は第4項《株式等に係る譲渡所得等の課税の特例における収入金額の範囲》の規定によりその額及び価額の合計額が同条第1項に規定する株式等に係る譲渡所得等に係る収入金額とみなされる金銭及び金銭以外の資産の交付の基因となった同条第3項又は第4項に規定する事由に基づく株式等についての当該金銭の額及び当該金銭以外の資産の価額に対応する権利の移転又は消滅を含む。以下（3）及び（4）において「株式等の譲渡」という。）のうち上場株式等の譲渡がある場合において、次の各号に掲げる損失の金額があるときは、当該損失の金額は、（2）の規定により読み替えて適用される1の②の注の規定により読み替えて適用される1の②に規定する株式等の譲渡に係る事業所得の金額、譲渡所得の金額及び雑所得の金額並びに（1）に規定する上場株式等の譲渡に係る事業所得の金額、譲渡所得の金額及び雑所得の金額の計算上、当該各号に定めるところにより控除する。（平20改令附7⑫）

（一）　次に掲げる事業所得の金額の計算上生じた損失の金額　　それぞれ次に定めるところによる。
　　イ　公開等特定株式に係る事業所得の金額の計算上生じた損失の金額　　当該損失の金額は、まず、上場株式等に係る譲渡所得の金額から控除し、なお控除することができない損失の金額があるときは、一般株式等に係る事業所得の金額から控除する。
　　ロ　上場株式等に係る事業所得の金額の計算上生じた損失の金額　　当該損失の金額は、まず、公開等特定株式に係る事業所得の金額から控除し、なお控除することができない損失の金額があるときは、一般株式等に係る事業所得の金額から控除する。
　　ハ　一般株式等に係る事業所得の金額の計算上生じた損失の金額　　当該損失の金額は、まず、公開等特定株式に係る事業所得の金額から控除し、なお控除することができない損失の金額があるときは、上場株式等に係る事業所得の金額から控除する。

（二）　次に掲げる譲渡所得の金額の計算上生じた損失の金額　　それぞれ次に定めるところによる。
　　イ　公開等特定株式に係る譲渡所得の金額の計算上生じた損失の金額　　当該損失の金額は、まず、上場株式等に係る譲渡所得の金額から控除し、なお控除することができない損失の金額があるときは、一般株式等に係る譲渡所得の金額から控除する。
　　ロ　上場株式等に係る譲渡所得の金額の計算上生じた損失の金額　　当該損失の金額は、まず、公開等特定株式に係る譲渡所得の金額から控除し、なお控除することができない損失の金額があるときは、一般株式等に係る譲渡所得の金額から控除する。
　　ハ　一般株式等に係る譲渡所得の金額の計算上生じた損失の金額　　当該損失の金額は、まず、公開等特定株式に係る譲渡所得の金額から控除し、なお控除することができない損失の金額があるときは、上場株式等に係る譲渡所得の金額から控除する。

（三）　次に掲げる雑所得の金額の計算上生じた損失の金額　　それぞれ次に定めるところによる。

イ　公開等特定株式に係る雑所得の金額の計算上生じた損失の金額　　当該損失の金額は、まず、上場株式等に係る雑所得の金額から控除し、なお控除することができない損失の金額があるときは、一般株式等に係る雑所得の金額から控除する。

ロ　上場株式等に係る雑所得の金額の計算上生じた損失の金額　　当該損失の金額は、まず、公開等特定株式に係る雑所得の金額から控除し、なお控除することができない損失の金額があるときは、一般株式等に係る雑所得の金額から控除する。

ハ　一般株式等に係る雑所得の金額の計算上生じた損失の金額　　当該損失の金額は、まず、公開等特定株式に係る雑所得の金額から控除し、なお控除することができない損失の金額があるときは、上場株式等に係る雑所得の金額から控除する。

（用語の意義）

（4）　（3）において、次の各号に掲げる用語の意義は、当該各号に定めるところによる。（平20改令附7⑬）

（一）　公開等特定株式に係る事業所得の金額　　六の6の(注)の規定によりなおその効力を有するものとされる六の6の①の規定の適用がある株式等の譲渡（以下（4）において「公開等特定株式の譲渡」という。）による事業所得の金額をいう。

（二）　上場株式等に係る事業所得の金額　　上場株式等の譲渡（公開等特定株式の譲渡に該当するものを除く。以下（4）において同じ。）による事業所得の金額をいう。

（三）　一般株式等に係る事業所得の金額　　株式等の譲渡（公開等特定株式の譲渡に該当するもの及び上場株式等の譲渡に該当するものを除く。以下（4）において「一般株式等の譲渡」という。）による事業所得の金額をいう。

（四）　公開等特定株式に係る譲渡所得の金額　　公開等特定株式の譲渡による譲渡所得の金額をいう。

（五）　上場株式等に係る譲渡所得の金額　　上場株式等の譲渡による譲渡所得の金額をいう。

（六）　一般株式等に係る譲渡所得の金額　　一般株式等の譲渡による譲渡所得の金額をいう。

（七）　公開等特定株式に係る雑所得の金額　　公開等特定株式の譲渡による雑所得の金額をいう。

（八）　上場株式等に係る雑所得の金額　　上場株式等の譲渡による雑所得の金額をいう。

（九）　一般株式等に係る雑所得の金額　　一般株式等の譲渡による雑所得の金額をいう。

5　上場株式等に係る譲渡損失の損益通算及び繰越控除

①　譲渡損失の損益通算

　市町村民税の所得割の納税義務者の平成29年度分以後の各年度分の上場株式等に係る譲渡損失の金額は、当該上場株式等に係る譲渡損失の金額の生じた年分の所得税について上場株式等に係る譲渡損失の金額の控除に関する事項を記載した確定申告書を提出した場合（租税特別措置法第37条の12の2第1項の規定の適用がある場合に限る。）に限り、2後段の規定にかかわらず、当該納税義務者の一の1に規定する上場株式等に係る配当所得等の金額を限度として、当該上場株式等に係る配当所得等の金額の計算上控除する。（法附35の2の6⑧）

イ　上場株式等に係る譲渡損失の金額

　①に規定する上場株式等に係る譲渡損失の金額とは、当該市町村民税の所得割の納税義務者が、租税特別措置法第37条の12の2第2項《上場株式等に係る譲渡損失の金額》第1号から第10号までに掲げる上場株式等の譲渡（同法第32条第2項《土地等の譲渡に類する株式等の譲渡所得の分離課税》の規定に該当するものを除く。②のイにおいて「上場株式等の譲渡」という。）をしたことにより生じた損失の金額として（1）で定めるところにより計算した金額のうち、当該納税義務者の当該譲渡をした年の末日の属する年度の翌年度の市町村民税に係る2に規定する株式等に係る譲渡所得等の金額の計算上控除してもなお控除することができない部分の金額として（2）で定めるところにより計算した金額をいう。（法附35の2の6⑨）

（上場株式等の譲渡損失の金額の計算）

（1）　イに規定する上場株式等の譲渡をしたことにより生じた損失の金額として計算した金額は、次の各号に掲げる場合の区分に応じ、当該各号に定める金額とする。（令附18の5⑩）

（一）　当該損失の金額が、事業所得又は雑所得の基因となる上場株式等の譲渡（イに規定する上場株式等の譲渡をいう。以下（1）から（4）まで及び②のイの注において同じ。）をしたことにより生じたものである場合　　所得税法その他の所得税に関する法令の規定の例により計算した当該上場株式等の譲渡による事業所得の金額又は雑所得の金

額の計算上生じた損失の金額として総務省令で定めるところにより計算した金額
　　(二)　当該損失の金額が、譲渡所得の基因となる上場株式等の譲渡をしたことにより生じたものである場合　所得税法その他の所得税に関する法令の規定の例により計算した当該上場株式等の譲渡による譲渡所得の金額の計算上生じた損失の金額

　　　　(総務省令で定めるところにより計算をした金額)
(2)　(1)の(一)に規定する総務省令で定めるところにより計算した金額は、上場株式等の譲渡による事業所得又は雑所得と当該上場株式等以外の株式等(3の②に規定する株式等をいう。以下同じ。)の譲渡による事業所得又は雑所得とを区分して当該上場株式等の譲渡に係る事業所得の金額又は雑所得の金額を計算した場合にこれらの金額の計算上生ずる損失の金額に相当する金額とする。この場合において、当該上場株式等の譲渡をした日の属する年分の株式等の譲渡に係る事業所得の金額又は雑所得の金額の計算上必要経費に算入されるべき金額のうちに当該上場株式等の譲渡と当該上場株式等以外の株式等の譲渡の双方に関連して生じた金額(以下「共通必要経費の額」という。)があるときは、当該共通必要経費の額は、これらの所得を生ずべき業務に係る収入金額その他の基準のうち当該業務の内容及び費用の性質に照らして合理的と認められるものにより当該上場株式等の譲渡に係る必要経費の額と当該上場株式等以外の株式等の譲渡に係る必要経費の額とに配分するものとする。(規附19①)

　　　　(控除しきれない部分の金額の計算)
(3)　イに規定する控除することができない部分の金額として計算した金額は、上場株式等の譲渡をした年の末日の属する年度の翌年度の市町村民税に係るイに規定する株式等に係る譲渡所得等の金額(②の(1)の表の(二)及び②のイの注において「株式等に係る譲渡所得等の金額」という。)の計算上生じた損失の金額のうち、特定譲渡損失の金額の合計額に達するまでの金額とする。(令附18の5⑪)

　　　　(特定譲渡損失の金額の意義)
(4)　(3)に規定する特定譲渡損失の金額とは、上場株式等の譲渡をした年中の上場株式等の譲渡による事業所得、譲渡所得又は雑所得について、所得税法その他の所得税に関する法令の規定の例により計算した当該株式等の譲渡に係る事業所得の金額の計算上生じた損失の金額、譲渡所得の金額の計算上生じた損失の金額又は雑所得の金額の計算上生じた損失の金額のうち、それぞれの所得の基因となる上場株式等の譲渡に係る(1)各号に掲げる金額の合計額に達するまでの金額をいう。(令附18の5⑫)

(5)　上場株式等に係る所得割の課税に当たっては、次の諸点に留意すること。(市通2-79の3(4))
　　イに規定する上場株式等に係る譲渡損失の金額については、上場株式等に係る配当所得等の金額を限度として損益通算が認められるものであること。

②　譲渡損失の繰越控除

市町村民税の所得割の納税義務者の前年前3年内の各年に生じた上場株式等に係る譲渡損失の金額(②の規定により前年前において控除されたものを除く。)は、当該上場株式等に係る譲渡損失の金額の生じた年分の所得税について確定申告書を提出した場合において、その後の年分の所得税について連続して確定申告書を提出しているとき(租税特別措置法第37条の12の2第5項の規定の適用があるときに限る。)に限り、2の後段の規定にかかわらず、(1)で定めるところにより、当該納税義務者の2に規定する上場株式等に係る譲渡所得等の金額及び一の1に規定する上場株式等に係る配当所得等の金額(①の規定の適用がある場合には、その適用後の金額。以下②において同じ。)を限度として、当該上場株式等に係る譲渡所得等の金額及び上場株式等に係る配当所得等の金額の計算上控除する。(法附35の2の6⑪)

　　　　(上場株式等に係る譲渡損失の控除方法)
(1)　②の規定による上場株式等に係る譲渡損失の金額(イに規定する上場株式等に係る譲渡損失の金額をいう。以下4において同じ。)の控除については、次に定めるところによる。(令附18の5⑬)

(一)	控除する上場株式等に係る譲渡損失の金額が前年前3年内の二以上の年に生じたものである場合には、これらの年のうち最も前の年に生じた上場株式等に係る譲渡損失の金額から順次控除する。
(二)	前年前3年内の一の年において生じた上場株式等に係る譲渡損失の金額の控除をする場合において、前年の上場株式等に係る譲渡所得等の金額(六の1の(8)及び六の2の①の規定の適用がある場合には、その適用後の

	金額）及び一の１に規定する上場株式等に係る配当所得等の金額（以下（二）において「上場株式等に係る配当所得等の金額」という。）があるときは、当該上場株式等に係る譲渡損失の金額は、まず、当該株式等に係る譲渡所得等の金額から控除し、なお控除することができない損失の金額があるときは、当該上場株式等に係る配当所得等の金額から控除する。
(三)	第二節三の２（雑損失の金額に係る部分に限る。）の規定による控除が行われる場合には、まず、②の規定による控除を行った後、同２（雑損失の金額に係る部分に限る。）の規定による控除を行う。

（読替規定）
（２）②の規定の適用がある場合における第二節二の１及び第六節の１の①（八）の規定の適用については、第二節二の１中「所得税法第２条第１項第40号」とあるのは「租税特別措置法施行令第25条の11の２第19項第１号又は第25条の12の２第23項第１号の規定により読み替えて適用される所得税法第２条第１項第40号」と、同号中「前各号に掲げるもののほか、」とあるのは「附則第35条の２の６第11項に規定する上場株式等に係る譲渡損失の金額の控除に関する事項その他」とする。（令附18の５⑳）

イ　上場株式等に係る譲渡損失の金額
　②に規定する上場株式等に係る譲渡損失の金額とは、当該市町村民税の所得割の納税義務者が、上場株式等の譲渡『①イ参照』をしたことにより生じた損失の金額として①のイの（１）で定めるところにより計算した金額のうち、当該納税義務者の当該譲渡をした年の末日の属する年度の翌年度の市町村民税に係る１に規定する株式等に係る譲渡所得等の金額の計算上控除してもなお控除することができない部分の金額として注で定めるところにより計算した金額（①の規定の適用を受けて控除されたものを除く。）をいう。（法附35の２の６⑫、令附18の５⑰）

（控除することができない部分の金額の計算）
（１）イに規定する控除することができない部分の金額として計算した金額は、上場株式等の譲渡をした年の末日の属する年度の翌年度の市町村民税に係る株式等に係る譲渡所得等の金額の計算上生じた損失の金額のうち、①のイの（４）に規定する特定譲渡損失の金額の合計額に達するまでの金額とする。（令附18の５⑮）

（２）上場株式等に係る所得割の課税に当たっては、次の諸点に留意すること。（市通２－79の３（５））
　　前年前３年内に生じたイに規定する上場株式等に係る譲渡損失の金額については、上場株式等に係る譲渡所得等の金額及び上場株式等に係る配当所得の金額を限度として繰越控除が認められるものであり、当該控除額については、所得税における繰越控除額と一致するものであること。
　　なお、この場合における上場株式等の譲渡損失の金額については、②の（１）の規定により順次控除するものであること。

６　特定口座内保管上場株式等の譲渡等に係る所得計算の特例

①　特定口座内保管上場株式等の譲渡をした場合
　市町村民税の所得割の納税義務者が前年中に租税特別措置法第37条の11の３第３項第２号に規定する上場株式等保管委託契約に基づき、同項第１号に規定する**特定口座**（その者が二以上の特定口座を有する場合には、それぞれの特定口座。以下①及び②において「特定口座」という。）に係る同条第１項に規定する振替口座簿に記載若しくは記録がされ、又は特定口座に保管の委託がされている同法第37条の11の２第１項に規定する上場株式等（以下①において「**特定口座内保管上場株式等**」という。）の譲渡をした場合には、政令で定めるところにより、当該特定口座内保管上場株式等の譲渡による事業所得の金額、譲渡所得の金額又は雑所得の金額と当該特定口座内保管上場株式等の譲渡以外の株式等の譲渡による事業所得の金額、譲渡所得の金額又は雑所得の金額とを区分して、これらの金額を計算するものとする。（法附35の２の４④）
　　（注）「振替口座簿」、「譲渡」及び「株式等」については、３の②を参照。（編者）

（特定口座内保管上場株式等の譲渡に係る所得計算の特例）
注　①に規定する特定口座内保管上場株式等の譲渡による事業所得の金額、譲渡所得の金額又は雑所得の金額の計算は、市町村民税の所得割の納税義務者が有するそれぞれの特定口座ごとに、当該特定口座に係る特定口座内保管上場株式等の譲渡による事業所得、譲渡所得又は雑所得と当該特定口座内保管上場株式等の譲渡以外の株式等（２の②に規定

する株式等をいう。以下6において同じ。）の譲渡による事業所得、譲渡所得又は雑所得とを区分して、所得税法その他の所得税に関する法令の規定の例により当該特定口座内保管上場株式等の譲渡による事業所得の金額、譲渡所得の金額又は雑所得の金額を計算することにより行うものとする。（令附18の4⑤）

② **上場株式等の信用取引等を特定口座で処理した場合**
　信用取引等（租税特別措置法第37条の11の3第2項《信用取引等に係る上場株式等の譲渡等の所得計算の特例》に規定する信用取引等をいう。以下②において同じ。）を行う市町村民税の所得割の納税義務者が前年中に同条第3項第3号に規定する上場株式等信用取引等契約に基づき同条第2項に規定する上場株式等の信用取引等を特定口座において処理した場合には、政令で定めるところにより、当該特定口座において処理した同条第2項に規定する信用取引等に係る上場株式等の譲渡（以下②において「信用取引等に係る上場株式等の譲渡」という。）による事業所得の金額又は雑所得の金額と当該信用取引等に係る上場株式等の譲渡以外の株式等の譲渡による事業所得の金額又は雑所得の金額とを区分して、これらの金額を計算するものとする。（法附35の2の4⑤、②）

　　　（特定口座で処理した信用取引等に係る上場株式等の譲渡に係る所得計算の特例）
　　注　②に規定する信用取引等に係る上場株式等の譲渡による事業所得の金額又は雑所得の金額の計算は、市町村民税の所得割の納税義務者が有するそれぞれの特定口座ごとに、当該特定口座に係る信用取引等に係る上場株式等の譲渡による事業所得又は雑所得と当該信用取引等に係る上場株式等の譲渡以外の株式等の譲渡による事業所得又は雑所得とを区分して、所得税法その他の所得税に関する法令の規定の例により当該信用取引等に係る上場株式等の譲渡による事業所得の金額又は雑所得の金額を計算することにより行うものとする。（令附18の4⑥）

③ **所得税の負担を減少させる結果となる場合**
　租税特別措置法施行令第25条の10の2《特定口座内保管上場株式等の譲渡等に係る所得計算等の特例》第23項第3号の規定の適用がある場合における同号に規定する当該割当株式を受け入れた特定口座に係る特定株式等譲渡所得金額に係る所得の金額については、第二節五の3《特定株式等譲渡所得金額に係る所得の総所得金額からの除外》及び4《特定株式等譲渡所得金額に係る所得を申告したときの総所得金額からの除外の不適用》の規定は、適用しない。この場合における1の規定の適用については、1中「第二節五の4の規定により同3」とあるのは、「6の③の規定により第二節五の3」とする。（令附18の4⑦）

④ **特定口座年間取引報告書等の申告書への添付**
　前年中において1に規定する株式等に係る譲渡所得等を有する市町村内に住所を有する個人である市町村民税の納税義務者で租税特別措置法第37条の11の3第3項第1号に規定する金融商品取引業者等の営業所（国内にあるものに限る。）に特定口座を開設していたものが第六節1《市町村民税の申告書》の①又は③に規定する申告書（六の5において準用する第六節1の④の規定による申告書を含む。以下④において同じ。）を提出する場合において、前年中に、①に規定する特定口座内保管上場株式等の譲渡による事業所得、譲渡所得若しくは雑所得又は②に規定する信用取引等に係る上場株式等の譲渡による事業所得若しくは雑所得の基因となる上場株式等（①に規定する上場株式等をいう。）の譲渡以外の株式等の譲渡がないときは、当該申告書を提出する場合における1の③の規定の適用については、租税特別措置法施行令第25条の10の10第2項に規定する特定口座年間取引報告書又はその写し（以下④において「**特定口座年間取引報告書等**」という。）（二以上の特定口座を有する場合には、当該二以上の特定口座に係る特定口座年間取引報告書等及びこれらの特定口座年間取引報告書等の合計表（総務省令で定める事項を記載したものをいう。））の添付をもって1の③に規定する明細書の添付に代えることができる。（令附18の4⑧）

　　　（特定口座年間取引報告書等の申告書の添付）
（1）　第六節1の①の申告書又は同③の申告書（六の5において準用する第六節1の④の規定による申告書を含む。）に1の③に規定する明細書を添付すべき市町村民税の納税義務者は、当該申告書にこれらの明細書と併せて特定口座年間取引報告書等（二以上の①に規定する特定口座（前年において租税特別措置法第37条の11の4第1項の規定の適用があるものを除く。以下（1）において「**特定口座**」という。）を有する場合には、当該二以上の特定口座に係る特定口座年間取引報告書等及びこれらの合計表（④に規定する合計表をいう。））の添付をする場合には、当該明細書には、1の③の規定にかかわらず、当該添付をする特定口座年間取引報告書等に記載がされた上場株式等に係るこれらの規定による記載は、要しない。（規附17①）

(特定口座年間取引報告書等の合計表の記載事項)
（２）③に規定する総務省令で定める事項は、次に掲げる事項とする。（規附17②）
　（一）　③の申告書を提出する者の氏名及び住所
　（二）　当該申告書に添付する特定口座年間取引報告書等に記載されている租税特別措置法施行規則第18条の13の5第2項第6号イからハまでに掲げる金額、同項第7号イからハまでに掲げる金額及び同条第4項各号に掲げる金額のそれぞれの合計額
　（三）　その他参考となるべき事項

7　源泉徴収選択口座内配当等に係る所得計算等の特例

　市町村民税の所得割の納税義務者が支払を受ける源泉徴収選択口座内配当等については、注で定めるところにより、当該源泉徴収選択口座内配当等に係る利子所得の金額及び配当所得の金額と当該源泉徴収選択口座内配当等以外の利子等及び配当等（所得税法第24条第1項《配当所得の意義》に規定する配当等をいう。）に係る利子所得の金額及び配当所得の金額を区分して、これらの金額を計算するものとする。（法附35の2の5⑦）
　（注）　源泉徴収選択口座内配当等に係る配当割の額の計算の特例については、第二編第三章第三節二の2の⑤を参照。（編者）

（源泉徴収選択口座内配当等に係る配当所得の金額の計算）
　注　市町村民税の所得割に係る源泉徴収選択口座内配当等（①に規定する源泉徴収選択口座内配当等をいう。）に係る配当所得の金額の計算は、当該所得割の納税義務者が有するそれぞれの源泉徴収選択口座〖5①口参照〗ごとに、当該源泉徴収選択口座に係る源泉徴収選択口座内配当等に係る配当所得の金額と当該源泉徴収選択口座内配当等以外の配当等（所得税法第24条第1項に規定する配当等をいう。）に係る配当所得の金額とを区分して、所得税法その他の所得税に関する法令の規定の例により当該源泉徴収選択口座内配当等に係る配当所得の金額を計算することにより行うものとする。（令附18の4の2⑩）

8　非課税口座内上場株式等の譲渡に係る所得計算の特例

①　非課税口座内上場株式等を譲渡した場合

　市町村民税の所得割の納税義務者が、前年中に租税特別措置法第37条の14《非課税口座内の少額上場株式等に係る譲渡所得等の非課税》第5項第2号に規定する非課税上場株式等管理契約（以下8において「**非課税上場株式等管理契約**」という。）、同項第4号に規定する非課税累積投資契約（以下8において「**非課税累積投資契約**」という。）又は同項第6号に規定する特定非課税累積投資契約（以下「**特定非課税累積投資契約**」という。）に基づき同法第37条の14第1項に規定する非課税口座内上場株式等（以下8において「**非課税口座内上場株式等**」という。）（その者が二以上の同法第37条の14第5項第1号に規定する非課税口座（以下8において「**非課税口座**」という。）を有する場合には、それぞれの非課税口座に係る非課税口座内上場株式等。以下8において同じ。）の譲渡をした場合には、注で定めるところにより、当該非課税口座内上場株式等の譲渡による事業所得の金額、譲渡所得の金額又は雑所得の金額と当該非課税口座内上場株式等以外の上場株式等の譲渡による事業所得の金額、譲渡所得の金額又は雑所得の金額とを区分して、これらの金額を計算するものとする。（法附35の3の2④、⑪）
　（注）「株式等」については2の②を参照。（編者）

（非課税口座内上場株式等の譲渡による所得の区分計算）
　注　市町村民税の所得割の納税義務者が、①に規定する非課税口座内上場株式等（以下注において「非課税口座内上場株式等」という。）及び当該非課税口座内上場株式等以外の株式等（2の②に規定する株式等をいう。以下7において同じ。）を有する場合には、当該非課税口座内上場株式等の譲渡（①に規定する譲渡をいう。以下7において同じ。）による事業所得の金額、譲渡所得の金額又は雑所得の金額と当該非課税口座内上場株式等以外の株式等の譲渡による事業所得の金額、譲渡所得の金額又は雑所得の金額とを区分して、所得税法その他の所得税に関する法令の規定の例によりこれらの金額を計算するものとする。（令附18の6の2③）

②　非課税口座からの非課税口座内上場株式等の払出しがあった場合

　租税特別措置法第37条の14第4項各号に掲げる事由により、同条第5項第3号に規定する非課税管理勘定（以下8において「非課税管理勘定」という。）、同条第5項第5号に規定する累積投資勘定（以下8において「累積投資勘定」という。）、同条第5項第7号に規定する特定累積投資勘定（以下「特定累積投資勘定」という。）又は同条第5項第8号に規定する特

定非課税管理勘定（以下「特定非課税管理勘定」という。）からの非課税口座内上場株式等の一部又は全部の払出し（振替によるものを含む。以下②において同じ。）があった場合には、当該払出しがあった非課税口座内上場株式等については、その事由が生じた時に、その時における価額として注で定める金額（以下②において「払出し時の金額」という。）により非課税上場株式等管理契約、非課税累積投資契約又は特定非課税累積投資契約に基づく譲渡があったものと、同項第1号に掲げる移管、返還又は廃止による非課税口座内上場株式等の払出しがあった非課税管理勘定、累積投資勘定、特定累積投資勘定又は特定非課税管理勘定が設けられている非課税口座を開設し、又は開設していた市町村民税の所得割の納税義務者については、当該移管、返還又は廃止による払出しがあった時に、その払出し時の金額をもって当該移管、返還又は廃止による払出しがあった非課税口座内上場株式等の数に相当する数の当該非課税口座内上場株式等と同一銘柄の株式等を取得したものと、同項第2号に掲げる贈与又は相続若しくは遺贈により払出しがあった非課税口座内上場株式等を取得した道府県民税の所得割の納税義務者については、当該贈与又は相続若しくは遺贈の時に、その払出し時の金額をもって当該非課税口座内上場株式等と同一銘柄の株式等を取得したものとそれぞれみなして、①及び1の規定その他の市町村民税に関する規定を適用する。（法附35の3の2⑤、②）

（払出し時の金額の計算）
注　②に規定するその事由が生じた時における価額として定める金額は、次の各号に掲げる株式等の区分に応じ当該各号に定める金額をその株式等の一単位当たりの価額として計算した金額とする。（令附18の6の2②）

(一)	取引所売買株式等（その売買が主として金融商品取引所（金融商品取引法第2条第16項に規定する金融商品取引所及びこれに類するもので外国の法令に基づき設立されたものをいう。以下(一)において同じ。）において行われている株式等をいう。以下(一)において同じ。）	金融商品取引所において公表された②に規定する事由（以下注において「払出事由」という。）が生じた日における当該取引所売買株式等の最終の売買の価格（公表された同日における最終の売買の価格がない場合には、公表された同日における最終の気配相場の価格とし、その最終の売買の価格及びその最終の気配相場の価格のいずれもない場合には、同日前の最終の売買の価格又は最終の気配相場の価格が公表された日で当該払出事由が生じた日に最も近い日におけるその最終の売買の価格又はその最終の気配相場の価格とする。）に相当する金額
(二)	店頭売買株式等（租税特別措置法施行令第25条の8第8項第2号に規定する店頭売買登録銘柄として登録された株式等をいう。以下(二)において同じ。）	金融商品取引法第67条の19の規定により公表された払出事由が生じた日における当該店頭売買株式等の最終の売買の価格（公表された同日における最終の売買の価格がない場合には、公表された同日における最終の気配相場の価格とし、その最終の売買の価格及びその最終の気配相場の価格のいずれもない場合には、同日前の最終の売買の価格又は最終の気配相場の価格が公表された日で当該払出事由が生じた日に最も近い日におけるその最終の売買の価格又はその最終の気配相場の価格とする。）に相当する金額
(三)	その他価格公表株式等（(一)及び(二)に掲げる株式等以外の株式等のうち、価格公表者（株式等の売買の価格又は気配相場の価格を継続的に公表し、かつ、その公表する価格がその株式等の売買の価格の決定に重要な影響を与えている場合におけるその公表をする者をいう。以下(三)において同じ。）によって公表された売買の価格又は気配相場の価格があるものをいう。以下(三)において同じ。）	価格公表者によって公表された払出事由が生じた日における当該その他価格公表株式等の最終の売買の価格（公表された同日における最終の売買の価格がない場合には、公表された同日における最終の気配相場の価格とし、その最終の売買の価格及びその最終の気配相場の価格のいずれもない場合には、同日前の最終の売買の価格又は最終の気配相場の価格が公表された日で当該払出事由が生じた日に最も近い日におけるその最終の売買の価格又はその最終の気配相場の価格とする。）に相当する金額
(四)	(一)から(三)までに掲げる株式等以外の株式等	その株式等の払出事由が生じた日における価額として合理的な方法により計算した金額

9 未成年者口座内上場株式等の譲渡に係る市町村民税の所得計算の特例

① 未成年者口座内上場株式等の譲渡をした場合

市町村民税の所得割の納税義務者が、前年中に未成年者口座管理契約《第二編第一章第五節五の8の①の租税特別措置法第37条の14の2第5項第2号に規定する未成年者口座管理契約をいう。以下9において同じ。》に基づき未成年者口座内上場株式等《第二編第一章第五節五の8の①の同法第37条の14の2第1項各号に規定する未成年者口座内上場株式等をいう。以下9において同じ。》の譲渡をした場合には、政令で定めるところにより、当該未成年者口座内上場株式等の譲渡による事業所得の金額、譲渡所得の金額又は雑所得の金額と当該未成年者口座内上場株式等以外の上場株式等の譲渡による事業所得の金額、譲渡所得の金額又は雑所得の金額とを区分して、これらの金額を計算するものとする。(法附35の3の3⑥)

(注) 8の①の注の規定は、市町村民税の所得割の納税義務者が9の①に規定する未成年者口座管理契約に基づき9の①に規定する未成年者口座内上場株式等の譲渡をした場合について準用する。この場合において、8の①の注中「8の①」とあるのは「9の①」と、「非課税口座内上場株式等」とあるのは「未成年者口座内上場株式等」と読み替えるものとする。(令附18の6の3④)

② みなし規定

租税特別措置法第37条の14の2第4項各号に掲げる事由により、同条第5項第3号に規定する非課税管理勘定(以下9において「非課税管理勘定」という。)又は同項第4号に規定する継続管理勘定(以下9において「継続管理勘定」という。)からの未成年者口座内上場株式等の一部又は全部の払出し(振替によるものを含む。以下9において同じ。)があった場合には、当該払出しがあった未成年者口座内上場株式等については、その事由が生じた時に、払出し時の金額《第二編第一章第五節五の8の②に規定する払出しの事由が生じた時における政令で定める金額をいう。以下9において同じ。》により未成年者口座管理契約に基づく譲渡があったものと、同項第1号に掲げる移管若しくは返還又は同項第3号イに掲げる廃止による未成年者口座内上場株式等の払出しがあった非課税管理勘定又は継続管理勘定が設けられている未成年者口座を開設し、又は開設していた市町村民税の所得割の納税義務者については、当該移管若しくは返還又は廃止による払出しがあった時に、その払出し時の金額をもって当該移管若しくは返還又は廃止による払出しがあった未成年者口座内上場株式等の数に相当する数の当該未成年者口座内上場株式等と同一銘柄の株式等を取得したものと、同項第2号に掲げる相続若しくは遺贈又は同項第3号ロに掲げる贈与により払出しがあった未成年者口座内上場株式等を取得した市町村民税の所得割の納税義務者については、当該相続若しくは遺贈又は贈与の時に、その払出し時の金額をもって当該未成年者口座内上場株式等と同一銘柄の株式等を取得したものとそれぞれみなして、①並びに1、同①及び同②の規定その他の市町村民税に関する規定を適用する。(法附35の3の3⑦)

(注) 8の①の注の規定は、市町村民税の所得割の納税義務者が未成年者口座管理契約に基づき未成年者口座内上場株式等の譲渡をした場合について準用する。この場合において、8の①の注中「①」とあるのは「9の①」と、「非課税口座内上場株式等」とあるのは「未成年者口座内上場株式等」と読み替えるものとする。(令附18の6の3④)

③ 契約不履行等事由が生じた場合

未成年者口座及び課税未成年者口座《第二編第一章第五節五の9の③の租税特別措置法第37条の14の2第5項第5号に規定する課税未成年者口座》を開設する市町村民税の所得割の納税義務者の租税特別措置法第37条の14の2第4項第3号に規定する基準年の前年12月31日又は令和5年12月31日のいずれか早い日までに契約不履行等事由が生じた場合には、次に定めるところにより、市町村民税に関する規定を適用する。この場合には、政令で定めるところにより、第1号から第3号までの規定による未成年者口座内上場株式等の譲渡による事業所得の金額、譲渡所得の金額及び雑所得の金額と当該未成年者口座内上場株式等以外の株式等の譲渡による事業所得の金額、譲渡所得の金額及び雑所得の金額とを区分して、これらの金額を計算するものとする。(法附35の3の3⑧)

(一)	当該未成年者口座の設定の時から契約不履行等事由が生じた時までの間にした未成年者口座内上場株式等の譲渡による事業所得、譲渡所得又は雑所得については、当該契約不履行等事由が生じた時に、当該未成年者口座内上場株式等の未成年者口座管理契約において定められた方法に従って行われる譲渡以外の譲渡があったものとみなす。
(二)	当該未成年者口座の設定の時から契約不履行等事由が生じた時までの間に他の保管口座又は非課税管理勘定若しくは継続管理勘定への移管(租税特別措置法第37条の14の2第5項第2号ヘ(1)に規定する政令で定める事由による移管を除く。以下同じ。)があった未成年者口座内上場株式等については②の規定の適用がなかったものとし、かつ、当該契約不履行等事由が生じた時に、その移管があった時における払出し時の金額により未成年者口座管理契約において定められた方法に従って行われる譲渡以外の譲渡があったものとみなす。

(三)	契約不履行等事由の基因となった未成年者口座内上場株式等及び契約不履行等事由が生じた時における当該未成年者口座に係る未成年者口座内上場株式等については、当該契約不履行等事由が生じた時に、その時における払出し時の金額により未成年者口座管理契約において定められた方法に従って行われる譲渡以外の譲渡があったものとみなす。
(四)	(二)の規定の適用を受ける当該未成年者口座を開設していた道府県民税の所得割の納税義務者については、(二)の移管があった時に、その時における払出し時の金額をもって当該移管による払出しがあった未成年者口座内上場株式等の数に相当する数の当該未成年者口座内上場株式等と同一銘柄の株式等の取得をしたものとみなす。
(五)	(三)の規定の適用を受ける当該未成年者口座を開設していた道府県民税の所得割の納税義務者については、当該契約不履行等事由が生じた時に、その時における払出し時の金額をもって(三)の未成年者口座内上場株式等(租税特別措置法第37条の14の2第5項第2号ヘ(2)に規定する譲渡又は贈与がされたものを除く。)の数に相当する数の当該未成年者口座内上場株式等と同一銘柄の株式等の取得をしたものと、(三)の未成年者口座内上場株式等を贈与により取得した者については、当該契約不履行等事由が生じた時に、その時における払出し時の金額をもって当該未成年者口座内上場株式等と同一銘柄の株式等の取得をしたものとそれぞれみなす。

(注) 8の①の注の規定は、第二編第三章第三節二の2の③に規定する未成年者口座及び9の③に規定する課税未成年者口座を開設する市町村民税の所得割の納税義務者の9の③に規定する基準年の前年12月31日又は令和5年12月31日のいずれか早い日までに第二編第三章第四節二の2の④に規定する契約不履行等事由が生じた場合に、9の③の表中(一)から(三)までの規定により未成年者口座内上場株式等の譲渡があったものとみなされたときについて準用する。この場合において、8の①の注中「、8の①」とあるのは「、9の①」と、「非課税口座内上場株式等」とあるのは「未成年者口座内上場株式等」と、「場合には、当該」とあるのは「場合には、9の③の表中(一)から(三)までの規定による」と、「(①」とあるのは「(9の①」と読み替えるものとする。(令附18の6の3⑤)

④ 譲渡による収入金額が取得費等に満たない場合
　③の場合において、③の表中(一)から(三)までの規定により譲渡があったものとみなされる未成年者口座内上場株式等に係る収入金額が所得税法第33条第3項の規定の例によって算定した当該未成年者口座内上場株式等の取得費及びその譲渡に要した費用の額の合計額又はその譲渡に係る必要経費に満たない場合におけるその不足額は、市町村民税に関する法令の規定の適用については、ないものとみなす。(法附35の3の3⑨)

六　特定中小会社が発行した株式に係る譲渡損失の繰越控除等及び譲渡所得等の課税の特例

1　特定中小会社が発行した株式が価値を失った場合の損失の特例

　市町村民税の所得割の納税義務者(租税特別措置法第37条の13第1項に規定する特定中小会社(以下1において「**特定中小会社**」という。)の同条第1項に規定する特定株式(以下**六**において「**特定株式**」という。)を払込み(当該株式の発行に際してするものに限る。以下**六**において同じ。)により取得(同法第29条の2第1項本文《特定の取締役等が受ける新株予約権等の行使による株式の取得に係る経済的利益の非課税》の規定の適用を受けるものを除く。以下**六**において同じ。)をしたもの(当該取得をした日においてその者を判定の基礎となる株主として選定した場合に当該特定中小会社が法人税法第2条第10号に規定する会社に該当することとなるときにおける当該株主その他の(1)で定める者であったものを除く。)又は租税特別措置法第37条の13の2第1項に規定する株式会社の同項に規定する設立特定株式を払込みにより取得をしたもの(当該株式会社の発起人であることその他の(6)で定める要件を満たすものに限る。)に限る。2において同じ。)について、同法第37条の13の3第1項に規定する適用期間《当該特定中小会社の設立の日から当該特定中小会社が発行した株式の上場等の日の前日までの期間をいう。》(2の②において「適用期間」という。)内に、その有する当該払込みにより取得をした特定株式が株式としての価値を失ったことによる損失が生じた場合として同条第1項各号に掲げる事実《当該特定株式の発行会社が解散(合併による解散を除く。)をし、清算が結了したこと又は当該特定株式の発行会社が破産の宣告を受けたことをいう。》が発生したときは、同項各号に掲げる事実が発生したことは当該特定株式の譲渡をしたことと、当該損失の金額として(6)で定める金額は当該特定株式の譲渡をしたことにより生じた損失の金額とそれぞれみなして、**六**及び**五**の1の規定その他の市町村民税に関する規定を適用する。(法附35の3⑪)

　(適用除外)
　(1)　1の特例の対象となる所得割の納税義務者から除かれる者は、次に掲げる者とする。(令附18の6⑰)

(一)	1に規定する特定株式を払込み(1に規定する払込みをいう。以下同じ。)により取得(1に規定する取得をいう。以下同じ。)をした日として(2)で定める日において、(3)で定める方法により判定した場合に当該特定株

	式を発行した特定中小会社（1に規定する特定中小会社をいう。以下同じ。）が法人税法第2条第10号に規定する会社に該当することとなるときにおける当該判定の基礎となる株主として（4）で定める者
(二)	当該特定株式を発行した特定中小会社の設立に際し、当該特定中小会社に自らが営んでいた事業の全部を承継させた個人（以下（1）において「特定事業主であった者」という。）
(三)	特定事業主であった者の親族
(四)	特定事業主であった者とまだ婚姻の届出をしていないが事実上婚姻関係と同様の事情にある者
(五)	特定事業主であった者の使用人
(六)	（三）から（五）までに掲げる者以外の者で、特定事業主であった者から受ける金銭その他の資産によって生計を維持しているもの
(七)	（四）から（六）までに掲げる者と生計を一にするこれらの者の親族
(八)	（一）から（七）までに掲げる者以外の者で、特定中小会社との間で当該特定株式に係る投資に関する条件を定めた契約として（5）で定める契約を締結していないもの

　　（総務省令で定める日）
（2）　（1）の（一）に規定する（2）で定める日は、次の各号に掲げる特定株式の区分に応じ当該各号に定める日とする。（規附20①）
　　（一）　特定中小会社の設立の際に発行された特定株式　　当該特定中小会社の成立の日
　　（二）　特定中小会社の設立の日後に発行された特定株式　　当該特定株式の払込期日

　　（総務省令で定める方法）
（3）　（1）の（一）に規定する（3）で定める方法は、会社が法人税法第2条第10号に規定する会社（（4）において「同族会社」という。）に該当するかどうかを判定する場合におけるその判定の方法とする。（規附20②）

　　（総務省令で定める者）
（4）　（1）の（一）に規定する（4）で定める者は、当該特定株式を発行した特定中小会社（同族会社に該当するものに限る。）の株主のうち、その者を法人税法施行令第71条第1項の役員であるとした場合に同項第4号イに掲げる要件を満たすこととなる当該株主とする。（規附20③）

　　（総務省令で定める契約）
（5）　（1）の（八）に規定する（5）で定める契約は、特定中小会社との間で締結する特定株式に係る投資に関する条件を定めた契約で中小企業等経営強化法施行規則第11条第2項第3号ロに規定する投資に関する契約に該当するものとする。（規附20④）

　　（政令で定める要件）
（6）　1に規定する（6）で定める要件は、次に掲げる要件とする。（令附18の6⑲）
　一　特定株式会社の設立特定株式を払込みにより取得をした市町村民税の所得割の納税義務者が当該特定株式会社の発起人であること。
　二　当該市町村民税の所得割の納税義務者が次に掲げる者に該当しないこと。
　　イ　当該設立特定株式を発行した特定株式会社の設立に際し、当該特定株式会社に自らが営んでいた事業の全部を承継させた個人（以下「特定事業主であった者」という。）
　　ロ　特定事業主であった者の親族
　　ハ　特定事業主であった者と婚姻の届出をしていないが事実上婚姻関係と同様の事情にある者
　　ニ　特定事業主であった者の使用人
　　ホ　ロからニまでに掲げる者以外の者で、特定事業主であった者から受ける金銭その他の資産により生計を維持しているもの
　　ヘ　ハからホまでに掲げる者と生計を一にするこれらの者の親族

(損失の金額)
(7) 1に規定する損失の金額は、次の各号に掲げる場合の区分に応じ、当該各号に定める金額とする。(令附18の6⑳)

(一)	払込みにより取得をした1に規定する租税特別措置法第37条の13の3第1項各号に掲げる事実(以下(7)において「事実」という。)の発生に係る特定株式(以下(7)において「価値喪失株式」という。)が事業所得の基因となる株式である場合	当該事実が発生した日を所得税法施行令第105条第1項に規定するその年12月31日とみなして同項第1号に掲げる方法により当該価値喪失株式に係る1株当たりの取得価額に相当する金額を算出した場合における当該金額に当該事実の発生の直前において有する当該価値喪失株式の数を乗じて計算した金額
(二)	価値喪失株式が譲渡所得又は雑所得の基因となる株式である場合	当該事実が発生した時を所得税法施行令第118条第1項に規定する譲渡の時とみなして同項に定める方法により当該価値喪失株式に係る1株当たりの金額に相当する金額を算出した場合における当該金額に当該事実の発生の直前において有する当該価値喪失株式の数を乗じて計算した金額

(適用の手続)
(8) 1の規定は、(注)で定めるところにより、1に規定する事実が発生した年の末日の属する年度の翌年度分の第六節1《市町村民税の申告書》の①又は③の規定による申告書(その提出期限後において市町村民税の納税通知書が送達される時までに提出されたもの及びその時までに提出された同節2《確定申告書》の①の確定申告書を含む。)に1の規定の適用を受けようとする旨の記載があるとき(これらの申告書にその記載がないことについてやむを得ない理由があると市町村長が認めるときを含む。)に限り、適用する。(法附35の3⑫)
　　(注) 1の規定の適用を受けようとする者は、(8)の申告書(5において準用する第六節1の④の規定による申告書(その提出期限後において市町村民税の納税通知書が送達される時までに提出されたもの及びその時までに提出された租税特別措置法第37条の13の2第7項において準用する同法第37条の12の2第11項において準用する所得税法第123条第1項の規定による申告書を含む。)を含む。)に、1の規定の適用を受けようとする旨を記載しなければならない。ただし、これらの申告書にその旨の記載がないことについてやむを得ない理由があると市町村長が認めるときは、この限りでない。(令附18の6㉑)

(上場株式等に係る譲渡所得等の控除金額)
(9) 市町村民税の所得割の納税義務者の特定株式に係る譲渡損失の金額は、当該特定株式に係る譲渡損失の金額の生じた年の末日の属する年度の翌年度分の第六節1の①又は同③の規定による申告書(その提出期限後において市町村民税の納税通知書が送達される時までに提出されたもの及びその時までに提出された第六節2の①の確定申告書を含む。)に当該特定株式に係る譲渡損失の金額の控除に関する事項について記載があるとき(これらの申告書にその記載がないことについてやむを得ない理由があると市町村長が認めるときを含む。)に限り、**五の1**後段の規定にかかわらず、当該納税義務者の**五の2**に規定する上場株式等に係る譲渡所得等の金額を限度として、当該上場株式等に係る譲渡所得等の金額の計算上控除する。(法附35の3⑬)

(読替規定)
(10) (9)の規定の適用がある場合における**五の2**及び同④の規定の適用については、**五の2**中「計算した金額(」とあるのは、「計算した金額(六の1の(9)の規定の適用がある場合には、その適用後の金額とし、」とする。(法附35の3⑭)

2　特定株式に係る譲渡損失の繰越控除

①　譲渡損失の繰越控除
　市町村民税の所得割の納税義務者の前年前3年内の各年に生じた特定株式に係る譲渡損失の金額(1の(9)又は①の規定により前年前において控除されたものを除く。)は、当該特定株式に係る譲渡損失の金額の生じた年の末日の属する年度の翌年度の市町村民税について特定株式に係る譲渡損失の金額の控除に関する事項を記載した第六節1の①又は③の規定による申告書(5において準用する同節1の④の規定による申告書を含む。以下①において同じ。)を提出した場合(市町村長においてやむを得ない事情があると認める場合には、これらの申告書をその提出期限後において市町村民税の納税通

第三編第一章《個人の市町村民税》第五節《所得割に係る課税の特例》

知書が送達される時までに提出した場合を含む。）において、その後の年度分の市町村民税について連続してこれらの申告書（その提出期限後において市町村民税の納税通知書が送達される時までに提出されたものを含む。）を提出しているときに限り、**五**の１の後段の規定にかかわらず、（１）で定めるところにより、当該納税義務者の同１に規定する一般株式等に係る譲渡所得等の金額及び第五節**五**の２に規定する上場株式等に係る譲渡所得等の金額（１の（９）の規定の適用がある場合には、その適用後の金額。以下①において同じ。）を限度として、当該一般株式等に係る譲渡所得等の金額及び上場株式等に係る譲渡所得等の金額の計算上控除する。（法附35の３⑮）

　　　（特定株式に係る譲渡損失の控除順序）
（１）　①の規定による特定株式に係る譲渡損失の金額（②に規定する特定株式に係る譲渡損失の金額をいう。以下（１）及び５の（１）において同じ。）の控除については、次に定めるところによる。（令附18の６㉒、平20改令附７⑯）
　（一）　控除する特定株式に係る譲渡損失の金額が前年前３年内の２以上の年に生じたものである場合には、これらの年のうち最も前の年に生じた特定株式に係る譲渡損失の金額から順次控除するものとし、前年前３年内の一の年において生じた特定株式に係る譲渡損失の金額の控除をする場合において、前年の①に規定する株式等に係る譲渡所得等の金額のうちに**五**の３に規定する上場株式等に係る譲渡所得等の金額があるときは、当該特定株式に係る譲渡損失の金額は、まず、当該株式等に係る譲渡所得等の金額から当該上場株式等に係る譲渡所得等の金額を控除した残額から控除し、なお控除することができない損失の金額があるときは、当該上場株式等に係る譲渡所得等の金額から控除する。
　（二）　第二節三の２《変動所得の損失・被災事業用資産の損失・雑損失の繰越控除》（雑損失の金額に係る部分に限る。）の規定による控除が行われる場合には、まず、①の規定による控除を行った後、同２（雑損失の金額に係る部分に限る。）の規定による控除を行う。

　　　（特定投資株式の譲渡損失明細書の添付）
（２）　前年中に生じた②に規定する特定株式に係る譲渡損失の金額について、①の規定によって、その損失の生じた年の末日の属する年度の翌々年度以降の年度分の**五**の１に規定する株式等に係る譲渡所得等の金額の計算上控除を受けようとする市町村民税の納税義務者は、第六節１の①の申告書又は③の申告書（５において準用する第六節１の④の規定による申告書を含む。）に、第53号様式による附属申告書《特定投資株式の譲渡損失明細書》を添付しなければならない。（規附20⑦）

　　　（特定投資株式の譲渡損失繰越控除明細書の添付）
（３）　前年前３年内の各年に生じた②に規定する特定株式に係る譲渡損失の金額（①の規定により前年前において控除されたものを除く。）について、①の規定によって、**五**の１に規定する株式等に係る譲渡所得等の金額の計算上控除を受けようとする市町村民税の納税義務者は、第六節１の①の申告書又は③の申告書（５において準用する第六節１の④の規定による申告書を含む。）に、第54号様式による附属申告書《特定投資株式の譲渡損失繰越控除明細書》を添付しなければならない。（規附20⑧）

②　**特定株式に係る譲渡損失の金額**
　１の（９）及び①に規定する特定株式に係る譲渡損失の金額とは、当該市町村民税の所得割の納税義務者が、適用期間〘１参照〙内に、その払込みにより取得をした特定株式の譲渡（租税特別措置法第37条の13の３第８項に規定する譲渡をいう。）をしたことにより生じた損失の金額として（１）で定めるところにより計算した金額のうち、当該納税義務者の当該譲渡をした年の末日の属する年度の翌年度の市町村民税に係る**五**の１に規定する一般株式等に係る譲渡所得等の金額の計算上控除してもなお控除することができない部分の金額として（３）で定めるところにより計算した金額をいう。（法附35の３⑯）

　　　（特定株式の譲渡をしたことにより生じた損失の金額として計算した金額）
（１）　②に規定する特定株式の譲渡をしたことにより生じた損失の金額として計算した金額は、次の各号に掲げる場合の区分に応じ、当該各号に定める金額とする。（令附18の６㉓）

（一）	当該損失の金額が、②に規定する適用期間（（二）において「適用期間」という。）内に、払込みにより取得をした特定株式で事業所得又は雑所得の基因となるもの	所得税法その他の所得税に関する法令の規定の例により計算した当該特定株式の譲渡による事業所得の金額又は雑所得の金額の計算上生じた損失の金額として総

	の譲渡（②に規定する譲渡をいう。以下(一)及び(二)において同じ。）をしたことにより生じたものである場合（(三)に掲げる場合を除く。）	務省令で定めるところにより計算した金額
(二)	当該損失の金額が、適用期間内に、払込みにより取得をした特定株式で譲渡所得の基因となるものの譲渡をしたことにより生じたものである場合（(三)に掲げる場合を除く。）	所得税法その他の所得税に関する法令の規定の例により計算した当該特定株式の譲渡による譲渡所得の金額の計算上生じた損失の金額
(三)	当該損失の金額が1の規定により1の特定株式の譲渡をしたことにより生じたものとみなされたものである場合	1の(7)各号に掲げる場合の区分に応じ、当該各号に定めるところにより計算した金額

（総務省令で定めるところにより計算した金額）
（2） (1)の(一)の右欄に規定する総務省令で定めるところにより計算した金額は、特定株式の譲渡（(1)の(一)の右欄に規定する譲渡をいう。）による事業所得又は雑所得と当該特定株式以外の一般株式等の譲渡による事業所得又は雑所得とを区分して当該特定株式の譲渡に係る事業所得の金額又は雑所得の金額を計算した場合にこれらの金額の計算上生ずる損失の金額に相当する金額とする。この場合において、当該特定株式の譲渡をした日の属する年分の一般株式等の譲渡に係る事業所得の金額又は雑所得の金額の計算上必要経費に算入されるべき金額のうちに当該特定株式の譲渡と当該特定株式以外の一般株式等の譲渡の双方に関連して生じた金額（以下(2)において「共通必要経費の額」という。）があるときは、当該共通必要経費の額は、これらの所得を生ずべき業務に係る収入金額その他の基準のうち当該業務の内容及び費用の性質に照らして合理的と認められるものにより当該特定株式の譲渡に係る必要経費の額と当該特定株式以外の一般株式等の譲渡に係る必要経費の額とに配分するものとする。（規附20⑤）
　（注）　(2)中＿＿部分を加える令和6年度改正規定は、令和7年1月1日以後適用する。（令6改規附1一）

（控除することができない部分の金額として計算した金額）
（3）　②に規定する控除することができない部分の金額として計算した金額は、特定株式の譲渡をした年の末日の属する年度の翌年度の市町村民税に係る②に規定する株式等に係る譲渡所得等の金額の計算上生じた損失の金額（当該損失の金額のうちに五の4の②に規定する上場株式等に係る譲渡損失の金額がある場合には、当該上場株式等に係る譲渡損失の金額を控除した金額）のうち、特定譲渡損失の金額の合計額に達するまでの金額とする。（令附18の6㉔）
　（注）　(3)中＿＿部分「譲渡」を「②に規定する譲渡（(4)において「特定株式の譲渡」という。）」に改める令和6年度改正規定は、令和7年1月1日以後適用する。（令6改令附1一）

（特定譲渡損失の金額）
（4）　(3)に規定する特定譲渡損失の金額とは、特定株式の譲渡をした年中の株式等（五の2の②に規定する株式等をいう。）の譲渡による事業所得、譲渡所得又は雑所得について、所得税法その他の所得税に関する法令の規定の例により計算した当該株式等の譲渡に係る事業所得の金額の計算上生じた損失の金額、譲渡所得の金額の計算上生じた損失の金額又は雑所得の金額の計算上生じた損失の金額のうち、それぞれその所得の基因となる特定株式の譲渡に係る(1)各号に掲げる金額の合計額に達するまでの金額をいう。（令附18の6㉕）

3　払込みにより取得をした特定株式とその他の特定株式を譲渡した場合

　特定株式を払込みにより取得をした市町村民税の所得割の納税義務者が、当該払込みにより取得をした特定株式、払込み以外の方法により取得をした当該特定株式又は当該特定株式と同一銘柄の株式で特定株式に該当しないものの譲渡をした場合（当該譲渡の時の直前において当該市町村民税の所得割の納税義務者に当該払込みにより取得をした特定株式に係る特定残株数がある場合に限る。）には、これらの株式（以下「同一銘柄株式」という。）の譲渡については、当該譲渡をした当該同一銘柄株式のうち当該譲渡の時の直前における当該払込みにより取得をした当該特定株式に係る特定残株数に達するまでの部分に相当する数の株式が当該払込みにより取得をした当該特定株式に該当するものとみなして、六その他の市町村民税に関する規定を適用する。（令附18の6㉖）

　　（特定残株数）
　注　3及び4に規定する特定残株数は、同一銘柄の株式に係る(一)に掲げる数から当該同一銘柄の株式に係る(二)に掲

げる数を控除した数をいうものとし、特定分割等株式を有することとなったことがある場合又は特定無償割当て株式を有することとなったことがある場合においてこれらの号に掲げる数の算出をするときは、当該特定分割等株式又は特定無償割当て株式を有することとなった時(当該特定分割等株式又は特定無償割当て株式を有することとなった時が二以上ある場合には、最後の当該特定分割等株式又は特定無償割当て株式を有することとなった時)以後にされた特定株式の払込みによる取得又は株式の譲渡若しくは贈与を基礎として計算するものとする。(令附18の6㉙)
 (一) 払込みにより取得をした特定株式の数(払込みによる取得が二以上ある場合には、当該二以上の払込みによる取得をした特定株式の数の合計数)
 (二) 特定株式の払込みによる取得の時(払込みによる取得が二以上ある場合には、最初の払込みによる取得の時)以後に譲渡又は贈与をした株式の数

4 特定分割等株式・特定無償割当て株式を有することとなった場合

① 特定分割等株式を有することとなった場合

 特定株式を払込みにより取得をした市町村民税の所得割の納税義務者が、その有する当該特定株式に係る同一銘柄株式につき所得税法施行令第110条第1項に規定する分割又は併合後の所有株式(以下六において「特定分割等株式」という。)を有することとなった場合(当該特定分割等株式を有することとなった時の直前において当該市町村民税の所得割の納税義務者に当該同一銘柄株式に係る特定残株数がある場合に限る。)には、当該特定分割等株式のうち当該特定分割等株式の数に(一)に掲げる数のうちに(二)に掲げる数の占める割合を乗じて得た数(1未満の端数があるときは、これを切り捨てる。)に相当する株式を有することとなったことはその有することとなった時において当該割合を乗じて得た数に相当する特定株式を払込みにより取得をしたこととみなして、六その他の市町村民税に関する規定を適用する。(令附18の6㉗)
 (一) 当該特定分割等株式を有することとなった時の直前において有する当該同一銘柄株式の数
 (二) 当該特定分割等株式を有することとなった時の直前における当該特定株式に係る特定残株数
 (注) 4の①及び②の特定残株数については、3の(1)を参照。(編者)

② 特定無償割当て株式を有することとなった場合

 特定株式を払込みにより取得をした市町村民税の所得割の納税義務者が、その有する当該特定株式に係る同一銘柄株式につき所得税法施行令第111条第2項に規定する株式無償割当て後の所有株式(以下六において「特定無償割当て株式」という。)を有することとなった場合(当該特定無償割当て株式を有することとなった時の直前において当該市町村民税の所得割の納税義務者に当該同一銘柄株式に係る特定残株数がある場合に限る。)には、当該特定無償割当て株式のうち当該特定無償割当て株式の数に(一)に掲げる数のうち(二)に掲げる数の占める割合を乗じて得た数(1未満の端数があるときは、これを切り捨てる。)に相当する株式を有することとなったことはその有することとなった時において当該割合を乗じて得た数に相当する特定株式を払込みにより取得をしたこととみなして、六の規定その他の市町村民税に関する規定を適用する。(令附18の6㉘)
 (一) 当該特定無償割当て株式を有することとなった時の直前において有する当該同一銘柄株式の数
 (二) 当該特定無償割当て株式を有することとなった時の直前における当該特定株式に係る特定残株数

5 給与所得以外の所得又は公的年金等に係る所得以外の所得を有しない者等に特定株式に係る譲渡損失の金額がある場合の申告

 第六節1の④《給与所得以外の所得又は公的年金等に係る所得以外の所得を有しない者等に純損失又は雑損失の金額がある場合の申告》の規定は、同1の①ただし書に規定する者(同②の規定により同①の申告書を提出する義務を有する者を除く。)が、当該年度の翌年度以後の年度において2の①の適用を受けようとする場合であって、当該年度の市町村民税について第六節1の③の規定による申告書を提出すべき場合及び同④の規定により同①の申告書を提出することができる場合のいずれにも該当しない場合について準用する。この場合において、同④中「純損失又は雑損失の金額」とあるのは「第五節六の2の②に規定する特定株式に係る譲渡損失の金額」と、「3月15日までに①の」とあるのは「3月15日までに、総務省令の定めるところにより、同2の①に規定する特定株式に係る譲渡損失の金額の控除に関する事項その他の政令で定める事項を記載した」と読み替えるものとする。(法附35の3⑱)
 (注) 5において準用する第六節1の④の規定による申告書の様式は、第5号の4様式によるものとする。(規附20⑥)

   (政令で定める事項)
 (1) 5において読み替えて準用する第六節1の④に規定する政令で定める事項は、次に掲げる事項とする。(令附18

の6㉚㉛)
(一) 前年の総所得金額、退職所得金額、山林所得金額、土地等に係る事業所得等の金額、長期譲渡所得の金額、短期譲渡所得の金額又は先物取引に係る雑所得等の金額
(二) 2の①に規定する特定株式に係る譲渡損失の金額の控除に関する事項
(三) (一)及び(二)に掲げるもののほか、市町村民税の賦課徴収について必要な事項

(2) 前年前3年内に生じた5に規定する特定株式に係る譲渡損失の金額については、一般株式等に係る譲渡所得等の金額及び上場株式等に係る譲渡所得等の金額を限度として繰越控除が認められるものであること。(市通2－79の4)

七　先物取引に係る雑所得等の課税の特例

1　先物取引に係る雑所得等の分離課税に係る所得割の額

　市町村は、当分の間、市町村民税の所得割の納税義務者が前年中に租税特別措置法第41条の14第1項《先物取引に係る雑所得等の課税の特例》に規定する事業所得、譲渡所得又は雑所得を有する場合には、当該事業所得、譲渡所得及び雑所得については、第二節一の1《所得割の課税標準の算定》、2《所得割の総所得金額等の算定方法》並びに第四節一の2《所得割の税率》の規定にかかわらず、他の所得と区分し、前年中の当該事業所得の金額、譲渡所得の金額及び雑所得の金額として①で定めるところにより計算した金額(2の規定の適用がある場合には、その適用後の金額。以下1において「**先物取引に係る雑所得等の金額**」という。)に対し、先物取引に係る課税雑所得等の金額(先物取引に係る雑所得等の金額(総所得金額からの所得控除の控除不足額がある場合には、第三節三の2《二以上の所得金額がある場合の所得控除の順序》で定めるところにより、当該控除不足額を控除した額)をいう。)の100分の3(当該納税義務者が指定都市の区域内に住所を有する場合には、100分の4)に相当する金額に相当する市町村民税の所得割を課す。この場合において、先物取引に係る雑所得等の金額の計算上生じた損失の金額があるときは、市町村民税に関する規定の適用については、当該損失の金額は生じなかったものとみなす。(法附35の4④、⑤三、35の4の2⑨)

①　先物取引に係る雑所得等の金額の計算

　1に規定する事業所得の金額、譲渡所得の金額及び雑所得の金額として計算した金額は、1に規定する事業所得、譲渡所得及び雑所得(②において「先物取引に係る雑所得等」という。)の基因となる先物取引(租税特別措置法第41条の14第1項に規定する先物取引をいう。以下①において同じ。)による事業所得、譲渡所得及び雑所得について所得税法その他の所得税に関する法令の規定の例により計算した当該先物取引による事業所得の金額、譲渡所得の金額及び雑所得の金額の合計額とする。この場合において、これらの金額の計算上生じた損失の金額があるときは、当該損失の金額は、当該損失の金額が生じた年において、次の各号に掲げる損失の金額の区分に応じ、当該各号に定める所得の金額から控除する。(令附18の7④)

(一)　当該先物取引による事業所得の金額の計算上生じた損失の金額　　　当該先物取引による譲渡所得の金額及び雑所得の金額
(二)　当該先物取引による譲渡所得の金額の計算上生じた損失の金額　　　当該先物取引による事業所得の金額及び雑所得の金額
(三)　当該先物取引による雑所得の金額の計算上生じた損失の金額　　　当該先物取引による事業所得の金額及び譲渡所得の金額

　　(留意事項)
注　次の諸点に留意すること。(市通2－80なお書)
イ　先物取引に係る雑所得等の金額の計算上生じた損失の金額は、先物取引に係る所得の金額からは控除できるが、それ以外の他の所得の金額から控除できないこととされ、また、先物取引に係る所得以外の所得の金額の計算上生じた損失の金額は、先物取引に係る事業所得、譲渡所得及び雑所得の金額から控除できないことに留意すること。
ロ　前年前3年内に生じた2の①に規定する先物取引の差金等決済に係る損失の金額については、先物取引に係る雑所得等の金額を限度として繰越控除が認められるものであること。

②　先物取引に係る雑所得等の金額の計算明細書の添付

　前年中において先物取引に係る雑所得等を有する第一節二《課税団体及び納税義務者》の(一)《市町村内に住所を有する個人》の者が、第六節1の①《申告書の記載事項等》に規定する申告書を提出する場合には、総務省令で定めるところ

により、当該先物取引に係る雑所得等の金額の計算に関する明細書を当該申告書に添付しなければならない。（令附18の7⑤）

　　　（総務省令で定める明細書）
　注　②に規定する総務省令で定める明細書は、租税特別措置法施行規則第19条の7第1項に掲げる項目を記載した先物取引に係る雑所得等の金額の計算に関する明細書とする。（規附21）

2　先物取引の差金等決済に係る損失の繰越控除

　市町村民税の所得割の納税義務者の前年前3年内の各年に生じた先物取引の差金等決済に係る損失の金額（2の規定により前年前において控除されたものを除く。）は、当該先物取引の差金等決済に係る損失の金額の生じた年の末日の属する年度の翌年度の市町村民税について先物取引の差金等決済に係る損失の金額の控除に関する事項を記載した第六節1の①《申告書の記載事項等》又は③《給与所得以外の所得又は公的年金等に係る所得以外の所得を有しない者が雑損控除等の控除を受ける場合の申告》の規定による申告書（③において準用する同1の④の規定による申告書を含む。以下2において同じ。）を提出した場合（市町村長においてやむを得ない事情があると認める場合には、これらの申告書をその提出期限後において市町村民税の納税通知書が送達される時までに提出した場合を含む。）において、その後の年度分の市町村民税について連続してこれらの申告書（その提出期限後において市町村民税の納税通知書が送達される時までに提出されたものを含む。）を提出しているときに限り、1の後段の規定にかかわらず、②で定めるところにより、当該納税義務者の1に規定する先物取引に係る雑所得等の金額を限度として、当該先物取引に係る雑所得等の金額の計算上控除する。（法附35の4の2⑦）

①　先物取引の差金等決済に係る損失の金額

　2に規定する先物取引の差金等決済に係る損失の金額とは、当該市町村民税の所得割の納税義務者が、租税特別措置法第41条の14第1項に規定する先物取引の同項に規定する差金等決済をしたことにより生じた損失の金額として（1）で定めるところにより計算した金額のうち、当該納税義務者の当該差金等決済をした年の末日の属する年度の翌年度の市町村民税に係る1に規定する先物取引に係る雑所得等の金額の計算上控除してもなお控除することができない部分の金額として（2）で定めるところにより計算した金額をいう。（法附35の4の2⑧）

　　　（差金等決済をしたことにより生じた損失の金額）
（1）　①に規定する先物取引の差金等決済をしたことにより生じた損失の金額として計算した金額は、所得税法その他の所得税に関する法令の規定の例により計算した①に規定する先物取引の①に規定する差金等決済（（2）において「先物取引の差金等決済」という。）による事業所得の金額、譲渡所得の金額又は雑所得の金額の計算上生じた損失の金額とする。（令附18の7の2⑩）

　　　（控除することができない部分の金額）
（2）　①に規定する控除することができない部分の金額として計算した金額は、先物取引の差金等決済をした年の末日の属する年度の翌年度の市町村民税に係る①に規定する先物取引に係る雑所得等の金額の計算上生じた損失の金額とする。（令附18の7の2⑪）

②　控除の方法

　2の規定による先物取引の差金等決済に係る損失の金額（①に規定する先物取引の差金等決済に係る損失の金額をいう。（一）及び③の注の（二）において同じ。）の控除については、次に定めるところによる。（令附18の7の2⑨）
（一）　控除する先物取引の差金等決済に係る損失の金額が前年前3年内の二以上の年に生じたものである場合には、これらの年のうち最も前の年に生じた先物取引の差金等決済に係る損失の金額から順次控除する。
（二）　第二節三の2《変動所得の損失・被災事業用資産の損失・雑損失の繰越控除》（雑損失の金額に係る部分に限る。）の規定による控除が行われる場合には、まず、2の規定による控除を行った後、同節三の2（雑損失の金額に係る部分に限る。）の規定による控除を行う。

　　　（先物取引の差金等決済に係る損失明細書の添付）
（1）　前年中に生じた①に規定する先物取引の差金等決済に係る損失の金額について、2の規定によって、その損失の生じた年の末日の属する年度の翌々年度以降の年度分の1に規定する先物取引に係る雑所得等の金額の計算上控除を

受けようとする市町村民税の納税義務者は、第六節1の①の申告書又は同③の申告書（③において準用する第六節1の④の規定による申告書を含む。）に、第58号様式による附属申告書を添付しなければならない。（規附21の2②）

（先物取引の差金等決済に係る損失の繰越控除明細書の添付）
(2) 前年前3年内の各年に生じた①に規定する先物取引の差金等決済に係る損失の金額（2の規定により前年前において控除されたものを除く。）について、2の規定によって、1に規定する先物取引に係る雑所得等の金額の計算上控除を受けようとする市町村民税の納税義務者は、第六節1の①の申告書又は同③の申告書（③において準用する第六節1の④の規定による申告書を含む。）に、第59号様式による附属申告書を添付しなければならない。（規附21の2③）

③ 給与所得以外の所得又は公的年金等に係る所得以外の所得を有しない者等が先物取引の差金等決済に係る損失の繰越控除を受ける場合の申告

第六節1の④《給与所得以外の所得又は公的年金等に係る所得以外の所得を有しない者等に純損失又は雑損失の金額がある場合の申告》の規定は、同1の①ただし書に規定する者（同1の②の規定によって同1の①の申告書を提出する義務を有する者を除く。）が、当該年度の翌年度以後の年度において2の規定の適用を受けようとする場合であって、当該年度の市町村民税について第六節1の③の規定による申告書を提出すべき場合及び同1の④の規定によって同1の①の申告書を提出することができる場合のいずれにも該当しない場合について準用する。この場合において、同1の④中「純損失又は雑損失の金額」とあるのは「第五節**七**の2の①に規定する先物取引の差金等決済に係る損失の金額」と、「3月15日までに①の」とあるのは「3月15日までに、総務省令の定めるところによって、同2に規定する先物取引の差金等決済に係る損失の金額の控除に関する事項その他の政令で定める事項を記載した」と読み替えるものとする。（法附35の4の2⑩）

（注） ③において準用する第六節1の④の規定による申告書の様式は、第5号の4様式によるものとする。（規附21の2①）

（政令で定める事項）
注 ③において読み替えて準用する第六節1の④に規定する政令で定める事項は、次に掲げる事項とする。（令附18の7の2⑫⑬）

(一) 前年の総所得金額、退職所得金額、山林所得金額、上場株式等に係る配当所得等の金額、土地等に係る事業所得等の金額、長期譲渡所得の金額、短期譲渡所得の金額又は株式等に係る譲渡所得等の金額
(二) 2に規定する先物取引の差金等決済に係る損失の金額の控除に関する事項
(三) 前2号に掲げるもののほか、市町村民税の賦課徴収について必要な事項

八 東日本大震災に係る土地建物等の譲渡所得の課税の特例

1 東日本大震災に係る被災居住用財産に係る譲渡期限の延長等の特例

その有する家屋でその居住の用に供していたものが警戒区域設定指示等が行われた日において当該警戒区域設定指示等の対象区域内に所在し、当該警戒区域設定指示等が行われたことによりその居住の用に供することができなくなった市町村民税の所得割の納税義務者が、当該居住の用に供することができなくなった家屋又は当該家屋及び当該家屋の敷地の用に供されている土地等の譲渡をした場合には、次の表の左欄に掲げる規定中同表の中欄に掲げる字句は、それぞれ同表の右欄に掲げる字句として、第二節**三**の5、同6、**三**の1から3まで、**四**の1又は第七章**十一**の4の規定を適用する。（法附44の2⑥）

第二節三の5の③	租税特別措置法第41条の5第7項第1号	東日本大震災の被災者等に係る国税関係法律の臨時特例に関する法律第11条の7第1項の規定により読み替えて適用される租税特別措置法第41条の5第7項第1号
	同法	租税特別措置法
	第36条の5	第36条の5（これらの規定が東日本大震災の被災者等に係る国税関係法律の臨時特例に関する法律第11条の7第1項の規定により適用される場合を含む。次条第1項第1号において同じ。）
第二節三の6の③	租税特別措置法第41条の5の2第7項第1号	東日本大震災の被災者等に係る国税関係法律の臨時特例に関する法律第11条の7第1項の規定により読み替えて適用される租税特別措置法第41条の5の2第7項第1号

		同法	租税特別措置法
三の1の①、②		第35条第1項	第35条第1項（東日本大震災の被災者等に係る国税関係法律の臨時特例に関する法律第11条の7第1項の規定により適用される場合を含む。）
		同法第31条第1項	租税特別措置法第31条第1項
三の2の③		第35条の3まで、第36条の2、第36条の5	第34条の3まで、第35条（東日本大震災の被災者等に係る国税関係法律の臨時特例に関する法律第11条の7第1項の規定により適用される場合を含む。）、第35条の2、第35条の3、第36条の2若しくは第36条の5（これらの規定が東日本大震災の被災者等に係る国税関係法律の臨時特例に関する法律第11条の7第1項の規定により適用される場合を含む。）
三の3		租税特別措置法第31条の3第1項	東日本大震災の被災者等に係る国税関係法律の臨時特例に関する法律第11条の7第1項の規定により適用される租税特別措置法第31条の3第1項
四の1		第35条第1項	第35条第1項（東日本大震災の被災者等に係る国税関係法律の臨時特例に関する法律第11条の7第一項の規定により適用される場合を含む。）
		同法第32条第1項	租税特別措置法第32条第1項
第七章十一の4の①、②		第35条第1項	第35条第1項（東日本大震災の被災者等に係る国税関係法律の臨時特例に関する法律第11条の7第1項の規定により適用される場合を含む。）
		同法	租税特別措置法

（東日本大震災により滅失した家屋の敷地の用に供されていた土地等を譲渡した場合の特例）
（1）　その有していた家屋でその居住の用に供していたものが東日本大震災により滅失（東日本大震災の被災者等に係る国税関係法律の臨時特例に関する法律（以下「**震災特例法**」という。）第11条の7《被災居住用財産の敷地に係る譲渡期限の延長の特例》第4項に規定する滅失をいう。以下1において同じ。）をしたことによりその居住の用に供することができなくなった市町村民税の所得割の納税義務者が、当該滅失をした当該家屋の敷地の用に供されていた土地等（同項に規定する土地等をいう。以下1において同じ。）の譲渡（震災特例法第11条の4第6項に規定する譲渡をいう。以下1において同じ。）をした場合には、次の表の左欄に掲げる規定中同表の中欄に掲げる字句は、それぞれ同表の右欄に掲げる字句として、第二節三の5、6、第四節二の2、三の1から3まで、四の1又は第七章十一の4の規定を適用する。（法附44の2⑧）

第二節三の5の③		租税特別措置法第41条の5第7項第1号	東日本大震災の被災者等に係る国税関係法律の臨時特例に関する法律（平成23年法律第29号）第11条の7第4項の規定により読み替えて適用される租税特別措置法第41条の5第7項第1号
		同法	租税特別措置法
		第36条の5	第36条の5（これらの規定が東日本大震災の被災者等に係る国税関係法律の臨時特例に関する法律第11条の7第4項の規定により適用される場合を含む。次条第1項第1号において同じ。）
第二節三の6の③		租税特別措置法第41条の5の2第7項第1号	東日本大震災の被災者等に係る国税関係法律の臨時特例に関する法律第11条の7第4項の規定により読み替えて適用される租税特別措置法第41条の5の2第7項第1号
		同法	租税特別措置法
第四節二の2の①のイの表の（二）のロ		第31条の3	第31条の3（東日本大震災の被災者等に係る国税関係法律の臨時特例に関する法律第11条の7第4項の規定により適用される場合を含む。）
三の1の①		第35条第1項	第35条第1項（東日本大震災の被災者等に係る国税関係法律の臨時特例に関する法律第11条の7第4項の規定により適用される場合を含む。）
		同法第31条第1項	租税特別措置法第31条第1項

三の2の③	第35条の3まで、第36条の2、第36条の5	第34条の3まで、第35条（東日本大震災の被災者等に係る国税関係法律の臨時特例に関する法律第11条の7第4項の規定により適用される場合を含む。）、第35条の2、第35条の3、第36条の2若しくは第36条の5（これらの規定が東日本大震災の被災者等に係る国税関係法律の臨時特例に関する法律第11条の7第4項の規定により適用される場合を含む。）
三の3	租税特別措置法第31条の3第1項	東日本大震災の被災者等に係る国税関係法律の臨時特例に関する法律第11条の7第4項の規定により適用される租税特別措置法第31条の3第1項
四の1	第35条第1項	第35条第1項（東日本大震災の被災者等に係る国税関係法律の臨時特例に関する法律第11条の7第4項の規定により適用される場合を含む。）
	同法第32条第1項	租税特別措置法第32条第1項
第七章十一の4	第35条第1項	第35条第1項（東日本大震災の被災者等に係る国税関係法律の臨時特例に関する法律第11条の7第4項の規定により適用される場合を含む。）
	同法	租税特別措置法

(注) 表の中欄の条文の字句で法律名が付されていないものは、全て租税特別措置法である。（編者）

(特例の適用要件)
(2) 1、同(1)及び2、同(1)の規定は、1の規定の適用を受けようとする年度分の第六節七の1《市町村民税の申告書》の①又は③の規定による申告書（その提出期限後において市町村民税の納税通知書が送達される時までに提出されたもの及びその時までに提出された同2《確定申告書》の①の確定申告書を含む。）に、1の規定の適用を受けようとする旨の記載があるとき（これらの申告書にその記載がないことについてやむを得ない理由があると市町村長が認めるときを含む。）に限り、適用する。（法附44の2⑩）

(政令の読替規定)
(3) 1（2の規定により適用される場合を含む。）又は(1)（2の(1)の規定により適用される場合を含む。）の規定により三の1又は四の規定が適用される場合における地方税法施行令附則第17条又は同附則第17条の3の規定の適用については、令附則第17条第3項中「第34条の3第1項、第35条の2第1項」とあるのは「第34条の3第1項、第35条の2第1項（東日本大震災の被災者等に係る国税関係法律の臨時特例に関する法律第11条の7第4項（同条第2項の規定により適用される場合を含む。）又は第4項（同条第5項の規定により適用される場合を含む。）の規定により適用される場合を含む。以下この項において同じ。）」と、「同法」とあるのは「租税特別措置法」と、同条第4項の表法第317条の2第1項第1号の項中「第35条第1項」とあるのは「第35条第1項（東日本大震災の被災者等に係る国税関係法律の臨時特例に関する法律第11条の7第4項（同条第2項の規定により適用される場合を含む。）又は第4項（同条第5項の規定により適用される場合を含む。）の規定により適用される場合を含む。）」と、「同法」とあるのは「租税特別措置法」と、令附則第17条の3第6項中「又は第35条第1項」とあるのは「又は第35条第1項（東日本大震災の被災者等に係る国税関係法律の臨時特例に関する法律第11条の7第4項（同条第2項の規定により適用される場合を含む。）又は第4項（同条第5項の規定により適用される場合を含む。）の規定により適用される場合を含む。以下この項において同じ。）」と、「同法」とあるのは「租税特別措置法」と、同条第8項の表法第317条の2第1項第1号の項中「第35条第1項」とあるのは「第35条第1項（東日本大震災の被災者等に係る国税関係法律の臨時特例に関する法律第11条の7第4項（同条第2項の規定により適用される場合を含む。）又は第4項（同条第5項の規定により適用される場合を含む。）の規定により適用される場合を含む。）」と、「同法」とあるのは「租税特別措置法」とする。（令附27の2③）

2 警戒区域設定指示等により相続人が居住の用に供することができなくなった家屋等の譲渡

その有していた家屋でその居住の用に供していたものが警戒区域設定指示等が行われた日において当該警戒区域設定指示等の対象区域内に所在し、当該警戒区域設定指示等が行われたことによりその居住の用に供することができなくなった市町村民税の所得割の納税義務者（以下2において「被相続人」という。）の相続人が、当該居住の用に供することができなくなった家屋又は当該家屋及び当該家屋の敷地の用に供されている土地等の譲渡をした場合における当該家屋及び当該家屋の敷地の用に供されている土地等（当該家屋及び当該家屋の敷地の用に供されている土地等のうちにその居住の用に供することができなくなった時の直前において当該家屋に居住していた者以外の者が所有していた部分があるときは、当

該家屋及び当該家屋の敷地の用に供されている土地等のうち当該部分以外の部分に係るものに限る。以下2において同じ。）の譲渡については、当該相続人は、当該家屋を当該被相続人がその取得をした日として（2）で定める日から引き続き所有していたものと、当該直前において当該家屋の敷地の用に供されている土地等を所有していたものとそれぞれみなして、1の規定により読み替えられた第二節三の5、同6、三の1から3まで、四の1又は第七章十一の4の規定を適用する。（法附44の2⑦）

　　　（東日本大震災に係る被災居住用財産の敷地に係る譲渡期限の延長等の特例）
（1）　その有していた家屋でその居住の用に供していたものが東日本大震災により滅失をしたことによりその居住の用に供することができなくなった市町村民税の所得割の納税義務者（以下（1）において「被相続人」という。）の相続人が、当該滅失をした旧家屋の敷地の用に供されていた土地等の譲渡をした場合における当該土地等（当該土地等のうちにその居住の用に供することができなくなった時の直前において旧家屋に居住していた者以外の者が所有していた部分があるときは、当該土地等のうち当該部分以外の部分に係るものに限る。以下（1）において同じ。）の譲渡については、当該相続人は、当該旧家屋を当該被相続人がその取得をした日として注で定める日から引き続き所有していたものと、当該直前において当該旧家屋の敷地の用に供されていた土地等を所有していたものとそれぞれみなして、③の規定により読み替えられた5、6、第四節二の2、第五節三の1から3まで、同節四の1から3まで又は第七章十一の4の規定を適用する。（法附44の2⑨）

　　　（政令で定める日）
（2）　2及び（1）に規定する（2）で定める日は、2に規定する居住の用に供することができなくなった家屋又は（1）に規定する旧家屋（以下注において「居住不能家屋等」という。）を2又は（2）の被相続人がその取得（建設を含む。以下注において同じ。）をした日とする。ただし、当該居住不能家屋等が当該被相続人に係る次の各号に掲げる家屋に該当するものである場合には、当該各号に定める日とする。（令附27の2④）
　（一）　交換により取得した家屋で所得税法第58条第1項の規定の適用を受けたもの　　当該交換により譲渡をした家屋の取得をした日
　（二）　昭和47年12月31日以前に所得税法の一部を改正する法律による改正前の所得税法第60条第1項各号に該当する贈与、相続、遺贈又は譲渡により取得した家屋　　当該贈与をした者、当該相続に係る被相続人、当該遺贈に係る遺贈者又は当該譲渡をした者が当該家屋の取得をした日
　（三）　昭和48年1月1日以後に所得税法第60条第1項各号に該当する贈与、相続、遺贈又は譲渡により取得した家屋　　当該贈与をした者、当該相続に係る被相続人、当該遺贈に係る遺贈者又は当該譲渡をした者が当該家屋の取得をした日

3　東日本大震災に係る買換資産の取得期間等の延長の特例
　　三の2の②《確定優良住宅地等予定地のための譲渡がある場合の所得割の額》の規定の適用を受けた土地等の譲渡〔三の2の①参照〕の全部又は一部が、東日本大震災に起因するやむを得ない事情により、同②に規定する期間（その末日が平成23年12月31日であるものに限る。）内に租税特別措置法第31条の2第2項第13号から第16号までに掲げる土地等の譲渡に該当することが困難となった場合で（1）で定める場合において、平成24年1月1日から起算して2年以内の日で政令で定める日〔平成25年12月31日〕までの期間内に当該譲渡の全部又は一部がこれらの規定に掲げる土地等の譲渡に該当することとなることが確実であると認められることにつき（2）で定めるところにより証明がされたときは、当該譲渡の日から当該政令で定める日までの期間を三の2の②に規定する期間とみなして、三の2の規定を適用する。（法附44の3④、令附27の3⑥）

　　　（土地等の譲渡に該当することが困難となった場合）
（1）　3に規定する（1）で定める場合は、租税特別措置法第31条の2第2項第13号若しくは第14号の造成又は同項第15号若しくは第16号の建設に関する事業に係る三の2の②に規定する期間の末日が平成23年12月31日である場合（同②の規定の適用により同②に規定する政令で定める日までの期間その延長が認められる場合を除く。）であって、当該事業を行う個人又は法人が、（3）で定めるところにより、当該事業につき東日本大震災による被害により同月31日までに同②の（1）に規定する開発許可等を受けることが困難であると認められるとして市町村長の承認を受けた場合（東日本大震災の被災者等に係る国税関係法律の臨時特例に関する法律施行令第14条の2第1項の税務署長の承認を受けた場合を含む。）とする。（令附27の3⑤）
　　　（注）　（1）中___部分「第14条の2」を「第14条」に改める令和6年度改正規定は、令和7年1月1日以後適用する。（令6改令附1一）

(確定優良住宅地等予定地のための譲渡に該当することが確実である旨の証明)
(2) 三の2の②の(4)に規定する書類を添付して第六節の1《市町村民税の申告書》の①の規定による申告書（その提出期限後において市町村民税の納税通知書が送達される時までに提出されたもの及びその時までに提出された同2《確定申告書》の①に規定する確定申告書を含む。以下(2)において同じ。）を提出した者が、当該申告書を提出した後、三の2の②の規定の適用を受けた譲渡に係る土地等の買取りをした者から当該土地等につき(1)に規定する市町村長の承認に係る通知書の写しの交付を受けたとき（当該土地等につき東日本大震災の被災者等に係る国税関係法律の臨時特例に関する法律施行令<u>第14条の2</u>第1項に規定する税務署長の承認に係る通知書の写しの交付を受けたときを含む。）は、当該通知書の写しを、遅滞なく、市町村長に提出するものとし、当該通知書の写しの提出があった場合には、当該土地等の譲渡は2に規定する証明がされたものとする。（規附22の2⑤）
(注) (2)中___部分「第14条の2」を「第14条」に改める令和6年度改正規定は、令和7年1月1日以後適用する。（令6改規附1一）

第六節　申告義務

1　市町村民税の申告書

①　申告書の記載事項等

　市町村内に住所を有する市町村民税の納税義務者は、3月15日までに、総務省令の定めるところにより、次に掲げる事項を記載した申告書を賦課期日現在における住所所在地の市町村長に提出しなければならない。ただし、給与支払報告書又は公的年金等支払報告書を提出する義務がある者〚6の①又は④参照〛から1月1日現在において俸給、給料、賃金、歳費及び賞与並びにこれらの性質を有する給与（以下第一章において「**給与**」と総称する。）又は所得税法第35条第3項に規定する公的年金等（以下第一章において「**公的年金等**」という。）の支払を受けている者で前年中において給与所得以外の所得又は公的年金等に係る所得以外の所得を有しなかったもの（公的年金等に係る所得以外の所得を有しなかった者で社会保険料控除額（所得税法第203条の4第1号の規定により公的年金等から控除される同号に規定する社会保険料の金額を除く。）、小規模企業共済等掛金控除額、生命保険料控除額、地震保険料控除額、寡婦（寡夫）控除額、勤労学生控除額、配偶者特別控除額（所得割の納税義務者（前年の合計所得金額が900万円以下であるものに限る。）の第三節一の12に規定する自己と生計を一にする配偶者（前年の合計所得金額が95万円以下であるものに限る。）で控除対象配偶者に該当しないものに係るものを除く。）若しくは第三節一の13の（二）に規定する扶養控除額の控除又はこれらと併せて雑損控除額若しくは医療費控除額の控除、第二節三の1に規定する純損失の金額の控除、同2に規定する純損失若しくは雑損失の金額の控除、同5の⑤に規定する通算後譲渡損失の金額又は同6の④に規定する通算後譲渡損失の金額の控除、第四節二の3の①（同①の表の（四）に掲げる寄附金（特定非営利活動促進法第2条第3項に規定する認定特定非営利活動法人及び同条第4項に規定する仮認定特定非営利活動法人に対するものを除く。⑤において同じ。）に係る部分を除く。）及び同⑤の規定により控除すべき金額（以下1において「**寄附金税額控除額**」という。）、第五節五の4の②に規定する上場株式等に係る譲渡損失の金額の控除若しくは同節六の2の①に規定する特定株式に係る譲渡損失の金額の控除若しくは同節七の2に規定する先物取引の差金等決済に係る損失の金額の控除を受けようとするものを除く。）並びに所得割の納税義務を負わないと認められる者のうち当該市町村の条例で定める者については、この限りでない。（法317の2①、令48の9の7、8の2、令附4㉒、4の2㉑、16の2の11②、16の3⑥、17④、17の3⑧、18⑩、18の5㉒四、㉔四、㉖、18の6㉝、㉟、18の7⑥、18の7の2⑮⑰）

（一）	前年の総所得金額、退職所得金額、山林所得金額、上場株式等に係る配当所得の金額（第五節**五**の4の①又は②の適用後の金額）、土地等に係る事業所得等の金額、長期譲渡所得の金額（租税特別措置法第33条の4第1項若しくは第2項《収用交換等の場合の譲渡所得等の特別控除》、第34条第1項《特定土地区画整理事業等の譲渡所得の特別控除》、第34条の2第1項《特定住宅地造成事業等の譲渡所得の特別控除》、第34条の3第1項《農地保有合理化等の農地等の譲渡所得の特別控除》、第35条第1項《居住用財産の譲渡所得の特別控除》、第35条の2第1項《特定の土地等の長期譲渡所得の特別控除》又は第36条《譲渡所得の特別控除額の特例等》の規定に該当する場合には、これらの規定の適用により同法第31条第1項に規定する長期譲渡所得の金額から控除する金額を控除した金額）、短期譲渡所得の金額（租税特別措置法第33条の4第1項若しくは第2項、第34条第1項、第34条の2第1項、第34条の3第1項、第35条第1項又は第36条の規定に該当する場合には、これらの規定の適用により同法第32条第1項に規定する短期譲渡所得の金額から控除する金額を控除した金額）、株式等に係る譲渡所得等の金額（第五節**五**の4の②又

	は同節六の2の①の適用後の金額)、先物取引に係る雑所得等の金額（同節七の2の適用後の金額）
(二)	青色専従者給与額（所得税法第57条第1項《青色事業専従者給与額》の規定による計算の例によって算定した同項の必要経費に算入される金額をいう。）又は事業専従者控除額に関する事項
(三)	第二節三の1《青色申告者の純損失の繰越控除》に規定する純損失の金額の控除に関する事項
(四)	第二節三の2《変動所得の損失・被災事業用資産の損失・雑損失の繰越控除》に規定する純損失又は雑損失の金額の控除に関する事項
(五)	雑損控除額、医療費控除額、社会保険料控除額、小規模企業共済等掛金控除額、生命保険料控除額、地震保険料控除額、障害者控除額、寡婦控除額、ひとり親控除額、勤労学生控除額、配偶者控除額、配偶者特別控除額又は扶養控除額の控除に関する事項
(六)	寄附金税額控除額の控除に関する事項
(七)	扶養親族に関する事項
(八)	当該申告書を提出する者が単身児童扶養者に該当する場合には、その旨
(九)	第二節三の5の⑤に規定する通算後譲渡損失の金額又は同6の④に規定する通算後譲渡損失の金額の控除に関する事項、第五節五の4の②に規定する上場株式等に係る譲渡損失の金額の控除に関する事項、同節六の2の①に規定する特定株式に係る譲渡損失の金額の控除に関する事項又は同節七の2に規定する先物取引の差金等決済に係る損失の金額の控除に関する事項その他市町村民税の賦課徴収について必要な事項

（申告義務の免除）
注　市町村内に住所を有することにより市町村民税の納税義務を負う者は、毎年3月15日までに、①の申告書を提出しなければならないものであること。ただし、本人の申告をまたず課税資料を他から得られる者及び課税資料の提出の必要のない者として次に掲げる者は、申告義務が免除されているものであること。（市通2－29編者補正）

イ　給与支払報告書又は公的年金等支払報告書の提出義務者から1月1日現在において給与又は公的年金等の支払を受けている者で前年中に給与所得以外の所得又は公的年金等に係る所得以外の所得がなかったもの（公的年金等に係る所得以外の所得がなかった者で社会保険料控除額（一定のものを除く。）、小規模企業共済等掛金控除額、生命保険料控除額、地震保険料控除額、勤労学生控除額、配偶者特別控除額（所得割の納税義務者（前年の合計所得金額が900万円以下であるものに限る。）の第三節一の12に規定する自己と生計を一にする配偶者（前年の合計所得金額が95万円以下であるものに限る。）で控除対象配偶者に該当しないものに係るものを除く。）若しくは同居老親等扶養控除額の控除又はこれらとあわせて雑損控除額、医療費控除額の控除若しくは純損失若しくは雑損失の繰越控除、居住用財産の譲渡損失の控除又は特定株式に係る譲渡損失の控除を受けようとするものを除く。）

ロ　市町村民税所得割の納税義務を負わないと認められる者のうち市町村の条例で定めるもの

② 提出期限内に給与支払報告書又は公的年金等支払報告書が提出されなかった場合の申告

　市町村長は、給与支払報告書又は公的年金等支払報告書が1月31日までに提出されなかった場合において、市町村民税の賦課徴収について必要があると認めるときは、給与支払報告書又は公的年金等支払報告書を提出する義務がある者から1月1日現在において給与又は公的年金等の支払を受けている者で前年中において給与所得以外の所得又は公的年金等に係る所得以外の所得を有しなかったものを指定し、その者に①の申告書を市町村長の指定する期限までに提出させることができる。（法317の2②）

（注）　給与支払報告書及び公的年金等支払報告書の電子的提出の場合の申告書のみなす提出については、6の⑤のニを参照。（編者）

③ 給与所得以外の所得又は公的年金等に係る所得以外の所得を有しない者が雑損控除等の控除を受ける場合の申告

　給与支払報告書又は公的年金等支払報告書を提出する義務がある者から1月1日現在において給与又は公的年金等の支払を受けている者で前年中において給与所得以外の所得又は公的年金等に係る所得以外の所得を有しなかったもの（①又は②の規定により①の申告書を提出する義務を有する者を除く。）は、雑損控除額若しくは医療費控除額の控除、第二節三の1《青色申告者の純損失の繰越控除》に規定する純損失の金額の控除、同2《変動所得の損失・被災事業用資産の損失・雑損失の繰越控除》に規定する純損失若しくは雑損失の金額の控除、同5の⑤に規定する通算後譲渡損失の金額又は同6の④に規定する通算後譲渡損失の金額の控除又は寄附金税額控除額の控除、第五節五の4の②に規定する上場株式等に係る譲渡損失の金額の控除に関する事項、同節六の2の①に規定する特定株式に係る譲渡損失の金額の控除又は同節七の2

に規定する先物取引の差金等決済に係る損失の金額の控除を受けようとする場合には、3月15日までに、総務省令で定めるところにより、これらの控除に関する事項を記載した申告書を賦課期日現在における住所所在地の市町村長に提出しなければならない。(法317の2③、令附4㉒、4の2㉑、18の5㉖、18の6㉟、18の7の2⑰)

④ 給与所得以外の所得又は公的年金等に係る所得以外の所得を有しない者等に純損失又は雑損失の金額がある場合の申告
　①ただし書に規定する者(②の規定により①の申告書を提出する義務を有する者を除く。)は、前年中において純損失又は雑損失の金額がある場合には、3月15日までに①の申告書を提出することができる。(法317の2④)

　　　(前年前3年内に生じた居住用財産の買換え等の場合の通算後譲渡損失の金額の繰越控除の適用がある場合の読替え)
(1)　第二節三の5の⑤《繰越控除の適用の特例》の規定の適用がある場合の④の規定の適用については、④中「純損失又は雑損失の金額」とあるのは「純損失若しくは雑損失の金額又は第二節三の5の⑤に規定する通算後譲渡損失の金額」と、「3月15日までに①の申告書」とあるのは「3月15日までに、①の申告書又は総務省令の定めるところによって同5の⑤に規定する通算後譲渡損失の金額の控除に関する事項その他の政令で定める事項を記載した市町村民税に関する申告書」とする。(法附4⑬二)
　　　(注)　(1)の規定により読み替えて適用される④の規定による申告書の様式は、第5号の4様式によるものとする。(規附2②)

　　　((1)の政令で定める事項)
(2)　(1)の規定により読み替えて適用される④に規定する政令で定める事項は、次に掲げる事項とする。(令附4⑳、㉑)
　(一)　前年の第二節一の1《所得割の課税標準の算定》の総所得金額、退職所得金額、山林所得金額、土地等に係る事業所得等の金額、長期譲渡所得の金額、短期譲渡所得の金額、株式等に係る譲渡所得等の金額又は先物取引に係る雑所得等の金額
　(二)　第二節三の5の⑤《繰越控除の適用の特例》に規定する通算後譲渡損失の金額の控除に関する事項
　(三)　(一)及び(二)に掲げるもののほか、市町村民税の賦課徴収について必要な事項

　　　(前年前3年内に生じた特定居住用財産の通算後譲渡損失の金額の繰越控除の適用がある場合の読替え)
(3)　第二節三の6の④《繰越控除の適用の特例》の規定の適用がある場合の④の規定の適用については、④中「純損失又は雑損失の金額」とあるのは「純損失若しくは雑損失の金額又は第二節三の6の④に規定する通算後譲渡損失の金額」と、「3月15日までに①の申告書」とあるのは「3月15日までに、①の申告書又は総務省令の定めるところによって同6の④に規定する通算後譲渡損失の金額の控除に関する事項その他の政令で定める事項を記載した市町村民税に関する申告書」とする。(法附4の2⑬二)
　　　(注)　(3)の規定により読み替えて適用される④の規定による申告書の様式は、第5号の4様式によるものとする。(規附2の2①)

　　　((3)の政令で定める事項)
(4)　(3)の規定により読み替えて適用される④に規定する政令で定める事項は、次に掲げる事項とする。(令附4の2⑲⑳)
　(一)　前年の第二節一の1の総所得金額、退職所得金額、山林所得金額、土地等に係る事業所得等の金額、長期譲渡所得の金額、短期譲渡所得の金額、株式等に係る譲渡所得等の金額又は先物取引に係る雑所得等の金額
　(二)　第二節三の6の④《繰越控除の適用の特例》に規定する通算後譲渡損失の金額の控除に関する事項
　(三)　(一)及び(二)に掲げるもののほか、市町村民税の賦課徴収について必要な事項

⑤ 特定非営利活動法人に対する寄附金税額控除の適用手続
　市町村内に住所を有する市町村民税の納税義務者は、第四節二の3の①《寄附金税額控除》(同①の表の(四)に掲げる寄附金に係る部分に限る。)の規定により控除すべき金額の控除を受けようとする場合には、3月15日までに、(1)で定めるところにより、当該寄附金の額その他必要な事項を記載した申告書を、賦課期日現在における住所所在地の市町村長に提出しなければならない。(法317の2⑤)

(特定非営利活動法人に対する寄附金税額控除の添付書類等)
(1) ⑤の申告書を提出する者は、3の②《申告書及び申請書の様式》の表の(三の二)の左欄に掲げる申告書〔寄附金税額控除申告書(二)〕に、第四節二の3の①の表の(四)に掲げる寄附金を受領した同③《特定非営利活動法人に対する寄附金の適用要件》のイに規定する控除対象特定非営利活動法人の受領した旨(当該寄附金が当該控除対象特定非営利活動法人の行う特定非営利活動促進法第2条第1項に規定する特定非営利活動に係る事業に関連する寄附金である旨を含む。)、当該寄附金の額及びその受領した年月日を証する書類又は電磁的記録印刷書面(所得税法施行令第262条第1項《確定申告書に関する書類の提出又は提示》に規定する電磁的記録印刷書面をいう。)を添付しなければならない。(規2の2⑨)

(特定非営利活動法人に対する寄附金の申告)
(2) 第四節二の3の①の表の(四)及び第二編第一章第四節二の3の①の表の(四)《特定非営利活動法人に対する寄附金税額控除》(認定特定非営利活動法人等に対する寄附金を除く。)に係る寄附金税額控除の申告については、地方税法施行規則に定める第5号の5の3様式に従って市町村において作成された申告書を賦課期日現在における住所所在地の市町村長に提出するものであること。当該控除については、確定申告書や住民税申告書等を提出している者についても、当該申告書を必ず提出する必要があることに留意すること。
　なお、複数の寄附先がある場合には、1枚の申告書に全ての寄附金に関する事項を記載して提出することも、寄附先ごとに個別の申告書を提出することもできるものであること。(市通2－24の5)

⑥ 前年に支払を受けた給与がある者が申告書を提出する場合
　①又は④の場合において、前年において支払を受けた給与で所得税法第190条の規定の適用を受けたものを有する第一節二の(一)に掲げる者が、①の申告書を提出するときは、①の各号に掲げる事項のうち(1)で定めるものについては、(2)で定める記載によることができる。(法317の2⑥)

(総務省令で定める事項)
(1) ⑥に規定する(1)で定める事項は、第一節二の(一)に掲げる者(所得税法第120条第1項後段の規定の適用を受けた者に限る。)のその年度分の個人の市町村民税に係る第三節一の3から5まで、同6、同7及び同8から12までの規定による控除のうちこれらの控除に相当する前年分の所得に係る所得税に関する法令の規定による控除が所得税法施行規則第47条第1項に規定する同額である控除であるものに係る当該控除の金額、当該控除の金額の計算の基礎及び①の(五)及び(七)に掲げる事項並びに第三節一の13の規定による控除の額とする。(規2⑥④)

(総務省令で定める申告書の記載)
(2) ⑥の規定による①の申告書の記載は、(1)に規定する第三節一の3から5まで、同6、同7及び同8から12までの規定による控除並びに同13の規定による控除については、これらの控除の額(所得税法施行規則第47条第2項に規定する場合にあっては、当該控除の額の合計額)の記載とする。(規2⑦⑤)

⑦ 源泉徴収票の提出
　市町村長は、市町村民税の賦課徴収について必要があると認める場合には、当該市町村の条例で定めるところにより、当該市町村に住所を有する市町村民税の納税義務者のうち所得税法第226条第1項《給与等の支払を受ける者への源泉徴収票の交付》若しくは第3項《公的年金等の支払を受ける者への源泉徴収票の交付》の規定により前年の給与所得若しくは公的年金等に係る所得に係る源泉徴収票を交付されるもの又は同条第4項《電磁的方法による源泉徴収票の提供》ただし書の規定により給与所得若しくは公的年金等に係る所得に係る源泉徴収票の交付を受けることができるものに、当該源泉徴収票又はその写しを提出させることができる。(法317の2⑦)

⑧ 事務所等に関する申告
　市町村長は、市町村民税の賦課徴収について必要があると認める場合には、当該市町村の条例で定めるところにより、当該市町村内に事務所、事業所又は家屋敷を有する個人で当該市町村内に住所を有しない者に、賦課期日現在において有する事務所、事業所又は家屋敷の所在その他必要な事項を申告させることができる。(法317の2⑧)

2　確定申告書

①　所得税の確定申告書と市町村民税の申告書との関係

　市町村内に住所を有する個人である市町村民税の納税義務者が前年分の所得税につき所得税法第2条第1項第37号《確定申告書の定義》の確定申告書（租税特別措置法第37条の12の2第11項（同法第37条の13の2第7項において準用する場合を含む。）において準用する所得税法第123条第1項の規定による申告書、租税特別措置法第37条の13の2第7項において準用する同法第37条の12の2第11項において準用する所得税法第123条第1項の規定による申告書、租税特別措置法第41条の5第12項第3号の規定又は同法第41条の5の2第12項第3号の規定により読み替えて適用される所得税法第123条第1項の規定による申告書及び租税特別措置法第41条の15第5項において準用する所得税法第123条第1項の規定による申告書を含む。以下2において「**確定申告書**」という。）を提出した場合（政令で定める場合を除く。）には、第一章の規定の適用については、当該確定申告書が提出された日に1の①から④まで、同④の（1）若しくは（3）の規定により読み替えて適用される同④又は第五節**五**の4の②の**ロ**、同節**六**の5若しくは同節**七**の2の③において準用する1の④の規定による申告書が提出されたものとみなす。ただし、同日前に当該申告書が提出された場合は、この限りでない。（法317の3①、法附4⑬三、4の2⑬三、35の2の6⑲、35の3⑮、35の4の2⑪）

　　（申告書を提出したものとみなす場合の留意事項）
　注　市町村内に住所を有する者が前年分の所得税につき所得税法第2条第1項第37号の確定申告書を提出した場合には、当該確定申告書が提出された日に1の①から④まで、同④の（1）若しくは（3）の規定により読み替えて適用される同④又は第五節**五**の4の②の**ロ**、同節**六**の5若しくは同節**七**の2の③において準用する1の④の規定による申告書が提出されたものとみなし、当該確定申告書に記載された事項のうち1の①各号に掲げる事項に相当するものは、これらの規定による申告書に記載されたものとみなすものであること。ただし、当該確定申告書が政府に提出された日前に当該申告書が市町村に提出された場合は、この限りでないこととされていること。また、この場合における国と地方公共団体との税務行政運営上の協力については、別途「所得税の確定申告書を提出した者について個人事業税及び個人住民税の申告書を提出したものとみなすこととされたことに伴う国と地方公共団体との税務行政運営上の協力について」（昭和41年12月2日自治市第71号）により行うものであること。（市通2－30編者補正）

②　確定申告書の記載事項

　①本文の場合には、当該確定申告書に記載された事項（③の表の（三）に掲げる事項の記載があった場合における当該記載された者に係る配偶者控除又は扶養控除に関する事項を除く。）のうち1の①又は③に規定する事項に相当するもの及び③の規定により付記された事項（総務省令で定める事項を除く。）は、1の①から④まで、同④の（1）若しくは（3）の規定により読み替えて適用される同④又は第五節**五**の4の②の**ロ**、同節**六**の5若しくは同節**七**の2の③において準用する1の④の規定による申告書に記載されたものとみなす。（法317の3②、法附4⑬三、4の2⑬三、35の2の6⑲、35の3⑮、35の4の2⑪、規2の3①）

③　確定申告書の付記事項

　①本文の場合には、確定申告書を提出する者は、当該確定申告書に、次に掲げる市町村民税の賦課徴収につき必要な事項を付記しなければならない。（法317の3③、規2の3②）

（一）	当該年度の初日の属する年の1月1日現在の住所
（二）	給与所得以外（第七節**四**の1の②の注《老齢等年金給付の支払を受けている年齢65歳以上の者に対する特別徴収》に規定する場合にあっては、給与所得及び公的年金等に係る所得以外）の所得に係る道府県民税及び市町村民税の徴収の方法
（三）	前年分の所得税につき控除対象配偶者又は扶養親族とした者を道府県民税及び市町村民税につき青色事業専従者とする場合においては、その者の氏名、個人番号（行政手続における特定の個人を識別するための番号の利用等に関する法律（平成25年法律第27号）第2条第5項に規定する個人番号をいう。以下市町村民税について同じ。）及び青色専従者給与額
（四）	前年中に所得税法第2条第1項第5号《非居住者の定義》に規定する非居住者であった期間を有する場合においては、同法第164条第2項各号《非居住者に係る所得税の分離課税》に掲げる国内源泉所得の金額
（五）	前年分の所得税につき控除対象配偶者、扶養親族、青色事業専従者又は事業専従者とした者のうち、別居している

第三編第一章《個人の市町村民税》第六節《申告義務》

	者の氏名、住所及び個人番号（個人番号を有しない者にあっては、氏名及び住所）
(六)	租税特別措置法第８条の５第１項《確定申告を要しない配当所得》第１号に掲げる配当等（同法第９条の３第１項《上場株式等の配当等に係る源泉徴収税率等の特例》第１号の配当等に該当するものを除く。）のうち前年分の所得税につき同法第８条の５第１項の規定の適用を受けるものを有する場合においては、当該適用を受ける配当等に係る配当所得の金額
(七)	１の①の(六)に掲げる寄附金税額控除額の控除に関する事項
(七の二)	道府県民税又は市町村民税の納税義務者（前年の合計所得金額が1,000万円以下であるものに限る。）の第三節一の12に規定する自己と生計を一にする配偶者（退職手当等（第十節の１に規定する退職手当等に限る。（七の三）、４及び５において同じ。）に係る所得を有する者であって、前年の合計所得金額が133万円以下であるものに限る。）（イにおいて「申告対象配偶者」という。）の次に掲げる事項 イ　氏名、生年月日及び個人番号並びにその者の前年の合計所得金額（個人番号を有しない者にあっては、氏名及び生年月日並びにその者の前年の合計所得金額）並びに申告者と別居している申告対象配偶者については、当該申告対象配偶者の住所並びに国外居住者である申告対象配偶者については、その旨 ロ　その他参考となるべき事項
(七の三)	扶養親族（退職手当等に係る所得を有するものに限る。イにおいて同じ。）の次に掲げる事項 イ　氏名、申告者との続柄、生年月日及び個人番号（個人番号を有しない者にあっては、氏名、申告者との続柄及び生年月日）並びに申告者と別居している扶養親族については、当該扶養親族の住所並びに国外居住者である扶養親族については、その旨 ロ　その他参考となるべき事項
(八)	扶養親族（年齢16歳未満のもの又は(七の三)に掲げるものに限る。以下(八)において同じ。）の氏名、申告者との続柄、生年月日及び個人番号（個人番号を有しない者にあっては、氏名、申告者との続柄及び生年月日）並びに申告者と別居している扶養親族については、当該扶養親族の住所並びに控除対象外国外扶養親族である場合には、その旨
(九)	同一生計配偶者（控除対象配偶者を除く。以下(九)において同じ。）の氏名、生年月日及び個人番号（個人番号を有しない者にあっては、氏名及び生年月日）並びに申告者と別居している同一生計配偶者については、当該同一生計配偶者の住所並びに控除対象外国外同一生計配偶者である場合には、その旨並びにその他参考となるべき事項

(注１)　国外居住者に係る③の(七の二)又は(七の三)に掲げる事項を記載した③の確定申告書を提出する者が当該国外居住者に係る障害者控除額、配偶者控除額又は配偶者特別控除額の控除を受けようとする場合には、当該確定申告書を提出する者は、当該国外居住者に係る所得税法施行規則第47条の２第５項及び第６項に規定する書類を３月15日までに市町村長に提出しなければならない。ただし、所得税法の規定に基づいて所得税の確定申告書に添付し、若しくは税務署長に提示し、若しくは同法第194条第５項、第195条第５項、第195条の２第２項若しくは第203条の６第３項の規定により提出し、若しくは提示し、又は第三節二の１の(１)の規定により同１の(１)に規定する申告書に添付し、若しくは市町村長に提示し、若しくは４の①の(10)若しくは同(13)若しくは５の①の(10)若しくは同(13)の規定により提出した当該国外居住者に係るものについては、この限りでない。（規２の３③）

(注２)　国外居住者に係る③の(七の三)に掲げる事項を記載した③の確定申告書を提出する者が当該国外居住者に係る扶養控除額の控除を受けようとする場合には、当該確定申告書を提出する者は、当該国外居住者に係る所得税法施行規則第47条の２第５項及び第６項に規定する書類を３月15日までに市町村長に提出しなければならない。ただし、所得税法の規定に基づいて所得税の確定申告書に添付し、若しくは税務署長に提示し、若しくは同法第194条第５項、第195条第５項若しくは第203条の６第３項の規定により提出し、若しくは提示し、又は第三節二の１の(１)の規定により同１の(１)に規定する申告書に添付し、若しくは市町村長に提示し、若しくは４の①の(11)若しくは同(13)若しくは５の①の(11)若しくは同(13)の規定により提出した当該国外居住者に係るものについては、この限りでない。（規２の３④）

(注３)　控除対象外国外扶養親族に係る③の表中(八)に掲げる事項を記載した③及び２の③の確定申告書を提出する者が非課税限度額制度適用者である場合には、当該確定申告書を提出する者は、当該控除対象外国外扶養親族に係る国外扶養親族証明書類（第三節二の１の(４)に規定する国外扶養親族証明書類をいう。以下同じ。）を３月15日までに市町村長に提出しなければならない。ただし、同(３)に規定する申告書に添付し、若しくは市町村長に提示し、又は４の①の(10)若しくは(11)又は５の①の(10)若しくは(11)の規定により提出した当該控除対象外国外扶養親族に係る国外扶養親族証明書類については、この限りでない。（規２の３⑤）

(注４)　控除対象外国外同一生計配偶者に係る③の表中(九)に掲げる事項を記載した③及び第二編第一章第六節八の３の③の確定申告書を提出する者が非課税限度額制度適用者である場合には、当該確定申告書を提出する者は、当該控除対象外国外同一生計配偶者に係る国外配偶者証明書類（第三節二の１の(５)に規定する国外配偶者証明書類をいう。以下同じ。）を３月15日までに市町村長に提出しなければならない。ただし、第三節二の１の(３)の規定により同(３)に規定する申告書に添付し、又は市町村長に提示した当該控除対象外国外同一生計配偶者に係る国外配偶者証明書類については、この限りでない。（規２の３⑥）

3 申告書等の様式

① 納税通知書等の様式

市町村が市町村民税の賦課徴収に用いる次の表の左欄に掲げる文書の様式は、それぞれその右欄に掲げるところによるものとする。(規2①)

文書の種類	様式
(一) 市町村民税・道府県民税・森林環境税 税額決定納税通知書	第1号の3様式
(二) 市町村民税 道府県民税 納税通知書（分離課税に係る所得割分）	第1号の4様式
(三) 納期限変更告知書	第2号様式
(四) 給与所得等に係る特別徴収義務者及び特別徴収に係る納税義務者に交付する特別徴収の方法によって徴収する旨の通知書	第3号様式（別表）
(五) 督促状	第4号様式又は第4号の2様式
(六) 市町村民税 道府県民税 更正（決定）通知書	第5号の2様式

(道府県民税の様式との関係)
(1) 道府県民税を賦課徴収する市町村が当該道府県民税の賦課徴収に用いる納税通知書、納期限変更告知書、特別徴収義務者及び特別徴収に係る納税義務者に交付する特別徴収の方法によって徴収する旨の通知書、督促状その他の文書は、当該市町村の市町村民税の賦課徴収に用いるそれらの文書と併せて、①で定める様式に準じて作成するものとする。(法43)

(第三号様式の記載しない項目)
(2) ①の規定にかかわらず、当分の間、市町村長は、第七節四の2の①又は同2の④の規定により指定した特別徴収義務者に①の表の(四)の左欄に掲げる通知書の交付（同2の⑤（同四の5の(1)において準用する場合を含む。）の規定による同四の2の①に規定する通知事項（同5の規定に該当する場合には、特別徴収税額を変更した旨）の提供を除く。）を行うときは、第三号様式中「個人番号」及び「個人番号又は法人番号」の欄は記載しないこととする。(規2②)

② 申告書及び申請書の様式

市町村民税に係る次の表の左欄に掲げる申告書及び申請書の様式は、それぞれその右欄に掲げるところによるものとする。ただし、次の表の(一)の左欄に掲げる申告書について1の①の申告書を提出すべき者のうち当該市町村の条例で定めるものが提出すべき申告書として市町村長が別に簡易な様式を定めたとき及び次表の(六)の左欄に掲げる申告書について当該右欄に掲げる様式によることができないやむ得ない事情があると認める場合において総務大臣が別に様式を定めたときは、それぞれ当該様式によることができる。(規2③)

申告書等の種類	様式
(一) 市町村民税 道府県民税 申告書（1の①の申告書）	第5号の4様式（別表）
(二) 給与所得者・公的年金等受給者用雑損控除・医療費控除（1の③の申告書）	第5号の5様式
(三) 寄附金税額控除申告書(一)（1の③の申告書）	第5号の5の2様式
(三の二) 寄附金税額控除申告書(二)（1の⑤の申告書）	第5号の5の3様式
(四) 給与所得者・公的年金等受給者用繰越控除申告書（1の③の申告書）	第5号の6様式
(五) 配偶者控除・扶養控除申請書（第一節一の2《二以上の納税義務者がある場合の所属》の申請書）	第5号の7様式

(六)	市町村民税 道府県民税 納入申告書（第十節5の②《分離課税に係る所得割の徴収手続》の納入申告書）	第5号の8様式
(七)	退職所得申告書（第十節8《退職所得申告書》の規定による申告書）	第5号の9様式

（申告書等の様式作成上の留意事項）
注　各種申告書及び附属申告書並びに給与支払報告書（以下「申告書等」と総称する。）の様式は、総務省令に定められているので、この様式に従って市町村において作成された申告書等を提出するものであること。
　なお、これらの様式を総務省令で定めることとしたのは、できる限り納税義務者や特別徴収義務者の負担を避けるため、全国的に統一した様式によろうとするものであるから、市町村は必ず法定された様式によらなければならないものであること。この場合において、市町村において申告書等の用紙を課税台帳として利用するため、申告書等の裏面に必要事項を印刷することは差し支えないが、それらの事項については納税義務者又は特別徴収義務者が記載することを要しない旨を併せて明記しなければならないものであること。（市通2－31）
　　（注）　②の表の(五)に係る総務大臣が別に定める様式は、昭和60年4月5日自治省告示第87号により定められている。（編者）

③　附属申告書

市町村民税の納税義務者で次の表の左欄に掲げるものは、1の①の申告書に、それぞれその右欄に掲げる附属申告書を添付しなければならない。（規2の2①）

納　税　義　務　者	附属申告書の種類
(一)　当該年度の初日の属する年の前年（以下市町村民税について「前年」という。）中に生じた純損失の金額のうちに変動所得の金額の計算上生じた損失の金額又は被災事業用資産の損失の金額がある場合において、その金額についてその損失の生じた年の末日の属する年度の翌々年度以降の年度分の市町村民税の総所得金額等、退職所得金額又は山林所得金額の計算上控除を受けようとする納税義務者	第5号の10様式の損失明細書
(二)　第二節三の1《青色申告者の純損失の繰越控除》の規定によって前年前3年間における総所得金額等、退職所得金額又は山林所得金額の計算上生じた純損失の金額又は同三の2《変動所得の損失・被災事業用資産の損失・雑損失の繰越控除》の規定によって前年前3年内の各年に生じた変動所得の金額の計算上生じた損失の金額若しくは被災事業用資産の損失の金額若しくは前年前3年内の各年に生じた雑損失の金額について総所得金額等、退職所得金額又は山林所得金額の計算上控除を受けようとする納税義務者（同1に規定する純損失の金額の控除又は同2に規定する純損失若しくは雑損失の金額の控除に関する申告書を提出しようとする納税義務者を除く。）	第5号の11様式の繰越控除明細書
(三)　第四節二の4《外国税額控除》の規定によって外国の所得税等の額の控除を受けようとする納税義務者	第5号の13様式の外国の所得税等の額の控除に関する明細書

（賦課徴収に必要と認められるものの添付等）
（1）　市町村長は、1の①《申告書の記載事項等》及び③《給与所得以外の所得又は公的年金等に係る所得以外の所得を有しないものが雑損控除等の控除を受ける場合の申告》の申告書を提出する者に対して、所得税法第120条第3項、第4項、第6項及び第7項に規定する書類その他の書類又は電磁的記録印刷書面（所得税法施行令第262条第1項《確定申告書に関する書類の提出又は提示》に規定する電磁的記録印刷書面をいう。）で所得税に関する法令の規定に基づいて所得税の確定申告書に添付しなければならないこととなっているもの又は税務署長が提示させ、若しくは提出させることができることとなっているもの（所得税の確定申告書に添付し、又は税務署長に提示し、若しくは提出したものを除く。）のうち道府県民税及び市町村民税の賦課徴収に必要と認めるものを当該申告書に添付させ、又は市町村長に提示し、若しくは提出させることができる。（規2の2②）

（医療費控除に関する事項を証する書類の提示等）
（2）　市町村長は、医療費控除額の控除に関する事項を記載した1の①及び同③の申告書の提出があった場合において、

必要があると認めるときは、当該申告書を提出した者に対し、第一編第二章三の4に規定する法定納期限の翌日から起算して5年を経過する日までの間、所得税法第120条第4項第1号に掲げる書類に記載された医療費につきこれを領収した者のその領収を証する書類（税務署長に提示し、又は提出したものを除く。）を市町村長に提示し、又は提出させることができる。（規2の2③）

4　給与所得者の扶養親族等申告書

① 扶養親族等申告書の記載方法

所得税法第194条第1項《給与所得者の扶養控除等申告書》の規定により同項に規定する申告書を提出しなければならない者（以下4において「給与所得者」という。）は、当該申告書の提出の際に経由すべき同項に規定する給与等の支払者（以下4において「給与支払者」という。）から毎年最初に給与の支払を受ける日の前日までに、総務省令で定めるところにより、次に掲げる事項を記載した申告書を、当該給与支払者を経由して、当該給与所得者の住所所在地の市町村長に提出しなければならない。（法317の3の2①、規2の3の3①）

(一)	当該給与支払者の氏名又は名称
(二)	所得割の納税義務者（合計所得金額が1,000万円以下であるものに限る。）の自己と生計を一にする配偶者（第二節二の1に規定する青色事業専従者に該当するもので第二節二の1に規定する給与の支払を受けるもの及び第二節二の2の①に規定する事業専従者に該当するものを除き、合計所得金額が133万円以下であるものに限る。5の①において同じ。）の氏名
(三)	扶養親族の氏名
(四)	給与所得者の扶養親族等申告書を提出する者（(四)において「申告者」という。）の氏名、住所及び個人番号（個人番号を有しない者にあっては、氏名及び住所）
(五)	申告対象配偶者（退職手当等に係る所得を有するものに限る。以下同じ。）の住所及び個人番号並びにその合計所得金額の見積額（個人番号を有しない者にあっては、住所及びその合計所得金額の見積額）並びに国外居住者である申告対象配偶者である場合には、その旨
(六)	扶養親族（年齢16歳未満のものに限る。）の住所、申告者との続柄及び個人番号並びにその合計所得金額の見積額（個人番号を有しない者にあっては、住所及び申告者との続柄並びにその合計所得金額の見積額）並びに控除対象外国外扶養親族である場合には、その旨
(七)	その他参考となるべき事項

（扶養親族等申告書の提出方法）
（1）給与所得者が①の規定により①に規定する申告書（以下4において「給与所得者の扶養親族等申告書」という。）を提出する場合には、所得税法第194条第1項の申告書と併せて給与支払者を経由して、提出しなければならない。（規2の3の2①）

（扶養親族の氏名）
（2）次の各号に掲げる①の規定により給与所得者の扶養親族等申告書に記載することとされている氏名は、当該各号に定める氏名に限るものとする。（規2の3の2③）
　(一)　①の(二)に規定する自己と生計を一にする配偶者（以下「申告対象配偶者」という。）の氏名　　退職手当等に係る所得を有する申告対象配偶者の氏名
　(二)　扶養親族の氏名　　年齢16歳未満の者又は退職手当等に係る所得を有する者である扶養親族の氏名

（給与所得者の扶養親族等申告書等に個人番号の記載を要しない場合）
（3）給与所得者の扶養親族等申告書又は給与所得者の扶養親族等異動申告書（以下①において「給与所得者の扶養親族等申告書等」という。）の提出を受ける給与支払者が、当該給与所得者の扶養親族等申告書等に記載されるべき申告対象配偶者扶養親族又は当該給与所得者の扶養親族等申告書等を提出する者（以下(3)及び④の(2)において「提出する者」という。）の氏名及び個人番号その他の事項を記載した帳簿（当該給与所得者の扶養親族等申告書等の提出の前に、当該提出する者から次に掲げる申告書の提出を受けて作成されたものに限る。）を備えているときは、当該提出

する者は、①及び②の規定にかかわらず、当該給与支払者に提出する給与所得者の扶養親族等申告書等には、当該帳簿に記載されている個人番号の記載を要しないものとする。ただし、当該給与所得者の扶養親族等申告書等に記載すべき氏名又は個人番号が当該帳簿に記載されている申告対象配偶者扶養親族又は提出する者の氏名又は個人番号と異なるときは、この限りでない。（規２の３の３③）
- （一） 給与所得者の扶養親族等申告書等
- （二） 公的年金等受給者の扶養親族等申告書
- （三） 第十節の８の規定による申告書（同８において「退職所得申告書」という。）

（帳簿に記載する事項）
（４） 給与支払者が（３）の規定により帳簿を作成する場合には、その者は、当該帳簿に次に掲げる事項を記載しなければならない。（規２の３の３④）
- （一） （３）の（一）～（三）に掲げる申告書に記載された同項に規定する申告対象配偶者扶養親族又は提出する者の氏名、住所及び個人番号
- （二） （３）の申告書の提出を受けた年月及び当該申告書の名称
- （三） その他参考となるべき事項

（帳簿の保存）
（５） 給与支払者は、（４）の帳簿を、最後に（３）の規定の適用を受けて提出された給与所得者の扶養親族等申告書等に係る③の注ただし書の規定による期限まで保存しなければならない。（規２の３の３⑤）

（氏名、住所、個人番号を変更した場合）
（６） （３）の規定の適用を受けて給与所得者の扶養親族申告書等を提出した者が当該給与所得者の扶養親族等申告書等に記載すべき氏名、住所又は個人番号を変更した場合には、その者は、遅滞なく、当該給与所得者の扶養親族等申告書等を受理した給与支払者に、変更前の氏名、住所又は個人番号及び変更後の氏名、住所又は個人番号を記載した届出書を提出しなければならない。当該届出書を提出した後、再び当該届出書に記載した氏名、住所又は個人番号を変更した場合も、同様とする。（規２の３の３⑥）

（変更事項の記載）
（７） （４）の規定により（４）の帳簿を作成した給与支払者は、（６）の届出書を受理した場合には、当該帳簿の（４）の（一）から（三）に掲げる事項を、当該届出書に記載されている事項に訂正しておかなければならない。（規２の３の３⑦）

（届出書の保存期間）
（８） 給与支払者は、その受理をした（６）に規定する届出書を、当該受理をした日の属する年の翌年から３年間保存しなければならない。（規２の３の３⑧）

（個人番号又は法人番号の申告書への付記）
（９） 給与所得者の扶養親族等申告書及び給与所得者の扶養親族等異動申告書を受理した給与支払者は、当該申告書に、当該給与支払者の個人番号又は法人番号（行政手続における特定の個人を識別するための番号の利用等に関する法律第２条第15項に規定する法人番号をいう。以下道府県民税について同じ。）を付記するものとする。（規２の３の３⑨）

（国外居住者に係る障害者控除等を受けようとする場合の提出書類）
（10） 国外居住者に係る①の（二）又は（三）に掲げる事項を記載した給与所得者の扶養親族等申告書等を提出した者（②の規定により当該記載に代えて異動がない旨の記載をした者を含む。）が当該申告書に係る①及び②に規定する提出期限の属する年の翌年の４月１日の属する年度分の個人の道府県民税につき当該国外居住者に係る障害者控除額、配偶者控除額又は配偶者特別控除額の控除を受けようとする場合には、当該提出した者は、当該国外居住者に係る所得税法施行規則第47条の２第５項及び第６項に規定する書類を同年の３月15日までに市町村長に提出しなければならない。ただし、所得税法の規定に基づいて所得税の確定申告書に添付し、若しくは税務署長に提示し、若しくは同法第194条第４項、第195条第４項若しくは第195条の２第２項の規定により提出し、若しくは提示し、又は第三節二の１の（１）の規定により第三節二の１の（１）に規定する申告書に添付し、若しくは市町村長に提示し、若しくは２の③の（注１）の規定により市町村長に提出した当該国外居住者に係るものについては、この限りでない。（規２の３の３⑩）

第三編第一章《個人の市町村民税》第六節《申告義務》

(注) (10)中___部分を加え、___部分「同法第194条第4項、第195条第4項」を「同法第194条第5項、第195条第5項」に改める令和5年度改正規定は、令和7年1月1日以後適用する。(令5改規附1三)

(国外居住者に係る扶養控除を受けようとする場合の提出書類)
(11) 国外居住者に係る①の(三)に掲げる事項を記載した給与所得者の扶養親族等申告書等を提出した者(②の規定により当該記載に代えて異動がない旨の記載をした者を含む。)が当該申告書に係る①及び②に規定する提出期限の属する年の翌年の4月1日の属する年度分の個人の道府県民税につき当該国外居住者に係る扶養控除額の控除を受けようとする場合には、当該提出した者は、次の各号に掲げる場合の区分に応じ当該各号に定める書類を同年の3月15日までに市町村長に提出しなければならない。ただし、所得税法の規定に基づいて所得税の確定申告書に添付し、若しくは税務署長に提示し、若しくは同法第194条第4項若しくは第195条第4項の規定により提出し、若しくは提示し、又は第三節二の1の(3)の規定により第三節二の1の(3)に規定する申告書に添付し、若しくは市町村長に提示し、若しくは2の③の(注2)の規定により市町村長に提出した当該国外居住者に係るものについては、この限りでない。(規2の3の3⑪)
(一) (二)及び(三)に掲げる場合以外の場合 当該国外居住者に係る次に掲げる書類
  イ 所得税法施行規則第47条の2第7項に規定する書類
  ロ 所得税法施行規則第47条の2第8項に規定する書類
(二) 当該国外居住者が第三節一の13の(一)のロの(イ)に掲げる者に該当するものとして扶養控除額の控除を受けようとする場合 当該国外居住者に係る次に掲げる書類
  イ (一)のイに掲げる書類
  ロ (一)ロに掲げる書類
  ハ 所得税法施行規則第47条の2第9項に規定する書類
(三) 当該国外居住者が第三節一の13の(一)のロの(ハ)に掲げる者に該当するものとして扶養控除額の控除を受けようとする場合 当該国外居住者に係る次に掲げる書類
  イ (一)のイに掲げる書類
  ロ 所得税法施行規則第47条の2第10項に規定する書類

(注1) 令和5年1月1日から令和6年1月1日の前日までの間における(11)の規定の適用については、(11)中「係る扶養控除額」とあるのは「係る地方税法等の一部を改正する法律(令和2年法律第5号)第2条の規定による改正後の地方税法第34条第1項第11号及び第4項の規定により控除すべき金額((二)及び(三)において「扶養控除額」という。)」と、「第三節二の1の(3)」とあるのは「第三節二の1の(1)」と、(二)及び(三)中「が法」とあるのは「が地方税法等の一部を改正する法律(令和2年法律第5号)第2条の規定による改正後の地方税法」とする。(令4改規附1二、2③)
(注2) (11)中___部分を加え、___部分「同法第194条第4項若しくは第195条第4項」を「同法第194条第5項若しくは第195条第5項」に改める令和5年度改正規定は、令和7年1月1日以後適用する。(令5改規附1三)

(国外扶養親族証明書類の提出)
(12) 控除対象外国外扶養親族に係る①の表中(三)に掲げる事項を記載した給与所得者の扶養親族等申告書等を提出した者(②の規定により当該記載に代えて異動がない旨の記載をした者を含む。)が当該申告書に係る①及び②に規定する提出期限の属する年の翌年の4月1日の属する年度分の個人の道府県民税及び市町村民税に係る非課税限度額制度適用者である場合には、当該申告書を提出した者は、当該控除対象外国外扶養親族に係る国外扶養親族証明書類を同年の3月15日までに市町村長に提出しなければならない。ただし、第三節二の1の(3)の規定により同(3)に規定する申告書に添付し、若しくは市町村長に提示し、又は3の③の(注3)の規定により市町村長に提出した当該控除対象外国外扶養親族に係る国外扶養親族証明書類については、この限りでない。(規2の3の3⑫)

(注) (12)中___部分を加える令和5年度改正規定は、令和7年1月1日以後適用する。(令5改規附1三)

(国外扶養親族証明書類の提出方法)
(13) (10)から(12)の規定による書類の提出については、(12)の給与所得者の扶養親族等申告書等を受理した給与支払者を経由して提出することを妨げない。(規2の3の3⑬)

(留意事項)
(14) 給与所得者の扶養親族等申告書については、次の諸点に留意すること。(市通2-31の2)
  イ 給与所得者の扶養親族等申告書は、この申告書により把握した次に掲げる事項を、給与支払報告書の所定の欄に転記することに用いるものであること。

（イ）　16歳未満の扶養親族の数
　　（ロ）　退職手当等（第十節の１に規定する退職手当等に限る。（ハ）において同じ。）に係る所得を有する自己と生計を一にする配偶者（①の（二）に規定する自己と生計を一にする配偶者をいう。以下同じ。）の氏名、住所、個人番号、その合計所得金額の見積額その他参考となるべき事項
　　（ハ）　退職手当等に係る所得を有する扶養親族の氏名、住所、個人番号、その合計所得金額の見積額その他参考となるべき事項
　ロ　給与所得者の扶養親族等申告書は、所得税の給与所得者の扶養控除等申告書（所得税法第194条第１項の規定による申告書をいう。以下同じ。）と合わせて１枚用紙によるものとすること。当該用紙の作成等については別途「個人住民税の給与所得者の扶養親族申告書等の作成等に関する取扱いについて」（平成22年８月23日付総税市第61号）により取り扱うこと。
　ハ　(10)から(12)までの規定による書類の提出は、給与所得者が給与支払者を経由せずに市町村長に提出するものであること。ただし、所得税においては、給与所得者が給与支払者に、扶養控除等の申告に当たって給与所得者の扶養控除等申告書を提出する場合、国外に居住する源泉控除対象配偶者又は扶養親族が申告者の親族に該当すること及び申告者と生計を一にしていることを証する書類の提出又は提示が義務付けられていることから、できる限り納税義務者の負担を避ける観点から、(10)から(12)までの規定により提出すべき書類の提出が必要と見込まれる給与所得者が、給与支払者に個人住民税に係る扶養親族等申告書を提出する際に、所得税における書類の提出等と一連の手続として給与支払者に提出する形で、給与支払者を経由して当該書類を提出することも妨げないこととしていること。
　ニ　給与所得者は、(10)から(12)までの規定により提出すべき書類を給与支払者を経由せずに市町村長に提出する場合においても、給与所得者の扶養親族等申告書に記載すべき全ての生計を一にする配偶者又は扶養親族について、当該申告書に記載すること。
　ホ　給与支払者が給与支払報告書の所定の欄に転記するイ（イ）に掲げる事項については、国外扶養親族証明書類が給与支払者に対して提出されていない控除対象外国外扶養親族も含めて転記すること。また、給与支払者が給与支払報告書の所定の欄に転記するイ（ロ）及び（ハ）に掲げる事項については、(11)及び(12)の規定により提出すべき書類が給与支払者に対して提出されていない退職手当等に係る所得を有する生計を一にする配偶者又は扶養親族についても転記すること。
　ヘ　給与所得者の扶養親族等申告書に記載すべき自己と生計を一にする配偶者又は扶養親族に該当するかどうかは、当該申告書を提出する日の現況により判定すること。この場合において、次に掲げる事項については、それぞれ次によること。
　　（イ）　その判定の要素となる所得金額申告書を提出する日の現況により見積もったその年の合計所得金額による。
　　（ロ）　その判定の要素となる年齢その年12月31日（申告書を提出するときまでに死亡した者については、その死亡の時）の現況による。
　ト　給与支払者に提出された給与所得者の扶養親族等申告書及び(10)から(12)までの規定により提出すべき書類は、その給与支払者が保存するものとし、必要がある場合には市町村長に提出させるものであること。
　チ　給与所得者の扶養親族等申告書の提出後、その記載内容に異動があったときは、その給与所得者の扶養親族等申告書について異動があった項目を異動後の内容に補正するか、別に異動申告書を提出するものであること。
　リ　給与所得者の扶養親族等申告書を提出した者が年の中途においてその提出を経由した給与支払者のもとを退職した場合には、当該申告書はその退職により効力を失うものであること。
　ヌ　その他給与所得者の扶養親族等申告書の取扱いについては、所得税の給与所得者の扶養控除等申告書の取扱いに準ずるものとすること。

② **申告書に記載すべき事項が前年に提出したものと異動がない場合**
　①の規定による申告書を給与支払者を経由して提出する場合において、当該申告書に記載すべき事項がその年の前年において当該給与支払者を経由して提出した①の規定による申告書（その者が当該前年の中途において③の規定による申告書を当該給与支払者を経由して提出した場合には、当該前年の最後に提出した③の規定による申告書）に記載した事項と異動がないときは、給与所得者は、総務省令で定めるところにより、①の規定により記載すべき事項に代えて当該異動がない旨を記載した①の規定による申告書を提出することができる。（法317の３の２②）
　　（注）　４中②を追加する令和５年度改正規定は、令和７年１月１日以後適用する。②の規定は、令和７年１月１日以後に支払を受けるべき１の①ただし書に規定する給与（以下「給与」という。）について提出する①の規定による申告書について適用し、同日前に支払を受けるべき給与について提出した①の規定による申告書については、なお従前の例による。（令５改法附１三、14③）

③　年の中途において申告書の記載事項に異動を生じた場合の申告
　　①の規定による申告書を提出した給与所得者は、その年の中途において当該申告書に記載した事項について異動を生じた場合には、①の給与支払者からその異動を生じた日後最初に給与の支払を受ける日の前日までに、（1）で定めるところにより、その異動の内容その他（2）で定める事項を記載した申告書を、当該給与支払者を経由して、当該給与所得者の住所所在地の市町村長に提出しなければならない。（法317の3の2②）
　　（注）　③中＿＿部分「法317の3の2②」を「法317の3の2③」に改める令和5年度改正規定は、令和7年1月1日以後適用する。（令5改法附1三）

　　　　（提出方法の準用）
（1）　①の（1）、同（2）及び④の注の規定は、③の規定による申告書（4において「給与所得者の扶養親族等異動申告書」という。）の提出について準用する。この場合において、①の（1）中「第194条第1項」とあるのは「第194条第2項」と、「①の規定」とあるのは「③の規定」と、①の（2）中「①の規定」とあるのは「③の規定」と読み替えるものとする。（規2の3の2④）
　　（注）　（1）中＿＿部分「第194条第2項」を「第194条第3項」に改める令和5年度改正規定は、令和7年1月1日以後適用する。（令5改規附1三）

　　　　（申告書の記載事項）
（2）　③に規定する事項は、次に掲げる事項とする。（規2の3の3②）
　（一）　給与所得者の扶養親族等異動申告書を提出する者の氏名、住所及び個人番号（個人番号を有しない者にあっては、氏名及び住所）
　（二）　その他参考となるべき事項

④　扶養親族等申告書等のみなす提出
　　①及び③の場合において、これらの規定による申告書がその提出の際に経由すべき給与支払者に受理されたときは、その申告書は、その受理された日にこれらの規定に規定する市町村長に提出されたものとみなす。（法317の3の2③）
　　（注）　④中＿＿部分「法317の3の2③」を「法317の3の2④」に改める令和5年度改正規定は、令和7年1月1日以後適用する。（令5改法附1三）

　　　　（みなす提出の場合の扶養親族申告書の保管等）
　注　給与支払者が給与所得者から給与所得者の扶養親族等申告書又は①の(13)の規定により提出される書類を受理した場合には、当該給与所得者の扶養親族等申告書（⑤の規定の適用により当該給与支払者が提供を受けた当該給与所得者の扶養親族等申告書に記載すべき事項を含む。）又はこれらの書類を、①に規定する市町村長が当該給与支払者に対しその提出を求めるまでの間、当該給与支払者が保存するものとする。ただし、当該給与所得者の扶養親族等申告書に係るこれらの規定に規定する提出期限の属する年の翌年1月10日の翌日から7年を経過する日後においては、この限りでない。（規2の3の2②）

⑤　申告書記載事項の電磁的方法による提供
　　給与所得者は、①及び③の規定による申告書の提出の際に経由すべき給与支払者が電磁的方法（電子情報処理組織を使用する方法その他の情報通信の技術を利用する方法であって（4）で定めるものをいう。）による当該申告書に記載すべき事項の提供を適正に受けることができる措置を講じていることその他の（5）で定める要件を満たす場合には、（2）で定めるところにより、当該申告書の提出に代えて、当該給与支払者に対し、当該申告書に記載すべき事項を電磁的方法により提供することができる。（法317の3の2④）
　　（注）　⑤中＿＿部分「法317の3の2④」を「法317の3の2⑤」に改める令和5年度改正規定は、令和7年1月1日以後適用する。（令5改法附1三）

　　　　（申告書記載事項の電磁的方法による提供をする場合のみなす提出）
（1）　⑤の規定の適用がある場合における④の規定の適用については、④中「申告書が」とあるのは「申告書に記載すべき事項を」と、「給与支払者に受理されたとき」とあるのは「給与支払者が提供を受けたとき」と、「受理された日」とあるのは「提供を受けた日」と。（法317の3の2⑤）
　　（注）　（1）中＿＿部分「法317の3の2⑤」を「法317の3の2⑥」に改める令和5年度改正規定は、令和7年1月1日以後適用する。（令5改法附1三）

(給与所得者の扶養親族等申告書の電磁的方法による提供を併せて行う場合)
(2) 次の各号に掲げる電磁的方法による提供は、所得税法第198条第2項の規定による当該各号に定める事項の電磁的方法による提供と併せて行わなければならない。(規2の3の4①)
(一) ⑤の規定による給与所得者の扶養親族等申告書に記載すべき事項の電磁的方法による提供　　所得税法第194条第1項の申告書に記載すべき事項
(二) ⑤の規定による給与所得者の扶養親族等異動申告書に記載すべき事項の電磁的方法による提供　　所得税法第194条第2項の申告書に記載すべき事項
　(注)　(2)中＿＿部分「所得税法第194条第2項」を「所得税法第194条第3項」に改める令和5年度改正規定は、令和7年1月1日以後適用する。(令5改規附1三)

(給与所得者の扶養親族等申告書の電磁的方法による提供方法)
(3) ⑤に規定する方法は、所得税法施行規則第76条の2《給与所得者の源泉徴収に関する申告書に記載すべき事項の電磁的方法による提供》第1項各号に掲げる方法とする。(規2の3の4②)

(個人番号又は法人番号の申告書への付記)
(4) ⑤の規定の適用がある場合における①の(9)の規定の適用については、同(9)中「当該申告書」とあるのは、「⑤に規定する電磁的方法により提供された当該申告書に記載すべき事項を記録した電磁的記録(電子的方式、磁気的方式その他人の知覚によっては認識することができない方式で作られる記録であって、電子計算機による情報処理の用に供されるものをいう。)」とする。(規2の3の4③)

(記載事項の提供を適正に受けることができる措置)
(5) ⑤に規定する政令で定める要件は、次に掲げる要件とする。(令48の9の7の2、8の2の2)
(一) ⑤に規定する給与所得者((二)において「給与所得者」という。)が行う⑤に規定する電磁的方法による⑤に規定する申告書に記載すべき事項(以下(5)において「記載事項」という。)の提供を適正に受けることができる措置を講じていること。
(二) ⑤の規定により提供を受けた記載事項について、その提供をした給与所得者を特定するための必要な措置を講じていること。
(三) ⑤の規定により提供を受けた記載事項について、電子計算機の映像面への表示及び書面への出力をするための必要な措置を講じていること。

5　公的年金等受給者の扶養親族等申告書

① 扶養親族等申告書等の記載方法

　所得税法第203条の6《公的年金等の受給者の扶養親族申告書》第1項の規定により同項に規定する申告書を提出しなければならない者又はこの法律の施行地において同項に規定する公的年金等(所得税法第203条の7の規定の適用を受けるものを除く。以下①において「公的年金等」という。)の支払を受ける第二章第一節二の1の(1)に掲げる者であって、特定配偶者(所得割の納税義務者(合計所得金額が900万円以下であるものに限る。)の自己と生計を一にする配偶者(退職手当等(第十節の1に規定する退職手当等に限る。以下①において同じ。)に係る所得を有する者であって、合計所得金額が95万円以下であるものに限る。)をいう。(二)において同じ。)又は扶養親族(年齢16歳未満の者又は退職手当等に係る所得を有する者に限る。)を有する者(以下5において「公的年金等受給者」という。)は、当該申告書の提出の際に経由すべき所得税法第203条の6第1項に規定する公的年金等の支払者(以下5において「公的年金等支払者」という。)から毎年最初に公的年金等の支払を受ける日の前日までに、総務省令で定めるところにより、次に掲げる事項を記載した申告書を、当該公的年金等支払者を経由して、当該公的年金等受給者の住所所在地の市町村長に提出しなければならない。(法317の3の3①、規2の3の6①)

(一)	当該公的年金等支払者の名称
(二)	特定配偶者の氏名
(三)	扶養親族の氏名
(四)	公的年金等受給者の扶養親族等申告書を提出する者((六)において「申告者」という。)の氏名、住所及び個人番号 (個人番号を有しない者にあっては、氏名及び住所)

(五)	特定配偶者(①に規定する特定配偶者をいう。以下同じ。)の住所及び個人番号並びにその合計所得金額の見積額(個人番号を有しない者にあっては、住所及びその合計所得金額の見積額)並びに国外居住者である特定配偶者である場合には、その旨
(六)	扶養親族(年齢16歳未満の者又は退職手当等に係る所得を有する者に限る。)の住所、申告者との続柄及び個人番号並びにその合計所得金額の見積額(個人番号を有しない者にあっては、住所及び申告者との続柄並びにその合計所得金額の見積額)並びに国外居住者である扶養親族である場合には、その旨
(七)	その他参考となるべき事項

(扶養親族等申告書の提出方法)
（１）　公的年金等受給者が①の規定による申告書（以下５において「公的年金等受給者の扶養親族等申告書」という。）を提出する場合には、所得税法第203条の６第１項の規定による申告書と併せて公的年金等支払者を経由して、提出しなければならない。（規２の３の５①）

(扶養親族の氏名)
（２）　①の規定により公的年金等受給者の扶養親族等申告書に記載することとされている扶養親族の氏名については、年齢16歳未満の者又は退職手当等に係る所得を有する者である扶養親族の氏名に限るものとする。（規２の３の５③）

(公的年金等受給者の扶養親族等申告書に個人番号の記載を要しない場合)
（３）　公的年金等受給者の扶養親族等申告書の提出を受ける公的年金等支払者が、当該公的年金等受給者の扶養親族等申告書に記載されるべき特定配偶者、扶養親族又は当該公的年金等受給者の扶養親族等申告書を提出する者（以下「提出する者」という。）の氏名及び個人番号その他の事項を記載した帳簿（当該公的年金等受給者の扶養親族等申告書の提出の前に、当該提出する者から４の①の（３）の（一）から（三）に掲げる申告書の提出を受けて作成されたものに限る。）を備えているときは、当該提出する者は、①の規定にかかわらず、当該公的年金等支払者に提出する当該公的年金等受給者の扶養親族等申告書には、当該帳簿に記載されている個人番号の記載を要しないものとする。ただし、当該公的年金等受給者の扶養親族等申告書に記載すべき氏名又は個人番号が当該帳簿に記載されている特定配偶者、扶養親族又は提出する者の氏名又は個人番号と異なるときは、この限りでない。（規２の３の６②）

(帳簿に記載する事項)
（４）　公的年金等支払者が（３）の規定により帳簿を作成する場合には、その者は、当該帳簿に４の①の（４）の（一）から（三）に掲げる事項（４の①の（４）の申告対象配偶者の氏名については、特定配偶者に該当するものの氏名に限る。）を記載しなければならない。（規２の３の６③）

(帳簿の保存)
（５）　公的年金等支払者は、（４）の帳簿を、最後に（３）の規定の適用を受けて提出された公的年金等受給者の扶養親族等申告書に係る③の注ただし書の規定による期限まで保存しなければならない。（規２の３の６④）

(準用規定)
（６）　４の①の（６）から（８）までの規定は、（３）の規定の適用を受けて公的年金等受給者の扶養親族等申告書を提出した者が当該公的年金等受給者の扶養親族等申告書に記載すべき氏名、住所又は個人番号を変更した場合について準用する。（規２の３の６⑤）

(機構保存本人確認情報の提供を受けて作成されたものを備えている場合の特例)
（７）　公的年金等支払者が、公的年金等受給者の扶養親族等申告書に記載されるべき①の（一）に規定する申告者の氏名及び個人番号その他の事項を記載した帳簿であって、当該公的年金等受給者の扶養親族等申告書の提出の前に、行政手続における特定の個人を識別するための番号の利用等に関する法律第14条第２項の規定による求めに基づく機構保存本人確認情報（住民基本台帳法第30条の９に規定する機構保存本人確認情報をいう。）の提供を受けて作成されたものを備えている場合における（３）（当該申告者に係る部分に限る。）の規定の適用については、当該帳簿を同項に規定する帳簿に該当するものとして、（３）の規定を適用することができる。（規２の３の６⑥）

(読替規定)
(8) (4)から(6)までの規定は、(7)の規定により帳簿を作成する場合について準用する。この場合において、(4)中「4の①の(4)の(一)から(三)に掲げる事項(4の①の(4)の申告対象配偶者の氏名については、特定配偶者に該当するものの氏名に限る。)」とあるのは「(7)に規定する機構保存本人確認情報として提供を受けた①の(一)に規定する申告者の氏名、住所及び個人番号並びにその提供を受けた年月その他参考となるべき事項」と、(5)中「準用する。」とあるのは「準用する。この場合において、4の①の(7)中「(4)の(一)から(三)に掲げる」とあるのは、「(7)に規定する機構保存本人確認情報として提供を受けた①の(一)に規定する申告者の氏名、住所及び個人番号並びにその提供を受けた年月その他参考となるべき」と読み替えるものとする。」と読み替えるものとする。(規2の3の6⑦)

(公的年金等支払者の法人番号の付記)
(9) 公的年金等受給者の扶養親族等申告書を受理した公的年金等支払者は、当該公的年金等受給者の扶養親族等申告書に、当該公的年金等支払者の法人番号を付記するものとする。(規2の3の6⑧)

(国外居住者に係る障害者控除等を受けようとする場合の提出書類)
(10) 国外居住者に係る①の(二)又は(三)に掲げる事項を記載した公的年金等受給者の扶養親族等申告書を提出した者(②の規定により当該記載に代えて異動がない旨の記載をした者を含む。)が①に規定する提出期限の属する年の翌年の4月1日の属する年度分の個人の道府県民税及び市町村民税につき当該国外居住者に係る障害者控除額、配偶者控除額又は配偶者特別控除額の控除を受けようとする場合には、当該公的年金等受給者の扶養親族等申告書を提出した者は、当該国外居住者に係る所得税法施行規則第47条の2第5項及び第6項に規定する書類を同年の3月15日までに市町村長に提出しなければならない。ただし、所得税法の規定に基づいて所得税の確定申告書に添付し、若しくは税務署長に提示し、若しくは同法第203条の6第3項の規定により提出し、若しくは提示し、又は第三節二の1の(1)の規定により第三節二の1の(1)に規定する申告書に添付し、若しくは市町村長に提示し、若しくは3の③の(注3)の規定により市町村長に提出した当該国外居住者に係るものについては、この限りでない。(規2の3の6⑨)

(国外居住者に係る扶養控除を受ける場合の提出書類)
(11) 国外居住者に係る①の(三)に掲げる事項を記載した公的年金等受給者の扶養親族等申告書を提出した者(②の規定により当該記載に代えて異動がない旨の記載をした者を含む。)が①に規定する提出期限の属する年の翌年の4月1日の属する年度分の個人の道府県民税及び市町村民税につき当該国外居住者に係る扶養控除額の控除を受けようとする場合には、当該公的年金等受給者の扶養親族等申告書を提出した者は、次の各号に掲げる場合の区分に応じ当該各号に定める書類を同年の3月15日までに市町村長に提出しなければならない。ただし、所得税法の規定に基づいて所得税の確定申告書に添付し、若しくは税務署長に提示し、若しくは同法第203条の6第3項の規定により提出し、若しくは提示し、又は第三節二の1の(3)の規定により第三節二の1の(3)に規定する申告書に添付し、若しくは市町村長に提示し、若しくは3の③の(注4)の規定により市町村長に提出した当該国外居住者に係るものについては、この限りでない。(規2の3の6⑩)
　(一) (二)及び(三)に掲げる場合以外の場合　当該国外居住者に係る次に掲げる書類
　　イ　所得税法施行規則第47条の2第7項に規定する書類
　　ロ　所得税法施行規則第47条の2第8項に規定する書類
　(二) 当該国外居住者が第三節一の13の(一)のロの(イ)に掲げる者に該当するものとして扶養控除額の控除を受けようとする場合　当該国外居住者に係る次に掲げる書類
　　イ　(一)のイに掲げる書類
　　ロ　(一)のロに掲げる書類
　　ハ　所得税法施行規則第47条の2第9項に規定する書類
　(三) 当該国外居住者が第三節一の13の(一)のロの(ハ)に掲げる者に該当するものとして扶養控除額の控除を受けようとする場合　当該国外居住者に係る次に掲げる書類
　　イ　(一)のイに掲げる書類
　　ロ　所得税法施行規則第47条の2第10項に規定する書類

(国外扶養親族証明書類の提出)
(12) 控除対象外国外扶養親族に係る①の表中(三)に掲げる事項を記載した公的年金等受給者の扶養親族等申告書を提出した者(②の規定により当該記載に代えて異動がない旨の記載をした者を含む。)が当該公的年金等受給者の扶養親

第三編第一章《個人の市町村民税》第六節《申告義務》

族等申告書に係る①に規定する提出期限の属する年の翌年の4月1日の属する年度分の個人の道府県民税及び市町村民税に係る非課税限度額制度適用者である場合には、当該公的年金等受給者の扶養親族等申告書を提出した者は、当該控除対象外国外扶養親族に係る国外扶養親族証明書類を同年の3月15日までに市町村長に提出しなければならない。ただし、第三節二の1の(2)の規定により同(2)に規定する申告書に添付し、若しくは市町村長に提示し、又は2の③の(注3)の規定により市町村長に提出した当該控除対象外国外扶養親族に係る国外扶養親族証明書類については、この限りでない。(規2の3の6⑪)

(国外扶養親族証明書類の提出方法)
(13) (10)から(12)の規定による書類(所得税法施行規則第47条の2第6項、第8項及び第9項に規定する書類並びに第三節二の1の(3)の表中(二)に掲げる書類を除く。)の提出については、(12)の公的年金等受給者の扶養親族等申告書を受理した公的年金等支払者を経由して提出することを妨げない。(規2の3の6⑫)

(留意事項)
(14) 公的年金等受給者の扶養親族等申告書については、次の諸点に留意すること。(市通2-31の3)
 イ 公的年金等受給者の扶養親族等申告書は、この申告書により把握した次に掲げる事項を、公的年金等支払報告書の所定の欄に転記することに用いるものであること。
  (イ) 16歳未満の扶養親族の数
  (ロ) 特定配偶者(①に規定する特定配偶者をいう。以下同じ。)の氏名、住所、個人番号、その合計所得金額の見積額その他参考となるべき事項
  (ハ) 退職手当等(第十節の1に規定する退職手当等に限る。)に係る所得を有する扶養親族の氏名、住所、個人番号、その合計所得金額の見積額その他参考となるべき事項
 ロ 公的年金等受給者の扶養親族等申告書は、所得税の公的年金等の受給者の扶養親族等申告書(所得税法第203条の6第1項の規定による申告書をいう。以下同じ。)と合わせて1枚用紙によるものとすること。当該用紙の作成等については別途「個人住民税の給与所得者の扶養親族申告書等の作成等に関する取扱いについて」(平成22年8月23日付総税市第61号)により取り扱うこと。
 ハ (10)から(12)までの規定による書類の提出は、公的年金等受給者が公的年金等支払者を経由せずに市町村長に提出するものであること。ただし、所得税においては、公的年金等受給者が公的年金等支払者に、扶養控除等の申告に当たって公的年金等の受給者の扶養親族等申告書を提出する場合、国外に居住する源泉控除対象配偶者又は扶養親族が申告者の親族に該当することを証する書類の提出又は提示が義務付けられていることから、できる限り納税義務者の負担を避ける観点から、(10)から(12)までの規定により提出すべき書類の提出が必要と見込まれる公的年金等受給者が、公的年金等支払者に個人住民税に係る扶養親族等申告書を提出する際に、所得税における書類の提出等と一連の手続として公的年金等支払者に提出する形で、公的年金等支払者を経由して当該書類(特定配偶者又は扶養親族が申告者の親族に該当することを証する書類に限る。)を提出することも妨げないこととしていること。
 ニ 公的年金等受給者は、(10)から(12)までの規定により提出すべき書類を公的年金等支払者を経由せずに市町村長に提出する場合においても、公的年金等受給者の扶養親族等申告書に記載すべき全ての特定配偶者又は扶養親族について、当該申告書に記載すること。
 ホ 公的年金等支払者が公的年金等支払報告書の所定の欄に転記するイ(イ)に掲げる事項については、国外扶養親族証明書類が公的年金等支払者に対して提出されていない控除対象外国外扶養親族も含めて転記すること。また、公的年金等支払者が公的年金等支払報告書の所定の欄に転記するイ(ロ)及び同(ハ)に掲げる事項については、(11)及び(12)の規定により提出すべき書類が公的年金等支払者に対して提出されていない特定配偶者又は退職手当等に係る所得を有する扶養親族についても転記すること。
 ヘ 公的年金等受給者の扶養親族等申告書に記載すべき特定配偶者又は扶養親族に該当するかどうかは、当該申告書を提出する日の現況により判定すること。この場合において、次に掲げる事項については、それぞれ次によること。
  (イ) その判定の要素となる所得金額申告書を提出する日の現況により見積もったその年の合計所得金額による。
  (ロ) その判定の要素となる年齢その年12月31日(申告書を提出するときまでに死亡した者については、その死亡の時)の現況による。
 ト 公的年金等支払者に提出された公的年金等受給者の扶養親族等申告書及び(10)から(12)までの規定により提出すべき書類は、その公的年金等支払者が保存するものとし、必要がある場合には市町村長に提出させるものであること。
 チ その他公的年金等受給者の扶養親族等申告書の取扱いについては、所得税の公的年金等の受給者の扶養親族等申

② 前年の申告書の記載事項と異動がない場合の申告
　①の規定による申告書を公的年金等支払者を経由して提出する場合において、当該申告書に記載すべき事項がその年の前年において当該公的年金等支払者を経由して提出した①の規定による申告書に記載した事項と異動がないときは、公的年金等受給者は、当該公的年金等支払者が所得税法第203条の6第2項に規定する国税庁長官の承認を受けている場合に限り、総務省令で定めるところにより、①の規定により記載すべき事項に代えて当該異動がない旨を記載した①の規定による申告書を提出することができる。（法317の3の3②）

③ 扶養親族申告書のみなす提出
　①の場合において、①の規定による申告書がその提出の際に経由すべき公的年金等支払者に受理されたときは、その申告書は、その受理された日に①に規定する市町村長に提出されたものとみなす。（法317の3の3③）

　　（みなす提出の場合の扶養親族等申告書の保管等）
　注　公的年金等支払者が公的年金等受給者から公的年金等受給者の扶養親族等申告書又は①の(13)の規定により提出された書類を受理した場合には、当該公的年金等受給者の扶養親族等申告書（④の規定の適用により当該公的年金等支払者が提供を受けた当該公的年金等受給者の扶養親族等申告書に記載すべき事項を含む。①の(9)において同じ。）又はこれらの書類を、①に規定する市町村長が当該公的年金等支払者に対しその提出を求めるまでの間、当該公的年金等支払者が保存するものとする。ただし、当該公的年金等受給者の扶養親族等申告書に係るこれらの規定に規定する提出期限の属する年の翌年1月10日の翌日から7年を経過する日後においては、この限りでない。（規2の3の5②）

④ 申告書記載事項の電磁的方法による提供
　公的年金等受給者は、①の規定による申告書の提出の際に経由すべき公的年金等支払者が電磁的方法による当該申告書に記載すべき事項の提供を適正に受けることができる措置を講じていることその他の(2)で定める要件を満たす場合には、(3)で定めるところにより、当該申告書の提出に代えて、当該公的年金等支払者に対し、当該申告書に記載すべき事項を電磁的方法により提供することができる。（法317の3の3④）

　　（申告書記載事項の電磁的方法による提供をする場合のみなす提出）
（1）④の規定の適用がある場合における③の規定の適用については、③中「申告書が」とあるのは「申告書に記載すべき事項を」と、「公的年金等支払者に受理されたとき」とあるのは「公的年金等支払者が提供を受けたとき」と、「受理された日」とあるのは「提供を受けた日」とする。（法317の3の3⑤）

　　（記載事項の提供を適正に受けることができる措置）
（2）④に規定する(2)で定める要件は、次に掲げる要件とする。（令48の9の7の3、8の2の2）
　（一）④に規定する公的年金等受給者（(二)において「公的年金等受給者」という。）が行う④に規定する電磁的方法による④に規定する申告書に記載すべき事項（以下(2)において「記載事項」という。）の提供を適正に受けることができる措置を講じていること。
　（二）④の規定により提供を受けた記載事項について、その提供をした公的年金等受給者を特定するための必要な措置を講じていること。
　（三）④の規定により提供を受けた記載事項について、電子計算機の映像面への表示及び書面への出力をするための必要な措置を講じていること。

　　（公的年金等受給者の扶養親族等申告書の電磁的方法による提供方法）
（3）④の規定による公的年金等受給者の扶養親族等申告書に記載すべき事項の電磁的方法による提供は、所得税法第203条の5第1項の規定による同項に規定する申告書に記載すべき事項の電磁的方法による提供と併せて行わなければならない。（規2の3の7）

6 給与支払報告書及び公的年金等支払報告書

① 給与支払報告書の提出義務

1月1日現在において給与の支払をする者（法人でない社団又は財団で代表者又は管理人の定めのあるものを含む。以下第一章において同じ。）で、当該給与の支払をする際所得税法第183条《給与所得の源泉徴収義務》の規定により所得税を徴収する義務があるものは、同月31日までに、総務省令で定めるところにより、当該給与の支払を受けている者についてその者に係る前年中の給与所得の金額その他必要な事項を当該給与の支払を受けている者の同月1日現在における住所所在の市町村別に作成された給与支払報告書に記載し、これを当該市町村の長に提出しなければならない。（法317の6①）

(注1) ①及び②の規定により提出するこれらに規定する給与支払報告書は、これらに規定する市町村の長の承認を受けた場合には、光ディスク、磁気テープ又は磁気ディスク（以下「光ディスク等」という。）をもって調製し、当該市町村の長に提出することができる。（規10②）

(注2) (注1)の承認を受けようとする者は、次に掲げる事項を記載した申請書を(注1)の市町村の長に提出しなければならない。（規10）
　（一）　その申請書を提出する者の氏名又は名称及び住所若しくは居所又は本店若しくは主たる事務所の所在地及び法人番号
　（二）　当該承認を受けようとする旨、光ディスク等により調製し、提出しようとする給与支払報告書の規格及び見込枚数
　（三）　その他参考となるべき事項

（給与所得者異動届出書の提出）

注　①の規定により給与支払報告書を提出する義務がある者は、①の規定により市町村長に提出した給与支払報告書に記載された給与の支払を受けている者のうち4月1日現在において給与の支払を受けなくなったものがある場合には、同月15日までに、総務省令で定めるところにより、その旨を記載した届出書を当該市町村長に提出しなければならない。（法317の6②）

② 年の中途の退職者についての給与支払報告書の提出義務

①に定めるもののほか、給与の支払をする者で給与の支払をする際所得税法第183条の規定により所得税を徴収する義務のあるものは、当該給与の支払を受けている者のうち給与の支払を受けなくなったものがある場合には、その給与の支払を受けなくなった日の属する年の翌年の1月31日までに、総務省令で定めるところにより、当該給与の支払を受けなくなった者についてその者に係る給与の支払を受けなくなった日の属する年の給与所得の金額その他必要な事項を当該給与の支払を受けなくなった者のその給与の支払を受けなくなった日現在における住所所在の市町村別に作成された給与支払報告書に記載し、これを当該市町村の長に提出しなければならない。ただし、その給与の支払を受けなくなった日の属する年に当該給与の支払をする者から支払を受けた給与の金額の総額が30万円以下である者については、この限りでない。（法317の6③）

(注)　②中の総務省令については、①の(注1)を参照。（編者）

③ 給与支払報告書等の様式

市町村民税について、次の表の左欄に掲げる申告書等の様式は、それぞれその右欄に定めるところによるものとする。（規10①）

申告書等の種類	様式
（一）　給与支払報告書	第17号様式
（二）　給与支払報告に係る給与所得者異動届出書（①の注の規定によって提出すべき届出書）	第18号様式
（三）　特別徴収に係る給与所得者異動届出書（第七節四の3の③《給与所得者異動届出書の提出義務》の規定によって提出すべき届出書）	

④ 公的年金等支払報告書の提出義務

1月1日現在において所得税法第35条第3項に規定する公的年金等〔1の①参照〕の支払をする者で、当該公的年金等の支払をする際所得税法第203条の2《源泉徴収義務》の規定により所得税を徴収する義務があるものは、同月31日までに、総務省令で定めるところにより、当該公的年金等の支払を受けている者についてその者に係る前年中の公的年金等の支払額その他必要な事項を当該公的年金等の支払を受けている者の同月1日現在における住所所在の市町村別に作成された公的年金等支払報告書に記載し、これを当該市町村の長に提出しなければならない。（法317の6④）

(注)　公的年金等支払報告書は、第17号の2様式による。（規10①）

⑤　給与支払報告書及び公的年金等支払報告書の電子的提出の義務

イ　給与支払報告書の電子的提出義務
　①又は②の規定により給与支払報告書を提出する義務がある者で、当該給与支払報告書の提出期限の属する年において所得税法第226条《源泉徴収票》第１項に規定する源泉徴収票について同法第228条の４《支払調書等の提出の特例》第１項の規定の適用を受けるものは、①又は②の規定にかかわらず、当該給与支払報告書に記載すべきものとされるこれらの規定に規定する事項（以下イ及びハにおいて「給与支払報告書記載事項」という。）を次に掲げる方法のいずれかにより①又は②に規定する市町村の長に提供しなければならない。（法317の６⑤、規10⑳）
（一）　総務省令で定めるところにより、地方税関係手続用電子情報処理組織（地方税法第762条第１号に規定する地方税関係手続用電子情報処理組織をいう。ロの（一）及び第七節四の２の⑤において同じ。）を使用し、かつ、地方税共同機構（以下「機構」という。）を経由して行う方法
（二）　当該給与支払報告書記載事項を総務省令で定めるところにより記録した光ディスク又は磁気ディスク（以下⑤において「光ディスク等」という。）を提出する方法

　　　（電子情報処理組織を使用して申告書を提出する方法）
（１）　イの（一）及びロの（一）に規定する方法により、ハに規定する記載事項（以下「記載事項」という。）を提供する場合には、機構の使用に係る電子計算機に備えられたファイルに記載事項を、イに規定する給与支払報告書記載事項の提供をする者又はロに規定する公的年金等支払報告書記載事項の提供をする者の使用に係る電子計算機から入力して行うものとする。（規10③）

　　　（電子情報処理組織を使用する方法）
（２）　（１）の規定により記載事項の提供を行う者は、当該記載事項に電子署名（当該提供を行う者が法人である場合であって、当該法人の代表者があらかじめ機構を通じて市町村の長に記載事項の提供の委任に関する届出を行った場合には、当該委任を受けた者（当該法人の役員及び職員に限る。）の電子署名を含む。以下（２）において同じ。）を行い、当該電子署名を行った者を確認するために必要な事項を証する電子証明書と併せてこれを送信しなければならない。（規10④）

　　　（電子情報処理組織を使用する送信）
（３）　（１）に規定する記載事項の提供は、情報通信の技術の利用における安全性及び信頼性を確保するために必要な基準として総務大臣が定める基準に従って行うものとする。（規10⑤）

　　　（記載事項の記録に関する技術基準）
（４）　イの（二）又はロの（二）の規定による記載事項の記録に関する技術基準については、総務大臣が定める。（規10⑲）

ロ　公的年金等支払報告書の電子的提出義務
　④の規定により公的年金等支払報告書を提出する義務がある者で、当該公的年金等支払報告書の提出期限の属する年において所得税法第226条第３項に規定する源泉徴収票について同法第228条の４第１項の規定の適用を受けるものは、④の規定にかかわらず、当該公的年金等支払報告書に記載すべきものとされる④に規定する事項（以下ロ及びハにおいて「公的年金等支払報告書記載事項」という。）を、第七節五の１の①に規定する老齢等年金給付の支払をする者にあっては次に掲げる方法のいずれかにより、それ以外の公的年金等の支払をする者にあっては（一）又は（二）に掲げる方法のいずれかにより、④に規定する市町村の長に提供しなければならない。（法317の６⑥）
（一）　総務省令で定めるところにより、地方税関係手続用電子情報処理組織を使用し、かつ、機構を経由して行う方法
（二）　当該公的年金等支払報告書記載事項を総務省令で定めるところにより記録した光ディスク等を提出する方法
（三）　（一）に掲げるもののほか、機構を経由して行う方法として総務省令で定める方法
　　（注）　ロの適用については、イの（１）から（４）までを参照。（編者）

ハ　記載事項の光ディスク等による提出
　①、②又は④の規定により給与支払報告書又は公的年金等支払報告書（以下ハ及びニにおいて「報告書」という。）を提出すべき者（イ又はロの規定の適用を受ける者を除く。）は、その者が提出すべき報告書の給与支払報告書記載事項又は公的年金等支払報告書記載事項（以下「記載事項」という。）を記録した光ディスク等の提出をもって当該報告書の提出に代

えることができる。（法317の6⑦）

二　申告書のみなす提出

イ又はロの規定により行われた記載事項の提供及びハの規定により行われた光ディスク等の提出については、①、②又は④の規定により報告書の提出が行われたものとみなして、第二編第一章第六節八の1の②《提出期限内に給与支払報告書又は公的年金等支払報告書が提出されなかった場合の申告》、この節1の②《提出期限内に給与支払報告書又は公的年金等支払報告書が提出されなかった場合の申告》、6の①から④まで、7の③《給与支払報告書等又は公的年金等支払報告書の提出義務違反に関する罪》及び第七節四の2の②の（1）《給与所得に係る特別徴収税額が通知日までに納税義務者に通知できなかった場合等》の規定を適用する。（法317の6⑧）

イ（（一）に係る部分に限る。）又はロ（（一）に係る部分に限る。）の規定により行われた記載事項の提供は、第762条第1号の機構の使用に係る電子計算機（入出力装置を含む。）に備えられたファイルへの記録がされた時にイ又はロに規定する市町村の長に到達したものとみなす。（法317の6⑨）

7　申告に関する罰則

①　虚偽の申告に関する罪

1の①から⑤まで《市町村民税の申告書》の規定により提出すべき申告書に虚偽の記載をして提出したとき、又は1の⑧《事務所等に関する申告》の規定により申告すべき事項について虚偽の申告をしたときは、その違反行為をした者は、1年以下の懲役又は50万円以下の罰金に処する。（法317の4①）

　　　（両罰規定）
（1）　法人の代表者（人格のない社団等の管理人を含む。）又は法人若しくは人の代理人、使用人その他の従業者がその法人又は人の業務又は財産に関して①の違反行為をした場合には、その行為者を罰するほか、その法人又は人に対し、①の罰金刑を科する。（法317の4②）

　　　（人格のない社団等に対する刑事訴訟法の準用）
（2）　人格のない社団等について（1）の規定の適用がある場合には、その代表者又は管理人がその訴訟行為につき当該人格のない社団等を代表するほか、法人を被告人又は被疑者とする場合の刑事訴訟に関する法律の規定を準用する。（法317の4③）

②　不申告に関する過料

市町村は、市町村民税の納税義務者が1の①《申告書の記載事項等》若しくは②《提出期限内に給与支払報告書又は公的年金等支払報告書が提出されなかった場合の申告》の規定により提出すべき申告書を正当な理由がなくて提出しなかった場合又は1の⑧《事務所等に関する申告》の規定により申告すべき事項について正当な理由がなくて申告をしなかった場合においては、その者に対し、当該市町村の条例で10万円以下の過料を科する旨の規定を設けることができる。（法317の5）

③　給与支払報告書等又は公的年金等支払報告書の提出義務違反に関する罪

6《給与支払報告書及び公的年金等支払報告書》の①、②、④の規定により提出すべき給与支払報告書、届出書若しくは公的年金等支払報告書を提出しなかったとき、又は虚偽の記載をした給与支払報告書、届出書若しくは公的年金等支払報告書を提出したときは、その違反行為をした者は、1年以下の懲役又は50万円以下の罰金に処する。（法317の7①）
　　（注）　給与支払報告書及び公的年金等支払報告書の電子的提出の場合の申告書のみなす提出については、6の⑤のニを参照。（編者）

　　　（両罰規定）
（1）　法人の代表者又は法人若しくは人の代理人、使用人その他の従業者がその法人又は人の業務に関して③の違反行為をした場合には、その行為者を罰するほか、その法人又は人に対し、③の罰金刑を科する。（法317の7②）

　　　（人格のない社団等に対する刑事訴訟法の準用）
（2）　法人でない社団又は財団で代表者又は管理人の定めのあるものについて（1）の規定の適用がある場合には、その代表者又は管理人がその訴訟行為につき当該法人でない社団又は財団で代表者又は管理人の定めのあるものを代表す

第七節　賦課及び徴収

るほか、法人を被告人又は被疑者とする場合の刑事訴訟に関する法律の規定を準用する。（法317の7③）

一　賦課期日

個人の市町村民税の賦課期日は、当該年度の初日の属する年の1月1日とする。（法318）

　　（賦課期日の認定）
　注　市町村民税（分離課税に係る所得割を除く。）の賦課期日は1月1日とされているので納税義務の有無に関する事実の認定は、同日の現況においてこれを行うものであること。（市通2-32）

二　徴収の方法

個人の市町村民税の徴収については、四の1《給与所得者に対する特別徴収》、五の1《公的年金等に係る所得に係る特別徴収》の①若しくは②、同7《年金所得に係る仮特別徴収税額等》又は第十節4《分離課税に係る所得割の徴収》の規定によって特別徴収の方法による場合を除くほか、普通徴収の方法によらなければならない。（法319①）

　　（賦課徴収に関する道府県民税との関係）
　注　市町村は、個人の市町村民税を賦課し、及び徴収する場合においては、当該個人の道府県民税を併せて賦課し、及び徴収するものとする。（法319②）

三　普通徴収

1　普通徴収の手続

個人の市町村民税を普通徴収の方法によって徴収しようとする場合において納税者に交付する納税通知書には、所得割額及び均等割額の合算額から四の2の①《給与所得に係る特別徴収義務者の指定及び特別徴収税額の通知》の給与所得に係る特別徴収税額（二以上の特別徴収義務者に徴収させている場合においては、その合計額とする。（1）において同じ。）並びに五の3の①《年金保険者の特別徴収義務》の年金所得者に係る特別徴収税額及び同7《年金所得に係る仮特別徴収税額等》の年金所得に係る仮特別徴収税額の合算額を控除した額並びにこれらの算定の基礎を記載しなければならない。（法319の2①）

　　（特別徴収の方法によらないこととなった場合の納税通知書への記載事項）
（1）　1の納税通知書のうち、特別徴収の方法によって徴収される個人の市町村民税がある納税者に係るものには、当該納税者が当該年度の中途において給与又は五の3の②に規定する特別徴収対象年金給付の支払を受けなくなったこと等により個人の市町村民税を特別徴収の方法によって徴収されないこととなった場合においては、四の2の①の給与所得に係る特別徴収税額並びに五の3の①の年金所得に係る特別徴収税額及び同7の年金所得に係る仮特別徴収税額のうちその特別徴収の方法によって徴収されないこととなった額は普通徴収の方法によって徴収されるものであることを併せて記載しなければならない。（法319の2②）

　　（納税通知書の交付）
（2）　1の納税通知書は、遅くとも、納期限前10日までに納税者に交付しなければならない。（法319の2③）

2　納期

普通徴収の方法によって徴収する個人の市町村民税の納期は、6月、8月、10月及び1月中（当該個人の市町村民税額が均等割額に相当する金額以下である場合にあっては、6月中）において、当該市町村の条例で定める。ただし、特別の事情がある場合においては、これと異なる納期を定めることができる。（法320）

3 納期前の納付

① 納期前納付

　個人の市町村民税の納税者は、納税通知書に記載された納付額のうち到来した納期に係る納付額に相当する金額の税金を納付しようとする場合においては、当該納期後の納期に係る納付額に相当する金額の税金を併せて納付することができる。（法321①）

② 納期前納付に係る報奨金

　①の規定によって個人の市町村民税の納税者が当該納期の後の納期に係る納付額に相当する金額の税金を納付した場合においては、市町村は、当該市町村の条例で定める金額の報奨金をその納税者に交付することができる。ただし、当該納税者の未納に係る地方団体の徴収金がある場合においては、この限りでない。（法321②）

③ 報奨金の額

　②の報奨金の額は、①の規定によって納期前に納付した税額の100分の1に、納期前に係る月数（1月未満の端数がある場合においては、14日以下は切り捨て、15日以上は1月とする。）を乗じて得た額を超えることができない。（法321③）

4 賦課税額の変更・決定及び延滞金の徴収

① 賦課額の変更又は決定

　市町村長は、普通徴収の方法によって徴収する個人の市町村民税について所得税の納税義務者が提出した修正申告書又は国の税務官署がした所得税の更正若しくは決定に関する書類を第九節3《所得税に関する書類の供覧》の規定により閲覧し、その賦課した税額を変更し、又は賦課する必要を認めた場合には、既に第四節四の1の(一)《所得金額が過少の場合の自主調査決定》ただし書若しくは同(二)《政府の決定がない場合の自主調査決定》又は同2《所得の計算が著しく適正を欠く場合の自主調査決定》の規定を適用して個人の市町村民税を賦課していた場合を除くほか、直ちに変更による不足税額又は賦課されるべきであった税額のうちその決定があった日までの納期に係る分（以下4において「**不足税額**」という。）を追徴しなければならない。（法321の2①）

② 延滞金の徴収

　①の場合においては、市町村の徴税吏員は、不足税額をその決定があった日までの納期の数で除して得た額に2《納期》の各納期限（納期限の延長があったときは、その延長された納期限とする。③及び④において同じ。）の翌日から納付の日までの期間の日数に応じ、年14.6パーセント（当該不足税額に係る納税通知書において納付すべきこととされる日までの期間又はその日の翌日から1月を経過する日までの期間については、年7.3パーセント）の割合を乗じて計算した金額に相当する延滞金額を加算して徴収しなければならない。（法321の2②）

　　（注）②に規定する延滞金の年7.3パーセントの割合については、特例規定が設けられているので、第一編第十章12の①《延滞金の割合の特例》を参照。（編者）

③ 延滞金の計算期間から控除される期間

　所得税の納税義務者が修正申告書（偽りその他不正の行為により所得税を免れ、又は所得税の還付を受けた所得税の納税義務者が、当該所得税についての調査があったことにより当該所得税について更正があるべきことを予知して提出した当該申告書及び所得税の納税義務者が所得税の決定を受けた後に提出した当該申告書（④において「特定修正申告書」という。）を除く。）を提出し、又は国の税務官署が所得税の更正（偽りその他不正の行為により所得税を免れ、又は所得税の還付を受けた所得税の納税義務者についてされた当該所得税に係る更正及び所得税の決定があった後にされた当該所得税に係る更正（以下「特定更正」という。）を除く。）をしたことに基因して、2《納期》の各納期限から1年を経過する日後に①の規定によりその賦課した税額を変更し、又は賦課した場合には、当該1年を経過する日の翌日から①に規定する不足税額に係る納税通知書が発せられた日までの期間は、②に規定する期間から控除する。（法321の2③）

　　（所得税の決定に基づく不足税額に対する延滞金計算期間の適用除外）

　注　市町村民税の所得割の延滞金の計算に当たってその計算の基礎となる期間から一定の期間を控除する規定は、所得税において修正申告書が提出され、又は更正があったことに基因して①の規定によりその賦課した税額を変更し又は賦課した場合における①の不足税額に対する延滞金の計算について適用されるものであり、所得税において決定（決

定があった後にされた修正申告書の提出又は更正を含む。）があったことに基因して徴収される①の不足税額に対する延滞金の計算については適用されないものであること。（市通2－34）

④ 修正申告書の提出又は増額更正及び減額更正により延滞金の計算期間から控除される期間
　②の場合において、所得税の納税義務者が修正申告書を提出し、又は国の税務官署が所得税の更正（納付すべき税額を増加させるものに限り、これに類するものとして（1）で定める更正を含む。以下「増額更正」という。）をしたとき（国の税務官署が所得税の更正（納付すべき税額を減少させるものに限り、これに類するものとして（2）で定める更正を含む。以下「減額更正」という。）をしたことに基因して、①の規定によりその賦課した税額が減少した後に、その賦課した税額が増加したときに限る。）は、その追徴すべき不足税額（当該減額更正前に賦課した税額から当該減額更正に基因して変更した税額を控除した金額（還付金の額に相当する税額を含む。）に達するまでの部分として（3）で定める税額に限る。以下同じ。）については、次に掲げる期間（特定修正申告書の提出又は特定更正に基因して変更した不足税額その他の（4）で定める市町村民税にあっては、（一）に掲げる期間に限る。）を延滞金の計算の基礎となる期間から控除する。（法321の2④）
（一）　2の各納期限の翌日から当該減額更正に基因して変更した税額に係る納税通知書が発せられた日までの期間
（二）　当該減額更正に基因して変更した税額に係る納税通知書が発せられた日（当該減額更正が更正の請求に基づくものである場合には、同日の翌日から起算して1年を経過する日）の翌日から増額更正に基因して変更した税額に係る納税通知書が発せられた日までの期間

　　（納付すべき税額を増加させる更正に類するもの）
（1）　④に規定する納付すべき税額を増加させる更正に類するものとして（1）で定める更正は、還付金の額を減少させる更正又は納付すべき税額があるものとする更正とする。（令48の9の9①）

　　（税額を減少させる更正に類するもの）
（2）　④に規定する納付すべき税額を減少させる更正に類するものとして（2）で定める更正は、賦課決定（既に賦課していた税額を変更するものを除く。以下「当初賦課決定」という。）に係る還付金の額を増加させる更正又は当初賦課決定に係る還付金の額がない場合において還付金の額があるものとする更正とする。（令48の9の9②）

　　（減額更正前に賦課した税額から当該減額更正に基因して変更した税額を控除した金額に達するまでの部分）
（3）　④に規定する減額更正前に賦課した税額から当該減額更正に基因して変更した税額を控除した金額に達するまでの部分として（3）で定める税額は、次の（一）から（三）に掲げる場合の区分に応じ、当該各号に定める税額に相当する金額とする。（令48の9の9③）
（一）　④に規定する減額更正（以下「減額更正」という。）前に賦課した税額がある場合　次に掲げる税額のうちいずれか少ない税額
　イ　④に規定する増額更正（以下「増額更正」という。）に基因して変更した税額から当該増額更正前に賦課した税額を控除した税額
　ロ　減額更正前に賦課した税額から増額更正前に賦課した税額を控除した金額（増額更正前の還付金の額に相当する税額があるときは、当該減額更正前に賦課した税額に当該還付金の額に相当する税額を加算した税額）
（二）　減額更正前に賦課した税額がない場合（（三）に掲げる場合を除く。）　次に掲げる税額のうちいずれか少ない税額
　イ　増額更正前の還付金の額に相当する税額から当該増額更正に基因して変更した還付金の額に相当する税額を控除した税額
　ロ　増額更正前の還付金の額に相当する税額
（三）　減額更正前の還付金の額がある場合　次に掲げる税額のうちいずれか少ない税額
　イ　増額更正前の還付金の額に相当する税額から増額更正に基因して変更した還付金の額に相当する税額を控除した税額
　ロ　増額更正前の還付金の額に相当する税額から減額更正前の還付金の額に相当する税額を控除した税額

　　（④に規定する政令で定める市町村民税）
（4）　④に規定する政令で定める市町村民税は、次に掲げる市町村民税とする。（令48の9の9④）
（一）　③に規定する特定修正申告書の提出又は同項に規定する特定更正に基因して変更した不足税額に相当する市町村民税

（二） 減額更正が更正の請求に基づくものである場合において、当該減額更正に基因して変更した税額に係る納税通知書が発せられた日の翌日から起算して1年を経過する日までに増額更正に基因して変更した税額に係る納税通知書が発せられたときの④に規定する追徴すべき不足税額に相当する市町村民税（（一）に掲げる市町村民税を除く。）

⑤ 延滞金の減免
　市町村長は、納税者が①の規定により不足税額を追徴されたことについてやむを得ない事由があると認める場合には、②の延滞金額を減免することができる。（法321の2④）

四　給与所得に係る特別徴収

1　給与所得者に対する特別徴収

① 特別徴収の方法
　市町村は、納税義務者が前年中において給与の支払を受けた者であり、かつ、当該年度の初日において給与の支払を受けている者（支給期間が1月を超える期間により定められている給与のみの支払を受けていることその他これに類する理由があることにより、特別徴収の方法によって徴収することが著しく困難であると認められる者を除く。以下1及び2において「**給与所得者**」という。）である場合においては、当該納税義務者に対して課する個人の市町村民税のうち当該納税義務者の前年中の給与所得に係る所得割額及び均等割額の合算額は、特別徴収の方法によって徴収するものとする。ただし、当該市町村内に給与所得者が少ないことその他特別の事情により特別徴収を行うことが適当でないと認められる市町村においては、特別徴収の方法によらないことができる。（法321の3①）

　　　（特別徴収を行う者の範囲）
　注　市町村は、給与所得者については、当該市町村内に給与所得者の数が少ないこと、給与の支払をする者ごとに給与所得者の数が少ないこと等の特別の事情があるため特別徴収によることが不適当であると認められる場合を除いては、特別徴収の方法によって徴収しなければならないものであること。この場合においては、次に掲げる給与所得者で特別徴収の方法によって徴収することが著しく困難であると認められるものを除いては、その市町村内のすべての給与所得者について、特別徴収の方法によって徴収しなければならないものであること。（市通2－37）
　　（一）　給与所得者のうち支給期間が1月を超える期間によって定められている給与のみの支払を受けている者
　　（二）　外国航路を航行する船舶の乗組員で1月を超える期間以上乗船することとなるため慣行として不定期にその給与の支払を受けている者

② 給与所得者の給与所得以外の所得に係る特別徴収
　①の給与所得者について、当該給与所得者の前年中の所得に給与所得以外の所得がある場合においては、市町村は、当該市町村の条例の定めるところによって、当該給与所得以外の所得に係る所得割額を①本文の規定によって特別徴収の方法によって徴収すべき給与所得に係る所得割額及び均等割額の合算額に加算して特別徴収の方法によって徴収することができる。ただし、第六節1の①《申告書の記載事項等》の申告書に給与所得以外の所得に係る所得割額を普通徴収の方法によって徴収されたい旨の記載があるときは、この限りでない。（法321の3②）

　　　（老齢等年金給付の支払を受けている年齢65歳以上の者に対する規定の適用）
　注　①の給与所得者が前年中において公的年金等の支払を受けた者であり、かつ、当該年度の初日において五の1の①《特別徴収対象年金所得者に対する特別徴収の方法》に規定する老齢等年金給付の支払を受けている年齢65歳以上の者である場合における②及び③の規定の適用については、これらの規定中「給与所得以外」とあるのは、「給与所得及び公的年金等に係る所得以外」とする。（法321の3④）

③ 給与所得以外の所得に係る徴収方法の変更の申出
　②の本文の規定によって給与所得者の給与所得以外の所得に係る所得割額を特別徴収の方法によって徴収することとなった後において、当該給与所得者について給与所得以外の所得に係る所得割額の全部又は一部を特別徴収の方法によって徴収することが適当でないと認められる特別の事情が生じたため当該給与所得者から給与所得以外の所得に係る所得割額の全部又は一部を普通徴収の方法により徴収することとされたい旨の申出があった場合でその事情がやむを得ないと認められるときは、市町村は、当該特別徴収の方法によって徴収すべき給与所得以外の所得に係る所得割額でまだ特別徴収に

より徴収していない額の全部又は一部を普通徴収の方法により徴収するものとする。(法321の3③)

2 給与所得に係る特別徴収義務者の指定等

① 給与所得に係る特別徴収義務者の指定及び給与所得に係る特別徴収税額の通知

　市町村は、1の規定により特別徴収の方法によって個人の市町村民税を徴収しようとする場合には、当該年度の初日において1の納税義務者に対して給与の支払をする者（他の市町村内において給与の支払をする者を含む。）のうち所得税法第183条《給与所得に係る源泉徴収義務》の規定により給与の支払をする際所得税を徴収して納付する義務がある者を当該市町村の条例により特別徴収義務者として指定し、これに徴収させなければならない。この場合においては、当該市町村の長は、同①本文の規定により特別徴収の方法によって徴収すべき給与所得に係る所得割額及び均等割額の合算額又はこれに同②本文の規定により特別徴収の方法によって徴収することとなる給与所得以外の所得に係る所得割額（1の②の注に規定する場合には、同注の規定により読み替えて適用される同②本文の規定により特別徴収の方法によって徴収することとなる給与所得及び公的年金等に係る所得以外の所得に係る所得割額）を合算した額（以下この章において「給与所得に係る特別徴収税額」という。）を特別徴収の方法によって徴収する旨（⑤において「通知事項」という。）を当該特別徴収義務者及びこれを経由して当該納税義務者に通知しなければならない。(法321の4①)

　　　（市町村民税及び道府県民税の額の合算額による特別徴収）
　注　特別徴収を行う場合においては、前年中の給与所得に係る個人の市町村民税、個人の道府県民税及び森林環境税の額の合算額について行うものとすること。(市通2-38)

② 納税義務者に対する通知

　市町村長が①後段の規定により特別徴収義務者及び特別徴収義務者を経由して納税義務者に対してする通知は、当該年度の初日の属する年の5月31日までにしなければならない。(法321の4②)

　　　（通知日までに納税義務者に通知できなかった場合等）
　(1)　第六節6の①《給与支払報告書の提出義務》の規定により提出すべき給与支払報告書が同①の提出期限までに提出されなかったことその他やむを得ない事由があることにより、市町村長が②に規定する期日までに①後段の規定による通知をすることができなかった場合には、当該期日後において当該通知をすることを妨げない。ただし、3の①《特別徴収税額の徴収・納入義務》の規定により当該通知のあった日の属する月の翌月から翌年5月までの間において給与所得に係る特別徴収税額を徴収することが不適当であると認められる場合は、この限りでない。(法321の4③)
　　　(注)　給与支払報告書の電子的提出の場合の申告書のみなす提出については、第六節6の⑤のニを参照。（編者）

　　　（特別徴収に関する留意事項）
　(2)　市町村は、5月31日までに特別徴収義務者を指定するとともに、その者が徴収すべき納税義務者別、かつ、個人の市町村民税、個人の道府県民税及び森林環境税別の特別徴収税額を通知しなければならないものであるが、給与支払報告書が提出期限までに提出されなかったこと、法令の改廃により課税標準の算定に関する事務が遅延することその他これらに類するやむを得ない理由がある場合においては5月31日後においても通知することを妨げないものであること。なお、毎月別の特別徴収税額については、個人の市町村民税、個人の道府県民税及び森林環境税額を区分することなく、その合算額によって算定すべきものであること。この場合において他の市町村内に特別徴収義務者を指定しようとするときは、当該他の市町村内に所在する銀行その他の金融機関のうち適当と認められるものを指定して、これに払い込むべき旨を通知しなければならないものであるが、特別徴収義務者が直接市町村に送金することは、もとより差し支えないものであること。(市通2-39)

③ 給与の支払をする者が二以上ある場合

　①の場合において、同一の納税義務者に対して給与の支払をする者が二以上あるときは、市町村は、当該市町村の条例によりこれらの支払をする者の全部又は一部を特別徴収義務者として指定しなければならない。この場合において、特別徴収義務者として二以上の者を指定したときは、給与所得に係る特別徴収税額をこれらの者が当該年度中にそれぞれ支払うべき給与の額に按分して、これを徴収させることができる。(法321の4④)

(二以上の特別徴収義務者を指定する場合の留意事項)
注　一の納税者について二以上の特別徴収義務者を指定して行わせる特別徴収は、納税者の申出があった場合その他必要がある場合に限るものとし、なるべく徴収事務の混乱をきたさないように留意することが必要であること。なお、この場合において特別徴収税額のあん分の基準となる「当該年度中に支払うべき給与の額」とは、当該年中に支払われることが予想される額であって必ずしも厳密な計算に基づく必要はないこと。(市通2－41)

④　給与所得者が異動した場合の給与所得に係る特別徴収義務者の指定
　納税義務者である給与所得者に対し給与の支払をする者に当該年度の初日の翌日から翌年の4月30日までの間において異動を生じた場合において、当該給与所得者が当該給与所得者に対して新たに給与の支払をする者となった者（所得税法第183条《給与所得に係る源泉徴収義務》の規定により給与の支払をする際所得税を徴収して納付する義務がある者に限る。以下④において同じ。）を通じて、当該異動により従前の給与の支払をする者から給与の支払を受けなくなった日の属する月の翌月の10日（その支払を受けなくなった日が翌年の4月中である場合には、同月30日）までに、1の①《特別徴収の方法》の本文の規定により特別徴収の方法によって徴収されるべき前年中の給与所得に係る所得割額及び均等割額の合算額（既に特別徴収の方法によって徴収された金額があるときは、当該金額を控除した金額）を特別徴収の方法によって徴収されたい旨の申出をしたときは、市町村は、当該給与所得者に対して新たに給与の支払をする者となった者を当該市町村の条例により特別徴収義務者として指定し、これに徴収させるものとする。ただし、当該申出が翌年の4月中にあった場合において、当該給与所得者に対して新たに給与の支払をする者となった者を特別徴収義務者として指定し、これに徴収させることが困難であると市町村長が認めるときは、この限りでない。(法321の4⑤)
　　(注)　①後段の規定は、④本文の場合について準用する。(法321の4⑥)

⑤　電子情報処理組織を使用して特別徴収義務者に通知事項を提供できる場合
　市町村長は、①又は④の規定により指定した特別徴収義務者（第六節の6の①に規定する給与支払報告書に記載すべきものとされる事項を同6の⑤のイ（(一)に係る部分に限る。）の規定により提供した者又は同6の①の規定による給与支払報告書の提出を第一編第十一章《地方税関係手続用電子情報処理組織による地方税関係申告等の特例等》一の規定により行った者に限る。以下「特定特別徴収義務者」という。）が、①の後段（④の(注)において準用する場合を含む。以下⑤、(3)及び(5)において同じ。）の規定により当該特定特別徴収義務者に通知すべき通知事項について、電磁的方法により提供を受けることを希望する旨の申出をした場合には、①の後段の規定による当該特定特別徴収義務者に対する通知に代えて、当該通知事項を、(1)で定めるところにより、地方税関係手続用電子情報処理組織を使用し、かつ、機構を経由して行う方法により当該特定特別徴収義務者に提供しなければならない。(法321の4⑦)

　　(⑤に規定する総務省令で定める方法)
(1)　⑤（5の(1)において準用する場合を含む。以下同じ。）に規定する(1)で定める方法は、情報通信の技術の利用における安全性及び信頼性を確保するために必要な基準として総務大臣が定める基準（(4)において「特別徴収税額通知安全性基準」という。）に従い、地方税共同機構（以下「機構」という。）の使用に係る電子計算機（入出力装置を含む。以下同じ。）に備えられた受信者ファイル（専ら⑤に規定する特定特別徴収義務者の使用の用に供せられるファイルをいう。）に通知事項（①に規定する通知事項をいう。(6)の(一)において同じ。）に係る情報（以下「通知情報」という。）を、当該市町村長の使用に係る電子計算機から入力して行う方法をいう。(規9の22①)

　　(総務省令で定める方法により通知情報の提供を行う場合)
(2)　(1)に規定する方法により通知情報の提供を行う場合には、市町村長は、当該通知情報に電子署名（第一編第十一章一の(9)の(一)に規定する電子署名をいう。以下同じ。）を行い、当該電子署名を行った者を確認するために必要な事項を証する電子証明書（第一編第十一章一の(7)の(二)に規定する電子証明書をいう。以下同じ。）を併せてこれを送信しなければならない。(規9の22②)

　　(電磁的方法による通知事項の提供)
(3)　市町村長は、特定特別徴収義務者（①の後段の規定により当該特定特別徴収義務者を経由して納税義務者に通知すべき通知事項を、電磁的方法により当該納税義務者に提供する体制が整備されている者に限る。）が、当該通知事項について、電磁的方法により送信を受けることを希望する旨の申出をした場合には、①の後段の規定による当該納税義務者に対する通知に代えて、当該通知事項を、(4)で定めるところにより、地方税関係手続用電子情報処理組織を使用し、かつ、機構を経由して行う方法により当該特定特別徴収義務者に送信し、これを経由して当該納税義務者に

　　　　　((3)に規定する総務省令で定める方法)
（4）（3）（5の（1）において準用する場合を含む。）に規定する（4）で定める方法は、市町村長が、特別徴収税額通知安全性基準に従い、機構の使用に係る電子計算機に備えられた受信者ファイル（専ら（3）に規定する特定特別徴収義務者（（6）において「特定特別徴収義務者」という。）の使用の用に供せられるファイルをいう。）に通知情報を、当該市町村長の使用に係る電子計算機から入力し、及び機構が、当該通知情報を加工し、これに電子署名を行い、当該電子署名を行った者を確認するために必要な事項を証する電子証明書を併せてこれを送信して行う方法をいう。（規9の22③）

　　　　　(通知事項の電磁的方法による納税義務者への提供)
（5）（3）の場合において、（3）の通知事項の送信を受けた特定特別徴収義務者は、当該通知事項を電磁的方法（これにより難いと認められる納税義務者に対しては、（6）で定める方法）により納税義務者に提供するものとする。（法321の4⑨）

　　　　　((5)に規定する総務省令で定める方法)
（6）（5）（5の（1）において準用する場合を含む。）に規定する（6）で定める方法は、次の各号に掲げるいずれかの方法をいう。（規9の22③）
　(一)　特定特別徴収義務者が、当該通知事項の提供を受けるべき納税義務者に係る通知事項を印刷したものを交付して行う方法
　(二)　特定特別徴収義務者が、当該通知情報の提供を受けるべき納税義務者に係る通知情報を記録した電磁的記録媒体（法第762条第1号ロに規定する電磁的記録に係る記録媒体をいう。）を交付して行う方法

　　　　　(みなし規定)
（7）⑤又は（3）の規定により行われた通知事項の提供については、①後段の規定による通知があったものとみなして、3の①及び5の（1）の規定を適用する。（法321の4⑩）

　　　　　(到達規定)
（8）⑤の規定により行われた通知事項の提供及び（3）の規定により行われた通知事項の送信は、地方税法第762条第1号の機構の使用に係る電子計算機に備えられたファイルへの記録がされた上で、⑤又は（3）に規定する市町村長が（9）で定める方法により通知した当該記録に関する事項がこれらの規定に規定する特定特別徴収義務者に到達した時に当該特定特別徴収義務者に到達したものとみなす。（法321の4⑪）

　　　　　((8)に規定する総務省令で定める方法)
（9）（8）（5の（1）において準用する場合を含む。）に規定する（9）で定める方法は、市町村長が、通知情報を受信者ファイル（専ら⑤又は（3）に規定する特定特別徴収義務者（以下「特定特別徴収義務者」という。）の使用の用に供せられるファイルをいう。）に記録した旨を特定特別徴収義務者に対し、電子メール（特定電子メールの送信の適正化等に関する法律第2条第1号に規定する電子メールをいう。）により送信する方法をいう。（規9の22⑤）

3　給与所得に係る特別徴収税額の納入義務等

①　給与所得に係る特別徴収税額の徴収・納入義務
　2《特別徴収義務者の指定等》の特別徴収義務者は、2の②《納税義務者に対する通知》に規定する期日までに2の①の後段（2の④の（注）において準用する場合を含む。）の規定による通知を受け取った場合にあっては当該通知に係る給与所得に係る特別徴収税額の12分の1の額を6月から翌年5月まで、当該期日後に当該通知を受取った場合にあっては当該通知に係る給与所得に係る特別徴収税額を当該通知のあった日の属する月の翌月から翌年5月までの間の月数で除して得た額を当該通知のあった日の属する月の翌月から翌年5月まで、それぞれ給与の支払をする際毎月徴収し、その徴収した月の翌月の10日までに、これを当該市町村に納入する義務を負う。ただし、当該通知に係る給与所得に係る特別徴収税額が均等割額に相当する金額以下である場合には、当該通知に係る給与所得に係る特別徴収税額を最初に徴収すべき月に給与の支払をする際その全額を徴収し、その徴収した月の翌月の10日までに、これを当該市町村に納入しなければならない。

(法321の5①)

  （特別徴収に係る納入）
 注 給与所得に係る個人の道府県民税、個人の市町村民税及び森林環境税の特別徴収義務者が当該特別徴収に係る納入金を市町村に納入する場合（第一編第十一章三の（1）に規定する方法により納入する場合を除く。）には、当該納入金に第5号の15様式による納入書（当該様式によることができないやむを得ない事情があると認める場合において、総務大臣が別の様式を定めたときは、当該様式による納入書）（当該書類に記載すべき事項を記録した電磁的記録を含む。）を添えて納入するものとする。（規2の6）
  （注） 総務大臣が別に定める様式は、昭和60年4月5日自治省告示第88号に定められている。（編者）

②　退職等に伴う給与所得に係る特別徴収税額の一括徴収

 ①の特別徴収義務者は、2《特別徴収義務者の指定等》の規定によりその者が徴収すべき給与所得に係る特別徴収税額に係る個人の市町村民税の納税義務者が当該特別徴収義務者から給与の支払を受けないこととなった場合には、その事由が発生した日の属する月の翌月以降の月割額（①の規定により特別徴収義務者が給与の支払をする際毎月徴収すべき額をいう。以下②、③及び5の（2）《特別徴収税額変更通知を受取った月以後に徴収すべき月割額》において同じ。）は、これを徴収して納入する義務を負わない。ただし、その事由が当該年度の初日の属する年の6月1日から12月31日までの間において発生し、かつ、総務省令で定めるところによりその事由が発生した日の属する月の翌月以降の月割額を特別徴収の方法によって徴収されたい旨の納税義務者からの申出があった場合及びその事由がその年の翌年の1月1日から4月30日までの間において発生した場合には、当該納税義務者に対してその年の5月31日までの間に支払われるべき給与又は退職手当等で当該月割額の全額に相当する金額を超えるものがあるときに限り、その者に支払われるべき給与又は退職手当等の支払をする際、当該月割額の全額（同日までに当該給与又は退職手当等の全部又は一部の支払がされないこととなったときにあっては、同日までに支払われた当該給与又は退職手当等の額から徴収することができる額）を徴収し、その徴収した月の翌月10日までに、これを当該市町村に納入しなければならない。（法321の5②）

  （特別徴収の申出期限）
（1） ②ただし書の規定による納税義務者からの申出は、給与の支払を受けないこととなった日の属する月の末日までにするものとする。（規9の23①）

  （給与所得に係る特別徴収税額の申出）
（2） ②ただし書の規定により給与の支払を受けないこととなった日の属する月の翌月以降の月割額の全額を徴収されることとなる納税義務者は、当該給与の支払を受けないこととなった日の属する月の末日までに、②ただし書に規定する当該年度の初日の属する年の翌年の5月31日までに支払を受けるべき給与又は退職手当等の額からそれぞれ徴収されるべき給与所得に係る特別徴収税額について申出ることができる。（規9の23②）

  （退職手当等から徴収すべき給与所得に係る特別徴収税額）
（3） ②ただし書に規定する当該年度の初日の属する年の翌年の5月31日までに支払を受けるべき給与又は退職手当等の額からそれぞれ徴収すべき給与所得に係る特別徴収税額は、（2）の申出があったときはその申出に係る額とし、その申出がないときは②ただし書の規定により徴収すべき給与所得に係る特別徴収税額を当該給与又は退職手当等の合計額と当該給与又は退職手当等のそれぞれの額との割合によってあん分した額とする。（規9の23③）

③　給与所得者異動届出書の提出義務

 ②の場合においては、特別徴収義務者は、総務省令で定めるところにより、給与の支払を受けないこととなった納税義務者の氏名、その者に係る給与所得に係る特別徴収税額のうち既に徴収した月割額の合計額その他必要な事項を記載した届出書を当該特別徴収に係る納入金を納入すべき市町村の長に提出しなければならない。（法321の5③）

  （給与所得者異動届出書の提出期限）
 注 ③に規定する届出書は、②の事由が発生した日の属する月の翌月の10日までに提出しなければならない。ただし、当該事由が4月2日から5月31日までの間に生じた場合における当該事由が生じた者に係る市町村民税を当該年度から新たに特別徴収の方法によって徴収すべき市町村の長に対する当該届出書の提出は、2の①《特別徴収義務者の指定及び特別徴収税額の通知》の後段の規定による通知のあった日の属する月の翌月の10日までとする。（規9の24）

④　納入金のみなす納入

(一)	他の市町村内における給与支払者が特別徴収義務者として指定された場合	2《特別徴収義務者の指定等》の規定により、他の市町村内において給与の支払をする者が特別徴収義務者として指定された場合には、当該特別徴収義務者は、その納入すべき納入金を当該他の市町村内に所在する銀行その他の金融機関で当該市町村が指定して当該特別徴収義務者に通知したものに払い込むものとする。この場合においては、当該特別徴収義務者が当該通知に係る金融機関に払い込んだ時に、当該市町村にその納入金の納入があったものとみなす。(法321の5④)
(二)	市町村の指定した特別徴収義務者が国の機関である場合	市町村の指定した特別徴収義務者が国の機関である場合における第八節1《延滞金の徴収》の規定の適用については、当該特別徴収義務者が給与所得に係る特別徴収税額に係る納入金に相当する金額の資金を日本銀行に交付して納入金の払込みをした時において当該市町村に納入金の納入があったものとみなす。(法321の5⑤)

　　（他の市町村の金融機関の指定）
　注　市町村が他の市町村内の金融機関を指定した場合においては特別徴収義務者をして当該金融機関に納入書をもって納入させることが必要であること。納入金は以後当該市町村の公金として取り扱われるものであること。(市通2-40)

4　給与所得に係る特別徴収税額の納期の特例

①　給与所得に係る特別徴収税額の納期の特例
　　2《特別徴収義務者の指定等》の特別徴収義務者は、その事務所、事業所その他これらに準ずるもので給与の支払事務を取扱うもの（給与の支払を受ける者が常時10人未満であるものに限る。以下4において「**事務所等**」という。）につき、当該特別徴収に係る納入金を納入すべき市町村の長の承認を受けた場合には、6月から11月まで及び12月から翌年5月までの各期間（当該各期間のうちその承認を受けた日の属する期間については、その日の属する月から当該期間の最終月までの期間）に当該事務所等において支払った給与について3の①《特別徴収税額の徴収・納入義務》の規定により徴収した給与所得に係る特別徴収税額を、同①の規定にかかわらず、当該各期間に属する最終月の翌月10日までに当該市町村に納入することができる。同②《退職等に伴う特別徴収税額の一括徴収》のただし書の規定により徴収した給与所得に係る特別徴収税額についても、同様とする。(法321の5の2①)

　　　（常時10人未満の判定）
（1）　①の場合において、「常時10人未満」とは、常には10人に満たないということであり、多忙な時期等において臨時に雇入れた者があるような場合には、その人数を除いた人数が10人未満であればこれに該当するものであること。(市通2-42要旨)

　　　（納期の特例の要件を欠いた場合の届出）
（2）　①の承認を受けた者は、その承認に係る事務所等において給与の支払を受ける者が常時10人未満でなくなった場合には、遅滞なく、その旨その他次に掲げる事項を記載した届出書を当該事務所等の所在地の市町村長に提出しなければならない。この場合において、その届出書の提出があったときは、その提出の日の属する①に規定する期間以後の期間については、その承認は、その効力を失うものとする。(令48の9の11、規10の2の5)
　イ　届出書を提出する者の氏名及び住所若しくは居所又は名称、本店若しくは主たる事務所の所在地及び法人番号
　ロ　イの届出書に係る事務所等の所在地
　ハ　給与の支払を受ける者が常時10人未満でなくなった事実
　ニ　その他参考となるべき事項

②　納期の特例の承認申請
　　①の承認の申請をする者は、その承認を受けようとする事務所等（①に規定する事務所等をいう。）の所在地、当該事務所等において給与の支払を受ける者の数その他次に掲げる事項を記載した申請書を①の市町村長に提出しなければならない。(令48の9の10①、規10の2の2)
（一）　申請書を提出する者の氏名及び住所若しくは居所又は名称、本店若しくは主たる事務所の所在地及び法人番号
（二）　①の承認を受けようとする①に規定する事務所等に係る最近における6月間の月別の給与の支払を受ける者の数及

び当該給与の金額並びに臨時に雇用している者がある場合には、その者に係るこれらの内訳
（三）　当該市町村に係る地方団体の徴収金の滞納又は最近における著しい納付若しくは納入の遅延の事実がある場合において、それがやむを得ない事由によるものであるときは、その事由
(四)　(一)の申請書を提出した日以前1年以内において次の(1)の規定による取消しの通知を受けたことの有無
（五）　その他参考となるべき事項
　　　（注）　②中____部分を削り、____部分を「(臨時に雇用している者がある場合には、給与の支払を受ける者の数及び臨時に雇用している者の数)」に改める令和5年度改正規定は、令和9年1月1日以後に支払うべき第六節1の①ただし書に規定する給与及び第十節の1に規定する退職給与等について適用し、同日前に支払うべき第六節1の①ただし書に規定する給与及び第十節の1に規定する退職給与等については、なお従前の例による。（令和5年総務省令第37号附則1、2）

　　　　　（承認取消しの通知）
（1）　市町村長は、②の申請書の提出があった場合において、その申請につき承認若しくは却下の処分をするとき、又は④の規定による承認の取消しの処分をする場合には、その申請をした者又は承認を受けていた者に対し、書面によりその旨を通知するものとする。（令48の9の10④）

　　　　　（みなし承認）
（2）　②の申請書の提出があった場合において、その申請書の提出があった日の属する月の翌月末日までにその申請につき承認又は却下の処分がなかったときは、同日においてその承認があったものとみなす。（令48の9の10⑤）

③　納期の特例の申請の却下
　　市町村長は、②の申請書の提出があった場合において、その申請書を提出した者につき次の各号のいずれかに該当する事実があるときは、その申請を却下することができる。（令48の9の10②）
（一）　その承認を受けようとする事務所等において給与の支払を受ける者が常時10人未満であると認められないこと。
（二）　④の規定による取消し（その者について（一）に該当する事実が生じたことのみを理由としてされたものを除く。）の通知を受けた日以後1年以内にその申請書を提出したこと。
（三）　その者につき現に当該市町村に係る地方団体の徴収金の滞納があり、かつ、その滞納に係る地方団体の徴収金の徴収が著しく困難であることその他その申請を認める場合には3の①《特別徴収税額の徴収・納入義務》又は②《退職等に伴う特別徴収税額の一括徴収》のただし書の規定により徴収した給与所得に係る特別徴収税額の納入に支障が生ずるおそれがあると認められる相当の理由があること。

④　納期の特例の承認の取消し
　　市町村長は、①の承認を受けた者について③の（一）又は（三）に該当する事実が生じたと認めるときは、その承認を取り消すことができる。（令48の9の10③）

⑤　納期の特例の承認の取消し等のあった場合の納期限
　　④の規定による承認の取消し又は①の（2）の届出書の提出があった場合には、その取消し又は提出の日の属する①に規定する期間に係る3の①《特別徴収税額の徴収・納入義務》又は②《退職等に伴う特別徴収税額の一括徴収》のただし書に規定する給与所得に係る特別徴収税額のうち同日の属する月以前の各月に徴収すべきものについては、同日の属する月の翌月10日をその納期限とする。（令48の9の12）

5　給与所得に係る特別徴収税額の変更

　市町村長は、2の①《特別徴収義務者の指定及び特別徴収税額の通知》、②《納税義務者に対する通知》又は同②の（1）《通知日までに納税義務者に通知できなかった場合等》（2の④の(注)において同①後段の規定を準用する場合を含む。）の規定により給与所得に係る特別徴収税額を通知した後において、当該給与所得に係る特別徴収税額に誤りがあることを発見した場合その他これを変更する必要がある場合には、直ちに当該給与所得に係る特別徴収税額を変更して、その旨を当該特別徴収義務者及びこれを経由して当該納税義務者に通知しなければならない。（法321の6①）

　　　　　（準用規定）
（1）　5の場合においては、2の⑤及び同⑤の（3）（5）（7）（8）の規定を準用する。この場合において、2の⑤の（7）中「3の①及び5の（1）」とあるのは、「5の（2）」と読み替えるものとする。（法321の6②）

（特別徴収税額変更通知を受け取った日の属する月以後に徴収すべき月割額）
　（2）　特別徴収義務者が5の通知を受け取った場合には、その通知を受け取った日の属する月以後において徴収すべき月割額〘3の②参照〙は、5の規定により変更された額に基づいて、当該市町村長が定めるところによらなければならない。（法321の6③）

6　給与所得に係る特別徴収税額の普通徴収税額への繰入れ

　個人の市町村民税の納税者が給与の支払を受けなくなったこと等により個人の給与所得に係る特別徴収税額を特別徴収の方法によって徴収されないこととなった場合においては、特別徴収の方法によって徴収されないこととなった金額に相当する税額は、その特別徴収の方法によって徴収されないこととなった日以後において到来する三の2《普通徴収に係る納期》の納期がある場合においてはそのそれぞれの納期において、その日以後に到来する同2の納期がない場合においては直ちに、普通徴収の方法によって徴収しなければならない。（法321の7①）

　　　（特別徴収税額の変更に係る過誤納金の還付又は充当）
　注　5《給与所得に係る特別徴収税額の変更》の規定によって変更された給与所得に係る特別徴収税額に係る個人の市町村民税の納税者について、既に特別徴収義務者から当該市町村に納入された給与所得に係る特別徴収税額が当該納税者から徴収すべき給与所得に係る特別徴収税額を超える場合（徴収すべき給与所得に係る特別徴収税額がない場合を含む。）においては、当該過納又は誤納に係る税額は、法第17条《過誤納金の還付》の規定の例によって当該納税者に還付しなければならない。ただし、当該納税者の未納に係る地方団体の徴収金がある場合においては、法第17条の2《過誤納金の充当》の規定の例によってこれに充当することができる。この場合においては、当該特別徴収義務者について法第17条及び法第17条の2の規定の適用はないものとする。（法321の7②）

五　公的年金等に係る所得に係る特別徴収

1　特別徴収対象年金所得者に対する特別徴収

①　特別徴収の方法

　市町村は、納税義務者が前年中において公的年金等の支払を受けた者であり、かつ、当該年度の初日において老齢等年金給付（国民年金法による老齢基礎年金その他の同法又は厚生年金保険法による老齢を支給事由とする年金たる給付であって(1)で定めるもの及びこれらの年金たる給付に類する老齢又は退職を支給事由とする年金たる給付であって(2)で定めるものをいう。以下この章において同じ。）の支払を受けている年齢65歳以上の者（特別徴収の方法によって徴収することが著しく困難であると認めるものその他の(3)で定めるものを除く。以下この章において「**特別徴収対象年金所得者**」という。）である場合においては、当該納税義務者に対して課する個人の市町村民税のうち当該納税義務者の前年中の公的年金等に係る所得に係る所得割額及び均等割額の合算額（当該納税義務者に係る均等割額を四の1の①《特別徴収の方法》の規定により特別徴収の方法によって徴収する場合においては、公的年金等に係る所得に係る所得割額。以下この章において同じ。）の2分の1に相当する額（当該額に100円未満の端数があるときはその端数金額を切り捨て、当該額が100円未満であるときは100円とする。以下この章において「**年金所得に係る特別徴収税額**」という。）を当該年度の初日の属する年の10月1日から翌年の3月31日までの間に支払われる老齢等年金給付から当該老齢等年金給付の支払の際に特別徴収の方法によって徴収するものとする。ただし、当該市町村内に特別徴収対象年金所得者が少ないことその他特別の事情により特別徴収を行うことが適当でないと認められる市町村においては、特別徴収の方法によらないことができる。（法321の7の2①）

　　　（特別徴収の対象とすべき老齢等年金給付等）
　（1）　①に規定する国民年金法による老齢基礎年金その他の同法、厚生年金保険法、国家公務員共済組合法、地方公務員等共済組合法又は私立学校教職員共済法に基づく老齢又は退職を支給事由とする年金たる給付は、次に掲げるものとする。（令48の9の13①）
　　（一）　国民年金法による老齢基礎年金（同法附則第9条の3第1項による老齢年金を含む。3の②の(1)の（一）において同じ。）
　　（二）　国民年金法等の一部を改正する法律（昭和60年法律第34号。以下(1)及び(2)において「昭和60年国民年金等改正法」という。）第1条の規定による改正前の国民年金法（3の②の(1)において「旧国民年金法」という。）による老齢年金及び通算老齢年金

(三)　昭和60年国民年金等改正法第3条の規定による改正前の厚生年金保険法（3の②の(1)において「旧厚生年金保険法」という。）による老齢年金、通算老齢年金及び特例老齢年金
　(四)　国家公務員等共済組合法等の一部を改正する法律（昭和60年法律第105号。以下(四)において「昭和60年国共済法等改正法」という。）第1条の規定による改正前の国家公務員等共済組合法及び昭和60年国共済法等改正法第2条の規定による改正前の国家公務員等共済組合法の長期給付に関する施行法（昭和33年法律第129号）（3の②の(1)において「旧国共済法等」という。）による退職年金、減額退職年金及び通算退職年金
　(五)　地方公務員等共済組合法等の一部を改正する法律（昭和60年法律第108号。以下(五)において「昭和60年地共済法等改正法」という。）第1条の規定による改正前の地方公務員等共済組合法及び昭和60年地共済法等改正法第2条の規定による改正前の地方公務員等共済組合法の長期給付等に関する施行法（昭和37年法律第153号）（3の②の(1)において「旧地共済法等」という。）による退職年金、減額退職年金及び通算退職年金
　(六)　私立学校教職員共済組合法等の一部を改正する法律（昭和60年法律第106号）第1条の規定による改正前の私立学校教職員共済組合法（3の②の(1)において「旧私学共済法」という。）による退職年金、減額退職年金及び通算退職年金

　　　（これらに類する年金給付）
(2)　①に規定する(1)に定める年金たる給付に類する老齢又は退職を支給事由とする年金たる給付は、次に掲げるものとする。（令48の9の13②）
　(一)　昭和60年国民年金等改正法第5条の規定による改正前の船員保険法（昭和14年法律第73号。3の②の(1)において「旧船員保険法」という。）による老齢年金及び通算老齢年金
　(二)　移行農林年金（厚生年金保険制度及び農林漁業団体職員共済組合制度の統合を図るための農林漁業団体職員共済組合法等を廃止する等の法律（平成13年法律第101号）附則第16条第6項に規定する移行農林年金をいう。3の②の(1)において同じ。）のうち、退職年金、減額退職年金及び通算退職年金

　　　（特別徴収の方法によって徴収することが著しく困難であると認められるもの）
(3)　①に規定する者は、次に掲げる者とする。（令48の9の13③）
　(一)　当該年度分の老齢等年金給付の年額が18万円未満である者その他の当該市町村の行う介護保険の介護保険法第135条第5項に規定する特別徴収対象被保険者でない者
　(二)　特別徴収の方法によって徴収することとした場合には当該年度において当該老齢等年金給付の支払を受けないこととなると認められる者
　(三)　前2号に掲げるもののほか、特別徴収の方法によって徴収することが著しく困難であると市町村長が認める者

　　　（特別徴収を行うものの範囲）
(4)　市町村は、1の①に規定する特別徴収対象年金所得者については、当該市町村内に特別徴収対象年金所得者の数が少ないこと等の特別の事情があるため特別徴収によることが不適当であると認められる場合を除いては、特別徴収の方法によって徴収しなければならないものであること。この場合においては、(3)の(一)から(四)までに掲げる者を除いては、その市町村内のすべての特別徴収対象年金所得者について、特別徴収の方法によって徴収しなければならないものであること。（市通2－43の2）

　　　（市町村民税及び道府県民税の合算額による特別徴収等）
(5)　特別徴収を行う場合においては、特別徴収対象年金所得者の前年中の公的年金等に係る所得に係る個人の市町村民税及び個人の道府県民税の所得割額、均等割額並びに森林環境税の合算額について行うものとすること。なお、老齢等年金給付の支払の際に徴収する特別徴収税額については、個人の市町村民税、個人の道府県民税及び森林環境税を区別することなく、その合算額について算定すべきものであること。
　　また、当該特別徴収対象年金所得者に係る均等割額及び森林環境税を四の1の①の規定により特別徴収の方法によって徴収する場合においては、公的年金等に係る所得に係る所得割額について特別徴収を行うものであること。（市通2－43の3）

② 特別徴収対象年金所得者の給与所得及び公的年金等に係る所得以外の所得に係る特別徴収
　①の特別徴収対象年金所得者について、当該特別徴収対象年金所得者の前年中の所得に給与所得及び公的年金等に係る所得以外の所得がある場合（四の1の②の注の規定により読み替えて適用される同②ただし書に規定する場合を除く。）に

おいては、市町村は、当該給与所得及び公的年金等に係る所得以外の所得に係る所得割額を①本文の規定によって特別徴収の方法によって徴収すべき年金所得に係る特別徴収税額に加算して特別徴収の方法によって徴収することができる。（法321の7の2②）

③ 特別徴収対象年金所得者に対する特別徴収税額以外の部分の普通徴収

　市町村は、①の特別徴収対象年金所得者に対して課する個人の市町村民税のうち当該特別徴収対象年金所得者の前年中の公的年金等に係る所得に係る所得割額及び均等割額の合算額から年金所得に係る特別徴収税額を控除した額を三の2《納期》の納期のうち当該年度の初日からその日の属する9月30日までの間に到来するものにおいて普通徴収の方法によって徴収するものとする。（法321の7の2③）

2　年金保険者による市町村に対する通知

　当該年度の初日において年齢65歳以上の者であって老齢等年金給付の支払を受けているものに対し当該老齢等年金給付の支払を有する者（以下この章において「**年金保険者**」という。）は、当該年度の初日の属する年の5月25日までに、当該年度の初日において当該老齢等年金給付の支払を受けている者の氏名、住所、性別及び生年月日その他総務省令で定める事項、当該老齢等年金給付の種類及び年額並びに当該老齢等年金給付の支払を行う年金保険者の名称を、当該老齢等年金給付の支払を受けている者が当該年度の初日において住所を有する市町村の長に通知しなければならない。（法321の7の3）

　　　（個人番号の通知）
　注　2に規定する注で定める事項は、老齢等年金給付の支払を受けている者の個人番号とする。（規9の26⑤）

3　特別徴収義務者

①　年金保険者の特別徴収義務

　市町村は、1の①の規定により特別徴収の方法によって年金所得に係る特別徴収税額（1の②の規定により給与所得及び公的年金等に係る所得以外の所得に係る所得割額を特別徴収の方法によって徴収する場合にあっては、当該所得割額を加算した額とする。以下この章において同じ。）を徴収しようとする場合においては、当該特別徴収対象年金所得者に係る年金保険者を特別徴収義務者として当該年金所得に係る特別徴収税額を徴収させなければならない。（法321の7の4①）

②　老齢等年金給付が二以上ある場合

　①の場合において、市町村は、同一の特別徴収対象年金所得者について老齢等年金給付が二以上あるときは、（1）で定めるところにより、一の老齢等年金給付（以下この章において「**特別徴収対象年金給付**」という。）について年金所得に係る特別徴収税額を徴収させるものとする。（法321の7の4②）

　　　（特別徴収の対象となる老年等年金給付の順位）
（1）　同一の特別徴収対象年金所得者について、次に掲げる老齢等年金給付が二以上ある場合における①（8の（2）において読み替えて準用する場合を含む。）の規定により年金所得に係る特別徴収税額又は年金所得に係る仮特別徴収税額を徴収させるべき一の老齢等年金給付は、次の各号の順序に従い、先順位の老齢年金給付とする。（令48の9の14）
　（一）　国民年金法による老齢基礎年金〖1①（1）の（一）参照〗
　（二）　旧国民年金保険法〖1①（1）の（二）参照〗による老齢年金又は通算老齢年金
　（三）　旧厚生年金保険法〖1①（1）の（三）参照〗による老齢年金、通算老齢年金又は特例老齢年金
　（四）　旧船員保険法〖1①（2）の（一）参照〗による老齢年金又は通算老齢年金
　（五）　旧国共済法等〖1①（1）の（四）参照〗による退職年金、減額退職年金又は通算退職年金（厚生年金保険法等の一部を改正する法律（平成8年法律第82号）附則第16条第3項の規定により厚生年金保険の管掌者たる政府が支給するものとされたものに限る。）
　（六）　旧国共済法等による退職年金、減額退職年金又は通算退職年金（（五）に掲げる年金を除く。）
　（七）　移行農林年金〖1①（2）の（二）参照〗のうち、退職年金、減額退職年金又は通算退職年金
　（八）　旧私学共済法〖1①（1）の（六）参照〗による退職年金、減額退職年金又は通算退職年金
　（九）　旧地共済法〖1①（1）の（五）参照〗による退職年金、減額退職年金又は通算退職年金

(特別徴収義務者の留意事項)
（２） 市町村は、特別徴収対象年金所得者に対し老齢等年金給付の支払をする年金保険者を特別徴収義務者として、当該特別徴収対象年金所得者に係る年金所得に係る特別徴収税額又は年金所得に係る仮特別徴収税額を徴収しなければならないものであること。

　なお、同一の特別徴収対象年金所得者について老齢等年金給付が二以上ある場合における特別徴収の対象年金は、（１）各号に掲げる順序に従い、先順位の老齢等年金給付とすること。(市通２－43の４)

4　年金所得に係る特別徴収税額の通知等

　市町村長は、１の①の規定により年金所得に係る特別徴収税額を特別徴収の方法によって徴収しようとする場合には、当該年金所得に係る特別徴収税額を特別徴収の方法によって徴収する旨、当該特別徴収対象年金所得者に係る年金所得に係る特別徴収税額及び支払回数割特別徴収税額その他（２）で定める事項を、当該特別徴収対象年金所得者に対しては三の２の各納期限のうち最初の納期限の10日前までに、当該年金保険者に対しては当該年度の初日の属する年の７月31日までに通知しなければならない。(法321の７の５①)

(支払回数割特別徴収税額の計算)
（１）　４の支払回数割特別徴収税額は、総務省令で定めるところにより、当該特別徴収対象年金所得者につき、年金所得に係る特別徴収税額を当該年度の初日の属する年の10月１日から翌年の３月31日までの間における当該特別徴収対象年金所得者に係る特別徴収対象年金給付の支払の回数で除して得た額とする。(法321の７の５②)

(市町村の特別徴収の通知事項)
（２）　４（８の（２）において読み替えて準用する場合を含む。）に規定する事項は、次の各号に掲げる者の区分に応じ、当該各号に掲げる事項とする。(規９の25)
　(一)　特別徴収対象年金所得者　　当該特別徴収対象年金所得者の氏名、住所及び個人番号、当該特別徴収対象年金所得者に係る特別徴収対象年金給付の種類並びに当該年金保険者の名称及び法人番号
　(二)　年金保険者　　(一)に掲げる事項のほか、当該特別徴収対象年金所得者の性別及び生年月日並びに当該特別徴収対象年金所得者に係る特別徴収対象年金給付の額

5　年金所得に係る特別徴収税額の納入の義務

　年金保険者は、４の規定による通知を受けた場合においては、当該通知に係る支払回数割特別徴収税額を、当該年度の初日の属する年の10月１日から翌年の３月31日までの間において特別徴収対象年金給付の支払をする際徴収し、その徴収した日の属する月の翌月の10日までに、当該市町村に納入する義務を負う。(法321の７の６)

(年金保険者が地方公務員共済組合である場合の納入の特例)
注　５（８の（２）において読み替えて準用する場合を含む。）の規定による支払回数割特別徴収税額又は支払回数割仮特別徴収税額の市町村への納入は、年金保険者が地方公務員共済組合である場合には、地方公務員共済組合連合会を経由して行うものとする。(令48の９の18)

6　年金所得に係る特別徴収税額の納入の義務を負わない場合等

①　年金所得に係る特別徴収税額の納入の義務を負わない場合

　年金保険者は、１の①の規定により徴収すべき年金所得に係る特別徴収税額に係る特別徴収対象年金所得者が当該年金保険者から特別徴収対象年金給付の支払を受けないこととなった場合その他総務省令で定める場合には、その事由が発生した日の属する月の翌月以降徴収すべき年金所得に係る特別徴収税額は、これを徴収して納入する義務を負わない。(法321の７の７①)

(年金保険者の市町村への通知)
注　①又は②の（２）の場合においては、年金保険者は、２の（２）で定めるところにより、当該特別徴収対象年金所得者の氏名、当該特別徴収対象年金所得者に係る年金所得に係る特別徴収税額の徴収の実績その他必要な事項を、特別徴収に係る納入金を納入すべき市町村の長に通知しなければならない。(法321の７の７④)
　(注)　年金保険者から市町村への通知の方法については、２の（１）を参照。(編者)

② 特別徴収対象年金所得者への通知後に特別徴収対象年金所得者に該当しなくなった場合
　市町村長は、4の規定による特別徴収対象年金所得者への通知をした後に、当該通知に係る特別徴収対象年金所得者が特別徴収対象年金所得者に該当しないこととなった場合には、4の(4)で定めるところにより、その旨を当該年金保険者及び当該特別徴収対象年金所得者に通知しなければならない。(法321の7の7②)
　(注)　市町村から年金保険者への通知の方法については、4の(3)を参照。(編者)

　　　(年金保険者の特別徴収義務の免除)
　注　年金保険者は、②の規定による通知を受けた場合には、その通知を受けた日以後、年金所得に係る特別徴収税額を徴収して納入する義務を負わない。(法321の7の7③)
　　　(注)　年金保険者の市町村への通知については、①の(注)を参照。(編者)

③ 特別徴収対象年金所得者が市町村の区域外に転出した場合の取扱い
　市町村は、特別徴収対象年金所得者が当該年度の初日において当該市町村の区域内に住所を有しない場合には、五の1の①の規定にかかわらず、当該特別徴収対象年金所得者の年金所得に係る特別徴収税額を特別徴収の方法によって徴収しないものとする。(法321の7の9①)

　　　(市町村の区域外に転出した特別徴収対象年金所得者に普通徴収で徴収する額)
（1）③の場合において、市町村は、③の特別徴収対象年金所得者に対して課する個人の市町村民税のうち当該特別徴収対象年金所得者の前年中の公的年金等に係る所得に係る所得割額及び均等割額の合算額から8の規定により特別徴収の方法によって徴収された年金所得に係る仮特別徴収税額を控除した額を三の2の納期のうち当該年度の初日の属する年の10月1日から翌年の3月31日までの間に到来するものにおいて普通徴収の方法によって徴収するものとする。(法321の7の9②)

　　　(仮特別徴収税額の特別徴収による徴収を行わない旨を特別徴収対象年金所得者等に通知)
（2）市町村長は、当該年度の初日の属する年の末日までに8の(2)において読み替えて準用する4の規定による特別徴収対象年金所得者又は年金保険者に対する通知を行った場合において、当該特別徴収対象年金所得者が当該年の翌年の1月1日において当該市町村の区域内に住所を有しないときは、8の規定による当該特別徴収対象年金所得者に係る当該年度の翌年度分の年金所得に係る仮特別徴収税額の特別徴収の方法による徴収を行わない旨を当該特別徴収対象年金所得者又は当該年金保険者に通知しなければならない。(法321の7の9③)

7　年金所得に係る特別徴収税額の変更があった場合の取扱い

　次の表の左欄に掲げる期間において当該年度分の3の①に規定する年金所得に係る特別徴収税額（以下「年金所得に係る特別徴収税額」という。）の変更があった場合には、市町村は、4の(1)の規定にかかわらず、当該期間の区分に応じ、同表の中欄に掲げる期間における4の規定による年金保険者に対する通知に係る支払回数割特別徴収税額（7の規定による変更を行った場合には、(1)の規定による通知に係る当該変更後の支払回数割特別徴収税額。(3)及び(6)において同じ。）をそれぞれ同表の右欄に定める額に変更するものとする。(令48の9の15①)

(一)	4の規定による年金保険者に対する通知をした日から当該年度の初日の属する年の10月10日までの間	当該年度の初日の属する年の12月1日から翌年の3月31日までの間	当該変更後の年金所得に係る特別徴収税額から当該年度の初日の属する年の10月1日から11月30日までの間において徴収される支払回数割特別徴収税額の合算額を控除した額（当該額が零を下回る場合には、零とする。）を同年12月1日から翌年の3月31日までの間における当該特別徴収対象年金所得者に係る特別徴収対象年金給付の支払の回数で除して得た額
(二)	当該年度の初日の属する年の10月11日から12月10日までの間	当該年度の初日の属する年の翌年の2月1日から3月31日までの間	当該変更後の年金所得に係る特別徴収税額から当該年度の初日の属する年の10月1日から翌年の1月31日までの間において徴収される支払回数割特別徴収税額の合算額を控除した額（当該額が零を下回る場合には、零とする。）を同年2月1日から3月31日までの間における当該特別徴収対象年金所得者に係る特別徴収対象年金給付の支払の回数で除して得た額

　　　(特別徴収税額の変更があった場合の年金保険者への通知)
（1）市町村は、7の規定により支払回数割特別徴収税額を変更した場合には、4の(4)で定めるところにより、当該

第三編第一章《個人の市町村民税》第七節《賦課及び徴収》

変更後の年金所得に係る特別徴収税額並びに7の規定による変更をしなかった支払回数割特別徴収税額及び7の規定による変更をした支払回数割特別徴収税額を、直ちに、年金保険者に通知しなければならない。（令48の9の15②）

　　（読替規定）
（2）　（1）の場合における5及び8の規定の適用については、5中「4」とあるのは「7の（1）」と、8中「4の（1）に規定する」とあるのは「7の（1）の規定による通知に係る」とする。（令48の9の15③）

　　（支払回数割特徴収税額を変更しない場合）
（3）　当該年度の初日の属する年の12月11日以後において当該年度分の年金所得に係る特別徴収税額の変更があった場合には、市町村は、4の規定による年金保険者に対する通知に係る支払回数割特徴収税額を変更しないものとする。（令48の9の15④）

　　（準用規定）
（4）　（3）に規定する場合において、当該変更後の年金所得に係る特別徴収税額が当該変更前の年金所得に係る特別徴収税額を超えるときは、市町村は、1の①の規定にかかわらず、当該超える部分の金額に相当する税額を特別徴収の方法によって徴収しないものとする。この場合において、10の規定は、当該税額について準用する。（令48の9の15⑤）

　　（準用規定）
（5）　10の規定は、4の規定による年金保険者に対する通知がされた日以後において当該年度分の年金所得に係る特別徴収税額の変更があった特別徴収対象年金所得者について準用する。この場合において、10の（1）中「年金所得に係る特別徴収税額又は年金所得に係る仮特別徴収税額が当該特別徴収対象年金所得者から徴収すべき年金所得に係る特別徴収税額又は年金所得に係る仮特別徴収税額を超える場合（徴収すべき年金所得に係る特別徴収税額又は年金所得に係る仮特別徴収税額がない場合を含む。）」とあるのは、「支払回数割特別徴収税額の合算額が当該変更後の年金所得に係る特別徴収税額を超えることとなった場合」と読み替えるものとする。（令48の9の15⑥）

　　（特別徴収対象年金所得者への通知事項）
（6）　市町村は、7又は（3）に規定する場合においては、次の表の左欄に掲げる場合の区分に応じ、それぞれ同表の右欄に掲げる事項を、直ちに、当該特別徴収対象年金所得者に通知しなければならない。（令48の9の15⑦）

7に規定する場合	一　当該変更後の年金所得に係る特別徴収税額 二　7の規定による変更をしなかった支払回数割特別徴収税額及び7の規定による変更をした支払回数割特別徴収税額 三　（5）において読み替えて準用する10の（1）の規定の適用を受けることとなる場合には、10の（1）に規定する過納又は誤納に係る税額及び当該税額を還付又は充当する旨
（3）に規定する場合	一　当該変更後の年金所得に係る特別徴収税額 二　4の規定による通知に係る支払回数割特別徴収税額は変更されない旨 三　（4）の規定に該当することとなる場合には、（4）に規定する超える部分の金額に相当する税額及び当該税額を普通徴収の方法によって徴収する旨 四　（5）において読み替えて準用する10の（1）の規定に該当することとなる場合には、（5）に規定する過納又は誤納に係る税額及び当該税額を還付又は充当する旨

8　年金所得に係る仮特別徴収税額等

　市町村は、前年の10月1日からその翌年の3月31日までの間における特別徴収対象年金給付の支払の際、1の①の規定により4の（1）に規定する支払回数割特別徴収税額を徴収されていた特別徴収対象年金所得者について、老齢等年金給付が当該年度の初日からその日の属する年の9月30日までの間において支払われる場合には、当該特別徴収対象年金所得者の前年中の公的年金等に係る所得に係る所得割額及び均等割額の合算額として年金所得に係る**仮特別徴収税額**（当該市町村が当該特別徴収対象年金所得者に対して課した前年度分の個人の市町村民税のうち当該特別徴収対象年金所得者の前々年中の公的年金等に係る所得に係る所得割額及び均等割額の合算額（当該特別徴収対象年金所得者に係る均等割額を**四の**1の①の規定により特別徴収の方法によって徴収した場合には、前々年中の公的年金等に係る所得に係る所得割額）の2

分の1に相当する額（当該額に100円未満の端数があるときはその端数金額を切り捨て、当該額が100円未満であるときは100円とする。）をいう。以下この章において同じ。）を、当該年度の初日からその日の属する年の9月30日までの間において特別徴収対象年金給付の支払をする際、特別徴収の方法によって徴収するものとする。（法321の7の8①）

　　　　（年度の初日から9月30日までの間に特別徴収が行われた特別徴収対象年金所得者に対する適用）
（1）　当該年度の初日からその日の属する年の9月30日までの間において8の規定による特別徴収が行われた特別徴収対象年金所得者については、1の①の規定の適用がある場合における三の1及び同（1）、1の①及び同②並びに3から6までの規定の適用にあっては、1の①中「の2分の1に相当する額」とあるのは、「から8に規定する年金所得に係る仮特別徴収税額を控除した額」とし、1の③の規定は、適用しない。（法321の7の8②）

　　　　（特別徴収に係る規定の適用）
（2）　3から6までの規定は、8の規定による特別徴収について準用する。この場合において、これらの規定中「年金所得に係る特別徴収税額」とあるのは「年金所得に係る仮特別徴収税額」と、3の①中「1の①」とあるのは「8」と、「（1の②の規定により給与所得及び公的年金等に係る所得以外の所得に係る所得割額を特別徴収の方法によって徴収する場合にあっては、当該所得割額を加算した額とする。以下この章において同じ。）」とあるのは「（8に規定する年金所得に係る仮特別徴収税額をいう。以下同じ。）」と、4中「1の①」とあるのは「8」と、「支払回数割特別徴収税額」とあるのは「支払回数割仮特別徴収税額」と、「三の2の各納期限のうち最初の納期限の10日前」とあるのは「当該年度の初日の属する年の3月31日」と、「7月31日」とあるのは「1月31日」と、4の（1）及び5中「支払回数割特別徴収税額」とあるのは「支払回数割仮特別徴収税額」と、「の属する年の10月1日から翌年の3月31日まで」とあるのは「からその日の属する年の9月30日まで」と、6の①中「1の①」とあるのは「8」と読み替えるものとする。（法321の7の8③）

　　　　（特別徴収対象年金所得者等に対する通知の取扱い）
（3）　市町村長は、（2）において読み替えて準用する4の規定による特別徴収対象年金所得者又は年金保険者に対する通知については、当該年度の前年度分の年金所得に係る特別徴収税額に係る4の規定による特別徴収対象年金所得者又は年金保険者に対する通知とそれぞれ併せて行うことができる。（法321の7の8④）

9　年金所得に係る仮特別徴収税額の変更があった場合の取扱い

　8の（2）において読み替えて準用する4の規定による年金保険者に対する通知（以下「仮特別徴収税額通知」という。）をした日から当該年度の初日の属する年の前年の12月10日までの間において当該年度分の8に規定する年金所得に係る仮特別徴収税額（以下「年金所得に係る仮特別徴収税額」という。）の変更があった場合には、市町村は、8の（2）において読み替えて準用する4の（1）の規定にかかわらず、仮特別徴収税額通知に係る支払回数割仮特別徴収税額（9の規定による変更を行った場合には、（1）の規定による通知に係る当該変更後の支払回数割仮特別徴収税額。以下同じ。）を、当該変更後の年金所得に係る仮特別徴収税額を当該年度の初日からその日の属する年の9月30日までの間における当該特別徴収対象年金所得者に係る特別徴収対象年金給付の支払の回数で除して得た額に変更するものとする。（令48の9の16①）

　　　　（年金保険者への変更の通知）
（1）　市町村は、9の規定により支払回数割仮特別徴収税額を変更した場合には、4の（4）で定めるところにより、当該変更後の年金所得に係る仮特別徴収税額及び9の規定による変更をした支払回数割仮特別徴収税額を、直ちに、年金保険者に通知しなければならない。（令48の9の16②）

　　　　（読替規定）
（2）　（1）の場合における8の（2）において読み替えて準用する5の規定の適用については、5中「4」とあるのは、「9の（1）」とする。（令48の9の16③）

　　　　（仮特別徴収税額の変更があった場合の支払回数割仮特別徴収税額）
（3）　当該年度の初日の属する年の前年の12月11日から当該年度の初日の属する年の9月30日までの間において当該年度分の年金所得に係る仮特別徴収税額の変更があった場合には、市町村は、仮特別徴収税額通知に係る支払回数割仮特別徴収税額を変更しないものとする。（令48の9の16④）

(変更後の仮特別徴収税額が変更前の仮特別徴収税額を超えるとき)
(4) (3)に規定する場合において、当該変更後の年金所得に係る仮特別徴収税額が当該変更前の年金所得に係る仮特別徴収税額を超えるときは、市町村は、8の規定にかかわらず、当該超える部分の金額に相当する税額を特別徴収の方法によって徴収しないものとする。(令48の9の16⑤)

(変更があった期間に対応する支払回数割仮特別徴収税額を徴収しない期間)
(5) 当該年度の初日の属する年の前年の12月11日から当該年度の初日の属する年の6月10日までの間において当該年度分の年金所得に係る仮特別徴収税額の変更があった場合には、市町村は、8の規定にかかわらず、次の表の左欄に掲げる当該変更があった期間の区分に応じ、それぞれ同表の右欄に定める期間における仮特別徴収税額通知に係る支払回数割仮特別徴収税額を特別徴収の方法によって徴収しないものとする。ただし、同表(三)の左欄に掲げる期間において当該年度分の年金所得に係る仮特別徴収税額の変更があった場合であって、(三)の右欄に定める期間における仮特別徴収税額通知に係る支払回数割仮特別徴収税額を特別徴収の方法によって徴収することが適当であると市町村が認めるときは、この限りでない。(令48の9の16⑥)

(一)	当該年度の初日の属する年の前年の12月11日から当該年度の初日の属する年の2月10日までの間	当該年度の初日からその日の属する年の9月30日までの間
(二)	当該年度の初日の属する年の2月11日から4月10日までの間	当該年度の初日の属する年の6月1日から9月30日までの間
(三)	当該年度の初日の属する年の4月11日から6月10日までの間	当該年度の初日の属する年の8月1日から9月30日までの間

(変更後の年金保険者への通知)
(6) 市町村は、(5)本文に規定する場合((5)ただし書に規定する場合を除く。)には、4の(4)で定めるところにより、当該変更後の年金所得に係る仮特別徴収税額及び(5)の表の左欄に掲げる当該変更があった期間の区分に応じそれぞれ(5)の右欄に定める期間における仮特別徴収税額通知に係る支払回数割仮特別徴収税額を特別徴収の方法によって徴収しない旨を、直ちに、年金保険者に通知しなければならない。(令48の9の16⑦)

(読替規定)
(7) 年金保険者は、(6)の規定による通知を受けた場合には、8の(2)において読み替えて準用する5の規定にかかわらず、特別徴収の方法によって徴収しないこととされた当該通知に係る支払回数割仮特別徴収税額を徴収して納入する義務を負わない。(令48の9の16⑧)

(読替規定)
(8) 当該年度の初日の属する年の2月11日から9月30日までの間において当該年度分の年金所得に係る仮特別徴収税額の変更があった特別徴収対象年金所得者に対する8の(1)の規定の適用については、同項中「」とあるのは、「から8に規定する年金所得に係る仮特別徴収税額を控除した額」とあるのは、「(」とあるのは、「から当該年度の初日からその日の属する年の9月30日までの間に徴収された支払回数割仮特別徴収税額の合算額を控除した額(当該額が零を下回る場合には零とし、」とする。(令48の9の16⑨)

(準用規定)
(9) 10の注の規定は、(8)に規定する特別徴収対象年金所得者について準用する。この場合において、10の注中「年金所得に係る特別徴収税額又は年金所得に係る仮特別徴収税額が当該特別徴収対象年金所得者から徴収すべき年金所得に係る特別徴収税額又は年金所得に係る仮特別徴収税額を超える場合(徴収すべき年金所得に係る特別徴収税額又は年金所得に係る仮特別徴収税額がない場合を含む。)」とあるのは、「支払回数割仮特別徴収税額の合算額が五の1の①に規定する前年中の公的年金等に係る所得に係る所得割額及び均等割額の合算額(10の注の規定により給与所得及び公的年金等に係る所得以外の所得に係る所得割額を特別徴収の方法によって徴収する場合には、当該所得割額を加算した額とする。)を超えることとなった場合」と読み替えるものとする。(令48の9の16⑩)

(特別徴収対象年金所得者への通知事項)
(10) 市町村は、9又は(3)に規定する場合においては、次の表の左欄に掲げる場合の区分に応じ、それぞれ同表の右欄に掲げる事項を、直ちに、当該特別徴収対象年金所得者に通知しなければならない。(令48の9の16⑪)

9に規定する場合	一 当該変更後の年金所得に係る仮特別徴収税額 二 当該変更後の支払回数割仮特別徴収税額
(3)に規定する場合((5)本文に規定する場合((5)ただし書に規定する場合を除く。)に限る。)	一 当該変更後の年金所得に係る仮特別徴収税額 二 仮特別徴収税額通知に係る支払回数割仮特別徴収税額の全部又は一部を特別徴収の方法によって徴収しない旨 三 (5)の表(一)に係る場合を除き、(8)の規定の適用がある旨 四 (9)において読み替えて準用する10の注の規定の適用を受けることとなる場合には、10の注に規定する過納又は誤納に係る税額及び当該税額を還付又は充当する旨
(3)に規定する場合((5)ただし書に規定する場合に限る。)	一 当該変更後の年金所得に係る仮特別徴収税額 二 仮特別徴収税額通知に係る支払回数割仮特別徴収税額は変更されない旨 三 (8)の規定の適用がある旨 三 (9)において読み替えて準用する10の注の規定の適用を受けることとなる場合には、10の注に規定する過納又は誤納に係る税額及び当該税額を還付又は充当する旨
(3)に規定する場合((5)本文に規定する場合を除く。)	一 当該変更後の年金所得に係る仮特別徴収税額 二 仮特別徴収税額通知に係る支払回数割仮特別徴収税額は変更されない旨 三 (8)の規定の適用がある旨 四 (9)において読み替えて準用する10の注の規定の適用を受けることとなる場合には、10の注に規定する過納又は誤納に係る税額及び当該税額を還付又は充当する旨

10 年金所得に係る特別徴収税額等の普通徴収税額への繰入れ

6の①又は同②の(2)(これらの規定を8の(2)において読み替えて準用する場合を含む。)の規定により特別徴収の方法によって徴収されないこととなった金額に相当する税額は、その特別徴収の方法によって徴収されないこととなった日以後において到来する三の2の納期がある場合においてはそのそれぞれの納期において、その日以後に到来する同2の納期がない場合においては直ちに、普通徴収の方法によって徴収しなければならない。(法321の7の10①)

(特別徴収税額等の過誤納金の還付又は充当)
注 6の②の(2)(8の(2)において読み替えて準用する場合を含む。)の規定により年金所得に係る特別徴収税額又は年金所得に係る仮特別徴収税額を特別徴収の方法によって徴収されないこととなった特別徴収対象年金所得者について、既に特別徴収義務者から当該市町村に納入された年金所得に係る特別徴収税額又は年金所得に係る仮特別徴収税額が当該特別徴収対象年金所得者から徴収すべき年金所得に係る特別徴収税額又は年金所得に係る仮特別徴収税額を超える場合(徴収すべき年金所得に係る特別徴収税額又は年金所得に係る仮特別徴収税額がない場合を含む。)においては、当該過納又は誤納に係る税額は、法第17条《過誤納金の還付》の規定の例によって当該特別徴収対象年金所得者に還付しなければならない。ただし、当該特別徴収対象年金所得者の未納に係る地方団体の徴収金がある場合においては、法第17条の2《過誤納金の充当》の規定の例によってこれに充当することができる。この場合においては、当該特別徴収義務者について法第17条及び法第17条の2の規定の適用はないものとする。(法321の7の10②)

11 市町村長と年金保険者との間における通知の方法

市町村長は、2、6の①の注(8の(2)において準用する場合を含む。)その他(1)で定める規定に規定する年金保険者が市町村長に対して行う通知については、(2)で定めるところにより、機構を経由して行わせるものとする。(法321の7の11①)

(政令で定める年金保険者が市町村長に対して行う通知)
(1) 11の規定により機構を経由して行わせるものとされた11に規定する年金保険者が市町村長に対して行う通知は、年金保険者が次の各号に掲げる者である場合には、当該年金保険者が、当該各号に定める者及び機構の順に経由して

第三編第一章《個人の市町村民税》第七節《賦課及び徴収》

行われるよう当該各号に定める者に伝達することにより、これらを経由して行うものとする。（令48の9の17①）
- （一）　特定年金保険者（厚生労働大臣及び地方公務員共済組合（全国市町村職員共済組合連合会を含む。以下同じ。）以外の年金保険者をいう。（5）の（一）において同じ。）　　　厚生労働大臣
- （二）　地方公務員共済組合　　　地方公務員共済組合連合会

　（総務省令で定める年金保険者が市町村長に対して行う通知）
（2）　11に規定する年金保険者が市町村長に対して行う通知は、年金保険者（当該年金保険者が（1）の各号に掲げる者である場合には、当該各号に定める者）が、11に規定する規定により年金保険者が通知すべき事項を記録した第六節6の⑤のイに規定する記録用の媒体（（6）において「光ディスク等」という。）を機構に提供し、機構が、11に規定する規定により通知を受けるべき市町村長の使用に係る電子計算機に当該通知すべき事項を、機構の使用に係る電子計算機から入力して、当該市町村長に提供する方法により行うものとする。（規9の26①）

　（市町村長が年金保険者に対して行う通知）
（3）　市町村長は、4及び6の②（これらの規定を8の（2）において準用する場合を含む。）、6の③の（2）その他（4）で定める規定に規定する年金保険者に対して行う通知については、（6）で定めるところにより、機構を経由して行うものとする。（法321の7の11②）

　（政令で定める規定）
（4）　（3）に規定する（4）で定める規定は、7の（1）並びに9の（1）及び同（6）の規定とする。（令48の9の17②）

　（政令で定める市町村長が年金保険者に対して行う通知）
（5）　（3）の規定により市町村長が機構を経由して行うものとされた（3）に規定する年金保険者に対して行う通知は、年金保険者が次の各号に掲げる者である場合には、市町村長が、機構及び当該各号に定める者の順に経由して行われるよう機構に伝達することにより、これらを経由して行うものとする。（令48の9の17③）
- （一）　特定年金保険者　　　厚生労働大臣
- （二）　地方公務員共済組合　　　地方公務員共済組合連合会

　（総務省令で定める市町村長が年金保険者に対して行う通知）
（6）　（3）に規定する年金保険者に対して行う通知は、市町村長が、機構の使用に係る電子計算機に（3）に規定する規定により通知すべき事項を、当該市町村長の使用に係る電子計算機から入力して、機構に提供し、機構が、当該通知すべき事項を記録した光ディスク等を年金保険者（当該年金保険者が（5）の各号に掲げる者である場合には、当該各号に定める者）に提供する方法により行うものとする。（規9の26②）

　（特別徴収に関する通知を市町村長に対して行う場合）
（7）　（2）に定めるもののほか、年金保険者が公的年金等に係る所得に係る個人の市町村民税の特別徴収に関し法令に規定する事務の実施のために必要となる通知を市町村長に対して行う場合には、（2）に規定する方法により行うことができる。（規9の26③）

　（総務大臣が定める基準）
（8）　（2）及び（6）、（7）の規定による通知は、情報通信の技術の利用における安全性及び信頼性を確保するために必要な基準として総務大臣が定める基準に従って行うものとする。（規9の26④）

六　租税条約に基づく申立てが行われた場合の徴収猶予等

1　租税条約に基づく申立てが行われた場合における個人の市町村民税の徴収猶予

①　個人の市町村民税の徴収猶予

　個人の市町村民税の納税義務者が租税条約（所得税法第162条第1項に規定する租税条約をいう。以下①において同じ。）の規定に基づき国税庁長官に対し当該租税条約に規定する申立て（租税特別措置法第40条の3の3第1項又は第41条の19の5第1項の規定の適用がある場合の申立てに限る。）以下①において同じ。）をした場合（2において「国税庁長官に対

する申立てが行われた場合」という。)又は租税条約の我が国以外の締約国若しくは締約者(以下①において「条約相手国等」という。)の権限ある当局に対し当該租税条約に規定する申立てをし、かつ、条約相手国等の権限ある当局から当該条約相手国等との間の租税条約に規定する協議(以下①及び2において「相互協議」という。)の申入れがあった場合(2において「条約相手国等の権限ある当局に対する申立てが行われた場合」という。)には、市町村長は、これらの申立てに係る同法第40条の3の3第22項第1号(同法第41条の19の5第10項において準用する場合を含む。2の①において同じ。)に掲げる更正決定に係る所得税の額(これらの申立てに係る相互協議の対象となるものに限る。以下①及び2において同じ。)の計算の基礎となった所得に基づいて課された市町村民税額を限度として、これらの申立てをした者の申請に基づき、その納期限(第十一節一の1に規定する納期限をいい、当該申請が当該納期限後であるときは、当該申請の日とする。)から国税庁長官と当該条約相手国等の権限ある当局との間の合意に基づく国税通則法第26条の規定による更正に係る所得税の額の計算の基礎となった所得に基づいて市町村民税を課した日(当該合意がない場合その他の政令で定める場合には、政令で定める日)の翌日から1月を経過する日までの期間(⑤において「徴収の猶予期間」という。)に限り、その徴収を猶予することができる。ただし、当該申請を行う者につき当該申請の時において当該市町村民税額以外の当該市町村の地方税の滞納がある場合は、この限りでない。(法321の7の13①)

(租税条約に基づく申立てが行われた場合における市町村民税の所得割の徴収猶予の申請手続等)
注　その他の政令で定める場合
①に規定する合意がない場合その他の政令で定める場合は次の各号に掲げる場合とし、①に規定する政令で定める日は市町村長が当該各号に掲げる場合に該当する旨を通知した日とする。(令48の9の19①)

(一)	相互協議(①に規定する相互協議をいう。以下注において同じ。)を継続した場合であっても①に規定する合意(以下注において「合意」という。)に至らないと国税庁長官が認める場合(1の④の表中各号に掲げる場合を除く。)において、国税庁長官が当該相互協議に係る条約相手国等(①に規定する条約相手国等をいう。以下注において同じ。)の権限ある当局に当該相互協議の終了の申入れをし、当該権限ある当局の同意を得たとき。
(二)	相互協議を継続した場合であっても合意に至らないと当該相互協議に係る条約相手国等の権限ある当局が認める場合において、国税庁長官が当該権限ある当局から当該相互協議の終了の申入れを受け、国税庁長官が同意をしたとき。
(三)	租税特別措置法第40条の3の4第1項に規定する所得税の額に関し国税庁長官と当該条約相手国等の権限ある当局との間の合意が行われた場合において、当該合意の内容が当該所得税の額を変更するものでないとき。

② 担保の徴収
市町村長は、①の規定による徴収の猶予(以下1において「徴収の猶予」という。)をする場合には、その猶予に係る金額に相当する担保で第一編第五章第二節一の表中各号に掲げるものを、政令で定めるところにより徴さなければならない。ただし、その猶予に係る税額が100万円以下である場合、その猶予の期間が3月以内である場合又は担保を徴することができない特別の事情がある場合は、この限りでない。(法321の7の13②)

注　期限の指定
②の規定により担保を徴する場合には、期限を指定して、その提供を命ずるものとする。この場合においては、第一編第五章第二節一の(3)、同(5)、同(6)及び同(7)並びに同節三の1の(3)及び同(4)の規定を準用する。(令48の9の19②)

③ 準用規定
第一編第五章第一節二の3、同4、同章第二節二、同(1)及び同(2)並びに第一編第七章二の2の③の規定は徴収の猶予について、同編第二章三の1の①から③まで、同編第五章第二節一の(1)及び(2)、同節二の(4)並びに同節五及び同(1)の規定は②の規定による担保について、それぞれ準用する。(法321の7の13③)

(1) 申請書の記載事項
①の規定による徴収の猶予を受けようとする者は、次に掲げる事項を記載した申請書に、①の申立てをしたことを証する書類その他の(2)で定める書類を添付し、これを市町村長に提出しなければならない。(令48の9の19③)

(一)	当該猶予を受けようとする市町村民税の納税義務者の氏名及び住所

(二)	①に規定する市町村民税額並びにその年度及び納期限
(三)	(二)の市町村民税額のうち当該猶予を受けようとする金額
(四)	当該猶予を受けようとする金額が100万円を超え、かつ、当該猶予の期間が3月を超える場合には、その申請時に提供しようとする第一編第五章第二節一の表中各号に掲げる担保の種類、数量、価額及び所在（その担保が保証人の保証であるときは、保証人の名称又は氏名及び主たる事務所若しくは事業所の所在地又は住所若しくは居所）その他担保に関し参考となるべき事項（担保を提供することができない特別の事情があるときは、その事情）

　　　(注)　（1）の規定による申請書の様式は、第19号様式とする。（規10の2の3①）

　　　　　（租税条約に基づく申立てが行われた場合における個人の市町村民税の徴収猶予の申請書類）
　(2)　(1)に規定する（2）で定める書類は、次に掲げる書類とする。（規10の2の3②）
　(一)　①の申立てをしたことを証する書類
　(二)　①に規定する市町村民税額が、租税特別措置法第40条の3の3第22項第1号（同法第41条の19の5第13項において準用する場合を含む。）に掲げる更正決定に係る所得税の額の計算の基礎となった所得に基づき課されたものであること及び(一)の申立てに係る条約相手国等（①に規定する条約相手国等をいう。）との間の相互協議（①に規定する相互協議をいう。以下同じ。）の対象であることを明らかにする書類
　(三)　（1）の表の（四）に規定する場合に該当するときには、供託書の正本、抵当権を設定するために必要な書類、保証人の保証を証する書面その他の担保の提供に関する書類

④　徴収猶予の取消し
　徴収の猶予を受けた者が次の各号のいずれかに該当する場合には、市町村長は、その徴収の猶予を取り消すことができる。この場合においては、第一編第五章第一節二の5の（1）及び（2）の規定を準用する。（法321の7の12④）

(一)	①の申立てを取り下げたとき。
(二)	第三章二の表中各号のいずれかに該当する事実がある場合において、その者がその猶予に係る市町村民税額を猶予期間内に完納することができないと認められるとき。
(三)	③において準用する第一編第五章第二節一の（2）の規定による担保の提供又は変更その他担保を確保するため必要な行為に関する市町村長の求めに応じないとき。
(四)	新たにその猶予に係る市町村民税額以外の当該市町村に係る地方団体の徴収金を滞納したとき（市町村長がやむを得ない理由があると認めるときを除く。）。
(五)	徴収の猶予を受けた者の財産の状況その他の事情の変化によりその猶予を継続することが適当でないと認められるとき。

⑤　徴収の猶予をした場合の延滞金額の免除
　徴収の猶予をした場合には、その猶予をした市町村民税に係る延滞金額のうち徴収の猶予期間（①の申請が①の納期限以前である場合には、当該申請の日を起算日として当該納期限までの期間を含む。）に対応する部分の金額は、免除する。ただし、④の規定による取消しの基因となるべき事実が生じた場合には、その生じた日後の期間に対応する部分の金額については、市町村長は、その免除をしないことができる。（法321の7の12⑤）

2　個人の市町村民税の徴収猶予に係る国税庁長官の通知

① 　租税条約に基づく申立てが行われた場合の通知
　国税庁長官は、国税庁長官に対する申立てが行われた場合又は条約相手国等の権限ある当局に対する申立てが行われた場合には、遅滞なく、その旨、これらの申立てに係る租税特別措置法第40条の3の3第12項第1号に掲げる更正決定に係る所得税の額の計算の基礎となった所得その他注で定める事項をこれらの申立てをした市町村民税の納税義務者の住所所在地の市町村長に通知しなければならない。（法321の7の14①）

　　　　(国税庁長官の通知)
　注　①に規定する注で定める事項は、次に掲げる事項とする。(規10の2の4①)
　　(一)　租税条約(1の①に規定する租税条約をいう。②の注の(一)及び③の注の(一)において同じ。)に規定する申立てをした市町村民税の納税義務者の氏名、住所及び個人番号
　　(二)　(一)の申立てが行われた日
　　(三)　(一)の申立てに係る所得税の額の計算の基礎となった所得(①に規定する所得税の額の計算の基礎となった所得をいう。)の年分
　　(四)　その他参考となるべき事項

②　1の①に規定する合意がない場合等の通知
　　国税庁長官は、国税庁長官に対する申立てが行われた場合又は条約相手国等の権限ある当局に対する申立てが行われた場合において、これらの申立てに係る相互協議において1の①に規定する合意がない場合その他の政令で定める場合に該当することとなったときは、遅滞なく、その旨その他注で定める事項をこれらの申立てをした市町村民税の納税義務者の住所所在地の市町村長に通知しなければならない。(法321の7の14②)

　　　　(合意がない場合の市町村長に通知する事項)
　注　②に規定する注で定める事項は、次に掲げる事項とする。(規10の2の4②)
　　(一)　租税条約に規定する申立てをした市町村民税の納税義務者の氏名、住所及び個人番号
　　(二)　(一)の申立てに係る相互協議において①の注の各号に掲げる場合に該当することとなった日
　　(三)　その他参考となるべき事項

③　1の①に規定する合意が行われたときの通知
　　国税庁長官は、国税庁長官に対する申立てが行われた場合又は条約相手国等の権限ある当局に対する申立てが行われた場合において、これらの申立てに係る相互協議において1の①に規定する合意が行われたときは、遅滞なく、その旨、当該合意に基づく国税通則法第26条の規定による更正に係る所得税の額の計算の基礎となった所得その他注で定める事項をこれらの申立てをした市町村民税の納税義務者の住所所在地の市町村長に通知しなければならない。(法321の7の14③)

　　　　(合意が行われた場合の市町村長に通知する事項)
　注　③に規定する注で定める事項は、次に掲げる事項とする。(規10の2の4③)
　　(一)　租税条約に規定する申立てをした市町村民税の納税義務者の氏名、住所及び個人番号
　　(二)　(一)の申立てに係る相互協議において1の①に規定する合意が行われた日
　　(三)　(二)の合意に基づく所得税の額の計算の基礎となった所得(③に規定する所得税の額の計算の基礎となった所得をいう。)の年分
　　(四)　その他参考となるべき事項

七　地方団体の徴収金の納付又は納入

1　徴収金の納付又は納入
　　個人の道府県民税の納税義務者又は特別徴収義務者は、その道府県民税に係る地方団体の徴収金を、個人の市町村民税に係る地方団体の徴収金の納付又は納入の例により、これと併せて納付し、又は納入しなければならない。(法42①)

　　　　(納付額又は納入額からの督促手数料等の控除)
　(1)　個人の道府県民税及び市町村民税に係る地方団体の徴収金の納付又は納入があった場合においては、その納付額又は納入額から督促手数料及び滞納処分費を控除した額を道府県民税及び市町村民税の額にあん分した額に相当する道府県民税又は市町村民税に係る地方団体の徴収金の納付又は納入があったものとする。(法42②)

　　　　(税額の一部について納付又は納入があった場合の按分)
　(2)　個人の市町村民税、個人の道府県民税及び森林環境税の賦課に当たり、当該個人の納税通知書に記載された税額の一部について納付又は納入があった場合においても常にその納付又は納入された額は個人の市町村民税、個人の道府県民税及び森林環境税の額によって按分され、その按分した額によって、それぞれ個人の市町村民税に係る地方団

体の徴収金、個人の道府県民税に係る地方団体の徴収金又は森林環境税に係る徴収金の納付又は納入があったものとして取り扱うものとし、個人の市町村民税、個人の道府県民税又は森林環境税のいずれか一の税のみの徴収を行うことはできないものであること。（市通2－35）

2　徴収金の払込み方法

　市町村は、個人の道府県民税に係る地方団体の徴収金の納付又は納入があった場合においては、当該納付又は納入があった月の翌月10日までに、これを道府県に払い込むものとする。（法42③）

　　　　（徴収金の額の按分）
（1）　市町村が2の規定により毎月道府県に払い込むべき個人の道府県民税に係る地方団体の徴収金の額は、前月中に納付又は納入のあった個人の道府県民税に係る地方団体の徴収金と個人の市町村民税に係る地方団体の徴収金との合算額（督促手数料及び滞納処分費を除く。以下同じ。）を、当該市町村の当該年度の収入額となるべき個人の道府県民税の課税額（市町村の廃置分合又は境界変更があった場合における当該廃置分合又は境界変更後存続する市町村（以下「存続市町村」という。）にあっては、当該存続市町村が当該年度において徴収すべき額のうち当該年度の収入額となるべきものとして課されたものをいう。以下(1)において同じ。）の合計額と当該年度の収入額となるべき個人の市町村民税の課税額の合計額との割合（以下「按分率」という。）で按分して算定した額とする。（令8①）

　　　　（按分率の算定日）
（2）　(1)の按分率は、当該年度の3月31日現在において算定した率によるものとする。（令8②）

　　　　（特定按分率による算定等）
（3）　(1)の規定により、当該年度の4月から6月までの月において払い込む場合には、当該年度の前年度の3月31日現在において算定した按分率により、当該年度の7月から3月までの月において払い込む場合には、当該年度分の個人の道府県民税及び市町村民税の課税額が最初に納付又は納入されるべき期限の到来する月（以下「最初の納期限の月」という。）の末日現在において算定した当該市町村の当該年度の収入額となるべき個人の道府県民税（道府県民税に係る退職所得の課税の特例《第二編第一章第七節》の規定により課する所得割を除く。）の課税額の合計額と当該年度の収入額となるべき個人の市町村民税（第十節《退職所得の課税の特例》の規定により課する所得割を除く。）の課税額の合計額との割合（以下「特定按分率」という。）によることができるものとし、当該年度の収入額となるべき分として市町村に納付又は納入のあった個人の道府県民税に係る地方団体の徴収金と個人の市町村民税に係る地方団体の徴収金との合算額のうち当該年度の3月31日現在において算定した按分率により道府県に払い込むべき個人の道府県民税に係る地方団体の徴収金の額と既に払い込んだ個人の道府県民税に係る地方団体の徴収金の額（道府県の徴税吏員の徴収及び滞納処分《第二編第一章第六節十一の1》（これらの規定を第二編第一章第六節十一の1の(9)において準用する場合を含む。）の規定により道府県が徴収した個人の道府県民税に係る地方団体の徴収金がある場合には、当該徴収金の額を含む。）との間に過不足がある場合には、当該年度の翌年度の4月から6月までの月において払い込むべき額で清算するものとする。（令8③）

　　　　（特定按分率に著しい変動を生ずる場合等）
（4）　(3)の場合において、最初の納期限の月が当該年度の7月以降の月となる市町村が当該年度の7月又は7月から最初の納期限の月までの月において払い込むときは、当該年度の前年度の3月31日現在において算定した按分率によるものとし、最初の納期限の月の翌月以降において市町村の廃置分合又は境界変更その他の理由により特定按分率に著しい変動を生ずることとなった場合には、当該著しい変動を生ずることとなった月の末日現在において算定した特定按分率により当該月の翌月から当該年度の3月までの月に払い込むことができるものとする。（令8④）

　　　　（市町村の廃置分合があった場合）
（5）　市町村の廃置分合があった場合において、存続市町村が当該廃置分合があった日の属する月の翌月から当該存続市町村の最初の納期限の月までの月において払い込むべき個人の道府県民税に係る地方団体の徴収金の額は、前月中に納付又は納入のあった個人の道府県民税に係る地方団体の徴収金と個人の市町村民税に係る地方団体の徴収金との合算額に、当該廃置分合があった日の属する年度の前年度の3月31日現在において算定した当該廃置分合前の市町村の前年度の収入額となるべき個人の道府県民税の課税額の合計額の合算額と前年度の収入額となるべき個人の市町村民税の課税額の合計額の合算額との割合を乗じて算定する。（令8⑤）

第三編第一章《個人の市町村民税》第七節《賦課及び徴収》

　　　（指定都市以外の市町村の区域が指定都市の区域となった場合の特例）
（６）　指定都市以外の市町村の区域の全部又は一部が指定都市の区域の全部又は一部となった場合には、市町村が税率変更年度（指定都市以外の市町村の区域の全部又は一部が指定都市の区域の全部又は一部となった日（以下（６）及び（７）において「移行日」という。）の属する年度の翌年度（移行日が４月１日である場合には、移行日の属する年度）をいう。以下（６）において同じ。）から５年度間の各月において２の規定により道府県に払い込むべき個人の道府県民税に係る地方団体の徴収金のうち、特定滞納道府県民税に係る地方団体の徴収金（賦課期日現在において移行区域（移行日に指定都市以外の市町村の区域の全部又は一部から指定都市の区域の全部又は一部となった区域をいう。以下（６）において同じ。）に住所を有した納税義務者に対して税率変更前年度（税率変更年度の前年度をいう。（一）において同じ。）以前の年度の収入となるべきものとして課された個人の道府県民税（（二）において「特定道府県民税」という。）に係る地方団体の徴収金のうち、税率変更年度以後の収入となるべき分として市町村に納付又は納入のあったものをいう。以下（６）において同じ。）の額は、（１）から（５）の規定にかかわらず、（一）に掲げる合算額を（二）に掲げる割合で按分して算定した額とする。ただし、移行日後に移行区域の全部又は一部が指定都市以外の市町村の区域の全部又は一部となった場合における（８）の規定の適用を受ける特定滞納道府県民税に係る地方団体の徴収金の額については、この限りでない。（令８⑥）
　（一）　当該各月の前月中に納付又は納入のあった特定滞納道府県民税に係る地方団体の徴収金と特定滞納市町村民税に係る地方団体の徴収金（賦課期日現在において移行区域に住所を有した納税義務者に対して税率変更前年度以前の年度の収入となるべきものとして課された個人の市町村民税（次号において「特定市町村民税」という。）に係る地方団体の徴収金のうち、税率変更年度以後の収入となるべき分として市町村に納付又は納入のあったものをいう。）との合算額（督促手数料及び滞納処分費を除く。）
　（二）　税率変更年度の４月１日現在において算定した指定都市が徴収すべき特定道府県民税の課税額の合計額と指定都市が徴収すべき特定市町村民税の課税額の合計額との割合

　　　（読替規定）
（７）　移行日が同一の計算期間（毎年４月２日から翌年４月１日までの期間をいう。（９）において同じ。）内に２以上ある場合における（６）の規定の適用については、（６）中「指定都市」とあるのは「（同一の（７）に規定する計算期間内の移行日（指定都市」と、「日（」とあるのは「日をいう。」と、「「移行日」という。）」とあるのは「同じ。）のうち最も早い日」と、「翌年度（移行日が４月１日である場合には、移行日の属する年度）」とあるのは「翌年度」と、「移行日に」とあるのは「当該計算期間内の移行日に」と、「移行日後に」とあるのは「当該計算期間内の各移行日後に当該移行日に係る」とする。（令８⑦）

　　　（指定都市の区域が指定都市以外の市町村の区域となった場合の特例）
（８）　指定都市の区域の全部又は一部が指定都市以外の市町村の区域の全部又は一部となった場合には、市町村が税率変更年度（指定都市の区域の全部又は一部が指定都市以外の市町村の区域の全部又は一部となった日（以下（８）及び（９）において「移行日」という。）の属する年度の翌年度（移行日が４月１日である場合には、移行日の属する年度）をいう。以下（８）において同じ。）から５年度間の各月において２の規定により道府県に払い込むべき個人の道府県民税に係る地方団体の徴収金のうち、特定滞納道府県民税に係る地方団体の徴収金（賦課期日現在において移行区域（移行日に指定都市の区域の全部又は一部から指定都市以外の市町村の区域の全部又は一部となった区域をいう。以下（８）において同じ。）に住所を有した納税義務者に対して税率変更前年度（税率変更年度の前年度をいう。（一）において同じ。）以前の年度の収入となるべきものとして課された個人の道府県民税（（二）において「特定道府県民税」という。）に係る地方団体の徴収金のうち、税率変更年度以後の収入となるべき分として市町村に納付又は納入のあったものをいう。以下（８）において同じ。）の額は、（１）から（５）までの規定にかかわらず、（一）に掲げる合算額を（二）に掲げる割合で按分して算定した額とする。ただし、移行日後に移行区域の全部又は一部が指定都市の区域の全部又は一部となった場合における（６）の規定の適用を受ける特定滞納道府県民税に係る地方団体の徴収金の額については、この限りでない。（令８⑧）
　（一）　当該各月の前月中に納付又は納入のあった特定滞納道府県民税に係る地方団体の徴収金と特定滞納市町村民税に係る地方団体の徴収金（賦課期日現在において移行区域に住所を有した納税義務者に対して税率変更前年度以前の年度の収入となるべきものとして課された個人の市町村民税（（二）において「特定市町村民税」という。）に係る地方団体の徴収金のうち、税率変更年度以後の収入となるべき分として市町村に納付又は納入のあったものをいう。）との合算額（督促手数料及び滞納処分費を除く。）
　（二）　税率変更年度の４月１日現在において算定した指定都市以外の市町村が徴収すべき特定道府県民税の課税額の

合計額と指定都市以外の市町村が徴収すべき特定市町村民税の課税額の合計額との割合

(読替規定)
(9) 移行日が同一の計算期間内に2以上ある場合における(8)の規定の適用については、(8)中「(指定都市」とあるのは「(同一の(7)に規定する計算期間内の移行日(指定都市」と、「日(」とあるのは「日をいう。」と、「「移行日」という。)」とあるのは「同じ。)」のうち最も早い日」と、「翌年度(移行日が4月1日である場合には、移行日の属する年度)」とあるのは「翌年度」と、「移行日に」とあるのは「当該計算期間内の移行日に」と、「移行日後に」とあるのは「当該計算期間内の各移行日後に当該移行日に係る」とする。(令8⑨)

(滞納処分に係る徴収金のあん分割合)
(10) 道府県が第二編第一章第六節十一の1の(4)《徴収金の払込み》(これらの規定を第二編第一章第六節十一の1の(9)において準用する場合を含む。)の規定により市町村に払い込むべき個人の市町村民税に係る地方団体の徴収金の額は、当該個人の道府県民税及び市町村民税に係る地方団体の徴収金を仮に当該市町村が徴収して道府県に払い込むものとした場合において(1)から(5)までの規定により定められる率により算定した額とする。(令8⑩)

(個人の道府県民税に係る地方団体の徴収金の払込みの方法等の特例)
(11) 第二編第一章《道府県民税》第六節三の2の(6)(令附5の2)を参照。(編者)

第八節 納期限後納付に係る延滞金

1 延滞金の徴収

市町村民税の納税者又は特別徴収義務者は、第七節三の2《納期》の納期限後にその税金を納付する場合又は同節四の3の①《給与所得に係る特別徴収税額の徴収・納入義務》若しくは②《退職等に伴う給与所得に係る特別徴収税額の一括徴収》のただし書、同節四の4《給与所得に係る特別徴収税額の納期の特例》(第十節6の①《特別徴収税額の納期の特例》において準用する場合を含む。)、同節五の5《年金所得に係る特別徴収税額の納入の義務》(同7《年金所得に係る仮特別徴収税額等》の(2)において準用する場合を含む。)又は第十節5の②《分離課税に係る所得割の申告納入》の納期限後にその納入金を納入する場合には、それぞれこれらの税額又は納入金額に、その納期限の翌日から納付又は納入の日までの期間の日数に応じ、年14.6パーセント(次表の右欄に掲げる期間については、年7.3パーセント)の割合を乗じて計算した金額に相当する延滞金額を加算して納付し、又は納入しなければならない。(法326①一)

第七節三の2《納期》の納期限後に納付し、又は同節四の3の①《給与所得に係る特別徴収税額の徴収・納入義務》若しくは②《退職等に伴う給与所得に係る特別徴収税額の一括徴収》ただし書、同節四の4《給与所得に係る特別徴収税額の納期の特例》、同節五の5《年金所得に係る特別徴収税額の納入の義務》若しくは第十節5の②《分離課税に係る所得割の申告納入》の納期限後に納入する税額	当該納期限の翌日から1月を経過する日

(注) 1に規定する延滞金の年7.3パーセントの割合については特例規定が設けられているので、第一編第十章12の①《延滞金の割合の特例》を参照。(編者)

2 延滞金の減免

市町村長は、納税者又は特別徴収義務者が1の納期限までに税金を納付しなかったこと、又は納入金を納入しなかったことについてやむを得ない理由があると認める場合においては、1の延滞金額を減免することができる。(法326④)

第九節　雑　　　則

1　天災等の場合の減免

市町村長は、天災その他特別の事情がある場合において市町村民税の減免を必要とすると認める者、貧困により生活のため公私の扶助を受ける者その他特別の事情がある者に限り、当該市町村の条例の定めるところにより、市町村民税を減免することができる。ただし、特別徴収義務者については、この限りでない。（法323）

　　（生活困窮者に対する減免）
注　前年に所得があった者であっても、当該年における所得が皆無となったため又は甚だしく減少したため生活が著しく困難となったと認められる者については、その状況に応じて、適宜減免することが適当であること。特に退職者及び失業者については、配慮を加えるべきものであること。
　　なお、大規模の工場の閉鎖等により、一時に、かつ、大量に失業者が生じた場合において、これらの者について市町村民税を減免した結果、所期の税収を確保しないこととなるためその財政運営に支障を生ずると認められる市町村に対しては、当該年度の特別交付税の算定について考慮されるものであること。（市通2－7）

2　脱税に関する罪

偽りその他不正の行為により市町村民税の全部又は一部を免れたときは、その違反行為をした者は、10年以下の懲役若しくは1,000万円以下の罰金に処し、又はこれを併科する。（法324①）

　　（脱税額が1,000万円を超える場合の罰金額の加重）
（1）　2の免れた税額が1,000万円を超える場合には、情状により、2の罰金の額は、2の規定にかかわらず、1,000万円を超える額でその免れた税額に相当する額以下の額とすることができる。（法324②）

　　（特別徴収義務者に対する脱税の罪）
（2）　第七節四の3の①《給与所得に係る特別徴収税額の徴収・納入義務》若しくは②《退職等に伴う給与所得に係る特別徴収税額の一括徴収》ただし書又は同節五の5《年金所得に係る特別徴収税額の納入の義務》（同7の（2）において読み替えて準用する場合を含む。）の規定により徴収して納入すべき個人の市町村民税に係る納入金の全部又は一部を納入しなかったときは、その違反行為をした者は、10年以下の懲役若しくは200万円以下の罰金に処し、又はこれを併科する。（法324③）

　　（脱税額が200万円を超える場合の罰金額の加重）
（3）　（2）の納入しなかった金額が200万円を超える場合には、情状により、（2）の罰金の額は、（2）の規定にかかわらず、200万円を超える額でその納入しなかった金額に相当する額以下の額とすることができる。（法324④）

　　（故意不申告の罪）
（4）　2に規定するもののほか、第六節1の①若しくは②の規定により提出すべき申告書を提出しないこと若しくは同⑧の規定により申告すべき事項について申告しないことにより、市町村民税の全部又は一部を免れたときは、その違反行為をした者は、5年以下の懲役若しくは500万円以下の罰金に処し、又はこれを併科する。（法324⑤）

　　（脱税額が500万円を超える場合の罰金額の加重）
（5）　（4）の免れた税額が500万円を超える場合には、情状により、（4）の罰金の額は、（4）の規定にかかわらず、500万円を超える額でその免れた税額に相当する額以下の額とすることができる。（法324⑥）

　　（両罰規定）
（6）　法人の代表者又は法人若しくは人の代理人、使用人その他の従業者がその法人又は人の業務又は財産に関して2、（2）又は（4）の違反行為をした場合には、その行為者を罰するほか、その法人又は人に対し、2、（2）又は（4）の罰金刑を科する。（法324⑦）

(罰金刑の時効の期間)
（7） （6）の規定により2、（2）又は（4）の違反行為につき法人又は人に罰金刑を科する場合における時効の期間は、2、（2）又は（4）の罪についての時効の期間による。（法324⑧）

(人格のない社団等に対する刑事訴訟法の準用)
（8） 法人でない社団又は財団で代表者又は管理人の定めのあるものについて（6）の規定の適用がある場合には、その代表者又は管理人がその訴訟行為につき当該法人でない社団又は財団で代表者又は管理人の定めのあるものを代表するほか、法人を被告人又は被疑者とする場合の刑事訴訟に関する法律の規定を準用する。（法324⑨）

3　所得税に関する書類の供覧

　市町村長が市町村民税の賦課徴収について、政府に対し、所得税若しくは法人税の納税義務者が政府に提出した申告書又は政府がした更正若しくは決定に関する書類を閲覧し、又は記録することを請求した場合には、政府は、関係書類を市町村長又はその指定する職員に閲覧させ、又は記録させるものとする。（法325）

第十節　退職所得の課税の特例

1　退職手当等に係る所得割

　市町村内に住所を有する個人の納税義務者が退職手当等（所得税法第199条《退職所得の源泉徴収》の規定によりその所得税を徴収して納付すべきものに限る。以下本節において同じ。）の支払を受ける場合には、当該退職手当等に係る所得割は、第二節《所得割の課税標準及びその計算》、第四節ー2《所得割の税率》及び第七節ー《賦課期日》の規定にかかわらず、当該退職手当等に係る所得を他の所得と区分し、本節に規定するところにより、当該退職手当等の支払を受けるべき日の属する年の1月1日現在におけるその者の住所所在の市町村において課する。（法328）

(退職手当等に対する分離課税)
（1）　市町村内に住所を有する者が退職手当等の支払を受ける場合には、当該退職手当等に係る所得を他の所得と区分し、いわゆる分離課税の方法によって所得割を課されるものであること。（市通2－64）

(分離課税に係る所得割の課税対象の範囲)
（2）　分離課税に係る所得割の課税対象となる退職手当等は、所得税法第30条第1項《退職所得》に規定する退職手当等（同法第31条《退職手当等とみなす一時金》において退職手当等とみなされる一時金を含む。）で同法第199条《退職所得の源泉徴収》の規定によりその所得税を徴収して納付すべきものに限られるものであること。従って、常時2人以下の家事使用人のみに対して給与等の支払をする者の支払う退職手当等は分離課税に係る所得割の課税対象とはならず、それについては他の所得についてと同様翌年度において課税されるものであること。（市通2－65）

(課税市町村及び住所の意義)
（3）　分離課税に係る所得割は、その課税対象となる退職手当等の支払を受けるべき日の属する年の1月1日現在におけるその支払を受ける者の住所所在の市町村が課するものであること。
　なお、この場合における住所は、第一節二の(一)《市町村内に住所を有する個人》の住所と同意義のものであるので、その認定は、同節二の(1)から(3)までに定めるところによって行うものであること。（市通2－66）

2　分離課税に係る所得割の課税標準

　分離課税に係る所得割の課税標準は、**その年中の退職所得の金額**とする。（法328の2①）
　この場合の退職所得の金額は、所得税法第30条第2項《退職所得の金額の計算》に規定する退職所得の金額の計算の例によって算定する。（法328の2②）

(所得税の課税標準との関係)
注　分離課税に係る所得割の課税標準は、その年中の退職所得の金額であり、その算定は所得税法第30条第2項に規定する退職所得の金額の計算の例によるものとされているので、その年分の所得税の課税標準である退職所得の金額と

同一であること。(市通2-67)

3 分離課税に係る所得割の税率

分離課税に係る所得割の税率は、100分の6とする。(法328の3)

(異なる税率の定め)
注　分離課税に係る所得割の税率は、3に規定されているところによるものであり、市町村においてこれと異なる定めをすることはできないものであること。(市通2-68)

4 分離課税に係る所得割の徴収

市町村は、分離課税に係る所得割の徴収については、特別徴収の方法によらなければならない。(法328の4)

5 特別徴収の手続

① 特別徴収義務者の指定

市町村は、4の規定によって分離課税に係る所得割を特別徴収の方法によって徴収しようとする場合には、当該分離課税に係る所得割の納税義務者に対して退職手当等の支払をする者(他の市町村において退職手当等の支払をする者を含む。)を当該市町村の条例によって特別徴収義務者として指定し、これに徴収させなければならない。(法328の5①)

② 分離課税に係る所得割の申告納入

①の特別徴収義務者は、退職手当等の支払をする際、その退職手当等について分離課税に係る所得割を徴収し、その徴収の日の属する月の翌月の10日までに、総務省令で定める様式によって、その徴収すべき分離課税に係る所得割の課税標準額、税額その他必要な事項を記載した納入申告書を市町村長に提出し、及びその納入金を当該市町村に納入する義務を負う。(法328の5②)

③ 納入金のみなす納入

(一)	他の市町村内における給与支払者が特別徴収義務者として指定された場合	①の規定により、他の市町村内において給与の支払をする者が特別徴収義務者として指定された場合には、当該特別徴収義務者は、その納入すべき納入金を当該他の市町村内に所在する銀行その他の金融機関で当該市町村が指定して当該特別徴収義務者に通知したものに払込むものとする。この場合においては、当該特別徴収義務者が当該通知に係る金融機関に払込んだ時に、当該市町村にその納入金の納入があったものとみなす。(法328の5③、321の5④)
(二)	市町村の指定した特別徴収義務者が国の機関である場合	市町村の指定した特別徴収義務者が国の機関である場合における第八節1《延滞金の徴収》の規定の適用については、当該特別徴収義務者が特別徴収税額に係る納入金に相当する金額の資金を日本銀行に交付して納入金の払込みをした時において当該市町村に納入金の納入があったものとみなす。(法328の5③、321の5⑤)

6 特別徴収義務者の納期の特例

① 特別徴収税額の納期の特例

5の①の特別徴収義務者は、その事務所、事業所その他これらに準ずるもので給与の支払事務を取扱うもの(給与の支払を受ける者が常時10人未満であるものに限る。以下6において「**事務所等**」という。)につき、当該特別徴収に係る納入金を申告納入すべき市町村の長の承認を受けた場合には、6月から11月まで及び12月から翌年5月までの各期間(当該各期間のうちその承認を受けた日の属する期間については、その日の属する月から当該期間の最終月までの期間)に当該事務所等において支払った退職手当等について5の②の規定により徴収した特別徴収税額を、同②の規定にかかわらず、当該各期間に属する最終月の翌月10日までに当該市町村に申告納入することができる。(法328の5③、321の5の2①)

(納期の特例の要件を欠いた場合の届出)
注　①の承認を受けた者は、その承認に係る事務所等において給与の支払を受ける者が常時10人未満でなくなった場合には、遅滞なく、その旨その他次に掲げる事項を記載した届出書を当該事務所等の所在地の市町村長に提出しなけれ

ばならない。この場合において、その届出書の提出があったときは、その提出の日の属する①に規定する期間以後の期間については、その承認は、その効力を失うものとする。(令48の17、48の9の11、規10の2の5)
　イ　届出書を提出する者の氏名又は名称、住所若しくは居所又は本店若しくは主たる事務所の所在地及び個人番号又は法人番号
　ロ　イの届出書に係る小規模事務所等の所在地
　ハ　給与の支払を受ける者が常時10人未満でなくなった事実
　ニ　その他参考となるべき事項

② **納期の特例の承認申請**
　①の承認の申請をする者は、その承認を受けようとする事務所等（①に規定する事務所等をいう。）の所在地、当該小規模事務所等において給与の支払を受ける者の数その他次に掲げる事項を記載した申請書を①の市町村長に提出しなければならない。(令48の17、48の9の10①、規10の2の2)
（一）　申請書を提出する者の氏名又は名称、住所若しくは居所又は本店若しくは主たる事務所の所在地及び個人番号又は法人番号
（二）　①の承認を受けようとする①に規定する事務所等に係る最近における6月間の月別の給与の支払を受ける者の数及び当該給与の金額並びに臨時に雇用している者がある場合には、その者に係るこれらの内訳
（三）　当該市町村に係る地方団体の徴収金の滞納又は最近における著しい納付若しくは申告納入の遅延の事実がある場合において、それがやむを得ない事由によるものであるときは、その事由
（四）　（一）の申請書を提出した日以前1年以内において次の(1)の規定による取消しの通知を受けたことの有無
（五）　その他参考となるべき事項

　　　　（承認取消しの通知）
（1）　市町村長は、②の申請書の提出があった場合において、その申請につき承認若しくは却下の処分をするとき、又は④の規定による承認の取消しの処分をする場合には、その申請をした者又は承認を受けていた者に対し、書面によりその旨を通知するものとする。(令48の17、48の9の10④)

　　　　（みなし承認）
（2）　②の申請書の提出があった場合において、その申請書の提出があった日の属する月の翌月末日までにその申請につき承認又は却下の処分がなかったときは、同日においてその承認があったものとみなす。(令48の17、48の9の10⑤)

③ **納期の特例の申請の却下**
　市町村長は、②の申請書の提出があった場合において、その申請書を提出した者につき次の各号の一に該当する事実があるときは、その申請を却下することができる。(令48の17、48の9の10②)
（一）　その承認を受けようとする事務所等において給与の支払を受ける者が常時10人未満であると認められないこと。
（二）　④の規定による取消し（その者について（一）に該当する事実が生じたことのみを理由としてされたものを除く。）の通知を受けた日以後1年以内にその申請書を提出したこと。
（三）　その者につき現に当該市町村に係る地方団体の徴収金の滞納があり、かつ、その滞納に係る地方団体の徴収金の徴収が著しく困難であることその他その申請を認める場合には5の②《分離課税に係る所得割の申告納入》の規定により徴収した特別徴収税額の申告納入に支障が生ずるおそれがあると認められる相当の理由があること。

④ **納期の特例の承認の取消し**
　市町村長は、①の承認を受けた者について③の（一）又は（三）に該当する事実が生じたと認めるときは、その承認を取り消すことができる。(令48の17、48の9の10③)

⑤ **納期の特例の承認の取消しがあった場合の納期限**
　④の規定による承認の取消し又は①の注の届出書の提出があった場合には、その取消し又は提出の日の属する①に規定する期間に係る5の②に規定する特別徴収税額のうち同日の属する月以前の各月に徴収すべきものについては、同日の属する月の翌月10日をその納期限とする。(令48の17、48の9の12)

7　特別徴収税額

5の②《分離課税に係る所得割の申告納入》の規定により徴収すべき分離課税に係る所得割の額は、次の各号に掲げる場合の区分に応じ、当該各号に掲げる税額とする。(法328の6①)

(一)	退職手当等の支払を受ける者が提出した「退職所得申告書」に、その支払うべきことが確定した年において支払うべきことが確定した他の退職手当等で既に支払がされたもの((二)において「**支払済みの他の退職手当等**」という。)がない旨の記載がある場合	その支払う退職手当等の金額について2及び3の規定を適用して計算した税額
(二)	退職手当等の支払を受ける者が提出した退職所得申告書に、支払済みの他の退職手当等がある旨の記載がある場合	その支払済みの他の退職手当等の金額とその支払う退職手当等の金額との合計額について2及び3の規定を適用して計算した税額から、その支払済みの他の退職手当等につき5の②の規定により徴収された又は徴収されるべき分離課税に係る所得割の額を控除した残額に相当する税額

　　　(退職所得申告書の提出がない場合の所得割額)
(1)　退職手当等の支払を受ける者がその支払を受ける時までに退職所得申告書を提出していないときは、5の②《分離課税に係る所得割の申告納入》の規定により徴収すべき分離課税に係る所得割の額は、その支払う退職手当等の金額について2《分離課税に係る所得割の課税標準》及び3《分離課税に係る所得割の税率》の規定を適用して計算した税額とする。(法328の6②)

　　　(退職所得控除額の計算)
(2)　7の表の各号又は(1)の規定により2《分離課税に係る所得割の課税標準》の規定を適用する場合における所得税法第30条第2項《退職所得の金額の計算》の退職所得控除額の計算については、7又は(1)の規定による分離課税に係る所得割を徴収すべき退職手当等を支払うべきことが確定した時の状況によるものとする。(法328の6③)

　　　(退職手当等とみなす一時金の支払がある場合の負担した金額の控除)
(3)　所得税法第202条《退職所得とみなされる退職一時金に係る源泉徴収》の規定は、7、(1)及び(2)の規定を適用する場合について準用する。(法328の6④)

8　退職所得申告書

退職手当等の支払を受ける者は、その支払を受ける時までに、次に掲げる事項を記載した申告書を、その退職手当等の支払者を経由して、その退職手当等の支払を受けるべき日の属する年の1月1日現在における住所所在地の市町村長に提出しなければならない。この場合において、(二)に規定する支払済みの他の退職手当等がある旨を記載した申告書を提出するときは、当該申告書に当該支払済みの他の退職手当等につき11《特別徴収票》の規定により交付される特別徴収票を添付しなければならない。(法328の7①、規2の5①)

(一)　その退職手当等の支払者の氏名又は名称
(二)　7の表の(一)に規定する支払済みの他の退職手当等があるかどうか並びに当該支払済みの他の退職手当等があるときは当該支払済みの他の退職手当等が所得税法第30条第7項に規定する一般退職手当等、同条第4項に規定する短期退職手当等又は同条第5項に規定する特定役員退職手当等のいずれに該当するかの別及びその金額
(三)　7の(2)に規定する退職所得控除額の計算の基礎となる勤続年数
(四)　その者が所得税法第30条第6項第3号《障害者になったことに基因して退職した場合の退職所得控除額の計算》に掲げる場合に該当するかどうか及びこれに該当するときはその該当する事実
(五)　退職所得申告書を提出する者の氏名、その者の退職手当等の支払を受けるべき日の属する年の1月1日現在の住所並びに個人番号(個人番号を有しない者にあっては、氏名及びその者の退職手当等の支払を受けるべき日の属する年の1月1日現在の住所)
(六)　(三)に掲げる勤続年数の計算の基礎その他7の(2)に規定する退職所得控除額の計算の基礎となるべき事項
(七)　7の表の(二)に規定する支払済みの他の退職手当等がある場合には、当該支払済みの他の退職手当等の支払者の氏

名又は名称、当該支払済みの他の退職手当等につき5の②《分離課税に係る所得割の申告納入》の規定により徴収された税額並びにその支払を受けた年月日
(八) 退職手当等の支払を受けるべき日の属する年の1月1日現在で、生活保護法の規定による生活扶助を受けている場合には、その旨
(九) 8に規定する退職手当等又は(二)に規定する支払済みの他の退職手当等の全部又は一部がこれらの規定に規定する短期退職手当等に該当する場合には、次に掲げる事項
　イ　2の規定によりその例によることとされる所得税法施行令第71条の2第2項に規定する短期勤続年数及びその計算の基礎
　ロ　2の規定によりその例によることとされる所得税法施行令第71条の2第11項各号に掲げる場合に該当するときは、同令第319条の3第2項に規定する短期退職所得控除額の計算の基礎
(十) 8に規定する退職手当等又は(二)に規定する支払済みの他の退職手当等の全部又は一部がこれらの規定に規定する特定役員退職手当等に該当する場合には、次に掲げる事項
　イ　2の規定によりその例によることとされる第71条の2《一般退職手当等、短期退職手当等又は特定役員退職手当等のうち二以上の退職手当等がある場合の退職所得の金額の計算》第4項に規定する特定役員等勤続年数及びその計算の基礎
　ロ　2の規定によりその例によることとされる所得税法施行令第71条の2第12項各号に掲げる場合に該当するときは、同令第319条の3《特定役員退職手当等と一般退職手当等がある場合の退職所得に係る源泉徴収》第2項に規定する特定役員退職所得控除額の計算の基礎
(十一) その他参考となるべき事項

　　　(退職所得申告書のみなす提出)
(1) 8の場合において、退職所得申告書がその提出の際に経由すべき退職手当等の支払者に受理されたときは、その申告書は、その受理された時に8に規定する市町村長に提出されたものとみなす。(法328の7②)

　　　(退職所得申告書の提出方法)
(2) 所得税法第203条第1項の規定により同項の規定による申告書を提出しなければならない者((4)の(注)及び11の(1)、(2)において「退職手当等の支払を受ける者」という。)が退職所得申告書を提出する場合には、同法第203条第1項の規定による申告書と併せて6に規定する退職手当等の支払者(8において「退職手当等の支払者」という。)を経由して、提出しなければならない。(規2の4①)

　　　(退職所得申告書の不提出に関する過料)
(3) 市町村は、分離課税に係る所得割の納税義務者が退職所得申告書を正当な理由がなくて提出しなかった場合には、その者に対し、当該市町村の条例で10万円以下の過料を科する旨の規定を設けることができる。(法328の8)

　　　(退職所得申告書の保存)
(4) 退職手当等の支払者が退職手当等の支払を受ける者から退職所得申告書を受理した場合には、当該退職所得申告書(9の規定の適用により当該退職手当等の支払者が提供を受けた当該退職所得申告書に記載すべき事項を含む。(8)において同じ。)を、8に規定する市町村長が当該退職手当等の支払者に対しその提出を求めるまでの間、当該退職手当等の支払者が保存するものとする。ただし、当該退職所得申告書に係るこれらの規定に規定する提出期限の属する年の翌年1月10日の翌日から7年を経過する日後においては、この限りでない。(規2の4②)

　　　(個人番号の記載を要しない場合)
(5) 退職所得申告書の提出を受ける退職手当等の支払者が、当該退職所得申告書に記載されるべき当該退職所得申告書の提出をする者(以下「提出する者」という。)の氏名及び個人番号その他の事項を記載した帳簿(当該退職所得申告書の提出の前に当該提出する者から第六節4の①の(3)の(一)から(三)に掲げる申告書の提出を受けて作成されたものに限る。)を備えているときは、当該提出する者は、8の規定にかかわらず、当該退職手当等の支払者に提出する当該退職所得申告書には、当該帳簿に記載されている個人番号の記載を要しないものとする。ただし、当該退職所得申告書に記載されるべき氏名又は個人番号が当該帳簿に記載されている当該提出する者の氏名又は個人番号と異なるときは、この限りでない。(規2の5②)

　　　　（帳簿の記載事項）
（６）退職手当等の支払者が（５）の規定により帳簿を作成する場合には、その者は、当該帳簿に次に掲げる事項を記載しなければならない。（規２の５③）
　（一）　第六節４の①の（３）の（一）から（三）に掲げる申告書に記載された提出する者の氏名、住所及び個人番号
　（二）　（一）の申告書の提出を受けた年月及び当該申告書の名称
　（三）　その他参考となるべき事項

　　　　（帳簿の保存期限）
（７）退職手当等の支払者は、（６）の帳簿を、最後に（５）の規定の適用を受けて提出された退職所得申告書に係る（４）ただし書の規定による期限まで保存しなければならない。（規２の５④）

　　　　（準用規定）
（８）第六節４の①の（６）から（８）までの規定は、（５）の規定の適用を受けて退職所得申告書を提出した者が当該退職所得申告書に記載すべき氏名、住所又は個人番号を変更した場合について準用する。（規２の５⑤）

　　　　（退職所得申告書への個人番号又は法人番号の付記）
（９）退職所得申告書を受理した８に規定する退職手当等の支払者は、当該退職所得申告書に、当該退職手当等の支払者の個人番号又は法人番号を付記するものとする。（規２の５⑥）

　　　　（退職所得申告書に関する留意事項）
（10）退職所得申告書については、次の諸点に留意すること。（市通２－69）
　イ　退職所得申告書は、退職手当等の支払を受ける者の申告手続を簡略化するため、所得税の退職所得の受給に関する申告書と併せて１枚の用紙によるものとすること。
　ロ　退職手当等の支払者に提出された退職所得申告書は、その退職手当等の支払者が保存するものとし、必要がある場合には市町村長に提出させるものであること。

９　退職所得申告書の電磁的方法による提供

　８の退職手当等の支払を受ける者は、退職所得申告書の提出の際に経由すべき退職手当等の支払者が電磁的方法による当該退職所得申告書に記載すべき事項の提供を適正に受けることができる措置を講じていることその他の（２）で定める要件を満たす場合には、（３）で定めるところにより、当該退職所得申告書の提出に代えて、当該退職手当等の支払者に対し、当該退職所得申告書に記載すべき事項を電磁的方法により提供することができる。（法328の７③）

　　　　（電磁的方法による退職所得申告書のみなす提出）
（１）９の規定の適用がある場合における８の（１）の規定の適用については、同（１）中「退職所得申告書が」とあるのは「退職所得申告書に記載すべき事項を」と、「支払者に受理されたとき」とあるのは「支払者が提供を受けたとき」と、「受理された時」とあるのは「提供を受けた時」とする。（法328の７④）

　　　　（記載事項の提供を適正に受けることができる措置）
（２）９に規定する（２）で定める要件は、次に掲げる要件とする。（令48の18、８の２の２）
　（一）　９に規定する退職手当等の支払を受ける者（（二）において「退職手当等の支払を受ける者」という。）が行う④に規定する電磁的方法による④に規定する退職申告書に記載すべき事項（以下（２）において「記載事項」という。）の提供を適正に受けることができる措置を講じていること。
　（二）　９の規定により提供を受けた記載事項について、その提供をした退職手当等の支払を受ける者を特定するための必要な措置を講じていること。
　（三）　９の規定により提供を受けた記載事項について、電子計算機の映像面への表示及び書面への出力をするための必要な措置を講じていること。

　　　　（退職所得申告書の電磁的方法による提供方法）
（３）９の規定による退職所得申告書に記載すべき事項の電磁的方法による提供は、所得税法第203条第４項の規定による同項に規定する申告書に記載すべき事項の電磁的方法による提供と併せて行わなければならない。（規２の５の２）

10　更正又は決定及び延滞金・加算金等

①　分離課税に係る所得割の更正

　市町村長は、5の②《分離課税に係る所得割の申告納入》又は6の①《特別徴収税額の納期の特例》の規定による納入申告書（以下「**納入申告書**」という。）の提出があった場合において、当該納入申告書に係る課税標準額又は税額がその調査したところと異なるときは、これを更正するものとする。（法328の9①）

　　　（決　定）
（1）　市町村長は、特別徴収義務者が納入申告書を提出しなかった場合には、その調査によって、納入申告すべき課税標準額及び税額を決定するものとする。（法328の9②）

　　　（再更正）
（2）　市町村長は、①、（1）及びこの項の規定によって更正し、又は決定した課税標準額又は税額について、その調査によって、過大又は過少であることを発見した場合には、これを更正するものとする（法328の9③）

　　　（更正又は決定の通知）
（3）　市町村長は、①、（1）及び（2）の規定によって更正し、又は決定した場合には、遅滞なく、これを特別徴収義務者に通知しなければならない。（法328の9④）

②　分離課税に係る所得割の不足金額及びその延滞金の徴収

　市町村の徴税吏員は、①の規定による更正又は決定があった場合において、不足金額（更正による納入金額の不足金額又は決定による納入金額をいう。以下②、③及び第十一節一の1《期限内納付がない場合の督促》において同じ。）があるときは、①の（3）の通知をした日から1月を経過した日を納期限として、これを徴収しなければならない。（法328の10①）

　　　（延滞金の加算）
（1）　②の場合には、その不足金額に5の②《分離課税に係る所得割の申告納入》又は6の①《特別徴収税額の納期の特例》の納期限（納期限の延長があったときは、その延長された納期限）の翌日から納入の日までの期間の日数に応じ、年14.6パーセント（②の納期限までの期間又は当該納期限の翌日から1月を経過する日までの期間については、年7.3パーセント）の割合を乗じて計算した金額に相当する延滞金を加算して徴収しなければならない。（法328の10②）
　　　（注）　（1）に規定する延滞金の年7.3パーセントの割合については特例規定が設けられているので、第一編第十章12の①《延滞金の割合の特例》を参照。（編者）

　　　（延滞金の減免）
（2）　市町村長は、特別徴収義務者が①の規定による更正又は決定を受けたことについてやむを得ない事情があると認める場合には、（1）の延滞金を減免することができる。（法328の10③）

③　分離課税に係る所得割の納入金の加算金

（一）	過少申告加算金	納入申告書の提出期限までにその提出があった場合（納入申告書の提出期限後にその提出があった場合において、（二）ただし書又は（5）の規定の適用があるときを含む。以下（一）において同じ。）において、①又は同（2）の規定による更正があったときは、市町村長は、当該更正前の納入申告に係る課税標準額又は税額に誤りがあったことについて正当な理由があると認める場合を除き、当該更正による不足金額（以下（一）において「対象不足金額」という。）に100分の10の割合を乗じて計算した金額（当該対象不足金額（当該更正前にその更正に係る分離課税に係る所得割について更正があった場合には、その更正による不足金額の合計額（当該更正前の納入申告に係る課税標準額又は税額に誤りがあったことについて正当な理由があると認められたときは、その更正による不足金額を控除した金額とし、当該分離課税に係る所得割についてその納入すべき金額を減少させる更正又は更正に係る審査請求若しくは訴えについての裁決若しくは判決による原処分の異動があったときは、これらにより減少した部分の金額に相当する金額を控除した金額とする。）を加算した金額とする。）が納入申告書の提出期限までにその提出があった場合における当

		該納入申告書に係る税額に相当する金額と50万円とのいずれか多い金額を超えるときは、その超える部分に相当する金額（当該対象不足金額が当該超える部分に相当する金額に満たないときは、当該対象不足金額）に100分の5の割合を乗じて計算した金額を加算した金額とする。）に相当する過少申告加算金を徴収しなければならない。（法328の11①）
（二）	不申告加算金	次の各号のいずれかに該当する場合には、市町村長は、当該各号に規定する納入申告、決定又は更正により納入すべき税額に100分の15の割合を乗じて計算した金額に相当する不申告加算金額を徴収しなければならない。ただし、納入申告書の提出期限までにその提出がなかったことについて正当な理由があると認められる場合は、この限りでない。（法328の11②） イ　納入申告書の提出期限後にその提出があった場合又は①の(1)の規定による決定があった場合 ロ　納入申告書の提出期限後にその提出があった後において①又は①の(2)の規定による更正があった場合 ハ　①の(1)の規定による決定があった後において①の(2)の規定による更正があった場合

　　　（納入すべき税額が50万円を超える場合の加算）
(1)　③の(二)の規定に該当する場合（同(二)ただし書又は(7)の規定の適用がある場合を除く。(2)及び(4)において同じ。）において、③の(二)に規定する納入すべき税額（同(二)のロ又はハに該当する場合には、これらの規定に規定する更正前にされた当該分離課税に係る所得割に係る納入申告書の提出期限後の納入申告又は①から同(2)までの規定による更正若しくは決定により納入すべき税額の合計額（当該納入すべき税額を減少させる更正又は更正に係る審査請求若しくは訴えについての裁決若しくは判決による原処分の異動があったときは、これらにより減少した部分の税額に相当する金額を控除した金額とする。(2)において「累積納入税額」という。）を加算した金額。(2)において「加算後累積納入税額」という。）が50万円を超えるときは、③の(二)に規定する不申告加算金額は、同(二)の規定にかかわらず、同(二)の規定により計算した金額に、その超える部分に相当する金額（同(二)に規定する納入すべき税額が当該超える部分に相当する金額に満たないときは、当該納入すべき税額）に100分の5の割合を乗じて計算した金額を加算した金額とする。（法328の11③）

　　　（更正等があった日の前日から起算して5年前の日までの間に不申告加算金等を徴収されたことがある場合の不申告加算金額の計算）
(2)　③の表の(二)の規定に該当する場合において、加算後累積納入税額（当該加算後累積納入税額の計算の基礎となった事実のうちに③の表に規定する納入申告、決定又は更正前の税額（還付金の額に相当する税額を含む。）の計算の基礎とされていなかったことについて当該特別徴収義務者の責めに帰すべき事由がないと認められるものがあるときは、その事実に基づく税額として(3)で定めるところにより計算した金額を控除した税額）が300万円を超えるときは、③の表に規定する不申告加算金額は、③の表の(二)及び(1)の規定にかかわらず、加算後累積納入税額を次の各号に掲げる金額に区分してそれぞれの金額に当該各号に定める割合を乗じて計算した金額の合計額から累積納入税額を当該各号に掲げる金額に区分してそれぞれの金額に当該各号に定める割合を乗じて計算した金額の合計額を控除した金額とする。（法328の11④）
　（一）　50万円以下の部分に相当する金額　　　100分の15の割合
　（二）　50万円を超え300万円以下の部分に相当する金額　　　100分の20の割合
　（三）　300万円を超える部分に相当する金額　　　100分の30の割合

　　　（政令で定めるところにより計算した金額）
(3)　(2)に規定する(3)で定めるところにより計算した金額は、(2)に規定する当該特別徴収義務者の責めに帰すべき事由がないと認められる事実のみに基づいて(2)の各号に規定する納入申告、決定又は更正があったものとした場合におけるその納入申告、決定又は更正により納入すべき税額とする。（令48の18の2）

　　　（以前に不申告加算金又は重加算金を徴収されたことがある場合の加算）
(4)　③の表の(二)の規定に該当する場合において、次の各号のいずれかに該当するときは、③の表の(二)に規定する不申告加算金額は、③の表の(二)、(1)、(2)の規定にかかわらず、これらの規定により計算した金額に、③の表の(二)に規定する納入すべき税額に100分の10の割合を乗じて計算した金額を加算した金額とする。（法328の11⑤）

第三編第一章《個人の市町村民税》第十節《退職所得の課税の特例》

(一) 納入申告書の提出期限後のその提出（当該納入申告書に係る利子割について道府県知事の調査による決定があるべきことを予知してされたものに限る。(二)において同じ。）又は第二編第三章第二節二の3の①から③までの規定による更正若しくは決定があった日の前日から起算して5年前の日までの間に、利子割について、不申告加算金（(5)の規定の適用があるものを除く。(二)において同じ。）又は重加算金（④の(1)の(一)において「不申告加算金等」という。）を徴収されたことがある場合

(二) 納入申告書の提出期限後のその提出又は第二編第三章第二節二の3の①から③までの規定による更正若しくは決定に係る利子割の特別徴収義務が成立した日の属する年の前年及び前々年に特別徴収義務が成立した利子割について、不申告加算金若しくは重加算金（④の表の（二）の規定の適用があるものに限る。）（以下（二）及び④の（1）の（二）において「特定不申告加算金等」という。）を徴収されたことがあり、又は特定不申告加算金等に係る決定をすべきと認める場合

（申告書の提出が決定があることを予知してされたものでない場合の軽減）

(5) 納入申告書の提出期限後にその提出があった場合において、その提出が当該納入申告書に係る分離課税に係る所得割について市町村長の調査による決定があるべきことを予知してされたものでないときは、当該納入申告書に係る税額に係る③の(二)に規定する不申告加算金額は、同(二)及び(1)、(2)の規定にかかわらず、当該税額に100分の5の割合を乗じて計算した金額に相当する額とする。（法328の11⑥）

（過少申告加算金額又は不申告加算金額の決定の通知）

(6) 市町村長は、③の(一)の規定により徴収すべき過少申告加算金の額又は③の(二)の規定により徴収すべき不申告加算金額を決定した場合には、遅滞なく、これを特別徴収義務者に通知しなければならない。（法328の11⑦）

（不申告加算金を徴収されない場合）

(7) ③の(二)の規定は、(5)の規定に該当する納入申告書の提出があった場合において、その提出が、納入申告書の提出期限までに提出する意思があったと認められる場合として(8)で定める場合に該当して行われたものであり、かつ、納入申告書の提出期限から1月を経過する日までに行われたものであるときは、適用しない。（法328の11⑧）

（納入申告書の提出期限までに提出する意思があったと認められる場合）

(8) (7)に規定する納入申告書の提出期限までに提出する意思があったと認められる場合は、次の各号のいずれにも該当する場合とする。（令48の19）

(一) (7)に規定する納入申告書の提出があった日の前日から起算して1年前の日までの間に、分離課税に係る所得割について、③の(二)のイに該当することにより不申告加算金額又は重加算金額を課されたことがない場合であって、(7)の規定の適用を受けていないとき。

(二) (一)に規定する納入申告書に係る納入すべき税額の全額が、次に掲げる場合の区分に応じ、それぞれ次に定める期限又は日までに納入されていた場合

イ ロに掲げる場合以外の場合　当該納入すべき税額に係る5の②又は6の①の納期限（納期限の延長があったときは、その延長された納期限）

ロ 市町村長が当該納入申告書に係る納入について口座振替の方法による旨の申出を受けていた場合　当該納入申告書の提出があった日

④ **分離課税に係る所得割の納入金の重加算金**

(一)	過少申告加算金に代えて徴収する重加算金	③の(一)の規定に該当する場合において、特別徴収義務者が課税標準額の計算の基礎となるべき事実の全部又は一部を隠蔽し、又は仮装し、かつ、その隠蔽し、又は仮装した事実に基づいて納入申告書又は第一編第十章10の④に規定する更正請求書（(二)において「更正請求書」という。）を提出したときは、市町村長は、注で定めるところにより同(一)に規定する過少申告加算金に代えて、その計算の基礎となるべき更正による不足金額に100分の35の割合を乗じて計算した金額に相当する重加算金額を徴収しなければならない。（法328の12①） （重加算金額の計算） 注　(一)の規定により、過少申告加算金額に代えて、重加算金額を徴収する場合には、(一)の

		規定による重加算金額の算定の基礎となるべき(一)に規定する不足金額に相当する金額を、③の(一)に規定する対象不足金額から控除して計算するものとした場合における過少申告加算金額以外の部分の過少申告加算金額に代え、重加算金額を徴収するものとする。(令48の20、34①)
(二)	不申告加算金に代えて徴収する重加算金	③の(二)の規定に該当する場合、(同(二)ただし書の規定の適用がある場合を除く。)において、特別徴収義務者が課税標準額の計算の基礎となるべき事実の全部又は一部を隠蔽し、又は仮装し、かつ、その隠蔽し、又は仮装した事実に基づいて納入申告書の提出期限までにこれを提出せず、又は納入申告書の提出期限後にその提出を<u>し、若しくは更正請求書を提出した</u>ときは、市町村長は、同(二)に規定する不申告加算金に代え、その計算の基礎となるべき税額に100分の40の割合を乗じて計算した金額に相当する重加算金額を徴収しなければならない。(法328の12②)

(注) ④の(一)及び(二)中___部分を加える令和6年度改正規定は、令和7年1月1日以後に①に規定する納入申告書の提出期限が到来する個人の市町村民税について適用し、同日前に当該提出期限が到来した個人の市町村民税については、なお従前の例による。(令6改法附1二、18①)

　　(更正等があった日の前日から起算して5年前の日までの間に不申告加算金等を徴収されたことがある場合の重加算金額の計算)
(1) ④の(一)及び同(二)の規定に該当する場合において、次の各号のいずれか(④の表の(一)の規定に該当する場合にあっては、(一))に該当するときは、④の(一)及び同(二)に規定する重加算金額は、これらの規定にかかわらず、これらの規定により計算した金額に、④の(一)の規定に該当するときは④の(一)に規定する計算の基礎となるべき更正による不足金額に、④の(二)の規定に該当するときは④の(二)に規定する計算の基礎となるべき税額に、それぞれ100分の10の割合を乗じて計算した金額を加算した金額とする。(法328の12③)
(一) ④の(一)及び(二)に規定する課税標準額の計算の基礎となるべき事実で隠蔽し、又は仮装されたものに基づき納入申告書の提出期限後のその提出又は①、①の(1)、同(2)の規定による更正若しくは決定があった日の前日から起算して5年前の日までの間に、分離課税に係る所得割について、不申告加算金等を徴収されたことがある場合
(二) 納入申告書の提出期限後のその提出又は①、①の(1)、同(2)の規定による更正若しくは決定に係る分離課税に係る所得割の特別徴収義務が成立した日の属する年の前年及び前々年に特別徴収義務が成立した分離課税に係る所得割について、特定不申告加算金等を徴収されたことがあり、又は特定不申告加算金等に係る決定をすべきと認める場合

　　(申告書の提出が決定があることを予知してされたものでない場合の不徴収)
(2) 市町村長は、④の(二)及び(1)の規定に該当する場合において、納入申告書の提出について③の(5)に規定する事由があるときは、当該納入申告書に係る分離課税に係る所得割の額を基礎として計算した重加算金額を徴収しない。(法328の12④)

　　(重加算金額の決定の通知)
(3) 市町村長は、④の(一)又は(二)の規定により徴収すべき重加算金額を決定した場合には、遅滞なく、これを特別徴収義務者に通知しなければならない。(法328の12⑤)

11　分離課税に係る所得割の普通徴収

　市町村は、その年において退職手当等の支払を受けた者が7の(1)《退職所得申告書の提出がない場合の所得割額》に規定する分離課税に係る所得割の額を徴収された又は徴収されるべき場合において、その者のその年中における退職手当等の金額について2及び3の規定を適用して計算した税額が当該退職手当等につき5の②《分離課税に係る所得割の申告納入》の規定により徴収された又は徴収されるべき分離課税に係る所得割の額を超えるときは、4《分離課税に係る所得割の徴収》の規定にかかわらず、その超える金額に相当する税額を直ちに、普通徴収の方法によって徴収しなければならない。この場合には、第七節三《普通徴収》の規定は、適用しないものとする。(法328の13①)

　　(延滞金の加算)
(1) 11の場合には、11の規定によって徴収すべき税額に5の②《分離課税に係る所得割の申告納入》又は6の①《特別徴収税額の納期の特例》の納期限(納期限の延長があったときは、その延長された納期限)の翌日から納付の日までの期間の日数に応じ、年14.6パーセント(11の税額に係る納税通知書において納付すべきこととされる日までの期

間又はその日の翌日から1月を経過する日までの期間については、年7.3パーセント）の割合を乗じて計算した金額に相当する延滞金を加算して徴収しなければならない。（法328の13②）

> （注）　（1）に規定する延滞金の年7.3パーセントの割合については特例規定が設けられているので、第一編第十章12の①《延滞金の割合の特例》を参照。（編者）

（延滞金の減免）
（2）　市町村長は、納税者が11の規定により普通徴収の方法によって徴収されたことについてやむを得ない事情があると認める場合には、（1）の延滞金を減免することができる。（法328の13③）

（納税通知書の交付）
（3）　11の場合において、納税者に交付すべき納税通知書は、遅くともその納期限前10日までに納税者に交付しなければならない。（法328の13④）

（分離課税に係る所得割の普通徴収に関する留意事項）
（4）　分離課税に係る所得割について普通徴収が行われるのは、分離課税に係る所得割の課税対象となる退職手当等の支払を受けた者が退職所得申告書を提出しない場合であるが、その運用に当たっては、次の諸点に留意すること。（市通2－70）
　イ　普通徴収の方法により徴収すべき税額は、その者のその年中における退職手当等の金額について計算した分離課税に係る所得割の額が5の②《分離課税に係る所得割の申告納入》の規定により徴収された又は徴収されるべき分離課税に係る所得割の額を超える場合におけるその超える金額に相当する税額であること。従って、同②の規定により徴収された又は徴収されるべき特別徴収税額の全部又は一部が納入されていないときは、当該納入されていない税額は特別徴収義務者から徴収するものであり、普通徴収の方法によって徴収することはできないものであること。
　ロ　普通徴収を行うべき事由及び普通徴収の方法により徴収すべき税額の確認は、提出された特別徴収票、税務署長に提出された所得税法第120条第1項《確定申告》又は第122条第1項《還付等を受けるための申告》の申告書等をもとにして行うものであること。

12　特別徴収票

5の①《特別徴収義務者の指定》に規定する退職手当等の支払をする者《特別徴収義務者》は、その年において支払の確定した退職手当等について、その退職手当等の支払を受ける者の各人別に、第5号の14様式及び第5号の14の2様式による特別徴収票を作成し、その退職の日後1月以内に、第5号の14様式による特別徴収票を退職手当等の支払を受けるべき日の属する年の1月1日現在におけるその者の住所所在地の市町村長に提出し、第5号の14の2様式による特別徴収票を退職手当等の支払を受ける者に交付しなければならない。ただし、法人（人格のない社団又は財団を含む。）がその役員（相談役、顧問その他これらに類する者を含む。）に対して支払う退職手当等以外の退職手当等については、特別徴収票は、市町村長に提出することを要しない。（法328の14、規2の5の3①）

（特別徴収票の交付を要しない場合）
注　12の場合において、5の②《分離課税に係る所得割の申告納入》の規定により徴収すべき分離課税に係る所得割の額がないときは、特別徴収票は、退職手当等の支払を受ける者の請求がない場合に限り、退職手当等の支払を受ける者に交付することを要しない。（規2の5の3②）

13　脱税、虚偽記載等の罪

①　脱税に関する罪

5の②《分離課税に係る所得割の申告納入》の規定により徴収して納入すべき分離課税に係る所得割の納入金の全部又は一部を納入しなかったときは、その違反行為をした者は、10年以下の懲役若しくは200万円以下の罰金に処し、又はこれを併科する。（法328の16①）

（脱税額が200万円を超える場合の罰金額の加重）
（1）　①の納入しなかった金額が200万円を超える場合には、情状により、①の罰金の額は、①の規定にかかわらず、200

万円を超える額でその納入しなかった金額に相当する額以下の額とすることができる。（法328の16③）

　　　（両罰規定）
（２）　法人の代表者又は法人若しくは人の代理人、使用人その他の従業者が、その法人又は人の業務又は財産に関して①又は②の違反行為をした場合には、その行為者を罰するほか、その法人又は人に対し、①又は②の罰金刑を科する。（法328の16④）

　　　（罰金刑を科する場合の公訴時効期間）
（３）　（２）の規定により①の違反行為につき法人又は人に罰金刑を科する場合における時効の期間は、①の罪についての時効の期間による。（法328の16⑤）

　　　（人格のない社団等に対する刑事訴訟法の準用）
（４）　法人でない社団又は財団で代表者又は管理人の定めのあるものについて（２）の規定の適用がある場合には、その代表者又は管理人がその訴訟行為につき当該法人でない社団又は財団で代表者又は管理人の定めのあるものを代表するほか、法人を被告人又は被疑者とする場合の刑事訴訟に関する法律の規定を準用する。（法328の16⑥）

② **虚偽記載等に関する罪**
　次の各号のいずれかに該当する場合には、その違反行為をした者は、１年以下の懲役又は50万円以下の罰金に処する。（法328の16②）
（一）　12《特別徴収票》に規定する特別徴収票をその提出期限までに市町村長に提出せず、又は当該特別徴収票に偽りの記載をして市町村長に提出したとき。
（二）　12に規定する特別徴収票をその交付の期限までに11に規定する退職手当等の支払を受ける者に交付せず、又は当該特別徴収票に偽りの記載をして当該支払を受ける者に交付したとき。

第十一節　督促、滞納処分

一　市町村民税に係る督促

１　期限内納付がない場合の督促
　納税者（特別徴収の方法によって市町村民税を徴収される納税者を除く。以下同じ。）又は特別徴収義務者が納期限（第十節９の①《分離課税に係る所得割の更正又は決定》の規定による更正又は決定があった場合においては、不足税額又は不足金額の納期限をいい、納期限の延長があったときは、その延長された納期限とする。以下同じ。）までに市町村民税に係る地方団体の徴収金を完納しない場合においては、市町村の徴税吏員は、納期限後20日以内に、督促状を発しなければならない。ただし、繰上徴収をする場合においては、この限りでない。（法329①）

　　　（特別の事情がある場合の督促状の発付期限）
　注　特別の事情がある市町村においては、当該市町村の条例で１に規定する期間と異なる期間を定めることができる。（法329③）

２　督促手数料の徴収
　市町村の徴税吏員は、督促状を発した場合においては、当該市町村の条例の定めるところによって、手数料を徴収することができる。（法330）

二　市町村民税に係る滞納処分

１　滞納処分
　市町村民税に係る滞納者が次の各号の一に該当するときは、市町村の徴税吏員は、当該市町村民税に係る地方団体の徴

収金につき、滞納者の財産を差し押えなければならない。(法331①)
(一) 滞納者が督促を受け、その督促状を発した日から起算して10日を経過した日までにその督促に係る市町村民税に係る地方団体の徴収金を完納しないとき。
(二) 滞納者が繰上徴収に係る告知により指定された納期限までに市町村民税に係る地方団体の徴収金を完納しないとき。

　　　(第二次納税義務者又は保証人に対する催告)
(1) 第二次納税義務者又は保証人について1の規定を適用する場合には、1の(一)中「督促状」とあるのは「納付又は納入の催告書」とする。(法331②)

　　　(繰上差押え)
(2) 市町村民税に係る地方団体の徴収金の納期限後1の(一)に規定する10日を経過した日までに、督促を受けた滞納者につき法第13条の2第1項各号《繰上徴収の事由》の一に該当する事実が生じたときは、市町村の徴税吏員は、直ちにその財産を差し押えることができる。(法331③)

　　　(強制換価手続が行われた場合の交付要求)
(3) 滞納者の財産につき強制換価手続が行われた場合には、市町村の徴税吏員は、執行機関(破産法第114条第1号に掲げる請求権に係る市町村民税に係る地方団体の徴収金の交付要求を行う場合には、その交付要求に係る破産事件を取り扱う裁判所)に対し、滞納に係る市町村民税に係る地方団体の徴収金につき、交付要求をしなければならない。(法331④)

　　　(参加差押え)
(4) 市町村の徴税吏員は、①、(1)及び(2)の規定により差押えをすることができる場合において、滞納者の財産で国税徴収法第86条第1項《参加差押えの手続》各号に掲げるものにつき、既に他の地方団体の徴収金若しくは国税の滞納処分又はこれらの滞納処分の例による差押えがされているときは、当該財産についての交付要求は、参加差押えによりすることができる。(法331⑤)

　　　(国税徴収法の例による滞納処分)
(5) 1、(1)から(4)までに定めるものその他市町村民税に係る地方団体の徴収金の滞納処分については、国税徴収法に規定する滞納処分の例による。(法331⑥)

　　　(市町村の区域外における処分)
(6) 1及び(1)から(5)までの規定による処分は、当該市町村の区域外においても行うことができる。(法331⑦)

2　滞納処分に関する罪

市町村民税の納税者又は特別徴収義務者が滞納処分の執行を免れる目的でその財産を隠蔽し、損壊し、若しくは市町村の不利益に処分し、その財産に係る負担を偽って増加する行為をし、又はその現状を改変して、その財産の価額を減損し、若しくはその滞納処分に係る滞納処分費を増大させる行為をしたときは、その者は、3年以下の懲役若しくは250万円以下の罰金に処し、又はこれを併科する(法332①)

　　　(財産占有者に対する罰則)
(1) 納税者又は特別徴収義務者の財産を占有する第三者が納税者又は特別徴収義務者に滞納処分の執行を免かれさせる目的で2の行為をしたときも、2と同様する。(法332②)

　　　(情を知った違反行為の相手方に対する罰則)
(2) 情を知って2又は(1)の行為につき納税者若しくは特別徴収義務者又はその財産を占有する第三者の相手方となったときは、その相手方としてその違反行為をした者は、2年以下の懲役若しくは150万円以下の罰金に処し、又はこれを併科する。(法332③)

　　　(両罰規定)
(3) 法人の代表者又は法人若しくは人の代理人、使用人その他の従業者がその法人又は人の業務又は財産に関して2、

（1）又は（2）の違反行為をした場合には、その行為者を罰するほか、その法人又は人に対し、当該各項の罰金刑を科する。（法332④）

　　　　（人格のない社団等に対する刑事訴訟法の準用）
（4）　法人でない社団又は財団で代表者又は管理人の定めのあるものについて（3）の規定の適用がある場合には、その代表者又は管理人がその訴訟行為につき当該法人でない社団又は財団で代表者又は管理人の定めのあるものを代表するほか、法人を被告人又は被疑者とする場合の刑事訴訟に関する法律の規定を準用する。（法332⑤）

3　滞納処分に関する検査拒否等の罪

　次の各号のいずれかに該当する場合には、その違反行為をした者は、1年以下の懲役又は50万円以下の罰金に処する。（法333①）

（一）　1の（5）の場合において、国税徴収法第141条《質問及び検査》の規定の例により行う市町村の徴税吏員の質問に対して答弁をせず、又は偽りの陳述をしたとき。

（二）　1の（5）の場合において、国税徴収法第141条の規定の例により行う市町村の徴税吏員の帳簿書類（同条に規定する帳簿書類をいう。（三）において同じ。）その他の物件の検査を拒み、妨げ、又は忌避したとき。

（三）　1の（6）の場合において、国税徴収法第141条の規定の例により行う市町村の徴税吏員の物件の提示又は提出の要求に対し、正当な理由がなくこれに応ぜず、又は偽りの記載若しくは記録をした帳簿書類その他の物件（その写しを含む。）を提示し、若しくは提出したとき。

　　　　（両罰規定）
（1）　法人の代表者又は法人若しくは人の代理人、使用人その他の従業者がその法人又は人の業務又は財産に関して3の違反行為をした場合には、その行為者を罰するほか、その法人又は人に対し、3の罰金刑を科する。（法333②）

　　　　（人格のない社団等に対する刑事訴訟法の準用）
（2）　法人でない社団又は財団で代表者又は管理人の定めのあるものについて（1）の規定の適用がある場合には、その代表者又は管理人がその訴訟行為につき当該法人でない社団又は財団で代表者又は管理人の定めのあるものを代表するほか、法人を被告人又は被疑者とする場合の刑事訴訟に関する法律の規定を準用する。（法333③）

三　国税徴収法の例による市町村民税に係る滞納処分に関する虚偽の陳述の罪

　二の1の（5）の場合において、国税徴収法第99条の2（同法第109条第4項において準用する場合を含む。）の規定の例により市町村長に対して陳述すべき事項について虚偽の陳述をした者は、6月以下の懲役又は50万円以下の罰金に処する。（法334）

第十二節　都等の特例

1　特別区における特例

　法第1条第2項《都及び特別区への準用》の規定によってこの法律中市町村に関する規定を特別区に準用する場合においては、法第5条第2項第1号中「市町村民税」とあるのは「特別区民税」と読み替えるものとする。（法736①）

2　特別区民税

　特別区は、特別区民税として法第5条第2項第1号《市町村民税》に掲げる税のうち個人に対して課するものを課するものとし、これについては、第一章《個人の市町村民税》の規定を準用する。（法736③）

　　　　（特別区及び指定都市の区に関する特例）
（1）　道府県民税、市町村民税及び固定資産税に関する規定の都及び地方自治法第252条の19第1項《指定都市》の市に対する準用及び適用については、特別区及び地方自治法第252条の19第1項の市の区の区域は、一の市の区域とみなし、なお、特別の必要がある場合においては、政令で特別の定めを設けることができる。（法737①）

第三編第一章《個人の市町村民税》第十二節《都等の特例》

　　　(住所が指定都市以外の市町村の区域内から指定都市の区域内となったときの市町村民税の特例)
(2)　市町村民税の所得割の納税義務者の賦課期日現在における住所が指定都市以外の市町村の区域内にある場合において、当該納税義務者の当該賦課期日現在における住所地が当該賦課期日の属する年の1月2日から4月1日までの間に指定都市の区域内となったときは、市町村民税に関する規定の適用については、当該納税義務者を当該賦課期日現在において当該指定都市の区域内に住所を有した者とみなす。(法737の2①)

　　　(住所が指定都市の区域内から指定都市以外の市町村の区域内となったときの市町村民税の特例)
(3)　市町村民税の所得割の納税義務者の賦課期日現在における住所が指定都市の区域内にある場合において、当該納税義務者の当該賦課期日現在における住所地が当該賦課期日の属する年の1月2日から4月1日までの間に指定都市以外の市町村の区域内となったときは、市町村民税に関する規定の適用については、当該納税義務者を当該賦課期日現在において当該市町村の区域内に住所を有した者とみなす。(法737の2②)

― (1138) ―

第二章　法人の市町村民税

◆令和６年度改正事項◆

（１）　新たな公益信託制度の創設に伴い、公益信託の信託財産とするために支出された当該公益信託に係る信託事務に関連する寄附金を寄附金税額控除の対象とする等の措置を講ずることとした。（法314の７①三、法附３の２の３③、令附３の２の３②）
（２）　法人税割の課税標準である法人税額について、産業競争力基盤強化商品を生産及び販売した場合の法人税額の特別税額控除の適用を受ける前の額とする措置を講ずることとした。（法292①四）
（３）　中間期間において生じた災害損失欠損金額について法人税額の還付を受けた場合において、当該事業年度の法人税割の課税標準となる法人税額から当該還付を受けた法人税額を控除し、控除しきれない額は翌年度以降に控除することとした。（法321の８㉓㉖㉗、令48の11の26）
（４）　法人税割の課税標準である法人税額について、中小企業者等の給与等の支給額が増加した場合の法人税額の特別税額控除の適用を受けた額とする特例措置の適用期限を令和９年３月31日までとする等所要の措置を講ずることとした。（法附８⑧～⑪）
（５）　新たな公益信託制度の創設に伴い、公益信託の信託財産について生ずる所得について、公益信託の委託者等が当該公益信託の信託財産に属する資産及び負債を有するものとみなすこととする特例措置を廃止することとした。（旧法附３の２の３）

（注）　本章の規定は、別に定めがあるものを除き、令和６年４月１日以後に開始する事業年度分の法人の市町村民税について適用する。（令６改法附１、18②）

第一節　通　　則

一　用語の意義

　市町村民税について、次の各号に掲げる用語の意義は、それぞれ当該各号に定めるところによる。（法292①一、三、四、四の二、十四）

（一）	均等割	均等の額により課する市町村民税をいう。
（二）	法人税割	次に掲げる法人の区分に応じ、それぞれ次に定める市町村民税をいう。 　イ　この法律の施行地に本店又は主たる事務所若しくは事業所を有する法人（以下「**内国法人**」という。）　法人税額を課税標準として課する市町村民税 　ロ　この法律の施行地に本店又は主たる事務所若しくは事業所を有しない法人（以下この章において「**外国法人**」という。）　次に掲げる法人税額の区分ごとに、当該法人税額を課税標準として課する市町村民税 　　（イ）　法人税法第141条《外国法人の課税標準》第１号イに掲げる国内源泉所得に対する法人税額 　　（ロ）　法人税法第141条第１号ロに掲げる国内源泉所得に対する法人税額
（三）	法人税額	次に掲げる法人の区分に応じ、それぞれ次に定める額をいう。 　イ　内国法人　法人税法その他の法人税に関する法令の規定により計算した法人税額（各対象会計年度（法人税法第15条の２に規定する対象会計年度をいう。）の国際最低課税額（同法第82条の２第１項に規定する国際最低課税額をいう。）に対する法人税の額を除く。）で、法人税法第68条《所得税額の控除》（租税特別措置法第３条の３《国外で発行された公社債等の利子所得の分離課税等》第５項、第６条《民間国外債等の利子の課税の特例》第３項、第８条の３《国外で発行された投資信託等の収益の

第三編第二章《法人の市町村民税》第一節《通則（用語の意義）》

分配に係る配当所得の分離課税等》第５項、第９条の２《国外で発行された株式の配当所得の源泉徴収等の特例》第４項、第９条の３の２《上場株式等の配当等に係る源泉徴収義務等の特例》第７項、第41条の９《懸賞金付預貯金等の懸賞金等の分離課税等》第４項、第41条の12《償還差益等に係る分離課税等》第４項及び第41条の12の２《割引債の差益金額に係る源泉徴収等の特例》第７項の規定により読み替えて適用する場合を含む。）、法人税法第69条《外国税額の控除》（租税特別措置法第66条の７《外国関係会社の課税対象金額等に係る外国税額の控除》第１項及び第66条の９の３《外国関係法人の課税対象金額等に係る外国税額の計算等》第１項の規定により読み替えて適用する場合を含む。）、第69条の２《分配時調整外国税相当額の控除》（租税特別措置法第９条の３の２第７項、第９条の６《特定目的会社の利益の配当に係る源泉徴収等の特例》第４項、第９条の６の２《投資法人の配当等に係る源泉徴収等の特例》第４項、第９条の６の３《特定目的信託の剰余金の配当に係る源泉徴収等の特例》第４項及び第９条の６の４《特定投資信託の剰余金の配当に係る源泉徴収等の特例》第４項の規定により読み替えて適用する場合を含む。）及び第70条《仮装経理に基づく過大申告の場合の更正に伴う法人税額の控除》並びに租税特別措置法第42条の４《試験研究を行った場合の法人税額の特別控除》、第42条の10《国家戦略特別区域において機械等を取得した場合の法人税額の特別控除》（第１項、第３項、第４項及び第７項を除く。）、第42条の11《国際戦略総合特別区域において機械等を取得した場合の法人税額の特別控除》（第１項、第３項から第５項まで及び第８項を除く。）、第42条の11の２《地域経済牽引事業の促進区域内において特定事業用機械等を取得した場合の法人税額の特別控除》（第１項、第３項、第４項及び第７項を除く。）、第42条の11の３《地方活力向上地域等において特定建物等を取得した場合の法人税額の特別控除》（第１項、第３項、第４項及び第７項を除く。）、第42条の12《地方活力向上地域等において雇用者の数が増加した場合の法人税額の特別控除》、第42条の12の２《認定地方公共団体の寄附活用事業に関連する寄附をした場合の法人税額の特別控除》、第42条の12の５《給与等の支給額が増加した場合の法人税額の特別控除》、第42条の12の６《認定特定高度情報通信技術活用設備を取得した場合の法人税額の特別控除》（第１項、第３項、第４項及び第７項を除く。）、第42条の12の７《事業適応設備を取得した場合等の法人税額の特別税額控除》（第１項から第３項まで、<u>第13項から第15項まで及び第23項</u>を除く。）、第66条の７（第２項、第６項及び第10項から第13項までを除く。）及び第66条の９の３（第２項、第５項及び第９項から第12項までを除く。）の規定の適用を受ける前のものをいい、法人税に係る延滞税、利子税、過少申告加算税、無申告加算税及び重加算税の額を含まないものとする。

ロ　外国法人　次に掲げる国内源泉所得の区分ごとに、法人税法その他の法人税に関する法令の規定により計算した法人税額で、法人税法第144条《所得税額の控除》（租税特別措置法第９条の３の２第７項、第41条の９第４項、第41条の12第４項、第41条の12の２第７項及び第41条の22第２項の規定により読み替えて適用する場合を含む。）において準用する法人税法第68条（租税特別措置法第９条の３の２第７項、第41条の９第４項、第41条の12第４項及び第41条の12の２第７項の規定により読み替えて適用する場合を含む。）、第144条の２《外国法人に係る外国税額の控除》及び第144条の２の２（租税特別措置法第９条の３の２第７項、第９条の６第４項、第９条の６の２第４項、第９条の６の３第４項及び第９条の６の４第４項の規定により読み替えて適用する場合を含む。）並びに租税特別措置法第42条の４、第42条の10（第１項、第３項、第４項及び第７項を除く。）、第42条の11（第１項、第３項から第５項まで及び第８項を除く。）、第42条の11の２（第１項、第３項、第４項及び第７項を除く。）、第42条の11の３（第１項、第３項、第４項及び第７項を除く。）、第42条の12、第42条の12の２、第42条の12の５及び第42条の12の６（第１項、第３項、第４項及び第７項を除く。）、第42条の12の７《事業適応設備を取得した場合等の法人税額の特別税額控除》（第１項から第３項まで、<u>第13項から第15項まで及び第23項</u>を除く。）の規定の適用を受ける前のものをいい、法人税に係る延滞税、利子税、過少申告加算税、無申告加算税及び重加算税の額を含まないものとする。

(イ)　法人税法第141条《外国法人に係る各事業年度の所得に対する法人税の課税標準》第１号イに掲げる国内源泉所得

(ロ)　法人税法第141条第１号ロに掲げる国内源泉所得

(注)　(三)中____部分のように改める令和６年度改正規定は、新たな事業の創出及び産業への投資を促進するための産業競争力強化法等の一部を改正する法律（令和６年法律第45号）の施行の日から施行し、同日以後に終了する事業年度分の法人の市町村民税について適用する。（令６改法附１六、18③）

　　　　　　　(中小企業者等に係る試験研究費等の法人税額の特別控除の適用がある場合の特例)
（１）　当分の間、租税特別措置法第42条の４第４項に規定する中小企業者等（（４）において「中小企業者等」という。）の各事業年度の法人の市町村民税にあっては、当該事業年度の法人税額について同条第４項の規定により控除された金額がある場合における(三)の規定の適用については、(三)イ中「第42条の４」とあるのは「第42条の４第１項、第７項、第８項第６号ロ及び第７号、第13項並びに第18項」と、「除く。）及び」とあるのは「除く。）並びに」と、(三)ロ中「第42条の４」とあるのは「第42条の４第１項及び第７項」と、「除く。）及び」とあるのは「除く。）並びに」とする。（法附８①）

　　　　　　　(中小企業者等の範囲)
（２）　(１)に規定する中小企業者等には、租税特別措置法施行令第27条の４《試験研究を行った場合の法人税額の特別控除》第２項の規定により租税特別措置法第42条の４第４項《中小企業者等が試験研究を行った場合の法人税額の特別控除》に規定する中小企業者に該当するものとされる同令第27条の４第２項の通算子法人を含むものとする。（令附５の２の３）

　　　　　　　(中小企業者等に係る試験研究費等の法人税額の特別控除の適用がある場合の通算法人の特例)
（３）　当分の間、租税特別措置法第42条の12の５第３項に規定する中小企業者等（（５）から(11)まで及び(13)から(15)までにおいて「中小企業者等」という。）の各事業年度の法人の市町村民税にあっては、当該事業年度の法人税額について同法第42条の４第７項又は第13項（同条第18項において準用する場合を含む。）の規定により控除された金額がある場合における(三)の規定の適用については、(三)イ中「第42条の４」とあるのは「第42条の４第１項及び第４項並びに第８項第６号ロ及び第７号（これらの規定を同条第18項において準用する場合を含む。）」と、「除く。）及び」とあるのは「除く。）並びに」と、(三)ロ中「第42条の４」とあるのは「第42条の４第１項及び第４項」と、「除く。）及び」とあるのは「除く。）並びに」とする。（法附８②）

　　　　　　　(中小企業者等に係る試験研究費等の法人税額の特別控除の適用がある通算法人について法人税額に加算された金額がある場合の特例)
（４）　当分の間、中小企業者等の各事業年度（当該各事業年度又は当該中小企業者等に係る租税特別措置法第42条の４第８項第３号イの他の通算法人の同項第２号に規定する他の事業年度において同項第５号に規定する当初申告税額控除可能分配額（同項第３号の中小企業者等税額控除限度額に係るものに限る。）がある場合の当該各事業年度に限る。）の法人の市町村民税にあっては、当該事業年度の法人税額について同項第６号ロ又は第７号の規定により加算された金額がある場合における(三)イ並びに第四節一の１、２の②、４、６、７の(一)及び８の規定の適用については、(三)イ中「第42条の４」とあるのは「第42条の４第１項、第４項、第７項、第13項及び第18項」と、「除く。）及び」とあるのは「除く。）並びに」と、第四節一の１、２の②、４、６、７の(一)及び８中「第42条の14第１項」とあるのは「第42条の４第８項第６号ロ若しくは第７号、第42条の14第１項」とする。（法附８③）

　　　　　　　(中小企業者等に係る試験研究費等の法人税額の特別控除の適用がある通算法人について法人税額に加算された金額がある場合の特例)
（５）　当分の間、中小企業者等の各事業年度の法人の市町村民税にあっては、当該事業年度の法人税額について租税特別措置法第42条の４第18項において準用する同条第８項第６号ロ又は第７号の規定により加算された金額がある場合における(三)イ並びに第四節一の１、２の②、４、６、７の(一)及び８の規定の適用については、(三)イ中「第42条の４」とあるのは「第42条の４第１項、第４項、第７項、第８項第６号ロ及び第７号並びに第13項（同条第18項において準用する場合を含む。）」と、「除く。）及び」とあるのは「除く。）並びに」と、第四節一の１、２の②、４、６、７の(一)及び８中「第42条の14第１項」とあるのは「第42条の４第18項において準用する同条第８項第６号ロ若しくは第７号又は同法第42条の14第１項」と、「又は第63条第１項」とあるのは「若しくは第63条第１項」とする。（法附８④）

第三編第二章《法人の市町村民税》第一節《通則（用語の意義）》

(地域経済牽引事業の促進区域内において特定事業用機械等を取得した場合の法人税額の特別控除の適用がある場合の特例)
(6) 中小企業者等の各事業年度の法人税額について租税特別措置法第42条の11の2第2項の規定により控除された金額がある場合における(三)の規定の適用については、(三)中「第42条の11の2（第1項、第3項、第4項及び第7項を除く。）、第42条の11の3」とあるのは、「第42条の11の3」とする。(法附8⑤)

(中小企業者等に係る地方活力向上地域において特定建物等を取得した場合の法人税額の特別控除の適用がある場合の特例)
(7) 中小企業者等の各事業年度の法人税額について租税特別措置法第42条の11の3第2項の規定により控除された金額がある場合における(三)の規定の適用については、(三)中「第42条の11の3（第1項、第3項、第4項及び第7項を除く。）、第42条の12」とあるのは、「第42条の12」とする。(法附8⑥)

(中小企業者等に係る地方活力向上地域等において雇用者の数が増加した場合の法人税額の特別控除の適用がある場合の特例)
(8) 中小企業者等の租税特別措置法第42条の12第6項第3号に規定する適用年度の法人の市町村民税に限り、当該適用年度の法人税額について同条第1項又は第2項の規定により控除された金額がある場合における(三)の規定の適用については、(三)の規定中「第42条の12、第42条の12の2」とあるのは、「第42条の12の2」とする。(法附8⑦)

(給与等の支給額が増加した場合の法人税額の特別控除の適用がある場合の特例)
(9) 中小企業者等の令和4年4月1日から令和9年3月31日までの間に開始する各事業年度の法人の市町村民税に限り、当該事業年度の法人税額について租税特別措置法第42条の12の5第1項の規定により控除された金額がある場合における(三)の規定の適用については、(三)の規定中「第42条の12の5」とあるのは、「第42条の12の5第2項から第4項まで及び第8項」とする。(法附8⑧)

(給与等の支給額が増加した場合の法人税額の特別控除の適用がある場合の特例)
(10) 中小企業者等の令和6年4月1日から令和9年3月31日までの間に開始する各事業年度の法人の市町村民税に限り、当該事業年度の法人税額について租税特別措置法第42条の12の5第2項の規定により控除された金額がある場合における(三)の規定の適用については、(三)の規定中「第42条の12の5」とあるのは、「第42条の12の5第1項、第3項、第4項及び第8項」とする。(法附8⑨)

(中小企業者等に係る給与等の支給額が増加した場合の特別控除の適用がある場合の特例)
(11) 中小企業者等の平成30年4月1日から令和9年3月31日までの間に開始する各事業年度の法人の市町村民税に限り、当該事業年度の法人税額について租税特別措置法第42条の12の5第3項の規定により控除された金額がある場合における(三)の規定の適用については、(三)の規定中「第42条の12の5」とあるのは、「第42条の12の5第1項、第2項、第4項及び第8項」とする。(法附8⑩)

(中小企業者等に係る給与等の支給額が増加した場合の法人税額の特別控除の適用がある場合の特例)
(12) 各事業年度の法人税額について租税特別措置法第42条の12の5第4項の規定により控除された金額がある場合における(三)の規定の適用については、(三)の規定中「第42条の12の5」とあるのは、「第42条の12の5第1項から第3項まで及び第7項」とする。(法附8⑪)

(中小企業者等に係る認定特定高度情報通信技術活用設備を取得した場合の法人税額の特別控除)
(13) 中小企業者等の各事業年度の法人税額について租税特別措置法第42条の12の6第2項の規定により控除された金額がある場合における(三)の規定の適用については、(三)の規定中「第42条の12の5、第42条の12の6（第1項、第3項、第4項及び第7項を除く。）」とあるのは、「第42条の12の

「5」とする。（法附8⑫）

(認定事業適応事業者が事業適応設備を取得した場合等の法人税額の特別控除の適用がある場合の特例)
(14) 中小企業者等の各事業年度の法人税額について租税特別措置法第42条の12の7第4項又は第5項の規定により控除された金額がある場合における(三)の規定の適用については、(三)中「第42条の12の7（第1項から第3項まで、<u>第13項から第15項まで及び第23項</u>を除く。）」とあるのは、「第42条の12の7第6項から第12項まで、<u>第17項から第20項まで及び第22項</u>」とする。（法附8⑬）
 (注) (14)及び(15)中<u> </u>部分のように改める令和6年度改正規定は、新たな事業の創出及び産業への投資を促進するための産業競争力強化法等の一部を改正する法律（令和6年法律第45号）の施行の日から施行し、同日以後に終了する事業年度分の法人の市町村民税について適用する。（令6改法附1六、18③）

(認定エネルギー利用環境負荷低減事業適応事業者が事業適応設備を取得した場合等の法人税額の特別控除の適用がある場合の特例)
(15) 中小企業者等の各事業年度の法人税額について租税特別措置法第42条の12の7第6項の規定により控除された金額がある場合における(三)の規定の適用については、(三)イ中「第42条の12の7（第1項から第3項まで、<u>第13項から第15項まで及び第23項</u>を除く。）、第66条の7（第2項、第6項及び第10項から第13項までを除く。）及び」とあるのは「第42条の12の7第4項、<u>第5項、第7項から第12項まで、第17項から第20項まで及び第22項</u>、第66条の7（第2項、第6項及び第10項から第13項までを除く。）並びに」と、(三)ロ中「及び第42条の12の7（第1項から第3項まで、<u>第13項から第15項まで及び第23項</u>を除く。）」とあるのは「並びに第42条の12の7第4項、<u>第5項、第7項から第12項まで、第17項から第20項まで及び第22項</u>」とする。（法附8⑭）

(連結申告法人以外の法人の法人税割の課税標準となる法人税額の意義)
(16) 法人税割の課税標準である法人税額とは、内国法人にあっては次に掲げる事項の適用前の法人税額（各対象会計年度の国際最低課税額に対する法人税の額を除く。）を、外国法人にあっては恒久的施設帰属所得及び恒久的施設非帰属所得の区分ごとの次に掲げる事項（ト、レ及びソを除く。）の適用前の法人税額をいうものであり、したがって、法人が現実に納付すべき法人税額と異なる場合のあることに留意すること。（市通2-45）
 イ 法人税額からの利子及び配当等に係る所得税額の控除（法人税法第68条、第144条、租税特別措置法第3条の3⑤、第6条③、第8条の3⑤、第9条の2④、第9条の3の2⑦、第41条の9④、第41条の12④、第41条の22②）
 ロ 法人税額からの外国税額の控除（法人税法第69条、第144条の2、租税特別措置法第66条の7①、第66条の9の3①）
 ハ 法人税額からの分配時調整外国税相当額の控除（法人税法第69条の2、第144条の2の2、租税特別措置法第9条の3の2⑦、第9条の6④、第9条の6の2④、第9条の6の3④、第9条の6の4④）
 ニ 仮装経理に基づく過大申告の場合の更正に伴う法人税額の控除（法人税法第70条）
 ホ 一般試験研究費に係る法人税額の特別控除（中小企業者等（租税特別措置法第42条の4第4項に規定する中小企業者等をいう。以下ホにおいて同じ。）の試験研究費に係るもの（中小企業者等の当該事業年度又は当該中小企業者等に係る同条第8項第3号イの他の通算法人の同項第2号に規定する他の事業年度において同項第5号に規定する当初申告税額控除可能分配額（同項第3号の中小企業者等税額控除限度額に係るものに限る。）がある場合における同項第6号ロ又は第7号の規定による加算を含む。）を除く。）（租税特別措置法第42条の4、法附8①③）
 ヘ 特別試験研究費に係る法人税額の特別控除（中小企業者等（租税特別措置法第42条の12の5第3項に規定する中小企業者等をいう。以下ヘ、ト、ヌ、ル、ヲ、カ、ヨ及びタにおいて同じ。）の試験研究費に係るもの（当該中小企業者等に係る同法第42条の4第18項において準用する同条第8項第6号ロ又は第7号の規定による加算を含む。）を除く。）（租税特別措置法第42条の4、法附8②④）
 ト 一般試験研究費又は特別試験研究費に係る法人税額の特別控除について、過去適用事業年度等

（租税特別措置法第42条の４第13項（同条第18項において準用する場合を含む。以下トにおいて同じ。）に規定する過去適用事業年度等をいう。以下トにおいて同じ。）における取戻税額等に超過があった場合の同条第13項の規定による控除（中小企業者等の過去適用事業年度等における取戻税額等に超過があった場合の同項の規定による控除を除く。）（租税特別措置法第42条の４、法附８②）

チ 国家戦略特別区域において機械等を取得した場合の法人税額の特別控除（租税特別措置法第42条の10②⑤⑥）

リ 国際戦略総合特別区域において機械等を取得した場合の法人税額の特別控除（租税特別措置法第42条の11②⑥⑦）

ヌ 地域経済牽引事業の促進区域内において特定事業用機械等を取得した場合の法人税額の特別控除（中小企業者等に係るものを除く。）（租税特別措置法第42条の11の２②⑤⑥、法附８⑤）

ル 地方活力向上地域等において特定建物等を取得した場合の法人税額の特別控除（中小企業者等に係るものを除く。）（租税特別措置法第42条の11の３②⑤⑥、法附８⑥）

ヲ 地方活力向上地域等において雇用者の数が増加した場合の法人税額の特別控除（中小企業者等に係るものを除く。）（租税特別措置法第42条の12、法附８⑦）

ワ 認定地方公共団体の寄附活用事業に関連する寄附をした場合の法人税額の特別控除（租税特別措置法42条の12の２）

カ 給与等の支給額が増加した場合の法人税額の特別控除（中小企業者等に係るものを除く。）（租税特別措置法第42条の12の５、法附８⑧〜⑪）

ヨ 認定特定高度情報通信技術活用設備を取得した場合の法人税額の特別控除（中小企業者等に係るものを除く。）（租税特別措置法第42条の12の６②⑤⑥、法附８⑫）

タ 事業適応設備を取得した場合等の法人税額の特別控除（租税特別措置法第42条の12の７第４項から第６項まで、第16項及び第21項に規定する控除について、中小企業者等に係るものを除く。）（租税特別措置法42条の12の７④〜⑫、⑯〜㉒、法附８⑬⑭）

レ 法人税額からの外国関係会社に係る控除対象所得税額等相当額の控除（租税特別措置法第66条の７③④⑤⑦⑧⑨）

ソ 法人税額からの外国関係法人に係る控除対象所得税額等相当額の控除（租税特別措置法第66条の９の３③④⑥⑦⑧）

(注) 法人税割の課税標準については、第四節《法人税額等の控除及び還付等》を参照。（編者）

（一般試験研究費に係る法人税額の特別控除における中小企業者等の留意事項）

(17) (16)のホにおける中小企業者等とは租税特別措置法第42条の４第４項に規定する中小企業者等をいうものであるが、この場合の中小企業者等には、通算親法人が租税特別措置法施行令第27条の４第１項に規定する中小通算農業協同組合等に該当する場合の当該通算子法人が含まれるものであることに留意すること。（市通２−45の２）

（中小企業者等であるかどうかの判定の時期の留意事項）

(18) (16)のホ、ト、ヌ、ル、ヲ、カ、ヨ及びタにおける中小企業者等であるかどうかの判定の時期については次の点に留意すること。（市通２−45の３）

(一) 法人が(16)のホ、ヘ、ト、ヲ及びカにおける中小企業者等に該当する法人であるかどうかは、当該事業年度終了の時の現況により判定するものとする。

(二) 法人が(16)のヌにおける中小企業者等に該当する法人であるかどうかは、その取得等をした特定事業用機械等を事業の用に供した日の現況により判定するものとする。

(三) 法人が(16)のルにおける中小企業者等に該当する法人であるかどうかは、その取得等をした特定建物等を事業の用に供した日の現況により判定するものとする。

(四) 法人が(16)のヨにおける中小企業者等に該当する法人であるかどうかは、その取得等をした認定特定高度情報通信技術活用設備を事業の用に供した日の現況により判定するものとする。

(五) 法人が(16)のタにおける中小企業者等に該当する法人であるかどうかは、租税特別措置法第

42条の12の7第4項の規定により控除された金額がある場合にあってはその取得等をした情報技術事業適応設備を事業の用に供した日の現況により判定するものとし、同条第5項の規定により控除された金額がある場合にあっては当該事業年度終了の時の現況により判定するものとし、同条第6項の規定により控除された金額がある場合にあってはその取得等をした生産工程効率化等設備を事業の用に供した日の現況により判定するものとする。

| (四) | 資本金等の額 |

次に掲げる法人の区分に応じ、それぞれ次に定める額をいう。
　イ　第三節一の1・2《中間申告・みなし中間申告・確定申告》の規定により申告納付する法人（ロ及びハに掲げる法人を除く。）　同1・2に規定する法人税額の課税標準の算定期間の末日現在における法人税法第2条第16号《資本金等の額の定義》に規定する資本金等の額と、当該算定期間の初日前に終了した各事業年度（イ及びロにおいて「過去事業年度」という。）の(イ)に掲げる金額の合計額から過去事業年度の(ロ)及び(ハ)に掲げる金額の合計額を控除した金額に、当該算定期間中の(イ)に掲げる金額を加算し、これから当該算定期間中の(ハ)に掲げる金額を減算した金額との合計額
　　(イ)　平成22年4月1日以後に、会社法第446条《剰余金の額》に規定する剰余金（同法第447条《資本金の額の減少》又は第448条《準備金の額の減少》の規定により資本金の額又は資本準備金の額を減少し、剰余金として計上したものを除き、(1)で定めるものに限る。）を同法第450条《資本金の額の増加》の規定により資本金とし、又は同法第448条第1項第2号の規定により利益準備金の額の全部若しくは一部を資本金とした金額
　　(ロ)　平成13年4月1日から平成18年4月30日までの間に、資本又は出資の減少（金銭その他の資産を交付したものを除く。）による資本の欠損の塡補に充てた金額並びに会社法の施行に伴う関係法律の整備等に関する法律（(ロ)において「会社法整備法」という。）第64条の規定による改正前の商法（(ロ)において「旧商法」という。）第289条第1項及び第2項（これらの規定を会社法整備法第1条の規定による廃止前の有限会社法（(ロ)において「旧有限会社法」という。）第46条において準用する場合を含む。）に規定する資本準備金による旧商法第289条第1項及び第2項第2号（これらの規定を旧有限会社法第46条において準用する場合を含む。）に規定する資本の欠損の塡補に充てた金額
　　(ハ)　平成18年5月1日以後に、会社法第446条に規定する剰余金（同法第447条又は第448条の規定により資本金の額又は資本準備金の額を減少し、剰余金として計上したもので(2)で定めるものに限る。）を同法第452条の規定により(4)で定める損失の塡補に充てた金額
　ロ　第三節一の1・2の規定により申告納付する法人のうち法人税法第71条《中間申告》第1項（同法第72条《仮決算をした場合の中間申告》第1項の規定が適用される場合を除く。）若しくは第144条の3第1項（同法第144条の4第1項の規定が適用される場合を除く。）に規定する申告書を提出する義務があるもの（ハに掲げる法人を除く。）又は第三節一の3の規定により申告納付する法人（ハに掲げる法人を除く。）　(5)で定める日現在における同法第2条第16号に規定する資本金等の額と、過去事業年度のイ(イ)に掲げる金額の合計額から過去事業年度のイ(ロ)及びイ(ハ)に掲げる金額の合計額を控除した金額との合計額
　ハ　保険業法に規定する相互会社　純資産額として(6)で定めるところにより算定した金額

　　　（平成22年4月1日以後に剰余金として定めるもの）
　(1)　イ(イ)に規定する剰余金は、会社計算規則第29条《その他利益剰余金の額》第2項第1号に規定する額とする。（規9の19①）

　　　（平成18年5月1日以後に剰余金として計上したもの）
　(2)　イ(ハ)に規定する剰余金として計上したものは、次の各号に掲げる場合の区分に応じ、それぞれ当該各号に定める額とする。（規9の19②）
　　(一)　会社法第447条の規定により資本金の額を減少した場合　会社計算規則第27条《その他資本剰余金の額》第1項第1号に規定する額
　　(二)　会社法第448条の規定により準備金の額を減少した場合　会社計算規則第27条第1項第2号に規定する額

(平成18年5月1日以後に剰余金として計上したものの条件)
（３）　（２）の(一)、(二)に定める額は、会社法第452条の規定により損失の填補に充てた日以前１年間において剰余金として計上した額に限るものとする。(規９の19③)

(会社法第452条の規定により損失の填補に充てた金額)
（４）　イ(ハ)に規定する損失は、会社法第452条の規定により損失の填補に充てた日における会社計算規則第29条に規定するその他利益剰余金の額が零を下回る場合における当該零を下回る額とする。(規９の19④)

(法人の資本金等の額の基準日)
（５）　ロに規定する日は、次の各号に掲げる法人の区分に応じ、それぞれ当該各号に定める日とする。(令45の３、６の23)
（一）　第三節一の１・２の規定により申告納付する法人のうち法人税法第71条第１項(同法第72条第１項の規定が適用される場合を除く。)又は第144条の３第１項(同法第144条の４第１項の規定が適用される場合を除く。)に規定する申告書を提出する義務があるもの　当該申告書に係る第二節１の③《法人の均等割の税率算定日》の表の(一)の期間の直前の同(一)の期間の末日(合併により設立された法人が当該合併の日を含む同(一)の期間に係る当該申告書を提出する義務を有する場合にあっては、同日)
（二）　第三節一の４の規定により申告納付する法人　第二節１の③の表の(四)の期間の直前の同(四)の期間の末日(合併により設立された法人が当該合併の日を含む同(四)の期間に係る第三節一の４の申告書を提出する義務を有する場合にあっては、同日)

(相互会社の純資産額)
（６）　ハに規定する純資産額として算定した金額は、次の各号に掲げる場合の区分に応じ、当該各号に定める金額とする。(令45の４、６の24)

イ	相互会社(保険業法に規定する相互会社をいう。以下注において同じ。)で法人税法第71条第１項《中間申告》(同法第72条第１項《仮決算をした場合の中間申告書の記載事項》の規定が適用される場合に限る。)又は第74条第１項《確定申告書》の規定により法人税に係る申告書を提出する義務があるものが、第三節一の１・２の規定により当該法人税に係る申告書の提出期限までに提出すべき申告書を提出する場合	当該相互会社のこれらの申告書に係る第二節１の③の表の(一)の期間の末日における貸借対照表に計上されている総資産の帳簿価額から当該貸借対照表に計上されている総負債の帳簿価額を控除した金額(当該貸借対照表に当該期間に係る利益の額又は欠損金の額が計上されているときは、当該利益の額を控除し、又は当該欠損金の額を加算した金額)
ロ	相互会社で法人税法第71条第１項(同法第72条第１項の規定が適用される場合を除く。)の規定により法人税に係る申告書を提出する義務があるもの又は相互会社で第三節一の３に規定する法人であるものが、予定申告書(同一の１及び２の規定により当該法人税に係る申告書の提出期限までに提出すべき申告書及び同一の３の規定により提出すべき申告書をいう。以下注において同じ。)を提出する場合(ハに該当する場合を除く。)	当該相互会社の当該予定申告書に係る第二節１の③の表の(一)又は(二)の期間の直前のこれらの号の期間の末日における貸借対照表に計上されている総資産の帳簿価額から当該貸借対照表に計上されている総負債の帳簿価額を控除した金額(当該貸借対照表に当該期間に係る利益の額又は欠損金の額が計上されているときは、当該利益の額を控除し、又は当該欠損金の額を加算した金額)
ハ	合併により設立された相互会社が当該合併の日を含む第二節１の③の表の(一)又は(二)の期間に係る予定申告書を提出する場合	当該相互会社の同日における貸借対照表に計上されている総資産の帳簿価額から当該貸借対照表に計上されている総負債の帳簿価額を控除した金額

(資本金等の額の留意事項)
(7) (四)の資本金等の額とは、第三節—の1・2《中間申告・確定申告・みなし中間申告》に規定する法人税額の課税標準の算定期間の末日現在における法人税法第2条第16号に規定する資本金等の額によるものであり、これらの具体的な算定については、法人税の例によるものであるが、会社法に規定する剰余金を同法の規定により資本金とした場合又は同法に規定する資本金を同法の規定により損失の填補に充てた場合などについては、この限りではないこと。また、外国法人の各事業年度の資本金等の額については、当該事業年度終了の日の電信売買相場の仲値により換算した円換算額によるものであること。なお、電信売買相場の仲値は、原則として、その法人の主たる取引金融機関のものによることとするが、その法人が、同一の方法により入手等をした合理的なものを継続して使用している場合には、これによることを認めるものであること。(市通2－48の2前段)

(資本金等の額の添付書類)
(8) (四)に規定する資本金等の額の算定に当たっては、イ(ロ)及び(ハ)に掲げる金額についてその内容を証する書類を添付した申告書を提出した場合に限り、同号イ(ロ)及び(ハ)に掲げる金額を減算することができるものであること。(市通2－48の3)

(相互会社の純資産額の算定に当たっての留意事項)
(9) 保険業法に規定する相互会社(以下この章において「相互会社」という。)に係る均等割の税率の適用区分の基準である純資産額の算定に当たっては、次の諸点に留意すること。(市通2－48)
　イ　「総負債」には、税務計算上損金に算入されるか否かにかかわらず、相互会社がその決算上損金経理により計上した支払備金、責任準備金、社員配当準備金、貸倒引当金、退職給与引当金、税金未払金等を含むものであること。ただし、相互会社の貸借対照表において負債として計上されている価格変動準備金については、その性格上総負債には含まれないものであること。
　ロ　「総資産の帳簿価額」及び「総負債の帳簿価額」は、法人税における交際費等の損金不算入額を計算する場合のこれらの金額と同一のものであるから、その取扱いについては国の税務官署の取扱いに準ずるものであること。

(五) 恒久的施設

次に掲げるものをいう。ただし、我が国が締結した租税に関する二重課税の回避又は脱税の防止のための条約において次に掲げるものと異なる定めがある場合には、当該条約の適用を受ける外国法人については、当該条約において恒久的施設と定められたもの(国内(この法律の施行地をいう。以下(五)において同じ。)にあるものに限る。)とする。
　イ　外国法人の国内にある支店、工場その他事業を行う一定の場所で(1)で定めるもの
　ロ　外国法人の国内にある建設若しくは据付けの工事又はこれらの指揮監督の役務の提供を行う場所その他これに準ずるものとして(2)で定めるもの
　ハ　外国法人が国内に置く自己のために契約を締結する権限のある者その他これに準ずる者で(7)で定めるもの

(事業を行う一定の場所)
(1) イに規定する場所は、国内にある次に掲げる場所とする。(令46の2の3①、7の3の2①)
　(一)　事業の管理を行う場所、支店、事務所、工場又は作業場
　(二)　鉱山、石油又は天然ガスの坑井、採石場その他の天然資源を採取する場所
　(三)　その他事業を行う一定の場所

(役務の提供を行う場所に準ずるもの)
(2) ロに規定するものは、外国法人の国内にある長期建設工事現場等(外国法人が国内において長期建設工事等(建設若しくは据付けの工事又はこれらの指揮監督の役務の提供で1年を超えて行われるものをいう。以下(2)及び(6)において同じ。)を行う場所をいい、外国法人の国内における長期建設工事等を含む。(6)において同じ。)とする。(令46の2の3②、7の3の2②)

(契約分割後建設工事等が1年を超えて行われるものであるかどうかの判定)
(3) (2)の場合において、二以上に分割をして建設若しくは据付けの工事又はこれらの指揮監督の

役務の提供（以下（3）及び（5）において「建設工事等」という。）に係る契約が締結されたことにより（2）の外国法人の国内における当該分割後の契約に係る建設工事等（以下（3）において「契約分割後建設工事等」という。）が1年を超えて行われないこととなったとき（当該契約分割後建設工事等を行う場所（当該契約分割後建設工事等を含む。）を（2）に規定する長期建設工事現場等に該当しないこととすることが当該分割の主たる目的の一つであったと認められるときに限る。）における当該契約分割後建設工事等が1年を超えて行われるものであるかどうかの判定は、当該契約分割後建設工事等の期間に国内における当該分割後の他の契約に係る建設工事等の期間（当該契約分割後建設工事等の期間と重複する期間を除く。）を加算した期間により行うものとする。ただし、正当な理由に基づいて契約を分割したときは、この限りでない。（令46の2の3②、7の3の2③）

　　　　　（事業を行う一定の場所又は役務の提供を行う場所に準ずるものに含まれないもの）
（4）外国法人の国内における次の各号に掲げる活動の区分に応じ当該各号に定める場所（当該各号に掲げる活動を含む。）は、（1）に規定する場所及び（2）に規定するものに含まれないものとする。ただし、当該各号に掲げる活動（（六）に掲げる活動にあっては、（六）の場所における活動の全体）が、当該外国法人の事業の遂行にとって準備的又は補助的な性格のものである場合に限るものとする。（令46の2の3①②、7の3の2④）
（一）当該外国法人に属する物品又は商品の保管、展示又は引渡しのためにのみ施設を使用すること　　当該施設
（二）当該外国法人に属する物品又は商品の在庫を保管、展示又は引渡しのためにのみ保有すること　　当該保有することのみを行う場所
（三）当該外国法人に属する物品又は商品の在庫を事業を行う他の者による加工のためにのみ保有すること　　当該保有することのみを行う場所
（四）その事業のために物品若しくは商品を購入し、又は情報を収集することのみを目的として、（1）各号に掲げる場所を保有すること　　当該場所
（五）その事業のために前各号に掲げる活動以外の活動を行うことのみを目的として、（1）各号に掲げる場所を保有すること　　当該場所
（六）（一）から（四）までに掲げる活動及び当該活動以外の活動を組み合わせた活動を行うことのみを目的として、（1）各号に掲げる場所を保有すること　　当該場所

　　　　　（事業を行う一定の場所又は役務の提供を行う場所に準ずるものに含まれないものの不適用）
（5）（4）の規定は、次に掲げる場所については、適用しない。（令46の2の3①②、7の3の2⑤）
（一）（1）各号に掲げる場所（国内にあるものに限る。以下（5）において「事業を行う一定の場所」という。）を使用し、又は保有する（4）の外国法人が当該事業を行う一定の場所において事業上の活動を行う場合において、次に掲げる要件のいずれかに該当するとき（当該外国法人が当該事業を行う一定の場所において行う事業上の活動及び当該外国法人（国内において当該外国法人に代わって活動をする場合における当該活動をする者を含む。）が当該事業を行う一定の場所以外の場所（国内にあるものに限る。イ及び（三）において「他の場所」という。）において行う事業上の活動（ロにおいて「細分化活動」という。）が一体的な業務の一部として補完的な機能を果たすときに限る。）における当該事業を行う一定の場所
　　イ　当該他の場所（当該他の場所において当該外国法人が行う建設工事等及び当該活動をする者を含む。）が当該外国法人の恒久的施設に該当すること。
　　ロ　当該細分化活動の組合せによる活動の全体がその事業の遂行にとって準備的又は補助的な性格のものでないこと。
（二）事業を行う一定の場所を使用し、又は保有する（4）の外国法人及び当該外国法人と特殊の関係にある者（国内において当該者に代わって活動をする場合における当該活動をする者（イ及び（三）イにおいて「代理人」という。）を含む。以下（5）において「関連者」という。）が当該事業を行う一定の場所において事業上の活動を行う場合において、次に掲げる要件のいずれかに該当するとき（当該外国法人及び当該関連者が当該事業を行う一定の場所において行う事業上の活動（ロにおいて「細分化活動」という。）がこれらの者による一体的な業務の一部として補完的な機能を果たすときに限る。）における当該事業を行う一定の場所

イ 当該事業を行う一定の場所（当該事業を行う一定の場所において当該関連者（代理人を除く。以下イにおいて同じ。）が行う建設工事等及び当該関連者に係る代理人を含む。）が当該関連者の恒久的施設（当該関連者が内国法人又は個人である場合には、恒久的施設に相当するもの）に該当すること。

ロ 当該細分化活動の組合せによる活動の全体が当該外国法人の事業の遂行にとって準備的又は補助的な性格のものでないこと。

（三） 事業を行う一定の場所を使用し、又は保有する（4）の外国法人が当該事業を行う一定の場所において事業上の活動を行う場合で、かつ、当該外国法人に係る関連者が他の場所において事業上の活動を行う場合において、次に掲げる要件のいずれかに該当するとき（当該外国法人が当該事業を行う一定の場所において行う事業上の活動及び当該関連者が当該他の場所において行う事業上の活動（ロにおいて「細分化活動」という。）がこれらの者による一体的な業務の一部として補完的な機能を果たすときに限る。）における当該事業を行う一定の場所

イ 当該他の場所（当該他の場所において当該関連者（代理人を除く。以下イにおいて同じ。）が行う建設工事等及び当該関連者に係る代理人を含む。）が当該関連者の恒久的施設（当該関連者が内国法人又は個人である場合には、恒久的施設に相当するもの）に該当すること。

ロ 当該細分化活動の組合せによる活動の全体が当該外国法人の事業の遂行にとって準備的又は補助的な性格のものでないこと。

（外国法人が長期建設工事現場等を有する場合）

（6） 外国法人が長期建設工事現場等を有する場合には、当該長期建設工事現場等は（4）の（四）から（六）までに規定する（1）各号に掲げる場所と、当該長期建設工事現場等に係る長期建設工事等を行う場所（当該長期建設工事等を含む。）は（5）各号に規定する事業を行う一定の場所と、当該長期建設工事現場等を有する外国法人は（5）各号に規定する事業を行う一定の場所を使用し、又は保有する（4）の外国法人と、当該長期建設工事等を行う場所において事業上の活動を行う場合（当該長期建設工事等を行う場合を含む。）は（5）各号に規定する事業を行う一定の場所において事業上の活動を行う場合と、当該長期建設工事等を行う場所において行う事業上の活動（当該長期建設工事等を含む。）は（5）各号に規定する事業を行う一定の場所において行う事業上の活動とそれぞれみなして、（4）及び（5）の規定を適用する。（令46の2の3②、7の3の2⑥）

（自己のために契約を締結する権限のある者に準ずる者）

（7） ハに規定する者は、国内において外国法人に代わって、その事業に関し、反復して次に掲げる契約を締結し、又は当該外国法人により重要な修正が行われることなく日常的に締結される次に掲げる契約の締結のために反復して主要な役割を果たす者（当該者の国内における当該外国法人に代わって行う活動（当該活動が複数の活動を組み合わせたものである場合には、その組合せによる活動の全体）が、当該外国法人の事業の遂行にとって準備的又は補助的な性格のもの（当該外国法人に代わって行う活動を（5）各号の外国法人が（5）各号の事業を行う一定の場所において行う事業上の活動とみなして（5）の規定を適用した場合に（5）の規定により当該事業を行う一定の場所につき（4）の規定を適用しないこととされるときにおける当該活動を除く。）のみである場合における当該者を除く。（8）において「契約締結代理人等」という。）とする。（令46の2の3③、7の3の2⑦）

（一） 当該外国法人の名において締結される契約

（二） 当該外国法人が所有し、又は使用の権利を有する財産について、所有権を移転し、又は使用の権利を与えるための契約

（三） 当該外国法人による役務の提供のための契約

（契約締結代理人等に含まれないもの）

（8） 国内において外国法人に代わって行動する者が、その事業に係る業務を、当該外国法人に対し独立して行い、かつ、通常の方法により行う場合には、当該者は、契約締結代理人等に含まれないものとする。ただし、当該者が、専ら又は主として一又は二以上の自己と特殊の関係にある者に代わって行動する場合は、この限りでない。（令46の2の3③、7の3の2⑧）

	(特殊の関係)
	（9）（5）の（二）及び（8）ただし書に規定する特殊の関係とは、一方の者が他方の法人の発行済株式又は出資（当該他方の法人が有する自己の株式又は出資を除く。）の総数又は総額の100分の20を超える数又は金額の株式又は出資を直接又は間接に保有する関係その他の総務省令で定める特殊の関係をいう。（令46の2の3①②③、7の3の2⑨）

二　納税義務者等

1　納税義務者

　法人の市町村民税は、（一）に掲げる者に対しては均等割額及び法人税割額の合算額により、（二）に掲げる者に対しては均等割額により、（三）に掲げる者に対しては法人税割額により課する。（法294①三、四、五）

（一）	市町村内に事務所又は事業所を有する法人
（二）	市町村内に寮、宿泊所、クラブ、その他これらに類する施設（以下この章において「**寮等**」という。）を有する法人で当該市町村内に事務所又は事業所を有しないもの
（三）	**法人課税信託**（法人税法第2条第29号の2に規定する法人課税信託をいう。以下この章において同じ。）の引受けを行うことにより法人税を課される個人で市町村内に事務所又は事業所を有するもの

　　　　（外国法人の事務所又は事業所）
（1）　外国法人に対するこの章の規定の適用については、恒久的施設をもって、その事務所又は事業所とする。（法294⑤）

　　　　（公益法人等で収益事業を行うものの納税義務）
（2）　**四**《非課税の範囲》の1の表の（二）に掲げる者で収益事業を行うもの又は法人課税信託の引受けを行うものに対する市町村民税は、1の規定にかかわらず、当該収益事業又は法人課税信託の信託事務を行う事務所又は事業所所在の市町村において課する。（法294⑥）
　　　（注）　収益事業の範囲は、2《収益事業の範囲》参照。（編者）

　　　　（非課税とされない公益法人等に対する法人税割）
（3）　公益法人等（法人税法第2条第6号の公益法人等並びに防災街区整備事業組合、管理組合法人及び団地管理組合法人、マンション建替組合、マンション敷地売却組合及び敷地分割組合、地方自治法第260条の2第7項に規定する認可地縁団体、政党交付金の交付を受ける政党等に対する法人格の付与に関する法律第7条の2第1項に規定する法人である政党等並びに特定非営利活動促進法第2条第2項に規定する特定非営利活動法人をいう。）のうち**四**の1の表の（二）に掲げる者以外のもの及び（4）の規定により法人とみなされるものに対する法人税割（法人税法第74条第1項《確定申告》の申告書に係る法人税額を課税標準とするものに限る。）は、1の規定にかかわらず、これらの者の収益事業又は法人課税信託の信託事務を行う事務所又は事業所所在の市町村において課する。（法294⑦）

　　　　（人格のない社団等の納税義務）
（4）　法人でない社団又は財団で代表者又は管理人の定めがあり、かつ、収益事業を行うもの（当該社団又は財団で収益事業を廃止したものを含む。以下市町村民税について「人格のない社団等」という。）又は法人課税信託の引受けを行うものは、法人とみなして、この章（第三節**三**《地方税関係手続用電子情報処理組織による申告》を除く。）の規定を適用する。（法294⑧）

　　　　（旧民法第34条の法人から移行した法人等に係る特例）
（5）イ　一般社団法人及び一般財団法人に関する法律及び公益社団法人及び公益財団法人の認定等に関する法律の施行に伴う関係法律の整備等に関する法律（平成18年法律第50号。以下「整備法」という。）第40条第1項の規定により存続する一般社団法人又は一般財団法人であって整備法第106条第1項（整備法第121条第1項において読み替えて準用する場合を含む。以下同じ。）の登記をしていないもの（整備法第131条第1項の規定により整備法第45条の認可を取り消されたもの（以下それぞれ「認可取消社団法人」又は「認可取消財団法人」という。）を除く。）

については、公益社団法人又は公益財団法人とみなして、(2)並びに**四**の1の表の(二)及び同2の規定を適用する。(法附41①)
ロ　整備法第40条第1項の規定により存続する一般社団法人又は一般財団法人であって整備法第106条第1項の登記をしていないもの（認可取消社団法人又は認可取消財団法人にあっては、法人税法第2条第9号の2に規定する非営利型法人に該当するものに限る。）については、法人税法第2条第6号の公益法人等とみなして、(3)の規定を適用する。(法附41④)

（人格のない社団等に対する課税上の留意事項）
(6)　法人でない社団又は財団で収益事業を行わないものに対する均等割は非課税であること。(市通2-10)

（法人等の納税義務者に関する留意事項）
(7)　市町村内に事務所又は事業所がある法人（法人でない社団又は財団で代表者又は管理人の定めがあり、かつ、収益事業を行うもの（当該社団又は財団で収益事業を廃止したものを含む。以下「人格のない社団等」という。）を含む。）で法人税を納付する義務があるものは均等割及び法人税割の納税義務者であり、市町村内に事務所又は事業所がある法人税法第2条第5号《公共法人の定義》の公共法人、市町村内に事務所又は事業所がある公益法人等（同条第6号《公益法人等の定義》の公益法人等並びに防災街区整備事業組合、建物の区分所有等に関する法律第47条に規定する管理組合法人及び同法第65条に規定する団地管理組合法人、マンション建替組合、マンション敷地売却組合及び敷地分割組合、地方自治法第260条の2第7項に規定する認可地縁団体、政党交付金の交付を受ける政党等に対する法人格の付与に関する法律第7条の2第1項に規定する法人である政党等並びに特定非営利活動促進法第2条第2項に規定する特定非営利活動法人をいう。以下この章において同じ。）で法人税を課されないもの又は市町村内に寮等のみを有する法人は均等割の納税義務者であり、法人課税信託（1の表の(三)に規定する法人課税信託をいう。以下この章において同じ。）の引受けを行うことにより法人税を課される個人で市町村内に事務所又は事業所があるものは法人税割の納税義務者であること。
　　　この場合においては、次の諸点に留意すること。(市通2-8(1)、(2)、(4)、(5))
イ　外国法人については、**一**の表の(五)に規定する恒久的施設の具体的認定に当たっては道府県民税と相違を生じないようにすること。
ロ　公益法人等のうち、**四**《非課税の範囲》の1の表の(二)に掲げる公益法人等以外のもの及び(6)の規定により法人とみなされたものに対する法人税割は、これらの法人の収益事業又は法人課税信託の信託事務を行う事務所又は事業所所在の市町村において課するものであるが、退職年金等積立金に対する法人税に係る法人税割については、収益事業を行う事務所又は事業所所在の市町村に限らず課されるものであること。
　　　なお、均等割については、収益事業又は法人課税信託の信託事務を行う事務所又は事業所に限らず、これらの法人の事務所、事業所又は寮等所在の市町村において課されるものであること。
ハ　(2)から(4)まで及び**四**の1のただし書の収益事業は、法人税法施行令第5条《収益事業の範囲》に規定する事業で、継続して事業場を設けて行われるものであること。この場合において、社会福祉法人、更生保護法人、学校法人及び私立学校法第152条第5項《私立各種学校》の法人が行う事業でその所得の金額の100分の90以上の金額を当該法人が行う社会福祉事業、更生保護事業、私立学校、私立専修学校又は私立各種学校の経営（法人税法施行令第5条に規定する事業で、継続して事業場を設けて行われるものを除く。）に充てているもの及びその所得の金額がなく当該経営に充てていないものは、収益事業の範囲に含まれないものであること。したがって、これらの法人の行う経営そのものが法人税法施行令第5条に規定する事業で、継続して事業場を設けて行われるものに該当するときはこの限りでないこと。なお、所得の100分の90以上の金額とは、当該事業より生じた所得から法人税法第38条《法人税額等の損金不算入》の規定により損金に算入されない法人税等（道府県民税及び市町村民税を除く。）を控除した金額の100分の90以上の金額をいうものであり、また、社会福祉事業等の経営に充てているかどうかについては、当該法人の当該事業年度又は計算期間の決算の確定の日において判定すべきものであること。
ニ　民法第667条の規定による組合は、当該組合の組合員である法人に対して、事務所又は事業所所在の市町村において市町村民税を課するものであること。有限責任事業組合契約に関する法律第2条の規定による有限責任事業組合（LLP）についても同様であること。
　　　この場合、当該法人ごとに、第一編第一章**一**の1の注における事務所又は事業所の判定をするものであること。

（「寮等」の意義）
(8)　寮等とは、寮、宿泊所、クラブ、保養所、集会所その他これらに類するもので、法人が従業員の宿泊、慰安、娯

楽等の便宜を図るために常時設けられている施設をいい、それが自己の所有に属するものであると否とを問わないものであること。したがって、寮、宿泊所、クラブ等と呼ばれるものであっても、例えば、鉄道従業員の乗継ぎのための宿泊施設のようにその実質において事務所又は事業所に該当することとなるもの、又は、独身寮、社員住宅等のように特定の従業員の居住のための施設等は、もとよりこれに含まれないものであること。なお、季節的に私人の住宅等を借り上げて臨時に開放する「海の家」等の施設まで含めようとする趣旨ではないものであること。（市通2-9）

2 収益事業の範囲

1の（4）から（6）まで、四《非課税の範囲》の1ただし書及び同2ただし書並びに第二節1の①《均等割の標準税率》の表の（一）の収益事業は、法人税法施行令第5条《収益事業の範囲》に規定する事業で、継続して事業場を設けて行われるものとする。ただし、当該事業のうち社会福祉法人、更生保護法人、学校法人又は私立学校法第152条第5項《私立各種学校》の法人が行う事業でその所得の金額の100分の90以上の金額を当該法人が行う社会福祉事業、更生保護事業、私立学校、私立専修学校又は私立各種学校の経営（法人税法施行令第5条に規定する事業を除く。）に充てているもの（その所得の金額がなく当該経営に充てていないものを含む。）を含まないものとする。（法294⑨、令47、7の4）

（注） 2中＿＿＿部分のように改める令和6年度改正規定は、令和7年4月1日以後適用する。（令6政令第137号附①）

三 所得の帰属

1 法人課税信託の受託者に関するこの章の規定の適用

法人課税信託の受託者は、各法人課税信託の信託資産等（信託財産に属する資産及び負債並びに当該信託財産に帰せられる収益及び費用をいう。以下1及び（1）において同じ。）及び固有資産等（法人課税信託の信託資産等以外の資産及び負債並びに収益及び費用をいう。（1）において同じ。）ごとに、それぞれ別の者とみなして、この章（法第294条（二《納税義務者等》）、第294条の2の2及び第294条の3（2《実質所得者課税の原則》及び3《信託財産に係る所得の帰属》）、第296条（四《非課税の範囲》）、第299条（五の2《検査拒否等に関する罪》）から第302条（六《納税管理人及び納税管理人に係る虚偽の申告に関する罪等》）まで、第312条（第二節1《法人等の均等割の税率》）、第321条の8第31項（第三節一の5《公共法人等に係る申告納付》）、第321条の8の3、第321条の9（同節四《虚偽の申告に関する罪》）、第324条（第七節2《脱税に関する罪》及び第六款（第八節《督促、滞納処分及び犯則取締り》）を除く。（2）から（4）までにおいて同じ。）の規定を適用する。（法294の2①）

（法人課税信託の信託資産等の帰属）
（1） 1の場合において、各法人課税信託の信託資産等及び固有資産等は、1の規定によりみなされた各別の者にそれぞれ帰属するものとする。（法294の2②）

（法人税法の規定の準用）
（2） 法人税法第4条の3《法人課税信託の受託法人等に関する法人税法の適用》の規定は、1及び（1）の規定をこの章《法人の市町村民税》において適用する場合について準用する。（法294の2④）

（読替規定）
（3） 1、（1）及び（2）の規定により法人課税信託の受託者についてこの章の規定を適用する場合には、次の表の左欄に掲げる規定中同表の中欄に掲げる字句は、それぞれ同表の右欄に掲げる字句とする。（法294の2⑤）

一の表の（四）のイ	同1・2	当該法人に係る固有法人（法人課税信託の受託者である法人について、三の1及び同（1）の規定により、当該法人課税信託に係る同1に規定する固有資産等が帰属する者としてこの章の規定を適用する場合における当該受託者である法人をいう。以下この章において同じ。）の第三節一の1・2
一の表の（四）のロ	（5）	当該法人に係る固有法人の政令
一の表の（四）のハ	純資産額	当該法人に係る固有法人の純資産額
第二節1の①《法人の均等割の標準税率》）の表	資本金の額が	当該法人に係る固有法人の資本金等の額が

同節1の③《法人の均等割の税率算定日》の表の(一)	当該法人	当該法人に係る固有法人
同表の(二)	当該法人	当該法人に係る固有法人
同節1の⑥《資本金等の額の適用》のイ及びロ	)の資本金等の額	)に係る固有法人の資本金等の額
第三節一の1《中間申告及び確定申告に係る申告納付》及び2《中間申告書の提出がない場合の申告納付の特例》	法人にあっては均等割額	法人が固有法人である場合には当該固有法人に係る法人課税信託の受託者が納付すべき均等割額
	寮等所在地	寮等（当該法人が固有法人である場合には、当該固有法人に係る法人課税信託の受託者の有する全ての事務所、事業所又は寮。以下1、2及び3において同じ。）所在地
	及び均等割額	及び当該法人が固有法人である場合には均等割額
同4《通算親法人が協同組合等である通算子法人の申告納付》	均等割額	当該法人が固有法人である場合には当該固有法人に係る法人課税信託の受託者が納付すべき均等割額
同節一の1の(11)《寮等のみが所在する市町村に対する均等割額の申告納付の適用除外》	法人又は	固有法人又は
	法人は	固有法人は
	法人の	固有法人に係る法人課税信託の受託者の有する
第五節一の1《二以上の市町村において事務所等を有する法人の中間申告及び確定申告に係る申告納付》	法人税割額を算定して、これに均等割額を加算した額	算定した法人税割額（当該法人が固有法人である場合には、これに当該固有法人に係る法人課税信託の受託者が納付すべき均等割額を加算した額）

　　（特定法人課税信託の併合又は分割）
（４）　信託の併合に係る従前の信託又は信託の分割に係る分割信託（信託の分割によりその信託財産の一部を他の信託又は新たな信託に移転する信託をいう。(５)において同じ。）が法人課税信託（二の1の表の(三)に規定する法人課税信託をいう。(５)において同じ。）のうち法人税法第２条第29号の２イ又はハに掲げる信託（以下(４)において「特定法人課税信託」という。）である場合には、当該信託の併合に係る新たな信託又は当該信託の分割に係る他の信託若しくは新たな信託（特定法人課税信託を除く。）は、特定法人課税信託とみなして、この章の規定を適用する。（令47の２①）

　　（信託の併合又は単独新規信託分割により法人課税信託に該当することとなったものとみなす場合）
（５）　信託の併合又は信託の分割（一の信託が新たな信託に信託財産の一部を移転するものに限る。以下(５)及び(６)において「単独新規信託分割」という。）が行われた場合において、当該信託の併合が法人課税信託を新たな信託とするものであるときにおける当該信託の併合に係る従前の信託（法人課税信託を除く。）は当該信託の併合の直前に法人課税信託に該当することとなったものとみなし、当該単独新規信託分割が集団投資信託（３に規定する集団投資信託をいう。以下(５)において同じ。）又は受益者等課税信託（法人税法施行令第14条の６第２項に規定する受益者等課税信託をいう。以下(５)において同じ。）を分割信託とし、法人課税信託を承継信託（信託の分割により分割信託からその信託財産の一部の移転を受ける信託をいう。以下(５)及び(６)において同じ。）とするものであるときにおける当該承継信託は当該単独新規信託分割の直後に集団投資信託又は受益者等課税信託から法人課税信託に該当することとなったものとみなして、この章の規定を適用する。（令47の２②）

　　（吸収信託分割又は複数新規信託分割が行われた場合）
（６）　他の信託に信託財産の一部を移転する信託の分割（以下(６)において「吸収信託分割」という。）又は二以上の信託が新たな信託に信託財産の一部を移転する信託の分割（以下(６)において「複数新規信託分割」という。）が行われた場合には、当該吸収信託分割又は複数新規信託分割により移転する信託財産をその信託財産とする信託（以下(６)において「吸収分割中信託」という。）を承継信託とする単独新規信託分割が行われ、直ちに当該吸収分割中信託及び承継信託（複数新規信託分割にあっては、他の吸収分割中信託）を従前の信託とする信託の併合が行われたものとみ

なして、(5)及び(6)の規定を適用する。(令47の2③)

　　(留意事項)
(7)　法人課税信託の受託者に係る法人税割については、原則として各法人課税信託の信託資産等及び固有資産等ごとにそれぞれ別の者とみなして取り扱うものであること。なお、均等割については、原則として固有法人の申告と併せて行うものであること。(市通2－8(3))

2　実質所得者課税の原則
　資産又は事業から生ずる収益が法律上帰属するとみられる者が単なる名義人であって、当該収益を享受せず、その者以外の者が当該収益を享受する場合においては、当該収益に係る市町村民税は、当該収益を享受する者に課するものとする。(法294の2の2)

3　信託財産に係る所得の帰属
　信託財産について生ずる所得については、信託の受益者(受益者としての権利を現に有するものに限る。)が当該信託の信託財産に属する資産及び負債を有するものとみなして、この章の規定を適用する。ただし、集団投資信託(所得税法第13条第3項第1号に規定する集団投資信託をいう。)、退職年金等信託(同項第2号に規定する退職年金等信託をいう。)又は法人課税信託の信託財産について生ずる所得については、この限りでない。(法294の3①)

　　(受益者とみなす者)
(1)　信託の変更をする権限(軽微な変更をする権限として(2)で定めるものを除く。)を現に有し、かつ、当該信託の信託財産の給付を受けることとされている者(受益者を除く。)は、3に規定する受益者とみなして、3の規定を適用する。(法294の3②)

　　(軽微な変更をする権限)
(2)　(1)に規定する(2)で定める権限は、信託の目的に反しないことが明らかである場合に限り信託の変更をすることができる権限とする。(令47の2の2①)

　　(信託を変更する権限に含むもの)
(3)　(1)に規定する信託の変更をする権限は、他の者との合意により信託の変更をすることができる権限を含むものとする。(令47の2の2②)

　　(停止条件が付された信託財産の給付を受ける権利を有する者)
(4)　停止条件が付された信託財産の給付を受ける権利を有する者は、(1)に規定する信託財産の給付を受けることとされている者に該当するものとする。(令47の2の2③)

　　(受託者が二以上ある場合の適用)
(5)　3に規定する受益者((1)の規定により3に規定する受益者とみなされる者を含む。以下(5)において同じ。)が二以上ある場合における3の規定の適用については、3の信託の信託財産に属する資産及び負債の全部をそれぞれの受益者がその有する権利の内容に応じて有するものとする。(令47の2の2④)

4　公益信託に係る所得の帰属
　当分の間、公益信託(公益信託ニ関スル法律第1条に規定する公益信託(法人税法第37条第6項に規定する特定公益信託を除く。)をいう。以下4において同じ。)の信託財産について生ずる所得については、公益信託の委託者又はその相続人その他の一般承継人が当該公益信託の信託財産に属する資産及び負債を有するものとみなして、この章の規定を適用する。(法附3の2の3①)
　　(注)　4及び注を削る令和6年度改正規定は、公益信託に関する法律(令和6年法律第30号)の施行の日以後適用する。(令6改法附1十)

　　(公益信託と法人課税信託の関係)
　注　公益信託は、二の1の表の(三)に規定する法人課税信託に該当しないものとする。(法附3の2の3②)

四 非課税の範囲

1 市町村民税の均等割の非課税

市町村は、次に掲げる者に対しては、市町村民税の均等割を課することができない。ただし、(二)に掲げる者が収益事業を行う場合は、この限りでない。(法296①、法附7の5、平8法82附130、令47の4、7の4の5)

(一)	国、非課税独立行政法人、国立大学法人等、日本年金機構、都道府県、市町村、特別区、地方公共団体の組合、財産区、合併特例区、地方独立行政法人、港湾法の規定による港務局、土地改良区及び土地改良区連合、水害予防組合及び水害予防組合連合、土地区画整理組合並びに独立行政法人郵便貯金簡易生命保険管理・郵便局ネットワーク支援機構
(二)	日本赤十字社、社会福祉法人、更生保護法人、宗教法人、学校法人、私立学校法第152条第5項《私立各種学校》の法人、労働組合法による労働組合、職員団体等に対する法人格の付与に関する法律第2条第5項に規定する法人である職員団体等、漁船保険組合、漁船保険中央会、漁業信用基金協会、漁業共済組合及び漁業共済組合連合会、信用保証協会、農業共済組合及び農業共済組合連合会、都道府県農業会議、全国農業会議所、農業協同組合中央会、農業協同組合連合会（医療法第31条に規定する公的医療機関に該当する病院又は診療所を設置するもので法人税法別表第二《公益法人等の表》に規定する農業協同組合連合会に該当する農業協同組合連合会及び農業協同組合法等の一部を改正する等の法律（平成27年法律第63号）附則第12条に規定する存続都道府県中央会から同条の規定による組織変更をした農業協同組合連合会で同法附則第18条の規定により引き続きその名称中に農業協同組合中央会という文字を用いるものに限る。）、中小企業団体中央会、国民健康保険組合及び国民健康保険団体連合会、全国健康保険協会(注2)、健康保険組合及び健康保険組合連合会、国家公務員共済組合及び厚生年金保険法等の一部を改正する法律（平成8年法律第82号）附則第32条第2項に規定する存続組合並びに国家公務員共済組合連合会、地方公務員共済組合、全国市町村職員共済組合連合会、地方公務員共済組合連合会、日本私立学校振興・共済事業団、公益社団法人又は公益財団法人で博物館法第2条第1項の博物館を設置することを主たる目的とするもの又は学術の研究を目的するもの並びに政党交付金の交付を受ける政党等に対する法人格の付与に関する法律第7条の2第1項に規定する法人である政党等

(注1) 1及び2の収益事業の範囲は、二の2《収益事業の範囲》で定めるところによる。(法296③)
(注2) 1の(一)に規定する非課税独立行政法人及び非課税地方独立行政法人については、第二編第二章《法人の道府県民税》第一節《通則》四の1の(一)及び同1の(注2)を参照。(編者)
(注3) 1の(二)及び2の適用に関する旧民法第34条の法人から移行した法人等に係る特例については、二の1の(5)イを参照。(編者)
(注4) (二)中＿＿部分のように改める令和6年度改正規定は、令和7年4月1日以後適用する。(令6改法附1三)

2 市町村民税の法人税割の非課税

市町村は、1の(一)及び(二)に掲げる者に対しては、市町村民税の法人税割を課することができない。ただし、同(二)に掲げる者が収益事業又は法人課税信託の引受けを行う場合は、この限りでない。(法296②)

五 質問検査権及び検査拒否等の罪

1 徴税吏員の調査に係る質問検査権

① 質問検査権

市町村の徴税吏員は、市町村民税の賦課徴収に関する調査のために必要がある場合においては、次に掲げる者に質問し、又は(一)から(三)までの者の事業に関する帳簿書類（その作成又は保存に代えて電磁的記録（電子的方式、磁気的方式その他の人の知覚によっては認識することができない方式で作られる記録であって、電子計算機による情報処理の用に供されるものをいう。）の作成又は保存がされている場合における当該電磁的記録を含む。2の表の(一)及び(二)において同じ。）その他の物件を検査し、若しくは当該物件（その写しを含む。）の提示若しくは提出を求めることができる。(法298①)
(一) 納税義務者又は納税義務があると認められる者
(二) (一)に規定する者に金銭又は物品を給付する義務があると認められる者
(三) 給与支払報告書を提出する義務がある者及び特別徴収義務者
(四) (一)から(三)までに掲げる者以外の者で当該市町村民税の賦課徴収に関し直接関係があると認められる者

　　　　（身分証明証の呈示）
（1）　①の場合においては、当該徴税吏員は、その身分を証明する証票を携帯し、関係人の請求があったときは、これを呈示しなければならない。（法298②）

　　　　（滞納処分に関する調査についての不適用）
（2）　市町村民税に係る滞納処分に関する調査については、①の規定にかかわらず、第八節二の１の（5）《国税徴収法の例による滞納処分》の定めるところによる。（法298④）

　　　　（質問検査権の解釈）
（3）　①又は②の規定による市町村の徴税吏員の権限は、犯罪捜査のために認められたものと解釈してはならない。（法298⑤）

② 提出物件の留置き
　市町村の徴税吏員は、（1）から（3）までで定めるところにより、①の規定により提出を受けた物件を留め置くことができる。（法298③）

　　　　（留置きの手続）
（1）　市町村の徴税吏員は、②の規定により物件を留め置く場合には、当該物件の名称又は種類及びその数量、当該物件の提出年月日並びに当該物件を提出した者の氏名及び住所又は居所その他当該物件の留置きに関し必要な事項を記載した書面を作成し、当該物件を提出した者にこれを交付しなければならない。（令47の５①）

　　　　（提出物件の返還）
（2）　市町村の徴税吏員は、②の規定により留め置いた物件につき留め置く必要がなくなったときは、遅滞なく、これを返還しなければならない。（令47の５②）

　　　　（善良な管理者の注意義務）
（3）　市町村の徴税吏員は、（2）に規定する物件を善良な管理者の注意をもって管理しなければならない。（令47の５③）

2　検査拒否等に関する罪
　次の各号のいずれかに該当する場合には、その違反行為をした者は、１年以下の懲役又は50万円以下の罰金に処する。（法299①）

（一）	１の①の規定による帳簿書類その他の物件の検査を拒み、妨げ、又は忌避したとき。
（二）	１の①の規定による物件の提示又は提出の要求に対し、正当な理由がなくこれに応ぜず、又は偽りの記載若しくは記録をした帳簿書者類その他の物件（その写しを含む。）を提示し、若しくは提出したとき。
（三）	１の①の規定による徴税吏員の質問に対し答弁をしないとき、又は虚偽の答弁をしたとき。

　　　　（両罰規定）
（1）　法人（法人でない社団又は財団で代表者又は管理人の定めのあるもの（人格のない社団等を除く。以下（1）において「その他の社団等」という。）を含む。以下同じ。）の代表者（人格のない社団等の管理人及びその他の社団等の代表者又は管理人を含む。以下同じ。）又は法人若しくは人の代理人、使用人その他の従業者がその法人又は人の業務又は財産に関して２の違反行為をした場合には、その行為者を罰するほか、その法人又は人に対し、２の罰金刑を科する。（法299②）

　　　　（人格のない社団等に対する刑事訴訟法の準用）
（2）　法人でない社団又は財団で代表者又は管理人の定めのあるものについて（1）の規定の適用がある場合には、その代表者又は管理人がその訴訟行為につき当該法人でない社団又は財団で代表者又は管理人の定めのあるものを代表す

六 納税管理人及び納税管理人に係る虚偽の申告に関する罪等

1 納税管理人に関する罪等

　市町村民税の納税義務者は、納税義務を負う市町村内に住所、居所、事務所、事業所又は寮等を有しない場合においては、納税に関する一切の事項を処理させるため、当該市町村の条例で定める地域内に住所、居所、事務所若しくは事業所を有する者のうちから納税管理人を定めてこれを市町村長に申告し、又は当該地域外に住所、居所、事務所若しくは事業所を有する者のうち当該事項の処理につき便宜を有するものを納税管理人として定めることについて市町村長に申請してその承認を受けなければならない。納税管理人を変更し、又は変更しようとする場合においても、また、同様とする。（法300①）

　　（納税管理人を定めることを要しない場合）
　注　1の規定にかかわらず、当該納税義務者は、当該納税義務者に係る市町村民税の徴収の確保に支障がないことについて市町村長に申請してその認定を受けたときは、納税管理人を定めることを要しない。（法300②）

2 納税管理人に係る虚偽の申告等に関する罪

　1の規定により申告すべき納税管理人について虚偽の申告をし、又は偽りその他不正の手段により1の承認若しくは1の注の認定を受けたときは、その違反行為をした者は、30万円以下の罰金に処する。（法301①）

　　（両罰規定）
（1）　法人の代表者（人格のない社団等の管理人を含む。）又は法人若しくは人の代理人、使用人その他の従業者がその法人又は人の業務又は財産に関して2の違反行為をした場合には、その行為者を罰するほか、その法人又は人に対し、2の刑を科する。（法301②）

　　（人格のない社団等に対する刑事訴訟法の準用）
（2）　人格のない社団等について（1）の規定の適用がある場合には、その代表者又は管理人がその訴訟行為につき当該人格のない社団等を代表するほか、法人を被告人又は被疑者とする場合の刑事訴訟に関する法律の規定を準用する。（法301③）

3 納税管理人に係る不申告に関する過料

　市町村は、1の注の認定を受けていない市町村民税の納税義務者で1の承認を受けていないものが1の規定によって申告すべき納税管理人について正当な事由がなくて申告をしなかった場合においては、その者に対し、当該市町村の条例で10万円以下の過料を科する旨の規定を設けることができる。（法302）

第二節　税　　率

1 法人の均等割の税率

① 均等割の標準税率

　法人に対して課する均等割の標準税率は、次の表の左欄に掲げる法人の区分に応じ、それぞれ同表の右欄に定める額とする。（法312①）

法人の区分		税率
(一)	次に掲げる法人 イ　法人税法第2条第5号《公共法人の定義》の公共法人及び第一節二の1の(3)《非課税とされない公益法人等に対する法人税割》に規定する公益法人等のうち、同節四の1《市町村民税の均等割の非課税》の規定により均等割を課すことができないもの以外のもの（同法別表第2《公	年額5万円

益法人等の表》に規定する独立行政法人で収益事業を行うものを除く。）
　　　ロ　人格のない社団等
　　　ハ　一般社団法人（非営利型法人（法人税法第２条第９号の２《非営利型法人の定義》に規定する非営利型法人をいう。以下（一）において同じ。）に該当するものを除く。）及び一般財団法人（非営利型法人に該当するものを除く。）
　　　ニ　保険業法に規定する相互会社以外の法人で資本金の額又は出資金の額を有しないもの（イからハまでに掲げる法人を除く。）
　　　ホ　資本金等の額を有する法人（法人税法別表第２に規定する独立行政法人で収益事業を行わないもの及びニに掲げる法人を除く。以下この表において同じ。）で資本金等の額が1,000万円以下であるもののうち、市町村内に有する事務所、事業所又は寮等の従業者（（２）で定める役員を含む。）の数の合計数（（二）から（九）まで及び⑤において「**従業者数の合計数**」という。）が50人以下のもの

（二）	資本金等の額を有する法人で資本金等の額が1,000万円以下であるもののうち、従業者数の合計数が50人を超えるもの	年額12万円
（三）	資本金等の額を有する法人で資本金等の額が1,000万円を超え１億円以下であるもののうち、従業者数の合計数が50人以下であるもの	年額13万円
（四）	資本金等の額を有する法人で資本金等の額が1,000万円を超え１億円以下であるもののうち、従業者数の合計数が50人を超えるもの	年額15万円
（五）	資本金等の額を有する法人で資本金等の額が１億円を超え10億円以下であるもののうち、従業者数の合計数が50人以下であるもの	年額16万円
（六）	資本金等の額を有する法人で資本金等の額が１億円を超え10億円以下であるもののうち、従業者数の合計数が50人を超えるもの	年額40万円
（七）	資本金等の額を有する法人で資本金等の額が10億円を超えるもののうち、従業者数の合計数が50人以下であるもの	年額41万円
（八）	資本金等の額を有する法人で資本金等の額が10億円を超え50億円以下であるもののうち、従業者数の合計数が50人を超えるもの	年額175万円
（九）	資本金等の額を有する法人で資本金等の額が50億円を超えるもののうち、従業者数の合計数が50人を超えるもの	年額300万円

　（注）　①の表の（一）の収益事業の範囲は、第一節二の２《収益事業の範囲》に定めるところによる。（法312⑨）

　　　（旧民法第34条の法人から移行した法人等に係る特例）
（１）イ　一般社団法人及び一般財団法人に関する法律及び公益社団法人及び公益財団法人の認定等に関する法律の施行に伴う関係法律の整備等に関する法律（平成18年法律第50号。以下「整備法」という。）第40条第１項の規定により存続する一般社団法人又は一般財団法人であって整備法第106条第１項（整備法第121条第１項において読み替えて準用する場合を含む。以下同じ。）の登記をしていないもの（整備法第131条第１項の規定により整備法第45条の認可を取り消されたもの（以下それぞれ「認可取消社団法人」又は「認可取消財団法人」という。）にあっては、法人税法第２条第９号の２に規定する非営利型法人に該当するものに限る。）については、法人税法第２条第６号の公益法人等とみなして、①及び③（（三）に係る部分に限る。）の規定を適用する。（法附41④）
　　　ロ　整備法第41条第１項の規定により存続する一般社団法人又は一般財団法人であって整備法第106条第１項の登記をしていないもの又は認可取消社団法人若しくは認可取消財団法人については、一般社団法人又は一般財団法人とみなして①の規定を適用する。（法附41⑧）
　　　ハ　整備法第２条第１項に規定する旧有限責任中間法人で整備法第３条第１項本文の規定の適用を受けるもの及び整備法第25条第２項に規定する特例無限責任中間法人については、一般社団法人とみなして、①の規定を適用する。（法附41⑨）

　　　（役員の範囲）
（２）　①の表の（一）に規定する役員は、俸給、給料若しくは賞与又はこれらの性質を有する給与の支給を受けること と

されている役員とする。(令48)

(「従業者の数の合計数」に関する留意事項)
(3) ①の表の(一)の従業者の意義については、第五節―の2《法人税額の課税標準の分割基準》にいう従業者と一致すべきものであるが、「市町村内に有する事務所、事業所又は寮等の従業者の数の合計数」の算定に当たっては、次の点において同2の従業者の数と異なるものであることに留意すること。(市通2―11)
イ ①の表の(一)の従業者の数には、寮等の従業者の数を含むものであること。
ロ ①の表の(一)の従業者の数は、第五節―の3《新設・廃止事務所等の分割基準となる従業者数》に掲げる事務所又は事業所に該当する場合においても、③の表の(一)から(四)までに掲げる日現在によるものであること。
なお、従業者のうち、アルバイト、パートタイマー、日雇者(以下ロにおいて「アルバイト等」という。)については、市町村内に有する事務所又は事業所(以下ロにおいて「事務所等」という。)ごとに次の方法により算定した数の合計数をもって、③の表の(一)に規定する法人税額の課税標準の算定期間又は同(二)に規定する第三節―の1・2の規定により申告納付する法人の同1・2の期間(以下ロにおいて「算定期間」という。)の末日現在の当該アルバイト等の数と取り扱っても差し支えないものであること。
(イ) 原則として、算定期間の末日を含む直前1月のアルバイト等の総勤務時間数を170で除して得た数値
なお、算定期間の末日が月の中途である場合は

$$\frac{\text{算定期間の末日の属する月の初日から算定期間の末日までのアルバイト等の総勤務時間数}}{170} \times \frac{\text{算定期間の末日の属する月の日数}}{\text{算定期間の末日の属する月の初日から算定期間の末日までの日数}}$$

により算定し、算定期間の開始の日又は事務所等が新設された日がその算定期間の末日の属する月の中途である場合は

$$\frac{\text{算定期間の開始の日又は事務所等が新設された日からその算定期間の末日までのアルバイト等の総勤務時間数}}{170} \times \frac{\text{算定期間の末日の属する月の日数}}{\text{算定期間の開始の日又は事務所等が新設された日からその算定期間の末日までの日数}}$$

により算定した数値
(ロ) (イ)の方法に準じて算定期間に属する各月の末日現在におけるアルバイト等の数を算定した場合において、そのアルバイト等の数のうち最大であるものの数値が、そのアルバイト等の数のうち最小であるものの数値に2を乗じて得た数値を超える場合については、(イ)の方法に代えて

$$\frac{\text{その算定期間に属する各月の末日現在における(イ)の方法に準じて算定したアルバイト等の数の合計数}}{\text{その算定期間の月数}}$$

によりその数を算定することができるものであること。
この場合における月数は、暦に従って計算し、1月に満たない端数を生じたときは、これを1月とすること。
(ハ) (イ)及び(ロ)において、その算定した数に1人に満たない端数を生じたときは、これを1人とするものであること。

(均等割の税率の適用に当たっての留意事項)
(4) 法人の均等割の税率の適用に当たっては、次の諸点に留意すること。(市通2―47)
(一) 税率の適用区分の基準である資本金等の額は、予定申告書を提出する場合には、当該予定申告書に係る算定期間の開始の日の前日(合併により設立された法人がその設立後における最初の予定申告書を提出する場合には、設立の日)現在の資本金等の額によるものであること。
(二) 法人でない社団又は財団で代表者又は管理人の定めのあるものが、収益事業を行うこととなった場合における第三節―の1・2の申告書に係る法人税割額と合算して納付すべき均等割額は、収益事業を開始した日の属する月の初日から当該法人税割の課税標準となる法人税額の課税標準の算定期間の末日までの期間に対応するものであること。
(三) 公益法人等が収益事業を行うこととなった場合における第三節―の1・2の申告書に係る法人税割額と合算して納付すべき均等割額は、収益事業を開始した日の属する月の初日から当該法人税割の課税標準となる法人税額の課税標準の算定期間の末日までの期間に対応するものであるが、第一節四の1の(二)に掲げる者以外のものについては、4月から当該収益事業を開始した日の属する月の前月までの期間に対応する均等割額をも、併せて納付すべ

きものであること。

② 均等割の制限税率

市町村は、①に定める標準税率を超える税率で均等割を課する場合には、①の表の各号の税率に、それぞれ1.2を乗じて得た率を超える税率で課することができない。(法312②)

③ 法人の均等割の税率算定日

法人等の均等割の税率は、次の各号に掲げる法人の区分に応じ、当該各号に定める日現在における税率による。(法312③)

(一)	第三節一の1・2《中間申告・確定申告・みなし中間申告》の規定により申告納付する法人	当該法人の同1に規定する法人税額の課税標準の算定期間の末日
(二)	第三節一の3の規定により申告納付する法人	当該法人の3の期間の末日
(三)	公共法人等(法人税法第2条第5号《公共法人の定義》の公共法人及び第一節二の1の(3)《非課税とされない公益法人等に対する法人税割》に規定する公益法人等で均等割のみを課されるものをいう。第三節一の4《公共法人等に係る申告納付》及び同節三の1《地方税関係手続用電子情報処理組織による申告》の(1)の(一)において同じ。	前年4月1日から3月31日までの期間(当該期間中に当該公共法人等が解散(合併による解散を除く。)又は合併により消滅した場合には、前年4月1日から当該消滅した日までの期間)の末日

④ 均等割額の算定方法

①又は②に定める均等割の額は、当該均等割の額に、③の表の(一)の法人税額の課税標準の算定期間若しくは同(二)の期間又は同(三)の期間中において事務所、事業所又は寮等を有していた月数を乗じて得た額を12で除して算定するものとする。この場合における月数は、暦に従って計算し、1月に満たないときは1月とし、1月に満たない端数を生じたときは切り捨てる。(法312④)

⑤ 従業者数の合計数の判定日

①の場合において、③の表の(一)及び(二)に掲げる法人の従業者数の合計数は、それぞれこれらの号に定める日現在における従業者数の合計数による。(法312⑤)

⑥ 資本金等の額の適用

イ 中間申告・みなし中間申告・確定申告の規定によって申告納付する法人の資本金等の額

③の表の(一)に掲げる法人(保険業法に規定する相互会社を除く。)の資本金等の額が、同(一)に定める日(法人税法第71条《中間申告》第1項(同法第72条《仮決算をした場合の中間申告》第1項の規定が適用される場合を除く。)又は第144条の3《外国法人の中間申告》第1項(同法第144条の4《仮決算をした場合の中間申告書の記載事項等》第1項の規定が適用される場合を除く。)に規定する申告書を提出する義務があるものにあっては、(1)で定める日)現在における資本金の額及び資本準備金の額の合算額又は出資金の額に満たない場合における①の規定の適用については、①の表の(一)ホ中「資本金等の額が」とあるのは「③の表の(一)に定める日(同法第71条第1項(同法第72条第1項の規定が適用される場合を除く。)又は第144条の3第1項(同法第144条の4第1項の規定が適用される場合を除く。)に規定する申告書を提出する義務があるものにあっては、⑥のイに規定する(1)で定める日。以下この表において同じ。)現在における資本金の額及び資本準備金の額の合算額又は出資金の額が」と、同表の(二)から(九)までの規定中「資本金等の額が」とあるのは「③の表の(一)に定める日現在における資本金の額及び資本準備金の額の合算額又は出資金の額が」とする。(法312⑥)

(法人の資本金等の額の基準日)
(1) イに規定する日は、第一節一の表の(四)の(5)《法人の資本金等の額の基準日》の(一)に規定する日とする。(令48の2①、45の3、6の23一)

(資本金等の額の留意事項)
（２）　イからハにおいて、第一節一の表の(四)イ及びロの規定により計算した金額が、当該算定期間終了の日における資本金の額及び資本準備金（会社法第445条第３項に規定する資本準備金をいう。）の額の合算額又は出資金の額を下回る場合には、資本金の額及び資本準備金の額の合算額又は出資金の額を均等割の税率適用区分の基準とすること。（市通２－48の２後段）

ロ　通算親法人が協同組合等である通算子法人の規定によって申告納付する法人の資本金等の額
　③の表の(二)に掲げる法人（保険業法に規定する相互会社を除く。）の資本金等の額が、注で定める日現在における資本金の額及び資本準備金の額の合算額又は出資金の額に満たない場合における①の規定の適用については、①の表中「資本金等の額が」とあるのは、「⑥のロに規定する注で定める日現在における資本金の額及び資本準備金の額の合算額又は出資金の額が」とする。(法312⑦)

(法人の資本金等の額の基準日)
注　ニに規定する日は、第一節一の表の(四)の(５)《法人の資本金等の額の基準日》の(二)に規定する日とする。（令48の２②、45の３、６の23二）

２　法人税割の税率

①　法人税割の税率
　法人税割の標準税率は、100分の６とする。ただし、標準税率を超えて課する場合においても、100分の8.4を超えることができない。(法314の４①)

②　法人税割の税率算定日
　法人税割の税率は、第三節一の１・２《中間申告・確定申告・みなし中間申告》に規定する法人税額の課税標準の算定期間の末日現在における税率による。(法314の４②)

第三節　申告納付

一　申告納付

１　中間申告及び確定申告に係る申告納付
　法人税法第71条第１項《中間申告》（同法第72条第１項《仮決算をした場合の中間申告書の記載事項等》の規定が適用される場合を含む。以下この章において同じ。）、第74条第１項《確定申告》、第88条《退職年金等積立金に係る中間申告》（同法第145条の５《外国法人の退職年金等積立金に対する法人税の申告及び納付》において準用する場合を含む。以下１において同じ。）、第89条《退職年金等積立金に係る確定申告》（同法第145条の５において準用する場合を含む。）、第144条の３《外国法人の中間申告》第１項（同法第144条の４《仮決算をした場合の中間申告書の記載事項等》第１項の規定が適用される場合を含む。以下この章において同じ。）又は第144条の６《確定申告》第１項の規定により法人税に係る申告書を提出する義務がある法人は、当該申告書の提出期限までに、８《申告書等の様式》に定める様式により、当該申告書に係る法人税額、これを課税標準として算定した法人税割額（同法第71条第１項（同法第72条第１項の規定が適用される場合を除く。）、第88条又は第144条の３第１項（同法第144条の４第１項の規定が適用される場合を除く。）の規定により法人税に係る申告書を提出する義務がある法人（以下「**予定申告法人**」という。）にあっては、前事業年度の法人税割額を基準として(1)で定めるところにより計算した法人税割額（以下「**予定申告に係る法人税割額**」という。））、同法第71条第１項、第74条第１項、第144条の３第１項又は第144条の６第１項の規定により法人税に係る申告書を提出する義務がある法人にあっては均等割額その他必要な事項を記載した申告書（以下１において「**法人の市町村民税の申告書**」という。）をその法人税額の課税標準の算定期間（同法第71条第１項、第88条、第144条の３第１項又は第144条の６第１項の申告書に係る法人税額にあっては、当該事業年度の開始の日から６月経過日（当該事業年度（当該法人が同法第２条第12号の７に規定する通算子法人である場合には、当該事業年度開始の日の属する当該法人に係る通算親法人（同条第12号の６の７に規定する通算親法人をいう。３及び第四節四の１において同じ。）の事業年度）開始の日以後６月を経過した日をいう。）の前日

　　　　　　　　第三編第二章《法人の市町村民税》第三節《申告納付》

までの期間とする。以下法人の市町村民税について同じ。）中において有する事務所、事業所又は寮等所在地の市町村長に提出し、及びその申告した市町村民税額（当該市町村民税額について既に納付すべきことが確定しているものがある場合には、これを控除した額）を納付しなければならない。（法321の8①前段）

　　　（予定申告に係る法人税割額）
（1）　1に規定する（1）で定めるところにより計算した法人税割額は、1に規定する予定申告法人の6月経過日（1に規定する6月経過日をいう。（4）の（一）及び（10）において同じ。）の前日までに前事業年度分として納付した法人税割額及び納付すべきことが確定した法人税割額の合計額（これらの法人税割額のうちに第四節四の2の②《税額控除超過額相当額の対象事業年度の法人税割額への加算》の規定により加算された金額がある場合には当該加算された金額を控除した額とし、これらの法人税割額の課税標準となる法人税額のうちに租税特別措置法第42条の14第1項若しくは第4項、第62条第1項、第62条の3第1項若しくは第9項又は第63条第1項の規定により加算された金額がある場合には当該加算された金額にこれらの法人税割額に係る法人税割の税率を乗じて得た額を控除した額とする。）に当該事業年度開始の日から当該前日までの期間（（4）及び（7）において「中間期間」という。）の月数を乗じて得た金額を前事業年度の月数で除して得た金額とする。（令48の10、8の6①）
　　　（注）（12）《租税特別措置法の旧規定の適用がある場合の特例》の読替え規定を参照。（編者）

　　　（試験研究費等の法人税額の特別控除の適用がある場合の予定申告に係る課税標準等の特例）
（2）　当分の間、（1）に規定する予定申告法人の（1）に規定する6月経過日の前日までに前事業年度分として納付した法人税割額及び納付すべきことが確定した法人税割額の課税標準となる法人税額のうちに租税特別措置法第42条の4《試験研究を行った場合の法人税額の特別控除》第8項第6号ロ又は第7号（これらの規定を同条第18項において準用する場合を含む。）の規定（（3）から（6）までにおいて「特別税額加算規定」という。）により加算された金額がある場合における（1）の規定の適用については、（1）中「第42条の14第1項」とあるのは「第42条の4第8項第6号ロ若しくは第7号（これらの規定を同条第18項において準用する場合を含む。）、第42条の14第1項」とする。（令附5の2の4①）

　　　（特別税額加算規定により加算された金額がある場合の予定申告に係る課税標準等の特例）
（3）　当分の間、（1）（3の（1）において準用する場合に限る。以下（3）において同じ。）の法人の（1）に規定する6月経過日の前日までに前事業年度分として納付した法人税割額及び納付すべきことが確定した法人税割額の課税標準となる法人税額のうちに特別税額加算規定により加算された金額がある場合における（1）の規定の適用については、（1）中「第42条の14第1項」とあるのは、「第42条の4第8項第6号ロ若しくは第7号（これらの規定を同条第18項において準用する場合を含む。）、第42条の14第1項」とする。（令附5の2の4②）

　　　（適格合併がなされた場合の予定申告法人に係る法人税割額の合計額）
（4）　（1）の場合において、予定申告法人が次の各号に掲げる期間内に行われた適格合併（法人税法第2条第12号の8に規定する適格合併をいう。以下この章において同じ。）（法人を設立するものを除く。以下（2）において同じ。）に係る合併法人（合併により被合併法人（合併によりその有する資産及び負債の移転を行った法人をいう。以下この章において同じ。）から資産及び負債の移転を受けた法人をいう。以下この章において同じ。）であるときは、予定申告に係る法人税割額は、（1）の規定にかかわらず、（1）の規定により計算した金額に相当する金額に当該各号に定める金額を加算した金額とする。（令48の10、8の6②）
　（一）　当該合併法人の前事業年度　　前事業年度の月数に対する前事業年度開始の日からその適格合併の日の前日までの月数の割合に中間期間の月数を乗じた数を被合併法人の確定法人税割額（当該合併法人の当該事業年度開始の日の1年前の日以後に終了した当該適格合併に係る被合併法人の各事業年度の法人税割額として当該合併法人の6月経過日の前日までに確定したもので、その計算の基礎となった各事業年度（その月数が6月に満たないものを除く。）のうち最も新しい事業年度に係る法人税割額（当該法人税割額のうちに第四節四の2の②（同4において準用する場合を含む。）の規定により加算された金額がある場合には当該加算された金額を控除した額とし、当該法人税割額の課税標準となる法人税額のうちに租税特別措置法第42条の14第1項若しくは第4項、第62条第1項、第62条の3第1項若しくは第9項又は第63条第1項の規定により加算された金額がある場合には当該加算された金額に当該法人税割額に係る法人税割の税率を乗じて得た額を控除した額とする。）をいう。以下1において同じ。）に乗じて当該確定法人税割額の計算の基礎となった法人税額の課税標準の算定期間（（二）及び（3）において「確定法人税割額の算定期間」という。）の月数で除して得た金額

(二) 当該合併法人の中間期間　　当該合併法人の中間期間のうちその適格合併の日以後の期間の月数を被合併法人の確定法人税割額に乗じて当該確定法人割額の算定期間の月数で除して得た金額
　　(注)　(8)《租税特別措置法の旧規定の適用がある場合の特例》の読替え規定を参照。(編者)

　　（適格合併がなされた場合の予定申告法人に係る課税標準等の特例）
(5)　当分の間、(4)の(一)の被合併法人の(一)に規定する最も新しい事業年度に係る法人税割額の課税標準となる法人税額のうちに特別税額加算規定により加算された金額がある場合における(一)の規定の適用については、(一)中「第42条の14第１項」とあるのは「第42条の４第８項第６号ロ若しくは第７号（これらの規定を同条第18項において準用する場合を含む。）、第42条の14第１項」とする。（令附５の２の４③）

　　（適格合併がなされた場合の予定申告法人の最も新しい事業年度に係る課税標準等の特例）
(6)　当分の間、(4)の(一)（３の(1)において準用する場合に限る。以下(6)において同じ。）の被合併法人の(一)に規定する最も新しい事業年度に係る法人税割額の課税標準となる法人税額のうちに特別税額加算規定により加算された金額がある場合における(一)の規定の適用については、(一)中「第42条の14第１項」とあるのは、「第42条の４第８項第６号ロ若しくは第７号（これらの規定を同条第18項において準用する場合を含む。）、第42条の14第１項」とする。（令附５の２の４④）

　　（新設適格合併に係る予定申告法人の設立事業年度における予定申告に係る法人税割額）
(7)　適格合併（法人を設立するものに限る。）に係る合併法人のその設立の日の属する事業年度につき(1)の規定を適用するときは、予定申告に係る法人税割額は、(1)の規定にかかわらず、当該適格合併に係る各被合併法人の確定法人税割額に中間期間の月数を乗じて得た金額をその確定法人税割額の算定期間の月数で除して得た金額の合計額とする。（令48の10、８の６③）

　　（予定申告法人又は被合併法人が二以上の市町村において事務所等を有する場合の法人税割額）
(8)　(1)、(4)及び(7)の場合において、当該予定申告法人又は被合併法人が二以上の市町村において事務所又は事業所を有するものであるときは、前事業年度分として納付した法人税割額及び納付すべきことが確定した法人税割額の合計額は、関係市町村ごとの前事業年度分として納付した法人税割額及び納付すべきことが確定した法人税割額の合計額とし、被合併法人の確定法人税割額は、関係市町村ごとの被合併法人の確定法人税割額とする。（令48の10、８の６④）

　　（月数の計算）
(9)　(1)、(4)、(7)及び(8)までの場合における月数は、暦に従い計算し、１月に満たない端数を生じたときは、１月とする。（令48の10、８の６⑤）

　　（申告書の提出期限が前事業年度終了の日の翌日から６月を経過した日の前日とされた場合の法人税割額の計算の特例）
(10)　(1)の事業年度の前事業年度における１・２の規定による申告（法人税法第74条第１項又は第144条の６第１項の規定により提出すべき法人税の申告書に係るものに限る。）の提出期限が法人税法第75条の２《確定申告書の提出期限の延長の特例》第１項（同法第144条の８において準用する場合を含む。）の規定により６月経過日の前日とされた場合で、かつ、当該提出期限について国税通則法第10条第２項の規定の適用がある場合において、同項の規定の適用がないものとした場合における当該提出期限の翌日から同項の規定により当該提出期限とみなされる日までの間に当該前事業年度の法人税割額の納付があったとき、又は納付すべき法人税割額が確定したときは、６月経過日の前日までに当該金額の納付があったもの又は当該金額が確定したものとみなして、当該事業年度の予定申告に係る法人税割額を算出するものとする。（令48の10、８の６⑥）

　　（寮等のみが所在する市町村に対する均等割額の申告納付の適用除外）
(11)　法人税法第71条第１項若しくは第144条の３第１項の規定により法人税に係る申告書を提出する義務がある法人又は３の規定により申告書を提出すべき法人は、その法人税額の課税標準の算定期間又はその事業年度開始の日から６月経過日『３参照』の前日までの期間中において当該法人の寮等のみが所在する市町村に対しては、１・２（同法第71条第１項又は第144条の３第１項に係る部分に限る。）又は３の規定にかかわらず、当該法人税額の課税標準の算

定期間又は当該事業年度開始の日から６月経過日の前日までの期間に係る均等割額について申告納付をすることを要しない。（法321の8⑳）

　　　（租税特別措置法の旧規定の適用がある場合の特例）
(12)　所得税法等の一部を改正する等の法律（平成18年法律第10号）附則第106条の規定によりその例によることとされる同法第13条の規定による改正前の租税特別措置法第42条の11第11項、所得税法等の一部を改正する法律（平成19年法律第６号）附則第89条、第90条第６項、第91条若しくは第92条の規定によりその例によることとされる同法第12条の規定による改正前の租税特別措置法第42条の６第６項、第42条の７第６項、第42条の10第６項若しくは第42条の11第６項又は租税特別措置法の一部を改正する法律（平成８年法律第17号）附則第15条の規定によりその例によることとされる同法による改正前の租税特別措置法第62条の３第１項若しくは第８項若しくは第63条第１項の規定により加算された金額がある場合における次の表の左欄に掲げる規定の適用については、これらの規定中同表の中欄に掲げる字句は、それぞれ同表の右欄に掲げる字句とする。（令附５の３）

（1）及び（4）の（一）（これらの規定を３の（1）において準用する場合を含む。）、第四節一の１の（3）、同２の②の（1）、同４の（1）、同６の（1）、同７の（1）並びに同８の（1）	又は第63条第１項	（租税特別措置法の一部を改正する法律（平成８年法律第17号。以下「平成８年租税特別措置法改正法」という。）附則第15条第１項の規定によりその例によることとされる平成８年租税特別措置法改正法による改正前の租税特別措置法第62条の３第１項又は第８項を含む。）若しくは第63条第１項（平成８年租税特別措置法改正法附則第15条第２項の規定によりその例によることとされる平成８年租税特別措置法改正法による改正前の租税特別措置法第63条第１項を含む。）、所得税法等の一部を改正する等の法律（平成18年法律第10号）附則第106条の規定によりその例によることとされる同法第13条の規定による改正前の租税特別措置法第42条の11第11項又は所得税法等の一部を改正する法律（平成19年法律第６号）附則第89条、第90条第６項、第91条若しくは第92条の規定によりその例によることとされる同法第12条の規定による改正前の租税特別措置法第42条の６第６項、第42条の７第６項、第42条の10第６項若しくは第42条の11第６項

　　　（申告納付に関する留意事項）
(13)　法人の市町村民税については、市町村内に事務所又は事業所を有する法人で法人税を納付する義務があるものは、法人税割及び均等割の合算額を申告納付し、法人税法第２条第５号の公共法人及び同条第６号の公益法人等で法人税を課されないものは、毎年４月30日までに前年４月から３月までの間に事務所、事業所又は寮等の所在したことに基づいて算定した均等割額を納付しなければならないものであること。（市通２－44）

　　　（二以上の市町村において事務所等を有する法人の中間申告に係る前事業年度に係る法人税割額）
(14)　二以上の市町村において事務所又は事業所を有する法人が、１又は３前段の規定により中間申告をする場合の前事業年度分として事業年度（通算子法人の場合には、当該事業年度開始の日の属する通算親法人の事業年度）開始の日以後６月を経過した日の前日までに各市町村ごとに納付した法人税割額及び納付すべきことが確定した法人税割額の計算の基礎となる前事業年度に係る法人税割額には、第四節四の２の②の規定により加算された金額及び租税特別措置法第42条の４第８項第６号ロ若しくは第７号（これらの規定を同条第18項において準用する場合を含む。）、第42条の14第１項若しくは第４項、第62条第１項、第62条の３第１項若しくは第９項又は第63条第１項の規定により加算された金額に係る部分は含まれないものであることに留意すること。したがって、前事業年度分として各市町村ごとに納付した法人税割額及び納付すべきことが確定した法人税割額の合計額の算定に当たっては、前事業年度分として各市町村ごとに納付した法人税割額及び納付すべきことが確定した法人税割額の合計額から、第四節四の２の②の規定により加算された金額及び当該法人税割額の課税標準である法人税額（関係市町村ごとに分割した後の額）に前事業年度の法人税割の税率を乗じて得た金額に当該法人税額（関係市町村ごとに分割する前の額）に対する当該法人税額のうち租税特別措置法第42条の４第８項第６号ロ若しくは第７号（これらの規定を同条第18項において準用する場合を含む。）、第42条の14第１項若しくは第４項、第62条第１項、第62条の３第１項若しくは第９項又は第63条第１項の規定により加算された金額の割合を乗じて得た額を控除する取扱いとすること。
　　なお、上記の租税特別措置法の規定により加算された金額の他に、過去に改廃され、なお効力を有する又は従前の

例によることとされている租税特別措置法の規定により加算された金額がある場合についても、同様の取扱いであること。(市通２−49)

　　　(留意事項)
(15)イ　１・２の規定により市町村民税の中間申告義務を有する法人は、法人税法第71条第１項の規定により法人税の中間申告書を提出する義務がある法人に限るものであるため、同項ただし書の規定により法人税の中間申告書の提出を要しない法人は、同法第72条第１項及び第５項の規定により仮決算による法人税の中間申告書を提出する場合であっても、市町村民税の中間申告書の提出を要しないものであること。(市通２−49の２)
　ロ　法人税法第71条第１項ただし書の規定により法人税の中間申告書の提出を要しない法人であっても、次のいずれにも該当する通算子法人については、市町村民税の予定申告書を提出しなければならないものであること。(市通２−49の３(２)(３))
　(一)　法人税法第71条第１項第１号に掲げる金額(同条第２項又は第３項の規定の適用がある場合はその適用後の金額)が10万円を超えること。
　(二)　当該事業年度(通算承認の効力が生じた日が同日の属する通算親法人の事業年度開始の日以後６月を経過した日以後であるときのその効力が生じた日の属する事業年度を除く。)開始の日の属する通算親法人の事業年度が６月を超え、かつ、当該通算親法人の事業年度開始の日以後６月を経過した日において、当該通算親法人との間に通算完全支配関係があること。
　なお、該当する通算子法人については仮決算に係る中間申告をすることができないものであること。
　ハ　清算中の法人であっても通算子法人にあっては、法人税法第71条第１項(同法第72条第１項の規定が適用される場合を含む。)の規定により法人税の中間申告書の提出を要する場合には、市町村民税の中間申告書を提出しなければならないものであること。(市通２−49の４)

２　中間申告書の提出がない場合の申告納付の特例
　１の場合において、法人税法第71条第１項又は第144条の３第１項の規定により法人税に係る申告書を提出する義務がある法人が、法人の市町村民税の申告書をその提出期限までに提出しなかったときは、１の(11)の規定の適用がある場合を除き、当該申告書の提出期限において、当該市町村長に対し、(１)及び(２)で定めるところにより計算した法人税割額及び均等割額を記載した当該申告書の提出があったものとみなし、当該法人は、当該申告納付すべき期限内にその提出があったものとみなされる申告書に係る市町村民税に相当する税額の市町村民税を事務所、事業所又は寮等所在の市町村に納付しなければならない。(法321の８①後段)

　　　(みなし中間申告に係る法人税割額)
(１)　２の規定によって提出があったものとみなされる申告書に係る法人税割額は、１の(１)から(６)までの規定の例により計算した法人税割額とする。(令48の10の２、８の７①)

　　　(みなし中間申告に係る均等割額)
(２)　(１)の申告書に係る均等割額は、当該市町村の均等割額に１の法人税額の課税標準の算定期間中において事務所、事業所又は寮等を有していた月数を乗じて得た金額を12で除して得た金額とする。(令48の10の２、８の７②)
　(注)　(２)の場合における月数は、暦に従い計算し、１月に満たないときは、１月とし、１月に満たない端数を生じたときは、切り捨てる。(令48の10の２、８の７③)

　　　(申告書の提出があったものとみなされる法人)
(３)　２又は３後段の規定によって提出があったものとみなされる申告書に係る法人税割額を計算する場合においては、１又は３前段に規定する法人税割額の計算の例によるものであること。なお、２及び３後段の規定によって申告書の提出があったものとみなされる法人には、法人税法第71条第２項又は第３項の規定の適用を受ける適格合併に係る合併法人が含まれるものであることに留意すること。(市通２−50)

３　通算親法人が協同組合等である通算子法人の申告納付
　法人税法第71条第１項ただし書《中間申告書の提出を要しない場合》の規定により同項の規定による法人税に係る申告書を提出することを要しないこととされた法人(同項第１号に掲げる金額(同条第２項又は第３項の規定の適用がある場合には、その適用後の金額)が10万円以下である場合又は当該金額がない場合に該当するものを除く。)は、その事業年度

(新たに設立された法人のうち適格合併（同法第2条第12号の8に規定する適格合併をいう。以下この章において同じ。）により設立されたもの以外のものの設立の日の属する事業年度及び同法第64条の9《通算承認》第1項の規定による承認の効力が生じた日が同日の属する当該法人に係る通算親法人〖1参照〗の事業年度（以下3において「通算親法人事業年度」という。）開始の日以後6月を経過した日以後であるときのその効力が生じた日の属する事業年度を除く。以下3において同じ。）開始の日の属する通算親法人事業年度が6月を超え、かつ、当該通算親法人事業年度開始の日以後6月を経過した日（以下3及び1の（7）において「6月経過日」という。）において当該通算親法人との間に同法第2条第12号の7の7に規定する通算完全支配関係がある場合には、8《申告書の様式》で定める様式により、6月経過日から2月以内に、前事業年度の法人税割額を基準として政令で定めるところにより計算した法人税割額（第六節一の1《更正》において「法人税において予定申告義務がない法人の予定申告に係る法人税割額」という。）、均等割額その他必要な事項を記載した申告書（以下3において「法人の市町村民税の申告書」という。）を当該事業年度開始の日から6月経過日の前日までの期間中において有する事務所、事業所又は寮等所在地の市町村長に提出し、及びその申告した市町村民税額を納付しなければならない。この場合において、当該法人が、法人の市町村民税の申告書をその提出期限までに提出しなかったときは、1の（7）の規定の適用がある場合を除き、当該申告書の提出期限において、当該市町村長に対し、政令で定めるところにより計算した法人税割額及び均等割額を記載した当該申告書の提出があったものとみなし、当該法人は、当該申告納付すべき期限内にその提出があったものとみなされる申告書に係る市町村民税に相当する税額の市町村民税を事務所、事業所又は寮等所在の市町村に納付しなければならない。（法321の8㉒）

　　　（中間申告及び確定申告に係る申告納付についての取扱いの準用）
　（1）　第二編第二章第三節一の1の（1）、（4）及び（7）から（10）までの規定（地方税法施行令第8条の6《地方税法第53条第1項前段の法人税割額》の規定）は、3前段に規定する前事業年度の法人税割額を基準として計算した法人税割額の計算について準用する。この場合において、次の表の左欄に掲げる規定中同表の中欄に掲げる字句は、それぞれ同表の右欄に掲げる字句に読み替えるものとする。（48の10の3、令8の6）

第二編第二章第三節一の1の（1）	に規定する予定申告法人	の法人
同1の（2）	予定申告法人	（1）の法人
同1の（4）	当該予定申告法人	（1）の法人

　　　（法人税割額の計算の準用）
　（2）　3後段の規定により提出があったものとみなされる申告書に係る法人税割額は、（1）の規定の例により計算した法人税割額とする。（令48の10の4、8の11①）

　　　（均等割額の計算の準用）
　（3）　（2）の申告書に係る均等割額は、当該市町村の均等割額に3の事業年度開始の日から3に規定する6月経過日の前日まで期間中において事務所、事業所又は寮等を有していた月数を乗じて得た金額を12で除して得た金額とする。（令48の10の4、8の11②）
　　　（注）　（3）の場合における月数は、暦に従い計算し、1月に満たないときは、1月とし、1月に満たない端数を生じたときは、切り捨てる。（令48の10の4、8の11③）

4　公共法人等に係る申告納付

　公共法人等（注）は、8《申告書等の様式》で定める様式により、毎年4月30日までに、第二節1の③《法人の均等割の税率算定日》の表の（三）の期間中の事実に基づいて算定した均等割額を記載した申告書を、当該期間中において有する事務所、事業所又は寮等所在地の市町村長に提出し、及びその申告した均等割額を納付しなければならない。（法321の8㉛）
　（注）　第二節1の③の表の（三）参照。（編者）

　　　（旧民法第34条の法人から移行した法人等に係る特例）
　注　一般社団法人及び一般財団法人に関する法律及び公益社団法人及び公益財団法人の認定等に関する法律の施行に伴う関係法律の整備等に関する法律（平成18年法律第50号。以下「整備法」という。）第40条第1項の規定により存続する一般社団法人又は一般財団法人であって整備法第106条第1項（整備法第121条第1項において読み替えて準用する場合を含む。以下同じ。）の登記をしていないもの（整備法第131条第1項の規定により整備法第45条の認可を取り消されたもの（以下それぞれ「認可取消社団法人」又は「認可取消財団法人」という。）にあっては、法人税法第2条第

9号の2に規定する非営利型法人に該当するものに限る。）については、法人税法第2条第6号の公益法人等とみなして、4の規定を適用する。（法附41④）

5　期限後申告に係る申告納付

1・2、4及び7の規定により申告書を提出すべき法人は、当該申告書（2の規定により提出があったものとみなされた申告書を除く。）の提出期限後においても、第六節─4《更正又は決定の通知》の規定による更正又は決定の通知があるまでは、1・2、4及び7の規定により申告書を提出し、並びにその申告した市町村民税額を納付することができる。（法321の8㉝）

6　納付税額に過不足額がある場合等の申告納付

1・2、3、4、5若しくは6の規定により申告書を提出した法人又は第六節─《更正又は決定》の規定による更正若しくは決定を受けた法人は、次の各号のいずれかに該当する場合には、7に該当する場合を除くほか、遅滞なく、8で定める様式により、当該申告書を提出し又は当該更正若しくは決定をした市町村長に、当該申告書に記載し又は当該更正若しくは決定に係る通知書に記載された第一編第十章10《更正の請求》の①に規定する課税標準等又は税額等を修正する申告書を提出し、及びその申告により増加した市町村民税額を納付しなければならない。（法321の8㉞）

(一) 先の申告書の提出により納付すべきものとしてこれに記載し、又は当該更正若しくは決定により納付すべきものとして当該更正若しくは決定に係る通知書に記載された市町村民税額に不足があるとき。
(二) 先の申告書に納付すべき市町村民税額を記載しなかった場合又は納付すべき市町村民税額がない旨の更正を受けた場合において、その納付すべき市町村民税額があるとき。

7　修正申告又は更正決定に係る申告納付

1・2、又は3の法人が法人税に係る修正申告書を提出し、又は法人税に係る更正若しくは決定の通知を受けたことにより、当該法人が6各号のいずれかに該当することとなった場合においては、当該法人は、当該修正申告により増加した法人税額又は当該更正若しくは決定により納付すべき法人税額を納付すべき日までに、6の規定により申告納付しなければならない。（法321の8㉟）

8　申告書等の様式

市町村民税について、次の表の左欄に掲げる申告書等の様式は、それぞれその右欄に定めるところによるものとする。ただし、別表に掲げる様式によることができないやむを得ない事情があると認める場合には、総務大臣は、別にこれを定めることができる。（規10①）

申告書等の種類	様式
(一)　確定申告書及び中間申告書並びにこれらに係る修正申告書（1・2の市町村民税の申告書及びこれに係る6の市町村民税の申告書）	第20号様式又は第20号様式（その2）（別表1から別表4の3まで）
(二)　退職年金等積立金に係る確定申告書及びこれに係る修正申告書（法人税法第89条《退職年金等積立金に係る確定申告》（同法第145条の5において準用する場合を含む。）の規定によって申告書を提出する義務がある法人に係る1・2の市町村民税の申告書及びこれに係る6の市町村民税の申告書）	第20号の2様式
(三)　予定申告書及びこれに係る修正申告書（1・2の市町村民税の申告書及びこれらに係る6の市町村民税の申告書）	第20号の3様式又は第20号の3様式（その2）（第20号様式別表4の3）
(四)　外国関係会社に係る控除対象所得税額等相当額及び個別控除対象所得税額等相当額の控除に関する明細書（第四節二《外国関係会社に対して課された所得税等の額の控除》の1の(2)及び2の(2)の書類）	第20号の3の2様式
(五)　外国の法人税等の額の控除に関する明細書（第四節三の10《外国税額控除の申告》並びに同四の2《税額控除額と当初申告税額控除額との差額に係る対象事業年度での調整》の①の(4)及び同②の(2)の書類）	第20号の4様式

（六）　課税標準の分割に関する明細書（第五節一の１《二以上の市町村において事務所等を有する法人の中間申告及び確定申告に係る申告納付》の課税標準の分割に関する明細書）	第22号の２様式
（七）　均等割申告書（４の市町村民税の申告書）	第22号の３様式

(注１)　様式は省略した。（編者）
(注２)　都がその特別区の存する区域内において法人に対して課する都民税の申告書等の様式は、第九節４参照。（編者）

　　　　　（恒久的施設を有する外国法人に係る申告書の記載事項）
（１）　市町村内に恒久的施設を有する外国法人（第一節一の表の（二）のロに規定する外国法人をいう。）の第20号様式別表１の２及び同様式別表２の３、第20号の５様式並びに第22号の２様式の記載については、法人税法第141条《外国法人の課税標準》第１号イに掲げる国内源泉所得に対する法人税額及び同号ロに掲げる国内源泉所得に対する法人税額の計算の別を明らかにするものとする。（規10②）

　　　　　（納付書の様式）
（２）　法人（第一節二の１の（４）において法人とみなされるものを含む。）が市町村民税に係る地方団体の徴収金を納付するとき（口座振替の方法又は第一編第十一章三の（１）に規定する方法により納付する場合を除く。）は、当該地方団体の徴収金に第22号の４様式〈省略〉による納付書（当該様式によることができないやむを得ない事情があると認める場合において、総務大臣が別の様式を定めたときは、当該様式による納付書）（当該書類に記載すべき事項を記録した電磁的記録を含む。）を添えて納付するものとする。（規10⑩）

二　確定申告書の提出期限の延長の特例

　　法人税法第74条《確定申告》第１項又は第144条の６《外国法人の確定申告》第１項の規定により法人税に係る申告書を提出する義務がある法人で同法第75条の２《確定申告書の提出期限の延長の特例》第１項（同法第144条の８《確定申告書の提出期限の延長の特例》において準用する場合を含む。以下二及び第六節五の２《確定申告書の提出期限の延長の場合の延滞金》において同じ。）の規定の適用を受けているものについて、同法第75条の２《期限の延長の特例》第９項（同法第144条の８において準用する場合を含む。以下二において同じ。）の規定の適用がある場合には、同法第75条の２第９項の規定の適用に係る当該申告書に係る法人税額の課税標準の算定期間に限り、当該法人税額を課税標準として算定した法人税割額及びこれと併せて納付すべき均等割額については、当該法人税額について同条第１項の規定の適用がないものとみなして、法第20条の５の２《災害等による期限の延長》第１項又は第２項の規定を適用することができる。（法321の８㊶）

三　地方税関係手続用電子情報処理組織による申告

１　地方税関係手続用電子情報処理組織による申告

　　特定法人である内国法人は、一の１・２、３、４又は５から７までの規定により、これらの規定による申告書（以下三において「納税申告書」という。）により行うこととされ、又は納税申告書にこの法律若しくはこれに基づく命令の規定により納税申告書に添付すべきものとされている書類（以下１において「添付書類」という。）を添付して行うこととされている法人の市町村民税の申告については、一の１・２、３、４及び５から７までの規定にかかわらず、総務省令で定めるところにより、納税申告書に記載すべきものとされている事項（１において「申告書記載事項」という。）又は添付書類に記載すべきものとされ、若しくは記載されている事項（以下１において「添付書類記載事項」という。）を、地方税関係手続用電子情報処理組織（地方税法第762条第１号に規定する地方税関係手続用電子情報処理組織をいう。以下三において同じ。）を使用し、かつ、地方税共同機構（三において「機構」という。）を経由して行う方法により市町村長に提供することにより、行わなければならない。ただし、当該申告のうち添付書類に係る部分については、添付書類記載事項を記録した光ディスクその他の添付書類記載事項の電磁的記録〔第一節五の１の①参照〕を記録した光ディスク又は磁気ディスクを市町村長に提出する方法により、行うことができる。（法321の８㊷、規10の２の８④）

　　　　　（特定法人の定義）
（１）　１に規定する特定法人とは、次に掲げる法人をいう。（法321の８㊸）
　（一）　納税申告書に係る事業年度開始の日（公共法人等〔第二節１の③の表の（二）参照〕にあっては、前年４月１日）

現在における資本金の額又は出資金の額が１億円を超える法人
(二) 保険業法に規定する相互会社
(三) 投資信託及び投資法人に関する法律第２条第12項に規定する投資法人（（一）に掲げる法人を除く。）
(四) 資産の流動化に関する法律第２条第３項に規定する特定目的会社（（一）に掲げる法人を除く。）

（地方税関係手続用電子情報処理組織により行われた申告の地方税法等の適用）
(２) １の規定により行われた１の申告については、申告書記載事項が記載された納税申告書により、又はこれに添付書類記載事項が記載された添付書類を添付して行われたものとみなして、この法律又はこれに基づく命令の規定その他政令で定める法令の規定を適用する。（法321の８㉔）

（地方税関係手続用電子情報処理組織による申告の到達時期）
(３) １本文の規定により行われた１の申告は、申告書記載事項が地方税法第762条第１号の機構の使用に係る電子計算機に備えられたファイルへの記録がされた時に１に規定する市町村長に到達したものとみなす。（法321の８㉕）

（特定申告の方法）
(４) １の規定により１の申告（以下（４）から（６）までにおいて「特定申告」という。）を行う内国法人は、１に規定する申告書記載事項又は１に規定する添付書類記載事項を、特定申告を行う内国法人の使用に係る電子計算機（入出力装置を含む。）から入力して、特定申告を行わなければならない。（規10の２の８①）

（特定申告における電子証明書の添付）
(５) （４）の規定により特定申告を行う内国法人は、当該特定申告の情報に第一編第十一章一の（９）の（一）《電子署名の意義》に規定する電子署名（当該内国法人の代表者があらかじめ地方税共同機構を通じて市町村長に当該特定申告の提出の委任に関する届出を行った場合には、当該委任を受けた者（当該内国法人の役員及び職員に限る。）のものを含む。以下（５）において「電子署名」という。）を行い、当該電子署名を行った者を確認するために必要な事項を証する電子証明書（同（９）の（二）に規定する電子証明書をいう。）と併せてこれを送信しなければならない。（規10の２の８②）

（特定申告において従うべき基準）
(６) （４）の規定により特定申告を行う内国法人は、情報通信の技術の利用における安全性及び信頼性を確保するために必要な基準として総務大臣が定める基準に従って特定申告を行うものとする。（規10の２の８③）

２ 地方税関係手続用電子情報処理組織による申告が困難である場合の特例

１の内国法人が、電気通信回線の故障、災害その他の理由により地方税関係手続用電子情報処理組織を使用することが困難であると認められる場合で、かつ、１の規定を適用しないで納税申告書を提出することができると認められる場合において、１の規定を適用しないで納税申告書を提出することについて市町村長の承認を受けたときは、当該市町村長が指定する期間内に行う１の申告については、１から同（３）までの規定は、適用しない。法人税法第75条の５《電子情報処理組織による申告が困難である場合の特例》第２項の規定により同項の申請書を同項に規定する納税地の所轄税務署長に提出した１の内国法人が、同条第１項の承認を受け、又は同条第３項の却下の処分を受けていない旨を記載した（１）に掲げる書類を、納税申告書の提出期限の前日までに、又は納税申告書に添付して当該提出期限までに、市町村長に提出した場合における当該税務署長が同条第１項の規定により指定する期間（同条第５項の規定により当該期間として当該指定があったものとみなされた期間を含む。）内に行う１の申告についても、同様とする。（法321の８㉖）

（申請書の添付書類）
(１) ２後段に規定する書類は、１の内国法人が、法人税法第75条の５第２項の規定により同項の申請書を同項に規定する納税地の所轄税務署長に提出したことを明らかにする書類とする。（規10の２の８⑤）

（申請書の記載事項及び提出期限）
(２) ２前段の承認を受けようとする内国法人は、２前段の規定の適用を受けることが必要となった事情、２前段の規定による指定を受けようとする期間その他次に掲げる事項を記載した申請書に電気通信回線の故障、災害その他の理由により地方税関係手続用電子情報処理組織を使用することが困難であることを明らかにする書類を添付して、当該

期間の開始の日の15日前まで（**2**に規定する理由が生じた日が**一**の**1**・**2**の規定による申告書（法人税法第74条《確定申告》第1項の規定により法人税に係る申告書を提出する義務がある法人が、当該申告書の提出期限までに提出すべきものに限る。）又は**4**若しくは**7**の規定による申告書の提出期限の15日前の日以後である場合において、当該提出期限が当該期間内の日であるときは、当該開始の日まで）に、これを市町村長に提出しなければならない。（法321の8㊆㊇、規10の2の8⑥⑦）

- （一） 申請をする内国法人の名称、事務所、事業所又は寮等所在の市町村及び法人番号
- （二） 代表者の氏名
- （三） 電気通信回線の故障、災害その他の理由により**2**に規定する地方税関係手続用電子情報処理組織を使用することが困難である事情が生じた日
- （四） その他参考となるべき事項

（申請の却下）
（3） 市町村長は、（2）の申請書の提出があった場合において、その申請に係る（2）の事情が相当でないと認めるときは、その申請を却下することができる。（法321の8㊇）

（書面による通知）
（4） 市町村長は、（2）の申請書の提出があった場合において、その申請につき**2**前段の承認又は（3）の却下の処分をするときは、その申請をした内国法人に対し、書面によりその旨を通知しなければならない。（法321の8㊈）

（承認又は却下の処分がなかったとき）
（5） （2）の申請書の提出があった場合において、当該申請書に記載した**2**前段の規定による指定を受けようとする期間の開始の日までに**2**前段の承認又は（3）の却下の処分がなかったときは、その日においてその承認があったものと、当該期間を**2**前段の期間として**2**前段の規定による指定があったものと、それぞれみなす。（法321の8㊀）

（承認の取消し）
（6） 市町村長は、**2**前段の規定の適用を受けている内国法人につき、地方税関係手続用電子情報処理組織を使用することが困難でなくなったと認める場合には、**2**前段の承認を取り消すことができる。（法321の8㊁）

（書面による通知）
（7） 市町村長は、（6）の処分をするときは、その処分に係る内国法人に対し、書面によりその旨を通知しなければならない。（法321の8㊂）

（特例の適用の取りやめ）
（8） **2**の規定の適用を受けている内国法人は、**1**の申告につき**2**の規定の適用を受けることをやめようとするときは、その旨その他次に掲げる事項を記載した届出書を市町村長に提出しなければならない。（法321の8㊃、規10の2の8⑧）

- （一） 届出をする内国法人の名称、事務所、事業所又は寮等所在の市町村及び法人番号
- （二） 代表者の氏名
- （三） **2**の承認を受けた日又はその承認があったものとみなされた日
- （四） （8）の規定の適用をやめようとする理由
- （五） その他参考となるべき事項

（承認の取消し又は特例の適用の取りやめ後の特例の不適用）
（9） **2**前段の規定の適用を受けている内国法人につき、（6）の処分又は（8）の届出書の提出があったときは、これらの処分又は届出書の提出があった日の翌日以後の**2**前段の期間内に行う**1**の申告については、**2**前段の規定は、適用しない。ただし、当該内国法人が、同日以後新たに**2**前段の承認を受けたときは、この限りでない。（法321の8㊄）

（特例の適用の取りやめ又は法人税申告に係る申請の却下等後の特例の不適用）
（10） **2**後段の規定の適用を受けている内国法人につき、（8）の届出書の提出又は法人税法第75条の5第3項若しくは第6項の処分があったときは、これらの届出書の提出又は処分があった日の翌日以後の**2**後段の期間内に行う**1**の申

告については、2後段の規定は、適用しない。ただし、当該内国法人が、同日以後新たに2後段の書類を提出したときは、この限りでない。(法321の8㊂)

　　　(地方税関係手続用電子情報処理組織による申告の不適用期間の指定)
(11)　総務大臣は、地方税法第790条の2《総務大臣への報告》の規定による報告があった場合において、地方税関係手続用電子情報処理組織の故障その他の理由により、1の内国法人で1の規定により1の申告を行うことが困難であると認めるものが多数に上ると認めるときは、1の規定を適用しないで納税申告書を提出することができる期間を指定することができる。(法321の8㊃)

　　　(総務大臣による告示)
(12)　総務大臣は、(11)の規定による指定をしたときは、直ちに、その旨を告示するとともに、市町村長及び機構に通知しなければならない。(法321の8㊄)

　　　(総務大臣による告示があった場合の特例の不適用)
(13)　(12)の規定による告示があったときは、2の規定にかかわらず、総務大臣が(11)の規定により指定する期間内に行う1の申告については、1から同(3)までの規定は、適用しない。(法321の8㊆)

四　申告に関する罰則

1　故意不申告の罪

　正当な事由がなくて一の1・2、3又は4《中間申告・みなし中間申告・確定申告・公共法人等又は人格のない社団等に係る申告納付》の規定による申告書を当該各項に規定する申告書の提出期限内に提出しなかった場合には、法人の代表者(人格のない社団等の管理人及び法人課税信託の受託者である個人を含む。)、代理人、使用人その他の従業者でその違反行為をした者は、1年以下の懲役又は50万円以下の罰金に処する。ただし、情状により、その刑を免除することができる。(法321の8の3①)

　　　(両罰規定)
(1)　法人の代表者(人格のない社団等の管理人を含む。)又は代理人、使用人その他の従業者が、その法人の業務又は財産に関して、1の違反行為をしたときは、その行為者を罰するほか、その法人に対し、1の罰金刑を科する。(法321の8の3②)

　　　(人格のない社団等に対する刑事訴訟法の準用)
(2)　人格のない社団等について(1)の規定の適用がある場合には、その代表者又は管理人がその訴訟行為につき当該人格のない社団等を代表するほか、法人を被告人又は被疑者とする場合の刑事訴訟に関する法律の規定を準用する。(法321の8の3②)

2　虚偽の申告に関する罪

　一の1・2《中間申告・みなし中間申告・確定申告に係る申告納付》に規定する法人税法第71条第1項《中間申告》の規定による法人税に係る申告書(同法第72条第1項各号《仮決算をした場合の中間申告書の記載事項》に掲げる事項を記載したものに限る。)又は同法第144条の3《外国法人の中間申告》第1項の規定による法人税に係る申告書(同法第144条の4《仮決算をした場合の中間申告書の記載事項等》第1項各号に掲げる事項を記載したものに限る。)を提出する義務がある法人が一の1・2《中間申告・みなし中間申告・確定申告に係る申告納付》の申告書又はこれに係る同6《納付税額に過不足額がある場合等の申告納付》の申告書に虚偽の記載をして提出した場合において、法人の代表者(法人課税信託の受託者である個人を含む。)、代理人、使用人その他の従業者でその違反行為をした者は、1年以下の懲役又は50万円以下の罰金に処する。(法321の9①)

　　　(両罰規定)
　注　法人の代表者又は代理人、使用人その他の従業者がその法人の業務に関して2の違反行為をした場合には、その行為者を罰するほか、その法人に対し、2の罰金刑を科する。(法321の9②)

五　新たに納税義務者に該当することとなった場合の申告

　市町村長は、市町村民税の賦課徴収について必要があると認める場合には、当該市町村の条例の定めるところにより、新たに第一節二の1《納税義務者》の(一)又は(二)に掲げる者に該当することとなった者に、その名称、代表者又は管理人の氏名、主たる事務所又は事業所の所在、当該市町村内に有する事務所、事業所又は寮等の所在、当該該当することとなった日その他必要な事項を申告させることができる。（法317の2⑨）

第四節　法人税額等の控除・加算及び還付等

一　法人税額等の控除・加算

1　通算適用前欠損金額がある場合の控除対象通算適用前欠損調整額の控除

　法人税法第71条《中間申告》第1項（同法第72条《仮決算をした場合の中間申告書の記載事項等》第1項の規定が適用される場合に限る。）又は第74条《確定申告》第1項の規定により法人税に係る申告書を提出する義務がある法人について、当該事業年度開始の日前10年以内に開始した事業年度において生じた通算適用前欠損金額（同法第57条《欠損金の繰越し》第1項の欠損金額（同法第58条《青色申告書を提出しなかった事業年度の欠損金の特例》第1項の規定によりないものとされたものを除く。）で、同法第57条第6項又は第8項の規定によりないものとされたものをいう。以下3において同じ。）がある場合の当該法人が納付すべき当該事業年度分の法人税割の課税標準となる法人税額の算定については、第三節一の1・2、6又は7《中間申告・みなし中間申告・確定申告・過不足税額の申告・修正申告・更正決定に係る申告》の規定にかかわらず、これらの規定により申告納付すべき当該法人税額の課税標準の算定期間に係る法人税割の課税標準となる法人税額から、当該法人税額（当該法人税額について租税特別措置法第42条の14《通算法人の仮装経理に基づく過大申告の場合等の法人税額》第1項若しくは第4項、第62条《使途秘匿金の支出がある場合の課税の特例》第1項、第62条の3《土地の譲渡等がある場合の特別税率》第1項若しくは第9項又は第63条《短期所有に係る土地の譲渡等がある場合の特別税率》第1項の規定により加算された金額がある場合には、政令で定める額を控除した額）を限度として、控除対象通算適用前欠損調整額を控除するものとする。この場合において、控除対象通算適用前欠損調整額は、前事業年度以前の法人税割の課税標準とすべき法人税額について控除されなかった額に限る。（法321の8③）

(注1)　1の規定は、令和2年法律第5号附則第13条第3項の規定によりなおその効力を有するものとされた、令和4年改正前の地方税法第321条の8第6項に規定する控除対象個別帰属調整額の、令和4年4月1日以後事業年度における控除について準用する。（令2改法附13④）

　　　なお、令和4年4月1日以後事業年度とは、令和4年4月1日以後に開始する事業年度（所得税法等の一部を改正する法律（令和2年法律第8号。以下「所得税法等改正法」という。）第3条の規定（所得税法等改正法附則第1条第5号ロに掲げる改正規定に限る。）による改正前の法人税法（以下「4年旧法人税法」という。）第2条第12号の7に規定する連結子法人（以下「連結子法人」という。）の連結親法人事業年度（4年旧法人税法第15条の2第1項に規定する連結親法人事業年度をいう。以下同じ。）が令和4年4月1日前に開始した事業年度を除く。）をいう。以下一において同じ。（令2改法附13③）

(注2)　1の規定は、令和2年法律第5号附則第13条第3項の規定によりなおその効力を有するものとされた、令和4年改正前の地方税法第321条の8第9項に規定する控除対象個別帰属調整額の、令和4年4月1日以後事業年度〔(注1)参照〕における控除について準用する。（令2改法附13⑤）

(注3)　(注1)の規定により1、(7)及び(10)の規定を準用する場合には、次の表の左欄に掲げる規定中同表の中欄に掲げる字句は、それぞれ同表の右欄に掲げる字句に読み替えるものとする。（令2政令第264号附5㉓）

1	通算適用前欠損金額（同法第57条第1項の欠損金額（同法第58条第1項の規定によりないものとされたものを除く。）で、同法第57条第6項又は第8項の規定によりないものとされたものをいう。以下1において同じ。）	連結適用前欠損金額（地方税法等の一部を改正する法律（令和2年法律第5号）附則第13条第3項の規定によりなおその効力を有するものとされた同法附則第1条第5号に掲げる規定による改正前の地方税法（以下1において「なお効力を有する旧法」という。）第321条の8第5項に規定する連結適用前欠損金額をいう。以下1において同じ。）又は連結適用前災害損失欠損金額（なお効力を有する旧法第321条の8第5項に規定する連結適用前災害損失欠損金額をいう。以下1において同じ。）
	控除対象通算適用前欠損調整額を	なお効力を有する旧法第321条の8第6項に規定する控除対象個別帰属調整額（以下1において「控除対象個別帰属調整額」という。）を
	控除対象通算適用前欠損調整額は、前事業年度	控除対象個別帰属調整額は、1又はなお効力を有する旧法第321条の8第5項の規定により前事業年度又は前連結事業年度
	すべき法人税額	すべき法人税額又は個別帰属法人税額（なお効力を有する旧法第292条第1項第4号の2に掲げる個別帰属法人税額をいう。(7)において同じ。）

第三編第二章《法人の市町村民税》第四節《法人税額等の控除・加算及び還付等》

(7)	通算適用前欠損金額	連結適用前欠損金額又は連結適用前災害損失欠損金額
	(4)に規定する控除対象通算適用前欠損調整額	控除対象個別帰属調整額
	当該控除対象通算適用前欠損調整額	当該控除対象個別帰属調整額
	最初通算事業年度	最初連結事業年度（所得税法等の一部を改正する法律（令和2年法律第8号）附則第14条第2項の規定によりなおその効力を有するものとされた同法第3条の規定（同法附則第1条第5号ロに掲げる改正規定に限る。）による改正前の法人税法（以下3において「なお効力を有する旧法人税法」という。）第15条の2第1項に規定する最初連結事業年度をいう。(10)において同じ。）
	同法第57条第6項又は第8項	なお効力を有する旧法人税法第81条の9第2項
	あること	ないこと
	（同法	（法人税法
	ものに限る。）	ものに限る。）又はなお効力を有する旧法第321条の8第1項の規定により提出すべき申告書（なお効力を有する旧法人税法第74条第1項の規定により提出すべき法人税の申告書に係るものに限る。）若しくはなお効力を有する旧法第321条の8第4項の規定により提出すべき申告書
	、1	、1又はなお効力を有する旧法第321条の8第5項
	前10年内事業年度の	当該適格合併の日前10年以内に開始し、又は当該残余財産の確定の日の翌日前10年以内に開始した事業年度又は連結事業年度の
	すべき法人税額	すべき法人税額又は個別帰属法人税額
	控除未済通算適用前欠損調整額	控除未済個別帰属調整額
	に同法	に法人税法
	法人の事業年度	法人の事業年度又は連結事業年度
	前事業年度	前事業年度又は前連結事業年度
(10)	通算適用前欠損金額	連結適用前欠損金額又は連結適用前災害損失欠損金額
	(4)に規定する控除対象通算適用前欠損調整額（以下(10)において「控除対象通算適用前欠損調整額」という。）	控除対象個別帰属調整額
	の控除対象通算適用前欠損調整額	の控除対象個別帰属調整額
	最初通算事業年度	最初連結事業年度
	法人税法第57条第6項又は第8項	なお効力を有する旧法人税法第81条の9第2項
	ある	ない

(注4) （注1）において準用する1の規定の適用がある場合における(13)、10並びに第一節一の表の(三)の(4)及び(5)の規定の適用については、次の表の左欄に掲げる規定中同表の中欄に掲げる字句は、それぞれ同表の右欄に掲げる字句とする。（令2政令第264号附5㉔）

(13)	1	1（1の(注1)において準用する場合を含む。）
10	並びに1	並びに1（1の(注1)において準用する場合を含む。以下10において同じ。）
第一節一の表の(三)の(4)及び(5)	並びに第四節一の1	並びに第四節一の1（1の(注1)において準用する場合を含む。以下この項において同じ。）

(注5) （注2）の規定により1、(7)及び(10)の規定を準用する場合には、次の表の左欄に掲げる規定中同表の中欄に掲げる字句は、それぞれ同表の右欄に掲げる字句に読み替えるものとする。（令2政令第264号附5㉙）

1	開始した事業年度	開始した連結事業年度
	生じた通算適用前欠損金額（同法第57条第1項の欠損金額（同法第58条第1項の規定によりないものとされたものを除く。）で、同法第57条第6項又は第8項の規定によりないものとされたものをいう。以下1において同じ。）がある場合の	控除対象個別帰属税額（地方税法等の一部を改正する法律（令和2年法律第5号）附則第13条第3項の規定によりなおその効力を有するものとされた同法附則第1条第5号に掲げる規定による改正前の地方税法（以下1において「なお効力を有する旧法」という。）第321条の8第9項に規定する控除対象個別帰属税額をいう。以下1において同じ。）が生じた場合における
	控除対象通算適用前欠損調整額	控除対象個別帰属税額
	前事業年度	1又はなお効力を有する旧法第321条の8第9項の規定により前事業年度又は前連結事業年度

第三編第二章《法人の市町村民税》第四節《法人税額等の控除・加算及び還付等》

		すべき法人税額	すべき法人税額又は個別帰属法人税額（なお効力を有する旧法第292条第1項第4号の2に掲げる個別帰属法人税額をいう。（7）において同じ。）
（7）		開始した事業年度	開始した連結事業年度
		前10年内事業年度」	前10年内連結事業年度」
		において生じた通算適用前欠損金額に係る	において
		（4）に規定する控除対象通算適用前欠損調整額	控除対象個別帰属税額
		当該控除対象通算適用前欠損調整額	当該控除対象個別帰属税額
		に係る通算適用前欠損金額の生じた事業年度後最初の最初通算事業年度について同法第57条第6項又は第8項の規定の適用があることを証する書類を添付した	の生じた前10年内連結事業年度について
		（同法	（法人税法
		ものに限る。）	ものに限る。）又はなお効力を有する旧法321条の8第1項の規定により提出すべき申告書（所得税等の一部を改正する法律（令和2年法律第8号）附則第14条第2項の規定によりなおその効力を有するものとされた同法第3条の規定（同法附則第1条第5号ロに掲げる改正規定に限る。）による改正前の法人税法第74条第1項の規定により提出すべき法人税の申告書に係るものに限る。）若しくはなお効力を有する旧法321条の8第4項の規定により提出すべき申告書
		、1	、1又はなお効力を有する旧法第321条の8第9項
		前10年内事業年度の	当該適格合併の日前10年以内に開始し、又は当該残余財産の確定の日の翌日前10年以内に開始した連結事業年度又は事業年度の
		すべき法人税額	すべき個別帰属法人税額又は法人税額
		控除未済通算適用前欠損調整額	控除未済個別帰属税額
		あるとき	生じたとき
		前10年内事業年度に	前10年内連結事業年度に
		に同法	に法人税法
		に係る前10年内事業年度	の生じた前10年内連結事業年度
		法人の事業年度	法人の連結事業年度又は事業年度
		前事業年度	前連結事業年度又は前事業年度
（10）		通算適用前欠損金額（	控除対象個別帰属税額（
		（4）に規定する控除対象通算適用前欠損調整額（以下(10)において「控除対象通算適用前欠損調整額」という。）	控除対象個別帰属税額
		被合併法人等の控除対象通算適用前欠損調整額に係る通算適用前欠損金額	もの
		事業年度後最初の最初通算事業年度について法人税法第57条第6項又は第8項の規定の適用があることを証する書類を添付した法人の市町村民税の確定申告書を提出し、かつ、その後	連結事業年度以後
		控除対象通算適用前欠損調整額と	控除対象個別帰属税額と

（注6） （注2）において準用する1の規定の適用がある場合における(13)、10並びに第一節一の表の(三)の(4)及び(5)の規定の適用については、次の表の左欄に掲げる規定中同表の中欄に掲げる字句は、それぞれ同表の右欄に掲げる字句とする。（令2政令第264号附5㉚）

(13)	1	1（1の(注2)において準用する場合を含む。）
10	並びに1	並びに1（1の(注2)において準用する場合を含む。以下10において同じ。）
第一節一の表の(三)の(4)及び(5)	並びに第四節一の1	並びに第四節一の1（1の(注2)において準用する場合を含む。以下この項において同じ。）

（注7） 平成30年4月1日前に開始した事業年度において生じた1に規定する通算適用前欠損金額に係る1の規定の適用については、「前10年以内」とあるのは「前9年以内」と読み替える。（令2改法附13⑦）
（注8） （4）の(注1)(注2)の読替規定を参照。（編者）

第三編第二章《法人の市町村民税》第四節《法人税額等の控除・加算及び還付等》

(注9) 第一節一の表の(三)の(4)及び(5)《中小企業者等に係る試験研究費等の法人税額の特別控除の適用がある通算法人について法人税額に加算された金額がある場合の特例》の読替規定を参照。(編者)

(欠損金額の範囲)
(1) 1に規定する法人税法第57条第1項の欠損金額には、同条第2項の規定により1の法人の欠損金額(法人税法第2条第19号に規定する欠損金額をいう。)とみなされたものを含むものとし、法人税法第57条第4項、第5項又は第9項の規定によりないものとされたものを含まないものとする。(令48の11、8の12①)
(注) (1)から(11)までの規定は、第二編第二章第四節一の1の(4)の(注1)(注2)の読替規定を参照。(編者)

(欠損金額の要件)
(2) 1に規定する法人税法第57条第1項の欠損金額は、当該欠損金額の生じた事業年度について1の法人の確定申告書(法人税法第2条31号に規定する確定申告書をいう。以下(2)及び2の①の(2)において同じ。)が提出され、かつ、その後において連続して当該法人の確定申告書が提出されている場合(法人税法第57条第2項の規定により当該法人の欠損金額(同法第2条第19号に規定する欠損金額をいう。)とみなされたものにあっては、同法第57条第2項の合併等事業年度について当該法人の確定申告書を提出し、かつ、その後において連続して当該法人の確定申告書が提出されている場合)における当該欠損金額に限るものとする。(令48の11、令8の12②)

(控除対象通算適用前欠損調整額の控除限度額の計算)
(3) 1に規定する政令で定める額は、租税特別措置法第42条の14第1項若しくは第4項、第62条第1項、第62条の3第1項若しくは第9項又は第63条第1項の規定により加算された金額とする。(令48の11の2、8の13)
(注1) 1の(注1)において準用する1に規定する政令で定める額は、(3)(14)及び(16)並びに第三節一の1の(12)の規定により読み替えて適用する場合を含む。(注2)において同じ。)に規定する金額とする。(令2政令第264号附5㉕)
(注2) 1の(注2)において準用する1に規定する政令で定める額は、(3)に規定する金額とする。(令2政令第264号附5㉛)
(注3) 第三節一の1の(12)《租税特別措置法の旧規定の適用がある場合の特例》の読替規定を参照。(編者)
(注4) (14)及び(16)の読替規定参照。(編者)

(控除対象通算適用前欠損調整額の意義)
(4) 1に規定する控除対象通算適用前欠損調整額とは、通算適用前欠損金額に、1の法人の最初通算事業年度(法人税法第64条の9《通算承認》第1項の規定による承認の効力が生じた日以後最初に終了する事業年度をいう。以下(2)において同じ。)終了の日(二以上の最初通算事業年度終了の日がある場合には、当該通算適用前欠損金額の生じた事業年度後最初の最初通算事業年度終了の日)における次の各号に掲げる当該法人の区分に応じ、それぞれ当該各号に定める率を乗じて得た金額をいう。(法321の8④)
(一) 普通法人(法人税法第2条第9号に規定する普通法人をいう。4の(2)の(一)及び九の2の(四)において同じ。)同法第66条《各事業年度の所得に対する法人税の税率》第1項に規定する税率に相当する率
(二) 協同組合等(法人税法第2条第7号に規定する協同組合等をいう。4の(2)の(二)及び九の2の(四)において同じ。) 同法第66条第3項に規定する税率に相当する率
(注1) 令和4年4月1日前に開始した事業年度(連結子法人の連結親法人事業年度が同日前に開始した事業年度を含む。以下「施行日前事業年度」という。)において生じた欠損金額(所得税法等の一部を改正する法律(令和2年法律第8号。以下「所得税法等改正法」という。)第3条の規定(所得税法等改正法附則第1条第5号ロに掲げる改正規定に限る。)による改正後の法人税法第2条第19号に規定する欠損金額をいう。以下同じ。)((注2)の欠損金額を除く。)に係る控除対象通算適用前欠損調整額((4)に規定する控除対象通算適用前欠損調整額をいう。(注2)において同じ。)についての4年新法の適用については、次の表の左欄に掲げる規定中同表の中欄に掲げる字句は、それぞれ同表の右欄に掲げる字句とする。(令2政令第264号附5⑪抄)
新令(令2政令第264号)の適用についての読替規定は、第二編第二章第四節一の1の(4)の(注1)参照。(編者)

1	同法	所得税法等の一部を改正する法律(令和2年法律第8号)附則第20条第5項の規定により読み替えられた法人税法(以下3において「読替え後の法人税法」という。)
(7)	((7)	(地方税法施行令の一部を改正する政令(令和2年政令第264号。以下(7)及び(10)において「地方税法施行令改正令」という。)附則第5条第11項の規定により読み替えられた(7)
	ついて同法	ついて読替え後の法人税法
	(同法	(法人税法
	1の規定	地方税法施行令改正令附則第5条第11項の規定により読み替えられた3の規定
	に同法	に法人税法

(10)	1の規定は	地方税法施行令改正令附則第5条第11項の規定により読み替えられた3の規定は
	通算適用前欠損金額（	通算適用前欠損金額（同条第11項の規定により読み替えられた
	法人税法	読替え後の法人税法
	場合（	場合（地方税法施行令改正令附則第5条第11項の規定により読み替えられた
	につき	につき同条第11項の規定により読み替えられた

（注2） 平成30年4月1日前に開始した事業年度において生じた欠損金額に係る控除対象通算適用前欠損調整額についての4年新法の適用については、次の表の左欄に掲げる規定中同表の中欄に掲げる字句は、それぞれ同表の右欄に掲げる字句とする。（令2政令第264号附5⑫抄）

新令（令2政令第264号）の適用についての読替規定は、第二編第二章第四節一の1の（4）の（注2）参照。（編者）

1	10年	9年
	同法第57条第1項	所得税法等の一部を改正する法律（平成27年法律第9号）附則第27条第1項の規定によりなお従前の例によることとされる場合における同法第2条の規定による改正前の法人税法第57条第1項
	（同法第58条第1項の規定によりないものとされたものを除く。）で、同法	で、所得税法等の一部を改正する法律（令和2年法律第8号）附則第20条第10項の規定により読み替えられた法人税法（(7)及び(10)において「読替え後の法人税法」という。）
(7)	10年以内	9年以内
	前10年内事業年度	前9年内事業年度
	（(7)	（地方税法施行令の一部を改正する政令（令和2年政令第264号。以下(7)及び(10)において「地方税法施行令改正令」という。）附則第5条第12項の規定により読み替えられた(7)
	ついて同法	ついて読替え後の法人税法
	（同法	（法人税法
	1の規定	地方税法施行令改正令附則第5条第12項の規定により読み替えられた3の規定
	に同法	に法人税法
(10)	1の規定は	地方税法施行令改正令附則第5条第12項の規定により読み替えられた3の規定は
	通算適用前欠損金額（	通算適用前欠損金額（同条第12項の規定により読み替えられた
	法人税法	読替え後の法人税法
	場合（	場合（地方税法施行令改正令附則第5条第12項の規定により読み替えられた
	につき	につき同条第12項の規定により読み替えられた

（控除対象通算適用前欠損調整額の特例）
（5） 1の法人が法人税法第57条第8項に規定する通算承認の効力が生じた日（(8)及び(11)において「通算承認の効力が生じた日」という。）の属する事業年度終了の日後に同項に規定する新たな事業（(8)及び(11)において「新たな事業」という。）を開始した場合における同項の規定によりないものとされた通算適用前欠損金額（1に規定する通算適用前欠損金額をいう。(8)及び(11)において同じ。）に係る（4）の規定の適用については、（4）中「最初通算事業年度（法人税法第64条の9第1項の規定による承認の効力が生じた日以後最初に終了する事業年度をいう。以下（4）において同じ。）終了の日（二以上の最初通算事業年度終了の日がある場合には、当該通算適用前欠損金額の生じた事業年度後最初の最初通算事業年度終了の日）」とあるのは、「法人税法第57条第8項に規定する新たな事業を開始した日以後最初に終了する事業年度終了の日」とする。（令48の11の3①、8の14①）

（最初通算事業年度について申告書を提出する義務がある法人の控除対象通算適用前欠損調整額の特例）
（6） （4）に規定する最初通算事業年度（(8)において「最初通算事業年度」という。）について法人税法第71条第1項（同法第72条第1項の規定が適用される場合に限る。）の規定により法人税に係る申告書を提出する義務がある法人について1の規定を適用する場合における（4）の規定の適用については、（4）中「最初通算事業年度（法人税法第64条の9第1項の規定による承認の効力が生じた日以後最初に終了する事業年度をいう。以下（4）において同じ。）終了の日（二以上の最初通算事業年度終了の日がある場合には、当該通算適用前欠損金額の生じた事業年度後最初の最初通算事業年度終了の日）」とあるのは、「第三節一の1に規定する6月経過日の前日」とする。（令48の11の3②、8の14②）

第三編第二章《法人の市町村民税》第四節《法人税額等の控除・加算及び還付等》

(適格合併等の日の属する合併等事業年度等以後の事業年度等における控除未済通算適用前欠損調整額の控除)
(7) 1の法人を合併法人(合併により被合併法人(合併によりその有する資産及び負債の移転を行った法人をいう。以下同じ。)から資産及び負債の移転を受けた法人をいう。以下同じ。)とする適格合併が行われた場合又は当該法人との間に法人税法第2条第12号の7の6に規定する完全支配関係(以下「完全支配関係」という。)(当該法人による完全支配関係又は同号に規定する相互の関係(以下「相互の関係」という。)に限る。)がある他の法人で当該法人が発行済株式若しくは出資の全部若しくは一部を有するものの残余財産が確定した場合において、当該適格合併に係る被合併法人又は当該他の法人(以下1において「被合併法人等」という。)の当該適格合併の日前10年以内に開始し、又は当該残余財産の確定の日の翌日前10年以内に開始した事業年度(以下1において「前10年内事業年度」という。)において生じた通算適用前欠損金額に係る(4)に規定する控除対象通算適用前欠損調整額(当該被合併法人等が当該控除対象通算適用前欠損調整額((7)の規定により当該被合併法人等の(4)に規定する控除対象通算適用前欠損調整額とみなされたものを含む。)に係る通算適用前欠損金額の生じた事業年度後最初の最初通算事業年度について同法第57条第6項又は第8項の規定の適用があることを証する書類を添付した法人の市町村民税の確定申告書(第三節一の1の規定により提出すべき申告書(同法第74条第1項の規定により提出すべき法人税の申告書に係るものに限る。)をいう。以下同じ。)を提出していることその他の政令で定める要件を満たしている場合における当該控除対象通算適用前欠損調整額に限るものとし、1の規定により当該被合併法人等の前10年内事業年度の法人税割の課税標準とすべき法人税額について控除された額を除く。以下(7)において「控除未済通算適用前欠損調整額」という。)があるときは、当該法人の当該適格合併の日の属する事業年度又は当該残余財産の確定の日の翌日の属する事業年度(以下1において「合併等事業年度」という。)以後の事業年度における1の規定の適用については、当該前10年内事業年度に係る控除未済通算適用前欠損調整額(当該他の法人に同法第2条第14号に規定する株主等(以下「株主等」という。)が二以上ある場合には、当該控除未済通算適用前欠損調整額を当該他の法人の発行済株式又は出資(当該他の法人が有する自己の株式又は出資を除く。)の総数又は総額で除し、これに当該法人の有する当該他の法人の株式又は出資の数又は金額を乗じて計算した金額)は、それぞれ当該控除未済通算適用前欠損調整額に係る前10年内事業年度開始の日の属する当該法人の事業年度(当該法人の合併等事業年度開始の日以後に開始した当該被合併法人等の前10年内事業年度に係る控除未済通算適用前欠損調整額にあっては、当該合併等事業年度の前事業年度)に係る(4)に規定する控除対象通算適用前欠損調整額とみなす。(法321の8⑤)

(注1) (7)及び(10)の規定は、令和2年法律第5号附則第13条第3項の規定によりなおその効力を有するものとされた、令和4年改正前の地方税法第321条の8第6項に規定する控除対象個別帰属調整額の、令和4年4月1日以後事業年度〔1の(注1)参照〕における控除について準用する。(令2改法附13④)
(注2) (7)及び(10)の規定は、令和2年法律第5号附則第13条第3項の規定によりなおその効力を有するものとされた、令和4年改正前の地方税法第321条の8第9項に規定する控除対象個別帰属税額の、令和4年4月1日以後事業年度〔1の(注1)参照〕における控除について準用する。(令2改法附13⑤)
(注3) 平成30年4月1日前に開始した事業年度において生じた(7)に規定する通算適用前欠損金額に係る1の規定の適用については、「前10年以内」とあるのは「前9年以内」と、「前10年内事業年度」とあるのは「前9年内事業年度」と読み替える。(令2改法附13⑦)
(注4) 1の(注3)(注5)及び(4)の(注1)(注2)の読替規定を参照。(編者)

(適格合併等による控除未済通算適用前欠損調整額の要件)
(8) (7)に規定する政令で定める要件は、(7)に規定する被合併法人等が(7)に規定する前10年内事業年度のうち(4)に規定する控除対象通算適用前欠損調整額(以下(8)において「控除対象通算適用前欠損調整額」という。)に係る通算適用前欠損金額の生じた事業年度後最初の最初通算事業年度(当該通算適用前欠損金額が通算承認の効力が生じた日の属する事業年度終了の日後に新たな事業を開始した場合における法人税法第57条第8項の規定によりないものとされたものである場合にあっては、当該新たな事業を開始した日以後最初に終了する事業年度)について法人税法第57条第6項又は第8項の規定の適用があることを証する書類を添付した法人の市町村民税の確定申告書((7)に規定する法人の市町村民税の確定申告書をいう。以下この章において同じ。)を提出し、かつ、その後において連続して法人の市町村民税の確定申告書を提出していることとする。ただし、(7)の適格合併又は残余財産の確定の前に被合併法人等となる1の法人を合併法人とする適格合併(以下(8)において「直前適格合併」という。)が行われたこと又は被合併法人等となる1の法人との間に(7)に規定する完全支配関係がある他の法人の残余財産が確定したことに基因して(7)の規定により当該被合併法人等の控除対象通算適用前欠損調整額とみなされたものにつき(7)の規定を適用する場合にあっては、当該被合併法人等が前10年内事業年度のうち当該直前適格合併の日の属する事業年度又は当該残余財産の確定の日の翌日の属する事業年度以後において連続して法人の市町村民税の確定申告書を提出していることとする。(令48の11の4、8の15)

(注1) (8)の規定は、(7)の(注1)において準用する(7)に規定する政令で定める要件について準用する。(令2政令第264号附5㉖)

第三編第二章《法人の市町村民税》第四節《法人税額等の控除・加算及び還付等》

(注2) (8)の規定は、(7)の(注2)において準用する(7)に規定する政令で定める要件について準用する。(令2政令第264号附5㉜)
(注3) (注1)の規定により(8)の規定を準用する場合には、(8)中「(4)に規定する控除対象通算適用前欠損調整額」とあるのは「地方税法等の一部を改正する法律(令和2年法律第5号。以下(8)において「改正法」という。)附則第13条第3項の規定によりなおその効力を有するものとされた改正法附則第1条第5号に掲げる規定による改正前の地方税法(以下(8)において「なお効力を有する旧法」という。)第321条の8第6項に規定する控除対象個別帰属調整額」と、「控除対象通算適用前欠損調整額」とあるのは「控除対象個別帰属調整額」と、「係る通算適用前欠損金額」とあるのは「係るなお効力を有する旧法第321条の8第5項に規定する連結適用前欠損金額又は同項に規定する連結適用前災害損失欠損金額」と、「最初通算事業年度(当該通算適用前欠損金額が通算承認の効力が生じた日の属する事業年度終了の日後に新たな事業を開始した場合における法人税法第57条第8項の規定によりないものとされたものである場合にあっては、当該新たな事業を開始した日以後最初に終了する事業年度」とあるのは「最初連結事業年度(所得税法等の一部を改正する法律(令和2年法律第8号)附則第14条第2項の規定によりなおその効力を有するものとされた同法第3条の規定(同法附則第1条第5号ロに掲げる改正規定に限る。)による改正前の法人税法(以下(8)において「なお効力を有する旧法人税法」という。)第15条の2第1項に規定する最初連結事業年度をいう。」と、「法人税法第57条第6項又は第8項」とあるのは「なお効力を有する旧法人税法第81条の9第2項」と、「あること」とあるのは「ないこと」と、「((7)」とあるのは「(改正法附則第13条第4項において準用する(7)」と、「(8)ただし書中「(7)」とあるのは「改正法附則第13条第4項において準用する(7)」と、「控除対象通算適用前欠損調整額」とあるのは「控除対象個別帰属調整額」と、「事業年度又は」とあるのは「事業年度若しくは連結事業年度又は」と、「以後」とあるのは「若しくは連結事業年度以後」と読み替えるものとする。(令2総務省令第94号附2⑧)
(注4) (注2)の規定により(8)の規定を準用する場合には、(8)中「前10年内事業年度(」とあるのは「前10年内連結事業年度(」と、「「前10年内事業年度」とあるのは「「前10年内連結事業年度」と、「(4)に規定する控除対象通算適用前欠損調整額」とあるのは「地方税法等の一部を改正する法律(令和2年法律第5号。以下(8)において「改正法」という。)附則第13条第3項の規定によりなおその効力を有するものとされた改正法附則第1条第5号に掲げる規定による改正前の地方税法第321条の8第9項に規定する控除対象個別帰属税額」と、「控除対象通算適用前欠損調整額」とあるのは「控除対象個別帰属税額」と、「に係る通算適用前欠損金額の生じた事業年度後最初の最初通算事業年度(当該通算適用前欠損金額が通算承認の効力が生じた日の属する事業年度終了の日後に新たな事業を開始した場合における法人税法第57条第8項の規定によりないものとされたものである場合にあっては、当該新たな事業を開始した日以後最初に終了する事業年度)について法人税法第57条第6項又は第8項の規定の適用があることを証する書類を添付した」とあるのは「の生じた連結事業年度以後において連続して」と、「((7)」とあるのは「(改正法附則第13条第5項において準用する(7)」と、「提出し、かつ、その後において連続して法人の市町村民税の確定申告書を提出して」とあるのは「提出して」と、「(8)ただし書中「(7)」とあるのは「改正法附則第13条第5項において準用する(7)」と、「控除対象通算適用前欠損調整額」とあるのは「控除対象個別帰属税額」と、「前10年内事業年度」とあるのは「前10年内連結事業年度」と、「属する」とあるのは「属する連結事業年度若しくは」と読み替えるものとする。(令2総務省令第94号附2⑩)

(適格合併等による控除対象通算適用前欠損調整額の引継ぎの特例)
(9) (7)の法人の合併等事業年度((7)に規定する合併等事業年度をいう。)開始の日前10年以内に開始した事業年度のうち最も古い事業年度(当該合併等事業年度が当該法人の設立の日の属する事業年度である場合には、当該合併等事業年度)開始の日(以下(9)において「合併法人等10年前事業年度開始日」という。)が被合併法人等の前10年内事業年度で(7)に規定する控除未済通算適用前欠損調整額に係る事業年度のうち最も古い事業年度開始の日((7)の適格合併が法人を設立するものである場合にあっては、当該開始の日が最も早い被合併法人等の当該事業年度開始の日。以下(9)において「被合併法人等10年前事業年度開始日」という。)後である場合には、当該被合併法人等10年前事業年度開始日から当該合併法人等10年前事業年度開始日の前日までの期間を当該期間に対応する当該被合併法人等10年前事業年度開始日に係る被合併法人等の前10年内事業年度ごとに区分したそれぞれの期間(当該前日の属する期間にあっては、当該被合併法人等の当該前日の属する事業年度開始の日から当該合併法人等10年前事業年度開始日の前日までの期間)を当該法人のそれぞれの事業年度とみなし、(7)の法人の合併等事業年度が設立日(当該法人の設立の日をいう。)の属する事業年度である場合において、被合併法人等10年前事業年度開始日が当該設立日以後であるときは、被合併法人等の当該設立日の前日の属する事業年度開始の日(当該被合併法人等が当該設立日以後に設立されたものである場合には、当該設立日の1年前の日)から当該前日までの期間を当該法人の事業年度とみなして、(7)の規定を適用する。(令48の11の5、8の16)
(注1) (7)の法人に(7)の法人の(7)に規定する合併等事業年度開始の日前10年以内に開始する連結事業年度がある場合における(9)((4)の(注1)又は(注2)の規定により読み替えて適用する場合を除く。)の規定の適用については、(9)中「開始した事業年度」とあるのは「開始した事業年度又は連結事業年度」と、「事業年度(当該」とあるのは「事業年度又は連結事業年度(当該」と、「「合併法人等10年前事業年度開始日」とあるのは「「合併法人等10年前事業年度等開始日」と、「合併法人等10年前事業年度開始日の」とあるのは「合併法人等10年前事業年度等開始日の」と、「前10年内事業年度ごと」とあるのは「(7)の適格合併の日前10年以内に開始し、又は(7)の残余財産確定の日の翌日前10年以内に開始した事業年度又は連結事業年度ごと」と、「属する事業年度開始」とあるのは「属する事業年度又は連結事業年度開始」とする。(令2政令第264号附5⑩、附3⑩)
(注2) (9)の規定は、(7)の(注1)において準用する(7)の法人の合併等事業年度((7)に規定する合併等事業年度をいう。以下(注2)において同じ。)開始の日前10年以内に開始した事業年度又は連結事業年度のうち最も古い事業年度又は連結事業年度(当該合併等事業年度が当該法人の設立の日の属する事業年度である場合には、当該合併等事業年度)開始の日が(7)に規定する被合併法人等(以下(注2)において「被合併法人等」という。)の(7)に規定する前10年内事業年度で(7)に規定する控除未済個別帰属調整額に係る事業年度

のうち最も古い事業年度開始の日（（7）の適格合併が法人を設立するものである場合にあっては、当該開始の日が最も早い被合併法人等の当該事業年度開始の日。以下（注2）において「被合併法人等10年前事業年度開始日」という。）後である場合及び（7）の法人の合併等事業年度が設立日（当該法人の設立の日をいう。）の属する事業年度である場合において、被合併法人等10年前事業年度開始日が当該設立日以後であるときについて準用する。（令2政令第264号附5㉗）
- （注3）　（9）の規定は、（7）の（注2）において準用する（7）の法人の合併等事業年度（（7）に規定する合併等事業年度をいう。以下（注3）において同じ。）開始の日前10年以内に開始した連結事業年度又は事業年度のうち最も古い連結事業年度又は事業年度（当該合併等事業年度が当該法人の設立の日の属する事業年度である場合には、当該合併等事業年度）開始の日が（7）に規定する被合併法人等（以下（注3）において「被合併法人等」という。）の（7）に規定する前10年内連結事業年度で（7）に規定する控除未済個別帰属額が生じた連結事業年度のうち最も古い連結事業年度開始の日（（7）の適格合併が法人を設立するものである場合にあっては、当該開始の日が最も早い被合併法人等の当該連結事業年度開始の日。以下（注3）において「被合併法人等10年前連結事業年度開始日」という。）後である場合及び（7）の法人の合併等事業年度が設立日（当該法人の設立の日をいう。）の属する事業年度である場合において、被合併法人等10年前連結事業年度開始日が当該設立日以後であるときについて準用する。（令2政令第264号附5㉝）
- （注4）　（注2）の規定により（9）の規定を準用する場合には、（9）中「「合併法人等10年前事業年度開始日」とあるのは「「合併法人等10年前事業年度等開始日」と、「が被合併法人等の前10年内事業年度」とあるのは「が（7）に規定する被合併法人等（以下（9）において「被合併法人等」という。）の（7）に規定する前10年内事業年度（以下（9）において「前10年内事業年度」という。）」と、「合併法人等10年前事業年度開始日の」とあるのは「合併法人等10年前事業年度等開始日の」と、「前10年内事業年度ごと」とあるのは「（7）の適格合併の日前10年以内に開始し、又は（7）の残余財産の確定の日の翌日前10年以内に開始した事業年度又は連結事業年度ごと」と、「前日の属する事業年度」とあるのは「前日の属する事業年度又は連結事業年度」と、「それぞれの事業年度」とあるのは「それぞれの事業年度又は連結事業年度」と読み替えるものとする。（令2総務省令第94号附2⑨）
- （注5）　（注3）の規定により（9）の規定を準用する場合には、（9）中「「合併法人等10年前事業年度開始日」とあるのは「「合併法人等10年前連結事業年度等開始日」と、「が被合併法人等の前10年内事業年度」とあるのは「が（7）に規定する被合併法人等（以下（9）において「被合併法人等」という。）の（7）に規定する前10年内連結事業年度（以下（9）において「前10年内連結事業年度」という。）」と、「合併法人等10年前事業年度開始日の」とあるのは「合併法人等10年前連結事業年度等開始日の」と、「前10年内事業年度ごと」とあるのは「（7）の適格合併の日前10年以内に開始し、又は（7）の残余財産の確定の日の翌日前10年以内に開始した連結事業年度又は事業年度ごと」と、「属する事業年度開始」とあるのは「属する連結事業年度又は事業年度開始」と、「それぞれの事業年度」とあるのは「それぞれの連結事業年度又は事業年度」と、「法人の事業年度」とあるのは「法人の連結事業年度」と読み替えるものとする。（令2総務省令第94号附2⑪）

　（連続して確定申告書の提出の要件）
(10)　1の規定は、1の法人が通算適用前欠損金額（（7）の規定により当該法人の（4）に規定する控除対象通算適用前欠損調整額（以下（10）において「控除対象通算適用前欠損調整額」という。）とみなされた被合併法人等の控除対象通算適用前欠損調整額に係る通算適用前欠損金額を除く。）の生じた事業年度後最初の最初通算事業年度について法人税法第57条第6項又は第8項の規定の適用があることを証する書類を添付した法人の市町村民税の確定申告書を提出し、かつ、その後において連続して法人の市町村民税の確定申告書を提出している場合（（7）の規定により当該法人の控除対象通算適用前欠損調整額とみなされたものにつき1の規定を適用する場合には、合併等事業年度以後において連続して法人の市町村民税の確定申告書を提出している場合）に限り、適用する。（法321の8⑥）
- （注1）　経過措置については（7）の（注1）及び（注2）参照。（編者）
- （注2）　1の（注3）（注5）及び（4）の（注1）（注2）の読替規定を参照。（編者）

　（控除対象通算適用前欠損調整額の控除の要件の特例）
(11)　1の法人が通算承認の効力が生じた日の属する事業年度終了の日後に新たな事業を開始した場合における法人税法第57条第8項の規定によりないものとされた通算適用前欠損金額に係る(10)の規定の適用については、(10)中「通算適用前欠損金額（（7）の規定により当該法人の（4）に規定する控除対象通算適用前欠損調整額（以下(11)において「控除対象通算適用前欠損調整額」という。）とみなされた被合併法人等の控除対象通算適用前欠損調整額に係る通算適用前欠損金額を除く。）の生じた事業年度後最初の最初通算事業年度」とあるのは「法人税法第57条第8項に規定する新たな事業を開始した日以後最初に終了する事業年度」と、「控除対象通算適用前欠損調整額と」とあるのは「（4）に規定する控除対象通算適用前欠損調整額と」とする。（令48の11の6、8の16の2）

　（特定医療法人に対する適用）
(12)　1の規定の適用を受ける法人が、当該法人の1に規定する最初通算事業年度終了の日において、特定医療法人（租税特別措置法第67条の2《特定の医療法人の法人税率の特例》第1項の承認を受けている同項に規定する医療法人をいう。以下一において同じ）である場合の当該法人の市町村民税に係る（4）の（一）の規定の適用については、（一）の規定中「同法第66条第1項に規定する」とあるのは、「租税特別措置法第67条の2第1項に規定する」とする。（法附8⑮）

第三編第二章《法人の市町村民税》第四節《法人税額等の控除・加算及び還付等》

(租税特別措置法の経過措置により法人税額に加算される金額がある場合)
(13) 所得税法等の一部を改正する等の法律(平成18年法律第10号)附則第106条の規定によりその例によることとされる同法第13条の規定による改正前の租税特別措置法第42条の11第11項、所得税法等の一部を改正する法律(平成19年法律第6号)附則第89条、第90条第6項、第91条若しくは第92条の規定によりその例によることとされる同法第12条の規定による改正前の租税特別措置法第42条の6第6項、第42条の7第6項、第42条の10第6項若しくは第42条の11第6項又は租税特別措置法の一部を改正する法律(平成8年法律第17号)附則第15条の規定によりその例によることとされる同法による改正前の租税特別措置法第62条の3第1項若しくは第8項若しくは第63条第1項の規定により加算された金額がある場合における1、2の②、4、6、7及び8の規定の適用については、これらの規定中「又は第63条第1項」とあるのは、「(租税特別措置法の一部を改正する法律(平成8年法律第17号。以下(13)において「平成8年租税特別措置法改正法」という。)附則第15条第1項の規定によりその例によることとされる平成8年租税特別措置法改正法による改正前の租税特別措置法第62条の3第1項又は第8項を含む。)、第63条第1項(平成8年租税特別措置法改正法附則第15条第2項の規定によりその例によることとされる平成8年租税特別措置法改正法による改正前の租税特別措置法第63条第1項を含む。)、所得税法等の一部を改正する等の法律(平成18年法律第10号)附則第106条の規定によりその例によることとされる同法第13条の規定による改正前の租税特別措置法第42条の11第11項又は所得税法等の一部を改正する法律(平成19年法律第6号)附則第89条、第90条第6項、第91条若しくは第92条の規定によりその例によることとされる同法第12条の規定による改正前の租税特別措置法第42条の6第6項、第42条の7第6項、第42条の10第6項若しくは第42条の11第6項」とする。(法附8の2)
　(注) 1の(注4)(注6)及び8の(注4)の読替規定を参照。(編者)

(中小企業者等の当初申告税額控除可能分配額がある場合の課税標準等の特例)
(14) 当分の間、租税特別措置法第42条の4第4項に規定する中小企業者等(以下(14)において「中小企業者等」という。)の各事業年度(当該各事業年度又は当該中小企業者等に係る同条第8項第3号イの他の通算法人の同項第2号に規定する他の事業年度において同項第5号に規定する当初申告税額控除可能分配額(同項第3号の中小企業者等税額控除限度額に係るものに限る。)がある場合の当該各事業年度に限る。)の法人の市町村民税にあっては、当該事業年度の法人税額について同条第8項第6号ロ又は第7号の規定により加算された金額がある場合における(3)、2の②の(1)、4の(1)、6の(1)、7の(1)及び8の(1)の適用については、(3)、2の②の(1)、4の(1)、6の(1)、7の(1)及び8の(1)中「第42条の14第1項」とあるのは「第42条の4第8項第6号ロ若しくは第7号、第42条の14第1項」とする。(令附5の2の4⑤)

(中小企業者等の範囲の準用)
(15) 第一節一の表の(三)の(2)《中小企業者等の範囲》の規定は、(14)に規定する中小企業者等について準用する。(令附5の2の4⑥)

(中小企業者等に係る試験研究費等の法人税額の特別控除により法人税額に加算された金額がある通算法人の課税標準等の特例)
(16) 当分の間、租税特別措置法第42条の12の5第3項に規定する中小企業者等の各事業年度の法人の市町村民税にあっては、当該事業年度の法人税額について同法第42条の4第18項において準用する同条第8項第6号ロ又は第7号の規定により加算された金額がある場合における(3)、2の②の(1)、4の(1)、6の(1)、7の(1)及び8の(1)の適用については、(3)、2の②の(1)、4の(1)、6の(1)、7の(1)及び8の(1)中「第42条の14第1項」とあるのは「第42条の4第18項において準用する同条第8項第6号ロ若しくは第7号又は同法第42条の14第1項」と、「又は第63条第1項」とあるのは「若しくは第63条第1項」とする。(令附5の2の4⑦)

(留意事項)
(17) 法人が通算制度の適用を受ける場合には、法人税法第57条第6項の規定により、同項に規定する時価評価除外法人に該当しない法人については、当該法人の通算承認の効力が生じた日前に開始した各事業年度において生じた欠損金額は、通算承認の効力が生じた日以後に開始する各事業年度の法人税の所得の計算上損金の額に算入できないこととされており、また、時価評価除外法人に該当する法人であっても、同条第8項の規定により、通算承認の効力が生じた後に当該通算法人と他の通算法人が共同で事業を行う場合等に該当しない場合において、当該法人が同項に規定する支配関係発生日以後に新たな事業を開始した場合には、通算承認の効力が生じた日前に開始した各事業年度において生じた欠損金額は、一部を除き通算承認の効力が生じた日以後に開始する各事業年度の法人税の所得の計算上損

金の額に算入できないこととされているが、法人の市町村民税については、これらの損金の額に算入できないこととされた欠損金額（以下「通算適用前欠損金額」という。）を基に算定した控除対象通算適用前欠損調整額を10年間に限って法人税割の課税標準となる法人税額から控除するものであること。

　なお、この場合において次の諸点に留意すること。（市通2－56）

(一)　通算適用前欠損金額の計算の基礎となる欠損金額には、法人税法第57条第2項の規定により欠損金額とみなされたものを含み、同条第4項、第5項又は第9項の規定によりないものとされたものを含まないものであること。
　また、通算適用前欠損金額が生じた事業年度について法人税の確定申告書が提出され、かつ、その後において連続して法人税の確定申告書が提出されている場合における当該欠損金額に限るものであること。

(二)　平成30年4月1日前に開始した事業年度において生じた欠損金額に係る控除対象通算適用前欠損調整額については、当該事業年度開始の日前9年以内に開始した事業年度において生じた欠損金額に係る控除対象通算適用前欠損調整額に限り法人税割の課税標準となる法人税額から控除できるものであること。

(三)　控除対象通算適用前欠損調整額は、通算適用前欠損金額に、通算承認の効力が生じた日以後最初に終了する事業年度（以下「最初通算事業年度」という。）終了の日（次に掲げる控除対象通算適用前欠損調整額については、次に定める日）における(4)各号に掲げる当該法人の区分に応じ、それぞれ当該各号に定める率を乗じて算定するものであること。

　イ　二以上の最初通算事業年度がある場合のそれぞれの通算適用前欠損金額に係る控除対象通算適用前欠損調整額　それぞれの通算適用前欠損金額が生じた事業年度後最初の最初通算事業年度終了の日

　ロ　通算承認の効力が生じた日の属する事業年度終了の日後に新たな事業を開始した場合の法人税法第57条第8項の規定によりないものとされた通算適用前欠損金額に係る控除対象通算適用前欠損調整額　新たな事業を開始した日以後最初に終了する事業年度終了の日

　ハ　最初通算事業年度について仮決算に係る中間申告をする場合の控除対象通算適用前欠損調整額　当該事業年度（通算子法人の場合には、当該事業年度開始の日の属する通算親法人の事業年度）開始の日以後6月を経過した日（以下「6月経過日」という。）の前日

　また、最初通算事業年度について仮決算に係る中間申告をし、その後の確定申告において法人税割の課税標準となる法人税額から控除対象通算適用前欠損調整額を控除する場合には、上記ハの控除対象通算適用前欠損調整額を控除するのではなく、通算適用前欠損金額に、最初通算事業年度終了の日における(4)各号に掲げる当該法人の区分に応じ、それぞれ当該各号に定める率を乗じて算定した控除対象通算適用前欠損調整額を控除するものであること。

(四)　適格合併又は完全支配関係がある他の法人の残余財産の確定（以下「適格合併等」という。）が行われた場合において、被合併法人又は残余財産が確定した法人（以下「被合併法人等」という。）について控除対象通算適用前欠損調整額（当該適格合併の日前又は当該残余財産の確定の日の翌日前10年以内に開始した事業年度（以下「前10年内事業年度」という。）に係る当該控除対象通算適用前欠損調整額のうち、被合併法人等において繰越控除された金額を控除した金額に限る。）があるときは、当該控除対象通算適用前欠損調整額は、合併法人又は残余財産が確定した法人の株主である法人（以下「合併法人等」という。）の法人税割の課税標準となる法人税額から繰越控除するものであること。

(五)　控除対象通算適用前欠損調整額は、通算適用前欠損金額の生じた事業年度後最初の最初通算事業年度について法人税法第57条第6項又は第8項の規定の適用があることを証する書類を添付した法人の市町村民税の確定申告書を提出し、かつ、その後において連続して法人の市町村民税の確定申告書を提出している場合に限り、法人税割の課税標準となる法人税額から控除することができるものであること。

　なお、次の諸点に留意すること。

　イ　二以上の最初通算事業年度がある場合は、それぞれの通算適用前欠損金額が生じた事業年度後最初の最初通算事業年度において法人税法第57条第6項又は第8項の規定の適用があることを証する書類を添付した法人の市町村民税の確定申告書を提出するものであること。

　ロ　通算承認の効力が生じた日の属する事業年度終了の日後に新たな事業を開始した場合の法人税法第57条第8項の規定によりないものとされた通算適用前欠損金額に係る控除対象通算適用前欠損調整額については、新たな事業を開始した日以後最初に終了する事業年度について、同項の規定の適用があることを証する書類を添付した法人の市町村民税の確定申告書を提出するものであること。

(六)　法人税法第57条第6項又は第8項の規定の適用があることを証する書類として確定申告書に添付するものには、法人が最初通算事業年度又は新たな事業を開始した日以後最初に終了する事業年度において国の税務官署に提出する法人税の明細書（別表7(2)）の写し、それらの事業年度の直前の事業年度における法人税の明細書（別表7(1)）、

(2))の写し等が考えられること。

2 合併等前欠損金額がある場合の控除対象合併等前欠損調整額の控除

① 前10年以内に開始した事業年度において生じたものとみなされる合併等前欠損金額

　法人税法第71条《中間申告》第1項（同法第72条《仮決算をした場合の中間申告書の記載事項等》第1項の規定が適用される場合に限る。）若しくは第74条《確定申告》第1項の規定により法人税に係る申告書を提出する義務がある法人を合併法人とする適格合併が行われた場合又は当該法人との間に完全支配関係（当該法人による完全支配関係又は相互の関係に限る。）がある他の法人で当該法人が発行済株式若しくは出資の全部若しくは一部を有するものの残余財産が確定した場合において、当該適格合併に係る被合併法人又は当該他の法人（以下①において「被合併法人等」という。）の当該適格合併の日前10年以内に開始し、又は当該残余財産の確定の日の翌日前10年以内に開始した事業年度（以下①において「前10年内事業年度」という。）において生じた合併等前欠損金額（同法第57条第1項の欠損金額（同条第6項又は同法第58条第1項の規定によりないものとされたものを除く。）で、同法第57条第7項（第1号に係る部分に限る。以下①において同じ。）の規定により同条第2項の規定が適用されなかったものをいう。以下2において同じ。）（当該法人が当該法人の当該適格合併の日の属する事業年度又は当該残余財産の確定の日の翌日の属する事業年度（以下2において「合併等事業年度」という。）において当該合併等前欠損金額（①の規定により当該被合併法人等の合併等前欠損金額とみなされたものを含む。）について同法第57条第7項の規定により同条第2項の規定の適用がないことを証する書類を添付した法人の市町村民税の確定申告書を提出していることその他の(3)で定める要件を満たしている場合における当該合併等前欠損金額に限るものとし、②の規定により当該被合併法人等の前10年内事業年度の法人税割の課税標準とすべき法人税額について控除された控除対象合併等前欠損調整額に係る合併等前欠損金額を除く。以下①において「控除未済合併等前欠損金額」という。）があるときは、当該前10年内事業年度に係る控除未済合併等前欠損金額（当該他の法人に株主等が二以上ある場合には、当該控除未済合併等前欠損金額を当該他の法人の発行済株式又は出資（当該他の法人が有する自己の株式又は出資を除く。）の総数又は総額で除し、これに当該法人の有する当該他の法人の株式又は出資の数又は金額を乗じて計算した金額）は、それぞれ当該控除未済合併等前欠損金額に係る前10年内事業年度開始の日の属する当該法人の事業年度（当該法人の合併等事業年度開始の日以後に開始した当該被合併法人等の前10年内事業年度に係る控除未済合併等前欠損金額にあっては、当該合併等事業年度の前事業年度）において生じた合併等前欠損金額とみなす。（法321の8⑦）

(注1)　平成30年4月1日前に開始した事業年度において生じた1に規定する合併等前欠損金額に係る①の規定の適用については、「前10年以内」とあるのは「前9年以内」と、「前10年内事業年度」とあるのは「前9年内事業年度」と読み替える。（令2改法附13⑧）
(注2)　2の(2)の(注1)(注2)の読替規定参照。（編者）

　　　（欠損金額の範囲）
(1)　①に規定する法人税法第57条第1項の欠損金額には、同条第2項の規定により①に規定する被合併法人等の欠損金額（法人税法第2条第19号に規定する欠損金額をいう。）とみなされたものを含むものとし、法人税法第57条第4項、第5項又は第9項の規定によりないものとされたものを含まないものとする。（令48の11の7、8の16の3①）

　　　（欠損金額の要件）
(2)　①に規定する法人税法第57条第1項の欠損金額は、当該欠損金額の生じた事業年度（①の適格合併又は残余財産の確定の前に被合併法人等を合併法人とする適格合併（以下(2)において「直前適格合併」という。）が行われたこと又は被合併法人等との間に法人税法第57条第2項に規定する完全支配関係がある他の法人の残余財産が確定したことに基因して同項の規定により当該被合併法人等の欠損金額（同法第2条第19号に規定する欠損金額をいう。）とみなされたものにあっては、当該直前適格合併の日の属する事業年度又は当該残余財産の確定の日の翌日の属する事業年度）について被合併法人等の確定申告書が提出され、かつ、その後において連続して当該被合併法人等の確定申告書が提出されている場合における当該欠損金額に限るものとする。（令48の11の7、8の16の3②）

　　　（適格合併等による合併等前欠損金額の要件）
(3)　①に規定する要件は、①の法人が①に規定する合併等事業年において被合併法人等の前10年内事業年度において生じた合併等前欠損金額（①に規定する合併等前欠損金額をいう。以下①において同じ。）について法人税法第57条第7項の規定により同条第2項の適用がないことを証する書類を添付した法人の市町村民税の確定申告書を提出していることとする。ただし、①の適格合併又は残余財産の確定の前に被合併法人等となる①の法人を合併法人とする適格合併（以下(3)において「直前適格合併」という。）が行われたこと又は被合併法人等となる①の法人との間に①に規

定する完全支配関係がある他の法人の残余財産が確定したことに基因して①の規定により当該被合併法人等の合併等前欠損金額とみなされたものにつき①の規定を適用する場合にあっては、当該被合併法人等が前10年内事業年度のうち当該直前適格合併の日の属する事業年度又は当該残余財産の確定の日の翌日の属する事業年度後最初の事業年度以後において連続して法人の市町村民税の確定申告書を提出していることとする。(令48の11の8、8の16の4)

　　　　(適格合併等による合併等前欠損金額の引継ぎの特例)
(4)　①の法人の合併等事業年度開始の日前10年以内に開始した事業年度のうち最も古い事業年度(当該合併等事業年度が当該法人の設立の日の属する事業年度である場合には、当該合併等事業年度)開始の日(以下(4)において「合併法人等10年前事業年度開始日」という。)が被合併法人等の前10年内事業年度で①に規定する控除未済合併等前欠損金額に係る事業年度のうち最も古い事業年度開始の日(①の適格合併が法人を設立するものである場合にあっては、当該開始の日が最も早い被合併法人等の当該事業年度開始の日。以下(4)において「被合併法人等10年前事業年度開始日」という。)後である場合には、当該被合併法人等10年前事業年度開始日から当該合併法人等10年前事業年度開始日の前日までの期間を当該期間に対応する当該被合併法人等10年前事業年度開始日に係る被合併法人等の前10年内事業年度ごとに区分したそれぞれの期間(当該前日の属する期間にあっては、当該被合併法人等の当該前日の属する事業年度開始の日から当該合併法人等10年前事業年度開始日の前日までの期間)を当該法人のそれぞれの事業年度とみなし、①の法人の合併等事業年度が設立日(当該法人の設立の日をいう。)の属する事業年度である場合において、被合併法人等10年前事業年度開始日が当該設立日以後であるときは、被合併法人等の当該設立日の前日の属する事業年度開始の日(当該被合併法人等が当該設立日以後に設立されたものである場合には、当該設立日の1年前の日)から当該前日までの期間を当該法人の事業年度とみなして、①の規定を適用する。(令48の11の9、8の16の5)
　　　(注)　①の法人に①の法人の①に規定する合併等事業年度開始の日前10年以内に開始する連結事業年度がある場合における(4)(②の(2)の(注1)又は(注2)の規定により読み替えて適用する場合を除く。)の規定の適用については、(4)中「開始した事業年度」とあるのは「開始した事業年度又は連結事業年度」と、「事業年度(当該」とあるのは「事業年度又は連結事業年度(当該」と、「「合併法人等10年前事業年度開始日」と、「合併法人等10年前事業年度開始日」とあるのは「合併法人等10年前事業年度開始日」と、「合併法人等10年前事業年度開始日の」とあるのは「合併法人等10年前事業年度開始日の」と、「前10年内事業年度ごと」とあるのは「①の適格合併の日前10年以内に開始し、又は①の残余財産確定の日の翌日前10年以内に開始した事業年度又は連結事業年度ごと」と、「属する事業年度開始」とあるのは「属する事業年度又は連結事業年度開始」とする。(令2政令第264号附5⑬)

②　合併等前欠損金額がある場合の控除対象合併等前欠損調整額の控除

　①の法人が納付すべき当該事業年度分の法人税割の課税標準となる法人税額の算定については、第三節―の1・2、6又は7《中間申告・みなし中間申告・確定申告・過不足額の申告・修正申告・更正決定に係る申告》の規定にかかわらず、これらの規定により申告納付すべき当該法人税額の課税標準の算定期間に係る法人税割の課税標準となる法人税額から、当該法人税額(当該法人税額について租税特別措置法第42条の14《通算法人の仮装経理に基づく過大申告の場合等の法人税額》第1項若しくは第4項、第62条《使途秘匿金の支出がある場合の課税の特例》第1項、第62条の3《土地の譲渡等がある場合の特別税率》第1項若しくは第9項又は第63条《短期所有に係る土地の譲渡等がある場合の特別税率》第1項の規定により加算された金額がある場合には、(1)で定める額を控除した額)を限度として、①の規定により当該事業年度開始の日前10年以内に開始した事業年度において生じたものとみなされた合併等前欠損金額に係る控除対象合併等前欠損調整額を控除するものとする。この場合において、控除対象合併等前欠損調整額は、前事業年度以前の法人税割の課税標準とすべき法人税額について控除されなかった額に限る。(法321の8⑧)
　(注1)　平成30年4月1日前に開始した事業年度において生じた1に規定する合併等前欠損金額に係る②の規定の適用については、「前10年以内」とあるのは「前9年以内」と読み替える。(令2改法附13⑧)
　(注2)　租税特別措置法の経過措置により法人税額に加算される金額がある場合の②の規定の適用については、1の(13)参照。(編者)
　(注3)　第一節―の表の(三)の(4)及び(5)《中小企業者等に係る試験研究費等の法人税額の特別控除の適用がある通算法人について法人税額に加算された金額がある場合の特例》の読替規定を参照。(編者)

　　　　(控除対象合併等前欠損調整額の控除限度額の計算)
(1)　②に規定する額は、租税特別措置法第42条の14第1項若しくは第4項、第62条第1項、第62条の3第1項若しくは第9項又は第63条第1項の規定により加算された金額とする。(令48の11の10、8の16の6)
　　(注1)　第三節―の1の(12)《租税特別措置法の旧規定の適用がある場合の特例》の読替規定を参照。(編者)
　　(注2)　1の(14)及び(16)の読替規定参照。(編者)

　　　　(控除対象合併等前欠損調整額の意義)
(2)　①及び②に規定する控除対象合併等前欠損調整額とは、合併等前欠損金額に、①の法人の合併等事業年度終了の

第三編第二章《法人の市町村民税》第四節《法人税額等の控除・加算及び還付等》

日における1の(4)各号に掲げる当該法人の区分に応じ、それぞれ当該各号に定める率を乗じて得た金額をいう。(法321の8⑨)

(注1) 令和4年4月1日前に開始した事業年度(連結子法人の連結親法人事業年度が同日前に開始した事業年度を含む。以下「施行日前事業年度」という。)において生じた欠損金額(所得税法等の一部を改正する法律(令和2年法律第8号。以下「所得税法等改正法」という。)第3条の規定(所得税法等改正法附則第1条第5号ロに掲げる改正規定に限る。)による改正後の法人税法第2条第19号に規定する欠損金額をいう。以下同じ。)((注2)の欠損金額を除く。)に係る控除対象合併等前欠損調整額((2)に規定する控除対象合併等前欠損調整額をいう。(注2)において同じ。)についての4年新法の適用については、次の表の左欄に掲げる規定中同表の中欄に掲げる字句は、それぞれ同表の右欄に掲げる字句とする。(令2政令第264号附5⑭抄)

新令(令2政令第264号)の適用についての読替規定は、第二編第二章第四節一の2の②の(2)の(注1)参照。(編者)

①	同条第6項又は同法	所得税法等の一部を改正する法律(令和2年法律第8号)附則第20条第5項の規定により読み替えられた法人税法(以下①において「読替え後の法人税法」という。)第57条第6項又は法人税法
	、同法	、読替え後の法人税法
	(①)	(地方税法施行令の一部を改正する政令(令和2年政令第264号。以下①において「地方税法施行令改正令」という。)附則第5条第14項の規定により読み替えられた①
	ついて同法	ついて読替え後の法人税法
	②	地方税法施行令改正令附則第5条第14項の規定により読み替えられた②
②	、①	、地方税法施行令改正令附則第5条第14項の規定により読み替えられた①
②の(4)	②	地方税法施行令改正令附則第5条第14項の規定により読み替えられた②

(注2) 平成30年4月1日前に開始した事業年度において生じた欠損金額に係る控除対象合併等前欠損調整額についての4年新法の適用については、次の表の左欄に掲げる規定中同表の中欄に掲げる字句は、それぞれ同表の右欄に掲げる字句とする。(令2政令第264号附5⑮抄)

新令(令2政令第264号)の適用についての読替規定は、第二編第二章第四節一の2の②の(2)の(注2)参照。(編者)

①	10年以内	9年以内
	前10年内事業年度	前9年内事業年度
	同法第57条第1項	所得税法等の一部を改正する法律(平成27年法律第9号)附則第27条第1項の規定によりなお従前の例によることとされる場合における同法第2条の規定による改正前の法人税法(以下①において「平成27年旧法人税法」という。)第57条第1項
	同条第6項又は同法第58条第1項	所得税法等の一部を改正する法律(令和2年法律第8号)附則第20条第10項の規定により読み替えられた法人税法(以下①において「読替え後の法人税法」という。)第57条第6項
	、同法	、読替え後の法人税法
	同条第2項	平成27年旧法人税法第57条第2項
	(①)	(地方税法施行令の一部を改正する政令(令和2年政令第264号。以下①において「地方税法施行令改正令」という。)附則第5条第15項の規定により読み替えられた①
	ついて同法	ついて読替え後の法人税法
	②	地方税法施行令改正令附則第5条第15項の規定により読み替えられた②
②	、①	、地方税法施行令改正令附則第5条第15項の規定により読み替えられた①
	10年	9年
②の(4)	②	地方税法施行令改正令附則第5条第15項の規定により読み替えられた②

(控除対象合併等前欠損調整額の特例)
(3) 合併等事業年度について法人税法第71条第1項(同法第72条第1項の規定が適用される場合に限る。)の規定により法人税に係る申告書を提出する義務がある法人について②の規定を適用する場合における(2)の規定の適用については、(2)中「合併等事業年度終了の日」とあるのは、「第三節一の1に規定する6月経過日の前日」とする。(令48の11の11、8の16の7)

(連続して確定申告書の提出の要件)
(4) ②の規定は、①の法人が合併等事業年度後最初の事業年度以後において連続して法人の市町村民税の確定申告書を提出している場合に限り、適用する。(法321の8⑩)

(特定医療法人に対する適用)
（５）　①の規定の適用を受ける法人が、当該法人の①に規定する合併等事業年度終了の日において、特定医療法人〖１の(12)参照〗である場合の当該法人の市町村民税に係る(２)の規定の適用については、(２)の規定中「１の(４)各号」とあるのは、「１の(12)の規定により読み替えられた同(４)各号」とする。（法附８⑯）

(留意事項)
（６）　通算完全支配関係（通算完全支配関係に準ずる関係を含む。以下同じ。）がある時価評価除外法人に該当しない法人を被合併法人等とする適格合併等があった場合（当該適格合併の日の前日又は当該残余財産の確定した日が被合併法人等が通算親法人との間に通算完全支配関係を有することとなった日の前日から当該有することとなった日の属する当該通算親法人の事業年度終了の日までの期間内の日である場合等に限る。）には、法人税法第57条第７項の規定により、被合併法人等の前10年内事業年度において生じた欠損金額は、合併法人等の欠損金額とみなされず、法人税の所得の計算上損金の額に算入できないこととされているが、法人の市町村民税については、当該損金の額に算入できないこととされた欠損金額（同項第１号に係る部分に限る。以下「合併等前欠損金額」という。）を合併法人等の合併等前欠損金額とみなして、当該合併等前欠損金額を基に算定した控除対象合併等前欠損調整額を10年間に限って法人税割の課税標準となる法人税額から控除するものであること。
　　　なお、この場合において次の諸点に留意すること。（市通２−56の２）
　(一)　合併等前欠損金額の計算の基礎となる欠損金額には、法人税法第57条第２項の規定により被合併法人等の欠損金額とみなされたものを含み、同条第４項、第５項又は第９項の規定によりないものとされたものを含まないものであること。また、合併等前欠損金額が生じた事業年度について被合併法人等の法人税の確定申告書が提出され、かつ、その後において連続して被合併法人等の法人税の確定申告書が提出されている場合における当該欠損金額に限るものであること。
　(二)　平成30年４月１日前に開始した事業年度において生じた欠損金額に係る控除対象合併等前欠損調整額については、被合併法人等の適格合併の日前９年以内又は残余財産確定の日の翌日前９年以内に開始した事業年度において生じた欠損金額に限り、合併法人等において生じた合併等前欠損金額とみなして、当該合併等前欠損金額に係る控除対象合併等前欠損調整額を法人税割の課税標準となる法人税額から控除できるものであること。
　(三)　控除対象合併等前欠損調整額は、合併等前欠損金額に、合併等事業年度（適格合併の日の属する事業年度又は残余財産の確定の日の翌日の属する事業年度をいう。以下同じ。）終了の日における１の(４)各号に掲げる当該法人の区分に応じ、それぞれ当該各号に定める率を乗じて算定するものであること。なお、合併等事業年度について仮決算に係る中間申告をする場合の控除対象合併等前欠損調整額については、合併等前欠損金額に、６月経過日の前日における１の(４)各号に掲げる当該法人の区分に応じ、それぞれ当該各号に定める率を乗じて算定するものであること。また、合併等事業年度について仮決算に係る中間申告をし、その後の確定申告において法人税割の課税標準となる法人税額から控除対象合併等前欠損調整額を控除する場合には、上記の仮決算に係る中間申告をする場合の控除対象合併等前欠損調整額を控除するのではなく、合併等前欠損金額に、合併等事業年度終了の日における１の(４)各号に掲げる当該法人の区分に応じ、それぞれ当該各号に定める率を乗じて算定した控除対象合併等前欠損調整額を控除するものであること。
　(四)　控除対象合併等前欠損調整額は、合併法人等が合併等事業年度において、合併等前欠損金額について法人税法第57条第７項の規定により同条第２項の規定の適用がないことを証する書類を添付した法人の市町村民税の確定申告書を提出し、合併等事業年度後最初の事業年度以後において連続して法人の市町村民税の確定申告書を提出している場合に限り、法人税割の課税標準となる法人税額から控除することができるものであること。
　(五)　法人税法第57条第７項の規定により同条第２項の規定の適用がないことを証する書類として確定申告書に添付するものには、通算法人が合併等事業年度に国の税務官署に提出する法人税の明細書（別表７(２)）の写し、被合併法人等の適格合併の日の前日の属する事業年度又は残余財産の確定の日の属する事業年度に係る法人税の明細書（別表７(１)）の写し等が考えられること。

３　通算対象欠損金額がある場合の加算対象通算対象欠損調整額の加算

　法人税法第71条《中間申告》第１項（同法第72条《仮決算をした場合の中間申告書の記載事項等》第１項の規定が適用される場合に限る。）又は第74条《確定申告》第１項の規定により法人税に係る申告書を提出する義務がある法人について、当該事業年度において生じた通算対象欠損金額（同法第64条の５《損益通算》第１項に規定する通算対象欠損金額で同項の規定により損金の額に算入されたものをいう。(１)において同じ。）がある場合の当該法人が納付すべき当該事業年度分の法人税割の課税標準となる法人税額の算定については、第三節一の１・２、６又は７《中間申告・みなし中間申告・確

定申告・過不足税額の申告・修正申告・更正決定に係る申告》の規定にかかわらず、これらの規定により申告納付すべき当該法人税額の課税標準の算定期間に係る法人税割の課税標準となる法人税額に加算対象通算対象欠損調整額を加算するものとする。(法321の8⑪)

　　　　　(加算対象通算対象欠損調整額の意義)
(1)　3に規定する加算対象通算対象欠損調整額とは、通算対象欠損金額に、3の法人の当該事業年度終了の日における1の(4)各号に掲げる当該法人の区分に応じ、それぞれ当該各号に定める率を乗じて得た金額をいう。(法321の8⑫)

　　　　　(加算対象通算対象欠損調整額の特例)
(2)　法人税法第71条第1項(同法第72条第1項の規定が適用される場合に限る。)の規定により法人税に係る申告書を提出する義務がある法人について3の規定を適用する場合における(1)の規定の適用については、(1)中「当該事業年度終了の日」とあるのは、「第三節―の1に規定する6月経過日の前日」とする。(令48の11の12、8の16の8)

　　　　　(特定医療法人に対する適用)
(3)　3の規定の適用を受ける法人が、当該法人の当該事業年度終了の日において、特定医療法人〔1の(12)参照〕である場合の当該法人の市町村民税に係る(1)の規定の適用については、(1)の規定中「1の(4)各号」とあるのは、「1の(12)の規定により読み替えられた同(4)各号」とする。(法附8⑰)

　　　　　(留意事項)
(4)　加算対象通算対象欠損調整額は、通算対象欠損金額に、当該事業年度終了の日における1の(4)各号に掲げる当該法人の区分に応じ、それぞれ当該各号に定める率を乗じて算定するものであること。なお、仮決算に係る中間申告をする場合の加算対象通算対象欠損調整額については、通算対象欠損金額に、6月経過日の前日における1の(4)各号に掲げる当該法人の区分に応じ、それぞれ当該各号に定める率を乗じて算定するものであること。(市通2―56の3(1))

4　通算対象所得金額がある場合の控除対象通算対象所得調整額の控除

法人税法第71条《中間申告》第1項(同法第72条《仮決算をした場合の中間申告書の記載事項等》第1項の規定が適用される場合に限る。)又は第74条《確定申告》第1項の規定により法人税に係る申告書を提出する義務がある法人について、当該事業年度開始の日前10年以内に開始した事業年度において生じた通算対象所得金額(同法第64条の5《損益通算》第3項に規定する通算対象所得金額で同項の規定により益金の額に算入されたものをいう。4において同じ。)がある場合の当該法人が納付すべき当該事業年度分の法人税割の課税標準となる法人税額の算定については、第三節―の1・2、6又は7《中間申告・みなし中間申告・確定申告・過不足税額の申告・修正申告・更正決定に係る申告》の規定にかかわらず、これらの規定により申告納付すべき当該法人税額の課税標準の算定期間に係る法人税割の課税標準となる法人税額から、当該法人税額(当該法人税額について租税特別措置法第42条の14《通算法人の仮装経理に基づく過大申告の場合等の法人税額》第1項若しくは第4項、第62条《使途秘匿金の支出がある場合の課税の特例》第1項、第62条の3《土地の譲渡等がある場合の特別税率》第1項若しくは第9項又は第63条《短期所有に係る土地の譲渡等がある場合の特別税率》第1項の規定により加算された金額がある場合には、(1)で定める額を控除した額)を限度として、控除対象通算対象所得調整額を控除するものとする。この場合において、控除対象通算対象所得調整額は、前事業年度以前の法人税割の課税標準とすべき法人税額について控除されなかった額に限る。(法321の8⑬)
(注1)　租税特別措置法の経過措置により法人税額に加算される金額がある場合の4の規定の適用については、1の(13)参照。(編者)
(注2)　第一節―の表の(三)の(4)及び(5)《中小企業者等に係る試験研究費等の法人税額の特別控除の適用がある通算法人について法人税額に加算された金額がある場合の特例》の読替規定を参照。(編者)

　　　　　(控除対象通算適用前欠損調整額の控除限度額の計算)
(1)　4に規定する額は、租税特別措置法第42条の14第1項若しくは第4項、第62条第1項、第62条の3第1項若しくは第9項又は第63条第1項の規定により加算された金額とする。(令48の11の13、8の17)
(注1)　第三節―の1の(12)《租税特別措置法の旧規定の適用がある場合の特例》の読替え規定を参照。(編者)
(注2)　1の(14)及び(16)の読替規定参照。(編者)

（控除対象通算適用前欠損調整額の意義）
（2）　4に規定する控除対象通算対象所得調整額とは、通算対象所得金額に、4の法人の当該通算対象所得金額の生じた事業年度後最初の事業年度終了の日における次の各号に掲げる当該法人の区分に応じ、それぞれ当該各号に定める率を乗じて得た金額をいう。（法321の8⑭）
　（一）　普通法人〚1の（4）参照〛又は法人税法第66条《各事業年度の所得に対する法人税の税率》第1項に規定する一般社団法人等　　同項に規定する税率に相当する率
　（二）　法人税法第66条第3項に規定する公益法人等又は協同組合等〚1の（4）参照〛　　同項に規定する税率に相当する率

　　　（控除対象通算対象所得調整額の特例）
（3）　4に規定する通算対象所得金額の生じた事業年度後最初の事業年度について法人税法第71条第1項（同法第72条第1項の規定が適用される場合に限る。）の規定により法人税に係る申告書を提出する義務がある法人について4の規定を適用する場合における（2）の規定の適用については、（2）中「4の法人の当該通算対象所得金額の生じた事業年度後最初の事業年度終了の日」とあるのは、「第三節―の1に規定する6月経過日の前日」とする。（令48の11の14①、8の17の2①）

　　　（適格合併等による控除対象通算対象所得調整額の特例）
（4）　（5）に規定する被合併法人等の通算対象所得金額の生じた事業年度終了の日が（5）に規定する適格合併の日の前日又は（5）に規定する残余財産の確定の日である場合における当該通算対象所得金額に係る（2）の規定の適用については、（2）「後最初の事業年度終了の日」とあるのは、「終了の日」とする。（令48の11の14②、8の17の2②）

　　　（被合併法人等の前10年内事業年度において生じた控除未済通算対象所得調整額の控除）
（5）　4の法人を合併法人とする適格合併が行われた場合又は当該法人との間に完全支配関係（当該法人による完全支配関係又は相互の関係に限る。）がある他の法人で当該法人が発行済株式若しくは出資の全部若しくは一部を有するものの残余財産が確定した場合において、当該適格合併に係る被合併法人又は当該他の法人（以下4において「被合併法人等」という。）の当該適格合併の日前10年以内に開始し、又は当該残余財産の確定の日の翌日前10年以内に開始した事業年度（以下（5）において「前10年内事業年度」という。）において生じた通算対象所得金額に係る（2）に規定する控除対象通算対象所得調整額（当該被合併法人等が当該控除対象通算対象所得調整額（（5）の規定により当該被合併法人等の（2）に規定する控除対象通算対象所得調整額とみなされたものを含む。）に係る通算対象所得金額の生じた事業年度について法人税法第64条の5第3項の規定の適用があることを証する書類を添付した法人の市町村民税の確定申告書を提出していることその他の政令で定める要件を満たしている場合における当該控除対象通算対象所得調整額に限るものとし、4の規定により当該被合併法人等の前10年内事業年度の法人税割の課税標準とすべき法人税額について控除された額を除く。以下（5）において「控除未済通算対象所得調整額」という。）があるときは、当該法人の当該適格合併の日の属する事業年度又は当該残余財産の確定の日の翌日の属する事業年度（以下4において「合併等事業年度」という。）以後の事業年度における4の規定の適用については、当該前10年内事業年度に係る控除未済通算対象所得調整額（当該他の法人に株主等が二以上ある場合には、当該控除未済通算対象所得調整額を当該他の法人の発行済株式又は出資（当該他の法人が有する自己の株式又は出資を除く。）の総数又は総額で除し、これに当該法人の有する当該他の法人の株式又は出資の数又は金額を乗じて計算した金額）は、それぞれ当該控除未済通算対象所得調整額に係る前10年内事業年度開始の日の属する当該法人の事業年度（当該法人の合併等事業年度開始の日以後に開始した当該被合併法人等の前10年内事業年度に係る控除未済通算対象所得調整額にあっては、当該合併等事業年度の前事業年度）に係る（2）に規定する控除対象通算対象所得調整額とみなす。（法321の8⑮）

　　　（適格合併等による前10年内事業年度において生じた控除未済通算対象所得調整額の要件）
（6）　（5）に規定する要件は、被合併法人等が（5）に規定する前10年内事業年度のうち（2）に規定する控除対象通算対象所得調整額（以下（6）において「控除対象通算対象所得調整額」という。）に係る通算対象所得金額の生じた事業年度について法人税法第64条の5第3項の規定の適用があることを証する書類を添付した法人の市町村民税の確定申告書を提出し、かつ、その後において連続して法人の市町村民税の確定申告書を提出していることとする。ただし、（5）の適格合併又は残余財産の確定の前に被合併法人等となる4の法人を合併法人とする適格合併（以下（6）において「直前適格合併」という。）が行われたこと又は被合併法人等となる4の法人との間に（5）に規定する完全支配関係がある他の法人の残余財産が確定したことに基因して（5）の規定により当該被合併法人等の控除対象通算対象所得調整額と

みなされたものにつき（5）の規定を適用する場合にあっては、当該被合併法人等が前10年内事業年度のうち当該直前適格合併の日の属する事業年度又は当該残余財産の確定の日の翌日の属する事業年度以後において連続して法人の市町村民税の確定申告書を提出していることとする。（令48の11の15、8の18）

　　　（適格合併等による控除対象通算対象所得調整額の引継ぎの特例）
（7）　（5）の法人の合併等事業年度開始の日前10年以内に開始した事業年度のうち最も古い事業年度（当該合併等事業年度が当該法人の設立の日の属する事業年度である場合には、当該合併等事業年度）開始の日（以下（7）において「合併法人等10年前事業年度開始日」という。）が被合併法人等の前10年内事業年度で（5）に規定する控除未済通算対象所得調整額に係る事業年度のうち最も古い事業年度開始の日（（5）の適格合併が法人を設立するものである場合にあっては、当該開始の日が最も早い被合併法人等の当該事業年度開始の日。以下（7）において「被合併法人等10年前事業年度開始日」という。）後である場合には、当該被合併法人等10年前事業年度開始日から当該合併法人等10年前事業年度開始日の前日までの期間を当該期間に対応する当該被合併法人等10年前事業年度開始日に係る被合併法人等の前10年内事業年度ごとに区分したそれぞれの期間（当該前日の属する期間にあっては、当該被合併法人等の当該前日の属する事業年度開始の日から当該合併法人等10年前事業年度開始日の前日までの期間）を当該法人のそれぞれの事業年度とみなし、（5）の法人の合併等事業年度が設立日（当該法人の設立の日をいう。）の属する事業年度である場合において、被合併法人等10年前事業年度開始日が当該設立日以後であるときは、被合併法人等の当該設立日の前日の属する事業年度開始の日（当該被合併法人等が当該設立日以後に設立されたものである場合には、当該設立日の1年前の日）から当該前日までの期間を当該法人の事業年度とみなして、（5）の規定を適用する。（令48の11の16、8の19）
　　（注）　（5）の法人に（5）の法人の（5）に規定する合併等事業年度開始の日前10年以内に開始する連結事業年度がある場合における（7）の規定の適用については、（7）中「開始した事業年度」とあるのは「開始した事業年度又は連結事業年度」と、「事業年度（当該」とあるのは「事業年度又は連結事業年度（当該」と、「合併法人等10年前事業年度開始日」とあるのは「合併法人等10年前事業年度等開始日」と、「合併法人等10年前事業年度開始日の」とあるのは「合併法人等10年前事業年度等開始日の」と、「前10年内事業年度ごと」とあるのは「（5）の適格合併の日前10年以内に開始し、又は（5）の残余財産確定の日の翌日前10年以内に開始した事業年度又は連結事業年度ごと」と、「属する事業年度開始」とあるのは「属する事業年度又は連結事業年度開始」とする。（令2政令第264号附5⑯、附3⑯）

　　　（連続して確定申告書の提出の要件）
（8）　4の規定は、4の法人が通算対象所得金額（（5）の規定により当該法人の（2）に規定する控除対象通算対象所得調整額（以下（8）において「控除対象通算対象所得調整額」という。）とみなされた被合併法人等の控除対象通算対象所得調整額に係る通算対象所得金額を除く。）の生じた事業年度について法人税法第64条の5第3項の規定の適用があることを証する書類を添付した法人の市町村民税の確定申告書を提出し、かつ、その後において連続して法人の市町村民税の確定申告書を提出している場合（（5）の規定により当該法人の控除対象通算対象所得調整額とみなされたものにつき4の規定を適用する場合には、合併等事業年度以後において連続して法人の市町村民税の確定申告書を提出している場合）に限り、適用する。（法321の8⑯）

　　　（特定医療法人に対する適用）
（9）　4の規定の適用を受ける法人が、当該法人の4に規定する当該通算対象所得金額の生じた事業年度後最初の事業年度終了の日において、特定医療法人〖1の(12)参照〗である場合の当該法人の市町村民税に係る（2）の（一）の規定の適用については、同（一）規定中「同項に規定する」とあるのは、「租税特別措置法第67条の2第1項に規定する」とする。（法附8⑱）

　　　（留意事項）
（10）　通算法人に所得金額が生じ他の通算法人に欠損金額が生じる場合には、他の通算法人に生じた欠損金額を当該通算法人に配分し、法人税法第64条の5第1項の規定により、当該配分された欠損金額を当該通算法人の所得の計算上損金の額に算入し、同条第3項の規定により、当該他の通算法人が当該通算法人に配分した欠損金額を当該他の通算法人の所得の計算上益金の額に算入することとされているが、法人の市町村民税については、同条第1項の規定により所得の計算上損金の額に算入された金額（（一）において「通算対象欠損金額」という。）を基に算定した加算対象通算対象欠損調整額を法人税割の課税標準となる法人税額に加算することとし、同条第3項の規定により益金の額に算入された金額（以下「通算対象所得金額」という。）を基に算定した控除対象通算対象所得調整額を10年間に限って法人税割の課税標準となる法人税額から控除するものであること。
　　なお、この場合において次の諸点に留意すること。（市通2－56の3（2）～（5））
（一）　控除対象通算対象所得調整額は、通算対象所得金額に、当該通算対象所得金額の生じた事業年度後最初の事業

年度終了の日（次に掲げる控除対象通算対象所得調整額については、次に定める日）における(2)各号に掲げる法人の区分に応じ、それぞれ当該各号に定める率を乗じて算定するものであること。
　　イ　通算対象所得金額の生じた事業年度後最初の事業年度について仮決算に係る中間申告をする場合の控除対象通算対象所得調整額　　６月経過日の前日
　　ロ　被合併法人等の通算対象所得金額の生じた事業年度終了の日が適格合併の日の前日又は残余財産の確定の日である場合の被合併法人等の控除対象通算対象所得調整額　　当該通算対象所得金額の生じた事業年度終了の日
　　　　また、通算対象所得金額の生じた事業年度後最初の事業年度について仮決算に係る中間申告をし、その後の確定申告において法人税割の課税標準となる法人税額から控除対象通算対象所得調整額を控除する場合には、上記イの控除対象通算対象所得調整額を控除するのではなく、通算対象所得金額に、当該通算対象所得金額の生じた事業年度後最初の事業年度終了の日における(2)各号に掲げる当該法人の区分に応じ、それぞれ当該各号に定める率を乗じて算定した控除対象通算対象所得調整額を控除するものであること。
　(二)　適格合併等が行われた場合において、被合併法人等について控除対象通算対象所得調整額（前10年内事業年度に係る当該控除対象通算対象所得調整額のうち、被合併法人等において繰越控除された金額を控除した金額に限る。）があるときは、当該控除対象通算対象所得調整額は、合併法人等の法人税割の課税標準となる法人税額から繰越控除するものであること。
　(三)　控除対象通算対象所得調整額は、法人が通算対象所得金額の生じた事業年度について法人税法第64条の５第３項の規定の適用があることを証する書類を添付した法人の市町村民税の確定申告書を提出し、かつ、その後において連続して法人の市町村民税の確定申告書を提出している場合に限り、法人税割の課税標準となる法人税額から控除することができるものであること。
　(四)　法人税法第64条の５第３項の規定の適用があることを証する書類として確定申告書に添付するものには、法人が通算対象所得金額の生じた事業年度において国の税務官署に提出する法人税の明細書（別表７の３）の写し等が考えられること。

５　被配賦欠損金控除額がある場合の加算対象被配賦欠損調整額の加算

　法人税法第71条《中間申告》第１項（同法第72条《仮決算をした場合の中間申告書の記載事項等》第１項の規定が適用される場合に限る。）又は第74条《確定申告》第１項の規定により法人税に係る申告書を提出する義務がある法人について、当該事業年度において生じた被配賦欠損金控除額（同法第64条の７《欠損金の通算》第１項第２号ハに掲げる金額に同項第３号ロに規定する非特定損金算入割合（６において「非特定損金算入割合」という。）を乗じて計算した金額（同条第５項の規定の適用がある場合には、同項第１号に規定する場合における当該金額）で同法第57条第１項の規定により損金の額に算入されたものをいう。(1)において同じ。）がある場合の当該法人が納付すべき当該事業年度分の法人税割の課税標準となる法人税額の算定については、第三節一の１・２、６又は７《中間申告・みなし中間申告・確定申告・過不足税額の申告・修正申告・更正決定に係る申告》の規定にかかわらず、これらの規定により申告納付すべき当該法人税額の課税標準の算定期間に係る法人税割の課税標準となる法人税額に加算対象被配賦欠損調整額を加算するものとする。（法321の８⑰）

　　（加算対象被配賦欠損調整額の意義）
(1)　５に規定する加算対象被配賦欠損調整額とは、被配賦欠損金控除額に、５の法人の当該事業年度終了の日における１の(4)各号に掲げる当該法人の区分に応じ、それぞれ当該各号に定める率を乗じて得た金額をいう。（法321の８⑱）
　　（注）　平成30年４月１日前に開始した事業年度において生じた欠損金額に係る(1)に規定する加算対象被配賦欠損調整額についての７の規定の適用については、次の表の左欄に掲げる規定中同表の中欄に掲げる字句は、それぞれ同表の右欄に掲げる字句とする。（令２政令第264号附５⑰抄）
　　　　　新令（令２政令第264号）の適用についての読替規定は、第二編第二章第四節一の５の(1)の（注）参照。（編者）

5	被配賦欠損金控除額（同法	被配賦欠損金控除額（所得税法等の一部を改正する法律（令和２年法律第８号）附則第28条第２項の規定により読み替えられた法人税法
	同法第57条第１項	所得税法等の一部を改正する法律（平成27年法律第９号）附則第27条第１項の規定によりなお従前の例によることとされる場合における同法第２条の規定による改正前の法人税法第57条第１項

(加算対象被配賦欠損調整額の特例)
(2) 法人税法第71条第1項（同法第72条第1項の規定が適用される場合に限る。）の規定により法人税に係る申告書を提出する義務がある法人について5の規定を適用する場合における(1)の規定の適用については、(1)中「当該事業年度終了の日」とあるのは、「第三節―の1に規定する6月経過日の前日」とする。（令48の11の17、8の19の2）

(特定医療法人に対する適用)
(3) 5の規定の適用を受ける法人が、当該法人の当該事業年度終了の日において、特定医療法人〚1の(12)参照〛である場合の当該法人の市町村民税に係る(1)の規定の適用については、(1)の規定中「1の(4)各号」とあるのは、「1の(12)の規定により読み替えられた同(4)各号」とする。（法附8⑲）

(留意事項)
(4) 加算対象被配賦欠損調整額は、被配賦欠損金控除額に、当該事業年度終了の日における1の(4)各号に掲げる当該法人の区分に応じ、それぞれ当該各号に定める率を乗じて算定するものであること。なお、仮決算に係る中間申告をする場合の加算対象被配賦欠損調整額については、被配賦欠損金控除額に、6月経過日の前日における1の(4)各号に掲げる当該法人の区分に応じ、それぞれ当該各号に定める率を乗じて算定するものであること。（市通2-56の4(1)）

6　配賦欠損金控除額がある場合の控除対象配賦欠損調整額の控除

法人税法第71条《中間申告》第1項（同法第72条《仮決算をした場合の中間申告書の記載事項等》第1項の規定が適用される場合に限る。）又は第74条《確定申告》第1項の規定により法人税に係る申告書を提出する義務がある法人について、当該事業年度開始の日前10年以内に開始した事業年度において生じた配賦欠損金控除額（同法第64条の7《欠損金の通算》第1項第2号ニに掲げる金額に非特定損金算入割合〚5参照〛を乗じて計算した金額（同条第5項の規定の適用がある場合には、同項第2号イに規定する場合における当該金額）で同法第57条第1項の規定により損金の額に算入されたものをいう。6において同じ。）がある場合の当該法人が納付すべき当該事業年度分の法人税割の課税標準となる法人税額の算定については、第三節―の1・2・6又は7《中間申告・みなし中間申告・確定申告・過不足税額の申告・修正申告・更正決定に係る申告》の規定にかかわらず、これらの規定により申告納付すべき当該法人税額の課税標準の算定期間に係る法人税割の課税標準となる法人税額から、当該法人税額（当該法人税額について租税特別措置法第42条の14《通算法人の仮装経理に基づく過大申告の場合等の法人税額》第1項若しくは第4項、第62条《使途秘匿金の支出がある場合の課税の特例》第1項、第62条の3《土地の譲渡等がある場合の特別税率》第1項若しくは第9項又は第63条《短期所有に係る土地の譲渡等がある場合の特別税率》第1項の規定により加算された金額がある場合には、(1)で定める額を控除した額）を限度として、控除対象配賦欠損調整額を控除するものとする。この場合において、控除対象配賦欠損調整額は、前事業年度以前の法人税割の課税標準とすべき法人税額について控除されなかった額に限る。（法321の8⑲）

(注1)　租税特別措置法の経過措置により法人税額に加算される金額がある場合の6の規定の適用については、1の(13)参照。（編者）
(注2)　第一節―の表の(三)の(4)及び(5)《中小企業者等に係る試験研究費等の法人税額の特別控除の適用がある通算法人について法人税額に加算された金額がある場合の特例》の読替規定を参照。（編者）

(控除対象配賦欠損調整額の控除限度額の計算)
(1) 6に規定する額は、租税特別措置法第42条の14第1項若しくは第4項、第62条第1項、第62条の3第1項若しくは第9項又は第63条第1項の規定により加算された金額とする。（令48の11の18、8の19の3）
(注1)　第三節―の1の(12)《租税特別措置法の旧規定の適用がある場合の特例》の読替え規定を参照。（編者）
(注2)　1の(14)及び(16)の読替規定参照。（編者）

(控除対象配賦欠損調整額の意義)
(2) 6に規定する控除対象配賦欠損調整額とは、配賦欠損金控除額に、6の法人の当該配賦欠損金控除額の生じた事業年度後最初の事業年度終了の日における4の(2)各号に掲げる当該法人の区分に応じ、それぞれ当該各号に定める率を乗じて得た金額をいう。（法321の8⑳）
(注)　平成30年4月1日前に開始した事業年度において生じた欠損金額に係る(2)に規定する控除対象配賦欠損調整額についての4年新法の適用については、次の表の左欄に掲げる規定中同表の中欄に掲げる字句は、それぞれ同表の右欄に掲げる字句とする。（令2政令第264号附則5⑲抄）
新令（令2政令第264号）の適用についての読替規定は、第二編第二章第四節―の6の(2)の(注)参照。（編者）

| 6 | 同法第57条第1項 | 所得税法等の一部を改正する法律（平成27年法律第9号）附則第27条第1項の規定に |

(5)	((5)	よりなお従前の例によることとされる場合における同法第2条の規定による改正前の法人税法（(5)及び(8)において「平成27年旧法人税法」という。）第57条第1項
		（地方税法施行令の一部を改正する政令（令和2年政令第264号。以下(5)及び(8)において「地方税法施行令改正令」という。）附則第5条第19項の規定により読み替えられた(5)
	法人税法第57条第1項	平成27年旧法人税法第57条第1項
	とし、	とし、地方税法施行令改正令附則第5条第19項の規定により読み替えられた
	おける6	おける同条第19項の規定により読み替えられた6
(8)	6の規定は	地方税法施行令改正令附則第5条第19項の規定により読み替えられた6の規定は
	配賦欠損金控除額（	配賦欠損金控除額（同条第19項の規定により読み替えられた
	法人税法第57条第1項	平成27年旧法人税法第57条第1項
	場合（	場合（地方税法施行令改正令附則第5条第19項の規定により読み替えられた
	につき	につき同条第19項の規定により読み替えられた

　　　（控除対象配賦欠損調整額の特例）
（3）　6に規定する配賦欠損金控除額の生じた事業年度後最初の事業年度について法人税法第71条第1項（同法第72条第1項の規定が適用される場合に限る。）の規定により法人税に係る申告書を提出する義務がある法人について6の規定を適用する場合における(2)の規定の適用については、(2)中「6の法人の当該配賦欠損金控除額の生じた事業年度後最初の事業年度終了の日」とあるのは、「第三節—の1に規定する6月経過日の前日」とする。（令48の11の19①、8の19の4①）

　　　（適格合併等による控除対象配賦欠損調整額の特例）
（4）　(5)に規定する被合併法人等の配賦欠損金控除額の生じた事業年度終了の日が(5)に規定する適格合併の日の前日又は(5)に規定する残余財産の確定の日である場合における当該配賦欠損金控除額に係る(2)の規定の適用については、(2)中「後最初の事業年度終了の日」とあるのは、「終了の日」とする。（令48の11の19②、8の19の4②）

　　　（被合併法人等の前10年内事業年度において生じた控除未済配賦欠損調整額の控除）
（5）　6の法人を合併法人とする適格合併が行われた場合又は当該法人との間に完全支配関係（当該法人による完全支配関係又は相互の関係に限る。）がある他の法人で当該法人が発行済株式若しくは出資の全部若しくは一部を有するものの残余財産が確定した場合において、当該適格合併に係る被合併法人又は当該他の法人（以下6において「被合併法人等」という。）の当該適格合併の日前10年以内に開始し、又は当該残余財産の確定の日の翌日前10年以内に開始した事業年度（以下6において「前10年内事業年度」という。）において生じた配賦欠損金控除額に係る(2)に規定する控除対象配賦欠損調整額（当該被合併法人等が当該控除対象配賦欠損調整額（(5)の規定により当該被合併法人等の(2)に規定する控除対象配賦欠損調整額とみなされたものを含む。）に係る配賦欠損金控除額の生じた事業年度について法人税法第57条第1項の規定の適用があることを証する書類を添付した法人の市町村民税の確定申告書を提出していることその他の(6)で定める要件を満たしている場合における当該控除対象配賦欠損調整額に限るものとし、6の規定により当該被合併法人等の前10年内事業年度の法人税割の課税標準とすべき法人税額について控除された額を除く。以下(5)において「控除未済配賦欠損調整額」という。）があるときは、当該法人の当該適格合併の日の属する事業年度又は当該残余財産の確定の日の翌日の属する事業年度（以下6において「合併等事業年度」という。）以後の事業年度における6の規定の適用については、当該前10年内事業年度に係る控除未済配賦欠損調整額（当該他の法人に株主等が二以上ある場合には、当該控除未済配賦欠損調整額を当該他の法人の発行済株式又は出資（当該他の法人が有する自己の株式又は出資を除く。）の総数又は総額で除し、これに当該法人の有する当該他の法人の株式又は出資の数又は金額を乗じて計算した金額）は、それぞれ当該控除未済配賦欠損調整額に係る前10年内事業年度開始の日の属する当該法人の事業年度（当該法人の合併等事業年度開始の日以後に開始した当該被合併法人等の前10年内事業年度に係る控除未済配賦欠損調整額にあっては、当該合併等事業年度の前事業年度）に係る(2)に規定する控除対象配賦欠損調整額とみなす。（法321の8㉑）

　　　（適格合併等による前10年内事業年度において生じた控除未済配賦欠損調整額の要件）
（6）　(5)に規定する要件は、被合併法人等が(5)に規定する前10年内事業年度のうち(2)に規定する控除対象配賦欠損調整額（以下(6)において「控除対象配賦欠損調整額」という。）に係る配賦欠損金控除額の生じた事業年度につい

第三編第二章《法人の市町村民税》第四節《法人税額等の控除・加算及び還付等》

て法人税法第57条第1項の規定の適用があることを証する書類を添付した法人の市町村民税の確定申告書を提出し、かつ、その後において連続して法人の市町村民税の確定申告書を提出していることとする。ただし、(5)の適格合併又は残余財産の確定の前に被合併法人等となる6の法人を合併法人とする適格合併（以下(6)において「直前適格合併」という。）が行われたこと又は被合併法人等となる6の法人との間に(5)に規定する完全支配関係がある他の法人の残余財産が確定したことに基因して(5)の規定により当該被合併法人等の控除対象配賦欠損調整額とみなされたものにつき(5)の規定を適用する場合にあっては、当該被合併法人等が前10年内事業年度のうち当該直前適格合併の日の属する事業年度又は当該残余財産の確定の日の翌日の属する事業年度以後において連続して法人の市町村民税の確定申告書を提出していることとする。（令48の11の20、8の19の5）

　　　（適格合併等による控除対象配賦欠損調整額の引継ぎの特例）
(7)　(5)の法人の合併等事業年度開始の日前10年以内に開始した事業年度のうち最も古い事業年度（当該合併等事業年度が当該法人の設立の日の属する事業年度である場合には、当該合併等事業年度）開始の日（以下(7)において「合併法人等10年前事業年度開始日」という。）が被合併法人等の前10年内事業年度で(5)に規定する控除未済配賦欠損調整額に係る事業年度のうち最も古い事業年度開始の日（(5)の適格合併が法人を設立するものである場合にあっては、当該開始の日が最も早い被合併法人等の当該事業年度開始の日。以下(7)において「被合併法人等10年前事業年度開始日」という。）後である場合には、当該被合併法人等10年前事業年度開始日から当該合併法人等10年前事業年度開始日の前日までの期間を当該期間に対応する当該被合併法人等10年前事業年度開始日に係る被合併法人等の前10年内事業年度ごとに区分したそれぞれの期間（当該前日の属する期間にあっては、当該被合併法人等の当該前日の属する事業年度開始の日から当該合併法人等10年前事業年度開始日の前日までの期間）を当該法人のそれぞれの事業年度とみなし、(5)の法人の合併等事業年度が設立日（当該法人の設立の日をいう。）の属する事業年度である場合において、被合併法人等10年前事業年度開始日が当該設立日以後であるときは、被合併法人等の当該設立日の前日の属する事業年度開始の日（当該被合併法人等が当該設立日以後に設立されたものである場合には、当該設立日の1年前の日）から当該前日までの期間を当該法人の事業年度とみなして、(5)の規定を適用する。（令48の11の21、8の19の6）
　　　（注）　(5)の法人に(5)の法人の(5)に規定する合併等事業年度開始の日前10年以内に開始する連結事業年度がある場合における(7)（(2)の(注)の規定により読み替えて適用する場合を除く。）の規定の適用については、(7)中「開始した事業年度」とあるのは「開始した事業年度又は連結事業年度」と、「事業年度（当該」とあるのは「事業年度又は連結事業年度（当該」と、「合併法人等10年前事業年度開始日」とあるのは「合併法人等10年前事業年度等開始日」と、「合併法人等10年前事業年度開始日の」とあるのは「合併法人等10年前事業年度等開始日の」と、「前10年内事業年度ごと」とあるのは「(5)の適格合併の日前10年以内に開始し、又は(5)の残余財産確定の日の翌日前10年以内に開始した事業年度又は連結事業年度ごと」と、「属する事業年度開始」とあるのは「属する事業年度又は連結事業年度開始」とする。（令2政令第264号附5⑱、附3⑱）

　　　（連続して確定申告書の提出の要件）
(8)　6の規定は、6の法人が配賦欠損金控除額（(5)の規定により当該法人の(2)に規定する控除対象配賦欠損調整額（以下(8)において「控除対象配賦欠損調整額」という。）とみなされた被合併法人等の控除対象配賦欠損調整額に係る配賦欠損金控除額を除く。）の生じた事業年度について法人税法第57条第1項の規定の適用があることを証する書類を添付した法人の市町村民税の確定申告書を提出し、かつ、その後において連続して法人の市町村民税の確定申告書を提出している場合（(5)の規定により当該法人の控除対象配賦欠損調整額とみなされたものにつき6の規定を適用する場合には、合併等事業年度以後において連続して法人の市町村民税の確定申告書を提出している場合）に限り、適用する。（法321の8㉒）

　　　（特定医療法人に対する適用）
(9)　6の規定の適用を受ける法人が、当該法人の6の規定に規定する当該配賦欠損金控除額の生じた事業年度後最初の事業年度終了の日において、特定医療法人〔1の(12)参照〕である場合の当該法人の市町村民税に係る(2)の規定の適用については、(2)の規定中「4の(2)各号」とあるのは、「4の(9)の規定により読み替えられた同(2)各号」とする。（法附8⑳）

　　　（留意事項）
(10)　通算法人の欠損金の繰越控除については、法人税法第64条の7第1項第2号の規定により通算グループ内の各通算法人に生じた欠損金額のうち特定欠損金額（通算制度の開始・加入前に生じた欠損金額等で他の通算法人に配賦できないものをいう。）以外のもの（以下「非特定欠損金額」という。）を各通算法人に配賦し、当該配賦された欠損金額（以下「非特定欠損金配賦額」という。）に同項第3号ロに規定する非特定損金算入割合（以下「非特定損金算入割

合」という。）を乗じた金額を法人税の所得の計算上損金の額に算入することとされているが、法人の市町村民税については、通算法人に配賦された非特定欠損金配賦額が当該通算法人に生じた非特定欠損金額を超える場合、すなわち他の通算法人から非特定欠損金額を配賦された場合には、当該超える額に非特定損金算入割合を乗じた金額（（一）において「被配賦欠損金控除額」という。）を基に算定した加算対象被配賦欠損調整額を法人税割の課税標準となる法人税額に加算し、通算法人に配賦された非特定欠損金配賦額が当該通算法人に生じた非特定欠損金額に満たない場合、すなわち他の通算法人に非特定欠損金額を配賦した場合には、当該満たない額に非特定損金算入割合を乗じた金額（以下「配賦欠損金控除額」という。）を基にして算定した控除対象配賦欠損調整額を10年間に限って法人税割の課税標準となる法人税額から控除するものであること。

　なお、この場合において次の諸点に留意すること。（市通２－56の４（２）～（５））
（一）　控除対象配賦欠損調整額は、配賦欠損金控除額に、当該配賦欠損金控除額の生じた事業年度後最初の事業年度終了の日（次に掲げる控除対象配賦欠損調整額については、次に定める日）における４の（２）各号に掲げる当該法人の区分に応じ、それぞれ当該各号に定める率を乗じて算定するものであること。
　　イ　配賦欠損金控除額の生じた事業年度後最初の事業年度について仮決算に係る中間申告をする場合の控除対象配賦欠損調整額　　６月経過日の前日
　　ロ　被合併法人等の配賦欠損金控除額の生じた事業年度終了の日が適格合併の日の前日又は残余財産の確定の日である場合の被合併法人等の控除対象配賦欠損調整額　　当該配賦欠損金控除額の生じた事業年度終了の日
　　　また、配賦欠損金控除額の生じた事業年度後最初の事業年度について仮決算に係る中間申告をし、その後の確定申告において法人税割の課税標準となる法人税額から控除対象配賦欠損調整額を控除する場合には、上記イの控除対象配賦欠損調整額を控除するのではなく、配賦欠損金控除額に、当該配賦欠損金控除額の生じた事業年度後最初の事業年度終了の日における４の（２）各号に掲げる当該法人の区分に応じ、それぞれ当該各号に定める率を乗じて算定した控除対象配賦欠損調整額を控除するものであること。
（二）　適格合併等が行われた場合において、被合併法人等について控除対象配賦欠損調整額（前10年内事業年度に係る当該控除対象配賦欠損調整額のうち、被合併法人等において繰越控除された金額を控除した金額に限る。）があるときは、当該控除対象配賦欠損調整額は、合併法人等の法人税割の課税標準である法人税額から繰越控除するものであること。
（三）　控除対象配賦欠損調整額は、法人が配賦欠損金控除額の生じた事業年度について法人税法第57条第１項の規定の適用があることを証する書類を添付した法人の市町村民税の確定申告書を提出し、かつ、その後において連続して法人の市町村民税の確定申告書を提出している場合に限り、法人税割の課税標準となる法人税額から控除することができるものであること。
（四）　法人税法第57条第１項の規定の適用があることを証する書類として確定申告書に添付するものには、法人が配賦欠損金控除額の生じた事業年度において国の税務官署に提出する法人税の明細書（別表７（２）付表１）の写し等が考えられること。

7　欠損金の繰戻しによる還付がある場合の還付法人税額の控除

　法人税法第71条《中間申告》第１項（同法第72条《仮決算をした場合の中間申告書の記載事項等》第１項の規定が適用される場合に限る。）、第74条《確定申告》第１項、第144条の３《外国法人の中間申告》第１項（同法第144条の４《外国法人が仮決算をした場合の中間申告書の記載事項等》第１項の規定が適用される場合に限る。）又は第144条の６《外国法人の確定申告》第１項の規定により法人税に係る申告書を提出する義務がある法人で、<u>当該事業年度の中間期間（同法第80条《欠損金の繰戻しによる還付》第５項又は第144条の13《恒久的施設を有する外国法人に係る欠損金の繰戻しによる還付》第11項に規定する中間期間をいう。以下７において同じ。）</u>又は当該事業年度開始の日前10年以内に開始した事業年度若しくは中間期間（同法第80条第７項又は第８項に規定する欠損事業年度（（３）において「欠損事業年度」という。）を除く。）において損金の額が益金の額を超えることとなったため、同法第80条《欠損金の繰戻しによる還付》又は第144条の13《外国法人の欠損金の繰戻しによる還付》の規定により法人税額の還付を受けたものが納付すべき当該事業年度分の法人税割の課税標準となる法人税額の算定については、第三節一の１・２、６又は７《中間申告・みなし中間申告・確定申告・過不足税額の申告・修正申告・更正決定に係る申告》の規定にかかわらず、次の各号に掲げる法人の区分に応じ、それぞれ当該各号に定めるところによるものとする。（法321の８㉓）

	法人税法第80条の規定により法人税額の還付を	第三節一の１・２、６又は７の規定により申告納付すべき法人税割の課税標準となる法人税額から、当該法人税額（当該法人税額について租税特別措置法第42条の14第１項若しくは第４項、第62条第１項、第62条の３第１項若しくは第９項又は第63条第１項の規定により加算された金
（一）		

第三編第二章《法人の市町村民税》第四節《法人税額等の控除・加算及び還付等》

	受けた内国法人	額がある場合には、（1）イで定める額を控除した額）を限度として、還付を受けた法人税額（以下7において「内国法人の控除対象還付法人税額」という。）を控除する。この場合において、内国法人の控除対象還付法人税額は、前事業年度以前の法人税割の課税標準とすべき法人税額について控除されなかった額に限る。
(二)	法人税法第144条の13の規定により同法第141条第1号イに掲げる国内源泉所得に対する法人税額の還付を受けた外国法人	第三節一の1・2、6又は7の規定により申告納付すべき法人税割の課税標準となる同号イに掲げる国内源泉所得に対する法人税額から、当該法人税額（当該法人税額について租税特別措置法第62条第1項、第62条の3第1項若しくは第9項又は第63条第1項の規定により加算された金額がある場合には、（2）イで定める額を控除した額）を限度として、還付を受けた法人税額（以下7において「外国法人の恒久的施設帰属所得に係る控除対象還付法人税額」という。）を控除する。この場合において、外国法人の恒久的施設帰属所得に係る控除対象還付法人税額は、前事業年度以前の法人税割の課税標準とすべき法人税額について控除されなかった額に限る。
(三)	法人税法第144条の13の規定により同法第141条第1号ロに掲げる国内源泉所得に対する法人税額の還付を受けた外国法人	第三節一の1・2、6又は7の規定により申告納付すべき法人税割の課税標準となる同号ロに掲げる国内源泉所得に対する法人税額から、当該法人税額（当該法人税額について租税特別措置法第62条第1項、第62条の3第1項若しくは第9項又は第63条第1項の規定により加算された金額がある場合には、（2）ロで定める額を控除した額）を限度として、還付を受けた法人税額（以下7において「外国法人の恒久的施設非帰属所得に係る控除対象還付法人税額」という。）を控除する。この場合において、外国法人の恒久的施設非帰属所得に係る控除対象還付法人税額は、前事業年度以前の法人税割の課税標準とすべき法人税額について控除されなかった額に限る。

（注1）　租税特別措置法の経過措置により法人税額に加算される金額がある場合の7の規定の適用については、1の(13)参照。（編者）
（注2）　地方税法等の一部を改正する法律（平成27年法律第2号。以下「平成27年改正法」という。）附則第16条第5項の規定によりなお従前の例によることとされる場合における平成27年改正法附則第1条第9号の2に掲げる規定による改正前の地方税法（以下「平成27年旧法」という。）第321条の8第12項《欠損金の繰戻しによる還付がある場合の還付法人税額の控除》第1号に規定する法人税額について所得税法等の一部を改正する法律（令和2年法律第8号。以下「所得税法等改正法」という。）第16条の規定による改正後の租税特別措置法（以下「4年新措置法」という。）第42条の14第1項又は第4項の規定により加算された金額がある場合には、当該金額を同号に規定する加算された金額とみなして平成27年旧法第321条の8第12項の規定を適用し、当該金額を平成27年改正法附則第7条第4項の規定によりなお従前の例によることとされる場合における地方税法施行令等の一部を改正する等の政令（平成30年政令第125号。以下「平成30年改正令」という。）第1条の規定による改正前の地方税法施行令第8条の20第1項《法人税額及び個別帰属法人税額に係る繰越控除額の算定の特例》に規定する金額とみなして平成27年改正法附則第16条第5項の規定によりなお従前の例によることとされる場合における平成30年改正令第1条の規定による改正前の地方税法施行令（以下「平成30年旧令」という。）第48条の11の9第1項の規定を適用する。（令2政令第264号附5㉑）
（注3）　第一節一の表の(三)の(4)及び(5)《中小企業者等に係る試験研究費等の法人税額の特別控除の適用がある通算法人について法人税額に加算された金額がある場合の特例》の読替規定を参照。（編者）
（注4）　7中＿＿部分のように改める令和6年度改正規定は、令和6年4月1日以後に終了する事業年度分の法人の市町村民税について適用し、同日前に終了した事業年度分の法人の市町村民税については、なお従前の例による。（令6改法附18④）

　　　（法人税額に係る繰越控除額の算定の特例）
（1）　7の表の(一)に規定する額は、租税特別措置法第42条の14第1項若しくは第4項、第62条第1項、第62条の3第1項若しくは第9項又は第63条第1項の規定により加算された金額とする。（令48の11の22①、8の20①）
　　（注1）　第三節一の1の(12)《租税特別措置法の旧規定の適用がある場合の特例》の読替え規定を参照。（編者）
　　（注2）　1の(14)及び(16)の読替規定参照。（編者）

　　　（国内源泉所得に対する法人税額に係る繰越控除額の算定の特例）
（2）イ　7の表の(二)に規定する額は、租税特別措置法第62条第1項、第62条の3第1項若しくは第9項又は第63条第1項の規定により加算された金額とする。（令48の11の22②、8の20②）
　　ロ　7の表の(三)に規定する額は、租税特別措置法第62条第1項、第62条の3第1項若しくは第9項又は第63条第1項の規定により加算された金額とする。（令48の11の22③、8の22③）

　　　（適格合併等の日の属する合併等事業年度等以後の事業年度等における控除未済還付法人税額の控除）
（3）　7の法人を合併法人とする適格合併が行われた場合又は当該法人との間に完全支配関係（当該法人による完全支配関係又は相互の関係に限る。）がある他の法人で当該法人が発行済株式若しくは出資の全部若しくは一部を有するも

のの残余財産が確定した場合において、当該適格合併に係る被合併法人又は当該他の法人（以下（3）において「被合併法人等」という。）の当該適格合併の日前10年以内に開始し、又は当該残余財産の確定の日の翌日前10年以内に開始した事業年度又は中間期間（欠損事業年度を除く。以下（3）において「前10年内事業年度」という。）において損金の額が益金の額を超えることとなったため、当該被合併法人等が法人税法第80条《欠損金の繰戻しによる還付》又は第144条の13《外国法人の欠損金の繰戻しによる還付》の規定により還付を受けた法人税額（当該適格合併に係る合併法人が同法第80条又は第144条の13の規定により還付を受けた法人税額で当該被合併法人の当該適格合併の日の前日の属する事業年度に係るものを含み、当該被合併法人等が当該法人税額（（3）の規定により当該被合併法人等の内国法人の控除対象還付法人税額、外国法人の恒久的施設帰属所得に係る控除対象還付法人税額又は外国法人の恒久的施設非帰属所得に係る控除対象還付法人税額とみなされたものを含む。）の計算の基礎となった欠損金額（同法第2条第19号に規定する欠損金額をいう。（6）において同じ。）に係る前10年内事業年度について法人の市町村民税の確定申告書を提出していることその他の政令で定める要件を満たしている場合における当該法人税額に限るものとし、7の規定により当該被合併法人等の当該適格合併の日前10年以内に開始し、又は当該残余財産の確定の日の翌日前10年以内に開始した事業年度の法人税割の課税標準とすべき法人税額について控除された額を除く。以下（3）において「控除未済還付法人税額」という。）があるときは、当該法人の当該適格合併の日の属する事業年度又は当該残余財産の確定の日の翌日の属する事業年度（以下（3）及び（6）において「合併等事業年度」という。）以後の事業年度における7の規定の適用については、次の各号に掲げる当該法人の区分に応じ、それぞれ当該各号に定めるところによる。（法321の8㉔）

（一）　内国法人　　当該前10年内事業年度に係る控除未済還付法人税額（当該他の法人に株主等が二以上ある場合には、当該控除未済還付法人税額を当該他の法人の発行済株式又は出資（当該他の法人が有する自己の株式又は出資を除く。）の総数又は総額で除し、これに当該法人の有する当該他の法人の株式又は出資の数又は金額を乗じて計算した金額）は、それぞれ当該控除未済還付法人税額に係る前10年内事業年度開始の日の属する当該法人の事業年度（当該法人の合併等事業年度開始の日以後に開始した当該被合併法人等の前10年内事業年度に係る控除未済還付法人税額にあっては、当該合併等事業年度の前事業年度）に係る内国法人の控除対象還付法人税額とみなす。

（二）　外国法人　　当該前10年内事業年度に係る控除未済還付法人税額（当該他の法人に株主等が二以上ある場合には、当該控除未済還付法人税額を当該他の法人の発行済株式又は出資（当該他の法人が有する自己の株式又は出資を除く。）の総数又は総額で除し、これに当該法人の有する当該他の法人の株式又は出資の数又は金額を乗じて計算した金額）のうち、法人税法第144条の13（第1項第1号に係る部分に限る。）の規定により還付を受けたものは、それぞれ当該控除未済還付法人税額に係る前10年内事業年度開始の日の属する当該法人の事業年度（当該法人の合併等事業年度開始の日以後に開始した当該被合併法人等の前10年内事業年度に係る控除未済還付法人税額にあっては、当該合併等事業年度の前事業年度）に係る外国法人の恒久的施設帰属所得に係る控除対象還付法人税額とみなし、同法第144条の13（第1項第2号に係る部分に限る。）の規定により還付を受けたものは、それぞれ当該控除未済還付法人税額に係る前10年内事業年度開始の日の属する当該法人の事業年度（当該法人の合併等事業年度開始の日以後に開始した当該被合併法人等の前10年内事業年度に係る控除未済還付法人税額にあっては、当該合併等事業年度の前事業年度）に係る外国法人の恒久的施設非帰属所得に係る控除対象還付法人税額とみなす。

　　（適格合併等による控除対象還付法人税額の引継ぎの要件）
（4）　（3）に規定する要件は、（3）に規定する被合併法人等（以下（4）及び（5）において「被合併法人等」という。）が（3）に規定する前10年内事業年度（以下（4）及び（5）において「前10年内事業年度」という。）のうち7の表の（一）に規定する内国法人の控除対象還付法人税額（以下（4）において「内国法人の控除対象還付法人税額」という。）、同表の（二）に規定する外国法人の恒久的施設帰属所得に係る控除対象還付法人税額（以下（4）において「外国法人の恒久的施設帰属所得に係る控除対象還付法人税額」という。）又は同表の（三）に規定する外国法人の恒久的施設非帰属所得に係る控除対象還付法人税額（以下（4）において「外国法人の恒久的施設非帰属所得に係る控除対象還付法人税額」という。）の計算の基礎となった欠損金額（法人税法第2条第19号に規定する欠損金額をいう。）に係る事業年度又は中間期間（法人税法第80条第5項又は第144条の13第11項に規定する中間期間をいう。）開始の日の属する事業年度以後において連続して法人の市町村民税の確定申告書を提出していることとする。ただし、（3）の適格合併又は残余財産の確定の前に被合併法人等となる7の表の法人を合併法人とする適格合併（以下（4）において「直前適格合併」という。）が行われたこと又は被合併法人等となる同項の法人との間に（3）に規定する完全支配関係がある他の法人の残余財産が確定したことに基因して（4）の規定により当該被合併法人等の内国法人の控除対象還付法人税額、外国法人の恒久的施設帰属所得に係る控除対象還付法人税額又は外国法人の恒久的施設非帰属所得に係る控除対象還付法人税額とみなされたものにつき（4）の規定を適用する場合にあっては、当該被合併法人等が前10年内事業年度のうち当該

第三編第二章《法人の市町村民税》第四節《法人税額等の控除・加算及び還付等》

直前適格合併の日の属する事業年度又は当該残余財産の確定の日の翌日の属する事業年度以後において連続して法人の市町村民税の確定申告書を提出していることとする。（令48の11の23、8の21）

　　（適格合併等による控除対象還付法人税額の引継ぎの特例）
（5）　（3）の法人の合併等事業年度（（3）に規定する合併等事業年度をいう。以下（5）において同じ。）開始の日前10年以内に開始した事業年度のうち最も古い事業年度（当該合併等事業年度が当該法人の設立の日の属する事業年度である場合には、当該合併等事業年度）開始の日（以下（5）において「合併法人等10年前事業年度開始日」という。）が被合併法人等の前10年内事業年度で（3）に規定する控除未済還付法人税額に係る事業年度のうち最も古い事業年度開始の日（（3）の適格合併が法人を設立するものである場合にあっては、当該開始の日が最も早い被合併法人等の当該事業年度開始の日。以下（5）において「被合併法人等10年前事業年度開始日」という。）後である場合には、当該被合併法人等10年前事業年度開始日から当該合併法人等10年前事業年度開始日の前日までの期間を当該期間に対応する当該被合併法人等10年前事業年度開始日に係る被合併法人等の前10年内事業年度ごとに区分したそれぞれの期間（当該前日の属する期間にあっては、当該被合併法人等の当該前日の属する事業年度開始の日から当該合併法人等10年前事業年度開始日の前日までの期間）を当該法人のそれぞれの事業年度とみなし、（3）の法人の合併等事業年度が設立日（当該法人の設立の日をいう。）の属する事業年度である場合において、被合併法人等10年前事業年度開始日が当該設立日以後であるときは、被合併法人等の当該設立日の前日の属する事業年度開始の日（当該被合併法人等が当該設立日以後に設立されたものである場合には、当該設立日の１年前の日）から当該前日までの期間を当該法人の事業年度とみなして、（3）の規定を適用する。（令48の11の24、8の22）
　　　（注）　（3）の法人に（3）の法人の（3）に規定する合併等事業年度開始の日前10年以内に開始する連結事業年度がある場合における（5）の規定の適用については、（5）中「開始した事業年度」とあるのは「開始した事業年度又は連結事業年度」と、「事業年度（当該」とあるのは「事業年度又は連結事業年度（当該」と、「合併法人等10年前事業年度開始日」とあるのは「合併法人等10年前事業年度等開始日」と、「合併法人等10年前事業年度開始日の」とあるのは「合併法人等10年前事業年度等開始日の」と、「前10年内事業年度ごと」とあるのは「（3）の適格合併の日前10年以内に開始し、又は（3）の残余財産確定の日の翌日前10年以内に開始した事業年度又は連結事業年度ごと」と、「属する事業年度開始」とあるのは「属する事業年度又は連結事業年度開始」とする。（令２政令第264号附５⑳、３⑳）

　　（連続して確定申告書の提出の要件）
（6）　7の規定は、7の法人が内国法人の控除対象還付法人税額、外国法人の恒久的施設帰属所得に係る控除対象還付法人税額又は外国法人の恒久的施設非帰属所得に係る控除対象還付法人税額（（3）の規定により当該法人に係る内国法人の控除対象還付法人税額、外国法人の恒久的施設帰属所得に係る控除対象還付法人税額又は外国法人の恒久的施設非帰属所得に係る控除対象還付法人税額とみなされたものを除く。）の計算の基礎となった欠損金額に係る事業年度又は中間期間開始の日の属する事業年度について法人の市町村民税の確定申告書を提出し、かつ、その後において連続して法人の市町村民税の確定申告書を提出している場合（（3）の規定により当該法人に係る内国法人の控除対象還付法人税額、外国法人の恒久的施設帰属所得に係る控除対象還付法人税額又は外国法人の恒久的施設非帰属所得に係る控除対象還付法人税額とみなされたものにつき7の規定を適用する場合には、合併等事業年度等以後において連続して法人の市町村民税の確定申告書を提出している場合）に限り、適用する。（法321の8㉕）

　　（控除対象還付法人税額等の控除に関する考え方）
（7）　法人が法人税法第80条又は第144条の13の規定により欠損金の繰戻しによる法人税額の還付を受けた場合には、内国法人にあっては内国法人の控除対象還付法人税額を法人税割の課税標準となる法人税額から、外国法人にあっては、外国法人の恒久的施設帰属所得に係る控除対象還付法人税額を恒久的施設帰属所得に対する法人税額から、外国法人の恒久的施設非帰属所得に対する控除対象還付法人税額を恒久的施設非帰属所得に対する法人税額から、それぞれ当該還付を受けた事業年度開始の日後10年以内に開始する事業年度（中間期間（法人税法第80条第５項又は第144条の13第11項に規定する中間期間をいう。（以下（7）において同じ。））において災害損失欠損金額の繰戻しによる法人税額の還付を受けた場合には、当該還付を受けた中間期間の属する事業年度及び当該事業年度開始の日後10年以内に開始する事業年度。）に限って控除するものとされたのであるが、その趣旨は、所得税において純損失の繰戻しによる還付が認められた場合の所得割の取扱いと軌を一にするものであること。
　　なお、この場合において次の諸点に留意すること。（市通２-56の５）
　　（一）　適格合併等が行われた場合において、被合併法人等について内国法人の控除対象還付法人税額、外国法人の恒久的施設帰属所得に係る控除対象還付法人税額又は外国法人の恒久的施設非帰属所得に対する控除対象還付法人税額（当該適格合併の日前又は当該残余財産の確定の日の翌日前10年以内に開始した事業年度又は中間期間に係る当該内国法人の控除対象還付法人税額、当該外国法人の恒久的施設帰属所得に係る控除対象還付法人税額又は当該外

国法人の恒久的施設非帰属所得に対する控除対象還付法人税額のうち、被合併法人等において繰越控除された金額を控除した金額に限る。）があるときは、当該内国法人の控除対象還付法人税額、当該外国法人の恒久的施設帰属所得に係る控除対象還付法人税額又は当該外国法人の恒久的施設非帰属所得に対する控除対象還付法人税額は、合併法人等の市町村民税について、内国法人にあっては内国法人の控除対象還付法人税額を法人税割の課税標準となる法人税額から、外国法人にあっては外国法人の恒久的施設帰属所得に係る控除対象還付法人税額を恒久的施設帰属所得に対する法人税額から、外国法人の恒久的施設非帰属所得に対する控除対象還付法人税額を恒久的施設非帰属所得に対する法人税額から、それぞれ繰越控除するものであること。
(二) 内国法人の控除対象還付法人税額、外国法人の恒久的施設帰属所得に係る控除対象還付法人税額又は外国法人の恒久的施設非帰属所得に対する控除対象還付法人税額は、当該内国法人の控除対象還付法人税額、当該外国法人の恒久的施設帰属所得に係る控除対象還付法人税額又は当該外国法人の恒久的施設非帰属所得に対する控除対象還付法人税額の計算の基礎となった欠損金額に係る事業年度又は中間期間開始の日の属する事業年度以後において連続して法人の市町村民税の確定申告書を提出している場合に限り、内国法人にあっては法人税割の課税標準となる法人税額から、外国法人にあっては恒久的施設帰属所得に対する法人税額又は恒久的施設非帰属所得に対する法人税額から、それぞれ控除することができるものであること。
(三) 仮決算に係る中間申告書に係る法人税割の課税標準となる法人税額から控除した内国法人の控除対象還付法人税額、外国法人の恒久的施設帰属所得に係る控除対象還付法人税額又は外国法人の恒久的施設非帰属所得に対する控除対象還付法人税額は、確定申告に係る法人税割の課税標準である法人税額からも控除するものであることに留意すること。
　(注)　(7)中＿＿部分のように改める令和6年度改正規定は、令和6年4月1日以後に終了する事業年度分の法人の市町村民税について適用する。（令6総税市第32号記ト）

8　還付対象欠損金額がある場合の控除対象還付対象欠損調整額の控除

　　法人税法第71条《中間申告》第1項（同法第72条《仮決算をした場合の中間申告書の記載事項等》第1項の規定が適用される場合に限る。）又は第74条《確定申告》第1項の規定により法人税に係る申告書を提出する義務がある法人について、当該事業年度の中間期間（同法第80条《欠損金の繰戻しによる還付》第5項に規定する中間期間をいう。以下8において同じ。）又は当該事業年度開始の日前10年以内に開始した事業年度若しくは中間期間において生じた還付対象欠損金額（同法第80条第12項の規定により計算した還付を受けるべき金額の計算の基礎となった金額と同条第13項の規定により計算した還付を受けるべき金額の計算の基礎となった金額の合計額をいう。8において同じ。）がある場合の当該法人が納付すべき当該事業年度分の法人税割の課税標準となる法人税額の算定については、第三節―の1・2、6又は7《中間申告・みなし中間申告・確定申告・過不足税額の申告・修正申告・更正決定に係る申告》の規定にかかわらず、これらの規定により申告納付すべき当該法人税額の課税標準の算定期間に係る法人税割の課税標準となる法人税額から、当該法人税額（当該法人税額について租税特別措置法第42条の14《通算法人の仮装経理に基づく過大申告の場合等の法人税額》第1項若しくは第4項、第62条《使途秘匿金の支出がある場合の課税の特例》第1項、第62条の3《土地の譲渡等がある場合の特別税率》第1項若しくは第9項又は第63条《短期所有に係る土地の譲渡等がある場合の特別税率》第1項の規定により加算された金額がある場合には、政令で定める額を控除した額）を限度として、控除対象還付対象欠損調整額を控除するものとする。この場合において、控除対象還付対象欠損調整額は、前事業年度以前の法人税割の課税標準とすべき法人税額について控除されなかった額に限る。（法321の8㉖）
　(注1)　8の規定は、令和2年法律第5号附則第13条第3項の規定によりなおその効力を有するものとされた令和4年改正前の地方税法第321条の8第15項に規定する控除対象個別帰属還付税額の令和4年4月1日以後事業年度〔1の(注1)参照〕における控除について準用する。（令2改法附13⑥）
　(注2)　(注1)の規定により、8、(5)及び(8)の規定を準用する場合には、次の表の左欄に掲げる規定中同表の中欄に掲げる字句は、それぞれ同表の右欄に掲げる字句に読み替えるものとする。（令2政令第264号附5㉟）

8	開始した事業年度	開始した連結事業年度
	同法第80条第5項	所得税法等の一部を改正する法律（令和2年法律第8号）附則第14条第2項の規定によりなおその効力を有するものとされた同法第3条の規定（同法附則第1条第5号ロに掲げる改正規定に限る。）による改正前の法人税法（(5)において「なお効力を有する旧法人税法」という。）第81条の31第5項
	生じた還付対象欠損金額（同法第80条第12項の規定により計算した還付を受けるべき金額の計算の基礎となった金額と同条第13項の規定により計算した還付を受けるべき金額の計算の基礎となった金額の合計を	損金の額が益金の額を超えることとなったため、当該法人に控除対象個別帰属還付税額（地方税法等の一部を改正する法律（令和2年法律第5号）附則第13条第3項の規定によりなおその効力を有するものとされた同法附則第1条第5号に掲げる規定による改正前の地方税法（以下8において「なお効力を有する旧法」という。）第321条の8第15項に規定する控除対象個別帰属還付税額をいう。以下8

第三編第二章《法人の市町村民税》第四節《法人税額等の控除・加算及び還付等》

	いう。8	
	控除対象還付対象欠損調整額	控除対象個別帰属還付税額
	前事業年度	8又はなお効力を有する旧法第321条の8第15項の規定により前事業年度又は前連結事業年度
	すべき法人税額	すべき法人税額又は個別帰属法人税額（なお効力を有する旧法第292条第1項第4号の2に掲げる個別帰属法人税額をいう。（5）において同じ。）
(5)	開始した事業年度又は 前10年内事業年度	開始した連結事業年度又は 前10年内連結事業年度
	において生じた還付対象欠損金額に係る	において損金の額が益金の額を超えることとなったため、当該被合併法人等に
	（2）に規定する控除対象還付対象欠損調整額	控除対象個別帰属還付税額
	当該控除対象還付対象欠損調整額	当該控除対象個別帰属還付税額
	に係る還付対象欠損金額の生じた事業年度又は中間期間	の計算の基礎となった連結欠損金額（なお効力を有する旧法人税法第2条第19号の2に規定する連結欠損金額をいう。（8）において同じ。）に係る連結事業年度又は中間期間開始の日の属する連結事業年度
	法人の市町村民税の確定申告書	法人の市町村民税の確定申告書（第三節―の1・2の規定により提出すべき申告書（法人税法第74条第1項の規定により提出すべき法人税の申告書に係るものに限る。）又はなお効力を有する旧法第321条の8第1項の規定により提出すべき申告書（なお効力を有する旧法人税法第74条第1項の規定により提出すべき法人税の申告書に係るものに限る。）若しくはなお効力を有する旧法第321条の8第4項の規定により提出すべき申告書をいう。以下8において同じ。）
	、8	、8又はなお効力を有する旧法第321条の8第15項
	開始した事業年度の	開始した連結事業年度又は事業年度の
	すべき法人税額	すべき個別帰属法人税額又は法人税額
	控除未済還付対象欠損調整額	控除未済個別帰属還付税額
	事業年度（当該	連結事業年度又は事業年度（当該
	前事業年度	前連結事業年度又は前事業年度
(8)	還付対象欠損金額（	控除対象個別帰属還付税額（
	（2）に規定する控除対象還付対象欠損調整額（以下(8)において「控除対象還付対象欠損調整額」という。）	控除対象個別帰属還付税額
	被合併法人等の控除対象還付対象欠損調整額に係る還付対象欠損金額	もの
	生じた事業年度	計算の基礎となった連結欠損金額に係る連結事業年度
	属する事業年度	属する連結事業年度
	控除対象還付対象欠損調整額と	控除対象個別帰属還付税額と

（注3）（注1）において準用する8の規定の適用がある場合における1の(13)、10並びに第一節―の表の(三)の(4)及び(5)の規定の適用については、次の表の左欄に掲げる規定中同表の中欄に掲げる字句は、それぞれ同表の右欄に掲げる字句とする。（令2政令第264号附5㊱）

1の(13)	8の	8（8の(注1)において準用する場合を含む。）の
10	8の規定による法人税額	8（8の(注1)において準用する場合を含む。以下10において同じ。）の規定による法人税額
第一節―の表の(三)の(4)及び(5)	8の	8（8の(注1)において準用する場合を含む。以下この項において同じ。）の

（注4）租税特別措置法の経過措置により法人税額に加算される金額がある場合の8の規定の適用については、1の（1）参照。（編者）
（注5）第一節―の表の(三)の(4)及び(5)《中小企業者等に係る試験研究費等の法人税額の特別控除の適用がある通算法人について法人税額に加算された金額がある場合の特例》の読替規定を参照。（編者）
（注6）8中___部分のように改める令和6年改正規定は、令和6年4月1日以後に終了する事業年度分の法人の市町村民税について適用し、同日前に終了した事業年度分の法人の市町村民税については、なお従前の例による。（令6改法附18④）

（控除対象還付対象欠損調整額の控除限度額の計算）
（1）　8に規定する政令で定める額は、租税特別措置法第42条の14第1項若しくは第4項、第62条第1項、第62条の3

第三編第二章《法人の市町村民税》第四節《法人税額等の控除・加算及び還付等》

第1項若しくは第9項又は第63条第1項の規定により加算された金額とする。(令48の11の25、8の23)
- (注1) 8の(注1)において準用する8に規定する政令で定める額は、(1)(1の(14)及び(16)並びに第三節―の1の(12)の規定により読み替えて適用する場合を含む。)に規定する金額とする。(令2政令第264号附5㉗)
- (注2) 第三節―の1の(12)《租税特別措置法の旧規定の適用がある場合の特例》の読替規定を参照。(編者)
- (注3) 1の(14)及び(16)の読替規定参照。(編者)

(控除対象還付対象欠損調整額の意義)
(2) 8に規定する控除対象還付対象欠損調整額とは、還付対象欠損金額に、8の法人の当該還付対象欠損金額の生じた事業年度又は中間期間後最初に終了する事業年度終了の日における4の(2)各号に掲げる当該法人の区分に応じ、それぞれ当該各号に定める率を乗じて得た金額をいう。(法321の8㉗)
- (注) (2)中＿＿部分のように改める令和6年度改正規定は、令和6年4月1日以後に終了する事業年度分の法人の市町村民税について適用し、同日前に終了した事業年度分の法人の市町村民税については、なお従前の例による。(令6改法附18④)

(控除対象還付対象欠損調整額の特例)
(3) 8に規定する還付対象欠損金額(中間期間において生じたものを除く。(4)において同じ。)の生じた事業年度後最初に終了する事業年度について法人税法第71条第1項(同法第72条第1項の規定が適用される場合に限る。)の規定により法人税に係る申告書を提出する義務がある法人について8の規定を適用する場合における(2)の規定の適用については、(2)中「8の法人の当該還付対象欠損金額の生じた事業年度又は中間期間後最初に終了する事業年度終了の日」とあるのは、「第三節―の1に規定する6月経過日の前日」とする。(令48の11の26①、8の23の2①)
- (注) (3)中＿＿部分のように改める令和6年度改正規定は、令和6年4月1日以後最初に終了する事業年度終了の日後に終了する事業年度分の法人の市町村民税について適用し、同日以前に終了する事業年度分の法人の市町村民税については、なお従前の例による。(令6改令附4①)

(適格合併等による控除対象還付対象欠損調整額の特例)
(4) (5)に規定する被合併法人等の還付対象欠損金額の生じた事業年度終了の日が(5)に規定する適格合併の日の前日又は(5)に規定する残余財産の確定の日である場合における当該還付対象欠損金額に係る(2)の規定の適用については、(2)中「後最初に終了する事業年度終了の日」とあるのは、「終了の日」とする。(令48の11の26②、8の23の2②)
- (注) (4)中＿＿部分のように改める令和6年度改正規定は、令和6年4月1日以後に終了する事業年度分の法人の市町村民税について適用し、同日前に終了した事業年度分の法人の市町村民税については、なお従前の例による。(令6改令附4②)

(被合併法人等の前10年内事業年度において生じた控除未済還付対象欠損調整額の控除)
(5) 8の法人を合併法人とする適格合併が行われた場合又は当該法人との間に完全支配関係(当該法人による完全支配関係又は相互の関係に限る。)がある他の法人で当該法人が発行済株式若しくは出資の全部若しくは一部を有するものの残余財産が確定した場合において、当該適格合併に係る被合併法人又は当該他の法人(以下8において「被合併法人等」という。)の当該適格合併の日前10年以内に開始し、又は当該残余財産の確定の日の翌日前10年以内に開始した事業年度又は中間期間(以下8において「前10年内事業年度」という。)において生じた還付対象欠損金額に係る(2)に規定する控除対象還付対象欠損調整額(当該被合併法人等が当該控除対象還付対象欠損調整額((5)の規定により当該被合併法人等の(2)に規定する控除対象還付対象欠損調整額とみなされたものを含む。)に係る還付対象欠損金額の生じた事業年度又は中間期間について法人の市町村民税の確定申告書を提出していることその他の政令で定める要件を満たしている場合における当該控除対象還付対象欠損調整額に限るものとし、8の規定により当該被合併法人等の当該適格合併の日前10年以内に開始し、又は当該残余財産の確定の日の翌日前10年以内に開始した事業年度の法人税割の課税標準とすべき法人税額について控除された額を除く。以下(5)において「控除未済還付対象欠損調整額」という。)があるときは、当該法人の当該適格合併の日の属する事業年度又は当該残余財産の確定の日の翌日の属する事業年度(以下8において「合併等事業年度」という。)以後の事業年度における8の規定の適用については、当該前10年内事業年度に係る控除未済還付対象欠損調整額(当該他の法人に株主等が二以上ある場合には、当該控除未済還付対象欠損調整額を当該他の法人の発行済株式又は出資(当該他の法人が有する自己の株式又は出資を除く。)の総数又は総額で除し、これに当該法人の有する当該他の法人の株式又は出資の数又は金額を乗じて計算した金額)は、それぞれ当該控除未済還付対象欠損調整額に係る前10年内事業年度開始の日の属する当該法人の事業年度(当該法人の合併等事業年度開始の日以後に開始した当該被合併法人等の前10年内事業年度に係る控除未済還付対象欠損調整額にあっては、当該合併等事業年度の前事業年度)に係る(2)に規定する控除対象還付対象欠損調整額とみなす。(法321

第三編第二章《法人の市町村民税》第四節《法人税額等の控除・加算及び還付等》

の8㉘)

(適格合併等による前10年内事業年度において生じた控除未済還付対象欠損調整額の要件)
(6) (5)に規定する政令で定める要件は、被合併法人等が(5)に規定する前10年内事業年度のうち(2)に規定する控除対象還付対象欠損調整額(以下(6)において「控除対象還付対象欠損調整額」という。)に係る還付対象欠損金額の生じた事業年度又は中間期間開始の日の属する事業年度以後において連続して法人の市町村民税の確定申告書を提出していることとする。ただし、(5)の適格合併又は残余財産の確定の前に被合併法人等となる8の法人を合併法人とする適格合併(以下(6)において「直前適格合併」という。)が行われたこと又は被合併法人等となる8の法人との間に(5)に規定する完全支配関係がある他の法人の残余財産が確定したことに基因して(5)の規定により当該被合併法人等の控除対象還付対象欠損調整額とみなされたものにつき(5)の規定を適用する場合にあっては、当該被合併法人等が前10年内事業年度のうち当該直前適格合併の日の属する事業年度又は当該残余財産の確定の日の翌日の属する事業年度以後において連続して法人の市町村民税の確定申告書を提出していることとする。(令48の11の27、8の24)
　(注1) (6)の規定は、8の(注1)において準用する(5)に規定する政令で定める要件について準用する。(令2政令第264号附5㊳)
　(注2) (注1)の規定により(6)の規定を準用する場合には、(6)中「、被合併法人等」とあるのは「、(5)に規定する被合併法人等(以下(6)において「被合併法人等」という。)」と、「前10年内事業年度(」とあるのは「前10年内連結事業年度(」と、「前10年内事業年度」とあるのは「前10年内連結事業年度」と、「(2)」とあるのは「地方税法の一部を改正する法律(令和2年法律第5号。以下(6)において「改正法」という。)附則第13条第3項の規定によりなおその効力を有するものとされた改正法附則第1条第5号に掲げる規定による改正前の地方税法第321条の8第15項」と、「控除対象還付対象欠損調整額(」とあるのは「控除対象個別帰属還付税額(」と、「控除対象還付対象欠損調整額」とあるのは「控除対象個別帰属還付税額」と、「に係る還付対象欠損金額の生じた事業年度」とあるのは「の計算の基礎となった連結欠損金額(所得税法等の一部を改正する法律(令和2年法律第8号)附則第14条第2項の規定によりなおその効力を有するものとされた第3条の規定(同法附則第1条第5号ロに掲げる改正規定に限る。)による改正前の法人税法第2条第19号の2に規定する連結欠損金額をいう。)に係る連結事業年度」と、「開始の日の属する事業年度以後において連続して法人の市町村民税の確定申告書」とあるのは「開始の日の属する事業年度以後において連続して法人の市町村民税の確定申告書(改正法附則第13条第6項において準用する(5)に規定する法人の市町村民税の確定申告書をいう。以下(6)において同じ。)」と、(6)ただし書中「(5)」とあるのは「改正法附則第13条第6項において準用する(5)」と、「控除対象還付対象欠損調整額」とあるのは「控除対象個別帰属還付税額」と、「前10年内事業年度」とあるのは「前10年内連結事業年度」と、「属する」とあるのは「属する連結事業年度若しくは」と読み替えるものとする。(令2総務省令第94号附2⑫)

(適格合併等による控除対象還付対象欠損調整額の引継ぎの特例)
(7) (5)の法人の合併等事業年度開始の日前10年以内に開始した事業年度のうち最も古い事業年度(当該合併等事業年度が当該法人の設立の日の属する事業年度である場合には、当該合併等事業年度)開始の日(以下(7)において「合併法人等10年前事業年度開始日」という。)が被合併法人等の前10年内事業年度で(5)に規定する控除未済還付対象欠損調整額に係る事業年度のうち最も古い事業年度開始の日((5)の適格合併が法人を設立するものである場合にあっては、当該開始の日が最も早い被合併法人等の当該事業年度開始の日。以下(7)において「被合併法人等10年前事業年度開始日」という。)後である場合には、当該被合併法人等10年前事業年度開始日から当該合併法人等10年前事業年度開始日の前日までの期間を当該期間に対応する当該被合併法人等10年前事業年度開始日に係る被合併法人等の前10年内事業年度ごとに区分したそれぞれの期間(当該前日の属する期間にあっては、当該被合併法人等の当該前日の属する事業年度開始の日から当該合併法人等10年前事業年度開始日の前日までの期間)を当該法人のそれぞれの事業年度とみなし、(5)の法人の合併等事業年度が設立日(当該法人の設立の日をいう。)の属する事業年度である場合において、被合併法人等10年前事業年度開始日が当該設立日以後であるときは、被合併法人等の当該設立日の前日の属する事業年度開始の日(当該被合併法人等が当該設立日以後に設立されたものである場合には、当該設立日の1年前の日)から当該前日までの期間を当該法人の事業年度とみなして、(5)の規定を適用する。(令48の11の28、9)
　(注1) (5)の法人に(5)の法人の(5)に規定する合併等事業年度開始の日前10年以内に開始する連結事業年度がある場合における(7)の規定の適用については、(7)中「開始した事業年度」とあるのは「開始した事業年度又は連結事業年度」と、「事業年度(当該」とあるのは「事業年度又は連結事業年度(当該」と、「合併法人等10年前事業年度開始日」とあるのは「合併法人等10年前事業年度等開始日」と、「合併法人等10年前事業年度開始日の」とあるのは「合併法人等10年前事業年度等開始日の」と、「前10年内事業年度ごと」とあるのは「(5)の適格合併の日前10年以内に開始し、又は(5)の残余財産確定の日の翌日前10年以内に開始した事業年度又は連結事業年度ごと」と、「属する事業年度開始」とあるのは「属する事業年度又は連結事業年度開始」とする。(令2政令第264号附5㉒、附3㉒)
　(注2) (7)の規定は、8の(注1)において準用する(5)の法人の合併等事業年度((5)に規定する合併等事業年度をいう。以下(注2)において同じ。)開始の日前10年以内に開始した連結事業年度又は事業年度のうち最も古い連結事業年度又は事業年度(当該合併等事業年度が当該法人の設立の日の属する事業年度である場合には、当該合併等事業年度)開始の日が(5)に規定する被合併法人等(以下(注2)において「被合併法人等」という。)の(5)に規定する前10年内連結事業年度で(5)に規定する控除未済個別帰属還付税額に係る連結事業年度のうち最も古い連結事業年度開始の日((5)の適格合併が法人を設立するものである場合にあっては、当該開始の日が最も

早い被合併法人等の当該連結事業年度開始の日。以下(注2)において「被合併法人等10年前連結事業年度開始日」という。)後である場合及び(5)の法人の合併等事業年度が設立日(当該法人の設立の日をいう。)の属する事業年度である場合において、被合併法人等10年前連結事業年度開始日が当該設立日以後であるときについて準用する。(令2政令第264号附5㊴)

(注3) (注2)の規定により(7)の規定を準用する場合には、(7)中「合併法人等10年前事業年度開始日」とあるのは「「合併法人等10年前連結事業年度等開始日」と、「が被合併法人等の前10年内事業年度」とあるのは「が(5)に規定する被合併法人等(以下(7)において「被合併法人等」という。)の(5)に規定する前10年内連結事業年度(以下(7)において「前10年内連結事業年度」という。)」と、「合併法人等10年前事業年度開始日の」とあるのは「合併法人等10年前連結事業年度等開始日の」と、「前10年内事業年度ごと」とあるのは「(5)の適格合併の日前10年以内に開始し、又は(5)の残余財産の確定の日の翌日前10年以内に開始した連結事業年度又は事業年度ごと」と、「属する事業年度開始」とあるのは「属する連結事業年度又は事業年度開始」と、「それぞれの事業年度」とあるのは「それぞれの連結事業年度又は事業年度」と、「法人の事業年度」とあるのは「法人の連結事業年度」と読み替えるものとする。(令2総務省令第94号附2⑬)

(連続して確定申告書の提出の要件)
(8) 8の規定は、8の法人が還付対象欠損金額((5)の規定により当該法人の(2)に規定する控除対象還付対象欠損調整額(以下(8)において「控除対象還付対象欠損調整額」という。)とみなされた被合併法人等の控除対象還付対象欠損調整額に係る還付対象欠損金額を除く。)の生じた事業年度又は中間期間開始の日の属する事業年度について法人の市町村民税の確定申告書を提出し、かつ、その後において連続して法人の市町村民税の確定申告書を提出している場合((5)の規定により当該法人の控除対象還付対象欠損調整額とみなされたものにつき8の規定を適用する場合には、合併等事業年度以後において連続して法人の市町村民税の確定申告書を提出している場合)に限り、適用する。(法321の8㉙)

(特定医療法人に対する適用)
(9) 8の規定の適用を受ける法人が、当該法人の8に規定する当該還付対象欠損金額の生じた事業年度又は中間期間<u>(法人税法第80条第5項に規定する中間期間をいう。)</u>後最初の事業年度終了の日において、特定医療法人〚1の(12)参照〛である場合の当該法人の市町村民税に係る(2)の規定の適用については、(2)の規定中「4の(2)各号」とあるのは、「4の(9)の規定により読み替えられた同(2)各号」とする。(法附8㉑)

(注) (9)中___部分のように改める令和6年度改正規定は、令和6年4月1日以後に終了する事業年度分の法人の市町村民税について適用し、同日前に終了した事業年度分の法人の市町村民税については、なお従前の例による。(令6改法附18④)

(留意事項)
(10) 通算法人が法人税法第80条の規定により法人税額について欠損金の繰戻しによる還付を受けた場合には、法人の市町村民税については7の(7)と同様にこの制度をとらず、当該通算法人の事業年度又は中間期間(同条第5項に規定する中間期間をいう。以下同じ。)に生じた欠損金額で同条第12項の規定により計算した還付を受けるべき金額の計算の基礎となった金額と同条第13項の規定により計算した還付を受けるべき金額の計算の基礎となった金額の合計額(以下「還付対象欠損金額」という。)を基に算定した控除対象還付対象欠損調整額を<u>当該還付対象欠損金額の生じた事業年度開始の日後10年以内に開始する事業年度(中間期間において当該還付対象欠損金額が生じた場合には、当該還付対象欠損金額が生じた中間期間の属する事業年度及び当該事業年度開始の日後10年以内に開始する事業年度。)</u>に限って法人税割の課税標準となる法人税額から控除するものであること。
なお、この場合において次の諸点に留意すること。(市通2-56の6)

(一) 控除対象還付対象欠損調整額は、還付対象欠損金額に当該還付対象欠損金額の生じた事業年度又は中間期間後最初に<u>終了する事業年度終了の日</u>(次に掲げる控除対象還付対象欠損調整額については、次に定める日)における4の(2)各号に掲げる当該法人の区分に応じ、それぞれ当該各号に定める率を乗じて算定するものであること。

イ 還付対象欠損金額<u>(中間期間において生じたものを除く。)</u>の生じた事業年度後最初に<u>終了する事業年度</u>について仮決算に係る中間申告をする場合の控除対象還付対象欠損調整額　　6月経過日の前日

ロ 被合併法人等の還付対象欠損金額<u>(中間期間において生じたものを除く。)</u>の生じた事業年度終了の日が適格合併の日の前日又は残余財産の確定の日である場合の被合併法人等の控除対象還付対象欠損調整額　　当該還付対象欠損金額の生じた事業年度終了の日

また、還付対象欠損金額<u>(中間期間において生じたものを除く。)</u>の生じた事業年度後最初に<u>終了する事業年度</u>について仮決算に係る中間申告をし、その後の確定申告において法人税割の課税標準となる法人税額から控除対象還付対象欠損調整額を控除する場合には、上記イの控除対象還付対象欠損調整額を控除するのではなく、還付対象欠損金額に、当該還付対象欠損金額の生じた事業年度後最初に<u>終了する</u>事業年度終了の日における4の(2)各号に掲げる当該法人の区分に応じ、それぞれ当該各号に定める率を乗じて算定した控除対象還付対象欠損調整額を控除す

るものであること。
  (二) 適格合併等が行われた場合において、被合併法人等について控除対象還付対象欠損調整額（適格合併の日前又は残余財産の確定の日の翌日前10年以内に開始した事業年度又は中間期間に係る控除対象還付対象欠損調整額のうち、被合併法人等において繰越控除された金額を控除した金額に限る。）があるときは、合併法人等の法人税割の課税標準である法人税額から繰越控除するものであること。
  (三) 控除対象還付対象欠損調整額は、法人が還付対象欠損金額の生じた事業年度又は中間期間開始の日の属する事業年度について法人の市町村民税の確定申告書を提出し、かつ、その後において連続して法人の市町村民税の確定申告書を提出している場合に限り、法人税割の課税標準となる法人税額から控除することができるものであること。
   (注) (10)中＿＿部分のように改める令和6年度改正規定は、令和6年4月1日以後に終了する事業年度分の法人の市町村民税について適用する。（令6総税市第32号記ト）

9　東日本大震災に係る法人の市町村民税の特例

　7（表の(三)を除く。）及び令和4年改正前の地方税法第321条の8第15項から第17項まで《控除対象個別帰属還付税額の控除》の規定は、所得税法等の一部を改正する法律（令和3年法律第11号）第13条の規定による改正前の東日本大震災の被災者等に係る国税関係法律の臨時特例に関する法律（平成23年法律第29号）第15条《震災損失の繰戻しによる法人税額の還付》及び第23条《連結法人の震災損失の繰戻しによる法人税額の還付》の規定により法人税の還付を受けた法人について準用する。この場合において、7中「同法第80条第5項又は第144条の13第11項に規定する中間期間を含む。）又は」とあるのは「所得税法等の一部を改正する法律（令和3年法律第11号）第13条の規定による改正前の東日本大震災の被災者等に係る国税関係法律の臨時特例に関する法律（平成23年法律第29号。以下この条において「旧震災特例法」という。）第15条第1項に規定する中間期間を含む。）又は」と、「同法第80条第5項又は第144条の13第11項に規定する中間期間を含む。）において損金の額が益金の額を超えることとなった」とあるのは「旧震災特例法第15条第1項に規定する中間期間を含む。）において旧震災特例法第15条第1項に規定する繰戻対象震災損失金額が生じた」と、「同法第80条又は第144条の13」とあるのは「同条」と、7の表の(一)中「法人税法第80条」とあるのは「旧震災特例法第15条」と、同(二)中「法人税法第144条の13」とあるのは「旧震災特例法第15条」と、「同法第141条第1号イに掲げる国内源泉所得に対する法人税額」とあるのは「法人税額」と、「同号イ」とあるのは「法人税法第141条第1号イ」と、7の(3)中「法人税法第80条第5項又は第144条の13第11項」とあるのは「旧震災特例法第15条第1項」と、「損金の額が益金の額を超えることとなった」とあるのは「同条第1項に規定する繰戻対象震災損失金額が生じた」と、「同法第80条又は第144条の13」とあるのは「同条」と、「(同法」とあるのは「(法人税法」と、(3)の(二)中「」のうち、法人税法第144条の13（第1項第1号に係る部分に限る。）の規定により還付を受けたものは」とあるのは「）は」と、「みなし、同法第144条の13（第1項第2号に係る部分に限る。）の規定により還付を受けたものは、それぞれ当該控除未済還付法人税額に係る前10年内事業年度開始の日の属する当該法人の事業年度（当該法人の合併等事業年度等開始の日以後に開始した当該合併法人等の前10年内事業年度に係る控除未済還付法人税額にあっては、当該合併等事業年度等の前事業年度）に係る外国法人の恒久的施設非帰属所得に係る控除対象還付法人税額とみなす」とあるのは「みなす」と、令和4年改正前の地方税法第321条の8第15項《控除対象個別帰属還付税額の控除》中「同法第81条の31第5項」とあるのは「旧震災特例法第23条第1項」と、「損金の額が益金の額を超えることとなった」とあるのは「旧震災特例法第23条第1項に規定する繰戻対象震災損失金額が生じた」と、「同法第81条の18第1項第5号に掲げる」とあるのは「同条の規定により還付を受ける金額のうち各連結法人に帰せられる」と、同条第16項《適格合併等の日の属する合併等事業年度等以後の連結事業年度等における控除未済個別帰属還付税額の控除》中「法人税法第81条の31第5項」とあるのは「旧震災特例法第23条第1項」と、「損金の額が益金の額を超えることとなった」とあるのは「同条第1項に規定する繰戻対象震災損失金額が生じた」と読み替えるものとする。（法附48）

10　法人税額等からの控除・加算順序

　3及び5の規定による法人税額への加算並びに1、2の②、4、6、7及び8の規定による法人税額からの控除については、まず3及び5の規定による加算をし、次に1、2の②、4及び6の規定による控除をした後において、7及び8の規定による控除をするものとする。（法321の8㉚）
  (注)　1の(注4)(注6)及び8の(注3)の読替規定を参照。（編者）

　　　（留意事項）
  (1)　加算対象通算対象欠損調整額及び加算対象被配賦欠損調整額の加算並びに控除対象通算適用前欠損調整額、控除対象個別帰属調整額及び控除対象個別帰属税額、控除対象合併等前欠損調整額、控除対象通算対象所得調整額、控除対象配賦欠損調整額、内国法人の控除対象還付法人税額、外国法人の恒久的施設帰属所得に係る控除対象還付法人税

額及び外国法人の恒久的施設非帰属所得に対する控除対象還付法人税額並びに控除対象還付対象欠損調整額及び控除対象個別帰属還付税額の控除の順序については、まず加算対象通算対象欠損調整額及び加算対象被配賦欠損調整額を加算し、次に控除対象通算適用前欠損調整額、控除対象個別帰属調整額及び控除対象個別帰属税額、控除対象合併等前欠損調整額、控除対象通算対象所得調整額並びに控除対象配賦欠損調整額を控除した後において、内国法人の控除対象還付法人税額、外国法人の恒久的施設帰属所得に係る控除対象還付法人税額及び外国法人の恒久的施設非帰属所得に対する控除対象還付法人税額並びに控除対象還付対象欠損調整額及び控除対象個別帰属還付税額を控除するものであること。（市通2－58の2）

　　　（令和4年4月1日前に開始した事業年度等に生じた控除対象個別帰属調整額等に係る留意事項）
　(2)　令和4年4月1日前に開始した事業年度（連結子法人の令和4年4月1日以後に開始する事業年度のうち連結親法人の事業年度が令和4年4月1日前に開始したものを含む。）及び令和4年4月1日前に開始した連結事業年度（連結子法人の令和4年4月1日以後に開始する連結事業年度のうち連結親法人の事業年度が令和4年4月1日前に開始したものを含む。）において生じた控除対象個別帰属調整額、控除対象個別帰属税額及び控除対象個別帰属還付税額については、令和4年4月1日以後に開始する事業年度の法人税割の課税標準となる法人税額から控除することができるものであること。（市通2－56の7）

　　　（租税特別措置法による法人税額の加算額がある場合の控除限度額の留意事項）
　(3)　租税特別措置法による法人税額の加算額がある場合の控除限度額は、次に掲げる区分に応じ、それぞれ次に定める額とすること。（市通2－58）
　　(一)　内国法人　　法人税割の課税標準である法人税額について租税特別措置法第42条の4第8項第6号ロ若しくは第7号（これらの規定を同条第18項において準用する場合を含む。）、第42条の14第1項若しくは第4項、第62条第1項、第62条の3第1項若しくは第9項又は第63条第1項の規定により加算された金額がある場合には、当該法人税額から当該加算された金額を控除した額
　　(二)　恒久的施設帰属所得に対する法人税額の還付を受けた外国法人　　法人税割の課税標準である法人税法第141条第1号イに掲げる国内源泉所得に対する法人税額について租税特別措置法第62条第1項、第62条の3第1項若しくは第9項又は第63条第1項の規定により加算された金額がある場合には、当該法人税額から当該加算された金額を控除した額
　　(三)　恒久的施設非帰属所得に対する法人税額の還付を受けた外国法人　　法人税割の課税標準である法人税法第141条第1号ロに掲げる国内源泉所得に対する法人税額について租税特別措置法第62条第1項、第62条の3第1項若しくは第9項又は第63条第1項の規定により加算された金額がある場合には、当該法人税額から当該加算された金額を控除した額
　　なお、上記(一)から(三)までに掲げる租税特別措置法の規定により加算された金額の他に、過去に改廃され、なお効力を有する又は従前の例によることとされている租税特別措置法の規定により加算された金額がある場合は、当該加算された額を控除した額を控除限度額とすること。

二　外国関係会社に対して課された所得税等の額の控除

1　内国法人の外国関係会社に対して課された所得税等の額の控除

　市町村は、内国法人が各事業年度において租税特別措置法第66条の7《特定外国子会社等の課税対象金額等に係る外国税額の控除》第4項及び第10項の規定の適用を受ける場合において、当該事業年度の同条第4項に規定する控除対象所得税額等相当額のうち、同項に規定する法人税の額及び同条第10項に規定する所得地方法人税額並びに第二編第二章第四節の二の1《道府県民税の内国法人の外国関係会社に対して課された所得税等の額の控除》に規定する法人税割額の合計額を超える額があるときは、(1)で定めるところにより、当該超える金額（(1)で定める金額に限る。）を当該事業年度の第三節一の1・2（予定申告法人に係るものを除く。）、6又は7の規定により申告納付すべき法人税割額から控除するものとする。（法321の8㊱）

　　　（控除対象所得税額等相当額の控除額）
　(1)　二以上の市町村において事務所又は事業所を有する法人の1の規定により関係市町村ごとの法人税割額から控除すべき控除対象所得税額等相当額は、当該法人に係る1の規定により控除することができる控除対象所得税額等相当額を当該法人の当該控除をしようとする事業年度に係る関係市町村ごとの第五節一の2《法人税額の課税標準の分割

基準》に規定する従業者の数（当該事業年度の第二編第二章第四節三の5《道府県民税の控除限度超過額が生じた場合の繰越控除余裕額による外国税額の控除》に規定する市町村民税の控除限度額の計算について三の4の①ただし書の規定による法人にあっては、当該従業者の数に当該関係市町村が課する当該事業年度分の法人税割の税率に相当する割合として三の4の③で定める割合を乗じて得た数を100分の6で除して得た数）に按分して計算した額とする。（令48の12の2①）

　　　（控除対象所得税額等相当額の控除の申告）
（2）　1及び（1）の規定は、第三節一の1・2、6若しくは7の規定による申告書又は第一編第十章10《更正の請求》の④の規定による更正請求書（二以上の市町村において事務所又は事業所を有する法人に係るものにあっては、当該法人の主たる事務所又は事業所の所在地の市町村長に提出すべき当該申告書又は更正請求書）に、1の規定による控除の対象となる租税特別措置法第66条の7第4項に規定する所得税等の額（以下（2）において「所得税等の額」という。）、控除を受ける金額及び当該金額の計算に関する明細を記載した総務省令で定める書類の添付がある場合に限り、適用する。この場合において、1の規定により控除される金額の計算の基礎となる所得税等の額は、当該書類に当該所得税等の額として記載された金額を限度とする。（令48の12の2②）

　　　（留意事項）
（3）　1の運用に当たっては、次の諸点に留意すること。（市通2－51の2）
　（一）　控除対象所得税額等相当額が全額法人税額及び地方法人税額並びに道府県民税の法人税割額から税額控除される場合には、市町村民税の法人税割額から控除すべき控除対象所得税額等相当額は、ないものであること。
　（二）　本税額控除においては、外国税額控除における控除余裕額、控除限度超過額等の繰越に相当する制度は設けられていないものであること。
　（三）　二以上の市町村において事務所又は事業所を有する法人の関係市町村ごとの法人税割額から控除すべき控除対象所得税額等相当額の計算は、第五節一の2《法人税額の課税標準の分割基準》に規定する従業者の数に按分して算定するものであること。なお、2以上の市町村において事務所又は事業所を有する法人が三の4の①ただし書の規定により外国税額控除に係る市町村民税の控除限度額を計算した場合には、当該従業者の数は、（1）及び三の4の③の規定により補正することとされているものであること。
　（四）　1の規定による控除をされるべき金額の計算の基礎となる所得税等の額（租税特別措置法第66条の7第4項に規定する所得税等の額をいう。以下（四）において同じ。）は、所得税等の額、控除を受ける金額及び当該金額の計算に関する明細を記載した規則第20号の3の2様式に当該計算の基礎となる当該所得税等の額として記載された金額を限度とするものであること。

2　特殊関係株主等である内国法人の外国関係会社に対して課された所得税等の額の控除

　市町村は、内国法人が各事業年度において租税特別措置法第66条の9の3《特定外国法人の課税対象金額等に係る外国税額の計算等》第3項及び第9項の規定の適用を受ける場合において、当該事業年度の同条第3項に規定する控除対象所得税額等相当額のうち、同項に規定する法人税の額及び同条第9項に規定する所得地方法人税額並びに第二編第二章第四節の二の2《道府県民税の特殊関係株主等である内国法人の外国関係会社に対して課された所得税等の額の控除》に規定する法人税割額の合計額を超える額があるときは、（1）で定めるところにより、当該超える金額（（1）で定める金額に限る。）を当該事業年度の第三節一の1・2（予定申告法人に係るものを除く。）、6又は7の規定により申告納付すべき法人税割額から控除するものとする。（法321の8㊲）

　　　（控除対象所得税額等相当額の控除額）
（1）　二以上の市町村において事務所又は事業所を有する法人の2の規定により関係市町村ごとの法人税割額から控除すべき控除対象所得税額等相当額は、当該法人に係る2の規定により控除することができる控除対象所得税額等相当額を当該法人の当該控除をしようとする事業年度に係る関係市町村ごとの第五節一の2に規定する従業者の数（当該事業年度の第二編第二章第四節三の5《道府県民税の控除限度超過額が生じた場合の繰越控除余裕額による外国税額の控除》に規定する市町村民税の控除限度額の計算について三の4の①ただし書の規定による法人にあっては、当該従業者の数に当該関係市町村が課する当該事業年度分の法人税割の税率に相当する割合として三の4の③で定める割合を乗じて得た数を100分の6で除して得た数）に按分して計算した額とする。（令48の12の3①）

（控除対象所得税額等相当額の控除の申告）
（２） ２及び（１）の規定は、第三節一の１・２、６若しくは７の規定による申告書又は第一編第十章10《更正の請求》の④の規定による更正請求書（二以上の市町村において事務所又は事業所を有する法人に係るものにあっては、当該法人の主たる事務所又は事業所の所在地の市町村長に提出すべき当該申告書又は更正請求書）に、２の規定による控除の対象となる租税特別措置法第66条の９の３第３項に規定する所得税等の額（以下（２）において「所得税等の額」という。）、控除を受ける金額及び当該金額の計算に関する明細を記載した総務省令で定める書類の添付がある場合に限り適用する。この場合において、２の規定により控除される金額の計算の基礎となる所得税等の額は、当該書類に当該所得税等の額として記載された金額を限度とする。（令48の12の３②）

三　外国税額の控除

１　外国の法人税等の額の控除

　市町村は、内国法人又は外国法人が、外国の法令により課される法人税若しくは地方法人税又は市町村民税若しくは市町村民税の法人税割に相当する税（外国法人にあっては、法人税法第138条《国内源泉所得》第１項第１号に掲げる国内源泉所得につき外国の法令により課されるものに限る。以下三において「**外国の法人税等**」という。）を課された場合において、当該外国の法人税等の額のうち法人税法第69条《外国税額の控除》第１項の控除限度額又は同法第144条の２《外国法人に係る外国税額の控除》第１項の控除限度額及び地方法人税法第12条《外国税額の控除》第１項の控除の限度額で（２）で定めるもの又は同条第２項の控除の限度額で（４）で定めるものの並びに道府県民税の控除限度額《第二編第二章第四節三の１参照》の合計額を超える額があるときは、４の①《市町村民税の控除限度額》で定めるところにより計算した額を限度として、政令で定めるところにより、当該超える金額（同①で定める金額に限る。）を第三節一の１・２（予定申告法人に係るものを除く。）、６又は７の規定により申告納付すべき法人税割額（外国法人にあっては、法人税法第141条《外国法人の国内源泉所得》第１号イに掲げる国内源泉所得に対する法人税額を課税標準として課するものに限る。）から控除するものとする。（法321の８㊳、令48の13⑥）

　（注）　法人の令和４年４月１日（以下「施行日」という。）以後に開始する事業年度（所得税法等の一部を改正する法律（令和２年法律第８号。以下「所得税法等改正法」という。）第３条の規定（所得税法等改正法附則第１条第５号ロに掲げる改正規定に限る。）による改正前の法人税法（以下「４年旧法人税法」という。）第２条第12号の７に規定する連結子法人（以下「連結子法人」という。）の連結親法人事業年度（４年旧法人税法第15条の２第１項に規定する連結親法人事業年度をいう。以下同じ。）が施行日前に開始した事業年度を除く。以下「施行日以後事業年度」という。）開始の日前３年以内に開始した連結事業年度がある場合における三の規定の適用については、次の表の左欄に掲げる規定中同表の中欄に掲げる字句は、それぞれ同表の右欄に掲げる字句とする。（令２政令第264号附５㊶）

１の(1)	の計算	並びに所得税法等の一部を改正する法律（令和２年法律第８号。以下（１）及び２において「所得税法等改正法」という。）第３条の規定（所得税法等改正法附則第１条第５号ロに掲げる改正規定に限る。）による改正前の法人税法（２及び６の(注)の（１）において「４年旧法人税法」という。）第81条の15第１項に規定する個別控除対象外国法人税の額の計算
２	道府県民税の控除限度額及び市町村民税の控除限度額の合計額に	道府県民税の控除限度額（地方税法施行令の一部を改正する政令（令和２年政令第264号。以下三において「地方税法施行令改正令」という。）附則第３条第41項の規定により読み替えられた第９条の７第２項に規定する道府県民税の控除限度額をいう。以下三において同じ。）及び市町村民税の控除限度額（地方税法施行令改正令附則第３条第41項の規定により読み替えられた第９条第７項に規定する市町村民税の控除限度額をいう。以下三において同じ。）の合計額に
	前３年内事業年度	前３年内事業年度等（地方税法施行令改正令附則第３条第41項の規定により読み替えられた第９条の７第２項に規定する前３年内事業年度等をいう。以下三において同じ。）
	の事業年度において同法	の事業年度又は連結事業年度において法人税法
	第144条の２の規定並びに	第144条の２の規定並びに４年旧法人税法第81条の15の規定並びに
	並びに法	並びに所得税法等改正法第４条の規定（所得税法等改正法附則第１条第５号ハに掲げる改正規定に限る。）による改正前の地方法人税法第12条第２項の規定並びに法
	により控除する	並びに地方税等の一部を改正する法律（令和２年法律第５号）附則第１条第５号に掲げる規定による改正前の地方税法（三において「旧法」という。）第53条第26項及び第321条の８第26項の規定により控除する
	のもの	又は連結事業年度のもの
５	前３年内事業年度	前３年内事業年度等
	により控除する	又は旧法第321条の８第26項の規定により控除する

第三編第二章《法人の市町村民税》第四節《法人税額等の控除・加算及び還付等》

	国税の控除余裕額、道府県民税の控除余裕額又は市町村民税の控除余裕額	国税の控除余裕額（地方税法施行令改正令附則第3条第41項の規定により読み替えられた第9条の7第7項に規定する国税の控除余裕額をいう。以下5において同じ。）、道府県民税の控除余裕額（地方税法施行令改正令附則第3条第41項の規定により読み替えられた第9条の7第7項に規定する道府県民税の控除余裕額をいう。以下5において同じ。）又は市町村民税の控除余裕額（地方税法施行令改正令附則第3条第41項の規定により読み替えられた第9条の7第7項に規定する市町村民税の控除余裕額をいう。以下三において同じ。）
	のもの	又は連結事業年度のもの
	5の規定に	地方税法施行令改正令附則第5条第41項の規定により読み替えられた5の規定又は地方税法施行令改正令による改正前の地方税法施行令第48条の13第9項の規定に
6	以後	又は連結事業年度以後
	2	地方税法施行令改正令附則第5条第41項の規定により読み替えられた2
	各事業年度の	各事業年度又は各連結事業年度の
6の(一)	合併前3年内事業年度	合併前3年内事業年度等
	をいい	又は各連結事業年度をいい
	を除くもの	又は連結事業年度を除くもの
	とする	とし、これらの連結事業年度のうちに当該被合併法人又は当該被合併法人との間に連結完全支配関係（4年旧法人税法第2条第12号の7の7に規定する連結完全支配関係をいう。(二)において同じ。）がある他の連結法人（4年旧法人税法第2条第12号の7の2に規定する連結法人をいう。(二)において同じ。）がその課された外国の法人税等の額を法人税の課税標準である連結所得（4年旧法人税法第2条第18号の4に規定する連結所得をいう。(二)において同じ。）の計算上損金に算入した連結事業年度があるときは、当該損金に算入した連結事業年度以前の連結事業年度又は事業年度を除くものとする
	5後段	地方税法施行令改正令附則第5条第41項の規定により読み替えられた5後段
6の(二)	分割等前3年内事業年度	分割等前3年内事業年度等
	をいい	又は各連結事業年度をいい
	を除く	又は連結事業年度を除く
	とする	とし、これらの連結事業年度のうちに当該分割法人等又は当該分割法人等との間に連結完全支配関係がある他の連結法人がその課された外国の法人税等の額を法人税の課税標準である連結所得の計算上損金に算入した連結事業年度があるときは、当該損金に算入した連結事業年度以前の連結事業年度又は事業年度を除くものとする
6の①	6	地方税法施行令改正令附則第5条第41項の規定により読み替えられた6
	以後の	又は連結事業年度以後の
	2	同条第41項の規定により読み替えられた2
	合併前3年内事業年度の控除限度超過額	合併前3年内事業年度等の控除限度超過額
	合併前3年内事業年度の区分	合併前3年内事業年度等の区分
	の控除限度超過額と	又は連結事業年度の控除限度超過額と
6の①の(一)	合併前3年内事業年度	合併前3年内事業年度等
	各事業年度	各事業年度又は各連結事業年度
6の①の(二)	合併前3年内事業年度	合併前3年内事業年度等
	属する事業年度	属する事業年度又は連結事業年度
	合併事業年度	合併事業年度等
6の①の注	6	地方税法施行令改正令附則第5条第41項の規定により読み替えられた6
	以後の	又は連結事業年度以後の
	2	同条第41項の規定により読み替えられた2
	分割等前3年内事業年度の控除限度超過額	分割等前3年内事業年度等の控除限度超過額
	分割等前3年内事業年度の区分	分割等前3年内事業年度等の区分
	の控除限度超過額と	又は連結事業年度の控除限度超過額と
6の①の注の(一)	分割等前3年内事業年度	分割等前3年内事業年度等
	各事業年度	各事業年度又は各連結事業年度

第三編第二章《法人の市町村民税》第四節《法人税額等の控除・加算及び還付等》

6の①の注の(二)	開始	又は連結事業年度開始
	分割等前3年内事業年度	分割等前3年内事業年度等
	各事業年度	各事業年度又は各連結事業年度
6の①の注の(三)	分割等前3年内事業年度	分割等前3年内事業年度等
	属する事業年度	属する事業年度又は連結事業年度
	分割承継等事業年度	分割承継等事業年度等
6の②	6	地方税法施行令改正令附則第5条第41項の規定により読み替えられた6
	以後	又は連結事業年度以後
	5	同条第41項の規定により読み替えられた5
	合併前3年内事業年度	合併前3年内事業年度等
	6の①各号	同条第41項の規定により読み替えられた6の①各号
	定める事業年度	定める事業年度又は連結事業年度
6の②の注	6	地方税法施行令改正令附則第5条第41項の規定により読み替えられた6
	以後	又は連結事業年度以後
	5	同条第41項の規定により読み替えられた5
	分割等前3年内事業年度	分割等前3年内事業年度等
	6の①の注各号	同条第41項の規定により読み替えられた6の①の注各号
	定める事業年度	定める事業年度又は連結事業年度
6の③	6	地方税法施行令改正令附則第5条第41項の規定により読み替えられた6
	事業年度開始の日	事業年度又は連結事業年度開始の日
	各事業年度	各事業年度又は各連結事業年度
	法人3年前事業年度開始日	法人3年前事業年度等開始日
	合併前3年内事業年度	合併前3年内事業年度等
	分割等前3年内事業年度	分割等前3年内事業年度等
	被合併法人等前3年内事業年度	被合併法人等前3年内事業年度等
	被合併法人等3年前事業年度開始日	被合併法人等3年前事業年度等開始日
	事業年度と	事業年度又は連結事業年度と
	6の①	同条第41項の規定により読み替えられた6の①
6の④の(一)	分割等前3年内事業年度	分割等前3年内事業年度等
6の④の(二)	分割等前3年内事業年度	分割等前3年内事業年度等
	5後段	地方税法施行令改正令附則第5条第41項の規定により読み替えられた5後段
6の④の(二)イ	又は	若しくは
	外国法人の調整国外所得金額」という。)	外国法人の調整国外所得金額」という。)又は、法人税法施行令等の一部を改正する政令(令和2年政令第207号)第1条の規定による改正前の法人税法施行令第155条の29第1号に規定する個別調整国外所得金額(9の(4)の(一)において「個別調整国外所得金額」という。)
6の⑤	6	地方税法施行令改正令附則第5条第41項の規定により読み替えられた6
	各事業年度	各事業年度又は各連結事業年度
6の⑥	が6	が地方税法施行令改正令附則第5条第41項の規定により読み替えられた6
	以後	又は連結事業年度以後
	2	同条第41項の規定により読み替えられた2
	分割等前3年内事業年度	分割等前3年内事業年度等
	、6	、同条第41項の規定により読み替えられた6
	各事業年度の	各事業年度又は各連結事業年度の
8	前3年内事業年度	前3年内事業年度等
	の規定により控除する	の規定又は旧法第321条の8第26項の規定により控除する
	以前	又は前連結事業年度以前
	の法人税割	又は連結事業年度の法人税割

第三編第二章《法人の市町村民税》第四節《法人税額等の控除・加算及び還付等》

9	以後	又は連結事業年度以後
	8	地方税法施行令改正令附則第5条第41項の規定により読み替えられた8
	開始した各事業年度	開始した各事業年度又は各連結事業年度
9の(一)	合併前3年内事業年度	合併前3年内事業年度等
9の(二)	分割等前3年内事業年度	分割等前3年内事業年度等
9の(1)	9	地方税法施行令改正令附則第5条第41項の規定により読み替えられた9
	以後の	又は連結事業年度以後の
	8	同条第41項の規定により読み替えられた8
	合併前3年内事業年度の控除未済外国法人税等額	合併前3年内事業年度等の控除未済外国法人税等額
	合併前3年内事業年度の区分	合併前3年内事業年度等の区分
	定める事業年度	定める事業年度又は連結事業年度
9の(1)の(一)	合併前3年内事業年度	合併前3年内事業年度等
	各事業年度	各事業年度又は各連結事業年度
9の(1)の(二)	合併前3年内事業年度	合併前3年内事業年度等
	合併事業年度	合併事業年度等
	属する事業年度	属する事業年度又は連結事業年度
9の(2)	9	地方税法施行令改正令附則第5条第41項の規定により読み替えられた9
	以後の	又は連結事業年度以後の
	8	同条第41項の規定により読み替えられた8
	分割等前3年内事業年度の控除未済外国法人税等額	分割等前3年内事業年度等の控除未済外国法人税等額
	分割等前3年内事業年度の区分	分割等前3年内事業年度等の区分
	定める事業年度	定める事業年度又は連結事業年度
9の(2)の(一)	分割等前3年内事業年度	分割等前3年内事業年度等
	各事業年度	各事業年度又は各連結事業年度
9の(2)の(二)	開始	又は連結事業年度開始
	分割等前3年内事業年度	分割等前3年内事業年度等
	各事業年度	各事業年度又は各連結事業年度
9の(2)の(三)	分割等前3年内事業年度	分割等前3年内事業年度等
	分割承継等事業年度	分割承継等事業年度等
	属する事業年度	属する事業年度又は連結事業年度
9の(3)	事業年度開始の日	事業年度又は連結事業年度開始の日
	各事業年度	各事業年度又は各連結事業年度
	所得等申告法人3年前事業年度開始日	所得等申告法人3年前事業年度等開始日
	合併前3年内事業年度	合併前3年内事業年度等
	分割等前3年内事業年度	分割等前3年内事業年度等
	被合併法人等前3年内事業年度	被合併法人等前3年内事業年度等
	被合併法人等3年前事業年度開始日	被合併法人等3年前事業年度等開始日
	とみなし	又は連結事業年度とみなし
	(1)及び(2)	地方税法施行令改正令附則第5条第41項の規定により読み替えられた(1)及び(2)
9の(4)	分割等前3年内事業年度	分割等前3年内事業年度等
9の(4)の(一)	又は外国法人の調整国外所得金額	若しくは外国法人の調整国外所得金額又は個別調整国外所得金額
9の(5)	9	地方税法施行令改正令附則第5条第41項の規定により読み替えられた9
	各事業年度	各事業年度又は各連結事業年度
9の(8)	が9	が地方税法施行令改正令附則第5条第41項の規定により読み替えられた9
	以後	又は連結事業年度以後

10	8	同条第41項の規定により読み替えられた8
	分割等前3年内事業年度	分割等前3年内事業年度等
	、9	、同条第41項の規定により読み替えられた9
	各事業年度の	各事業年度又は各連結事業年度の
	2	地方税法施行令改正令附則第5条第41項の規定により読み替えられた2
	以後の各事業年度	又は連結事業年度以後の各事業年度又は各連結事業年度

（「外国の法人税等」の範囲）

(1) 1に規定する外国の法人税等（以下「外国の法人税等」という。）の範囲については法人税法施行令第141条《外国法人税の範囲等》の規定を準用し、外国の法人税等の額については法人税法第69条第1項に規定する控除対象外国法人税の額及び同法第144条の2第1項に規定する控除対象外国法人税の額の計算の例による。（令48の13①）

（内国法人に係る地方法人税の控除限度額）

(2) 1に規定する地方法人税法第12条第1項の控除の限度額は、法人税法施行令第144条第6項第1号に規定する地方法人税の控除限度額とする。（令48の13④）

（恒久的施設を有する外国法人に係る地方法人税の控除限度額）

(3) 1に規定する地方法人税法第12条第2項の控除の限度額は、法人税法施行令第195条の2に規定する地方法人税の控除限度額とする。（令48の13⑤）

（留意事項）

(4) 「外国の法人税等」とは、おおむね、外国の法令に基づき外国又はその地方公共団体により法人の所得を課税標準として課される税をいうものであるが、その範囲については法人税法施行令第141条《外国法人税の範囲等》に規定するところによるものであり、控除の対象となる外国の法人税等の額は法人税法第69条第1項に規定する控除対象外国法人税の額及び同法第144条の2第1項に規定する控除対象外国法人税の額の計算の例によるものであること。
　　なお、内国法人が租税特別措置法第66条の6第1項、第6項若しくは第8項又は第66条の9の2第1項、第6項若しくは第8項の規定により外国関係会社又は外国関係法人に係る課税対象金額、部分課税対象金額、金融子会社等部分課税対象金額又は金融関係法人部分課税対象金額を当該事業年度の所得の金額の計算上、益金の額に算入した場合に3の規定により外国の法人税等とみなされる額も外国の法人税等の額に含まれるものであること。（市通2－52(1)）

2　控除余裕額が生じた場合の繰越外国法人税額の控除

　各事業年度において課された外国の法人税等の額が当該事業年度の**国税の控除限度額**（法人税法第69条第1項に規定する控除限度額に1の(2)に規定する地方法人税の控除限度額を加算した金額若しくは同法第144条の2第1項に規定する控除対象外国法人税の額又は同法第81条の15第1項に規定する連結控除限度個別帰属額に1の(4)に規定する地方法人税の控除限度個別帰属額を加算した金額をいう。）〚第二編第二章第四節三の2参照〛、**道府県民税の控除限度額**（第二編第二章第四節三の4の①の規定により計算した額をいう。）〚同三の2参照〛及び**市町村民税の控除限度額**（4の①の規定により計算した額をいう。）の合計額に満たない場合において、前3年内事業年度〚同三の2参照〛において課された外国の法人税等の額うち当該事業年度前の事業年度において法人税法第69条及び第144条の2の規定並びに地方法人税法第12条第1項及び第2項の規定並びに第二編第二章第四節三の1及び1の規定により控除することができた額を超える部分の額（以下三において「**控除限度超過額**」という。）があるときは、当該控除限度超過額を、その最も古い事業年度のものから順次当該事業年度に係る国税の控除限度額、道府県民税の控除限度額及び市町村民税の控除限度額の合計額から当該事業年度において課された外国の法人税等の額を控除した残額に充てるものとした場合に当該充てられることとなる当該控除限度超過額は、1の規定の適用については、当該事業年度において課された外国の法人税等の額とみなす。（令48の13②）

（市町村民税の控除余裕額が生じた場合の留意事項）

注　各事業年度の外国の法人税等が全額法人税額及び地方法人税額並びに道府県民税の法人税割額から税額控除される場合には、市町村民税の法人税割額から控除すべき当該事業年度の外国の法人税等の額は、ないものであること。
　なお、各事業年度において市町村民税の控除余裕額が生じた場合において、当該事業年度開始の日前3年以内に開

始した各事業年度（5の注において「前3年以内の各事業年度」という。）において課された外国の法人税等の額のうち当該事業年度前の事業年度において、法人税額及び地方法人税額並びに道府県民税の法人税割額及び市町村民税の法人税割額から控除することができた額を超える部分の額があるときは、2の規定による額を当該事業年度において課された外国の法人税等の額とみなして、市町村民税の法人税割額から控除することとされているものであること。（市通2－52(3)）

3　外国子会社及び特定外国子会社等からの配当等に係る外国税額控除

内国法人が次の各号に掲げる場合に該当するときは、当該各号に定める金額は、1の規定の適用については、外国の法人税等の額とみなす。（令48の13③）

(一)	租税特別措置法第66条の6《内国法人の外国関係会社に係る所得の課税の特例》第1項、第6項又は第8項の規定の適用がある場合	当該内国法人に係る同条第2項第1号に規定する外国関係会社の所得に対して課される外国法人税（法人税法第69条《外国税額の控除》第1項に規定する外国法人税をいう。(二)において同じ。）の額のうち、租税特別措置法第66条の6第1項に規定する課税対象金額、同条第6項に規定する部分課税対象金額又は同条第8項に規定する金融子会社等部分課税対象金額に対応するものとして同法第66条の7第1項の規定の例により計算した金額
(二)	租税特別措置法第66条の9の2《特殊関係株主等である内国法人に係る外国関係法人に係る所得の課税の特例》第1項、第6項又は第8項の規定の適用がある場合	当該内国法人に係る同条第1項に規定する外国関係法人の所得に対して課される外国法人税の額のうち、同項に規定する課税対象金額、同条第6項に規定する部分課税対象金額又は同条第8項に規定する金融関係法人部分課税対象金額に対応するものとして同法第66条の9の3第1項の規定の例により計算した金額

4　市町村民税の控除限度額の計算

①　市町村民税の控除限度額

1に規定する外国の法人税等に係る市町村民税の控除限度額は、法人税の控除限度額（第二編第二章第四節三の4の①の「法人税の控除限度額」をいう。以下①において同じ。）に100分の6を乗じて計算した額とする。ただし、標準税率を超える税率で法人税割を課する市町村に事務所又は事業所を有する法人にあっては、当該法人の選択により、法人税の控除限度額に当該税率に相当する割合を乗じて計算した額（当該法人が二以上の市町村において事務所又は事業所を有する場合には、法人税の控除限度額を当該法人の関係市町村ごとの第五節一の2《法人税額の課税標準の分割基準》に規定する従業者の数に按分して計算した額に当該関係市町村が課する法人税割の税率に相当する割合として③で定める割合を乗じて計算した額の合計額）とすることができる。（令48の13⑦）

　　（留意事項）
　注　市町村民税の控除限度額は、原則として法人税の控除限度額に100分の6を乗じて計算した額とされているが、標準税率を超える税率で法人税割を課する市町村に事業所等を有する法人にあっては、当該法人の選択により、法人税の控除限度額に当該税率に相当する割合を乗じて計算した額とすることができるものとされていること。（市通2－52(2)）

②　二以上の市町村において事務所等を有する法人の市町村民税の控除限度額

二以上の市町村において事務所又は事業所を有する法人の1の規定により関係市町村ごとの法人税割額から控除すべき外国の法人税等の額は、当該法人に係る1の規定により控除することができる外国の法人税等の額を当該法人の当該控除をしようとする事業年度に係る関係市町村ごとの第五節一の2《法人税額の課税標準の分割基準》に規定する従業者の数（当該事業年度の市町村民税の控除限度額の計算について①ただし書の規定による法人にあっては、当該従業者の数に当該関係市町村が課する当該事業年度分の法人税割の税率に相当する割合として③で定める割合を乗じて得た数を100分の6で除して得た数）に按分して計算した額とする。（令48の13㉙）

(二以上の市町村において事務所等を有する法人の控除限度額計算上の留意事項)
注　二以上の市町村において事務所又は事業所を有する法人の関係市町村ごとの法人税割額から控除すべき外国の法人税等の額の計算は、第五節一の2《法人税額の課税標準の分割基準》に規定する従業者の数に按分して算定するものであること。
なお、二以上の市町村において事務所又は事業所を有する法人が①ただし書の規定により市町村民税の控除限度額を計算した場合には、当該従業者の数は、②及び③の規定により補正することとされているものであること。(市通2－52(9))

③　法人税の控除限度額に乗ずる割合
　二の1の(1)、二の2の(1)並びに①及び②に規定する割合は、次の各号に掲げる法人の区分に応じ、当該各号に定める割合とする。(規10の2の6①、3の2①一ロ)

(一)	(二)に掲げる法人以外の法人	次に掲げる場合の区分に応じ、それぞれに定める割合 イ　二の1の(1)、二の2の(1)並びに①及び②に規定する関係市町村に係る場合（ロに該当する場合を除く。）　当該関係市町村が課する市町村民税の法人税割の税率に相当する割合 ロ　特別区の存する区域において都民税の法人税割を課する都に係る場合　当該都が課する都民税の法人税割の税率に相当する割合から当該都税の法人税割の税率に相当する割合を控除した割合
(二)	二以上の市町村において事務所又は事業所を有する法人で特別区の存する区域において事務所又は事業所を有しないもの	二の1の(1)、二の2の(1)並びに①及び②に規定する関係市町村が課する市町村民税の法人税割の税率に相当する割合

5　控除限度超過額が生じた場合の繰越控除余裕額による外国税額の控除

各事業年度において課された外国の法人税等の額が当該事業年度の国税の控除限度額、道府県民税の控除限度額及び市町村民税の控除限度額の合計額を超える場合において、前3年以内の各事業年度につき1の規定により控除することができた外国の法人税等の額のうちに当該前3年以内の各事業年度の市町村民税の控除限度額に満たないものがあるときは、当該事業年度に係る1に規定する「4の①《市町村民税の控除限度額》で定めるところにより計算した額」は、4の①の規定にかかわらず、当該事業年度の市町村民税の控除限度額に、前3年以内の各事業年度の**国税の控除余裕額、道府県民税の控除余裕額又は市町村民税の控除余裕額**『第二編第二章第四節三の5参照』を前3年以内の各事業年度のうち最も古い事業年度のものから順次に、かつ、同一の事業年度のものについては、国税の控除余裕額、道府県民税の控除余裕額及び市町村民税の控除余裕額の順に、当該事業年度において課された外国の法人税等の額のうち当該事業年度の国税の控除限度額、道府県民税の控除限度額及び市町村民税の控除限度額の合計額を超える部分の額に充てるものとした場合に当該超える部分の額に充てられることとなる市町村民税の控除余裕額の合計額に相当する額を加算した額とする。この場合において、前3年以内の各事業年度において5の規定により当該前3年以内の各事業年度の当該超える部分の額に充てられることとなる国税の控除余裕額、道府県民税の控除余裕額及び市町村民税の控除余裕額は、5の規定の適用については、ないものとみなす。(令48の13⑧)

(前3年以内の各事業年度又は各連結事業年度に控除余裕額がある場合の留意事項)
注　各事業年度において課された外国の法人税等の額が当該事業年度の法人税額及び地方法人税額並びに道府県民税の法人税割及び市町村民税の法人税割の控除限度額の合計額を超える場合において、前3年以内の各事業年度『2の注参照』における市町村民税の控除余裕額があるときは、5の規定による額を当該事業年度分の市町村民税の控除限度額に加算して、外国の法人税等の額を控除することとされているものであること。(市通2－52(4))

6　合併法人等が適格合併等により事業の移転を受けた場合の控除限度超過額及び市町村民税の控除余裕額のみなし規定

内国法人又は外国法人（第一節一の表の(二)のロに規定する外国法人をいう。以下三において同じ。）が適格合併（法人税法第2条第12号の8に規定する適格合併をいう。以下三において同じ。）、適格分割（同法第2条第12号の11に規定する

適格分割をいう。(二)において同じ。)又は適格現物出資(同条第12号の14に規定する適格現物出資をいう。(二)において同じ。)(以下三において「適格合併等」という。)により被合併法人(合併によりその有する資産及び負債の移転を行った法人をいう。以下三において同じ。)、分割法人(同法第2条第12号の2に規定する分割法人をいう。(二)において同じ。)又は現物出資法人(同条第12号の4に規定する現物出資法人をいう。(二)において同じ。)(以下三において「被合併法人等」という。)から事業の全部又は一部の移転を受けた場合には、当該内国法人又は外国法人の当該適格合併等の日の属する事業年度以後の各事業年度における2及び5の規定の適用については、次の各号に掲げる適格合併等の区分に応じ当該各号に定める金額は、当該内国法人又は外国法人の当該事業年度開始の日前3年以内に開始した各事業年度の控除限度超過額及び市町村民税の控除余裕額とみなす。(令48の13⑨)

(一)	適格合併	当該適格合併に係る被合併法人の合併前3年内事業年度(適格合併の日前3年以内に開始した各事業年度をいい、これらの事業年度のうちに当該被合併法人がその課された外国の法人税等の額を法人税の課税標準である所得の計算上損金に算入した事業年度があるときは、当該損金に算入した事業年度以前の事業年度を除くものとし、当該被合併法人が通算法人(通算法人であった内国法人を含む。以下(一)において同じ。)である場合において、これらの事業年度のうちいずれかの事業年度(当該被合併法人に係る通算親法人の事業年度終了の日に終了するものに限る。)終了の日において当該被合併法人との間に通算完全支配関係がある他の通算法人が当該終了の日に終了する事業年度に納付することとなった外国の法人税等の額をその納付することとなった事業年度の法人税の課税標準である所得の計算上損金に算入したときは、当該損金に算入した事業年度終了の日に終了する当該法人の事業年度以前の事業年度を除くものとする。以下三において同じ。)の控除限度超過額及び市町村民税の控除余裕額(5後段の規定によりないものとみなされた額を除く。)
(二)	適格分割又は適格現物出資(以下三において「適格分割等」という。)	当該適格分割等に係る分割法人又は現物出資法人(以下三において「分割法人等」という。)の分割等前3年内事業年度(適格分割等の日の属する事業年度開始の日前3年以内に開始した各事業年度をいい、これらの事業年度のうちに当該分割法人等がその課された外国の法人税等の額を法人税の課税標準である所得の計算上損金に算入した事業年度があるときは、当該損金に算入した事業年度以前の事業年度を除くものとし、当該分割法人等が通算法人(通算法人であった内国法人を含む。以下(二)において同じ。)である場合において、これらの事業年度のうちいずれかの事業年度(当該分割法人等に係る通算親法人の事業年度終了の日に終了するものに限る。)終了の日において当該分割法人等との間に通算完全支配関係がある他の通算法人が当該終了の日に終了する事業年度に納付することとなった外国の法人税等の額をその納付することとなった事業年度の法人税の課税標準である所得の計算上損金に算入したときは、当該損金に算入した事業年度終了の日に終了する当該法人の事業年度以前の事業年度を除くものとする。以下三において同じ。)の控除限度超過額及び市町村民税の控除余裕額のうち、当該適格分割等により当該内国法人又は外国法人が移転を受けた事業に係る部分の金額

① **適格合併がある場合の繰越外国法人税額の控除**
　6(表の(一)に係る部分に限る。)の規定の適用がある場合の6の内国法人又は外国法人の適格合併の日の属する事業年度以後の各事業年度における2の規定の適用については、当該適格合併に係る被合併法人の合併前3年内事業年度の控除限度超過額は、当該被合併法人の次の各号に掲げる合併前3年内事業年度の区分に応じ、当該内国法人又は外国法人の当該各号に定める事業年度の控除限度超過額とみなす。(令48の13⑩)
(一)　適格合併に係る被合併法人の合併前3年内事業年度((二)に掲げる合併前3年内事業年度を除く。)　　当該被合併法人の合併前3年内事業年度開始の日の属する当該内国法人又は外国法人の各事業年度
(二)　適格合併に係る被合併法人の合併前3年内事業年度のうち当該内国法人又は外国法人の当該適格合併の日の属する

事業年度(以下(二)及び9の(1)の(二)において「合併事業年度」という。)開始の日以後に開始したもの　当該内国法人又は外国法人の合併事業年度開始の日の前日の属する事業年度

　　　(適格分割等がある場合の繰越外国法人税額の控除)
注　6(表の(二)に係る部分に限る。)の規定の適用がある場合の6の内国法人又は外国法人の適格分割等の日の属する事業年度以後の各事業年度における2の規定の適用については、当該適格分割等に係る分割法人等の分割等前3年内事業年度の控除限度超過額のうち、6の表の(二)に規定する当該内国法人又は外国法人が移転を受けた事業に係る部分の金額は、当該分割法人等の次の各号に掲げる分割等前3年内事業年度の区分に応じ、当該内国法人又は外国法人の当該各号に定める事業年度の控除限度超過額とみなす。(令48の13⑪)
(一)　適格分割等に係る分割法人等の分割等前3年内事業年度((二)に掲げる場合に該当するときの分割等前3年内事業年度及び(三)に掲げる分割等前3年内事業年度を除く。)　当該分割法人等の分割等前3年内事業年度開始の日の属する当該内国法人又は外国法人の各事業年度
(二)　適格分割等に係る分割法人等の当該適格分割等の日の属する事業年度開始の日が当該内国法人又は外国法人の当該適格分割等の日の属する事業年度開始の日前である場合の当該分割法人等の分割等前3年内事業年度　当該分割法人等の分割等前3年内事業年度終了の日の属する当該内国法人又は外国法人の各事業年度
(三)　適格分割等に係る分割法人等の分割等前3年内事業年度のうち当該内国法人又は外国法人の当該適格分割等の日の属する事業年度(以下(三)及び9の(2)の(三)において「分割承継等事業年度」という。)開始の日以後に開始したもの　当該内国法人又は外国法人の分割承継等事業年度開始の日の前日の属する事業年度

② 適格合併がある場合の繰越控除額による外国税額の控除
　6(表の(一)に係る部分に限る。)の規定の適用がある場合の6の内国法人又は外国法人の適格合併の日の属する事業年度以後の各事業年度における5の規定の適用については、当該適格合併に係る被合併法人の合併前3年内事業年度の市町村民税の控除余裕額(5の後段の規定によりないものとみなされた額を除く。)は、当該被合併法人の①の各号に掲げる合併前3年内事業年度の区分に応じ、当該内国法人又は外国法人の①の各号に定める事業年度の市町村民税の控除余裕額とみなす。(令48の13⑫)

　　　(適格分割等がある場合の繰越控除余裕額による外国税額の控除)
注　6(表の(二)に係る部分に限る。)の規定の適用がある場合の6の内国法人又は外国法人の適格分割等の日の属する事業年度以後の各事業年度における5の規定の適用については、当該適格分割等に係る分割法人等の分割等前3年内事業年度の市町村民税の控除余裕額のうち、6の表の(二)に規定する当該内国法人又は外国法人が移転を受けた事業に係る部分の金額は、当該分割法人等の①の注各号に掲げる分割等前3年内事業年度の区分に応じ、当該内国法人又は外国法人の①の注各号に定める事業年度の市町村民税の控除余裕額とみなす。(令48の13⑬)

③ 法人3年前事業年度開始日が被合併法人等3年前事業年度開始日後である場合の特例
　6の内国法人又は外国法人の適格合併等の日の属する事業年度開始の日前3年以内に開始した各事業年度のうち最も古い事業年度開始の日(以下③において「法人3年前事業年度開始日」という。)が当該適格合併等に係る被合併法人等の合併前3年内事業年度又は分割等前3年内事業年度(以下③において「被合併法人等前3年内事業年度」という。)のうち最も古い事業年度開始の日(二以上の被合併法人等が行う適格合併等にあっては、当該開始の日が最も早い被合併法人等の当該事業年度開始の日。以下③において「被合併法人等3年前事業年度開始日」という。)後である場合には、当該被合併法人等3年前事業年度等開始日から当該法人3年前事業年度開始日(当該適格合併等が当該内国法人又は外国法人を設立するものである場合にあっては、当該内国法人又は外国法人の当該適格合併等の日の属する事業年度開始の日。以下③において同じ。)の前日までの期間を当該期間に対応する当該被合併法人等3年前事業年度開始日に係る被合併法人等の被合併法人等前3年内事業年度ごとに区分したそれぞれの期間(当該前日の属する期間にあっては、当該被合併法人等の当該前日の属する事業年度開始の日から当該法人3年前事業年度開始日の前日までの期間)は、当該内国法人又は外国法人のそれぞれの事業年度とみなして、①及び②の規定を適用する。(令48の13⑭)

④ 適格分割等の場合の控除限度超過額及び市町村民税の控除余裕額のうち移転を受けた事業に係る部分の金額
　6の表の(二)に規定する当該内国法人又は外国法人が移転を受けた事業に係る部分の金額は、次の各号に掲げる控除限度超過額又は市町村民税の控除余裕額の区分に応じ、それぞれ当該各号に定める金額とする。(令48の13⑮)
(一)　控除限度超過額　適格分割等に係る分割法人等の分割等前3年内事業年度の控除限度超過額に当該分割等前3年

内事業年度におけるイに掲げる金額のうちにロに掲げる金額の占める割合をそれぞれ乗じて計算した金額
　　イ　当該分割法人等の分割等前3年内事業年度において納付することとなった外国法人税等の額
　　ロ　イに掲げる金額のうち当該分割法人等から移転を受ける事業に係る所得に基因して当該分割法人等が納付することとなった金額に相当する金額
　（二）市町村民税の控除余裕額　適格分割等に係る分割法人等の分割等前3年内事業年度の市町村民税の控除余裕額（5の後段の規定によりないものとみなされた額を除く。）に当該分割等前3年内事業年度におけるイに掲げる金額のうちにロに掲げる金額の占める割合をそれぞれ乗じて計算した金額
　　イ　当該分割法人等の法人税法施行令第142条第3項に規定する調整国外所得金額（9の（4）の（一）において「内国法人の調整国外所得金額」という。）又は同令第194条第3項に規定する調整国外所得金額（9の（4）の（一）において「外国法人の調整国外所得金額」という。）
　　ロ　イに掲げる金額のうち当該分割法人等から移転を受ける事業に係る部分の金額

⑤　**引継ぎの要件**
　6の規定は、適格分割等により当該適格分割等に係る分割法人等から事業の移転を受けた内国法人又は外国法人にあっては、当該内国法人又は外国法人が当該適格分割等の日以後3月以内に当該内国法人又は外国法人の当該事業年度開始の日前3年以内に開始した各事業年度の控除限度超過額及び市町村民税の控除余裕額とみなされる金額その他の総務省令で定める事項を記載した書類を当該内国法人又は外国法人の事務所又は事業所の所在地の市町村長（二以上の市町村において事務所又は事業所を有する内国法人又は外国法人にあっては、当該内国法人又は外国法人の主たる事務所又は事業所の所在地の市町村長）に提出した場合に限り、適用する。（令48の13⑯）

　　（書類の提出期限の延長の特例）
　（1）内国法人又は外国法人が適格分割等により分割法人等である他の内国法人から事業の移転を受けた場合であって、当該適格分割等が当該適格分割等の日の属する当該分割法人等の事業年度開始の日から1月以内に行われたものであるとき（当該事業年度の前事業年度が当該分割法人等に係る通算親法人の事業年度終了の日に終了するものであるときに限る。）における⑤の規定の適用については、⑤中「以後3月」とあるのは、「の属する当該分割法人等の事業年度開始の日以後4月」とする。（令48の13⑰）

　　（総務省令で定める事項）
　（2）⑤に規定する総務省令で定める事項は、次に掲げる事項とする。（規10の2 6②）
　（一）6の規定の適用を受けようとする内国法人（3に規定する内国法人をいう。以下（一）において同じ。）又は外国法人（6に規定する外国法人をいう。以下（一）において同じ。）の名称、事務所又は事業所所在地（二以上の市町村において事務所又は事業所を有する内国法人又は外国法人にあっては、当該内国法人又は外国法人の主たる事務所又は事業所所在地）及び法人番号並びに代表者の氏名
　（二）適格分割等（6に規定する適格分割等をいう。以下同じ。）に係る分割法人等（⑤に規定する分割法人等をいう。以下（二）及び9の（7）の（二）において同じ。）の名称、事務所又は事業所所在地（二以上の市町村において事務所又は事業所を有する分割法人等にあっては、当該分割法人等の主たる事務所又は事業所所在地。9の（9）の（二）において同じ。）及び法人番号並びに代表者の氏名
　（三）適格分割等の日
　（四）6（表の（二）に係る部分に限る。）の規定により6の内国法人又は外国法人の①の注各号に定める事業年度の2に規定する控除限度超過額とみなされる金額及び当該金額の計算に関する明細
　（五）6（表の（二）に係る部分に限る。）の規定により6の内国法人又は外国法人の①の注各号に定める事業年度の市町村民税の控除余裕額とみなされる金額及び当該金額の計算に関する明細
　（六）その他参考となるべき事項

⑥　**適格分割等に係る分割承継法人等が「6」の規定の適用を受ける場合の「2」及び「5」の規定の適用の特例**
　適格分割等に係る分割承継法人（法人税法第2条第12号の3に規定する分割承継法人をいう。）又は被現物出資法人（同条第12号の5に規定する被現物出資法人をいう。）（以下⑥及び9の（8）において「分割承継法人等」という。）が6の規定の適用を受ける場合には、当該適格分割等に係る分割法人等の当該適格分割等の日の属する事業年度以後の各事業年度における2及び5の規定の適用については、当該分割法人等の分割等前3年内事業年度の控除限度超過額及び市町村民税の控除余裕額のうち、6の規定により当該分割承継法人等の当該事業年度開始の日前3年以内に開始した各事業年度の控除

限度超過額とみなされる金額及び市町村民税の控除余裕額とみなされる金額は、ないものとする。(令48の13⑱)

（留意事項）
注　内国法人又は外国法人が適格合併等により被合併法人等から事業の全部又は一部の移転を受けた場合には、当該内国法人又は外国法人の当該適格合併等の日の属する事業年度以後の各事業年度においては、次に掲げる適格合併等の区分に応じ次に定める金額は、当該内国法人又は外国法人の当該事業年度開始の日前3年以内に開始した各事業年度（9の(9)において「前3年内事業年度」という。）の控除限度超過額及び市町村民税の控除余裕額とみなす。（市通2-52(6)）
ア　適格合併　　当該適格合併に係る被合併法人の当該適格合併の日前3年以内に開始した各事業年度の控除限度超過額及び市町村民税の控除余裕額
イ　適格分割等　　当該適格分割等に係る分割法人等の当該適格分割等の日の属する事業年度開始の日前3年以内に開始した各事業年度の控除限度超過額及び市町村民税の控除余裕額のうち、当該適格分割等により当該内国法人又は外国法人が移転を受けた事業に係る部分の金額

7　控除すべき年度

　1の規定による外国の法人税等の額の控除は、法人税法第69条《外国税額の控除》の規定により同条第1項に規定する外国の法人税の額を控除する事業年度又は同法第144条の2の規定により同条第1項に規定する外国の法人税の額を控除する事業年度に係る法人税割額についてするものとする。（令48の13⑲）

8　控除不足額の繰越控除

　法人税法第71条第1項《中間申告》、第74条第1項《確定申告》、第144条の3《外国法人の中間申告》第1項又は第144条の6《外国法人の確定申告》第1項の規定により法人税に係る申告書を提出する義務がある法人（以下三において「**所得等申告法人**」という。）の前3年以内の各事業年度における法人税割額の計算上1の規定により控除することとされた外国の法人税等の額のうち、当該法人税割額（外国法人にあっては、法人税法第141条第1号イに掲げる国内源泉所得に対する法人税額を課税標準として課するものに限る。以下8において同じ。）を超えることとなるため控除することができなかった額で前事業年度以前の事業年度の法人税割について控除されなかった部分の額（三において「**控除未済外国法人税等額**」という。）は、当該所得等申告法人の当該事業年度の当該法人税割額から控除するものとする。（令48の13⑳）

（法人税法との相違点）
注　外国の法人税等の額のうち控除未済外国法人税等額があるときは、法人税と異なり、当該控除未済外国法人税等額はこれを還付することなく、その額を3年間に限って繰越控除するものであること。（市通2-52(7)）

9　所得等申告法人が適格合併等により事業の移転を受けた場合の控除未済外国法人税等額のみなし規定

　所得等申告法人が適格合併等により被合併法人等から事業の全部又は一部の移転を受けた場合には、当該所得等申告法人の当該適格合併等の日の属する事業年度以後の各事業年度における8の規定の適用については、次の各号に掲げる適格合併等の区分に応じ当該各号に定める金額は、当該所得等申告法人の当該事業年度開始の日前3年以内に開始した各事業年度の控除未済外国法人等額とみなす。（令48の13㉑）

(一)	適格合併	当該適格合併に係る被合併法人の合併前3年内事業年度の控除未済外国法人税等額
(二)	適格分割等	当該適格分割等に係る分割法人等の分割等前3年内事業年度の控除未済外国法人税等額のうち、当該適格分割等により当該所得等申告法人が移転を受けた事業に係る部分の金額

（適格合併がある場合の控除未済外国法人税等額の控除）
(1)　9（表の(一)に係る部分に限る。）の規定の適用がある場合の9の所得等申告法人の適格合併の日の属する事業年度以後の各事業年度における8の規定の適用については、当該適格合併に係る被合併法人の合併前3年内事業年度の控除未済外国法人税等額は、当該被合併法人の次の各号に掲げる合併前3年内事業年度の区分に応じ、当該所得等申告法人の当該各号に定める事業年度の控除未済外国法人税等額とみなす。（令48の13㉒）
(一)　適格合併に係る被合併法人の合併前3年内事業年度（(二)に掲げる合併前3年内事業年度を除く。）　　当該被

第三編第二章《法人の市町村民税》第四節《法人税額等の控除・加算及び還付等》

合併法人の合併前3年前内事業年度開始の日の属する当該所得等申告法人の各事業年度
（二）　適格合併に係る被合併法人の合併前3年内事業年度のうち当該所得等申告法人の合併事業年度開始の日以後に開始したもの　　当該所得等申告法人の合併事業年度開始の日の前日の属する事業年度

　　　（適格分割等がある場合の控除未済外国法人税等額の控除）
（2）　9（表の（二）に係る部分に限る。）の規定の適用がある場合の9の所得等申告法人の適格分割等の日の属する事業年度以後の各事業年度における8の規定の適用については、当該適格分割等に係る分割法人等の分割等前3年内事業年度の控除未済外国法人税等額のうち、9の表の（二）に規定する当該所得等申告法人が移転を受けた事業に係る部分の金額は、当該分割法人等の次の各号に掲げる分割等前3年内事業年度の区分に応じ、当該所得等申告法人の当該各号に定める事業年度の控除未済外国法人税等額とみなす。（令48の13㉓）
　（一）　適格分割等に係る分割法人等の分割等前3年内事業年度（（二）に掲げる場合に該当するときの分割等前3年内事業年度及び（三）に掲げる分割等前3年内事業年度を除く。）　　当該分割法人等の分割等前3年内事業年度開始日の属する当該所得等申告法人の各事業年度
　（二）　適格分割等に係る分割法人等の当該適格分割等の日の属する事業年度開始の日が当該所得等申告法人の当該適格分割等の日の属する事業年度開始の日前である場合の当該分割法人等の分割等前3年内事業年度　　当該分割法人等の分割等前3年内事業年度終了の日の属する当該所得等申告法人の各事業年度
　（三）　適格分割等に係る分割法人等の分割等前3年内事業年度のうち当該所得等申告法人の分割承継等事業年度開始の日以後に開始したもの　　当該所得等申告法人の分割承継等事業年度開始の日の前日の属する事業年度

　　　（所得等申告法人3年前事業年度開始日が被合併法人等3年前事業年度開始日後である場合の特例）
（3）　9の所得等申告法人の適格合併等の日の属する事業年度開始の日前3年以内に開始した各事業年度のうち最も古い事業年度開始の日（以下（3）において「所得等申告法人3年前事業年度開始日」という。）が当該適格合併等に係る被合併法人等の合併前3年内事業年度又は分割等前3年内事業年度（以下（3）において「被合併法人等前3年内事業年度」という。）のうち最も古い事業年度開始の日（二以上の被合併法人等が行う適格合併等にあっては、当該開始の日が最も早い被合併法人等の当該事業年度開始の日。以下（3）において「被合併法人等3年前事業年度開始日」という。）後である場合には、当該被合併法人等3年前事業年度開始日から当該所得等申告法人3年前事業年度開始日（当該適格合併等が当該所得等申告法人を設立するものである場合にあっては、当該所得等申告法人の当該適格合併等の日の属する事業年度開始の日。以下（3）において同じ。）の前日までの期間を当該期間に対応する当該被合併法人等3年前事業年度開始日に係る被合併法人等の被合併法人等前3年内事業年度ごとに区分したそれぞれの期間（当該前日の属する期間にあっては、当該被合併法人等の当該前日の属する事業年度開始の日から当該所得等申告法人3年前事業年度開始日の前日までの期間）は、当該所得等申告法人のそれぞれの事業年度とみなして、（1）及び（2）の規定を適用する。（令48の13㉔）

　　　（適格分割等の場合の控除未済外国法人税等額のうち移転を受けた事業に係る部分の金額）
（4）　9の表の（二）に規定する当該所得等申告法人が移転を受けた事業に係る部分の金額は、適格分割等に係る分割法人等の分割等前3年内事業年度の控除未済外国法人税等額に当該分割等前3年内事業年度等における（一）に掲げる金額のうちに（二）に掲げる金額の占める割合をそれぞれ乗じて計算した金額とする。（令48の13㉕）
　（一）　当該分割法人等の内国法人の調整国外所得金額又は外国法人の調整国外所得金額
　（二）　（一）に掲げる金額のうち当該分割法人等から移転を受ける事業に係る部分の金額

　　　（引継ぎの要件）
（5）　9の規定は、適格分割等により当該適格分割等に係る分割法人等から事業の移転を受けた所得等申告法人にあっては、当該所得等申告法人が当該適格分割等の日以後3月以内に当該所得等申告法人の当該事業年度開始の日前3年以内に開始した各事業年度の控除未済外国法人税等額とみなされる金額その他の総務省令で定める事項を記載した書類を当該所得等申告法人の事務所又は事業所の所在地の市町村長（二以上の市町村において事務所又は事業所を有する所得等申告法人にあっては、当該所得等申告法人の主たる事務所又は事業所の所在地の市町村長）に提出した場合に限り、適用する。（令48の13㉖）

　　　（書類の提出期限の延長の特例）
（6）　所得等申告法人が適格分割等により分割法人等である他の内国法人から事業の移転を受けた場合であって、当該

適格分割等が当該適格分割等の日の属する当該分割法人等の事業年度開始の日から１月以内に行われたものであるとき（当該事業年度の前事業年度が当該分割法人等に係る通算親法人の事業年度終了の日に終了するものであるときに限る。）における（５）の規定の適用については、（５）中「以後３月」とあるのは、「の属する当該分割法人等の事業年度開始の日以後４月」とする。（令48の13㉗）

　　　（総務省令で定める事項）
（７）　（５）に規定する総務省令で定める事項は、次に掲げる事項とする。（規10の２の６③）
　（一）　９の規定の適用を受けようとする所得等申告法人（８に規定する所得等申告法人をいう。以下（一）において同じ。）の名称、事務所又は事業所所在地（二以上の市町村において事務所又は事業所を有する所得等申告法人にあっては、当該所得等申告法人の主たる事務所又は事業所所在地）及び法人番号並びに代表者の氏名
　（二）　適格分割等に係る分割法人等の名称、事務所又は事業所所在地及び法人番号並びに代表者の氏名〔６の⑤の（２）の（二）参照〕
　（三）　適格分割等の日
　（四）　９（表の（二）に係る部分に限る。）の規定により９の所得等申告法人の（２）各号に定める事業年度の８に規定する控除未済外国法人税等額（10の（１）の（二）において「控除未済外国法人税等額」という。）とみなされる金額及び当該金額の計算に関する明細
　（五）　その他参考となるべき事項

　　　（適格分割等に係る所得等申告法人が９の規定の適用を受ける場合の８の規定の適用の特例）
（８）　適格分割等に係る分割承継法人等が９の規定の適用を受ける場合には、当該適格分割等に係る分割法人等の当該適格分割等の日の属する事業年度以後の各事業年度における８の規定の適用については、当該分割法人等の分割等前３年内事業年度の控除未済外国法人税等額のうち、９の規定により当該分割承継法人等の当該事業年度開始の日前３年以内に開始した各事業年度の控除未済外国法人税等額とみなされる金額は、ないものとする。（令48の13㉘）

　　　（留意事項）
（９）　所得等申告法人が、適格合併等により被合併法人等から事業の全部又は一部の移転を受けた場合には、当該所得等申告法人の当該適格合併等の日の属する事業年度以後の各事業年度においては、次に掲げる適格合併等の区分に応じ次に定める金額は、当該所得等申告法人の前３年内事業年度の控除未済外国法人税等額とみなす。（市通２−52（８））
　ア　適格合併　　当該適格合併に係る被合併法人の当該適格合併の日前３年以内に開始した各事業年度の控除未済外国法人税等額
　イ　適格分割等　　当該適格分割等に係る分割法人等の当該適格分割等の日の属する事業年度開始の日前３年以内に開始した各事業年度の控除未済外国法人税等額のうち、当該適格分割等により当該所得等申告法人が移転を受けた事業に係る部分の金額

10　外国税額控除の申告

　１の規定による外国の法人税等の額の控除に関する規定は、第三節─１・２、６若しくは７《中間申告・みなし中間申告・確定申告・過不足税額の申告・修正申告・更正決定に係る申告》の規定による申告書又は第一編第十章10《更正の請求》の④の規定による更正請求書（二以上の市町村において事務所又は事業所を有する法人に係るものにあっては、当該法人の主たる事務所又は事業所の所在地の市町村長に提出すべき当該申告書又は更正請求書）にで外国の法人税等の額の控除に関する事項を記載した総務省令で定める書類の添付がある場合（２、５又は８の規定については、当該申告書又は更正請求書を提出し、かつ、当該規定の適用を受けようとする金額の生じた事業年度以後の各事業年度について当該金額に関する事項を記載した総務省令で定める書類の添付がある当該申告書又は更正請求書を提出している場合）に限り、適用する。この場合において、１の規定により控除されるべき金額の計算の基礎となる当該事業年度において課された外国の法人税等の額その他の（１）で定める金額は、市町村長において特別の事情があると認める場合を除くほか、当該書類に当該計算の基礎となる金額として記載された金額を限度とする。（令48の13㉚）

　　　（当該事業年度において課された外国の法人税等の額その他の金額）
（１）　10に規定する金額は、１の規定による控除をしようとする事業年度において課された１に規定する外国の法人税等（以下（１）において「外国の法人税等」という。）の額とする。ただし、次の各号に掲げる規定に係る部分の金額については、当該各号に定める金額とする。（規10の２の６⑤）

(一)　2又は5　　控除限度超過額又は国税の控除余裕額、道府県民税の控除余裕額若しくは市町村民税の控除余裕額に係る事業年度のうち最も古い事業年度以後の各事業年度の国税の控除限度額、道府県民税の控除限度額及び市町村民税の控除限度額の合計額並びに当該各事業年度において課された外国の法人税等の額
　(二)　8　　控除未済外国法人税等額に係る事業年度のうち最も古い事業年度以後の各事業年度における法人税割額の計算上1の規定により控除することとされた外国の法人税等の額

　　(留意事項)
(2)　1の規定による控除をされるべき金額の計算の基礎となる当該事業年度において課された外国の法人税等の額その他の(1)で定める金額は、市町村長において特別の事情があると認める場合を除くほか、外国の法人税等の額の控除に関する事項を記載した規則第20号の4様式に当該計算の基礎となる金額として記載された金額を限度とする。(市通2－52(10))

四　通算法人の過年度の外国税額控除額が当初申告税額控除額と異なることとなった場合の調整

1　通算法人の適用事業年度における当初申告税額控除額の固定措置

　三の1《外国の法人税額等の控除》の規定を適用する場合において、通算法人(法人税法第2条第12号の7の2に規定する通算法人をいう。以下四において同じ。)の各事業年度(当該通算法人に係る通算親法人〔第三節一の1参照〕の事業年度終了の日に終了するものに限るものとし、被合併法人の合併の日の前日の属する事業年度、残余財産の確定の日の属する事業年度及び公益法人等(第一節二の1の(3)《非課税とされない公益法人等に対する法人税割》に規定する公益法人等をいう。2の①及び5において同じ。)に該当することとなった日の前日の属する事業年度を除く。以下1及び3の①において「適用事業年度」という。)の税額控除額(当該適用事業年度における三の1の規定による控除をされるべき金額をいう。以下1、2の①及び3の①において同じ。)が、当初申告税額控除額(当該適用事業年度の第三節一の1・2《中間申告・確定申告》の規定による申告書(同法第71条《中間申告》第1項(同法第72条《仮決算をした場合の中間申告》第1項の規定が適用される場合に限る。)又は第74条《確定申告》第1項の規定により法人税に係る申告書を提出する義務がある法人が、同1・2の規定による申告書の提出期限までに提出したものに限る。)に添付された書類に当該適用事業年度の税額控除額として記載された金額をいう。以下1及び3の①において同じ。)と異なるときは、当初申告税額控除額を税額控除額とみなす。(法321の8㊴)

　　(留意事項)
注　三の1《外国の法人税等の額の控除》の規定を適用する場合において、通算法人の1に規定する適用事業年度(以下「適用事業年度」という。)の1に規定する税額控除額(以下「税額控除額」という。)が当初申告税額控除額(当該適用事業年度の第三節一の1・2の規定による申告書の提出期限までに提出された仮決算に係る中間申告書又は確定申告書に添付された書類に当該適用事業年度の税額控除額として記載された金額をいう。以下同じ。)と異なるときは、当初申告税額控除額を税額控除額とみなすものであること。適用事業年度について3の①((一)及び(三)に係る部分に限る。)の規定を適用して修正申告書の提出又は更正がされた後において1の規定を適用する場合は、3の①の規定にかかわらず、あらためて当該申告書に添付された書類に当該適用事業年度の税額控除額として記載された金額又は当該更正に係る当該適用事業年度の税額控除額とされた金額を当初申告税額控除額とみなすものであること。
　また、適用事業年度後の通算法人(通算法人であった内国法人(公益法人等に該当することとなった内国法人を除く。)を含む。)の各事業年度(以下「対象事業年度」という。)において、2の①に規定する調整後過去税額控除額(以下「調整後過去税額控除額」という。)が同①に規定する過去当初申告税額控除額(以下「過去当初申告税額控除額」という。)を超える場合にあっては税額控除不足額相当額(当該調整後過去税額控除額から当該過去当初申告税額控除額を控除した金額に相当する金額をいう。以下同じ。)を法人税割額から控除するものであり、過去当初申告税額控除額が調整後過去税額控除額を超える場合にあっては法人税割額に税額控除超過額相当額(当該過去当初申告税額控除額から当該調整後過去税額控除額を控除した金額に相当する金額をいう。以下同じ。)を加算するものであること。
　これらの場合において、当該対象事業年度の税額控除不足額相当額又は税額控除超過額相当額が当初申告税額控除不足額相当額又は当初申告税額控除超過額相当額(それぞれ第三節一の1・2の規定による申告書の提出期限までに提出された仮決算に係る中間申告書又は確定申告書に添付された書類に当該対象事業年度の税額控除不足額相当額又は税額控除超過額相当額として記載された金額をいう。以下同じ。)と異なるときは、当初申告税額控除不足額相当額又は当初申告税額控除超過額相当額を当該対象事業年度の税額控除不足額相当額又は税額控除超過額相当額とみなすものであること。また、当該対象事業年度について3の②の規定を適用して修正申告書の提出又は更正がされた後に

おいて2の③又は3の②の規定を適用する場合は、3の②の規定にかかわらず、あらためて当該申告書に添付された書類に当該対象事業年度の税額控除不足額相当額若しくは税額控除超過額相当額として記載された金額又は当該更正に係る当該対象事業年度の税額控除不足額相当額若しくは税額控除超過額相当額とされた金額を当初申告税額控除不足額相当額又は当初申告税額控除超過額相当額とみなすものであること。

なお、この場合において次の諸点に留意すること。（市通2－52の2）

(一) 税額控除不足額相当額のうち、市町村民税の法人税割額を超えるため控除することができなかった額（以下「控除未済税額控除不足額相当額」という。）があるときは、法人税と異なり、当該控除未済税額控除不足額相当額はこれを還付することなく、その額を3年間に限って繰越控除するものであること。

(二) 法人税法第71条第1項又は第74条第1項の規定により法人税に係る申告書を提出する義務がある法人（以下(二)において「所得等申告法人」という。）が、適格合併等により被合併法人等から事業の全部又は一部の移転を受けた場合には、当該所得等申告法人の当該適格合併等の日の属する事業年度以後の各事業年度においては、次に掲げる適格合併等の区分に応じ次に定める金額は、当該所得等申告法人の前3年内事業年度の控除未済税額控除不足額相当額とみなすものであること。

イ 適格合併　当該適格合併に係る被合併法人の当該適格合併の日前3年以内に開始した各事業年度の控除未済税額控除不足額相当額

ロ 適格分割等　当該適格分割等に係る分割法人等の当該適格分割等の日の属する事業年度開始の日前3年以内に開始した各事業年度の控除未済税額控除不足額相当額のうち、当該適格分割等により当該所得等申告法人が移転を受けた事業に係る部分の金額

(三) 二以上の市町村において事務所又は事業所を有する法人の関係市町村ごとの法人税割額から控除すべき税額控除不足額相当額又は法人税割額に加算すべき税額控除超過額相当額の計算は、第五節－2《法人税額の課税標準の分割基準》に規定する従業者の数に按分して算定するものであること。なお、二以上の市町村において事務所又は事業所を有する法人が三の4の①ただし書の規定により対象事業年度の市町村民税の控除限度額を計算した場合には、当該従業者の数は、2の①の(3)（同②の(1)において準用する場合を含む。）及び三の4の③の規定により補正することとされているものであること。

(四) 二以上の市町村において事務所又は事業所を有する法人における当初申告税額控除額とみなされる税額控除額及び当初申告税額控除不足額相当額又は当初申告税額控除超過額相当額とみなされる税額控除不足額相当額又は税額控除超過額相当額は、第五節－2に規定する従業者の数又は三の4の②及び2の①の(3)（同②の(1)において準用する場合を含む。）並びに三の4の③の規定により補正された従業者の数により関係市町村ごとに按分する前の金額をいうものであること。

(五) 2の①及び同②の規定の適用を受ける法人にあっては、当該対象事業年度に係る規則第20号の4様式（同様式別表1から別表6までを含む。以下同じ。）及び同様式別表7だけでなく、過去適用事業年度の過去当初申告税額控除額の控除に関する事項を記載した規則第20号の4様式及び税額控除額の控除に関する事項を記載した規則第20号の4様式を確定申告書等に添付しなければならないものであること。

(六) 2の①の規定による控除をされるべき税額控除不足額相当額の計算の基礎となる外国の法人税等の額その他の同①の(6)に定める金額は、市町村長において特別の事情があると認める場合を除くほか、税額控除額の控除に関する事項を記載した過去適用事業年度の規則第20号の4様式に当該計算の基礎となる金額として記載された金額を限度とするものであること。

(七) 2の②の規定により加算されるべき税額控除超過額相当額の計算の基礎となる外国の法人税等の額その他の同②の(4)に定める金額は、市町村長において特別の事情があると認める場合を除くほか、税額控除額の控除に関する事項を記載した過去適用事業年度の規則第20号の4様式に当該計算の基礎となる金額として記載された金額を限度とするものであること。

(八) 2の①の規定による控除又は同②の規定による加算をすべき事業年度は、法人税において法人税法第69条第18項の規定による控除又は同条第19項の規定による加算をすべき事業年度と、原則として一致すべきものであること。

(九) 通算法人（通算法人であった内国法人を含む。以下同じ。）が合併により解散した場合、通算法人の残余財産が確定した場合又は通算法人が公益法人等に該当することとなった場合においても、(一)から(八)までに留意するものであること。

2　税額控除額と当初申告税額控除額との差額に係る対象事業年度での調整

①　税額控除不足額相当額の対象事業年度の法人税割額からの控除

　市町村は、通算法人（通算法人であった内国法人（公益法人等に該当することとなった内国法人を除く。）を含む。2及び3において同じ。）の各事業年度（以下2及び3において「対象事業年度」という。）において、過去適用事業年度（当該対象事業年度開始の日前に開始した各事業年度で1の規定の適用を受けた事業年度をいう。以下①及び3の②(一)において同じ。）における税額控除額（当該対象事業年度開始の日前に開始した各事業年度（以下①において「対象前各事業年度」という。）において当該過去適用事業年度に係る税額控除額につき①又は②の規定の適用があった場合には、②の規定により当該対象前各事業年度の法人税割額に加算した金額の合計額から①の規定により当該対象前各事業年度の法人税割額から控除した金額の合計額を減算した金額を加算した金額。以下①及び②において「調整後過去額控除額」という。）が過去当初申告税額控除額（当該過去適用事業年度の第三節一の1・2の規定による申告書（法人税法第74条第1項の規定により法人税に係る申告書を提出する義務がある法人が、同1・2の規定による申告書の提出期限までに提出したものに限る。）に添付された書類に当該過去適用事業年度の三の1の規定による控除をされるべき金額として記載された金額（当該過去適用事業年度について3の①の注の規定の適用を受けた場合には、その適用に係る第三節一の6《納付税額に過不足額がある場合等の申告納付》に規定する申告書に添付された書類のうち、最も新しいものに当該過去適用事業年度の三の1の規定による控除をされるべき金額として記載された金額又は第六節一の1若しくは3《更正・再更正》の規定による更正のうち、最も新しいものに係る当該過去適用事業年度の三の1の規定による控除をされるべき金額とされた金額）をいう。以下①及び②において同じ。）を超える場合には、政令で定めるところにより、税額控除不足額相当額（当該調整後過去額控除額から当該過去当初申告税額控除額を控除した金額に相当する金額をいう。2及び3において同じ。）を当該対象事業年度の第三節一の1・2（予定申告法人に係るものを除く。）、同6又は7の規定により申告納付すべき法人税割額から控除するものとする。（法321の8㊷）

　　　（税額控除不足額相当額の控除）
　（1）　三の8及び9の規定は、法人税法第71条第1項又は第74条第1項の規定により法人税に係る申告書を提出する義務がある法人の前3年内事業年度〘三の2参照〙における法人税割額の計算上①（4及び5において準用する場合を含む。以下2において同じ。）の規定により控除することとされた税額控除不足額相当額のうち、当該法人税割額を超えることとなるため控除することができなかった額で前事業年度以前の事業年度の法人税割について控除されなかった部分の額について準用する。この場合において、三の8及び9中「控除未済外国法人税等額」とあるのは、「控除未済税額控除不足額相当額」と読み替えるものとする。（令48の13の2①）

　　　（税額控除不足額相当額の控除の場合の総務省令で定める事項）
　（2）　三の9の(7)の規定は、(1)において準用する三の9の(5)に規定する総務省令で定める事項について準用する。この場合において三の9の(7)の(一)中「(5)」とあるのは「四の2の①の(1)において準用する(5)」と、同(四)中「9」とあるのは「四の2の①の(1)において準用する9」と、「控除未済外国法人税等額」とあるのは「控除未済税額控除不足額相当額」と読み替えるものとする。（規10の2の6④）

　　　（二以上の市町村において事務所又は事業所を有する法人に係る税額控除不足額相当額の控除）
　（3）　二以上の市町村において事務所又は事業所を有する法人の①の規定により関係市町村ごとの法人税割額から控除すべき税額控除不足額相当額は、当該法人に係る①の規定により控除することができる税額控除不足額相当額を当該法人の当該控除をしようとする事業年度に係る関係市町村ごとの第五節一の2《法人税額の課税標準の分割基準》に規定する従業者の数（当該事業年度の市町村民税の控除限度額〘三の2参照〙の計算について三の4の①《市町村民税の控除限度額》ただし書の規定による法人にあっては、当該従業者の数に当該関係市町村が課する当該事業年度分の法人税割の税率に相当する割合として総務省令で定める割合を乗じて得た数を100分の6で除して得た数）に按分して計算した額とする。（令48の13の2②）

　　　（税額控除不足額相当額の控除の申告）
　（4）　①の規定は、第三節一の1・2、6若しくは7《中間申告・みなし中間申告・確定申告・過不足額の申告・修正申告・更正決定に係る申告》の規定による申告書又は第一編第一章10の④《更正請求書の地方団体の長への提出》の規定による更正請求書（二以上の市町村において事務所又は事業所を有する法人に係るものにあっては、当該法人の主たる事務所又は事業所の所在地の市町村長に提出すべき当該申告書又は更正請求書。以下(3)及び②の(2)におい

て「申告書等」という。)に税額控除不足額相当額の控除に関する事項を記載した書類その他の総務省令で定める書類の添付がある場合((1)において準用する三の8の規定については、当該申告書等を提出し、かつ、当該規定の適用を受けようとする金額の生じた事業年度以後の各事業年度について当該金額に関する事項を記載した総務省令で定める書類の添付がある当該申告書等を提出している場合)に限り、適用する。この場合において、①の規定により控除されるべき金額の計算の基礎となる外国の法人税等〚三の1の(1)参照〛の額その他の総務省令で定める金額は、市町村長において特別の事情があると認める場合を除くほか、当該書類に当該計算の基礎となる金額として記載された金額を限度とする。(令48の13の2④)

　　　(総務省令で定める書類)
(5)　(4)に規定する総務省令で定める書類は、次に掲げる書類とする。(規10の2の6⑥)
　(一)　税額控除不足額相当額(①(4及び5において準用する場合を含む。以下(5)及び(6)において同じ。)に規定する税額控除不足額相当額をいう。(二)及び(6)において同じ。)の控除に関する事項を記載した書類
　(二)　税額控除不足額相当額に係る過去適用事業年度(①に規定する過去適用事業年度をいう。以下2において同じ。)の過去当初申告税額控除額(①に規定する過去当初申告税額控除額をいう。②の(3)の(二)において同じ。)及び税額控除額(1に規定する税額控除額をいう。(三)及び②の(3)において同じ。)の控除に関する事項を記載した書類
　(三)　対象前各事業年度(①に規定する対象前各事業年度をいう。以下(三)及び②の(3)の(三)において同じ。)において(二)の過去適用事業年度に係る税額控除額につき①又は②の規定の適用があった場合には、当該対象前各事業年度における①の規定による控除及び②の規定による加算に関する事項を記載した書類

　　　(総務省令で定める金額)
(6)　(4)に規定する総務省令で定める金額は、次に掲げる金額とする。ただし、(1)において準用する三の8の規定に係る部分の金額については、同8に規定する控除未済税額控除不足額相当額に係る事業年度のうち最も古い事業年度以後の各事業年度における法人税割額の計算上①の規定により控除することとされた税額控除不足額相当額とする。(規10の2の6⑦)
　(一)　①の規定による控除を受けるべき金額に係る過去適用事業年度の外国の法人税等の額
　(二)　(一)の過去適用事業年度における控除限度超過額又は国税の控除余裕額、道府県民税の控除余裕額若しくは市町村民税の控除余裕額に係る事業年度のうち最も古い事業年度以後の各事業年度の国税の控除限度額、道府県民税の控除限度額及び市町村民税の控除限度額の合計額並びに当該各事業年度において課された外国の法人税等の額

②　税額控除超過額相当額の対象事業年度の法人税割額への加算
　通算法人の対象事業年度において過去当初申告税額控除額が調整後過去税額控除額を超える場合には、当該対象事業年度の第三節一の1・2(予定申告法人に係るものを除く。)、同6又は7の規定により申告納付すべき法人税割額は、これらの規定にかかわらず、政令で定めるところにより、法人税額を課税標準として算定した法人税割額に、税額控除超過額相当額(当該過去当初申告税額控除額から当該調整後過去税額控除額を控除した金額に相当する金額をいう。2及び3において同じ。)を加算した金額とする。(法321の8㊸)

　　　(二以上の市町村において事務所又は事業所を有する法人に係る税額控除超過額相当額の加算)
(1)　①の(2)の規定は、二以上の市町村において事務所又は事業所を有する法人の②(4及び5において準用する場合を含む。以下(1)及び(2)において同じ。)の規定により関係市町村ごとの法人税割額に加算すべき税額控除超過額相当額について準用する。(令48の13の2③)

　　　(税額控除超過額相当額の加算の申告)
(2)　②の規定の適用を受ける法人は、申告書等に税額控除超過額相当額の加算に関する事項を記載した書類その他の総務省令で定める書類を添付しなければならない。この場合において、②の規定により加算されるべき金額の計算の基礎となる外国の法人税等の額その他の総務省令で定める金額は、市町村長において特別の事情があると認める場合を除くほか、当該書類に当該計算の基礎となる金額として記載された金額を限度とする。(令48の13の2⑤)

　　　(総務省令で定める書類)
(3)　(2)に規定する総務省令で定める書類は、次に掲げる書類とする。(規10の2の6⑧)
　(一)　税額控除超過額相当額(②(4及び5において準用する場合を含む。(4)の(一)において同じ。)に規定する税

額控除超過額相当額をいう。(二)において同じ。)の加算に関する事項を記載した書類
　(二)　税額控除超過額相当額に係る過去適用事業年度の過去当初申告税額控除額及び税額控除額の控除に関する事項を記載した書類
　(三)　対象前各事業年度において(二)の過去適用事業年度に係る税額控除額につき①又は②の規定の適用があった場合には、当該対象前各事業年度における①の規定による控除及び②の規定による加算に関する事項を記載した書類

　　(総務省令で定める金額)
(4)　(2)に規定する総務省令で定める金額は、次に掲げる金額とする。(規10の2の6⑨)
　(一)　②の規定により加算されるべき金額に係る過去適用事業年度の外国の法人税等の額
　(二)　(一)の過去適用事業年度における控除限度超過額又は国税の控除余裕額、道府県税の控除余裕額若しくは市町村民税の控除余裕額に係る事業年度のうち最も古い事業年度以後の各事業年度の国税の控除限度額、道府県民税の控除限度額及び市町村民税の控除限度額の合計額並びに当該各事業年度において課された外国の法人税等の額

③　対象事業年度における当初申告税額控除不足額相当額又は当初申告税額控除超過額相当額の固定措置
　①及び②の規定を適用する場合において、通算法人の対象事業年度の税額控除不足額相当額又は税額控除超過額相当額が当初申告税額控除不足額相当額又は当初申告税額控除超過額相当額（それぞれ当該対象事業年度の第三節一の1・2の規定による申告書（法人税法第71条第1項（同法第72条第1項の規定が適用される場合に限る。）又は第74条第1項の規定により法人税に係る申告書を提出する義務がある法人が、同1・2の規定による申告書の提出期限までに提出したものに限る。）に添付された書類に当該対象事業年度の税額控除不足額相当額又は税額控除超過額相当額として記載された金額をいう。以下③及び3において同じ。）と異なるときは、当初申告税額控除不足額相当額又は当初申告税額控除超過額相当額を当該対象事業年度の税額控除不足額相当額又は税額控除超過額相当額とみなす。(法321の8㊹)

3　当初申告税額控除額の固定措置又は当初申告税額控除不足額（超過額）相当額の固定措置の不適用

①　適用事業年度における当初申告税額控除額の固定措置の不適用
　1の通算法人の適用事業年度について、次に掲げる場合のいずれかに該当する場合には、当該適用事業年度については、1の規定は、適用しない。(法321の8㊵)
(一)　法人税法第69条第16項《通算法人の適用事業年度の当初申告税額控除額とみなす措置の不適用》（第1号に係る部分に限る。）の規定の適用がある場合（同号に掲げる場合における税額控除額が当初申告税額控除額と異なる場合に限る。）
(二)　法人税法第69条第16項（第2号に係る部分に限る。）の規定の適用がある場合
(三)　地方法人税法第12条第6項《通算法人の適用事業年度の当初申告税額控除額とみなす措置の不適用》（第1号に係る部分に限る。）の規定の適用がある場合（同号に掲げる場合における税額控除額が当初申告税額控除額と異なる場合に限る。）

　　（当初申告税額控除額の固定措置不適用による申告又は更正等がされた後の税額控除額）
注　適用事業年度について①（(一)及び(三)に係る部分に限る。）の規定を適用して第三節一の6《納付税額に過不足がある場合等の申告納付》に規定する申告書の提出又は第六節一の1《更正》若しくは3《更正》の規定による更正がされた後における1及び①の規定の適用については、①の規定にかかわらず、当該申告書に添付された書類に当該適用事業年度の税額控除額として記載された金額又は当該更正に係る当該適用事業年度の税額控除額とされた金額を当初申告税額控除額とみなす。(法321の8㊶)

②　当初申告税額控除不足額相当額又は当初申告税額控除超過額相当額の固定措置の不適用
　2の③の通算法人の対象事業年度について、次に掲げる場合のいずれかに該当する場合には、当該対象事業年度については、同③の規定は、適用しない。(法321の8㊺)
(一)　対象事業年度において2の①の規定により法人税割額から控除した税額控除不足額相当額又は同②の規定により法人税割額に加算した税額控除超過額相当額に係る過去適用事業年度について①の規定の適用がある場合
(二)　法人税法第69条第21項《当初申告税額控除不足額等相当額の固定措置の不適用》（第1号及び第3号に係る部分に限る。）の規定の適用がある場合（同項第1号及び第3号に掲げる場合における税額控除不足額相当額又は税額控除超過額相当額が当初申告税額控除不足額相当額又は当初申告税額控除超過額相当額と異なる場合に限る。）

(三) 地方法人税法第12条第11項（第1号及び第3号に係る部分に限る。）の規定の適用がある場合（同項第1号及び第3号に掲げる場合における税額控除不足額相当額又は税額控除超過額相当額が当初申告税額控除不足額相当額又は当初申告税額控除超過額相当額と異なる場合に限る。）

(当初申告税額控除不足額相当額又は当初申告税額控除超過額相当額の固定措置不適用による申告又は更正等がされた後の税額控除額)

注　対象事業年度について②の規定を適用して第三節―の6に規定する申告書の提出又は第六節―の1若しくは3の規定による更正がされた後における②及び2の③の規定の適用については、②の規定にかかわらず、当該申告書に添付された書類に当該対象事業年度の税額控除不足額相当額若しくは税額控除超過額相当額として記載された金額又は当該更正に係る当該対象事業年度の税額控除不足額相当額若しくは税額控除超過額相当額とされた金額を当初申告税額控除不足額相当額又は当初申告税額控除超過額相当額とみなす。（法321の8㊻）

4　通算法人が合併により解散した場合又は通算法人の残余財産が確定した場合の調整措置

2の①及び②の規定は、通算法人（通算法人であった内国法人を含む。以下4及び5において同じ。）が合併により解散した場合又は通算法人の残余財産が確定した場合について準用する。この場合において、次の表の左欄に掲げる規定中同表の中欄に掲げる字句は、それぞれ同表の右欄に掲げる字句に読み替えるものとする。（法321の8㊼）

2の①	の各事業年度（以下2及び3までにおいて「対象事業年度」という。）において、過去適用事業年度（当該対象事業年度	が合併により解散した場合又は通算法人の残余財産が確定した場合において、その合併の日以後又はその残余財産の確定の日の翌日以後に、過去適用事業年度（最終事業年度（その合併の日の前日又はその残余財産の確定の日の属する事業年度をいう。以下①及び②において同じ。）
	税額控除額（当該対象事業年度	税額控除額（当該最終事業年度
	超える場合には	超えるときは
	を当該対象事業年度	を当該最終事業年度
2の②	の対象事業年度において	が合併により解散した場合又は通算法人の残余財産が確定した場合において、その合併の日以後又はその残余財産の確定の日の翌日以後に
	場合には、当該対象事業年度	ときは、最終事業年度

5　通算法人が公益法人等に該当することとなった場合の調整措置

2の①及び②の規定は、通算法人が公益法人等に該当することとなった場合について準用する。この場合において、次の表の左欄に掲げる規定中同表の中欄に掲げる字句は、それぞれ同表の右欄に掲げる字句に読み替えるものとする。（法321の8㊽）

2の①	の各事業年度（以下2及び3において「対象事業年度」という。）において、過去適用事業年度（当該対象事業年度	が公益法人等に該当することとなった場合において、その該当することとなった日以後に、過去適用事業年度（最終事業年度（その該当することとなった日の前日の属する事業年度をいう。以下①及び②において同じ。）
	税額控除額（当該対象事業年度	税額控除額（当該最終事業年度
	超える場合には	超えるときは
	を当該対象事業年度	を当該最終事業年度
2の②	の対象事業年度において	が第一節二の1の(3)に規定する公益法人等に該当することとなった場合において、その該当することとなった日以後に
	場合には、当該対象事業年度	ときは、最終事業年度

五　仮装経理に基づく過大申告の場合の更正に伴う法人税割額の控除

法人税法第74条《確定申告》第1項の規定により法人税に係る申告書を提出する義務がある法人の各事業年度の開始の

日前に開始した事業年度（当該各事業年度の終了の日以前に行われた当該法人を合併法人とする適格合併に係る被合併法人の当該適格合併の日前に開始した事業年度を含む。）の法人税割につき市町村長が法人税に関する法律の規定により更正された法人税額に基づいて第六節一の1《更正》又は3《再更正》の規定により更正をした場合において、当該更正につき**九**の1《仮装経理に基づく過大申告の場合の更正に伴う法人税割額の還付の不適用》の規定の適用があったときは、当該更正に係る同1に規定する仮装経理法人税割額（既に**九**の2《5年間の繰越控除適用期間終了後の法人税割額の還付》又は同3の②《還付請求書の提出があった場合の市町村長の手続》の規定により還付すべきこととなった金額及び**五**の規定により控除された金額を除く。）は、当該各事業年度（当該更正の日（当該更正が当該各事業年度の終了の日前に行われた当該法人を合併法人とする適格合併に係る被合併法人の当該合併の日前に開始した事業年度の法人税割につき当該適格合併の日前にしたものである場合には、当該適格合併の日）以後に終了する事業年度に限る。）の法人税割額から控除するものとする。（法321の8㊾）

　　　（留意事項）
　注　各事業年度の開始の日前に開始した事業年度の内国法人の法人税割額について減額更正をした場合において、当該更正により減少する部分の金額のうち事実を仮装して経理した金額に係るもの（以下注において「仮装経理法人税割額」という。）については、当該各事業年度（当該更正の日以後に終了する事業年度に限る。）の法人税割額から還付又は充当すべきこととなった金額〘**九**の2注参照〙を除いて控除することとされているが、その運用に当たっては、次の諸点に留意すること。（市通2－53（1）〜（4））
　イ　仮装経理法人税割額とは、法人税において事実を仮装して経理した金額に係る法人税額として算定された法人税法第135条《仮装経理に基づく過大申告の場合の更正に伴う法人税額の還付の特例》第1項に規定する仮装経理法人税額に対応する法人税割額をいうものであること〘**九**の1参照〙。この場合において、法人税にあっては、仮装経理に基づく過大申告の場合の更正に伴って、前1年以内の法人税額を限度とする還付の制度があるが、法人の市町村民税については、この制度をとっていないので、法人税法第135条第2項の規定により還付される金額を含めた法人税額に対応する法人税割額を控除するものであることに留意すること。
　ロ　控除は、更正の日以後に終了する事業年度の確定申告に係る法人税割額（当該確定申告に係る申告書を提出すべき事業年度の修正申告及び更正又は決定による法人税割額を含む。）から行うものであること。
　ハ　第六節一の1《更正》又は3《再更正》の規定による更正をした場合において、仮装経理法人税割額があるときは、同4《更正又は決定の通知》の規定による通知の際に当該金額を併せて通知すること。
　ニ　各事業年度の終了の日以前に行われた適格合併に係る被合併法人の当該適格合併の日前に開始した事業年度の法人税額につき更正を受けた場合の仮装経理法人税割額についても、合併法人の法人税割額から控除されるものであること。

六　租税条約の実施に係る還付すべき金額の控除

1　法人税額に係る租税条約の実施に係る還付すべき金額の法人税割額からの控除

　市町村は、当該市町村内に事務所又は事業所を有する法人について、租税条約等の実施に伴う所得税法、法人税法及び地方税法の特例等に関する法律第7条第1項《取引の対価の額につき租税条約に基づく合意があった場合の更正の特例》に規定する合意に基づき国税通則法第24条《更正》又は第26条《再更正》の規定による更正が行われた場合において、当該更正に係る法人税額に基づいて市町村長が第六節一の1《更正》又は3《再更正》の規定による更正をしたことに伴い、第一編第六章一の1《過誤納金の還付》又は第六節一の5《更正又は決定をした市町村民税額が中間納付額に満たない場合の還付又は充当》の規定により還付することとなる金額（以下1及び3において「租税条約の実施に係る還付すべき金額」という。）が生ずるときは、当該更正があった日が当該更正に係る更正の請求があった日の翌日から起算して3月を経過した日以後である場合を除き、第一編第六章一の1、同2《過誤納金の充当》、同章三《還付加算金》及び第六節一の5の規定にかかわらず、租税条約の実施に係る還付すべき金額を当該更正の日の属する事業年度開始の日から1年以内に開始する各事業年度（当該更正の日後に当該法人が適格合併により解散をした場合の当該適格合併に係る合併法人の当該合併の日以後に終了する各事業年度を含む。）の法人税割額（法人税法第74条第1項又は第144条の6第1項の規定により申告書を提出すべき事業年度に係る法人税額を課税標準として算定した法人税割額（その法人税額の課税標準の算定期間中において既に納付すべきことが確定している法人税割額がある場合には、これを控除した額）に限る。）から順次控除するものとする。（法321の8㊿）

　　（注）　1に規定する租税条約等の実施に伴う所得税法、法人税法及び地方税法の特例等に関する法律第7条第1項の原文は次のとおり。（編者）
　　　第7条第1項　相手国等の法令に基づき、相手国居住者等又は居住者（所得税法第2条第1項第3号に規定する居住者をいう。以下この条に

おいて同じ。）若しくは内国法人に係る租税（当該相手国等との間の租税条約の適用があるものに限る。）の課税標準等（国税通則法第２条第６号イからハまでに掲げる事項をいう。次項において同じ。）又は税額等（同号ニからヘまでに掲げる事項をいう。）につき更正（同法第24条又は第26条の規定による更正をいう。以下この項及び次項において同じ。）又は決定（同法第25条の規定による決定をいう。同項において同じ。）に相当する処分があった場合において、当該課税標準等又は税額等に関し、財務大臣と当該相手国等の権限ある当局との間の当該租税条約に基づく合意が行われたことにより、居住者の各年分の各種所得の金額（所得税法第２条第１項第22号に規定する各種所得の金額をいう。以下この項において同じ。）、内国法人の各事業年度の所得の金額、各連結事業年度の連結所得の金額若しくは各課税事業年度（地方法人税法第７条に規定する課税事業年度をいう。以下この項及び次項において同じ。）の基準法人税額（同法第６条に規定する基準法人税額をいう。以下この項において同じ。）又は相手国居住者等の各年分の各種所得の金額、各事業年度の所得の金額若しくは各課税事業年度の基準法人税額のうちに減額されるものがあるときは、当該居住者若しくは当該内国法人又は当該相手国居住者等の更正の請求（国税通則法第23条第１項又は第２項の規定による更正の請求をいう。次項において同じ。）に基づき、税務署長は、当該合意をした内容を基に計算される当該居住者の各年分の各種所得の金額、当該内国法人の各事業年度の所得の金額、各連結事業年度の連結所得の金額若しくは各課税事業年度の基準法人税額又は当該相手国居住者等の各年分の各種所得の金額、各事業年度の所得の金額若しくは各課税事業年度の基準法人税額を基礎として、更正をすることができる。

（留意事項）

注　市町村は、法人税額に係る租税条約の実施に係る還付すべき金額が生ずるときは、当該金額を更正の日の属する事業年度の開始の日から１年以内に開始する各事業年度の法人税割額から順次控除することとされているが、その運用に当たっては、次の諸点に留意すること。（市通２－54(1)、(2)、(5)）

イ　租税条約等の実施に伴う所得税法、法人税法及び地方税法の特例等に関する法律第７条第１項に規定する合意に基づき国税通則法第24条又は第26条の規定による更正が行われた場合とは、同項の規定により税務署長が国税通則法第24条又は第26条の規定により更正をした場合をいうものであること。

ロ　更正の請求があった日の翌日から起算して３月を経過した日以後に更正を行った場合には、１の規定は適用されないものであること。なお、更正の請求がなく更正を行った場合には、常に１の規定は適用されるものであること。

ハ　繰越控除は、各事業年度の確定申告に係る法人税割額からのみ行うものであること。なお、法人税割額からの税額控除としては、控除対象所得税額等相当額の控除、外国税額控除及び税額控除不足額相当額の控除、仮装経理に基づく過大申告の場合の更正に伴う法人税割額の控除並びに租税条約の実施に係る還付すべき金額の控除があるが、まず控除対象所得税額等相当額、外国税額及び税額控除不足額相当額、仮装経理に基づく過大申告の場合の更正に伴う法人税割額の順に控除をし、既に還付すべきことが確定している法人税割額がある場合にはこれを控除した後に、租税条約の実施に係る還付すべき金額を控除するものであること。また、税額控除超過額相当額の法人税割額への加算は、上記の税額控除の前に行うものであること。

２　当初の更正に伴いその後の事業年度において法人税額等の減額更正があった場合

１に規定する国税通則法第24条又は第26条の規定による更正に伴い当該更正に係る事業年度後の各事業年度の法人税額を減少させる更正があった場合において、その更正に係る法人税額に基づいて市町村長が第六節一の１又は３の規定による更正をしたことに伴い、第一編第六章一の１又は第六節一の５の規定により還付することとなる金額が生ずるときは、当該金額は、租税条約の実施に係る還付すべき金額とみなして、１の規定を適用する。（法321の８(51)）

３　法人が適格合併により解散をした後に更正があった場合

１及び２の規定は、１の法人が適格合併により解散をした後に、当該法人に係る１に規定する第六節一の１又は同３の規定による更正又は３に規定する第六節一の１若しくは同３の規定による更正があった場合について準用する。この場合において、１中「当該更正の日の」とあるのは、「当該法人を被合併法人とする適格合併に係る合併法人の当該更正の日の」と読み替えるものとする。（法321の８(52)）

七　特定寄附金税額控除

法人税法第121条《青色申告》第１項（同法第146条《外国法人の青色申告》第１項において準用する場合を含む。）の承認を受けている法人が、地域再生法の一部を改正する法律（平成28年法律第30号。以下**七**において「平成28年地域再生法改正法」という。）の施行の日から令和７年３月31日までの間に、地域再生法第８条《報告の徴収》第１項に規定する認定地方公共団体（以下**七**において「**認定地方公共団体**」という。）に対して当該認定地方公共団体が行ったまち・ひと・しごと創生寄附活用事業（当該認定地方公共団体の作成した同項に規定する認定地域再生計画に記載されている同法第５条《地域再生計画の認定》第４項第２号に規定するまち・ひと・しごと創生寄附活用事業をいう。）に関連する寄附金（その寄附をした者がその寄附によって設けられた設備を専属的に利用することその他特別の利益がその寄附をした者に及ぶと認め

第三編第二章《法人の市町村民税》第四節《法人税額等の控除・加算及び還付等》

られるものを除く。以下七において「**特定寄附金**」という。）を支出した場合には、当該特定寄附金を支出した日を含む事業年度（解散（合併による解散を除く。）の日を含む事業年度及び清算中の各事業年度を除く。以下七において「寄附金支出事業年度」という。）の第三節一の1・2（1に規定する予定申告法人に係る部分を除く。）、6又は7《中間申告・みなし中間申告・確定申告・修正申告》の規定により申告納付すべき市町村民税の法人税割額（**四**の2の②《税額控除超過額相当額の対象事業年度の法人税割額への加算》（同4及び同5において準用する場合を含む。以下**七**において同じ。）の規定を適用しないで計算した金額とする。）から、当該寄附金支出事業年度において支出した特定寄附金の額（当該寄附金支出事業年度の法人税の所得の金額の計算上損金の額に算入されるものに限る。）の合計額（二以上の市町村において事務所又は事業所を有する法人にあっては、当該合計額を第五節一の1《二以上の市町村において事務所等を有する法人の中間申告及び確定申告に係る申告納付》の規定による市町村民税の法人税割の課税標準たる法人税額の分割の基準となる従業者の数に按分して計算した金額）の**100分の34.3**に相当する金額（以下1において「控除額」という。）を控除するものとする。この場合において、当該法人の寄附金支出事業年度における控除額が、当該法人の当該寄附金支出事業年度の1並びに**二**《外国関係会社に対して課された所得税等の額の控除》の1、2、**三**《外国税額の控除》、**四**《通算法人の過年度の外国税額控除額が当初申告税額控除額と異なることとなった場合の調整》の2の①（同4及び同5において準用する場合を含む。）、同2の②、**五**《仮装経理に基づく過大申告の場合の更正に伴う法人税割額の控除》及び**六**《租税条約の実施に係る還付すべき金額の控除》の1（同2（同3において準用する場合を含む。）の規定によりみなして適用する場合及び同3において準用する場合を含む。）の規定を適用しないで計算した場合の市町村民税の法人税割額（当該法人税割額のうちに法人税法第89条《退職年金等積立金に係る確定申告》（同法第145条の5《外国法人の申告及び納付》において準用する場合を含む。）の申告書に係る法人税額が含まれている場合には、当該法人税額をないものとして計算した場合の市町村民税の法人税割額とする。）の100分の20に相当する金額を超えるときは、その控除する金額は、当該100分の20に相当する金額とする。（法附8の2の2④）

　　　　　（特定寄附金税額控除の申告）
（1）　**七**の規定は、第三節一の1・2の規定による申告書（**七**の規定により控除を受ける金額を増加させる同節一の6若しくは7の規定による申告書又は第一編第十章10の④《更正請求書の地方団体の長への提出》の規定による更正請求書を提出する場合には、当該申告書又は更正請求書を含む。）に、**七**の規定による控除の対象となる特定寄附金の額、控除を受ける金額及び当該金額の計算に関する明細を記載した総務省令で定める書類並びに当該書類に記載された寄附金が特定寄附金に該当することを証する書類として総務省令で定める書類の添付がある場合に限り、適用する。この場合において、**七**の規定により控除する金額の計算の基礎となる特定寄附金の額は、第三節一の1・2の規定による申告書（法人税法第71条《中間申告》第1項の規定による法人税の申告書（同法第72条《仮決算をした場合の中間申告書の記載事項等》第1項各号に掲げる事項を記載したものに限る。）、同法第74条《確定申告》第1項の規定による法人税の申告書、同法第144条の3《外国法人の中間申告》第1項の規定による法人税の申告書（同法第144条の4《仮決算をした場合の中間申告書の記載事項》第1項各号に掲げる事項を記載したものに限る。）又は同法第144条の6《外国法人の確定申告》第1項の規定による法人税の申告書に係る部分に限る。）に添付されたこれらの書類に記載された特定寄附金の額を限度とする。（法附8の2の2⑤）

　　　　　（法人の市町村民税の特定寄附金税額控除の対象となる特定寄附金の支出）
（2）　**七**に規定する特定寄附金の支出は、**七**の規定の適用については、その支払がなされるまでの間、なかったものとする。（令附5の3）

　　　　　（特定寄附金税額控除に係る添付書類）
（3）イ　（1）に規定する控除の対象となる特定寄附金の額、控除を受ける金額及び当該金額の計算に関する明細を記載した総務省令で定める書類の様式は、第20号の5様式によるものとする。（規附2の6③）
　　ロ　（1）に規定する特定寄附金に該当することを証する書類として総務省令で定める書類は、**七**の法人が支出した寄附金を受けた**七**に規定する認定地方公共団体が当該寄附金の受領について地域再生法施行規則第14条《まち・ひと・しごと創生寄附活用事業の実施に係る手続》第1項の規定により交付する書類の写しとする。（規附2の6④）

　　　　　（留意事項）
（4）イ　特定寄附金税額控除は、第三節一の1・2（1に規定する予定申告法人に係る部分を除く。）、6又は7の規定により申告納付すべき市町村民税の法人税割額（税額控除超過額相当額の加算をしないで計算した金額とする。）

からのみ行うものであること。(市通２－54の２(1)前段)
ロ　特定寄附金税額控除による控除額は、特定寄附金の額の合計額（２以上の市町村において事務所又は事業所を有する法人にあっては、当該合計額を第五節一の１の規定による市町村民税の法人税割の分割の基準となる従業者の数に按分して計算した金額）の100分の34.3に相当する金額とすること。ただし、当該控除額が当該法人の当該寄附金支出事業年度の特定寄附金税額控除、税額控除超過額相当額の加算、控除対象所得税額等相当額の控除、外国税額控除及び税額控除不足額相当額の控除、仮装経理に基づく過大申告の場合の更正に伴う法人税額の控除並びに租税条約の実施に係る還付すべき金額の控除をしないで計算した場合の市町村民税の法人税割額（当該法人税割額のうちに法人税法第89条（同法第145条の５において準用する場合を含む。）の申告書に係る法人税額が含まれている場合には、当該法人税額をないものとして計算した場合の市町村民税の法人税割額とする。）の100分の20を超えるときは、その控除する金額は当該100分の20に相当する金額とすること。(市通２－54の２(2))
ハ　特定寄附金税額控除の適用を受けられるのは、仮決算に係る中間申告書、確定申告書（控除を受ける金額を増加させる修正申告書又は更正請求書を提出する場合には、当該修正申告書又は更正請求書を含む。）に控除の対象となる特定寄附金の額、控除を受ける金額及び当該金額の計算に関する明細を記載した規則第20号の５様式及び当該書類に記載された寄附金が特定寄附金に該当することを証する書類として認定地方公共団体が当該寄附金の受領について地域再生法施行規則第14条第１項の規定により交付する書類の写しの添付がある場合に限ること。また、ロの控除額の計算の基礎となる特定寄附金の額は、仮決算に係る中間申告書又は確定申告書に添付されたこれらの書類に記載された特定寄附金の額を限度とすること。(市通２－54の２(3))

八　法人税割額からの控除順序

二《外国関係会社に対して課された所得税等の額の控除》の１、２から三《外国税額の控除》まで、四《通算法人の過年度の外国税額控除額が当初申告税額控除額と異なることとなった場合の調整》の２の①（同４及び同５において準用する場合を含む。以下八において同じ。）、五《仮装経理に基づく過大申告の場合の更正に伴う法人税割額の控除》及び六《租税条約の実施に係る還付すべき金額の控除》の１（同２（同３において準用する場合を含む。）の規定によりみなして適用する場合及び六の３において準用する場合を含む。以下八において同じ。）並びに七《特定寄附金税額控除》の規定による法人税割額からの控除については、まず七の規定による控除をし、次に二の１及び同２の規定による控除、三及び四の２の①の規定による控除、五の規定による控除並びに六の１の規定による控除の順序に控除をするものとする。(法321の８㊵、法附８の２の２⑥)

（特定寄附金を支出した場合の法人税割額からの控除がある場合の留意事項）
注　特定寄附金税額控除の適用がある場合における法人税割額からの税額控除は、まず特定寄附金税額控除による控除をし、次に控除対象所得税額等相当額、外国税額及び税額控除不足額相当額、仮装経理に基づく過大申告の場合の更正に伴う法人税割額の順に控除をし、既に納付すべきことが確定している法人税割額がある場合にはこれを控除した後に、租税条約の実施に係る還付すべき金額を控除するものであること。(市通２－54の２(1)後段)

九　仮装経理に基づく過大申告の場合の更正に伴う法人税割額の還付

１　法人税割額の還付の不適用

市町村長が法人税法第135条《仮装経理に基づく過大申告の場合の更正に伴う法人税額の還付の特例》第１項又は第５項に規定する更正に係る法人税額に基づいて第六節一の１《更正》又は３《再更正》の規定により更正をした場合（２及び３において「市町村長が仮装経理に基づく過大申告に係る更正をした場合」という。）は、当該更正に係る事業年度の法人税割として納付された金額のうち当該更正により減少する部分の金額で事実を仮装して経理した金額に係るもの（以下九において「**仮装経理法人税割額**」という。）は、第一編第六章一の１、同２《過誤納金の充当》、同章三《還付加算金》及び第六節一の５の規定にかかわらず、２又は３の②の規定の適用がある場合のこれらの規定により還付すべきこととなった金額を除き、還付しないものとし、又は当該更正を受けた法人の未納に係る地方団体の徴収金に充当しないものとする。(法321の８㊼、令48の14)

（仮装経理法人税割額に係る中間納付額に係る延滞金の還付）
(1)　市町村長は、第六節一の１《更正》又は３《再更正》の規定により更正をした市町村民税額（以下(1)において「更正後市町村民税額」という。）が当該事業年度分に係る市町村民税の中間納付額に満たない場合において、１の規

定により当該更正後市町村民税額に係る1に規定する仮装経理法人税割額を還付しないとき、又は当該更正を受けた法人の未納に係る地方団体の徴収金に充当しないときであっても、当該市町村民税の中間納付額について納付された第六節三の2《延滞金の徴収》又は同節四の1《納期限後納付の場合の延滞金》の規定による延滞金があるときは、市町村民税の中間納付額について納付された延滞金のうち当該仮装経理法人税割額に係る市町村民税の中間納付額に対応するものとして、当該市町村民税の中間納付額について納付された延滞金額に当該市町村民税の中間納付額のうち当該仮装経理法人税割額の占める割合を乗じて得た金額を還付する。ただし、市町村民税の中間納付額が分割して納付されている場合には、(一)に掲げる金額から(二)に掲げる金額を控除した金額とする。(令48の14の2①)
(一) 当該市町村民税の中間納付額について納付された延滞金額
(二) 当該市町村民税の中間納付額のうち納付の順序に従い当該更正後市町村民税額に達するまで順次求めた各市町村民税の中間納付額につき、法の規定により計算される延滞金額の合計額

(還付すべき延滞金の充当)
(2) (1)の規定による還付をする場合において、未納に係る地方団体の徴収金があるときは、当該還付すべき金額をその地方団体の徴収金に充当するものとする。(令48の14の2②)
(注1) 令第6条の14第1項《過誤納金等の充当適状》の規定は、(2)の規定による充当について準用する。(令48の14の2③)
(注2) 他の規定による充当額がある場合の充当の順序については、十の①の注を参照。(編者)

2　5年間の繰越控除適用期間終了後の法人税割額の還付

市町村長が仮装経理に基づく過大申告に係る更正をした場合の当該更正の日の属する事業年度開始の日（当該更正が適格合併に係る被合併法人の法人税割額について当該適格合併の日前にされたものである場合には、当該被合併法人の当該更正の日の属する事業年度開始の日）から5年を経過する日の属する事業年度の法人の市町村民税の確定申告書の提出期限（当該更正の日から当該5年を経過する日の属する事業年度終了の日までの間に当該更正を受けた法人につき次の各号に掲げる事実が生じたときは、当該各号に定める提出期限）が到来した場合（当該提出期限までに当該提出期限に係る法人の市町村民税の確定申告書の提出がなかった場合には、当該提出期限後の当該法人の市町村民税の確定申告書の提出又は当該法人の市町村民税の確定申告書に係る事業年度の法人税割についての第六節一の2《決定》の規定による決定があった場合）には、市町村長は、当該更正を受けた法人に対し、①及び②で定めるところにより、当該更正に係る仮装経理法人税割額（既に2又は3の②の規定により還付すべきこととなった金額及び五《仮装経理に基づく過大申告の場合の更正に伴う法人税額等の控除》の規定により控除された金額を除く。）を還付し、又は当該更正を受けた法人の未納に係る地方団体の徴収金に充当するものとする。(法321の8�55)
(一) 残余財産が確定したこと　その残余財産の確定の日の属する事業年度の法人の市町村民税の確定申告書の提出期限
(二) 合併による解散（適格合併による解散を除く。）をしたこと　その合併の日の前日の属する事業年度の法人の市町村民税の確定申告書の提出期限
(三) 破産手続開始の決定による解散をしたこと　その破産手続開始の決定の日の属する事業年度の法人の市町村民税の確定申告書の提出期限
(四) 普通法人〔一の1の(4)参照〕又は協同組合等〔一の1の(4)参照〕が法人税法第2条第6号に規定する公益法人等に該当することとなったこと　その該当することとなった日の前日の属する事業年度の法人の市町村民税の確定申告書の提出期限

(留意事項)
注　仮装経理法人税割額の還付又は充当については次の場合について行うものとすること。(市通2－53(5))
イ　更正の日の属する事業年度開始の日から5年を経過する日の属する事業年度の法人の市町村民税の確定申告書の提出期限が到来した場合
ロ　残余財産が確定したときは、その残余財産の確定の日の属する事業年度の法人の市町村民税の確定申告書の提出期限が到来した場合
ハ　合併による解散（適格合併による解散を除く。）をしたときは、その合併の日の前日の属する事業年度の法人の市町村民税の確定申告書の提出期限が到来した場合
ニ　破産手続開始の決定による解散をしたときは、その破産手続開始の決定の日の属する事業年度の法人の市町村民税の確定申告書の提出期限が到来した場合
ホ　普通法人又は協同組合等が法人税法第2条第6号に規定する公益法人等に該当することとなったときは、その該

当することとなった日の前日の属する事業年度の法人の市町村民税の確定申告書の提出期限が到来した場合
　ヘ　イからホまでの場合において、法人の市町村民税の確定申告書の提出期限後に当該法人の市町村民税の確定申告書の提出があった場合、又は当該法人の市町村民税の確定申告書に係る事業年度の法人税割について第六節一の2《決定》の規定による決定があった場合
　ト　3各号に掲げる事実が生じたときに、その事実が生じた日以後1年以内に法人から還付の請求があり、その請求に理由がある場合

① 仮装経理法人税割額の充当
　2に規定する仮装経理法人税割額がある場合において、未納に係る地方団体の徴収金があるときは、当該仮装経理法人税割額（②の規定により加算すべき金額がある場合には、当該金額を加算した額）をその地方団体の徴収金に充当するものとする。（令48の14の3①）
　(注1)　令第6条の14第1項《過誤納金等の充当適状》の規定は、①の規定による充当について準用する。（令48の14の3②）
　(注2)　他の規定による充当額がある場合の充当の順序については、九の①の注を参照。（編者）

② 仮装経理法人税割額を還付する場合の還付加算金の計算
　市町村長は、2に規定する仮装経理法人税割額を還付する場合には、法人の市町村民税の確定申告書（2に規定する法人の市町村民税の確定申告書をいう。以下②において同じ。）の2に規定する提出期限（当該提出期限後に法人の市町村民税の確定申告書の提出があった場合にはその提出の日とし、2の決定があった場合にはその決定の日とする。）の翌日からその還付のための支出を決定し、又は①の規定による充当をする日（同日前に充当をするのに適することとなった日があるときは、その日）までの期間の日数に応じ、年7.3パーセントの割合を乗じて計算した金額をその還付し、又は充当すべき金額に加算しなければならない。（令48の14の4①）
　(注1)　法第17条の4第2項《還付加算金の計算期間の特例》（第1号を除く。）の規定は②の規定による期間について、法第20条の4の2第2項《延滞金等の計算の基礎となる税額の端数計算》及び第5項《延滞金等の端数計算》の規定は②の規定による仮装経理法人税割額に加算すべき金額について、それぞれ準用する。この場合において、法第17条の4第2項（第1号を除く。）中「過誤納金」とあり、及び法第20条の4の2第2項中「税額」とあるのは、「仮装経理法人税割額」と読み替えるものとする。（令48の14の4②）
　(注2)　②に規定する年7.3パーセントの割合については特例規定が設けられているので、第一編第十章12の⑥《還付加算金の割合の特例》を参照。（編者）

3　一定の企業再生事由が生じた場合の法人税割額の還付
　市町村長が仮装経理に基づく過大申告に係る更正をした場合において、当該更正を受けた法人について次に掲げる事実が生じたときは、当該事実が生じた日以後1年以内に、市町村長に対し、当該更正に係る仮装経理法人税割額（既に2又は②の規定により還付すべきこととなった金額及び五《仮装経理に基づく過大申告の場合の更正に伴う法人税額の控除》の規定により控除された金額を除く。①及び②において同じ。）の還付を請求することができる。（法321の8㊺、令48の14の5）
(一)　更生手続開始の決定があったこと。
(二)　再生手続開始の決定があったこと。
(三)　(一)又は(二)に掲げる事実に準ずる事実として次に掲げる事実
　イ　特別清算開始の決定があったこと
　ロ　法人税法施行令第24条の2第1項《再生計画認可の決定に準ずる事実等》に規定する事実
　ハ　法令の規定による整理手続によらない負債の整理に関する計画の決定又は契約の締結で、第三者が関与する協議によるものとして注で定めるものがあったこと（(二)に掲げるものを除く。）。

　（法令の規定による整理手続によらない負債整理計画の決定等）
　注　3の(三)のハに規定する法令の規定による整理手続によらない負債の整理に関する計画の決定又は契約の締結で第三者が関与する協議によるものは、次に掲げるものとする。（規10の2の7①）
　　(一)　債権者集会の協議決定で合理的な基準により債務者の負債整理を定めているもの
　　(二)　行政機関、金融機関その他第三者のあっせんによる当事者間の協議による(一)に準ずる内容の契約の締結

① 還付請求手続
　3の規定による還付の請求をしようとする法人は、その還付を受けようとする仮装経理法人税割額、その計算の基礎その他次に掲げる事項を記載した請求書を市町村長に提出しなければならない。（法321の8㊼、規10の2の7②）

（一）　請求をする法人の名称、主たる事務所又は事業所の所在地及び法人番号
　（二）　請求をする法人の代表者の氏名及び住所又は居所
　（三）　3に規定する事実の生じた日及び当該事実の詳細
　（四）　銀行又は郵便局において還付を受けようとするときは、当該銀行又は郵便局の名称及び所在地
　（五）　その他参考となるべき事項

② 　還付請求書の提出があった場合の市町村長の手続
　市町村長は、①の請求書の提出があった場合には、その請求に係る事実その他必要な事項について調査し、その調査したところにより、その請求をした法人に対し、（1）及び（2）で定めるところにより、仮装経理法人税額を還付し、若しくは当該法人の未納に係る地方団体の徴収金に充当し、又は請求の理由がない旨を書面により通知するものとする。（法321の8○58）
　　（注）　留意事項については、2の注を参照。（編者）

　　　　（仮装経理法人税割額の充当）
　（1）　②に規定する仮装経理法人税割額がある場合において、未納に係る地方団体の徴収金があるときは、当該仮装経理法人税割額（（2）の規定により加算すべき金額がある場合には、当該金額を加算した額）をその地方団体の徴収金に充当するものとする。（令48の14の6①）
　　　（注1）　令第6条の14第1項《過誤納金等の充当適状》の規定は、（1）の規定による充当について準用する。（令48の14の6②）
　　　（注2）　他の規定による充当額がある場合の充当の順序については、十の①の注を参照。（編者）

　　　　（仮装経理法人税割額を還付する場合の還付加算金の計算）
　（2）　市町村長は、②に規定する仮装経理法人税割額を還付する場合には、3の規定による還付の請求がされた日の翌日以後3月を経過した日からその還付のための支出を決定し、又は（1）の規定による充当をする日（同日前に充当をするのに適することとなった日があるときは、その日）までの期間の日数に応じ、年7.3パーセントの割合を乗じて計算した金額をその還付し、又は充当すべき金額に加算しなければならない。（令48の14の7①）
　　　（注1）　法第17条の4第2項《還付加算金の計算期間の特例》（第1号を除く。）の規定は（2）の規定による期間について、法第20条の4の2第2項《延滞金等の計算の基礎となる税額の端数計算》及び第5項《延滞金等の端数計算》の規定は（2）の規定による仮装経理法人税割額に加算すべき金額について、それぞれ準用する。この場合において、法第17条の4第2項（第1号を除く。）中「過誤納金」とあり、及び法第20条の4の2第2項中「税額」とあるのは、「仮装経理法人税割額」と読み替えるものとする。（令48の14の7②）
　　　（注2）　（2）に規定する年7.3パーセントの割合については特例規定が設けられているので、第一編第十章12の⑥《還付加算金の割合の特例》を参照。（編者）

十　租税条約の実施に係る還付すべき金額の還付又は充当

　六の1（同2（同3において準用する場合を含む。）の規定によりみなして適用する場合及び同3において準用する場合を含む。以下十において同じ。）の規定により控除されるべき額で同1の規定により控除しきれなかった金額があるときは、市町村は、①以下で定めるところにより、同1の規定の適用を受ける法人に対しその控除しきれなかった金額を還付し、又は当該法人の未納に係る地方団体の徴収金に充当するものとする。（法321の8○59）

① 　租税条約の実施に係る控除不足額の充当
　十の規定により控除しきれなかった金額（②において「**租税条約の実施に係る控除不足額**」という。）がある場合において、未納に係る地方団体の徴収金があるときは、当該控除不足額（②の規定により加算すべき金額がある場合には、当該金額を加算した額）をその地方団体の徴収金に充当するものとする。（令48の15①）
　　（注）　令第6条の14第1項《過誤納金の充当適状》の規定は、①の規定による充当について準用する。（令48の15②）

　　　　（充当の順序）
　　注　十一の1の③《還付すべき中間納付額の充当》、九の1の（2）《還付すべき延滞金の充当》、同2の①《仮装経理法人税割額の充当》、同3の②の（1）《仮装経理法人税割額の充当》及び上記①の規定による充当については、まず十一の1の③の規定による充当をし、次に九の1の（2）の規定による充当、同2の①の規定による充当、同3の②の（1）の規定による充当及び上記①の規定による充当の順序に充当するものとする。（令48の15③）

② 租税条約の実施に係る控除不足額を還付する場合の還付加算金の計算
　市町村長は、租税条約の実施に係る控除不足額を還付する場合には、次に掲げる日のいずれか遅い日の翌日からその還付のための支出を決定し、又は①の規定による充当をする日（同日前に充当をするのに適することとなった日があるときは、その日）までの期間の日数に応じ、年7.3パーセントの割合を乗じて計算した金額をその還付し、又は充当すべき金額に加算しなければならない。（令48の15の2①）
(一)　六の1（同2（同3において準用する場合を含む。）の規定によりみなし適用する場合及び同3において準用する場合を含む。(二)において同じ。）に規定する当該更正の日の属する事業年度開始の日から起算して1年を経過する日の属する事業年度の第三節－1《中間申告及び確定申告に係る申告納付》の申告書（法人税法74条第1項《確定申告》又は第144条の6《外国法人の確定申告》第1項の規定により提出すべき法人税の申告書に係るものに限る。）以下(一)において同じ。）が提出された日（当該法人の第三節－1・2の申告書がその提出期限前に提出された場合には同1・2の申告書の提出期限、第六節－2《決定》の規定による決定をした場合には当該決定をした日）の翌日から起算して1月を経過する日
(二)　六の1に規定する更正の請求があった日（更正の請求がない場合には、同1の規定に規定する更正があった日）の翌日から起算して1年を経過する日
　(注1)　法第17条の4第2項《還付加算金の計算期間の特例》（第1号を除く。）の規定は上記②の規定による期間について、法第20条の4の2第2項《延滞金等の計算の基礎となる税額の端数計算》及び第5項《延滞金等の端数計算》の規定は②の規定による租税条約の実施に係る控除不足額に加算すべき金額について、それぞれ準用する。この場合において、法第17条の4第2項（第1号を除く。）中「過誤納金」とあり、及び法第20条の4の2第2項中「税額」とあるのは、「租税条約の実施に係る控除不足額」と読み替えるものとする。（令48の15の2②）
　(注2)　②に規定する年7.3パーセントの割合については特例規定が設けられているので、第一編第十章12の⑥《還付加算金の割合の特例》を参照。

十一　中間納付額の還付又は充当

1　中間納付額の還付又は充当及びその手続等

　法人税法第74条第1項《確定申告》又は第144条の6《外国法人の確定申告》第1項の規定による申告書に係る法人税額（修正申告書の提出があった場合には、当該申告書に係る法人税額をいい、更正又は決定があった場合には、当該更正若しくは決定に係る法人税額をいう。）に基づいて算定した市町村民税額が、同法第71条第1項《中間申告》又は第144条の3《外国法人の中間申告》第1項の規定による申告書に係る法人税額（修正申告書の提出があった場合には、当該申告書に係る法人税額をいい、更正又は決定があった場合には、当該更正又は決定に係る法人税額をいう。）に基づいて算定して申告納付し、若しくは申告納付すべき市町村民税額（予定申告法人にあっては、第三節－1・2に基づいて計算して申告納付し、又は申告納付すべき市町村民税額）若しくは第三節－3に基づいて計算して申告納付し、若しくは申告納付すべき市町村民税額（以下1及び第六節－5において「**市町村民税の中間納付額**」という。）に満たないとき、又はないときは、市町村は、政令で定めるところにより、その満たない金額に相当する市町村民税の中間納付額若しくは市町村民税の中間納付額の全額を還付し、又は未納に係る地方団体の徴収金に充当するものとする。（法321の8㉜、53㉜）

① 中間納付額の還付手続
　1の規定により1に規定する市町村民税の中間納付額の還付を受けようとする法人は、次に掲げる事項を記載した請求書に還付を受けようとする金額の計算に関する明細書を添付して、これを事務所又は事業所所在地の市町村長に提出しなければならない。ただし、第六節－1《更正》又は3《再更正》の規定による更正（当該市町村民税についての処分等（更正の請求（法第20条の9の3《更正の請求》第1項の規定による更正の請求をいう。④の(二)のイにおいて同じ。）に対する処分又は同2《決定》の規定による決定をいう。）に係る審査請求又は訴えについての裁決又は判決を含む。④の(二)において「更正等」という。）又は第六節－2《決定》の規定による決定によって市町村民税の中間納付額が還付されることとなった場合は、この限りでない。（令48の12①、9の2①）
(一)　請求をする法人の名称、当該市町村内の主たる事務所又は事業所の所在地及び法人番号
(二)　請求をする法人の代表者（法の施行地に主たる事務所又は事業所を有しない法人にあっては、法の施行地における資産又は事業の管理又は経営の責任者とし、解散（合併による解散を除く。）をした法人にあっては、清算人とする。）の氏名及び住所又は居所
(三)　還付を受けようとする金額
(四)　銀行又は郵便局株式会社法第2条第2項に規定する郵便局（郵政民営化法第94条に規定する郵便貯金銀行を銀行法第2条第16項に規定する所属銀行とする同条第14項に規定する銀行代理業を営む郵便局株式会社の営業所として当該銀行代理業の業務を行うものに限る。）において還付を受けようとするときは、当該銀行又は郵便局の名称及び所在地

第三編第二章《法人の市町村民税》第四節《法人税額等の控除・加算及び還付等》

　　　（還付請求書の提出があった場合の市町村長の手続）
（１）　①の規定による請求書の提出があった場合には、第三節一の１・２《中間申告・みなし中間申告・確定申告》、６《納付税額に過不足額がある場合等の申告納付》又は７《修正申告又は更正決定に係る申告納付》の規定による市町村民税に係る申告書に記載された市町村民税額が過少であると認められる理由があるときを除くほか、市町村長は、遅滞なく、１の規定による還付又は充当の手続をしなければならない。（令48の12①、９の２②）

　　　（更正又は決定による中間納付額の還付）
（２）　①ただし書の場合において、還付すべき市町村民税の中間納付額について、市町村長は、遅滞なく、１の規定による還付又は充当の手続をしなければならない。この場合において、市町村民税の中間納付額のうちに、既に還付されることが確定したものがあるときは、当該市町村民税の中間納付額は、その還付されることが確定した金額だけ減額されたものとみなして、還付すべき市町村民税の中間納付額を算定する。（令48の12①、９の２③）

②　中間納付額に係る延滞金の還付
　　市町村長は、①の規定により市町村民税の中間納付額を還付する場合において、当該市町村民税の中間納付額について納付された第六節三の２《延滞金の徴収》又は同節四の１《納期限後納付の場合の延滞金》の規定による延滞金があるときは、当該市町村民税の中間納付額について納付された延滞金のうち還付すべき市町村民税の中間納付額に対応するものとして、当該市町村民税の中間納付額について納付された延滞金額に当該市町村民税の中間納付額のうち①の（１）又は（２）の規定により還付すべき金額（③の（一）又は（二）の規定により充当される金額があるときは、これを控除した金額）の占める割合を乗じて得た金額を併せて還付する。ただし、市町村民税の中間納付額が分割して納付されている場合には、次の（一）に掲げる金額から（二）に掲げる金額を控除した金額とする。（令48の12①、９の３）
（一）　当該市町村民税の中間納付額について納付された延滞金額
（二）　当該市町村民税の中間納付額のうち納付の順序に従い当該市町村民税の中間納付額に係る事業年度の第三節一の１・２の申告書（法人税法第74条第１項又は第144条の６第１項の規定により提出すべき法人税の申告書に係るものに限る。）《中間申告・みなし中間申告・確定申告》に記載された市町村民税額又は当該還付の基因となった更正若しくは決定に係る市町村民税額（③の（一）の規定により充当される金額があるときは、これを加算した金額）に達するまで順次求めた各市町村民税の中間納付額につき、法の規定により計算される延滞金額の合計額

③　還付すべき中間納付額の充当
　　①及び②の規定による還付をする場合において、未納に係る地方団体の徴収金があるときは、次の各号の順序により、その還付すべき金額（④の規定により加算すべき金額を含む。）をこれに充当するものとする。（令48の12①、９の４①）
（一）　還付すべき市町村民税の中間納付額に係る事業年度分の市町村民税額で第三節一の６《納付税額に過不足額がある場合等の申告納付》若しくは７《修正申告又は更正決定に係る申告納付》の規定により納付すべきもの又は第六節三《不足税額及びその延滞金の徴収》の規定により徴収すべきものがあるときは、当該市町村民税額に充当する。
（二）　（一）の充当をしてもなお還付すべき金額がある場合において、当該事業年度分の市町村民税の中間納付額で未納のものがあるときは、当該未納の市町村民税の中間納付額に充当する。
（三）　（一）及び（二）の充当をしてもなお還付すべき金額があるときは、その他の未納に係る地方団体の徴収金に充当する。
　　（注１）　令第６条の14第１項《過誤納金等の充当適状》の規定は、③の規定による充当について準用する。（令48の12①、９の４②）
　　（注２）　他の規定による充当がある場合の充当の順序については、１の①の注を参照。（編者）

④　中間納付額を還付する場合の還付加算金の計算
　　市町村長は、①の規定により市町村民税の中間納付額の還付をする場合には、当該市町村民税の中間納付額（市町村民税の中間納付額の全部又は一部について未納の金額がある場合には、当該未納の金額に相当する金額を控除した金額とし、市町村民税の中間納付額が分割して納付されている場合には、最後の納付に係る市町村民税の中間納付額から、当該還付すべき市町村民税の中間納付額のうち当該未納の金額に相当する金額を控除した後の市町村民税の中間納付額の金額に達するまで順次遡って求めた市町村民税の中間納付額の金額とする。）に、当該市町村民税の中間納付額の納付の日（当該市町村民税の中間納付額が第三節一の１・２又は３《中間申告・確定申告・みなし中間申告》の規定による当該市町村民税の中間納付額に係る申告書の提出期限前に納付された場合には、当該期限）の翌日からその還付すべき金額の支出を決定し、又は③の規定による充当をする日（同日前に充当をするのに適することとなった日があるときは、その日。（二）のロにおいて「充当日」という。）までの期間（①の規定による請求書の提出が当該中間納付額に係る事業年度分の市町村民税の第三節一の１・２の規定による申告書の提出期限後にあった場合には、当該期限の翌日から当該請求書の提出があった

第三編第二章《法人の市町村民税》第四節《法人税額等の控除・加算及び還付等》

日までの期間を除くものとする。）の日数に応じ、年7.3パーセントの割合を乗じて計算した金額を当該還付し、又は充当すべき金額に加算しなければならない。ただし、次の各号に掲げる還付金の区分に応じ当該各号に定める日数は、当該期間に算入しない。（令48の12①、9の5①）

（一）　第六節一の2《決定》の規定による決定によって市町村民税の中間納付額が還付されることとなった場合における還付金　市町村民税の中間納付額に係る事業年度分の市町村民税の第三節一の1・2《中間申告、みなし中間申告、確定申告》の規定による申告書の提出期限（その提出期限後にその中間納付額が納付された場合には、その納付の日）の翌日から第六節一の2の規定による決定の日までの日数

（二）　更正等によって市町村民税の中間納付額が還付されることとなった場合における還付金　市町村民税の中間納付額に係る事業年度分の市町村民税の第三節一の1・2の規定による申告書の提出期限（その提出期限後にその中間納付額が納付された場合には、その納付の日）の翌日から次に掲げる日のうちいずれか早い日までの日数

　イ　当該更正等の日の翌日以後1月を経過する日（当該更正等が次に掲げるものである場合には、それぞれ次に定める日）

　　（イ）　更正の請求に基づく更正（当該請求に対する処分に係る審査請求又は訴えについての裁決又は判決を含む。（イ）において同じ。）　当該請求の日の翌日以後3月を経過する日と当該請求に基づく更正の日の翌日以後1月を経過する日とのいずれか早い日

　　（ロ）　第六節一の2による決定に係る同3《再更正》の規定による更正（当該決定に係る審査請求又は訴えについての裁決又は判決を含み、更正の請求に基づく更正及び中間納付額の計算の基礎となった事実のうちに含まれていた無効な行為により生じた経済的成果がその行為の無効であることに起因して失われたこと若しくは当該事実のうちに含まれていた取り消しうべき行為が取り消されたこと又は令第6条の15《還付加算金》第2項各号に掲げる理由に基づき行われた更正を除く。）　当該決定の日

　ロ　その還付のための支払決定をする日又はその還付金に係る充当日

（注1）　法第17条の4第2項《還付加算金の計算期間の特例》（第1号を除く。）の規定は、上記④の規定による期間について、法第20条の4の2第2項《延滞金等の計算の基礎となる税額の端数計算》及び第5項《延滞金等の端数計算》の規定は④の規定による市町村民税の中間納付額に係る還付金に加算すべき金額について準用する。この場合において、法第17条の4第2項（第1号を除く。）中「過誤納金」とあり、及び法第20条の4の2第2項中「税額」とあるのは、「市町村民税の中間納付額に係る還付金」と読み替えるものとする。（令48の12①、9の5③）

（注2）　④に規定する年7.3パーセントの割合については特例規定が設けられているので、第一編第十章12の⑥《還付加算金の割合の特例》を参照。
　　　　　（編者）

（中間納付額の還付金額を未納市町村民税額に充当する場合の計算）

　注　市町村長は、①の規定により市町村民税の中間納付額の還付をする場合において、当該市町村民税の中間納付額に係る事業年度分の市町村民税で未納のものに充当するときは、当該市町村民税の中間納付額に係る還付金のうちその充当する金額については、④の規定による市町村民税の中間納付額に係る還付金に加算すべき金額を付さないものとする。（令48の12①、9の5②）

⑤　中間納付額に係る延滞金の免除

　①の規定により市町村民税の中間納付額の還付をする場合において、当該市町村民税の中間納付額を当該市町村民税の中間納付額に係る事業年度分の未納の市町村民税額に充当するときは、市町村長は、当該充当に係る未納の市町村民税額についての延滞金を免除する。（令48の12①、9の6）

2　市町村の廃置分合又は境界変更に伴う承継市町村又は新市町村が行う中間納付額の還付等

① 　市町村の廃置分合があった場合の中間納付額超過市町村における還付又は充当

　市町村の廃置分合があった場合において、法人の法人税法第74条第1項《確定申告》又は第144条の6《外国法人の確定申告》第1項の規定による申告書に係る法人税額に基づいて算定した市町村民税額（以下2において「**市町村民税の確定額**」という。）で承継市町村に納付すべきものの合算額が令第1条の4《市町村の廃置分合があった場合の市町村民税の法人税割の承継》の規定により当該承継市町村に納付されたものとみなされ、又は納付されるべきものとされる市町村民税の中間納付額の合算額を超えることとなっても、当該承継市町村のうち当該法人が納付すべき市町村民税の確定額が同条の規定により承継市町村に納付されたものとみなされ、又は納付されるべきものとされる市町村民税の中間納付額に満たないこととなるもの（以下①において「**中間納付額超過市町村**」という。）があるときは、当該中間納付額超過市町村は、その満たないこととなる額を還付する場合においても、1の②の規定にかかわらず、当該市町村民税の中間納付額に係る

延滞金額の還付を要しないものとし、その満たないこととなる額を還付し、又は未納に係る地方団体の徴収金に充当する場合には、1の④の規定にかかわらず、第三節一の1の規定による申告書（法人税法第74条第1項又は第144条の6第1項の規定による申告書に係るものに限る。）を提出した日の翌日からその還付すべき金額の支出を決定し、又はその充当をする日（同日前に充当をするのに適することとなった日があるときは、その日）までの期間に応じ、法第17条の4第1項から第4項まで《還付加算金》の規定の例により計算した金額をその還付し、又は充当すべき金額に加算するものとする。（令48の12②）

② **市町村の境界変更・廃置分合に伴い中間納付額が確定額を超えることとなった場合のみなす申告納付**
　市町村の境界変更又は廃置分合があったため一の法人の事務所又は事業所が新市町村の区域にも所在することとなった場合において、当該境界変更又は廃置分合があった日前に納付された、又は納付されるべき当該法人の市町村民税の中間納付額が市町村民税の確定額を超えることとなる旧市町村があるときは、当該旧市町村が、その超えることとなる額を還付し、又は未納に係る地方団体の徴収金に充当する場合における1の②及び④の規定の当該旧市町村に対する適用については、旧市町村及び新市町村に申告納付すべき市町村民税の確定額の合算額を当該法人が旧市町村に申告納付したものとみなす。（令48の12③）

十二　更正の請求の特例

　第三節一の1・2、3《中間申告・みなし中間申告・確定申告》又は6《納付税額に過不足額がある場合等の申告納付》の申告書を提出した法人は、当該申告書に係る法人税割額の計算の基礎となった法人税の額について国の税務官署の更正を受けたことに伴い当該申告書に係る法人税額の課税標準となる法人税額又は法人税割額が過大となる場合には、国の税務官署が当該更正の通知をした日から2月以内に限り、総務省令の定めるところにより、市町村長に対し、当該法人税額又は法人税割額につき、更正の請求をすることができる。この場合においては、第20条の9の3第3項に規定する更正請求書には、同項に規定する事項のほか、国の税務官署が当該更正の通知をした日を記載しなければならない。（法321の8の2）

　　　（後発的事由がある場合の更正の請求の特例）
　注　第三節一の1・2、3又は6の申告書を提出した法人は、課税標準の計算の基礎となった法人税の額について国の税務官署の更正を受けた場合には、法定納期限の翌日から起算して5年を経過した日以後においても、当該国の税務官署が当該更正の通知をした日から2月以内に限って、法第20条の9の3第1項《更正の請求》の規定による更正の請求をすることができるものであること。この場合においては、同条第3項に規定する更正請求書には、同項に規定する事項のほか、国の税務官署が当該更正の通知をした日を記載しなければならないものであること。（市通2－62）

第五節　二以上の市町村において事務所等を有する法人の申告納付

一　二以上の市町村において事務所等を有する法人の申告納付

1　二以上の市町村において事務所等を有する法人の中間申告及び確定申告に係る申告納付

　二以上の市町村において事務所又は事業所を有する法人（予定申告法人及び第三節一の3の規定により申告書を提出すべき法人を除く。）が同節《申告納付》（同一の2を除く。）の規定により法人の市町村民税を申告納付する場合には、当該法人の法人税額を関係市町村に分割し、その分割した額を課税標準とし、関係市町村ごとに法人税割額を算定して、これに均等割額を加算した額を申告納付しなければならない。この場合において、主たる事務所又は事業所所在地の市町村長に提出すべき申告書には、総務省令で定める課税標準の分割に関する明細書を添付しなければならない。（法321の13①）
　　（注）「課税標準の分割に関する明細書」は、第三節一の8《申告書等の様式》の（六）に掲げる「第22号の2様式」による。（編者）

　　　（二以上の市町村において事務所等を有する公益法人等又は人格のない社団等の主たる事務所又は事業所）
　（1）　二以上の市町村において第一節二の1《納税義務者》の（2）から（4）までの収益事業を行う公益法人等及び人格のない社団等についてもその主たる事務所又は事業所は、原則として、当該法人の法人税の納税地と一致させるものであること。（市通2－60）

(二以上の市町村において事務所等を有する外国法人の主たる事務所又は事業所)
（2）　二以上の市町村において事務所又は事業所を有する外国法人については、地方税法の施行地において行う事業の経営の責任者が主として執務する事務所又は事業所をもって主たる事務所又は事業所として取り扱うものであること。
（市通2－61）

2　法人税額の課税標準の分割基準

　1の規定による分割は、関係市町村ごとに、法人税額の課税標準の算定期間中において有する法人の事務所又は事業所について、当該法人の法人税額を当該算定期間の末日現在における従業者の数に按分して行うものとする。（法321の13②）

（課税標準の分割基準である従業者の定義）
（1）　2の従業者とは、俸給、給料、賃金、手当、賞与その他これらの性質を有する給与の支払を受けるべき者をいう。
（規10の2の11、3の5）

（従業者に関する取扱上の留意事項）
（2）　法人税額の分割の基準となる従業者の数とは、関係市町村内ごとの事務所又は事業所（以下(2)において「事務所等」という。）について、当該課税標準の算定期間の末日現在における数であること。この場合における従業者とは、法人の事業税の分割基準に用いられる従業者と同意義のものであり、事務所等に勤務すべき者で、俸給、給料、賃金、手当、賞与その他これらの性質を有する給与の支払を受けるべき者をいうものであるが、ここにいう給与には、退職給与金、年金、恩給及びこれらの性質を有する給与は含まれないものであり、従って、これらの給与のみの支給を受けるものは従業者として取り扱われないことに留意すること。
　なお、これが運営に当たっては、次に掲げるところにより取り扱うものであること。（市通2－59(1)～(4)）
　イ　納税義務者から給与の支払を受け、かつ、当該納税義務者の事務所等に勤務すべき者のうち、当該勤務すべき事務所等の判定が困難なものについては、次に掲げる事務所等の従業者として取り扱うものとすること。
　（イ）　給与の支払を受けるべき事務所等と勤務すべき事務所等とが異なる者（例えば主たる事務所等で一括して給与を支払っている場合等）　当該勤務すべき事務所等
　（ロ）　転任等の理由によって勤務すべき事務所等が1月のうち二以上となった者　当該月の末日現在において勤務すべき事務所等
　（ハ）　各事務所等の技術指導等に従事している者で主として勤務すべき事務所等がないもののうち、（ニ）以外の者　給与の支払を受けるべき事務所等
　（ニ）　技術指導、実地研修等何らの名義をもってするを問わず、連続して1月以上の期間にわたって同一事務所等に出張している者　当該出張先の事務所等
　（ホ）　二以上の事務所等に兼務すべき者　主として勤務すべき事務所等（主として勤務すべき事務所等の判定が困難なものにあっては、当該給与の支払を受けるべき事務所等）
　ロ　次に掲げる者（例えば親会社又は子会社の事務所等の従業者のうち、その従業者がいずれの会社の従業者であるか判定の困難なもの等）については、イにかかわらず、次に掲げる事務所等の従業者として取り扱うものとすること。
　（イ）　一の納税義務者から給与の支払を受け、かつ、当該納税義務者以外の納税義務者の事務所等で勤務すべき者（当該者が二以上の納税義務者から給与の支払を受け、かつ、当該納税義務者のいずれか一の事務所等に勤務すべき場合を含む。）　当該勤務すべき事務所等
　（ロ）　二以上の納税義務者の事務所等の技術指導等に従事している者で主として勤務すべき事務所等がないもののうち、（ハ）以外の者　給与の支払を受けるべき事務所等
　（ハ）　事務所等を設置する納税義務者の事業に従事するため、当該納税義務者以外の納税義務者から技術指導、実地研修、出向、出張等何らの名義をもってするを問わず、当該事務所等に派遣されたもので連続して1月以上の期間にわたって当該事務所等に勤務すべき者　当該勤務すべき事務所等
　（ニ）　二以上の納税義務者の事務所等に兼務すべき者　当該兼務すべきそれぞれの事務所等
　ハ　次に掲げる者については、当該事務所等又は施設の従業者として取り扱わないものとすること。
　（イ）　従業者を専ら教育するために設けられた施設において研修を受ける者
　（ロ）　給与の支払を受けるべき者であっても、その勤務すべき事務所等が課税標準額の分割の対象となる事務所等から除外される場合の当該事務所等の従業者
　（ハ）　給与の支払を受けるべき者であっても、その勤務すべき施設が事務所等に該当しない場合の当該施設の従業

者（例えば常時船舶の乗組員である者、現場作業所等の従業者）
　　（ニ）病気欠勤者又は組合専従者等連続して１月以上の期間にわたってその本来勤務すべき事務所等に勤務していない者（当該勤務していない期間に限る。）
　ニ　イからハまでに掲げるもののほか、従業者については、次の取扱いによるものであること。
　　（イ）従業者は、常勤、非常勤の別を問わないものであるから、非常勤のもの、例えば重役、顧問等であっても従業者に含まれるものであること。
　　（ロ）連続して１月以上の期間にわたるかどうかの判定は、課税標準の算定期間の末日現在によるものとすること。この場合において、課税標準の算定期間の末日現在においては１月に満たないが、当該期間の翌期を通じて判定すれば１月以上の期間にわたると認められる場合においては、連続して、１月以上の期間にわたるものとし、また、日曜日、祝祭日等当該事務所等の休日については、当該休日である期間は、勤務していた日数に算定すること。

３　新設・廃止事務所等の分割基準となる従業者数

　２の場合において、次の各号に掲げる事務所又は事業所については、当該各号に掲げる数（その数に１人に満たない端数を生じたときは、これを１人とする。）を２に規定する従業者の数とみなす。（法321の13③）

（一）	法人税額の課税標準の算定期間の中途において新設された事務所又は事業所	当該算定期間の末日現在における従業者の数に当該算定期間の月数に対する当該事務所又は事業所が新設された日から当該算定期間の末日までの月数の割合を乗じて得た数
（二）	法人税額の課税標準の算定期間の中途において廃止された事務所又は事業所	当該廃止の日の属する月の直前の月の末日現在における従業者の数に、当該算定期間の月数に対する当該廃止された事務所又は事業所が当該算定期間中において所在していた月数の割合を乗じて得た数
（三）	法人税額の課税標準の算定期間中を通じて従業者の数に著しい変動がある事務所又は事業所	当該算定期間に属する各月の末日現在における従業者の数を合計した数を当該算定期間の月数で除して得た数

　　（月数の端数計算）
（１）　３の月数は、暦に従って計算し、１月に満たない端数を生じたときは、これを１月とする。（法321の13④）

　　（「算定期間中を通じて従業者の数に著しい変動がある事務所又は事業所」の意義）
（２）　３の表の（三）に規定する「算定期間中を通じて従業者の数に著しい変動がある事務所又は事業所」は、法人の第三節―の１に規定する法人税額の課税標準の算定期間に属する各月の末日現在における従業者の数のうち最大であるものの数値が、当該従業者の数のうち最少であるものの数値に２を乗じて得た数値を超える事務所又は事業所とする。（令48の16、９の９の６）

　　（「従業者の数」に関する取扱い上の留意事項）
（３）　次に掲げる事務所又は事業所（以下（３）において「事務所等」という。）における従業者の数については、次の取扱いによるものであること。（市通２－59（５））
　イ　事業年度の中途において、新設された事務所等にあっては事業年度の末日、廃止された事務所等にあっては、廃止の月の直前の月の末日現在の従業者の数に基づいて月割によって算定した従業者の数値によるものであるが、この場合の新設された事務所等には、営業の譲受け又は合併により設置される事務所等も含まれるものであること。
　ロ　一の事業年度の中途において、新設され、かつ、廃止された事務所等については、廃止された事務所等として従業者の数を算定するものであること。
　ハ　事業年度に属する各月の末日現在における従業者の数のうち最大であるものの数値が、その従業者の数のうち最小であるものの数値に２を乗じて得た数値を超える事務所等については

$$\frac{その事業年度に属する各月の末日の従業者数の合計数}{その事業年度の月数}$$

により従業者の数を算定することとなるが、この適用があるのは、当該事務所等に限るものであって、他の事務所等については適用がないものであること。
　　また、従業者の数に著しい変動がある事務所等には、事業年度の中途において新設又は廃止された事務所等であ

っても事務所等の所在する期間を通じてその従業者の数に著しい変動があるものは従業者の数に著しい変動がある事務所等に該当するものであるので留意すること。

なお、各月の末日現在における従業者の数の算定については、次の取扱いによるものであること。

(イ) 各月の末日において勤務すべき者のみが分割基準の対象となる従業者となるものであること。従って、例えば月の初日から引き続き日雇として雇用されていたものであっても、当該月の末日の前日までの間に解雇されたものは分割基準の対象となる従業者とはならないものであること。なお、各月の末日が日曜日、祝祭日等により当該事務所等が休日である場合の分割基準の対象となる日雇者については、当該休日の前日現在における状況によるものであること。

(ロ) 月の中途で課税標準の算定期間が終了した場合においては、その終了の日の属する月の末日現在における従業者の数は、分割基準には含まれないものであること。

二 二以上の市町村において事務所等を有する法人の法人税額の分割基準となる従業者数の修正又は決定

1 従業者数が事実と異なる場合の修正

一の1《二以上の市町村において事務所等を有する法人の中間申告及び確定申告に係る申告納付》の法人が第三節《申告納付》の規定による申告書を提出した場合において、当該申告書に記載された関係市町村ごとに分割された法人税額の分割の基準となる従業者数が事実と異なる場合（課税標準とすべき法人税額を分割しなかった場合を含む。）においては、当該法人の主たる事務所又は事業所所在地の市町村長がこれを修正するものとする。（法321の14①）

2 中間申告・確定申告がない場合の従業者数の決定

1の市町村長は、1の法人が第三節《申告納付》の規定による申告書を提出しなかった場合（同節一の2《中間申告書の提出がない場合の申告納付の特例》の規定の適用を受ける場合を除く。）には、関係市町村ごとに分割すべき法人税額の分割の基準となる従業者数を決定するものとする。（法321の14②）

3 修正又は決定に係る従業者数の再修正

1の市町村長は、1若しくは3の規定による従業者数の修正又は2の規定による従業者数の決定をした場合において、当該修正又は決定に係る従業者数が事実と異なることを発見したときは、これを修正するものとする。（法321の14③）

4 関係市町村長の修正の請求

一《二以上の市町村において事務所等を有する法人の申告納付》又は1から3までの場合において、関係市町村ごとに分割された法人税額の分割の基準となる従業者数が事実と異なると認める関係市町村長又は課税標準とすべき法人税額が分割されていないと認める関係市町村長は、1の市町村長に対し、その修正を請求しなければならない。（法321の14④）

5 従業者数の修正又は修正不要の決定

1の市町村長は、4の請求を受けた場合には、その請求を受けた日から30日以内に、一《分割法人の申告納付》又は1、2若しくは3の規定により関係市町村ごとに分割された法人税額又は分割されなかった法人税額の分割の基準となる従業者数を修正し、又はこれを修正する必要がない旨の決定をしなければならない。（法321の14⑤）

6 従業者数の修正・決定等の通知

1の市町村長は、1から3まで若しくは5の規定により法人税額の分割の基準となる従業者数を修正し若しくは決定した場合又は5の規定により当該従業者数を修正する必要がない旨の決定をした場合には、遅滞なく、関係市町村長及び当該納税者にその旨を通知しなければならない。（法321の14⑥）

7 関係市町村長の処分に不服がある場合の措置

6の通知に係る1の市町村長の処分に不服がある場合等の措置は、次による。（法321の15①～④、⑦、⑧、⑩）

(一)	決定の申出	6の通知に係る1の市町村長の処分に不服がある関係市町村長は、道府県知事（関係市町村が二以上の道府県に係るときは、総務大臣）に対し、決定を求める旨を申し出ることができる。
(二)	決定	道府県知事又は総務大臣は、(一)の申出を受けた場合においては、その申出を受けた日から30日以内に、その決定をしなければならない。

(三)	決定の通知	道府県知事又は総務大臣は、(二)の決定をした場合においては、遅滞なく、その旨を関係市町村長及び当該納税者に通知しなければならない。
(四)	裁決の申出	(二)の規定による道府県知事の決定に不服がある市町村長は、(三)の通知を受けた日から30日以内に総務大臣に裁決を求める旨を申し出ることができる。
(五)	裁決	総務大臣は、(四)の申出を受けた場合においては、その日から60日以内にその裁決をしなければならない。
(六)	裁決の通知	総務大臣は、(五)の裁決をした場合においては、遅滞なく、その旨を関係市町村長及び当該納税者に通知しなければならない。
(七)	裁判所への出訴	(二)の規定による総務大臣の決定又は(五)の規定による総務大臣の裁決について違法があると認める市町村長は、その決定又は裁決の通知を受けた日から30日以内に裁判所に出訴することができる。

　　(郵送等による場合の通知を受けた日)
(1)　7の表の(三)の通知を郵便又は信書便をもって発送した場合においてその到達した日が明らかでないときは、その発送した日から4日を経過した日をもって同項の通知を受けた日とみなす。この場合において、市町村長が到達した日を立証し得るときは、その立証に係る日をもって通知を受けた日とみなす。(法321の15⑤)

　　(郵送日数の除外)
(2)　7の表の(四)の申出に関する書類を郵便又は信書便をもって差出す場合においては、送付に要した日数は、同(四)の期間に算入しない。(法321の15⑥)

　　(地方財政審議会の意見の聴取)
(3)　総務大臣は、7の表の(二)の決定又は同(五)の裁決をしようとするときは、地方財政審議会の意見を聴かなければならない。(法321の15⑨)

第六節　更正又は決定及び延滞金等

一　更正又は決定

1　更　　正

　市町村長は、第三節《申告納付》の規定による申告書の提出があった場合において、当該申告に係る法人税額若しくはこれを課税標準として算定した法人税割額がその調査によって、法人税に関する法律の規定により申告し、修正申告し、更正され、若しくは決定された法人税額(「**確定法人税額**」という。以下1から3までにおいて同じ。)若しくはこれを課税標準として算定すべき法人税割額と異なることを発見したとき、当該申告に係る予定申告に係る法人税割額若しくは法人税において予定申告義務がない法人の予定申告に係る法人税割額が第三節一《申告納付》の1・2若しくは3に基づいて計算した額と異なることを発見したとき、第五節二《二以上の市町村において事務所等を有する法人の法人税額の分割基準となる従業者数の修正又は決定》の規定により確定法人税額の分割の基準となる従業者数が修正されたとき、当該申告に係る均等割額がその調査したところと異なることを発見したとき、又は当該申告に係る法人税額から控除されるべき額がその調査したところと異なることを発見したときは、これを更正するものとする。(法321の11①)

　　(確定法人税額の更正・決定の禁止)
注　申告書の提出があった場合において、当該申告に係る法人税額若しくはこれを課税標準として算定した法人税割額が確定法人税額若しくはこれを課税標準として算定すべき法人税割額と異なる場合又は当該申告がなされなかった場合においては、これを更正し、又は決定することができるが、確定法人税額そのものを市町村において独自に計算し、増額又は減額して更正し、又は決定することはできないものであること。(市通2－46)

第三編第二章《法人の市町村民税》第六節《更正又は決定及び延滞金等》

2 決　　　定

市町村長は、納税者が第三節一の1・2又は4《中間申告・みなし中間申告・確定申告・公共法人等又は人格のない社団等に係る申告納付》の規定による申告書を提出しなかった場合（同2《みなし中間申告》の規定の適用を受ける場合を除く。）においては、その調査によって、申告すべき確定法人税額並びに法人税割額及び均等割額を決定するものとする。（法321の11②）

3 再　更　正

市町村長は、1若しくは3の規定による更正又は2の規定による決定をした場合において、当該更正若しくは決定をした法人税額若しくは法人税割額がその調査によって、確定法人税額若しくはこれを課税標準として算定すべき法人税割額と異なることを発見したとき、当該更正若しくは決定をした均等割額がその調査したところと異なることを発見したとき、又は当該更正若しくは決定をした法人税割額から控除されるべき額がその調査したところと異なることを発見したときは、これを更正するものとする。（法321の11③）

4 更正又は決定の通知

市町村長は、1から3までの規定により更正し、又は決定した場合には、遅滞なく、これを納税者に通知しなければならない。（法321の11④）

> （注）　1又は3の規定による更正をした場合において、第四節六の1《法人税額に係る租税条約の実施に係る還付すべき金額の法人税割額からの控除》の規定の適用を受ける金額があるときは、4の通知の際に同節五の1の規定の適用がある旨及びこれらの規定により繰越控除の対象となる金額を併せて通知するものであること。（市通2−54(3)）

5 更正又は決定をした市町村民税額が中間納付額に満たない場合の還付又は充当

第四節十一《中間納付額の還付又は充当》の規定は、1から3までの規定により更正し、又は決定した市町村民税額が、当該事業年度分に係る市町村民税の中間納付額に満たない場合について準用する。（法321の11⑤）

二　租税条約の相手国との相互協議に係る徴収猶予

① 徴収の猶予

市町村長は、法人が法人税法第139条《租税条約に異なる定めがある場合の国内源泉所得》第1項に規定する租税条約（以下①において「**租税条約**」という。）の規定に基づき国税庁長官に対し当該租税条約に規定する申立て（租税特別措置法第66条の4《国外関連者との取引に係る課税の特例》第1項、第66条の4の3《外国法人の内部取引に係る課税の特例》第1項又は第67条の18《国外所得金額の計算の特例》第1項の規定の適用がある場合の申立てに限る。以下①において同じ。）をした場合又は租税条約の我が国以外の締約国若しくは締約者（以下①において「**条約相手国等**」という。）の権限ある当局に対し当該租税条約に規定する申立てをし、かつ、条約相手国等の権限ある当局から当該条約相手国等との間の租税条約に規定する協議（以下①において「**相互協議**」という。）の申入れがあった場合には、これらの申立てをした者の申請に基づき、これらの申立てに係る租税特別措置法第66条の4第27項《国外関連者との取引に係る更正決定等の期間制限の特例》第1号（同法第66条の4の3第14項及び第67条の18第13項において準用する場合を含む。）に掲げる更正決定に係る法人税額（これらの申立てに係る相互協議の対象となるものに限る。以下①において同じ。）に基づいて第三節一の7《修正申告又は更正決定に係る申告納付》の規定により申告納付すべき法人税割額又は当該更正決定に係る法人税額に基づいて市町村長が一の1若しくは2の規定により更正若しくは決定をした場合における当該更正若しくは決定により納付すべき法人税割額を限度として、第三節一の7又はこの節三の1《不足税額の徴収》の規定による納付すべき日又は納期限（当該申請が当該納付すべき日又は納期限後であるときは、当該申請の日とする。）から国税庁長官と当該条約相手国等の権限ある当局との間の合意に基づく国税通則法第26条《再更正》の規定による更正に係る法人税額に基づいて市町村長が一の1若しくは3の規定により更正をした場合における当該更正があった日（当該合意がない場合その他の(1)の政令で定める場合には、(1)の政令で定める日）の翌日から1月を経過する日までの期間（④において「徴収の猶予期間」という。）に限り、その徴収を猶予することができる。ただし、当該申請を行う者につき当該申請の時において当該法人税割額以外の当該市町村の地方税の滞納がある場合は、この限りでない。（法321の11の2①）

> （合意がない場合その他の政令で定める場合及び政令で定める日）
> (1)　①に規定する合意がない場合その他の政令で定める場合は次の各号に掲げる場合とし、①に規定する政令で定める日は市町村長が当該各号に掲げる場合に該当する旨を通知した日とする。（令48の15の3①）

(一) 相互協議を継続した場合であっても①に規定する合意(以下(二)及び(三)において「合意」という。)に至らないと国税庁長官が認める場合(③各号に掲げる場合を除く。)において、国税庁長官が当該相互協議に係る条約相手国等の権限ある当局に当該相互協議の終了の申入れをし、当該権限ある当局の同意を得たとき。
(二) 相互協議を継続した場合であっても合意に至らないと当該相互協議に係る条約相手国等の権限ある当局が認める場合において、国税庁長官が当該権限ある当局から当該相互協議の終了の申入れを受け、国税庁長官が同意をしたとき。
(三) 租税特別措置法第66条の4の2第1項《国外関連者との取引に係る課税の特例に係る納税の猶予》に規定する法人税の額及び地方法人税の額に関し国税庁長官と条約相手国等の権限ある当局との間の合意が行われた場合おいて、当該合意の内容が当該法人税の額及び地方法人税の額を変更するものでないとき。

(徴収猶予の申請)
(2) ①の規定による徴収の猶予を受けようとする者は、次に掲げる事項を記載した申請書に、①の申立てをしたことを証する書類その他の総務省令で定める書類を添付し、これを市町村長に提出しなければならない。(令48の15の3③)
(一) 当該猶予を受けようとする法人の名称、主たる事務所又は事業所の所在地及び法人番号
(二) ②に規定する申告納付すべき法人税割額並びにその事業年度及び納期限又は①に規定する更正若しくは決定により納付すべき法人税割額並びにその事業年度及び納期限
(三) (二)の法人税割額のうち当該猶予を受けようとする金額
(四) 当該猶予を受けようとする金額が100万円を超え、かつ、当該猶予の期間が3月を超える場合には、その申請時に提供しようとする法第16条第1項《担保の徴取》各号に掲げる担保の種類、数量、価額及び所在(その担保が保証人の保証であるときは、保証人の名称又は氏名及び主たる事務所若しくは事業所の所在地又は住所若しくは居所)その他担保に関し参考となるべき事項(担保を提供することができない特別の事情があるときは、その事情)
(注) (2)の規定による申請書の様式は、第22号の2の2様式とする。(規10の2の9①)

(徴収猶予の申請書類)
(3) (2)に規定する総務省令で定める書類は、次に掲げる書類とする。(規10の2の9②)
(一) ①の申立てをしたことを証する書類
(二) ①に規定する申告納付すべき法人税割額又は更正若しくは決定により納付すべき法人税割額が、租税特別措置法第66条の4第27項第1号(同法第66条の4の3第14項又は第67条の18第13項において準用する場合を含む。)に掲げる更正決定に係る法人税額に基づくものであること及び同法第66条の4第27項第3号(同法第66条の4の3第14項又は第67条の18第13項において準用する場合を含む。)に掲げる地方法人税に係る更正決定に伴い変更されるものであること並びに(一)の申立てに係る条約相手国等との間の相互協議の対象であることを明らかにする書類
(三) (2)の(四)に規定する場合に該当するときには、供託書の正本、抵当権を設定するために必要な書類、保証人の保証を証する書面その他の担保の提供に関する書類

② 担保の徴取
　市町村長は、①の規定による徴収の猶予(以下1において「徴収の猶予」という。)をする場合には、その猶予に係る金額に相当する担保で法第16条第1項《担保の徴取》各号に掲げるものを、(1)の政令で定めるところにより徴さなければならない。ただし、その猶予に係る税額が100万円以下である場合、その猶予の期間が3月以内である場合又は担保を徴することができない特別の事情がある場合は、この限りでない。(法321の11の2②)

(担保の徴取手続)
(1) ②の規定により担保を徴する場合には、期限を指定して、その提供を命ずるものとする。この場合においては、令第6条の10《担保の提供手続》並びに第6条の11第1項及び第2項《担保保全の提供命令等の手続》の規定を準用する。(令48の15の3②)

(総則の規定の準用)
(2) 法第15条の2の2《徴収猶予の通知》、第15条の2の3《徴収猶予の効果》、第16条の2第1項から第3項まで《納付又は納入の委託》及び第18条の2第4項《徴収の猶予又は換価の猶予による時効の停止》の規定は徴収の猶予について、法第11条《第二次納税義務の通則》、第16条第2項《徴収金に係る差押財産がある場合の担保の額》及び第3項《増担保、保証人の変更等の要求》、第16条の2第4項《委託に係る有価証券の提供による担保》並びに第16条の5第

1項及び第2項《担保の処分》の規定は②の規定による担保について、それぞれ準用する。(法321の11の2③)

③　徴収の猶予の取消
　　徴収の猶予を受けた者が次の各号のいずれかに該当するときは、市町村長は、その徴収の猶予を取り消すことができる。この場合においては、法第15条の3第2項及び第3項《徴収猶予の取消しの場合の弁明の聴取及び取消しの通知》の規定を準用する。(法321の11の2④)
(一)　①の申立てを取り下げたとき。
(二)　第13条の2第1項《繰上徴収》各号のいずれかに該当する事実がある場合において、その者がその猶予に係る法人税割額を猶予期間内に完納することができないと認められるとき。
(三)　②の(2)において準用する法第16条第3項の規定による担保の提供又は変更その他担保を確保するため必要な行為に関する市町村長の求めに応じないとき。
(四)　新たにその猶予に係る法人税割額以外の当該市町村に係る地方団体の徴収金を滞納したとき（市町村長がやむを得ない理由があると認めるときを除く。）。
(五)　徴収の猶予を受けた者の財産の状況その他の事情の変化によりその猶予を継続することが適当でないと認められるとき。

④　延滞金の免除
　　徴収の猶予をした場合には、その猶予をした法人税割に係る延滞金額のうち徴収の猶予期間（①の申請が①の納付すべき日又は納期限以前である場合には、当該申請の日を起算日として当該納付すべき日又は納期限までの期間を含む。）に対応する部分の金額は、免除する。ただし、③の規定による取消しの基因となるべき事実が生じた場合には、その生じた日後の期間に対応する部分の金額については、市町村長は、その免除をしないことができる。(法321の11の2⑤)

三　新型コロナウイルス感染症等に係る徴収猶予の特例……第一編第五章第一節二の7参照

四　不足税額及びその延滞金の徴収

1　不足税額の徴収
　　市町村の徴税吏員は、一の1《更正》若しくは3《再更正》の規定による更正又は同2《決定》の規定による決定があった場合において、不足税額（更正による不足税額又は決定による税額をいう。以下2において同じ。）があるときは、一の4《更正又は決定の通知》の通知をした日から1月を経過した日を納期限として、これを徴収しなければならない。(法321の12①)

2　延滞金の徴収
　　1の場合においては、その不足税額に第三節一の1・2、3又は4《中間申告・みなし中間申告・確定申告・公共法人等又は人格のない社団等に係る申告納付》の納期限（同8《修正申告又は更正決定に係る申告納付》の申告納付に係る法人税割に係る不足税額がある場合には、同1・2又は3の納期限とし、納期限の延長があった場合には、その延長された納期限とする。4の(一)において同じ。）の翌日から納付の日までの期間の日数に応じ、年14.6パーセント（1の納期限までの期間又は当該納期限の翌日から1月を経過する日までの期間については、年7.3パーセント）の割合を乗じて計算した金額に相当する延滞金額を加算して徴収しなければならない。(法321の12②)
(注)　2に規定する延滞金の年7.3パーセントの割合については特例規定が設けられているので、第一編第十章12の①《延滞金の割合の特例》を参照。（編者）

3　延滞金の計算の基礎となる期間の特例
　　2の場合において、一の1《更正》又は3《再更正》の規定による更正の通知をした日が第三節一の1・2、3又は4《中間申告・みなし中間申告・確定申告・公共法人等又は人格のない社団等に係る申告納付》に規定する申告書を提出した日（当該申告書がその提出期限前に提出された場合には、当該申告書の提出期限）の翌日から1年を経過する日後であるときは、詐偽その他不正の行為により市町村民税を免れた場合を除き、当該1年を経過する日の翌日から当該通知をした日（法人税に係る修正申告書を提出し、又は法人税に係る更正若しくは決定がされたことによる更正に係るものにあっては、当該修正申告書を提出した日又は国の税務官署が更正若しくは決定の通知をした日）までの期間は、延滞金の計算の基礎となる期間から控除する。(法321の12③)

(延滞金の計算に関する留意事項)
注 延滞金の計算に当たってはその計算の基礎となる期間から一定の期間を控除する規定は、一の1《更正》の規定によって行われた市町村民税の更正（当該更正に係る同3《再更正》の再更正を含む。）に伴う不足税額に対する延滞金の計算について適用されるものであり、市町村民税の決定が行われた場合における不足税額に対する延滞金の計算については適用されないものであること。(市通2－63)

4 当初申告の減額更正後に修正申告があった場合の延滞金の計算期間の特例

　2の場合において、納付すべき税額を増加させる更正（これに類するものとして(1)で定める更正を含む。以下4において「増額更正」という。）があったとき（当該増額更正に係る市町村民税について第三節－の1・2、3又は4に規定する申告書（以下4において「当初申告書」という。）が提出されており、かつ、当該当初申告書の提出により納付すべき税額を減少させる更正（これに類するものとして(1)で定める更正を含む。以下4において「減額更正」という。）があった後に、当該増額更正があったときに限る。）は、当該増額更正の提出により納付すべき税額（当該当初申告書に係る税額（還付金の額に相当する税額を含む。）に達するまでの部分として(2)で定める税額に限る。）については、3の規定にかかわらず、次に掲げる期間（詐偽その他不正の行為により市町村民税を免れた法人についてされた当該増額更正により納付すべき市町村民税その他(3)で定める市町村民税にあっては、(一)に掲げる期間に限る。）を延滞金の計算の基礎となる期間から控除する。(法321の12④)
(一) 当該当初申告書の提出により納付すべき税額の納付があった日（その日が当該申告に係る市町村民税の納期限より前である場合には、当該納期限）の翌日から当該減額更正の通知をした日までの期間
(二) 当該減額更正の通知をした日（当該減額更正が、更正の請求に基づくもの（法人税に係る更正によるものを除く。）である場合又は法人税に係る更正（法人税に係る更正の請求に基づくものに限る。）によるものである場合には、当該減額更正の通知をした日の翌日から起算して1年を経過する日）の翌日から当該増額更正の通知をした日（法人税に係る修正申告書を提出し、又は法人税に係る更正若しくは決定がされたことによる更正に係るものにあっては、当該修正申告書を提出した日又は国の税務官署が更正若しくは決定の通知をした日）までの期間

　　(納付すべき税額を増加させる更正)
(1) 4に規定する納付すべき税額を増加させる更正に類する更正は、還付金の額を減少させる更正又は納付すべき税額があるものとする更正とする。(令48の15の4①)

　　(納付すべき税額を減少させる更正)
(2) 4に規定する当初申告書の提出により納付すべき税額を減少させる更正に類する更正は、4に規定する当初申告書（以下(2)及び(3)において「当初申告書」という。）に係る還付金の額を増加させる更正又は当初申告書に係る還付金の額がない場合において還付金の額があるものとする更正とする。(令48の15の4②)

　　(当初申告書に係る税額に達するまでの部分の税額)
(3) 4に規定する当初申告書に係る税額に達するまでの部分の税額は、次の各号に掲げる場合の区分に応じ、当該各号に定める税額に相当する金額とする。(令48の15の4③)
(一) 当初申告書の提出により納付すべき税額がある場合　　次に掲げる税額のうちいずれか少ない税額
　イ 4に規定する増額更正（4において「増額更正」という。）により納付すべき税額
　ロ 当初申告書の提出により納付すべき税額から増額更正前の税額を控除した税額（当該増額更正前の還付金の額に相当する税額があるときは、当初申告書の提出により納付すべき税額に当該還付金の額に相当する税額を加算した税額）
(二) 当初申告書の提出により納付すべき税額がない場合（(三)に掲げる場合を除く。）　　次に掲げる税額のうちいずれか少ない税額
　イ 増額更正により納付すべき税額
　ロ 増額更正前の還付金の額に相当する税額
(三) 当初申告書に係る還付金の額がある場合　　次に掲げる税額のうちいずれか少ない税額
　イ 増額更正により納付すべき税額
　ロ 増額更正前の還付金の額に相当する税額から当初申告書に係る還付金の額に相当する税額を控除した税額

(延滞金の計算期間から控除される期間が制限される市町村民税)
（4） 4に規定する市町村民税は、4に規定する減額更正が更正の請求に基づくもの（法人税に係る更正によるものを除く。）である場合又は法人税に係る更正（法人税に係る更正の請求に基づくものに限る。）によるものである場合において、当該減額更正の通知をした日の翌日から起算して1年を経過する日までに増額更正の通知（当該増額更正が法人税に係る修正申告書を提出し、又は法人税に係る更正若しくは決定がされたことによるものである場合には、当該法人税に係る修正申告書の提出又は更正若しくは決定の通知）をしたときの当該増額更正により納付すべき税額に相当する市町村民税とする。（令48の15の4④）

5　延滞金の減免

　市町村長は、納税者が一の1《更正》若しくは3《再更正》の規定による更正又は同2《決定》の規定による決定を受けたことについてやむを得ない理由があると認める場合には、2の延滞金額を減免することができる。（法321の12⑤）

五　納期限後納付に係る延滞金

1　納期限後納付の場合の延滞金

①　延滞金

　市町村民税の納税者は、第三節一の1・2、3又は4《中間申告・みなし中間申告・確定申告・公共法人等又は人格のない社団等に係る申告納付》の納期限後にその税金を納付する場合又は同6《納付税額に過不足額がある場合等の申告納付》に規定する申告書に係る税金を納付する場合には、それぞれこれらの税額に、その納期限（同6に規定する申告書に係る税金を納付する場合には、当該税金に係る同1・2、3又は4の納期限とし、納期限の延長があった場合には、その延長された納期限とする。以下（1）及び③の（一）において同じ。）の翌日から納付の日までの期間の日数に応じ、年14.6パーセント（次の各号に掲げる税額の区分に応じ、当該各号に定める日又は期限までの期間については、年7.3パーセント）の割合を乗じて計算した金額に相当する延滞金額を加算して納付しなければならない。（法326①二〜四）

（一）	中間申告・みなし中間申告・確定申告・公共法人等又は人格のない社団等に係る申告納付《第三節一の1・2、3又は4》に規定する申告書に係る税額（（二）に掲げるものを除く。）	当該税額に係る納期限の翌日から1月を経過する日
（二）	中間申告・みなし中間申告・確定申告・公共法人等又は人格のない社団等に係る申告納付《第三節一の1・2、3又は4》に規定する申告書でその提出期限後に提出したものに係る税額	当該提出した日又はその日の翌日から1月を経過する日
（三）	納付税額に過不足額がある場合等の申告納付《第三節一の6》に規定する申告書に係る税額	同6の規定により申告書を提出した日（同7《修正申告又は更正決定に係る申告納付》の規定の適用がある場合において、当該申告書がその提出期限前に提出されたときは、当該申告書の提出期限（以下（三）において同じ。））又は当該申告書を提出した日の翌日から1月を経過する日

　（注）　①に規定する延滞金の年7.3パーセントの割合については特例規定が設けられているので、第一編第十章12の①《延滞金の割合の特例》を参照。（編者）

②　延滞金の計算の基礎となる期間の特例

　①の場合において、法人が第三節一の1・2、3又は4《中間申告・みなし中間申告・確定申告・公共法人等又は人格のない社団等に係る申告納付》に規定する申告書を提出した日（当該申告書がその提出期限前に提出された場合には、当該申告書の提出期限）の翌日から1年を経過する日後に同6《納付税額に過不足額がある場合等の申告納付》に規定する申告書を提出したときは、詐偽その他不正の行為により市町村民税を免れた法人が一の1《更正》又は3《再更正》の規定による更正があるべきことを予知して当該申告書を提出した場合を除き、当該1年を経過する日の翌日から当該申告書を提出した日（第三節一の7《修正申告又は更正決定に係る申告納付》の規定の適用がある場合において、当該申告書がその提出期限前に提出されたときは、当該申告書の提出期限）までの期間は、延滞金の計算の基礎となる期間から控除する。

(法326②)

③ 当初申告の減額更正後に修正申告があった場合の延滞金の計算期間の特例
　①の場合において、第三節一の6《納付税額に過不足額がある場合等の申告納付》に規定する申告書（以下③において「修正申告書」という。）の提出があったとき（当該修正申告書に係る市町村民税について第三節一の1・2、3又は4に規定する申告書（以下③において「当初申告書」という。）が提出されており、かつ、当該当初申告書の提出により納付すべき税額を減少させる更正（これに類するものとして(1)で定める更正を含む。以下③において「減額更正」という。）があった後に、当該修正申告書が提出されたときに限る。）は、当該修正申告書の提出により納付すべき税額（当該当初申告書に係る税額（還付金の額に相当する税額を含む。）に達するまでの部分として(2)で定める税額に限る。）については、②の規定にかかわらず、次に掲げる期間（詐偽その他不正の行為により市町村民税を免れた法人が第六節一の1《更正》又は3《再更正》の規定による更正があるべきことを予知して提出した修正申告書に係る市町村民税その他(3)で定める市町村民税にあっては、（一）に掲げる期間に限る。）を延滞金の計算の基礎となる期間から控除する。（法326③）
（一）　当該当初申告書の提出により納付すべき税額の納付があった日（その日が当該申告に係る市町村民税の納期限より前である場合には、当該納期限）の翌日から当該減額更正の通知をした日までの期間
（二）　当該減額更正の通知をした日（当該減額更正が、更正の請求に基づくもの（法人税に係る更正によるものを除く。）である場合又は法人税に係る更正（法人税に係る更正の請求に基づくものに限る。）によるものである場合には、当該減額更正の通知をした日の翌日から起算して1年を経過する日）の翌日から当該修正申告書を提出した日（第三節一の8《修正申告又は更正決定に係る申告納付》の規定の適用がある場合において、当該修正申告書がその提出期限前に提出されたときは、当該修正申告書の提出期限）までの期間

　　　（納付すべき税額を減少させる更正等）
（1）　③に規定する当初申告書の提出により納付すべき税額を減少させる更正に類する更正は、③に規定する当初申告書（以下(1)及び(2)において「当初申告書」という。）に係る還付金の額を増加させる更正又は当初申告書に係る還付金の額がない場合において還付金の額があるものとする更正とする。（令48の16の2①）

　　　（当初申告書に係る税額に達するまでの部分の税額）
（2）　③に規定する当初申告書に係る税額に達するまでの部分の税額は、次の各号に掲げる場合の区分に応じ、当該各号に定める税額に相当する金額とする。（令48の16の2②）
　（一）　当初申告書の提出により納付すべき税額がある場合　　次に掲げる税額のうちいずれか少ない税額
　　イ　③に規定する修正申告書（以下(2)及び(3)において「修正申告書」という。）の提出により納付すべき税額
　　ロ　当初申告書の提出により納付すべき税額から修正申告書の提出前の税額を控除した税額（当該修正申告書の提出前の還付金の額に相当する税額があるときは、当初申告書の提出により納付すべき税額に当該還付金の額に相当する税額を加算した税額）
　（二）　当初申告書の提出により納付すべき税額がない場合（（三）に掲げる場合を除く。）　　次に掲げる税額のうちいずれか少ない税額
　　イ　修正申告書の提出により納付すべき税額
　　ロ　修正申告書の提出前の還付金の額に相当する税額
　（三）　当初申告書に係る還付金の額がある場合　　次に掲げる税額のうちいずれか少ない税額
　　イ　修正申告書の提出により納付すべき税額
　　ロ　修正申告書の提出前の還付金の額に相当する税額から当初申告書に係る還付金の額に相当する税額を控除した税額

　　　（延滞金の計算期間から控除される期間が制限される市町村民税）
（3）　③に規定する市町村民税は、③に規定する減額更正が更正の請求に基づくもの（法人税に係る更正によるものを除く。）である場合又は法人税に係る更正（法人税に係る更正の請求に基づくものに限る。）によるものである場合において、当該減額更正の通知をした日の翌日から起算して1年を経過する日までに修正申告書の提出があったとき（第三節一の8《修正申告又は更正決定に係る申告納付》の規定の適用がある場合において、当該修正申告書がその提出期限前に提出され、同日以後に当該修正申告書の提出期限が到来したときを除く。）の③に規定する修正申告書の提出により納付すべき税額に相当する市町村民税とする。（令48の16の2③）

④ 延滞金の減免

　市町村長は、納税者が①の納期限までに税金を納付しなかったことについてやむを得ない理由があると認める場合には、①の延滞金額を減免することができる。(法326④)

2　納期限の延長の場合の延滞金

　法人税法第74条第1項《確定申告》又は第144条の6《外国法人の確定申告》第1項の規定により法人税に係る申告書を提出する義務がある法人で同法第75条の2第1項《確定申告書の提出期限の延長の特例》の規定の適用を受けているものは、当該申告書に係る法人税額の課税標準の算定期間でその適用に係るものの所得に対する法人税額を課税標準として算定した法人税割額及びこれと併せて納付すべき均等割額を納付する場合には、当該税額に、当該法人税額の課税標準の算定期間の末日の翌日以後2月を経過した日から同項の規定により延長された当該申告書の提出期限までの期間の日数に応じ、年7.3パーセントの割合を乗じて計算した金額に相当する延滞金額を加算して納付しなければならない。(法327①)

　　(注)　2に規定する延滞金の年7.3パーセントの割合については特例規定が設けられているので、第一編第十章12の①《延滞金の割合の特例》を参照。(編者)

　　　　(当初申告の減額更正後に修正申告があった場合の延滞金の計算期間の特例)
　(1)　四の4の規定は、2の延滞金額について準用する。この場合において、同4中「3の規定にかかわらず、次に掲げる期間(詐偽その他不正の行為により市町村民税を免れた法人についてされた当該増額更正により納付すべき市町村民税その他(3)で定める市町村民税にあっては、(一)に掲げる期間に限る。)」とあるのは、「当該当初申告書の提出により納付すべき税額の納付があった日(その日が五の2の法人税額の課税標準の算定期間の末日の翌日以後2月を経過した日より前である場合には、同日)から同2の申告書の提出期限までの期間」と読み替えるものとする。(法327②)

　　　　(納期限の延長の場合における延滞金の計算)
　(2)　四の4の(1)から(3)までの規定は、(1)において準用する四の4の規定による延滞金の計算について準用する。(令48の16の3①)

　　　　(納期限後納付の場合に当初申告の減額更正後に修正申告があったときの延滞金の計算期間の特例)
　(3)　1の③の規定は、2の延滞金額について準用する。この場合において、同③中「②の規定にかかわらず、次に掲げる期間(詐偽その他不正の行為により市町村民税を免れた法人が第六節一の1又は3の規定による更正があるべきことを予知して提出した修正申告書に係る市町村民税その他(3)で定める市町村民税にあっては、(一)に掲げる期間に限る。)」とあるのは、「当該当初申告書の提出により納付すべき税額の納付があった日(その日が2の法人税額の課税標準の算定期間の末日の翌日以後2月を経過した日より前である場合には、同日)から同①の申告書の提出期限までの期間」と読み替えるものとする。(法327③)

　　　　(納期限後納付の場合の納期限の延長の場合における延滞金の計算)
　(4)　1の③の(1)及び(2)の規定は、(3)において準用する1の③の規定による延滞金の計算について準用する。(令48の16の3②)

3　納期限の延長に係る延滞金の特例……第一編第五章第一節五の2参照

第七節　雑　　　則

1　天災その他特別の事情がある場合の減免

　市町村長は、天災その他特別の事情がある場合において市町村民税の減免を必要とすると認める者、貧困により生活のため公私の扶助を受ける者その他特別の事情がある者に限り、当該市町村の条例の定めるところにより、市町村民税を減免することができる。ただし、特別徴収義務者については、この限りでない。(法323)

2 脱税に関する罪

偽りその他不正の行為により市町村民税（法人税割にあっては、法人税割に係る申告書に記載されるべき法人税額を課税標準として算定したものとし、第三節一の1・2《中間申告・確定申告・みなし中間申告に係る申告納付》の規定により法人税法第71条第1項《中間申告》の規定による法人税に係る申告書（同法第72条第1項各号《仮決算をした場合の中間申告書の記載事項》に掲げる事項を記載したものに限る。）又は同法第144条の3《中間申告》第1項の規定による法人税に係る申告書（同法第144条の4《仮決算をした場合の中間申告書の記載事項等》第1項各号に掲げる事項を記載したものに限る。）を提出する義務がある法人が同1・2の申告又はこれに係る同6《納付税額に過不足額がある場合の申告納付》の申告により納付すべきものを除く。（2）において同じ。）の全部又は一部を免れたときは、その違反行為をした者は、10年以下の懲役若しくは1,000万円以下の罰金に処し、又はこれを併科する。（法324①）

（脱税額が1,000万円を超える場合の罰金額の加重）
（1） 2の免れた税額が1,000万円を超える場合には、情状により、2の罰金の額は、2の規定にかかわらず、1,000万円を超える額でその免れた税額に相当する額以下の額とすることができる。（法324②）

（故意不申告の罪）
（2） 2に規定するもののほか、第三節五《新たに納税義務者に該当することとなった場合の申告》の規定により申告すべき事項について申告しないこと又は同節一の1・2、3若しくは4《中間申告・みなし中間申告・確定申告・公共法人等又は人格のない社団等に係る申告納付》の規定による申告書を当該各項に規定する申告書の提出期限内に提出しないことにより、市町村民税の全部又は一部を免れたときは、その違反行為をした者は、5年以下の懲役若しくは500万円以下の罰金に処し、又はこれを併科する。（法324⑤）

（脱税額が500万円を超える場合の罰金額の加重）
（3） （2）の免れた税額が500万円を超える場合には、情状により、（2）の罰金の額は、（2）の規定にかかわらず、500万円を超える額でその免れた税額に相当する額以下の額とすることができる。（法324⑥）

（両罰規定）
（4） 法人の代表者又は法人若しくは人の代理人、使用人その他の従業者がその法人又は人の業務又は財産に関して2又は（2）の違反行為をした場合には、その行為者を罰するほか、その法人又は人に対し、2の罰金刑を科する。（法324⑦）

（法人等に罰金刑を科する場合の公訴時効期間）
（5） （4）の規定により2又は（2）の違反行為につき法人又は人に罰金刑を科する場合における時効の期間は、2又は（2）の罪についての時効の期間による。（法324⑧）

（人格のない社団等に対する刑事訴訟法の準用）
（6） 法人でない社団又は財団で代表者又は管理人の定めのあるものについて（4）の規定の適用がある場合には、その代表者又は管理人がその訴訟行為につき当該法人でない社団又は財団で代表者又は管理人の定めのあるものを代表するほか、法人を被告人又は被疑者とする場合の刑事訴訟に関する法律の規定を準用する。（法324⑨）

3 所得税又は法人税に関する書類の供覧

市町村長が市町村民税の賦課徴収について、政府に対し、所得税若しくは法人税の納税義務者が政府に提出した申告書又は政府がした更正若しくは決定に関する書類を閲覧し、又は記録することを請求した場合には、政府は、関係書類を市町村長又はその指定する職員に閲覧させ、又は記録させるものとする。（法325）

第八節　督促、滞納処分

一　督　　促

1　期限内納付がない場合の督促

　納税者（特別徴収の方法によって市町村民税を徴収される納税者を除く。以下第八節において同様とする。）が納期限（第六節一《更正又は決定》の規定による更正又は決定があった場合においては、不足税額の納期限をいい、納期限の延長があったときは、その延長された納期限とする。以下市町村民税について同様とする。）までに市町村民税に係る地方団体の徴収金を完納しない場合においては、市町村の徴税吏員は、納期限後20日以内に、督促状を発しなければならない。ただし、繰上徴収をする場合においては、この限りでない。（法329①）

　　　（徴収猶予期間内の取扱い）
（1）　法第15条の4第1項《修正申告等に係る道府県民税、市町村民税又は事業税の徴収猶予》の規定によって徴収猶予をした市町村民税に係る地方団体の徴収金については、1本文の規定にかかわらず、その徴収猶予をした期間内にこれを完納しない場合でなければ、督促状を発することができない。（法329②）

　　　（特別の事情がある場合の督促状の発付期限）
（2）　特別の事情がある市町村においては、当該市町村の条例で1に規定する期間と異なる期間を定めることができる。（法329③）

2　督促手数料の徴収

　市町村の徴税吏員は、督促状を発した場合においては、当該市町村の条例の定めるところによって、手数料を徴収することができる。（法330）

二　滞納処分

1　滞納処分

　市町村民税に係る滞納者が次の各号の一に該当するときは、市町村の徴税吏員は、当該市町村民税に係る地方団体の徴収金につき、滞納者の財産を差し押えなければならない。（法331①）
（一）　滞納者が督促を受け、その督促状を発した日から起算して10日を経過した日までにその督促に係る市町村民税に係る地方団体の徴収金を完納しないとき。
（二）　滞納者が繰上徴収に係る告知により指定された納期限までに市町村民税に係る地方団体の徴収金を完納しないとき。

　　　（第二次納税義務者又は保証人に対する催告）
（1）　第二次納税義務者又は保証人について1の規定を適用する場合には、同（一）中「督促状」とあるのは「納付又は納入の催告書」とする。（法331②）

　　　（繰上差押え）
（2）　市町村民税に係る地方団体の徴収金の納期限後1の（一）に規定する10日を経過した日までに、督促を受けた滞納者につき法第13条の2第1項各号《繰上徴収》の一に該当する事実が生じたときは、市町村の徴税吏員は、直ちにその財産を差し押えることができる。（法331③）

　　　（強制換価手続が行われた場合の交付要求）
（3）　滞納者の財産につき強制換価手続が行われた場合には、市町村の徴税吏員は、執行機関（破産法第114条第1号に掲げる請求権に係る市町村民税に係る地方団体の徴収金の交付要求を行う場合には、その交付要求に係る破産事件を取り扱う裁判所）に対し、滞納に係る市町村民税に係る地方団体の徴収金につき、交付要求をしなければならない。（法331④）

(参加差押え)
(4) 市町村の徴税吏員は、1、(1)又は(2)の規定により差押えをすることができる場合において、滞納者の財産で国税徴収法第86条第1項各号《参加差押えのできる財産》に掲げるものにつき、既に他の地方団体の徴収金若しくは国税の滞納処分又はこれらの滞納処分の例による差押えがされているときは、当該財産についての交付要求は、参加差押えによりすることができる。(法331⑤)

(国税徴収法の例による滞納処分)
(5) 1及び(1)から(4)までに定めるものその他市町村民税に係る地方団体の徴収金の滞納処分については、国税徴収法に規定する滞納処分の例による。(法331⑥)

(市町村の区域外における処分)
(6) 1及び(1)から(5)までの規定による処分は、当該市町村の区域外においても行うことができる。(法331⑦)

2 滞納処分に関する罪

市町村民税の納税者が滞納処分の執行を免れる目的でその財産を隠蔽し、損壊し、若しくは市町村の不利益に処分し、その財産に係る負担を偽って増加する行為をし、又はその現状を改変して、その財産の価額を減損し、若しくはその滞納処分に係る滞納処分費を増大させる行為をしたときは、その者は、3年以下の懲役若しくは250万円以下の罰金に処し、又はこれを併科する。(法332①)

(財産占有者に対する罰則)
(1) 納税者の財産を占有する第三者が納税者に滞納処分の執行を免れさせる目的で2の行為をしたときも、2と同様とする。(法332②)

(情を知った違反行為の相手方に対する罰則)
(2) 情を知って2又は(1)の行為につき納税者又はその財産を占有する第三者の相手方となったときは、その相手方としてその違反行為をした者は、2年以下の懲役若しくは150万円以下の罰金に処し、又はこれを併科する。(法332③)

(両罰規定)
(3) 法人の代表者又は法人若しくは人の代理人、使用人その他の従業者がその法人又は人の業務又は財産に関して2、(1)又は(2)の違反行為をした場合には、その行為者を罰するほか、その法人又は人に対し、当該各項の罰金刑を科する。(法332④)

(人格のない社団等に対する刑事訴訟法の準用)
(4) 法人でない社団又は財団で代表者又は管理人の定めのあるものについて(3)の規定の適用がある場合には、その代表者又は管理人がその訴訟行為につき当該法人でない社団又は財団で代表者又は管理人の定めのあるものを代表するほか、法人を被告人又は被疑者とする場合の刑事訴訟に関する法律の規定を準用する。(法332⑤)

3 滞納処分に関する検査拒否等の罪

次の各号のいずれかに該当する場合には、その違反行為をした者は、1年以下の懲役又は50万円以下の罰金に処する。(法333①)
(一) 1の(5)の場合において、国税徴収法第141条《質問及び検査》の規定の例により行う市町村の徴税吏員の質問に対して答弁をせず、又は偽りの陳述をしたとき。
(二) 1の(5)の場合において、国税徴収法第141条の規定の例により行う市町村の徴税吏員の帳簿書類(同条に規定する帳簿書類をいう。(三)において同じ。)その他の物件の検査を拒み、妨げ、又は忌避したとき。
(三) 1の(5)の場合において、国税徴収法第141条の規定の例により行う市町村の徴税吏員の物件の提示又は提出の要求に対し、正当な理由がなくこれに応じず、又は偽りの記載若しくは記録をした帳簿書類その他の物件(その写しを含む。)を提示し、若しくは提出したとき。

(両罰規定)
（１）　法人の代表者又は法人若しくは人の代理人、使用人その他の従業者がその法人又は人の業務又は財産に関して３の違反行為をした場合には、その行為者を罰するほか、その法人又は人に対し、３の罰金刑を科する。（法333②）

(人格のない社団等に対する刑事訴訟法の準用)
（２）　法人でない社団又は財団で代表者又は管理人の定めのあるものについて（１）の規定の適用がある場合には、その代表者又は管理人がその訴訟行為につき当該法人でない社団又は財団で代表者又は管理人の定めのあるものを代表するほか、法人を被告人又は被疑者とする場合の刑事訴訟に関する法律の規定を準用する。（法333③）

４　国税徴収法の例による滞納処分に関する虚偽の陳述の罪
　１の（５）の場合において、国税徴収法第99条の２《暴力団員等に該当しないこと等の陳述》（同法第109条《随意契約による売却》第４項において準用する場合を含む。）の規定の例により市町村長に対して陳述すべき事項について虚偽の陳述をした者は、６月以下の懲役又は50万円以下の罰金に処する。（法334）

第九節　都等の特例

１　法人の都民税
　都は、その特別区の存する区域内において、法第１条第２項《道府県及び市町村に関する規定の都及び特別区への準用》の規定にかかわらず、都民税として法第４条第２項第１号《道府県民税》に掲げる税及び法第５条第２項第１号《市町村民税》に掲げる税のうち、それぞれ法人に対して課するものを課するものとする。（法734②二）

２　法人の市町村民税に関する規定の準用
　１に掲げる都民税については、法第４条第２項第１号《道府県民税》に掲げる税と法第５条第２項第１号《市町村民税》に掲げる税を合わせて一の税とみなして、第二章《法人の市町村民税》の第一節《通則》から第八節《督促、滞納処分及び犯則取締》までの規定を準用する。この場合において、次の表の左欄に掲げる規定中同表の中欄に掲げる字句は、それぞれ同表の右欄に掲げる字句に読み替えるものとする。（法734③、法附８の２の２⑦）

第二編第二章《法人の道府県民税》	道府県	都
	道府県民税	都民税
	道府県知事	都知事
	市町村	特別区
	市町村長	特別区長
第一節《通則》から第八節《督促、滞納処分及び犯則取締》まで	市町村	都
	市町村民税	都民税
	市町村長	都知事
第二節１の①《均等割の標準税率》	５万円	５万円（事務所、事業所又は寮等が特別区の区域以外の都の区域内にも所在する場合（以下「事務所等が特別区の区域外にも所在する場合」という。）以外の場合には、７万円）
	12万円	12万円（事務所等が特別区の区域外にも所在する場合以外の場合には、14万円）
	13万円	13万円（事務所等が特別区の区域外にも所在する場合以外の場合には、18万円）
	15万円	15万円（事務所等が特別区の区域外にも所在する場合以外の場合には、20万円）

	16万円	16万円（事務所等が特別区の区域外にも所在する場合以外の場合には、29万円）
	40万円	40万円（事務所等が特別区の区域外にも所在する場合以外の場合には、53万円）
	41万円	41万円（事務所等が特別区の区域外にも所在する場合以外の場合には、第52条第1項の表の第4号に該当するものについては95万円、同表の第5号に該当するものについては121万円）
	175万円	175万円（事務所等が特別区の区域外にも所在する場合以外の場合には、229万円）
	300万円	300万円（事務所等が特別区の区域外にも所在する場合以外の場合には、380万円）
第二節1の②《均等割の制限税率》	①の表の各号の税率に、それぞれ1.2を乗じて得た率	①の表の各号の税率に、それぞれ1.2を乗じて得た率（事務所等が特別区の区域外にも所在する場合以外の場合には、①の表の各号に掲げる法人について、事務所等が特別区の区域外にも所在する場合における当該各号の税率に1.2を乗じて得た率に、当該法人に係る法第52条第1項の表の各号に掲げる区分に応じ当該各号の税率に相当する率を、それぞれ加算して得た率）
第二節2の①《法人税割の税率》	100分の6	100分の7
	100分の8.4	100分の10.4
第四節二の1《内国法人の外国関係会社に対して課された所得税等の額の控除》	並びに第二編第二章第四節の二の1《道府県民税の内国法人の外国関係会社に対して課された所得税等の額の控除》に規定する法人税割額の合計額	の合計額
第四節二の2《特殊関係株主等である内国法人の外国関係会社に対して課された所得税等の額の控除》	並びに第二編第二章第四節の二の2《道府県民税の特殊関係株主等である内国法人の外国関係会社に対して課された所得税等の額の控除》に規定する法人税割額の合計額	の合計額
第四節三の1《外国の法人税等の額の控除》	並びに道府県民税の控除限度額《第二編第二章第四節三の1参照》の合計額	の合計額
第四節七《特定寄附金税額控除》	市町村民税	都民税
	2以上の市町村	特別区の存する区域及び特別区の存する区域以外の区域
	100分の34.3	100分の40

（法人の都民税の均等割の税率）
（1） 二以上の特別区の区域内に事務所、事業所又は寮等を有する法人（特別区の区域以外の都の区域内に事務所、事業所又は寮等を有する法人を除く。）に対して課する均等割の税率については、2の後段に規定する第二節1の①《均等割の標準税率》及び②《均等割の制限税率》に係る読替規定は、それらの事務所、事業所又は寮等のうち主たる事務所若しくは事業所又は寮等として都知事が指定するものの所在する特別区に限り適用があるものとする。（令57）

第三編第二章《法人の市町村民税》第九節《都等の特例》

(法人の市町村民税に関する地方税法施行令の規定の都への準用等)
(2) 1の規定により都がその特別区の存する区域内において法人に対して課する都民税については、令第1条《道府県民税及び市町村民税に関する規定の都及び特別区への準用》の規定にかかわらず、令第3章第1節《市町村民税》(個人の市町村民税に関する規定並びに第四節二の1の(1)、同2の①《外国関係会社に対して課された所得税等の額の控除対象所得税額等相当額等の控除額》、第四節三の4の②《二以上の市町村において事務所等を有する法人の市町村民税の外国税額の控除限度額》及び同節四の2の①の(2)《二以上の市町村において事務所又は事業所を有する法人に係る税額控除不足額相当額の控除》(同②の(1)において準用する場合を含む。)を除く。)の規定を準用する。この場合において、次の表の左欄に掲げる規定中同表の中欄に掲げる字句は、それぞれ同表の右欄に掲げる字句に読み替えるものとする。(令57の2)

第三節一の1の(1)から(7)まで	市町村に	都道府県に
	関係市町村	関係都道府県
第三節一の2の(2)	市町村	都
第三節一の3の(1)	市町村に	都道府県に
	関係市町村	関係都道府県
第三節一の3の(2)	市町村	都
第四節一の1の(8)、同2の①の(3)、同4の(6)、同6の(6)、7の(4)、8の(6)	法人の市町村民税の確定申告書	法人の都民税の確定申告書
第四節十一の1	市町村民税の中間納付額	都民税の中間納付額
	市町村長	都知事
	当該市町村民税	当該都民税
	市町村内	都内
	市町村民税に	都民税に
	市町村民税額	都民税額
	市町村民税の法	都民税の法
	市町村民税で	都民税で
第四節三の2	、道府県民税の控除限度額及び市町村民税の控除限度額	及び都民税の控除限度額
	並びに第二編第二章第四節三の1及び	並びに
第四節三の4の①	100分の6	100分の7
	課する市町村	課する都の特別区の存する区域のみ
	(当該法人が二以上の市町村において事務所又は事業所を有する場合には、法人税の控除限度額を当該法人の関係市町村ごとの第五節一の2に規定する従業者の数に按分して計算した額に当該関係市町村が課する法人税割の税率に相当する割合として③で定める割合を乗じて計算した額の合計額)とすることができる	とすることができるものとし、特別区の存する区域及び市町村において事務所又は事業所を有する法人で当該事業年度の道府県民税の控除限度額又は市町村民税の控除限度額の計算について第二編第二章第四節三の4の①ただし書又は①ただし書の規定によるものにあっては、当該事業年度の道府県民税の控除限度額と市町村民税の控除限度額との合計額とする
第四節三の5	、道府県民税の控除限度額及び市町村民税の控除限度額	及び都民税の控除限度額
	の市町村民税の控除限度額	の都民税の控除限度額

		又は都民税の控除余裕額（外国の法人税等のうち1の規定により控除することができた額が都民税の控除限度額に満たない場合における当該都民税の控除限度額から当該控除することができた額を控除した残額をいう。以下5において同じ。）
	、道府県民税の控除余裕額又は市町村民税の控除余裕額	
	、道府県民税の控除余裕額及び市町村民税の控除余裕額	及び都民税の控除余裕額
	市町村民税の控除余裕額の合計額	都民税の控除余裕額の合計額
第四節三の6、同②、同②の注、同④、同⑤、同⑤の(1)	市町村民税の控除余裕額	都民税の控除余裕額
第一編第十一章三の(7)の(七)	市町村民税	都民税

（内国法人の外国関係会社に対して課された所得税等の額の控除対象所得税額等相当額等の控除額）
（3） 特別区の存する区域及び市町村において事務所又は事業所を有する法人の2において準用する第四節二の1《内国法人の外国関係会社に対して課された所得税等の額の控除》の規定により都民税の法人税割額から控除すべき控除対象所得税額等相当額（同1に規定する控除対象所得税額等相当額をいう。以下(3)において同じ。）は、令第1条《道府県民税及び市町村民税に関する規定の都及び特別区への準用》の規定にかかわらず、次の各号に掲げる場合の区分に応じ、当該各号に定める額とする。（令57の2の2）
 （一） 当該事業年度の控除対象所得税額等相当額のうち租税特別措置法第66条の7第4項に規定する法人税の額及び同条第10項に規定する所得地方法人税額の合計額（以下(3)において「国税の控除額」という。）を超える部分の額が当該事業年度の法第53条第36項《法人の道府県民税の内国法人の外国関係会社に対して課された所得税等の額の控除》に規定する法人税割額（（二）において「道府県民税の法人税割額」という。）以下である場合　当該国税の控除額を超える部分の額から同項の規定により控除することができる控除対象所得税額等相当額を控除した額
 （二） 当該事業年度の控除対象所得税額等相当額のうち国税の控除額を超える部分の額が当該事業年度の道府県民税の法人税割額を超える場合　次に掲げる額の合計額
  イ 当該事業年度の道府県民税の法人税割額に相当する控除対象所得税額等相当額から法第53条第36項の規定により控除することができる控除対象所得税額等相当額を控除した額
  ロ 当該事業年度の控除対象所得税額等相当額のうち国税の控除額及び道府県民税の法人税割額の合計額を超える部分の額（第四節二の1に規定する法人税割額に相当する額を限度とする。）から同1の規定により控除することができる控除対象所得税額等相当額を控除した額

（特殊関係株主等である内国法人の外国関係会社に対して課された所得税等の額の控除対象所得税額等相当額等の控除額）
（4） 特別区の存する区域及び市町村において事務所又は事業所を有する法人の2において準用する第四節二の2《特殊関係株主等である内国法人の外国関係会社に対して課された所得税等の額の控除》の規定により都民税の法人税割額から控除すべき控除対象所得税額等相当額（同2に規定する控除対象所得税額等相当額をいう。以下(4)において同じ。）は、令第1条《道府県民税及び市町村民税に関する規定の都及び特別区への準用》の規定にかかわらず、次の各号に掲げる場合の区分に応じ、当該各号に定める額とする。（令57の2の3）
 （一） 当該事業年度の控除対象所得税額等相当額のうち租税特別措置法第66条の9の3第3項に規定する法人税の額及び同条第9項に規定する所得地方法人税額の合計額（以下(4)において「国税の控除額」という。）を超える部分の額が当該事業年度の法第53条第37項《法人の道府県民税の特殊関係株主等である内国法人の外国関係会社に対して課された所得税等の額の控除》に規定する法人税割額（（二）において「道府県民税の法人税割額」という。）以下である場合　当該国税の控除額を超える部分の額から同項の規定により控除することができる控除対象所得税額等相当額を控除した額
 （二） 当該事業年度の控除対象所得税額等相当額のうち国税の控除額を超える部分の額が当該事業年度の道府県民税

の法人税割額を超える場合　次に掲げる額の合計額
　　イ　当該事業年度の道府県民税の法人税割額に相当する控除対象所得税額等相当額から法第53条第37項の規定により控除することができる控除対象所得税額等相当額を控除した額
　　ロ　当該事業年度の控除対象所得税額等相当額のうち国税の控除額及び道府県民税の法人税割額の合計額を超える部分の額（第四節二の2に規定する法人税割額に相当する額を限度とする。）から同2の規定により控除することができる控除対象所得税額等相当額を控除した額

　　（都民税の外国税額控除）
（5）　特別区の存する区域及び市町村において事務所又は事業所を有する法人の2において準用する第四節三の1《外国の法人税等の額の控除》の規定により都民税の法人税割額から控除すべき外国の法人税等（同1に規定する外国の法人税等をいう。以下（5）において同じ。）の額は、令第1条《道府県民税及び市町村民税に関する規定の都及び特別区への準用》の規定にかかわらず、次の各号に掲げる場合の区分に応じ、当該各号に定める額とする。（令57の2の4）
　（一）　当該事業年度において課された外国の法人税等の額のうち国税の控除限度額を超える部分の額が当該事業年度の道府県民税の控除限度額以下である場合　当該国税の控除限度額を超える部分の額から法第53条第38項《法人の道府県民税の外国税額控除》の規定により控除することができる外国の法人税等の額を控除した額
　（二）　当該事業年度において課された外国の法人税等の額のうち国税の控除限度額を超える部分の額が当該事業年度の道府県民税の控除限度額を超える場合　次に掲げる額の合計額
　　イ　当該事業年度の道府県民税の控除限度額に相当する外国の法人税等の額から法第53条第38項の規定により控除することができる外国の法人税等の額を控除した額
　　ロ　当該事業年度において課された外国の法人税等の額のうち国税の控除限度額及び道府県民税の控除限度額の合計額を超える部分の額（市町村民税の控除限度額に相当する額を限度とする。）から第四節三の1《外国の法人税等の額の控除》の規定により控除することができる外国の法人税等の額を控除した額

　　（通算法人の過年度の外国税額控除額が当初申告税額控除額と異なることとなった場合の税額控除不足額相当額の対象事業年度の法人税割額からの控除）
（6）　特別区の存する区域及び市町村において事務所又は事業所を有する法人の2において準用する第四節四の2の①《外国税額控除不足額相当額の対象事業年度の法人税割額からの控除》（同4及び同5において準用する場合を含む。）の規定により都民税の法人税割額から控除すべき税額控除不足額相当額（同2の①（同4及び同5において準用する場合を含む。）に規定する税額控除不足額相当額をいう。）は、令第1条《道府県民税及び市町村民税に関する規定の都及び特別区への準用》の規定にかかわらず、次に掲げる額の合計額とする。（令57の2の5①）
　（一）　当該事業年度の法第53条第42項《道府県民税における外国税額控除不足額相当額の対象事業年度の法人税割額からの控除》（同条第47項及び第48項において準用する場合を含む。以下（一）において同じ。）に規定する税額控除不足額相当額（以下（一）において「税額控除不足額相当額」という。）（当該事業年度の同条第42項に規定する申告納付すべき法人税割額に相当する額を限度とする。）から同項の規定により控除することができる税額控除不足額相当額を控除した額
　（二）　当該事業年度の第四節四の2の①（同4及び同5において準用する場合を含む。以下（二）において同じ。）に規定する税額控除不足額相当額（以下（二）において「税額控除不足額相当額」という。）（当該事業年度の同2の①に規定する申告納付すべき法人税割額に相当する額を限度とする。）から同①の規定により控除することができる税額控除不足額相当額を控除した額

　　（通算法人の過年度の外国税額控除額が当初申告税額控除額と異なることとなった場合の税額控除超過額相当額の対象事業年度の法人税割額への加算）
（7）　特別区の存する区域及び市町村において事務所又は事業所を有する法人の2において準用する第四節四の2の②《外国税額控除超過額相当額の対象事業年度の法人税割額への加算》（同4及び同5において準用する場合を含む。）の規定により都民税の法人税割額に加算すべき税額控除超過額相当額（同2の②（同4及び同5において準用する場合を含む。）に規定する税額控除超過額相当額をいう。）は、令第1条《道府県民税及び市町村民税に関する規定の都及び特別区への準用》の規定にかかわらず、次に掲げる額の合計額とする。（令57の2の5②）
　（一）　当該事業年度の法第53条第43項《道府県民税における外国税額控除超過額相当額の対象事業年度の法人税割額への加算》（同条第47項及び第48項において準用する場合を含む。以下（一）において同じ。）に規定する税額控除超過額相当額（以下（一）において「税額控除超過額相当額」という。）から同条第43項の規定により加算することとさ

れる税額控除超過額相当額を控除した額
　　（二）　当該事業年度の第四節四の2の②（同4及び同5において準用する場合を含む。以下（二）において同じ。）に規定する税額控除超過額相当額（以下（二）において「税額控除超過額相当額」という。）から同2の②の規定により加算することとされる税額控除超過額相当額を控除した額

　　（法人の都民税に関する分割明細書）
　（8）　特別区の区域内及び都以外の道府県の区域内にその事務所又は事業所を有する法人（特別区の区域以外の都の区域内にその事務所又は事業所を有する法人及び特別区の区域内にその主たる事務所又は事業所を有する法人を除く。）は、2において準用する第三節《申告納付》（同節一の2《中間申告書の提出がない場合の申告納付の特例》及び3《通算親法人が協同組合等である通算子法人の申告納付》後段を除く。）及び第五節一《二以上の市町村において事務所等を有する法人の申告納付》の規定により法人の都民税を申告納付する場合には、当該都税に係る申告書に同1《二以上の市町村において事務所等を有する法人の中間申告及び確定申告に係る申告納付》の後段に規定する課税標準の分割に関する明細書を添付しなければならない。（令57の2⑥）

　　（法人の市町村民税に関する地方税法施行規則の規定の都への準用）
　（9）　1の規定により都がその特別区の存する区域内において法人に対して課する都民税については、第五節一の2の（1）《課税標準の分割の基準である従業者の定義》の規定を準用する。（規1の2）

3　特別区及び指定都市の区に関する特例
　道府県民税及び市町村民税に関する規定の都及び地方自治法第252条の19第1項《指定都市の特例》の市に対する準用及び適用については、特別区並びに地方自治法第252条の19第1項の市の区及び総合区の区域は、一の市の区域とみなし、なお、特別の必要がある場合においては、政令で特別の定めを設けることができる。（法737①）

　　（指定都市の指定があった場合における法人等の市町村民税の均等割額）
　注　地方自治法第252条の19第1項の規定により新たに同項に規定する指定都市の指定があった場合における当該指定があった日の前日を含む事業年度又は第三節一の4《公共法人等に係る申告納付》の期間に係る法人の市町村民税の均等割額については、3の規定は適用しない。（令57の4）

4　申告書等の様式
　1の規定により都がその特別区の存する区域内において法人に対して課する都民税については、規則第1条《道府県及び市町村に関する規定の都及び特別区への準用等》の規定にかかわらず、次の表の左欄に掲げる申告書等の様式は、それぞれその右欄に定めるところによるものとする。ただし、別表に掲げる様式によることができないやむを得ない事情があると認める場合には、総務大臣は、別にこれを定めることができる。（規10の2①）

申告書等の種類	様式
（一）　確定申告書及び中間申告書並びにこれらに係る修正申告書（2の規定により準用される第三節一の1・2《中間申告・みなし中間申告・確定申告》の申告書並びにこれに係る同6《過不足税額の申告》の申告書）	第6号様式又は第6号様式（その2）（別表1から別表4の3まで）
（二）　退職年金等積立金に係る確定申告書及びこれに係る修正申告書（法人税法第89条《退職年金等積立金に係る確定申告》（同法第145条の5において準用する場合を含む。）の規定によって申告書を提出する義務がある法人に係る2の規定により準用される第三節一の1・2の申告書及びこれに係る同6の申告書）	第6号の2様式
（三）　予定申告書及びこれに係る修正申告書（2の規定により準用される第三節一の1・2の申告書並びにこれらに係る同6の申告書）	第6号の3様式又は第6号の3様式（その2）（第6号様式別表4の3）
（四）　外国関係会社に係る控除対象所得税額等相当額及び個別控除対象所得税額等相当額の控除に関する明細書（2の(2)の規定により準用される第四節二《外国関係会社に対して課された所得税等の額の控除》の1の(2)及び2の(2)の書類）	第7号様式

（五） 外国の法人税等の額の控除に関する明細書（２の（２）の規定により準用される第四節三の10《外国税額控除の申告》並びに同四の２《税額控除額と当初申告税額控除額との差額に係る対象事業年度での調整》の①の（４）及び同②の（２）の書類）	第７号の２様式及び第20号の４様式別表２
（六） 課税標準の分割に関する明細書（２の規定により準用される第五節一の１《二以上の市町村において事務所等を有する法人の中間申告及び確定申告》の課税標準の分割に関する明細書）	第10号様式
（七） 均等割申告書（２の規定により準用される第三節一の４《公共法人等に係る申告》の申告書）	第11号様式

(注) 様式は省略した。(編者)

(恒久的施設を有する外国法人に係る申告書の記載事項)
(１) 特別区の存する区域内に恒久的施設を有する外国法人（第一節一の表の（二）のロに規定する外国法人をいう。）の第６号様式別表１の２及び同様式別表２の３、第７号の３様式並びに第10号様式の記載については、法人税法第141条《外国法人の課税標準》第１号イに掲げる国内源泉所得に対する法人税額及び同号ロに掲げる国内源泉所得に対する法人税額の計算の別を明らかにするものとする。(規10の２②)

(納付書の様式)
(２) 特別区の存する区域内に事務所、事業所又は寮等を有する法人が都民税に係る地方団体の徴収金を納付するとき（口座振替の方法又は第一編第十一章三の（１）に規定する方法により納付する場合を除く。）は、規則第１条の規定にかかわらず、当該地方団体の徴収金に第12号の２様式〈省略〉による納付書（当該様式によることができないやむを得ない事情がある場合において、総務大臣が別の様式を定めたときは、当該様式による納付書）（当該書類に記載すべき事項を記録した電磁的記録を含む。）を添えて納付するものとする。(規10の２③)

(法人の都民税の特定寄附金税額控除に係る添付書類)
(３)イ ２において準用する第四節六の１の（１）に規定する控除の対象となる特定寄附金の額、控除を受ける金額及び当該金額の計算に関する明細を記載した総務省令で定める書類の様式は、第７号の３様式によるものとする。(規附２の６の２①)
　ロ ２において準用する第四節六の１の（１）に規定する特定寄附金に該当することを証する書類として総務省令で定める書類は、２において準用する第四節六の１の法人が支出した寄附金を受けた認定地方公共団体が当該寄附金の受領について地域再生法施行規則第14条第１項の規定により交付する書類の写しとする。(規附２の６の２②)

第三章　固定資産税

◆令和6年度改正事項◆

（1）令和6年度の固定資産税の評価替えに伴い、土地に係る令和6年度から令和8年度までの各年度分の固定資産税及び都市計画税の負担についての調整措置を次のとおり講ずることとした。

ア　宅地等に係る固定資産税及び都市計画税の額については、当該宅地等に係る当該年度分の税額が、前年度分の課税標準額に、当該年度の価格（住宅用地に係る課税標準の特例措置の適用を受ける宅地等については当該特例措置の適用後の額）に100分の5を乗じて得た額を加算した額を課税標準額とした場合の税額（以下「宅地等調整税額」という。）を超える場合には、当該宅地等調整税額とすること。ただし、商業地等に係る宅地等調整税額は、当該宅地等調整税額が、当該商業地等の当該年度の価格に10分の6を乗じて得た額を課税標準額とした場合の税額を超える場合には、当該税額とすること。また、宅地等に係る宅地等調整税額は、当該宅地等調整税額が、当該宅地等の当該年度の価格に10分の2を乗じて得た額を課税標準額とした場合の税額に満たない場合には、当該税額とすること。（法附17、18、18の3、22、24、25、25の3、27の5、28）

イ　アにかかわらず、商業地等のうち負担水準（前年度課税標準額の当該年度の価格（住宅用地又は市街化区域農地に係る課税標準の特例措置の適用を受ける土地については当該特例措置の適用後の額。以下同じ。）に対する割合をいう。以下同じ。）が0.6以上0.7以下の土地に係る固定資産税及び都市計画税の額については、前年度の税額とすること。（法附18、25）

ウ　アにかかわらず、商業地等のうち負担水準が0.7を超える土地に係る固定資産税及び都市計画税の額については、当該年度の価格に10分の7を乗じて得た額を課税標準額とした場合の税額とすること。（法附18、25）

エ　農地に係る固定資産税及び都市計画税の額については、当該農地に係る当該年度分の税額が、前年度分の課税標準額に、負担水準の区分に応じて求める次の表に掲げる負担調整率を乗じて得た額を課税標準額とした場合の税額を超える場合には、当該税額とすること。（法附19、26）

負担水準の区分	負担調整率
0.9以上のもの	1.025
0.8以上0.9未満のもの	1.05
0.7以上0.8未満のもの	1.075
0.7未満のもの	1.1

オ　三大都市圏の特定市の市街化区域農地に係る固定資産税及び都市計画税の額については、当該市街化区域農地に係る当該年度分の税額が、前年度分の課税標準額に、当該年度の価格に100分の5を乗じて得た額を加算した額を課税標準額とした場合の税額（以下「市街化区域農地調整税額」という。）を超える場合には、当該市街化区域農地調整税額とする措置を講ずること。ただし、市街化区域農地調整税額は、当該市街化区域農地調整税額が、当該市街化区域農地の当該年度の価格に10分の2を乗じて得た額を課税標準額とした場合の税額に満たない場合には、当該税額とすること。（法附19の4、27の2）

カ　商業地等に係る固定資産税及び都市計画税については、当該年度の価格に10分の6以上10分の7未満の範囲内において市町村の条例で定める割合を乗じて得た額を課税標準額とした場合の税額までその税額を減額することができることとすること。（法附21、27の4、27の5）

キ　住宅用地、商業地等及び三大都市圏の特定市の市街化区域農地に係る固定資産税及び都市計画税については、前年度分の課税標準額（前年度分の固定資産税及び都市計画税について、カ又はキの減額が行われている場合は、その減額後の税額に対応する前年度分の課税標準額）に100分の110以上の割合で住宅用地、商業地等及び三大都市圏の特定市の市街化区域農地の区分ごとに市町村の条例で定める割合を乗じて得た額を課税標準額とした場合の税額までその税額を減額することができることとすること。（法附21の2、27の4の2、27の5）

（2）令和7年度分又は令和8年度分の固定資産税に限り、自然的及び社会的条件からみて類似の利用価値を有すると

認められる地域において地価が下落し、市町村長が修正前の価格を課税標準とすることが固定資産税の課税上著しく均衡を失すると認める場合には、修正前の価格を修正基準により修正した価格を当該年度分の固定資産税の課税標準とすること。（法附17の2、19の2、19の2の2、22）
（3）独立行政法人国民生活センターが行う一定の業務の用に供する固定資産に係る固定資産税及び都市計画税の非課税措置について、対象に適格消費者団体が行う差止請求関係業務の円滑な実施のために必要な援助業務の用に供する固定資産を追加することとした。（法348㉙）
（4）流通業務の総合化及び効率化の促進に関する法律に規定する総合効率化事業者が、総合効率化計画に基づき実施する流通業務総合効率化事業により取得した一定の家屋及び償却資産に係る固定資産税及び都市計画税の課税標準の特例措置について、次のとおり見直した上、その対象資産の取得期限を令和8年3月31日まで延長することとした。（法附15①、令附11②～④、規附6⑫）
　ア　適用対象となる一般倉庫及び冷蔵倉庫の設備等に関する必須要件に、到着時刻表示装置が設けられていることを追加すること。
　イ　適用対象となる倉庫の設備等に関する選択要件から、貨物自動車運送事業の用に供する事務所及び駐車施設が併設されていることを除外すること。
　ウ　適用対象となる附属機械設備に貨物自動車関係情報自動解析装置を追加した上、当該装置に係る課税標準を、その価格の2分の1の額とすること。
（5）都市再生特別措置法に規定する一体型滞在快適性等向上事業の実施主体が一定の一体型滞在快適性等向上事業により整備した滞在快適性等向上施設等の用に供する一定の固定資産に係る固定資産税及び都市計画税の課税標準の特例措置について、課税標準をその価格に2分の1を参酌して3分の1以上3分の2以下の範囲内において市町村の条例で定める割合（大臣配分資産又は知事配分資産にあっては2分の1）（現行2分の1）を乗じて得た額とした上、その整備期限を令和8年3月31日まで延長することとした。（法附15㊳）
　なお、本特例措置については地域決定型地方税制特例措置（いわゆる「わがまち特例」）を導入することとしたため、本特例措置の対象に係る固定資産税の賦課徴収のためには、参酌基準による場合も含め、特例率を定める条例を制定する必要がある。
（6）新築住宅及び新築中高層耐火建築住宅に係る固定資産税の減額措置について、建築基準法の改正に伴い、所要の規定の整備を行った上、その対象資産の新築期限を令和8年3月31日まで延長することとした。（法附15の6）
（7）新築の認定長期優良住宅のうち区分所有に係る住宅については、新築の認定長期優良住宅に係る固定資産税の減額措置に係る申告書の提出がなかった場合においても、長期優良住宅の普及の促進に関する法律に規定する管理者等から長期優良住宅の普及の促進に関する法律施行規則第9条に規定する通知書の写しが提出され、かつ、当該区分所有に係る住宅が当該減額措置の要件に該当すると認められるときは、当該減額措置を適用することができることとした。（法附15の7④、規附7④）
（8）社会福祉法人等が児童福祉法に規定する児童福祉施設の用に供する固定資産に係る固定資産税及び都市計画税の非課税措置について、その対象資産の範囲に里親支援センターの用に供する固定資産を追加することとした。（令49の12②三）
（9）社会福祉法人等が社会福祉法に規定する社会福祉事業の用に供する固定資産に係る固定資産税及び都市計画税の非課税措置について、その対象資産の範囲に親子再統合支援事業、社会的養護自立支援拠点事業、意見表明等支援事業、妊産婦等生活援助事業、子育て世帯訪問支援事業、児童育成支援拠点事業及び親子関係形成支援事業の用に供する固定資産を追加することとした。（令49の15②九、規10の7の3⑩～⑫⑮⑯）
（10）住宅用地に係る固定資産税の課税標準の特例措置及び高齢者の居住の安定確保に関する法律に規定するサービス付き高齢者向け住宅である一定の新築貸家住宅に係る固定資産税の減額措置について、建築基準法の改正に伴い、所要の規定の整備を行うこととした。（令52の11③、令附12⑫一）
（11）次のとおり課税標準の特例措置等の適用期限を延長することとした。
　ア　国内航空機に係る固定資産税の課税標準の特例措置について、その対象資産を令和7年度までに新たに固定資産税が課されるものとすること。（法附15③）
　イ　沖縄電力株式会社が電気供給業の用に供する償却資産に係る固定資産税の課税標準の特例措置について、その適用期限を令和8年度まで延長すること。（法附15④）
　ウ　日本貨物鉄道株式会社が取得した一定の新造車両に係る固定資産税の課税標準の特例措置について、その対象資産の取得期限を令和8年3月31日まで延長すること。（法附15⑥）
　エ　国際船舶に係る固定資産税の課税標準の特例措置について、海上運送法施行規則の改正に伴う所要の規定の整備を行った上、その適用期限を令和8年度まで延長すること。（法附15⑧、規附6㉗二）

オ 津波防災地域づくりに関する法律に規定する推進計画区域において、同法に規定する推進計画に基づき新たに取得され、又は改良された津波対策の用に供する償却資産に係る固定資産税の課税標準の特例措置について、その対象資産の取得期限を令和10年3月31日まで延長すること。（法附15㉑）

カ 津波防災地域づくりに関する法律の規定により指定された指定避難施設若しくは同法に規定する管理協定に係る協定避難施設の用に供する家屋のうち避難の用に供する部分又はこれらの施設に附属する避難の用に供する一定の償却資産に係る固定資産税の課税標準の特例措置について、その指定避難施設の指定に係る期限又は管理協定に係る締結期限を令和9年3月31日まで延長すること。（法附15㉒）

キ 農地中間管理機構が農地中間管理権を取得し、その存続期間が10年以上である一定の農地に係る固定資産税及び都市計画税の課税標準の特例措置について、その農地中間管理権の取得期限を令和8年3月31日まで延長すること。（法附15㉛）

ク 農業協同組合等が取得し、かつ、農業経営基盤強化促進法に規定する認定就農者（同法の規定による公告があった地域計画において地図に表示された農用地等に係る農業を担う者に限る。）の利用に供する一定の機械装置等に係る固定資産税の課税標準の特例措置について、その対象資産の取得期限を令和8年3月31日まで延長すること。（法附15㊱）

ケ 電波法に規定する無線局（地域における需要に応じ多様な主体が開設することができる無線局であって地域社会の諸課題の解決に寄与する一定のものに限る。）の免許を受けた者が特定高度情報通信技術活用システムの開発供給及び導入の促進に関する法律に規定する認定導入計画に基づき新たに取得した当該免許に係る無線通信の業務の用に供する一定の償却資産に係る固定資産税の課税標準の特例措置について、その対象資産の取得期限を令和7年3月31日まで延長すること。（法附15㊴）

コ 特定都市河川浸水被害対策法又は下水道法に規定する認定事業者が設置した一定の雨水貯留浸透施設に係る固定資産税の課税標準の特例措置について、その対象資産の取得期限を令和9年3月31日まで延長すること。（法附15㊶）

サ 長期優良住宅の普及の促進に関する法律に規定する認定長期優良住宅に係る固定資産税の減額措置について、その対象資産の新築期限を令和8年3月31日まで延長すること。（法附15の7①②）

シ 河川法に規定する高規格堤防の整備に係る事業の用に供するため使用された土地の上に建築されていた家屋について移転補償金を受けた者が当該土地の上に取得する代替家屋に係る固定資産税の減額措置について、その取得期限を令和8年3月31日まで延長すること。（法附15の8④）

ス 耐震改修が行われた住宅に係る固定資産税の減額措置について、その対象資産の改修期限を令和8年3月31日まで延長すること。（法附15の9①）

セ 高齢者等の居住の安全性及び高齢者等に対する介助の容易性の向上に資する一定の改修工事が行われた住宅に係る固定資産税の減額措置について、その対象資産の改修期限を令和8年3月31日まで延長すること。（法附15の9④⑤）

ソ 外壁、窓等を通しての熱の損失の防止に資する一定の改修工事が行われた住宅に係る固定資産税の減額措置について、その対象資産の改修期限を令和8年3月31日まで延長すること。（法附15の9⑨⑩）

タ 耐震改修が行われた住宅のうち、認定長期優良住宅に該当することとなったものに係る固定資産税の減額措置について、その対象資産の改修期限を令和8年3月31日まで延長すること。（法附15の9の2①）

チ 外壁、窓等を通しての熱の損失の防止に資する一定の改修工事が行われた住宅のうち、認定長期優良住宅に該当することとなったものに係る固定資産税の減額措置について、その対象資産の改修期限を令和8年3月31日まで延長すること。（法附15の9の2④⑤）

ツ 高齢者、障害者等の移動等の円滑化の促進に関する法律に規定する特別特定建築物に該当する一定の家屋のうち、主として実演芸術の公演の用に供する施設であることにつき証明がされ、かつ、一定の改修工事を行い、同法に規定する一定の基準に適合することにつき証明がされたものに係る固定資産税及び都市計画税の減額措置について、その対象資産の改修期限を令和8年3月31日まで延長すること。（法附15の11①）

テ 東日本大震災により滅失し、又は損壊した償却資産の所有者等が一定の区域内に当該滅失し、若しくは損壊した償却資産に代わるものと市町村長が認める償却資産を取得した場合の当該償却資産又は当該損壊した償却資産を改良した場合の当該改良された部分に係る固定資産税の課税標準の特例措置について、その対象資産の取得期限又は改良期限を令和8年3月31日まで延長すること。（法附56⑫）

(12) 次のとおり課税標準の特例措置を改めることとした。

ア 公害防止用設備に係る固定資産税の課税標準の特例措置について、次のとおり見直した上、その対象資産の取得期限を令和8年3月31日まで延長すること。（法附15②、規附6⑭～⑰）

① 石綿が含まれている一定の産業廃棄物の処理の用に供する産業廃棄物処理施設を適用対象から除外すること。
② 下水道除害施設について、汚泥処理装置、濾過装置、生物化学的処理装置、貯留装置及び輸送装置並びに現行制度において適用対象となっている装置に附属する電動機、ポンプ、配管、計測器その他の附属設備を適用対象から除外すること。
イ 農林漁業有機物資源のバイオ燃料の原材料としての利用の促進に関する法律に規定するバイオ燃料製造業者が同法に規定する認定生産製造連携事業計画に従って実施する生産製造連携事業により新設した機械その他の設備に係る固定資産税の課税標準の特例措置について、木質固形燃料製造設備に係る課税標準をその価格の4分の3（現行3分の2）の額とした上、その対象資産の取得期限を令和8年3月31日まで延長すること。（法附15⑱、規附6㊶～㊺）
ウ 再生可能エネルギー電気の利用の促進に関する特別措置法に規定する一定の発電設備に係る固定資産税の課税標準の特例措置について、次のとおり見直した上、その対象資産の取得期限を令和8年3月31日まで延長すること。（法附15㉕、規附55～64）
① 太陽光発電設備について、その対象を地球温暖化の推進に関する法律に規定する認定地域脱炭素化促進事業計画に従い取得した一定の設備又はペロブスカイト太陽電池を使用した一定の設備とすること。
② 再生可能エネルギー電気の利用の促進に関する特別措置法施行規則第3条第27号に定める設備の区分等に該当する設備（出力1万kW以上2万kW未満のものに限る。）に係る課税標準を、その価格に7分の6を参酌して14分の11以上14分の13以下の範囲内において市町村の条例で定める割合（大臣配分資産又は知事配分資産にあっては7分の6）（現行3分の2を参酌して2分の1以上6分の5以下の範囲内において市町村の条例で定める割合（大臣配分資産又は知事配分資産にあっては3分の2））を乗じて得た額とすること。
(13) 一定の政府の補助を受けた者が児童福祉法に規定する事業所内保育事業に係る業務を目的とする施設のうち当該政府の補助に係るものの用に供する固定資産に係る固定資産税及び都市計画税の課税標準の特例措置を廃止することとした。（旧法附15㉜、旧令附11㉟、旧規附6�67）

(注) 本章の規定は、別に定めがあるものを除き、令和6年度以後の年度分の固定資産税について適用する（令6改法附1、20①、令6改令附1、5①、令6改規附1、4①）。

第一節　通　則

一　用語の意義

固定資産税について、次の各号に掲げる用語の意義は、それぞれ当該各号に定めるところによる。（法341）

(一)	固定資産	土地、家屋及び償却資産を総称する。
(二)	土　地	田、畑、宅地、塩田、鉱泉地、池沼、山林、牧場、原野その他の土地をいう。
(三)	家　屋	住家、店舗、工場（発電所及び変電所を含む。）、倉庫その他の建物をいう。
(四)	償却資産	土地及び家屋以外の事業の用に供することができる資産（鉱業権、漁業権、特許権その他の無形減価償却資産を除く。）でその減価償却額又は減価償却費が法人税法又は所得税法の規定による所得の計算上損金又は必要な経費に算入されるもののうちその取得価額が少額である資産その他の注で定める資産以外のもの（これに類する資産で法人税法又は所得税を課されない者が所有するものを含む。）をいう。ただし、自動車税の課税客体である自動車並びに軽自動車税の課税客体である原動機付自転車、軽自動車、小型特殊自動車及び二輪の小型自動車を除くものとする。 （償却資産から除かれる取得価額が少額である資産その他の資産） 注　(四)に規定する資産は、法人税法又は所得税法の規定による所得の計算上、法人税法施行令第133条第1項《少額の減価償却資産の取得価額の損金算入》若しくは第133条の2第1項《一括償却資産の損金算入》又は所得税法施行令第138条第1項《少額の減価償却資産の取得価額の必要経費算入》若しくは第139条第1項《一括償却資産の必要経費算入》の規

		定によりその取得価額（法人税法施行令第54条《減価償却資産の取得価額》第１項各号又は所得税法施行令第126条《減価償却資産の取得価額》第１項各号若しくは第２項の規定により計算した価額をいう。以下注において同じ。）の全部又は一部が損金又は必要な経費に算入される資産とする。ただし、法人税法第64条の２《リース取引に係る所得の金額の計算》第１項又は所得税法第67条の２《リース取引に係る所得の金額の計算》第１項に規定するリース資産にあっては、当該リース資産の所有者が当該リース資産を取得した際における取得価額が20万円未満のものとする。（令49）
(五)	価　　格	適正な時価をいう。
(六)	基準年度	昭和31年度及び昭和33年度並びに昭和33年度から起算して３年度又は３の倍数の年度を経過したごとの年度をいう。
(七)	第二年度	基準年度の翌年度をいう。
(八)	第三年度	第二年度の翌年度（昭和33年度を除く。）をいう。
(九)	固定資産課税台帳	土地課税台帳、土地補充課税台帳、家屋課税台帳、家屋補充課税台帳及び償却資産課税台帳を総称する。
(十)	土地課税台帳	登記簿に登記されている土地について第四節二の１《登録事項》の①に規定する事項を登録した帳簿をいう。
(十一)	土地補充課税台帳	登記簿に登記されていない土地で地方税法の規定によって固定資産税を課することができるものについて第四節二の１《登録事項》の①の（１）に規定する事項を登録した帳簿をいう。
(十二)	家屋課税台帳	登記簿に登記されている家屋（建物の区分所有等に関する法律第２条第３項の専有部分の属する家屋（同法第４条第２項の規定により共用部分とされた附属の建物を含む。以下「**区分所有に係る家屋**」という。）の専有部分が登記簿に登記されている場合においては、当該区分所有に係る家屋とする。以下固定資産税について同様とする。）について第四節二の１《登録事項》の②に規定する事項を登録した帳簿をいう。
(十三)	家屋補充課税台帳	登記簿に登記されている家屋以外の家屋で地方税法の規定によって固定資産税を課することができるものについて第四節二の１《登録事項》の②の注に規定する事項を登録した帳簿をいう。
(十四)	償却資産課税台帳	償却資産について第四節二の１《登録事項》の③に規定する事項を登録した帳簿をいう。

　　　（固定資産税の課税客体）
（１）　固定資産税の課税客体である固定資産とは、従前地租、家屋税の課税客体であった土地、家屋のほか、償却資産を併せて総称するものであること。（市通３－１）

　　　（家屋の範囲）
（２）　家屋とは不動産登記法の建物とその意義を同じくするものであり、従って登記簿に登記されるべき建物をいうものであること。例えば鶏舎、豚舎等の畜舎、堆肥舎等は一般に社会通念上家屋とは認められないと考えるので、特にその構造その他からみて一般家屋との権衡上課税客体とせざるを得ないものを除いては課税客体とはしないものとすること。（市通３－２）

　　　（償却資産として取り扱う事業用家屋の部分）
（３）　事業用家屋であってその家屋の全部又は一部がそれに附接する構築物とその区分が明瞭でなく、その所有者の資産区分においても構築物として経理されているものについては、その区分の不明確な部分を償却資産として取り扱うことが適当であること。（市通３－３）

　　　（事業の用に供することができる資産）
（４）　（四）の償却資産の定義のうち、「事業の用に供することができる」とは、現在事業の用に供しているものはもとより、遊休、未稼動のものも含まれる趣旨であるが、いわゆる貯蔵品とみられるものは、たな卸資産に該当するので、償却資産には含まないものであること。（市通３－４）

（「減価償却費が……必要な経費に算入される」もの）
（5）「その減価償却額又は減価償却費が法人税法又は所得税法の規定による所得の計算上損金又は必要な経費に算入されるもの」とは、法人税法施行令第13条又は所得税法施行令第6条に規定する資産をいうものであるが、（四）の償却資産は、これらの資産のうち家屋及び無形固定資産以外の資産をいうものであり、現実に必ずしも所得の計算上損金又は必要な経費に算入されていることは要しないのであって、当該資産の性質上損金又は必要な経費に算入されるべきものであれば足りるものであること。ただし、法人税法施行令第13条第9号又は所得税法施行令第6条第9号に掲げる牛、馬、果樹その他の生物は、これらの資産の性格にかんがみ、固定資産税の課税客体とはしないものとすること。（市通3─5）

（簿外資産）
（6）いわゆる簿外資産も事業の用に供し得るものについては、償却資産の中に含まれるものであること。（市通3─6）

（建設仮勘定）
（7）建設中仮勘定において経理されているものであっても、その一部が賦課期日までに完成し、事業の用に供されているものは、償却資産として取り扱うこと。（市通3─7）

（主要坑道以外の坑道及び公共の用に供している鉱山道路）
（8）鉱山の主要坑道以外の坑道は、地下埋蔵資源と一体をなすものと考えられ、かつ、経費的な性格を有するものである点をも考慮して一般の償却資産と同様の取扱いをすることは不適当であるので、鉱業権と一体をなすものと考え課税客体としないものであること。また、鉱山道路も公共の用に供している限りは課税客体とならないものであること。（市通3─8）

（自転車、荷車）
（9）自転車及び荷車のうち事業用のものとして課税の対象にするのは、原則として企業が現に減価償却資産としてその減価償却額又は減価償却費を損金又は必要な経費に算入することとしているものに限ること。
　なお、一般の農家、小売商店等において同一の自転車又は荷車を家事用にも使用しているような場合には、原則として、非事業用として取り扱うこと。（市通3─9）

二　課税団体

1　固定資産税の課税団体
　固定資産税は、固定資産に対し、当該固定資産所在の市町村において課する。（法342①）

2　船舶、車両等の課税団体
　償却資産のうち船舶、車両その他これらに類する物件については、第五節二の①の（一）《道府県知事等が価格等を決定する移動性償却資産等》の規定の適用がある場合を除き、その主たる定けい場又は定置場所在の市町村を1の市町村とし、船舶についてその主たる定けい場が不明である場合においては、定けい場所在の市町村で船籍港があるものを主たる定けい場所在の市町村とみなす。（法342②）

三　納税義務者等

1　固定資産の所有者に対する課税
　固定資産税は、固定資産の所有者（質権又は100年より永い存続期間の定めのある地上権の目的である土地については、その質権者又は地上権者とする。以下固定資産税について同様とする。）に課する。（法343①）

①　土地又は家屋の所有者
　1の所有者とは、土地又は家屋については、登記簿又は土地補充課税台帳若しくは家屋補充課税台帳に**所有者**（区分所有に係る家屋については、当該家屋に係る建物の区分所有等に関する法律第2条第2項の区分所有者とする。以下固定資産税について同様とする。）として登記又は登録がされている者をいう。この場合において、所有者として登記又は登録が

されている個人が賦課期日前に死亡しているとき、若しくは所有者として登記又は登録がされている法人が同日前に消滅しているとき、又は所有者として登記されている国並びに都道府県、市町村、特別区、これらの組合、財産区、地方開発事業団及び合併特例区が同日前に所有者でなくなっているときは、同日において当該土地又は家屋を現に所有している者をいうものとする。（法343②、348①）

② **償却資産の所有者**
　1の所有者とは、償却資産については、償却資産課税台帳に所有者として登録されている者をいう。（法343③）

③ **所有権留保付売買に係る償却資産の納税義務者**
　償却資産に係る売買があった場合において売主が当該償却資産の所有権を留保しているときは、固定資産税の賦課徴収については、当該償却資産は、売主及び買主の共有物とみなす。（法342③）

　　（割賦販売等の納税義務者）
　注　「償却資産に係る売買があった場合において売主が当該償却資産の所有権を留保しているとき」とは、例えば、所有権留保付割賦販売の場合等をいい、この場合は、売主及び買主は、当該償却資産に対する固定資産税については(注)《法10の2①》の規定により連帯納税義務者となるものであること。したがって、売主又は買主に対し、納税通知書の発付、督促及び滞納処分をすることができるものであるが、割賦販売の場合等にあっては、社会の納税意識に合致するよう原則として買主に対して課税するものとすること。なお、当該償却資産の申告についても、原則として買主が行うよう取り扱うものとすること。（市通3—10）
　　　（注）地方税法第10条の2第1項……「共有物、共同使用物、共同事業、共同事業により生じた物件又は共同行為に対する地方団体の徴収金は、納税者が連帯して納付する義務を負う。」

④ **区分所有に係る家屋の納税義務者**
　区分所有に係る家屋に対して課する固定資産税については、当該区分所有に係る家屋の建物の区分所有等に関する法律第2条第3項に規定する専有部分（以下④及び⑤において「専有部分」という。）に係る同法第2条第2項に規定する区分所有者（以下固定資産税について「区分所有者」という。）は、第10条の2第1項の規定にかかわらず、当該区分所有に係る家屋に係る固定資産税額を同法第14条第1項から第3項までの規定の例により算定した専有部分の床面積の割合（専有部分の天井の高さ、附帯設備の程度その他(3)で定める事項について著しい差違がある場合には、その差違に応じて(4)で定めるところにより当該割合を補正した割合）により按分した額を、当該各区分所有者の当該区分所有に係る家屋に係る固定資産税として納付する義務を負う。（法352①）

　　（居住用超高層建築物の取扱い）
（1）　区分所有に係る家屋のうち、建築基準法（昭和25年法律第201号）第20条第1項第1号に規定する建築物であって、複数の階に人の居住の用に供する専有部分を有し、かつ、当該専有部分の個数が2個以上のもの（以下(1)において「居住用超高層建築物」という。）に対して課する固定資産税については、当該居住用超高層建築物の専有部分に係る区分所有者は、第10条の2第1項及び④の規定にかかわらず、当該居住用超高層建築物に係る固定資産税額を、次の各号に掲げる専有部分の区分に応じ、当該各号に定める専有部分の床面積の当該居住用超高層建築物の全ての専有部分の床面積の合計に対する割合（専有部分の天井の高さ、附帯設備の程度その他(6)で定める事項について著しい差違がある場合には、その差違に応じて(7)で定めるところにより当該割合を補正した割合）により按分した額を、当該各区分所有者の当該居住用超高層建築物に係る固定資産税として納付する義務を負う。（法352②）
（一）　人の居住の用に供する専有部分　当該専有部分の床面積（当該専有部分に係る区分所有者が建物の区分所有等に関する法律第3条に規定する一部共用部分（附属の建物であるものを除く。）で床面積を有するものを所有する場合には、当該一部共用部分の床面積を同法第14条第2項及び第3項の規定の例により算入した当該専有部分の床面積。（二）において同じ。）を全国における居住用超高層建築物の各階ごとの取引価格の動向を勘案して(8)で定めるところにより補正した当該専有部分の床面積
（二）　（一）に掲げるもの以外の専有部分　当該専有部分の床面積

　　（共用部分の取扱い）
（2）　建物の区分所有等に関する法律第11条第2項又は第27条第1項の規定による規約（都市再開発法第88条第4項の規定によりみなされるものを含む。）により区分所有者又は管理者が所有する当該区分所有に係る家屋の建物の区分所

有等に関する法律第2条第4項に規定する共用部分（以下(2)及び⑤において「共用部分」という。）については、当該共用部分を当該家屋の専有部分に係る区分所有者全員（同法第3条に規定する一部共用部分については、同法第11条第1項ただし書の区分所有者全員）の共有に属するものとみなして、④及び(1)の規定を適用する。(法352③)

　　　（附帯設備の程度その他総務省令で定める事項）
(3)　④に規定する(3)で定める事項は、仕上部分の程度とする。(規15の3①)

　　　（専有部分の床面積の割合の補正）
(4)　④に規定する建物の区分所有等に関する法律第14条第1項から第3項までの規定の例により算定した同法第2条第3項に規定する専有部分の床面積の割合の補正は、当該割合に、次の各号の算式により計算した数値（当該各号の二以上に該当する場合においては、それぞれの数値を加えた数値）に1を加えた数値を乗じて行うものとする。(規15の3②、7の3①)
(一)　専有部分の天井の高さに差違がある場合

$$\frac{家屋の評価額 - 専有部分に係る附帯設備の評価額相当額の合計額 - 専有部分に係る仕上部分の評価額相当額の合計額}{家屋の評価額} \times 天井の高さの差違に応ずる数値$$

(二)　専有部分の附帯設備の程度に差違がある場合

$$\frac{専有部分に係る附帯設備の評価額相当額の合計額}{家屋の評価額} \times \left\{\frac{当該専有部分に係る附帯設備の単位床面積当たりの評価額相当額}{専有部分に係る附帯設備の単位床面積当たりの評価額相当額} - 1\right\}$$

(三)　専有部分の仕上部分の程度に差違がある場合

$$\frac{専有部分に係る仕上部分の評価額相当額の合計額}{家屋の評価額} \times \left\{\frac{当該専有部分に係る仕上部分の単位床面積当たりの評価額相当額}{専有部分に係る仕上部分の単位床面積当たりの評価額相当額} - 1\right\}$$

　　　（区分所有者全員の協議により定めた補正方法の適用）
(5)　(4)の補正は、当該家屋の区分所有者（建物の区分所有等に関する法律第2条第2項に規定する区分所有者をいう。(6)から(10)までにおいて同じ。）の全員が専有部分の天井の高さ、附帯設備の程度又は仕上部分の程度の差違に応じて協議して定めた補正の方法を当該市町村の条例で定めるところにより、市町村長に申し出た場合において当該市町村長が当該補正の方法によることが適当と認めるときは、同項の規定にかかわらず、当該補正の方法により行うことができる。ただし、当該家屋に係る不動産取得税について道府県知事が当該補正の方法によることが適当と認めるものがある場合には、当該補正の方法により行うことができる。(規15の3③)

　　　（附帯設備の程度その他総務省令で定める事項の準用）
(6)　(1)に規定する(6)で定める事項は、仕上部分の程度とする。(規15の3の2①)

　　　（専有部分の床面積の割合の補正の準用）
(7)　(1)に規定する(1)の(一)及び(二)に定める専有部分の床面積の居住用超高層建築物の全ての専有部分の床面積の合計に対する割合の補正について準用する。(規15の3の2②)

　　　（居住用超高層建築物の専有部分の床面積の補正）
(8)　(1)の(一)に規定する(8)で定めるところにより補正した専有部分の床面積は、(1)に規定する居住用超高層建築物の全ての専有部分の床面積の合計から(1)の(二)に規定する専有部分の床面積の合計を控除して得た床面積に、次の算式により計算した(1)の(一)に規定する人の居住の用に供する専有部分に係る数値を当該居住用超高層建築物における全ての人の居住の用に供する専有部分に係る当該数値の合計で除した数値を乗じたものとする。(規15の3の2③)

人の居住の用に供する専有部分の床面積×{100＋(10/39)×(人の居住の用に供する専有部分が所在する階－1)}

(居住用超高層建築物の区分所有者全員の協議により定めた補正方法の適用)
(9) (7)の補正は、当該居住用超高層建築物の区分所有者の全員が専有部分の天井の高さ、附帯設備の程度又は仕上部分の程度の差違に応じて協議して定めた補正の方法を当該市町村の条例で定めるところにより市町村長に申し出た場合において当該市町村長が当該補正の方法によることが適当と認めるときは、(7)の規定にかかわらず、当該補正の方法により行うことができる。(規15の3の2④)

(居住用超高層建築物の区分所有者全員の協議により定めた補正方法の準用の適用)
(10) (8)の補正は、当該居住用超高層建築物の区分所有者の全員が当該居住用超高層建築物の各階ごとの取引価格を勘案して協議して定めた補正の方法(当該補正を行わないこととするものを含む。)を当該市町村の条例で定めるところにより市町村長に申し出た場合において当該市町村長が当該補正の方法によることが適当と認めるときは、(8)の規定にかかわらず、当該補正の方法により行うことができる。(規15の3の2⑤)

(区分所有に係る専有部分の床面積の割合の補正の留意事項)
(11) 建物の区分所有等に関する法律(昭和37年法律第69号)第2条第3項の専有部分(以下(11)及び(12)において「専有部分」という。)の属する家屋(同法第4条第2項の規定により共用部分とされた附属の建物を含む。以下「区分所有に係る家屋」という。)に対して課する固定資産税については、区分所有に係る家屋の各部分を個別に評価することが著しく困難であり、また、連帯納税義務を課することも必ずしも適当でないと考えられるので、法第10条の2第1項の規定にかかわらず、当該区分所有に係る家屋を1棟の建物として評価し、これに基づき算定される固定資産税額を、当該区分所有に係る家屋の建物の区分所有等に関する法律第2条第2項の区分所有者(以下「区分所有者」という。)が、同法第14条第1項から第3項までの規定の例により算定した専有部分の床面積の割合(専有部分の天井の高さ、附帯設備の程度その他(4)で定める事項(仕上部分の程度)について著しい差違がある場合には、その差違に応じて(4)で定めるところにより当該割合を補正した割合)により按分した額を、当該区分所有者の当該区分所有に係る家屋に係る固定資産税として納付する義務を負うこととしたものであること。(市通3-30(1))

(居住用超高層建築物の専有部分の床面積の割合の補正の留意事項)
(12) 区分所有に係る家屋のうち、建築基準法(昭和25年法律第201号)第20条第1項第1号に規定する建築物(高さが60メートルを超える建築物)であって、複数の階に人の居住の用に供する専有部分を有し、かつ、当該専有部分の個数が2個以上のもの(以下(12)において「居住用超高層建築物」という。)に対して課する固定資産税については、居住用超高層建築物の各部分を個別に評価することが著しく困難であり、また、連帯納税義務を課することも必ずしも適当でないと考えられるので、法第10条の2第1項及び(4)の規定にかかわらず、当該居住用超高層建築物を1棟の建物として評価し、これに基づき算定される固定資産税額を、当該居住用超高層建築物の区分所有者が、次に掲げる専有部分の区分に応じ、それぞれ次に定める専有部分の床面積の当該居住用超高層建築物の全ての専有部分の床面積の合計に対する割合(専有部分の天井の高さ、附帯設備の程度その他(4)で定める事項(仕上部分の程度)について著しい差違がある場合には、その差違に応じて(4)で定めるところにより当該割合を補正した割合)により按分した額を、当該各区分所有者の当該居住用超高層建築物に係る固定資産税として納付する義務を負うこととしたものであること。(市通3-30(2))
イ　人の居住の用に供する専有部分　当該専有部分の床面積(当該専有部分に係る区分所有者が建物の区分所有等に関する法律第3条に規定する一部共用部分(附属の建物であるものを除く。)で床面積を有するものを所有する場合には、当該一部共用部分の床面積を同法第14条第2項及び第3項の規定の例により算入した当該専有部分の床面積。ロにおいて同じ。)を全国における居住用超高層建築物の各階ごとの取引価格の動向を勘案して(4)で定めるところにより補正した当該専有部分の床面積
ロ　イに掲げるもの以外の専有部分　当該専有部分の床面積

⑤　区分所有に係る家屋の敷地の用に供されている土地の納税義務者
区分所有に係る家屋の敷地の用に供されている土地(以下⑤、(1)及び(2)において「**共用土地**」という。)で次に掲げる要件を満たすものに対して課する固定資産税については、当該共用土地に係る納税義務者で当該共用土地に係る区分所有に係る家屋の各区分所有者であるもの(当該共用土地に係る区分所有に係る家屋の一の専有部分を二以上の者が共有する場合には、当該専有部分に関しては、これらの二以上の者を一の区分所有者とする。以下⑤及び(2)において「**共用土地納税義務者**」という。)は、③の注の(注)の規定にかかわらず、当該共用土地に係る固定資産税額を当該共用土地に係る各共用土地納税義務者の当該共用土地に係る持分の割合(当該共用土地が住宅用地(第二節一の5の①《住宅用地に対す

る課税標準の特例》に規定する住宅用地をいう。）である部分及び住宅用地以外である部分を併せ有する土地である場合その他の(3)の総務省令で定める場合には、(4)から(6)までに定めるところにより、当該持分の割合を補正した割合）により按分した額を、当該各共用土地納税義務者の当該共用土地に係る固定資産税として納付する義務を負う。（法352の2①、349の3の2①）
(一) 当該共用土地に係る区分所有に係る家屋の区分所有者全員により共有されているものであること。
(二) 当該共用土地に係る各共用土地納税義務者の当該共用土地に係る持分の割合が、その者の当該共用土地に係る区分所有に係る家屋の区分所有者全員の共有に属する共用部分に係る建物の区分所有等に関する法律第14条第1項から第3項までの規定による割合と一致するものであること。

　　　（共用部分の取扱い）
(1) 共用土地に係る区分所有に係る家屋に区分所有者全員の共有に属する共用部分がない場合には、④の(2)の規定を準用する。この場合において、同(2)中「④及び(1)」とあるのは、「⑤」と読み替えるものとする。（法352の2②）

　　　（市町村長の認定を要する場合）
(2) ⑤に定めるもののほか、同(一)に掲げる要件に該当する共用土地で同(二)に掲げる要件に該当しないものに対して課する固定資産税については、当該共用土地に係る共用土地納税義務者全員の合意により⑤の規定により按分する場合に用いられる割合に準じて定めた割合により当該共用土地に係る固定資産税額を按分することを、当該市町村の条例の定めるところにより、市町村長に申し出た場合において、市町村長が⑤の規定による按分の方法を参酌し、当該割合により按分することが適当であると認めたときは、当該共用土地に係る各共用土地納税義務者は、③の注の(注)の規定にかかわらず、当該共用土地に係る固定資産税額を当該割合により按分した額を、当該各共用土地納税義務者の当該共用土地に係る固定資産税として納付する義務を負う。（法352の2⑤）

　　　（持分の割合の補正を要する場合）
(3) ⑤に規定する総務省令で定める場合は、次に掲げる場合とする。（規15の4①）
(一) ⑤に規定する共用土地で同(一)及び(二)に掲げる要件を満たすもの（以下(6)までにおいて「特定共用土地」という。）が住宅用地（第二節一の5の①に規定する住宅用地をいう。以下(3)において同じ。）である部分及び住宅用地以外の土地である部分を併せ有する土地である場合
(二) 特定共用土地が小規模住宅用地（第二節一の5の③に規定する小規模住宅用地をいう。以下(6)までにおいて同じ。）である部分及び小規模住宅用地以外の住宅用地（以下(6)までにおいて「一般住宅用地」という。）である部分を併せ有する土地である場合

　　　（特定共用土地の面積が区分所有家屋の床面積の10倍以下である場合の補正）
(4) 特定共用土地の面積が当該特定共用土地に係る区分所有に係る家屋の床面積の10倍の面積以下である場合における⑤の規定による当該特定共用土地に係る持分の割合の補正は、当該持分の割合に、当該特定共用土地に係る次の表の左欄に掲げる共用土地納税義務者（⑤に規定する共用土地納税義務者をいう。以下(4)及び(5)において同じ。）の区分に応じ、同表の右欄に定める算式により計算した数値を乗じて行うものとする。（規15の4②）

	共用土地納税義務者の区分	算　　式
(一)	その全部が人の居住の用に供される専有部分（その全部又は一部が別荘（第二編第七章第一節一の(四)の(1)《不動産取得税における別荘の意義》に規定する別荘をいう。(三)及び⑥の(5)において同じ。）の用に供されるものを除く。(二)において同じ。）を所有する各共用土地納税義務者で当該特定共用土地の面積に当該持分の割合を乗じて得た面積が200平方メートル（当該専有部分が二以上の部分に独立的に区画されている場合には、200平方メートルに第二節一の5の③《小規模住宅用地に対する課税標準の特例》の表の(二)に規定する住居の数を乗じて得た面積とする。(二)及び(5)において同	$\dfrac{1}{A} \times \dfrac{B \times C}{D}$ （算式の符号） A　当該特定共用土地に係る固定資産税の課税標準となるべき額 B　当該特定共用土地に係る小規模住宅用地である部分に係る固定資産税の課税標準に相当する額 C　当該特定共用土地の面積 D　当該特定共用土地に係る小規模住宅用地である部分の面積

じ。）以下となる持分を有するもの	
（二）その全部が人の居住の用に供される専有部分を所有する各共用土地納税義務者で当該特定共用土地の面積に当該持分の割合を乗じて得た面積が200平方メートルを超えることとなる持分を有するもの	イ $\dfrac{1}{A} \times \left\{ B \times \dfrac{C+(200\text{平方メートル} \times D - E \times F) \times \dfrac{E \times G - C}{E \times H - 200\text{平方メートル} \times I}}{J} + K \times \dfrac{E \times G - C - (200\text{平方メートル} \times D - E \times F) \times \dfrac{E \times G - C}{E \times H - 200\text{平方メートル} \times I}}{L} \right\} \times \dfrac{1}{G}$ ロ $\dfrac{1}{A} \times \dfrac{B \times E}{J}$ J＜E×（F＋H）である場合にあってはイの算式を用い、J≧E×（F＋H）である場合にあってはロの算式を用いる。 （算式の符号） A　当該特定共用土地に係る固定資産税の課税標準となるべき額 B　当該特定共用土地に係る小規模住宅用地である部分に係る固定資産税の課税標準に相当する額 C　200平方メートル（当該専有部分が二以上の部分に独立的に区画されている場合には、200平方メートルに第二節一の5の③の表の（二）に規定する住居の数を乗じて得た面積とする。） D　（一）に掲げる各共用土地納税義務者が所有する専有部分の数（二以上の部分に独立的に区画されている専有部分を所有する各共用土地納税義務者にあっては、その所有する専有部分の数に第二節一の5の③の表の（二）に規定する住居の数を乗じたものとする。Iにおいて同じ。）を合算したもの E　当該特定共用土地の面積 F　（一）に掲げる各共用土地納税義務者の当該特定共用土地に係る持分の割合を合算したもの G　当該持分の割合 H　（二）に掲げる各共用土地納税義務者の当該特定共用土地に係る持分の割合を合算したもの I　（二）に掲げる各共用土地納税義務者が所有する専有部分の数を合算したもの J　当該特定共用土地に係る小規模住宅用地である部分の面積 K　当該特定共用土地に係る一般住宅用地である部分に係る固定資産税の課税標準に相当する額 L　当該特定共用土地に係る一般住宅用地である部分の面積

（三）	人の居住の用に供する部分（別荘の用に供する部分を除く。（5）において同じ。）を有しない専有部分を所有する各共用土地納税義務者	$\dfrac{A-(B+C)}{A \times D}$ （算式の符号） A　当該特定共用土地に係る固定資産税の額 B　（一）に掲げる各共用土地納税義務者の当該特定共用土地に係る固定資産税の額を合算したもの C　（二）に掲げる各共用土地納税義務者の当該特定共用土地に係る固定資産税の額を合算したもの D　（三）に掲げる各共用土地納税義務者の当該特定共用土地に係る持分の割合を合算したもの

（併用専有部分に係る共用土地納税義務者がある場合の補正）
（5）　特定共用土地に係る区分所有に係る家屋の専有部分で人の居住の用に供する部分及び人の居住の用に供する部分以外の部分を併せ有するものを所有する各共用土地納税義務者（以下（5）において「併用専有部分に係る共用土地納税義務者」という。）がある場合には、当該併用専有部分に係る共用土地納税義務者の当該特定共用土地に係る持分の割合（以下（5）において「特定割合」という。）に当該人の居住の用に供する部分の床面積の当該専有部分の床面積に対する割合（以下（5）において「居住割合」という。）を乗じて得た数値を当該特定共用土地の面積に乗じて得た面積が200平方メートル以下であるときは当該併用専有部分に係る共用土地納税義務者をもって（4）の表の（一）及び（三）に掲げる各共用土地納税義務者とみなし、当該面積が200平方メートルを超えるときは当該併用専有部分に係る共用土地納税義務者をもって同表の（二）及び（三）に掲げる各共用土地納税義務者とみなし、特定割合に居住割合を乗じて得た数値をもって当該（一）又は（二）に掲げる各共用土地納税義務者の当該特定共用土地に係る持分の割合とみなし、特定割合に当該人の居住の用に供する部分以外の部分の床面積の当該専有部分の床面積に対する割合を乗じて得た数値をもって当該（三）に掲げる各共用土地納税義務者の当該特定共用土地に係る持分の割合とみなして、（4）の規定を適用する。この場合において、当該併用専有部分に係る共用土地納税義務者については、次の算式により計算した数値をもって当該併用専有部分に係る共用土地納税義務者の当該特定共用土地に係る持分の割合に乗ずべき数値とする。
（規15の4③）

　算式

　　$\alpha \times K + \beta \times (1-K)$

　（算式の符号）
　　α　（4）の表の（一）又は（二）に定める算式により計算した数値
　　β　（4）の表の（三）に定める算式により計算した数値
　　K　居住割合

（特定共用土地の面積が区分所有家屋の床面積の10倍を超える場合の補正）
（6）　（4）及び（5）の規定は、特定共用土地の面積が当該特定共用土地に係る区分所有に係る家屋の床面積の10倍の面積を超える場合における⑤の規定による当該特定共用土地に係る持分の割合の補正について準用する。この場合において、次の表の左欄に掲げる規定中同表の中欄に掲げる字句又は算式は、それぞれ同表の右欄に掲げる字句又は算式に読み替えるものとする。（規15の4④）

（4）の（一）	当該特定共用土地の面積に	当該特定共用土地に係る区分所有に係る家屋の床面積の10倍の面積に
	$\dfrac{1}{A} \times \dfrac{B \times C}{D}$	$\dfrac{1}{A} \times \left(\dfrac{B \times E}{D} + F \times \dfrac{C-E}{G} \right)$
	D　当該特定共用土地に係る小規模住宅用地である部分の面積	D　当該特定共用土地に係る小規模住宅用地である部分の面積 E　当該特定共用土地に係る区分所有に係る家屋の床面積の10倍の面積 F　当該特定共用土地に係る住宅用地以外の土地（以下（6）において「非住宅用地」という。）であ

			る部分に係る固定資産税の課税標準に相当する額 G　当該特定共用土地に係る非住宅用地である部分の面積
(4)の(二)	当該特定共用土地の面積に		当該特定共用土地に係る区分所有に係る家屋の床面積の10倍の面積に
	$\frac{1}{A} \times \left\{ B \times \frac{C+(200\text{平方メートル} \times D - E \times F)}{J} \times \frac{E \times G - C}{E \times H - 200\text{平方メートル} \times I} + K \times \frac{E \times G - C}{E \times H - (200\text{平方メートル} \times D - E \times F) \times L} \right.$ $\left. \frac{E \times G - C}{200\text{平方メートル} \times I} \times \frac{1}{G} \right\}$		$\frac{1}{A} \times \left[\left\{ B \times \frac{C+(200\text{平方メートル} \times D - M \times F)}{J} \times \frac{M \times G - C}{M \times H - 200\text{平方メートル} \times I} + K \times \frac{M \times G - C}{M \times H - (200\text{平方メートル} \times D - M \times F) \times L} \right. \right.$ $\left. \left. \frac{M \times G - C}{200\text{平方メートル} \times I} \times \frac{1}{G} + N \times \frac{E-M}{O} \right]$
	$\frac{1}{A} \times \frac{B \times E}{J}$		$\frac{1}{A} \times \left[\frac{B \times M}{J} + N \times \frac{E-M}{O} \right]$
	$E \times (F+H)$		$M \times (F+H)$
	L　当該特定共用土地に係る一般住宅用地である部分の面積		L　当該特定共用土地に係る一般住宅用地である部分の面積 M　当該特定共用土地に係る区分所有に係る家屋の床面積の10倍の面積 N　当該特定共用土地に係る非住宅用地である部分に係る固定資産税の課税標準に相当する額 O　当該特定共用土地に係る非住宅用地である部分の面積
(5)	当該特定共用土地の面積		当該特定共用土地に係る区分所有に係る家屋の床面積の10倍の面積

（留意事項）
(7)　共用土地で当該区分所有に係る家屋の区分所有者全員によって共有されているものに対して課する固定資産税については、連帯納税義務の規定の適用を排除することが適当であると考えられるので、③の注の(注)の規定にかかわらず、共用土地納税義務者は、当該共用土地に係る固定資産税額を、原則として当該共用土地に係る持分の割合によってあん分した額を、当該各共用土地納税義務者の当該共用土地に係る固定資産税として納付する義務を負うものであること。この場合においては、次の事項に留意すること。（市通3－31）
(一)　当該共用土地に係る各共用土地納税義務者の持分の割合が、その者の当該家屋の区分所有者全員の共有に属する共用部分に係る建物の区分所有等に関する法律第14条第1項から第3項までの規定による割合と一致する場合においては、常にあん分した固定資産税額を納付するものであること。なお、この一致するかどうかの判定に当たって、当該共用土地に係る持分の割合の端数処理によってこれらの持分の割合に若干異同があるときは、これらは一致するものとして取り扱うものであること。
(二)　小規模住宅用地である部分、小規模住宅用地以外の住宅用地である部分又は住宅用地以外である部分を併せ有する共用土地については、住宅用地に係る課税標準の特例を考慮して当該共用土地に係る持分の割合を補正した割合によってあん分するものであること。
(三)　当該共用土地に係る各共用土地納税義務者の持分の割合が、その者の当該家屋の区分所有者全員の共有に属する共用部分に係る建物の区分所有等に関する法律第14条第1項から第3項までの規定による割合と一致しない場合においても、共用土地納税義務者全員がその合意により(一)の場合に用いられる割合に準じて定めた割合によって固定資産税額をあん分することを市町村長に申し出て、市町村長が(一)の場合のあん分の方法をしんしゃくし、当該割合によりあん分することが適当であると認めたときは、当該割合によりあん分した固定資産税額を納付するも

のであること。

⑥ 被災共用土地の納税義務者

　震災、風水害、火災その他の災害（以下⑥において「**震災等**」という。）により滅失し、又は損壊した区分所有に係る家屋（以下⑥及び（2）において「**被災区分所有家屋**」という。）の敷地の用に供されていた土地で当該震災等の発生した日の属する年の1月1日（当該震災等の発生した日が1月1日である場合には、当該日の属する年の前年の1月1日）を賦課期日とする年度（以下⑥において「**被災年度**」という。）分の固定資産税について⑤の規定の適用を受けたもの（震災等の発生した日以後に分割された土地を除く。以下⑥及び（1）において「**被災共用土地**」という。）に対して課する当該被災年度の翌年度分又は翌々年度分（避難の指示等が行われた場合において、避難等解除日の属する年が被災年の翌年以後の年であるときは、当該被災年度の翌年度から避難等解除日の属する年の1月1日以後3年を経過する日を賦課期日とする年度までの各年度分。以下⑥において同じ。）の固定資産税については、当該被災共用土地に係る納税義務者（当該被災共用土地に係る被災区分所有家屋に係る一の専有部分で二以上の者が共有していたものがあった場合には、これらの二以上の者を当該被災共用土地に係る一の納税義務者であるものとする。以下⑥において「**被災共用土地納税義務者**」という。）は、③の注の(注)の規定にかかわらず、当該被災共用土地に係る固定資産税額を当該被災共用土地に係る各被災共用土地納税義務者の当該被災共用土地に係る持分の割合（当該被災共用土地が第二節一の6の①《被災住宅用地の課税標準の特例》（同②において準用する場合を含む。）の規定により住宅用地(注)とみなされる部分及び住宅用地とみなされる部分以外の部分を併せ有する土地である場合その他の（4）の総務省令で定める場合には、総務省令で定めるところにより当該持分の割合を補正した割合）により按分した額を、当該各被災共用土地納税義務者の当該被災共用土地に係る固定資産税として納付する義務を負う。（法352の2③、349の3の3①）

　　（被災共用土地の所有者をもって特定仮換地等の所有者とみなされた場合の納税義務者）
（1）　震災等の発生した日の属する年の1月2日（震災等の発生した日が1月1日である場合にあっては、当該日の属する年の前年の1月2日）以後に使用し、又は収益することができることとなった仮換地等（以下⑥において「**特定仮換地等**」という。）に対応する従前の土地が被災共用土地である場合において、被災年度の翌年度分又は翌々年度分の固定資産税について2の④《土地区画整理事業等の場合の仮換地等への課税》の規定により当該被災共用土地につき登記簿又は土地補充課税台帳に所有者として登記又は登録がされている者をもって1《固定資産の所有者に対する課税》の所有者とみなされたときは、当該特定仮換地等に対して課する当該各年度分の固定資産税については、当該特定仮換地等を被災共用土地とみなして、⑥の規定を適用する。この場合において、⑥中「被災共用土地に係る被災区分所有家屋」とあるのは「特定仮換地等に対応する従前の土地である被災共用土地に係る被災区分所有家屋」と、「被災共用土地納税義務者」とあるのは「特定仮換地等納税義務者」と、「被災共用土地に係る持分の割合」とあるのは「特定仮換地等に対応する従前の土地である被災共用土地に係る持分の割合」と、「第二節一の6の①《被災住宅用地の課税標準の特例》（同②において準用する場合を含む。）」とあるのは「第二節一の6の③《被災住宅用地の所有者等をもって特定仮換地等の所有者とみなされた場合の課税標準の特例》（同④において準用する場合を含む。）の規定により読み替えて適用される同6の①」とする。（法352の2④、349の3の3③）

　　（市町村長の認定を受けたあん分割合による特定被災共用土地納税義務者の納付義務）
（2）　被災区分所有家屋の敷地の用に供されていた土地で被災年度分の固定資産税について⑤の（2）の規定の適用を受けたもの（震災等の発生した日以後に分割された土地を除く。以下（2）及び（3）において「**特定被災共用土地**」という。）に対して課する当該被災年度の翌年度分又は翌々年度分の固定資産税については、当該特定被災共用土地に係る納税義務者（当該特定被災共用土地に係る被災区分所有家屋に係る一の専有部分で二以上の者が共有していたものがあった場合には、これらの二以上の者を当該特定被災共用土地に係る一の納税義務者であるものとする。以下（2）において「**特定被災共用土地納税義務者**」という。）全員の合意により⑥の規定により按分する場合に用いられる割合に準じて定めた割合により当該特定被災共用土地に係る固定資産税額をあん分することを、当該市町村の条例で定めるところにより、市町村長に申し出た場合において、市町村長が⑥の規定によるあん分の方法を参酌し、当該割合により按分することが適当であると認めたときは、当該特定被災共用土地に係る各特定被災共用土地納税義務者は、③の注の(注)の規定にかかわらず、当該特定被災共用土地に係る固定資産税額を当該割合によって按分した額を、当該各特定被災共用土地納税義務者の当該特定被災共用土地に係る固定資産税として納付する義務を負う。（法352の2⑥）

　　（特定被災共用土地の所有者をもって特定仮換地等の所有者とみなされた場合の納付義務）
（3）　特定仮換地等に対応する従前の土地が特定被災共用土地である場合において、被災年度の翌年度分又は翌々年度

分の固定資産税について２の④《土地区画整理事業等の場合の仮換地等への課税》の規定により当該特定被災共用土地につき登記簿又は土地補充課税台帳に所有者として登記又は登録がされている者をもって１の所有者とみなされたときは、当該特定仮換地等に対して課する当該各年度分の固定資産税については、当該特定仮換地等を特定被災共用土地とみなして、（２）の規定を適用する。この場合において、（２）中「特定被災共用土地に係る被災区分所有家屋」とあるのは「特定仮換地等に対応する従前の土地である特定被災共用土地に係る被災区分所有家屋」と、「特定被災共用土地納税義務者」とあるのは「特定仮換地等納税義務者」とする。（法352の２⑦）

　　　（持分の割合の補正を行う場合）
（４）　⑥に規定する総務省令で定める場合は、次に掲げる場合とする。（規15の４⑤）
（一）　被災共用土地が第二節一の６の①《被災共用土地の課税標準の特例》（同②において準用する場合を含む。）の規定により住宅用地とみなされた土地（以下（４）において「住宅用地とみなされた土地」という。）である部分及び住宅用地とみなされた土地以外の土地である部分を併せ有する土地である場合
（二）　被災共用土地が第二節一の６の①の規定により読み替えて適用される同５の③《小規模住宅用地に対する課税標準の特例》の規定の適用を受ける土地（以下（二）及び（５）において「小規模みなし住宅用地」という。）である部分及び小規模みなし住宅用地以外の住宅用地とみなされた土地（（５）において「一般みなし住宅用地」という。）である部分を併せ有する土地である場合

　　　（被災共用土地の面積が被災区分所有家屋の床面積の10倍以下である場合の持分の割合の補正）
（５）　被災共用土地の面積が当該被災共用土地に係る被災区分所有家屋の床面積の10倍の面積以下である場合における⑥の規定による当該被災共用土地に係る持分の割合の補正は、当該持分の割合に、当該被災共用土地に係る次の表の左欄に掲げる被災共用土地納税義務者の区分に応じ、同表の右欄に定める算式により計算した数値を乗じて行うものとする。（規15の４⑥）

被災共用土地納税義務者の区分	算　式
（一）　次に掲げる各被災共用土地納税義務者 イ　被災年度（第二節一の６の①に規定する被災年度をいう。以下（５）及び（６）において同じ。）に係る賦課期日においてその全部が人の居住の用に供されていた専有部分（その全部又は一部が別荘の用に供されていたものを除く。（一）及び（二）において同じ。）を震災等の発生した日において所有していた者（以下（５）において「特例対象者」という。）で当該被災年度の翌年度又は翌々年度に係る賦課期日において当該被災共用土地の面積にその者の当該被災共用土地に係る共有持分（震災等の発生した日の翌日以後にその者が取得した当該被災共用土地に係る共有持分を除く。以下イにおいて同じ。）の割合を乗じて得た面積が200平方メートル（当該専有部分が二以上の部分に独立的に区画されていた場合には、200平方メートルに当該専有部分に存した住居の数を乗じて得た面積とする。以下（５）及び（６）において同じ。）以下となる当該共有持分を有しているもの ロ　第二節一の６の②の（１）《被災住宅用地の共有者等》の（三）から（五）までの規定により特例対象者からその者が震災等の発生した日において有していた当該被災共用土地に係る共有持分（以下（５）及び（６）において「特定共有持分」という。）を取得した同②の（２）《特定被災住宅用地》の（一）のイに規定する相続人等（同②の（１）の（三）又は（五）の規定により相続人等から特定共有持分を取得した相続人等を含む。以下（５）において「相続人等」という。）で	$\dfrac{1}{A} \times \dfrac{B \times C}{D}$ （算式の符号） 　A　当該被災共用土地に係る固定資産税の課税標準となるべき額 　B　当該被災共用土地に係る小規模みなし住宅用地である部分に係る固定資産税の課税標準に相当する額 　C　当該被災共用土地の面積 　D　当該被災共用土地に係る小規模みなし住宅用地である部分の面積

被災年度の翌年度又は翌々年度に係る賦課期日において当該被災共用土地の面積にその者の当該被災共用土地に係る特定共有持分の割合（当該相続人等に係る特例対象者につき相続人等が複数ある場合には、当該特例対象者に係る各相続人等の当該被災共用土地に係る特定共有持分の割合を合算したものとする。（二）において「相続等に係る特定共有持分の割合」という。）を乗じて得た面積が200平方メートル以下となる当該特定共有持分を有しているもの	
（二）　次に掲げる各被災共用土地納税義務者 イ　特例対象者で被災年度の翌年度又は翌々年度に係る賦課期日において当該被災共用土地の面積にその者の当該被災共用土地に係る共有持分（震災等の発生した日の翌日以後にその者が取得した当該被災共用土地に係る共有持分を除く。以下イにおいて同じ。）の割合を乗じて得た面積が200平方メートルを超えることとなる当該共有持分を有しているもの ロ　相続人等で被災年度の翌年度又は翌々年度に係る賦課期日において当該被災共用土地の面積に相続等に係る特定共有持分の割合を乗じて得た面積が200平方メートルを超えることとなる当該特定共有持分を有しているもの	イ　$\dfrac{1}{A} \times \left\{ B \times \dfrac{C+(200平方メートル \times D - E \times F) \times \dfrac{E \times G - C}{E \times H - 200平方メートル \times I}+K \times \dfrac{E \times G - C - (200平方メートル \times D - E \times F) \times \dfrac{E \times G}{E \times H - 200平方メートル \times I}}{L}}{} \right\} \times \dfrac{1}{G}$ ロ　$\dfrac{1}{A} \times \dfrac{B \times E}{J}$ J＜E×（F＋H）である場合にあってはイの算式を用い、J≧E×（F＋H）である場合にあってはロの算式を用いる。 （算式の符号） A　当該被災共用土地に係る固定資産税の課税標準となるべき額 B　当該被災共用土地に係る小規模みなし住宅用地である部分に係る固定資産税の課税標準に相当する額 C　200平方メートル（（一）のイに掲げる被災共用土地納税義務者又は（一）のロに掲げる相続人等に係る特例対象者（Dにおいて「専有部分の従前所有者という。」）が所有していた専有部分が二以上の部分に独立的に区画されていた場合には、200平方メートルに当該専有部分に存した住居の数（D及びIにおいて「専有部分の住居数」という。）を乗じて得た面積とする。） D　各専有部分の従前所有者が所有していた専有部分の数（二以上の部分に独立的に区画されていた専有部分を所有していた専有部分の従前所有者にあっては、その所有していた当該専有部分の数に専有部分の住居数を乗じたものとする。）を合算したもの E　当該被災共用土地の面積 F　（一）に掲げる各被災共用土地納税義務者の被災年度の翌年度又は翌々年度に係る賦課期日における当該被災共用土地に係る（一）の共有持分又は特定共有持分の割合を合算したもの

	G （二）に掲げる各被災共用土地納税義務者の被災年度の翌年度又は翌々年度に係る賦課期日における当該被災共用土地に係る（二）の共有持分又は特定共有持分の割合
	H （二）に掲げる各被災共用土地納税義務者の被災年度の翌年度又は翌々年度に係る賦課期日における当該被災共用土地に係る（二）の共有持分又は特定共有持分の割合を合算したもの
	I （二）のイに掲げる被災共用土地納税義務者又は（二）のロに掲げる相続人等に係る特例対象者（以下Ｉにおいて「専有部分の従前所有者」という。）がそれぞれ所有していた専有部分の数（二以上の部分に独立的に区画されていた専有部分を所有していた専有部分の従前所有者にあっては、その所有していた当該専有部分の数に専有部分の住居数を乗じたものとする。）を合算したもの
	J 当該被災共用土地に係る小規模みなし住宅用地である部分の面積
	K 当該被災共用土地に係る一般みなし住宅用地である部分に係る固定資産税の課税標準に相当する額
	L 当該被災共用土地に係る一般みなし住宅用地である部分の面積
（三） 次に掲げる被災共用土地納税義務者 　イ 被災年度に係る賦課期日において人の居住の用に供する部分（別荘の用に供する部分を除く。(6)において同じ。）を有しない専有部分を有していた者 　ロ 震災等の発生した日の翌日以後に当該被災共用土地に係る共有持分を取得した者（相続人等を除く。）	$\dfrac{A-(B+C)}{A \times D}$ （算式の符号） A 当該被災共用土地に係る固定資産税の額 B （一）に掲げる各被災共用土地納税義務者の当該被災共用土地に係る固定資産税の額を合算したもの C （二）に掲げる各被災共用土地納税義務者の当該被災共用土地に係る固定資産税の額を合算したもの D （三）に掲げる各被災共用土地納税義務者の被災年度の翌年度又は翌々年度に係る賦課期日における当該被災共用土地に係る共有持分の割合を合算したもの

（併用専有部分に係る被災共用土地納税義務者に係る持分の割合の補正）
(6) 被災共用土地に係る被災区分所有家屋の専有部分で被災年度に係る賦課期日において人の居住の用に供する部分及び人の居住の用に供する部分以外の部分を併せ有していたもの（以下(6)において「併用専有部分」という。）を震災等の発生した日において所有していた者（以下(6)において「特例対象者」という。）で被災共用土地納税義務者であるもの又は第二節―の6の②の（1）《被災住宅用地の共有者等》の（三）から（五）までの規定により特例対象者からその者が震災等の発生した日において有していた当該被災共用土地に係る共有持分（以下(6)において「特例適用共有持分」という。）を取得した同②の（2）の（一）の表のイに規定する相続人等（同②の（1）の（三）又は（五）の規定により相続人等から特例適用共有持分を取得した相続人等を含む。以下(6)において「相続人等」という。）がある場合には、当該被災共用土地納税義務者であるもの又は当該相続人等（以下(6)及び(7)において「併用専有部分に係る被災共用土地納税義務者」という。）の被災年度の翌年度又は翌々年度に係る賦課期日における当該被災共用土地に係る特例適用共有持分の割合（当該相続人等に係る特例対象者につき相続人等が複数ある場合には、当該特例対象者に係る各相続人等の当該被災共用土地に係る特例適用共有持分の割合を合算したものとする。以下(6)において「特定割

合」という。）に当該人の居住の用に供する部分の床面積の当該専有部分の床面積に対する割合（以下（6）において「居住割合」という。）を乗じて得た数値を当該被災共用土地の面積に乗じて得た面積が200平方メートル以下であるときは当該併用専有部分に係る被災共用土地納税義務者をもって（5）の表の（一）及び（三）に掲げる各被災共用土地納税義務者とみなし、当該面積が200平方メートルを超えるときは当該併用専有部分に係る被災共用土地納税義務者をもって同表の（二）及び（三）に掲げる各被災共用土地納税義務者とみなし、特定割合に居住割合を乗じて得た数値をもって当該（一）又は（二）に掲げる各被災共用土地納税義務者の被災年度の翌年度又は翌々年度に係る賦課期日における当該被災共用土地に係る共有持分又は特定共有持分の割合とみなし、特定割合に当該人の居住の用に供する部分以外の部分の床面積の当該専有部分の床面積に対する割合を乗じて得た数値をもって当該（三）に掲げる各被災共用土地納税義務者の被災年度の翌年度又は翌々年度に係る賦課期日における当該被災共用土地に係る共有持分の割合とみなして、（5）の規定を適用する。この場合において、当該併用専有部分に係る被災共用土地納税義務者については、次の算式により計算した数値をもって当該併用専有部分に係る被災共用土地納税義務者の当該被災共用土地に係る持分の割合に乗ずるべき数値とする。（規15の4⑦）

　　算式
　　　$\alpha \times K + \beta \times (1-K)$
　　（算式の符号）
　　　α　（5）の表の（一）又は（二）に定める算式により計算した数値
　　　β　（5）の表の（三）に定める算式により計算した数値
　　　K　居住割合

（新たな共有持分を取得した場合の持分の割合の補正）
(7)　（5）の表の（一）若しくは（二）に掲げる被災共用土地納税義務者又は併用専有部分に係る被災共用土地納税義務者が震災等の発生した日の翌日以後に当該被災共用土地に係る共有持分（第二節─の6の②の（1）《被災住宅用地の共有者等》の（三）から（五）までの規定によりその者が取得した共有持分を除く。以下（7）において「新たな共有持分」という。）を取得した場合には、当該新たな共有持分については、当該新たな共有持分を取得した被災共用土地納税義務者をもって同表の（三）に掲げる被災共用土地納税義務者の1人とみなし、当該新たな共有持分の面積の当該被災共用土地の面積に対する割合を同表の（三）に掲げる各被災共用土地納税義務者の当該被災共用土地に係る共有持分の割合とみなして、（5）の規定を適用する。（規15の4⑧）

（被災共用土地の面積が被災区分所有家屋の床面積の10倍を超える場合の持分の割合の補正）
(8)　（5）から（7）までの規定は、被災共用土地の面積が当該被災共用土地に係る被災区分所有家屋の床面積の10倍の面積を超える場合における⑥の規定による当該被災共用土地に係る持分の割合の補正について準用する。この場合において、次の表の左欄に掲げる規定中同表の中欄に掲げる字句又は算式は、それぞれ同表の右欄に掲げる字句又は算式に読み替えるものとする。（規15の4⑨）

（5）の表の（一）	当該被災共用土地の面積	当該被災共用土地に係る被災区分所有家屋の床面積の10倍の面積
	$\dfrac{1}{A} \times \dfrac{B \times C}{D}$	$\dfrac{1}{A} \times \left[\dfrac{B \times E}{D} + F \times \dfrac{C-E}{G} \right]$
	D　当該被災共用土地に係る小規模みなし住宅用地である部分の面積	D　当該被災共用土地に係る小規模みなし住宅用地である部分の面積 E　当該被災共用土地に係る被災区分所有家屋の床面積の10倍の面積 F　当該被災共用土地に係る住宅用地とみなされた土地以外の土地（以下（一）及び（二）において「非みなし住宅用地」という。）である部分に係る固定資産税の課税標準に相当する額 G　当該被災共用土地に係る非みなし住宅用地である部分の面積

（5）の表の（二）	当該被災共用土地の面積	当該被災共用土地に係る被災区分所有家屋の床面積の10倍の面積
	$\dfrac{1}{A} \times \left\{ B \times \dfrac{C + (200\text{平方メートル} \times D - E \times F)}{J} \right.$ $\times \dfrac{E \times G - C}{E \times H - 200\text{平方メートル} \times I} + K \times \dfrac{E \times G - C}{E \times H -}$ $C - (200\text{平方メートル} \times D - E \times F) \times \dfrac{}{L}$ $\left. \dfrac{E \times G - C}{200\text{平方メートル} \times I} \right\} \times \dfrac{1}{G}$	$\dfrac{1}{A} \times \left[\left\{ B \times \dfrac{C + (200\text{平方メートル} \times D - M \times F)}{J} \right.\right.$ $\times \dfrac{M \times G - C}{M \times H - 200\text{平方メートル} \times I} + K \times \dfrac{M \times G - C}{M \times H -}$ $C - (200\text{平方メートル} \times D - M \times F) \times \dfrac{}{L}$ $\left.\left. \dfrac{M \times G - C}{200\text{平方メートル} \times I} \right\} \times \dfrac{1}{G} + N \times \dfrac{E - M}{O} \right]$
	$\dfrac{1}{A} \times \dfrac{B \times E}{J}$	$\dfrac{1}{A} \times \left[\dfrac{B \times M}{J} + N \times \dfrac{E - M}{O} \right]$
	$E \times (F + H)$	$M \times (F + H)$
	L 当該被災共用土地に係る一般みなし住宅用地である部分の面積	L 当該被災共用土地に係る一般みなし住宅用地である部分の面積 M 当該被災共用土地に係る被災区分所有家屋の床面積の10倍の面積 N 当該被災共用土地に係る非みなし住宅用地である部分に係る固定資産税の課税標準に相当する額 O 当該被災共用土地に係る非みなし住宅用地である部分の面積
（6）	当該被災共用土地の面積	当該被災共用土地に係る被災区分所有家屋の床面積の10倍の面積

((1)の規定の適用がある場合における(4)から(8)までの規定の適用)
（9） （1）の規定の適用がある場合における(4)から(8)までの規定の適用については、これらの規定中「被災共用土地納税義務者」とあるのは「特定仮換地等納税義務者」と読み替えるほか、所要の読替えを行う。（規15の4⑩）

　　（注）　上記の読替え規定は省略した。（編者）

2　固定資産の使用者等に対する課税

①　所有者の所在が不明の場合の使用者への課税

　市町村は、固定資産の所有者の所在が震災、風水害、火災その他の事由により不明である場合には、その使用者を所有者とみなして、固定資産課税台帳に登録し、その者に固定資産税を課することができる。この場合において、当該市町村は、当該登録をしようとするときは、あらかじめ、その旨を当該使用者に通知しなければならない。（法343④）

②　政令で定める方法により探索を行ってもなお固定資産の所有者の存在が不明である場合

　市町村は、相当な努力が払われたと認められるものとして（1）で定める方法により探索を行ってもなお固定資産の所有者の存在が不明である場合（①に規定する場合を除く。）には、その使用者を所有者とみなして、固定資産課税台帳に登録し、その者に固定資産税を課することができる。この場合において、当該市町村は、当該登録をしようとするときは、あらかじめ、その旨を当該使用者に通知しなければならない。（法343⑤）

　　　　（存在不明の所有者の探索方法）
（1）　②に規定する（1）で定める方法は、固定資産の所有者の住所及び氏名又は名称その他の当該固定資産の所有者の存在を明らかにするために必要な情報（（二）から（四）までにおいて「所有者情報」という。）を取得するため次に掲げる措置をとる方法とする。（令49の2）

(一)　当該固定資産（償却資産を除く。）の登記事項証明書の交付を請求すること。
　(二)　当該固定資産の使用者と思料される者その他の当該固定資産に係る所有者情報を保有すると思料される者であって(2)で定めるものに対し、当該所有者情報の提供を求めること。
　(三)　(一)の登記事項証明書に記載されている所有権の登記名義人又は表題部所有者その他の(一)及び(二)の措置により判明した当該固定資産の所有者と思料される者（以下(三)及び(四)において「登記名義人等」という。）が記録されていると思料される住民基本台帳、登録原票（出入国管理及び難民認定法及び日本国との平和条約に基づき日本の国籍を離脱した者等の出入国管理に関する特例法の一部を改正する等の法律（平成21年法律第79号）附則第33条の規定により法務大臣に送付された同法附則第17条第1項に規定する登録原票をいう。(四)において同じ。）、法人の登記簿その他の(3)で定める書類を備える市町村の長、出入国在留管理庁の長である出入国在留管理庁長官又は登記所の登記官に対し、当該登記名義人等に係る所有者情報の提供を求めること。
　(四)　登記名義人等が死亡し、又は解散していることが判明した場合には、当該登記名義人等又はその相続人、合併後存続し、若しくは合併により設立された法人その他の当該固定資産の所有者と思料される者が記録されていると思料される戸籍簿若しくは除籍簿又は戸籍の附票、登録原票、法人の登記簿その他の(4)で定める書類を備える市町村の長、出入国在留管理庁の長である出入国在留管理庁長官又は登記所の登記官に対し、当該固定資産に係る所有者情報の提供を求めること。
　(五)　(四)の措置により判明した当該固定資産の所有者と思料される者が個人である場合には、当該個人又は官公署に対して、当該固定資産の所有者を特定するための書面の送付その他の(5)で定める措置をとること。

　　（固定資産に係る所有者情報を保有すると思料される者）
(2)　(1)の(二)の固定資産に係る所有者情報を保有すると思料される者であって(2)で定めるものは、次に掲げるものとする。ただし、(二)及び(七)に掲げる者については、(1)の(一)から(四)までに掲げる措置により判明した者に限る。（規10の2の12）
　(一)　当該固定資産の使用者と思料される者
　(二)　当該固定資産に関し所有権以外の権利を有する者
　(三)　当該固定資産が所在する土地の登記事項証明書の交付の請求及び(1)の(一)から(四)までに掲げる措置により判明した当該土地に関し所有権その他の権利を有する者（当該固定資産が土地である場合には、当該土地にある物件の登記事項証明書の交付の請求及び(1)の(一)から(四)までに掲げる措置により判明した当該物件に関し所有権その他の権利を有する者）
　(四)　当該固定資産が農地である場合には、当該農地が記載されていると思料される農地台帳を備える農業委員会
　(五)　当該固定資産が森林の土地である場合には、当該森林の土地が記載されていると思料される林地台帳を備える市町村の長
　(六)　当該固定資産が所有者の探索について特別の事情を有するものとして総務大臣が定める土地又は家屋である場合には、総務大臣が定める者
　(七)　(1)の(三)の登記名義人等又は同(四)の固定資産の所有者と思料される者が合併以外の事由により解散した法人である場合には、当該法人の清算人又は破産管財人

　　（登記名義人等が記録されていると思料される書類）
(3)　(1)の(三)の登記名義人等が記録されていると思料される書類であって(3)で定めるものは、次に掲げる書類とする。（規10の2の13①）
　(一)　当該登記名義人等が日本国籍を有する個人である場合には、次に掲げる書類
　　イ　住民基本台帳
　　ロ　戸籍簿若しくは除籍簿又は戸籍の附票
　(二)　当該登記名義人等が日本国籍を有しない個人である場合には、次に掲げる書類
　　イ　住民基本台帳
　　ロ　登録原票（(1)の(三)に規定する登録原票をいう。(4)の(二)のロにおいて同じ。）
　(三)　当該登記名義人等が法人である場合には、次に掲げる書類
　　イ　法人の登記簿（当該法人が地方自治法第260条の2第7項に規定する認可地縁団体である場合にあっては、地方自治法施行規則（昭和22年内務省令第29号）第21条第2項に規定する台帳）
　　ロ　当該法人の代表者（(1)の(一)から(四)までの措置により判明した者に限る。(4)の(三)のロにおいて同じ。）が記録されていると思料される住民基本台帳及び戸籍簿若しくは除籍簿又は戸籍の附票（当該法人が合併以外の

事由により解散した法人である場合には、当該法人の清算人又は破産管財人（（1）の（一）から（四）までの措置により判明した者に限る。（4）の（三）のロにおいて同じ。）が記録されていると思料される住民基本台帳及び戸籍簿若しくは除籍簿又は戸籍の附票）

（固定資産の所有者と思料される者が記録されていると思料される書類）
（4）（1）の（四）の固定資産の所有者と思料される者が記録されていると思料される書類であって（4）で定めるものは、次に掲げる書類とする。（規10の2の13②）
　（一）　当該固定資産の所有者と思料される者が日本国籍を有する個人である場合には、戸籍簿若しくは除籍簿又は戸籍の附票
　（二）　当該固定資産の所有者と思料される者が日本国籍を有しない個人である場合には、次に掲げる書類
　　イ　住民基本台帳
　　ロ　登録原票
　（三）　当該固定資産の所有者と思料される者が法人である場合には、次に掲げる書類
　　イ　法人の登記簿
　　ロ　当該法人の代表者が記録されていると思料される住民基本台帳及び戸籍簿若しくは除籍簿又は戸籍の附票（当該法人が合併以外の事由により解散した法人である場合には、当該法人の清算人又は破産管財人が記録されていると思料される住民基本台帳及び戸籍簿若しくは除籍簿又は戸籍の附票）

（固定資産の所有者を特定するための措置）
（5）（1）の（五）の固定資産の所有者と思料される個人又は官公署に対してとる所有者を特定するための措置であって（5）で定めるものは、次に掲げるもののいずれかとする。（規10の2の14）
　（一）　当該個人（未成年者である場合にあっては、その法定代理人を含む。（二）において同じ。）に対する書面の送付
　（二）　当該個人への訪問
　（三）　官公署に対する書面の送付その他の措置

（住民票等により所有者が明らかだが住所が特定できない場合）
（6）市町村が（1）に定める方法により探索を行ってもなお固定資産の所有者の存在が不明である場合、その使用者を所有者とみなして固定資産課税台帳に登録し、課税することができるものであるが、この規定は、現実に当該資産を使用収益している者が存在しているにもかかわらず、所有者の存在が一人も特定できない場合には、原則どおり所有者を納税義務者とすれば誰にも課税できないこととなることから、こうした場合に限り、実質的にその固定資産の利益を享受している使用者に対し負担を求めることで課税の公平性を確保する必要がある場合に、課税庁の判断により課税することができることとしているものであること。したがって、住民票や戸籍等により所有者が明らかであるが、その住所が特定できない場合は、公示送達（第一編第十章の1の②）により納税の告知の効力を有効に生じさせることができるため、本規定を適用することはできないものであること。（市通3－11）

（使用者を所有者とみなして固定資産課税台帳に登録する際の通知）
（7）①又は②の規定により使用者を所有者とみなして固定資産課税台帳に登録するに当たっては、あらかじめ、その旨を当該使用者に通知しなければならないこととしているが、この通知は、使用者は、通常、固定資産税の納税義務があることを認識できないことを踏まえ、課税の予見可能性を高める趣旨で設けられた事前予告的な性格のものであること。（市通3－11の2）

③ 農地法により農林水産大臣が管理する農地等の使用者への課税

農地法第45条第1項若しくは、農地法等の一部を改正する法律（平成21年法律第57号）附則第8条第1項の規定によりなお従前の例によることとされる同法第1条の規定による改正前の農地法第78条第1項の規定により農林水産大臣が管理する土地又は旧相続税法第52条、相続税法第41条若しくは第48条の2、所得税法の一部を改正する法律（昭和26年法律第63号）による改正前の所得税法第57条の4、戦時補償特別措置法第23条若しくは財産税法第56条の規定により国が収納した農地については、買収し、又は収納した日から国が当該土地又は農地を他人に売渡し、その所有権が売渡しの相手方に移転する日までの間はその使用者をもって、その日後当該売渡しの相手方が登記簿に所有者として登記される日までの間はその売渡しの相手方をもって、それぞれ1の所有者とみなす。（法343⑥）

④　土地区画整理事業等の場合の仮換地等への課税

　土地区画整理法による土地区画整理事業（農住組合法第8条第1項の規定により土地区画整理法の規定が適用される農住組合法第7条第1項第1号の事業及び密集市街地における防災街区の整備の促進に関する法律第46条第1項の規定により土地区画整理法の規定が適用される密集市街地における防災街区の整備の促進に関する法律第45条第1項第1号の事業並びに大都市地域における住宅及び住宅地の供給の促進に関する特別措置法による住宅街区整備事業を含む。以下④において同じ。）又は土地改良法による土地改良事業の施行に係る土地については、法令若しくは規約等の定めるところにより仮換地、一時利用地その他の仮に使用し、若しくは収益することができる土地（以下「**仮換地等**」と総称する。）の指定があった場合又は土地区画整理法による土地区画整理事業の施行者が同法第100条の2（農住組合法第8条第1項及び密集市街地における防災街区の整備の促進に関する法律第46条第1項において適用する場合並びに大都市地域における住宅及び住宅地の供給の促進に関する特別措置法第83条において準用する場合を含む。）の規定により管理する土地で当該施行者以外の者が仮に使用するもの（以下「**仮使用地**」という。）がある場合には、当該仮換地等又は仮使用地について使用し、又は収益することができることとなった日から換地処分の公告がある日又は換地計画の認可の公告がある日までの間は、仮換地等にあっては当該仮換地等に対応する従前の土地について登記簿又は土地補充課税台帳に所有者として登記又は登録がされている者をもって、仮使用地にあっては土地区画整理法による土地区画整理事業の施行者以外の仮使用地の使用者をもって、それぞれ当該仮換地等又は仮使用地に係る1の所有者とみなし、換地処分の公告があった日又は換地計画の認可の公告があった日から換地又は保留地を取得した者が登記簿に当該換地又は保留地に係る所有者として登記される日までの間は、当該換地又は保留地を取得した者をもって当該換地又は保留地に係る1の所有者とみなすことができる。（法343⑦）

⑤　公有水面埋立法による埋立地の竣功前の使用者への課税

　公有水面埋立法第23条第1項の規定により使用する埋立地若しくは干拓地（以下⑤において「**埋立地等**」という。）又は国が埋立て若しくは干拓により造成する埋立地等（同法第42条第2項の規定による通知前の埋立地等に限る。以下⑤において同じ。）で工作物を設置し、その他土地を使用する場合と同様の状態で使用されているもの（埋立て又は干拓に関する工事に関して使用されているものを除く。）については、これらの埋立地等をもって土地とみなし、これらの埋立地等のうち、都道府県、市町村、特別区、これらの組合、財産区、地方開発事業団及び合併特例区（以下⑤において「**都道府県等**」という。）以外の者が同法第23条第1項の規定により使用する埋立地等にあっては、当該埋立地等を使用する者をもって当該埋立地等に係る1の所有者とみなし、都道府県等が同条第1項の規定により使用し、又は国が埋立て若しくは干拓により造成する埋立地等にあっては、都道府県等又は国が当該埋立地等を都道府県等又は国以外の者に使用させている場合に限り、当該埋立地等を使用する者（土地改良法第87条の2第1項の規定により国又は都道府県が行う同項第1号の事業により造成された埋立地等を使用する者で(1)で定めるものを除く。）をもって当該埋立地等に係る1の所有者とみなし、これらの埋立地等が隣接する土地の所在する市町村をもってこれらの埋立地等が所在する市町村とみなして固定資産税を課することができる。（法343⑧）

　　　　（所有者とみなされる者から除かれる埋立地等の使用者）
（1）　⑤に規定する埋立地等を使用する者で所有者とみなされない者は、次に掲げる者とする。（令49の3）
　　（一）　土地改良法第87条の2第1項の規定により国が行う同項第2号の事業により造成された埋立地等にあっては、同法第94条の8第7項（同法第94条の8の2第6項において準用する場合を含む。）の規定に基づき当該埋立地等を使用する者
　　（二）　土地改良法第87条の2第1項の規定により都道府県が行う同項第2号の事業により造成された埋立地等にあっては、都道府県知事が、農用地保有の合理化及び農業経営の近代化を図るために適当と認めた者及び当該埋立地等の地区内で農業を営む者の生活上又は農業経営上必要で欠くことができない業務に従事すると認めた者並びに当該埋立地等を売り渡すことを相当と認めた農業協同組合、農事組合法人及び土地改良区で、当該都道府県知事が当該埋立地等の売渡しの予約を証する書面を交付したもののうち、当該埋立地等の竣功認可前に当該埋立地等を無償で使用する者

　　　　（留意事項）
（2）　公有水面埋立法の規定による埋立地等で竣功前に使用されているものは土地とみなして、国又は地方公共団体以外の者が造成する埋立地等にあっては埋立権者、国又は地方公共団体が造成する埋立地等で当該国又は地方公共団体以外の者が使用するものにあっては、現に使用する者（土地改良法の規定により国又は都道府県が造成する埋立地等を無償で一時使用する入植者等を除く。）に課税することができるのであるが、この規定による埋立地等に対する課税

は、埋立の竣功認可等の処分が埋立予定地域の全部の完了を待って行われることが通常であるため、当該処分前において既に造成された埋立地等が一般の土地と異ならない状態で使用されていることが多いことにかんがみ、土地に対する固定資産税の負担の均衡を確保するために設けられたものであること。（市通3－12）

⑥ **信託会社から信託に係る償却資産を賃借している者への課税**

信託会社（金融機関の信託業務の兼営等に関する法律により同法第1条第1項に規定する信託業務を営む同項に規定する金融機関を含む。以下⑥において同じ。）が信託の引受けをした償却資産で、その信託行為の定めるところに従い当該信託会社が他の者にこれを譲渡することを条件として当該他の者に賃貸しているものについては、当該償却資産が当該他の者の事業の用に供するものであるときは、当該他の者をもって1の所有者とみなす。（法343⑨）

　　（留意事項）
注　信託会社が信託の引受けをした償却資産で、その信託行為の定めるところに従い当該信託会社が他の者にこれを譲渡することを条件として当該他の者に賃貸し、かつ、当該他の者がこれを事業の用に供しているものについては、当該他の者をもって固定資産税の納税義務者である所有者とみなすこととされているが、これは、当該資産については、信託業務の運営上、名目上の所有者は信託会社となっているが、信託会社が名目的な所有権を保有するにとどまり、当該資産の実質的な収益の帰属はむしろ当該資産を現に使用収益し、究極的には、その所有権を取得することとなる当該他の者に帰属するものと考えられるので、このような事実を考慮して実態に即するように、当該他の者に固定資産税を負担させることとしているものであること。（市通3－13）

⑦ **家屋の所有者以外の者が取り付けた事業用の附帯設備の取り付けた者への課税**

家屋の附帯設備（家屋のうち附帯設備に属する部分その他総務省令で定めるものを含む。）であって、当該家屋の所有者以外の者がその事業の用に供するため取り付けたものであり、かつ、当該家屋に付合したことにより当該家屋の所有者が所有することとなったもの（以下⑦において「特定附帯設備」という。）については、当該取り付けた者の事業の用に供することができる資産である場合に限り、当該取り付けた者をもって1の所有者とみなし、当該特定附帯設備のうち家屋に属する部分は家屋以外の資産とみなして固定資産税を課することができる。（法343⑩）

　　（総務省令で定める家屋の附帯設備）
注　⑦に規定する総務省令で定めるものは、木造家屋にあっては外壁仕上、内壁仕上、床仕上、天井仕上、屋根仕上又は建具とし、木造家屋以外の家屋にあっては外周壁骨組、間仕切骨組、外壁仕上、内壁仕上、床仕上、天井仕上、屋根仕上又は建具とする。（規10の2の15）

四　非課税の範囲

1　国等に対する非課税

市町村は、国並びに都道府県、市町村、特別区、これらの組合、財産区、地方開発事業団及び合併特例区に対しては、固定資産税を課することができない。（法348①）

2　用途による非課税

固定資産税は、次に掲げる固定資産に対しては課することができない。ただし、固定資産を有料で借り受けた者がこれを次に掲げる固定資産として使用する場合には、当該固定資産の所有者に課することができる。（法348②）

1	国並びに都道府県、市町村、特別区、これらの組合及び財産区が公用又は公共の用に供する固定資産	
1の2	皇室経済法第7条《皇位とともに伝わる由緒ある物》に規定する皇位とともに伝わるべき由緒ある物である固定資産	
2	独立行政法人水資源機構、土地改良区、土地改良区連合及び土地開	（独立行政法人水資源機構の非課税資産） （1）　独立行政法人水資源機構が直接その本来の事業の用に供する固定資産

発公社が直接その本来の事業の用に供する固定資産で右欄で定めるもの	で固定資産税を非課税とするものは、独立行政法人水資源機構が直接その本来の事業の用に供する次の各号に掲げる固定資産（(二)に掲げる固定資産にあっては表の45に掲げるものを除き、(三)及び(四)に掲げる固定資産にあっては水道又は工業用水道の用に供する取水施設、貯水施設若しくは浄水施設又はこれらの施設を管理するための施設で総務省令で定めるものの用に供する土地を除く。）とする。（令49の4①） （一）　倉庫 （二）　ダム（ダムと一体となってその効用を全うする施設及び工作物を含む。以下同じ。）の用に供する固定資産（当該ダムが発電、水道又は工業用水道の用に供される場合には、当該固定資産のうち、当該固定資産の価格に当該ダムの新築又は改築に要する費用の額につき当該ダムを発電、水道又は工業用水道の用に供する者が負担する額の当該費用の額に対する割合を乗じて得た価格に相当する部分を除く。） （三）　堰、湖沼水位調節施設及び水路施設並びにこれらの用に供する土地 （四）　(三)の施設の操作又は監視の用に供する固定資産 （五）　ダム、堰、湖沼水位調節施設及び水路施設に係る工事の用に供する家屋又はこれらの施設の維持の用に供する家屋 （六）　水資源の開発又は利用に関する調査の用に供する家屋 　　　（総務省令で定める施設） （2）　(1)に規定する総務省令で定める施設は、取水施設、貯水施設又は浄水施設（以下(2)において「取水施設等」という。）の操作、監視その他の管理の用に供する施設で当該取水施設等と同一の構内に所在するものとする。（規10の3） 　　　（土地改良区又は土地改良区連合の非課税資産） （3）　土地改良区又は土地改良区連合が直接その本来の事業の用に供する固定資産で固定資産税を非課税とするものは、土地改良区又は土地改良区連合が直接その本来の事業の用に供する次に掲げる固定資産とする。（令49の4②） （一）　事務所及び倉庫 （二）　農業用用排水施設及びその用に供する土地 （三）　(二)の施設の操作又は監視の用に供する固定資産 （四）　防風林及び土砂防止林 　　　（土地開発公社の非課税資産） （4）　土地開発公社が直接その本来の事業の用に供する固定資産で固定資産税を非課税とするものは、土地開発公社が取得し、かつ、保有する次に掲げる土地のうち土地開発公社が設置する駐車施設（その利用について対価又は負担として支払うべき金額の定めのあるものに限る。）の用に供する土地及び他の者に有償で貸し付けている土地以外のものとする。（令49の4③） （一）　公有地の拡大の推進に関する法律第17条第1項第1号に規定する業務の用に供する同号イからニまでに掲げる土地（同号ニに掲げる土地にあっては、同号ニに規定する政令で定める事業の用に供する土地を除く。） （二）　公有地の拡大の推進に関する法律施行令第7条第2項各号に掲げる土地

第三編第三章《固定資産税》第一節《通則（非課税の範囲）》

2の2から2の4まで	削　除	
2の5	鉄道事業法第7条第1項に規定する鉄道事業者又は軌道法第4条に規定する軌道経営者が都市計画法第5条の規定により指定された都市計画区域のうち右欄（1）で定める市街地の区域又は右欄（3）で定める公共の用に供する飛行場の区域及びその周辺の区域のうち右欄（4）で定める区域において直接鉄道事業又は軌道経営の用に供するトンネルで右欄（5）で定めるもの	（対象となる市街地の区域） （1）　左欄の市街地の区域は、千葉市の区域、東京都の特別区の存する区域、川崎市の区域、横浜市の区域、名古屋市の区域、京都市の区域、大阪市の区域、神戸市の区域及び広島市の区域並びにこれらの区域の近郊の区域で総務省令で定めるものとする。（令49の5①） （総務省令で定める区域） （2）　（1）の総務省令で定める区域は、つくば市の区域、つくばみらい市の区域、川口市の区域、さいたま市の区域、八潮市の区域、市川市の区域、松戸市の区域、流山市の区域、船橋市の区域、八千代市の区域、八王子市の区域、町田市の区域、多摩市の区域、藤沢市の区域、大和市の区域、奈良市の区域、生駒市の区域、東大阪市の区域、豊中市の区域、吹田市の区域、堺市の区域、守口市の区域、門真市の区域、箕面市の区域、川西市の区域及び三田市の区域（都市計画法第7条第2項の市街化区域に限る。）とする。（規10の4①） （対象となる公共用飛行場） （3）　左欄の公共の用に供する飛行場は、成田国際空港及び新千歳空港とする。（令49の5②） （飛行場周辺の区域） （4）　左欄に規定する公共の用に供する飛行場の区域の周辺の区域のうち（4）で定める区域は、航空法第40条の規定により告示された進入表面、転移表面又は水平表面の投影面の区域とする。（令49の5③） （非課税とするトンネル） （5）　左欄のトンネルは、次の表の左欄に掲げるトンネルの区分に応じ、同表の右欄に定めるトンネルとする。（令49の5④）

（一）	昭和62年4月1日以後に建設されたトンネル（（三）に掲げるものを除く。）	（1）に規定する市街地の区域（総務省令で定めるもの（守口市の区域及び門真市の区域（規10の4②））を除く。）又は（3）に規定する飛行場の区域及びその周辺の区域のうち（4）に規定する区域に存するトンネル
（二）	昭和62年3月31日以前に建設されたトンネル（（三）に掲げるものを除く。）	昭和62年3月31日において、地方税法及び国有資産等所在市町村交付金及び納付金に関する法律の一部を改正する法律（昭和61年法律第94号。以下（二）において「国鉄関連改正法」という。）第1条の規定による改正前の地方税法（2の7の右欄において「旧地方税法」という。）第348条第2項第2号の5若しくは第27号又は国鉄関連改正法第2条の規定による改正前の国有資産等所在市町村交付金及び納付金に関する法律（2の7の右欄において「旧

			交納付金法」という。）第2条第6項の規定の適用があったトンネル
		(三) 平成30年3月31日以前に建設されたトンネル（大阪市が地方公営企業法第2条第1項第3号に掲げる軌道事業又は同項第5号に掲げる鉄道事業の用に供したものに限る。）	平成30年3月31日において、1《国等に対する非課税》の規定の適用があったトンネル
2の6	公共の危害防止のために設置された鉄道事業又は軌道経営の用に供する踏切道及び踏切保安装置		
2の7	既設の鉄道（鉄道事業法第2条第6項に規定する専用鉄道を除く。）若しくは既設の軌道と道路とを立体交差させるために新たに建設された立体交差化施設で右欄（1）で定めるもの、公共の用に供する飛行場の滑走路の延長に伴い新たに建設された立体交差化施設又は道路の改築に伴い改良された既設の立体交差化施設で右欄（2）で定めるもののうち、線路設備、電路設備その他の構築物で右欄（3）で定めるもの	（新たに建設された立体交差化施設） （1）　左欄の新たに建設された立体交差化施設は、次に掲げる立体交差化施設とする。（令49の6①） （一）　昭和62年4月1日以後に建設された立体交差化施設 （二）　昭和62年3月31日以前に建設された立体交差化施設で、同日において旧地方税法第348条第2項第2号の7若しくは第27号又は旧交納付金法第2条第6項の規定の適用があったもの （既設の立体交差化施設） （2）　左欄の道路の改築に伴い改良された既設の立体交差化施設は、次に掲げる立体交差化施設とする。（令49の6②） （一）　昭和62年4月1日以後に改良された立体交差化施設 （二）　昭和62年3月31日以前に改良された立体交差化施設で、同日において旧地方税法第348条第2項第2号の7若しくは第27号又は旧交納付金法第2条第6項の規定の適用があったもの （非課税となる構築物） （3）　左欄の線路設備、電路設備その他の構築物は、線路設備、電路設備及び停車場設備とする。（令49の6③）	
2の8	鉄道事業法第7条第1項に規定する鉄道事業者又は軌道法第4条に規定する軌道経営者が都市計画法第7条第1項の規定により定められた市街化区域内において鉄道事業又は軌道経営の用に供する地下道又は跨線道路橋で、右欄の注で定めるもの	（非課税資産） 注　左欄の地下道又は跨線道路橋は、次に掲げる地下道又は跨線道路橋とする。（令49の7） （一）　昭和62年4月1日以後に建設された地下道又は跨線道路橋で、公衆が利用することができるもの（鉄道事業又は軌道経営の業務のみの用に供する部分、旅客のみの利用に供する部分及び他の者に貸し付けている部分を除く。） （二）　昭和62年3月31日以前に建設された地下道又は跨線道路橋で、同日において旧地方税法第348条第2項第2号の8若しくは第27号又は旧交納付金法第2条第6項の規定の適用があったもの	
3	宗教法人が専らその本来の用に供する宗教法人法第3条に規定する境内建物及び境内地（旧宗教法人令の規定による宗教法人のこれに相当する建物、工作物及び土地を含む。）	（留意事項） 注　宗教法人の所有する庫裡、社務所等は、専ら宗教の用に供するものと認められるので、他人の止宿の用に供している等その使用の内容が明らかに宗教の用以外の用に供しているものと認められるものを除いては、非課税として取扱うものであること。（市通3―14）	
4	墓　地		

5	公共の用に供する道路、運河用地及び水道用地	
6	公共の用に供する用悪水路、ため池、堤とう及び井溝	（留意事項） 注　土地改良区及び土地改良区連合のごとく地域的あるいは職域的に強制加入が法的に認められている団体の所有する用悪水路、ため池等は、公共の用に供するものと認められるので、一般的に非課税の取扱いをすべきものであること。（市通3—15）
7	保安林に係る土地（森林の保健機能の増進に関する特別措置法第2条第2項第2号に規定する施設の用に供する土地で右欄の注で定めるものを除く。）	（保安林に係る土地で非課税とならないもの） 注　左欄の土地は、森林の保健機能の増進に関する特別措置法施行令各号に掲げる施設の用に供する土地のうち山林以外のものとする。（令49の8）
7の2	自然公園法第20条第1項に規定する国立公園又は国定公園の特別地域のうち同法第21条第1項に規定する特別保護地区その他総務省令で定める地域内の土地で右欄の注で定めるもの	（対象となる地域等） 注　左欄の地域は、自然公園法施行規則第9条の2第1号に掲げる第一種特別地域とする。（規10の5①） 　　左欄の総務省令で定める土地は、池沼、山林及び原野とする。（規10の5②）
8	文化財保護法の規定によって国宝、重要文化財、重要有形民俗文化財、特別史蹟、史蹟、特別名勝、名勝、特別天然記念物若しくは天然記念物として指定され、若しくは旧重要美術品等の保存に関する法律第2条第1項の規定により認定された家屋又はその敷地	
8の2	文化財保護法第144条第1項に規定する重要伝統的建造物群保存地区内の家屋で右欄（1）で定めるもの	（非課税資産） （1）　左欄の家屋は、文化財保護法施行令第4条第3項第1号に規定する伝統的建造物に該当する家屋で文部科学大臣が定めるもの（総務省令で定めるものを除く。）とする。（令49の9） （総務省令で定める家屋） （2）　（1）の総務省令で定める家屋は、風俗営業等の規制及び業務の適正化等に関する法律第2条第1項又は第6項に規定する営業の用に供される家屋とする。（規10の6）
9	学校法人又は私立学校法第64条第4項の法人（以下9において「学校法人等」という。）がその設置する学校において直接保育又は教育の用に供する固定資産（10の4に該当するものを除く。）、学校法人等がその設置する寄宿舎で学校教育法第1条の学校又は同法第124条の専修学校に係るものにおいて直接その用に供する固定資産及び公益社団法人若しくは公益財団法人、宗教法人又は社会福祉法人がその設	

	置する幼稚園において直接保育の用に供する固定資産（10の４に該当するものを除く。）並びに公益社団法人又は公益財団法人がその設置する図書館において直接その用に供する固定資産及び公益社団法人若しくは公益財団法人又は宗教法人がその設置する博物館法第２条第１項の博物館において直接その用に供する固定資産 （注１）　旧民法第34条の法人から移行した法人等に係る特例については、表外の（１）を参照。（編者） （注２）　９中＿＿部分「第64条第４項」を「第152条第５項」に改める令和６年度改正規定は、令和７年４月１日以後適用する。 （令６改法附１三）	
９の２	医療法第31条の公的医療機関の開設者、医療法人（右欄（１）で定める医療法人に限る。）、公益社団法人及び公益財団法人、一般社団法人（非営利型法人（法人税法第２条第９号の２に規定する非営利型法人をいう。以下９の２において同じ。）に該当するものに限る。）及び一般財団法人（非営利型法人に該当するものに限る。）、社会福祉法人、健康保険組合及び健康保険組合連合会並びに国家公務員共済組合及び国家公務員共済組合連合会がその設置する看護師、准看護師、歯科衛生士その他右欄（２）で定める医療関係者の養成所において直接教育の用に供する固定資産	（対象となる医療法人） （１）　左欄の医療法人は、医療法第42条の２第１項に規定する社会医療法人及び租税特別措置法第67条の２第１項の承認を受けている医療法人とする。（令49の10①） （対象に含まれる医療関係者） （２）　左欄の医療関係者は、歯科技工士、助産師、臨床検査技師、理学療法士及び作業療法士とする。（令49の10②）
10	社会福祉法人（日本赤十字社を含む。10の２から10の７までにおいて同じ。）が生活保護法第38条第１項に規定する保護施設の用に供する固定資産で右欄の注で定めるもの	（非課税資産） 注　左欄の固定資産は、生活保護法第38条第２項に規定する救護施設、同条第３項に規定する更生施設、同条第４項に規定する医療保護施設、同条第５項に規定する授産施設及び同条第６項に規定する宿所提供施設の用に供する固定資産とする。（令49の11）
10の２	社会福祉法人その他右欄の注で定める者が児童福祉法第６条の３第10項に規定する小規模保育事業の用に供する固定資産	（非課税対象者） 注　左欄の非課税対象者は、社会福祉法人（日本赤十字社を含む。10の３から10の７までにおいて同じ。）以外の者で児童福祉法第34条の15第２項の規定により同法第６条の３第10項に規定する小規模保育事業の認可を得たものとする。（令49の11の２）

10の3	社会福祉法人その他右欄（１）で定める者が児童福祉法第７条第１項に規定する児童福祉施設の用に供する固定資産で右欄（２）で定めるもの（10の４に該当するものを除く。）	（非課税対象者） （１）　左欄の非課税対象者は、次に掲げる者とする。（令49の12①） 　（一）　公益社団法人、公益財団法人、農業協同組合、農業協同組合連合会、消費生活協同組合、消費生活協同組合連合会及び医療法人 　（二）　学校法人 　（三）　（一）及び（二）に掲げる者以外の者で児童福祉法第35条第４項の規定による認可を得たもの （非課税資産） （２）　左欄の固定資産は、次に掲げる固定資産（こどもの国協会の解散及び事業の承継に関する法律第１条第３項に規定する指定法人が経営する児童福祉法第40条に規定する児童厚生施設の用に供する固定資産にあっては、事務所その他の管理施設、宿舎及び駐車施設の用に供する固定資産を除く。）とする。（令49の12②） 　（一）　社会福祉法人又は（１）の（一）に掲げる者が経営する児童福祉法第37条に規定する乳児院、同法第38条に規定する母子生活支援施設、同法第40条に規定する児童厚生施設、同法第41条に規定する児童養護施設、同法第43条の２に規定する児童心理治療施設又は同法第44条に規定する児童自立支援施設の用に供する固定資産 　（二）　社会福祉法人又は（１）の（一）若しくは（二）に掲げる者が経営する児童福祉法第42条に規定する障害児入所施設又は同法第43条に規定する児童発達支援センターの用に供する固定資産 　（三）　社会福祉法人又は（１）の（一）から（三）までに掲げる者が経営する児童福祉法第36条に規定する助産施設で総務省令で定めるもの、同法第39条に規定する保育所、同法第44条の２第１項に規定する児童家庭支援センター又は同法第44条の３第１項に規定する里親支援センターの用に供する固定資産 （総務省令で定める施設） （３）　（２）の（三）に規定する総務省令で定める助産施設は、児童福祉法第36条に規定する助産施設で、児童福祉法施行規則第37条第２項又は第６項の規定による認可の申請又は変更の届出に係る同条第１項第２号に規定する図面において示された分娩室、陣痛室、新生児室、授乳室その他助産に必要な施設及び都道府県知事が認可した定員に係る病室とする。（規10の７）
10の4	学校法人、社会福祉法人その他右欄の注で定める者が就学前の子どもに関する教育、保育等の総合的な提供の推進に関する法律第２条第６項に規定する認定こども園の用に供する固定資産	（非課税対象者） 注　左欄の非課税対象者は、学校法人及び社会福祉法人以外の者で就学前の子どもに関する教育、保育等の総合的な提供の推進に関する法律第３条第１項若しくは第３項の認定又は同法第17条第１項の設置の認可を受けたものとする。（令49の12の２）
10の5	社会福祉法人その他右欄（１）で定める者が老人福祉法第５条の３に規定する老人福祉施設の用に供する固定資産で右欄（２）で定めるもの	（非課税対象者） （１）　左欄の非課税対象者は、次に掲げる者とする。（令49の13①） 　（一）　老人福祉法附則第６条の２の規定により社会福祉法人とみなされる農業協同組合連合会 　（二）　公益社団法人、公益財団法人、農業協同組合、農業協同組合連合会（（一）に掲げるものを除く。）、消費生活協同組合、消費生活協同組合連合会、健康保険組合、健康保険組合連合会、厚生年金基金、企業年金連合会、企業年金基金、国家公務員共済組合、国家公務員共済組合連合会、国民健康保険組合、国民健康保険団体連合会、国民年金基金、国民年金基金連合会、商工組合（組合員に出資をさせないものに限る。）、商工組合連合会（会員に出資をさせな

		いものに限る。)、石炭鉱業年金基金、全国市町村職員共済組合連合会、地方公務員共済組合、地方公務員共済組合連合会、日本私立学校振興・共済事業団及び医療法人 　(三)　(一)又は(二)に掲げる者以外の者で老人福祉法第20条の7の2に規定する老人介護支援センターの設置について同法第15条第2項の規定による届出をしたもの 　　(非課税資産) (2)　左欄の固定資産は、次に掲げる固定資産とする。(令49の13②) 　(一)　社会福祉法人が経営する老人福祉法第20条の4に規定する養護老人ホームの用に供する固定資産 　(二)　社会福祉法人及び(1)の(一)に掲げる者が経営する老人福祉法第20条の5に規定する特別養護老人ホームの用に供する固定資産 　(三)　社会福祉法人並びに(1)の(一)及び(二)に掲げる者が経営する老人福祉法第20条の2の2に規定する老人デイサービスセンター、同法第20条の3に規定する老人短期入所施設、同法第20条の6に規定する軽費老人ホーム及び同法第20条の7に規定する老人福祉センターの用に供する固定資産 　(四)　社会福祉法人及び(1)の(一)から(三)までに掲げる者が経営する老人福祉法第20条の7の2に規定する老人介護支援センターの用に供する固定資産
10の6	社会福祉法人が障害者の日常生活及び社会生活を総合的に支援するための法律第5条第11項に規定する障害者支援施設の用に供する固定資産	
10の7	10から10の6までに掲げる固定資産のほか、社会福祉法人その他右欄(1)で定める者が社会福祉法第2条第1項に規定する社会福祉事業(同条第3項第1号の2に掲げる事業を除く。)の用に供する固定資産で右欄(3)で定めるもの	(非課税対象者) (1)　左欄の非課税対象者は、次に掲げる者とする。(令49の15①) 　(一)　公益社団法人、公益財団法人、農業協同組合、農業協同組合連合会、消費生活協同組合及び消費生活協同組合連合会 　(二)　健康保険組合、健康保険組合連合会、厚生年金基金、企業年金連合会、企業年金基金、国家公務員共済組合、国家公務員共済組合連合会、国民健康保険組合、国民健康保険団体連合会、国民年金基金、国民年金基金連合会、商工組合(組合員に出資をさせないものに限る。)、商工組合連合会(会員に出資をさせないものに限る。)、石炭鉱業年金基金、全国市町村職員共済組合連合会、地方公務員共済組合、地方公務員共済組合連合会及び日本私立学校振興・共済事業団 　(三)　医療法人 　(四)　(一)から(三)までに掲げる者以外の者で児童福祉法第27条第1項第3号の規定による委託を受けたもの 　(五)　(一)から(三)までに掲げる者以外の者で児童福祉法第33条の6第1項の規定による委託を受けたもの 　(六)　(一)から(五)までに掲げる者以外の者で総務省令で定めるもの 　(総務省令で定める者) (2)　(1)の(六)に規定する総務省令で定める者は、社会福祉法第68条の2及び第69条(それぞれ同法第74条の規定が適用される場合を含む。)の規定により都道府県知事に届出をした者で次に掲げる者とする。(規10の7の3①) 　(一)　宗教法人 　(二)　(3)の(二)に規定する事業の実施について都道府県又は指定都市等(地

方自治法第252条の19第1項の指定都市又は同法第252条の22第1項の中核市をいう。以下(二)及び(3)の(二)において同じ。)から委託を受けた者であることについて都道府県知事又は指定都市等の長が証明したもの
　(三)　(3)の(十)に規定する事業の実施について都道府県又は市町村から委託を受けた者
　(四)　認知症である老人、身体障害者、知的障害者若しくは精神障害者又はこれらの者、身体障害児若しくは知的障害児の家族その他の関係者により組織される団体(法人格のない団体を含む。)で営利を目的としない団体であることについて都道府県知事が証明したもの

　　(非課税資産)
(3)　左欄の固定資産は、次に掲げる固定資産とする。(令49の15②)
　(一)　社会福祉法人又は(1)の(一)に掲げる者が実施する社会福祉法第2条第2項第1号に掲げる生計困難者に対して助葬を行う事業、同項第6号若しくは第7号に掲げる事業又は同条第3項第1号、第3号、第8号、第11号若しくは第13号に掲げる事業の用に供する固定資産
　(二)　社会福祉法人又は(1)の(一)若しくは(六)に掲げる者(同(六)に掲げる者にあっては、総務省令で定めるもの〔(2)の(二)に掲げる者(規10の7の3②)〕に限る。)が実施する社会福祉法第2条第3項第5号に掲げる介助犬訓練事業又は聴導犬訓練事業の用に供する固定資産で総務省令で定めるもの〔専らこれらの事業の用に供することについて都道府県知事又は指定都市等の長が証明した施設の用に供する固定資産(規10の7の3③)〕
　(三)　社会福祉法人又は(1)の(一)に掲げる者(同(一)に掲げる者にあっては、総務省令で定めるもの〔公益社団法人又は公益財団法人(規10の7の3④)〕に限る。)で、道路交通法施行令第8条第2項の規定による国家公安委員会の指定を受けたものが実施する社会福祉法第2条第3項第5号に掲げる盲導犬訓練施設を経営する事業の用に供する固定資産
　(四)　社会福祉法人又は(1)の(一)若しくは(六)に掲げる者(同(六)に掲げる者にあっては、総務省令で定めるもの〔(2)の(一)に掲げる者(規10の7の3⑤)〕に限る。)が実施する社会福祉法第2条第3項第9号に掲げる事業の用に供する固定資産で(4)の総務省令で定めるもの
　(五)　社会福祉法人又は(1)の(一)若しくは(三)に掲げる者が実施する社会福祉法第2条第3項第4号の2に掲げる福祉ホームを経営する事業、同項第5号に掲げる身体障害者福祉センター、補装具製作施設若しくは視聴覚障害者情報提供施設を経営する事業又は同項第10号に掲げる事業の用に供する固定資産で(5)の(二)の総務省令で定めるもの
　(六)　社会福祉法人又は(1)の(一)から(三)までに掲げる者が実施する社会福祉法第2条第3項第4号に掲げる老人居宅介護等事業、老人デイサービス事業、老人短期入所事業、小規模多機能型居宅介護事業、認知症対応型老人共同生活援助事業又は複合型サービス福祉事業の用に供する固定資産
　(七)　社会福祉法人又は(1)の(一)から(四)までに掲げる者(同(一)から(三)までに掲げる者にあっては、児童福祉法第27条第1項第3号の規定による委託を受けたものに限る。)が実施する社会福祉法第2条第3項第2号に掲げる小規模住居型児童養育事業の用に供する固定資産で(6)の総務省令で定めるもの
　(八)　社会福祉法人又は(1)の(一)から(三)まで若しくは(五)に掲げる者(同(一)から(三)までに掲げる者にあっては、児童福祉法第33条の6第1項の規定による委託を受けた者に限る。)が実施する社会福祉法第2条第3項第2号に掲げる児童自立生活援助事業の用に供する固定資産
　(九)　社会福祉法人又は(1)の(一)から(六)までに掲げる者(同(六)に掲げる

者にあっては、(7)の総務省令で定めるものに限る。)が実施する社会福祉法第2条第3項第2号に掲げる障害児通所支援事業、障害児相談支援事業、放課後児童健全育成事業、子育て短期支援事業、乳児家庭全戸訪問事業、養育支援訪問事業、地域子育て支援拠点事業、一時預かり事業、病児保育事業、子育て援助活動支援事業、親子再統合支援事業、社会的養護自立支援拠点事業、意見表明等支援事業、妊産婦等生活援助事業、子育て世帯訪問支援事業、児童育成支援拠点事業、親子関係形成支援事業若しくは児童の福祉の増進について相談に応ずる事業、同項第2号の3に掲げる事業、同項第4号の2に掲げる一般相談支援事業若しくは特定相談支援事業、同項第5号に掲げる身体障害者の更生相談に応ずる事業若しくは同項第6号に掲げる知的障害者の更生相談に応ずる事業の用に供する固定資産で総務省令で定めるもの又は同項第4号の2に掲げる障害福祉サービス事業、移動支援事業若しくは地域活動支援センターを経営する事業、同項第5号に掲げる身体障害者生活訓練等事業若しくは手話通訳事業若しくは同項第12号に掲げる事業の用に供する固定資産

((3)の(四)に規定する総務省令で定める固定資産)
(4) (3)の(四)に規定する総務省令で定める固定資産は、次に掲げる固定資産とする。(規10の7の3⑥)
(一) 社会福祉法人で、医療法(昭和23年法律第205号)第31条の公的医療機関の開設者(都道府県、市町村、地方公共団体の組合、国民健康保険団体連合会、国民健康保険組合、日本赤十字社及び農業協同組合連合会を除く。)であり、かつ、社会福祉法第2条第2項に規定する第1種社会福祉事業を行うものが事業の用に供する固定資産
(二) 社会福祉法第2条第3項第9号に掲げる事業を実施する者の前事業年度(当該年度に係る賦課期日の属する事業年度(第二編第五章第二節二に規定する事業年度をいう。以下(二)において同じ。)の前事業年度をいう。(5)の(二)において同じ。)を通じた取扱患者の総延数に対する生活保護法第15条若しくは第16条に規定する医療扶助若しくは出産扶助に係る診療を受けた者又は無料若しくは健康保険法第76条第2項の規定により算定された額及び同法第85条第2項に規定する基準により算定された同項の費用の額若しくは同法第85条の2第2項に規定する基準により算定された同項の費用の額の合計額の10分の1に相当する金額以上を減額した料金により診療を受けた者の延数の割合(以下(4)において「無料又は低額診療患者の割合」という。)が100分の10以上である事業の用に供する固定資産
(三) 無料又は低額診療患者の割合が100分の5以上100分の10未満である事業の用に供する固定資産(無料又は低額診療患者の割合から100分の5を減じた割合に5を乗じた割合に100分の75を加えて得た割合に相当する部分に限る。)
(四) 無料又は低額診療患者の割合が100分の2以上100分の5未満である事業の用に供する固定資産(無料又は低額診療患者の割合から100分の2を減じた割合に15を乗じた割合に100分の30を加えて得た割合に相当する部分に限る。)

((3)の(五)に規定する総務省令で定める固定資産)
(5) (3)の(五)に規定する総務省令で定める固定資産は、次に掲げる固定資産とする。(規10の7の3⑦)
(一) 社会福祉法人で、医療法第31条の公的医療機関の開設者(都道府県、市町村、地方公共団体の組合、国民健康保険団体連合会、国民健康保険組合、日本赤十字社及び農業協同組合連合会を除く。)であり、かつ、社会福祉法

第２条第２項に規定する第１種社会福祉事業を行うものが事業の用に供する固定資産

(二) 社会福祉法第２条第３項第10号に掲げる事業（無料又は低額な費用で介護保険法第８条第28項に規定する介護老人保健施設を利用させる事業に限る。）を実施する者の前事業年度を通じた入所者（介護保険法第48条第１項第２号に掲げる介護保健施設サービス（以下（二）において「介護保健施設サービス」という。）を受けた者に限る。）の総延数に対する生活保護法第15条の２第１項に規定する介護扶助のうち同項第４号に掲げる施設介護（介護保健施設サービスに限る。）を受けた者並びに無料又は介護保険法第48条第２項に規定する厚生労働大臣が定める基準により算定した費用（介護保健施設サービスに要したものに限る。）の額及び介護保険法施行規則第79条各号に掲げる費用（介護保健施設サービスに要したものに限る。）の額の合計額の10分の１に相当する金額以上を減額した費用により介護保健施設サービスを受けた者の延数の割合（（三）及び（四）において「無料又は低額利用に係る介護老人保健施設入所者の割合」という。）が100分の10以上である事業の用に供する固定資産

(三) 無料又は低額利用に係る介護老人保健施設入所者の割合が100分の５以上100分の10未満である事業の用に供する固定資産（無料又は低額利用に係る介護老人保健施設入所者の割合から100分の５を減じた割合に５を乗じた割合に100分の75を加えて得た割合に相当する部分に限る。）

(四) 無料又は低額利用に係る介護老人保健施設入所者の割合が100分の２以上100分の５未満である事業の用に供する固定資産（無料又は低額利用に係る介護老人保健施設入所者の割合から100分の２を減じた割合に15を乗じた割合に100分の30を加えて得た割合に相当する部分に限る。）

(五) 社会福祉法第２条第３項第10号に掲げる事業（無料又は低額な費用で介護保険法第８条第29項に規定する介護医療院を利用させる事業に限る。）を実施する者の前事業年度を通じた入所者（介護保険法第48条第１項第３号に掲げる介護医療院サービス（以下（五）において「介護医療院サービス」という。）を受けた者に限る。）の総延数に対する生活保護法第15条の２第１項に規定する介護扶助のうち同項第４号に掲げる施設介護（介護医療院サービスに限る。）を受けた者並びに無料又は介護保険法第48条第２項に規定する厚生労働大臣が定める基準により算定した費用（介護医療院サービスに要したものに限る。）の額及び介護保険法施行規則第79条各号に掲げる費用（介護医療院サービスに要したものに限る。）の額の合計額の10分の１に相当する金額以上を減額した費用により介護医療院サービスを受けた者の延数の割合（（六）及び（七）において「無料又は低額利用に係る介護医療院入所者の割合」という。）が100分の10以上である事業の用に供する固定資産

(六) 無料又は低額利用に係る介護医療院入所者の割合が100分の５以上100分の10未満である事業の用に供する固定資産（無料又は低額利用に係る介護医療院入所者の割合から100分の５を減じた割合に５を乗じた割合に100分の75を加えて得た割合に相当する部分に限る。）

(七) 無料又は低額利用に係る介護医療院入所者の割合が100分の２以上100分の５未満である事業の用に供する固定資産（無料又は低額利用に係る介護医療院入所者の割合から100分の２を減じた割合に15を乗じた割合に100分の30を加えて得た割合に相当する部分に限る。）

　　　（（３）の（七）に規定する小規模住居型児童養育事業の用に供する固定資産で総務省令で定めるもの）
(6)　（３）の（七）に規定する小規模住居型児童養育事業の用に供する固定資産で総務省令で定めるものは、居室その他これに類する施設の用に供する固定資

産とする。(規10の7の3⑧)

(((3)の(九)に規定する総務省令で定める者)
(7) (3)の(九)に規定する総務省令で定める者は、(2)の(三)及び(四)に掲げる者(社会福祉法第2条第3項第2号に掲げる放課後児童健全育成事業にあっては、(2)の(三)に掲げる者に限る。)とする。(規10の7の3⑨)

(((3)の(九)に規定する障害児通所支援事業の用に供する固定資産で総務省令で定めるもの))
(8) (3)の(九)に規定する障害児通所支援事業の用に供する固定資産で総務省令で定めるものは、児童福祉法第6条の2の2第2項に規定する児童発達支援、同条第3項に規定する放課後等デイサービス及び同条第5項に規定する保育所等訪問支援を行う事業の用に供する固定資産とする。(規10の7の3⑩)

(((3)の(九)に規定する放課後児童健全育成事業、子育て短期支援事業及び一時預かり事業の用に供する固定資産で総務省令で定めるもの)
(9) (3)の(九)に規定する放課後児童健全育成事業、子育て短期支援事業、一時預かり事業及び児童育成支援拠点事業の用に供する固定資産で総務省令で定めるものは、居室その他これに類する施設の用に供する固定資産とする。(規10の7の3⑪)

(((3)の(九)に規定する乳児家庭全戸訪問事業及び養育支援訪問事業の用に供する固定資産で総務省令で定めるもの)
(10) (3)の(九)に規定する乳児家庭全戸訪問事業、養育支援訪問事業、意見表明等支援事業及び子育て世帯訪問支援事業の用に供する固定資産で総務省令で定めるものは、詰所その他これに類する施設の用に供する固定資産とする。(規10の7の3⑫)

(((3)の(九)に規定する病児保育事業の用に供する固定資産で総務省令で定めるもの)
(11) (3)の(九)に規定する病児保育事業の用に供する固定資産で総務省令で定めるものは、居室、詰所その他これに類する施設の用に供する固定資産とする。(規10の7の3⑬)

(((3)の(九)に規定する子育て援助活動支援事業の用に供する固定資産で総務省令で定めるもの)
(12) (3)の(九)に規定する子育て援助活動支援事業の用に供する固定資産で総務省令で定めるものは、専ら児童福祉法第6条の3第14項に規定する連絡及び調整等の用に供する固定資産とする。(規10の7の3⑭)

(((3)の(九)に規定する児童の福祉の増進について相談に応ずる事業等の用に供する固定資産で総務省令で定めるもの)
(13) (3)の(九)に規定する障害児相談支援事業、地域子育て支援拠点事業、親子再統合支援事業、親子関係形成支援事業、児童の福祉の増進について相談に応ずる事業、養子縁組あっせん事業、一般相談支援事業、特定相談支援事業、身体障害者の更生相談に応ずる事業及び知的障害者の更生相談に応ずる事業の用に供する固定資産で総務省令で定めるものは、相談室その他これに類する施設の用に供する固定資産とする。(規10の7の3⑮)

		(14) （3）の(九)に規定する社会的養護自立支援拠点事業及び妊産婦等生活援助事業の用に供する固定資産で総務省令で定めるものは、居室、相談室その他これに類する施設の用に供する固定資産とする。（規10の7の3⑯）
10の8	更生保護法人が更生保護事業法第2条第1項に規定する更生保護事業の用に供する固定資産で右欄の注で定めるもの	（非課税資産） 注　左欄の固定資産は、更生保護事業法第2条第2項に規定する宿泊型保護事業、同条第3項に規定する通所・訪問型保護事業及び同条第4項に規定する地域連携・助成事業の用に供する固定資産とする。（令49の16）
10の9	介護保険法第115条の47第1項の規定により市町村から同法第115条の46第1項に規定する包括的支援事業の委託を受けた者が当該事業の用に供する固定資産	
10の10	児童福祉法第34条の15第2項の規定により同法第6条の3第12項に規定する事業所内保育事業の認可を得た者が当該事業（利用定員が6人以上であるものに限る。）の用に供する固定資産	
11	9の2から10の7までに掲げる固定資産のほか、日本赤十字社が直接その本来の事業の用に供する固定資産で右欄(1)で定めるもの	（非課税資産） (1)　左欄の固定資産は、事務所、医療施設、介護保険法第8条第28項に規定する介護老人保健施設、同条第29項に規定する介護医療院、救護員養成施設若しくは救護用物品貯蔵施設又は採血、血液製剤の製造その他の血液事業の用に供する施設の用に供する固定資産のうち、その利用について対価又は負担として支払うべき金額の定めのある駐車施設その他の施設で総務省令で定めるものの用に供するもの以外のものとする。（令50） （総務省令で定める施設） (2)　(1)に規定する総務省令で定める施設は、飲食店、喫茶店及び物品販売施設（これらの施設のうち(1)に規定する施設の利用者の利便に供することを目的とするものを除く。）並びに駐車施設とする。（規10の7の4）
11の2	独立行政法人国立重度知的障害者総合施設のぞみの園が独立行政法人国立重度知的障害者総合施設のぞみの園法第11条第1号又は第2号に規定する業務の用に供する固定資産で右欄の注で定めるもの	（非課税資産） 注　左欄の固定資産は、左欄の業務の用に供する固定資産のうち次に掲げるもの以外のものとする。（令50の2） （一）　事務所の用に供する固定資産 （二）　宿舎の用に供する固定資産
11の3	農業協同組合法、消費生活協同組合法及び水産業協同組合法による組合及び連合会並びに農林漁業団体職員共済組合が所有し、かつ、経営する病院及び診療所において直接その用に供する固定資産で右欄(1)で定めるもの並びに農業共済組合及び農業共済組合連合会が所有し、かつ、経営する家畜診療所において直接その用に供する固定資産	（非課税資産） (1)　左欄の病院及び診療所の用に供する固定資産は、その利用について対価又は負担として支払うべき金額の定めのある駐車施設その他の施設で総務省令で定めるものの用に供する固定資産以外の固定資産とする。（令50の2の2） （総務省令で定める施設） (2)　(1)に規定する総務省令で定める施設は、飲食店、喫茶店及び物品販売施設（これらの施設のうち左欄に規定する病院及び診療所の利用者の利便に供することを目的とするものを除く。）並びに駐車施設とする。（規10の7の5）

11の4	健康保険組合及び健康保険組合連合会、国民健康保険組合及び国民健康保険団体連合会、国家公務員共済組合及び国家公務員共済組合連合会並びに地方公務員共済組合（以下11の4において「健康保険組合等」という。）が所有し、かつ、経営する病院及び診療所において直接その用に供する固定資産で右欄（1）で定めるもの並びに健康保険組合等が所有し、かつ、経営する右欄（3）で定める保健施設において直接その用に供する固定資産	（病院及び診療所の用に供する非課税資産） （1） 左欄の病院及び診療所の用に供する固定資産は、その利用について対価又は負担として支払うべき金額の定めのある駐車施設その他の施設で総務省令で定めるものの用に供する固定資産以外の固定資産とする。（令50の3①） （総務省令で定める施設） （2） （1）に規定する総務省令で定める施設は、飲食店、喫茶店及び物品販売施設（これらの施設のうち左欄に規定する病院及び診療所の利用者の利便に供することを目的とするものを除く。）並びに駐車施設とする。（規10の7の6） （非課税となる保健施設） （3） 左欄の保健施設は、次に掲げるものとする。（令50の3②） （一） 運動場、体育館、プール及びこれらに附属する施設 （二） 健康相談所 （三） 専ら負傷又は疾病の治った者を収容し、その者の体力の回復を図るための施設
11の5	医療法第42条の2第1項に規定する社会医療法人が直接同項第4号に規定する救急医療等確保事業に係る業務（同項第5号に規定する基準に適合するものに限る。）の用に供する固定資産で右欄（1）で定めるもの	（非課税資産） （1） 業務の用に供する固定資産のうち、その利用について対価又は負担として支払うべき金額の定めのある駐車施設その他の施設で総務省令で定めるものの用に供する固定資産以外のものとする。（令50の3の2） （総務省令で定める施設） （2） （1）に規定する総務省令で定める施設は、飲食店、喫茶店及び販売施設並びに駐車施設とする。（規10の7の7）
11の6	独立行政法人自動車事故対策機構が独立行政法人自動車事故対策機構法第13条第3号に規定する業務の用に供する固定資産で右欄の注で定めるもの	（非課税資産） 注 左欄の固定資産は、左欄の業務の用に供する固定資産のうち次に掲げるもの以外のものとする。（令50の4） （一） 事務所の用に供する固定資産 （二） 宿舎の用に供する固定資産
12	公益社団法人又は公益財団法人で学術の研究を目的とするものがその目的のため直接その研究の用に供する固定資産で右欄の注で定めるもの （注） 旧民法第34条の法人から移行した法人等に係る特例については、表外の（1）を参照。（編者）	（非課税資産） 注 左欄の固定資産は、次に掲げる固定資産以外の固定資産とする。（令50の5） （一） 宿舎の用に供する固定資産 （二） 他の者に貸し付けている固定資産 （三） 職員の福利及び厚生の用に供する固定資産
13	日本私立学校振興・共済事業団が日本私立学校振興・共済事業団法第23条第1項から第3項までに規定する業務の用に供する固定資産で右欄（1）で定めるもの	（非課税資産） （1） 左欄の固定資産は、次に掲げる固定資産とする。（令51） （一） 日本私立学校振興・共済事業団（以下（1）において「事業団」という。）が日本私立学校振興・共済事業団法（以下（1）において「事業団法」という。）第23条第1項第1号から第5号まで若しくは第10号又は第3項第3号に規定する業務の用に供する固定資産のうち次に掲げるもの以外のもの イ 宿舎の用に供する固定資産 ロ 他の者に貸し付けている固定資産 （二） 事業団が事業団法第23条第1項第9号に規定する業務の用に供する固定資産のうち事業団が所有し、かつ、経営する次に掲げる施設において直接その用に供するもの（イに掲げる施設において直接その用に供する固定資

		産にあっては、その利用について対価又は負担として支払うべき金額の定めのある駐車施設その他の施設で総務省令で定めるものの用に供するものを除く。） イ　病院及び診療所 ロ　運動場、体育館、プール及びこれらに附属する施設 ハ　健康相談所 ニ　専ら負傷又は疾病の治った者を収容し、その者の体力の回復を図るための施設 （三）　事業団が事業団法附則第５条第１項の規定により承継し、かつ、事業団法第23条第１項第６号から第９号まで、第２項又は第３項第１号若しくは第２号に規定する業務の用に供する事務所（事業団が承継した日の前日において事業団法附則第72条の規定による改正前の地方税法第348条第４項《特定の法人が所有し、使用する事務所及び倉庫の非課税》の規定の適用があったものに限る。） （総務省令で定める施設） （２）　（１）の（二）に規定する総務省令で定める施設は、飲食店、喫茶店及び物品販売施設（これらの施設のうち同イに掲げる施設の利用者の利便に供することを目的とするものを除く。）並びに駐車施設とする。（規10の７の８）
13の2	都道府県農業会議及び全国農業会議所が直接その事業の用に供する償却資産	
14	商工会議所又は日本商工会議所が商工会議所法第９条又は第65条に規定する事業の用に供する固定資産及び商工会又は都道府県商工会連合会若しくは全国商工会連合会が商工会法第11条又は第55条の８第１項若しくは第２項に規定する事業の用に供する固定資産で、右欄の注で定めるもの	（非課税資産） 注　左欄の固定資産は、左欄の事業の用に供する固定資産のうち次に掲げるもの以外のものとする。（令51の２） （一）　宿舎の用に供する固定資産 （二）　他の者に貸し付けている固定資産 （三）　職員の福利及び厚生の用に供する固定資産
15	削　除	
16	独立行政法人労働者健康安全機構が独立行政法人労働者健康安全機構法第12条第１項第１号、第３号、第４号又は第７号に規定する業務の用に供する固定資産で右欄（１）で定めるもの	（非課税資産） （１）　左欄の固定資産は、左欄の業務の用に供する固定資産のうち次に掲げるもの以外のものとする。（令51の２の２、規10の８①） （一）　事務所の用に供する固定資産 （二）　宿舎（業務上宿舎を使用すべき義務がある者が使用するものとされている宿舎その他これに準ずる宿舎（独立行政法人労働者健康安全機構法第12条第１項第１号、第３号、第４号又は第７号の療養施設に係る看護師が使用するものとされている宿舎をいう。）を除く。）の用に供する固定資産 （三）　その利用について対価又は負担として支払うべき金額の定めのある駐車施設その他の施設で（２）で定めるものの用に供する固定資産 （総務省令で定める施設） （２）　（１）の（三）に規定する（２）で定める施設は、飲食店、喫茶店及び物品販売施設（これらの施設のうち独立行政法人労働者健康安全機構法第12条第１項第１号の療養施設及び同項第７号の納骨堂の利用者の利便に供することを目的とするものを除く。）並びに駐車施設とする。（規10の８②）

17	独立行政法人日本芸術文化振興会が独立行政法人日本芸術文化振興会法第14条第1項第1号から第5号までに規定する業務の用に供する固定資産で右欄の注で定めるもの	（非課税資産） 注　左欄の固定資産は、左欄の業務の用に供する固定資産のうち次に掲げるもの以外のものとする。（令51の2の3、規10の8の2） （一）　事務所の用に供する固定資産（劇場施設と一体となって機能を発揮しているものを除く。） （二）　宿舎の用に供する固定資産 （三）　その利用について対価又は負担として支払うべき金額の定めのある駐車施設その他の施設で総務省令で定めるもの（飲食店、喫茶店及び物品販売施設並びに駐車施設）の用に供する固定資産
18	独立行政法人日本スポーツ振興センターが独立行政法人日本スポーツ振興センター法第15条第1項第1号に規定する業務の用に供する固定資産で右欄の注で定めるもの	（非課税資産） 注　左欄の固定資産は、左欄の業務の用に供する固定資産のうち次に掲げるもの以外のものとする。（令51の3、規10の9） （一）　事務所の用に供する固定資産 （二）　宿舎の用に供する固定資産 （三）　その利用について対価又は負担として支払うべき金額の定めのある駐車施設その他の施設で総務省令で定めるもの（飲食店、喫茶店及び物品販売施設並びに駐車施設）の用に供する固定資産
19	独立行政法人高齢・障害・求職者雇用支援機構が独立行政法人高齢・障害・求職者雇用支援機構法第14条第1項第4号若しくは第7号又は附則第5条第3項第3号に規定する業務の用に供する固定資産で右欄（1）で定めるもの	（非課税資産） （1）　左欄の固定資産は、左欄の業務の用に供する固定資産のうち、次に掲げるもの以外のものとする。（令51の4） （一）　事務所の用に供する固定資産 （二）　宿舎（業務上宿舎を使用すべき義務がある者が使用するものとされている宿舎その他これに準ずる宿舎で（2）で定めるものを除く。）の用に供する固定資産 （非課税となる宿舎） （2）　（1）の（二）の宿舎は、独立行政法人高齢・障害・求職者雇用支援機構が障害者の雇用の促進等に関する法律第19条第1項に規定する障害者職業センターの行う同法第2条第7号に規定する職業リハビリテーションを受ける者のために設置する宿舎及び独立行政法人高齢・障害・求職者雇用支援機構が公共職業能力開発施設の行う職業訓練を受ける者のために設置する宿舎とする。 （規10の10、7の5）
20	削　除	
21	削　除	
22	独立行政法人中小企業基盤整備機構が独立行政法人中小企業基盤整備機構法第15条第1項第2号に規定する業務の用に供する固定資産で右欄の注で定めるもの	（非課税資産） 注　左欄の固定資産は、左欄の業務の用に供する固定資産のうち次に掲げるもの以外のものとする。 （令51の5） （一）　事務所の用に供する固定資産 （二）　宿舎の用に供する固定資産
23	削　除	
24	漁業協同組合、漁業生産組合及び漁業協同組合連合会が所有し、かつ、右欄の注で定める漁船用燃料の貯蔵施設の用に供する固定資産で右欄の注で定めるもの	（非課税資産） 注　左欄の漁船用燃料は、漁船の内燃機関の燃料として使用される揮発油等の品質の確保等に関する法律第2条第1項の燈油、軽油及び重油とし、左欄の固定資産は、当該漁船用燃料を貯蔵するタンク並びにこれに附属する機械及び構築物とする。（令51の6）
25	削　除	

26	公益社団法人又は公益財団法人で学生又は生徒の修学を援助することを目的とするものがその目的のため設置する寄宿舎で右欄（1）で定めるものにおいて直接その用に供する家屋 （注）　旧民法第34条の法人から移行した法人等に係る特例については、表外の（1）を参照。（編者）	（非課税となる寄宿舎） （1）　左欄の寄宿舎は、次に掲げる要件に該当する寄宿舎とする。（令51の8） 　（一）　専ら学校教育法第1条に規定する学校の学生又は生徒（同条に規定する学校において修学する外国人留学生を含む。（二）において「学生等」という。）を入居させることを目的として設置されたものであること。 　（二）　学生等の居室の用に供する部分の床面積の合計を当該寄宿舎の定員の数値で除して得た床面積が20平方メートルを超えないものであること。 　（三）　寮費その他これに類する入居の対価が（2）で定める基準に適合するものであること。 　（四）　当該寄宿舎の全部又は一部が旅館業法第2条第1項に規定する旅館業の用に供されているものでないこと。 （入居の対価の基準） （2）　（1）の（三）の対価の基準は、寮費その他これに類する入居の対価の金額（食費、光熱水費その他実費徴収として徴収されるべき費用に係る金額を除く。）が、1月当たり35,000円を超えないこととする。（規10の11） （留意事項） （3）　公益社団法人又は公益財団法人で学生又は生徒の修学を援助することを目的とするものがその目的のために設置する寄宿舎において直接その用に供する家屋に対して固定資産税を非課税としているのは、これらの寄宿舎が教育の機会の均等化に資する目的をもって設立されていることを考慮し、運営の実態がおおむね一般の学校の寄宿舎に準ずるものと認められるものについては、課税しないこととされたものであること。したがって、単なる学生又は生徒に対する生活援助のための宿泊施設について非課税の取扱いをする趣旨ではないこと。（市通3-16）
27	削　除	
28	独立行政法人国際協力機構が独立行政法人国際協力機構法第13条第1項第1号イ若しくはロ、第4号イ、ロ若しくはニ又は第5号イに規定する業務の用に供する固定資産で右欄の注で定めるもの	（非課税資産） 注　左欄の固定資産は、左欄の業務の用に供する固定資産のうち次に掲げるもの以外のものとする。（令51の9） 　（一）　事務所の用に供する固定資産 　（二）　宿舎の用に供する固定資産
29	独立行政法人国民生活センターが独立行政法人国民生活センター法第10条第1号から第8号までに規定する業務の用に供する固定資産で右欄の注で定めるもの	（非課税資産） 注　左欄の固定資産は、左欄の業務の用に供する固定資産のうち次に掲げるもの以外のものとする。（令51の10） 　（一）　事務所の用に供する固定資産 　（二）　宿舎の用に供する固定資産 　（三）　その利用について対価又は負担として支払うべき金額の定めのある研修施設の用に供する固定資産
30	日本下水道事業団が日本下水道事業団法第26条第1項第7号又は第8号に規定する業務の用に供する固定資産で右欄の注で定めるもの	（非課税資産） 注　左欄の固定資産は、左欄の業務の用に供する固定資産のうち、次に掲げるもの以外のものとする。（令51の11） 　（一）　事務所の用に供する固定資産 　（二）　宿舎の用に供する固定資産 　（三）　職員の福利及び厚生の用に供する固定資産 　（四）　日本下水道事業団法第26条第1項第7号に規定する業務（下水道に関する技術を担当する者の養成及び訓練に関する業務を除く。）の用に供する

		固定資産
31	削　除	
32	独立行政法人都市再生機構が独立行政法人都市再生機構法第18条第1項各号に定める工事(同条第4項（被災市街地復興特別措置法第22条第2項及び大都市地域における住宅及び住宅地の供給の促進に関する特別措置法第101条の15第1項において準用する場合を含む。）の公告に係るものに限る。）に係る施設の用に供されるものとして取得した土地	
33	削　除	
34	独立行政法人鉄道建設・運輸施設整備支援機構が日本国有鉄道清算事業団の債務等の処理に関する法律（以下34において「債務等処理法」という。）第13条第1項第2号及び第3号の業務の用に供するため所有する固定資産並びに同法第25条の規定により貸し付けている固定資産で右欄（1）で定めるもの	（非課税資産） （1）　左欄の固定資産は、次に掲げる固定資産とする。（令51の14） 　（一）　独立行政法人鉄道建設・運輸施設整備支援機構が独立行政法人鉄道建設・運輸施設整備支援機構法（（二）において「機構法」という。）附則第2条第1項の規定により同項の規定による解散前の日本鉄道建設公団（以下（1）において「旧日本鉄道建設公団」という。）から承継した固定資産であって、債務等処理法第13条第1項第2号又は第3号の業務の用に供するもの及び債務等処理法第25条の規定により日本貨物鉄道株式会社に無償で貸し付けているもの（総務省令で定めるものに限る。）で、旧日本鉄道建設公団が債務等処理法附則第2条第1項の規定により旧日本国有鉄道清算事業団から承継したものであり、かつ、旧日本国有鉄道清算事業団が、債務等処理法附則第9条の規定による廃止前の日本国有鉄道清算事業団法（以下（一）において「旧事業団法」という。）附則第2条の規定により所有することとなったもの（日本国有鉄道改革法等施行法第32条第2項の請求により譲渡を受けた土地を含む。）又は旧事業団法附則第9条第1項の規定により旧日本鉄道建設公団から承継したもの 　（二）　昭和62年4月1日において旧日本国有鉄道清算事業団が所有する土地であって旧日本鉄道建設公団が債務等処理法附則第2条第1項の規定により旧日本国有鉄道清算事業団から承継し、かつ、独立行政法人鉄道建設・運輸施設整備支援機構が機構法附則第2条第1項の規定により旧日本鉄道建設公団から承継したものに、同日において旅客鉄道株式会社及び日本貨物鉄道株式会社に関する法律第1条第1項若しくは第2項に規定する旅客会社若しくは貨物会社若しくは旅客鉄道株式会社及び日本貨物鉄道株式会社に関する法律の一部を改正する法律（平成13年法律第61号）附則第2条第1項に規定する新会社又は日本国有鉄道改革法第11条第1項の規定による指定を受けた法人（以下（二）において「旅客会社等」という。）が同法第22条の規定により日本国有鉄道から承継した家屋又は償却資産（新幹線鉄道に係る鉄道施設の譲渡等に関する法律第2条に規定する旅客鉄道株式会社が同条の規定により同法第5条第1項の規定による解散前の新幹線鉄道保有機構から譲り受けた家屋又は償却資産を含み、昭和62年3月31日において地方税法及び国有資産等所在市町村交付金及び納付金に関する法律の一部を改正する法律（昭和61年法律第94号）第1条の規定による改正前の地方税法第348条第2項第2号の規定の適用があったものに限る。以下（二）において「旧資産」という。）を所有していた場合において、独立行政法人鉄道建設・運輸施設整備支援機構が、債務等処理法第13条第1項第3号の規定に基

		づき、当該旅客会社等に当該旧資産に対応するものとして譲渡するために所有する家屋又は償却資産 　　　（総務省令で定める固定資産） （２）　（１）の（一）に規定する総務省令で定める固定資産は、次の各号に掲げる固定資産の区分に応じ、当該各号に定める固定資産とする。（規10の13） （一）　債務等処理法第13条第１項第２号の業務の用に供する固定資産　　当該業務の用に供する土地及び家屋で使用されていないもの（（二）に掲げるものを除く。）、鉄道事業の用に供されなくなった車両、軌条、まくら木若しくはコンテナーの置場の用に供する土地又は車両の処分の用に直接供する固定資産 （二）　債務等処理法第13条第１項第３号の業務の用に供する固定資産　　同号に規定する宅地の造成及びこれに関連する施設の整備の用に直接供する作業用固定資産 （三）　債務等処理法第25条の規定により日本貨物鉄道株式会社に無償で貸し付けている固定資産　　債務等処理法第25条に規定する移転が終了するまでの間貸し付けている土地（当該移転が平成18年１月１日までに終了しない場合にあっては、同日までの間においてのみ貸し付けている土地）で日本貨物鉄道株式会社が行う鉄道事業の用に直接供するもの（鉄道事業に係る線路設備、停車場、車庫、工場、倉庫及び詰所の用に供する土地に限る。）又は貨物停車場跡地に存する詰所の用に供する家屋
35	旅客鉄道株式会社及び日本貨物鉄道株式会社に関する法律第１条第１項に規定する旅客会社、旅客鉄道株式会社及び日本貨物鉄道株式会社に関する法律の一部を改正する法律（平成13年法律第61号。以下「平成13年旅客会社法改正法」という。）附則第２条第１項に規定する新会社又は旅客鉄道株式会社及び日本貨物鉄道株式会社に関する法律の一部を改正する法律（平成27年法律第36号）附則第２条第１項に規定する新会社（５において「旅客会社等」という。）が所有する専ら皇室の用に供する車両で右欄の注で定めるもの	（非課税資産） 注　左欄の車両は、無償で専ら天皇及び皇族の用に供する車両とする。（令51の15）
36	国立研究開発法人農業・食品産業技術総合開発機構が、国立研究開発法人農業・食品産業技術総合開発機構法（以下36及び第二節一の３《用途による課税標準の特例》のイ《本則に定める特例》の㉒において「機構法」という。）第14条第１項第１号に規定する業務（農業機械化促進法を廃止する等の法律第１条の規定による廃止前の農業機械化促進法（以下36	（非課税資産） 注　左欄に規定する固定資産で注で定めるものは、次に掲げる固定資産とする。（令51の15の２） （一）　国立研究開発法人農業・食品産業技術総合開発機構（（二）において「機構」という。）が国立研究開発法人農業・食品産業技術総合開発機構法（以下注及び第二節一の３のイの㉒において「機構法」という。）第14条第１項第１号に規定する業務（農業機械化促進法を廃止する等の法律第１条の規定による廃止前の農業機械化促進法（（二）及び第二節一の３のイの㉒において「旧農業機械化促進法」という。）第16条第１項第１号及び第３号から第５号までに規定する業務に該当するものを除く。）又は機構法第14条第１項第２号から第４号まで若しくは第２項から第４項までに規定する業務の用に

	及び第二節一の３のイの㉒において「旧農業機械化促進法」という。）第16条第１項第１号及び第３号から第５号までに規定する業務に該当するものを除く。）又は機構法第14条第１項第２号から第４号まで若しくは第２項から第４項までに規定する業務の用に供する固定資産及び直接同条第１項第１号に規定する業務（旧農業機械化促進法第16条第１項第１号に規定する業務に該当するものに限る。）の用に供する固定資産（独立行政法人農業技術研究機構法の一部を改正する法律（平成14年法律第129号）附則第４条第１項の規定により承継し、かつ、直接旧農業機械化促進法第16条第１項第１号に規定する業務の用に供したものに限る。）で右欄注で定めるもの	供する固定資産のうち、次に掲げるもの以外のものとする。 　イ　事務所の用に供する固定資産 　ロ　宿舎の用に供する固定資産 （二）　機構が直接第14条第１項第１号に規定する業務（旧農業機械化促進法第16条第１項第１号に規定する業務に該当するものに限る。）の用に供する固定資産（直接旧農業機械化促進法第16条第１項第１号に規定する業務の用に供したものに限る。）のうち、独立行政法人農業技術研究機構法の一部を改正する法律（平成14年法律第129号。以下（二）において「機構法改正法」という。）附則第４条第１項の規定により同項の規定による解散前の生物系特定産業技術研究推進機構（以下（二）において「旧推進機構」という。）から承継した家屋及び償却資産（旧推進機構が機構法改正法附則第８条の規定による廃止前の生物系特定産業技術研究推進機構法（昭和61年法律第82号）附則第２条第１項の規定により同項の規定による解散前の農業機械化研究所から承継したものに限る。）
37	国立研究開発法人水産研究・教育機構が国立研究開発法人水産研究・教育機構法（右欄の注の（二）において「機構法」という。）第12条第１項第１号から第５号までに規定する業務の用に供する固定資産で右欄の注で定めるもの	（非課税資産） 注　左欄の固定資産は、これらの業務の用に供する固定資産のうち次に掲げるもの以外のものとする。（令51の15の３） （一）　事務所の用に供する固定資産 （二）　宿舎（機構法第12条第１項第５号に規定する水産に関する学理及び技術の教授を受ける者のための宿舎を除く。）の用に供する固定資産
38	国立研究開発法人宇宙航空研究開発機構が国立研究開発法人宇宙航空研究開発機構法第18条第１号又は第２号に規定する業務の用に供する固定資産で右欄の注で定めるもの	（非課税資産） 注　左欄の固定資産は、これらの業務の用に供する固定資産のうち次に掲げるもの以外のものとする。（令51の15の４） （一）　事務所の用に供する固定資産 （二）　宿舎の用に供する固定資産
39	国立研究開発法人情報通信研究機構が国立研究開発法人情報通信研究機構法第11条第１項第１号から第８号までに規定する業務の用に供する固定資産で右欄の注で定めるもの	（非課税資産） 注　左欄の固定資産は、これらの業務の用に供する固定資産のうち次に掲げるもの以外のものとする。（令51の15の５） （一）　事務所の用に供する固定資産 （二）　宿舎の用に供する固定資産
40	独立行政法人日本学生支援機構が独立行政法人日本学生支援機構法第13条第１項第３号に規定する業務の用に供する家屋で右欄の注で定めるもの	（非課税となる家屋） （１）　左欄の家屋は、次に掲げる要件に該当する寄宿舎とする。（令51の15の６） （一）　専ら学校教育法第１条に規定する学校の学生又は生徒（同条に規定する学校において修学する外国人留学生を含む。（二）において「学生等」という。）を入居させることを目的として設置されたものであること。 （二）　学生等の居室の用に供する部分の床面積の合計を当該寄宿舎の定員の数値で除して得た床面積が20平方メートルを超えないものであること。

		（三） 寮費その他これに類する入居の対価が総務省令で定める基準に適合するものであること。 （四） 当該寄宿舎の全部又は一部が旅館業法第２条第１項に規定する旅館業の用に供されているものではないこと。 　　　　（総務省令で定める基準） （２）　（１）の（三）の基準は、寮費その他これに類する入居の対価の金額（食費、光熱水費その他実費徴収として徴収されるべき費用に係る金額を除く。）が、１月当たり35,000円を超えないこととする。（規10の13の２）
41	日本司法支援センターが総合法律支援法第30条第１項第１号に規定する業務の用に供する固定資産で右欄の注で定めるもの	（非課税資産） 注　左欄の固定資産は、左欄の業務の用に供する固定資産のうち次に掲げるもの以外のものとする。（令51の15の７） （一）　事務所の用に供する固定資産 （二）　宿舎の用に供する固定資産
42	国立研究開発法人医療基盤・健康・栄養研究所が国立研究開発法人医療基盤・健康・栄養研究所法第15条第１項第１号イ若しくは第３号から第５号まで又は第２項に規定する業務の用に供する固定資産で右欄の注で定めるもの	（非課税資産） 注　左欄の固定資産は、これらの業務の用に供する固定資産のうち次に掲げるもの以外のものとする。（令51の15の８） （一）　事務所の用に供する固定資産 （二）　宿舎の用に供する固定資産
43	国立研究開発法人森林研究・整備機構が国立研究開発法人森林研究・整備機構法第13条第１項第１号から第３号まで又は第２項第１号に規定する業務の用に供する固定資産で左欄の注で定めるもの	（非課税資産） 注　左欄の固定資産は、これらの業務の用に供する固定資産のうち次に掲げるもの以外のものとする。（令51の15の９） （一）　事務所の用に供する固定資産 （二）　宿舎の用に供する固定資産
44	国立研究開発法人量子科学技術研究開発機構が国立研究開発法人量子科学技術研究開発機構法（以下44において「機構法」という。）第16条第１項第２号から第７号までに規定する業務の用に供する固定資産で右欄の注で定めるもの	（非課税資産） 注　左欄の固定資産は、機構法第16条第１項第２号から第７号までに規定する業務のうち次に掲げるものの用に供する固定資産（事務所又は宿舎の用に供するものを除く。）とする。（令51の15の10） （一）　機構法第16条第１項第２号に規定する業務 （二）　機構法第16条第１項第３号に規定する業務（（一）に規定する業務に係るものに限る。） （三）　機構法第16条第１項第４号に規定する業務（国立研究開発法人量子科学技術研究開発機構の施設及び設備を放射線の人体への影響、放射線による人体の障害の予防、診断及び治療並びに放射線の医学的利用に関する研究開発を行う者の共用に供することに限る。） （四）　機構法第16条第１項第５号に規定する業務（放射線の人体への影響、放射線による人体の障害の予防、診断及び治療並びに放射線の医学的利用に関する研究者を養成し、並びにその資質の向上を図ることに限る。） （五）　機構法第16条第１項第６号に規定する業務（放射線による人体の障害の予防、診断及び治療並びに放射線の医学的利用に関する技術者を養成し、並びにその資質の向上を図ることに限る。） （六）　機構法第16条第１項第７号に規定する業務

45	ダムの用に供する洪水吐ゲート及び放流のための管（これらの設備と一体となってその効用を全うする施設及び工作物を含む。）で洪水調節に資するものとして右欄（1）で定めるもの（右欄（2）で定める部分に限る。）	（洪水吐ゲート及び放流のための管等で洪水調節に資するものとして政令で定めるもの） （1）　左欄の固定資産は、ダムに係る河川の河川管理者（河川法（昭和39年法律第167号）第7条に規定する河川管理者をいう。）との協議に基づき設置された洪水吐ゲート及び放流のための管（これらの設備と一体となってその効用を全うする施設及び工作物を含む。）であって、洪水調節に資するものであることについて（3）で定めるところにより証明がされたもの（（2）において「洪水吐ゲート等」という。）とする。（令51の15の11①） （洪水吐ゲート等のうち政令で定める部分） （2）　左欄に規定する（2）で定める部分は、洪水吐ゲート等のうち、当該洪水吐ゲート等の価格に一から当該洪水吐ゲート等に係る水利使用者（河川法第53条第1項に規定する水利使用者をいう。）の取水量の当該洪水吐ゲート等に係る放流量に対する割合を控除した割合を乗じて得た価格に相当する部分とする。（令51の15の11②） （洪水調節に資するものであることについて総務省令で定めるところにより証明がされたもの） （3）　（1）に規定する（3）で定めるところにより証明がされたものは、（1）に規定する洪水吐ゲート等に該当するものとして、国土交通大臣が総務大臣と協議して定める書類により（1）に規定する河川管理者の証明がされたものとする。（規10の13の3）

（注1）　2の表の10の7の右欄の（5）の（五）に規定する事業を実施する者（平成30年4月1日の前日において社会福祉法第2条第3項第9号に掲げる事業を実施していた病院又は病床を有する診療所の開設者のうち、令和6年3月31日までの間に当該病院又は当該診療所の病床を介護医療院の人員、施設及び設備並びに運営に関する基準に規定する転換を行って介護医療院を開設したものであって、前事業年度を通じた（5）の（五）に規定する入所者（（注4）において「入所者」という。）の総延数が零であるものに限る。）に対する（5）の（五）から（七）までの規定の適用については、同（五）中「前事業年度を通じた入所者（介護保険法第48条第1項第3号に掲げる介護医療院サービス（以下（五）において「介護医療院サービス」という。）を受けた者に限る。）の総延数に対する生活保護法第15条の2第1項に規定する介護扶助のうち同項第4号に掲げる施設介護（介護医療院サービスに限る。）を受けた者並びに無料又は介護保険法第48条第2項に規定する厚生労働大臣が定める基準により算定した費用（介護医療院サービスに要したものに限る。）の額及び介護保険法施行規則第79条各号に掲げる費用（介護医療院サービスに要したものに限る。）の額の合計額の10分の1に相当する金額以上を減額した費用により介護医療院サービスを受けた者の延数の割合（（六）及び（七）において「無料又は低額利用に係る介護医療院入所者の割合」という。）」とあるのは「のうち地方税法施行規則の一部を改正する省令（平成30年総務省令第24号）附則第7条第1項の規定の適用を受けるものの前事業年度を通じた取扱患者の総延数に対する生活保護法第15条若しくは第16条に規定する医療扶助若しくは出産扶助に係る診療を受けた者又は無料若しくは健康保険法第76条第2項の規定により算定された額及び同法第85条第2項に規定する基準により算定された同項の費用の額若しくは同法第85条の2第2項に規定する基準により算定された同項の費用の額の合計額の10分の1に相当する金額以上を減額した料金により診療を受けた者の延数の割合（（六）及び（七）において「無料又は低額診療患者の割合」という。）」と、同（六）及び（七）中「無料又は低額利用に係る介護医療院入所者の割合」とあるのは「無料又は低額診療患者の割合」とする。（平30改規附7①）

（注2）　2の表の10の7の右欄の（5）の（五）に規定する事業を実施する者（平成30年4月1日の前日において社会福祉法第2条第3項第10号に掲げる事業を実施していた介護老人保健施設（病院又は病床を有する診療所の開設者が平成18年7月1日から平成30年3月31日までの間に当該病院又は当該診療所の病床の転換を行って開設したものに限る。）の開設者のうち、令和6年3月31日までの間に当該介護老人保健施設の全部又は一部を廃止するとともに介護医療院を開設したものであって、前事業年度を通じた入所者の総延数が零であるものに限る。）に対する同（5）の（二）及び（五）から（七）までの規定の適用については、同（二）中「以下（二）」とあるのは「以下（5）」と、同（五）中「の前事業年度を通じた入所者（介護保険法第48条第1項第3号に掲げる介護医療院サービス（以下（五）において「介護医療院サービス」という。）を受けた者に限る。）の総延数に対する生活保護法第15条の2第1項に規定する介護扶助のうち同項第4号に掲げる施設介護（介護医療院サービスに限る。）を受けた者並びに無料又は介護保険法第48条第2項に規定する厚生労働大臣が定める基準により算定した費用（介護医療院サービスに要したものに限る。）の額及び介護保険法施行規則第79条各号に掲げる費用（介護医療院サービスに要したものに限る。）の額の合計額の10分の1に相当する金額以上を減額した費用により介護医療院サービスを受けた者の延数の割合（（六）及び（七）において「無料又は低額利用に係る介護医療院入所者の割合」という。）」とあるのは「のうち地方税法施行規則の一部を改正する省令（平成30年総務省令第24号）附則第7条第2項の規定の適用を受けるものの前事業年度を通じた入所者（介護保健施設サービスを受けた者に限る。）の総延数に対する生活保護法第15条の2第1項に規定する介護扶助のうち同項第4号に掲げる施設介護（介護保健施設サービスに限る。）を受けた者並びに無料又は介護保険法第48条第2項に規定する厚生労働大臣が定める基準により算定した費用（介護保健施設サービスに要したものに限る。）の額及び介護保険法施行規則第79条各号に掲げる費用（介護保健施設サービスに要したものに限る。）の額の合計額の10分の1に相当する金額以上を減額した費用により介護保健施設サービスを受けた者の延数の割合（（六）及び（七）において「無料又は低額利用に係る介護老人保健施

設入所者の割合」という。)」と、同(六)及び(七)中「無料又は低額利用に係る介護医療院入所者の割合」とあるのは「無料又は低額利用に係る介護老人保健施設入所者の割合」とする。(平30改規附7②)

(旧民法第34条の法人から移行した法人等に係る特例)
(1) 一般社団法人及び一般財団法人に関する法律及び公益社団法人及び公益財団法人の認定等に関する法律の施行に伴う関係法律の整備等に関する法律(平成18年法律第50号。以下(1)及び(注)において「整備法」という。)第40条第1項の規定により存続する一般社団法人であって整備法第106条第1項(整備法第121条第1項において読み替えて準用する場合を含む。以下(1)において同じ。)の登記をしていないもの(10の⑤において「特定一般社団法人」という。)については公益社団法人とみなし、整備法第40条第1項の規定により存続する一般財団法人であって整備法第106条第1項の登記をしていないもの(10の⑤において「特定一般財団法人」という。)については公益財団法人とみなして、2の表の9、12及び26並びに7の規定を適用する。(法附41③)
 (注) 2以下において「旧民法」とは、整備法第38条の規定による改正前の民法をいう。(編者)

(非課税等特別措置の適用に当たっての留意事項)
(2) 非課税等特別措置の適用に当たっては、定期的に実地調査を行うこと等により利用状況を的確に把握し、適正な認定を行うこと。また実地調査時点の現況等を記載した対象資産に関する諸資料の保管、整理等に努め、その的確な把握を行うとともに、利用状況の把握のため必要があると認められる場合には、条例により申告義務を課すことが適当であること。(市通3-19)

3 目的外使用に係る固定資産への課税
市町村は、2の表の各号に掲げる固定資産を当該各号に掲げる目的以外の目的に使用する場合においては、2の規定にかかわらず、これらの固定資産に対し、固定資産税を課する。(法348③)

4 特定の法人が所有し、使用する事務所及び倉庫の非課税
市町村は、森林組合法、農業保険法、消費生活協同組合法、水産業協同組合法、漁業災害補償法、輸出入取引法、中小企業等協同組合法、中小企業団体の組織に関する法律、酒税の保全及び酒類業組合等に関する法律、商店街振興組合法及び生活衛生関係営業の運営の適正化及び振興に関する法律による組合(信用協同組合及び企業組合を除き、生活衛生同業小組合を含む。)、連合会(信用協同組合連合会(中小企業等協同組合法第9条の9第1項第1号に規定する事業を行う協同組合連合会をいう。第二節3のイ㉔において同じ。)を除く。)及び中央会、全国健康保険協会、健康保険組合及び健康保険組合連合会、国民健康保険組合及び国民健康保険団体連合会、国家公務員共済組合及び国家公務員共済組合連合会、地方公務員共済組合、全国市町村職員共済組合連合会及び地方公務員共済組合連合会、企業年金基金及び確定給付企業年金法に規定する企業年金連合会、国民年金基金及び国民年金基金連合会、法人である労働組合、職員団体等に対する法人格の付与に関する法律による法人である職員団体等、漁船保険組合、たばこ耕作組合、輸出水産業組合、土地改良事業団体連合会、農業協同組合及び農業協同組合連合会並びに労働者協同組合連合会が所有し、かつ、使用する事務所及び倉庫に対しては、固定資産税を課することができない。(法348④)

(漁業協同組合等の製氷施設、冷凍施設の用に供する家屋の非課税)
注 漁業協同組合、漁業生産組合及び漁業協同組合連合会が所有し、かつ、使用する製氷施設及び水産物の冷凍施設の用に供する家屋については、これらの組合等が零細漁民の経済的社会的地位の向上を図ることを目的とする法人であること及び当該家屋が既に非課税とされている倉庫(貯氷施設及び冷蔵施設)と通常一体として使用されていることにかんがみ、貯氷施設又は冷蔵施設と構造的又は機能的に一体として使用されている場合においては貯氷施設又は冷蔵施設の用に供する家屋と併せて非課税として取り扱うものであること。(市通3-17)

5 旅客会社等が借受け等をする固定資産の非課税
市町村は、旅客会社等〔2の表の35参照〕が独立行政法人鉄道建設・運輸施設整備支援機構法第13条第1項第3号又は第6号の規定に基づき借り受ける固定資産のうち2の表の2の5に掲げる固定資産で政令で定めるものに対しては、固定資産税を課することができない。(法348⑤)

(非課税の固定資産)
(1) 5に規定する2の表の2の5に掲げる固定資産で政令で定めるものは、5の旅客会社等が都市計画法第5条の規定により指定された都市計画区域のうち総務省令で定める市街地の区域において直接鉄道事業の用に供するトンネル

とする。（令51の16）

　　　　（総務省令で定める市街地の区域）
（２）　（１）に規定する総務省令で定める市街地の区域は、東京都の特別区の存する区域並びに稲城市の区域、府中市の区域、国分寺市の区域、小平市の区域、東村山市の区域、所沢市の区域、さいたま市の区域、川崎市の区域、横浜市の区域及び松戸市の区域（都市計画法第７条第２項の市街化区域に限る。）とする。（規10の13の14）

６　非課税独立行政法人及び国立大学法人等が所有する固定資産の非課税

　市町村は、非課税独立行政法人が所有する固定資産（当該固定資産を所有する非課税独立行政法人以外の者が使用しているものその他の（１）で定めるものを除く。）、国立大学法人等が所有する固定資産（当該固定資産を所有する国立大学法人等以外の者が使用しているものを除く。）、日本年金機構が所有する固定資産（日本年金機構以外の者が使用しているものを除く。）及び福島国際研究教育機構が所有する固定資産（福島国際研究教育機構以外の者が使用しているものを除く。）に対しては、固定資産税を課することができない。（法348⑥）
（注）　上記の非課税独立行政法人については、第二編第二章第一節四の１の（注２）を参照。（編者）

　　　　（非課税とならない固定資産）
（１）　６に規定する非課税独立行政法人以外の者が使用しているものその他の固定資産は、次に掲げる固定資産とする。（令51の16の２）
　（一）　当該固定資産を所有する非課税独立行政法人以外の者が使用している固定資産
　（二）　発電所、変電所又は送電施設の用に供する固定資産（２の表の45に掲げるもの及び（一）に掲げるものを除く。）
　（三）　水道法第３条第８項に規定する水道施設若しくは工業用水道事業法第２条第６項に規定する工業用水道施設のうちダム〔２の表の２の（１）の（二）参照〕以外のものの用に供する土地又は水道若しくは工業用水道の用に供するダムの用に供する固定資産で、総務省令で定めるもの（２の表の45に掲げるもの及び（一）に掲げるものを除く。）

　　　　（総務省令で定める土地）
（２）　（１）の（三）に規定する土地で総務省令で定めるものは、取水施設、貯水施設若しくは浄水施設又はこれらの施設の操作、監視その他の管理の用に供する施設で当該取水施設、貯水施設若しくは浄水施設と同一の構内に所在するもの（ダム（ダムと一体となってその効用を全うする施設及び工作物を含む。以下（３）までにおいて同じ。）を除く。以下（２）において「取水施設等」という。）の用に供する土地（取水施設等に係る水が当該取水施設等所在の市町村の区域内において供給される場合には、当該取水施設等の用に供する土地のうち当該市町村の区域内における供給に係る部分（当該取水施設等の用に供する土地の面積に当該市町村の区域内において供給される水の量の当該取水施設等に係る水の量に対する割合を乗じて得た面積に係るものとして区分された土地をいう。）を除く。）とする。（規10の13の５①）

　　　　（総務省令で定める固定資産）
（３）　（１）の（三）に規定する固定資産で総務省令で定めるものは、水道又は工業用水道の用に供するダムの用に供する固定資産（当該ダムにより貯留されている水が当該ダム所在の市町村の区域内において供給される場合には、当該固定資産のうち当該市町村の区域内における供給に係る部分（当該固定資産の価格に当該供給される水の量の当該ダムにより水道又は工業用水道に供給されている水の量に対する割合を乗じて得た額に係るものとして区分された固定資産をいう。）を除く。）とする。（規10の13の５②）

７　特定の非課税独立行政法人が公益社団法人又は公益財団法人から無償で借り受けて業務の用に供する土地の非課税

　市町村は、非課税独立行政法人で（２）で定めるものが公益社団法人若しくは公益財団法人から無償で借り受けて直接その本来の業務の用に供する土地で（２）で定めるものに対しては、固定資産税を課することができない。（法348⑦）
（注）　旧民法第34条の法人から移行した法人等に係る特例については、２の表外の（１）を参照。（編者）

　　　　（対象となる非課税独立行政法人）
（１）　７に規定する非課税独立行政法人は、独立行政法人海技教育機構とする。（令51の16の３①）

(非課税とされる土地)
（２）　７に規定する土地は、公益社団法人又は公益財団法人で総務大臣が指定するものから無償で借り受けて独立行政法人海技教育機構法第11条第１項第１号に規定する業務の用に供する土地とする。（令51の16の３②）
　　（注）　（２）の規定に基づき、（２）に規定する総務大臣が指定する法人を次のように指定し、平成13年４月１日から施行する。（平成13年総務省告示第226号…最終改正平成19年総務省告示第196号）

名　　　称	住　　　所
財団法人日本船員厚生協会	神奈川県川崎市川崎区大島２丁目８番７号
財団法人海技教育財団	東京都千代田区平河町２丁目６番４号

８　地方独立行政法人が所有する固定資産の非課税

　市町村は、地方独立行政法人（公立大学法人を除く。以下８において同じ。）が所有する固定資産（当該固定資産を所有する地方独立行政法人以外の者が使用しているものその他の（１）で定めるものを除く。）及び公立大学法人が所有する固定資産（当該固定資産を所有する公立大学法人以外の者が使用しているものを除く。）に対しては、固定資産税を課することができない。（法348⑧）

(地方独立行政法人以外の者が使用しているものその他の非課税とならない固定資産)
（１）　８に規定する（１）の政令で定める固定資産は、次に掲げる固定資産とする。（令51の16の４）
　（一）　当該固定資産を所有する地方独立行政法人（公立大学法人を除く。）以外の者が使用している固定資産
　（二）　発電所、変電所又は送電施設の用に供する固定資産（２の表の45に掲げるもの及び（一）に掲げるものを除く。）
　（三）　水道法第３条第８項に規定する水道施設若しくは工業用水道事業法第２条第６項に規定する工業用水道施設のうちダム以外のものの用に供する土地又は水道若しくは工業用水道の用に供するダムの用に供する固定資産で、（３）又は（４）の総務省令で定めるもの（２の表の45に掲げるもの及び（一）に掲げるものを除く。）

(総務省令で定める土地)
（２）　（１）の（三）に規定する土地で総務省令で定めるものは、取水施設、貯水施設若しくは浄水施設又はこれらの施設の操作、監視その他の管理の用に供する施設で当該取水施設、貯水施設若しくは浄水施設と同一の構内に所在するもの（ダム（ダムと一体となってその効用を全うする施設及び工作物を含む。（３）において同じ。）を除く。以下（２）において「取水施設等」という。）の用に供する土地（取水施設等に係る水が当該取水施設等所在の市町村の区域内において供給される場合には、当該取水施設等の用に供する土地のうち当該市町村の区域内における供給に係る部分（当該取水施設等の用に供する土地の面積に当該市町村の区域内において供給される水の量の当該取水施設等に係る水の量に対する割合を乗じて得た面積に係るものとして区分された土地をいう。）を除く。）とする。（規10の13の６①）

(総務省令で定める固定資産)
（３）　（１）の（三）に規定する固定資産で総務省令で定めるものは、水道又は工業用水道の用に供するダムの用に供する固定資産（当該ダムにより貯留されている水が当該ダム所在の市町村の区域内において供給される場合には、当該固定資産のうち当該市町村の区域内における供給に係る部分（当該固定資産の価格に当該供給される水の量の当該ダムにより水道又は工業用水道に供給されている水の量に対する割合を乗じて得た額に係るものとして区分された固定資産をいう。）を除く。）とする。（規10の13の６②）

９　外国の政府が所有する大使館等の用に供する固定資産の非課税

　市町村は、外国の政府が所有する次に掲げる施設の用に供する固定資産に対しては、固定資産税を課することができない。ただし、（三）に掲げる施設の用に供する固定資産については、外国が固定資産税に相当する税を当該外国において日本国の（三）に掲げる施設の用に供する固定資産に対して課する場合においては、この限りでない。（法348⑨）
（一）　大使館、公使館又は領事館
（二）　専ら大使館、公使館若しくは領事館の長又は大使館若しくは公使館の職員の居住の用に供する施設
（三）　専ら領事館の職員の居住の用に供する施設

10　高速道路株式会社等の事業用固定資産に対する非課税

①　高速道路株式会社の事業用固定資産等の特例
　　市町村は、平成18年度から令和７年度までの各年度分の固定資産税又は都市計画税に限り、東日本高速道路株式会社、首都高速道路株式会社、中日本高速道路株式会社、西日本高速道路株式会社、阪神高速道路株式会社若しくは本州四国連絡高速道路株式会社が、高速道路株式会社法第５条第１項第１号、第２号若しくは第４号に規定する事業（本州四国連絡高速道路株式会社にあっては、同項第１号、第２号、第４号又は第５号ロに規定する事業）の用に供する固定資産で政令で定めるもの又は独立行政法人日本高速道路保有・債務返済機構が、独立行政法人日本高速道路保有・債務返済機構法第12条第１項第１号若しくは第10号に規定する業務の用に供する固定資産で政令で定めるものに対しては、二又は第四章１の規定にかかわらず、固定資産税又は都市計画税を課することができない。（法附14①）

　　　　（政令で定める固定資産）
　　注　①に規定する各高速道路株式会社が高速道路株式会社法第５条第１項第１号、第２号若しくは第４号に規定する事業（本州四国連絡高速道路株式会社にあっては、同項第１号、第２号、第４号又は第５号ロに規定する事業）の用に供する固定資産で政令で定めるもの又は独立行政法人日本高速道路保有・債務返済機構が独立行政法人日本高速道路保有・債務返済機構法第12条第１項第１号若しくは第10号に規定する業務の用に供する固定資産で政令で定めるものは、これらの事業又は業務の用に供する固定資産のうち、道路法第２条第１項に規定する道路、同法第91条第２項に規定する道路予定区域の区域内の土地及び都市計画法第62条第１項の規定により告示された同法第60条第２項第１号に規定する事業地内の土地とする。（令附10の３①）

②　独立行政法人鉄道建設・運輸施設整備支援機構が都市鉄道利便増進事業により整備するトンネルの特例
　　市町村は、独立行政法人鉄道建設・運輸施設整備支援機構が都市計画法第５条の規定により指定された都市計画区域のうち（１）で定める市街地の区域又は成田国際空港及び新千歳空港の区域並びにその周辺の区域のうち航空法第40条の規定により告示された進入表面、転移表面若しくは水平表面の投影面の区域において都市鉄道等利便増進法第２条第６号に規定する都市鉄道利便増進事業により同法の施行の日から令和７年３月31日までの間に整備し、かつ、直接鉄道事業又は軌道経営の用に供するトンネルに対しては、二の規定にかかわらず、固定資産税を課することができない。（法附14②、令附10の３③④）

　　　　（市街地の区域）
（１）　②に規定する（１）で定める市街地の区域は、千葉市の区域、東京都の特別区の存する区域、川崎市の区域、横浜市の区域、名古屋市の区域、京都市の区域、大阪市の区域、神戸市の区域及び広島市の区域並びにこれらの区域の近郊の区域で（２）で定めるものとする。（令附10の３②）

　　　　（近郊の区域）
（２）　（１）に規定する（２）で定める区域は、つくば市の区域、つくばみらい市の区域、川口市の区域、さいたま市の区域、八潮市の区域、市川市の区域、松戸市の区域、流山市の区域、船橋市の区域、八千代市の区域、八王子市の区域、町田市の区域、多摩市の区域、藤沢市の区域、大和市の区域、奈良市の区域、生駒市の区域、東大阪市の区域、豊中市の区域、吹田市の区域、堺市の区域、川西市の区域及び三田市の区域（都市計画法第７条第２項の市街化区域に限る。）とする。（規附５の３）

11　非課税資産が課税資産になった場合の納税義務者への通知
　　市町村長は、当該年度の前年度分の固定資産税について２本文又は４から９までの規定の適用を受けた固定資産で当該年度において新たに固定資産税を課することとなるものがある場合においては、第五節三の４《固定資産の価格等の登録》の規定による固定資産の価格等の登録後遅滞なく、その旨を当該固定資産に対して課する固定資産税の納税義務者に通知するように努めなければならない。（法348⑩）

　　　　（留意事項）
　　注　市町村長は、当該年度の前年度分の固定資産税について非課税規定の適用を受けた固定資産で当該年度において新たに固定資産税を課することとなるものがある場合においては、固定資産の価格等の登録後遅滞なく、その旨を納税義務者に通知するように努めなければならないとしているのは、当該年度の前年度分の固定資産税について非課税規

定の適用を受けた固定資産については、これを通知することにより納税義務者の便宜を図る趣旨によるものであり、当該年度において当該固定資産が非課税規定の適用を受けなくなるものであることが一般の納税義務者にも一見して明らかである場合を除いては通知をすることが望ましいものであること。（市通3-18）

12　令和7年に開催される国際博覧会の用に供する家屋等を取得した場合の特例

市町村は、令和5年度から令和8年度までの各年度分の固定資産税又は都市計画税に限り、公益社団法人2025年日本国際博覧会協会（以下「博覧会協会」という。）が国際博覧会に関する条約の適用を受けて令和7年に開催される国際博覧会（以下12において「博覧会」という。）の会場内において博覧会の用に供する家屋及び償却資産若しくは三の2の⑤に規定する埋立地等又は博覧会の会場の周辺における交通を確保するために設置する家屋及び償却資産に対しては、二、三の2の⑤又は第四章の1の規定にかかわらず、固定資産税又は都市計画税を課することができない。（法附14の2①）

（博覧会の用に供する家屋及び償却資産の課税の特例）
（1）　市町村は、令和6年度から令和8年度までの各年度分の固定資産税又は都市計画税に限り、博覧会協会との間に博覧会への出展参加契約を締結した者（博覧会に参加する外国政府、外国の地方公共団体及び国際機関を除く。）が博覧会の会場内において博覧会の用に供する家屋及び償却資産で（2）で定めるものに対しては、二の1又は第四章の1の規定にかかわらず、固定資産税又は都市計画税を課することができない。（法附14の2②）

（政令で定める家屋及び償却資産）
（2）　（1）に規定する（2）で定める家屋及び償却資産は、2025年日本国際博覧会に関する特権及び免除に関する日本国政府と博覧会国際事務局との間の協定第1条（j）に規定する博覧会に関連する非商業的活動の用に供する家屋及び償却資産のうち（1）に規定する者が所有するものとする。（令附10の4）

（博覧会協会に無償で貸し付ける固定資産の特例）
（3）　市町村は、令和6年度から令和8年度までの各年度分の固定資産税又は都市計画税に限り、博覧会協会との間に固定資産を博覧会協会に無償で貸し付けることを内容とする契約を締結した者が、当該契約に基づき博覧会協会に無償で貸し付ける固定資産（博覧会の用に供されるものであって、博覧会協会に無償で貸し付けていることにつき（4）で定めるところにより証明がされたものに限る。）に対しては、二の1又は第四章の1の規定にかかわらず、固定資産税又は都市計画税を課することができない。（法附14の2③）

（総務省令で定めるところにより証明がされた固定資産）
（4）　（3）に規定する博覧会協会に無償で貸し付けていることにつき（4）で定めるところにより証明がされた固定資産は、（3）に規定する契約の契約書の写しを市町村長に提出することにより証明がされた固定資産とする。（規附5の4）

五　雑　則

1　徴税吏員等の調査に係る質問検査権

市町村の徴税吏員、固定資産評価員又は固定資産評価補助員は、固定資産税の賦課徴収に関する調査のために必要がある場合には、次の各号に掲げる者に質問し、又は（一）若しくは（二）、（三）に掲げる者の事業に関する帳簿書類（その作成又は保存に代えて電磁的記録（電子的方式、磁気的方式その他の人の知覚によっては認識することができない方式で作られる記録であって、電子計算機による情報処理の用に供されるものをいう。）の作成又は保存がされている場合における当該電磁的記録を含む。2の表の（一）及び（二）において同じ。）その他の物件を検査し、若しくは当該物件（その写しを含む。）の提示若しくは提出を求めることができる。（法353①）

（一）	納税義務者又は納税義務があると認められる者
（二）	（一）に掲げる者に金銭又は物品を給付する義務があると認められる者
（三）	（一）に掲げる者にその者の所有に係る家屋を引き渡したと認められる者
（四）	（一）、（二）、（三）に掲げる者以外の者で当該固定資産税の賦課徴収に関し直接関係があると認められる者

(分割承継法人及び分割法人に対する質問検査権)
（１）　１の（一）に掲げる者を分割法人（分割によりその有する資産及び負債の移転を行った法人をいう。以下（１）において同じ。）とする分割に係る分割承継法人（分割により分割法人から資産及び負債の移転を受けた法人をいう。以下（１）において同じ。）及び同（一）に掲げる者を分割承継法人とする分割に係る分割法人は、同（二）に規定する金銭又は物品を給付する義務があると認められる者に含まれるものとする。（法353②）

  (身分証明証の提示)
（２）　１の場合には、当該徴税吏員、固定資産評価員又は固定資産評価補助員は、その身分を証明する証票を携帯し、関係人の請求があったときは、これを提示しなければならない。（法353③）

  (提出物件の留置き)
（３）　市町村の徴税吏員、固定資産評価員又は固定資産評価補助員は、（４）で定めるところにより、１の規定により提出を受けた物件を留め置くことができる。（法353④）

  (提出物件に関する書面の交付)
（４）　市町村の徴税吏員、固定資産評価員又は固定資産評価補助員は、（３）の規定により物件を留め置く場合には、当該物件の名称又は種類及びその数量、当該物件の提出年月日並びに当該物件を提出した者の氏名及び住所又は居所その他当該物件の留置きに関し必要な事項を記載した書面を作成し、当該物件を提出した者にこれを交付しなければならない。（令52の13の2①）

  (提出物件の返還)
（５）　市町村の徴税吏員、固定資産評価員又は固定資産評価補助員は、（３）の規定により留め置いた物件につき留め置く必要がなくなったときは、遅滞なく、これを返還しなければならない。（令52の13の2②）

  (提出物件の管理義務)
（６）　市町村の徴税吏員、固定資産評価員又は固定資産評価補助員は、（５）に規定する物件を善良な管理者の注意をもって管理しなければならない。（令52の13の2③）

  (国税徴収法の例による滞納処分についての不適用)
（７）　固定資産税に係る滞納処分に関する調査については、１の規定にかかわらず、国税徴収法に規定する滞納処分の例による。（法353⑤、373⑦）

  (質問検査権の解釈)
（８）　１又は（３）の規定による市町村の徴税吏員、固定資産評価員又は固定資産評価補助員の権限は、犯罪捜査のために認められたものと解釈してはならない。（法353⑥）

2　検査拒否等に関する罪

次の各号のいずれかに該当する場合には、その違反行為をした者は、１年以下の懲役又は50万円以下の罰金に処する。（法354①）

(一)	１の規定による帳簿書類その他の物件の検査を拒み、妨げ、又は忌避したとき。
(二)	１の規定による物件の提示又は提出の要求に対し、正当な理由がなくこれに応ぜず、又は偽りの記載若しくは記録をした帳簿書類その他の物件（その写しを含む。）を提示し、若しくは提出したとき。
(三)	１の規定による徴税吏員、固定資産評価員又は固定資産評価補助員の質問に対し答弁をしないとき、又は虚偽の答弁をしたとき。

  (両罰規定)
　注　法人の代表者又は法人若しくは人の代理人、使用人その他の従業者がその法人又は人の業務又は財産に関して２の違反行為をした場合には、その行為者を罰するほか、その法人又は人に対し、２の罰金刑を科する。（法354②）

3　所得税又は法人税に関する書類の閲覧等

　市町村長が固定資産税の賦課徴収について、政府に対し、固定資産税の納税義務者で所得税若しくは法人税の納税義務があるものが政府に提出した申告書若しくは修正申告書又は政府が当該納税義務者の所得税若しくは法人税に係る課税標準若しくは税額についてした更正若しくは決定に関する書類を閲覧し、又は記録することを請求した場合には、政府は、関係書類を市町村長又はその指定する職員に閲覧させ、又は記録させるものとする。この場合において、政府が行政手続等における情報通信の技術の利用に関する法律第4条第1項の規定により同項に規定する電子情報処理組織を使用して当該関係書類を閲覧させ、又は記録させるときは、情報通信の技術の利用における安全性及び信頼性を確保するために必要な基準として注で定める基準に従って行うものとする。（法354の2）

4　納税管理人

　固定資産税の納税義務者は、納税義務を負う市町村内に住所、居所、事務所又は事業所（以下4において「住所等」という。）を有しない場合においては、納税に関する一切の事項を処理させるため、当該市町村の条例で定める地域内に住所等を有する者のうちから納税管理人を定めてこれを市町村長に申告し、又は当該地域外に住所等を有する者のうち当該事項の処理につき便宜を有するものを納税管理人として定めることについて市町村長に申請してその承認を受けなければならない。納税管理人を変更し、又は変更しようとする場合においても、また、同様とする。（法355①）

　　　（納税管理人を定めることを要しない場合）
　　注　4の規定にかかわらず、当該納税義務者は、当該納税義務者に係る固定資産税の徴収の確保に支障がないことについて市町村長に申請してその認定を受けたときは、納税管理人を定めることを要しない。（法355②）

5　納税管理人に係る虚偽の申告等に関する罪

　4の規定により申告すべき納税管理人について虚偽の申告をし、又は偽りその他不正の手段により4の承認若しくは同注の認定を受けたときは、その違反行為をした者は、30万円以下の罰金に処する。（法356①）

　　　（両罰規定）
　　注　法人の代表者又は法人若しくは人の代理人、使用人その他の従業者がその法人又は人の業務又は財産に関して5の違反行為をした場合には、その行為者を罰するほか、その法人又は人に対し、5の刑を科する。（法356②）

6　納税管理人に係る不申告に関する過料

　市町村は、4の注の認定を受けていない固定資産税の納税義務者で4の承認を受けていないものが4の規定によって申告すべき納税管理人について正当な事由がなくて申告をしなかった場合においては、その者に対し、当該市町村の条例で10万円以下の過料を科する旨の規定を設けることができる。（法357）

7　脱税に関する罪

　偽りその他不正の行為により固定資産税の全部又は一部を免れたときは、その違反行為をした者は、5年以下の懲役若しくは100万円以下の罰金に処し、又はこれを併科する。（法358①）

　　　（脱税額が100万円を超える場合の罰金額の加重）
（1）　7の免れた税額が100万円を超える場合には、情状により、7の罰金の額は、7の規定にかかわらず、100万円を超える額でその免れた税額に相当する額以下の額とすることができる。（法358②）

　　　（不申告に関する罪）
（2）　7に規定するもののほか、第四節五の1《償却資産に係る申告》、同2《住宅用地の所有者に係る申告》又は第五節二の⑥《道府県知事又は総務大臣によって評価される固定資産の評価》の規定により申告すべき事項について申告をしないことにより、固定資産税の全部又は一部を免れたときは、その違反行為をした者は、3年以下の懲役若しくは50万円以下の罰金に処し、又はこれを併科する。（法358③）

　　　（脱税額が50万円を超える場合の罰金額の加重）
（3）　（2）の免れた税額が50万円を超える場合には、情状により、（2）の罰金の額は、（2）の規定にかかわらず、50万円を超える額でその免れた税額に相当する額以下の額とすることができる。（法358④）

(両罰規定)
（４） 法人の代表者又は法人若しくは人の代理人、使用人その他の従業者がその法人又は人の業務又は財産に関して７又は（２）の違反行為をした場合には、その行為者を罰するほか、その法人又は人に対し、当該各項の罰金刑を科する。(法358⑤)

(罰金刑を科する場合の時効の期間)
（５） （４）の規定により７の違反行為につき法人又は人に罰金刑を科する場合における時効の期間は、７の罪についての時効の期間による。(法358⑥)

8 行政手続等における情報通信の技術の利用に関する法律の適用除外

法第380条第１項の規定による備付け、第381条第８項の規定による作成、第382条の２第１項の規定による閲覧、第387条第１項の規定による備付け、同条第３項の規定による閲覧〔第四節　固定資産課税台帳〕、第415条第１項の規定による作成、第416条第１項の規定による縦覧、第419条第４項の規定による作成及び同条第６項の規定による縦覧〔第五節　固定資産の評価及び価格の決定〕については、行政手続等における情報通信の技術の利用に関する法律第４条、第５条及び第６条の規定は、適用しない。(法358の２)

第二節　課税標準、税率及び免税点

一　課税標準

1　土地又は家屋の課税標準

① 基準年度の土地又は家屋の課税標準

基準年度に係る賦課期日に所在する土地又は家屋（以下「**基準年度の土地又は家屋**」という。）に対して課する固定資産税の課税標準は、次の各号に定めるところによる。

(一)	基準年度の土地又は家屋に対して課する基準年度の固定資産税の課税標準	基準年度の土地又は家屋に対して課する基準年度の固定資産税の課税標準は、当該土地又は家屋の基準年度に係る賦課期日における価格（以下「**基準年度の価格**」という。）で土地課税台帳若しくは土地補充課税台帳（以下「**土地課税台帳等**」という。）又は家屋課税台帳若しくは家屋補充課税台帳（以下「**家屋課税台帳等**」という。）に登録されたものとする。(法349①)
(二)	基準年度の土地又は家屋に対して課する第二年度の固定資産税の課税標準	基準年度の土地又は家屋に対して課する第二年度の固定資産税の課税標準は、当該土地又は家屋に係る基準年度の固定資産税の課税標準の基礎となった価格で土地課税台帳等又は家屋課税台帳等に登録されたものとする。ただし、基準年度の土地又は家屋について第二年度の固定資産税の賦課期日において次の各号に掲げる事情があるため、基準年度の固定資産税の課税標準の基礎となった価格によることが不適当であるか又は当該市町村を通じて固定資産税の課税上著しく均衡を失すると市町村長が認める場合においては、当該土地又は家屋に対して課する第二年度の固定資産税の課税標準は、当該土地又は家屋に類似する土地又は家屋の基準年度の価格に比準する価格で土地課税台帳等又は家屋課税台帳等に登録されたものとする。(法349②) イ　地目の変換、家屋の改築又は損壊その他これらに類する特別の事情 ロ　市町村の廃置分合又は境界変更
(三)	基準年度の土地又は家屋に対して課する第三年度の固定資産税の課税標準	基準年度の土地又は家屋に対して課する第三年度の固定資産税の課税標準は、当該土地又は家屋に係る基準年度の固定資産税の課税標準の基礎となった価格（第二年度において(二)ただし書に掲げる事情があったため、(二)ただし書の規定によって当該土地又は家屋に対して課する第二年度の固定資産税の課税標準とされた価格がある場合においては、当該価格とする。以下同じ。）で土地課税台帳等又は家屋課税台帳等に登録されたものとする。ただし、基準年度の土地又は家屋について第三年度の固定資産税の賦課期日において(二)のイ又はロに掲げる事情があるため、基準年度の固定資産税の課税標準の基礎となった価格によることが不適当であるか

		又は当該市町村を通じて固定資産税の課税上著しく均衡を失すると市町村長が認める場合においては、当該土地又は家屋に対して課する第三年度の固定資産税の課税標準は、当該土地又は家屋に類似する土地又は家屋の基準年度の価格に比準する価格で土地課税台帳等又は家屋課税台帳等に登録されたものとする。（法349③）

② 第二年度の土地又は家屋の課税標準

　第二年度において新たに固定資産税を課することとなる土地又は家屋（以下「**第二年度の土地又は家屋**」という。）に対して課する第二年度及び第三年度の固定資産税の課税標準は、次の各号に定めるところによる。

（一）	第二年度の土地又は家屋に対して課する第二年度の固定資産税の課税標準	第二年度の土地又は家屋に対して課する第二年度の固定資産税の課税標準は、当該土地又は家屋に類似する土地又は家屋の基準年度の価格に比準する価格で土地課税台帳等又は家屋課税台帳等に登録されたものとする。（法349④）
（二）	第二年度の土地又は家屋に対して課する第三年度の固定資産税の課税標準	第二年度の土地又は家屋に対して課する第三年度の固定資産税の課税標準は、当該土地又は家屋に係る第二年度の固定資産税の課税標準の基礎となった価格で土地課税台帳等又は家屋課税台帳等に登録されたものとする。ただし、第二年度の土地又は家屋について、第三年度の固定資産税の賦課期日において①の表の（二）のイ又はロに掲げる事情があるため、第二年度の固定資産税の課税標準の基礎となった価格によることが不適当であるか又は当該市町村を通じて固定資産税の課税上著しく均衡を失すると市町村長が認める場合においては、当該土地又は家屋に対して課する第三年度の固定資産税の課税標準は、当該土地又は家屋に類似する土地又は家屋の基準年度の価格に比準する価格で土地課税台帳等又は家屋課税台帳等に登録されたものとする。（法349⑤）

③ 第三年度の土地又は家屋の課税標準

　第三年度において新たに固定資産税を課することとなる土地又は家屋（以下「**第三年度の土地又は家屋**」という。）に対して課する第三年度の固定資産税の課税標準は、当該土地又は家屋に類似する土地又は家屋の基準年度の価格に比準する価格で土地課税台帳等又は家屋課税台帳等に登録されたものとする。（法349⑥）

2　償却資産の課税標準

　償却資産に対して課する固定資産税の課税標準は、賦課期日における当該償却資産の価格で償却資産課税台帳に登録されたものとする。（法349の2）

3　用途による課税標準の特例

イ　本則に定める特例

①　新営業鉄軌道路線開業のための線路設備、電路設備等

　鉄道事業法第7条第1項に規定する鉄道事業者若しくは軌道法第4条に規定する軌道経営者又は独立行政法人鉄道建設・運輸施設整備支援機構が新たな営業路線の開業のために敷設した鉄道（鉄道事業法第2条第6項に規定する専用鉄道を除く。以下①において同じ。）又は軌道に係る線路設備、電路設備その他の（1）で定める構築物（営業路線の線路の増設をするために敷設した鉄道又は軌道に係る線路設備、電路設備その他の（2）で定める構築物を含む。）に対して課する固定資産税の課税標準は、2の規定にかかわらず、当該構築物に対して新たに固定資産税が課されることとなった年度から5年度分の固定資産税については当該構築物の価格（償却資産課税台帳に登録された賦課期日における価格をいう。以下3のイにおいて同じ。）の3分の1の額とし、その後5年度分の固定資産税については当該構築物の価格の3分の2の額とする。ただし、当該構築物のうち、鉄道又は軌道と道路とを立体交差させるために新たに建設された立体交差化施設に係る線路設備で（3）で定めるものに対して課する固定資産税の課税標準は、当該線路設備の価格の3分の1（当該線路設備に対して新たに固定資産税が課されることとなった年度から5年度分の固定資産税については、当該線路設備の価格の6分の1）の額とする。（法349の3①）

　　　　　　（新たな営業路線の開業のための路線設備、電路設備その他の構築物）
（1）　①に規定する新たな営業路線の開業のために敷設した鉄道又は軌道に係る線路設備、電路設備その他の構築物は、線路設備、電路設備、停車場設備及び車庫構築物とする。（令52①）

　　　　　　（営業路線の増設のための線路設備、電路設備その他の構築物）
（2）　①に規定する営業路線の線路の増設をするために敷設した鉄道又は軌道に係る線路設備、電路設備その他の構築物は、線路設備、電路設備及び停車場設備とする。（令52②）

　　　　　　（立体交差化施設に係る線路設備）
（3）　①のただし書に規定する線路設備は、橋りょう、高架橋及び土工（線路築堤及び土留めに限る。）とする。（規10の14）

② **ガス事業用償却資産**
　ガス事業法第2条第6項の一般ガス導管事業者（同法第54条の2に規定する特別一般ガス導管事業者を除く。以下②において同じ。）が新設した同条第5項の一般ガス導管事業の用に供する償却資産（同条第6項の一般ガス導管事業者を構成員とする中小企業等協同組合その他の（1）で定める法人が新設した当該一般ガス導管事業者に対してガスを供給する事業の用に供するものを含む。）のうち（3）が定めるものに対して課する固定資産税の課税標準は、2の規定にかかわらず、当該償却資産に対して新たに固定資産税が課されることとなった年度から5年度分の固定資産税については当該償却資産の価格の3分の1の額とし、その後5年度分の固定資産税については当該償却資産の価格の3分の2の額とする。（法349の3②）
　（注）　②中＿＿＿部分を加え、＿＿＿部分「同条第5項」を「同法第2条第5項」に改める令和4年度改正規定は、令和4年4月1日以後適用し、令和7年3月31日までの間に改正前の②に規定する一般ガス導管事業者のうちガス事業法第54条の2に規定する特別一般ガス導管事業者が新設した改正前の②に規定する償却資産に対して課する固定資産税については、改正前の②の規定は、なおその効力を有する。この場合において、令和4年4月1日から令和7年3月31日までの間に新設された改正前の②に規定する償却資産に対する改正前の②の規定の適用については、改正前の②中「3分の1」とあるのは「3分の2」と、「3分の2」とあるのは「6分の5」とする。（令4改法附1、13②）

　　　　　　（一般ガス導管事業者を構成員とする法人）
（1）　②に規定する法人は、ガス事業法第2条第6項の一般ガス導管事業者（同法第54条の2に規定する特別一般ガス導管事業者を除く。以下（1）において同じ。）を構成員とする事業協同組合及び当該一般ガス導管事業者の出資に係る法人（総務省令で定める要件に該当するものに限る。）で、専ら当該一般ガス導管事業者に対してガスを供給することを目的として設立されたものとする。（令52の2①）

　　　　　　（総務省令で定める要件）
（2）　（1）に規定する総務省令で定める要件は、株式会社であって、当該株式会社に出資した（1）に規定する一般ガス導管事業者がその発行済株式の総数の2分の1以上に相当する株式を所有していることとする。（規10の16）

　　　　　　（政令で定める償却資産）
（3）　②に規定する（3）で定める償却資産は、原料処理設備、ガス発生設備及び附属設備の用に供する構築物並びに機械及び装置並びにガスホルダー、圧送機、整圧器、熱量調整装置及び導管（供給管及び屋内管を除く。）であって、ガス事業法第2条第2項に規定するガス小売事業、同条第7項に規定する特定ガス導管事業又は同条第9項に規定するガス製造事業の用にのみ供するもの以外のものとする。（令52の2②）

③ **農業協同組合等の共同利用機械装置**
　農業協同組合、中小企業等協同組合（事業協同小組合及び企業組合を除く。）その他の（1）で定める法人が国の補助金又は交付金で（2）で定めるものの交付を受けて取得した農林漁業者又は中小企業者の共同利用に供する機械及び装置で（2）で定めるもの（③の規定の適用を受けるものを除く。）に対して課する固定資産税の課税標準は、2の規定にかかわらず、当該機械及び装置に対して新たに固定資産税が課されることとなった年度から3年度分の固定資産税に限り、当該機械及び装置の価格の2分の1の額とする。（法349の3③）

(農業協同組合等の範囲)
(1) ③に規定する法人は、次に掲げる法人とする。(令52の2の2①)
　(一)　農業協同組合連合会又は農事組合法人(農業協同組合法第72条の8第1項第1号に規定する事業を行う農事組合法人に限る。)
　(二)　漁業協同組合又は漁業協同組合連合会
　(三)　水産加工業協同組合又は水産加工業協同組合連合会
　(四)　森林組合又は森林組合連合会
　(五)　協業組合又は出資組合である商工組合

(政令で定める国の補助金又は交付金)
(2) ③に規定する国の補助金又は交付金で(2)で定めるものは、500万円以上の国の補助金又は交付金とする。(令52の2の2②)

(共同利用に供する機械及び装置)
(3) ③に規定する農林漁業者又は中小企業者の共同利用に供する機械及び装置は、農林漁業者又は中小企業者の共同利用に供する機械及び装置(農林漁業者の共同利用に供する農山漁村における環境の整備のために必要な機械及び装置で(4)で定めるものを除く。)のうち、一台又は一基(通常一組又は一式をもって取引の単位とされるものにあっては、一組又は一式)の取得価額((5)で定めるところにより計算した取得価額をいう。)が330万円以上のものとする。(令52の2の2③)

(総務省令で定める機械及び装置)
(4) (3)に規定する(4)で定める機械及び装置は、集会施設、研修施設、託児施設、生活改善センター、農作業管理休養施設、農業者等健康増進施設、地域休養施設又は生活安全保護施設において農林漁業者の共同利用に供する機械及び装置とする。(規11①)

(総務省令で定めるところにより計算した取得価額)
(5) (3)に規定する(5)で定めるところにより計算した取得価額は次の各号に掲げる機械及び装置の区分に応じ、当該各号に定める金額とする。(規11②)
　(一)　購入した機械及び装置　　次に掲げる金額の合計額
　　イ　当該機械及び装置の購入の代価(引取運賃、荷役費、運送保険料、購入手数料、関税その他当該機械及び装置の購入のために要した費用がある場合には、その費用の額を加算した金額)
　　ロ　当該機械及び装置を事業の用に供するために直接要した費用の額
　(二)　購入以外の方法により取得した機械及び装置　　次に掲げる金額の合計額
　　イ　その取得の時における当該機械及び装置の取得のために通常要する価額
　　ロ　当該機械及び装置を事業の用に供するために直接要した費用の額

④　**外航船舶及び準外航船舶**
　主として遠洋区域を航行区域とする船舶として(1)で定めるもの(以下④及び⑤において「**外航船舶**」という。)又は外航船舶以外の船舶のうち主として遠洋区域を航行区域とする船舶で外航船舶に準ずるものとして(2)で定めるもの(以下④及び⑤において「**準外航船舶**」という。)に対して課する固定資産税の課税標準は、2の規定にかかわらず、外航船舶にあっては当該外航船舶の価格の6分の1の額とし、準外航船舶にあっては当該準外航船舶の価格の4分の1の額とする。(法349の3④)

(外航船舶)
(1) ④に規定する主として遠洋区域を航行区域とする船舶は、次に掲げる船舶とする。(規11の2①)
　(一)　次に掲げる船舶(以下(一)において「総トン数500トン以上の船舶等」という。)であって、当該年度の初日の属する年の前年(以下(1)において「前年」という。)中の外航就航日数の全就航日数に対する割合(以下(1)において「外航就航率」という。)が2分の1を超えるもの
　　イ　総トン数(船舶のトン数の測度に関する法律第5条第1項に規定する総トン数をいう。以下(1)において同じ。)500トン以上の船舶

ロ　漁業法第36条第1項の規定による許可に係る船舶（(2)において「許可に係る船舶」という。）又は漁業の許可及び取締り等に関する省令第40条の規定による届出をして漁獲物を輸送する船舶（(四)及び(2)において「運搬船」という。）であって総トン数90トン以上500トン未満のもの
　　ハ　海上運送法第19条の4第2項又は第20条第1項の規定による届出をして旅客を輸送する船舶であって総トン数100トン以上500トン未満のもの
　(二)　前年中の外航就航率が零を超え、2分の1以下である総トン数500トン以上の船舶等であって、次に掲げる要件のいずれかに該当するもの
　　イ　前年前4年から前々年までのいずれかの年において外航就航率が2分の1を超えていること。
　　ロ　前年中にとん税法第2条第1項の外国貿易船として特別とん譲与税法第1条第1項に規定する開港に入港した回数が3以上であること。
　(三)　前年中の外航就航率が零である総トン数500トン以上の船舶等であって、前年前4年から前々年までのいずれかの年において外航就航率が2分の1を超え、かつ、外航就航実績のあった年が、前年前4年以前に建造されたものについては前年前4年から前々年までに3年以上、前年前3年中及び前年前2年中に建造されたものについては2年以上あるもの
　(四)　前年中に建造された総トン数500トン以上の船舶等であって、次に掲げるもの
　　イ　総トン数500トン以上の船舶であって、総務大臣が当該船舶の構造、資格等からみて主として遠洋区域を航行区域とすると認めるもの
　　ロ　総トン数90トン以上500トン未満の船舶であって、主として漁業法第36条第1項の規定による許可を受けて行う漁業に従事すると認められるもの
　　ハ　総トン数90トン以上500未満の運搬船
　　ニ　総トン数100トン以上500トン未満の船舶であって、主として海上運送法第19条の4第2項又は第20条第1項の規定による届出をして旅客を輸送していると認められるもの

　　（外航船舶に準ずる船舶）
（2）　④に規定する外航船舶に準ずる船舶は、許可に係る船舶、運搬船並びに指定漁業の許可及び取締り等に関する省令第33条の規定による届出をして使用する火船及び魚探船で、総トン数45トン以上90トン未満のものとする。（規11の2②）

⑤　内航船舶
　　外航船舶及び準外航船舶〔④参照〕以外の船舶（専ら遊覧の用に供するものその他の注で定めるものを除く。）に対して課する固定資産税の課税標準は、2の規定にかかわらず、当該船舶の価格の2分の1の額とする。（法349の3⑤）

　　（対象から除かれる船舶）
　注　⑤に規定する船舶は、次に掲げるものとする。（規11の3）
　　(一)　専ら遊覧の用に供する船舶
　　(二)　快遊船
　　(三)　遊漁船
　　(四)　モーターボート競走法の規定によるモーターボート競走の用に供するモーターボート

⑥　離島航路に就航する船舶
　　⑤に規定する外航船舶及び準外航船舶以外の船舶のうち、離島航路整備法第2条第2項に規定する離島航路事業者が専ら同項に規定する離島航路事業の用に供するものに対して課する固定資産税の課税標準は、⑤の規定により課税標準とされる額に3分の1を乗じて得た額とする。（法349の3⑥）

⑦　国際路線に就航する航空機
　　国際路線に就航する航空機で航空法第100条の許可を受けた者が運航するもののうち(1)で定めるもの（以下⑦において「国際航空機」という。）に対して課する固定資産税の課税標準は、2の規定にかかわらず、当該航空機の価格の5分の1の額（国際航空機のうち、国際路線専用機として(2)で定めるものにあっては2分の1を、国際路線専用機に準ずるものとして(3)で定めるものにあっては3分の2を当該額に乗じて得た額）とする。（法349の3⑦）

　　　　（国際航空機）
（1）　⑦に規定する国際路線に就航する航空機は、当該年度の初日の属する年の前年中において国際路線に就航した時間の全就航時間に対する割合が100分の80以上である航空機とする。（規11の3の2①）

　　　　（国際路線専用機）
（2）　⑦に規定する国際路線専用機は、当該年度の初日の属する年の前年中において国際路線にのみ就航した航空機とする。（規11の3の2②）

　　　　（国際路線専用機に準ずるもの）
（3）　⑦に規定する国際路線専用機に準ずるものは、当該年度の初日の属する年の前年中において国際路線に就航した時間の全就航時間に対する割合が100分の95以上である航空機（（2）に規定するものを除く。）とする。（規11の3の2③）

⑧　**離島路線に就航する航空機**
　主として離島路線として（1）で定める路線に就航する航空機で（2）で定めるもののうち、航空法第100条の許可を受けた者が当該航空機に係る所有者（所有者とみなされる者を含む。）〚第一節三の1及び同2の⑤参照〛であり、かつ、当該許可を受けた者が運航するものに対して課する固定資産税の課税標準は、2の規定にかかわらず、当該航空機に対して課する固定資産税が課されることとなった年度から3年度分の固定資産税については当該航空機の価格の3分の1の額とし、その後3年度分の固定資産税については当該航空機の価格の3分の2の額とする。ただし、当該航空機のうち、特に地域的な航空運送の用に供する小型の航空機として（3）で定めるものに対して課する固定資産税の課税標準は、当該航空機の価格の4分の1の額とする。（法349の3⑧）

　　　　（離島路線の意義）
（1）　⑧に規定する路線は、離島振興法第2条第1項の規定により指定された離島振興対策実施地域にその全部若しくは一部が含まれる離島、奄美群島振興開発特別措置法第1条に規定する奄美群島又は沖縄振興特別措置法第3条第3号に規定する離島に所在する空港をその起点、寄航地又は終点とする路線とする。（規11の4①）

　　　　（航空機の規格）
（2）　⑧に規定する航空機は、その最大離陸重量が70トン未満のものとする。（規11の4②）

　　　　（特に地域的な航空運送の用に供する小型の航空機の規格）
（3）　⑧に規定する特に地域的な航空運送の用に供する小型の航空機は、その最大離陸重量が30トン未満の航空機とする。（規11の4③）

⑨　**日本放送協会の事業用固定資産**
　日本放送協会が直接その本来の事業の用に供する固定資産で注で定めるものに対して課する固定資産税の課税標準は、1及び2の規定にかかわらず、**当該固定資産に係る固定資産税の課税標準となるべき価格**（土地又は家屋にあっては、土地課税台帳等若しくは家屋課税台帳等に登録された基準年度に係る賦課期日における価格又は1の①の（二）ただし書、同（三）ただし書、1の②の（一）、同（二）ただし書若しくは1の③の規定により当該価格に比準するものとされる価格をいい、償却資産にあっては、償却資産課税台帳に登録された賦課期日における価格をいう。以下同じ。）の2分の1の額とする。この場合において、当該固定資産税に係る償却資産は、第一節一の（四）の規定にかかわらず、同（四）の償却資産で放送法第40条第1項の財産目録に登録されるべきものとする。（法349の3⑨）

　　　　（対象となる固定資産）
　注　⑨に規定する日本放送協会が直接その本来の事業の用に供する固定資産は、次に掲げる固定資産以外の固定資産とする。（令52の3）
　　（一）　宿舎（放送業務の現業部門に属する従業員で通常の勤務時間外においても当該業務に係る非常勤務に従事するものが居住するものとされている宿舎を除く。）の用に供する固定資産
　　（二）　職員の福利及び厚生の用に供する固定資産
　　（三）　前2号に掲げるもののほか、他の者に貸し付けている固定資産

(四) 遊休状態にある土地及び家屋（直接その本来の事業の用に供するものとして建設計画が確定しているものを除く。）

⑩ **国立研究開発法人日本原子力研究開発機構の業務用設備等**
　国立研究開発法人日本原子力研究開発機構が設置する国立研究開発法人日本原子力研究開発機構法第17条第1項第1号から第3号までに規定する業務の用に供する設備で注で定めるもの及び当該設備を収容する家屋に対して課する固定資産税の課税標準は、1及び2の規定にかかわらず、当該固定資産に対して新たに固定資産税が課されることとなった年度から5年度分の固定資産税については、当該固定資産に係る固定資産税の課税標準となるべき価格の3分の1の額とし、その後5年度分の固定資産税については、当該固定資産に係る固定資産税の課税標準となるべき価格の3分の2の額とする。（法349の3⑩）

　　（業務用設備）
　注　⑩に規定する国立研究開発法人日本原子力研究開発機構が設置する国立研究開発法人日本原子力研究開発機構法第17条第1項第1号から第3号までに規定する業務の用に供する設備は、これらの業務の用に供する設備のうち次に掲げるもの以外のものとする。（令52の3の2）
　（一）　原子力発電施設の用に供する設備
　（二）　発電用施設周辺地域整備法施行令第3条各号に規定する施設の用に供する設備

⑪ **登録有形文化財等の家屋・重要文化的景観等の家屋及びその敷地**
　文化財保護法第58条第1項に規定する登録有形文化財又は同法第90条第3項に規定する登録有形民俗文化財である家屋、同法第133条に規定する登録記念物である家屋及び当該家屋の敷地の用に供されている土地並びに同法第134条第1項に規定する重要文化的景観を形成している家屋で（1）で定めるもの及び当該家屋の敷地の用に供されている土地に対して課する固定資産税の課税標準は、1の規定にかかわらず、当該固定資産に係る固定資産税の課税標準となるべき価格の2分の1の額とする。（法349の3⑪）

　　（重要文化的景観を形成している家屋）
　（1）　⑪に規定する家屋は、文化財保護法第134条第1項に規定する重要文化的景観の形成に重要な家屋として文部科学大臣が定める家屋（総務省令で定めるものを除く。）とする。（令52の3の3）

　　（対象から除かれる家屋）
　（2）　（1）に規定する総務省令で定める家屋は、風俗営業等の規制及び業務の適正化等に関する法律第2条第1項又は第6項に規定する営業の用に供される家屋とする。（規11の5）

⑫ **新幹線鉄道の新営業路線開業のための構築物**
　全国新幹線鉄道整備法第2条に規定する新幹線鉄道の路線のうち、北海道新幹線、東北新幹線、北陸新幹線及び九州新幹線に係る新たな営業路線の開業のために敷設された鉄道（鉄道事業法第2条第6項に規定する専用鉄道を除く。以下⑫において同じ。）に係る線路設備、電路設備その他の注で定める構築物（営業路線の軌間の拡張又は線路の増設をするために敷設した鉄道に係る線路設備、電路設備その他の注で定める構築物を含む。）に対して課する固定資産税の課税標準は、2又は①の規定にかかわらず、当該構築物に対して新たに固定資産税が課されることとなった年度から5年度分の固定資産税については当該構築物の価格の6分の1の額とし、その後5年度分の固定資産税については当該構築物の価格の3分の1の額とする。（法349の3⑫）

　　（対象となる構築物）
　注　⑫に規定する線路設備、電路設備その他の構築物は、線路設備、電路設備、停車場設備、車庫構築物及び工場構築物とする。（令52の5）

⑬ **本州・北海道間又は本州・四国間を連絡する鉄道に係る償却資産**
　本州と北海道を連絡する鉄道に係る鉄道施設で（1）で定めるもの又は本州と四国を連絡する鉄道に係る鉄道施設で（4）で定めるものに係る償却資産に対して課する固定資産税の課税標準は、2の規定にかかわらず、当該償却資産の価格の6分の1の額（①又は㉔の規定の適用を受ける償却資産にあっては、これらの規定により課税標準とされる額の6分の1の

額）とする。（法349の3⑬）

　　　　（本州と北海道を連絡する鉄道に係る鉄道施設）
（1）　⑬に規定する本州と北海道を連絡する鉄道に係る鉄道施設は、独立行政法人鉄道建設・運輸施設整備支援機構が所有し、かつ、北海道旅客鉄道株式会社に貸し付けている線路設備その他の鉄道施設で（2）で定めるものとする。（令52の5の2①）

　　　　（総務省令で定める鉄道施設）
（2）　（1）に規定する鉄道施設で（2）で定めるものは、総務大臣が定める路線に係る鉄道施設のうち、次に掲げるものとする。（規11の6①）
　（一）　当該路線のうち全国新幹線鉄道整備法（昭和45年法律第71号）第2条に規定する新幹線鉄道（以下（2）において「新幹線鉄道」という。）の路線以外の路線に係る線路設備、電路設備、停車場、変電所、車庫、工場、倉庫、詰所又は本州と北海道を連絡するトンネルを維持管理するために必要な貯水槽若しくは排水ポンプ設備その他の機械装置（（二）の区間において新幹線鉄道の路線と共用するものを含む。）
　（二）　当該路線のうち新幹線鉄道の路線の（一）に規定する路線と共用する区間として総務大臣が定める区間の線路設備、電路設備又は停車場

　　　　（本州と四国を連絡する鉄道に係る鉄道施設）
（3）　⑬に規定する本州と四国を連絡する鉄道に係る鉄道施設は、独立行政法人日本高速道路保有・債務返済機構が所有し、かつ、旅客鉄道株式会社及び日本貨物鉄道株式会社に関する法律の一部を改正する法律（平成13年法律第61号）附則第2条第1項第1号に規定する西日本旅客鉄道株式会社（以下（3）において「西日本旅客鉄道株式会社」という。）又は同条第1項第2号に掲げる者（同法の施行の日〔平成13年12月1日〕の前日において西日本旅客鉄道株式会社が経営している鉄道事業の全部又は一部を譲受、合併若しくは分割又は相続により同法の施行の日以後経営する者に限る。）及び四国旅客鉄道株式会社に利用させている線路設備その他の鉄道施設で（4）で定めるものとする。（令52の5の2②）

　　　　（総務省令で定める鉄道施設）
（4）　（3）に規定する（4）で定める鉄道施設は、総務大臣が定める路線に係る線路設備、電路設備、停車場又は変電所とする。（規11の6②）

⑭　橋りょうの新設又は改良により敷設された線路設備等

　鉄道事業法第7条第1項に規定する鉄道事業者又は軌道法第4条に規定する軌道経営者が、河川その他公共の用に供される（1）で定める水域に係る事業で（2）で定めるものの施行により必要を生じた鉄道（鉄道事業法第2条第6項に規定する専用鉄道を除く。以下⑭において同じ。）又は軌道に係る橋りょうの新設若しくは改良又はトンネルの新設により敷設された線路設備又は電路設備（①本文の規定に該当するものを除く。以下⑭において「線路設備等」という。）を取得して事業の用に供する場合には、当該線路設備等に対して課する固定資産税の課税標準は、2の規定にかかわらず、当該線路設備等に対して新たに固定資産税が課されることとなった年度から5年度分の固定資産税については当該線路設備等の価格の3分の2（当該線路設備等のうち当該河川に係る事業の施行により必要を生じた鉄道又は軌道に係る橋りょうの新設若しくは改良又はトンネルの新設により敷設されたものにあっては、当該線路設備等の価格の6分の1）の額とし、その後5年度分の固定資産税については当該線路設備等の価格の6分の5（当該線路設備等のうち当該河川に係る事業の施行により必要を生じた鉄道又は軌道に係る橋りょうの新設若しくは改良又はトンネルの新設により敷設されたものにあっては、当該線路設備等の価格の3分の1）の額とする。（法349の3⑭）

　　　　（水　域）
（1）　⑭に規定する水域は、独立行政法人水資源機構法第12条第1項第1号イに規定する多目的用水路とする。（令52の6①）

　　　　（事　業）
（2）　⑭に規定する事業は、次に掲げる事業とする。（令52の6②）
　（一）　河川法第7条の河川管理者により同法第8条の河川工事として行われる事業

(二)　独立行政法人水資源機構により独立行政法人水資源機構法第2条第4項に規定する特定施設の新築又は改築に係る工事として行われる事業

⑮　**国立研究開発法人宇宙航空研究開発機構の業務用の家屋及び償却資産**

　国立研究開発法人宇宙航空研究開発機構が所有し、かつ、直接国立研究開発法人宇宙航空研究開発機構法第18条第3号又は第4号に規定する業務の用に供する家屋及び償却資産で注で定めるものに対して課する固定資産税の課税標準は、1及び2の規定にかかわらず、当該固定資産に対して新たに固定資産税が課されることとなった年度から5年度分の固定資産税については、当該固定資産に係る固定資産税の課税標準となるべき価格の3分の1の額とし、その後5年度分の固定資産税については、当該固定資産に係る固定資産税の課税標準となるべき価格の3分の2の額とする。（法349の3⑮）

　　（対象となる家屋及び償却資産）
　注　⑮に規定する国立研究開発法人宇宙航空研究開発機構が所有し、かつ、直接国立研究開発法人宇宙航空研究開発機構法第18条第3号又は第4号に規定する業務の用に供する家屋及び償却資産は、これらの業務の用に供する家屋及び償却資産のうち次に掲げるもの以外のものとする。（令52の8）
　(一)　事務所
　(二)　宿舎（業務上宿舎を使用すべき義務がある者が使用するものとされている宿舎を除く。）
　(三)　国その他これに準ずる者として総務大臣が定めるもの以外の者の委託を受けて行う業務の用に専ら供する家屋及び償却資産

⑯　**国立研究開発法人海洋研究開発機構の業務用の家屋及び償却資産**

　国立研究開発法人海洋研究開発機構が所有し、かつ、直接国立研究開発法人海洋研究開発機構法第17条第1号、第3号、第4号又は第6号に規定する業務の用に供する家屋及び償却資産で注で定めるものに対して課する固定資産税の課税標準は、1及び2の規定にかかわらず、当該固定資産に対して新たに固定資産税が課されることとなった年度から5年度分の固定資産税については、当該固定資産に係る固定資産税の課税標準となるべき価格の3分の1の額とし、その後5年度分の固定資産税については、当該固定資産に係る固定資産税の課税標準となるべき価格の3分の2の額とする。（法349の3⑯）

　　（対象となる家屋及び償却資産）
　注　⑯に規定する国立研究開発法人海洋研究開発機構が所有し、かつ、直接国立研究開発法人海洋研究開発機構法第17条第1項第1号、第3号、第4号又は第6号に規定する業務の用に供する家屋及び償却資産は、次に掲げるもの以外の家屋及び償却資産とする。（令52の9）
　(一)　事務所
　(二)　宿舎

⑰　**独立行政法人水資源機構のダム用の家屋及び償却資産の水道又は工業用水道用部分**

　独立行政法人水資源機構が所有するダム（ダムと一体となってその効用を全うする施設及び工作物を含む。）の用に供する家屋及び償却資産（第一節四の2《用途による非課税》の表の2に掲げる家屋並びに同表の45に掲げる償却資産を除く。）のうち水道又は工業用水道の用に供するものとして注で定める部分に対して課する固定資産税の課税標準は、1及び2の規定にかかわらず、当該固定資産に対して新たに固定資産税が課されることとなった年度から5年度分の固定資産税については、当該固定資産に係る固定資産税の課税標準となるべき価格の2分の1の額とし、その後5年度分の固定資産税については、当該固定資産に係る固定資産税の課税標準となるべき価格の4分の3の額とする。（法349の3⑰）

　　（対象となる家屋及び償却資産の部分）
　注　⑰に規定する水道又は工業用水道の用に供する部分は、独立行政法人水資源機構が所有するダムの用に供する家屋及び償却資産のうち、当該固定資産の価額に当該ダムの新築又は改築に要する費用の額につき当該ダムを水道又は工業用水道の用に供する者が負担する額の当該費用の額に対する割合を乗じて得た価額に相当する部分とする。（令52の10の2）

⑱　**旅客鉄道株式会社、旧日本国有鉄道清算事業団又は旧鉄道建設公団から無償譲渡を受けた鉄道事業用固定資産**

　日本国有鉄道改革法等施行法附則第23条第8項の規定により平成13年旅客会社法改正法〖第一節四の2の表の35参照〗

による改正前の旅客鉄道株式会社及び日本貨物鉄道株式会社に関する法律第１条第１項に規定する旅客会社から無償で日本国有鉄道改革法等施行法附則第23条第１項に規定する特定地方交通線に係る鉄道施設の譲渡を受けた者、日本国有鉄道清算事業団の債務等の処理に関する法律（以下⑱において「債務等処理法」という。）附則第９条の規定による廃止前の日本国有鉄道清算事業団法附則第13条第１項の規定により債務等処理法附則第２条の規定による解散前の日本国有鉄道清算事業団から無償で同項各号に掲げる鉄道施設の譲渡を受けた者又は独立行政法人鉄道建設・運輸施設整備支援機構法（以下⑱において「機構法」という。）附則第16条の規定による改正前の債務等処理法（以下⑱において「旧債務等処理法」という。）第24条第１項の規定により機構法附則第２条第１項の規定による解散前の日本鉄道建設公団から無償で旧債務等処理法第24条第１項各号に掲げる鉄道施設の譲渡を受けた者がこれらの鉄道施設の譲渡により取得した固定資産で注で定めるものを鉄道事業の用に供する場合には、当該固定資産に対して課する固定資産税の課税標準は、１及び２の規定にかかわらず、当該固定資産に係る固定資産税の課税標準となるべき価格の４分の１の額（①、⑯又は㉔の規定の適用を受ける償却資産にあっては、これらの規定により課税標準とされる額の４分の１の額）とする。（法349の３⑱）

　　　（対象となる固定資産）
　　注　⑱に規定する固定資産は、次に掲げる固定資産以外の固定資産とする。（令52の10の３）
　　（一）　宿舎の用に供する固定資産
　　（二）　職員の福利及び厚生の用に供する固定資産
　　（三）　他の者に貸し付けている固定資産
　　（四）　遊休状態にある土地及び家屋（鉄道事業の用に供するものとして建設計画が確定しているものを除く。）
　　（五）　観光その他旅客誘致のための施設の用に供する固定資産
　　（六）　私人のための専用側線の用に供する固定資産

⑲　国立研究開発法人新エネルギー・産業技術総合開発機構が業務用償却資産
　国立研究開発法人新エネルギー・産業技術総合開発機構が所有し、かつ、直接国立研究開発法人新エネルギー・産業技術総合開発機構法第15条第１号又は第２号に規定する業務の用に供する償却資産で注で定めるものに対して課する固定資産税の課税標準は、２の規定にかかわらず、当該償却資産に対して新たに固定資産税が課されることとなった年度から５年度分の固定資産税については、当該償却資産の価格の３分の１の額とし、その後５年度分の固定資産税については、当該償却資産の価格の３分の２の額とする。（法349の３⑲）

　　　（対象となる償却資産）
　　注　⑲に規定する償却資産は、次に掲げるものとする。（令52の10の４）
　　（一）　国立研究開発法人新エネルギー・産業技術総合開発機構法第15条第１号に規定する業務の用に供する償却資産のうち次に掲げるもの以外のものとする。
　　　イ　事務所の用に供する償却資産
　　　ロ　宿舎（業務上宿舎を使用すべき義務がある者が使用するものとされている宿舎を除く。（二）において同じ。）の用に供する償却資産
　　（二）　国立研究開発法人新エネルギー・産業技術総合開発機構法第15条第１項第２号に規定する業務の用に供する償却資産のうち次に掲げるもの以外のものであって、その実施に要する費用の全額について国から出資又は補助を受けて行われる研究開発（その企業化が困難な技術に関するものに限る。）の用に供する償却資産とする。
　　　イ　事務所の用に供する償却資産
　　　ロ　宿舎の用に供する償却資産

⑳　国立研究開発法人科学技術振興機構の業務用の家屋及び償却資産
　国立研究開発法人科学技術振興機構が所有し、かつ、直接国立研究開発法人科学技術振興機構法第18条第１号、第３号（同条第１号に係る部分に限る。）、第６号イ又は第８号に規定する業務の用に供する家屋及び償却資産で(1)で定めるものに対して課する固定資産税の課税標準は、１及び２の規定にかかわらず、当該固定資産に対して新たに固定資産税が課されることとなった年度から５年度分の固定資産税に限り、当該固定資産に係る固定資産税の課税標準となるべき価格の２分の１の額とする。（法349の３⑳）

　　　（対象となる家屋及び償却資産）
　（1）　⑳に規定する家屋及び償却資産は、次に掲げるものとする。（令52の10の５）

(一) 国立研究開発法人科学技術振興機構法第18条第1号又は第3号（同条第1号に係る部分に限る。）に規定する業務の用に供する償却資産のうち事務所又は宿舎の用に供する償却資産以外のもの
(二) 国立研究開発法人科学技術振興機構法第18条第6号イに規定する業務の用に供する家屋で次に掲げるもの
　イ　国立研究開発法人科学技術振興機構法第18条第6号イに規定する外国の研究者のための宿舎の用に供する家屋のうち総務省令で定めるもの以外のもの
　ロ　会議場施設の用に供する家屋（当該会議場施設に含まれる部分に限るものとし、当該会議場施設の用に供する事務所、宿舎その他その利用について対価又は負担として支払うべき金額の定めのあるもので総務省令で定めるものを除く。）
(三) 国立研究開発法人科学技術振興機構法第18条第8号に規定する業務の用に供する家屋及び償却資産のうち事務所、宿舎その他その利用について対価又は負担として支払うべき金額の定めのあるもので総務省令で定めるものの用に供する家屋及び償却資産以外のもの

　　　（総務省令で定める施設）
（2）　（1）の（二）のロ及び（三）に規定する金額の定めのあるもので総務省令で定めるものは、宿泊施設、駐車施設、遊技施設、飲食店、喫茶店及び物品販売施設とする。（規11の9）

㉑　**国立研究開発法人農業・食品産業技術総合研究機構の業務用固定資産**
　国立研究開発法人農業・食品産業技術総合研究機構が所有し、かつ、直接機構法第14条第1項第1号に規定する業務（旧農業機械化促進法第16条第1項第1号に規定する業務に該当するものに限る。）の用に供する土地（第一節四の2の表の36に掲げる土地を除く。）で注で定めるものに対して課する固定資産税の課税標準は、1及び2の規定にかかわらず、当該土地に係る固定資産税の課税標準となるべき価格の3分の1（当該土地のうちほ場の用に供するものにあっては、当該土地に係る固定資産税の課税標準となるべき価格の6分の1）の額とする。（法349の3㉑）

　　　（対象となる土地）
注　㉑に規定する国立研究開発法人農業・食品産業技術総合研究機構が所有し、かつ、直接機構法第14条第1項第1号に規定する業務（旧農業機械化促進法第16条第1項第1号に規定する業務に該当するものに限る。）の用に供する土地で注で定めるものは、当該業務の用に供する土地のうち次に掲げるもの以外のものとする。（令52の10の6）
　（一）　事務所の用に供する土地
　（二）　宿舎の用に供する土地

㉒　**新関西国際空港株式会社の業務用固定資産**
　新関西国際空港株式会社が所有し、又は関西国際空港及び大阪国際空港の一体的かつ効率的な設置及び管理に関する法律第12条第1項第2号の規定に基づき借り受ける固定資産のうち、直接その本来の事業の用に供する固定資産で（1）で定めるものに対して課する固定資産税の課税標準は、1及び2の規定にかかわらず、当該固定資産に係る固定資産税の課税標準となるべき価格の2分の1の額とする。（法349の3㉒）

　　　（対象となる固定資産）
（1）　㉒に規定する新関西国際空港株式会社が所有し、又は関空等統合法第12条第1項第2号の規定に基づき借り受ける固定資産のうち、直接その本来の事業の用に供する固定資産は、次に掲げる固定資産とする。（令52の10の7）
　（一）　滑走路、着陸帯、誘導路又はエプロンの用に供する土地及び構築物並びにこれらの土地によって囲まれる土地
　（二）　排水施設、照明施設、護岸その他の（一）の施設の機能を補完する施設として（2）で定めるものの用に供する固定資産（関空等統合法附則第19条の規定による廃止前の関西国際空港株式会社法第7条第1項に規定する特定事業が行われる区域として同項の規定により告示された区域及び大阪国際空港の区域内にあるものに限る。）
　（三）　両空港航空保安施設の用に供する固定資産
　（四）　関空等統合法第9条第1項第4号イに掲げる事業により造成及び管理する緩衝地帯の用に供する土地であって、他の者に貸し付ける土地以外のもの

　　　（総務省令で定める施設）
（2）　（1）の（二）に規定する総務省令で定める施設は、ショルダー、ランプ車両通行帯、場周道路、保安道路及び航空貨物、航空機燃料、航空機装備品又は航空機部品の輸送の用に供する道路並びに（1）の（一）の施設に隣接する緑地帯

とする。(規11の10)

㉓ **信用協同組合等の事務所及び倉庫**

信用協同組合及び信用協同組合連合会〔第一節四の4の表の(一)参照〕、労働金庫及び労働金庫連合会並びに信用金庫及び信用金庫連合会が所有し、かつ、使用する事務所及び倉庫に対して課する固定資産税の課税標準は、1及び2の規定にかかわらず、当該事務所及び倉庫に係る固定資産税の課税標準となるべき価格の5分の3の額とする。(法349の3㉓)

㉔ **鉄道事業者等の新設変電所用償却資産**

鉄道事業法第7条第1項に規定する鉄道事業者若しくは軌道法第4条に規定する軌道経営者又は独立行政法人鉄道建設・運輸施設整備支援機構(以下㉕において「鉄道事業者等」という。)により新たに建設された変電所の用に供する償却資産で当該鉄道事業者等がその事業の用に供するもののうち注で定めるものに対して課する固定資産税の課税標準は、2の規定にかかわらず、当該償却資産に対して新たに固定資産税が課されることとなった年度から5年度分の固定資産税については当該償却資産の価格の5分の3の額とする。(法349の3㉔)

(対象となる償却資産)
注 ㉔に規定する償却資産は、既に事業の用に供されていた償却資産(以下注において「既設資産」という。)を当該事業の用に供しなくなったことに伴い、当該既設資産に代えて当該事業の用に供される償却資産以外の償却資産とする。(令52の10の8)

㉕ **中部国際空港の指定会社の事業用固定資産**

中部国際空港の設置及び管理に関する法律第4条第2項に規定する指定会社が所有し、かつ、直接同法第6条第1項第1号又は第2号に規定する事業の用に供する固定資産で(1)に定めるものに対して課する固定資産税の課税標準は、1及び2の規定にかかわらず、当該固定資産に係る固定資産税の課税標準となるべき価格の2分の1の額とする。(法349の3㉕)

(対象となる固定資産)
(1) ㉕に規定する中部国際空港の設置及び管理に関する法律第4条第2項に規定する指定会社が所有し、かつ、直接同法第6条第1項第1号又は第2号に規定する事業の用に供する固定資産は、次に掲げる固定資産とする。(令52の10の9)
(一) 滑走路、着陸帯、誘導路又はエプロンの用に供する土地及び構築物並びにこれらの土地によって囲まれる土地
(二) 排水施設、照明施設、護岸その他(一)の施設の機能を補完する施設として総務省令で定めるものの用に供する固定資産
(三) 航空保安施設〔中部国際空港の設置及び管理に関する法律第6条第1項第2号に規定する航空保安施設をいう。〕の用に供する固定資産

(総務省令で定める施設)
(2) (1)の(二)に規定する総務省令で定める施設は、ショルダー・ランプ車両通行帯、場周道路、保安道路及び航空貨物、航空機燃料、航空機装備品又は航空機部品の輸送の用に供する道路並びに(1)の(一)の施設に隣接する緑地帯(都市計画法第7条第3項の市街化調整区域内にあるものに限る。)とする。(規11の11)

㉖ **外国貿易用コンテナー**

外国貿易のため外国航路に就航する船舶による物品運送の用に供されるコンテナーで注で定めるものに対して課する固定資産税の課税標準は、2の規定にかかわらず、当該コンテナーに係る固定資産税の課税標準となるべき価格の5分の4の額とする。(法349の3㉖)

(対象となるコンテナー)
注 ㉖に規定するコンテナーは、次の要件に該当するコンテナー(当該要件に該当することについて地方運輸局(運輸監理部を含む。)又はその運輸支局若しくは海事事務所の長が証明したものに限る。)とする。(規11の12)
(一) その長さが6メートル以上のものであり、かつ、その幅及び高さがいずれも2.4メートル以上のものであること又はその最大積載重量が18トン以上のものであること。

(二) 当該年度の初日の属する年の前年中における外国貿易のために使用された日数の全使用日数に対する割合が80パーセントを超えるものであること。

㉗ 家庭的保育事業者の事業用固定資産

児童福祉法第34条の15第2項の規定により同法第6条の3第9項に規定する家庭的保育事業の認可を得た者が直接当該事業の用に供する家屋及び償却資産（当該事業の用以外の用に供されていないものに限る。）に対して課する固定資産税の課税標準は、1及び2の規定にかかわらず、当該家屋及び償却資産に係る固定資産税の課税標準となるべき価格に2分の1を参酌して3分の1以上3分の2以下の範囲内において市町村の条例で定める割合（当該償却資産が第五節二《道府県知事又は総務大臣による固定資産の評価等》の規定の適用を受ける場合には、2分の1）を乗じて得た額とする。（法349の3㉗）

㉘ 居宅訪問型保育事業者の事業用固定資産

児童福祉法第34条の15第2項の規定により同法第6条の3第11項に規定する居宅訪問型保育事業の認可を得た者が直接当該事業の用に供する家屋及び償却資産（当該事業の用以外の用に供されていないものに限る。）に対して課する固定資産税の課税標準は、1及び2の規定にかかわらず、当該家屋及び償却資産に係る固定資産税の課税標準となるべき価格に2分の1を参酌して3分の1以上3分の2以下の範囲内において市町村の条例で定める割合（当該償却資産が第五節二の規定の適用を受ける場合には、2分の1）を乗じて得た額とする。（法349の3㉘）

㉙ 事業所内保育事業者の事業用固定資産

児童福祉法第34条の15第2項の規定により同法第6条の3第12項に規定する事業所内保育事業の認可を得た者が直接当該事業（利用定員が5人以下であるものに限る。）の用に供する家屋及び償却資産（当該事業の用以外の用に供されていないものに限る。）に対して課する固定資産税の課税標準は、1及び2の規定にかかわらず、当該家屋及び償却資産に係る固定資産税の課税標準となるべき価格に2分の1を参酌して3分の1以上3分の2以下の範囲内において市町村の条例で定める割合（当該償却資産が第五節二の規定の適用を受ける場合には、2分の1）を乗じて得た額とする。（法349の3㉙）

㉚ 社会福祉法人等の認定生活困窮者就労訓練事業用固定資産

社会福祉法人その他注で定める者が直接生活困窮者自立支援法第16条第3項に規定する認定生活困窮者就労訓練事業（社会福祉法第2条第1項に規定する社会福祉事業として行われるものに限る。）の用に供する固定資産に対して課する固定資産税の課税標準は、1及び2の規定にかかわらず、当該固定資産に係る固定資産税の課税標準となるべき価格の2分の1の額とする。（法349の3㉚）

　　（対象となる者）
注　㉚に規定する注で定める者は、公益社団法人、公益財団法人、農業協同組合、農業協同組合連合会、消費生活協同組合及び消費生活協同組合連合会とする。（令52の10の10）

㉛ 国立研究開発法人日本医療研究開発機構の業務用固定資産

国立研究開発法人日本医療研究開発機構が所有し、かつ、直接国立研究開発法人日本医療研究開発機構法（平成26年法律第49号）第16条第1号又は第2号に規定する業務の用に供する償却資産で(1)で定めるものに対して課する固定資産税の課税標準は、2の規定にかかわらず、当該償却資産に対して新たに固定資産税が課されることとなった年度から5年度分の固定資産税については、当該償却資産の価格の3分の1の額とし、その後5年度分の固定資産税については、当該償却資産の価格の3分の2の額とする。（法349の3㉛）

　　（対象となる償却資産）
(1) ㉛に規定する(1)で定める償却資産は、国立研究開発法人日本医療研究開発機構法第16条第1号又は第2号に規定する業務のうち次に掲げるもので(2)で定めるものの用に供する償却資産（事務所又は宿舎の用に供するものを除く。）とする。（令52の10の11）
　(一) 医療分野の基礎研究又は医療分野の基礎的研究開発（医療分野の共通的な研究開発又は医療分野の研究開発であって多数部門の協力を要する総合的なものをいう。）に係る業務
　(二) 治験又は臨床研究に係る業務（その実施に要する費用について国から出資又は補助を受けて行われるものに限る。）

(三) (一)、(二)に掲げるもののほか、企業化が困難な技術に関する医療分野の研究開発（その実施に要する費用の全額について国から出資又は補助を受けて行われるものに限る。）

　　　（対象となる業務）
（2）（1）に規定する（2）で定める業務は、次に掲げるもの以外のものとする。（規11の13）
　(一)　医療系研究成果展開事業のうち委託開発
　(二)　医療分野国際科学技術共同研究開発推進事業のうち共同研究のあっせん業務
　(三)　先駆的医薬品・医療機器研究発掘支援事業
　(四)　創薬総合支援事業

㉜　**国立研究開発法人量子科学技術研究開発機構の業務用固定資産**
　国立研究開発法人量子科学技術研究開発機構が設置する国立研究開発法人量子科学技術研究開発機構法第16条第1項第1号に規定する業務の用に供する設備及び当該設備を収容する家屋に対して課する固定資産税の課税標準は、1及び2の規定にかかわらず、当該固定資産に対して新たに固定資産税が課されることとなった年度から5年度分の固定資産税については、当該固定資産に係る固定資産税の課税標準となるべき価格の3分の1の額とし、その後5年度分の固定資産税については、当該固定資産に係る固定資産税の課税標準となるべき価格の3分の2の額とする。（法349の3㉜）

㉝　**景観法により指定された景観重要建造物**
　景観法（平成16年法律第110号）第19条第1項の規定により指定された景観重要建造物のうち、世界の文化遺産及び自然遺産の保護に関する条約第11条2に規定する世界遺産一覧表に記載された家屋及び償却資産で総務大臣が指定するもの並びに当該家屋の敷地の用に供されている土地に対して課する固定資産税の課税標準は、1及び2の規定にかかわらず、当該固定資産に係る固定資産税の課税標準となるべき価格の3分の1の額とする。（法349の3㉝）

ロ　附則に定める特例

①　**流通業務総合効率化促進法による総合効率化事業者の新増設倉庫等**
　物資の流通の効率化に関する法律第6条第1項に規定する総合効率化事業者（以下①において「総合効率化事業者」という。）が、令和6年4月1日から令和8年3月31日までの間に、同条第1項に規定する総合効率化計画に基づき実施する同法第4条第2号に掲げる流通業務総合効率化事業により取得した次の各号に掲げる施設又は設備に対して課する固定資産税又は都市計画税の課税標準は、1及び2の規定にかかわらず、これらの固定資産に対して新たに固定資産税又は都市計画税が課されることとなった年度から5年度分の固定資産税又は都市計画税に限り、これらの固定資産に係る固定資産税又は都市計画税の課税標準となるべき価格に、それぞれ当該各号に定める割合を乗じて得た額とする。（法附15①）

(一)	倉庫業法第7条第1項に規定する倉庫業者（同項に規定する倉庫業者に利用させるための倉庫を建設することを目的として設立された法人で（1）で定めるものを含む。）である総合効率化事業者が新設し、又は増設した流通機能の高度化及び流通業務の省力化に寄与する倉庫として（2）で定めるもの（増設した倉庫にあっては、当該増設部分に限る。）	2分の1
(二)	(一)に規定する倉庫に附属する機械設備で（3）で定めるもの	4分の3（当該機械設備のうち物資の搬入及び搬出の円滑化に寄与するものとして（6）で定めるものにあっては、2分の1）

　　（倉庫を建設することを目的として設立された法人）
（1）①の(一)に規定する法人は、倉庫業法第7条第1項に規定する倉庫業者（以下（1）において「倉庫業者」という。）に利用させるための倉庫を建設することを目的として設立された法人であって、次の各号のいずれかに該当するものとする。（令附11①）
　(一)　事業協同組合で倉庫業者のみを構成員とするもの
　(二)　株式会社で当該株式会社に出資した倉庫業者がその発行済株式の総数の10分の9以上に相当する株式を所有するもの

(流通機能の高度化及び流通業務の省力化に寄与する倉庫)
(２) ①の(一)に規定する流通機能の高度化及び流通業務の省力化に寄与する倉庫は、次に掲げる倉庫とする。(令附11②、規附６①②③⑧)
(一) 関税法第２条第１項第11号に規定する開港の区域を地先水面とする地域において定められた港湾法第２条第４項に規定する臨港地区の区域内において新設され、又は、増設された倉庫であって、次に掲げる要件に該当するものであることについて国土交通大臣の定めるところにより地方運輸局長（運輸監理部の長を含む。）の証明がされたもの。
　イ　容器に入っていない粉状若しくは粒状の物品その他のばらの物品を保管する倉庫であって穀物の貯蔵用の倉庫としての構造を有するもの（以下「貯蔵槽倉庫」という。）、倉庫業法施行規則別表に掲げる第八類物品の冷蔵品を保管する倉庫（以下(２)において「冷蔵倉庫」という。）又はその他の倉庫で倉庫業法施行規則第３条の４第１項に規定する一類倉庫（以下(２)において「一般倉庫」という。）のいずれかであること。
　ロ　倉庫業法第６条第１項第４号に規定する基準に適合しているものであり、かつ、①の(一)に規定する倉庫業者によって専ら他人の物品の保管の用に供されているものであること。
　ハ　主要構造部が鉄骨鉄筋コンクリート造、鉄筋コンクリート造又は鉄骨造（その肉厚が３ミリメートル以上の骨格材を用いるものに限る。）であること。
　ニ　物資の流通の効率化に関する法律第７条第２項に規定する認定総合効率化計画に記載された同法第４条第３号に規定する特定流通業務施設に該当するものであること。
　ホ　貯蔵槽倉庫にあっては、次に掲げる要件に該当するものであること。
　　(イ)　その容積が6,000立方メートル以上のものであること。
　　(ロ)　搬入用自動運搬装置（貯蔵槽倉庫内に貨物の搬入を連続して自動的に行う装置で総務省令で定めるものをいい、自動検量装置（貨物の重量を自動的に計量する装置をいう。(ハ)において同じ。）が取り付けられたものに限る。）が設けられているものであること。
　　　　(注)　(ロ)に規定する装置で総務省令で定めるものは、貯蔵槽ごとに搬入する貨物の種類及び重量を自動的に指定する機能を有し、荷揚げ能力が毎時300トン以上である装置とする。(規附６④)
　　(ハ)　搬出用自動運搬装置（貯蔵槽倉庫から貨物の搬出を連続して自動的に行う装置で総務省令で定めるものをいい、自動検量装置が取り付けられたものに限る。）が設けられているものであること（(３)の(二)に掲げる特定搬出用自動運搬装置が設けられている場合を除く。）。
　　　　(注)　(ハ)に規定する装置で総務省令で定めるものは、貯蔵槽ごとに搬出する貨物の種類及び重量を自動的に指定する機能を有する装置とする。(規附６⑤)
　　(ニ)　次に掲げる要件のいずれかに該当するものであること。
　　　(a)　(３)の(一)に掲げる到着時刻表示装置が設けられているものであること。
　　　(b)　(３)の(二)に掲げる特定搬出用自動運搬装置が設けられているものであること。
　　(ホ)　流通機能の高度化及び流通業務の省力化のために必要とされる要件として総務省令で定めるものを備えているものであること。
　　　　(注)　(ホ)に規定する総務省令で定める要件は、次に掲げる要件とする。(規附６⑥)
　　　　　(一)　次に掲げるシステムが導入されているものであること。
　　　　　　イ　データ交換システム（荷主その他の関係者との間で商取引に関するデータを電子的に交換するシステムに限る。）
　　　　　　ロ　貨物保管場所管理システム（電子情報処理組織に基づき倉庫内における貨物の保管場所を特定するシステムに限る。）
　　　　　(二)　貨物の搬出場所の前面に奥行き15メートル以上の空地が設けられているものであること。
　ヘ　冷蔵倉庫にあっては、次に掲げる要件に該当するものであること。
　　(イ)　その容積が6,000立方メートル以上のものであること。
　　(ロ)　強制送風式冷蔵装置（冷却された空気を供給することで氷点下の室温を保持する冷却能力を有する装置であって、室温の調整を自動的に行うものをいう。）が設けられているものであること。
　　(ハ)　(３)の(一)に掲げる到着時刻表示装置が設けられているものであること。
　　(ニ)　流通機能の高度化及び流通業務の省力化のために必要とされる要件として総務省令で定めるものを備えているものであること。
　　　　(注)　(ニ)及びトの(ハ)に規定する総務省令で定める要件は、次に掲げる要件とする。(規附６⑦)
　　　　　(一)　倉庫の一の階のいずれかの外壁面に貨物の搬出入場所が技術的に可能な範囲で設けられているものであること。
　　　　　(二)　(一)に規定する貨物の搬出入場所から奥行き５メートル以上の荷さばきの用に供する空間が倉庫内に設けられているものであること。
　　　　　(三)　(一)に規定する貨物の搬出入場所の前面に奥行き15メートル以上の空地が設けられているものであること。
　　　　　(四)　倉庫に併設して流通加工の用に供する空間が設けられているものであること。

第三編第三章《固定資産税》第二節《課税標準、税率及び免税点》

　　　(五)　ホの(ホ)の(注)の(一)に掲げる要件に該当するものであること。
　　　(六)　次に掲げるもののいずれかを有するものであること。
　　　　イ　無人搬送車(自動的に走行し、貨物を搬送する機能を有する車両であって、日本産業規格(産業標準化法第20条第1項に規定する日本産業規格をいう。)D6801に規定された搬送、移載及び自動走行方式に適合するものをいう。)
　　　　ロ　自動化保管装置(貨物保管場所管理システムと連動して貨物の出し入れを自動的に行う装置であって、地震の影響を軽減する機能を有するものをいう。)
　　　　ハ　高度荷さばき装置(労働安全衛生規則第36条第31号に規定する産業用ロボットであって貨物の荷さばきを行うもの又は作業員が行う荷さばきを補助する装置であって貨物の保管場所及び品名、数量等の情報を表示し、若しくは音声により通知するものをいう。)
　　　　ニ　自動検品システム(スキャナ(これに準ずる画像読取装置を含む。)又は無線設備により読み取った貨物の品名、数量等の情報と当該貨物の入出庫に係る荷主からの指図の内容又は帳簿上の在庫の情報とを照合するシステムをいう。)
　　ト　一般倉庫にあっては、次に掲げる要件に該当するものであること。
　　　(イ)　その床面積が3,000平方メートル(当該一般倉庫の階数が二以上のものにあっては、6,000平方メートル)以上のものであること。
　　　(ロ)　(3)の(一)に掲げる到着時刻表示装置が設けられているものであること。
　　　(ハ)　流通機能の高度化及び流通業務の省力化のために必要とされる要件としてへの(注)で定めるものを備えているものであること。
　(二)　道路法第3条第1号に掲げる高速自動車国道及びこれに類する道路の周辺の地域のうち物資の流通の拠点となる区域として国土交通大臣が総務大臣と協議して指定する区域内において新設され、又は増設された倉庫であって、次に掲げる要件に該当するものとして、国土交通大臣の定めるところにより地方運輸局長(運輸監理部の長を含む。)の証明がされたもの
　(注)　(二)の物資の流通の拠点となる区域……平成17年国土交通省告示第1063号(最終改正平成21年第378号)
　　イ　冷蔵倉庫又は一般倉庫のいずれかであること。
　　ロ　(一)のロからニまでに掲げる要件に該当するものであること。
　　ハ　冷蔵倉庫にあっては、(一)のへに掲げる要件に該当するものであること。
　　ニ　一般倉庫にあっては、(一)のトに掲げる要件に該当するものであること。

　　(倉庫に附属する機械設備)
(3)　①の(二)に規定する倉庫に附属する機械設備で(3)で定めるものは、次のいずれかに該当するものであることについて総務省令で定めるところにより証明がされたものとする。(令附11③、規附6⑩)
　(一)　到着時刻表示装置(貨物自動車運送事業法第39条第1号に規定する貨物自動車運送事業者が貨物の搬入及び搬出の円滑化を図るための情報処理システムとして(2)の(一)及び(二)に掲げる倉庫における貨物の搬入及び搬出の状況に係る情報並びに当該情報を利用して貨物自動車運送事業法第39条第1号に規定する貨物自動車運送事業者が提供する当該倉庫に到着する予定時刻に係る情報を管理するシステムを使用して提供した(2)の(一)及び(二)に掲げる倉庫に到着する予定時刻に係る情報を表示する装置であって、(5)の(一)で定める規格その他の基準に適合するものをいう。)
　(二)　特定搬出用自動運搬装置(貯蔵槽倉庫から加工施設に貨物の搬出を連続して自動的に行う装置であって、(5)の(二)で定める搬出能力その他の基準に適合するものをいう。)
　(三)　貨物自動車関係情報自動解析装置((2)各号に掲げる倉庫(貯蔵槽倉庫にあっては、(一)に掲げる到着時刻表示装置が設けられているものに限る。)において物資の搬入及び搬出の円滑化を図るために自動車登録番号標による貨物の運送の用に供する自動車の特定及び当該自動車に係る情報の解析を自動的に行う1又は2以上の装置であって、総務省令で定める機能を有するものをいう。)

　　(倉庫に附属する機械設備の基準)
(4)　(3)の(一)及び(二)に規定する(4)で定める基準は、次の表の左欄に掲げる機械設備の種類に応じ、それぞれ同表の右欄に定める基準とする。(規附6⑪)

機械設備の種類	基　　準
(一)　到着時刻表示装置	映像面の最大径が38センチメートル以上の表示器又は(2)の(一)及び(二)に掲げる倉庫内の作業に従事する者の携帯用の表示器であること。
(二)　特定搬出用自動運搬装	貯蔵槽ごとに搬出する貨物の種類及び重量を自動的に指定する機能を有し、かつ、搬

置	出能力が毎時100トン以上であって、自動検量装置（貨物の重量を自動的に計量する装置をいう。）が取り付けられたものであること。

　（総務省令で定める機能）
（5）（3）の（三）に規定する総務省令で定める機能は、次に掲げる機能とする。（規附6⑫）
　（一）　貨物の運送の用に供する自動車に係る自動車登録番号標を撮影し、当該自動車に係る情報を取得する機能
　（二）　官民データ活用推進基本法第2条第2項に規定する人工知能関連技術を活用した情報システムにより前号の情報の解析を行う機能
　（三）　赤外線投光機能

　（機械設備のうち物資の搬入等の円滑化に寄与するものとして政令で定めるもの）
（6）①の（二）に規定する機械設備のうち物資の搬入及び搬出の円滑化に寄与するものとして（6）で定めるものは、（3）の（三）に掲げる機械設備とする。（令附11④）

② 公共の危害防止のために設置された施設又は設備

　公共の危害防止のために設置された次の各号に掲げる施設又は設備（既存の当該施設又は設備に代えて設置するものとして（1）で定めるものを除く。）のうち、令和6年4月1日から令和8年3月31日までの間に取得されたものに対して課する固定資産税の課税標準は、2又はイの②若しくは③の規定にかかわらず、当該償却資産に係る固定資産税の課税標準となるべき価格に、それぞれ当該各号に定める割合を乗じて得た額とする。（法附15②）

1	水質汚濁防止法第2条第2項に規定する特定施設又は同条第3項に規定する指定地域特定施設（瀬戸内海環境保全特別措置法第12条の2又は湖沼水質保全特別措置法第14条の規定により当該指定地域特定施設とみなされる施設を含む。）を設置する工場又は事業場の汚水又は廃液の処理施設で、右欄の注で定めるもの（電気供給業を行う法人が電気供給業の用に供するものを除く。）　2分の1を参酌して3分の1以上3分の2以下の範囲内において市町村の条例で定める割合（当該処理施設が第五節二の①《二以上の市町村にわたって使用され、又は所在する固定資産の評価及び価格配分》の規定の適用を受ける場合には、2分の1）	（汚水又は廃液の処理施設） 注　左欄の汚水又は廃液の処理施設は、沈澱又は浮上装置、油水分離装置、汚泥処理装置、濾過装置、濃縮又は燃焼装置、蒸発洗浄又は冷却装置、中和装置、酸化又は還元装置、凝集沈澱装置、イオン交換装置、生物化学的処理装置、脱アンモニア装置、貯溜装置及び輸送装置並びにこれらに附属する電動機、ポンプ、配管、計測器その他の附属設備（汚水若しくは廃液の有用成分を回収すること又は汚水若しくは廃液を工業用水として再利用することを専らその目的とするものを除く。）で、排水基準を定める省令（昭和46年総理府令第35号）附則別表の中欄に掲げる業種、排水基準を定める省令の一部を改正する省令（平成13年環境省令第21号）附則別表の中欄に掲げる業種その他の区分又は排水基準を定める省令等の一部を改正する省令（平成18年環境省令第33号）附則別表の中欄に掲げる業種に属する事業者が取得したものとする。（規附6⑬）

2	廃棄物の処理及び清掃に関する法律第8条第1項に規定するごみ処理施設で、右欄の注で定めるもの　2分の1	（ごみ処理施設） 注　左欄のごみ処理施設は、廃棄物の処理及び清掃に関する法律施行令第5条第1項に規定するごみ処理施設（焼却装置、溶融装置、破砕装置及び圧縮装置並びにこれらに附属する搬送装置、貯溜装置、汚水処理装置、ばい煙処理装置、押込装置、梱包成型装置、電動機、ポンプ、配管、計測器、破砕装置（溶融装置に附属するものに限る。）、集じん装置その他の附属設備で廃棄物の処理及び清掃に関する法律第8条第1項の許可に係るもの（廃棄物の処理及び清掃に関する法律施行令の一部を改正する政令（平成9年政令第269号。4の（1）において「廃掃法改正令」という。）附則第2条第1項の規定の適用を受けるものを除く。）（ボイラー、温水発生器、蓄熱式熱交換器、選別装置、梱包装置、乾燥装置、発酵槽又は反応槽（熱回収又は再生利用の用に供するものに限る。）を有するものに限る。）及び同法第9条の8第1項の認定（同条第6項の変更の認定を含む。）に係るものに限る。）とする。（規附6⑭）
3	廃棄物の処理及び清掃に関する法律第8条第1項に規定する一般廃棄物の最終処分場で右欄の注で定めるもの　3分の2	（一般廃棄物の最終処分場） 注　左欄の一般廃棄物の最終処分場は、地方税法施行規則第16条の6第6項第2号に掲げる一般廃棄物の最終処分場（廃棄物の処理及び清掃に関する法律第8条第1項の許可に係るものに限る。）（擁壁、えん堤、コンクリート槽、遮水工、集排水設備、浸出液処理設備及び搬入管理設備に限る。）とする。（規附6⑮） （注）　地方税法施行規則第16条の6は、欄外の（注2）を参照。（編者）
4	廃棄物の処理及び清掃に関する法律第15条第1項に規定する産業廃棄物処理施設で注で定めるもの　3分の1	（産業廃棄物処理施設） 注　左欄の産業廃棄物処理施設は、廃棄物の処理及び清掃に関する法律施行令第7条第11号の2、第12号、第12号の2及び第13号に規定する産業廃棄物の処理施設（左欄のイで定める産業廃棄物処理施設にあっては、同令第7条第11号の2に規定する産業廃棄物の処理施設に限る。）（焼却装置、分解装置、溶融装置、洗浄装置及び分解装置並びにこれらに附属する搬送装置、貯溜装置、汚水処理装置、ばい煙処理装置、押込装置、電動機、ポンプ、配管、計測器、脱水装置、乾燥装置、油水分離装置、中和装置、破砕装置、集じん装置その他の附属設備に限る。）のうち廃棄物の処理及び清掃に関する法律第15条第1項の許可に係るもの（廃掃法改正令附則第2条第2項の規定の適用を受けるものを除く。）並びに同法第15条の4の2第1項の認定（同条第3項において準用する同法第9条の8第6項の変更の認定を含む。）及び同法第15条の4の4第1項の認定に係るものとする。（規附6⑯）
5	下水道法第12条第1項又は第12条の10第1項に規定する公共下水道を使用する者（令和4年4月1日以後に供用が開始された同法第2条第3号に規定する公共下水道の同条第7号に規定する排水区域内の工場又は事業場（以下5において「工場等」という。）において当該供用が開始された日前から引き続き事業を行う者に限る。）が当該工場等に設置した同法第12条第1項に規定する除害施設で右欄の注で定めるもの　5分の	（除害施設） 注　左欄の除害施設は、沈澱又は浮上装置、油水分離装置、中和装置、酸化又は還元装置、凝集沈澱装置及びイオン交換装置とする。（規附6⑰）

第三編第三章《固定資産税》第二節《課税標準、税率及び免税点》

4を参酌して10分の7以上10分の9以下の範囲内において市町村の条例で定める割合（当該除害施設が第五節二の③の規定の適用を受ける場合には、5分の4）

（注）　地方税法施行規則第16条の6〈抄〉

2　地方税法第586条第2項《特別土地保有税の用途による非課税》第2号ハに規定する総務省令で定める地下水の水質を浄化するための施設は、井戸、冷却装置、分解装置、生物化学的処理装置、濾過装置、吸着装置、ばっき装置、沈澱又は浮上装置、イオン交換装置、汚泥処理装置、燃焼装置、乾燥装置、加熱装置、洗浄装置、中和装置、酸化又は還元装置、輸送装置、貯溜装置、油水分離装置、気液分離器及び電気的処理装置並びにこれらに附属するフード、送風機、電動機、ポンプ、配管、計測器その他の附属設備（地下水若しくは土壌の有用成分を回収すること又は地下水を工業用水として再利用することを専らその目的とするものを除く。）とする。

5　地方税法第586条第2項第2号ホに規定する総務省令で定める指定物質の排出又は飛散の抑制に資する施設は、次に掲げる機械その他の設備とする。
　一　吸着、燃焼、密閉、蒸留又は液化の方法により大気汚染防止法附則第9項に規定する指定物質（以下本号において「指定物質」という。）の排出又は飛散を抑制する機能を有する装置で次に掲げるもの
　　イ　活性炭利用吸着式処理装置（指定物質を活性炭に吸着させて処理する装置をいい、当該装置と一体となって設置され、かつ、不可分の状態にある洗浄設備又はドライクリーニング装置（指定物質を用いて洗浄を行うものに限る。以下本号において「洗浄設備等」という。）の部分を含む。）
　　ロ　直接燃焼式処理装置（指定物質を直接燃焼する方法により分解して処理する装置をいう。）
　　ハ　触媒利用燃焼式処理装置（指定物質を加熱し、かつ、白金等の触媒を利用する方法により当該指定物質を分解して処理する装置をいう。）
　　ニ　蓄熱体利用燃焼式処理装置（蓄熱された砂、セラミックス等を用いて指定物質を加熱する方法により当該指定物質を分解して処理する装置をいう。）
　　ホ　ベンゼンタンク用浮き屋根（当該装置と一体となって設置され、かつ、不可分の状態にあるベンゼンタンクの部分を含む。）
　　ヘ　密閉装置（指定物質を完全に密閉する方法により当該指定物質の排出又は飛散を抑制する装置をいい、当該装置と一体となって設置され、かつ、不可分の状態にある洗浄設備等の部分を含む。）
　　ト　蒸留式処理装置（指定物質を蒸留する方法により分離して処理する装置をいい、当該装置と一体となって設置され、かつ、不可分の状態にある洗浄設備等の部分を含む。）
　　チ　液化式処理装置（指定物質を液化する方法により分離して処理する装置をいい、当該装置と一体となって設置され、かつ、不可分の状態にある洗浄設備等の部分を含む。）
　二　前号に掲げる装置に附属する次に掲げる機械その他の設備で、専ら指定物質の排出又は飛散の抑制の用に供されるもの
　　イ　ガス導管（煙突に連なるガス導管を除く。）　　リ　中和装置
　　ロ　冷却装置　　ヌ　計測器及び自動調整装置
　　ハ　送風機　　ル　変圧器及び整流器
　　ニ　熱交換機　　ヲ　電動機
　　ホ　加熱器　　ワ　ボイラー
　　ヘ　圧縮機　　カ　分離器
　　ト　凝縮器　　ヨ　ポンプ、配管及びタンク
　　チ　ばっき装置

6　地方税法第586条第2項第2号ヘに規定する総務省令で定める一般廃棄物処理施設は、次に掲げる施設（廃棄物の処理及び清掃に関する法律第8条第1項の許可に係るもの（廃棄物の処理及び清掃に関する法律施行令の一部を改正する政令（平成9年政令第269号。次項において「廃掃法改正令」という。）附則第2条第1項の規定の適用を受けるものを除く。）及び同法第9条の8第1項の認定（廃棄物の処理及び清掃に関する法律施行令第5条の5の変更の認定を含む。）に係るものに限る。）とする。
　一　廃棄物の処理及び清掃に関する法律施行令第5条第1項に規定するごみ処理施設（焼却装置、破砕装置及び圧縮装置並びにこれらに附属する搬送装置、貯溜装置、ばい煙処理装置、押込装置、梱包成型装置、電動機、ポンプ、配管、計測器その他の附属設備に限る。）
　二　廃棄物の処理及び清掃に関する法律施行令第5条第2項に規定する一般廃棄物の最終処分場

7　地方税法第586条第2項第2号ヘに規定する総務省令で定める産業廃棄物処理施設は、次に掲げる施設（廃棄物の処理及び清掃に関する法律第15条第1項の許可に係るもの（廃掃法改正令附則第2条第2項の規定の適用を受けるものを除く。）及び同法第15条の4の2第1項の認定（廃棄物の処理及び清掃に関する法律施行令第7条の3において準用する同令第5条の5の変更の認定を含む。）に係るものに限る。）とする。
　一　廃棄物の処理及び清掃に関する法律施行令第7条第1号から第13号の2までに規定する産業廃棄物処理施設（脱水装置、乾燥装置、焼却装置、油水分離装置、中和装置、分解装置、破砕装置、コンクリート固型化装置、焙焼装置、洗浄装置及び分離装置並びにこれらに附属する搬送装置、貯溜装置、汚水処理装置、ばい煙処理装置、押込装置、電動機、ポンプ、配管、計測器その他の附属設備に限る。）
　二　廃棄物の処理及び清掃に関する法律施行令第7条第14号に規定する産業廃棄物の最終処分場

13　地方税法第586条第2項第2号ヲに規定する総務省令で定める土壌の特定有害物質による汚染を除去するための施設は、井戸、冷却装置、分解装置、生物化学的処理装置、濾過装置、吸着装置、ばっき装置、沈澱又は浮上装置、イオン交換装置、汚泥処理装置、燃焼装置、乾燥装置、

加熱装置、洗浄装置、中和装置、酸化又は還元装置、輸送装置、貯留装置、油水分離装置、気液分離器及び電気的処理装置並びにこれらに附属するフード、送風機、電動機、ポンプ、配管、計測器その他の附属設備（地下水若しくは土壌の有用成分を回収すること又は地下水を工業用水として再利用することを専らその目的とするものを除く。）とする。

　　　（既存の施設又は設備に代えて設置するもの）
注　②本文に規定する既存の施設又は設備に代えて設置するものは、②に規定する施設又は設備（以下（1）において「施設等」という。）で既に事業の用に供されていたものを当該事業の用に供しなくなったことに伴い、当該事業の用に供しなくなった施設等に代えて当該事業の用に供される施設等とする。（令附11⑤）

③　**航空法による免許事業者が運航する航空機**
　平成28年度から令和7年度までの間において新たに固定資産税が課されることとなる航空機（イの⑦又は⑧の規定の適用を受けるもの及び専ら遊覧の用に供するものを除く。）で（1）で定めるもののうち、航空法第100条の許可を受けた者が運航するものに対して課する固定資産税の課税標準は、2に規定にかかわらず、次の各号に掲げる航空機の区分に応じ、当該各号に定めるところによる。（法附15③）

(一)	地方的な航空運送の用に供する航空機として（2）で定めるもの（（二）において「地方航空運送用航空機」という。）（（二）に掲げるものを除く。）	当該航空機に対して課する固定資産税が課されることとなった年度から5年度分の固定資産税に限り、当該航空機に係る固定資産税の課税標準となるべき価格の5分の2の額とする。
(二)	地方航空運送用航空機のうち特に地方的な航空運送の用に供する航空機として（3）で定めるもの	次に掲げる航空機の区分に応じ、それぞれ次に定めるところによる。 イ　（4）で定める小型の航空機　当該航空機に対して課する固定資産税が課されることとなった年度から5年度分の固定資産税に限り、当該航空機に係る固定資産税の課税標準となるべき価格の4分の1の額とする。 ロ　イに掲げる航空機以外の航空機　当該航空機に対して課する固定資産税が課されることとなった年度分の固定資産税については、当該航空機に係る固定資産税の課税標準となるべき価格の8分の3の額とし、その後4年度分の固定資産税については、当該航空機に係る固定資産税の課税標準となるべき価格の5分の2の額とする。
(三)	(一)、(二)に掲げる航空機以外の航空機	当該航空機に対して課する固定資産税が課されることとなった年度から3年度分の固定資産税に限り、当該航空機に係る固定資産税の課税標準となるべき価格の3分の2の額とする。

　　　（対象となる航空機）
（1）　③に規定する航空機は、次に掲げる航空機とする。（規附6⑱）
　（一）　航空法第100条の許可を受けた者（（二）において「運航者」という。）が当該航空機に係る第一節三の1《固定資産の所有者に対する課税》の所有者（同2の⑥《信託会社から信託に係る償却資産を賃借している者への課税》の規定により所有者とみなされる者を含む。）であるもの
　（二）　運航者が他の者から賃借している航空機であって、当該航空機に係る賃貸借契約において、運航者が当該航空機に係る賃貸借期間中の公租公課を負担する旨の定めがあることについて国土交通大臣の証明を受けたもの

　　　（地方的な航空運送の用に供する航空機として総務省令で定めるもの）
（2）　③の(一)に規定する地方的な航空運送の用に供する航空機として（2）で定めるものは、当該年度の初日の属する年の前年中において地方的な航空運送に係る路線として国土交通大臣が定める路線に就航した時間の全就航時間に対する割合が3分の2以上である航空機のうち、その最大離陸重量が200トン未満のものとする。（規附6⑲）
　　　（注）　（2）の国土交通大臣が定める路線は、平成22年国土交通省告示第268号による。（編者）

　　　（特に地方的な航空運送の用に供する航空機として総務省令で定めるもの）
（3）　③の(二)に規定する特に地方的な航空運送の用に供する航空機として（3）で定めるものは、当該年度の初日の属する年の前年中において特に地方的な航空運送に係る路線として国土交通大臣が定める路線に就航した時間の全就航時間に対する割合が3分の2以上である航空機のうち、その最大離陸重量が50トン未満のものとする。（規附6⑳）

(特に地方的な航空運送の用に供する小型航空機として総務省令で定めるもの)
(4) ③の(二)のイに規定する(4)で定める小型の航空機は、その最大離陸重量が30トン未満の航空機とする。(規附6㉑)

④ 沖縄電力株式会社の業務用償却資産
　沖縄振興開発特別措置法の一部を改正する法律（昭和63年法律第64号）による改正前の沖縄振興開発特別措置法により設立された沖縄電力株式会社が電気供給業の用に供する償却資産で注で定めるものに対して課する固定資産税の課税標準は、2の規定にかかわらず、昭和57年度から令和8年度までの各年度分の固定資産税に限り、当該償却資産に係る固定資産税の課税標準となるべき価格の3分の2の額とする。（法附15④）

　　（対象となる償却資産）
　注　④に規定する償却資産は、当該電気供給業の用に供する償却資産のうち次に掲げるもの以外のものとする。（令附11⑥）
　　（一）　事務所の用に供する償却資産
　　（二）　宿舎の用に供する償却資産

⑤ 地震防災対策用償却資産
　南海トラフ地震に係る地震防災対策の推進に関する特別措置法第3条第1項に規定する南海トラフ地震防災対策推進地域、日本海溝・千島海溝周辺海溝型地震に係る地震防災対策の推進に関する特別措置法第3条第1項に規定する日本海溝・千島海溝周辺海溝型地震防災対策推進地域又は首都直下地震対策特別措置法（平成25年法律第88号）第3条第1項に規定する首都直下地震緊急対策区域において、令和2年4月1日から令和8年3月31日までの間に新たに取得された地震防災対策の用に供する償却資産で(1)で定めるものに対して課する固定資産税の課税標準は、2の規定にかかわらず、当該償却資産に対して新たに固定資産税が課されることとなった年度から3年度分の固定資産税に限り、当該償却資産に係る固定資産税の課税標準となるべき価格の3分の2の額とする。（法附15⑤）

　　（地震防災対策の用に供する償却資産）
（1）　⑤に規定する地震防災対策の用に供する償却資産は、南海トラフ地震に係る地震防災対策の推進に関する特別措置法施行令（平成15年政令第324号）第3条各号に掲げる施設又は事業を管理し、又は運営する者が取得した償却資産で(2)で定めるもの（南海トラフ地震に係る地震防災対策の推進に関する特別措置法（平成14年法律第92号）、日本海溝・千島海溝周辺海溝型地震に係る地震防災対策の推進に関する特別措置法（平成16年法律第27号）及び首都直下地震対策特別措置法（平成25年法律第88号）並びにこれらに基づく命令以外の法令により当該償却資産の設置義務を負う者が当該設置義務に基づき取得するものを除く。）とする。（令附11⑦）

　　（対象となる償却資産）
（2）　(1)に規定する(2)で定める償却資産は、緊急地震速報受信装置その他の内閣総理大臣が定める償却資産とする。（規附6㉒）

⑥ 旅客鉄道株式会社及び日本貨物鉄道株式会社の新造車両
　旅客鉄道株式会社及び日本貨物鉄道株式会社に関する法律第1条第2項に規定する貨物会社が新たに製造された車両で(1)で定めるもの（⑫の規定の適用を受けるものを除く。）を令和4年4月1日から令和8年3月31日までの間に取得してこれを事業の用に供する場合には、当該車両に対して課する固定資産税の課税標準は、2の規定にかかわらず、当該車両に対して新たに固定資産税が課されることとなった年度から5年度分の固定資産税に限り、当該車両に係る固定資産税の課税標準となるべき価格の3分の2の額とする。（法附15⑥）

　　（新たに製造された車両で特例の対象となるもの）
（1）　⑥に規定する新たに製造された車両は、機関車及びコンテナ用の貨車のうち、貨物鉄道事業に係る輸送の効率化に資する車両として(2)で定めるものとする。（令附11⑧）

　　（総務省令で定める車両）
（2）　(1)に規定する(2)で定める車両は、既に事業の用に供されていた車両（日本国有鉄道改革法第22条の規定によ

り承継した車両のうち、エンジンその他の主要な部分品の修繕又は取替えを伴う大規模な修理又は改造が行われたことがあるものに限る。以下(2)において「既存更新車両」という。)を当該事業の用に供しなくなったことに伴い、当該既存更新車両に代えて当該事業の用に供される車両であって、次に掲げる要件のいずれかに該当するものであることについて国土交通大臣の定めるところにより国土交通大臣の証明がされた車両とする。(規附6㉓)
(一) 当該車両の最高速度が既存更新車両の最高速度を超えること。
(二) 当該車両の最高出力が既存更新車両の最高出力を超えること。

⑦ **低公害車の燃料等供給設備**
　電気を動力源とする自動車で内燃機関を有しないものに水素を充塡するための設備で(2)で定めるもののうち令和5年4月1日から令和7年3月31日までの間に政府の補助で(4)で定めるものを受けて新たに取得されたものに対して課する固定資産税の課税標準は、2の規定にかかわらず、当該設備に対して新たに固定資産税が課されることとなった年度から3年度分の固定資産税に限り、当該設備に係る固定資産税の課税標準となるべき価格の6分の5(当該設備のうち大規模なものとして(2)で定めるものにあっては、当該設備に係る固定資産税の課税標準となるべき価格の2分の1)の額とする。(法附15⑦)

　　　(対象となる設備)
(1)　⑦に規定する設備で(1)で定めるものは、電気を動力源とする自動車で内燃機関を有しないものに水素を充塡するための設備で(2)で定めるもの(以下「水素充塡設備」という。)のうち、一基の取得価額として(4)で定めるところにより計算した金額が1億5,000万円以上のものとする。(令附11⑨)

　　　(大規模なものとして政令で定めるもの)
(2)　⑦に規定する設備のうち大規模なものとして(2)で定めるものは、水素充塡設備のうち、前項に規定する金額が5億円以上のものとする。(令附11⑩)

　　　(総務省令で定める設備)
(3)　(1)に規定する電気を動力源とする自動車で内燃機関を有しないものに水素を充塡するための設備で(2)で定めるものは、水素ガス圧縮機又は液体水素圧縮機、ディスペンサーを同時に設置する場合のこれらの設備(当該設備と同時に設置する専用の制御装置、サクションスナッパー、蓄圧器、ガス圧縮機用冷却・加温装置、計装空気圧縮機、冷却散水ポンプ、貯水槽、水素受入装置、水素製造原料受入装置、貯槽、水素払出装置、水素製造原料払出装置、気化器、付臭装置、自然蒸発水素処理設備、水素発生設備、水素精製設備、水素放散処理設備、不活性ガス設備、障壁、防火壁、万代塀、ガス検知器、キャノピー又は配管を含む。)とする。(規附6㉔)

　　　(政府の補助で総務省令で定めるもの)
(4)　⑦に規定する政府の補助で(3)で定めるものは、燃料電池自動車の普及促進に向けた水素ステーション整備事業費に係る補助とする。(規附6㉕)

　　　(総務省令で定めるところにより計算した取得価額)
(5)　(1)に規定する(4)で定めるところにより計算した取得価額は、次の各号に掲げる設備の区分に応じ、当該各号に定める金額とする。(規附6㉖)
(一) 購入した設備　　次に掲げる金額の合計額
　イ　当該設備の購入の代価(引取運賃、荷役費、運送保険料、購入手数料、関税その他当該設備の購入のために要した費用がある場合には、その費用の額を加算した金額)
　ロ　当該設備を事業の用に供するために直接要した費用の額
(二) 購入以外の方法により取得した設備　　次に掲げる金額の合計額
　イ　その取得の時における当該設備の取得のために通常要する価額
　ロ　当該設備を事業の用に供するために直接要した費用の額

⑧ **外国貿易のために外国航路に就航する国際船舶**
　海上運送法(昭和24年法律第187号)第44条の2に規定する国際船舶のうち(1)で定めるものに対して課する海事産業の基盤強化のための海上運送法等の一部を改正する法律(令和3年法律第43号)附則第1条第2号に掲げる規定の施行の日

（令和3年8月20日）の属する年の翌年の1月1日（当該施行の日が1月1日である場合には、同日）を賦課期日とする年度から令和8年度までの各年度分の固定資産税の課税標準は、**イ**の④の規定により課税標準とされる額に3分の1（当該国際船舶のうち海上運送法第39条の23に規定する認定特定船舶導入計画に従って取得された同法第39条の19第1項に規定する特定船舶で（2）で定めるものにあっては、6分の1）を乗じて得た額とする。（法附15⑧）

　　　　（対象となる国際船舶）
（1）　⑧に規定する注で定める国際船舶は、次に掲げる要件に該当する船舶とする。（規附6㉗）
　（一）　次のいずれかに該当する船舶であること。
　　イ　前年中における外国貿易船（**イ**の④の（1）の（二）のロに規定する外国貿易船をいう。以下（一）において同じ。）として就航した日数の全就航日数に対する割合が2分の1を超える船舶（前年の1月2日以後に建造された船舶で前年中における就航日数が零であるものにあっては、当該船舶の構造、資格等からみて主として外国貿易船として就航するものと認められる船舶）
　　ロ　日本の国籍を有する者又は日本の法令により設立された法人その他の団体（以下ロにおいて「日本人」という。）が前年の1月2日以後に日本人以外の者から譲渡を受けた船舶のうち、当該譲渡を受けた日から前年の12月31日までの期間中における外国貿易船として就航した日数の全就航日数に対する割合が2分の1を超える船舶（当該期間中における就航日数が零であるものにあっては、当該船舶の構造、資格等からみて主として外国貿易船として就航するものと認められる船舶）
　（二）　次のいずれかに該当する船舶であること。
　　イ　海上運送法施行規則第43条第1項第4号イに掲げる船舶のうち、船舶職員及び小型船舶操縦者法施行規則第2条の2第2項第2号の設備を有するもの又は船舶自動化設備特殊規則第5条の衛星航法装置、同令第5条の2の自動衝突予防援助装置及び船舶施設備規程第146条の25第1項の船速距離計（ドプラ式のものに限る。）若しくは同令第146条の43第1項のサイドスラスター（船首に設置されているものに限る。）（ロにおいて「衛星航法装置等」という。）を有するもの
　　ロ　海上運送法施行規則第43条第1項第4号ロに掲げる船舶のうち衛星航法装置等を有するもの

　　　　（⑧の注に規定する総務省令で定める特定船舶）
（2）　⑧の注に規定する（2）で定める特定船舶は、国土交通大臣が総務大臣と協議して定める環境への負荷の低減、航行の安全の確保並びに航海及び荷役作業の省力化に資する構造、装置又は性能に係る基準に適合することについて国土交通大臣の証明がされた船舶とする。（規附6㉘）

⑨　特定鉄道事業者の譲受固定資産で旧交納付金法附則の適用があった償却資産

　旅客鉄道株式会社及び日本貨物鉄道株式会社に関する法律第1条第1項に規定する旅客会社、旅客鉄道株式会社及び日本貨物鉄道株式会社に関する法律の一部を改正する法律（平成13年法律第61号）附則第2条第1項に規定する新会社又は旅客鉄道株式会社及び日本貨物鉄道株式会社に関する法律の一部を改正する法律（平成27年法律第36号）附則第2条第1項に規定する新会社（以下⑨において「旅客会社等」という。）が、平成9年4月1日から令和13年3月31日までの間に、全国新幹線鉄道整備法第8条の規定により昭和48年11月13日に運輸大臣が建設の指示を行った同法第4条第1項に規定する建設線（当該建設線の全部又は一部の区間について同法附則第9項の規定により国土交通大臣が同法附則第6項第1号に規定する新幹線鉄道規格新線の建設の指示を行った場合には、当該新幹線鉄道規格新線を含む。以下⑨において「建設線」という。）の全部又は一部の区間の営業を開始し、かつ、当該指示に係る建設線の区間のうち当該営業を開始した区間の全部又は一部とその両端が同一である当該旅客会社等の営業路線の全部又は一部の区間で（1）で定めるものの全部又は一部について鉄道事業法の一部を改正する法律（平成11年法律第49号）による改正前の鉄道事業法第28条第1項の規定による許可を受け、又は鉄道事業法第28条の2第1項の規定による届出をして鉄道事業を廃止した場合において、当該廃止された鉄道事業による輸送に代わる輸送の確保のため必要となる鉄道事業（以下⑨において「特定鉄道事業」という。）を経営しようとする同法第7条第1項に規定する鉄道事業者で（2）で定めるものであって、平成9年4月1日から令和13年3月31日までの間に当該旅客会社等から当該廃止された鉄道事業に係る営業路線の区間の全部又は一部に係る鉄道施設の譲渡を受けたもの（⑨において「特定鉄道事業者」という。）が、当該鉄道施設の譲渡により取得した固定資産で（3）で定めるもの（以下⑨において「譲受固定資産」という。）を当該特定鉄道事業の用に供するときは、当該譲受固定資産に対して課する固定資産税又は都市計画税の課税標準は1、2又は第4章《都市計画税》1の規定にかかわらず、当該特定鉄道事業者が当該譲受固定資産を取得した日の属する年の翌年の1月1日（当該取得の日が1月1日である場合には、同日）を賦課期日とする年度以後の年度から20年度分の固定資産税又は都市計画税に限り、当該譲受固定資産に係る固定資産税

又は都市計画税の課税標準となるべき価格の2分の1の額（**イ**の①、⑬又は㉓の規定の適用を受ける償却資産にあっては、これらの規定により課税標準とされる額の2分の1の額）とする。（法附15⑨）

　　　　（区　間）
（１）　⑨に規定する区間は、⑨に規定する建設線の全部又は一部の区間の営業の開始により旅客輸送量が著しく減少すると見込まれる区間として総務大臣が指定する区間とする。（令附11⑪）
　　　　（注）　（１）の総務大臣が指定する区間は、平成14年総務省告示第638号により定められている。（編者）

　　　　（鉄道事業者）
（２）　⑨に規定する鉄道事業者は、その発行済株式の総数又は出資金額若しくは搬出された金額の2分の1以上の数又は金額が地方公共団体により所有され、又は出資若しくは搬出をされている法人で総務大臣が指定するものとする。（令附11⑫）
　　　　（注）　（２）の総務大臣が指定する法人は、平成14年総務省告示第638号により定められている。（編者）

　　　　（固定資産）
（３）　⑨に規定する固定資産は、次に掲げる固定資産以外の固定資産とする。（令附11⑬）
　（一）　宿舎の用に供する固定資産
　（二）　職員の福利及び厚生の用に供する固定資産
　（三）　（一）及び（二）に掲げるもののほか、他の者に貸し付けている固定資産
　（四）　遊休状態にある土地及び家屋（⑨に規定する特定鉄道事業の用に供するものとして建設計画が確定しているものを除く。）
　（五）　観光その他旅客誘致のための施設の用に供する固定資産
　（六）　私人のための専用側線の用に供する固定資産

⑩　政府の補助を受けて取得した鉄軌道車両の運行の安全性の向上に資する償却資産

　鉄道事業法第7条第1項に規定する鉄道事業者又は軌道法第4条に規定する軌道経営者で（１）で定めるものが平成23年改正法の施行の日（平成23年6月30日）から令和7年3月31日までの間に政府の補助で（３）で定めるものを受けて取得した車両の運行の安全性の向上に資する償却資産で（４）で定めるもの（⑰の規定の適用を受けるものを除く。）に対して課する固定資産税の課税標準は、２の規定にかかわらず、当該償却資産に対して新たに固定資産税が課されることとなった年度から５年度分の固定資産税に限り、当該償却資産に係る固定資産税の課税標準となるべき価格の3分の1の額とする。（法附15⑩）

　　　　（対象となる鉄道事業者又は軌道経営者）
（１）　⑩に規定する鉄道事業者又は軌道経営者は、地域住民の生活に必要な輸送の需要に応ずる鉄道又は軌道に係る事業を営む者として総務省令で定めるものとする。（令附11⑭）

　　　　（総務省令で定める者）
（２）　（１）に規定する総務省令で定める者は、鉄道事業法第7条第1項に規定する鉄道事業者（以下（２）において「鉄道事業者」という。）又は軌道法第4条に規定する軌道経営者（以下（２）において「鉄道事業者等」という。）で次に掲げるもの以外のものとする。（規附6㉙）

（一）	その営む鉄道又は軌道に係る路線の長さの合計が20キロメートルを超えており、かつ、当該路線の全部又は一部が大都市（東京都、大阪市及び名古屋市をいう。以下（２）において同じ。）又は都市（松戸市、横浜市、堺市、姫路市及び福岡市をいう。以下（二）において同じ。）に存する鉄道事業者等
（二）	他の鉄道事業者等（その営む路線が大都市に存するものに限る。）と直通運輸を行う鉄道事業者等でその営む路線の全部又は一部が大都市又は都市に存するもののうち、当該鉄道事業者等の営む路線の長さと当該鉄道事業者等が直通運輸に使用する当該他の鉄道事業者等の営む路線の長さの合計が20キロメートルを超えているもの
（三）	鉄道事業法第15条第1項に規定する第3種鉄道事業者でその営む路線の全部又は一部が大都市又は都市（神戸市をいう。）に存するもののうち、当該第3種鉄道事業者の営む路線を使用して二以上の他の鉄道事業者等（当該他の鉄道事業者等のいずれかの営む路線が大都市に存するものに限る。）が直通運輸を行っており、かつ、当

	該第3種鉄道事業者の営む路線の長さと当該路線を使用する二以上の他の鉄道事業者等の営む路線で当該直通運輸に係るものの長さの合計が20キロメートルを超えているもの
(四)	旅客鉄道株式会社及び日本貨物鉄道株式会社に関する法律第1条第1項に規定する旅客会社若しくは同条第2項に規定する貨物会社、旅客鉄道株式会社及び日本貨物鉄道株式会社に関する法律の一部を改正する法律（平成13年法律第61号）附則第2条第1項に規定する新会社又は旅客鉄道株式会社及び日本貨物鉄道株式会社に関する法律の一部を改正する法律（平成27年法律第36号）附則第2条第1項に規定する新会社
(五)	鉄道事業法施行規則第4条に規定する鉄道の種類のうち、同条第1号に掲げる普通鉄道以外の鉄道の事業を営む鉄道事業者

　　　（政府の補助）
（３）　⑩に規定する政府の補助は、鉄道施設の安全対策事業に係る補助のうち土木構造物の耐久性の確保に資する補強若しくは改良のために交付されるもの又は鉄道軌道安全輸送設備等整備事業若しくはインバウンド対応型鉄軌道車両整備事業に係る補助のうち安全性の向上のために交付されるものとする。（規附６㉚）

　　　（対象となる償却資産）
（４）　⑩に規定する車両の運行の安全性の向上に資する償却資産は、次に掲げる償却資産のいずれかに該当することについて国土交通大臣の証明を受けた償却資産とする。（規附６㉛）
　（一）　信号保安設備
　（二）　保安通信設備
　（三）　防護設備
　（四）　停車場設備（安全性の向上のために改良されたものに限る。）
　（五）　線路設備又は電路設備（安全性の向上のために改良されたものに限る。）
　（六）　変電所（安全性の向上のために改良されたものに限る。）
　（七）　既に事業の用に供されていた車両（（八）において「既存車両」という。）のうち安全性の向上のために改良されたもの
　（八）　既存車両に代えて事業の用に供される車両のうち既存車両と比べて安全性の向上が図られているもの

⑪　**高齢者、身体障害者等が円滑に利用できる特殊な構造を有する車両**
　鉄道事業法第7条第1項に規定する鉄道事業者又は軌道法第4条に規定する軌道経営者が新たに製造された車両で高齢者、障害者等の移動等の円滑化の促進に関する法律第2条第1号に規定する高齢者、障害者等が円滑に利用できる特殊な構造を有するものとして注で定めるものを平成23年改正法の施行の日の翌日（平成23年7月1日）から令和7年3月31日までの間に取得してこれを事業の用に供する場合には、当該車両に対して課する固定資産税の課税標準は、⑫の規定にかかわらず、当該車両に対して新たに固定資産税が課されることとなった年度から5年度分の固定資産税に限り、当該車両に係る固定資産税の課税標準となるべき価格の3分の1の額とする。（法附15⑪）

　　　（対象となる車両）
　注　⑪に規定する車両は、次に掲げる車両とする。（規附６㉜）
　（一）　階段を用いずに乗降が可能な旅客用乗降口（（二）において「特定乗降口」という。）を有し、かつ、客室に係る床面の全部又は一部の高さが軌条面から400ミリメートル以内である車両
　（二）　（一）に掲げる車両以外の車両（（一）に掲げる車両と連結して事業の用に供されるものに限る。）で、⑪に規定する高齢者、身体障害者等が当該車両の客室に特定乗降口から貫通路を通じて容易に至ることができる構造であるもの

⑫　**鉄道事業者又は総合効率化事業者の一般新造鉄軌道車両**
　鉄道事業法第7条第1項に規定する鉄道事業者又は軌道法第4条に規定する軌道経営者（以下⑫において「鉄道事業者等」という。）が平成31年4月1日から令和7年3月31日までの期間（以下⑫において「製造等対象期間」という。）内に新たに製造された車両で(1)で定めるものを、取得して、若しくは取得した後に当該車両を他の者に譲渡し、当該者から当該車両を賃借して、これを事業の用に供する場合又は製造等対象期間内に改良された車両で(1)で定めるものを事業の用に供する場合には、これらの車両（改良された車両にあっては、当該車両の当該改良された部分に限る。以下⑫におい

て同じ。）に対して課する固定資産税の課税標準は、2の規定にかかわらず、これらの車両に対して新たに固定資産税が課されることとなった年度から5年度分の固定資産税に限り、これらの車両に係る固定資産税の課税標準となるべき価格の3分の2（（2）で定める小規模な鉄道事業者等が製造等対象期間内に新たに製造された車両で（1）で定めるものを取得して、若しくは取得した後に当該車両を他の者に譲渡し、当該者から当該車両を賃借して、これを事業の用に供する場合又は製造等対象期間内に改良された車両で（1）で定めるものを事業の用に供する場合には、これらの車両に係る固定資産税の課税標準となるべき価格の5分の3）の額とする。（法附15⑫）

　　　（新たに製造された車両）
（1）　⑫に規定する新たに製造された車両で（1）で定めるもの及び⑫に規定する改良された車両で（1）で定めるものは、原動機を有する客車又は原動機を有する客車にけん引される客車のうち運賃のほかに特別の料金の定めがある旅客運送に専ら使用される客車以外の客車であって、利用者の利便の向上に資するもの又はエネルギーの使用の合理化に資するものとして（2）で定めるものとする。（令附11⑮）

　　　（車両の細目）
（2）　（1）に規定する利用者の利便の向上に資するもの又はエネルギーの使用の合理化に資するものとして（2）で定める車両は、次の各号に掲げる車両のいずれかであることについて国土交通大臣の定めるところにより国土交通大臣の証明がされた車両とする。（規附6㉝）
（一）　⑫に規定する新たに製造された車両で（1）で定めるもののうち、既に事業の用に供されていた車両を当該事業の用に供しなくなったことに伴い当該車両に代えて当該事業の用に供される車両（以下（一）及び（二）のイにおいて「代替車両」という。）又は代替車両以外の車両で新たな営業路線の開業若しくは列車の編成を構成する車両の増加に伴い新たに事業の用に供されるもの（専ら観光の用に供するものを除く。以下（一）及び（二）のイにおいて「非代替車両」という。）であって、次に掲げる要件（（3）に規定する小規模な鉄道事業者等が事業の用に供する代替車両又は非代替車両にあっては、イ及びロに掲げる要件）のいずれにも該当するもの
　　イ　当該代替車両にあっては一次周波数制御方式（サイリスターにより制御される方式を除く。以下このイ及び（二）において同じ。）の導入によりその制御方式が既に事業の用に供されていた車両の制御方式に比べて性能が向上しており、当該非代替車両にあってはその制御方式が一次周波数制御方式であること。
　　ロ　当該代替車両又は当該非代替車両が電力回生ブレーキを有すること（これらの車両が内燃機関を有する場合を除く。（二）のイの（ⅱ）及びロの（ⅱ）において同じ。）。
　　ハ　当該代替車両又は当該非代替車両が有する客室内の照明器具、前照灯及び行先表示器が発光ダイオードを光源とするものであること。
　　ニ　当該代替車両又は当該非代替車両が自動制御の機能を有する空調制御装置を用いた空調システムを有すること。
　　ホ　当該代替車両又は当該非代替車両がアルミニウム合金製又はステンレス鋼製のものであること。
（二）　⑫に規定する改良された車両で（1）で定めるもののうち、次に掲げる車両
　　イ　代替車両又は非代替車両であって、改良により新たに次に掲げる要件のいずれにも該当することとなったもの
　　　（ⅰ）　当該代替車両又は当該非代替車両の制御方式が一次周波数制御方式であること。
　　　（ⅱ）　当該代替車両又は当該非代替車両が電力回生ブレーキを有すること。
　　ロ　既に事業の用に供されていた車両を改良して当該事業の用に供するもののうち、当該改良により新たに次に掲げる要件のいずれにも該当することとなったもの（イに掲げる車両を除く。）
　　　（ⅰ）　当該車両の制御方式が一次周波数制御方式であること。
　　　（ⅱ）　当該車両が電力回生ブレーキを有すること。

　　　（総務省令で定める小規模な鉄道事業者等）
（3）　⑫に規定する（3）で定める小規模な鉄道事業者等は、次に掲げるもの以外のものとする。（規附6㉞）
（一）　その営む鉄道又は軌道に係る路線の長さの合計が35キロメートルを超えており、かつ、当該路線の全部又は一部が大都市（東京都、大阪市及び名古屋市をいう。）又は都市（横浜市及び福岡市をいう。）に存する鉄道事業者等（大都市地域における宅地開発及び鉄道整備の一体的推進に関する特別措置法第7条第1項に規定する特定鉄道事業者等を除く。）
（二）　旅客鉄道株式会社及び日本貨物鉄道株式会社に関する法律第1条第1項に規定する旅客会社、旅客鉄道株式会社及び日本貨物鉄道株式会社に関する法律の一部を改正する法律（平成13年法律第61号）附則第2条第1項に規定する新会社又は旅客鉄道株式会社及び日本貨物鉄道株式会社に関する法律の一部を改正する法律（平成27年法律第

36号）附則第２条第１項に規定する新会社

⑬ 民間資金等の活用による公共施設等の整備等の促進に関する法律の選定事業者が取得した公共施設等用の家屋及び償却資産

民間資金等の活用による公共施設等の整備等の促進に関する法律第２条第５項に規定する選定事業者が同法第10条第１項に規定する事業計画又は協定に従って実施する同法第２条第４項に規定する選定事業で（１）で定めるもの（法律の規定により同条第３項第１号又は第２号に掲げる者がその事務又は事業として実施するものであることを当該者が証明したものに限る。）により平成17年４月１日から令和７年３月31日までの間に取得した同条第１項に規定する公共施設等の用に供する家屋及び償却資産で（２）で定めるものに対して課する固定資産税又は都市計画税の課税標準は、１、２又は第四章《都市計画税》１の規定にかかわらず、当該家屋及び償却資産に係る固定資産税又は都市計画税の課税標準となるべき価格の２分の１の額とする。（法附15⑬）

（選定事業）
（１）⑬に規定する選定事業は、民間資金等の活用による公共施設等の整備等の促進に関する法律第２条第４項に規定する選定事業のうち、当該選定事業に係る経費の全額を当該選定事業を選定した同条第３項第１号又は第２号に掲げる者（以下（１）及び（２）において「地方公共団体等」という。）が負担し、かつ、同法第10条第１項に規定する事業計画又は協定において当該選定事業に係る同法第２条第１項に規定する公共施設等が当該地方公共団体等に譲渡される旨が定められているものとする。（令附11⑯）

（対象となる家屋及び償却資産）
（２）⑬に規定する公共施設等の用に供する家屋及び償却資産は、次に掲げる家屋及び償却資産以外の家屋及び償却資産とする。（令附11⑰）
　（一）当該家屋及び償却資産を所有する民間資金等の活用による公共施設等の整備等の促進に関する法律第２条第５項に規定する選定事業者（（四）において「選定事業者」という。）以外の者又は当該家屋及び償却資産に係る選定事業を選定した地方公共団体等以外の者が使用している家屋及び償却資産（国家公務員宿舎法第10条の公邸及び同法第12条の無料宿舎の用に供するものを除く。）
　（二）空港整備法第２条第１項に規定する空港の用に供する家屋及び償却資産（（３）で定めるものを除く。）
　（三）水道法第３条第１項に規定する水道の用に供するダム（ダムと一体となってその効用を全うする施設及び工作物を含む。）の用に供する家屋及び償却資産（（４）で定めるものを除く。）
　（四）選定事業者の事務所の用に供する家屋及び償却資産

（空港の用に供する家屋及び償却資産から除かれるもの）
（３）（２）の（二）の対象から除かれる家屋及び償却資産は、次に掲げる家屋及び償却資産とする。（規附６㉟）
　（一）国家公務員宿舎法第10条の公邸及び同法第12条の無料宿舎の用に供する家屋及び償却資産
　（二）無償で公共の用に供する駐車場の用に供する家屋及び償却資産
　（三）税関の支署及び出張所、地方入国管理局及びその支局並びにこれらの出張所、検疫機関、総合通信局の出張所、警察機関、国土交通省設置法第32条第１項に規定する地方整備局の事務所のうち港湾空港工事事務所及び空港工事事務所、海上保安庁法第13条に規定する管区海上保安本部の事務所のうち航空基地並びに地方航空局並びにその事務所のうち空港事務所及び空港出張所の用に供する家屋及び償却資産

（ダムの用に供する家屋及び償却資産から除かれるもの）
（４）（２）の（三）の対象から除かれる家屋及び償却資産は、水道の用に供するダムにより貯留されている水の当該ダム所在の市町村の区域内における供給に係る部分（当該家屋及び償却資産の価格に当該供給される水の量の当該ダムにより水道に供給されている水の量に対する割合を乗じて得た額に係るものとして区分された家屋及び償却資産をいう。）とする。（規附６㊱）

⑭ 都市再生特別措置法の認定事業者が新たに取得した公共施設等用の家屋及び償却資産

都市再生特別措置法第23条に規定する認定事業者が同法第25条に規定する認定事業（その事業区域の全部又は一部が特別区の区域内にあるものにあっては、（１）で定める要件を満たすものに限る。）により令和５年４月１日から令和８年３月31日までの間に新たに取得した同法第29条第１項第１号に規定する公共施設等の用に供する家屋及び償却資産で（１）で定

めるものに対して課する固定資産税又は都市計画税の課税標準は、1、2又は第四章《都市計画税》1の規定にかかわらず、当該家屋及び償却資産に対して新たに固定資産税又は都市計画税が課されることとなった年度から5年度分の固定資産税又は都市計画税に限り、当該家屋及び償却資産に係る固定資産税又は都市計画税の課税標準となるべき価格に5分の3を参酌して2分の1以上10分の7以下の範囲内において市町村の条例で定める割合（当該償却資産が第五節二の①《二以上の市町村にわたって使用され、又は所在する固定資産の評価及び価格配分》の規定の適用を受ける場合には、5分の3）を乗じて得た額とする。ただし、当該家屋及び償却資産のうち同法第2条第5項に規定する特定都市再生緊急整備地域で施行された同法第25条に規定する認定事業により取得したものにあっては、当該家屋及び償却資産に係る固定資産税又は都市計画税の課税標準となるべき価格に2分の1を参酌して5分の2以上5分の3以下の範囲内において市町村の条例で定める割合（当該償却資産が第五節二の①の規定の適用を受ける場合には、2分の1）を乗じて得た額とする。（法附15⑭）

　　　（政令で定める要件）
（1）　⑭に規定する（1）で定める要件は、次の各号のいずれかに該当することとする。（令附11⑱）
　（一）　都市再生特別措置法第2条第5項に規定する特定都市再生緊急整備地域（（二）において「特定都市再生緊急整備地域」という。）以外の同条第3項に規定する都市再生緊急整備地域（以下（一）において「都市再生緊急整備地域」という。）内において施行される同法第25条に規定する認定事業（以下「認定事業」という。）であり、かつ、その事業区域の面積が1ヘクタール以上（当該都市再生緊急整備地域内において当該認定事業の事業区域に隣接し、又は近接してこれと一体的に他の都市開発事業（同法第2条第1項に規定する都市開発事業をいい、当該都市再生緊急整備地域に係る同法第15条第1項に規定する地域整備方針に定められた都市機能の増進を主たる目的とするものに限る。以下（一）において同じ。）が施行され、又は施行されることが確実であると見込まれ、かつ、当該認定事業及び当該他の都市開発事業の事業区域の面積の合計が1ヘクタール以上となることについて（2）で定めるところにより証明がされた場合における当該認定事業にあっては、0.5ヘクタール以上）であること。
　（二）　特定都市再生緊急整備地域内において施行される認定事業であること。

　　　（総務省令で定めるところにより証明がされた認定事業）
（2）　（1）の（一）に規定する（2）で定めるところにより証明がされた認定事業は、当該認定事業（（1）の（一）に規定する認定事業をいう。以下（2）において同じ。）が施行される（1）の（一）に規定する都市再生緊急整備地域内において当該認定事業の事業区域に隣接し、又は近接してこれと一体的に他の都市開発事業（（1）の（一）に規定する他の都市開発事業をいう。以下（2）において同じ。）が施行され、又は施行されることが確実であると見込まれ、かつ、当該認定事業及び当該他の都市開発事業の事業区域の面積の合計が1ヘクタール以上となることについて、国土交通大臣の証明がされたものとする。（規附6㊲）

　　　（対象となる家屋及び償却資産）
（3）　⑭に規定する家屋及び償却資産は、認定事業（当該認定事業の事業区域内に地上階数10以上又は述べ面積が7万5,000平方メートル以上の耐火建築物（建築基準法第2条第9号の2に規定する耐火建築物をいう。）が整備されるものに限る。）により取得した公共施設（都市再生特別措置法第2条第2項に規定する公共施設をいう。）及び都市の居住者の利便の向上に資する施設で総務省令で定める家屋及び償却資産とする。（令附11⑲）

　　　（都市の居住者の利便の向上に資する施設）
（4）　（3）に規定する都市の居住者の利便の向上に資する施設で総務省令で定めるものは、次の各号に掲げるもの（その利用について対価又は負担として支払うべき金額の定めのあるものを除く。）であって、都市の居住者の利便の向上に資するものであることにつき国土交通大臣の証明を受けたものとする。（規附6㊳）
　（一）　緑化施設
　（二）　通路（次に掲げる施設のいずれかと連絡するものであること、何らの制限なしに通行できること及び構造上他の施設と区分されているものであることについて国土交通大臣の証明を受けたものに限る。）
　　　イ　道路、都市高速鉄道、駐車場、自動車ターミナルその他の交通施設
　　　ロ　公園、緑地、広場その他の公共空地

⑮ **都市鉄道利便増進事業により取得した都市鉄道施設及び駅附帯施設用の家屋及び償却資産**
　鉄道事業法第7条第1項に規定する鉄道事業者若しくは軌道法第4条に規定する軌道経営者又はこれらの者に都市鉄道

等利便増進法第2条第7号に規定する速達性向上事業により整備される施設の貸付けを行う法人で（1）で定めるものが当該速達性向上事業により同法の施行の日（平成17年8月1日）から令和7年3月31日までの間に取得した同条第3号に規定する都市鉄道施設及び（2）で定めるものの用に供する家屋及び償却資産に対して課する固定資産税又は都市計画税の課税標準は、1、2又は第四章《都市計画税》1の規定にかかわらず、当該家屋及び償却資産に対して新たに固定資産税又は都市計画税が課されることとなった年度から5年度分の固定資産税又は都市計画税に限り、当該家屋及び償却資産に係る固定資産税又は都市計画税の課税標準となるべき価格の3分の2の額とする。（法附15⑮）

　　　（施設の貸付けを行う法人）
（1）　⑮の（1）に規定する速達性向上事業により整備される施設の貸付けを行う法人は、次の各号のいずれかに該当する法人とする。（令附11⑳）
　（一）　その発行済株式の総数又は出資金額若しくは拠出された金額の2分の1以上の数又は金額が地方公共団体により所有され、又は出資若しくは拠出をされている法人
　（二）　その発行済株式の総数又は出資金額若しくは拠出された金額の4分の1以上の数又は金額が一の地方公共団体により所有され、又は出資若しくは拠出をされている法人（（一）に掲げる法人を除く。）
　（三）　独立行政法人鉄道建設・運輸施設整備支援機構

　　　（都市鉄道施設及び駅附帯施設）
（2）　⑮の（2）に規定する都市鉄道施設は、停車場建物、旅客用通路、停車場設備、線路設備又は電路設備とする。（令附11㉑）

⑯　外貿埠頭公社の民営化に伴う承継資産
　　特定外貿埠頭の管理運営に関する法律第3条第3項に規定する指定会社その他注で定める者（以下⑯において「指定会社等」という。）が港湾法第2条第1項に規定する港湾管理者により設立された公益財団法人で（2）で定めるもの（以下⑯において「外貿埠頭公社」という。）からの出資により取得した固定資産のうち、当該指定会社等が取得した日の前日において地方税法の一部を改正する法律（平成25年法律第3号）第1条の規定による改正前の地方税法附則第15条第5項、地方税法等の一部を改正する法律（平成20年法律第21号。以下⑯において「平成20年改正法」という。）附則第10条第12項及び第16条第4項の規定によりなお従前の例によることとされる平成20年改正法第1条の規定による改正前の地方税法附則第15条第15項又は地方税法等の一部を改正する法律（平成18年法律第7号）附則第13条第18項及び第20条第2項の規定によりなお従前の例によることとされる同法第1条の規定による改正前の地方税法附則第15条第18項の規定の適用があったものに対して課する固定資産税又は都市計画税の課税標準は1、2又は第四章《都市計画税》1の規定にかかわらず、当該取得の日の属する年の翌年の1月1日（当該取得の日が1月1日である場合には、同日）を賦課期日とする年度から10年度分の固定資産税又は都市計画税に限り、当該固定資産に係る固定資産税又は都市計画税の課税標準となるべき価格の2分の1（当該固定資産のうち当該外貿埠頭公社が海上物流の基盤強化のための港湾法等の一部を改正する法律（平成18年法律第38号）第2条の規定による改正前の外貿埠頭公団の解散及び業務の承継に関する法律（昭和56年法律第28号）第2条第1項の規定により承継したものにあっては、当該固定資産に係る固定資産税又は都市計画税の課税標準となるべき価格の5分の3）の額とする。（法附15⑯）

　　　（対象となる者）
（1）　⑯に規定する者は、その基本財産の全部が地方公共団体により搬出されている公益財団法人のうち指定法人（海上物流の基盤強化のための港湾法等の一部を改正する法律（平成18年法律第38号）第2条の規定による改正前の外貿埠頭公団の解散及び業務の承継に関する法律（昭和56年法律第28号）第2条第1項に規定する指定法人をいう。（2）において同じ。）に準ずるもので総務大臣が指定するもの（（2）において「準指定法人」という。）から資産の現物出資を受けて設立された株式会社で総務大臣が指定するものとする。（令附11㉒）

　　　（指定法人及び準指定法人）
（2）　⑯に規定する公益財団法人で（2）で定めるものは、指定法人及び準指定法人とする。（令附11㉓）

⑰　鉄道事業者の鉄道事業再構築事業用家屋及び償却資産
　　鉄道事業法第7条第1項に規定する鉄道事業者が、地域公共交通の活性化及び再生に関する法律第24条第8項（同法第29条の9において準用する場合を含む。）に規定する認定鉄道事業再構築実施計画に基づき同法第2条第9号に規定する鉄

第三編第三章《固定資産税》第二節《課税標準、税率及び免税点》

道事業再構築事業を実施する路線に係る鉄道事業の用に供する家屋又は償却資産で（１）で定めるもののうち、令和５年４月１日から令和７年３月31日までの間に政府又は地方公共団体の補助で（２）で定めるものを受けて取得したものに対して課する固定資産税又は都市計画税の課税標準は、１、２又は第四章《都市計画税》１の規定にかかわらず、当該家屋又は償却資産に対して新たに固定資産税又は都市計画税が課されることとなった年度から５年度分の固定資産税又は都市計画税に限り、当該家屋又は償却資産に係る固定資産税又は都市計画税の課税標準となるべき価格の４分の１の額とする。（法附15⑰）

　　　　（対象となる家屋又は償却資産）
（１）　⑰に規定する家屋又は償却資産は、次の各号に掲げるものであって、⑰に規定する路線に係る鉄道事業の用に供するものであることにつき国土交通大臣の定めるところにより国土交通大臣の証明を受けた家屋又は償却資産とする。（規附６㊴）
　（一）　線路設備
　（二）　電路設備
　（三）　停車場、変電所、車庫、工場、倉庫又は詰所
　（四）　車両

　　　　（対象となる政府又は地方公共団体の補助）
（２）　⑰に規定する政府又は地方公共団体の補助で（２）で定めるものは、次に掲げるものとする。（規附６㊵）
　（一）　鉄道施設の安全対策事業に係る政府の補助のうち鉄道軌道安全輸送設備等整備事業又はインバウンド対応型鉄軌道車両整備事業に係る補助
　（二）　社会資本整備総合交付金（地域公共交通再構築事業に限る。）又は先進車両導入等に係る政府の補助のうち先進車両導入支援事業、先進車両導入支援試験実証事業若しくはインバウンド先進車両導入支援事業に係る補助を原資とする地方公共団体の補助

⑱　バイオ燃料製造業者の生産製造連携事業用設備
　農林漁業有機物資源のバイオ燃料の原材料としての利用の促進に関する法律第２条第３項に規定するバイオ燃料製造業者が、令和６年４月１日から令和８年３月31日までの間に、同法第５条第２項に規定する認定生産製造連携事業計画に従って実施する同法第２条第３項に規定する生産製造連携事業により新設した次の各号に掲げる機械その他の設備に対して課する固定資産税の課税標準は、２の規定にかかわらず、当該設備に対して新たに固定資産税が課されることとなった年度から３年度分の固定資産税に限り、当該設備に係る固定資産税の課税標準となるべき価格に、それぞれ当該各号に定める割合を乗じて得た額とする。（法附15⑱）
（一）　木竹を原材料として製造される燃料を製造するための設備で（１）で定めるもの　　　４分の３
（二）　エタノールその他の（２）で定める燃料を製造するための設備で（３）で定めるもの　　　３分の２
（三）　水素その他の（４）で定める成分を主成分とするガスを製造するための設備で（５）で定めるもの　　　２分の１

　　　　（総務省令で定める木竹を原材料として製造される燃料を製造するための設備）
（１）　⑱の（一）に規定する木竹を原材料として製造される燃料を製造するための設備で（１）で定めるものは、木質固形燃料製造設備（農林漁業有機物資源のバイオ燃料の原材料としての利用の促進に関する法律施行令（以下「利用促進法施行令」という。）第２条第２号に掲げる木竹に由来する農林漁業有機物資源を破砕することにより均質にし、乾燥し、かつ、一定の形状に圧縮成形したものを製造するもので、破砕機、乾燥機及び圧縮成形装置を同時に設置する場合のこれらのものに限るものとし、これらと同時に設置する専用の原料受入・供給装置、選別機、篩分機、集じん装置、自動調整装置、冷却装置、貯蔵装置、搬送装置、出荷装置、送風機又は配管を含む。）のうち租税特別措置法第10条第８項第６号に規定する中小事業者若しくは同法第42条の４第19項第７号に規定する中小企業者（以下「中小事業者等」という。）又は同条第19項第９号に規定する農業協同組合等が新設したものとする。（規附６㊶）

　　　　（総務省令で定める燃料）
（２）　⑱の（二）に規定するエタノールその他の（２）で定める燃料は、利用促進法施行令第２条第３号に掲げるエタノール（（３）の（一）において「エタノール」という。）又は同条第４号に掲げる脂肪酸メチルエステル（（３）の（二）において「脂肪酸メチルエステル」という。）とする。（規附６㊷）

　　　　（総務省令で定める設備）
（３）　⑱の（二）に規定する設備で（３）で定めるものは、次に掲げる設備とする。（規附６㊸）
　（一）　エタノール製造設備（エタノールを製造するもので、発酵装置並びに蒸留装置及び脱水装置（蒸留及び脱水を行い高純度化させる機能を有するものに限る。）又は膜処理装置（膜処理により高純度化させる機能を有するものに限る。）を同時に設置する場合のこれらのものに限るものとし、これらと同時に設置する専用の原料受入装置、原料貯蔵装置、原料供給装置、粉砕器、圧搾装置、煮熟機、濃縮装置、分離装置、混合装置、制御装置、精製装置、熱交換器、冷却装置、貯蔵装置、ボイラー、脱臭装置、搬送装置、排水処理装置、貯留装置、残さ処理装置、出荷装置、ポンプ又は配管を含む。）
　（二）　脂肪酸メチルエステル製造設備（脂肪酸メチルエステルを製造するもので、分離装置、反応槽及び精製装置を同時に設置する場合のこれらのものに限るものとし、これらと同時に設置する専用の原料受入装置、原料貯蔵装置、原料供給装置、前処理装置、脱臭装置、自動調整装置、搬送装置、排水処理装置、貯留装置、残さ処理装置、出荷装置、ポンプ又は配管を含む。）のうち中小事業者等が新設したもの

　　　　（総務省令で定める成分）
（４）　⑱の（三）に規定する水素その他の（４）で定める成分は、水素、一酸化炭素及びメタンとする。（規附６㊹）

　　　　（総務省令で定める設備）
（５）　⑱の（三）に規定するガスを製造するための設備で（５）で定めるものは、次に掲げる設備とする。（規附６㊺）
　（一）　利用促進法施行令第２条第５号に掲げる水素、一酸化炭素及びメタンを主成分とするガスを製造する設備で、ガス化炉、精製装置及び貯蔵装置を同時に設置する場合のこれらのもの（これらと同時に設置する専用の原料受入・供給装置、前処理装置、脱臭装置、自動調整装置、搬送装置、貯留装置、残さ処理装置、余剰ガス燃焼装置、出荷装置、ポンプ又は配管を含む。）
　（二）　利用促進法施行令第２条第６号に掲げるメタンを製造する設備で、発酵装置及び精製装置を同時に設置する場合のこれらのもの（これらと同時に設置する専用の原料受入装置、原料貯蔵装置、原料供給装置、前処理装置、脱臭装置、自動調整装置、搬送装置、排水処理装置、貯留装置、残さ処理装置、余剰ガス燃焼装置、出荷装置、ポンプ又は配管を含む。）

⑲　公益社団法人又は公益財団法人の重要無形文化財公演用の土地及び家屋
　公益社団法人又は公益財団法人が所有する文化財保護法第71条第１項に規定する重要無形文化財の公演のための施設で注で定めるものの用に供する土地及び家屋で注で定めるものに対して課する固定資産税又は都市計画税の課税標準は、１又は第四章《都市計画税》１の規定にかかわらず、平成23年度から令和６年度までの各年度分の固定資産税又は都市計画税に限り、当該土地及び家屋に係る固定資産税又は都市計画税の課税標準となるべき価格の２分の１の額とする。（法附15⑲）

　　　　（対象となる施設）
　注　⑲に規定する施設は、⑲に規定する重要無形文化財を公演するための専用の舞台を備えた施設とし、⑲に規定する土地及び家屋は、当該施設の用に供する土地及び家屋のうち、その利用について対価又は負担として支払うべき金額の定めのある駐車施設その他の施設で飲食店、喫茶店及び物品販売施設並びに駐車施設の用に供するもの以外のものとする。（令附11㉔、規附６㊻）

⑳　港湾運営会社の特定国際拠点港湾施設
　港湾法第43条の11第12項に規定する港湾運営会社が同法第２条第２項に規定する国際戦略港湾又は同項に規定する国際拠点港湾で（１）で定めるもの（以下⑳において「特定国際拠点港湾」という。）において、政府の補助で（５）で定めるもの又は同法第55条の７第１項若しくは第55条の９第１項の規定による国の貸付け若しくは特定外貿埠頭の管理運営に関する法律第６条第１項の規定による政府の貸付けに係る資金の貸付けを受けて令和２年４月１日から令和７年３月31日までの間に取得した港湾法第２条第５項に規定する港湾施設の用に供する家屋及び償却資産で（２）で定めるものに対して課する固定資産税又は都市計画税の課税標準は、１、２又は第四章１の規定にかかわらず、当該家屋及び償却資産に対して新たに固定資産税又は都市計画税が課されることとなった年度から10年度分の固定資産税又は都市計画税に限り、同法第２条第２項に規定する国際戦略港湾において取得されたものにあっては当該家屋及び償却資産に係る固定資産税又は都市計画税の課税標準となるべき価格の２分の１の額とし、特定国際拠点港湾において取得されたものにあっては当該家屋及び償

却資産に係る固定資産税又は都市計画税の課税標準となるべき価格の3分の2の額とする。（法附15⑳）

　　　（国際拠点港湾のうち政令で定めるもの）
（1）　⑳に規定する国際拠点港湾で（1）で定めるものは、港湾法第2条第2項に規定する国際拠点港湾のうち、当該港湾におけるコンテナ取扱量が国土交通大臣が定める取扱量以上であることその他の（3）で定める要件に該当する港湾で、総務大臣が指定するものとする。（令附11㉕）

　　　（港湾施設の用に供する家屋及び償却資産で政令で定めるもの）
（2）　⑳に規定する港湾施設の用に供する家屋及び償却資産で（2）で定めるものは、港湾法第2条第5項に規定する港湾施設で（4）で定める要件に該当するものの用に供する家屋及び償却資産のうち、コンテナ貨物の荷さばきを行うための家屋及び固定的な償却資産で次に掲げるもの以外のものとする。（令附11㉖）
　　（一）　事務所の用に供する家屋及び償却資産
　　（二）　宿舎の用に供する家屋及び償却資産
　　（三）　休憩施設の用に供する家屋及び償却資産

　　　（国際拠点港湾の総務省令で定める要件）
（3）　（1）に規定する（3）で定める要件は、次の各号の全てに該当することとする。（規附6㊼）
　　（一）　港湾法第2条第2項に規定する国際拠点港湾（以下（3）において「国際拠点港湾」という。）のうち、当該港湾におけるコンテナ取扱量が国土交通大臣が定める取扱量以上であること。
　　（二）　国際拠点港湾のうち、当該港湾が連続する2以上の係留施設等（輸出入に係るコンテナ貨物を運送する船舶の使用の1単位に係るコンテナ埠頭を構成する係留施設及び荷さばき地をいう。（4）において同じ。）を有していること。
　　（三）　国際拠点港湾のうち、当該港湾の港湾区域（港湾法第2条第3項に規定する港湾区域をいう。以下（三）において同じ。）を地先水面とする地域を区域とする地方公共団体に指定都市（地方自治法第252条の19第1項に規定する指定都市をいう。以下（三）において同じ。）が含まれること。ただし、港湾区域を地先水面とする地域を区域とする指定都市が存在しない道府県にあっては、当該港湾における輸出入に係るコンテナ取扱量が当該道府県に存する港湾のうち最も多い港湾であること。

　　　（港湾施設の総務省令で定める要件）
（4）　（2）に規定する（4）で定める要件は、係留施設のうち、岸壁の長さが240メートル以上で当該岸壁の前面の泊地の水深が12メートル以上であり、かつ、敷地面積の合計が60,000平方メートル以上であることとする。（規附6㊽）

　　　（政府の補助で総務省令で定めるもの）
（5）　⑳に規定する政府の補助で（5）で定めるものは、港湾機能高度化施設整備事業費に係る補助とする。（規附6㊾）

㉑　津波防災地域づくりに関する法律の推進計画区域において津波対策の用に供する償却資産
　　津波防災地域づくりに関する法律第10条第2項に規定する推進計画区域（港湾法第2条第4項に規定する臨港地区である区域に限る。）において、津波防災地域づくりに関する法律第10条第1項に規定する推進計画に基づき平成28年4月1日から令和10年3月31日までの間に新たに取得され、又は改良された津波対策の用に供する償却資産として（1）で定めるもの（改良された償却資産にあっては、当該償却資産の当該改良された部分に限り、㉙の規定の適用を受けるものを除く。）に対して課する固定資産税の課税標準は、2の規定にかかわらず、当該償却資産に対して新たに固定資産税が課されることとなった年度から4年度分の固定資産税に限り、当該償却資産に係る固定資産税の課税標準となるべき価格に2分の1を参酌して3分の1以上3分の2以下の範囲内において市町村の条例で定める割合（当該償却資産が第五節二の①《二以上の市町村にわたって使用され、又は所在する固定資産の評価及び価格配分》の適用を受ける場合には、2分の1）を乗じて得た額とする。（法附15㉑）

　　　（津波対策の用に供する償却資産）
（1）　㉑に規定する津波対策の用に供する償却資産として（1）で定めるものは、防潮堤、護岸（改良されたものにあっては、当該改良によって高さを増したものに限る。）、胸壁及び津波からの一時的な避難場所としての機能を有する堅固な工作物で（2）で定めるものとする。（令附11㉗）

(津波からの一時的な避難場所としての機能を有する堅固な工作物)
(2) (1)に規定する津波からの一時的な避難場所としての機能を有する堅固な工作物で(2)で定めるものは、次に掲げる要件に該当することについて国土交通大臣の定めるところにより国土交通大臣の証明がされた工作物とする。(規附6㊿)
(一) 避難に適した構造であること。
(二) 地震及び津波に対して安全な構造であること。
(三) 津波により浸水した場合に想定される水深を考慮した安全な高さに避難上有効な場所が配慮され、かつ、当該場所までの避難上有効な階段その他の経路があること。

㉒ 津波防災地域づくりに関する法律の指定避難施設のうち指定避難施設避難用部分又は協定避難用部分
　平成30年4月1日から令和9年3月31日までの期間(以下㉒において「指定等対象期間」という。)内に津波防災地域づくりに関する法律第56条第1項の規定により指定された同項に規定する指定避難施設(一及び㉓において「指定避難施設」という。)の用に供する家屋のうち避難の用に供する部分として注で定めるもの(以下㉒において「指定避難施設避難用部分」という。)又は指定等対象期間内に同法第60条第1項若しくは第61条第1項の規定により締結された同法第62条第1項に規定する管理協定に係る同条第2項第1号に規定する協定避難施設(㉓において「協定避難施設」という。)の用に供する家屋(三において「協定避難家屋」という。)のうち同条第1項第1号に規定する協定避難用部分(以下㉒において「協定避難用部分」という。)に対して課する固定資産税の課税標準は、1《土地又は家屋の課税標準》の規定にかかわらず、次の各号に掲げる指定避難施設避難用部分又は協定避難用部分の区分に応じ、当該各号に定めるところによる。(法附15㉒)

一 指定避難施設避難用部分　指定避難施設として指定された日(以下一及び㉓において「指定日」という。)の属する年の翌年の1月1日(当該指定日が1月1日である場合には、同日。以下一において同じ。)を賦課期日とする年度から当該指定日の属する年の翌年の1月1日の翌日から起算して5年を経過する日を賦課期日とする年度までの各年度分の固定資産税に限り、当該指定避難施設避難用部分に係る固定資産税の課税標準となるべき価格に3分の2を参酌して2分の1以上6分の5以下の範囲内において市町村の条例で定める割合を乗じて得た額とする。

二 津波防災地域づくりに関する法律第60条第1項の規定による管理協定に定められた協定避難用部分　当該管理協定を締結した日(以下二及び㉓において「締結日」という。)の属する年の翌年の1月1日(当該締結日が1月1日である場合には、同日。以下二において同じ。)を賦課期日とする年度(当該管理協定に定められた事項の変更により新たに追加された協定避難用部分にあっては、当該変更の日の属する年の翌年の1月1日(当該変更の日が1月1日である場合には、同日)を賦課期日とする年度)から当該締結日の属する年の翌年の1月1日の翌日から起算して5年を経過する日を賦課期日とする年度までの各年度分の固定資産税に限り、当該協定避難用部分に係る固定資産税の課税標準となるべき価格に2分の1を参酌して3分の1以上3分の2以下の範囲内において市町村の条例で定める割合を乗じて得た額とする。

三 津波防災地域づくりに関する法律第61条第1項の規定による管理協定に定められた協定避難用部分　当該管理協定に係る協定避難家屋に新たに固定資産税が課されることとなった年度(当該年度の初日の属する年の1月1日後に当該管理協定に定められた事項の変更により新たに追加された協定避難用部分にあっては、当該変更の日の属する年の翌年の1月1日(当該変更の日が1月1日である場合には、同日)を賦課期日とする年度)から当該管理協定に係る協定避難家屋に新たに固定資産税が課されることとなった年度の初日の属する年の1月1日の翌日から起算して5年を経過する日を賦課期日とする年度までの各年度分の固定資産税に限り、当該協定避難用部分に係る固定資産税の課税標準となるべき価格に2分の1を参酌して3分の1以上3分の2以下の範囲内において市町村の条例で定める割合を乗じて得た額とする。

(総務省令で定める避難の用に供する部分)
注　㉒に規定する注で定める避難の用に供する部分は、指定避難施設の管理及び協定避難施設の管理協定に関する命令(平成23年内閣府・国土交通省令第8号)第1条の規定により明らかにされた避難上有効な屋上その他の場所及び当該場所までの避難上有効な階段その他の経路とする。(規附6㊶)

㉓ 津波防災地域づくりに関する法律の指定避難施設に附属する避難の用に供する償却資産
　指定避難施設に附属する避難の用に供する償却資産として(1)で定めるもの(指定日以後に取得されるものに限る。一において「指定避難用償却資産」という。)又は協定避難施設に附属する避難の用に供する償却資産として(1)で定めるもの(締結日以後に取得されるものに限る。二において「協定避難用償却資産」という。)(以下㉓において「特定避難用償

却資産」という。）に対して課する固定資産税の課税標準は、2《償却資産の課税標準》の規定にかかわらず、当該特定避難用償却資産に新たに固定資産税が課されることとなった年度から当該年度の初日の属する年の1月1日の翌日から起算して5年を経過する日を賦課期日とする年度（当該特定避難用償却資産に新たに固定資産税が課されることとなった年度の初日の属する年の1月1日の翌日から起算して5年を経過する日前に当該管理協定の有効期間が満了する場合には、当該有効期間の満了する日の属する年の1月1日を賦課期日とする年度）までの各年度分の固定資産税に限り、当該特定避難用償却資産に係る固定資産税の課税標準となるべき価格に、次の各号に掲げる特定避難用償却資産の区分に応じ、当該各号に定める割合を乗じて得た額とする。（法附15㉓）

一　指定避難用償却資産　　3分の2を参酌して2分の1以上6分の5以下の範囲内において市町村の条例で定める割合（当該指定避難用償却資産が第五節二の①の規定の適用を受ける場合には、3分の2）
二　協定避難用償却資産　　2分の1を参酌して3分の1以上3分の2以下の範囲内において市町村の条例で定める割合（当該協定避難用償却資産が第五節二の①の規定の適用を受ける場合には、2分の1）

　　　　（指定避難施設に附属する避難の用に供する償却資産）
（1）　㉓に規定する避難の用に供する償却資産として（1）で定めるものは、誘導灯、誘導標識その他の㉒に規定する協定避難用部分又は㉒に規定する指定避難施設避難用部分への円滑な避難のために必要な設備として（2）で定める設備とする。（令附11㉘）

　　　　（協定避難用部分又は指定避難施設避難用部分への円滑な避難のために必要な設備）
（2）　（1）に規定する（2）で定める設備は、次に掲げる設備とする。（規附6㊸）
　（一）　誘導灯
　（二）　誘導標識
　（三）　自動解錠装置（地震動を感知した場合に、出入口に設ける戸の施錠装置を自動的に解錠する機能を有する装置（遠隔操作により解錠する機能を併せて有する装置を含む。）をいう。）
　（四）　防災用倉庫
　（五）　防災用ベンチ
　（六）　非常用電源設備

㉔　**鉄道事業者等が鉄道施設等を公共交通移動等円滑化基準に適合させるために実施する停車場建物等の改良工事**
　高齢者、障害者等の移動等の円滑化の促進に関する法律第2条第6号に規定する旅客施設を同法第8条第1項に規定する公共交通移動等円滑化基準に適合させるために行われるエレベーター、エスカレーターその他の移動等円滑化（同法第2条第2号に規定する移動等円滑化をいう。）のために必要な設備の整備に関する事業（既設の鉄道（鉄道事業法第2条第6項に規定する専用鉄道を除く。）又は軌道の駅又は停留場に係る改良工事を行うものに限る。）で（1）で定めるものにより、高齢者、障害者等の移動等の円滑化の促進に関する法律第2条第5号イに掲げる鉄道事業者又は同号ロに掲げる軌道経営者が平成24年4月1日から令和7年3月31日までの間に取得した停車場建物その他の家屋又は停車場設備その他の鉄道事業の用に供する償却資産で（3）及び（5）で定めるもの（以下㉔において「停車場建物等」という。）に対して課する固定資産税又は都市計画税の課税標準は、1及び2の規定にかかわらず、当該停車場建物等に対して新たに固定資産税又は都市計画税が課されることとなった年度から5年度分の固定資産税又は都市計画税に限り、当該停車場建物等に係る固定資産税又は都市計画税の課税標準となるべき価格の3分の2の額とする。（法附15㉔）

　　　　（移動等円滑化のために必要な設備の整備に関する事業）
（1）　㉔に規定する移動等円滑化のために必要な設備の整備に関する事業で（1）で定めるものは、次に掲げる事業とする。（令附11㉙）
　（一）　エレベーターの設置事業（当該エレベーターを設置するために必要な停車場設備の整備を含む。）及び当該設置事業と併せて行われる停車場建物又は旅客用通路の整備事業であって次に掲げるもの
　　イ　これらの事業の開始の日の属する年度の前年度の1日当たりの平均的な利用者の人数が3,000人以上である駅又は停留場において実施される事業
　　ロ　これらの事業の開始の日の属する年度の前年度の1日当たりの平均的な利用者の人数が2,000人以上3,000人未満である駅又は停留場（高齢者、障害者等の移動等の円滑化の促進に関する法律（平成18年法律第91号）第25条第1項に規定する基本構想において定められた同法第2条第24号に規定する重点整備地区の区域内の同条第23号イに規定する生活関連施設であるものに限る。）において実施される事業

(二)　プラットホームからの転落を防止するための設備で(2)で定めるものの設置事業であって次に掲げるもの（当該設備を設置するために必要な停車場設備の整備を含む。）
　　イ　当該事業の開始の日の属する年度の前年度の1日当たりの平均的な利用者の人数が10万人以上である駅若しくは停留場（以下(二)において「特定駅等」という。）又は特定駅等からの距離が100キロメートル以内の駅若しくは停留場において実施される事業
　　ロ　高齢者、障害者等の移動等の円滑化の促進に関する法律第28条第1項に規定する公共交通特定事業計画に基づき同法第2条第26号イに掲げる公共交通特定事業として実施される事業

　　（プラットホームからの転落を防止するための設備）
(2)　(1)の(二)に規定するプラットホームからの転落を防止するための設備で(2)で定めるものは、ホームドア及び可動式ホーム柵（これらと併せて設置する列車定点停止装置を含む。）とする。(規附6㊹)

　　（停車場建物その他の家屋で政令で定めるもの）
(3)　㉔に規定する停車場建物その他の家屋で(3)で定めるものは、(1)の(一)に掲げる事業により取得した停車場建物及び旅客用通路に係る家屋で(4)で定めるものとする。(令附11㉚)

　　（停車場建物及び旅客用通路に係る家屋で総務省令で定めるもの）
(4)　(3)に規定する停車場建物及び旅客用通路に係る家屋で(4)で定めるものは、(1)の(一)に掲げる事業が実施された停車場建物及び旅客用通路に係る家屋の当該事業実施後の床面積から当該事業実施前の床面積を控除した床面積に相当する部分とする。(規附6㊺)

　　（停車場設備その他の鉄道事業の用に供する償却資産で政令で定めるもの）
(5)　㉔に規定する停車場設備その他の鉄道事業の用に供する償却資産で(5)で定めるものは、次に掲げる償却資産とする。(令附11㉛)
　(一)　(1)の(一)に掲げる事業により取得したエレベーター及び停車場設備
　(二)　(1)の(二)に掲げる事業により取得したプラットホームからの転落を防止するための設備及び停車場設備

㉕　再生可能エネルギー電気の利用の促進に関する特別措置法の特定再生可能エネルギー発電設備
　再生可能エネルギー電気の利用の促進に関する特別措置法（平成23年法律第108号）第2条第2項に規定する再生可能エネルギー発電設備のうち、同条第3項第6号に掲げる再生可能エネルギー源を電気に変換する設備以外の設備（以下㉕において「特定再生可能エネルギー発電設備」という。）であって、令和6年4月1日から令和8年3月31日までの間に新たに取得されたものに対して課する固定資産税の課税標準は、2の規定にかかわらず、当該特定再生可能エネルギー発電設備に対して新たに固定資産税が課されることとなった年度から3年度分の固定資産税に限り、次の各号に掲げる特定再生可能エネルギー発電設備の区分に応じ、当該各号に定める額とする。(法附15㉕)

	次に掲げる特定再生可能エネルギー発電設備	特定再生可能エネルギー発電設備に係る固定資産税の課税標準となるべき価格に3分の2を参酌して2分の1以上6分の5以下の範囲内において市町村の条例で定める割合（当該特定再生可能エネルギー発電設備が第五節二の①の規定の適用を受ける場合には、3分の2）を乗じて得た額
(一)	イ　太陽光を電気に変換する特定再生可能エネルギー発電設備で(1)で定めるもの（再生可能エネルギー電気の利用の促進に関する特別措置法第2条第5項に規定する認定発電設備（以下(一)及び(三)のハにおいて「認定発電設備」という。）であるものを除く。(三)のイにおいて「特定太陽光発電設備」という。）で(2)で定める規模未満のもの ロ　風力を電気に変換する特定再生可能エネルギー発電設備（認定発電設備であるものに限る。(三)のロにおいて「特定風力発電設備」という。）で(3)で定める規模以上のもの ハ　地熱を電気に変換する特定再生可能エネルギー発電設備（認定発電設備であるものに限る。(四)のロにおいて「特定地熱発電設備」という。）で(4)で定める規模未満のもの ニ　バイオマスを電気に変換する特定再生可能エネルギー発電設備（認定発電設備であるものに限る。(二)及び(四)のハにおいて「特定バイオマス発電設備」という。）で(5)で定める規模以上総務省令で定める規模未満のもの（(二)に掲げるものを除く。）	
(二)	特定バイオマス発電設備（バイオマスのうち木竹に由来するもの又は農産物の収穫に伴って生ずるバイオマスを電	

	気に変換するものに限る。）で(四)のハの(10)で定める規模以上(6)で定める規模未満のものであって(7)で定めるもの　当該特定再生可能エネルギー発電設備に係る固定資産税の課税標準となるべき価格に7分の6を参酌して14分の11以上14分の13以下の範囲内において市町村の条例で定める割合（当該特定再生可能エネルギー発電設備が第五節二の①の規定の適用を受ける場合には、7分の6）を乗じて得た額
(三)	次に掲げる特定再生可能エネルギー発電設備　当該特定再生可能エネルギー発電設備に係る固定資産税の課税標準となるべき価格に4分の3を参酌して12分の7以上12分の11以下の範囲内において市町村の条例で定める割合（当該特定再生可能エネルギー発電設備が第五節二の①の規定の適用を受ける場合には、4分の3）を乗じて得た額 イ　特定太陽光発電設備（(一)のイに掲げるものその他(8)で定めるものを除く。） ロ　特定風力発電設備（(一)のロに掲げるものを除く。） ハ　水力を電気に変換する特定再生可能エネルギー発電設備（認定発電設備であるものに限る。(三)のイにおいて「特定水力発電設備」という。）で(9)で定める規模以上のもの
(四)	次に掲げる特定再生可能エネルギー発電設備　当該特定再生可能エネルギー発電設備に係る固定資産税の課税標準となるべき価格に2分の1を参酌して3分の1以上3分の2以下の範囲内において市町村の条例で定める割合（当該特定再生可能エネルギー発電設備が第五節二の①の規定の適用を受ける場合には、2分の1）を乗じて得た額 イ　特定水力発電設備（(二)のハに掲げるものを除く。） ロ　特定地熱発電設備（(一)のハに掲げるものを除く。） ハ　特定バイオマス発電設備で(10)で定める規模未満のもの

　　　　　（太陽光を電気に変換する特定再生可能エネルギー発電設備で総務省令で定めるもの）
（1）　㉕の(一)のイに規定する太陽光を電気に変換する特定再生可能エネルギー発電設備で(1)で定めるものは、次に掲げる太陽光発電設備及びこれと同時に設置する専用の架台、集光装置、追尾装置、蓄電装置、制御装置、直交変換装置又は系統連系用保護装置とする。（規附6㊺）
　(一)　地球温暖化対策の推進に関する法律第22条の3第3項第1号に規定する認定地域脱炭素化促進事業計画に従い取得した設備であって、次に掲げる要件のいずれにも該当するもの
　　イ　出力50キロワット以上であること。
　　ロ　次に掲げるいずれかの要件に該当すること。
　　　(ⅰ)　二酸化炭素排出抑制対策事業費交付金（地域脱炭素移行・再エネ推進交付金に限る。）、二酸化炭素排出抑制対策事業費等補助金（民間企業等による再エネ主力化・レジリエンス強化促進事業に限る。）又は非化石エネルギー等導入促進対策費補助金（需要家主導型太陽光発電の導入支援事業に限る。）を受けて取得した設備
　　　(ⅱ)　地球温暖化対策の推進に関する法律第36条の24第1項に規定する対象事業活動支援の対象となる活動に係る事業により取得した設備
　　ハ　建築物の屋根に設ける設備でないこと。
　　ニ　公有地に設ける設備でないこと。
　(二)　産業技術実用化開発事業費補助金（グリーンイノベーション基金補助金）又は特定公募型研究開発費補助金（グリーンイノベーション基金補助金）のうち、次世代型太陽電池の開発プロジェクトの支援を受けて取得した設備

　　　　　（特定太陽光発電設備の出力規模で総務省令で定めるもの）
（2）　㉕の(一)のイに規定する(2)で定める規模は、出力1,000キロワットとする。（規附6㊻）

　　　　　（特定風力発電設備の出力規模で総務省令で定めるもの）
（3）　㉕の(一)のロに規定する(3)で定める規模は、出力20キロワットとする。（規附6㊼）

　　　　　（特定地熱発電設備の出力規模で総務省令で定めるもの）
（4）　㉕の(一)のハに規定する(4)で定める規模は、出力1,000キロワットとする。（規附6㊽）

　　　　　（特定バイオマス発電設備の出力規模で総務省令で定めるもの）
（5）　㉕の(一)のニに規定する(5)で定める規模は、出力20,000キロワットとする。（規附6㊾）

　　　　（総務省令で定める規模）
(6)　㉕の(二)に規定する(6)で定める規模は、出力20,000キロワットとする。（規附6㉖）

　　　　（総務省令で定める特定バイオマス発電設備）
(7)　㉕の(二)に規定する特定バイオマス発電設備で(7)で定めるものは、再生可能エネルギー電気の利用の促進に関する特別措置法施行規則第3条第27号に定める設備の区分等に該当する設備とする。（規附6㉖）

　　　　（㉕の(三)のイに規定する総務省令で定めるもの）
(8)　㉕の(三)のイに規定する総務省令で定めるものは、(1)の(二)に掲げる設備とする。（規附6㉖）

　　　　（特定水力発電設備の出力規模で総務省令で定めるもの）
(9)　㉕の(三)のハに規定する(9)で定める規模は、出力5,000キロワットとする。（規附6㉖）

　　　　（特定バイオマス発電設備の出力規模で総務省令で定めるもの）
(10)　㉕の(四)のハに規定する(10)で定める規模は、出力10,000キロワットとする。（規附6㉖）

㉖　鉄道事業者又は軌道経営者による既設の鉄道の地震防災上必要とされる補強のための工事
　　鉄道事業法第7条第1項に規定する鉄道事業者又は軌道法第4条に規定する軌道経営者が、政府の補助で(1)で定めるものを受けて令和5年4月1日から令和7年3月31日までの間に既設の鉄道（軌道を含む。）に係る地震防災上必要とされる補強のための工事で(2)で定めるものにより新たに取得した鉄道事業法第8条第1項に規定する鉄道施設（軌道法による軌道施設を含み、償却資産に限る。以下㉗において同じ。）で(3)で定めるものに対して課する固定資産税の課税標準は、2の規定にかかわらず、当該鉄道施設に対して新たに固定資産税が課されることとなった年度から5年度分の固定資産税に限り、当該鉄道施設に係る固定資産税の課税標準となるべき価格の3分の2の額とする。（法附15㉖）

　　　　（政府の補助で総務省令で定めるもの）
(1)　㉖に規定する政府の補助で(1)で定めるものは、鉄道施設総合安全対策事業費に係る補助とする。（規附6㉖）

　　　　（補強のための工事で総務省令で定めるもの）
(2)　㉖に規定する補強のための工事で(1)で定めるものは、特定鉄道等施設に係る耐震補強に関する省令（平成25年国土交通省令第16号）第2条第2号及び第3号に規定する特定鉄道等施設に係る同令第3条の規定に基づき実施される耐震性の向上を図るための補強工事とする。（規附6㉖）

　　　　（鉄道施設で総務省令で定めるもの）
(3)　㉖に規定する鉄道施設で(3)で定めるものは、1日当たりの平均片道断面輸送量が1万人以上の線区におけるラーメン構造形式の橋台のうち、(2)に規定する工事により新たに取得した部分として国土交通大臣の証明がされたものとする。（規附6㉖）

㉗　特定貨物取扱埠頭機能高度化事業を実施する者が取得する港湾施設の用に供する家屋及び償却資産
　　港湾法第50条の6第2項第3号に規定する特定貨物取扱埠頭機能高度化事業を実施する者が同法第2条の2第3項に規定する特定貨物輸入拠点港湾において、政府の補助で(1)で定めるものを受けて港湾法の一部を改正する法律（平成25年法律第31号）附則第1条第1号に掲げる規定の施行の日から令和7年3月31日までの間に取得した港湾法第2条第5項に規定する港湾施設の用に供する家屋及び償却資産で(2)に定めるものに対して課する固定資産税又は都市計画税の課税標準は、1、2又は第四章1の規定にかかわらず、当該家屋及び償却資産に対して新たに固定資産税又は都市計画税が課されることとなった年度から10年度分の固定資産税又は都市計画税に限り、当該家屋及び償却資産に係る固定資産税又は都市計画税の課税標準となるべき価格の3分の2の額とする。（法附15㉗）

　　　　（政府の補助で総務省令で定めるもの）
(1)　㉗に規定する政府の補助で(1)で定めるものは、港湾機能高度化施設整備事業費に係る補助とする。（規附6㉖）

(港湾施設の用に供する家屋及び償却資産で政令で定めるもの)
（2）㉗に規定する港湾施設の用に供する家屋及び償却資産で（2）で定めるものは、港湾法第2条第5項に規定する港湾施設の用に供する家屋及び償却資産のうち、輸入されるばら積みの貨物の荷さばきを行うための家屋及び固定的な償却資産で次に掲げるもの以外のものとする。（令附11㉜）
　（一）　事務所の用に供する家屋及び償却資産
　（二）　宿舎の用に供する家屋及び償却資産
　（三）　休憩施設の用に供する家屋及び償却資産

㉘　地下街等の所有者又は管理者が取得する洪水時の避難の確保及び浸水の防止を図るための設備

　水防法（昭和24年法律第193号）第15条第1項第4号イに規定する地下街等（同法第14条第1項（第1号に係る部分に限る。）若しくは第2項（第1号に係る部分に限る。）の規定により国土交通大臣若しくは都道府県知事が指定するこれらの規定に規定する洪水浸水想定区域、同法第14条の2第1項（第1号に係る部分に限る。）若しくは第2項（第1号に係る部分に限る。）の規定により都道府県知事若しくは市町村長が指定するこれらの規定に規定する雨水出水浸水想定区域又は同法第14条の3第1項（第1号に係る部分に限る。）の規定により都道府県知事が指定する同項に規定する高潮浸水想定区域内にあるものに限る。以下㉘において同じ。）の所有者又は管理者が平成29年4月1日から令和8年3月31日までの間に取得した当該地下街における洪水時、雨水出水時又は高潮時の避難の確保及び洪水時、雨水出水時又は高潮時の浸水の防止を図るための設備で注で定めるもの（同法第15条の2第1項の規定により当該所有者又は管理者が作成する計画に記載されたものに限る。）に対して課する固定資産税の課税標準は、2の規定にかかわらず、当該設備に対して新たに固定資産税が課されることとなった年度から5年度分の固定資産税に限り、当該設備に係る固定資産税の課税標準となるべき価格に3分の2を参酌して2分の1以上6分の5以下の範囲内において市町村の条例で定める割合（当該設備が第五節二の①《二以上の市町村にわたって使用され、又は所在する固定資産の評価及び価格配分》の規定の適用を受ける場合には、3分の2）を乗じて得た額とする。（法附15㉘）

　　　（地下街における洪水時、雨水出水時又は高潮時の避難の確保及び浸水の防止を図るための設備で総務省令で定めるもの）
　注　㉘に規定する地下街における洪水時、雨水出水時又は高潮時の避難の確保及び洪水時、雨水出水時又は高潮時の浸水の防止を図るための設備で注で定めるものは、防水版、防水扉、排水ポンプ及び換気口浸水防止機とする。（規附6㊳）

㉙　南海トラフ地震防災対策推進地域等において特別特定技術基準対象施設の用に供する償却資産

　南海トラフ地震に係る地震防災対策の推進に関する特別措置法第3条第1項に規定する南海トラフ地震防災対策推進地域（（一）において「南海トラフ地震防災対策推進地域」という。）、日本海溝・千島海溝周辺海溝型地震に係る地震防災対策の推進に関する特別措置法第3条第1項に規定する日本海溝・千島海溝周辺海溝型地震防災対策推進地域又は首都直下地震対策特別措置法第3条第1項に規定する首都直下地震緊急対策区域（（一）において「首都直下地震緊急対策区域」という。）において、港湾法第55条の8第1項の規定による国の貸付けに係る資金の貸付けを受けて平成30年4月1日から令和8年3月31日までの間に改良された同条第2項に規定する特別特定技術基準対象施設で注で定めるものの用に供する償却資産（当該改良された部分に限る。以下㉙において「特定償却資産」という。）に対して課する固定資産税の課税標準は、2の規定にかかわらず、当該特定償却資産に対して新たに固定資産税が課されることとなった年度から5年度分の固定資産税に限り、当該特定償却資産に係る固定資産税の課税標準となるべき価格に、次の各号に掲げる特定償却資産の区分に応じ、それぞれ当該各号に定める割合を乗じて得た額とする。（法附15㉙）
（一）　南海トラフ地震防災対策推進地域又は首都直下地震緊急対策区域において改良された特定償却資産で当該特定償却資産の存する港湾法第2条第2項に規定する国際戦略港湾、同項に規定する国際拠点港湾又は同項に規定する重要港湾の同条第3項に規定する港湾区域が同条第8項に規定する開発保全航路（同法第55条の3の4に規定する国土交通省令で定めるものに限る。）の区域又は同法第55条の3の5第1項に規定する緊急確保航路の区域に隣接するもの　　当該特定償却資産に係る固定資産税の課税標準となるべき価格の2分の1
（二）　（一）に掲げる特定償却資産以外の特定償却資産　　当該特定償却資産に係る固定資産税の課税標準となるべき価格の6分の5

　　　（特別特定技術基準対象施設で政令で定めるもの）
　注　㉙に規定する特別特定技術基準対象施設で注で定めるものは、護岸、岸壁及び物揚場とする。（令附11㉝）

㉚ **電気事業法の一般送配電事業者等が緊急輸送道路に埋設する地下ケーブル等の設備**

　電気事業法第2条第1項第9号に掲げる一般送配電事業者、電気通信事業法第2条第5号に掲げる電気通信事業者その他の（1）で定める者が平成31年4月1日から令和7年3月31日までの間に次の各号に掲げるケーブル等設備（道路法第2条第1項に規定する道路その他これに類するものとして（2）で定めるもの（以下㉚において「道路等」という。）の地下に埋設するために新設した地下ケーブルその他の（3）で定める設備をいう。以下㉚において同じ。）に対して課する固定資産税の課税標準は、2の規定にかかわらず、当該ケーブル等設備に対して新たに固定資産税が課されることとなった年度から4年度分の固定資産税に限り、当該ケーブル等設備に係る固定資産税の課税標準となるべき価格に、それぞれ当該各号に定める割合を乗じて得た額とする。（法附15㉚）

（一）　道路法第37条第1項の規定により同法第2条第1項に規定する道路の占用の禁止又は制限の指定が行われたことにより電柱の新設が禁止された区域の地下に埋設するために新設したケーブル等設備　　2分の1
（二）　災害対策基本法第40条第1項に規定する都道府県地域防災計画に定められた同条第2項第3号に規定する輸送に関する計画に記載された道路等の地下に埋設するために新設したケーブル等設備（（一）に掲げる設備を除く。）　　4分の3

　　　（対象となる一般送配電事業者、電気通信事業者その他政令で定める者）
（1）　㉚に規定する（1）で定める者は、次に掲げる者とする。（令附11㉞）
　（一）　電気事業法第2条第1項第9号に掲げる一般送配電事業者又は同項第11号の3に掲げる配電事業者
　（二）　電気通信事業法第2条第5号に掲げる電気通信事業者
　（三）　放送法（昭和25年法律第132号）第2条第35号に規定する一般放送事業者（有線電気通信法（昭和28年法律第96号）第2条第2項に規定する有線電気通信設備（以下（三）において「有線電気通信設備」という。）を用いて放送法第2条第3号に規定する一般放送（以下（三）において「一般放送」という。）の業務を行う者に限る。）又は同条第26号に規定する放送事業者以外の者（有線電気通信設備を用いて一般放送の業務を行う者で有線電気通信法第3条第1項の規定による届出をした者に限る。）

　　　（対象となる緊急輸送道路で政令で定めるもの）
（2）　㉚に規定する道路法第2条第1項に規定する道路その他これに類するものとして（2）で定めるものは、次に掲げるものとする。（令附11㉟、規附6⑩）
　（一）　道路運送法第2条第8項に規定する一般自動車道
　（二）　河川管理施設等構造令（昭和51年政令第199号）第27条に規定する管理用通路
　（三）　都市公園法（昭和31年法律第79号）第2条第2項第1号に規定する規定する園路
　（四）　港湾法第2条第5項第4号に規定する道路（同条第6項の規定により同号に規定する道路とみなされたものを含む。）
　（五）　漁港漁場整備法第3条第2号イに規定する道路（同法第40条第1項又は第2項の規定により同号イに規定する道路とみなされたものを含む。）
　（六）　前各号に掲げるもの以外の道路（農業用道路及び林道）

　　　（地下ケーブルその他の総務省令で定める設備）
（3）　㉚に規定する地下ケーブルその他の（3）で定める設備は、次の表の中欄に掲げる者の区分に応じ、それぞれ同表の右欄に掲げるものとする。（規附6㉑）

（一）	（1）の（一）に規定する一般送配電事業者	管路、ケーブル、引込線、変圧器、保安開閉装置及び電話ケーブル
（二）	（1）の（二）に規定する電気通信事業者	市内線路設備、市外線路設備及びこれらを収容し、又は保護するための土木設備
（三）	（1）の（三）に規定する事業者	ケーブル、中継増幅器、分岐器、分配器、電源供給器及びこれらを収容し、又は保護するための設備

㉛ **農地中間管理機構が農地中間管理権を取得した土地**

　農地中間管理事業の推進に関する法律第2条第4項に規定する農地中間管理機構が平成28年4月1日から令和8年3月31日までの間に同条第5項（第1号に係る部分に限る。）に規定する農地中間管理権（以下㉛において「農地中間管理権」

という。）を取得した土地で注で定めるもののうち、農地中間管理権の存続期間が10年以上のものに対して課する固定資産税又は都市計画税の課税標準は、1の規定にかかわらず、当該農地中間管理権を取得した日の属する年の翌年の1月1日（当該取得の日が1月1日である場合には、同日。以下㉞において同じ。）を賦課期日とする年度から3年度分（農地中間管理権の存続期間が15年以上のものにあっては、当該農地中間管理権を取得した日の属する年の翌年の1月1日を賦課期日とする年度から5年度分）の固定資産税又は都市計画税に限り、当該土地に係る固定資産税又は都市計画税の課税標準となるべき価格の2分の1の額とする。（法附15㉛）

　　　（農地中間管理権を取得した土地で総務省令で定めるもの）
　注　㉛に規定する農地中間管理権を取得した土地で注で定めるものは、当該土地の所有者が所有する農業振興地域の整備に関する法律第6条第1項の規定により指定された農業振興地域の区域内にある全ての農地（当該者が利用する10アール未満のものを除く。）について、当該農地中間管理権が新たに設定されるもの（当該土地の所有者が㉛に規定する農地中間管理機構から農地中間管理事業の推進に関する法律（平成25年法律第101号）第18条第1項に規定する賃借権の設定等を受けたものを除く。）とする。（規附6㋒）

㉜　**緑地保全・緑化推進法人が市民緑地の用に供する土地を設置する場合**
　都市緑地法第81条第1項の規定により指定された緑地保全・緑化推進法人（同法第82条第1号ロに掲げる業務を行うものに限る。）が都市緑地法等の一部を改正する法律の施行の日（平成29年6月15日）から令和7年3月31日までの間に都市緑地法第63条に規定する認定計画に基づき設置した同法第55条第1項に規定する市民緑地の用に供する土地で（1）で定めるものに対して課する固定資産税又は都市計画税の課税標準は、1《土地又は家屋の課税標準》又は第四章1《課税客体等》の規定にかかわらず、当該市民緑地を設置した日の属する年の翌年の1月1日（当該設置した日が1月1日である場合には、同日）を賦課期日とする年度から3年度分の固定資産税又は都市計画税に限り、当該土地に係る固定資産税又は都市計画税の課税標準となるべき価格に3分の2を参酌して2分の1以上6分の5以下の範囲内において市町村の条例で定める割合を乗じて得た額とする。（法附15㉜）

　　　（市民緑地の用に供する土地で政令で定めるもの）
（1）㉜に規定する土地で注で定めるものは、㉜に規定する緑地保全・緑化推進法人が有料で借り受けた土地以外の土地のうち、当該土地（当該土地と一体として管理又は使用されている土地を含む。）が（2）で定める用途に供する家屋の敷地の用に供されていないことについて（3）で定めるところにより証明がされたものとする。（令附11㊱）

　　　（（1）に規定する総務省令で定める用途）
（2）（1）に規定する（2）で定める用途は、次に掲げる用途以外の用途とする。（規附6㋓）
　（一）　住宅
　（二）　学校
　（三）　幼保連携型認定こども園
　（四）　老人ホーム、福祉ホームその他これらに類するもの
　（五）　保育所その他これに類するもの
　（六）　建築基準法施行令第19条第1項に規定する児童福祉施設等（助産所及び（四）、（五）に掲げるものを除く。）
　（七）　診療所
　（八）　病院
　（九）　公衆便所
　（十）　工場
　（十一）　倉庫

　　　（（1）に規定する総務省令で定めるところにより証明がされた土地）
（3）（1）に規定する（3）で定めるところにより証明がされた土地は、当該土地（当該土地と一体として管理又は使用されている土地を含む。）が（2）の各号に掲げる用途以外の用途に供する家屋の敷地の用に供されていないことについて国土交通大臣が総務大臣と協議して定める書類により市町村長の証明がされた土地とする。（規附6㋔）

㉝　**福島復興再生特別措置法の対象特定公共施設等の用に供する土地及び償却資産**
　福島復興再生特別措置法第48条の14第1項に規定する帰還・移住等環境整備推進法人が令和3年4月1日から令和7年

3月31日までの間に同法第33条第1項に規定する帰還・移住等環境整備事業計画に記載された事業(同法第32条第1項に規定する特定公益的施設又は特定公共施設のうち(1)で定めるもの(以下㉝において「対象特定公共施設等」という。)の整備に関する事業に限る。)により整備した対象特定公共施設等の用に供する土地及び償却資産で(2)で定めるものに対して課する固定資産税又は都市計画税の課税標準は、1、2又は第四章1の規定にかかわらず、当該対象特定公共施設等に係る工事が完了した日の属する年の翌年の1月1日(当該工事が完了した日が1月1日である場合には、同日)を賦課期日とする年度から5年度分の固定資産税又は都市計画税に限り、当該土地及び償却資産に係る固定資産税又は都市計画税の課税標準となるべき価格の3分の1の額とする。(法附15㉝)

　　　(総務省令で定める特定公益的施設等)
(1) ㉝に規定する特定公益的施設又は特定公共施設のうち(1)で定めるものは、福島復興再生特別措置法施行規則第18条第1項第6号に掲げる事業により整備する同号イ及びロに掲げる施設とする。(規附6㊆)

　　　(政令で定める土地及び償却資産)
(2) ㉝に規定する土地及び償却資産で政令で定めるものは、㉝に規定する帰還・移住等環境整備推進法人が有料で借り受けた土地及び償却資産以外の土地及び償却資産とする。(令附11㊲)

㉞　所有者不明土地の利用の円滑化等に関する特別措置法の地域福利増進新事業により整備する施設等の用に供する土地及び償却資産
　所有者不明土地の利用の円滑化等に関する特別措置法の一部を改正する法律(令和4年法律第38号)の施行の日から令和7年3月31日までの間に所有者不明土地の利用の円滑化等に関する特別措置法(平成30年法律第49号)第15条の規定により同法第2条第2項に規定する特定所有者不明土地について同法第10条第1項第1号に規定する土地使用権を取得した者が当該特定所有者不明土地を使用する同法第2条第3項に規定する地域福利増進事業により整備する施設の用に供する土地及び償却資産で注で定めるものに対して課する固定資産税又は都市計画税の課税標準は、1、2又は第四章1の規定にかかわらず、同法第13条第2項第2号に規定する当該土地使用権の始期に該当する日(以下㉞において「使用開始日」という。)の属する年の翌年の1月1日(当該使用開始日が1月1日である場合には、同日。以下㉞において同じ。)を賦課期日とする年度から当該使用開始日の属する年の翌年の1月1日の翌月から起算して4年を経過する日を賦課期日とする年度(当該使用開始日の属する年の翌年の1月1日の翌日から起算して4年を経過する日前に同条第2項第3号に規定する当該土地使用権の存続期間が満了する場合には、当該存続期間の満了する日の属する年の1月1日を賦課期日とする年度)までの各年度分の固定資産税又は都市計画税に限り、当該土地及び償却資産に係る固定資産税又は都市計画税の課税標準となるべき価格の3分の2(当該土地及び償却資産のうち同法第2条第3項第8号に掲げる事業により整備する施設の用に供するものにあっては、当該土地及び償却資産に係る固定資産税又は都市計画税の課税標準となるべき価格の4分の3)の額とする。(法附15㉞)

　　　(政令で定める土地及び償却資産)
　注　㉞に規定する土地及び償却資産で注で定めるものは、㉞に規定する地域福利増進事業により整備する施設の用に供する土地及び償却資産(所有者不明土地の利用の円滑化等に関する特別措置法第19条第1項に規定する使用権設定土地の面積の同法第10条第1項に規定する事業区域の面積に対する割合が4分の1未満である場合(当該事業区域の面積が500平方メートル未満である場合を除く。)には、当該使用権設定土地及び当該使用権設定土地の区域内に所在する償却資産に限る。)のうち、㉞に規定する土地使用権を取得した者が有料で借り受けたもの以外のものとする。(令附11㊳)

㉟　農業近代化資金等の貸付けを受けて取得した機械及び装置に課する固定資産税の課税標準の特例
　農業協同組合、中小企業等協同組合(事業協同小組合及び企業組合を除く。)その他(1)で定める法人が令和2年4月1日から令和7年3月31日までの間に農業近代化資金融通法第2条第3項に規定する農業近代化資金、漁業近代化資金融通法第2条第3項に規定する漁業近代化資金、林業・木材産業改善資金助成法第2条第1項に規定する林業・木材産業改善資金若しくは沖縄振興開発金融公庫法第19条第1項第4号の資金で(2)で定めるもの又は株式会社日本政策金融公庫法別表第1第8号の下欄に掲げる資金の貸付けを受けて取得した農林漁業者又は中小企業者の共同利用に供する機械及び装置で(3)で定めるもの(イの③及び同④の規定の適用を受けるものを除く。)に対して課する固定資産税の課税標準は、2の規定にかかわらず、当該機械及び装置に対して新たに固定資産税が課されることとなった年度から3年度分の固定資産税に限り、当該機械及び装置に係る固定資産税の課税標準となるべき価格の2分の1の額とする。(法附15㉟)

(政令で定める法人)
(1) ㉟に規定する(1)で定める法人は、次に掲げる法人とする。(令附11㊴)
 (一) 農業協同組合連合会又は農事組合法人(農業協同組合法第72条の10第1項第1号に規定する事業を行う農事組合法人に限る。)
 (二) 漁業協同組合又は漁業協同組合連合会
 (三) 水産加工業協同組合又は水産加工業協同組合連合会
 (四) 森林組合又は森林組合連合会
 (五) 協業組合又は出資組合である商工組合

(政令で定める資金)
(2) ㉟に規定する資金で(2)で定めるものは、次の各号に掲げる区分に応じ、当該各号に定めるものとする。(令附11㊵)
 (一) 農業近代化資金融通法第2条第3項に規定する農業近代化資金　政府又は都道府県の利子補給に係るもの
 (二) 漁業近代化資金融通法第2条第3項に規定する漁業近代化資金　政府又は都道府県の利子補給に係るもの
 (三) 林業・木材産業改善資金助成法第2条第1項に規定する林業・木材産業改善資金　同法第3条第1項又は第2項の規定による政府の助成に係るもの(林業労働に従事する者の福利厚生施設の導入に必要なものを除く。)
 (四) 沖縄振興開発金融公庫法第19条第1項第4号の資金　沖縄振興開発金融公庫法施行令第2条第3号から第6号まで、第9号、第11号から第14号まで及び第17号に掲げる資金以外のもの

(政令で定める機械及び装置)
(3) ㉟に規定する農林漁業者又は中小企業者の共同利用に供する機械及び装置で(3)で定めるものは、農林漁業者又は中小企業者の共同利用に供する機械及び装置(農林漁業者の共同利用に供する農山漁村における環境の整備のために必要な機械及び装置で(4)で定めるものを除く。)のうち、1台又は1基(通常一組又は一式をもって取引の単位とされるものにあっては、一組又は一式)の取得価額(((5)で定めるところにより計算した取得価額をいう。)が330万円以上のものとする。(令附11㊶)

(総務省令で定める機械及び装置)
(4) (3)に規定する(4)で定める機械及び装置は、集会施設、研修施設、託児施設、生活改善センター、農作業管理休養施設、農業者等健康増進施設、地域休養施設又は生活安全保護施設において農林漁業者の共同利用に供する機械及び装置とする。(規附6㊻)

(総務省令で定めるところにより計算した取得価額)
(5) (3)に規定する(5)で定めるところにより計算した取得価額は、次の各号に掲げる機械及び装置の区分に応じ、当該各号に定める金額とする。(規附6㊼)
 (一) 購入した機械及び装置　次に掲げる金額の合計額
  イ 当該機械及び装置の購入の代価(引取運賃、荷役費、運送保険料、購入手数料、関税その他当該機械及び装置の購入のために要した費用がある場合には、その費用の額を加算した金額)
  ロ 当該機械及び装置を事業の用に供するために直接要した費用の額
 (二) 購入以外の方法により取得した機械及び装置　次に掲げる金額の合計額
  イ その取得の時における当該機械及び装置の取得のために通常要する価額
  ロ 当該機械及び装置を事業の用に供するために直接要した費用の額

㊱ **認定就農者の利用に供する機械及び装置に課する固定資産税の課税標準の特例**
　農業協同組合、中小企業等協同組合(事業協同小組合及び企業組合を除く。)その他(1)で定める法人が農業経営基盤強化促進法等の一部を改正する法律(令和4年法律第56号)の施行の日から令和8年3月31日までの間に取得し、かつ、農業経営基盤強化促進法第14条の5第1項に規定する認定就農者(同法第19条第7項の規定による公告があった同条第1項に規定する地域計画において同条第3項の規定により地図に表示された同法第4条第1項に規定する農用地等に係る同法第19条第3項に規定する農業を担う者に限る。)の利用に供する機械及び装置、器具及び備品、建物附属設備(家屋と一体となって効用を果たすもの(第一節三の2の⑦の規定により家屋以外の資産とみなされたものを除く。)を除く。)並びに構築物(以下㊱において「機械装置等」という。)で(2)で定めるもの(イの㉝又は㉟の規定の適用を受けるものを除く。)

に対して課する固定資産税の課税標準は、２の規定にかかわらず、当該機械装置等に対して新たに固定資産税が課されることとなった年度から５年度分の固定資産税に限り、当該機械装置等に係る固定資産税の課税標準となるべき価格の３分の２の額とする。（法附15㊱）

　　　（政令で定める法人）
（１）　㊱に規定する（１）で定める法人は、農業協同組合連合会又は農事組合法人（農業協同組合法第72条の10第１項第１号に規定する事業を行う農事組合法人に限る。）とする。（令附11㊷）

　　　（政令で定める機械装置等）
（２）　㊱に規定する機械装置等で（２）で定めるものは、農業の用に供するものであって、次の各号に掲げる区分に応じ、当該各号に定めるものとする。（令附11㊸）
　（一）　機械及び装置　　一台又は一基（通常一組又は一式をもって取引の単位とされるものにあっては、一組又は一式。（二）において同じ。）の取得価額（（３）で定めるところにより計算した取得価額をいう。（二）から（四）までにおいて同じ。）が30万円以上330万円以下のもの
　（二）　器具及び備品　　一台又は一基の取得価額が30万円以上600万円以下のもの
　（三）　建物附属設備　　一の建物附属設備の取得価額が30万円以上600万円以下のもの
　（四）　構築物　　一の構築物の取得価額が30万円以上2,000万円以下のもの

　　　（総務省令で定めるところにより計算した取得価額）
（３）　（２）の（一）に規定する（３）で定めるところにより計算した取得価額は、次の各号に掲げる機械装置等の区分に応じ、当該各号に定める金額とする。（規附６㊾）
　（一）　購入した機械装置等　　次に掲げる金額の合計額
　　イ　当該機械装置等の購入の代価（引取運賃、荷役費、運送保険料、購入手数料、関税その他当該機械装置等の購入のために要した費用がある場合には、その費用の額を加算した金額）
　　ロ　当該機械装置等を事業の用に供するために直接要した費用の額
　（二）　購入以外の方法により取得した機械装置等　　次に掲げる金額の合計額
　　イ　その取得の時における当該機械装置等の取得のために通常要する価額
　　ロ　当該機械装置等を事業の用に供するために直接要した費用の額

㊲　浸水被害軽減地区内にある土地に対して課する固定資産税又は都市計画税の課税標準の特例

　令和２年４月１日から令和８年３月31日までの間に水防法第15条の６第１項の規定により指定された浸水被害軽減地区（同法第14条第１項（第１号に係る部分に限る。）又は第２項（第１号に係る部分に限る。）の規定により国土交通大臣又は都道府県知事が指定するこれらの規定に規定する洪水浸水想定区域（当該区域に隣接し、又は近接する区域を含み、河川区域（河川法第６条第１項に規定する河川区域をいう。）を除く。）に係るものに限る。以下㊲において「浸水被害軽減地区」という。）内にある土地に対して課する固定資産税又は都市計画税の課税標準は、１又は第四章の１の規定にかかわらず、浸水被害軽減地区として指定された日の属する年の翌年の１月１日（当該指定された日が１月１日である場合には、同日）を賦課期日とする年度から３年度分の固定資産税又は都市計画税に限り、当該土地に係る固定資産税又は都市計画税の課税標準となるべき価格に３分の２を参酌して２分の１以上６分の５以下の範囲内において市町村の条例で定める割合を乗じて得た額とする。（法附15㊲）

㊳　滞在快適性等向上施設等に課する固定資産税又は都市計画税の課税標準の特例

　都市再生特別措置法第46条第３項第２号に規定する一体型滞在快適性等向上事業の実施主体（同号に規定する実施主体をいう。）が令和６年４月１日から令和８年３月31日までの間に当該一体型滞在快適性等向上事業で（２）で定めるものにより整備した同号イに規定する滞在快適性等向上施設等で（３）で定めるものの用に供する固定資産で（１）で定めるものに対して課する固定資産税又は都市計画税の課税標準は、１、２又は第四章の１の規定にかかわらず、当該滞在快適性等向上施設等に係る工事が完了した日の属する年の翌年の１月１日（当該工事が完了した日が１月１日である場合には、同日）を賦課期日とする年度から５年度分の固定資産税又は都市計画税に限り、当該固定資産に係る固定資産税又は都市計画税の課税標準となるべき価格に２分の１を参酌して３分の１以上３分の２以下の範囲内において市町村の条例で定める割合（当該固定資産が第五節二の①の規定の適用を受ける場合には、２分の１）を乗じて得た額とする。（法附15㊳）

（政令で定める固定資産）
（１）　㊳に規定する固定資産で（１）で定めるものは、㊳に規定する実施主体が有料で借り受けた固定資産以外の固定資産で（４）で定めるものとする。（令附11㊹）

　　　（一体型滞在快適性等向上事業で総務省令で定めるもの）
（２）　㊳に規定する一体型滞在快適性等向上事業で（２）で定めるものは、都市再生特別措置法施行規則第11条の３各号に掲げるもののうち同令第11条の２各号に掲げる施設等の整備に関する事業とする。（規附6㉙）

　　　（滞在快適性等向上施設等で総務省令で定めるもの）
（３）　㊳に規定する滞在快適性等向上施設等で（３）で定めるものは、都市再生特別措置法施行規則第11条の２各号に掲げるものとする。（規附6㉚）

　　　（（１）に規定する固定資産で総務省令で定めるもの）
（４）　（１）に規定する固定資産で（４）で定めるものは、次の各号に掲げる固定資産のいずれかであることについて国土交通大臣が総務大臣と協議して定める書類により市町村長の証明がされた固定資産とする。（規附6㉛）
　（一）　都市再生特別措置法施行規則第11条の２第１号に掲げる施設等の用に供する土地
　（二）　（一）に掲げる土地の上に設置される都市再生特別措置法施行規則第11条の２第１号から第３号まで及び第５号から第10号までに掲げる施設等の用に供する償却資産
　（三）　都市再生特別措置法施行規則第11条の２第４号に掲げる施設等の用に供する家屋（改修（増築、改築又は模様替をいう。）が行われたもので、かつ、一般公衆の利用に供する部分（その利用について対価又は負担として支払うべき金額の定めのある部分を除く。）に限る。）

㊴　無線通信の業務の用に供する償却資産に課する固定資産税の課税標準の特例

　電波法第２条第５号に規定する無線局（地域における需要に応じ多様な主体が開設することができる同号に規定する無線局であって地域社会の諸課題の解決に寄与するものとして（１）で定めるものに限る。）の免許を受けた者が特定高度情報通信技術活用システムの開発供給及び導入の促進に関する法律（令和２年法律第37号）の施行の日（令和２年８月31日）から令和７年３月31日までの間に同法第10条第２項に規定する認定導入計画に基づき新たに取得した当該免許に係る無線通信の業務の用に供する償却資産で（２）で定めるもの（同法第26条に規定する機械及び装置、器具及び備品、建物附属設備（家屋と一体となって効用を果たすもの（第一節三の２の⑦の規定により家屋以外の資産とみなされたものを除く。）を除く。）並びに構築物に限る。）に対して課する固定資産税の課税標準は、２の規定にかかわらず、当該償却資産に対して新たに固定資産税が課されることとなった年度から３年度分の固定資産税に限り、当該償却資産に係る固定資産税の課税標準となるべき価格の２分の１の額とする。（法附15㊴）

　　　（地域社会の諸課題の解決に寄与するものとして総務省令で定めるもの）
（１）　㊴に規定する地域における需要に応じ多様な主体が開設することができる無線局であって地域社会の諸課題の解決に寄与するものとして（１）で定めるものは、無線設備規則第３条第15号に規定するローカル５Ｇの無線局（無線局免許手続規則別表第２号第２注22(11)に規定する地域社会の諸課題の解決に寄与するものに限る。）とする。（規附6㉜）

　　　（政令で定める償却資産）
（２）　㊴に規定する償却資産で（２）で定めるものは、その取得価額（（３）で定めるところにより計算した取得価額をいう。）の合計額が２億円以下のものとする。（令附11㊺）

　　　（総務省令で定めるところにより計算した取得価額）
（３）　（２）に規定する（３）で定めるところにより計算した取得価額は、次の各号に掲げる償却資産の区分に応じ、当該各号に定める金額とする。（規附6㉝）
　（一）　購入した償却資産　　次に掲げる金額の合計額
　　イ　当該償却資産の購入の代価（引取運賃、荷役費、運送保険料、購入手数料、関税その他当該償却資産の購入のために要した費用がある場合には、その費用の額を加算した金額）
　　ロ　当該償却資産を事業の用に供するために直接要した費用の額

(二)　購入以外の方法により取得した償却資産　　次に掲げる金額の合計額
　　イ　その取得の時における当該償却資産の取得のために通常要する価額
　　ロ　当該償却資産を事業の用に供するために直接要した費用の額

㊵　市町村自転車活用推進計画に定める自転車賃貸事業の用に供する償却資産に課する固定資産税の課税標準の特例

　自転車活用推進法（平成28年法律第113号）第11条第1項に規定する市町村自転車活用推進計画に定められた自転車を賃貸する事業で（1）で定めるものを行う者が令和3年4月1日から令和7年3月31日までの間に取得し、かつ、当該事業の用に供する償却資産で（3）で定めるものに対して課する固定資産税の課税標準は、2の規定にかかわらず、当該償却資産に対して新たに固定資産税が課されることとなった年度から3年度分の固定資産税に限り、当該償却資産に係る固定資産税の課税標準となるべき価格の4分の3の額とする。（法附15㊵）

　　　　（㊵に規定する自転車を賃貸する事業で政令で定めるもの）
（1）　㊵に規定する自転車を賃貸する事業で（1）で定めるものは、㊵に規定する市町村自転車活用推進計画を定めた市町村が作成した都市再生特別措置法第81条第1項に規定する立地適正化計画に記載された同条第2項第3号に規定する都市機能誘導区域内において行われる事業で（2）で定めるものとする。（令附11㊽）

　　　　（(1)に規定する総務省令で定める事業）
（2）　(1)に規定する(2)で定める事業は、次に掲げる要件のいずれにも該当することについて国土交通大臣が総務大臣と協議して定める書類により市町村長の証明がされた事業とする。（規附6㊼）
　(一)　当該事業が行われる(1)に規定する都市機能誘導区域（(3)の(二)のイにおいて「都市機能誘導区域」という。）内において10以上の自転車駐車場を用いて行うものであること。
　(二)　情報通信技術を利用した自転車駐車場の使用状況を管理するシステムを用いて行うものであること。

　　　　（㊵に規定する償却資産で総務省令で定めるもの）
（3）　㊵に規定する償却資産で（3）で定めるものは、次に掲げる償却資産のいずれかであることについて国土交通大臣が総務大臣と協議して定める書類により市町村長の証明がされた償却資産とする。（規附6㊽）
　(一)　自転車（人の力を補うため電動機を用いるものに限る。）
　(二)　自転車駐車器具（道路法施行令第11条の10第1項に規定する自転車駐車器具をいう。）で次に掲げる要件のいずれにも該当するもの
　　イ　都市機能誘導区域にある誘導施設（都市再生特別措置法（平成14年法律第22号）第81条第2項第3号に規定する誘導施設をいう。）又は旅客施設（高齢者、障害者等の移動等の円滑化の促進に関する法律（平成18年法律第91号）第2条第6号に規定する旅客施設をいう。）を中心とする半径150メートルの円で囲まれる区域内にある自転車駐車場（一の当該区域内に整備される自転車を駐車させるため必要な車輪止め装置の数の合計が25以上であるものに限る。）の用に供されるものであること。
　　ロ　自転車に充電するための設備を有するものであること。

㊶　認定事業者が設置した雨水貯留浸透施設に課する固定資産税の課税標準の特例

　次に掲げる施設のうち、特定都市河川浸水被害対策法等の一部を改正する法律（令和3年法律第31号）の施行の日（令和3年7月15日）から令和9年3月31日までの間に取得されたものに対して課する固定資産税の課税標準は、2の規定にかかわらず、当該施設に係る固定資産税の課税標準となるべき価格に3分の1を参酌して6分の1以上2分の1以下の範囲内において市町村の条例で定める割合（当該施設が第五節二の①の規定の適用を受ける場合には、3分の1）を乗じて得た額とする。（法附15㊶）
(一)　特定都市河川浸水被害対策法（平成15年法律第77号）第15条に規定する認定事業者が同条に規定する認定計画に基づき設置した同法第2条第6項に規定する雨水貯留浸透施設で（1）で定めるもの
(二)　下水道法第25条の14に規定する認定事業者が同条に規定する認定計画に基づき設置した同法第25条の10第1項に規定する雨水貯留浸透施設で（2）で定めるもの

　　　　（㊶の(一)に規定する雨水貯留浸透施設で総務省令で定めるもの）
（1）　㊶の(一)に規定する雨水貯留浸透施設で（1）で定めるものは、同(一)に規定する雨水貯留浸透施設に該当するものとして、国土交通大臣が総務大臣と協議して定める書類により特定都市河川浸水被害対策法（平成15年法律第77号）

第11条第1項に規定する都道府県知事等の証明がされた雨水貯留浸透施設とする。(規附6㊆)

　　　　(㊶の(二)に規定する雨水貯留浸透施設で総務省令で定めるもの)
（２）　㊶の(二)に規定する雨水貯留浸透施設で（２）で定めるものは、同(二)に規定する雨水貯留浸透施設に該当するものとして、国土交通大臣が総務大臣と協議して定める書類により下水道法第4条第1項に規定する公共下水道管理者の証明がされた雨水貯留浸透施設とする。(規附6㊇)

㊷　貯留機能保全区域内にある土地に対して課する固定資産税の課税標準の特例
　令和4年4月1日から令和7年3月31日までの間に特定都市河川浸水被害対策法第53条第1項の規定により指定された貯留機能保全区域（以下㊷において「貯留機能保全区域」という。）内にある土地に対して課する固定資産税又は都市計画税の課税標準は、1の①又は第四章の1の規定にかかわらず、貯留機能保全区域として指定された日の属する年の翌年の1月1日（当該指定された日が1月1日である場合には、同日）を賦課期日とする年度から3年度分の固定資産税又は都市計画税に限り、当該土地に係る固定資産税又は都市計画税の課税標準となるべき価格に4分の3を参酌して3分の2以上6分の5以下の範囲内において市町村の条例で定める割合を乗じて得た額とする。(法附15㊷)

㊸　船舶のための動力源の供給の用に供する施設に対して課する固定資産税の課税標準の特例
　港湾法第43条の11第12項に規定する港湾運営会社が同法第2条第2項に規定する国際戦略港湾又は同項に規定する国際拠点港湾で政令で定めるものにおいて、政府の補助で（１）で定めるものを受けて港湾法の一部を改正する法律（令和4年法律第87号）の施行の日から令和7年3月31日までの間に港湾法第50条の2第2項第3号に規定する港湾脱炭素化促進事業により取得した同法第2条第5項第8号の2に掲げる船舶役務用施設のうち船舶のための動力源の供給の用に供する施設の用に供する償却資産で（２）で定めるものに対して課する固定資産税の課税標準は、2の規定にかかわらず、当該償却資産に対して新たに固定資産税が課されることとなった年度から3年度分の固定資産税に限り、当該償却資産に係る固定資産税の課税標準となるべき価格の3分の2の額とする。(法附15㊸)

　　　　(政府の補助で総務省令で定めるもの)
（１）　㊸に規定する政府の補助で（１）で定めるものは、港湾における脱炭素化促進事業に係る補助とする。(規附6㊈)

　　　　(総務省令で定める償却資産)
（２）　㊸に規定する償却資産で（２）で定めるものは、陸上電力供給設備とする。(規附6㊉)

㊹　先端設備等に対して課する固定資産税の課税標準
　租税特別措置法第10条第8項第6号に規定する中小事業者又は同法第42条の4第19項第7号に規定する中小企業者（以下㊹において「中小事業者等」という。）が令和5年4月1日から令和7年3月31日までの期間（以下㊹において「適用期間」という。）内に中小企業等経営強化法第53条第2項に規定する認定先端設備等導入計画（以下㊹において「認定先端設備等導入計画」という。）に従って取得（事業の用に供されたことのないものの取得に限る。以下㊹において同じ。）をした同法第2条第14項に規定する先端設備等（以下㊹において「先端設備等」という。）に該当する機械及び装置、工具、器具及び備品並びに建物附属設備（家屋と一体となって効用を果たすもの（第一節三の2の⑦の規定により家屋以外の資産とみなされたものを除く。）を除く。以下㊹において「機械装置等」という。）（中小事業者等が認定先端設備等導入計画に従って、法人税法第64条の2第3項に規定するリース取引（以下㊹において「リース取引」という。）に係る契約により機械装置等を引き渡して使用させる事業を行う者が適用期間内に取得をした先端設備等に該当する機械装置等を、適用期間内にリース取引により引渡しを受けた場合における当該機械装置等を含む。）で（１）で定めるものに対して課する固定資産税の課税標準は、2の規定にかかわらず、政令で定めるところにより、当該機械装置等に対して新たに固定資産税が課されることとなった年度から3年度分の固定資産税に限り、当該機械装置等に係る固定資産税の課税標準となるべき価格の2分の1の額とする。ただし、当該機械装置等のうち租税特別措置法第10条の5の4第5項第8号又は第42条の12の5第5項第9号に規定する雇用者給与等支給額の増加に係る事項として政令で定めるものが記載された認定先端設備等導入計画に従って取得をしたものにあっては、当該機械装置等に対して新たに固定資産税が課されることとなった年度から5年度分（令和6年4月1日から令和7年3月31日までの間に取得をしたものにあっては、当該機械装置等に対して新たに固定資産税が課されることとなった年度から4年度分）の固定資産税に限り、当該機械装置等に係る固定資産税の課税標準となるべき価格の3分の1の額とする。(法附15㊹)

(先端設備等に該当する機械装置等で政令で定めるもの)
(1) ㊹に規定する先端設備等に該当する機械装置等で(1)で定めるものは、次の各号に掲げる区分に応じ、当該各号に定めるものとする。(令附11㊼)

(一)	機械及び装置	一台又は一基（通常一組又は一式をもって取引の単位とされるものにあっては、一組又は一式とする。(二)及び(三)において同じ。）の取得価額（総務省令で定めるところにより計算した取得価額をいう。(二)から(四)までにおいて同じ。）が160万円以上のもので総務省令で定めるもの
(二)	工具	一台又は一基の取得価額が30万円以上のもので総務省令で定めるもの
(三)	器具及び備品	一台又は一基の取得価額が30万円以上のもので総務省令で定めるもの
(四)	建物附属設備	一の建物附属設備の取得価額が60万円以上のもので総務省令で定めるもの

(総務省令で定める機械装置等)
(2) (1)に規定する総務省令で定める機械装置等は、次に掲げる要件のいずれにも該当するものとする。(規附6�90)
  (一) 商品の生産若しくは販売又は役務の提供の用に直接供するものであること。
  (二) ㊹に規定する中小事業者等が策定した投資計画（次の算式により算定した当該投資計画における年平均の投資利益率が５％以上となることが見込まれるものであるものに限る。）に記載された投資の目的を達成するために必要不可欠なものであること。

$$\frac{各年度において増加する営業利益と減価償却費の合計額（設備の取得等をする年度の翌年度以降三箇年度におけるものに限る。）を平均した額}{設備の取得等をする年度におけるその取得等をする設備の取得価額の合計額}$$

(総務省令で定めるところにより計算した取得価額)
(3) (1)の(一)に規定する総務省令で定めるところにより計算した取得価額は、次の各号に掲げる固定資産の区分に応じ、当該各号に定める金額とする。(規附6�91)
  (一) 購入した固定資産　次に掲げる金額の合計額
    イ　当該固定資産の購入の代価（引取運賃、荷役費、運送保険料、購入手数料、関税その他当該固定資産の購入のために要した費用がある場合には、その費用の額を加算した金額）
    ロ　当該固定資産を事業の用に供するために直接要した費用の額
  (二) 購入以外の方法により取得した固定資産　次に掲げる金額の合計額
    イ　その取得の時における当該固定資産の取得のために通常要する価額
    ロ　当該固定資産を事業の用に供するために直接要した費用の額

(規定適用のための手続)
(4) ㊹に規定する中小事業者等が㊹に規定する機械装置等（以下(4)において「機械装置等」という。）について㊹の規定の適用を受けようとする場合には、(5)で定める書類を市町村長（当該機械装置等が第五節二の①の規定の適用を受ける場合には、当該機械装置等の価格等（第五節二の①に規定する価格等をいう。）を決定する総務大臣又は道府県知事）に提出しなければならない。(令附11㊽)

(総務省令で定める書類)
(5) (4)に規定する(5)で定める書類は、次に掲げる書類とする。(規附6�92)
  (一) ㊹に規定する中小事業者等が取得をする㊹に規定する機械装置等が㊹に規定する先端設備等に該当する旨を証する書類の写し
  (二) ㊹に規定する認定先端設備等導入計画の写し及び当該認定先端設備等導入計画に係る認定書の写し

(雇用者給与等支給額の増加に係る事項として政令で定めるもの)
(6) ㊹に規定する雇用者給与等支給額の増加に係る事項として政令で定めるものは、雇用者給与等支給額（㊹に規定する雇用者給与等支給額をいう。以下(6)において同じ。）の引上げの方針（中小企業等経営強化法第52条第１項の規定により㊹に規定する先端設備等導入計画を提出した日の属する事業年度（令和５年４月１日以後に開始する事業年

度に限る。）又は当該提出した日の属する事業年度の翌事業年度の雇用者給与等支給額から当該提出した日の属する事業年度の直前の事業年度の雇用者給与等支給額（以下（６）において「比較雇用者給与等支給額」という。）を控除した金額の当該比較雇用者給与等支給額に対する割合を100分の1.5以上とする旨のものに限る。）とする。（令附11㊾）

㊺　特定道路運送高度化事業の用に供する電気自動車に対して課する固定資産税等の課税標準

道路運送法第３条第１号イに規定する一般乗合旅客自動車運送事業を経営する者（同法第５条第１項第３号に規定する路線定期運行を行う者に限る。）が地域公共交通の活性化及び再生に関する法律第14条第３項の規定による認定を受けた同法第13条第１項に規定する道路運送高度化実施計画に基づき実施する同法第２条第７号に規定する道路運送高度化事業（同号ハに掲げるものに限る。以下㊺において「特定道路運送高度化事業」という。）の用に供する電気自動車（電気を動力源とする自動車で内燃機関を有しないものをいう。）で（１）で定めるものの充電の用に供する土地及び償却資産で政令で定めるものに対して課する固定資産税又は都市計画税の課税標準は、一の１の①、２又は第四章の１の規定にかかわらず、当該土地及び償却資産が地域公共交通の活性化及び再生に関する法律等の一部を改正する法律（令和５年法律第18号）附則第１条第２号に掲げる規定の施行の日（令和５年７月１日）から令和10年３月31日までの期間内に最初に特定道路運送高度化事業の用に供された日（以下㊺において「供用開始日」という。）の属する年の翌年の１月１日（供用開始日が１月１日である場合には、同日）を賦課期日とする年度から５年度分の固定資産税又は都市計画税に限り、当該土地及び償却資産に係る固定資産税又は都市計画税の課税標準となるべき価格の３分の１の額とする。（法附15㊺）

（㊺に規定する電気自動車で総務省令で定めるもの）

（１）　㊺に規定する電気自動車で（１）で定めるものは、電気自動車（燃料電池自動車を除く。）とする。（規附６㊸）

（㊺に規定する土地で政令で定めるもの）

（２）　㊺に規定する土地で政令で定めるものは、次に掲げるものとする。（令附11㊿）

（一）　（５）に規定する設備の用に供する土地で（３）で定めるもの

（二）　㊺に規定する電気自動車（（５）において「電気自動車」という。）が（５）に規定する設備による充電に際して駐車するため必要な土地として（４）で定めるもの

（（２）の（一）に規定する土地で総務省令で定めるもの）

（３）　（２）の（一）に規定する土地で（３）で定めるものは、（５）に規定する設備を設置するための台の水平投影面積に相当する土地とする。（規附６㊹）

（電気自動車が充電に際して駐車するため必要な土地として総務省令で定めるもの）

（４）　（２）の（二）に規定する電気自動車が充電に際して駐車するため必要な土地として（４）で定めるものは、（６）に規定する充電設備により同時に充電することができる電気自動車（㊺に規定する電気自動車をいう。（６）において同じ。）の台数に38㎡を乗じて得た面積（当該面積が実際に要した面積と著しく異なる場合にあっては、市町村長が調査した面積）に相当する土地（当該土地が㊺に規定する者が有料で借り受けたものである場合にあっては、当該土地が㊺の規定の適用を受けたことにより減少した当該土地に係る固定資産税額及び都市計画税額に相当する額がその賃料から減額されていることにつき国土交通大臣の証明を受けたものに限る。）とする。（規附６㊺）

（政令で定める償却資産）

（５）　㊺に規定する償却資産で政令で定めるものは、電気自動車の充電のために必要な設備であって、地域公共交通の活性化及び再生に関する法律等の一部を改正する法律（令和５年法律第18号）附則第１条第２号に掲げる規定の施行の日（令和５年７月１日）以後に取得されたもの又は同日前に令和４年度の一般会計補正予算（第２号）若しくは令和５年度の当初予算により交付される補助金を受けて取得されたもので総務省令で定めるものとする。（令附11(51)）

（総務省令で定める償却資産）

（６）　（５）に規定する償却資産で総務省令で定めるものは、電気自動車に動力源として用いる電気を充電するための充電設備及び変電設備（当該充電設備及び当該変電設備が㊺に規定する者が有料で借り受けたものである場合にあっては、当該充電設備及び当該変電設備が㊼の規定の適用を受けたことにより減少した当該充電設備及び当該変電設備に係る固定資産税額に相当する額がその賃料から減額されていることにつき国土交通大臣の証明を受けたものに限る。）とする。（規附６㊻）

4　日本国有鉄道の改革に伴う固定資産税等の課税標準の特例

①　昭和62年3月31日において旧交納付金法附則の規定の適用があった償却資産

次に掲げる固定資産のうち昭和62年3月31日において地方税法及び国有資産等所在市町村交付金及び納付金に関する法律の一部を改正する法律（昭和61年法律第94号。以下①、③及び④において「国鉄関連改正法」という。）第2条の規定による改正前の国有資産等所在市町村交付金及び納付金に関する法律（以下①において「旧交納付金法」という。）附則第17項の規定（国鉄関連改正法附則第13条第2項の規定によりなお効力を有することとされる場合を含む。以下①において同じ。）の適用があった償却資産（これに類する償却資産として政令で定めるものを含む。）に対して課する固定資産税の課税標準は、2若しくは3のイの①、⑫若しくは⑭の規定又は3のロの⑭の規定にかかわらず、旧交納付金法附則第17項の規定中「第4条第5項の額」とあるのは、「第3条第2項の価格」と読み替えた場合における同項の規定による算定方法に準じ、総務省令で定めるところにより算定した額とする。（法附15の2①）

（一）	旅客鉄道株式会社及び日本貨物鉄道株式会社に関する法律第1条第1項に規定する旅客会社（以下①、②及び③において「旅客会社」という。）若しくは同法第1条第2項に規定する貨物会社（以下①及び③において「貨物会社」という。）、旅客鉄道株式会社及び日本貨物鉄道株式会社に関する法律の一部を改正する法律（平成13年法律第61号）附則第2条第1項に規定する新会社（（二）において「平成13年新会社」という。）又は旅客鉄道株式会社及び日本貨物鉄道株式会社に関する法律の一部を改正する法律（平成27年法律第36号）附則第2条第1項に規定する新会社（（二）において「平成27年新会社」という。）が所有する日本国有鉄道改革法第22条の規定により日本国有鉄道から承継した固定資産（新幹線鉄道に係る鉄道施設の譲渡等に関する法律第2条に規定する旅客鉄道株式会社が同条の規定により同法第5条第1項の規定による解散前の新幹線鉄道保有機構から譲り受けた固定資産を含む。）で鉄道事業の用に供されるもの
（二）	独立行政法人鉄道建設・運輸施設整備支援機構が所有し、かつ、旅客会社若しくは貨物会社、平成13年新会社又は平成27年新会社に有償で貸し付けた鉄道施設の用に供する固定資産のうち、昭和62年3月31日において日本国有鉄道に有償で貸し付けていたもの

（政令で定める償却資産）
（1）　①に規定する償却資産として政令で定めるものは、旅客鉄道株式会社及び日本貨物鉄道株式会社に関する法律第1条第1項に規定する旅客会社（②の（3）及び③の（1）において「旅客会社」という。）、旅客鉄道株式会社及び日本貨物鉄道株式会社に関する法律の一部を改正する法律（平成13年法律第61号）附則第2条第1項に規定する新会社又は旅客鉄道株式会社及び日本貨物鉄道株式会社に関する法律の一部を改正する法律（平成27年法律第36号）附則第2条第1項に規定する新会社が所有する固定資産で鉄道事業の用に供されるもののうち、昭和62年3月31日において、独立行政法人鉄道建設・運輸施設整備支援機構法附則第2条第1項の規定による解散前の日本鉄道建設公団が所有し、かつ、日本国有鉄道改革法等施行法第130条の規定による改正前の日本鉄道建設公団法第23条第1項ただし書の規定により日本国有鉄道に無償で貸し付けていた償却資産で、当該償却資産を同項本文の規定により日本国有鉄道に有償で貸し付けていたとした場合には地方税法及び国有資産等所在市町村交付金及び納付金に関する法律の一部を改正する法律（昭和61年法律第94号。以下（1）において「国鉄関連改正法」という。）第2条の規定による改正前の国有資産等所在市町村交付金及び納付金に関する法律附則第17項の規定（国鉄関連改正法附則第13条第2項の規定によりなお効力を有することとされる場合を含む。）の適用があったものとする。（令附11の2①）

（総務省令で定めるところにより算定した額）
（2）　①に規定する総務省令で定めるところにより算定した額は、①に規定する償却資産に対して昭和62年3月31日後新たに固定資産税が課されることとなった年度から、国鉄関連改正法附則第17項の表の上欄に掲げる償却資産の区分に応じ同表の中欄に掲げる年度分から当該償却資産につき同項の規定（国鉄関連改正法附則第13条第2項の規定によりなお効力を有することとされる場合を含む。以下（2）において同じ。）が適用された年度分（①に規定するこれに類する償却資産にあっては旧交納付金法附則第17項の規定が適用されるべきであった年度分）を控除した年度分の固定資産税に限り、当該償却資産に係る固定資産税の課税標準となるべき価格にそれぞれ同表の下欄に掲げる率を乗じて得た額とする。（規附6の2）

②　旅客会社等が所有し又は借り受け若しくは利用する固定資産

旅客会社が所有し、又は独立行政法人鉄道建設・運輸施設整備支援機構法第13条第1項第3号若しくは第6号の規定に

基づき借り受け、独立行政法人日本高速道路保有・債務返済機構法第12条第２項第２号の規定に基づき利用し、若しくは鉄道施設の貸付けを行う法人で（1）で定めるものに対して課する固定資産税又は都市計画税の課税標準は、1、2又は第四章《都市計画税》1の規定にかかわらず、平成28年度から令和8年度までの各年度分の固定資産税又は都市計画税に限り、当該固定資産に係る固定資産税又は都市計画税の課税標準となるべき価格の２分の１の額（3のイの①、同⑬から同⑮まで若しくは同㉔、3のロの⑬若しくは同㉗又は①の規定の適用を受ける固定資産にあっては、これらの規定により課税標準とされる額の２分の１の額）とする。（法附15の２②）

(政令で定める法人)
（1） ②に規定する法人で政令で定めるものは、次の各号のいずれかに該当する法人とする。（令附11の２②）
（一） その発行済株式の総数又は出資金額若しくは拠出された金額の２分の１以上の数又は金額が地方公共団体により所有され、又は出資若しくは拠出をされている法人で総務大臣が指定するもの
（二） 高齢者、身体障害者等の公共交通機関を利用した移動の利便性及び安全性の向上を図ることを目的として設立された公益社団法人又は公益財団法人で総務大臣が指定するもの
（注） （1）の（一）の規定に基づき総務大臣が指定する法人を次のように指定する。（平成７年自治省告示第77号…最終改正平成14年総務省告示第719号）

名　　　　称	住　　　　所
北海道高速鉄道開発株式会社	北海道札幌市中央区北九条西14丁目１番地
豊肥本線高速鉄道保有株式会社	熊本県熊本市春日３丁目15番１号
交通エコロジー・モビリティ財団	東京都千代田区麹町５丁目７番地
大分高速鉄道保有株式会社	大分県大分市要町１番１号

(政令で定める固定資産)
（2） ②に規定する固定資産で政令で定めるものは、旅客会社が所有し、又は独立行政法人鉄道建設・運輸施設整備支援機構法第13条第１項第３号の規定に基づき借り受ける固定資産のうち、直接鉄道事業の用に供する固定資産で総務省令で定めるもの又は3のイの⑭の（1）若しくは同（3）に規定する鉄道施設の用に供する固定資産若しくは（1）に規定する法人が所有し、かつ、旅客会社に貸し付けている線路設備その他の鉄道施設の用に供する固定資産で総務省令で定めるものとする。（令附11の２③）

(鉄道事業の用に供する固定資産で総務省令で定めるもの)
（3） （2）に規定する鉄道事業の用に供する固定資産で総務省令で定めるものは、線路設備、電路設備、停車場、変電所、車庫、工場、倉庫及び詰所の用に供する固定資産又は車両とする。（規附６の３①）

(鉄道施設の用に供する固定資産で総務省令で定めるもの)
（4） （2）に規定する鉄道施設の用に供する固定資産で総務省令で定めるものは、線路設備、電路設備、停車場、変電所及び車両とする。（規附６の３②）

③ 旅客会社又は貨物会社が日本国有鉄道から承継した固定資産

旅客会社又は貨物会社が所有する日本国有鉄道改革法第22条の規定により日本国有鉄道から承継した固定資産で（1）で定めるもの（昭和62年３月31日において国鉄関連改正法第１条の規定による改正前の地方税法第348条第２項第２号又は第27号の規定の適用があった固定資産に限る。）に対して課する固定資産税又は都市計画税の課税標準は、1、2又は第四章《都市計画税》1の規定にかかわらず、平成28年度から令和8年度までの各年度分の固定資産税又は都市計画税に限り、当該固定資産に係る固定資産税又は都市計画税の課税標準となるべき価格の５分の３の額（①又は②の規定の適用を受ける固定資産にあっては、これらの規定により課税標準とされる額の５分の３の額）とする。（法附15の３）

(日本国有鉄道から承継した固定資産で政令で定めるもの)
（1） ③に規定する固定資産で（1）で定めるものは、旅客会社又は旅客鉄道株式会社及び日本貨物鉄道株式会社に関する法律第１条第２項に規定する貨物会社（以下（1）において「貨物会社」という。）が直接その本来の事業の用に供する固定資産のうち、次に掲げるもの以外のものとする。（令附11の３）
（一） 宿舎の用に供する固定資産

(二) 職員の福利及び厚生の用に供する固定資産（病院又は診療所の用に供するものを除く。）
(三) (一)及び(二)に掲げるもののほか、他の者に貸し付けている固定資産（旅客会社又は貨物会社に貸し付けているもので総務省令で定めるものを除く。）
(四) 遊休状態にある土地及び家屋（直接鉄道事業の用に供するものとして昭和62年3月31日において建設計画が確定しているもので当該建設計画に従って鉄道事業の用に供されると認められるもの及び独立行政法人鉄道建設・運輸施設整備支援機構法附則第2条第1項の規定による解散前の日本鉄道建設公団が日本国有鉄道清算事業団の債務等の処理に関する法律第13条第1項第3号の業務の用に供するもので建設計画が確定しているもの（当該建設計画において、当該旅客会社又は貨物会社が直接鉄道事業の用に供するとされるものに限る。）を除く。）
(五) 車両
(六) 車両、機械、器具又は被服の製造の用に供する固定資産
(七) 観光その他旅客誘致のための施設の用に供する固定資産
(八) 発電所又は採炭施設の用に供する固定資産
(九) 私人のための専用側線の用に供する固定資産
(十) 旅客自動車運送事業の用に供する固定資産
(十一) 職員の研修の用に供する固定資産

（総務省令で定める固定資産）
(2) (1)の(三)に規定する総務省令で定める固定資産は、次の各号に掲げる固定資産の区分に応じ、それぞれ当該各号に定める固定資産とする。（規附6の4）
(一) 旅客鉄道株式会社及び日本貨物鉄道株式会社に関する法律第1条第1項に規定する旅客会社（(二)において「旅客会社」という。）が同条第2項に規定する貨物会社（(二)において「貨物会社」という。）に貸し付けている固定資産、線路設備、電路設備、停車場、変電所、車庫、工場、倉庫及び詰所の用に供する固定資産
(二) 貨物会社が旅客会社に無償で貸し付けている固定資産、線路設備、電路設備、停車場、変電所、車庫、工場、倉庫及び詰所の用に供する固定資産

5　住宅用地に対する課税標準の特例

①　住宅用地に対する課税標準の特例
専ら人の居住の用に供する家屋又はその一部を人の居住の用に供する家屋の敷地の用に供されている土地で②で定めるもの（3のイ（⑫を除く。）の規定の適用を受けるもの及び空家等対策の推進に関する特別措置法（平成26年法律第127号）第14条第2項の規定により所有者等（同法第3条に規定する所有者等をいう。）に対し勧告がされた同法第2条第2項に規定する特定空家等の敷地の用に供されている土地を除く。以下6までにおいて「**住宅用地**」という。）に対して課する固定資産税の課税標準は、1及び3のイの⑪の規定にかかわらず、当該住宅用地に係る固定資産税の課税標準となるべき価格の3分の1の額とする。（法349の3の2①）

②　住宅用地の意義
①の住宅用地は、専ら人の居住の用に供する家屋又はその一部を人の居住の用に供する家屋で(1)で定めるものの敷地の用に供されている土地のうち、次の各号に掲げる土地の区分に応じ、当該各号に定める土地（その全部が別荘（(2)に規定する別荘をいう。以下同じ。）の用に供される家屋及び専ら人の居住の用に供する家屋でその別荘の用に供する部分の床面積の当該家屋の床面積に対する割合が4分の3を超えるものの敷地の用に供されている土地を除く。）とする。（令52の11②）

(一)	専ら人の居住の用に供する家屋（別荘の用に供する部分を有する専ら人の居住の用に供する家屋でその別荘の用に供する部分以外の部分の床面積の当該家屋の床面積に対する割合が4分の1以上であるもの（(二)において「**別荘部分を有する専用住宅**」という。）を除く。）の敷地の用に供されている土地	当該土地（当該土地の面積が当該家屋の床面積の10倍の面積を超える場合には、当該10倍の面積に相当する土地とする。）
(二)	(1)の家屋又は別荘部分を有する専用住宅の敷地の用に供されている土地	次の表の「家屋」欄に掲げる家屋の区分及び「居住部分の割合」欄に掲げる当該家屋に係る居住部分の割合（別

荘部分を有する専用住宅にあっては、その別荘の用に供する部分以外の部分の床面積の当該住宅の床面積に対する割合とする。以下同じ。）の区分に応じ、次の表の「率」欄に掲げる率を当該土地の面積（当該面積が当該家屋の床面積の10倍の面積を超える場合には、当該10倍の面積とする。）に乗じて得た面積に相当する土地

家屋		居住部分の割合	率
イ	ロに掲げる家屋以外の家屋	4分の1以上2分の1未満	0.5
		2分の1以上	1.0
ロ	地上階数5以上を有する耐火建築物である家屋	4分の1以上2分の1未満	0.5
		2分の1以上4分の3未満	0.75
		4分の3以上	1.0

　　　（一部を人の居住の用に供する家屋の要件）
（1）　②に規定するその一部を人の居住の用に供する家屋は、その一部を人の居住の用に供する家屋のうち人の居住の用に供する部分（別荘の用に供する部分を除く。）の床面積の当該家屋の床面積に対する割合（居住部分の割合）が4分の1以上である家屋とする。（令52の11①）

　　　（別荘の意義）
（2）　②の別荘は、日常生活の用に供しないものとして総務省令で定める家屋又はその部分のうち専ら保養の用に供するものとする。（令36②）

　　　（総務省令で定める家屋等）
（3）　（2）に規定する日常生活の用に供しないものとして総務省令で定める家屋又はその部分は、毎月1日以上の居住（これと同程度の居住を含む。）の用に供する家屋又はその部分以外の家屋又はその部分とする。（規7の2の16）

　　　（耐火建築物の意義）
（4）　②の（二）の耐火建築物は、建築基準法第2条第9号の2イに規定する特定主要構造部を耐火構造とした建築物とし、同（二）に規定する地上階数は、当該建築物の階数（建築基準法施行令第2条第1項第8号に定めるところにより算定した階数をいう。）から地階（同令第1条第2号に規定する地階をいう。）の階数を控除した階数とする。（令52の11③）

　　　（住宅用地が同一の者によって所有されていない場合）
（5）　専ら人の居住の用に供する家屋又は（1）に規定するその一部を人の居住の用に供する家屋の敷地の用に供されている土地でその一部が住宅用地であるものが同一の者によって所有されていない場合においては、当該土地のうちそれぞれの所有者の所有に属する部分の面積を当該土地の総面積で除して得た割合をそれぞれ当該土地に係る②の（一）又は（二）に定める土地の面積に乗じて得た面積に相当する土地をもって、当該それぞれの所有者に係る②の土地とする。（規12）

　　　（「敷地の用に供されている土地」の意義）
（6）　住宅用地に対する固定資産税の課税標準の特例における「敷地の用に供されている土地」とは、特例対象となる家屋を維持し又はその効用を果たすために使用されている一画地の土地で賦課期日現在において当該家屋の存するもの又はその上に既存の当該家屋に代えてこれらの家屋が建設中であるものをいうものであること。この既存の家屋に代えてこれらの家屋が建築中である土地の具体的な取扱いについては、別途「住宅建替え中の土地に係る固定資産税及び都市計画税の課税について」（平成6年2月22日付自治固第17号）を参照とされたいこと。なお、既存の家屋に代えて新たな家屋を建築している土地については、原則として、当該家屋の建設が当該年度に係る賦課期日において着手されており、かつ当該家屋が当該年度の翌年度に係る賦課期日までに完成する必要があるが、当該翌年度に係る賦

課期日において、当該土地において適当と認められる工事予定期間を定めて当該家屋の建設工事が現に進行中であることが客観的に見て取れる状況である場合にはこの限りではないこと。（市通3－20(1)）

　　　（住宅から除外される「別荘」の意義）
（7）　住宅から除外される「別荘」とは、日常生活の用に供しない家屋又はその部分（毎月1日以上の居住（年間を通じてこれと同程度の居住を含む。）の用に供するもの以外のもの）のうち専ら保養の用に供するものをいい、例えば週末に居住するための郊外等の家屋、遠距離通勤者が平日に居住するための職場の近くの家屋等については、住宅の範囲に含めるのが適当であること。（市通3－20(2)）

③　小規模住宅用地に対する課税標準の特例

　住宅用地のうち、次の各号に掲げる区分に応じ、当該各号に定める住宅用地に該当するもの（以下③において「**小規模住宅用地**」という。）に対して課する固定資産税の課税標準は、1、3のイの⑪及び⑫の規定にかかわらず、当該小規模住宅用地に係る固定資産税の課税標準となるべき価格の6分の1の額とする。（法349の3の2②、令52の12）

(一)	住宅用地でその面積が200平方メートル以下であるもの	当該住宅用地
(二)	住宅用地でその面積が200平方メートルを超えるもの	当該住宅用地の面積を当該住宅用地の上に存する住居でその全部が別荘の用に供される住居以外の住居の数（以下「**住居の数**」という。）で除して得た面積が200平方メートル以下であるものにあっては当該住宅用地、当該除して得た面積が200平方メートルを超えるものにあっては200平方メートルに当該住居の数を乗じて得た面積に相当する住宅用地

　　　（住居の数の認定）
（1）　③の表の(二)に規定する住居の数は、当該住居が、家屋のうち人の居住の用に供するために独立的に区画された部分又はその一部である場合には、当該部分の数による。（規12の2①）

　　　（小規模住宅用地が同一人によって所有されていない場合）
（2）　住宅用地でその一部が小規模住宅用地であるものが同一の者によって所有されていない場合においては、当該住宅用地のうちそれぞれの所有者の所有に属する部分の面積を当該住宅用地の総面積で除して得た割合をそれぞれ当該住宅用地に係る小規模住宅用地の面積に乗じて得た面積に相当する土地をもって、当該それぞれの所有者に係る小規模住宅用地とする。（規12の2②）

6　被災住宅用地等に対する課税標準の特例

①　被災住宅用地の課税標準の特例

　震災、風水害、火災その他の災害（以下において「**震災等**」という。）により滅失し、又は損壊した家屋の敷地の用に供されていた土地で当該震災等の発生した日の属する年（以下①及び③において「**被災年**」という。）の1月1日（当該震災等の発生した日が1月1日である場合には、当該震災等の発生した日の属する年の前年の1月1日）を賦課期日とする年度（以下6において「**被災年度**」という。）分の固定資産税について5の規定の適用を受けたもの（以下6において「**被災住宅用地**」という。）のうち、当該被災年度の翌年度又は翌々年度（災害対策基本法第60条第1項及び第5項の規定による避難のための立退きの勧告若しくは指示、同法第61条第1項の規定による避難のための立退きの指示又は同法第63条第1項（同条第3項において準用する場合を含む。）及び第2項の規定による警戒区域の設定（以下①において「**避難の指示等**」という。）が行われた場合において、同法第60条第4項（同法第61条第3項において準用する場合を含む。）及び第5項の規定による公示の日又は当該警戒区域が警戒区域でなくなった日（以下①において「**避難等解除日**」という。）の属する年が被災年の翌年以後の年であるときは、当該被災年度の翌年度から避難等解除日の属する年の1月1日から起算して3年を経過する日を賦課期日とする年度までの各年度とし、被災市街地復興特別措置法第5条第1項に規定する被災市街地復興推進地域（以下①において「**被災市街地復興推進地域**」という。）が定められた場合（避難の指示等が行われた場合において、避難等解除日の属する年が被災年の翌年以後の年であるときを除く。以下①において同じ。）には、当該被災年度の翌年度から被災年の1月1日から起算して4年を経過する日を賦課期日とする年度までの各年度とする。以下6において

同じ。）に係る賦課期日において家屋又は構築物の敷地の用に供されている土地以外の土地の全部又は一部で被災年度に係る賦課期日における当該被災住宅用地の所有者その他の（1）で定める者が所有するものに対して課する当該被災年度の翌年度分又は翌々年度分（避難の指示等が行われた場合において、避難等解除日の属する年が被災年の翌年以後の年であるときは、当該被災年度の翌年度から避難等解除日の属する年の1月1日から起算して3年を経過する日を賦課期日とする年度までの各年度分とし、被災市街地復興推進地域が定められた場合には、当該被災年度の翌年度から被災年の1月1日から起算して4年を経過する日を賦課期日とする年度までの各年度分とする。以下6において同じ。）の固定資産税については、当該土地を当該各年度に係る賦課期日において住宅用地として使用することができないと市町村長が認める場合に限り、当該土地を住宅用地とみなして、地方税法の規定（5の③《小規模住宅用地に対する課税標準の特例》各号並びに第四節五の2《住宅用地の所有者に係る申告》及び3《住宅用地から非住宅用地への変更に係る申告》の規定を除く。）を適用する。この場合において、5の③中「住宅用地のうち、次の各号に掲げる区分に応じ、当該各号に定める住宅用地に該当するもの」とあるのは、「6の①の規定により住宅用地とみなされた土地のうち政令で定めるもの」とする。（法349の3の3①）

　（注）　東日本大震災に係る被災住宅用地等の特例については、第九節3を参照。（編者）

　　　（被災住宅用地の所有者等）
（1）　①に規定する被災住宅用地の所有者等とは、次に掲げる者とする。（令52の13①）
　（一）　被災年度に係る賦課期日における被災住宅用地の所有者
　（二）　震災等の発生した日の属する年の1月2日（当該震災等の発生した日が1月1日である場合には、当該日の属する年の前年の1月2日）から当該震災等の発生した日までの間に被災住宅用地の全部又は一部を取得した者
　（三）　（一）又は（二）に掲げる者（（三）の規定により相続によって被災住宅用地の全部又は一部を取得した者を含む。）が個人である場合において震災等の発生した日の翌日以後にその者についての相続によりその者が所有していた被災住宅用地の全部又は一部を取得した者
　（四）　（一）又は（二）に掲げる者が個人である場合において震災等の発生した日の翌日以後にその者から被災住宅用地の全部又は一部を取得したその者の3親等内の親族（（三）に該当する者を除く。）
　（五）　（一）又は（二）に掲げる者（（五）の規定により合併又は分割によって被災住宅用地の全部又は一部を取得した者を含む。）が法人である場合において震災等の発生した日の翌日以後に当該法人をその当事者とする合併又は分割により当該法人が所有していた被災住宅用地の全部又は一部を取得した法人

　　　（住宅用地とみなされた土地のうち政令で定めるもの）
（2）　①の規定により読み替えて適用される5の③に規定する住宅用地とみなされた土地のうち政令で定めるものは、①の規定により5の①に規定する住宅用地とみなされた土地（以下（2）において「住宅用地とみなされた土地」という。）の面積に当該住宅用地とみなされた土地に係る被災住宅用地のうち被災年度分の固定資産税について5の③の規定の適用を受けたものの面積の当該被災住宅用地の面積に対する割合を乗じて得た面積に相当する土地とする。（令52の13②）

　　　（震災等の意義）
（3）　「震災等」とは、震災、風水害、雪害、落雷、噴火等の自然現象の異変による災害及び火災、爆発、事故等の人為的な災害をいうものであること。なお、自己の放火や、自己都合による建替えのための取壊しの場合は、これに含まないものであること。（市通3－22（1））

②　特定被災住宅用地の課税標準の特例
　被災年度に係る賦課期日において被災住宅用地を所有し、又はその共有持分を有していた者その他の（1）で定める者（以下②において「被災住宅用地の共有者等」という。）が、当該被災年度の翌年度又は翌々年度に係る賦課期日において、当該被災住宅用地の全部若しくは一部を所有し、又はその全部若しくは一部について共有持分を有している場合（①の規定の適用がある場合を除く。）には、当該各年度に係る賦課期日において当該被災住宅用地の共有者等が所有し、又は共有持分を有している当該被災住宅用地の全部又は一部のうち（2）で定めるもの（④において「特定被災住宅用地」という。）で家屋又は構築物の敷地の用に供されている土地以外の土地に対して課する当該各年度分の固定資産税については、①の規定を準用する。この場合において、①中「6の①」とあるのは、「6の②において準用する6の①」と読み替えるものとする。（法349の3の3②）

(被災住宅用地の共有者等)
(1) ②に規定する被災住宅用地の共有者等とは、次に掲げる者とする。(令52の13③)
   (一) 被災年度に係る賦課期日において被災住宅用地を所有し、又はその共有持分を有していた者
   (二) 震災等の発生した日の属する年の1月2日(当該震災等の発生した日が1月1日である場合には、当該日の属する年の前年の1月2日)から当該震災等の発生した日までの間に被災住宅用地の全部若しくは一部又は被災住宅用地の全部若しくは一部の共有持分を取得した者
   (三) (一)又は(二)に掲げる者((三)の規定により相続によって被災住宅用地の全部若しくは一部又は被災住宅用地の全部若しくは一部の共有持分を取得した者を含む。)が個人である場合において震災等の発生した日の翌日以後にその者についての相続によりその者が所有し、又は共有持分を有していた被災住宅用地の全部又は一部について、その全部若しくは一部を取得し、又はその全部若しくは一部の共有持分を取得した者
   (四) (一)又は(二)に掲げる者が個人である場合において震災等の発生した日の翌日以後にその者から被災住宅用地の全部又は一部について、その全部若しくは一部を取得し、又はその全部若しくは一部の共有持分を取得したその者の3親等内の親族((三)に該当する者を除く。)
   (五) (一)又は(二)に掲げる者((五)の規定により合併又は分割によって被災住宅用地の全部若しくは一部又は被災住宅用地の全部若しくは一部の共有持分を取得した者を含む。)が法人である場合において震災等の発生した日の翌日以後に当該法人をその当事者とする合併又は分割により当該法人が所有し、又は共有持分を有していた被災住宅用地の全部又は一部について、その全部若しくは一部を取得し、又はその全部若しくは一部の共有持分を取得した法人

(特定被災住宅用地)
(2) ②に規定する特定被災住宅用地は、次の各号に掲げる土地の区分に応じ、当該各号に定める土地とする。(令52の13④)
   (一) 第一節三の1の⑥《被災共用土地の納税義務者》に規定する被災共用土地又は同(2)《市町村長の認定を受けたあん分割合による特定被災共用土地納税義務者の納付義務》に規定する特定被災共用土地(以下6において「被災共用土地等」という。)である土地以外の土地　　次に掲げる場合の区分に応じ、それぞれに定める土地

イ	(1)の(一)又は(二)に掲げる者(以下6において「従前所有者等」という。)が震災等の発生した日において被災住宅用地の全部又は一部について共有持分を有しており、かつ、当該従前所有者等又は当該従前所有者等に係る(1)の(三)から(五)までに掲げる者(以下6において「相続人等」という。)が被災年度の翌年度又は翌々年度に係る賦課期日において当該被災住宅用地の全部又は一部を所有している場合	その所有している当該被災住宅用地の全部又は一部(その所有している当該被災住宅用地の全部又は一部の面積が当該従前所有者等が震災等の発生した日において共有持分を有していた当該被災住宅用地の全部又は一部に係る当該共有持分の割合に応ずる面積(相続人等が当該被災住宅用地の全部又は一部を所有している場合には、(1)の(三)から(五)までの規定により当該相続人等が取得した被災住宅用地の全部若しくは一部の面積又はこれらの規定により当該相続人等が取得した当該被災住宅用地の全部若しくは一部に係る共有持分の割合に応ずる面積のうち、(3)の総務省令で定めるもの)を超える場合は、当該面積に相当する土地)
ロ	従前所有者等が震災等の発生した日において被災住宅用地の全部又は一部を所有しており、かつ、当該従前所有者等又は相続人等が被災年度の翌年度又は翌々年度に係る賦課期日において当該被災住宅用地の全部又は一部について共有持分を有している場合	従前所有者等又は各相続人等が共有持分を有している当該被災住宅用地の全部又は一部に係る当該共有持分の割合に応ずる面積(当該面積が当該従前所有者等が震災等の発生した日において所有していた当該被災住宅用地の一部の面積(相続人等が当該被災住宅用地の全部又は一部について共有持分を有している場合には、(1)の(三)から(五)までの規定により当該相続人等が取得した被災住宅用地の全部若しくは一部の面積又はこれらの規定により当該相続人等が取得した当該被災住宅用地の全部若しくは一部に係る共有持分の割合に応ずる面積のうち、(4)の総務省令で定めるもの)を超える場合は、当該面積)の合計に相当する土地
ハ	従前所有者等が震災等の発生した日において被災住宅用地の全部又は一部について共	各従前所有者等又は各相続人等が共有持分を有している当該被災住宅用地の全部又は一部に係る当該共有持分の割合に応ずる

有持分を有しており、かつ、当該従前所有者等又は相続人等が被災年度の翌年度又は翌々年度に係る賦課期日において当該被災住宅用地の全部又は一部について共有持分を有している場合	面積（当該面積が当該従前所有者等が震災等の発生した日において共有持分を有していた当該被災住宅用地の全部又は一部に係る当該共有持分の割合に応ずる面積（相続人等が当該被災住宅用地の全部又は一部について共有持分を有している場合には、（1）の（三）から（五）までの規定により当該相続人等が取得した当該被災住宅用地の全部若しくは一部の面積又はこれらの規定により当該相続人等が取得した当該被災住宅用地の全部若しくは一部に係る共有持分の割合に応ずる面積のうち、（5）の総務省令で定めるもの）を超える場合は、当該面積）の合計に相当する土地

　（二）　被災共用土地等である土地　　次の表の左欄に掲げる当該土地に係る被災区分所有家屋（第一節三の1の⑥《被災共用土地の納税義務者》に規定する被災区分所有家屋をいう。以下（二）、（6）及び（7）において同じ。）の区分及び同表の中欄に掲げる当該被災区分所有家屋に係る居住部分に相当する部分の割合の区分に応じ、同表の右欄に掲げる率を当該土地の面積（当該面積が当該被災区分所有家屋の床面積の10倍の面積を超える場合には、当該10倍の面積）に乗じて得た面積に相当する土地（当該被災区分所有家屋に係る居住部分に相当する部分の割合が4分の1未満である被災区分所有家屋に係る土地を除く。）

被災区分所有家屋		被災区分所有家屋に係る居住部分に相当する部分の割合	率
イ	ロに掲げる被災区分所有家屋以外の被災区分所有家屋	4分の1以上2分の1未満	0.5
		2分の1以上	1.0
ロ	地上階数5以上を有する耐火建築物であった被災区分所有家屋	4分の1以上2分の1未満	0.5
		2分の1以上4分の3未満	0.75
		4分の3以上	1.0

　　（注）　5の②の（4）《耐火建築物の意義》の規定は、（二）の規定の適用がある場合について準用する。この場合において、同（4）中「②の（二）」とあるのは「6の②の（2）の（二）」と、「同（二）」とあるのは「同（二）」と読み替えるものとする。（令52の13⑥）

　　　（（2）の（一）の表のイの右欄の総務省令で定める面積）
（3）　（2）の（一）の表のイの右欄の総務省令で定める面積は、従前所有者等が震災等の発生した日において共有持分を有していた被災住宅用地の全部又は一部に係る当該共有持分の割合に応ずる面積のうち、次の各号に掲げる場合の区分に応じ、当該各号に定める面積とする。（規12の3①）
　（一）　（1）の（三）から（五）までの規定により相続人等が従前所有者等から被災住宅用地の全部若しくは一部又は被災住宅用地の全部若しくは一部に係る共有持分（以下6において「被災住宅用地の全部等」という。）を取得した場合　　その取得した当該被災住宅用地の全部若しくは一部の面積又はその取得した当該被災住宅用地の全部若しくは一部に係る共有持分の割合に応ずる面積
　（二）　（1）の（三）又は（五）の規定により相続人等が同（三）又は（五）に掲げる者（以下6において「前相続人等」という。）から被災住宅用地の全部等を取得した場合　　同（三）又は（五）の規定により前相続人等が従前所有者等（これらの規定により前相続人等が前相続人等から当該被災住宅用地の全部等を取得した場合における当該被災住宅用地の全部等を取得した前相続人等に係る前相続人等を含む。）から取得した当該被災住宅用地の全部等のうち、同（三）又は（五）の規定により当該相続人等が当該前相続人等から取得した当該被災住宅用地の全部若しくは一部の面積又はこれらの規定により当該相続人等が当該前相続人等から取得した当該被災住宅用地の全部若しくは一部に係る共有持分の割合に応ずる面積

　　　（（2）の（一）の表のロの右欄の総務省令で定める面積）
（4）　（2）の（一）の表のロの右欄の総務省令で定める面積は、従前所有者等が震災等の発生した日において所有していた被災住宅用地の全部又は一部の面積のうち、次の各号に掲げる場合の区分に応じ、当該各号に定める面積とする。（規12の3②）
　（一）　（1）の（三）から（五）までの規定により相続人等が従前所有者等から被災住宅用地の全部等を取得した場合　　その取得した当該被災住宅用地の全部若しくは一部の面積又はその取得した当該被災住宅用地の全部若しくは一部

に係る共有持分の割合に応ずる面積
　　（二）（1）の（三）又は（五）の規定により相続人等が前相続人等から被災住宅用地の全部等を取得した場合　　同（三）又は（五）の規定により前相続人等が従前所有者等（これらの規定により前相続人等が前相続人等から当該被災住宅用地の全部等を取得した場合における当該被災住宅用地の全部等を取得した前相続人等に係る前相続人等を含む。）から取得した当該被災住宅用地の全部等のうち、同（三）又は（五）の規定より相続人等が当該前相続人等から取得した当該被災住宅用地の全部若しくは一部の面積又はこれらの規定により当該相続人等が当該前相続人等から取得した当該被災住宅用地の全部若しくは一部に係る共有持分の割合に応ずる面積

　　　　（（2）の（一）の表のハの右欄の総務省令で定める面積）
（5）（2）の（一）の表のハの右欄の総務省令で定める面積は、従前所有者等が震災等の発生した日において共有持分を有していた被災住宅用地の全部又は一部に係る当該共有持分の割合に応ずる面積のうち、次の各号に掲げる場合の区分に応じ、当該各号に定める面積とする。（規12の3③）
　　（一）（1）の（三）から（五）までの規定により相続人等が従前所有者等から被災住宅用地の全部等を取得した場合　　その取得した当該被災住宅用地の全部若しくは一部の面積又はその取得した当該被災住宅用地の全部若しくは一部に係る共有持分の割合に応ずる面積
　　（二）（1）の（三）又は（五）の規定により相続人等が前相続人等から被災住宅用地の全部等を取得した場合　　同（三）又は（五）の規定により前相続人等が従前所有者等（これらの規定により前相続人等が前相続人等から当該被災住宅用地の全部等を取得した場合における当該被災住宅用地の全部等を取得した前相続人等に係る前相続人等を含む。）から取得した当該被災住宅用地の全部等のうち、同（三）又は（五）の規定により相続人等が当該前相続人等から取得した当該被災住宅用地の全部若しくは一部の面積又はこれらの規定により当該相続人等が当該前相続人等から取得した当該被災住宅用地の全部若しくは一部に係る共有持分の割合に応ずる面積

　　　　（被災区分所有家屋に係る居住部分に相当する部分の割合）
（6）（2）の（二）に規定する被災区分所有家屋に係る居住部分に相当する部分の割合とは、被災年度の翌年度又は翌々年度に係る賦課期日において震災等の発生した日において有していた被災共用土地等に係る共有持分を引き続き有している従前所有者等（被災年度の翌年度又は翌々年度に係る賦課期日において（1）の（三）から（五）までの規定により取得した被災共用土地等に係る共有持分を引き続き有している相続人等に係る従前所有者等を含む。）が震災等の発生した日において所有していた被災区分所有家屋の専有部分（（7）において「特定専有部分」という。）のうち、被災年度に係る賦課期日において人の居住の用に供する部分（別荘（5の②の（2）《別荘の意義》に規定する別荘をいう。（7）において同じ。）の用に供する部分を除く。）であった部分の床面積の合計の当該被災区分所有家屋の床面積に対する割合をいう。（令52の13⑤）

　　　　（住宅用地とみなされた土地のうち政令で定めるもの）
（7）②において準用する①の規定により読み替えて適用される5の③に規定する住宅用地とみなされた土地のうち政令で定めるものは、次の各号に掲げる土地の区分に応じ、当該各号に定める土地とする。（令52の13⑦）
　　（一）（2）の（一）の規定の適用がある土地　　②において準用する①の規定により5の①に規定する住宅用地とみなされた土地（以下（7）において「住宅用地とみなされた土地」という。）の面積に当該住宅用地とみなされた土地に係る被災住宅用地のうち被災年度分の固定資産税について5の③の規定の適用を受けたものの面積の当該被災住宅用地の面積に対する割合を乗じて得た面積に相当する土地
　　（二）（2）の（二）の規定の適用がある土地　　次に掲げる土地の区分に応じ、それぞれに定める土地
　　　　イ　住宅用地とみなされた土地でその面積が200平方メートル以下であるもの　　当該住宅用地とみなされた土地
　　　　ロ　住宅用地とみなされた土地でその面積が200平方メートルを超えるもの　　当該住宅用地とみなされた土地の面積を当該住宅用地とみなされた土地に係る被災区分所有家屋の特定専有部分に存した住居でその全部が別荘の用に供されていた住居以外の住居の数（以下（二）において「特例適用住居数」という。）で除して得た面積が200平方メートル以下であるものにあっては当該住宅用地とみなされた土地、当該除して得た面積が200平方メートルを超えるものにあっては200平方メートルに当該特例適用住居数を乗じて得た面積に相当する土地
　　　　　　（注）（二）のロに規定する特例適用住居数は、同ロのその全部が別荘の用に供されていた住居以外の住居が、家屋のうち人の居住の用に供するため独立的に区画された部分又はその一部であった場合には、当該部分の数による。（規12の3④）

③ **被災住宅用地の所有者等をもって特定仮換地等の所有者とみなされた場合の課税標準の特例**
　震災等の発生した日の属する年の１月２日（震災等の発生した日が１月１日である場合には、当該震災等の発生した日の属する年の前年の１月２日）以後に使用し、又は収益することができることとなった仮換地等（以下③、④において「特定仮換地等」という。）に対応する従前の土地の全部又は一部が被災住宅用地である場合において、被災年度の翌年度分又は翌々年度分の固定資産税について第一節三の２の④《土地区画整理事業等の場合の仮換地等への課税》の規定により当該被災住宅用地につき登記簿又は土地補充課税台帳に所有者として登記又は登録がされている被災住宅用地の所有者等をもって当該特定仮換地等に係る同節三の１《固定資産の所有者に対する課税》の所有者とみなされたときは、当該特定仮換地等に対して課する当該各年度分の固定資産税については、当該特定仮換地等のうち、従前の土地のうちの被災住宅用地に相当する土地を被災住宅用地とみなして、①の規定を適用する。この場合において、①中「土地以外の土地の全部又は一部で被災年度に係る賦課期日における当該被災住宅用地の所有者その他の（１）で定める者（③において「被災住宅用地の所有者等」という。）が所有するもの」とあるのは「土地以外の土地」と、「６の①」とあるのは「６の③の規定により読み替えて適用される６の①」とする。（法349の３の３③）
　　（注）③の仮換地等については、第一節三の２の④を参照。（編者）

　　　（住宅用地とみなされた土地のうち政令で定めるもの）
　注　③の規定により読み替えて適用される①の規定により読み替えて適用される５の③に規定する住宅用地とみなされた土地のうち政令で定めるものは、③の規定により読み替えて適用される①の規定により５の①に規定する住宅用地（以下注において「住宅用地」という。）とみなされた土地に対応する従前の土地のうちの被災住宅用地が①の規定により住宅用地とみなされるとしたならば①の規定により読み替えて適用される５の③の規定の適用を受けることとなる土地に相当する土地とする。（令52の13⑨）

④ **特定被災住宅用地の所有者等をもって特定仮換地等の所有者とみなされた場合の課税標準の特例**
　特定仮換地等に対応する従前の土地の全部又は一部が特定被災住宅用地〚②参照〛である場合において、被災年度の翌年度分又は翌々年度分の固定資産税について第一節三の２の④の規定により当該特定被災住宅用地につき登記簿又は土地補充課税台帳に所有者として登記又は登録がされている者をもって当該特定仮換地等に係る同１の所有者とみなされたときは、当該特定仮換地等に対して課する当該各年度分の固定資産税については、③の規定を準用する。この場合において、③中「従前の土地のうちの被災住宅用地に相当する土地」とあるのは「従前の土地のうちの特定被災住宅用地に相当する土地」と、「６の③」とあるのは「６の④において準用する６の③」と読み替えるものとする。（法349の３の３④）

　　　（住宅用地とみなされた土地のうち政令で定めるもの）
　注　③の注の規定は、④の規定の適用がある場合について準用する。この場合におてい、「③の規定により」とあるのは「④において準用する③の規定により」と、「被災住宅用地が①」とあるのは「②に規定する特定被災住宅用地が②において準用する①」と読み替えるものとする。（令52の13⑩）

⑤ **震災等により滅失等した償却資産に代わる償却資産等に対する固定資産税の課税標準の特例**
　震災等により滅失し、又は損壊した償却資産の所有者（当該償却資産が共有物である場合には、その持分を有する者を含む。）その他の（１）で定める者が、（２）で定める区域内において当該震災等の発生した日から被災年の翌年の３月31日から起算して４年を経過する日までの間に、当該滅失し、若しくは損壊した償却資産に代わるものと市町村長（第五節二《道府県知事又は総務大臣による固定資産の評価等》の規定の適用を受ける償却資産にあっては、当該償却資産の価格等を決定する総務大臣又は都道府県知事）が認める償却資産の取得（共有持分の取得を含む。以下⑤において同じ。）又は当該損壊した償却資産の改良を行った場合における当該取得又は改良が行われた償却資産（改良が行われた償却資産にあっては、当該償却資産の当該改良が行われた部分とし、当該滅失し、若しくは損壊した償却資産又は当該取得若しくは改良が行われた償却資産が共有物である場合には、当該償却資産のうち滅失し、又は損壊した償却資産に代わるものとして（３）で定める部分とする。）に対して課する固定資産税の課税標準は、２《償却資産の課税標準》の規定にかかわらず、当該償却資産の取得又は改良が行われた日後最初に固定資産税を課することとなった年度から４年度分の固定資産税に限り、（４）で定めるところにより、当該償却資産に係る固定資産税の課税標準となるべき価格の２分の１の額（３のイ《本則に定める特例》の規定の適用を受ける償却資産にあっては、同イの規定により課税標準とされる額の２分の１の額）とする。（法349の３の４）

(震災等により滅失し、又は損壊した償却資産の所有者その他の政令で定める者)
(1) ⑤に規定する(1)で定める者は、次に掲げる者とする。(令52の13の2①)
　(一)　⑤に規定する滅失し、又は損壊した償却資産(以下(1)及び(3)において「被災償却資産」という。)の所有者(当該被災償却資産が共有物である場合には、その持分を有する者を含む。)
　(二)　被災償却資産が第一節二《課税団体》の規定により共有物とみなされたものである場合における当該被災償却資産の買主
　(三)　(一)(二)に掲げる者((三)に規定する相続人を含む。)が個人である場合においてその者について相続があったときにおけるその者の相続人
　(四)　(一)又は(二)に掲げる者((四)に規定する合併後存続する法人若しくは合併により設立された法人又は分割承継法人(法人税法第2条第12号の3に規定する分割承継法人をいう。以下(四)において同じ。)を含む。)が法人である場合において、当該法人が合併により消滅したときにおけるその合併に係る合併後存続する法人若しくは合併により設立された法人又は当該法人が分割により被災償却資産に係る事業を承継させたときにおけるその分割に係る分割承継法人

(政令で定める区域)
(2) ⑤に規定する(2)で定める区域は、①に規定する震災等に際し被災者生活再建支援法(平成10年法律第66号)が適用された市町村(特別区を含み、地方自治法第252条の19第1項の市にあっては、当該市又は当該市の区若しくは総合区とする。)の区域(以下「被災区域」という。)とする。(令52の13の2②)

(償却資産のうち滅失し又は損壊した償却資産に代わるものとして政令で定める部分)
(3) ⑤に規定する(3)で定める部分は、次の各号に掲げる場合の区分に応じ、当該各号に定める部分とする。(令52の13の2③)
　(一)　被災償却資産が共有物である場合((三)に掲げる場合を除く。)　(1)の(一)に掲げる者が有していた被災償却資産に係る持分の割合により⑤に規定する取得又は改良が行われた償却資産(以下(3)において「代替償却資産」という。)の共有持分を有しているとした場合における代替償却資産に係る持分の割合に応ずる部分
　(二)　代替償却資産が共有物である場合((三)に掲げる場合を除く。)　(1)の(一)から(四)に掲げる者((三)及び(4)において「特例対象者」という。)が有している代替償却資産に係る持分の割合の合計に応ずる部分
　(三)　被災償却資産及び代替償却資産がいずれも共有物である場合　各特例対象者が有している代替償却資産に係る持分の割合(当該持分の割合が(1)の(一)に掲げる者が有していた被災償却資産に係る持分の割合を超える場合には、被災償却資産に係る持分の割合)の合計に応ずる部分

(特例対象者の政令で定める規定の適用)
(4) 特例対象者が、⑤の規定の適用を受けようとする場合には、(5)で定める書類を⑤に規定する市町村長(第五節二の規定の適用を受ける償却資産にあっては、当該償却資産の価格等(第五節二の①に規定する価格等をいう。)を決定する総務大臣又は道府県知事)に提出しなければならない。(令52の13の2④)

(総務省令で定める書類)
(5) (4)に規定する(5)で定める書類は、次に掲げる書類とする。(規12の3の2)
　(一)　(1)の(一)に規定する被災償却資産(以下(5)において「被災償却資産」という。)を所有していた者の氏名又は名称及び住所又は本店若しくは主たる事務所の所在地、被災償却資産に代わるものとして⑤の規定の適用を受けようとする償却資産(以下(一)及び(二)において「代替償却資産」という。)の所有者の氏名又は名称、住所又は本店若しくは主たる事務所の所在地及び個人番号(行政手続における特定の個人を識別するための番号の利用等に関する法律第2条第5項に規定する個人番号をいう。以下固定資産税について同じ。)又は法人番号(同法第2条第15項に規定する法人番号をいう。以下同じ。)(個人番号又は法人番号を有しない者にあっては、氏名又は名称及び住所又は本店若しくは主たる事務所の所在地)並びに当該被災償却資産及び当該代替償却資産の所在地を記載した書類並びに当該被災償却資産が震災等(①に規定する震災等をいう。以下(一)において同じ。)により被害を受けたことについて当該被災償却資産の所在地の市町村長が証する書類その他の当該被災償却資産が当該震災等により滅失し、又は損壊した旨を証する書類
　(二)　被災償却資産が被災年度(①に規定する被災年度をいう。以下同じ。)分の固定資産税に係る固定資産課税台帳に登録されていた旨を証する書類その他の被災償却資産が存していたことを証する書類及び代替償却資産の詳細を

明らかにする書類
(三) (1)の(二)から(四)までに掲げる者(以下(三)において「相続人」という。)が、⑤の規定の適用を受けようとする場合には、(一)(二)に掲げるもののほか、(1)の(二)に掲げる者にあっては被災償却資産に係る売買契約書、同(三)又は(四)に掲げる者にあっては戸籍の謄本又は法人に係る登記事項証明書その他のその適用を受けようとする者が相続人等に該当する旨を証する書類

7　大規模償却資産に係る課税標準の特例

① 大規模償却資産に係る課税標準の特例

市町村(地方自治法第252条の19第1項の市《指定都市》を除く。以下8までにおいて同じ。)は、一の納税義務者が所有する償却資産で、その価額(2、3及び6の⑤の規定により固定資産税の課税標準となるべき額をいう。以下8までにおいて同じ。)の合計額が次の表の左欄に掲げる市町村において同表の右欄に掲げる金額を超えるもの(以下「**大規模の償却資産**」という。)に対しては、2、3及び6の⑤の規定にかかわらず、同欄に掲げる金額(人口3万人以上の市町村にあっては、当該大規模の償却資産の価額の10分の4の額が当該市町村に係る同欄に掲げる金額を超えるときは、当該大規模の償却資産の価額の10分の4の額)を課税標準として固定資産税を課するものとする。(法349の4①)

市町村の区分	金　　　額
人口5,000人未満の町村	5億円
人口5,000人以上10,000人未満の市町村	人口6,000人未満の場合には5億4,400万円。人口6,000人以上の場合には5億4,400万円に人口5,000人から計算して人口1,000人を増すごとに4,400万円を加算した額
人口10,000人以上30,000人未満の市町村	人口12,000人未満の場合には7億6,800万円。人口12,000人以上の場合には7億6,800万円に人口10,000人から計算して人口2,000人を増すごとに4,800万円を加算した額
人口30,000人以上200,000人未満の市町村	人口35,000人未満の場合には12億8,000万円。人口35,000人以上の場合には12億8,000万円に人口30,000人から計算して人口5,000人を増すごとに8,000万円を加算した額
人口200,000人以上の市	40億円

(市町村の人口の算定)
(1)　①の表を適用する場合における市町村の人口は、官報に公示された最近の人口によるものとする。ただし、市町村の廃置分合又は境界変更があった場合における関係市町村の人口は、(2)で定めるところにより計算したものによる。(法349の4⑤)

(市町村の廃置分合等の場合における関係市町村の人口)
(2)　市町村の廃置分合若しくは境界変更があった場合、所属未定地を市町村の区域に編入した場合又は市町村の境界が確定した場合における(1)の人口については、地方自治法施行令第177条第1項の規定によって都道府県知事が告示したものによる。(規13の3)

② 基準財政収入見込額が前年度の基準財政需要額の100分の160未満となる市町村の特例

前年度の地方交付税の算定の基礎となった基準財政収入額からこれに算入された大規模の償却資産に係る固定資産税の税収入見込額(地方交付税法第14条第2項の基準税率をもって算定した税収入見込額をいう。以下②において同じ。)を控除した額に、当該大規模の償却資産について①の規定を適用した場合において当該年度分として課することができる固定資産税の税収入見込額を加算した額(「**基準財政収入見込額**」という。以下8までにおいて同じ。)が、前年度の地方交付税の算定の基礎となった基準財政需要額(「**前年度の基準財政需要額**」という。以下8までにおいて同じ。)の100分の160に満たないこととなる市町村については、①の規定によって当該市町村が当該大規模の償却資産に対して課する固定資産税の課税標準となるべき金額(以下8までにおいて「**大規模の償却資産に係る課税定額**」という。)を、基準財政収入見込額が前年度の基準財政需要額の100分の160に達することとなるように増額して①の規定を適用する。この場合において、当該市町村に大規模の償却資産が二以上あるときは、当該大規模の償却資産のうち価額の低いものから順次当該価額を限度として当該市町村の基準財政収入見込額が前年度の基準財政需要額の100分の160に達することとなるように当該市町村の大規模の償却資産に係る課税定額を増額するものとする。(法349の4②)

③ 市町村の廃置分合又は境界変更があった場合の基準財政収入額及び基準財政需要額

　②の場合において、前年度の初日後当該年度の賦課期日までの間に市町村の廃置分合又は境界変更があったときにおける当該廃置分合又は境界変更後存続する市町村及び廃置分合又は境界変更後存続する市町村で前年度の地方交付税の額の算定について他の法律の規定により当該廃置分合又は境界変更前の市町村が前年度の4月1日においてなお従前の区域をもって存続した場合に算定される額の合算額を下らないように算定されたものの前年度の地方交付税の算定の基礎となった基準財政収入額及び基準財政需要額の算定方法は、(1)及び(2)で定める。(法349の4③)

　　　（廃置分合又は境界変更後存続する市町村の基準財政収入額及び基準財政需要額の算定）
（1）　③に規定する廃置分合又は境界変更後存続する市町村の前年度の地方交付税の算定の基礎となった基準財政収入額及び基準財政需要額の算定方法は、次の各号に定めるところによる。(規13①)
　（一）　廃置分合によって二以上の市町村の区域をそのまま市町村の区域とした市町村については、当該廃置分合前の各市町村の基準財政収入額又は基準財政需要額（当該各市町村のうち(2)の合併算定替市町村に該当するものについては、(2)の規定により算定した基準財政収入額又は基準財政需要額とする。）をそれぞれ合算したもの
　（二）　廃置分合によって一の市町村の区域を分割した市町村については、当該市町村が前年度の初日に存在したものと仮定した場合において地方交付税法の規定に基づいて計算した基準財政収入額又は基準財政需要額
　（三）　境界変更によって区域を増した市町村については、当該境界変更前の当該市町村の基準財政収入額又は基準財政需要額（(2)の合併算定替市町村に該当する市町村については、(2)の規定により算定した基準財政収入額又は基準財政需要額とする。）に当該境界変更に係る区域を基礎とする独立の市町村が前年度の初日に存在したものと仮定した場合において地方交付税法に基づいて計算した基準財政収入額又は基準財政需要額をそれぞれ合算したもの
　（四）　境界変更によって区域を減じた市町村については、当該境界変更後の当該市町村が前年度の初日に存在したものと仮定した場合において地方交付税法の規定に基づいて計算した基準財政収入額又は基準財政需要額

　　　（合併算定替市町村の基準財政収入額及び基準財政需要額の算定）
（2）　③に規定する廃置分合又は境界変更後存続する市町村で前年度の地方交付税の額の算定について他の法律の規定により当該廃置分合又は境界変更前の市町村が前年度の4月1日においてなお従前の区域をもって存続した場合に算定される額の合算額を下らないように算定されたもの（以下において「合併算定替市町村」という。）の前年度の地方交付税の算定の基礎となった基準財政収入額及び基準財政需要額の算定方法は、次の各号に定めるところによる。(規13②)
　（一）　基準財政収入額は、当該合併算定替市町村の基準財政収入額
　（二）　基準財政需要額は、当該合併算定替市町村の基準財政需要額。ただし、当該額が地方交付税の額の算定のため各合併関係市町村（市町村の合併により、その区域の全部又は一部が当該合併算定替市町村の一部となった市町村をいう。以下同じ。）につき地方交付税法及びこれに基づく命令の定めるところにより仮に計算した基準財政需要額の合算額（以下「基準財政需要額の合算額」という。）に満たないときは、当該基準財政需要額の合算額とする。

　　　（基準財政収入額等に著しい変化があった場合）
（3）　②又は③の基準財政収入額又は基準財政需要額については、法律の制定又は改廃により、当該年度の地方交付税の算定の基礎となるべき基準財政収入額若しくは基準財政需要額と著しく異なることとなる場合又は普通交付税の額の算定の基礎に用いた数について錯誤があることが発見された場合（当該錯誤に係る数を普通交付税の額の算定の基礎に用いた年度以後5箇年度内に発見された場合に限り、総務省令で定める場合を除く。）には、総務省令で定めるところにより、必要な補正をするものとする。(法349の4④)

　　　（必要な補正をする場合から除かれる場合）
（4）　(3)に規定する総務省令で定める場合は、(3)に規定する錯誤に係る額の全額が、普通交付税に関する省令第46条第1項第1号に規定する発見年度（(5)において「発見年度」という。）の基準財政収入額若しくは基準財政需要額に加算され、又はこれらから減額される場合以外の場合とする。(規13の2①)

　　　（(4)の場合の処理）
（5）　(4)の場合には、(3)に規定する錯誤に係る額を発見年度の翌年度において、②又は③に規定する前年度の地方交付税の算定の基礎となった基準財政収入額若しくは前年度の地方交付税の算定の基礎となった基準財政需要額（当該前年度の地方交付税の算定の基礎となった基準財政需要額について普通交付税に関する省令第46条第1項第2号又

④ **大規模償却資産に関する通知義務**

(一)	市町村長の通知義務	市町村長は、固定資産の価額を決定した場合、固定資産課税台帳を縦覧に供した日以後において固定資産の価額を決定し、若しくは修正した場合又は二以上の市町村にわたって使用され、又は所在する固定資産の価格の道府県知事又は総務大臣による関係市町村への配分の通知を受けた場合において、一の納税義務者が所有する償却資産の価額の合計額が①の表の右欄に掲げる金額を超えることとなるときは、遅滞なく、当該価額の合計額その他必要な事項を道府県知事及び当該納税義務者に通知しなければならない。（法349の4⑥）
(二)	道府県知事の通知義務	道府県知事は、二以上の市町村にわたって使用され、又は所在する固定資産の価格を関係市町村へ配分する場合において、当該市町村において一の納税義務者が所有する償却資産の価額の合計額が①の表の右欄に掲げる金額を超えることとなるときは、当該配分に係る関係市町村長及び所有者に対する通知にその旨を併せて記載しなければならない。（法349の4⑦）
(三)	総務大臣の通知義務	総務大臣は、二以上の市町村にわたって使用され、又は所在する固定資産の価格を関係市町村に配分した場合において一の納税義務者が所有する償却資産の価額の合計額が①の表の右欄に掲げる金額を超えることとなる場合には、当該配分に係る関係市町村長及び所有者に対する通知に併せて当該価額の合計額、償却資産所在地の市町村の人口及び当該市町村に係る①の表の右欄の金額を道府県知事に通知しなければならない。（法349の4⑧、規15）

8 新設大規模償却資産に係る課税標準の特例

① 新設大規模償却資産に係る課税標準の特例

市町村は、一の納税義務者が所有する償却資産で新たに建設された一の工場又は発電所若しくは変電所（以下①において「一の工場」という。）（一の工場に増設された設備で一の工場に類すると認められるものを含む。）の用に供するもののうち、その価額の合計額が、当該償却資産に対して新たに固定資産税が課されることとなった年度から5年度間のうちいずれか一の年度において、7の①の表の左欄に掲げる市町村において同表の右欄に掲げる金額を超えることとなるもの（以下8において「**新設大規模償却資産**」という。）がある場合には、当該超えることとなった最初の年度（以下「**第一適用年度**」という。）から6年度分の固定資産税に限り、その間において当該新設大規模償却資産の価額の合計額が同欄に掲げる金額に満たないこととなった場合においても、当該新設大規模償却資産又は当該納税義務者が所有する第一適用年度を異にする他の新設大規模償却資産若しくはこれらの新設大規模償却資産以外の償却資産を区分し、それぞれを各別に一の納税義務者が所有するものとみなして、2、3、7、②及び同（1）の規定により、当該新設大規模償却資産又は当該納税義務者が所有する第一適用年度を異にする他の新設大規模償却資産若しくはこれらの新設大規模償却資産以外の償却資産に対して課する固定資産税の課税標準となるべき金額を算定し、当該金額を課税標準として固定資産税を課するものとする。この場合において、一の納税義務者が一の市町村の区域内において第一適用年度を同じくする二以上の新設大規模償却資産を所有するときは、これらの新設大規模償却資産を合わせて一の新設大規模償却資産とみなす。（法349の5①）

　　（制度の趣旨）
　注　一の工場の用に供する償却資産で大規模の償却資産に該当するもの（新設大規模償却資産）がある場合においては、当該新設大規模償却資産については、大規模の償却資産に該当することとなった年度から6年間に限り、他の償却資産と区分し、一の納税義務者が所有するものとみなして、大規模の償却資産に係る市町村の固定資産税の課税限度額の規定の特例を設け、基準財政収入見込額が基準財政需要額の一定割合に達することとなるように課税限度額を引き上げるものとする財源保障の割合を通常の大規模償却資産よりも引き上げることとされているのであるが、これは、これらの施設の建設当初における市町村の財政需要の著しい増嵩等を考慮したものであること。
　　なお、一の工場について設備が増設された場合において当該増設された設備が一の工場に類すると認められるときは、新たに建設された一の工場に該当するものであること。（市通3-24）

② **基準財政収入見込額が前年度の基準財政需要額に一定率を乗じた額未満となる市町村の特例**

　新設大規模償却資産に対して課する第一適用年度から６年度分の固定資産税に限り、それぞれ７の②及び同③の規定の例により算定した基準財政収入見込額が前年度の基準財政需要額に次の各号に掲げる割合を乗じて得た額に満たないこととなる市町村については、同②の規定にかかわらず、当該市町村の大規模の償却資産に係る課税定額を、それぞれ基準財政収入見込額が前年度の基準財政需要額の当該各号に掲げる割合に達することとなるように増額して同①の規定を適用するものとする。（法349の５②）

(一)	当該年度が第一適用年度又は第一適用年度の翌年度（(二)において「**第二適用年度**」という。）に該当することとなる新設大規模償却資産（(１)において「**第一次新設大規模償却資産**」という。）にあっては、100分の220
(二)	当該年度が第二適用年度の翌年度（(二)において「**第三適用年度**」という。）又は第三適用年度の翌年度（(三)において「**第四適用年度**」という。）に該当することとなる新設大規模償却資産（(１)において「**第二次新設大規模償却資産**」という。）にあっては、100分の200
(三)	当該年度が第四適用年度の翌年度（(三)において「**第五適用年度**」という。）又は第五適用年度の翌年度に該当することとなる新設大規模償却資産（(１)において「**第三次新設大規模償却資産**」という。）にあっては、100分の180

（課税定額の増額）
（１）②の場合において、一の市町村の区域内にそれぞれ二以上の第一次新設大規模償却資産、第二次新設大規模償却資産又は第三次新設大規模償却資産があるときは、それぞれの新設大規模償却資産ごとに、当該新設大規模償却資産のうち価額の低いものから順次当該価額を限度として、当該市町村の７の②及び同③の規定の例により算定した基準財政収入見込額が前年度の基準財政需要額の、第一次新設大規模償却資産にあっては100分の220、第二次新設大規模償却資産にあっては100分の200、第三次新設大規模償却資産にあっては100分の180に達することとなるように当該市町村の大規模の償却資産に係る課税定額を増額するものとする。（法349の５③）

　一の市町村の区域内に第一次新設大規模償却資産、第二次新設大規模償却資産又は第三次新設大規模償却資産のいずれか二以上がある場合及び新設大規模償却資産と新設大規模償却資産以外の大規模の償却資産とがある場合における当該新設大規模償却資産又は当該大規模の償却資産について当該市町村の大規模の償却資産に係る課税定額を増額するための計算方法は、（２）で定める。（法349の５④）

（新設大規模償却資産等に係る課税定額を増額する場合の計算方法）
（２）（１）の規定によって新設大規模償却資産（以下「新設資産」という。）又は新設資産以外の大規模の償却資産（以下「在来資産」という。）について課税定額を増額するための計算方法は、当該課税定額に次の各号の区分に従い、それぞれ当該各号の算式により計算した額を加算して行うものとする。（規15の２①）

(一) 第一次新設大規模償却資産（以下「第一次資産」という。）と第二次新設大規模償却資産（以下「第二次資産」という。）とがある場合における第二次資産については(イ)の算式、第一次資産については(ロ)の算式

(イ) $\left[基準財政需要額 \times \dfrac{200}{100} - \left\{ 基準財政収入額 - 大規模資産の税収入見込額 + \left(大規模資産の課税定額 \times 大規模資産の個数 \right) \times \dfrac{1.4}{100} \times \dfrac{75}{100} \right\} \right] \times \dfrac{100}{75} \times \dfrac{100}{1.4}$

(ロ) $\left[基準財政需要額 \times \dfrac{220}{100} - \left\{ 基準財政収入額 - 大規模資産の税収入見込額 + \left(第二次資産の課税標準額 + 大規模資産の課税定額 \times 第一次資産の個数 \right) \times \dfrac{1.4}{100} \times \dfrac{75}{100} \right\} \right] \times \dfrac{100}{75} \times \dfrac{100}{1.4}$

(二) 第一次資産と第三次新設大規模償却資産（以下「第三次資産」という。）とがある場合における第三次資産については(イ)の算式、第一次資産については(ロ)の算式

(イ) $\left[基準財政需要額 \times \dfrac{180}{100} - \left\{ 基準財政収入額 - 大規模資産の税収入見込額 + \left(大規模資産の課税定額 \times 大規模資産の個数 \right) \times \dfrac{1.4}{100} \times \dfrac{75}{100} \right\} \right] \times \dfrac{100}{75} \times \dfrac{100}{1.4}$

(ロ) $\left[基準財政需要額 \times \dfrac{220}{100} - \left\{ 基準財政収入額 - 大規模資産の税収入見込額 + \left(第三次資産の課税標準額 + 大規模資産の課税定額 \times 第一次資産の個数 \right) \times \dfrac{1.4}{100} \times \dfrac{75}{100} \right\} \right] \times \dfrac{100}{75} \times \dfrac{100}{1.4}$

(三) 第二次資産と第三次資産とがある場合における第三次資産については(イ)の算式、第二次資産については(ロ)の算式

(イ) $\left[基準財政需要額 \times \dfrac{180}{100} - \left\{ 基準財政収入額 - 大規模資産の税収入見込額 + \left(大規模資産の課税定額 \times 大規模資産の個数 \right) \times \dfrac{1.4}{100} \times \dfrac{75}{100} \right\} \right] \times \dfrac{100}{75} \times \dfrac{100}{1.4}$

(ロ) $\left[\text{基準財政需要額} \times \dfrac{200}{100} - \left\{\text{基準財政収入額} - \text{大規模資産の税収入見込額} + \left(\text{第三次資産の課税標準額} + \text{大規模資産の課税定額} \times \text{第二次資産の個数}\right) \times \dfrac{1.4}{100} \times \dfrac{75}{100}\right\}\right] \times \dfrac{100}{75} \times \dfrac{100}{1.4}$

(四) 第一次資産、第二次資産及び第三次資産がある場合における第三次資産については(イ)の算式、第二次資産については(ロ)の算式、第一次資産については(ハ)の算式

(イ) $\left[\text{基準財政需要額} \times \dfrac{180}{100} - \left\{\text{基準財政収入額} - \text{大規模資産の税収入見込額} + \left(\text{大規模資産の課税定額} \times \text{大規模資産の個数}\right) \times \dfrac{1.4}{100} \times \dfrac{75}{100}\right\}\right] \times \dfrac{100}{75} \times \dfrac{100}{1.4}$

(ロ) $\left[\text{基準財政需要額} \times \dfrac{200}{100} - \left\{\text{基準財政収入額} - \text{大規模資産の税収入見込額} + \left(\text{第三次資産の課税標準額} + \text{大規模資産の課税定額} \times \text{第二次資産及び第一次資産の個数}\right) \times \dfrac{1.4}{100} \times \dfrac{75}{100}\right\}\right] \times \dfrac{100}{75} \times \dfrac{100}{1.4}$

(ハ) $\left[\text{基準財政需要額} \times \dfrac{220}{100} - \left\{\text{基準財政収入額} - \text{大規模資産の税収入見込額} + \left(\text{第三次資産及び第二次資産の課税標準額} + \text{大規模資産の課税定額} \times \text{第一次資産の個数}\right) \times \dfrac{1.4}{100} \times \dfrac{75}{100}\right\}\right] \times \dfrac{100}{75} \times \dfrac{100}{1.4}$

(五) 新設資産と在来資産とがある場合における在来資産については(イ)の算式、新設資産については(ロ)の算式

(イ) $\left[\text{基準財政需要額} \times \dfrac{160}{100} - \left\{\text{基準財政収入額} - \text{大規模資産の税収入見込額} + \left(\text{大規模資産の課税定額} \times \text{大規模資産の個数}\right) \times \dfrac{1.4}{100} \times \dfrac{75}{100}\right\}\right] \times \dfrac{100}{75} \times \dfrac{100}{1.4}$

(ロ) $\left[\text{基準財政需要額} \times \left(\dfrac{180}{100}\text{から}\dfrac{220}{100}\text{までの割合のうち当該新設資産について適用される割合}\right) - \left\{\text{基準財政収入額} - \text{大規模資産の税収入見込額} + \left(\text{在来資産の課税標準額} + \text{大規模資産の課税定額} \times \text{新設資産の個数}\right) \times \dfrac{1.4}{100} \times \dfrac{75}{100}\right\}\right] \times \dfrac{100}{75} \times \dfrac{100}{1.4}$

(六) 第一次資産、第二次資産又は第三次資産のいずれか二以上と在来資産とがある場合における在来資産については(イ)の算式、第三次資産については(ロ)の算式、第三次資産と第二次資産とがあるとき又は第一次資産、第二次資産及び第三次資産があるときの第二次資産については(ハ)の算式、第一次資産と第二次資産とがあるときの第二次資産については(ニ)の算式、第三次資産及び第二次資産のうちいずれか一の新設資産と第一次資産とがあるとき又は第一次資産、第二次資産及び第三次資産があるときの第一次資産については(ホ)の算式

(イ) $\left[\text{基準財政需要額} \times \dfrac{160}{100} - \left\{\text{基準財政収入額} - \text{大規模資産の税収入見込額} + \left(\text{大規模資産の課税定額} \times \text{大規模資産の個数}\right) \times \dfrac{1.4}{100} \times \dfrac{75}{100}\right\}\right] \times \dfrac{100}{75} \times \dfrac{100}{1.4}$

(ロ) $\left[\text{基準財政需要額} \times \dfrac{180}{100} - \left\{\text{基準財政収入額} - \text{大規模資産の税収入見込額} + \left(\text{在来資産の課税標準額} + \text{大規模資産の課税定額} \times \text{新設資産の個数}\right) \times \dfrac{1.4}{100} \times \dfrac{75}{100}\right\}\right] \times \dfrac{100}{75} \times \dfrac{100}{1.4}$

(ハ) $\left[\text{基準財政需要額} \times \dfrac{200}{100} - \left\{\text{基準財政収入額} - \text{大規模資産の税収入見込額} + \left(\text{在来資産及び第三次資産の課税標準額} + \text{大規模資産の課税定額} \times \text{第三次資産以外の新設資産の個数}\right) \times \dfrac{1.4}{100} \times \dfrac{75}{100}\right\}\right] \times \dfrac{100}{75} \times \dfrac{100}{1.4}$

(ニ) $\left[\text{基準財政需要額} \times \dfrac{200}{100} - \left\{\text{基準財政収入額} - \text{大規模資産の税収入見込額} + \left(\text{在来資産の課税標準額} + \text{大規模資産の課税定額} \times \text{新設資産の個数}\right) \times \dfrac{1.4}{100} \times \dfrac{75}{100}\right\}\right] \times \dfrac{100}{75} \times \dfrac{100}{1.4}$

(ホ) $\left[\text{基準財政需要額} \times \dfrac{220}{100} - \left\{\text{基準財政収入額} - \text{大規模資産の税収入見込額} + \left(\text{在来資産及び第一次資産以外の新設資産の課税標準額} + \text{大規模資産の課税定額} \times \text{第一次資産の個数}\right) \times \dfrac{1.4}{100} \times \dfrac{75}{100}\right\}\right] \times \dfrac{100}{75} \times \dfrac{100}{1.4}$

(用語の意義)

(3) (2)において、次の各号に掲げる用語の意義は、それぞれ当該各号に定めるところによる。(規15の2②)
  (一) 基準財政需要額　前年度の地方交付税の算定の基礎となった基準財政需要額をいう。
  (二) 基準財政収入額　前年度の地方交付税の算定の基礎となった基準財政収入額をいう。
  (三) 大規模資産　在来資産又は新設資産をいう。
  (四) 大規模資産の税収入見込額　(二)の基準財政収入額に算入された大規模資産に係る固定資産税の税収入見込額（地方交付税法第14条第2項の基準税率をもって算定した税収入見込額をいう。）をいう。
  (五) 課税標準額　7又は8の規定によって大規模資産の所在する市町村が課することのできる固定資産税の課税標準となるべき額をいう。
  (六) 課税定額　7の①の表の左欄に掲げる市町村に係る同表の右欄に掲げる金額（人口3万人以上の市町村にあっては、大規模資産の価額の10分の4の額が当該市町村に係る同表の右欄に掲げる金額を超えるときは、当該大規

模資産の価額の10分の4の額）をいう。

二　税　　　率

1　標準税率
固定資産税の標準税率は、100分の1.4とする。（法350①）

2　税率の変更等に当たって納税義務者の意見の聴取を必要とする場合
　市町村は、当該市町村の固定資産税の一の納税義務者であってその所有する固定資産に対して課すべき当該市町村の固定資産税の課税標準の総額が当該市町村の区域内に所在する固定資産に対して課すべき当該市町村の固定資産税の課税標準の総額の3分の2を超えるものがある場合において、固定資産税の税率を定め、又はこれを変更して100分の1.7を超える税率で固定資産税を課する旨の条例を制定しようとするときは、当該市町村の議会において、当該納税義務者の意見を聴くものとする。（法350②）

3　震災等により滅失等した家屋に代わる家屋等に対する固定資産税の減額
　市町村は、震災等により滅失し、又は損壊した家屋の所有者（当該家屋が共有物である場合には、その持分を有する者を含む。）その他の(1)で定める者が、(2)で定める区域内に当該震災等の発生した日から被災年の翌年の3月31日から起算して4年を経過する日までの間に、当該滅失し、若しくは損壊した家屋に代わるものと市町村長が認める家屋を取得し、又は当該損壊した家屋を改築した場合における当該取得され、又は改築された家屋に対して課する固定資産税については、当該家屋が取得され、又は改築された日（当該家屋が当該震災等の発生した日以後において2回以上改築された場合には、その最初に改築された日。以下3において同じ。）の属する年の翌年の1月1日（当該家屋が取得され、又は改築された日が1月1日である場合には、同日）を賦課期日とする年度から4年度分の固定資産税に限り、(3)で定めるところにより、当該家屋に係る固定資産税額のうち、3の規定の適用を受ける部分に係る税額として(3)で定めるところにより算定した額（当該家屋が区分所有に係る家屋である場合又は共有物である家屋である場合には、3の規定の適用を受ける部分に係る税額として各区分所有者又は各共有者ごとに(3)で定めるところにより算定した額の合算額）の2分の1に相当する額を当該家屋に係る固定資産税額から減額するものとする。（法352の3）

　　　　　（政令で定める被災家屋の所有者）
(1)　3に規定する(1)で定める者は、次に掲げる者とする。（令52の13の3①）
　(一)　3に規定する滅失し、又は損壊した家屋（以下「被災家屋」という。）の所有者（当該被災家屋が共有物である場合には、その持分を有する者を含む。）
　(二)　(一)に掲げる者（(二)に規定する相続人を含む。）が個人である場合においてその者について相続があったときにおけるその者の相続人
　(三)　3に規定する取得され、又は改築された家屋（(3)において「特例適用家屋」という。）に個人である(一)に掲げる者と同居するその者の三親等内の親族
　(四)　(一)に掲げる者（(四)に規定する合併後存続する法人若しくは合併により設立された法人又は分割承継法人を含む。）が法人である場合において、当該法人が合併により消滅したときにおけるその合併に係る合併後存続する法人若しくは合併により設立された法人又は当該法人が分割により被災家屋に係る事業を承継させたときにおけるその分割に係る分割承継法人

　　　　　（政令で定める区域）
(2)　3に規定する(2)で定める区域は、被災区域とする。（令52の13の3②）

　　　　　（政令で定めるところにより算定した特例適用家屋の額）
(3)　3に規定する(3)で定めるところにより算定した額は、次の各号に掲げる特例適用家屋の区分に応じ、当該各号に定める額とする。（令52の13の3③）
　(一)　区分所有に係る特例適用家屋（第一節一の(十二)《家屋課税台帳》に規定する区分所有に係る家屋（以下(一)及び(4)において「区分所有に係る家屋」という。）である特例適用家屋をいう。以下(3)及び(5)において同じ。）及び共有物である特例適用家屋以外の特例適用家屋　当該特例適用家屋に係る固定資産税額に、被災家屋の床面積（当該被災家屋が区分所有に係る家屋であるときは、(1)の(一)に掲げる者が所有していた当該被災家屋の専有部

分（第一節三の1の④《区分所有に係る家屋の納税義務者》に規定する専有部分をいう。以下（二）において同じ。）の床面積とし、当該被災家屋が共有物であるときは、（1）の（一）に掲げる者が有していた当該被災家屋に係る持分の割合を当該被災家屋の床面積に乗じて得た面積とする。（二）及び（三）において同じ。）を当該特例適用家屋の床面積で除して得た数値（当該数値が一を超える場合には、一）を乗じて得た額

（二）　区分所有に係る特例適用家屋　当該特例適用家屋の専有部分に係る第一節三の1の④に規定する区分所有者が同④の規定により納付する義務を負うものとされる固定資産税額に、被災家屋の床面積を当該特例適用家屋の専有部分の床面積で除して得た数値（当該数値が一を超える場合には、一）を乗じて得た額

（三）　共有物である特例適用家屋　当該特例適用家屋に係る固定資産税額に、被災家屋の床面積（当該被災家屋の床面積が（1）の（一）から（四）までに掲げる者（（7）において「特例対象者」という。）がそれぞれ有している特例適用家屋に係る持分の割合を当該特例適用家屋の床面積に乗じて得た面積を超える場合には、当該面積）を当該特例適用家屋の床面積で除して得た数値を乗じて得た額

（（3）の床面積の算定等）

（4）　（3）の規定の適用について、（3）中被災家屋（（1）の（一）に規定する被災家屋をいう。（6）の（一）及び（二）において同じ。）で区分所有に係る家屋であるもの又は（3）の（二）に掲げる区分所有に係る特例適用家屋の専有部分の床面積の算定に関しては、これらの家屋に共用部分がある場合には、その部分の床面積をこれを共用していた又は共用すべき各区分所有者の専有部分の床面積の割合により配分して、それぞれの各区分所有者の専有部分の床面積に算入するものとする。（規15の4の2①）

（被災家屋で床面積その他の事項の算定に関し必要な事項）

（5）　（3）に定めるもののほか、被災家屋で区分所有に係るであるもの又は（3）の（二）に掲げる区分所有に係る特例適用家屋に共用部分があるときの（3）の（一）から（三）までの床面積その他の事項の算定に関し必要な事項は、総務省令で定める。（令52の13の3④）

（書類の提出義務）

（6）　特例対象者が3の規定の適用を受けようとする場合には、（7）で定める書類を3に規定する市町村長に提出しなければならない。（令52の13の3⑤）

（被災家屋に関し総務省令で定める書類）

（7）　（6）に規定する（7）で定める書類は、次に掲げる書類とする。（規15の4の2②）

（一）　被災家屋を所有していた者の氏名又は名称及び住所又は本店若しくは主たる事務所の所在地、被災家屋に代わるものとして3の規定の適用を受けようとする家屋（以下（一）及び（二）において「代替家屋」という。）の所有者の氏名又は名称、住所又は本店若しくは主たる事務所の所在地及び個人番号又は法人番号（個人番号又は法人番号を有しない者にあっては、氏名又は名称及び住所又は本店若しくは主たる事務所の所在地）並びに当該被災家屋及び当該代替家屋の所在地を記載した書類並びに当該被災家屋が震災等により被害を受けたことについて当該被災家屋の所在地の市町村長が証する書類その他の当該被災家屋が当該震災等により滅失し、又は損壊した旨を証する書類

（二）　被災家屋が被災年度分の固定資産税に係る固定資産課税台帳に登録されていた旨を証する書類その他の被災家屋が存したこと証する書類及び代替家屋の詳細を明らかにする書類

（三）　（1）の（二）から（四）までに掲げる者（以下（三）において「相続人等」という。）が、3の規定の適用を受けようとする場合には、（一）及び（二）に掲げるもののほか、戸籍の謄本又は法人に係る登記事項証明書その他のその適用を受けようとする者が相続人等に該当する旨を証する書類

4　新築住宅等に対する固定資産税の減額

① 用語の意義

3において、次の各号に掲げる用語の意義は、当該各号に定めるところによる。（令附12①）

（一）	住宅	②に規定する住宅（④から⑬までの規定の適用がある住宅にあっては、同項に規定する勧告に従わないで新築した住宅を含む。）をいう。
（二）	貸家住宅	その全部又は一部が専ら住居として貸家の用に供される家屋をいう。

(三)	サービス付き高齢者向け貸家住宅	サービス付き高齢者向け住宅（高齢者の居住の安定確保に関する法律第7条第1項の登録を受けた同法第5条第1項に規定するサービス付き高齢者向け住宅をいう。以下①において同じ。）である貸家住宅をいう。
(四)	共同住宅等	共同住宅、寄宿舎その他これらに類する多数の人の居住の用に供する家屋をいう。
(五)	別　荘	一の5の②の（2）《別荘の意義》に規定する別荘をいう。
(六)	専有部分税額	区分所有に係る家屋（第一節一の（十二）《家屋課税台帳》に規定する区分所有に係る家屋をいう。以下4において同じ。）の専有部分（第一節三の1の④《区分所有に係る家屋の納税義務者》に規定する専有部分をいう。以下4において同じ。）に係る同④に規定する区分所有者が同④の規定により納付する義務を負うものとされる固定資産税額をいう。
(七)	居住用専有部分	区分所有に係る家屋の専有部分でその人の居住の用に供する部分（別荘の用に供する部分を除く。）の床面積の当該専有部分の床面積に対する割合が2分の1以上であるものをいう。
(八)	基準住居部分	人の居住の用に供するために独立的に区画された家屋の一の部分でその床面積〔併用住宅（その一部を人の居住の用に供する家屋をいう。以下①において同じ。）にあっては、当該独立的に区画された家屋の一の部分の床面積のうち人の居住の用に供する部分の床面積とし、また、共同住宅等に共同の用に供される部分があるときは、その部分の床面積を、これを共用すべき独立的に区画された各部分の床面積の割合により配分して、それぞれの各部分の床面積に算入（規附7⑳）〕が50平方メートル（当該独立的に区画された家屋の一の部分が貸家の用に供されるものである場合には、40平方メートル（サービス付き高齢者向け住宅である貸家の用に供されるものである場合には、30平方メートル））以上280平方メートル以下であるものをいう。
(九)	基準部分	区分所有に係る家屋の専有部分のうち、人の居住の用に供する専有部分でその床面積〔併用住宅にあっては、当該専有部分のうちその人の居住の用に供する部分の床面積とし、また、区分所有に係る家屋に共用部分があるときは、その部分の床面積を、これを共用すべき各区分所有者の専有部分の床面積の割合により配分して、それぞれの各区分所有者の専有部分の床面積に算入（規附7⑳）〕が50平方メートル（当該専有部分が貸家の用に供されるものである場合には、40平方メートル（サービス付き高齢者向け住宅である貸家の用に供されるものである場合には、30平方メートル）以上280平方メートル以下であるもの（専有部分が二以上の部分に独立的に区画されている場合には、当該区画された部分のうち基準住居部分であるもの）をいう。
(十)	貸家用専有部分	区分所有に係る貸家住宅の専有部分でその専ら住居として貸家の用に供する部分（別荘の用に供する部分を除く。）の床面積の当該専有部分の床面積に対する割合が2分の1以上であるものをいう。
(十一)	高齢者向け貸家用専有部分	区分所有に係るサービス付き高齢者向け貸家住宅（区分所有に係る家屋であるサービス付き高齢者向け貸家住宅をいう。以下4において同じ。）の専有部分でその専らサービス付き高齢者向け住宅事業（高齢者の居住の安定確保に関する法律第5条第1項に規定するサービス付き高齢者向け住宅事業をいう。以下4において同じ。）に係る住居として貸家の用に供する部分（別荘の用に供する部分を除く。）の床面積の当該専有部分の床面積に対する割合が2分の1以上であるものをいう。
(十二)	高齢者向け特定貸家基準住居部分	サービス付き高齢者向け住宅事業に係る住居として貸家の用に供するために独立的に区画されたサービス付き高齢者向け貸家住宅の一の部分でその床面積が30平方メートル以上160平方メートル以下であるものをいう。
(十三)	高齢者向け特定貸家基準部分	区分所有に係るサービス付き高齢者向け貸家住宅の専有部分のうち、二以上の部分に独立的に区画された部分であって、高齢者向け特定貸家基準住居部分であるものをいう。

② **新築された住宅に対する税額の減額**

　市町村は、令和4年4月1日から令和8年3月31日までの間に**新築された**住宅（区分所有に係る家屋にあっては、人の居住の用に供する建物の区分所有等に関する法律第2条第3項に規定する専有部分（以下②から⑬までにおいて「専有部分」という。）のうち（1）で定める専有部分を有する家屋をいい、区分所有に係る家屋以外の家屋にあっては、人の居住の用に供する家屋のうち（1）で定める家屋をいう。以下②から④並びに⑤から⑨及び⑫において同じ。）（住宅の新築に係る都市再生特別措置法第88条第1項の規定による届出に係る同条第3項の規定による勧告（以下②において「勧告」という。）を受けた者が、同条第5項の規定により当該勧告に従わなかった旨を公表された場合における当該勧告に従わないで新築した住宅（その敷地の用に供する土地の全部又は一部が同項に規定する区域に含まれるものに限る。）を除く。以下②及び③において同じ。）で（2）で定めるもの〔**特例適用住宅**〕に対して課する固定資産税については、③、④のイ若しくはロ又は⑤から⑧の規定の適用がある場合を除き、当該住宅に対して新たに固定資産税が課されることとなった年度から3年度分の固定資産税に限り、当該住宅に係る固定資産税額（区分所有に係る住宅（区分所有に係る家屋である住宅をいう。以下②から⑧までにおいて同じ。）にあっては②の規定の適用を受ける部分に係る税額として各区分所有者ごとに（3）の（一）で定めるところにより算定した額〔**特例適用税額**〕の合算額とし、区分所有に係る住宅以外の住宅（人の居住の用に供する部分以外の部分を有する住宅その他の（6）で定める住宅に限る。）にあっては②の規定の適用を受ける部分に係る税額として（3）の（二）で定めるところにより算定した**特例適用税額**とする。）の2分の1に相当する額を当該住宅に係る固定資産税額から減額するものとする。（法附15の6①）

　　　（住宅の範囲）
（1）　②に規定する専有部分は**居住用専有部分**〖①の（六）〗とし、②に規定する家屋は家屋でその人の居住の用に供する部分（別荘の用に供する部分を除く。）の床面積〔共同住宅等に共用の用に供される部分があるときは、その部分の床面積を、これを共用すべき独立的に区画された各部分の床面積の割合により配分して、それぞれの各部分の床面積に算入（規附7⑳）〕の当該家屋の床面積に対する割合が2分の1以上であるものとする。（令附12②）

　　　（特例適用住宅）
（2）　②及び③、④のイ及びロ並びに⑧の（一）に規定する特例適用住宅は、住宅で、次の各号に掲げる住宅の区分に応じ、当該各号に定める要件に該当するものとする。（令附12③）

（一）	区分所有に係る住宅以外の住宅	床面積〔併用住宅にあっては、その人の居住の用に供する部分の床面積（規附7⑳）〕が50平方メートル以上280平方メートル以下である住宅（共同住宅等にあっては、**基準住居部分**〖①の（七）〗を有する住宅）であること。
（二）	区分所有に係る住宅	居住用専有部分に係る**基準部分**〖①の（八）〗を有する住宅であること。

　　　（特例適用税額）
（3）　②及び③並びに④のイ及びロに規定する特例適用税額は、次の各号に掲げる住宅の区分に応じ、当該各号に定める額とする。（令附12④）

（一）	区分所有に係る住宅		次に掲げる居住用専有部分の区分に応じ、それぞれ次に定める額	
		イ	居住用専有部分（別荘の用に供する部分を有しないものに限る。）で基準部分（その床面積が120平方メートル以下のものに限る。）であるもの（二以上の部分に独立的に区画されている居住用専有部分にあっては、基準部分（その床面積が120平方メートル以下のものに限る。）のみを有するもの）	当該居住用専有部分に係る**専有部分税額**〖①の（五）〗
		ロ	イに掲げる居住用専有部分以外の居住用専有部分	当該居住用専有部分に係る専有部分税額に、当該居住用専有部分に係る基準部分のうち人の居住の用

		に供する部分（別荘の用に供する部分を除く。以下（3）において同じ。）の床面積（一の基準部分のうち人の居住の用に供する部分の床面積が120平方メートルを超える場合には、当該部分の床面積を120平方メートルとして算定するものとする。）の当該居住用専有部分の床面積〔区分所有に係る住宅に共用部分があるときは、その部分の床面積を、これを共用すべき各区分所有者の専有部分の床面積の割合により配分して、それぞれの各区分所有者の専有部分の床面積に算入(規附7⑳)〕に対する割合（人の居住の用に供する部分とその他の部分とについて、天井の高さ、附帯設備の程度その他（5）で定める事項に著しい差違がある場合には、その差違に応じて（4）で定めるところにより当該割合を補正した割合）を乗じて得た額
(二)	区分所有に係る住宅以外の住宅（（5）に規定する住宅に限る。）	当該住宅に係る固定資産税額に人の居住の用に供する部分（共同住宅等にあっては基準住居部分に限る。以下（二）において同じ。）の床面積（一の人の居住の用に供する部分の床面積が120平方メートルを超える場合には、当該部分の床面積を120平方メートルとして算定するものとする。）の当該住宅の床面積に対する割合（人の居住の用に供する部分とその他の部分とについて、天井の高さ、附帯設備の程度その他（5）で定める事項に著しい差違がある場合には、その差違に応じて（4）で定めるところにより当該割合を補正した割合）を乗じて得た額

　　（居住用部分の床面積の割合の補正）
（4）　第一節三の1の④の（2）の規定は、（3）に規定する区分所有に係る住宅以外の住宅における人の居住の用に供する部分の床面積の当該住宅の床面積に対する割合及び区分所有に係る住宅における居住用専有部分に係る基準部分のうち人の居住の用に供する部分の床面積の当該居住用専有部分の床面積に対する割合、⑤の（5）（⑦の（注）において準用する場合を含む。）に規定する住宅である家屋における従前の権利に対応する居住部分又は従前の権利に対応する非居住部分の床面積の当該専有部分の床面積に対する割合及び住宅以外の家屋における従前の権利に対応する部分の床面積の当該専有部分の床面積に対する割合、⑥の（2）に規定する区分所有に係るサービス付き高齢者向け貸家住宅における高齢者向け貸家用専有部分に係る高齢者向け特定貸家基準部分のうち専らサービス付き高齢者向け住宅事業に係る住居として貸家の用に供する部分の床面積の当該高齢者向け貸家用専有部分の床面積に対する割合及び区分所有に係るサービス付き高齢者向け貸家住宅以外のサービス付き高齢者向け貸家住宅における高齢者向け特定貸家基準住居部分の床面積の当該サービス付き高齢者向け貸家住宅の床面積に対する割合、⑧の（1）に規定する区分所有に係る特定特例適用住宅以外の特定特例適用住宅における特定居住用部分又は特定居住用部分以外の部分の床面積の当該特定特例適用住宅の床面積に対する割合及び区分所有に係る特定特例適用住宅における特定居住用部分又は特定居住用部分以外の部分の床面積の当該特定特例適用住宅の床面積に対する割合、⑨の（6）に規定する区分所有に係る耐震基準適合住宅以外の耐震基準適合住宅における人の居住の用に供する部分の床面積の当該耐震基準適合住宅の床面積に対する割合及び区分所有に係る耐震基準適合住宅における人の居住の用に供する部分の床面積の当該居住用専有部分の床面積に対する割合、⑩のイの（5）に規定する特定居住用部分の床面積の当該高齢者等居住改修住宅の床面積に対する割合、同ロの（3）に規定する特定居住用部分の床面積の当該高齢者等居住改修専有部分の床面積に対する割合、⑪

のイの(4)に規定する特定居住用部分の床面積の当該熱損失防止改修等住宅の床面積に対する割合並びに同ロの(3)に規定する特定居住用部分の床面積の当該熱損失防止改修等専有部分の床面積に対する割合、⑫のイの(4)に規定する区分所有に係る特定耐震基準適合住宅以外の特定耐震基準適合住宅における人の居住の用に供する部分の床面積の当該特定耐震基準適合住宅の床面積に対する割合及び区分所有に係る特定耐震基準適合住宅における人の居住の用に供する部分の床面積の当該居住用専有部分の床面積に対する割合、同ロの(3)に規定する特定居住用部分の床面積の当該特定熱損失防止改修等住宅の床面積に対する割合、同ハの(3)に規定する特定居住用部分の床面積の当該特定熱損失防止改修等住宅専有部分の床面積に対する割合、⑬の(6)に規定する人の居住の用に供する部分の床面積の当該居住用専有部分の床面積に対する割合並びに⑭の(3)及び(4)に規定する区分所有に係る耐震基準適合家屋以外の耐震基準適合家屋における当該耐震基準適合家屋の床面積から人の居住の用に供する部分の床面積を控除して得た床面積の当該耐震基準適合家屋の床面積に対する割合及び区分所有に係る耐震基準適合家屋における居住用専有部分の床面積から人の居住の用に供する部分の床面積を控除して得た床面積の当該居住用専有部分の床面積に対する割合の補正について準用する。ただし、市町村の条例で定めるところによって、第五節一の1の①《固定資産評価基準の制定》に規定する固定資産評価基準によって求めた人の居住の用に供する部分又は従前の権利に対応する部分の価額その他これらの部分に係る税額の算定について適当と認められる基準により算出した数値に基づいて補正を行うこととした場合においては、当該条例で定める方法によって補正することを妨げない。(規附7①)

　　　　(附帯設備の程度その他総務省令で定める事項)
(5)　(3)の(一)のロ及び(二)、⑤の(5)の(一)のロ、(二)のロ及び(三)のロ、⑥の(2)の(一)のロ及び(二)、⑧の(1)の(二)のイ及びロ並びに(三)のイ及びロ、⑨の(6)の(一)のイ及びロ並びに(二)のイ及びロ、⑩のイの(5)、⑩のロの(3)、⑪のイの(4)、⑪のロの(3)、⑫のイの(4)の(一)のイ及びロ並びに(二)のイ及びロ、⑫のロの(3)、⑫のハの(3)、⑬の(3)の(一)のロ及びハ並びに(二)のロ及びハ並びに⑭の(4)の(一)のロ及びハ並びに(二)のロ及びハに規定する(5)で定める事項は、仕上部分の程度とする。(規附7②)

　　　　(居住用部分以外の部分を有する住宅等)
(6)　②及び③並びに④のイ及びロに規定する特例適用税額を面積基準によりあん分計算する住宅は、次に掲げる住宅とする。(令附12⑤)
(一)　人の居住の用に供する部分(別荘の用に供する部分を除く。(二)において同じ。)以外の部分を有する住宅
(二)　人の居住の用に供する部分の床面積が120平方メートルを超える住宅(共同住宅等にあっては、人の居住の用に供する部分で基準住居部分(その床面積が120平方メートル以下のものに限る。)に該当しないものを有するもの)

　　　　(住宅から除外される「別荘」の意義)
(7)　住宅から除外される「別荘」とは、日常生活の用に供しない家屋又はその部分(毎月1日以上の居住(年間を通じてこれと同程度の居住を含む。)の用に供するもの以外のもの)のうち専ら保養の用に供するものをいい、例えば週末に居住するための郊外等の家屋、遠距離通勤者が平日に居住するための職場の近くの家屋等については、住宅の範囲に含めるのが適当であること。(市通3-44)

③　新築された中高層耐火建築物である住宅に対する税額の減額

　市町村は、令和6年4月1日から令和8年3月31日までの間に新築された中高層耐火建築物(建築基準法第2条第9号の2イに規定する特定主要構造部を耐火構造とした建築物又は同条第9号の3イ若しくはロのいずれかに該当する建築物《準耐火建築物》で、地上階数(建築基準法施行令第2条第1項第8号に定めるところにより算定した建築物の階数から同令第1条第2号に規定する地階の階数を控除した階数をいう。)3以上を有するものをいう。④のロにおいて同じ。)である住宅で②の(2)で定めるもの〔**特例適用住宅**〕に対して課する固定資産税については、④のイ若しくはロ又は⑤の規定の適用がある場合を除き、当該住宅に対して新たに固定資産税が課されることとなった年度から5年度分の固定資産税に限り、当該住宅に係る固定資産税額(区分所有に係る住宅にあっては、③の規定の適用を受ける部分に係る税額として各区分所有者ごとに②の(3)の(一)で定めるところにより算定した**特例適用税額**の合算額とし、区分所有に係る住宅以外の住宅(人の居住の用に供する部分以外の部分を有する住宅その他の②の(5)で定める住宅に限る。)にあっては、③の規定の適用を受ける部分に係る税額として②の(3)の(二)で定めるところにより算定した**特例適用税額**とする。)の2分の1に相当する額を当該住宅に係る固定資産税額から減額するものとする。(法附15の6②、令附12⑥、令52の11③)

④ 新築された認定長期優良住宅に対する税額の減額

イ 認定長期優良住宅の税額の減額
　市町村は、長期優良住宅の普及の促進に関する法律の施行の日（平成21年6月4日）から令和8年3月31日までの間に新築された同法第11条第1項に規定する認定長期優良住宅（以下④及び⑫において「**認定長期優良住宅**」という。）である住宅で②の（2）で定めるもの〔特例適用住宅〕に対して課する固定資産税については、ロ又は⑤の規定の適用がある場合を除き、当該住宅に対して新たに固定資産税が課されることとなった年度から5年度分の固定資産税に限り、当該住宅に係る固定資産税額（区分所有に係る住宅にあってはイの規定の適用を受ける部分に係る税額として各区分所有者ごとに②の（3）の（一）で定めるところにより算定した**特例適用税額**の合算額とし、区分所有に係る住宅以外の住宅（人の居住の用に供する部分以外の部分を有する住宅その他の②の（5）で定める住宅に限る。）にあってはイの規定の適用を受ける部分に係る税額として②の（3）の（二）で定めるところにより算定した**特例適用税額**とする。）の2分の1に相当する額を当該住宅に係る固定資産税額から減額するものとする。（法附15の7①）

ロ 中高層耐火建築物である認定長期優良住宅の税額の減額
　市町村は、長期優良住宅の普及の促進に関する法律の施行の日（平成21年6月4日）から令和8年3月31日までの間に新築された認定長期優良住宅のうち中高層耐火建築物である住宅で②の（2）で定めるもの《特例適用住宅》に対して課する固定資産税については、⑤、⑦又は⑧の規定の適用がある場合を除き、当該住宅に対して新たに固定資産税が課されることとなった年度から7年度分の固定資産税に限り、当該住宅に係る固定資産税額（区分所有に係る住宅にあってはロの規定の適用を受ける部分に係る税額として各区分所有者ごとに②の（3）の（一）で定めるところにより算定した**特例適用税額**の合算額とし、区分所有に係る住宅以外の住宅（人の居住の用に供する部分以外の部分を有する住宅その他の②の（5）で定める住宅に限る。）にあってはロの規定の適用を受ける部分に係る税額として②の（3）の（二）で定めるところにより算定した**特例適用税額**とする。）の2分の1に相当する額を当該住宅に係る固定資産税額から減額するものとする。（法附15の7②）

ハ 申告手続等
　イ又はロの規定は、認定長期優良住宅の所有者から、当該認定長期優良住宅が新築された日から当該認定長期優良住宅に対して新たに固定資産税が課されることとなる年度の初日の属する年の1月31日までの間に、総務省令で定める書類を添付して、当該認定長期優良住宅につきこれらの規定の適用があるべき旨の申告書の提出がされた場合に限り、適用するものとする。（法附15の7③）

　　　（総務省令で定める書類）
（1）ハに規定する総務省令で定める書類は、長期優良住宅の普及の促進に関する法律施行規則第6条、第9条又は第13条に規定する通知書の写しとする。（規附7③）

　　　（区分所有に係る住宅の特例）
（2）市町村長は、イ又はロの認定長期優良住宅のうち区分所有に係る住宅については、ハの申告書の提出がなかった場合においても、長期優良住宅の普及の促進に関する法律第5条第4項に規定する管理者等から、ハに規定する期間内に同法第8条第2項において準用する同法第7条の規定による通知を受けたことを証する書類として（3）で定めるものの提出がされ、かつ、当該区分所有に係る住宅がイ又はロに規定する要件に該当すると認められるときは、ハの規定にかかわらず、イ又はロの規定を適用することができる。（法附15の7④）

　　　（総務省令で定める書類）
（3）（2）に規定する通知を受けたことを証する書類として（3）で定めるものは、長期優良住宅の普及の促進に関する法律施行規則第9条に規定する通知書の写しとする。（規附7④）

　　　（宥恕規定）
（4）市町村長は、ハに規定する期間の経過後にハの申告書又は（2）の書類の提出がされた場合において、当該期間内に当該申告書又は当該書類の提出がされなかったことについてやむを得ない理由があると認めるときは、当該申告書又は当該書類に係る認定長期優良住宅につきイ又はロの規定を適用することができる。（法附15の7⑤）

⑤　**市街地再開発事業により従前の権利者が取得した施設建築物の税額の減額**

　市町村は、平成23年改正法の施行の日の翌日（平成23年7月1日）から令和7年3月31日までの間に新築された都市再開発法第2条第6号に規定する施設建築物に該当する家屋の一部である同条第8号に規定する施設建築物の一部が同法による市街地再開発事業（同条第1号に規定する第一種市街地再開発事業（以下⑤において「第一種市街地再開発事業」という。）若しくは第二種市街地再開発事業の施行区域内又は同法第7条第1項に規定する市街地再開発促進区域内において施行されるものに限る。）の施行に伴い同法第73条第1項第3号又は第118条の7第1項第3号に規定する宅地、借地権又は建築物に対応して同法第73条第1項第2号又は第118条の7第1項第2号に掲げる者（以下⑤において「**従前の権利者**」という。）に与えられた場合における当該家屋に対して課する固定資産税については、当該家屋に対して新たに固定資産税が課されることとなった年度から5年度分の固定資産税に限り、当該家屋が住宅で（1）で定めるものである場合には、当該家屋のうち従前の権利者が所有し、かつ、人の居住の用に供する部分で（2）で定めるものに係る税額として従前の権利者ごとに（5）の（一）で定めるところにより算定した特例適用税額の合算額の3分の2に相当する額及び当該家屋のうち従前の権利者が所有する当該人の居住の用に供する部分以外の部分で（3）で定めるものに係る税額として従前の権利者ごとに（5）の（二）で定めるところにより算定した特例適用税額の合算額の3分の1（当該家屋が同法第2条第1号に規定する第一種市街地再開発事業の施行に伴い与えられた場合には、当該合算額の4分の1に相当する額）に相当する額を当該家屋に係る固定資産税額から減額し、当該家屋が住宅以外の家屋である場合には、当該家屋のうち従前の権利者が所有する部分で（4）で定めるものに係る税額として従前の権利者ごとに（5）の（三）で定めるところにより算定した特例適用税額の合算額の3分の1（当該家屋が同法第2条第1号に規定する第一種市街地再開発事業の施行に伴い与えられた場合には、当該合算額の4分の1に相当する額）に相当する額を当該家屋に係る固定資産税額から減額するものとする。（法附15の8①）

　　　（住宅の要件）
（1）　⑤に規定する住宅は、基準部分を有する住宅とする。（令附12⑦）

　　　（従前の権利に対応する居住部分）
（2）　⑤に規定する従前の権利者が所有し、かつ、人の居住の用に供する部分は、家屋のうち⑤に規定する従前の権利者が所有する⑤に規定する宅地、借地権又は建築物に対応して与えられた部分（（5）までにおいて「**従前の権利に対応する部分**」という。）で人の居住の用に供するもの（居住用専有部分に係るものに限るものとし、別荘の用に供する部分を除く。（5）までにおいて「**従前の権利に対応する居住部分**」という。）とする。（令附12⑧）

　　　（従前の権利に対応する非居住部分）
（3）　⑤に規定する従前の権利者が所有する当該人の居住の用に供する部分以外の部分は、家屋のうち従前の権利に対応する部分で従前の権利に対応する居住部分以外のもの（（5）において「**従前の権利に対応する非居住部分**」という。）とする。（令附12⑨）

　　　（住宅以外の家屋のうち従前の権利者が所有する部分）
（4）　⑤に規定する従前の権利者が所有する部分は、家屋のうち従前の権利に対応する部分とする。（令附12⑩）

　　　（特例適用税額）
（5）　⑤に規定する特例適用税額は、次の各号に掲げる区分に応じ、当該各号に定める額とする。（令附12⑪）

		次に掲げる専有部分の区分に応じ、それぞれ次に定める額	
（一）	⑤に規定する住宅である家屋のうち従前の権利に対応する居住部分に係るもの	イ　その全部が従前の権利に対応する居住部分である専有部分	当該専有部分に係る専有部分税額
		ロ　その一部が従前の権利に対応する居住部分である専有部分	当該専有部分に係る専有部分税額に当該専有部分の床面積のうち従前の権利に対応する居住部分の床面積の当該専有部分の床面積に対する割合（従前の権利に対応する居住部分とその他の部分とについて、天井の高さ、附帯設備の程度その他②の（5）で定める事項に著しい差違がある場合には、その差違に応じて②の（4）

			で定めるところにより補正した割合）を乗じて得た額
(二)	⑤に規定する住宅である家屋のうち従前の権利に対応する非居住部分に係るもの	次に掲げる専有部分の区分に応じ、それぞれ次に定める額	
		イ　その全部が従前の権利に対応する非居住部分である専有部分	当該専有部分に係る専有部分税額
		ロ　その一部が従前の権利に対応する非居住部分である専有部分	当該専有部分に係る専有部分税額に当該専有部分の床面積のうち従前の権利に対応する非居住部分の床面積の当該専有部分の床面積に対する割合（従前の権利に対応する非居住部分とその他の部分とについて天井の高さ、附帯設備の程度その他②の(5)で定める事項に著しい差違がある場合には、その差違に応じて②の(4)で定めるところにより補正した割合）を乗じて得た額
(三)	⑤に規定する住宅以外の家屋のうち従前の権利に対応する部分に係るもの	次に掲げる専有部分の区分に応じ、それぞれ次に定める額	
		イ　その全部が従前の権利に対応する部分である専有部分	当該専有部分に係る専有部分税額
		ロ　その一部が従前の権利に対応する部分である専有部分	当該専有部分に係る専有部分税額に当該専有部分の床面積のうち従前の権利に対応する部分の床面積の当該専有部分の床面積に対する割合（従前の権利に対応する部分とその他の部分とについて天井の高さ、附帯設備の程度その他②の(5)で定める事項に著しい差違がある場合には、その差違に応じて②の(4)で定めるところにより補正した割合）を乗じて得た額

⑥　サービス付き高齢者向け住宅である貸家住宅の税額の減額

　市町村は、平成27年4月1日から令和7年3月31日までの間に新築された高齢者の居住の安定確保に関する法律第7条第1項の登録を受けた同法第5条第1項に規定するサービス付き高齢者向け住宅である貸家住宅（その全部又は一部が専ら住居として貸家の用に供される家屋をいう。以下⑥において同じ。）で(1)で定めるものに対して課する固定資産税については、④のロ又は⑤若しくは⑧の規定の適用がある場合を除き、当該貸家住宅に対して新たに固定資産税が課されることとなった年度から5年度分の固定資産税に限り、当該貸家住宅に係る固定資産税額（区分所有に係る貸家住宅（区分所有に係る家屋である貸家住宅をいう。以下⑥において同じ。）にあっては⑥の規定の適用を受ける部分に係る税額として各区分所有者ごとに(2)で定めるところにより算定した額の合算額とし、区分所有に係る貸家住宅以外の貸家住宅（専ら住居として貸家の用に供される部分以外の部分を有する貸家住宅その他の(3)で定める貸家住宅に限る。）にあっては⑥の規定の適用を受ける部分に係る税額として(3)で定めるところにより算定した額とする。）の3分の2を参酌して2分の1以上6分の5以下の範囲内において市町村の条例で定める割合に相当する額を当該貸家住宅に係る固定資産税額から減額するものとする。（法附15の8②）

　　　（サービス付き高齢者向け貸家住宅で政令で定めるもの）
(1)　⑥に規定するサービス付き高齢者向け住宅である貸家住宅で(1)で定めるものは、サービス付き高齢者向け貸家住宅のうち次に掲げる要件のいずれにも該当するものとする。（令附12⑫）
　(一)　次に掲げる要件のいずれにも該当すること。
　　イ　当該サービス付き高齢者向け貸家住宅が建築基準法第2条第9号の2イに規定する特定主要構造部を耐火構造とした建築物、同条第9号の3イ又はロのいずれかに該当する建築物その他の(4)で定める建築物であること。
　　ロ　当該サービス付き高齢者向け貸家住宅の建設に要する費用について、政府の補助で(5)で定めるものを受けていること。

ハ　当該サービス付き高齢者向け貸家住宅に係る高齢者の居住の安定確保に関する法律第7条第2項に規定するサービス付き高齢者向け住宅登録簿に記載されたサービス付き高齢者向け住宅の戸数が10戸以上であること。
(二)　次に掲げるサービス付き高齢者向け貸家住宅の区分に応じ、それぞれ次に定める要件に該当すること。
イ　区分所有に係るサービス付き高齢者向け貸家住宅　高齢者向け貸家用専有部分に係る高齢者向け特定貸家基準部分を有すること。
ロ　区分所有に係るサービス付き高齢者向け貸家住宅以外のサービス付き高齢者向け貸家住宅　サービス付き高齢者向け貸家住宅でその専らサービス付き高齢者向け住宅事業に係る住居として貸家の用に供する部分（別荘の用に供する部分を除く。(2)及び(3)において同じ。）の床面積の当該サービス付き高齢者向け貸家住宅の床面積に対する割合が2分の1以上であるもののうち、特定貸家基準部分を有するものであること。

　　　（政令で定める算定した額）
(2)　⑥に規定する(2)で定めるところにより算定した額は、次の各号に掲げるサービス付き高齢者向け貸家住宅の区分に応じ、当該各号に定める額とする。（令附12⑬）
(一)　区分所有に係るサービス付き高齢者向け貸家住宅　次に掲げる高齢者向け貸家用専有部分の区分に応じ、それぞれ次に定める額
イ　高齢者向け貸家用専有部分（別荘の用に供する部分を有しないものに限る。）であって高齢者向け特定貸家基準部分（その床面積が120平方メートル以下のものに限る。）のみを有するもの　当該高齢者向け貸家用専有部分に係る専有部分税額
ロ　イに掲げる高齢者向け貸家用専有部分以外の高齢者向け貸家用専有部分　当該高齢者向け貸家用専有部分に係る専有部分税額に、当該高齢者向け貸家用専有部分に係る高齢者向け特定貸家基準部分のうち専らサービス付き高齢者向け住宅事業に係る住居として貸家の用に供する部分の床面積（一の高齢者向け特定貸家基準部分のうち専らサービス付き高齢者向け住宅事業に係る住居として貸家の用に供する部分の床面積が120平方メートルを超える場合には、当該部分の床面積を120平方メートルとして算定するものとする。）の当該高齢者向け貸家用専有部分の床面積に対する割合（専らサービス付き高齢者向け住宅事業に係る住居として貸家の用に供する部分とその他の部分について、天井の高さ、附帯設備の程度その他②の(5)で定める事項に著しい差違がある場合には、その差違に応じて②の(4)で定めるところにより当該割合を補正した割合）を乗じて得た額
(二)　区分所有に係るサービス付き高齢者向け貸家住宅以外のサービス付き高齢者向け貸家住宅（(3)に規定するサービス付き高齢者向け貸家住宅に限る。）　当該サービス付き高齢者向け貸家住宅に係る固定資産税額に、高齢者向け特定貸家基準住居部分の床面積（一の高齢者向け特定貸家基準住居部分の床面積が120平方メートルを超える場合には、当該部分の床面積を120平方メートルとして算定するものとする。）の当該サービス付き高齢者向け貸家住宅の床面積に対する割合（高齢者向け特定貸家基準住居部分とその他の部分とについて、天井の高さ、附帯設備の程度その他②の(5)で定める基準に著しい差違がある場合には、その差違に応じて②の(4)で定めるところにより当該割合を補正した割合）を乗じて得た額

　　　（貸家の用に供される部分以外の部分を有する貸家住宅で政令で定めるもの）
(3)　⑥に規定する専ら住居として貸家の用に供される部分以外の部分を有する貸家住宅その他の(3)で定める貸家住宅は、次に掲げるサービス付き高齢者向け貸家住宅とする。（令附12⑭）
(一)　専らサービス付き高齢者向け住宅事業に係る住居として貸家の用に供する部分以外の部分を有するサービス付き高齢者向け貸家住宅
(二)　専らサービス付き高齢者向け住宅事業に係る住居として貸家の用に供する部分で高齢者向け特定貸家基準住居部分（その床面積が120平方メートル以下のものに限る。）に該当しないものを有するサービス付き高齢者向け貸家住宅

　　　（総務省令で定める建築物）
(4)　(1)の(一)のイに規定する総務省令で定める建築物は、次に掲げる要件に該当する建築物とする。（規附7⑤）
(一)　外壁及び軒裏が、建築基準法第2条第8号に規定する防火構造であること。
(二)　屋根が、建築基準法施行令第136条の2の2第1号及び第2号に掲げる技術的基準に適合するものであること。
(三)　天井及び壁の室内に面する部分が、通常の火災時の加熱に15分間以上耐える性能を有するものであること。
(四)　(一)から(三)までに掲げるもののほか、建築物の各部分が、防火上支障のない構造であること。

(総務省令で定める政府の補助)
(5) (1)の(一)のロに規定する政府の補助で総務省令で定めるものは、スマートウェルネス住宅等推進事業のうちサービス付き高齢者向け住宅(高齢者専用賃貸住宅の整備を行う事業により建設されたものを除く。)の整備を行う事業に係る補助とする。(規附7⑥)

⑦ 防災街区整備事業により従前の権利者が取得した施設建築物の税額の減額
　市町村は、平成16年4月1日から令和7年3月31日までの間に新築された密集市街地における防災街区の整備の促進に関する法律第177条第5号に規定する防災施設建築物に該当する家屋の一部である同条第7号に規定する防災施設建築物の一部が同法第2条第5号に規定する防災街区整備事業(同法第117条第3号に規定する施行区域内において施行されるものに限る。)の施行に伴い同法第205条第1項第3号に規定する宅地、借地権又は建築物に対応して同項第2号に掲げる者(以下⑦において「従前の権利者」という。)に与えられた場合における当該家屋に対して課する固定資産税については、当該家屋に対して新たに固定資産税が課されることとなった年度から5年度分の固定資産税に限り、当該家屋が住宅で注で定めるものである場合には、当該家屋のうち従前の権利者が所有し、かつ、人の居住の用に供する部分で政令で定めるものに係る税額として従前の権利者ごとに政令で定めるところにより算定した額の合算額の3分の2に相当する額及び当該家屋のうち従前の権利者が所有する当該人の居住の用に供する部分以外の部分で政令で定めるものに係る税額として従前の権利者ごとに政令で定めるところにより算定した額の合算額の3分の1に相当する額を当該家屋に係る固定資産税額から減額し、当該家屋が住宅以外の家屋である場合には、当該家屋のうち従前の権利者が所有する部分で政令で定めるものに係る税額として従前の権利者ごとに政令で定めるところにより算定した額の合算額の3分の1に相当する額を当該家屋に係る固定資産税額から減額するものとする。(法附15の8③)

(政令の準用規定)
注　⑤の(1)から(5)までの規定は、⑦に規定する住宅で⑤の(1)で定めるもの、⑤に規定する者が所有し、かつ、人の居住の用に供する部分で同(2)で定めるもの、⑤に規定する者が所有する当該人の居住の用に供する部分以外の部分で同(3)で定めるもの、⑤に規定する者が所有する部分で同(4)で定めるもの及び⑤に規定する同(5)で定めるところにより算定した額について、それぞれ準用する。(令附12⑮)

⑧ 高規格堤防の整備事業の用に供するため使用された土地の上に建築されていた家屋について移転補償金を受けた者が取得した代替家屋の税額の減額
　市町村は、河川法第6条第2項(同法第100条第1項において準用する場合を含む。)に規定する高規格堤防の整備に係る事業の用に供するため使用された土地の上に建築されていた家屋について移転補償金を受けた者が、平成31年4月1日から令和8年3月31日までの間に、当該土地の上に当該家屋に代わるものと市町村長が認める家屋を取得した場合における当該家屋に対して課する固定資産税については、当該家屋に対して新たに固定資産税が課されることとなった年度から5年度分の固定資産税に限り、次の各号に掲げる場合の区分に応じ、当該各号に定める額を当該家屋に係る固定資産税額から減額するものとする。(法附15の8④)
(一)　当該家屋が移転補償金を受けた者が所有する住宅で(1)の(一)で定めるものである場合　当該家屋に係る固定資産税額として(1)の(二)に定めるところにより算定した額(区分所有に係る住宅にあっては、⑧の規定の適用を受ける部分にかかる税額として各区分所有者(移転補償金を受けた者に限る。以下(一)及び(二)において同じ。)ごとに(3)で定めるところにより算定した額の合算額)の3分の2に相当する額(当該家屋のうち人の居住の用に供する部分で(4)で定めるもの(イ及びロにおいて「特定居住用部分」という。)以外の部分を有する家屋にあっては、次に掲げる部分の区分に応じ、それぞれ次に定める額の合算額)
　イ　特定居住用部分　当該特定居住用部分に係る固定資産税額として(5)で定めるところにより算定した額(区分所有に係る住宅にあっては、⑧の規定の適用を受ける部分に係る税額として各区分所有者ごとに(6)で定めるところにより算定した額の合算額)の3分の2に相当する額
　ロ　特定居住用部分以外の部分　当該部分に係る固定資産税額として(5)で定めるところにより算定した額(区分所有に係る住宅にあっては、⑧の規定の適用を受ける部分に係る税額として各区分所有者ごとに(6)で定めるところにより算定した額の合算額)の3分の1に相当する額
(二)　当該家屋が移転補償金を受けた者が所有する(一)に規定する住宅以外の家屋である場合　当該家屋に係る固定資産税額として(7)で定めるところにより算定した額(区分所有に係る住宅にあっては、⑧の規定の適用を受ける部分に係る税額として各区分所有者ごとに(6)で定めるところにより算定した額の合算額)の3分の1に相当する額

(特例適用税額)
(1) ⑧の(一)又は(二)に規定する(1)で定めるところにより算定した額は、次の各号に掲げる特例適用家屋（⑧に規定する高規格堤防の整備に係る事業の用に供するため使用された土地の上に建築されていた家屋（以下(1)において「従前の家屋」という。）に代わるものと市町村長が認める家屋をいう。(一)及び(四)において同じ。）の区分に応じ、当該各号に定める額とする。（令附12⑯）

(一)	特例適用家屋のうち⑧の(一)に規定する(1)の(一)で定める住宅であるもの（以下(1)及び(2)において「特定特例適用住宅」という。）（(二)に規定する特定特例適用住宅を除く。）	次に掲げる特定特例適用住宅の区分に応じ、それぞれ次に定める額	
		イ 区分所有に係る特定特例適用住宅（区分所有に係る家屋である特定特例適用住宅をいう。以下同じ。）以外の特定特例適用住宅	当該特定特例適用住宅に係る固定資産税額に、従前の家屋の床面積（当該従前の家屋が区分所有に係る家屋であるときは、⑧に規定する移転補償金を受けた者が所有していた当該従前の家屋の専有部分の床面積。以下同じ。）を当該特定特例適用住宅の床面積で除して得た数値（当該数値が一を超える場合には、一）を乗じて得た額
		ロ 区分所有に係る特定特例適用住宅	当該区分所有に係る特定特例適用住宅の専有部分に係る専有部分税額に、従前の家屋の床面積を当該区分所有に係る特定特例適用住宅の専有部分の床面積で除して得た数値（当該数値が一を超える場合には、一）を乗じて得た額
(二)	特定特例適用家屋（⑧の(一)に規定する特定居住用部分以外の部分を有するものに限る。以下同じ。）のうち特定居住用部分	次に掲げる特定居住用部分の区分に応じ、それぞれ次に定める額	
		イ 区分所有に係る特定特例適用住宅以外の特定特例適用住宅に係る特定居住用部分	当該特定居住用部分に係る固定資産税額（当該特定特例適用住宅に係る固定資産税額に、当該特定居住用部分の床面積の当該特定特例適用住宅の床面積に対する割合（当該特定居住用部分と当該特定居住用部分以外の部分との間に、天井の高さ、付帯設備の程度その他総務省令で定める事項について著しい差違がある場合には、その差違に応じて総務省令で定めるところにより当該割合を補正した割合）を乗じて得た額をいう。）に、従前の家屋の床面積を当該特定特例適用住宅のうち当該特定居住用部分の床面積で除して得た数値（当該数値が一を超える場合には、一）を乗じて得た額
		ロ 区分所有に係る特定特例適用住宅の専有部分に係る特定居住用部分	当該特定居住用部分に係る専有部分税額（当該専有部分に係る専有部分税額に、当該専有部分のうち当該特定居住用部分の床面積の当該専有部分の床面積に対する割合（当該特定居住用部分と当該特定居住用部分以外の部分との間に、天井の高さ、付帯設備の程度その他総務省令で定める事項について著しい差違がある場合には、その差違に応じて総務省令で定めるところにより当該割合を補正した割合）を乗じて得た額をいう。）に、従前の家屋の床面積を当該区分所有に係る特定特例適用住宅の専有部分のうち当該特定居住用部分の床面積で除して得た数値（当該数値が一を超える場合には、一）を乗じて得た額
(三)	特定特例適用住宅のうち特定居住用部分以外の部分	次に掲げる特定居住用部分以外の部分の区分に応じ、それぞれ次に定める額	
		イ 区分所有に係る特定特例適用住宅以外の特定特例適用住宅に係る特定居住用部分以外の部	当該特定居住用部分以外の部分に係る固定資産税額（当該特定特例適用住宅に係る固定資産税額に、当該特定居住用部分以外の部分の床面積の当該特定特例適用住宅の床面積に対する割合（当該特定居住用部分以

			分	外の部分と当該特定居住用部分との間に、天井の高さ、付帯設備の程度その他総務省令で定める事項について著しい差違がある場合には、その差違に応じて総務省令で定めるところにより当該割合を補正した割合）を乗じて得た額をいう。）に、従前の家屋の床面積から当該特定特例適用住宅のうち当該特定居住用部分の床面積を減じて得た数値（当該数値が一を超える場合には一とし、当該数値が零を下回る場合には零とする。）を乗じて得た額
			ロ 区分所有に係る特定特例適用住宅の専有部分に係る特定居住用部分以外の部分	当該特定居住用部分以外の部分に係る専有部分税額（当該専有部分に係る専有部分税額に、当該専有部分のうち当該特定居住用部分以外の部分の床面積の当該専有部分の床面積に対する割合（当該特定居住用部分以外の部分と当該特定居住用部分以外の部分との間に、天井の高さ、付帯設備の程度その他総務省令で定める事項について著しい差違がある場合には、その差違に応じて総務省令で定めるところにより当該割合を補正した割合）を乗じて得た額をいう。）に、従前の家屋の床面積から当該区分所有に係る特定特例適用住宅の専有部分のうち当該特定居住用部分の床面積で減じて得た数値（当該数値が一を超える場合には一とし、当該数値が零を下回る場合には零とする。）を乗じて得た額
(四)	特定特例適用住宅以外の特例適用家屋（以下(四)において「特定特例適用家屋」という。）		次に掲げる特定特例適用家屋の区分に応じ、それぞれ次に定める額	
			イ 区分所有に係る特定特例適用家屋（区分所有に係る家屋である特定特例適用家屋をいう。ロにおいて同じ。）以外の特定特例適用家屋	当該特定特例適用家屋に係る固定資産税額に、従前の家屋の床面積を鷗外特定特例適用家屋の床面積で除して得た数値（当該数値が一を超える場合には、一）を乗じて得た額
			ロ 区分所有に係る特定特例適用家屋	当該区分所有に係る特定特例適用家屋の専有部分に係る専有部分税額に、従前の家屋の床面積を当該区分所有に係る特定特例適用家屋の専有部分の床面積で除して得た数値（当該数値が一を超える場合には、一）を乗じて得た額

（人の居住の用に供する部分で政令で定めるもの）
(2) ⑧の(一)に規定する家屋のうち人の居住の用に供する部分で(2)で定めるものは、次の各号に掲げる特定特例適用住宅の区分に応じ、当該各号に定める部分とする。（令附12⑰）
　(一)　区分所有に係る特定特例適用住宅以外の特定特例適用住宅　　人の居住の用に供する部分（共同住宅等にあっては、基準住居部分のうち人の居住の用に供する部分）で別荘の用に供する部分以外の部分
　(二)　区分所有に係る特定特例適用住宅　　居住用専有部分に係る基準部分のうち人の居住の用に供する部分で別荘の用に供する部分以外の部分

⑨ 耐震改修が行われた住宅に対する税額の減額

　市町村は、昭和57年1月1日以前から所在する住宅のうち、平成18年1月1日から令和8年3月31日までの間に(1)で定める耐震改修（地震に対する安全性の向上を目的とした増築、改築、修繕又は模様替をいう。以下⑨から⑬までにおい

て同じ。）が行われたものであって、地震に対する安全性に係る基準として（2）で定める基準（⑨において「耐震基準」という。）に適合することにつき（3）で定めるところにより証明がされたもの（以下⑨において「耐震基準適合住宅」という。）に対して課する固定資産税については、⑫のイ、⑫のロ又は⑫のハの規定の適用がある場合を除き、当該耐震改修が平成18年1月1日から平成21年12月31日までの間に完了した場合には、当該耐震改修が完了した日の属する年の翌年の1月1日（当該耐震改修が完了した日が1月1日である場合には、同日。以下⑨において同じ。）を賦課期日とする年度から3年度分、当該耐震改修が平成22年1月1日から平成24年12月31日までの間に完了した場合には、当該耐震改修が完了した日の属する年の翌年の1月1日を賦課期日とする年度から2年度分、当該耐震改修が平成25年1月1日から令和8年3月31日までの間に完了した場合には、当該耐震改修が完了した日の属する年の翌年の1月1日を賦課期日とする年度分（当該耐震基準適合住宅が当該耐震改修が完了する直前に建築物の耐震改修の促進に関する法律第5条第3項第2号に規定する通行障害既存耐震不適格建築物（同法第7条第2号又は第3号に掲げる建築物であるものに限る。）であった場合には、当該耐震改修が完了した日の属する年の翌年の1月1日を賦課期日とする年度から2年度分）の固定資産税に限り、当該耐震基準適合住宅に係る固定資産税額（区分所有に係る耐震基準適合住宅（区分所有に係る家屋である耐震基準適合住宅をいう。以下⑨において同じ。）にあっては⑨の規定の適用を受ける部分に係る税額として各区分所有者ごとに（6）で定めるところにより算定した額《特例適用税額》の合算額とし、区分所有に係る耐震基準適合住宅以外の耐震基準適合住宅（人の居住の用に供する部分以外の部分を有する耐震基準適合住宅その他の（4）で定める耐震基準適合住宅に限る。）にあっては⑨の規定の適用を受ける部分に係る税額として（6）で定めるところにより算定した額《特例適用税額》とする。）の2分の1に相当する額を当該耐震基準適合住宅に係る固定資産税額から減額するものとする。（法附15の9①）

　　　（対象となる耐震改修）
（1）　⑨に規定する耐震改修は、当該耐震改修に要した費用の額が50万円を超えるものとする。（令附12⑱）

　　　（耐震基準）
（2）　⑨に規定する地震に対する安全性に係る基準として（2）で定める基準は、建築基準法施行令第3章及び第5章の4に規定する基準又は国土交通大臣が総務大臣と協議して定める地震に対する安全性に係る基準とする。（令附12⑲）
　　　（注）　（2）に規定する国土交通大臣が総務大臣と協議して定める地震に対する安全性に係る基準は、平成18年国土交通省告示第465号（最終改正平成22年国土交通省告示第273号）による。（編者）

　　　（耐震基準適合住宅）
（3）　⑨に規定する基準に適合することにつき証明がされた住宅は、当該住宅が国土交通大臣が総務大臣と協議して定める（2）に掲げる基準に適合する旨を証する書類を⑨に規定する耐震改修が行われた住宅につき⑨の規定の適用があるべき旨の申告の際に市町村長に提出することにより証明がされた住宅とする。（規附7⑦）
　　　（注）　（3）に規定する国土交通大臣が総務大臣と協議して定める書類は、平成18年国土交通省告示第466号（最終改正平成22年国土交通省告示第274号）による。（編者）

　　　（居住用部分以外の部分を有する耐震基準適合住宅）
（4）　⑨に規定する（4）で定める耐震基準適合住宅は、⑨に規定する耐震基準適合住宅（以下（4）及び（6）において「耐震基準適合住宅」という。）のうち次に掲げるものとする。（令附12⑳）
　（一）　人の居住の用に供する部分（別荘の用に供する部分を除く。以下（4）及び（6）において同じ。）以外の部分を有する耐震基準適合住宅
　（二）　共同住宅等である耐震基準適合住宅以外の耐震基準適合住宅にあっては、人の居住の用に供する部分の床面積が120平方メートルを超えるもの
　（三）　共同住宅等である耐震基準適合住宅にあっては、一の独立区画部分（人の居住の用に供するために独立的に区画された部分として（5）で定める部分をいう。以下⑨において同じ。）の床面積〔共同住宅等に共同の用に供される部分があるときは、その部分の床面積を、これを共用すべき各独立区画部分の床面積の割合により配分して、それぞれの各部分の床面積に算入（規附7⑳）〕が120平方メートルを超えるもの

　　　（居住用の独立区画部分）
（5）　（4）の（三）に規定する部分は、共同住宅等である耐震基準適合住宅の次に掲げる部分とする。（規附7⑧）
　（一）　建物の区分所有等に関する法律第2条第1項に規定する建物の部分に相当する部分
　（二）　（一）に掲げるもののほか、共同住宅等の壁で区画された部分で住戸（寄宿舎の寝室その他これに類する共同住

宅等の部分を含む。）であるもの

(特例適用税額)
（6） ⑨に規定する（6）で定めるところにより算定した額は、次の各号に掲げる耐震基準適合住宅の区分に応じ、当該各号に定める額とする。（令附12㉑）

（一）	区分所有に係る耐震基準適合住宅以外の耐震基準適合住宅（（4）の（一）から（三）までに規定する耐震基準適合住宅に限る。以下（一）において同じ。）	次に掲げる耐震基準適合住宅の区分に応じ、それぞれ次に定める額	
		イ	共同住宅等である耐震基準適合住宅以外の耐震基準適合住宅	当該耐震基準適合住宅に係る固定資産税額に、人の居住の用に供する部分の床面積（人の居住の用に供する部分の床面積が120平方メートルを超える場合には、当該部分の床面積を120平方メートルとして算定するものとする。）の当該耐震基準適合住宅の床面積に対する割合（人の居住の用に供する部分とその他の部分とについて、天井の高さ、附帯設備の程度その他②の（5）で定める事項に著しい差違がある場合には、その差違に応じて②の（4）で定めるところにより当該割合を補正した割合）を乗じて得た額
		ロ	共同住宅等である耐震基準適合住宅	当該耐震基準適合住宅に係る固定資産税額に、人の居住の用に供する部分の床面積（一の独立区画部分の床面積〔共同住宅等に共同の用に供される部分があるときは、その部分の床面積を、これを共用すべき各独立区画部分の床面積の割合により配分して、それぞれの各部分の床面積に算入（規附7㉑）〕が120平方メートルを超える場合には、当該一の独立区画部分の床面積を120平方メートルとして算定するものとする。）の当該耐震基準適合住宅の床面積に対する割合（人の居住の用に供する部分とその他の部分とについて、天井の高さ、附帯設備の程度その他②の（5）で定める事項に著しい差違がある場合には、その差違に応じて②の（4）で定めるところにより当該割合を補正した割合）を乗じて得た額
（二）	区分所有に係る耐震基準適合住宅	次に掲げる居住用専有部分の区分に応じ、それぞれ次に定める額	
		イ	居住専有独立部分（居住用専有部分のうち、建物の区分所有等に関する法律第2条第1項に規定する建物の部分に相当するものをいう。以下⑨において同じ。）を有する居住用専有部分以外の居住用専有部分	当該居住用専有部分に係る専有部分税額に、人の居住の用に供する部分の床面積（人の居住の用に供する部分の床面積〔共同住宅等に共同の用に供される部分があるときは、その部分の床面積を、これを共用すべき各人の居住の用に供する部分の床面積の割合により配分して、それぞれの各部分の床面積に算入（規附7㉑）〕が120平方メートルを超える場合には、当該部分の床面積を120平方メートルとして算定するものとする。）の当該居住用専有部分の床面積〔共同住宅等に共同の用に供される部分があるときは、その部分の床面積を、これを共用すべき各居住用専有部分の床面積の割合により配分して、それぞれの各部分の床面積に算入（規附7㉑）〕に対する割合（人の居住の用に供する部分とその他の部分とについて、天井の高さ、附帯設備の程度その他②の（5）で定める事項に著しい差違がある場合には、その差違に応じて②の（4）で定めるところによ

			り当該割合を補正した割合）を乗じて得た額
		ロ 居住専有独立部分を有する居住用専有部分	当該居住用専有部分に係る専有部分税額に、人の居住の用に供する部分の床面積〔共同住宅等に共同の用に供される部分があるときは、その部分の床面積を、これを共用すべき各人の居住の用に供する部分の床面積の割合により配分して、それぞれの各部分の床面積に算入（規附7⑳）〕（一の居住専有独立部分の床面積〔共同住宅等に共同の用に供される部分があるときは、その部分の床面積を、これを共用すべき各居住専有独立部分の床面積の割合により配分して、それぞれの各部分の床面積に算入（規附7⑳）〕が120平方メートルを超える場合には、当該一の居住専有独立部分の床面積を120平方メートルとして算定するものとする。）の当該居住用専有部分の床面積〔共同住宅等に共同の用に供される部分があるときは、その部分の床面積を、これを共用すべき各居住用専有部分の床面積の割合により配分して、それぞれの各部分の床面積に算入（規附7⑳）〕に対する割合（人の居住の用に供する部分とその他の部分とについて、天井の高さ、附帯設備の程度その他②の（5）で定める事項に著しい差違がある場合には、その差違に応じて②の（4）で定めるところにより当該割合を補正した割合）を乗じて得た額

（申告手続）
(7) ⑨の規定は、耐震基準適合住宅に係る固定資産税の納税義務者から、当該耐震基準適合住宅に係る耐震改修が完了した日から3月以内に、当該市町村の条例で定めるところにより、当該耐震基準適合住宅につき⑨の規定の適用があるべき旨の申告書の提出がされた場合に限り、適用するものとする。（法附15の9②）

（宥恕規定）
(8) 市町村長は、(7)に規定する期間の経過後に(7)の申告書の提出がされた場合において、当該期間内に申告書の提出がされなかったことについてやむを得ない理由があると認めるときは、当該申告書に係る耐震基準適合住宅につき⑨の規定を適用することができる。（法附15の9③）

⑩ 居住安全改修工事が行われた高齢者等が居住する既存住宅等に対する税額の減額

イ 高齢者等居住改修住宅の税額の減額
　市町村は、新築された日から10年以上を経過した住宅（区分所有に係る家屋以外の家屋で(1)で定めるものに限る。）のうち、人の居住の用に供する部分（貸家の用に供する部分を除く。以下⑩、⑪及び⑫において「**特定居住用部分**」という。）において平成28年4月1日から令和8年3月31日までの間に高齢者、障害者その他の(2)で定める者（イ、ロ及びハの(3)において「**高齢者等**」という。）の居住の安全性及び高齢者等に対する介助の容易性の向上に資する改修工事で(3)で定めるもの（以下イからハまでにおいて「**居住安全改修工事**」という。）が行われたもの（ハの(3)において「改修住宅」という。）であって、特定居住用部分に高齢者等が居住しているもの（以下イ及びハにおいて「**高齢者等居住改修住宅**」という。）に対して課する固定資産税については、⑨又は⑫のイ若しくは⑫のロの規定の適用がある場合又は既にイの規定の適用を受けたことがある場合を除き、当該居住安全改修工事が完了した日の属する年の翌年の1月1日（当該居住安全改修工事が完了した日が1月1日である場合には、同日。ロにおいて同じ。）を賦課期日とする年度分の固定資産税に限り、当該高齢者等居住改修住宅に係る固定資産税額（⑪のイの規定の適用がある場合には同イの規定を適用する前の額とし、特定居住用部分以外の部分を有する高齢者等居住改修住宅その他の(4)で定める高齢者等居住改修住宅にあっては、イの規定の適用を受ける部分に係る税額として(5)で定めるところにより算定した額《特例適用税額》に限る。）の3分の1に相当する額を当該高齢者等居住改修住宅に係る固定資産税額から減額するものとする。（法附15の9④）

　　　　（区分所有以外の家屋の要件）
（1）　イに規定する（1）で定める家屋は、次に掲げる要件の全てに該当するものとする。（令附12㉒）
　（一）　当該家屋の床面積が50平方メートル以上280平方メートル以下であること。
　（二）　人の居住の用に供する部分の床面積の当該家屋の床面積に対する割合が2分の1以上であること。
　（三）　貸家の用に供する部分以外の人の居住の用に供する部分を有すること。

　　　　（高齢者等の範囲）
（2）　イに規定する（2）で定める者は、次に掲げる者とする。（令附12㉓）
　（一）　イに規定する居住安全改修工事が完了した日の属する年の翌年の1月1日（当該居住安全改修工事が完了した日が1月1日である場合には、同日）における年齢が65歳以上の者
　（二）　介護保険法第19条第1項に規定する要介護認定を受けている者又は同条第2項に規定する要支援認定を受けている者
　（三）　第二編第一章第一節一の1の表の（七）《障害者の範囲》各号に掲げる者

　　　　（対象となる改修工事）
（3）　イに規定する（3）で定める改修工事は、国土交通大臣が総務大臣と協議して定める改修工事であって、当該改修工事に要した費用の額（当該改修工事の費用に充てるために国若しくは地方公共団体から補助金等（当該改修工事を含む工事の費用に充てるために交付される補助金その他これに準ずるものをいう。以下（3）において同じ。）の交付、介護保険法第45条第1項に規定する居宅介護住宅改修費（以下（3）において「居宅介護住宅改修費」という。）の給付又は同法第57条第1項に規定する介護予防住宅改修費（以下（3）において「介護予防住宅改修費」という。）の給付を受ける場合には、当該改修工事に要した費用の額から当該補助金等、居宅介護住宅改修費及び介護予防住宅改修費の額を控除した額）が50万円を超えるものとする。（令附12㉔）
　（注）　（3）に規定する国土交通大臣が総務大臣と協議して定める改修工事は、高齢者等が居住する家屋につき行う次のいずれかに該当するもの（当該改修工事に付帯して必要となる改修工事を含む。）とする。（平成19年国土交通省告示第410号）
　　　一　介助用の車いすで容易に移動するため通路又は出入り口の幅を拡張する工事
　　　二　階段の設置（既存の階段の撤去を伴うものに限る。）又は改良によりその勾配を緩和する工事
　　　三　浴室を改良する工事であって、次のいずれかに該当するもの
　　　　イ　入浴又はその介助を容易に行うために浴室の床面積を増加させる工事
　　　　ロ　浴槽をまたぎ高さの低いものに取り替える工事
　　　　ハ　固定式の移乗台、踏み台その他の高齢者等の浴槽の出入りを容易にする設備を設置する工事
　　　　ニ　高齢者等の身体の洗浄を容易にする水栓器具を設置し又は同器具に取り替える工事
　　　四　便所を改良する工事であって、次のいずれかに該当するもの
　　　　イ　排泄又はその介助を容易に行うために便所の床面積を増加させる工事
　　　　ロ　便器を座便式のものに取り替える工事
　　　　ハ　座便式の便器の座高を高くする工事
　　　五　便所、浴室、脱衣室その他の居室及び玄関並びにこれらを結ぶ経路に手すりを取り付ける工事
　　　六　便所、浴室、脱衣室その他の居室及び玄関並びにこれらを結ぶ経路の床の段差を解消する工事（勝手口その他屋外に面する開口の出入口及び上がりかまち並びに浴室の出入口にあっては、段差を小さくする工事を含む。）
　　　七　出入口の戸を改良する工事であって、次のいずれかに該当するもの
　　　　イ　開戸を引戸、折戸等に取り替える工事
　　　　ロ　開戸のドアノブをレバーハンドル等に取り替える工事
　　　　ハ　戸に戸車その他の戸の開閉を容易にする器具を設置する工事
　　　八　便所、浴室、脱衣室その他の居室及び玄関並びにこれらを結ぶ経路の床の材料を滑りにくいものに取り替える工事

　　　　（特定居住用部分以外の部分を有する高齢者等居住改修住宅）
（4）　イに規定する（4）で定める高齢者等居住改修住宅は、イに規定する高齢者等居住改修住宅（以下（4）及び（5）において「高齢者等居住改修住宅」という。）のうち次に掲げるものとする。（令附12㉕）
　（一）　特定居住用部分（イに規定する特定居住用部分をいう。以下同じ。）以外の部分を有する高齢者等居住改修住宅
　（二）　特定居住用部分の床面積が100平方メートルを超える高齢者等居住改修住宅

　　　　（特例適用税額）
（5）　イに規定する（5）で定めるところにより算定した額は、当該高齢者等居住改修住宅に係る固定資産税額（⑪のイの規定の適用がある場合には、同イの規定を適用する前の額とする。）に、特定居住用部分の床面積（特定居住用部分

の床面積が100平方メートルを超える場合には、当該特定居住用部分の床面積を100平方メートルとして算定するものとする。）の当該高齢者等居住改修住宅の床面積に対する割合（特定居住用部分とその他の部分とについて、天井の高さ、附帯設備の程度その他②の（5）で定める事項に著しい差違がある場合には、その差違に応じて②の（4）で定めるところにより当該割合を補正した割合）を乗じて得た額とする。（令附12㉖）

ロ　**高齢者等居住改修専有部分の税額の減額**
　　市町村は、新築された日から10年以上を経過した区分所有に係る家屋の専有部分で（1）で定めるもののうち、特定居住用部分において平成28年4月1日から令和8年3月31日までの間に居住安全改修工事が行われたもの（ハの（3）において「改修専有部分」という。）であって、特定居住用部分に高齢者等が居住しているもの（ロからハの（2）までにおいて「**高齢者等居住改修専有部分**」という。）の区分所有者が当該高齢者等居住改修専有部分について納付する義務を負うものとされる固定資産税額については、当該区分所有に係る家屋に対して⑨、⑫のイ若しくは⑫のハ若しくは⑬の規定の適用がある場合又は当該高齢者等居住改修専有部分が既にロの規定の適用を受けたことがある場合を除き、当該居住安全改修工事が完了した日の属する年の翌年の1月1日を賦課期日とする年度分の固定資産税額に限り、第一節三の1の④又は同（1）の規定により当該区分所有者が納付する義務を負うものとされる固定資産税額（⑪のロの規定の適用がある場合には同ロの規定を適用する前の額とし、特定居住用部分以外の部分を有する高齢者等居住改修専有部分その他の（2）で定める高齢者等居住改修専有部分にあっては、ロの規定の適用を受ける部分に係る額として（3）で定めるところにより算定した額《特例適用税額》に限る。）の3分の1に相当する額を第一節三の1の④又は同（1）の規定により当該区分所有者が納付する義務を負うものとされる固定資産税額から減額するものとする。（法附15の9⑤）

　　　（区分所有の家屋の専有部分）
　（1）　ロに規定する（1）で定める専有部分は、次に掲げる要件の全てに該当するものとする。（令附12㉗）
　（一）　当該専有部分の床面積が50平方メートル以上280平方メートル以下であること。
　（二）　人の居住の用に供する部分の床面積の当該専有部分の床面積に対する割合が2分の1以上であること。
　（三）　貸家の用に供する部分以外の人の居住の用に供する部分を有すること。

　　　（特定居住用部分以外の部分を有する高齢者等居住改修専有部分）
　（2）　ロに規定する（2）で定める高齢者等居住改修専有部分は、ロに規定する高齢者等居住改修専有部分（以下（2）及び（3）において「高齢者等居住改修専有部分」という。）のうち次に掲げるものとする。（令附12㉘）
　（一）　特定居住用部分以外の部分を有する高齢者等居住改修専有部分
　（二）　特定居住用部分の床面積〔共同住宅等に共同の用に供される部分があるときは、その部分の床面積を、これを共用すべき各特定居住用部分の床面積の割合により配分して、それぞれの各部分の床面積に算入（規附7㉑）〕が100平方メートルを超える高齢者等居住改修専有部分

　　　（特例適用税額）
　（3）　ロに規定する（3）で定めるところにより算定した額は、当該高齢者等居住改修専有部分に係る専有部分税額（⑪のロの規定の適用がある場合には、同ロの規定を適用する前の額とする。）に、特定居住用部分の床面積〔共同住宅等に共同の用に供される部分があるときは、その部分の床面積を、これを共用すべき各特定居住用部分の床面積の割合により配分して、それぞれの各部分の床面積に算入（規附7㉑）〕（特定居住用部分の床面積が100平方メートルを超える場合には、当該特定居住用部分の床面積を100平方メートルとして算定するものとする。）の当該高齢者等居住改修専有部分の床面積〔共同住宅等に共同の用に供される部分があるときは、その部分の床面積を、これを共用すべき各高齢者等居住改修専有部分の床面積の割合により配分して、それぞれの各部分の床面積に算入（規附7㉑）〕に対する割合（特定居住用部分とその他の部分とについて、天井の高さ、附帯設備の程度その他②の（5）で定める事項に著しい差違がある場合には、その差違に応じて②の（4）で定めるところにより当該割合を補正した割合）を乗じて得た額とする。（令附12㉙）

ハ　**申告手続等**
　　イ又はロの規定は、高齢者等居住改修住宅又は高齢者等居住改修専有部分に係る固定資産税の納税義務者から、当該高齢者等居住改修住宅又は当該高齢者等居住改修専有部分に係る居住安全改修工事が完了した日から3月以内に、（1）で定める書類を添付して、当該高齢者等居住改修住宅又は当該高齢者等居住改修専有部分につきこれらの規定の適用があるべき旨の申告がされた場合に限り、適用するものとする。（法附15の9⑥）

第三編第三章《固定資産税》第二節《課税標準、税率及び免税点》

(書類の添付)
(1) ハに規定する書類は、次に掲げる書類とする。ただし、ハに規定する納税義務者がハに規定する申告書に当該納税義務者の個人番号(当該書類を提出する者の個人番号に限る。⑪のハの(1)、⑫のハの(5)において同じ。)を記載して提出したときは、(一)の書類は、添付することを要しない。(規附7⑨)

(一)	ハに規定する納税義務者の住民票の写し
(二)	次に掲げる者の区分に応じ、それぞれ次に定める書類 イ イの(2)の(一)に掲げる者　　その者の住民票の写し ロ イの(2)の(二)に掲げる者　　その者の介護保険法第12条第3項に規定する被保険者証の写し ハ イの(2)の(三)に掲げる者　　同(三)に該当する旨を証する書類の写し
(三)	次に掲げるいずれかの書類 イ イに規定する居住安全改修工事に係る明細書(当該居住安全改修工事の内容及び費用を確認することができるものに限る。)、当該居住安全改修工事が行われた箇所を撮影した写真及び工事費用を支払ったことを確認することができる領収証 ロ イに規定する居住安全改修工事が行われた旨を証する書類
(四)	イの(3)に規定する補助金等の交付、居宅介護住宅改修費の給付又は介護予防住宅改修費の給付を受ける場合には、当該補助金等の交付決定、居宅介護住宅改修費の給付決定又は介護予防住宅改修費に係る給付決定を受けたことを確認することができる書類
(五)	前各号に掲げるもののほか、市町村長が必要と認める書類

(宥恕規定)
(2) 市町村長は、ハに規定する期間の経過後にハの申告書の提出がされた場合において、当該期間内に当該申告書の提出がされなかったことについてやむを得ない理由があると認めるときは、当該申告書に係る高齢者等居住改修住宅又は高齢者等居住改修専有部分につきイ又はロの規定を適用することができる。(法附15の9⑦)

(居住の事実の判定時期)
(3) イ又はロの場合において、改修住宅又は改修専有部分の特定居住用部分に高齢者等が居住しているかどうかの判定は、ハの申告書が提出された時の現況による。(法附15の9⑧)

⑪ 熱損失防止改修工事等が行われた既存住宅等に対する税額の減額

イ　熱損失防止改修等住宅の税額の減額
　　市町村は、平成26年4月1日以前から所在する住宅(区分所有に係る家屋以外の家屋で(1)で定めるものに限る。)のうち、特定居住用部分〘⑩イ参照〙において令和4年4月1日から令和8年3月31日までの間に、外壁、窓等を通しての熱の損失の防止に資する改修工事その他の工事で(2)で定めるもの(以下イからハまで及び⑫のロからハまでにおいて「**熱損失防止改修工事等**」という。)が行われたもの(以下イ及びハにおいて「**熱損失防止改修等住宅**」という。)に対して課する固定資産税については、⑨又は⑫のイ若しくはロの規定の適用がある場合又は既にイの規定の適用を受けたことがある場合を除き、当該熱損失防止改修工事等が完了した日の属する年の翌年の1月1日(当該熱損失防止改修工事等が完了した日が1月1日である場合には、同日。ロにおいて同じ。)を賦課期日とする年度分の固定資産税に限り、当該熱損失防止改修等住宅に係る固定資産税額(⑩のイの規定の適用がある場合には同イの規定を適用する前の額とし、特定居住用部分以外の部分を有する熱損失防止改修等住宅その他の(3)で定める熱損失防止改修等住宅にあってはイの規定の適用を受ける部分に係る税額として(4)で定めるところにより算定した額《特例適用税額》に限る。)の3分の1に相当する額を当該熱損失防止改修等住宅に係る固定資産税額から減額するものとする。(法附15の9⑨)

(区分所有家屋以外の家屋の要件)
(1) イに規定する(1)で定める家屋は、⑩のイの(1)各号に掲げる要件の全てに該当するものとする。(令附12㉚)

(対象となる改修工事)
(2) イに規定する(2)で定める工事は、国土交通大臣及び経済産業大臣が総務大臣と協議して定める工事であって、

当該工事に要した費用の額（当該工事の費用に充てるために国又は地方公共団体から補助金等（当該工事を含む工事の費用に充てるために交付される補助金その他これに準ずるものをいう。以下(2)において同じ。）の交付を受ける場合には、当該工事に要した費用の額から当該補助金等の額を控除した額）が60万円を超えるものとする。（令附12㉛）
　　　（注）　(2)に規定する国土交通大臣が総務大臣と協議して定める改修工事は、平成20年国土交通省告示第515号（改正平成21年第381号）による。（編者）

　　　（対象となる熱損失防止改修等住宅）
　(3)　イに規定する(3)で定める熱損失防止改修等住宅は、イに規定する熱損失防止改修等住宅（以下(3)及び(4)において「熱損失防止改修等住宅」という。）のうち次に掲げるものとする。（令附12㉜）
　（一）　特定居住用部分以外の部分を有する熱損失防止改修等住宅
　（二）　特定居住用部分の床面積が120平方メートルを超える熱損失防止改修等住宅

　　　（特例適用税額）
　(4)　イに規定する(4)で定めるところにより算定した額は、当該熱損失防止改修等住宅に係る固定資産税額（⑩のイの規定の適用がある場合には、同イの規定を適用する前の額とする。）に、特定居住用部分の床面積（特定居住用部分の床面積が120平方メートルを超える場合には、当該特定居住用部分の床面積を120平方メートルとして算定するものとする。）の当該熱損失防止改修等住宅の床面積に対する割合（特定居住用部分とその他の部分とについて、天井の高さ、附帯設備の程度その他②の(5)で定める事項に著しい差違がある場合には、その差違に応じて②の(4)で定めるところにより当該割合を補正した割合）を乗じて得た額とする。（令附12㉝）

ロ　熱損失防止改修等専有部分の税額の減額
　市町村は、平成26年４月１日以前から所在する区分所有に係る家屋の専有部分で(1)で定めるもののうち、特定居住用部分において令和４年４月１日から令和８年３月31日までの間に熱損失防止改修工事等が行われたもの（以下⑪において「**熱損失防止改修等専有部分**」という。）の区分所有者が当該熱損失防止改修等専有部分について納付する義務を負うものとされる固定資産税額については、当該区分所有に係る家屋に対して⑨、⑫のイ若しくはハ若しくは⑬の規定の適用がある場合又は当該熱損失防止改修等専有部分が既にロの規定の適用を受けたことがある場合を除き、当該熱損失防止改修工事等が完了した日の属する年の翌年の１月１日を賦課期日とする年度分の固定資産税額に限り、第一節三の１の④又は同(1)の規定により当該区分所有者が納付する義務を負うものとされる固定資産税額（⑩のロの規定の適用がある場合には同ロの規定を適用する前の額とし、特定居住用部分以外の部分を有する熱損失防止改修等専有部分その他の(2)で定める熱損失防止改修等専有部分にあってはロの規定の適用を受ける部分に係る額として(3)で定めるところにより算定した額《特例適用税額》に限る。）の３分の１に相当する額を第一節三の１の④又は同(1)の規定により当該区分所有者が納付する義務を負うものとされる固定資産税額から減額するものとする。（法附15の９⑩）

　　　（区分所有家屋の専有部分）
　(1)　ロに規定する(1)で定める専有部分は、⑩のロの(1)各号に掲げる要件の全てに該当するものとする。（令附12㉞）

　　　（区分所有家屋の専有部分）
　(2)　ロに規定する(2)で定める熱損失防止改修等専有部分は、ロに規定する熱損失防止改修等専有部分（以下(2)及び(3)において「熱損失防止改修等専有部分」という。）のうち次に掲げるものとする。（令附12㉟）
　（一）　特定居住用部分以外の部分を有する熱損失防止改修等専有部分
　（二）　特定居住用部分の床面積〔共同住宅等に共同の用に供される部分があるときは、その部分の床面積を、これを共用すべき各特定居住用部分の床面積の割合により配分して、それぞれの各部分の床面積に算入（規附７⑳）〕が120平方メートルを超える熱損失防止改修等専有部分

　　　（特例適用税額）
　(3)　ロに規定する(3)で定めるところにより算定した額は、当該熱損失防止改修等専有部分に係る専有部分税額（⑩のロの規定の適用がある場合には、同ロの規定を適用する前の額とする。）に、特定居住用部分の床面積〔共同住宅等に共同の用に供される部分があるときは、その部分の床面積を、これを共用すべき各特定居住用部分の床面積の割合により配分して、それぞれの各部分の床面積に算入（規附７⑳）〕（特定居住用部分の床面積が120平方メートルを超え

る場合には、当該特定居住用部分の床面積を120平方メートルとして算定するものとする。）の当該熱損失防止改修等専有部分の床面積〔共同住宅等に共用の用に供される部分があるときは、その部分の床面積を、これを共用すべき各熱損失防止改修等専有部分の床面積の割合により配分して、それぞれの各部分の床面積に算入（規附7⑳）〕に対する割合（特定居住用部分とその他の部分とについて、天井の高さ、附帯設備の程度その他②の（5）で定める事項に著しい差違がある場合には、その差違に応じて②の（4）で定めるところにより当該割合を補正した割合）を乗じて得た額とする。（令附12㊱）

ハ　申告手続等
　イ又はロの規定は、熱損失防止改修等住宅又は熱損失防止改修等専有部分に係る固定資産税の納税義務者から、当該熱損失防止改修等住宅又は当該熱損失防止改修等専有部分に係る熱損失防止改修工事等が完了した日から3月以内に、（1）で定める書類を添付して、当該熱損失防止改修等住宅又は当該熱損失防止改修等専有部分につきこれらの規定の適用があるべき旨の申告書の提出がされた場合に限り、適用するものとする。（法附15の9⑪）

　　（書類の添付）
　（1）　ハに規定する（1）で定める書類は、次に掲げる書類とする。ただし、ハに規定する納税義務者がハに規定する申告書に当該納税義務者の個人番号を記載して提出したときは、（一）の書類は、添付することを要しない。（規附7⑩）
　　（一）　ハに規定する納税義務者の住民票の写し
　　（二）　イに規定する熱損失防止改修工事等が行われた旨を証する国土交通大臣が総務大臣と協議して定める書類
　　（三）　イの（2）に規定する補助金等の交付を受ける場合には、当該補助金等の交付決定を受けたことを確認することができる書類
　　（四）　（一）及び（二）に掲げるもののほか、市町村長が必要と認める書類
　　　（注）　（1）の（二）に規定する国土交通大臣が総務大臣と協議して定める書類は、平成20年国土交通省告示第516号による。（編者）

　　（宥恕規定）
　（2）　市町村長は、ハに規定する期間の経過後にハの申告書の提出がされた場合において、当該期間内に当該申告書の提出がされなかったことについてやむを得ない理由があると認めるときは、当該申告書に係る熱損失防止改修等住宅又は熱損失防止改修等専有部分につきイ又はロの規定を適用することができる。（法附15の9⑫）

⑫　耐震改修が行われた認定長期優良住宅等に対する税額の減額

イ　特定耐震基準適合住宅の税額の減額
　市町村は、昭和57年1月1日以前から所在する住宅のうち、平成29年4月1日から令和8年3月31日までの間に（1）で定める耐震改修が行われたものであって、認定長期優良住宅（（2）で定めるものに限る。以下⑫において同じ。）に該当することとなったもの（以下イにおいて「特定耐震基準適合住宅」という。）に対して課する固定資産税については、既にイの規定の適用を受けたことがある場合を除き、当該耐震改修が完了した日の属する年の翌年の1月1日（当該耐震改修が完了した日が1月1日である場合には、同日。以下イにおいて同じ。）を賦課期日とする年度分の固定資産税に限り、当該特定耐震基準適合住宅に係る固定資産税額（区分所有に係る特定耐震基準適合住宅（区分所有に係る家屋である特定耐震基準適合住宅をいう。以下⑫において同じ。）にあってはイの規定の適用を受ける部分に係る税額として各区分所有者ごとに（3）で定めるところにより算定した額の合算額とし、区分所有に係る特定耐震基準適合住宅以外の特定耐震基準適合住宅（人の居住の用に供する部分以外の部分を有する特定耐震基準適合住宅その他の（4）の（一）で定める特定耐震基準適合住宅に限る。）にあってはイの規定の適用を受ける部分に係る税額として（4）の（二）で定めるところにより算定した額とする。以下イにおいて「**特例適用対象税額**」という。）の3分の2に相当する額（当該特定耐震基準適合住宅が当該耐震改修が完了する直前に建築物の耐震改修の促進に関する法律第5条第3項第2号に規定する通行障害既存耐震不適格建築物（同法第7条第2号又は第3号に掲げる建築物であるものに限る。）であった場合には、当該耐震改修が完了した日の属する年の翌年の1月1日を賦課期日とする年度分の固定資産税については特例適用対象税額の3分の2に相当する額とし、当該耐震改修が完了した日の属する年の翌年の1月1日を賦課期日とする年度の翌年度分の固定資産税については特例適用対象税額の2分の1に相当する額とする。）を当該特定耐震基準適合住宅に係る固定資産税額から減額するものとする。（法附15の9の2①）

(耐震改修の政令で定める費用の額)
(1) イに規定する(1)で定める耐震改修は、当該耐震改修に要した費用の額が50万円を超えるものとする。(令附12㊲)

(認定長期優良住宅の政令で定める要件)
(2) イに規定する(2)で定める認定長期優良住宅は、④のイに規定する認定長期優良住宅(以下(2)において「認定長期優良住宅」という。)のうち、次の各号に掲げる認定長期優良住宅の区分に応じ、当該各号に定める要件に該当するものとする。(令附12㊳)
(一) 区分所有に係る認定長期優良住宅(区分所有に係る家屋である認定長期優良住宅をいう。(二)において同じ。)以外の認定長期優良住宅　床面積が50平方メートル以上280平方メートル以下である認定長期優良住宅(共同住宅等にあっては、基準住居部分を有する住宅)であること。
(二) 区分所有に係る認定長期優良住宅　居住用専有部分に係る基準部分を有する認定長期優良住宅であること。

(特定耐震基準適合住宅の政令で定めるもの)
(3) イに規定する(3)で定める特定耐震基準適合住宅は、イに規定する特定耐震基準適合住宅(以下(3)及び(4)において「特定耐震基準適合住宅」という。)のうち次に掲げるものとする。(令附12㊴)
(一) 人の居住の用に供する部分(別荘の用に供する部分を除く。以下(3)及び(4)において同じ。)以外の部分を有する特定耐震基準適合住宅
(二) 共同住宅等である特定耐震基準適合住宅以外の特定耐震基準適合住宅にあっては、人の居住の用に供する部分の床面積が120平方メートルを超えるもの
(三) 共同住宅等である特定耐震基準適合住宅にあっては、一の独立区画部分の床面積が120平方メートルを超えるもの

(特定耐震基準適合住宅の区分に応じ政令で定めるところにより算定した額)
(4) イに規定する(4)で定めるところにより算定した額は、次の各号に掲げる特定耐震基準適合住宅の区分に応じ、当該各号に定める額とする。(令附12㊵)
(一) 区分所有に係る特定耐震基準適合住宅(区分所有に係る家屋である特定耐震基準適合住宅をいう。(二)において同じ。)以外の特定耐震基準適合住宅((3)の(一)から(三)までに掲げる特定耐震基準適合住宅に限る。以下(一)において同じ。)　次に掲げる特定耐震基準適合住宅の区分に応じ、それぞれ次に定める額
イ 共同住宅等である特定耐震基準適合住宅以外の特定耐震基準適合住宅　当該特定耐震基準適合住宅に係る固定資産税額に、人の居住の用に供する部分の床面積(人の居住の用に供する部分の床面積が120平方メートルを超える場合には、当該部分の床面積を120平方メートルとして算定するものとする。)の当該特定耐震基準適合住宅の床面積に対する割合(人の居住の用に供する部分とその他の部分とについて、天井の高さ、附帯設備の程度その他②の(5)で定める事項に著しい差違がある場合には、その差違に応じて②の(4)で定めるところにより当該割合を補正した割合)を乗じて得た額
ロ 共同住宅等である特定耐震基準適合住宅　当該特定耐震基準適合住宅に係る固定資産税額に、人の居住の用に供する部分の床面積(一の独立区画部分の床面積が120平方メートルを超える場合には、当該一の独立区画部分の床面積を120平方メートルとして算定するものとする。)の当該特定耐震基準適合住宅の床面積に対する割合(人の居住の用に供する部分とその他の部分とについて、天井の高さ、附帯設備の程度その他②の(5)で定める事項に著しい差違がある場合には、その差違に応じて②の(4)で定めるところにより当該割合を補正した割合)を乗じて得た額
(二) 区分所有に係る特定耐震基準適合住宅　次に掲げる居住用専有部分の区分に応じ、それぞれ次に定める額
イ 居住専有独立部分を有する居住用専有部分以外の居住用専有部分　当該居住用専有部分に係る専有部分税額に、人の居住の用に供する部分の床面積(人の居住の用に供する部分の床面積が120平方メートルを超える場合には、当該部分の床面積を120平方メートルとして算定するものとする。)の当該居住用専有部分の床面積に対する割合(人の居住の用に供する部分とその他の部分とについて、天井の高さ、附帯設備の程度その他②の(5)で定める事項に著しい差違がある場合には、その差違に応じて②の(4)で定めるところにより当該割合を補正した割合)を乗じて得た額
ロ 居住専有独立部分を有する居住用専有部分　当該居住用専有部分に係る専有部分税額に、人の居住の用に供する部分の床面積(一の居住専有独立部分の床面積が120平方メートルを超える場合には、当該一の居住専有独立

部分の床面積を120平方メートルとして算定するものとする。）の当該居住用専有部分の床面積に対する割合（人の居住の用に供する部分とその他の部分とについて、天井の高さ、附帯設備の程度その他②の（5）で定める事項に著しい差違がある場合には、その差違に応じて②の（4）で定めるところにより当該割合を補正した割合）を乗じて得た額

(特定耐震基準適合住宅に係る申告書の提出)
（5）イの規定は、特定耐震基準適合住宅に係る固定資産税の納税義務者から、当該特定耐震基準適合住宅に係る耐震改修が完了した日から3月以内に、（6）で定める書類を添付して、当該特定耐震基準適合住宅につきイの規定の適用があるべき旨の申告書の提出がされた場合に限り、適用するものとする。（法附15の9の2②）

(総務省令で定める書類)
（6）（5）に規定する（6）で定める書類は、次に掲げる書類とする。（規附7⑪）
　（一）　長期優良住宅の普及の促進に関する法律施行規則第6条、第9条又は第13条に規定する通知書の写し
　（二）　イに規定する耐震改修が行われた旨及び当該住宅が認定長期優良住宅に該当することとなった旨を証する国土交通大臣が総務大臣と協議して定める書類
　（三）　（一）及び（二）に掲げるもののほか、市町村長が必要と認める書類

(期間経過後に申告書の提出がされた場合)
（7）　市町村長は、（5）に規定する期間の経過後に（5）の申告書の提出がされた場合において、当該期間内に当該申告書の提出がされなかったことについてやむを得ない理由があると認めるときは、当該申告書に係る特定耐震基準適合住宅につきイの規定を適用することができる。（法附15の9の2③）

ロ　特定熱損失防止改修等住宅の税額の減額
　市町村は、平成26年4月1日以前から所在する住宅（区分所有に係る家屋以外の家屋で（1）で定めるものに限る。）のうち、特定居住用部分において令和4年4月1日から令和8年3月31日までの間に熱損失防止改修工事等が行われたものであって、認定長期優良住宅に該当することとなったもの（以下⑫において「**特定熱損失防止改修等住宅**」という。）に対して課する固定資産税については、イの規定の適用がある場合又は既にロの規定の適用を受けたことがある場合を除き、当該熱損失防止改修工事等が完了した日の属する年の翌年の1月1日（当該熱損失防止改修工事等が完了した日が1月1日である場合には、同日。ハにおいて同じ。）を賦課期日とする年度分の固定資産税に限り、当該特定熱損失防止改修等住宅に係る固定資産税額（特定居住用部分以外の部分を有する特定熱損失防止改修等住宅その他の（2）で定める特定熱損失防止改修等住宅にあっては、ロの規定の適用を受ける部分に係る税額として（3）で定めるところにより算定した額に限る。）の3分の2に相当する額を当該特定熱損失防止改修等住宅に係る固定資産税額から減額するものとする。（法附15の9の2④）

(特定熱損失防止改修等住宅の家屋の政令で定める要件)
（1）　ロに規定する（1）で定める家屋は、⑩のイの（1）の（一）から（三）までに掲げる要件の全てに該当するものとする。（令附12㊶）

(政令で定める特定熱損失防止改修等住宅)
（2）　ロに規定する（2）で定める特定熱損失防止改修等住宅は、ロに規定する特定熱損失防止改修等住宅（以下（2）及び（3）において「特定熱損失防止改修等住宅」という。）のうち次に掲げるものとする。（令附12㊷）
　（一）　特定居住用部分以外の部分を有する特定熱損失防止改修等住宅
　（二）　特定居住用部分の床面積が120平方メートルを超える特定熱損失防止改修等住宅

(特定熱損失防止改修等住宅の政令で定めるところにより算定した額)
（3）　ロに規定する（3）で定めるところにより算定した額は、当該特定熱損失防止改修等住宅に係る固定資産税額に、特定居住用部分の床面積（特定居住用部分の床面積が120平方メートルを超える場合には、当該特定居住用部分の床面積を120平方メートルとして算定するものとする。）の当該特定熱損失防止改修等住宅の床面積に対する割合（特定居住用部分とその他の部分とについて、天井の高さ、附帯設備の程度その他②の（5）で定める事項に著しい差違がある場合には、その差違に応じて②の（4）で定めるところにより当該割合を補正した割合）を乗じて得た額とする。（令附

ハ 特定熱損失防止改修等住宅専有部分の税額の減額

市町村は、平成26年4月1日以前から所在する区分所有に係る家屋の専有部分で(1)で定めるもののうち、特定居住用部分において令和4年4月1日から令和8年3月31日までの間に熱損失防止改修工事等が行われたものであって、認定長期優良住宅に該当することとなったもの（以下⑫において「**特定熱損失防止改修等住宅専有部分**」という。）の区分所有者が当該特定熱損失防止改修等住宅専有部分について納付する義務を負うものとされる固定資産税額については、当該区分所有に係る家屋に対してイ若しくは⑬の規定の適用がある場合又は既にハの規定の適用を受けたことがある場合を除き、当該熱損失防止改修工事等が完了した日の属する年の翌年の1月1日を賦課期日とする年度分の固定資産税額に限り、第一節三の1の④又は同(1)の規定により当該区分所有者が納付する義務を負うものとされる固定資産税額（特定居住用部分以外の部分を有する特定熱損失防止改修等住宅専有部分その他の(2)で定める特定熱損失防止改修等住宅専有部分にあっては、ハの規定の適用を受ける部分に係る額として(3)で定めるところにより算定した額に限る。）の3分の2に相当する額を第一節三の1の④又は同(1)の規定により当該区分所有者が納付する義務を負うものとされる固定資産税額から減額するものとする。（法附15の9の2⑤）

　　　　（特定熱損失防止改修等住宅専有部分の政令で定める要件）
（1）　ハに規定する(1)で定める専有部分は、⑩のロの(1)の(一)から(三)までに掲げる要件の全てに該当するものとする。（令附12㊹）

　　　　（政令で定める特定熱損失防止改修等住宅専有部分）
（2）　ハに規定する(2)で定める特定熱損失防止改修等住宅専有部分は、ハに規定する特定熱損失防止改修等住宅専有部分（以下(2)及び(3)において「特定熱損失防止改修等住宅専有部分」という。）のうち次に掲げるものとする。（令附12㊺）
　　（一）　特定居住用部分以外の部分を有する特定熱損失防止改修等住宅専有部分
　　（二）　特定居住用部分の床面積が120平方メートルを超える特定熱損失防止改修等住宅専有部分

　　　　（特定熱損失防止改修等住宅専有部分の政令で定めるところにより算定した額）
（3）　ハに規定する(3)で定めるところにより算定した額は、当該特定熱損失防止改修等住宅専有部分に係る専有部分税額に、特定居住用部分の床面積（特定居住用部分の床面積が120平方メートルを超える場合には、当該特定居住用部分の床面積を120平方メートルとして算定するものとする。）の当該特定熱損失防止改修等住宅専有部分の床面積に対する割合（特定居住用部分とその他の部分について、天井の高さ、附帯設備の程度その他②の(5)で定める事項に著しい差違がある場合には、その差違に応じて②の(4)で定めるところにより当該割合を補正した割合）を乗じて得た額とする。（令附12㊻）

　　　　（特定熱損失防止改修等住宅又は特定熱損失防止改修等住宅専有部分に係る申告書の提出）
（4）　ロ及びハの規定は、特定熱損失防止改修等住宅又は特定熱損失防止改修等住宅専有部分に係る固定資産税の納税義務者から、当該特定熱損失防止改修等住宅又は当該特定熱損失防止改修等住宅専有部分に係る熱損失防止改修工事等が完了した日から3月以内に、(5)で定める書類を添付して、当該特定熱損失防止改修等住宅又は特定熱損失防止改修等住宅専有部分につきこれらの規定の適用があるべき旨の申告書の提出がされた場合に限り、適用するものとする。（法附15の9の2⑥）

　　　　（総務省令で定める書類）
（5）　(4)に規定する(5)で定める書類は、次に掲げる書類とする。ただし、(4)に規定する納税義務者が(4)に規定する申告書に当該納税義務者の個人番号を記載して提出したときは、(一)の書類は、添付することを要しない。（規附7⑫）
　　（一）　(4)に規定する納税義務者の住民票の写し
　　（二）　長期優良住宅の普及の促進に関する法律施行規則第6条、第9条又は第13条に規定する通知書の写し
　　（三）　⑪のイに規定する熱損失防止改修工事等が行われた旨及びロに規定する住宅又はハに規定する区分所有に係る家屋の専有部分が認定長期優良住宅に該当することとなった旨を証する国土交通大臣が総務大臣と協議して定める書類

（四）　⑪のイの（2）に規定する補助金等の交付を受ける場合には、当該補助金等の交付決定を受けたことを確認することができる書類
　　（五）　（一）から（四）に掲げるもののほか、市町村長が必要と認める書類

　　　（書類の省略）
（6）　⑩のハの（1）、⑪のハの（1）、⑫のイの（6）、⑫のハの（5）の規定にかかわらず、市町村長は、当該書類により証明すべき事実を公募等によって確認することができるときは、当該書類を省略させることができる。（規附7⑬）

　　　（期間経過後に申告書の提出がされた場合）
（7）　市町村長は、（4）に規定する期間の経過後に（4）の申告書の提出がされた場合において、当該期間内に当該申告書の提出がされなかったことについてやむを得ない理由があると認めるときは、当該申告書に係る特定熱損失防止改修等住宅又は特定熱損失防止改修等住宅専有部分につきロ又はハの規定を適用することができる。（法附15の9の2⑦）

⑬　大規模の修繕等が行われたマンションに対する固定資産税の減額
　市町村は、新築された日から20年以上を経過したマンション（マンションの管理の適正化の推進に関する法律第2条第1号に規定するマンションであって、人の居住の用に供する専有部分のうち（1）で定める専有部分を有するものをいう。以下⑬において同じ。）のうち、同法第5条の2第1項の規定による助言若しくは指導を受けた同項に規定する管理組合の管理者等に係るマンション又は同法第5条の8に規定する管理計画認定マンションで（2）で定めるものであって、令和5年4月1日から令和7年3月31日までの間にマンションの建物の外壁について行う修繕又は模様替を含む大規模な工事で（5）で定めるものが行われたもの（当該工事が行われた棟に限る。以下⑬において「特定マンション」という。）に係る区分所有に係る家屋に対して課する固定資産税については、⑨若しくは⑫のイの規定の適用がある場合又は当該特定マンションが既に⑬の規定の適用を受けたことがある場合を除き、当該工事が完了した日の属する年の翌年の1月1日（当該工事が完了した日が1月1日である場合には、同日）を賦課期日とする年度分の固定資産税に限り、当該特定マンションに係る区分所有に係る家屋に係る固定資産税額（⑬の規定の適用を受ける部分に係る税額として各区分所有者ごとに（6）で定めるところにより算定した額の合算額とする。）の3分の1を参酌して6分の1以上2分の1以下の範囲内において市町村の条例で定める割合に相当する額を当該特定マンションに係る区分所有に係る家屋に係る固定資産税額から減額するものとする。（法附15の9の3①）

　　　（政令で定める専有部）
（1）　⑬に規定する（1）で定める専有部分は、居住用専有部分とする。（令附12㊼）

　　　（政令で定める管理計画認定マンション）
（2）　⑬に規定するマンションの管理の適正化の推進に関する法律第5条の2第1項の規定による助言若しくは指導を受けた⑬に規定する管理組合の管理者等に係るマンション又は同法第5条の8に規定する管理計画認定マンションで（2）で定めるものは、これらのマンションのうち次に掲げる要件のいずれにも該当するものとする。（令附12㊽）
（一）　次に掲げる要件のいずれにも該当すること。
　　イ　⑬に規定する工事より前にマンションの建物の外壁について行う修繕又は模様替を含む大規模な工事で国土交通大臣が総務大臣と協議して定めるものが行われたことがあること。
　　ロ　当該マンションに係る建物の区分所有等に関する法律第2条第1項に規定する建物の部分に相当する部分の数が10以上であること。
（二）　次に掲げるマンションの区分に応じ、それぞれ次に定める要件に該当すること。
　　イ　マンションの管理の適正化の推進に関する法律第5条の2第1項の規定による助言又は指導を受けた同項に規定する管理組合の管理者等に係るマンション　　当該助言又は指導がマンションの修繕に関する長期の計画で（3）で定めるもの（以下このイにおいて「特定計画」という。）に係るものであり、かつ、当該助言又は指導を受けた日以後に、国土交通大臣が総務大臣と協議して定める基準に適合する当該管理組合の管理者等に係るマンションに係る特定計画が作成され、又は当該基準に適合するように当該管理組合の管理者等に係るマンションに係る特定計画が変更されたこと。
　　ロ　マンションの管理の適正化の推進に関する法律第5条の8に規定する管理計画認定マンション　　当該マンションに係る資金計画のうちマンションの修繕に係る部分として（4）で定めるもの（以下このロにおいて「特定部

分」という。）が、令和3年9月1日から令和4年3月31日までの間にマンションの修繕を確実に遂行するため適切なものとして国土交通大臣が総務大臣と協議して定める基準に適合することとなったこと、又は同年4月1日以後に同法第5条の4第2号に掲げる基準（特定部分に係る部分に限る。）に適合することとなったこと。

（マンションの修繕に関する長期の計画で総務省令で定めるもの）
（3）　（2）の（二）のイに規定するマンションの修繕に関する長期の計画で（3）で定めるものは、マンションの管理の適正化の推進に関する法律施行規則第1条の2第1項第2号に規定する長期修繕計画とする。（規附7⑭）

（総務省令で定める部分）
（4）　（2）の（二）のロに規定する（4）で定める部分は、（3）に規定する長期修繕計画に基づき算定された修繕積立金の額に係る部分とする。（規附7⑮）

（総務省令で定める大規模な工事）
（5）　⑬に規定するマンションの建物の外壁について行う修繕又は模様替を含む大規模な工事で（5）で定めるものは、国土交通大臣が総務大臣と協議して定める工事とする。（規附7⑯）

（政令で定めるところにより算定した額）
（6）　⑬に規定する政令で定めるところにより算定した額は、次の各号に掲げる居住用専有部分の区分に応じ、当該各号に定める額とする。（令附12㊾）
（一）　居住専有独立部分を有する居住用専有部分以外の居住用専有部分
　　　当該居住用専有部分に係る専有部分税額に、人の居住の用に供する部分（別荘の用に供する部分を除く。以下（一）及び（二）において同じ。）の床面積（人の居住の用に供する部分の床面積が100平方メートルを超える場合には、当該部分の床面積を100平方メートルとして算定するものとする。）の当該居住用専有部分の床面積に対する割合（人の居住の用に供する部分とその他の部分について、天井の高さ、附帯設備の程度その他総務省令で定める事項に著しい差違がある場合には、その差違に応じて総務省令で定めるところにより当該割合を補正した割合）を乗じて得た額
（二）　居住専有独立部分を有する居住用専有部分
　　　当該居住用専有部分に係る専有部分税額に、人の居住の用に供する部分の床面積（一の居住専有独立部分の床面積が100平方メートルを超える場合には、当該一の居住専有独立部分の床面積を100平方メートルとして算定するものとする。）の当該居住用専有部分の床面積に対する割合（人の居住の用に供する部分とその他の部分について、天井の高さ、附帯設備の程度その他総務省令で定める事項に著しい差違がある場合には、その差違に応じて総務省令で定めるところにより当該割合を補正した割合）を乗じて得た額

（添付書類）
（7）　⑬の規定は、特定マンションに係る区分所有に係る家屋に係る固定資産税の納税義務者から、当該特定マンションに係る⑬に規定する工事が完了した日から3月以内に、（8）で定める書類を添付して、当該特定マンションに係る区分所有に係る家屋につき⑬の規定の適用があるべき旨の申告書の提出がされた場合に限り、適用するものとする。（法附15の9の3②）

（総務省令で定める書類）
（8）　（7）に規定する（8）で定める書類は、次に掲げる書類とする。（規附7⑰）
（一）　⑬に規定する工事が行われた旨を証する国土交通大臣が総務大臣と協議して定める書類
（二）　（2）の（一）のイに該当する旨を証する国土交通大臣が総務大臣と協議して定める書類
（三）　（2）の（一）のロに該当する旨を証する書類
（四）　次に掲げるマンションの区分に応じ、それぞれ次に定める書類
　　イ　マンションの管理の適正化の推進に関する法律第5条の2第1項の規定による助言又は指導を受けた同項に規定する管理組合の管理者等に係るマンション　　（2）の（二）のイに定める要件に該当する旨を証する国土交通大臣が総務大臣と協議して定める書類
　　ロ　マンションの管理の適正化の推進に関する法律第5条の8に規定する管理計画認定マンション　　マンションの管理の適正化の推進に関する法律施行規則第1条の6又は第1条の11に規定する通知書の写し及び（2）の（二）

のロに定める要件に該当する旨を証する国土交通大臣が総務大臣と協議して定める書類
　（五）　（一）から（四）に掲げるもののほか、市町村長が必要と認める書類

　　　（期限後申告が可能な場合）
（9）　市町村長は、（7）に規定する期間の経過後に（7）の申告書の提出がされた場合において、当該期間内に当該申告書の提出がされなかったことについてやむを得ない理由があると認めるときは、当該申告書に係る特定マンションに係る区分所有に係る家屋につき⑬の規定を適用することができる。（法附15の9の3③）

⑭　耐震改修が行われた要安全確認計画記載建築物等に対する固定資産税の減額
　市町村は、建築物の耐震改修の促進に関する法律第7条に規定する要安全確認計画記載建築物又は同法附則第3条第1項に規定する要緊急安全確認大規模建築物に該当する家屋（同法第7条又は同項の規定による報告があったものに限り、同法第8条第1項（同法附則第3条第3項において準用する場合を含む。）の規定による命令又は同法第12条第2項（同法附則第3条第3項において準用する場合を含む。）の規定による指示の対象となったものを除く。）のうち平成26年4月1日から令和8年3月31日までの間に政府の補助で（1）で定めるものを受けて耐震改修が行われたもので耐震基準に適合することにつき（2）で定めるところにより証明がされたもの（以下⑭において「耐震基準適合家屋」という。）に対して課する固定資産税については、当該耐震改修が完了した日の属する年の翌年の1月1日（当該耐震改修が完了した日が1月1日である場合には、同日）を賦課期日とする年度から2年度分の固定資産税に限り、当該耐震基準適合家屋に係る固定資産税額（区分所有に係る耐震基準適合家屋にあっては⑭の規定の適用を受ける部分に係る税額として各区分所有者ごとに（3）で定めるところにより算定した額（当該額が当該部分に係る当該耐震改修に要した費用の額として各区分所有者ごとに（3）で定めるところにより算定した額の100分の5に相当する額を超える場合には、当該100分の5に相当する額）の合算額とし、区分所有に係る耐震基準適合家屋以外の耐震基準適合家屋にあっては⑭の規定の適用を受ける部分に係る税額として（4）で定めるところにより算定した額（当該額が当該耐震改修に要した費用の額として（4）で定めるところにより算定した額の100分の5に相当する額を超える場合には、当該100分の5に相当する額）とする。）の2分の1に相当する額を当該耐震基準適合家屋に係る固定資産税額から減額するものとする。（法附15の10①）

　　　（政府の補助で総務省令で定めるもの）
（1）　⑭に規定する政府の補助で（1）で定めるものは、建築物耐震対策緊急促進事業のうち耐震改修を行う事業に係る補助とする。（規附7⑱）

　　　（総務省令で定めるところにより証明がされた家屋）
（2）　⑭に規定する（2）で定めるところにより証明がされた家屋は、当該家屋が国土交通大臣が総務大臣と協議して定める⑨の（2）《耐震基準》に掲げる基準に適合する旨を証する書類を⑨に規定する耐震改修が行われた家屋につき⑭の規定の適用があるべき旨の申告の際に市町村長に提出することにより証明がされた家屋とする。（規附7⑱）

　　　（⑭の規定の適用を受ける部分に係る税額として政令で定めるところにより算定した額）
（3）　⑭に規定する⑭の規定の適用を受ける部分に係る税額として（3）で定めるところにより算定した額は、次の各号に掲げる耐震基準適合家屋の区分に応じ、当該各号に定める額とする。（令附12㊿）
　（一）　区分所有に係る耐震基準適合家屋以外の耐震基準適合家屋　　次に掲げる耐震基準適合家屋の区分に応じ、それぞれ次に定める額
　　イ　住宅以外の耐震基準適合家屋　　当該耐震基準適合家屋に係る固定資産税額
　　ロ　住宅のうち共同住宅等である耐震基準適合家屋以外の耐震基準適合家屋　　当該耐震基準適合家屋に係る固定資産税額に、当該耐震基準適合家屋の床面積から人の居住の用に供する部分（別荘の用に供する部分を除く。以下（3）及び（4）において同じ。）の床面積（人の居住の用に供する部分の床面積が120平方メートルを超える場合には、当該部分の床面積を120平方メートルとして算定するものとする。）を控除して得た床面積の当該耐震基準適合家屋の床面積に対する割合（人の居住の用に供する部分とその他の部分とについて、天井の高さ、附帯設備の程度その他②の（5）で定める事項に著しい差違がある場合には、その差違に応じて（5）で定めるところにより当該割合を補正した割合）を乗じて得た額
　　ハ　住宅のうち共同住宅等である耐震基準適合家屋　　当該耐震基準適合家屋に係る固定資産税額に、当該耐震基準適合家屋の床面積から人の居住の用に供する部分の床面積（一の独立区画部分の床面積が120平方メートルを超える場合にあっては、当該一の独立区画部分の床面積を120平方メートルとして算定するものとする。）を控除し

て得た床面積の当該耐震基準適合家屋の床面積に対する割合(人の居住の用に供する部分とその他の部分とについて、天井の高さ、附帯設備の程度等に著しい差違がある場合には、その差違に応じて(5)で定めるところにより当該割合を補正した割合)を乗じて得た額

(二) 区分所有に係る耐震基準適合家屋　次に掲げる専有部分の区分に応じ、それぞれ次に定める額

イ　居住用専有部分以外の専有部分　当該専有部分に係る専有部分税額

ロ　居住専有独立部分を有する居住用専有部分以外の居住用専有部分　当該居住用専有部分に係る専有部分税額に、当該居住用専有部分の床面積から人の居住の用に供する部分の床面積(人の居住の用に供する部分の床面積が120平方メートルを超える場合にあっては、当該部分の床面積を120平方メートルとして算定するものとする。)を控除して得た床面積の当該居住用専有部分の床面積に対する割合(人の居住の用に供する部分とその他の部分とについて、天井の高さ、附帯設備の程度その他②の(5)で定める事項に著しい差違がある場合には、その差違に応じて(5)で定めるところにより当該割合を補正した割合)を乗じて得た額

ハ　居住専有独立部分を有する居住用専有部分　当該居住用専有部分に係る専有部分税額に、当該居住用専有部分の床面積から人の居住の用に供する部分の床面積(一の居住専有独立部分の床面積が120平方メートルを超える場合には、当該一の居住専有独立部分の床面積を120平方メートルとして算定するものとする。)を控除して得た床面積の当該居住用専有部分の床面積に対する割合(人の居住の用に供する部分とその他の部分とについて、天井の高さ、附帯設備の程度その他②の(5)で定める事項に著しい差違がある場合には、その差違に応じて(5)で定めるところにより当該割合を補正した割合)を乗じて得た額

(⑭に規定する耐震改修に要した費用の額として政令で定めるところにより算定した額)

(4)　⑭に規定する耐震改修に要した費用の額として(4)で定めるところにより算定した額は、⑭に規定する政府の補助で(5)で定めるものの額の算定の基礎となった当該耐震基準適合家屋に係る耐震改修に要した費用の額に、次の各号に掲げる耐震基準適合家屋の区分に応じ、当該各号に定める割合を乗じて得た額とする。(令附12⑤)

(一) 区分所有に係る耐震基準適合家屋以外の耐震基準適合家屋　次に掲げる耐震基準適合家屋の区分に応じ、それぞれ次に定める割合

イ　住宅以外の耐震基準適合家屋　10分の10

ロ　住宅のうち共同住宅等である耐震基準適合家屋以外の耐震基準適合家屋　当該耐震基準適合家屋の床面積から人の居住の用に供する部分の床面積(人の居住の用に供する部分の床面積が120平方メートルを超える場合には、当該部分の床面積を120平方メートルとして算定するものとする。)を控除して得た床面積の当該耐震基準適合家屋の床面積に対する割合(人の居住の用に供する部分とその他の部分とについて、天井の高さ、附帯設備の程度等に著しい差違がある場合には、その差違に応じて(5)で定めるところにより当該割合を補正した割合)

ハ　住宅のうち共同住宅等である耐震基準適合家屋　当該耐震基準適合家屋の床面積から人の居住の用に供する部分の床面積(一の独立区画部分の床面積が120平方メートルを超える場合には、当該一の独立区画部分の床面積を120平方メートルとして算定するものとする。)を控除して得た床面積の当該耐震基準適合家屋の床面積に対する割合(人の居住の用に供する部分とその他の部分とについて、天井の高さ、附帯設備の程度その他②の(5)で定める事項に著しい差違がある場合には、その差違に応じて(5)で定めるところにより当該割合を補正した割合)

(二) 区分所有に係る耐震基準適合家屋　次に掲げる専有部分の区分に応じ、それぞれ次に定める割合

イ　居住用専有部分以外の専有部分　当該専有部分に係る専有部分税額の当該耐震基準適合家屋に係る固定資産税額に対する割合

ロ　居住用専有独立部分を有する居住用専有部分以外の居住用専有部分　当該居住用専有部分に係る専有部分税額の当該耐震基準適合家屋に係る固定資産税額に対する割合に、当該居住用専有部分の床面積から人の居住の用に供する部分の床面積(人の居住の用に供する部分の床面積が120平方メートルを超える場合には、当該部分の床面積を120平方メートルとして算定するものとする。)を控除して得た床面積の当該居住用専有部分の床面積に対する割合(人の居住の用に供する部分とその他の部分とについて、天井の高さ、附帯設備の程度その他②の(5)で定める事項に著しい差違がある場合には、その差違に応じて(5)で定めるところにより当該割合を補正した割合)を乗じて得た割合

ハ　居住用専有独立部分を有する居住用専有部分　当該居住用専有部分に係る専有部分税額の当該耐震基準適合家屋に係る固定資産税額に対する割合に、当該居住用専有部分の床面積から人の居住の用に供する部分の床面積(一の居住専有独立部分の床面積が120平方メートルを超える場合には、当該一の居住専有独立部分の床面積を120平方メートルとして算定するものとする。)を控除して得た床面積の当該居住用専有部分の床面積に対する割合(人の居住の用に供する部分とその他の部分とについて、天井の高さ、附帯設備の程度その他②の(5)で定め

る事項に著しい差違がある場合には、その差違に応じて(5)で定めるところにより当該割合を補正した割合)を乗じて得た割合

((3)、(4)の規定のうち総務省令で定める床面積の算定方法)
(5) (3)、(4)の規定のうち、次の表の左欄に掲げる規定の適用について、これらの規定中同表の中欄に掲げる字句における床面積の算定に関しては、同表の右欄に掲げる方法によるものとする。(規附7⑳抜粋)

(3)の(一)のハ	一の独立区画部分の床面積	共同住宅等に共同の用に供される部分があるときは、その部分の床面積を、これを共用すべき各独立区画部分の床面積の割合により配分して、それぞれの各部分の床面積に算入する。
(3)の(二)のロ	居住用専有部分の床面積	共同住宅等に共同の用に供される部分があるときは、その部分の床面積を、これを共用すべき各居住用専有部分の床面積の割合により配分して、それぞれの各部分の床面積に算入する。
	人の居住の用に供する部分の床面積	共同住宅等に共同の用に供される部分があるときは、その部分の床面積を、これを共用すべき各人の居住の用に供する部分の床面積の割合により配分して、それぞれの各部分の床面積に算入する。
(3)の(二)のハ	居住用専有部分の床面積	共同住宅等に共同の用に供される部分があるときは、その部分の床面積を、これを共用すべき各居住用専有部分の床面積の割合により配分して、それぞれの各部分の床面積に算入する。
	人の居住の用に供する部分の床面積	共同住宅等に共同の用に供される部分があるときは、その部分の床面積を、これを共用すべき各人の居住の用に供する部分の床面積の割合により配分して、それぞれの各部分の床面積に算入する。
	居住専有独立部分の床面積	共同住宅等に共同の用に供される部分があるときは、その部分の床面積を、これを共用すべき各居住専有独立部分の床面積の割合により配分して、それぞれの各部分の床面積に算入する。
(4)の(一)のハ	一の独立区画部分の床面積	共同住宅等に共同の用に供される部分があるときは、その部分の床面積を、これを共用すべき各独立区画部分の床面積の割合により配分して、それぞれの各部分の床面積に算入する。
(4)の(二)のロ	居住用専有部分の床面積	共同住宅等に共同の用に供される部分があるときは、その部分の床面積を、これを共用すべき各居住用専有部分の床面積の割合により配分して、それぞれの各部分の床面積に算入する。
	人の居住の用に供する部分の床面積	共同住宅等に共同の用に供される部分があるときは、その部分の床面積を、これを共用すべき各人の居住の用に供する部分の床面積の割合により配分して、それぞれの各部分の床面積に算入する。
(4)の(二)のハ	居住用専有部分の床面積	共同住宅等に共同の用に供される部分があるときは、その部分の床面積を、これを共用すべき各居住用専有部分の床面積の割合により配分して、それぞれの各部分の床面積に算入する。
	人の居住の用に供する部分の床面積	共同住宅等に共同の用に供される部分があるときは、その部分の床面積を、これを共用すべき各人の居住の用に供する部分の床面積の割合により配分して、それぞれの各部分の床面積に算入する。
	居住専有独立部分の床面積	共同住宅等に共同の用に供される部分があるときは、その部分の床面積を、これを共用すべき各居住専有独立部分の床面積の割合により配分して、それぞれの各部分の床面積に算入する。

(申告手続)
(6) ⑭の規定は、耐震基準適合家屋に係る固定資産税の納税義務者から、当該耐震基準適合家屋に係る耐震改修が完了した日から3月以内に、当該市町村の条例で定めるところにより、当該耐震基準適合家屋につき⑭の規定の適用が

あるべき旨の申告書の提出がされた場合に限り、適用するものとする。(法附15の10②)

(宥恕規定)
(7) 市町村長は、(6)に規定する期間の経過後に(6)の申告書の提出がされた場合において、当該期間内に当該申告書の提出がされなかったことについてやむを得ない理由があると認めるときは、当該申告書に係る耐震基準適合家屋につき⑭の規定を適用することができる。(法附15の10③)

⑮ **利便性等向上改修工事が行われた改修実演芸術公演施設に対する固定資産税及び都市計画税の減額**
　市町村は、高齢者、障害者等の移動等の円滑化の促進に関する法律（以下⑮において「高齢者移動等円滑化法」という。）第2条第19号に規定する特別特定建築物で（1）で定めるものに該当する家屋のうち、平成30年4月1日から令和8年3月31日までの間に主として劇場、音楽堂等の活性化に関する法律（平成24年法律第49号）第2条第2項に規定する実演芸術の公演の用に供する施設であることにつき（2）で定めるところにより証明がされ、かつ、利便性等向上改修工事（高齢者移動等円滑化法第2条第1号に規定する高齢者、障害者等の当該施設の利用上の利便性及び安全性の向上を目的とした修繕又は模様替えをいう。以下⑮及び（3）において同じ。）が行われたものであって、高齢者移動等円滑化法第17条第3項第1号に掲げる高齢者移動等円滑化法第2条第20号に規定する建築物特定施設の構造及び配置に関する基準に適合することにつき（2）で定めるところにより証明がされたもの（以下⑮において「改修実演芸術公演施設」という。）に対して課する固定資産税又は都市計画税については、当該利便性等向上改修工事が完了した日の属する年の翌年の1月1日（当該利便性向上改修工事が完了した日が1月1日である場合には、同日）を賦課期日とする年度から2年度分の固定資産税又は都市計画税に限り、当該改修実演芸術公演施設に係る固定資産税額又は都市計画税額（当該額が当該利便性等向上改修工事に要した費用の額の100分の5に相当する額を超える場合には、当該100分の5に相当する額）の3分の1に相当する額を当該改修実演芸術公演施設に係る固定資産税額又は都市計画税額から減額するものとする。(法附15の11①)

(特別特定建築物で政令で定めるもの)
(1) ⑮に規定する特別特定建築物で（1）で定めるものは、高齢者、障害者等の移動等の円滑化の促進に関する法律施行令（平成18年政令第379号）第5条第3号に規定する劇場及び演芸場並びに同条第4号に規定する集会場及び公会堂とする。(令附12の2)

(総務省令で定めるところにより証明がされた家屋)
(2) ⑮に規定する（2）で定めるところにより証明がされた家屋は、高齢者、障害者等の移動等の円滑化の促進に関する法律施行規則（平成18年国土交通省令第110号）第10条第2項に規定する通知書の写し及び文部科学大臣が総務大臣と協議して定める主として劇場、音楽堂等の活性化に関する法律第2条第2項に規定する実演芸術の公演の用に供する施設である旨を証する書類を⑮に規定する利便性等向上改修工事が行われた家屋につき⑮の規定の適用がある旨の申告の際に市町村長に提出することにより証明がされた家屋とする。(規附7の2)

(申告書の提出)
(3) ⑮の規定は、改修実演芸術公演施設に係る固定資産税又は都市計画税の納税義務者から、当該改修実演芸術公演施設に係る利便性等向上改修工事が完了した日から3月以内に、当該市町村の条例で定めるところにより、当該改修実演芸術公演施設につき⑮の規定の適用があるべき旨の申告書の提出がされた場合に限り、適用するものとする。(法附15の11②)

(宥恕規定)
(4) 市町村長は、(3)に規定する期間の経過後に(3)の申告書の提出がされた場合において、当該期間内に当該申告書の提出がされなかったについてやむを得ない理由があると認めるときは、当該申告書に係る改修実演芸術公演施設につき⑮の規定を適用することができる。(法附15の11③)

⑯ **②から⑮までの規定の適用を受ける家屋に関する読替え**
　②から⑮までの規定の適用を受ける家屋について3《震災等により滅失等した家屋に代わる家屋等に対する固定資産税の減額》の規定の適用がある場合における同3の規定の適用については、3中「固定資産税額の」とあるのは、「固定資産税額（②から⑮までの規定の適用を受ける家屋にあっては、これらの規定の適用後の額。以下⑯において同じ。）の」とする。(法附15の12①)

(⑮の規定の適用を受ける家屋に関する読替え)
（１）　⑮の規定の適用を受ける家屋について第四章６《震災等により滅失等した家屋に代わる家屋等に対する都市計画税の減額》の規定の適用がある場合における同６の規定の適用については、同６中「都市計画税額の」とあるのは、「都市計画税額（⑮の規定の適用を受ける家屋にあっては、⑮の規定の適用後の額。以下⑯において同じ。）の」とする。（法附15の12②）

(⑯の規定の適用を受ける家屋に関する読替え)
（２）　⑯の規定の適用を受ける家屋に係る３の(3)の規定の適用については、３の(3)の(一)中「固定資産税額」とあるのは「固定資産税額（当該特例適用家屋が②から⑮までの規定の適用を受ける場合には、これらの規定の適用後の額）」と、３の(3)の(二)中「固定資産税額」とあるのは「固定資産税額（当該特例適用家屋が②から⑮までの規定の適用を受け、かつ、当該専有部分がこれらの規定の適用を受ける部分である場合には、これらの規定の適用後に当該区分所有者が納付する義務を負うものとされる額）」と、３の(3)の(三)中「固定資産税額」とあるのは「固定資産税額（当該特例適用家屋が②から⑮までの規定の適用を受ける場合には、これらの規定の適用後の額）」とする。（令附12の３①）

(⑮、⑯の規定の適用を受ける家屋に関する読替え)
（３）　⑯の規定の適用を受ける家屋に係る地方税法施行令第56条の84の２第３項の規定の適用については、同項第１号中「都市計画税額」とあるのは「都市計画税額（当該特例適用家屋が⑮の規定の適用を受ける場合には、同⑮の規定の適用後の額）」と、同項第２号中「都市計画税額」とあるのは「都市計画税額（当該特例適用家屋が⑮の規定の適用を受け、かつ、当該専有部分が⑮の規定の適用を受ける部分である場合には、⑮の規定の適用後に当該区分所有者が納付する義務を負うものとされる額）」と、同項第３号中「都市計画税額」とあるのは「都市計画税額（当該特例適用家屋が⑮の規定の適用を受ける場合には、⑮の規定の適用後の額）」とする。（令附12の３②）

⑰　平成28年熊本地震に係る被災住宅用地等に対する固定資産税及び都市計画税の特例

　平成28年熊本地震により滅失し、又は損壊した家屋の敷地の用に供されていた土地で、平成28年度分の固定資産税について一の５《住宅用地に対する課税標準の特例》の規定の適用を受けたもの（以下⑰において「被災住宅用地」という。）のうち、令和５年度又は令和６年度に係る賦課期日において家屋又は構築物の敷地の用に供されている土地以外の土地の全部又は一部で平成28年度に係る賦課期日における当該被災住宅用地の所有者その他の(1)で定める者（(18)及び(19)において「被災住宅用地の所有者等」という。）が所有するものに対して課する令和５年度分又は令和６年度分の固定資産税又は都市計画税については、当該土地を令和５年度又は令和６年度に係る賦課期日において一の５の①に規定する住宅用地（以下⑰及び(11)において「住宅用地」という。）として使用することができないと市町村長が認める場合に限り、当該土地を住宅用地とみなして、この法律の規定（一の５の②の規定を除く。）を適用する。この場合において、一の５の②中「住宅用地のうち、次の各号に掲げる区分に応じ、当該各号に定める住宅用地に該当するもの」とあるのは、「⑰の規定により住宅用地とみなされた土地のうち(2)で定めるもの」とする。（法附16の２①）

（政令で定める者）
（１）　⑰に規定する(1)で定める者は、次に掲げる者とする。（令附12の４①）
　(一)　平成28年度に係る賦課期日における⑰に規定する被災住宅用地（以下⑰において「被災住宅用地」という。）の所有者
　(二)　平成28年１月１日から同年４月13日までの間に被災住宅用地の全部又は一部を取得した者
　(三)　(一)及び(二)に掲げる者（(三)の規定により相続により被災住宅用地の全部又は一部を取得した者を含む。）が個人である場合において、平成28年４月14日以後にその者についての相続によりその者が所有していた被災住宅用地の全部又は一部を取得した者
　(四)　(一)又は(二)に掲げる者が個人である場合において、平成28年４月14日以後にその者から被災住宅用地の全部又は一部を取得したその者の三親等内の親族（(三)に該当する者を除く。）
　(五)　(一)又は(二)に掲げる者（(五)の規定により合併又は分割により被災住宅用地の全部又は一部を取得した者を含む。）が法人である場合において、平成28年４月14日以後に当該法人をその当事者とする合併又は分割により当該法人が所有していた被災住宅用地の全部又は一部を取得した法人

（住宅用地とみなされた土地のうち政令で定めるもの）
（２）　⑰の規定により読み替えて適用される一の５の②に規定する住宅用地とみなされた土地のうち（２）で定めるものは、⑰の規定により一の５の①に規定する住宅用地（以下「住宅用地」という。）とみなされた土地の面積に当該住宅用地とみなされた土地に係る被災住宅用地のうち平成28年度分の固定資産税について一の５の②の規定の適用を受けたものの面積の当該被災住宅用地の面積に対する割合を乗じて得た面積に相当する土地とする。（令附12の４②）

　　　（被災住宅用地の共有者等が当該被災住宅用地の全部若しくは一部を所有し、又はその全部若しくは一部について共有部分を有している場合）
（３）　平成28年度に係る賦課期日において被災住宅用地を所有し、又はその共有部分を有していた者その他の（４）で定める者（以下「被災住宅用地の共有者等」という。）が、令和５年度又は令和６年度に係る賦課期日において、当該被災住宅用地の全部若しくは一部を所有し、又はその全部若しくは一部について共有部分を有している場合（⑰の規定の適用がある場合を除く。）には、令和５年度又は令和６年度に係る賦課期日において当該被災住宅用地の共有者等が所有し、又は共有持分を有している当該被災住宅用地の全部又は一部のうち（５）で定めるもの（（９）において「特定被災住宅用地」という。）で家屋又は構築物の敷地の用に供されている土地以外の土地に対して課する令和５年度分又は令和６年度分の固定資産税又は都市計画税については、⑰の規定を準用する。この場合において、⑰中「⑰」とあるのは、「（３）において準用する⑰」と読み替えるものとする。（法附16の２②）

　　　（政令で定める者）
（４）　（３）に規定する（４）で定める者は、次に掲げる者とする。（令附12の４③）
　（一）　平成28年度に係る賦課期日において被災住宅用地を所有し、又はその共有持分を有していた者
　（二）　平成28年１月２日から同年４月13日までの間に被災住宅用地の全部若しくは一部又は被災住宅用地の全部若しくは一部の共有部分を取得した者
　（三）　（一）又は（二）に掲げる者（（三）の規定により相続により被災住宅用地の全部若しくは一部又は被災住宅用地の全部若しくは一部の共有部分を取得した者を含む。）が個人である場合において、平成28年４月14日以後にその者についての相続によりその者が所有し、又は共有持分を有していた被災住宅用地の全部又は一部について、その全部若しくは一部を取得し、又はその全部若しくは一部の共有持分を取得した者
　（四）　（一）又は（二）に掲げる者が個人である場合において、平成28年４月14日以後にその者から被災住宅用地の全部又は一部について、その全部若しくは一部を取得し、又はその全部若しくは一部の共有持分を取得したその者の三親等内の親族（（三）に該当する者を除く。）
　（五）　（一）又は（二）に掲げる者（（五）の規定により合併又は分割により被災住宅用地の全部若しくは一部又は被災住宅用地の全部若しくは一部の共有持分を取得した者を含む。）が法人である場合において、平成28年４月14日以後に当該法人をその当事者とする合併又は分割により当該法人が所有し、又は共有持分を有していた被災住宅用地の全部又は一部について、その全部若しくは一部を取得し、又はその全部若しくは一部の共有持分を取得した法人

　　　（被災住宅用地の全部又は一部のうち政令で定めるもの）
（５）　（３）に規定する被災住宅用地の全部又は一部のうち（５）で定めるものは、次の各号に掲げる土地の区分に応じ、当該各号に定める土地とする。（令附12の４④）
　（一）　（３）に規定する被災共用土地又は(17)に規定する特定被災共用土地（以下（二）及び（８）において「被災共用土地等」という。）である土地以外の土地　次に掲げる場合の区分に応じ、それぞれ次に定める土地
　　イ　（４）の（一）又は（二）に掲げる者（以下（一）及び（８）において「従前所有者等」という。）が平成28年４月13日において被災住宅用地の全部又は一部について共有持分を有しており、かつ、当該従前所有者等又は当該従前所有者等に係る（４）の（三）から（五）までに掲げる者（以下（二）及び（８）において「相続人等」という。）が令和５年度又は令和６年度に係る賦課期日において当該被災住宅用地の全部又は一部を所有している場合　その所有している当該被災住宅用地の全部又は一部（その所有している当該被災住宅用地の全部又は一部の面積が当該従前所有者等が平成28年４月13日において共有持分を有していた当該被災住宅用地の全部又は一部に係る当該共有持分の割合に応ずる被災住宅用地の面積（相続人等が当該被災住宅用地の全部又は一部を所有している場合には、（４）の（三）から（五）までの規定により当該相続人等が取得した被災住宅用地の一部の面積又はこれらの規定により当該相続人等が取得した被災住宅用地の全部若しくは一部に係る共有持分の割合に応ずる被災住宅用地の面積のうち、（６）で定めるもの）を超える場合には、当該面積に相当する土地）
　　ロ　従前所有者等が平成28年４月13日において被災住宅用地の全部又は一部を所有しており、かつ、当該従前所有

者等又は相続人等が令和5年度又は令和6年度に係る賦課期日において当該被災住宅用地の全部又は一部について共有持分を有している場合　従前所有者等又は各相続人等が共有持分を有している当該被災住宅用地の全部又は一部に係る当該共有持分の割合に応ずる被災住宅用地の面積（当該面積が当該従前所有者等が平成28年4月13日において所有していた当該被災住宅用地の全部又は一部の面積（相続人等が当該被災住宅用地の全部又は一部について共有持分を有している場合には、(4)の(三)から(五)までの規定により当該相続人等が取得した当該被災住宅用地の全部若しくは一部の面積又はこれらの規定により当該相続人等が取得した当該被災住宅用地の全部若しくは一部に係る共有持分の割合に応ずる被災住宅用地の面積のうち、(7)で定めるもの）を超える場合には、当該面積）の合計に相当する土地

ハ　従前所有者等が平成28年4月13日において被災住宅用地の全部又は一部について共有持分を有しており、かつ、当該従前所有者等又は相続人等が令和5年度又は令和6年度に係る賦課期日において当該被災住宅用地の全部又は一部について共有持分を有している場合　各従前所有者等又は各相続人等が共有持分を有している当該被災住宅用地の全部又は一部に係る当該共有持分の割合に応ずる被災住宅用地の面積（当該面積が当該従前所有者等が平成28年4月13日において共有持分を有していた当該被災住宅用地の全部又は一部に係る当該共有持分の割合に応ずる被災住宅用地の面積（相続人等が当該被災住宅用地の全部又は一部について共有持分を有している場合には、(4)の(三)から(五)までの規定により当該相続人等が取得した当該被災住宅用地の全部若しくは一部の面積又はこれらの規定により当該相続人等が取得した当該被災住宅用地の全部若しくは一部に係る共有持分の割合に応ずる被災住宅用地の面積のうち、(7)で定めるもの）を超える場合には、当該面積）の合計に相当する土地

(二)　被災共用土地等である土地　当該土地に係る次の表の左欄に掲げる被災区分所有家屋（(11)に規定する被災区分所有家屋をいう。）の区分及び同表の中欄に掲げる被災区分所有家屋に係る居住部分に相当する部分の割合の区分に応じ、同表の右欄に掲げる率を当該土地の面積（当該面積が当該被災区分所有家屋の床面積の10倍の面積を超える場合には、当該10倍の面積）に乗じて得た面積に相当する土地（被災区分所有家屋に係る居住部分に相当する部分の割合が4分の1未満である被災区分所有家屋に係る土地を除く。）

被災区分所有家屋	被災区分所有家屋に係る居住部分に相当する部分の割合	率
イ　ロに掲げる被災区分所有家屋以外の被災区分所有家屋	4分の1以上2分の1未満	0.5
	2分の1以上	1.0
ロ　地上階数5以上を有する耐火建築物であった被災区分所有家屋	4分の1以上2分の1未満	0.5
	2分の1以上4分の3未満	0.75
	4分の3以上	1.0

　　　((5)の(一)のイに規定する総務省令で定める面積)
(6)　(5)の(一)のイに規定する(6)で定める面積は、次の各号に掲げる場合の区分に応じ、当該各号に定める面積とする。(規附7の3①)
(一)　(4)の(三)から(五)までの規定により(5)の(一)のイに規定する相続人等（(二)及び(7)において「相続人等」という。）が(5)の(一)のイに規定する従前所有者等（(二)及び(7)において「従前所有者等」という。）から⑰に規定する被災住宅用地（以下(6)及び(7)において「被災住宅用地」という。）の一部又は被災住宅用地の全部若しくは一部に係る共有持分（(二)において「被災住宅用地の一部等」という。）を取得した場合　その取得した当該被災住宅用地の一部の面積又はその取得した当該被災住宅用地の全部若しくは一部に係る共有持分の割合に応ずる被災住宅用地の面積
(二)　(4)の(三)又は(五)の規定により相続人等がこれらの規定に掲げる者（以下(6)及び(7)の(二)において「前相続人等」という。）から被災住宅用地の一部等を取得した場合　(4)の(三)又は(五)の規定により前相続人等が従前所有者等（これらの規定により前相続人等が前相続人等から当該被災住宅用地の一部等を取得した場合における当該被災住宅用地の一部等を取得した前相続人等に係る前相続人等を含む。）から取得した当該被災住宅用地の一部等のうち、これらの規定により当該相続人等が当該前相続人等から取得した当該被災住宅用地の一部の面積又はこれらの規定により当該相続人等が当該前相続人等から取得した当該被災住宅用地の全部若しくは一部に係る共有持分の割合に応ずる被災住宅用地の面積

　　　((5)の(一)のロ及びハに規定する総務省令で定める面積)
(7)　(5)の(一)のロ及びハに規定する(7)で定める面積は、次の各号に掲げる場合の区分に応じ、当該各号に定める

面積とする。(規附7の3②)
- (一) (4)の(三)から(五)までの規定により相続人等が従前所有者等から被災住宅用地の全部若しくは一部又は被災住宅用地の全部若しくは一部に係る共有持分((二)において「被災住宅用地の全部等」という。)を取得した場合　その取得した当該被災住宅用地の全部若しくは一部の面積又はその取得した当該被災住宅用地の全部若しくは一部に係る共有持分の割合に応ずる被災住宅用地の面積
- (二) (4)の(三)又は(五)の規定により相続人等が前相続人等から被災住宅用地の全部等を取得した場合　これらの規定により前相続人等が従前所有者等(これらの規定により前相続人等が前相続人等から当該被災住宅用地の全部等を取得した場合における当該被災住宅用地の全部等を取得した前相続人等に係る前相続人等を含む。)から取得した当該被災住宅用地の全部等のうち、これらの規定により相続人等が当該前相続人等から取得した当該被災住宅用地の全部若しくは一部の面積又はこれらの規定により当該相続人等が当該前相続人等から取得した当該被災住宅用地の全部若しくは一部に係る共有持分の割合に応ずる被災住宅用地の面積

(被災区分所有家屋に係る居住部分に相当する部分の割合)

(8) (5)の(二)に規定する被災区分所有家屋に係る居住部分に相当する部分の割合とは、令和5年度又は令和6年度に係る賦課期日において平成28年4月13日において有していた被災共用土地等に係る共有持分を引き続き有している従前所有者等(令和5年度又は令和6年度に係る賦課期日において(4)の(三)から(五)までの規定により取得した被災共用土地等に係る共有持分を引き続き有している相続人等に係る従前所有者等を含む。)が平成28年4月13日において所有していた被災区分所有家屋の専有部分((11)に規定する専有部分をいう。(9)において「特定専有部分」という。)のうち、平成28年度に係る賦課期日において人の居住の用に供する部分(別荘((9)において同じ。)の用に供する部分を除く。)であった部分の床面積の合計の当該被災区分所有家屋の床面積に対する割合をいう。(令附12の4⑤)

(住宅用地とみなされた土地のうち政令で定めるもの)

(9) (3)において準用する⑰の規定により読み替えて適用される一の5の③に規定する住宅用地とみなされた土地のうち(9)で定めるものは、次の各号に掲げる土地の区分に応じ、当該各号に定める土地とする。(令附12の4⑦)
- (一) (5)の(一)の規定の適用がある土地　(3)において準用する⑰の規定により住宅用地とみなされた土地(以下「住宅用地とみなされた土地」という。)の面積に当該住宅用地とみなされた土地に係る被災住宅用地のうち平成28年度分の固定資産税について一の5の③の規定の適用を受けたものの面積の当該被災住宅用地の面積に対する割合を乗じて得た面積に相当する土地
- (二) (5)の(二)の規定の適用がある土地　次に掲げる土地の区分に応じ、それぞれ次に定める土地
  - イ 住宅用地とみなされた土地でその面積が200平方メートル以下であるもの　当該住宅用地とみなされた土地
  - ロ 住宅用地とみなされた土地でその面積が200平方メートルを超えるもの　当該住宅用地とみなされた土地の面積を当該住宅用地とみなされた土地に係る被災区分所有家屋の特定専有部分に存した住居でその全部が別荘の用に供されていた住居以外の住居の数(以下ロにおいて「特例適用住居数」という。)で除して得た面積が200平方メートル以下であるものにあっては当該住宅用地とみなされた土地、当該除して得た面積が200平方メートルを超えるものにあっては200平方メートルに当該特例適用住居数を乗じて得た面積に相当する土地

((9)の(二)のロに規定する特例適用住居数)

(10) (9)の(二)のロに規定する特例適用住居数は、同ロのその全部が別荘の用に供されていた住居以外の住居が、家屋のうち人の居住の用に供するために独立的に区画された部分又はその一部であった場合には、当該部分の数による。(規附7の3③)

(各被災共用土地納税義務者の被災共用土地に係る固定資産税の納付義務)

(11) 平成28年熊本地震により滅失し、又は損壊した区分所有に係る家屋(以下(11)及び(17)において「被災区分所有家屋」という。)の敷地の用に供されていた土地で平成28年度分の固定資産税について第一節三の1の⑤の規定の適用を受けたもの(平成28年4月14日以後に分割された土地を除く。以下(11)及び(23)において「被災共用土地」という。)に対して課する令和5年度分又は令和6年度分の固定資産税については、当該被災共用土地に係る納税義務者(当該被災共用土地に係る被災区分所有家屋に係る一の専有部分(建物の区分所有等に関する法律第2条第3項に規定する専有部分をいう。(17)において同じ。)で二以上の者が共有していたものがあった場合には、これらの二以上の者を当該被災共用土地に係る一の納税義務者であるものとする。以下「被災共用土地納税義務者」という。)は、第10条の2第1項の規定にかかわらず、当該被災共用土地に係る固定資産税額を当該被災共用土地に係る各被災共用土地納税義

務者の当該被災共用土地に係る持分の割合（当該被災共用土地が⑰（（3）において準用する場合を含む。）の規定により住宅用地とみなされる部分及び住宅用地とみなされる部分以外の部分を併せ有する土地である場合その他の(12)で定める場合には、(13)で定めるところにより当該持分の割合を補正した割合）により按分した額を、当該各被災共用土地納税義務者の当該被災共用土地に係る固定資産税として納付する義務を負う。(法附16の2③)

　　　((11)に規定する総務省令で定める場合)
(12)　(11)に規定する(12)で定める場合は、次に掲げる場合とする。(規附7の3④)
　(一)　(11)に規定する被災共用土地（以下「被災共用土地」という。）が⑰（（3）において準用する場合を含む。(二)において同じ。）の規定により住宅用地とみなされた土地（以下「住宅用地とみなされた土地」という。）である部分及び住宅用地とみなされた土地以外の土地（(24)において「非住宅用地」という。）である部分を併せ有する土地である場合
　(二)　被災共用土地が⑰の規定により読み替えて適用される一の5の③の規定の適用を受ける土地（以下「小規模住宅用地」という。）である部分及び小規模住宅用地以外の住宅用地とみなされた土地（以下「一般住宅用地」という。）である部分を併せ有する土地である場合

　　　(被災共用土地に係る持分の割合の補正)
(13)　被災共用土地の面積が当該被災共用土地に係る被災区分所有家屋（(11)に規定する被災区分所有家屋をいう。）の床面積の10倍の面積以下である場合における(11)の規定による当該被災共用土地に係る持分の割合の補正は、当該持分の割合に、当該被災共用土地に係る次の表の左欄に掲げる被災共用土地納税義務者（(11)に規定する被災共用土地納税義務者をいう。）の区分に応じ、同表の右欄に定める算式により計算した数値を乗じて行うものとする。(規附7の3⑤)

被災共用土地納税義務者の区分	算式
(一)　次に掲げる各被災共用土地納税義務者 　イ　平成28年度に係る賦課期日においてその全部が人の居住の用に供されていた専有部分（その全部又は一部が別荘（第二編第七章《不動産取得税》第一節一の(四)の(2)に規定する別荘をいう。(三)において同じ。）の用に供されていたものを除く。以下(一)及び(二)において同じ。）を平成28年4月13日において所有していた者（以下「特例対象者」という。）で令和5年度又は令和6年度に係る賦課期日において当該被災共用土地の面積にその者の当該被災共用土地に係る共有持分（同月14日以後にその者が取得した当該被災共用土地に係る共有持分を除く。以下イにおいて同じ。）の割合を乗じて得た面積が200平方メートル（当該専有部分が二以上の部分に独立的に区画されていた場合には、200平方メートルに当該専有部分に存した住居の数を乗じて得た面積とする。以下(13)及び(14)において同じ。）以下となる当該共有持分を有しているもの 　ロ　(4)の(三)から(五)までの規定により特例対象者からその者が平成28年4月13日において有していた当該被災共用土地に係る共有持分（以下(13)及び(14)において「特定共有持分」という。）を取得した(5)の(一)のイに規定する相続人等（(4)の(三)又は(五)の規定により相続人等から特定共有持分を取得した相続人等を含む。以下「相続人等」という。）で令和5年度又は令和6年度に係る賦課期日において当該被災共用土地の面積にその者の当該被災共用土地に係る特定共有持分の割合（当該相続人等に係	$\dfrac{1}{A} \times \dfrac{B \times C}{D}$ （算式の符号） A　当該被災共用土地に係る固定資産税の課税標準となるべき額 B　当該被災共用土地に係る小規模住宅用地である部分に係る固定資産税の課税標準に相当する額 C　当該被災共用土地の面積 D　当該被災共用土地に係る小規模住宅用地である部分の面積

る特例対象者につき相続人等が複数ある場合には、当該特例対象者に係る各相続人等の当該被災共用土地に係る特定共有持分の割合を合算したものとする。以下「相続等に係る特定共有持分の割合」という。）を乗じて得た面積が200平方メートル以下となる当該特定共有持分を有しているもの

（二）　次に掲げる各被災共用土地納税義務者
　イ　特例対象者で令和５年度又は令和６年度に係る賦課期日において当該被災共用土地の面積にその者の当該被災共用土地に係る共有持分（平成28年４月14日以後にその者が取得した当該被災共用土地に係る共有持分を除く。以下イにおいて同じ。）の割合を乗じて得た面積が200平方メートルを超えることとなる当該共有持分を有しているもの
　ロ　相続人等で令和５年度又は令和６年度に係る賦課期日において当該被災共用土地の面積に相続等に係る特定共有持分の割合を乗じて得た面積が200平方メートルを超えることとなる当該特定共有持分を有しているもの

イ　$\dfrac{1}{A} \times \left\{ B \times \dfrac{C + (200\text{平方メートル} \times D - E \times F) \times \dfrac{E \times G - C}{E \times H - 200\text{平方メートル} \times I}}{J} + K \times \dfrac{E \times G - C - (200\text{平方メートル} \times D - E \times F) \times \dfrac{E \times G}{E \times H - 200\text{平方メートル} \times I}}{L} \right\} \times \dfrac{1}{G}$

ロ　$\dfrac{1}{A} \times \dfrac{B \times E}{J}$

$J < E \times (F + H)$ である場合にはイの算式を用い、$J \geqq E \times (F + H)$ である場合にはロの算式を用いる。
（算式の符号）
　A　当該被災共用土地に係る固定資産税の課税標準となるべき額
　B　当該被災共用土地に係る小規模住宅用地である部分に係る固定資産税の課税標準に相当する額
　C　200平方メートル（（一）のイに掲げる被災共用土地納税義務者又は（一）のロに掲げる相続人等に係る特例対象者（Dにおいて「専有部分の従前所有者」という。）が所有していた専有部分が二以上の部分に独立的に区画されていた場合には、200平方メートルに当該専有部分に存した住居の数（D及びIにおいて「専有部分の住居数」という。）を乗じて得た面積とする。）
　D　各各専有部分の従前所有者が所有していた専有部分の数（二以上の部分に独立的に区画されていた専有部分を所有していた専有部分の従前所有者にあっては、その所有していた当該専有部分の数に専有部分の住居数を乗じたものとする。）を合算したもの
　E　当該被災共用土地の面積
　F　（一）に掲げる各被災共用土地納税義務者の令和５年度又は令和６年度に係る賦課期日における当該被災共用土地に係る（一）の共有持分又は特定共有持分の割合を合算したもの
　G　（二）に掲げる各被災共用土地納税義務者の令和５年度又は令和６年度に係る賦課期日における当該被災共用土地に係る（二）の共有持分又は特定共有持分の割合
　H　（二）に掲げる各被災共用土地納税義務者の令和５年度又は令和６年度に係る賦課期日における当

	該被災共用土地に係る(二)の共有持分又は特定共有持分の割合を合算したもの I　(二)のイに掲げる被災共用土地納税義務者又は(二)のロに掲げる相続人等に係る特例対象者(以下Iにおいて「専有部分の従前所有者」という。)がそれぞれ所有していた専有部分の数(二以上の部分に独立的に区画されていた専有部分を所有していた専有部分の従前所有者にあっては、その所有していた当該専有部分の数に専有部分の住居数を乗じたものとする。)を合算したもの J　当該被災共用土地に係る小規模住宅用地である部分の面積 K　当該被災共用土地に係る一般住宅用地である部分に係る固定資産税の課税標準に相当する額 L　当該被災共用土地に係る一般住宅用地である部分の面積
(三)　次に掲げる被災共用土地納税義務者 　イ　平成28年度に係る賦課期日において人の居住の用に供する部分(別荘の用に供する部分を除く。(14)において同じ。)を有しない専有部分を有していた者 　ロ　平成28年4月14日以後に当該被災共用土地に係る共有持分を取得した者(相続人等を除く。)	$$\frac{A-(B+C)}{A \times D}$$ (算式の符号) A　当該被災共用土地に係る固定資産税の額 B　(一)に掲げる各被災共用土地納税義務者の当該被災共用土地に係る固定資産税の額を合算したもの C　(二)に掲げる各被災共用土地納税義務者の当該被災共用土地に係る固定資産税の額を合算したもの D　(三)に掲げる各被災共用土地納税義務者の令和5年度又は令和6年度に係る賦課期日における当該被災共用土地に係る共有持分の割合を合算したもの

　　　(併用専有部分に係る持分の割合の補正)
(14)　被災共用土地に係る被災区分所有家屋の専有部分で平成28年度に係る賦課期日において人の居住の用に供する部分及び人の居住の用に供する部分以外の部分を併せ有していたもの(以下(14)及び(15)において「併用専有部分」という。)を平成28年4月13日において所有していた者(以下「特例対象者」という。)で被災共用土地納税義務者であるもの又は(4)の(三)から(五)までの規定により特例対象者からその者が同日において有していた当該被災共用土地に係る共有持分(以下「特例適用共有持分」という。)を取得した(5)の(一)のイに規定する相続人等((4)の(三)又は(五)の規定により相続人等から特例適用共有持分を取得した相続人等を含む。以下「相続人等」という。)がある場合には、当該被災共用土地納税義務者であるもの又は当該相続人等(以下(14)及び(15)において「併用専有部分に係る被災共用土地納税義務者」という。)の令和5年度又は令和6年度に係る賦課期日における当該被災共用土地に係る特例適用共有持分の割合(当該相続人等に係る特例対象者につき相続人等が複数ある場合には、当該特例対象者に係る各相続人等の当該被災共用土地に係る特例適用共有持分の割合を合算したものとする。以下「特定割合」という。)に当該人の居住の用に供する部分の床面積の当該専有部分の床面積に対する割合(以下「居住割合」という。)を乗じて得た数値を当該被災共用土地の面積に乗じて得た面積が200平方メートル以下であるときは当該併用専有部分に係る被災共用土地納税義務者をもって(13)の表の(一)及び(三)に掲げる各被災共用土地納税義務者とみなし、当該面積が200平方メートルを超えるときは当該併用専有部分に係る被災共用土地納税義務者をもって同表の(二)及び(三)に掲げる各被災共用土地納税義務者とみなし、特定割合に居住割合を乗じて得た数値をもって当該(一)又は(二)に掲げる各被災共用土地納税義務者の令和5年度又は令和6年度に係る賦課期日における当該被災共用土地に係る共有持分又は特定共有持分の割合とみなし、特定割合に当該人の居住の用に供する部分以外の部分の床面積の当該専有部分の床面積に対する割合を乗じて得た数値をもって当該(三)に掲げる各被災共用土地納税義務者の令和5年度又は令和6年度に係る賦課期日における当該被災共用土地に係る共有持分の割合とみなして、(13)の規定を適用する。この場合

において、当該併用専有部分に係る被災共用土地納税義務者については、次の算式により計算した数値をもって当該併用専有部分に係る被災共用土地納税義務者の当該被災共用土地に係る持分の割合に乗ずるべき数値とする。(規附7の3⑥)

算式
$$\alpha \times K + \beta \times (1-K)$$
(算式の符号)
α　(13)の表の(一)又は(二)に定める算式により計算した数値
β　(13)の表の(三)に定める算式により計算した数値
K　居住割合

(新たな共有持分を取得した場合の(13)の規定の適用)
(15)　(13)の表の(一)若しくは(二)に掲げる被災共用土地納税義務者又は併用専有部分に係る被災共用土地納税義務者が平成28年4月14日以後に当該被災共用土地に係る共有持分((4)の(三)から(五)までの規定によりその者が取得した共有持分を除く。以下「新たな共有持分」という。)を取得した場合には、当該新たな共有持分については、当該新たな共有持分を取得した被災共用土地納税義務者をもって同表の(三)に掲げる被災共用土地納税義務者の一人とみなし、当該新たな共有持分の面積の当該被災共用土地の面積に対する割合を同(三)に掲げる各被災共用土地納税義務者の当該被災共用土地に係る共有持分の割合とみなして、(13)の規定を適用する。(規附7の3⑦)

(被災共用土地の面積が当該被災共用土地に係る被災区分所有家屋の床面積の10倍の面積を超える場合の持分の割合の補正)
(16)　(13)から(15)の規定は、被災共用土地の面積が当該被災共用土地に係る被災区分所有家屋の床面積の10倍の面積を超える場合における(11)の規定による当該被災共用土地に係る持分の割合の補正について準用する。この場合において、次の表の左欄に掲げる規定中同表の中欄に掲げる字句又は算式は、それぞれ同表の右欄に掲げる字句又は算式に読み替えるものとする。(規附7の3⑧)

(13)の表の(一)	当該被災共用土地の面積	当該被災共用土地に係る被災区分所有家屋の床面積の10倍の面積
	$\dfrac{1}{A} \times \dfrac{B \times C}{D}$	$\dfrac{1}{A} \times \left[\dfrac{B \times E}{D} + F \times \dfrac{C-E}{G} \right]$
	D　当該被災共用土地に係る小規模住宅用地である部分の面積	D　当該被災共用土地に係る小規模住宅用地である部分の面積 E　当該被災共用土地に係る被災区分所有家屋の床面積の10倍の面積 F　当該被災共用土地に係る非住宅用地である部分に係る固定資産税の課税標準に相当する額 G　当該被災共用土地に係る非住宅用地である部分の面積
(13)の表の(二)	当該被災共用土地の面積	当該被災共用土地に係る被災区分所有家屋の床面積の10倍の面積
	$\dfrac{1}{A} \times \left\{ B \times \dfrac{C+(200\text{平方メートル} \times D - E \times F)}{J} \times \dfrac{E \times G - C}{E \times H - 200\text{平方メートル} \times I} + K \times \dfrac{E \times G - \dfrac{C-(200\text{平方メートル} \times D - E \times F) \times \dfrac{E \times H}{L}}{\dfrac{E \times G - C}{200\text{平方メートル} \times I}} \times \dfrac{1}{G} \right\}$	$\dfrac{1}{A} \times \left\{ \left[B \times \dfrac{C+(200\text{平方メートル} \times D - M \times F)}{J} \times \dfrac{M \times G - C}{M \times H - 200\text{平方メートル} \times I} + K \times \dfrac{M \times G - \dfrac{C-(200\text{平方メートル} \times D - M \times F) \times \dfrac{M \times H}{L}}{\dfrac{M \times G - C}{200\text{平方メートル} \times I}} \right] \times \dfrac{1}{G} + N \times \dfrac{E-M}{O} \right\}$

		$\dfrac{1}{A} \times \dfrac{B \times E}{J}$	$\dfrac{1}{A} \times \left[\dfrac{B \times M}{J} + N \times \dfrac{E-M}{O} \right]$
		$E \times (F+H)$	$M \times (F+H)$
		L　当該被災共用土地に係る一般住宅用地である部分の面積	L　当該被災共用土地に係る一般住宅用地である部分の面積 M　当該被災共用土地に係る被災区分所有家屋の床面積の10倍の面積 N　当該被災共用土地に係る非住宅用地である部分に係る固定資産税の課税標準に相当する額 O　当該被災共用土地に係る非住宅用地である部分の面積
(14)		当該被災共用土地の面積	当該被災共用土地に係る被災区分所有家屋の床面積の10倍の面積

　　　（各特定被災共用土地納税義務者の特定被災共用土地に係る固定資産税の納付義務）
(17)　被災区分所有家屋の敷地の用に供されていた土地で平成28年度分の固定資産税について第一節三の１の⑤の(2)の規定の適用を受けたもの（平成28年４月14日以後に分割された土地を除く。以下(17)及び(25)において「特定被災共用土地」という。）に対して課する令和５年度分又は令和６年度分の固定資産税については、当該特定被災共用土地に係る納税義務者（当該特定被災共用土地に係る被災区分所有家屋に係る一の専有部分で二以上の者が共有していたものがあった場合には、これらの二以上の者を当該特定被災共用土地に係る一の納税義務者であるものとする。以下「特定被災共用土地納税義務者」という。）全員の合意により(11)の規定により按分する場合に用いられる割合に準じて定めた割合により当該特定被災共用土地に係る固定資産税額を按分することを、当該市町村の条例で定めるところにより、市町村長に申し出た場合において、市町村長が(11)の規定による按分の方法を参酌し、当該割合により按分することが適当であると認めたときは、当該特定被災共用土地に係る各特定被災共用土地納税義務者は、第10条の２第１項の規定にかかわらず、当該特定被災共用土地に係る固定資産税額を当該割合により按分した額を、当該各特定被災共用土地納税義務者の当該特定被災共用土地に係る固定資産税として納付する義務を負う。（法附16の２④）

　　　（被災住宅用地の所有者等に係る申告）
(18)　市町村長は、被災住宅用地の所有者等又は被災住宅用地の共有者等が⑰又は(3)の規定の適用を受けようとする場合には、これらの者に、当該市町村の条例で定めるところにより、その旨を申告させることができる。（法附16の２⑤）

　　　（特定仮換地等に対応する従前の土地の全部又は一部が被災住宅用地である場合）
(19)　第一節三の２の④に規定する仮換地等（平成28年１月２日以後に使用し、又は収益することができることとなったものに限る。以下「特定仮換地等」という。）に対応する従前の土地の全部又は一部が被災住宅用地である場合において、令和５年度分又は令和６年度分の固定資産税について同④の規定により当該被災住宅用地につき登記簿又は土地補充課税台帳に所有者として登記又は登録がされている被災住宅用地の所有者等をもって当該特定仮換地等に係る同三の１の所有者とみなされたときは、当該特定仮換地等に対して課する令和５年度分又は令和６年度分の固定資産税又は都市計画税については、当該特定仮換地等のうち、従前の土地のうちの被災住宅用地に相当する土地を被災住宅用地とみなして、⑰及び(18)の規定を適用する。この場合において、⑰中「土地以外の土地の全部又は一部で平成28年度に係る賦課期日における当該被災住宅用地の所有者その他の政令で定める者（(18)及び(19)において「被災住宅用地の所有者等」という。）が所有するもの」とあるのは「土地以外の土地」と、「⑰」とあるのは「(19)の規定により読み替えて適用される⑰」と、(18)中「被災住宅用地の所有者等又は被災住宅用地の共有者等が⑰又は(3)」とあるのは「(19)に規定する特定仮換地等に対応する従前の土地の所有者である(19)に規定する被災住宅用地の所有者等が(19)の規定により読み替えて適用される⑰」とする。（法附16の２⑥）

　　　（住宅用地とみなされた土地のうち政令で定めるものの読替規定）
(20)　(19)の規定により読み替えて適用される⑰の規定により読み替えて適用される一の５の②に規定する住宅用地と

みなされた土地のうち政令で定めるものは、(19)の規定により読み替えて適用される⑰の規定により住宅用地と見された土地に対応する従前の土地のうち被災住宅用地が⑰の規定により住宅用地とみなされるとしたならば⑰の規定により読み替えて適用される同②の規定の適用を受けることとなる土地に相当する土地とする。(令附12の4⑨)

(特定仮換地等に対応する従前の土地の全部又は一部が特定被災住宅用地である場合の読替規定)
(21) 特定仮換地等に対応する従前の土地の全部又は一部が特定被災住宅用地である場合において、令和5年度分又は令和6年度分の固定資産税について第一節三の2の④の規定により当該特定被災住宅用知につき登記簿又は土地補充課税台帳に所有者として登記又は登録がされている者をもって当該特定仮換地等に係る⑰の所有者とみなされたときは、当該仮換地等に対して課する令和5年度分又は令和6年度分の固定資産税又は都市計画税については、(19)の規定を準用する。この場合において、(19)中「従前の土地のうちの被災住宅用地に相当する土地」とあるのは「従前の土地のうちの特定被災住宅用地に相当する土地」と、「(19)」とあるのは「(21)において準用する(19)」と、「(21)」とあるのは「(21)において準用する(23)」と、「である(19)に規定する被災住宅用地の所有者等」とあるのは「又は共有者である被災住宅用地の共有者等」と読み替えるものとする。(法附16の2⑦)

((21)の規定の適用がある場合の読替規定)
(22) (20)の規定は、(21)の規定の適用がある場合について準用する。この場合において、(20)中「(19)」とあるのは「(21)において準用する(19)」と、「被災住宅用地が⑰」とあるのは「(3)に規定する特定被災住宅用地が(3)において準用する⑰」と読み替えるものとする。(令附12の4⑩)

(特定仮換地等に対して課する令和5年度分又は令和6年度分の固定資産税について特定仮換地等を被災共用土地とみなす規定)
(23) 特定仮換地等に対応する従前の土地が被災共用土地である場合において、令和5年度分又は令和6年度分の固定資産税について第一節三の2の④の規定により当該被災共用土地につき登記簿又は土地補充課税台帳に所有者として登記又は登録がされている者をもって当該特定仮換地等に係る同三の1の所有者とみなされたときは、当該特定仮換地等に対して課する令和5年度分又は令和6年度分の固定資産税については、当該特定仮換地等を被災共用土地とみなして、(11)の規定を適用する。この場合において、(11)中「被災共用土地に係る被災区分所有家屋」とあるのは「特定仮換地等に対応する従前の土地である被災共用土地に係る被災区分所有家屋」と、「被災共用土地納税義務者」とあるのは「特定仮換地等納税義務者」と、「被災共用土地に係る持分の割合」とあるのは「特定仮換地等に対応する従前の土地である被災共用土地に係る持分の割合」と、「⑰((21)において準用する場合を含む。)」とあるのは「(19)((21)において準用する場合を含む。)の規定により読み替えて適用される⑰」とする。(法附16の2⑧)

(読替規定)
(24) (23)の規定の適用がある場合における(12)から(16)までの規定の適用については、これらの規定中「被災共用土地納税義務者」とあるのは「特定仮換地等納税義務者」とするほか、次の表の左欄に掲げる規定中同表の中欄に掲げる字句は、それぞれ同表の右欄に掲げる字句とする。(規附7の3⑨)

(12)の(一)及び(二)列記以外の部分	(11)	(23)により読み替えて適用される(11)
(12)の(一)	(11)	(23)により読み替えて適用される(11)
	被災共用土地	特定仮換地等
	⑰((3)において準用する場合を含む。(二)において同じ。)	(19)((21)において準用する場合を含む。(二)において同じ。)の規定により読み替えて適用される⑰
(12)の(二)	被災共用土地	特定仮換地等
	⑰	(19)の規定により読み替えて適用される⑰
(13)の表以外の部分	被災共用土地の面積	特定仮換地等の面積

	被災共用土地に係る被災区分所有家屋	特定仮換地等に対応する従前の土地である被災共用土地に係る被災区分所有家屋
	(11)	(23)の規定により読み替えて適用される(11)
	(11)の	(23)の規定により読み替えて適用される(11)の
	被災共用土地に係る持分の割合	特定仮換地等に対応する従前の土地である被災共用土地に係る持分の割合
	被災共用土地に係る次の	特定仮換地等に係る次の
(13)の表の(一)	被災共用土地の面積	特定仮換地等の面積
	被災共用土地に係る共有持分	特定仮換地等に対応する従前の土地である被災共用土地に係る共有持分
	被災共用土地に係る特定共有持分	特定仮換地等に対応する従前の土地である被災共用土地に係る特定共有持分
	被災共用土地に係る固定資産税	特定仮換地等に係る固定資産税
	被災共用土地に係る小規模住宅用地	特定仮換地等に係る小規模住宅用地
	被災共用土地の面積	特定仮換地等の面積
(13)表の(二)	被災共用土地の面積	特定仮換地等の面積
	被災共用土地に係る共有持分	特定仮換地等に対応する従前の土地である被災共用土地に係る共有持分
	被災共用土地に係る固定資産税	特定仮換地等に係る固定資産税
	被災共用土地に係る小規模住宅用地	特定仮換地等に係る小規模住宅用地
	被災共用土地納税義務者	特定仮換地等納税義務者
	被災共用土地の面積	特定仮換地等の面積
	被災共用土地に係る同号の共有持分又は特定共有持分の割合	特定仮換地等に対応する従前の土地である被災共用土地に係る同号の共有持分又は特定共有持分の割合
	被災共用土地に係る一般住宅用地	特定仮換地等に係る一般住宅用地
(13)の表の(三)	被災共用土地に係る共有持分	特定仮換地等に対応する従前の土地である被災共用土地に係る共有持分
	被災共用土地に係る固定資産税	特定仮換地等に係る固定資産税
	被災共用土地納税義務者	特定仮換地等納税義務者
	被災共用土地に係る共有持分	特定仮換地等に対応する従前の土地である被災共用土地に係る共有持分
(14)	被災共用土地に係る被災区分所有家屋	特定仮換地等に対応する従前の土地である被災共用土地に係る被災区分所有家屋
	被災共用土地に係る共有持分	特定仮換地等に対応する従前の土地である被災共用土地に係る共有持分
	被災共用土地に係る特例適用共有持分	特定仮換地等に対応する従前の土地である被災共用土地に係る特例適用共有持分

	被災共用土地の面積	特定仮換地等の面積
	被災共用土地に係る共有持分又は特定共有持分	特定仮換地等に対応する従前の土地である被災共用土地に係る共有持分又は特定共有持分
(15)	被災共用土地に係る共有持分	特定仮換地等に対応する従前の土地である被災共用土地に係る共有持分
	被災共用土地の面積	特定仮換地等の面積
(16)の表以外の部分	被災共用土地の面積	特定仮換地等の面積
	被災共用土地に係る被災区分所有家屋	特定仮換地等に対応する従前の土地である被災共用土地に係る被災区分所有家屋
	被災共用土地に係る持分の割合	特定仮換地等に対応する従前の土地である被災共用土地に係る持分の割合
(16)の表の(13)の表の(一)の項	被災共用土地の面積	特定仮換地等の面積
	被災共用土地に係る被災区分所有家屋	特定仮換地等に対応する従前の土地である被災共用土地に係る被災区分所有家屋
	被災共用土地に係る小規模住宅用地	特定仮換地等に係る小規模住宅用地
	被災共用土地に係る被災区分所有家屋	特定仮換地等に対応する従前の土地である被災共用土地に係る被災区分所有家屋
	被災共用土地に係る非住宅用地	特定仮換地等に係る非住宅用地
(16)の表の(13)の表の(二)の項	被災共用土地の面積	特定仮換地等の面積
	被災共用土地に係る被災区分所有家屋	特定仮換地等に対応する従前の土地である被災共用土地に係る被災区分所有家屋
	被災共用土地に係る一般住宅用地	特定仮換地等に係る一般住宅用地
	被災共用土地に係る被災区分所有家屋	特定仮換地等に対応する従前の土地である被災共用土地に係る被災区分所有家屋
	被災共用土地に係る非住宅用地	特定仮換地等に係る非住宅用地
(16)の表の(14)の項	被災共用土地の面積	特定仮換地等の面積
	被災共用土地に係る被災区分所有家屋	特定仮換地等に対応する従前の土地である被災共用土地に係る被災区分所有家屋

　　　（特定仮換地等に対して課する令和3年度分又は令和4年度分の固定資産税については特定仮換地等を被災共用土地とみなす規定）

(25)　特定仮換地等に対応する従前の土地が特定被災共用土地である場合において、令和3年度分又は令和4年度分の固定資産税について第一節三の2の④の規定により当該特定被災共用土地につき登記簿又は土地補充課税台帳に所有者として登記又は登録がされている者をもって当該特定仮換地等に係る⑰の所有者とみなされたときは、当該特定仮換地等に対して課する令和3年度分又は令和4年度分の固定資産税については、当該特定仮換地等を被災共用土地とみなして、(17)の規定を適用する。この場合において、(17)中「特定被災共用土地に係る被災区分所有家屋」とあるのは「特定仮換地等に対応する従前の土地である特定被災共用土地に係る被災区分所有家屋」と、「特定被災共用土地納税義務者」とあるのは「特定仮換地等納税義務者」とする。（法附16の2⑨）

第三編第三章《固定資産税》第二節《課税標準、税率及び免税点》

　　　（令和３年４月１日から令和５年３月31日までの間に被災家屋に代わるものを取得した場合の固定資産税額及び都市計画税額の減額）
(26)　市町村は、平成28年熊本地震により滅失し、又は損壊した家屋の所有者（当該家屋が共有物である場合には、その持分を有する者を含む。）その他の(27)で定める者が、(28)で定める区域内に令和３年４月１日から令和５年３月31日までの間に、当該滅失し、若しくは損壊した家屋に代わるものと市町村長が認める家屋を取得し、又は当該損壊した家屋を最初に改築した場合における当該取得され、又は改築された家屋に対して課する固定資産税又は都市計画税については、当該家屋が取得され、又は改築された日（当該家屋が令和３年４月１日以後において２回以上改築された場合には、その最初に改築された日。以下同じ。）の属する年の翌年の１月１日（当該家屋が取得され、又は改築された日が１月１日である場合には、同日）を賦課期日とする年度から４年度分の固定資産税又は都市計画税については、当該家屋に係る固定資産税額（②から⑭までの規定の適用を受ける家屋にあっては、これらの規定の適用後の額。以下同じ。）又は都市計画税額（②から⑭までの規定の適用を受ける家屋にあっては、これらの規定の適用後の額。以下同じ。）のうち、(26)の規定の適用を受ける部分に係る税額として(29)で定めるところにより算定した額（当該家屋が区分所有に係る家屋である場合又は共有物である家屋である場合には、(26)の規定の適用を受ける部分に係る税額として各区分所有者又は各共有者ごとに(29)で定めるところにより算定した額の合算額）のそれぞれ２分の１に相当する額を当該家屋に係る固定資産税額又は都市計画税額から減額するものとする。（法附16の２⑩）

　　　（(26)に規定する政令で定める者）
(27)　(26)に規定する(27)で定める者は、次に掲げる者とする。（令附12の４⑪）
　(一)　(26)に規定する滅失し、又は損壊した家屋（以下「被災家屋」という。）の所有者（当該被災家屋が共有物である場合には、その持分を有する者を含む。）
　(二)　(一)に掲げる者（(二)に規定する相続人を含む。）が個人である場合においてその者について相続があったときにおけるその者の相続人
　(三)　(26)に規定する取得され、又は改築された家屋（(29)において「特例適用家屋」という。）に個人である(一)に掲げる者と同居するその者の三親等内の親族
　(四)　(一)に掲げる者（(四)に規定する合併後存続する法人若しくは合併により設立された法人又は分割承継法人（法人税法第２条第12号の３に規定する分割承継法人をいう。以下(四)及び(32)の(四)において同じ。）を含む。）が法人である場合において、当該法人が合併により消滅したときにおけるその合併に係る合併後存続する法人若しくは合併により設立された法人又は当該法人が分割により被災家屋に係る事業を承継させたときにおけるその分割に係る分割承継法人

　　　（(26)に規定する政令で定める区域）
(28)　(26)に規定する(28)で定める区域は、平成28年熊本地震に際し被災者生活再建支援法が適用された市町村の区域（(33)において「被災区域」という。）とする。（令附12の４⑫）

　　　（(26)に規定する政令で定めるところにより算定した額）
(29)　(26)に規定する(29)で定めるところにより算定した額は、次の各号に掲げる特例適用家屋の区分に応じ、当該各号に定める額とする。（令附12の４⑬）
　(一)　区分所有に係る特例適用家屋（第一節一の表の（十二）に規定する区分所有に係る家屋（以下「区分所有に係る家屋」という。）である特例適用家屋をいう。）及び共有物である特例適用家屋以外の特例適用家屋　　当該特例適用家屋に係る固定資産税額（当該特例適用家屋が②から⑭までの規定の適用を受ける場合には、これらの規定の適用後の額）又は都市計画税額（当該特例適用家屋が②から⑭までの規定の適用を受ける場合には、これらの規定の適用後の額）に、被災家屋の床面積（当該被災家屋が区分所有に係る家屋であるときは、(27)の(一)に掲げる者が所有していた当該被災家屋の専有部分の床面積とし、当該被災家屋が共有物であるときは、同(一)に掲げる者が有していた当該被災家屋に係る持分の割合を当該被災家屋の床面積に乗じて得た面積とする。(二)及び(三)において同じ。）を当該特例適用家屋の床面積で除して得た数値（当該数値が１を超える場合には、１）をそれぞれ乗じて得た額
　(二)　区分所有に係る特例適用家屋　　当該特例適用家屋の専有部分に係る区分所有者（第一節三の１の④に規定する区分所有者をいう。）が同④又は第四章の⑩の規定によりその例によることとされる同④の規定により納付する義務を負うものとされる固定資産税額（当該特例適用家屋が②から⑭までの規定の適用を受け、かつ、当該専有部分がこれらの規定の適用を受ける部分である場合には、これらの規定の適用後に当該区分所有者が納付する義務を負

うものとされる額）又は都市計画税額（当該特例適用家屋が⑭の規定の適用を受け、かつ、当該専有部分が⑭の規定の適用を受ける部分である場合には、⑭の規定の適用後に当該区分所有者が納付する義務を負うものとされる額）に、被災家屋の床面積を当該特例適用家屋の専有部分の床面積で除して得た数値（当該数値が１を超える場合には、１）をそれぞれ乗じて得た額
　　（三）　共有物である特例適用家屋　当該特例適用家屋に係る固定資産税額（当該特例適用家屋が②から⑭までの規定の適用を受ける場合には、これらの規定の適用後の額）又は都市計画税額（当該特例適用家屋が②から⑭までの規定の適用を受ける場合には、これらの規定の適用後の額）に、被災家屋の床面積（当該被災家屋の床面積が(27)の（一）から（四）に掲げる者がそれぞれ有している特例適用家屋に係る持分の割合を当該特例適用家屋の床面積に乗じて得た面積を超える場合には、当該面積）を当該特例適用家屋の床面積で除して得た数値をそれぞれ乗じて得た額

　　（被災家屋に共用部分がある場合の特例適用家屋の専有部分の床面積の算定）
(30)　(29)の規定の適用について、(29)中被災家屋（(27)の（一）に規定する被災家屋をいう。）で区分所有に係る家屋であるもの又は(29)の（二）に掲げる区分所有に係る特例適用家屋の専有部分の床面積の算定に関しては、これらの家屋に共用部分がある場合には、その部分の床面積をこれを共用していた又は共用すべき各区分所有者の専有部分の床面積の割合により配分して、それぞれの各区分所有者の専有部分の床面積に算入するものとする。（規附７の３⑩）

　　（適用手続）
(31)　(27)に規定する者が(26)の規定の適用を受けようとする場合には、(32)で定める書類を(27)の規定に規定する市町村長に提出しなければならない。（令附12の４⑮）

　　（(31)に規定する総務省令で定める書類）
(32)　(31)に規定する(32)で定める書類は、次に掲げる書類とする。（規附７の３⑪）
　　（一）　被災家屋を所有していた者の氏名又は名称及び住所又は本店若しくは主たる事務所の所在地、被災家屋に代わるものとして(26)の規定の適用を受けようとする家屋（以下（一）及び（二）において「代替家屋」という。）の所有者の氏名又は名称、住所又は本店若しくは主たる事務所の所在地及び個人番号又は法人番号（行政手続における特定の個人を識別するための番号の利用等に関する法律第２条第15項に規定する法人番号をいう。以下（一）において同じ。）（個人番号又は法人番号を有しない者にあっては、氏名又は名称及び住所又は本店若しくは主たる事務所の所在地）並びに当該被災家屋及び当該代替家屋の所在地を記載した書類並びに当該被災家屋が平成28年熊本地震により被害を受けたことについて当該被災家屋の所在地の市町村長が証する書類その他の当該被災家屋が平成28年熊本地震により滅失し、又は損壊した旨を証する書類
　　（二）　被災家屋が平成28年度分の固定資産税に係る固定資産課税台帳に登録されていた旨を証する書類その他の被災家屋が存したことを証する書類及び代替家屋の詳細を明らかにする書類
　　（三）　(27)の（二）から（四）までに掲げる者（以下「相続人等」という。）が(26)の規定の適用を受けようとする場合には、（一）、（二）に掲げるもののほか、戸籍の謄本又は法人に係る登記事項証明書その他のその適用を受けようとする者が相続人等に該当する旨を証する書類

⑱　平成30年７月豪雨に係る被災住宅用地等に対する固定資産税及び都市計画税の特例

　平成30年７月豪雨により滅失し、又は損壊した家屋の敷地の用に供されていた土地で平成30年度分の固定資産税について一の５《住宅用地に対する課税標準の特例》の規定の適用を受けたもの（以下「被災住宅用地」という。）のうち、令和５年度又は令和６年度に係る賦課期日において家屋又は構築物の敷地の用に供されている土地以外の土地の全部又は一部で平成30年度に係る賦課期日における当該被災住宅用地の所有者その他の(1)で定める者（(18)及び(19)において「被災住宅用地の所有者等」という。）が所有するものに対して課する令和５年度分又は令和６年度分の固定資産税又は都市計画税については、当該土地を令和５年度又は令和６年度に係る賦課期日において同５の①に規定する住宅用地（以下「住宅用地」という。）として使用することができないと市町村長が認める場合に限り、当該土地を住宅用地とみなして、この法律の規定（同５の②及び第一節四の規定を除く。）を適用する。この場合において、同５の②中「住宅用地のうち、次の各号に掲げる区分に応じ、当該各号に定める住宅用地に該当するもの」とあるのは、「⑱の規定により住宅用地とみなされた土地のうち(2)で定めるもの」とする。（法附16の３①）

（⑱に規定する政令で定める者）
（1）　⑱に規定する（1）で定める者は、次に掲げる者とする。（令附12の5①）
　（一）　平成30年度に係る賦課期日における⑱に規定する被災住宅用地（以下「被災住宅用地」という。）の所有者
　（二）　平成30年1月2日から同年6月27日までの間に被災住宅用地の全部又は一部を取得した者
　（三）　（一）及び（二）に掲げる者（（三）の規定により相続により被災住宅用地の全部又は一部を取得した者を含む。）が個人である場合において、平成30年6月28日以後にその者についての相続によりその者が所有していた被災住宅用地の全部又は一部を取得した者
　（四）　（一）又は（二）に掲げる者が個人である場合において、平成30年6月28日以後にその者から被災住宅用地の全部又は一部を取得したその者の三親等内の親族（（三）に該当する者を除く。）
　（五）　（一）又は（二）に掲げる者（（五）の規定により合併又は分割により被災住宅用地の全部又は一部を取得した者を含む。）が法人である場合において、平成30年6月28日以後に当該法人をその当事者とする合併又は分割により当該法人が所有していた被災住宅用地の全部又は一部を取得した法人

　　　（住宅用地とみなされた土地のうち政令で定めるもの）
（2）　⑱の規定により読み替えて適用される一の5の②に規定する住宅用地とみなされた土地のうち（2）で定めるものは、⑱の規定により同5の①に規定する住宅用地（以下「住宅用地」という。）とみなされた土地の面積に当該住宅用地とみなされた土地に係る被災住宅用地のうち平成30年度分の固定資産税について同5の②の規定の適用を受けたものの面積の当該被災住宅用地の面積に対する割合を乗じて得た面積に相当する土地とする。（令附12の5②）

　　　（被災住宅用地の共有者等が当該被災住宅用地の全部若しくは一部を所有し、又はその全部若しくは一部について共有部分を有している場合）
（3）　平成30年度に係る賦課期日において被災住宅用地を所有し、又はその共有持分を有していた者その他の（4）で定める者（以下「被災住宅用地の共有者等」という。）が、令和5年度又は令和6年度に係る賦課期日において、当該被災住宅用地の全部若しくは一部を所有し、又はその全部若しくは一部について共有持分を有している場合（⑱の規定の適用がある場合を除く。）には、令和5年度又は令和6年度に係る賦課期日において当該被災住宅用地の共有者等が所有し、又は共有持分を有している当該被災住宅用地の全部又は一部のうち（5）で定めるもの（㉑において「特定被災住宅用地」という。）で家屋又は構築物の敷地の用に供されている土地以外の土地に対して課する令和5年度分又は令和6年度分の固定資産税又は都市計画税については、⑱の規定を準用する。この場合において、⑱中「⑱」とあるのは、「（3）において準用する⑱」と読み替えるものとする。（法附16の3②）

　　　（（3）に規定する政令で定める者）
（4）　（3）に規定する（4）で定める者は、次に掲げる者とする。（令附12の5③）
　（一）　平成30年度に係る賦課期日において被災住宅用地を所有し、又はその共有持分を有していた者
　（二）　平成30年1月2日から同年6月27日までの間に被災住宅用地の全部若しくは一部又は被災住宅用地の全部若しくは一部の共有持分を取得した者
　（三）　（一）又は（二）に掲げる者（（三）の規定により相続により被災住宅用地の全部若しくは一部又は被災住宅用地の全部若しくは一部の共有持分を取得した者を含む。）が個人である場合において、平成30年6月28日以後にその者についての相続によりその者が所有し、又は共有持分を有していた被災住宅用地の全部又は一部について、その全部若しくは一部を取得し、又はその全部若しくは一部の共有持分を取得した者
　（四）　（一）又は（二）に掲げる者が個人である場合において、平成30年6月28日以後にその者から被災住宅用地の全部又は一部について、その全部若しくは一部を取得し、又はその全部若しくは一部の共有持分を取得したその者の三親等内の親族（（三）に該当する者を除く。）
　（五）　（一）又は（二）に掲げる者（（五）の規定により合併又は分割により被災住宅用地の全部若しくは一部又は被災住宅用地の全部若しくは一部の共有持分を取得した者を含む。）が法人である場合において、平成30年6月28日以後に当該法人をその当事者とする合併又は分割により当該法人が所有し、又は共有持分を有していた被災住宅用地の全部又は一部について、その全部若しくは一部を取得し、又はその全部若しくは一部の共有持分を取得した法人

　　　（（3）に規定する被災住宅用地の全部又は一部のうち政令で定めるもの）
（5）　（3）に規定する被災住宅用地の全部又は一部のうち（5）で定めるものは、次の各号に掲げる土地の区分に応じ、当該各号に定める土地とする。（令附12の5④）

第三編第三章《固定資産税》第二節《課税標準、税率及び免税点》

(一) (3)に規定する被災共用土地又は(9)に規定する特定被災共用土地((二)及び(8)において「被災共用土地等」という。)である土地以外の土地　次に掲げる場合の区分に応じ、それぞれ次に定める土地
　イ　(4)の(一)又は(二)に掲げる者(以下(一)及び(8)において「従前所有者等」という。)が平成30年6月27日において被災住宅用地の全部又は一部について共有持分を有しており、かつ、当該従前所有者等又は当該従前所有者等に係る(4)の(三)から(五)までに掲げる者(以下「相続人等」という。)が令和5年度又は令和6年度に係る賦課期日において当該被災住宅用地の全部又は一部を所有している場合　その所有している当該被災住宅用地の全部又は一部(その所有している当該被災住宅用地の全部又は一部の面積が当該従前所有者等が平成30年6月27日において共有持分を有していた当該被災住宅用地の全部又は一部に係る当該共有持分の割合に応ずる被災住宅用地の面積(相続人等が当該被災住宅用地の全部又は一部を所有している場合には、(4)の(三)から(五)までの規定により当該相続人等が取得した当該被災住宅用地の一部の面積又はこれらの規定により当該相続人等が取得した当該被災住宅用地の全部若しくは一部に係る共有持分の割合に応ずる被災住宅用地の面積のうち、(6)で定めるもの)を超える場合には、当該面積に相当する土地)
　ロ　従前所有者等が平成30年6月27日において被災住宅用地の全部又は一部を所有しており、かつ、当該従前所有者等又は相続人等が令和5年度又は令和6年度に係る賦課期日において当該被災住宅用地の全部又は一部について共有持分を有している場合　従前所有者等又は各相続人等が共有持分を有している当該被災住宅用地の全部又は一部に係る当該共有持分の割合に応ずる被災住宅用地の面積(当該面積が当該従前所有者等が平成30年6月27日において所有していた当該被災住宅用地の全部又は一部の面積(相続人等が当該被災住宅用地の全部又は一部について共有持分を有している場合には、(4)の(三)から(五)までの規定により当該相続人等が取得した当該被災住宅用地の全部若しくは一部の面積又はこれらの規定により当該相続人等が取得した当該被災住宅用地の全部若しくは一部に係る共有持分の割合に応ずる被災住宅用地の面積のうち、(7)で定めるもの)を超える場合には、当該面積)の合計に相当する土地
　ハ　従前所有者等が平成30年6月27日において被災住宅用地の全部又は一部について共有持分を有しており、かつ、当該従前所有者等又は相続人等が令和5年度又は令和6年度に係る賦課期日において当該被災住宅用地の全部又は一部について共有持分を有している場合　各従前所有者等又は各相続人等が共有持分を有している当該被災住宅用地の全部又は一部に係る当該共有持分の割合に応ずる被災住宅用地の面積(当該面積が当該従前所有者等が平成30年6月27日において共有持分を有していた当該被災住宅用地の全部又は一部に係る当該共有持分の割合に応ずる被災住宅用地の面積(相続人等が当該被災住宅用地の全部又は一部について共有持分を有している場合には、(4)の(三)から(五)までの規定により当該相続人等が取得した当該被災住宅用地の全部若しくは一部の面積又はこれらの規定により当該相続人等が取得した当該被災住宅用地の全部若しくは一部に係る共有持分の割合に応ずる被災住宅用地の面積のうち、(7)で定めるもの)を超える場合には、当該面積)の合計に相当する土地
(二)　被災共用土地等である土地　当該土地に係る次の表の左欄に掲げる被災区分所有家屋((11)に規定する被災区分所有家屋をいう。)の区分及び同表の中欄に掲げる被災区分所有家屋に係る居住部分に相当する部分の割合の区分に応じ、同表の右欄に掲げる率を当該土地の面積(当該面積が当該被災区分所有家屋の床面積の10倍の面積を超える場合には、当該10倍の面積)に乗じて得た面積に相当する土地(被災区分所有家屋に係る居住部分に相当する部分の割合が4分の1未満である被災区分所有家屋に係る土地を除く。)

被災区分所有家屋	被災区分所有家屋に係る居住部分に相当する部分の割合	率
イ　ロに掲げる被災区分所有家屋以外の被災区分所有家屋	4分の1以上2分の1未満	0.5
	2分の1以上	1.0
ロ　地上階数5以上を有する耐火建築物であった被災区分所有家屋	4分の1以上2分の1未満	0.5
	2分の1以上4分の3未満	0.75
	4分の3以上	1.0

　　((5)の(一)のイに規定する総務省令で定める面積)
(6)　(5)の(一)のイに規定する(6)で定める面積は、同イに規定する従前所有者等(以下「従前所有者等」という。)が平成30年6月27日において共有持分を有していた⑱に規定する被災住宅用地(以下「被災住宅用地」という。)の全部又は一部に係る当該共有持分の割合に応ずる被災住宅用地の面積のうち、次の各号に掲げる場合の区分に応じ、当該各号に定める面積とする。(規附7の4①)

（一）　（4）の（三）から（五）までの規定により（5）の（一）のイに規定する相続人等（（二）及び（7）において「相続人等」という。）が従前所有者等から被災住宅用地の一部又は被災住宅用地の全部若しくは一部に係る共有持分（（二）において「被災住宅用地の一部等」という。）を取得した場合　　その取得した当該被災住宅用地の一部の面積又はその取得した当該被災住宅用地の全部若しくは一部に係る共有持分の割合に応ずる被災住宅用地の面積
　（二）　（4）の（三）又は（五）の規定により相続人等がこれらの規定に掲げる者（以下（二）及び（7）の（二）において「前相続人等」という。）から被災住宅用地の一部等を取得した場合　　（4）の（三）又は（五）の規定により前相続人等が従前所有者等（これらの規定により前相続人等が前相続人等から当該被災住宅用地の一部等を取得した場合における当該被災住宅用地の一部等を取得した前相続人等に係る前相続人等を含む。）から取得した当該被災住宅用地の一部等のうち、これらの規定により当該相続人等が当該前相続人等から取得した当該被災住宅用地の一部の面積又はこれらの規定により当該相続人等が当該前相続人等から取得した当該被災住宅用地の全部若しくは一部に係る共有持分の割合に応ずる被災住宅用地の面積

　　（（5）の（一）のロ及びハに規定する総務省令で定める面積）
（7）　（5）の（一）のロ及びハに規定する（7）で定める面積は、従前所有者等が平成30年6月27日において所有していた被災住宅用地の全部若しくは一部の面積又は共有持分を有していた被災住宅用地の全部若しくは一部に係る当該共有持分の割合に応ずる被災住宅用地の面積のうち、次の各号に掲げる場合の区分に応じ、当該各号に定める面積とする。（規附7の4②）
　（一）　（4）の（三）から（五）までの規定により相続人等が従前所有者等から被災住宅用地の全部若しくは一部又は被災住宅用地の全部若しくは一部に係る共有持分（（二）において「被災住宅用地の全部等」という。）を取得した場合　　その取得した当該被災住宅用地の全部若しくは一部の面積又はその取得した当該被災住宅用地の全部若しくは一部に係る共有持分の割合に応ずる被災住宅用地の面積
　（二）　（4）の（三）又は（五）の規定により相続人等が前相続人等から被災住宅用地の全部等を取得した場合　　これらの規定により前相続人等が従前所有者等（これらの規定により前相続人等が前相続人等から当該被災住宅用地の全部等を取得した場合における当該被災住宅用地の全部等を取得した前相続人等に係る前相続人等を含む。）から取得した当該被災住宅用地の全部等のうち、これらの規定により相続人等が当該前相続人等から取得した当該被災住宅用地の全部若しくは一部の面積又はこれらの規定により当該相続人等が当該前相続人等から取得した当該被災住宅用地の全部若しくは一部に係る共有持分の割合に応ずる被災住宅用地の面積

　　（被災区分所有家屋に係る居住部分に相当する部分の割合）
（8）　（5）の（二）に規定する被災区分所有家屋に係る居住部分に相当する部分の割合とは、令和5年度又は令和6年度に係る賦課期日において平成30年6月27日において有していた被災共用土地等に係る共有持分を引き続き有している従前所有者等（令和5年度又は令和6年度に係る賦課期日において（4）の（三）から（五）までの規定により取得した被災共用土地等に係る共有持分を引き続き有している相続人等に係る従前所有者等を含む。）が平成30年6月27日において所有していた被災区分所有家屋の専有部分（（11）に規定する専有部分をいう。（9）において「特定専有部分」という。）のうち、平成30年度に係る賦課期日において人の居住の用に供する部分（別荘（第二編第七章《不動産取得税》第一節一の（四）の（2）に規定する別荘をいう。（9）において同じ。）の用に供する部分を除く。）であった部分の床面積の合計の当該被災区分所有家屋の床面積に対する割合をいう。（令附12の5⑤）

　　（住宅用地とみなされた土地のうち政令で定めるもの）
（9）　（3）において準用する⑱の規定により読み替えて適用される一の5の③に規定する住宅用地とみなされた土地のうち（9）で定めるものは、次の各号に掲げる土地の区分に応じ、当該各号に定める土地とする。（令附12の5⑦）
　（一）　（5）の（一）の規定の適用がある土地　　（3）において準用する⑰の規定により住宅用地とみなされた土地（以下「住宅用地とみなされた土地」という。）の面積に当該住宅用地とみなされた土地に係る被災住宅用地のうち平成30年度分の固定資産税について一の5の③の規定の適用を受けたものの面積の当該被災住宅用地の面積に対する割合を乗じて得た面積に相当する土地
　（二）　（5）の（二）の規定の適用がある土地　　次に掲げる土地の区分に応じ、それぞれ次に定める土地
　　イ　住宅用地とみなされた土地でその面積が200平方メートル以下であるもの　　当該住宅用地とみなされた土地
　　ロ　住宅用地とみなされた土地でその面積が200平方メートルを超えるもの　　当該住宅用地とみなされた土地の面積を当該住宅用地とみなされた土地に係る被災区分所有家屋の特定専有部分に存した住居でその全部が別荘の用に供されていた住居以外の住居の数（以下ロにおいて「特例適用住居数」という。）で除して得た面積が200平

方メートル以下であるものにあっては当該住宅用地とみなされた土地、当該除して得た面積が200平方メートルを超えるものにあっては200平方メートルに当該特例適用住居数を乗じて得た面積に相当する土地

((9)の(二)のロに規定する特例適用住居数)
(10)　(9)の(二)のロに規定する特例適用住居数は、同ロのその全部が別荘の用に供されていた住居以外の住居が、家屋のうち人の居住の用に供するために独立的に区画された部分又はその一部であった場合には、当該部分の数による。（規附7の4③）

(各被災共用土地納税義務者の被災共用土地に係る固定資産税の納付義務)
(11)　平成30年7月豪雨により滅失し、又は損壊した区分所有に係る家屋（以下「被災区分所有家屋」という。）の敷地の用に供されていた土地で平成30年度分の固定資産税について第一節三の1の⑤の規定の適用を受けたもの（平成30年6月28日以後に分割された土地を除く。以下「被災共用土地」という。）に対して課する令和5年度分又は令和6年度分の固定資産税については、当該被災共用土地に係る納税義務者（当該被災共用土地に係る被災区分所有家屋に係る一の専有部分（建物の区分所有等に関する法律第2条第3項に規定する専有部分をいう。）で二以上の者が共有していたものがあった場合には、これらの二以上の者を当該被災共用土地に係る一の納税義務者であるものとする。以下「被災共用土地納税義務者」という。）は、第10条の2第1項の規定にかかわらず、当該被災共用土地に係る固定資産税額を当該被災共用土地に係る各被災共用土地納税義務者の当該被災共用土地に係る持分の割合（当該被災共用土地が⑱（(3)において準用する場合を含む。）の規定により住宅用地とみなされる部分及び住宅用地とみなされる部分以外の部分を併せ有する土地である場合その他の(12)で定める場合には、(13)で定めるところにより当該持分の割合を補正した割合）により按分した額を、当該各被災共用土地納税義務者の当該被災共用土地に係る固定資産税として納付する義務を負う。（法附16の3③）

(注)　地方税法第10条の2第1項「共有物、共同使用物、共同事業、共同事業により生じた物件又は共同行為に対する地方団体の徴収金は、納税者が連帯して納付する義務を負う。」（編者）

((11)に規定する総務省令で定める場合)
(12)　(11)に規定する(12)で定める場合は、次に掲げる場合とする。（規附7の4④）
(一)　(11)に規定する被災共用土地（以下「被災共用土地」という。）が⑱（(3)において準用する場合を含む。(二)において同じ。）の規定により住宅用地とみなされた土地（以下「住宅用地とみなされた土地」という。）である部分及び住宅用地とみなされた土地以外の土地（(24)において「非住宅用地」という。）である部分を併せ有する土地である場合
(二)　被災共用土地が⑱の規定により読み替えて適用される一5の③の規定の適用を受ける土地（以下「小規模住宅用地」という。）である部分及び小規模住宅用地以外の住宅用地とみなされた土地（以下「一般住宅用地」という。）である部分を併せ有する土地である場合

(被災共用土地に係る持分の割合の補正)
(13)　被災共用土地の面積が当該被災共用土地に係る被災区分所有家屋（(11)に規定する被災区分所有家屋をいう。）の床面積の10倍の面積以下である場合における(11)の規定による当該被災共用土地に係る持分の割合の補正は、当該持分の割合に、当該被災共用土地に係る次の表の左欄に掲げる被災共用土地納税義務者（(11)に規定する被災共用土地納税義務者をいう。）の区分に応じ、同表の右欄に定める算式により計算した数値を乗じて行うものとする。（規附7の4⑤）

被災共用土地納税義務者の区分	算式
(一)　次に掲げる各被災共用土地納税義務者 イ　平成30年度に係る賦課期日においてその全部が人の居住の用に供されていた専有部分（その全部又は一部が別荘（第二編第七章《不動産取得税》第一節一の(四)の(2)に規定する別荘をいう。(三)において同じ。）の用に供されていたものを除く。以下(一)及び(二)において同じ。）を平成30年6月27日において所有していた者（以下「特例対象者」という。）で令和5年度又は令和6年度に係る賦課期日において	$\dfrac{1}{A} \times \dfrac{B \times C}{D}$ （算式の符号） A　当該被災共用土地に係る固定資産税の課税標準となるべき額 B　当該被災共用土地に係る小規模住宅用地である部分に係る固定資産税の課税標準に相当する額 C　当該被災共用土地の面積 D　当該被災共用土地に係る小規模住宅用地である

当該被災共用土地の面積にその者の当該被災共用土地に係る共有持分（同月28日以後にその者が取得した当該被災共用土地に係る共有持分を除く。以下イにおいて同じ。）の割合を乗じて得た面積が200平方メートル（当該専有部分が二以上の部分に独立的に区画されていた場合には、200平方メートルに当該専有部分に存した住居の数を乗じて得た面積とする。以下(13)及び(14)において同じ。）以下となる当該共有持分を有しているもの ロ　(4)の(三)から(五)までの規定により特例対象者からその者が平成30年６月27日において有していた当該被災共用土地に係る共有持分（以下(13)及び(14)において「特定共有持分」という。）を取得した(5)の(一)のイに規定する相続人等（(4)の(三)又は(五)の規定により相続人等から特定共有持分を取得した相続人等を含む。以下(13)において「相続人等」という。）で令和５年度又は令和６年度に係る賦課期日において当該被災共用土地の面積にその者の当該被災共用土地に係る特定共有持分の割合（当該相続人等に係る特例対象者につき相続人等が複数ある場合には、当該特例対象者に係る各相続人等の当該被災共用土地に係る特定共有持分の割合を合算したものとする。以下「相続等に係る特定共有持分の割合」という。）を乗じて得た面積が200平方メートル以下となる当該特定共有持分を有しているもの	部分の面積
(二)　次に掲げる各被災共用土地納税義務者 イ　特例対象者で令和５年度又は令和６年度に係る賦課期日において当該被災共用土地の面積にその者の当該被災共用土地に係る共有持分（平成30年６月28日以後にその者が取得した当該被災共用土地に係る共有持分を除く。以下イにおいて同じ。）の割合を乗じて得た面積が200平方メートルを超えることとなる当該共有持分を有しているもの ロ　相続人等で令和５年度又は令和６年度に係る賦課期日において当該被災共用土地の面積に相続等に係る特定共有持分の割合を乗じて得た面積が200平方メートルを超えることとなる当該特定共有持分を有しているもの	イ　$\dfrac{1}{A} \times \left\{ B \times \dfrac{C + (200平方メートル \times D - E \times F) \times \dfrac{E \times G - C}{E \times H - 200平方メートル \times I}}{J} + K \times \dfrac{E \times G - C - (200平方メートル \times D - E \times F) \times \dfrac{E \times G}{E \times H - 200平方メートル \times I}}{L} \right\} \times \dfrac{1}{G}$ ロ　$\dfrac{1}{A} \times \dfrac{B \times E}{J}$ $J < E \times (F + H)$ である場合にはイの算式を用い、$J \geqq E \times (F + H)$ である場合にはロの算式を用いる。 （算式の符号） 　A　当該被災共用土地に係る固定資産税の課税標準となるべき額 　B　当該被災共用土地に係る小規模住宅用地である部分に係る固定資産税の課税標準に相当する額 　C　200平方メートル（(一)のイに掲げる被災共用土地納税義務者又は(一)のロに掲げる相続人等に係る特例対象者（Dにおいて「専有部分の従前所有者」という。）が所有していた専有部分が二以上の部分に独立的に区画されていた場合には、200平方メートルに当該専有部分に存した住居の数（D及

	びIにおいて「専有部分の住居数」という。）を乗じて得た面積とする。） D　各専有部分の従前所有者が所有していた専有部分の数（二以上の部分に独立的に区画されていた専有部分を所有していた専有部分の従前所有者にあっては、その所有していた当該専有部分の数に専有部分の住居数を乗じたものとする。）を合算したもの E　当該被災共用土地の面積 F　(一)に掲げる各被災共用土地納税義務者の令和5年度又は令和6年度に係る賦課期日における当該被災共用土地に係る(一)の共有持分又は特定共有持分の割合を合算したもの G　(二)に掲げる各被災共用土地納税義務者の令和5年度又は令和6年度に係る賦課期日における当該被災共用土地に係る(二)の共有持分又は特定共有持分の割合 H　(二)に掲げる各被災共用土地納税義務者の令和5年度又は令和6年度に係る賦課期日における当該被災共用土地に係る(二)の共有持分又は特定共有持分の割合を合算したもの I　(二)のイに掲げる被災共用土地納税義務者又は(二)のロに掲げる相続人等に係る特例対象者（以下Iにおいて「専有部分の従前所有者」という。）がそれぞれ所有していた専有部分の数（二以上の部分に独立的に区画されていた専有部分を所有していた専有部分の従前所有者にあっては、その所有していた当該専有部分の数に専有部分の住居数を乗じたものとする。）を合算したもの J　当該被災共用土地に係る小規模住宅用地である部分の面積 K　当該被災共用土地に係る一般住宅用地である部分に係る固定資産税の課税標準に相当する額 L　当該被災共用土地に係る一般住宅用地である部分の面積
(三)　次に掲げる被災共用土地納税義務者 　イ　平成30年度に係る賦課期日において人の居住の用に供する部分（別荘の用に供する部分を除く。(14)において同じ。）を有しない専有部分を有していた者 　ロ　平成30年6月28日以後に当該被災共用土地に係る共有持分を取得した者（相続人等を除く。）	$\dfrac{A-(B+C)}{A\times D}$ （算式の符号） A　当該被災共用土地に係る固定資産税の額 B　(一)に掲げる各被災共用土地納税義務者の当該被災共用土地に係る固定資産税の額を合算したもの C　(二)に掲げる各被災共用土地納税義務者の当該被災共用土地に係る固定資産税の額を合算したもの D　(三)に掲げる各被災共用土地納税義務者の令和5年度又は令和6年度に係る賦課期日における当該被災共用土地に係る共有持分の割合を合算したもの

(併用専有部分に係る持分の割合の補正)
(14) 被災共用土地に係る被災区分所有家屋の専有部分で平成30年度に係る賦課期日において人の居住の用に供する部分及び人の居住の用に供する部分以外の部分を併せ有していたもの(以下(14)及び(15)において「併用専有部分」という。)を平成30年6月27日において所有していた者(以下「特例対象者」という。)で被災共用土地納税義務者であるもの又は(4)の(三)から(五)までの規定により特例対象者からその者が同日において有していた当該被災共用土地に係る共有持分(以下「特例適用共有持分」という。)を取得した(5)の(一)のイに規定する相続人等((4)の(三)又は(五)の規定により相続人等から特例適用共有持分を取得した相続人等を含む。以下「相続人等」という。)がある場合には、当該被災共用土地納税義務者であるもの又は当該相続人等(以下(14)及び(15)において「併用専有部分に係る被災共用土地納税義務者」という。)の令和5年度又は令和6年度に係る賦課期日における当該被災共用土地に係る特例適用共有持分の割合(当該相続人等に係る特例対象者につき相続人等が複数ある場合には、当該特例対象者に係る各相続人等の当該被災共用土地に係る特例適用共有持分の割合を合算したものとする。以下「特定割合」という。)に当該人の居住の用に供する部分の床面積の当該専有部分の床面積に対する割合(以下「居住割合」という。)を乗じて得た数値を当該被災共用土地の面積に乗じて得た面積が200平方メートル以下であるときは当該併用専有部分に係る被災共用土地納税義務者をもって(13)の表の(一)及び(三)に掲げる各被災共用土地納税義務者とみなし、当該面積が200平方メートルを超えるときは当該併用専有部分に係る被災共用土地納税義務者をもって同表の(二)及び(三)に掲げる各被災共用土地納税義務者とみなし、特定割合に居住割合を乗じて得た数値をもって当該(一)又は(二)に掲げる各被災共用土地納税義務者の令和5年度又は令和6年度に係る賦課期日における当該被災共用土地に係る共有持分又は特定共有持分の割合とみなし、特定割合に当該人の居住の用に供する部分以外の部分の床面積の当該専有部分の床面積に対する割合を乗じて得た数値をもって当該(三)に掲げる各被災共用土地納税義務者の令和5年度又は令和6年度に係る賦課期日における当該被災共用土地に係る共有持分の割合とみなして、(13)の規定を適用する。この場合において、当該併用専有部分に係る被災共用土地納税義務者については、次の算式により計算した数値をもって当該併用専有部分に係る被災共用土地納税義務者の当該被災共用土地に係る持分の割合に乗ずるべき数値とする。(規附7の4⑥)

算式
$\alpha \times K + \beta \times (1 - K)$

(算式の符号)
α (13)の表の(一)又は(二)に定める算式により計算した数値
β (13)の表の(三)に定める算式により計算した数値
K 居住割合

(新たな共有持分を取得した場合の(13)の規定の適用)
(15) (13)の表の(一)若しくは(二)に掲げる被災共用土地納税義務者又は併用専有部分に係る被災共用土地納税義務者が平成30年6月28日以後に当該被災共用土地に係る共有持分((4)の(三)から(五)までの規定によりその者が取得した共有持分を除く。以下「新たな共有持分」という。)を取得した場合には、当該新たな共有持分については、当該新たな共有持分を取得した被災共用土地納税義務者をもって同表の(三)に掲げる被災共用土地納税義務者の一人とみなし、当該新たな共有持分の面積の当該被災共用土地の面積に対する割合を同(三)に掲げる各被災共用土地納税義務者の当該被災共用土地に係る共有持分の割合とみなして、(13)の規定を適用する。(規附7の4⑦)

(被災共用土地の面積が当該被災共用土地に係る被災区分所有家屋の床面積の10倍の面積を超える場合の持分の割合の補正)
(16) (13)から(15)の規定は、被災共用土地の面積が当該被災共用土地に係る被災区分所有家屋の床面積の10倍の面積を超える場合における(11)の規定による当該被災共用土地に係る持分の割合の補正について準用する。この場合において、次の表の左欄に掲げる規定中同表の中欄に掲げる字句又は算式は、それぞれ同表の右欄に掲げる字句又は算式に読み替えるものとする。(規附7の4⑧)

(13)の表の(一)	当該被災共用土地の面積	当該被災共用土地に係る被災区分所有家屋の床面積の10倍の面積
	$\dfrac{1}{A} \times \dfrac{B \times C}{D}$	$\dfrac{1}{A} \times \left[\dfrac{B \times E}{D} + F \times \dfrac{C - E}{G} \right]$

		D 当該被災共用土地に係る小規模住宅用地である部分の面積	D 当該被災共用土地に係る小規模住宅用地である部分の面積 E 当該被災共用土地に係る被災区分所有家屋の床面積の10倍の面積 F 当該被災共用土地に係る非住宅用地である部分に係る固定資産税の課税標準に相当する額 G 当該被災共用土地に係る非住宅用地である部分の面積
(13)の表の(二)		当該被災共用土地の面積	当該被災共用土地に係る被災区分所有家屋の床面積の10倍の面積
		$\frac{1}{A} \times \left\{ B \times \frac{C + (200\text{平方メートル} \times D - E \times F)}{J} \times \frac{E \times G - C}{E \times H - 200\text{平方メートル} \times I} + K \times \frac{E \times G - C - (200\text{平方メートル} \times D - E \times F) \times \frac{E \times H - \frac{E \times G - C}{200\text{平方メートル} \times I}}{L}}{200\text{平方メートル} \times I} \times \frac{1}{G} \right\}$	$\frac{1}{A} \times \left\{ \left\{ B \times \frac{C + (200\text{平方メートル} \times D - M \times F)}{J} \times \frac{M \times G - C}{M \times H - 200\text{平方メートル} \times I} + K \times \frac{M \times G - C - (200\text{平方メートル} \times D - M \times F) \times \frac{M \times H - \frac{M \times G - C}{200\text{平方メートル} \times I}}{L}}{200\text{平方メートル} \times I} \times \frac{1}{G} + N \times \frac{E - M}{O} \right\} \right.$
		$\frac{1}{A} \times \frac{B \times E}{J}$	$\frac{1}{A} \times \left\{ \frac{B \times M}{J} + N \times \frac{E - M}{O} \right\}$
		$E \times (F + H)$	$M \times (F + H)$
		L 当該被災共用土地に係る一般住宅用地である部分の面積	L 当該被災共用土地に係る一般住宅用地である部分の面積 M 当該被災共用土地に係る被災区分所有家屋の床面積の10倍の面積 N 当該被災共用土地に係る非住宅用地である部分に係る固定資産税の課税標準に相当する額 O 当該被災共用土地に係る非住宅用地である部分の面積
(14)		当該被災共用土地の面積	当該被災共用土地に係る被災区分所有家屋の床面積の10倍の面積

(各特定被災共用土地納税義務者の特定被災共用土地に係る固定資産税の納付義務)
(17) 被災区分所有家屋の敷地の用に供されていた土地で平成30年度分の固定資産税について第一節三の1の⑤の(2)の規定の適用を受けたもの(平成30年6月28日以後に分割された土地を除く。以下(17)及び(25)において「特定被災共用土地」という。)に対して課する令和5年度分又は令和6年度分の固定資産税については、当該特定被災共用土地に係る納税義務者(当該特定被災共用土地に係る被災区分所有家屋に係る一の専有部分で二以上の者が共有していたものがあった場合には、これらの二以上の者を当該特定被災共用土地に係る一の納税義務者であるものとする。以下「特定被災共用土地納税義務者」という。)全員の合意により(11)の規定により按分する場合に用いられる割合に準じて定めた割合により当該特定被災共用土地に係る固定資産税額を按分することを、当該市町村の条例で定めるところにより、市町村長に申し出た場合において、市町村長が(11)の規定による按分の方法を参酌し、当該割合により按分することが適当であると認めたときは、当該特定被災共用土地に係る各特定被災共用土地納税義務者は、第10条の2第1項の規定にかかわらず、当該特定被災共用土地に係る固定資産税額を当該割合により按分した額を、当該各特定被災共用土地納税義務者の当該特定被災共用土地に係る固定資産税として納付する義務を負う。(法附16の3④)
 (注) 地方税法第10条の2第1項「共有物、共同使用物、共同事業、共同事業により生じた物件又は共同行為に対する地方団体の徴収金は、納税者が連帯して納付する義務を負う。」(編者)

(被災住宅用地の所有者等に係る申告)
(18) 市町村長は、被災住宅用地の所有者等又は被災住宅用地の共有者等が⑱又は(3)の規定の適用を受けようとする場合には、これらの者に、当該市町村の条例で定めるところにより、その旨を申告させることができる。(法附16の3⑤)

(特定仮換地等に対応する従前の土地の全部又は一部が被災住宅用地である場合)
(19) 第一節三の2の④に規定する仮換地等(平成30年1月2日以後に使用し、又は収益することができることとなったものに限る。以下「特定仮換地等」という。)に対応する従前の土地の全部又は一部が被災住宅用地である場合において、令和5年度分又は令和6年度分の固定資産税について同④の規定により当該被災住宅用地につき登記簿又は土地補充課税台帳に所有者として登記又は登録がされている被災住宅用地の所有者等をもって当該特定仮換地等に係る同三の1の所有者とみなされたときは、当該特定仮換地等に対して課する令和5年度分又は令和6年度分の固定資産税又は都市計画税については、当該特定仮換地等のうち、従前の土地のうちの被災住宅用地に相当する土地を被災住宅用地とみなして、⑱及び(18)の規定を適用する。この場合において、⑱中「土地以外の土地の全部又は一部で平成30年度に係る賦課期日における当該被災住宅用地の所有者その他の政令で定める者((18)及び(19)において「被災住宅用地の所有者等」という。)が所有するもの」とあるのは「土地以外の土地」と、「⑱」とあるのは「(19)の規定により読み替えて適用される⑱」と、(18)中「被災住宅用地の所有者等又は被災住宅用地の共有者等が⑱又は(3)」とあるのは「(19)に規定する特定仮換地等に対応する従前の土地の所有者である(19)に規定する被災住宅用地の所有者等が(19)の規定により読み替えて適用される⑱」とする。(法附16の3⑥)

(住宅用地とみなされた土地のうち政令で定めるものの読替規定)
(20) (19)の規定により読み替えて適用される⑱の規定により読み替えて適用される一の5の②に規定する住宅用地とみなされた土地のうち政令で定めるものは、(19)の規定により読み替えて適用される⑱の規定により住宅用地とみなされた土地に対応する従前の土地のうちの被災住宅用地が⑰の規定により住宅用地とみなされるとしたならば⑱の規定により読み替えて適用される同②の規定の適用を受けることとなる土地に相当する土地とする。(令附12の5⑨)

(特定仮換地等に対応する従前の土地の全部又は一部が特定被災住宅用地である場合の読替規定))
(21) 特定仮換地等に対応する従前の土地の全部又は一部が特定被災住宅用地である場合において、令和5年度分又は令和6年度分の固定資産税について第一節三の2の④の規定により当該特定被災住宅用地につき登記簿又は土地補充課税台帳に所有者として登記又は登録がされている者をもって当該特定仮換地等に係る⑱の所有者とみなされたときは、当該特定仮換地等に対して課する令和5年度分又は令和6年度分の固定資産税又は都市計画税については、(19)の規定を準用する。この場合において、(19)中「従前の土地のうちの被災住宅用地に相当する土地」とあるのは「従前の土地のうちの特定被災住宅用地に相当する土地」と、「(19)」とあるのは「(21)において準用する(19)」と、「次項」とあるのは「(21)において準用する次項」と、「である(19)に規定する被災住宅用地の所有者等」とあるのは「又は共有者である被災住宅用地の共有者等」と読み替えるものとする。(法附16の3⑦)

((21)の規定の適用がある場合の読替規定)
(22) (20)の規定は、(21)の規定の適用がある場合について準用する。この場合において、(21)中「(19)」とあるのは「(21)において準用する(19)」と、「被災住宅用地が⑱」とあるのは「(3)に規定する特定被災住宅用地が(3)において準用する⑱」と読み替えるものとする。(令附12の5⑩)

(特定仮換地等に対して課する令和5年度分又は令和6年度分の固定資産税について特定仮換地等を被災共用土地とみなす規定)
(23) 特定仮換地等に対応する従前の土地が被災共用土地である場合において、令和5年度分又は令和6年度分の固定資産税について第一節三の2の④の規定により当該被災共用土地につき登記簿又は土地補充課税台帳に所有者として登記又は登録がされている者をもって当該特定仮換地等に係る同三の1の所有者とみなされたときは、当該特定仮換地等に対して課する令和5年度分又は令和6年度分の固定資産税については、当該特定仮換地等を被災共用土地とみなして、(11)の規定を適用する。この場合において、(11)中「被災共用土地に係る被災区分所有家屋」とあるのは「特定仮換地等に対応する従前の土地である被災共用土地に係る被災区分所有家屋」と、「被災共用土地納税義務者」とあるのは「特定仮換地等納税義務者」と、「被災共用土地に係る持分の割合」とあるのは「特定仮換地等に対応する従前の土地である被災共用土地に係る持分の割合」と、「⑱((21)において準用する場合を含む。)」とあるのは「(19)((21)

において準用する場合を含む。)の規定により読み替えて適用される⑱」とする。(法附16の3⑧)

(読替規定)
(24) (23)の規定の適用がある場合における(12)から(16)までの規定の適用については、これらの規定中「被災共用土地納税義務者」とあるのは「特定仮換地等納税義務者」とするほか、次の表の左欄に掲げる規定中同表の中欄に掲げる字句は、それぞれ同表の右欄に掲げる字句とする。(規附7の4⑨)

(12)の(一)及び(二)列記以外の部分	(11)	(23)により読み替えて適用される(11)
(12)の(一)	(11)	(23)により読み替えて適用される(11)
	被災共用土地	特定仮換地等
	⑱((3)において準用する場合を含む。(二)において同じ。)	(19)((21)において準用する場合を含む。(二)において同じ。)の規定により読み替えて適用される⑱
(12)の(二)	被災共用土地	特定仮換地等
	⑱	(19)の規定により読み替えて適用される⑰
(13)の表以外の部分	被災共用土地の面積	特定仮換地等の面積
	被災共用土地に係る被災区分所有家屋	特定仮換地等に対応する従前の土地である被災共用土地に係る被災区分所有家屋
	(11)	(23)の規定により読み替えて適用される(11)
	(11)の	(23)の規定により読み替えて適用される(11)の
	被災共用土地に係る持分の割合	特定仮換地等に対応する従前の土地である被災共用土地に係る持分の割合
	被災共用土地に係る次の	特定仮換地等に係る次の
(13)の表の(一)	被災共用土地の面積	特定仮換地等の面積
	被災共用土地に係る共有持分	特定仮換地等に対応する従前の土地である被災共用土地に係る共有持分
	被災共用土地に係る特定共有持分	特定仮換地等に対応する従前の土地である被災共用土地に係る特定共有持分
	被災共用土地に係る固定資産税	特定仮換地等に係る固定資産税
	被災共用土地に係る小規模住宅用地	特定仮換地等に係る小規模住宅用地
	被災共用土地の面積	特定仮換地等の面積
(13)表の(二)	被災共用土地の面積	特定仮換地等の面積
	被災共用土地に係る共有持分	特定仮換地等に対応する従前の土地である被災共用土地に係る共有持分
	被災共用土地に係る固定資産税	特定仮換地等に係る固定資産税
	被災共用土地に係る小規模住宅用地	特定仮換地等に係る小規模住宅用地
	被災共用土地納税義務者	特定仮換地等納税義務者
	被災共用土地の面積	特定仮換地等の面積

		被災共用土地に係る同号の共有持分又は特定共有持分の割合	特定仮換地等に対応する従前の土地である被災共用土地に係る同号の共有持分又は特定共有持分の割合
		被災共用土地に係る一般住宅用地	特定仮換地等に係る一般住宅用地
(13)の表の(三)		被災共用土地に係る共有持分	特定仮換地等に対応する従前の土地である被災共用土地に係る共有持分
		被災共用土地に係る固定資産税	特定仮換地等に係る固定資産税
		被災共用土地納税義務者	特定仮換地等納税義務者
		被災共用土地に係る共有持分	特定仮換地等に対応する従前の土地である被災共用土地に係る共有持分
(14)		被災共用土地に係る被災区分所有家屋	特定仮換地等に対応する従前の土地である被災共用土地に係る被災区分所有家屋
		被災共用土地に係る共有持分	特定仮換地等に対応する従前の土地である被災共用土地に係る共有持分
		被災共用土地に係る特例適用共有持分	特定仮換地等に対応する従前の土地である被災共用土地に係る特例適用共有持分
		被災共用土地の面積	特定仮換地等の面積
		被災共用土地に係る共有持分又は特定共有持分	特定仮換地等に対応する従前の土地である被災共用土地に係る共有持分又は特定共有持分
(15)		被災共用土地に係る共有持分	特定仮換地等に対応する従前の土地である被災共用土地に係る共有持分
		被災共用土地の面積	特定仮換地等の面積
(16)の表以外の部分		被災共用土地の面積	特定仮換地等の面積
		被災共用土地に係る被災区分所有家屋	特定仮換地等に対応する従前の土地である被災共用土地に係る被災区分所有家屋
		被災共用土地に係る持分の割合	特定仮換地等に係る被災共用土地に係る持分の割合
(16)の表の(13)の表の(一)の項		被災共用土地の面積	特定仮換地等の面積
		被災共用土地に係る被災区分所有家屋	特定仮換地等に対応する従前の土地である被災共用土地に係る被災区分所有家屋
		被災共用土地に係る小規模住宅用地	特定仮換地等に係る小規模住宅用地
		被災共用土地に係る被災区分所有家屋	特定仮換地等に対応する従前の土地である被災共用土地に係る被災区分所有家屋
		被災共用土地に係る非住宅用地	特定仮換地等に係る非住宅用地
(16)の表の(13)の表の(二)の項		被災共用土地の面積	特定仮換地等の面積
		被災共用土地に係る被災区分所有家屋	特定仮換地等に対応する従前の土地である被災共用土地に係る被災区分所有家屋
		被災共用土地に係る一般住宅用地	特定仮換地等に係る一般住宅用地

	被災共用土地に係る被災区分所有家屋	特定仮換地等に対応する従前の土地である被災共用土地に係る被災区分所有家屋
	被災共用土地に係る非住宅用地	特定仮換地等に係る非住宅用地
(16)の表の(14)の項	被災共用土地の面積	特定仮換地等の面積
	被災共用土地に係る被災区分所有家屋	特定仮換地等に対応する従前の土地である被災共用土地に係る被災区分所有家屋

　　　（特定仮換地等に対して課する令和５年度分又は令和６年度分の固定資産税について特定仮換地等を被災共用土地とみなす規定）
(25)　特定仮換地等に対応する従前の土地が特定被災共用土地である場合において、令和５年度分又は令和６年度分の固定資産税について第一節三の２の④の規定により当該特定被災共用土地につき登記簿又は土地補充課税台帳に所有者として登記又は登録がされている者をもって当該特定仮換地等に係る同三の１の所有者とみなされたときは、当該特定仮換地等に対して課する令和５年度分又は令和６年度分の固定資産税については、当該特定仮換地等を特定被災共用土地とみなして、(17)の規定を適用する。この場合において、(17)中「特定被災共用土地に係る被災区分所有家屋」とあるのは「特定仮換地等に対応する従前の土地である特定被災共用土地に係る被災区分所有家屋」と、「特定被災共用土地納税義務者」とあるのは「特定仮換地等納税義務者」とする。（法附16の３⑨）

　　　（令和５年４月１日から令和７年３月31日までの間に家屋を取得等した場合）
(26)　市町村は、平成30年７月豪雨により滅失し、又は損壊した家屋の所有者（当該家屋が共有物である場合には、その持分を有する者を含む。）その他の(27)で定める者が、(28)で定める区域内に令和５年４月１日から令和７年３月31日までの間に、当該滅失し、若しくは損壊した家屋に代わるものと市町村長が認める家屋を取得し、又は当該損壊した家屋を最初に改築した場合における当該取得され、又は改築された家屋に対して課する固定資産税又は都市計画税については、当該家屋が取得され、又は改築された日（当該家屋が令和５年４月１日以後において２回以上改築された場合には、その最初に改築された日。以下(26)において同じ。）の属する年の翌年の１月１日（当該家屋が取得され、又は改築された日が１月１日である場合には、同日）を賦課期日とする年度から４年度分の固定資産税又は都市計画税については、当該家屋に係る固定資産税額（②から⑮までの規定の適用を受ける家屋にあっては、これらの規定の適用後の額。以下(26)において同じ。）又は都市計画税額（②から⑮までの規定の適用を受ける家屋にあっては、②から⑮までの規定の適用後の額。以下(26)において同じ。）のうち、(26)の規定の適用を受ける部分に係る税額として政令で定めるところにより算定した額（当該家屋が区分所有に係る家屋である場合又は共有物である家屋である場合には、(26)の規定の適用を受ける部分に係る税額として各区分所有者又は各共有者ごとに政令で定めるところにより算定した額の合算額）のそれぞれ２分の１に相当する額を当該家屋に係る固定資産税額又は都市計画税額から減額するものとする。（法附16の３⑩）

　　　（政令で定める者）
(27)　(26)に規定する(27)で定める者は、次に掲げる者とする。（令附12の５⑪）
(一)　(26)に規定する滅失し、又は損壊した家屋（以下(27)において「被災家屋」という。）の所有者（当該被災家屋が共有物である場合には、その持分を有する者を含む。）
(二)　(一)に掲げる者（(二)に規定する相続人を含む。）が個人である場合においてその者について相続があったときにおけるその者の相続人
(三)　(26)に規定する取得され、又は改築された家屋（以下「特例適用家屋」という。）に個人である(一)に掲げる者と同居するその者の三親等内の親族
(四)　(一)に掲げる者（(四)に規定する合併後存続する法人若しくは合併により設立された法人又は分割承継法人（法人税法第２条第12号の３に規定する分割承継法人をいう。以下同じ。）を含む。）が法人である場合において、当該法人が合併により消滅したときにおけるその合併に係る合併後存続する法人若しくは合併により設立された法人又は当該法人が分割により被災家屋に係る事業を承継させたときにおけるその分割に係る分割承継法人

　　　　　　　　(政令で定める区域)
(28)　(26)に規定する(28)で定める区域は、平成三十年七月豪雨に際し被災者生活再建支援法が適用された市町村の区域（以下「被災区域」という。）とする。（令附12の5⑫）

　　　　　　　　(政令で定めるところにより算定した額)
(29)　(26)に規定する政令で定めるところにより算定した額は、次の各号に掲げる特例適用家屋の区分に応じ、当該各号に定める額とする。（令附12の5⑬）
　(一)　区分所有に係る特例適用家屋（第一節一の(十二)に規定する区分所有に係る家屋（以下「区分所有に係る家屋」という。）である特例適用家屋をいう。以下同じ。）及び共有物である特例適用家屋以外の特例適用家屋　当該特例適用家屋に係る固定資産税額（当該特例適用家屋が②から⑮までの規定の適用を受ける場合には、これらの規定の適用後の額）又は都市計画税額（当該特例適用家屋が同条の規定の適用を受ける場合には、②から⑮までの規定の適用後の額）に、被災家屋の床面積（当該被災家屋が区分所有に係る家屋であるときは、(27)の(一)に掲げる者が所有していた当該被災家屋の専有部分の床面積とし、当該被災家屋が共有物であるときは、同(一)に掲げる者が有していた当該被災家屋に係る持分の割合を当該被災家屋の床面積に乗じて得た面積とする。(二)及び(三)において同じ。）を当該特例適用家屋の床面積で除して得た数値（当該数値が一を超える場合には、一）をそれぞれ乗じて得た額
　(二)　区分所有に係る特例適用家屋　当該特例適用家屋の専有部分に係る区分所有者（第一節三の1の④に規定する区分所有者をいう。）が第一節三の1の④又は第四章の10の規定によりその例によることとされる第一節三の1の④の規定により納付する義務を負うものとされる固定資産税額（当該特例適用家屋が②から⑮までの規定の適用を受け、かつ、当該専有部分がこれらの規定の適用を受ける部分である場合には、これらの規定の適用後に当該区分所有者が納付する義務を負うものとされる額）又は都市計画税額（当該特例適用家屋が⑮の規定の適用を受け、かつ、当該専有部分が⑮の規定の適用を受ける部分である場合には、⑮の規定の適用後に当該区分所有者が納付する義務を負うものとされる額）に、被災家屋の床面積を当該特例適用家屋の専有部分の床面積で除して得た数値（当該数値が一を超える場合には、一）をそれぞれ乗じて得た額
　(三)　共有物である特例適用家屋　当該特例適用家屋に係る固定資産税額（当該特例適用家屋が②から⑮までの規定の適用を受ける場合には、これらの規定の適用後の額）又は都市計画税額（当該特例適用家屋が②から⑮までの規定の適用を受ける場合には、②から⑮までの規定の適用後の額）に、被災家屋の床面積（当該被災家屋の床面積が(27)各号に掲げる者がそれぞれ有している特例適用家屋に係る持分の割合を当該特例適用家屋の床面積に乗じて得た面積を超える場合には、当該面積）を当該特例適用家屋の床面積で除して得た数値をそれぞれ乗じて得た額

　　　　　　　　(令和5年4月1日から令和7年3月31日までの間に償却資産を取得等した場合)
(30)　平成30年7月豪雨により滅失し、又は損壊した償却資産の所有者（当該償却資産が共有物である場合には、その持分を有する者を含む。）その他の(31)で定める者が、(32)で定める区域内に令和5年4月1日から令和7年3月31日までの間に、当該滅失し、若しくは損壊した償却資産に代わるものと市町村長（第五節二の①の規定の適用を受ける償却資産にあっては、当該償却資産の価格等を決定する総務大臣又は道府県知事）が認める償却資産の取得（共有持分の取得を含む。以下(30)において同じ。）又は当該損壊した償却資産の改良を行った場合における当該取得又は改良が行われた償却資産（改良が行われた償却資産にあっては、当該償却資産の当該改良が行われた部分とし、当該滅失し、若しくは損壊した償却資産又は当該取得若しくは改良が行われた償却資産が共有物である場合には、当該償却資産のうち滅失し、又は損壊した償却資産に代わるものとして(33)で定める部分とする。）に対して課する固定資産税の課税標準は、一の2の規定にかかわらず、当該償却資産の取得又は改良が行われた日後最初に固定資産税を課することとなった年度から4年度分の固定資産税に限り、当該償却資産に係る固定資産税の課税標準となるべき価格の2分の1の額（一の3のイ又は一の3のロから同4の③までの規定の適用を受ける償却資産にあっては、これらの規定により課税標準とされる額の2分の1の額）とする。（法附16の3⑪）

　　　　　　　　(政令で定める者)
(31)　(30)に規定する(31)で定める者は、次に掲げる者とする。（令附12の5⑮）
　(一)　(30)に規定する滅失し、又は損壊した償却資産（以下「被災償却資産」という。）の所有者（当該被災償却資産が共有物である場合には、その持分を有する者を含む。）
　(二)　被災償却資産が第一節三の1の③の規定により共有物とみなされたものである場合における当該被災償却資産の買主

(三) (一)又は(二)に掲げる者((三)に規定する相続人を含む。)が個人である場合においてその者について相続があったときにおけるその者の相続人
(四) (一)又は(二)に掲げる者((四)に規定する合併後存続する法人若しくは合併により設立された法人又は分割承継法人を含む。)が法人である場合において、当該法人が合併により消滅したときにおけるその合併に係る合併後存続する法人若しくは合併により設立された法人又は当該法人が分割により被災償却資産に係る事業を承継させたときにおけるその分割に係る分割承継法人

　　(政令で定める区域)
(32) (30)に規定する(32)で定める区域は、被災区域とする。(令附12の5⑯)

　　(政令で定める部分)
(33) (30)に規定する(33)で定める部分は、次の各号に掲げる場合の区分に応じ、当該各号に定める部分とする。(令附12の5⑰)
(一) 被災償却資産が共有物である場合((三)に掲げる場合を除く。) (31)の(一)に掲げる者が有していた被災償却資産に係る持分の割合により(30)に規定する取得又は改良が行われた償却資産(以下(33)において「代替償却資産」という。)の共有持分を有しているとした場合における代替償却資産に係る持分の割合に応ずる部分
(二) 代替償却資産が共有物である場合((三)に掲げる場合を除く。) (31)各号に掲げる者((三)において「特例対象者」という。)が有している代替償却資産に係る持分の割合の合計に応ずる部分
(三) 被災償却資産及び代替償却資産がいずれも共有物である場合 各特例対象者が有している代替償却資産に係る持分の割合(当該持分の割合が(31)の(一)に掲げる者が有していた被災償却資産に係る持分の割合を超える場合には、被災償却資産に係る持分の割合)の合計に応ずる部分

　　(書類の提出)
(34) (27)又は(31)に規定する者が(26)又は(30)の規定の適用を受けようとする場合には、総務省令で定める書類をこれらの規定に規定する市町村長(第五節二の①の規定の適用を受ける償却資産にあっては、当該償却資産の価格等(第五節二の①に規定する価格等をいう。)を決定する総務大臣又は道府県知事)に提出しなければならない。(令附12の5⑱)

　　(総務省令で定める書類)
(35) (34)に規定する総務省令で定める書類は、次に掲げる書類とする。
(一) 被災家屋又は(31)の(一)に規定する被災償却資産(以下(35)において「被災償却資産」という。)を所有していた者の氏名又は名称及び住所又は本店若しくは主たる事務所の所在地、被災家屋又は被災償却資産に代わるものとして(26)又は(30)の規定の適用を受けようとする家屋又は償却資産(以下(一)及び(二)において「代替家屋等」という。)の所有者の氏名又は名称、住所又は本店若しくは主たる事務所の所在地及び個人番号又は法人番号(行政手続における特定の個人を識別するための番号の利用等に関する法律第2条第15項に規定する法人番号をいう。以下(一)において同じ。)(個人番号又は法人番号を有しない者にあっては、氏名又は名称及び住所又は本店若しくは主たる事務所の所在地)並びに当該被災家屋又は被災償却資産及び当該代替家屋等の所在地を記載した書類並びに当該被災家屋又は被災償却資産が平成30年7月豪雨により被害を受けたことについて当該被災家屋又は被災償却資産の所在地の市町村長が証する書類その他の当該被災家屋又は被災償却資産が平成30年7月豪雨により滅失し、又は損壊した旨を証する書類
(二) 被災家屋又は被災償却資産が平成30年度分の固定資産税に係る固定資産課税台帳に登録されていた旨を証する書類その他の被災家屋又は被災償却資産が存したことを証する書類及び代替家屋等の詳細を明らかにする書類
(三) (27)の(二)から(四)までに掲げる者又は(31)の(二)から(四)までに掲げる者(以下(三)において「相続人等」という。)が(26)又は(30)の規定の適用を受けようとする場合には、(一)及び(二)に掲げるもののほか、(27)の(二)から(四)まで又は(31)の(三)若しくは(四)に掲げる者にあっては戸籍の謄本又は法人に係る登記事項証明書、(31)の(二)に掲げる者にあっては被災償却資産に係る売買契約書その他のその適用を受けようとする者が相続人等に該当する旨を証する書類

⑲ **令和2年7月豪雨に係る被災住宅用地等に対する固定資産税及び都市計画税の特例**
令和2年7月豪雨により滅失し、又は損壊した家屋の敷地の用に供されていた土地で令和2年度分の固定資産税につい

て一の5の①の規定の適用を受けたもの（一の6の①に規定する被災市街地復興推進地域の区域内にあるものを除く。以下「被災住宅用地」という。）のうち、令和5年度又は令和6年度に係る賦課期日において家屋又は構築物の敷地の用に供されている土地以外の土地の全部又は一部で令和2年度に係る賦課期日における当該被災住宅用地の所有者その他の（1）で定める者（以下「被災住宅用地の所有者等」という。）が所有するものに対して課する令和5年度分又は令和6年度分の固定資産税又は都市計画税については、当該土地を令和5年度又は令和六年度に係る賦課期日において一の5の①に規定する住宅用地（以下「住宅用地」という。）として使用することができないと市町村長が認める場合に限り、当該土地を住宅用地とみなして、この法律の規定（一の5の③各号及び第四節五の2及び同3の規定を除く。）を適用する。この場合において、一の5の③中「住宅用地のうち、次の各号に掲げる区分に応じ、当該各号に定める住宅用地に該当するもの」とあるのは、「附則第十六条の四第一項の規定により住宅用地とみなされた土地のうち政令で定めるもの」とする。（法附16の4①）

　　　　　（政令で定める者）
（1）　⑲に規定する（1）で定める者は、次に掲げる者とする。（令附12の6①）
　（一）　令和2年度に係る賦課期日における⑲に規定する被災住宅用地（以下「被災住宅用地」という。）の所有者
　（二）　令和2年1月2日から同年7月2日までの間に被災住宅用地の全部又は一部を取得した者
　（三）　（一）及び（二）に掲げる者（（三）の規定により相続により被災住宅用地の全部又は一部を取得した者を含む。）が個人である場合において、令和2年7月3日以後にその者についての相続によりその者が所有していた被災住宅用地の全部又は一部を取得した者
　（四）　（一）又は（二）に掲げる者が個人である場合において、令和2年7月3日以後にその者から被災住宅用地の全部又は一部を取得したその者の三親等内の親族（（三）に該当する者を除く。）
　（五）　（一）又は（二）に掲げる者（（五）の規定により合併又は分割により被災住宅用地の全部又は一部を取得した者を含む。）が法人である場合において、令和2年7月3日以後に当該法人をその当事者とする合併又は分割により当該法人が所有していた被災住宅用地の全部又は一部を取得した法人

　　　　　（住宅用地とみなされた土地のうち政令で定めるもの）
（2）　⑲の規定により読み替えて適用される一の5の③に規定する住宅用地とみなされた土地のうち政令で定めるものは、⑲の規定により一の5の①に規定する住宅用地（以下「住宅用地」という。）とみなされた土地の面積に当該住宅用地とみなされた土地に係る被災住宅用地のうち令和2年度分の固定資産税について一の5の③の規定の適用を受けたものの面積の当該被災住宅用地の面積に対する割合を乗じて得た面積に相当する土地とする。（令附12の6②）

　　　　　（読替規定）
（3）　令和2年度に係る賦課期日において被災住宅用地を所有し、又はその共有持分を有していた者その他の（4）で定める者（以下「被災住宅用地の共有者等」という。）が、令和5年度又は令和6年度に係る賦課期日において、当該被災住宅用地の全部若しくは一部を所有し、又はその全部若しくは一部について共有持分を有している場合（⑲の規定の適用がある場合を除く。）には、令和5年度又は令和6年度に係る賦課期日において当該被災住宅用地の共有者等が所有し、又は共有持分を有している当該被災住宅用地の全部又は一部のうち政令で定めるもの（以下「特定被災住宅用地」という。）で家屋又は構築物の敷地の用に供されている土地以外の土地に対して課する令和5年度分又は令和6年度分の固定資産税又は都市計画税については、⑲の規定を準用する。この場合において、⑲中「⑲」とあるのは、「⑲の（3）において準用する⑲」と読み替えるものとする。（法附16の4②）

　　　　　（政令で定める者）
（4）　（3）に規定する（4）で定める者は、次に掲げる者とする。（令附12の6③）
　（一）　令和2年度に係る賦課期日において被災住宅用地を所有し、又はその共有持分を有していた者
　（二）　令和2年1月2日から同年7月2日までの間に被災住宅用地の全部若しくは一部又は被災住宅用地の全部若しくは一部の共有持分を取得した者
　（三）　（一）及び（二）に掲げる者（（三）の規定により相続により被災住宅用地の全部若しくは一部又は被災住宅用地の全部若しくは一部の共有持分を取得した者を含む。）が個人である場合において、令和2年7月3日以後にその者についての相続によりその者が所有し、又は共有持分を有していた被災住宅用地の全部又は一部について、その全部若しくは一部を取得し、又はその全部若しくは一部の共有持分を取得した者
　（四）　（一）又は（二）に掲げる者が個人である場合において、令和2年7月3日以後にその者から被災住宅用地の全部

又は一部について、その全部若しくは一部を取得し、又はその全部若しくは一部の共有持分を取得したその者の三親等内の親族（（三）に該当する者を除く。）
（五） （一）又は（二）に掲げる者（（五）の規定により合併又は分割により被災住宅用地の全部若しくは一部又は被災住宅用地の全部若しくは一部の共有持分を取得した者を含む。）が法人である場合において、令和２年７月３日以後に当該法人をその当事者とする合併又は分割により当該法人が所有し、又は共有持分を有していた被災住宅用地の全部又は一部について、その全部若しくは一部を取得し、又はその全部若しくは一部の共有持分を取得した法人

　　　（令和２年７月豪雨により滅失等した区分所有に係る家屋の土地）
（５） 令和２年７月豪雨により滅失し、又は損壊した区分所有に係る家屋（以下「被災区分所有家屋」という。）の敷地の用に供されていた土地で令和２年度分の固定資産税について第一節三の１の⑤の規定の適用を受けたもの（令和２年７月３日以後に分割された土地を除く。以下「被災共用土地」という。）に対して課する令和５年度分又は令和６年度分の固定資産税については、当該被災共用土地に係る納税義務者（当該被災共用土地に係る被災区分所有家屋に係る一の専有部分（建物の区分所有等に関する法律第２条第３項に規定する専有部分をいう。（６）において同じ。）で２以上の者が共有していたものがあった場合には、これらの２以上の者を当該被災共用土地に係る一の納税義務者であるものとする。以下「被災共用土地納税義務者」という。）は、第一編第二章二の２の規定にかかわらず、当該被災共用土地に係る固定資産税額を当該被災共用土地に係る各被災共用土地納税義務者の当該被災共用土地に係る持分の割合（当該被災共用土地が⑲（（３）において準用する場合を含む。）の規定により住宅用地とみなされる部分及び住宅用地とみなされる部分以外の部分を併せ有する土地である場合その他の総務省令で定める場合には、総務省令で定めるところにより当該持分の割合を補正した割合）により按分した額を、当該各被災共用土地納税義務者の当該被災共用土地に係る固定資産税として納付する義務を負う。（法附16の４③）

　　　（被災区分所有家屋の敷地の用に供されていた土地）
（６） 被災区分所有家屋の敷地の用に供されていた土地で令和２年度分の固定資産税について第一節三の１の⑤の（２）の規定の適用を受けたもの（令和２年７月３日以後に分割された土地を除く。以下「特定被災共用土地」という。）に対して課する令和５年度分又は令和６年度分の固定資産税については、当該特定被災共用土地に係る納税義務者（当該特定被災共用土地に係る被災区分所有家屋に係る一の専有部分で２以上の者が共有していたものがあった場合には、これらの２以上の者を当該特定被災共用土地に係る一の納税義務者であるものとする。以下「特定被災共用土地納税義務者」という。）全員の合意により（５）の規定により按分する場合に用いられる割合に準じて定めた割合により当該特定被災共用土地に係る固定資産税額を按分することを、当該市町村の条例で定めるところにより、市町村長に申し出た場合において、市町村長が（５）の規定による按分の方法を参酌し、当該割合により按分することが適当であると認めたときは、当該特定被災共用土地に係る各特定被災共用土地納税義務者は、第一編第二章二の２の規定にかかわらず、当該特定被災共用土地に係る固定資産税額を当該割合により按分した額を、当該各特定被災共用土地納税義務者の当該特定被災共用土地に係る固定資産税として納付する義務を負う。（法附16の４④）

　　　（被災住宅用地の全部又は一部のうち政令で定めるもの）
（７） （３）に規定する被災住宅用地の全部又は一部のうち政令で定めるものは、次の各号に掲げる土地の区分に応じ、当該各号に定める土地とする。（令附12の６④）
（一） （５）に規定する被災共用土地又は（６）に規定する特定被災共用土地（以下「被災共用土地等」という。）である土地以外の土地　次に掲げる場合の区分に応じ、それぞれ次に定める土地
　イ　（４）の（一）又は同（二）に掲げる者（以下「従前所有者等」という。）が令和２年７月２日において被災住宅用地の全部又は一部について共有持分を有しており、かつ、当該従前所有者等は当該従前所有者等に係る（４）の（三）から（五）までに掲げる者（以下「相続人等」という。）が令和５年度又は令和６年度に係る賦課期日において当該被災住宅用地の全部又は一部を所有している場合　その所有している当該被災住宅用地の全部又は一部（その所有している当該被災住宅用地の全部又は一部の面積が当該従前所有者等が令和２年７月２日において共有持分を有していた当該被災住宅用地の全部又は一部に係る当該共有持分の割合に応ずる被災住宅用地の面積（相続人等が当該被災住宅用地の全部又は一部を所有している場合には、（４）の（三）から（五）までの規定により当該相続人等が取得した当該被災住宅用地の一部の面積又はこれらの規定により当該相続人等が取得した当該被災住宅用地の全部若しくは一部に係る共有持分の割合に応ずる被災住宅用地の面積のうち、総務省令で定めるもの）を超える場合には、当該面積に相当する土地
　ロ　従前所有者等が令和２年７月２日において被災住宅用地の全部又は一部を所有しており、かつ、当該従前所有

者等又は相続人等が令和５年度又は令和６年度に係る賦課期日において当該被災住宅用地の全部又は一部について共有持分を有している場合　従前所有者等又は各相続人等が共有持分を有している当該被災住宅用地の全部又は一部に係る当該共有持分の割合に応ずる被災住宅用地の面積（当該面積が当該従前所有者等が令和２年７月２日において所有していた当該被災住宅用地の全部又は一部の面積（相続人等が当該被災住宅用地の全部又は一部について共有持分を有している場合には、(4)の(三)から(五)までの規定により当該相続人等が取得した当該被災住宅用地の全部若しくは一部の面積又はこれらの規定により当該相続人等が取得した当該被災住宅用地の全部若しくは一部に係る共有持分の割合に応ずる被災住宅用地の面積のうち、総務省令で定めるもの）を超える場合には、当該面積）の合計に相当する土地

ハ　従前所有者等が令和２年７月２日において被災住宅用地の全部又は一部について共有持分を有しており、かつ、当該従前所有者等又は相続人等が令和５年度又は令和６年度に係る賦課期日において当該被災住宅用地の全部又は一部について共有持分を有している場合　各従前所有者等又は各相続人等が共有持分を有している当該被災住宅用地の全部又は一部に係る当該共有持分の割合に応ずる被災住宅用地の面積（当該面積が当該従前所有者等が令和２年７月２日において共有持分を有していた当該被災住宅用地の全部又は一部に係る当該共有持分の割合に応ずる被災住宅用地の面積（相続人等が当該被災住宅用地の全部又は一部について共有持分を有している場合には、(4)の(三)から(五)までの規定により当該相続人等が取得した当該被災住宅用地の全部若しくは一部の面積又はこれらの規定により当該相続人等が取得した当該被災住宅用地の全部若しくは一部に係る共有持分の割合に応ずる被災住宅用地の面積のうち、総務省令で定めるもの）を超える場合には、当該面積）の合計に相当する土地

(二)　被災共用土地等である土地　当該土地に係る次の表の左欄に掲げる被災区分所有家屋（(5)に規定する被災区分所有家屋をいう。以下同じ。）の区分及び同表の中欄に掲げる被災区分所有家屋に係る居住部分に相当する部分の割合の区分に応じ、同表の右欄に掲げる率を当該土地の面積（当該面積が当該被災区分所有家屋の床面積の10倍の面積を超える場合には、当該10倍の面積）に乗じて得た面積に相当する土地（被災区分所有家屋に係る居住部分に相当する部分の割合が４分の１未満である被災区分所有家屋に係る土地を除く。）

被災区分所有家屋		被災区分所有家屋に係る居住部分に相当する部分の割合	率
イ	ロに掲げる被災区分所有家屋以外の被災区分所有家屋	４分の１以上２分の１未満	0.5
		２分の１以上	1.0
ロ	地上階数五以上を有する耐火建築物であった被災区分所有家屋	４分の１以上２分の１未満	0.5
		２分の１以上４分の３未満	0.75
		４分の３以上	1.0

（被災区分所有家屋に係る居住部分に相当する部分の割合）
(8)　(7)の(二)に規定する被災区分所有家屋に係る居住部分に相当する部分の割合とは、令和５年度又は令和６年度に係る賦課期日において令和２年７月２日において有していた被災共用土地等に係る共有持分を引き続き有している従前所有者等（令和５年度又は令和６年度に係る賦課期日において(4)の(三)から(五)までの規定により取得した被災共用土地等に係る共有持分を引き続き有している相続人等に係る従前所有者等を含む。）が令和２年７月２日において所有していた被災区分所有家屋の専有部分（(5)に規定する専有部分をいう。以下「特定専有部分」という。）のうち、令和２年度に係る賦課期日において人の居住の用に供する部分（別荘（第二編第七章《不動産取得税》第一節一の表の(四)の(1)に規定する別荘をいう。以下同じ。）の用に供する部分を除く。）であった部分の床面積の合計の当該被災区分所有家屋の床面積に対する割合をいう。(令附12の６⑤)

（読替後の住宅用地とみなされた土地のうち政令で定めるもの）
(9)　(3)において準用する⑲の規定により読み替えて適用される一の５の③に規定する住宅用地とみなされた土地のうち政令で定めるものは、次の各号に掲げる土地の区分に応じ、当該各号に定める土地とする。(令附12の６⑦)
(一)　(7)の(一)の規定の適用がある土地　(3)において準用する⑲の規定により住宅用地とみなされた土地（以下「住宅用地とみなされた土地」という。）の面積に当該住宅用地とみなされた土地に係る被災住宅用地のうち令和２年度分の固定資産税について一の５の③の規定の適用を受けたものの面積の当該被災住宅用地の面積に対する割合を乗じて得た面積に相当する土地

(二) (7)の(二)の規定の適用がある土地　次に掲げる土地の区分に応じ、それぞれ次に定める土地
イ　住宅用地とみなされた土地でその面積が200平方メートル以下であるもの　当該住宅用地とみなされた土地
ロ　住宅用地とみなされた土地でその面積が200平方メートルを超えるもの　当該住宅用地とみなされた土地の面積を当該住宅用地とみなされた土地に係る被災区分所有家屋の特定専有部分に存した住居でその全部が別荘の用に供されていた住居以外の住居の数（以下「特例適用住居数」という。）で除して得た面積が200平方メートル以下であるものにあっては当該住宅用地とみなされた土地、当該除して得た面積が200平方メートルを超えるものにあっては200平方メートルに当該特例適用住居数を乗じて得た面積に相当する土地
(注)　(9)に規定する特例適用住居数の算定その他(9)の規定の適用に関し必要な事項は、総務省令で定める。(令附12の6⑧)

（読替規定）
(10)　第一節三の2の④に規定する仮換地等（令和2年1月2日以後に使用し、又は収益することができることとなったものに限る。以下「特定仮換地等」という。）に対応する従前の土地の全部又は一部が被災住宅用地である場合において、令和5年度分又は令和6年度分の固定資産税について第一節三の2の④の規定により当該被災住宅用地につき登記簿又は土地補充課税台帳に所有者として登記又は登録がされている被災住宅用地の所有者等をもって当該特定仮換地等に係る第一節三の1の所有者とみなされたときは、当該特定仮換地等に対して課する令和5年度分又は令和6年度分の固定資産税又は都市計画税については、当該特定仮換地等のうち、従前の土地のうちの被災住宅用地に相当する土地を被災住宅用地とみなして、第一項及び前項の規定を適用する。この場合において、⑲中「土地以外の土地の全部又は一部で令和2年度に係る賦課期日における当該被災住宅用地の所有者その他の政令で定める者（第5項及び第6項において「被災住宅用地の所有者等」という。）が所有するもの」とあるのは「土地以外の土地」と、「附則第16条の4第1項」とあるのは「附則第16条の4第6項の規定により読み替えて適用される同条第1項」と、前項中「被災住宅用地の所有者等又は被災住宅用地の共有者等が第1項又は第2項」とあるのは「次項に規定する特定仮換地等に対応する従前の土地の所有者である同項に規定する被災住宅用地の所有者等が同項の規定により読み替えて適用される第1項」とする。(法附16の4⑥)

（読替後の住宅用地とみなされた土地のうち政令で定めるもの）
(11)　(10)の規定により読み替えて適用される⑲の規定により読み替えて適用される一の5の③に規定する住宅用地とみなされた土地のうち政令で定めるものは、(10)の規定により読み替えて適用される⑲の規定により住宅用地とみなされた土地に対応する従前の土地のうちの被災住宅用地が⑲の規定により住宅用地とみなされるとしたならば⑲の規定により読み替えて適用される一の5の③の規定の適用を受けることとなる土地に相当する土地とする。(令附12の6⑨)

（準用規定）
(12)　(11)の規定は、(13)の規定の適用がある場合について準用する。この場合において、(11)中「附則第16条の4第6項」とあるのは「附則第16条の4第7項において準用する同条第6項」と、「被災住宅用地が法附則第16条の4第1項」とあるのは「同条第2項に規定する特定被災住宅用地が同項において準用する同条第1項」と読み替えるものとする。(令附12の6⑩)

（特定仮換地等に対応する従前の土地の全部又は一部が特定被災住宅用地の場合）
(13)　特定仮換地等に対応する従前の土地の全部又は一部が特定被災住宅用地である場合において、令和5年度分又は令和6年度分の固定資産税について第一節三の2の④の規定により当該特定被災住宅用地につき登記簿又は土地補充課税台帳に所有者として登記又は登録がされている者をもって当該特定仮換地等に係る同条第1項の所有者とみなされたときは、当該特定仮換地等に対して課する令和5年度分又は令和6年度分の固定資産税又は都市計画税については、(10)の規定を準用する。この場合において、(10)中「従前の土地のうちの被災住宅用地に相当する土地」とあるのは「従前の土地のうちの特定被災住宅用地に相当する土地」と、「附則第16条の4第6項」とあるのは「附則第16条の4第7項において準用する同条第6項」と、「次項」とあるのは「第7項において準用する次項」と、「である同項に規定する被災住宅用地の所有者等」とあるのは「又は共有者である被災住宅用地の共有者等」と読み替えるものとする。(法附16の4⑦)

（特定仮換地等に対応する従前の土地が被災共用土地である場合）
(14)　特定仮換地等に対応する従前の土地が被災共用土地である場合において、令和5年度分又は令和6年度分の固定

資産税について第一節三の2の④の規定により当該被災共用土地につき登記簿又は土地補充課税台帳に所有者として登記又は登録がされている者をもって当該特定仮換地等に係る⑲の所有者とみなされたときは、当該特定仮換地等に対して課する令和5年度分又は令和6年度分の固定資産税については、当該特定仮換地等を被災共用土地とみなして、(5)の規定を適用する。この場合において、(5)中「被災共用土地に係る被災区分所有家屋」とあるのは「特定仮換地等に対応する従前の土地である被災共用土地に係る被災区分所有家屋」と、「被災共用土地納税義務者」とあるのは「特定仮換地等納税義務者」と、「被災共用土地に係る持分の割合」とあるのは「特定仮換地等に対応する従前の土地である被災共用土地に係る持分の割合」と、「第1項（前項において準用する場合を含む。）」とあるのは「第6項（第7項において準用する場合を含む。）の規定により読み替えて適用される第1項」とする。（法附16の4⑧）

　　　（特定仮換地等に対応する従前の土地が特定被災共用土地である場合）
(15)　特定仮換地等に対応する従前の土地が特定被災共用土地である場合において、令和5年度分又は令和6年度分の固定資産税について第一節三の2の④の規定により当該特定被災共用土地につき登記簿又は土地補充課税台帳に所有者として登記又は登録がされている者をもって当該特定仮換地等に係る⑲の所有者とみなされたときは、当該特定仮換地等に対して課する令和5年度分又は令和6年度分の固定資産税については、当該特定仮換地等を特定被災共用土地とみなして、(6)の規定を適用する。この場合において、(6)中「特定被災共用土地に係る被災区分所有家屋」とあるのは「特定仮換地等に対応する従前の土地である特定被災共用土地に係る被災区分所有家屋」と、「特定被災共用土地納税義務者」とあるのは「特定仮換地等納税義務者」とする。（法附16の4⑨）

⑳　課税明細書への記載
　市町村は、4の各項の規定の適用を受ける土地又は家屋については、これらの規定により減額する税額を固定資産税の課税明細書〘第三節二の3参照〙に記載しなければならない。（法附16）

三　免　税　点

　市町村は、同一の者について当該市町村の区域内におけるその者の所有に係る土地、家屋又は償却資産に対して課する固定資産税の課税標準となるべき額が土地にあっては300,000円、家屋にあっては200,000円、償却資産にあっては1,500,000円に満たない場合においては、固定資産税を課することができない。ただし、財政上その他特別の必要がある場合においては、当該市町村の条例の定めるところによって、その額がそれぞれ300,000円、200,000円又は1,500,000円に満たないときであっても、固定資産税を課することができる。（法351）

参 考 通 知

○住宅建替え中の土地に係る固定資産税及び都市計画税の課税について（個通平成6年自治固17）

　地方税法（以下「法」という。）第349条の3の2第1項に規定する住宅用地については、地方税法等の一部を改正する法律（平成5年法律第4号）により、固定資産税にあっては課税標準の特例措置の拡充、都市計画税にあっては課税標準の特例措置の導入が、それぞれ平成6年度分から行われることとなっていますが、これらの改正等を踏まえ、住宅用地に係る課税標準の特例措置の具体的取扱いのうち、住宅用地の認定における住宅建替え中の土地の取扱いについては、下記の事項に十分留意する必要がありますので、この旨管下市町村に連絡のうえ、よろしく御指導方お願いします。

記

1　既存の住宅（法第349条の3の2第1項に規定する家屋をいう。以下同じ。）に代えて住宅を建設している土地で次に掲げる要件を満たすものについては、同項に規定する住宅用地（以下「住宅用地」という。）として取り扱って差し支えないものであること。
　（1）　当該土地が、当該年度の前年度に係る賦課期日において住宅用地であったこと。
　（2）　当該土地において、住宅の建設が当該年度に係る賦課期日において着手されており、当該住宅が当該年度の翌年度に係る賦課期日までに完成するものであること。
　（3）　住宅の建替えが、建替え前の敷地と同一の敷地において行われるものであること。
　（4）　当該年度の前年度に係る賦課期日における当該土地の所有者と、当該年度に係る賦課期日における当該土地の所有者が、原則として同一であること。
　（5）　当該年度の前年度に係る賦課期日における当該住宅の所有者と、当該年度に係る賦課期日における当該住宅の所有者が、原則として同一であること。
2　上記1の取扱いは、平成6年度分の固定資産税及び都市計画税から行うものであること。
3　住宅建替え中の土地の課税に当たっては、法第384条の住宅用地に係る申告制度を適切かつ積極的に活用するとともに、税務担当部局内における緊密な協力連携等を図ることにより、その的確な認定に万全を期されたいこと。

○住宅建替え中の土地に係る固定資産税及び都市計画税についての具体的運用について（平成6.2.22自治省税務局固定資産税課長内かん、改正；平成27.5.26総税固42）

　住宅建替え中の土地に対して課する固定資産税及び都市計画税については、「住宅建替え中の土地に係る固定資産税及び都市計画税の課税について」（平成6年2月22日自治固第17号各道府県総務部長、東京都総務・主税局長あて自治省税務局固定資産税課長通達。以下「課長通達」という。）において、一定の要件を満たすものについては、住宅用地として取り扱って差し支えないとしているところですが、その具体的運用に当たっては下記の事項にも十分留意することが必要であると考えますので、その旨、管下市町村の御指導方よろしくお願い申し上げます。

記

1　住宅建設の着手の認定に当たっては、特別土地保有税の恒久的な建物、施設等の用に供する土地に係る納税義務の免除制度（地方税法（以下「法」という。）第603条の2）における恒久的な建物、施設等の建設の着手の認定の例による

　（例）　自己住宅用の一戸建て住宅から貸しアパートへの建替え

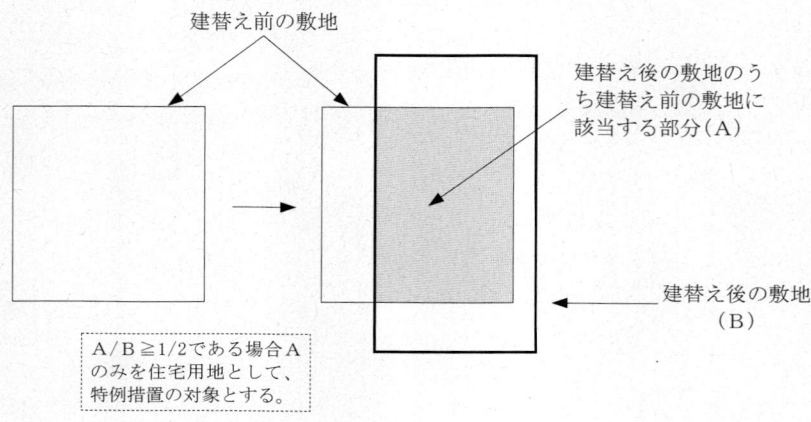

参考通知《住宅建替え中の土地に係る固定資産税及び都市計画税についての具体的運用について》

こととし、地域間においてその取扱いが異なることとならないよう留意して下さい。
2　土地又は家屋の所有の主体として、個人、法人の別は問わないこととします。
3　建替え前と建替え後で住宅の態様が異なっても、差し支えありません。
4　課長通達1（3）の「同一の敷地」とは、建替え前の敷地の一部が建替え後の敷地の一部となる場合を含むものですが、この場合、建替え後の敷地のうち建替え前の敷地に該当する部分のみを住宅用地と認定することとなります。なお、この建替え前の敷地の一部が建替え後の敷地の一部となる場合とは、「建替え後の敷地の面積」に占める「当該建替え後の敷地のうち建替え前の敷地に該当する部分の面積」の割合が概ね5割以上のものに限ることが適当と考えられます。
5　法第349条の3の2第2項第2号に規定する住居の数、地方税法施行令第52条の11第2項第2号に規定する居住部分の割合等が変わったことにより、建替え前と建替え後で、住宅用地の面積又は住宅用地のうち小規模住宅用地となる部分の面積が異なる場合には、以下の方法によることとします。
①　住宅用地の面積で建替え前と建替え後のいずれか小さい方をとる。
②　当該住宅用地のうち小規模住宅用地である部分の面積で建替え前と建替え後のいずれか小さい方をとり、当該面積を小規模住宅用地である部分の面積とする。
③　①の住宅用地の面積から②の小規模住宅用地である部分の面積を引いた面積を、一般住宅用地である部分の面積とする。

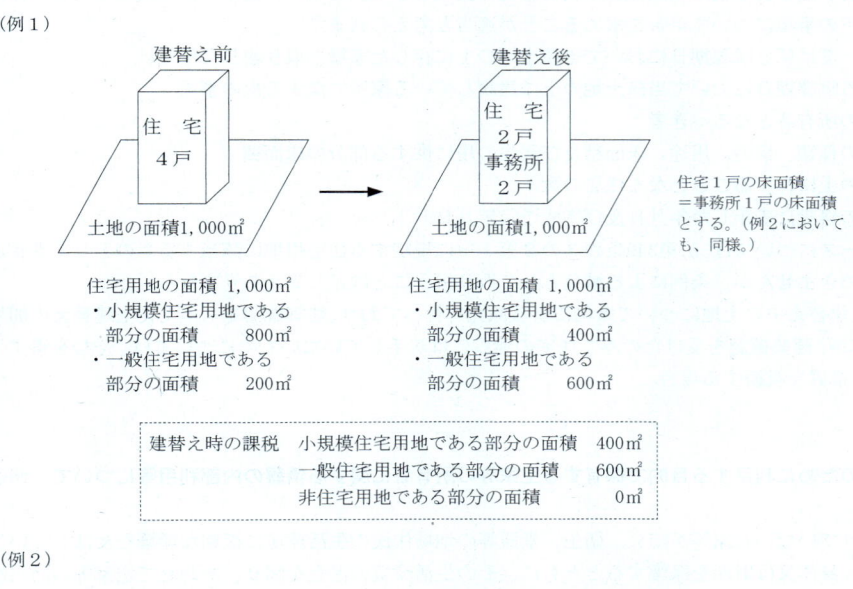

（例1）

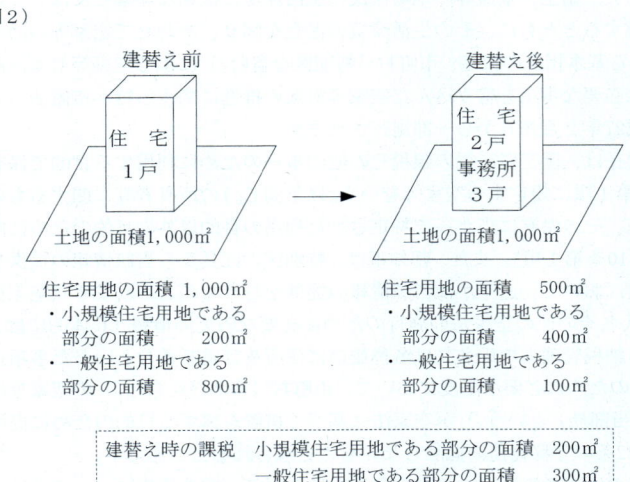

（例2）

参考通知《固定資産税の課税のために利用する目的で保有する空家等の所有者に関する情報の内部利用等について》

6 課長通達1(4)及び(5)の「原則として同一であること」とは、以下のような場合は、同一として取り扱って差し支えないという趣旨です。
　① 当該年度の前年度に係る賦課期日における当該土地の所有者の配偶者又は直系血族が、住宅を建て替える場合
　② 当該年度の前年度に係る賦課期日における当該家屋の所有者の配偶者又は直系血族が、住宅を建て替える場合
　③ 建替え中又は建替え後の土地の所有形態が、当該年度の前年度に係る賦課期日における当該土地の所有者の持分を含む共有となる場合
　④ 建替え後の家屋の所有形態が、当該年度の前年度に係る賦課期日における当該家屋の所有者の持分を含む共有となる場合
7 課長通達1の各要件を満たす住宅建替え中の土地については、法第384条第1項及び市(町・村)税条例(準則)第74条の2第1項の規定に照らせば、「その申告すべき事項に異動がある場合」に該当するものですので、当該土地の所有者は同項の規定による申告をすることが必要になります。
　したがって、住宅建替え中の一定の土地については、①平成6年度から住宅用地に係る課税標準の特例措置を適用すること、②この適用を受けるためには、通常の住宅用地と同様、条例で定める所定の申告が必要であることについて、納税者に対し周知を図って下さい。
8 上記7の住宅建替え中の土地についての申告の場合には、市(町・村)税条例(準則)第74条の2第1項第4号の「その他市(町・村)長が固定資産税の賦課徴収に関し必要と認める事項」として、通常の住宅用地の申告の際に求めているもの以外に、以下の事項について申告を求めることが適当と考えられます。
　① 当該年度の前年度に係る賦課期日において当該土地の上に存した家屋を取り壊した年月日
　② 当該年度に係る賦課期日において当該土地の上に建設している家屋に関する次の事項
　　ア 当該家屋の所有者となるべき者
　　イ 当該家屋の種類、構造、用途、床面積及び居住の用に供する部分の床面積
　　ウ 当該土地の上に存することとなる住居の数
　　エ 当該家屋の建設に着手した年月日及び完成予定年月日
9 以下のようなケースについては、法第349条の3の2第1項に規定する住宅用地に該当するものとして課長通達による認定をすることはできませんが、条例による減免として取り扱うことは差し支えありません。
　(例) 既に住宅建替え中の土地について条例による減免を行っており、建築確認をもって住宅建替えの開始と認定している団体が、建築確認を受けたのみで住宅の建設には着手していないものについては、やむを得ず平成6年度以降も軽減措置を継続する場合
10・11 略

○固定資産税の課税のために利用する目的で保有する空家等の所有者に関する情報の内部利用等について（個通平成27年総税固15）
　適切な管理が行われていない空家等が防災、衛生、景観等の地域住民の生活環境に深刻な影響を及ぼしていることに鑑み、地域住民の生命、身体又は財産を保護するとともに、その生活環境の保全を図り、あわせて空家等の活用を促進するため、空家等に関する施策に関し、国による基本指針の策定、市町村（特別区を含む。）による空家等対策計画の作成その他の空家等に関する施策を推進するために必要な事項を盛り込んだ空家等対策の推進に関する特別措置法（平成26年法律第127号。以下「空家法」という。）が平成27年2月26日から一部施行されます。
　空家法の施行に伴い、同日以降、市町村長は、固定資産税の課税その他の事務のために利用する目的で保有する情報であって氏名その他の空家等（空家法第2条第1項に規定する空家等をいう。以下同じ。）の所有者等に関するものについて、空家法の施行のために必要な限度において、その保有に当たって特定された利用の目的以外の目的のために内部で利用することができることとなります（空家法第10条第1項）。また、都知事は、特別区の区長から当該情報の提供を求められたときは、空家法の施行のために必要な限度において、速やかに当該情報の提供を行うものとされます（空家法第10条第2項）。その結果、空家等の所有者に関する氏名その他の空家法の施行のために必要な限度の情報（具体的には、空家等の所有者(納税義務者)又は必要な場合における納税管理人の氏名又は名称並びに住所及び電話番号といった事項に限られる。）を、地方団体の税務部局が、空家法の施行のために必要な限度において、市町村（特別区を含む。）の空家等に関する施策を担当している部局（以下「空家等施策担当部局」という。）が空家法に基づく措置を講ずる目的のために提供したとしても、地方税法（昭和25年法律第226号）第22条の守秘義務に抵触しないものと解されるところです。
　今後、空家等施策担当部局より、空家等の所有者等に関する固定資産課税台帳の一定の情報について提供の依頼がなされることがあると考えられますが、その実務的な取扱いについては、国土交通省住宅局住宅総合整備課長及び総務省自治行政局地域振興室長から各都道府県・政令市の空家等施策担当部長に別添のとおり通知されています。各地方団体の税務

参考通知《地方税法第349条の3の2の規定における住宅用地の認定について》

部局におかれましては、この通知を踏まえ、空家等施策担当部局からの等が情報の内部利用等の依頼について、適切に対応いただきますようお願いいたします。

また、貴都道府県内の市区町村に対しても、この旨をご連絡いただきますようお願いいたします。

なお、本通知は地方自治法（昭和22年法律第67号）第245条の4（技術的な助言）に基づくものです。

○空家法の施行に伴う改正地方税法の施行について（個通平成27年総税固41）

空家等対策の推進に関する特別措置法（平成26年法律第127号。以下「空家法」という。）の施行に伴い、地方税法等の一部を改正する法律（平成27年法律第2号）第1条中地方税法第349条の3の2第1項の改正規定及び附則第17条第3項の規定が、平成27年5月26日から施行されます。

これに伴い、地方税法（昭和25年法律第226号）第349条の3の2第1項に規定する住宅用地のうち、賦課期日現在において、空家法第14条第2項の規定により所有者等に対し勧告がされた同法第2条第2項に規定する特定空家等の敷地の用に供されている土地については、住宅用地に対する固定資産税及び都市計画税の課税標準の特例（以下「住宅用地特例」という。）の適用対象から除外されることとなりますので、適切に対応いただくとともに、下記事項にご留意いただきますようお願いします。

また、貴都道府県内の市区町村に対しても、この旨をご連絡いただきますようお願いいたします。

なお、本通知は地方自治法（昭和22年法律第67号）第245条の4（技術的な助言）に基づくものです。

記

1　空家法に基づく勧告の対象となる「特定空家等」とは、「そのまま放置すれば倒壊等著しく保安上危険となるおそれのある状態若しくは著しく衛生上有害となるおそれのある状態、適切な管理が行われていないことにより著しく景観を損なっている状態その他周辺の生活環境の保全を図るために放置することが不適切である状態にあると認められる空家等をいう。」（空家法第2条第2項）のものであり、勧告がされた特定空家等の敷地の用に供されている土地について住宅用地特例の適用対象から除外されるものであること。

2　賦課期日において、勧告に基づく必要な措置が講じられた場合等には、住宅用地特例が適用除外されないことから、空き家担当部局とも十分連携を図る必要がある。（別添『「特定空家等に対する措置」に関する適切な実施を図るために必要な指針（ガイドライン）』参照…掲載略）

3　特定空家等として勧告された場合、当該特定空家等に係る家屋について、当該勧告の内容を踏まえ、「地方税法第349条の3の2の規定における住宅用地の認定について」（平成9年4月1日自治固第13号）中、「一　住宅の認定」を参考に、その現況を十分確認すること。その際、当該家屋の用途や損耗状況等についても確認すること。

○地方税法第349条の3の2の規定における住宅用地の認定について（個通平成9年自治固13、改正；個通平成27年総税固42）

地方税法第349条の3の2の規定における住宅用地の具体的な認定に際して、下記のとおり取り扱うことが適当と考えますので、管下市町村への指導方よろしくお願いします。

空家等対策の推進に関する特別措置法（平成26年法律第127号）の施行に伴い、地方税法等の一部を改正する法律（平成27年法律第2号）第1条中地方税法第349条の3の2第1項の改正規定及び附則第17条第3項の規定が、平成27年5月26日から施行されます。

これに併せ、その敷地の用に供する土地が固定資産税及び都市計画税の課税標準の特例の適用対象となる人の居住の用に供する家屋（住宅）についての取扱いの明確化を図る観点から、「地方税法第349条の3の2の規定における住宅用地の認定について」（平成9年4月1日自治固第13号）について改正いたしますので、適切に対応いただきますようお願いいたします。

また、貴都道府県内の市区町村に対しても、この旨をご連絡いただきますようお願いいたします。

なお、本通知は地方自治法（昭和22年法律第67号）第245条の4（技術的な助言）に基づくものです。

記

一　住宅の認定

当該家屋が住宅であるかどうかの判定については、次のとおり取り扱うものとする。なお、家屋とは不動産登記法の建物とその意義を同じくするものであること。したがって、屋根及び周壁又はこれらに類するものを有し、土地に定着した建造物であって、その目的とする用途に供し得る状態にあるものでなければならず、現況がこうした状態にないものは家屋には該当しないことに留意する必要がある。

（1）住宅に該当するかどうかは、1個の家屋ごとに判断するものとし、この場合原則として1棟の家屋をもって1個の家屋とする。なお、複数棟から構成される家屋で不動産登記法上1個の家屋として取り扱われるものについては、

参考通知《地方税法第349条の3の2の規定における住宅用地の認定について》

　　構造、利用実態、外観等からみて別個の家屋と判断できる場合には、例外として別個の家屋として取り扱って差し支えない。
　（2）　附属的な家屋（物置、納屋、土蔵等）については、本体の家屋と効用上一体として利用される状態にある場合には、1個の家屋に含めるものとする。
　（3）　人の居住の用に供するとは、特定の者が継続して居住の用に供することをいう。
　（4）　賦課期日において現に人が居住していない家屋については、当該家屋が構造上住宅と認められ、かつ、当該家屋（併用住宅にあっては、当該家屋のうち居住部分とする。）が居住以外の用に供されるものではないと認められる場合には、住宅とする。ただし、賦課期日における当該家屋の使用若しくは管理の状況又は所有者等の状況からも客観的にみて、当該家屋について、構造上住宅と認められない状況にある場合、使用の見込みはなく取壊しを予定している場合又は居住の用に供するために必要な管理を怠っている場合等で今後人の居住の用に供される見込みがないと認められる場合には、住宅には該当しないものであるので、賦課期日における当該家屋の客観的状況等に留意する必要がある。
　（5）　併用住宅の共用部分については、専用部分の床面積の割合によってあん分し、それぞれの専用部分に含める。
二　住居の数の認定
　（1）　住居とは、人が居住して日常生活に用いる家屋等の場所をいうものであり、1棟の家屋内に1世帯が独立して生活を営むことができる区画された部分が2以上設けられている場合には、当該2以上の区画された部分がそれぞれ住居となるものであること。
　（2）　「独立して生活を営むことができる区画された部分」とは、構造上独立的に区画された家屋の一部であり、原則として、専用の出入口、炊事場及び便所を有するものをいうものであること。ただし、共同住宅にあっては、各世帯の居住の用に供されている区画された部分ごとに炊事場又は便所が設けられることなく共用されているような場合においても、通常当該区画された部分において1世帯が独立して生活を営むことができる状態にあると認められるので、その限りにおいては当該区画された部分が、それぞれ住居となるものであること。
　（3）　したがって、（1）及び（2）の基準によって算定した数が、住居の数となるものであること。
　（4）　その全部が別荘の用に供されている住居は、住居として取り扱わないものであること。
三　敷地の認定
　（1）　住宅の敷地の用に供されている土地とは、当該住宅を維持し、又はその効用を果たすために使用されている1画地の土地をいう。
　（2）　1画地の土地は、道路、塀、垣根、溝等によって他の土地と区分して認定するものとするが、明確な境界がない場合においては、土地の使用の実態によって認定する。この場合、住宅の敷地に使用されている土地が1筆の土地の一部分である場合は、当該部分のみをもって1画地とし、数筆の土地にわたり1個の住宅が存する等数筆の土地が一体として利用されているような場合には、数筆にわたって1画地を認定する。
　（3）　1画地の土地の上に住宅その他の家屋が混在する場合において、当該土地のうち住宅の敷地である部分を明確に区分することが困難なときは、当該土地に存する家屋の総床面積に応じてあん分し、それぞれの家屋の用に供している土地を認定することができる。ただし、総床面積に応じてあん分することが不適当な場合は、建築面積に応じてあん分しても差し支えない。
　　　なお、当該1画地の土地の所有者が同一でないときは、所有者相互間の不均衡を生じないように四（2）に準じて、住宅の敷地の用に供されている土地を定める必要がある。
　（4）　住宅の建設予定地は住宅の敷地ではないが、既存の住宅に代えて住宅が建設中である土地の取扱いについては「住宅建替え中の土地に係る固定資産税及び都市計画税の課税について」（平成6年2月22日付け自治固第17号）による。
　（5）　空家等対策の推進に関する特別措置法（平成26年法律第127号）第14条第2項の勧告を受けた同法第2条第2項の特定空家等の敷地の用に供されている土地の取扱いについては「空家法の施行に伴う改正地方税法の施行について」（平成27年5月26日付け総税固第41号）による。
四　住宅用地の認定
　（1）　住宅の床面積の10倍を超える面積を有する敷地又は居住部分の割合が2分の1（5階建以上の耐火建築物である住宅にあっては4分の3）未満である併用住宅の敷地については、当該敷地の一部が住宅用地になるが、この場合、法令の定めるところによって住宅用地の面積を算定し、当該面積に相当する土地を住宅用地として税額の算定をすれば足りるものであり、住宅用地部分の土地を具体的に特定する必要はない。
　（2）　（1）の場合において、敷地の所有者が同一でないときは、所有者相互間の均衡を図るため、各人の所有する土地のうち住宅用地とされる部分の割合がそれぞれ同一となるように住宅用地を定める。これを算式で示せば、次のとおりである。

参考通知《地方税法第349条の3の2の規定における住宅用地の認定について》

$$\text{各人が所有する土地に係る住宅用地の面積} = \text{全敷地に係る住宅用地の面積} \times \frac{\text{各人が所有する土地の面積}}{\text{敷地全体の面積}}$$

（3） 住宅用地でその一部が小規模住宅用地であるものが、同一の者によって所有されていない場合には、それぞれの所有者に係る小規模住宅用地の面積は次の算式によって計算するものである。

$$\text{それぞれの所有者に係る小規模住宅用地の面積} = \text{全小規模住宅用地の面積} \times \frac{\text{各人が所有する土地の面積}}{\text{全住宅用地の面積}}$$

第三節　賦課及び徴収

一　賦課期日及び納期

1　賦課期日
固定資産税の賦課期日は、当該年度の初日の属する年の1月1日とする。（法359）

2　納期
固定資産税の納期は、4月、7月、12月及び2月中において、当該市町村の条例で定める。ただし、特別の事情がある場合においては、これと異なる納期を定めることができる。（法362①）

（少額税額の一括徴収）
注　固定資産税額（都市計画税をあわせて徴収する場合にあっては、固定資産税額と都市計画税額との合算額とする。）が市町村の条例で定める金額以下であるものについては、当該市町村は、2の規定によって定められた納期のうちいずれか一の納期において、その全額を徴収することができる。（法362②）

二　徴収の方法等

1　徴収の方法
固定資産税の徴収については、普通徴収の方法によらなければならない。（法364①）

2　納税通知書に記載すべき課税標準額
固定資産税を徴収しようとする場合において納税者に交付する納税通知書に記載すべき課税標準額は、土地、家屋及び償却資産の価額並びにこれらの合計額とする。（法364②）

3　課税明細書の交付

①　課税明細書の交付
市町村は、土地又は家屋に対して課する固定資産税を徴収しようとする場合には、総務省令で定めるところにより、次の各号に掲げる固定資産税の区分に応じ、当該各号に定める事項を記載した文書（以下「**課税明細書**」という。）を当該納税者に交付しなければならない。（法364③）

(一)	土地に対して課する固定資産税	当該土地について土地課税台帳等に登録された所在、地番、地目、地積及び当該年度の固定資産税に係る価格
(二)	家屋に対して課する固定資産税	当該家屋について家屋課税台帳等に登録された所在、家屋番号、種類、構造、床面積及び当該年度の固定資産税に係る価格

②　課税標準の特例の適用を受ける場合の課税明細書の記載
市町村は、①の表の各号に定める事項のほか、第二節一の3《用途による課税標準の特例》のイ又は同5《住宅用地に対する課税標準の特例》の規定の適用を受ける土地又は家屋については、当該土地の①の表の（一）の価格又は当該家屋の同（二）の価格にそれぞれ第二節一の3のイ又は同5の規定に定める率を乗じて得た金額を課税明細書に記載しなければならない。（法364④）

（固定資産税の課税標準に係る課税明細書の記載事項の特例）
注　市町村は、②の規定にかかわらず、第二節一の3のロ及び同4の規定の適用を受ける土地又は家屋については、①の表の各号に定める事項のほか、これらの規定により固定資産税の課税標準とされる額を課税明細書に記載しなければならない。（法附15の4）

③　負担調整措置の適用を受ける場合の固定資産税の課税明細書の記載事項の特例

　第六節三の1の①から⑤まで、同四の1の①又は同五の1の③《宅地等、商業地等、農地又は市街化区域農地に対して課する固定資産税の負担調整措置》の規定の適用を受ける土地に係る令和6年度から令和8年度までの各年度分の固定資産税に限り、市町村は②又は同注の規定にかかわらず、①の表の(一)に定める事項のほか、(1)で定めるところにより、当該土地の当該年度の前年度分の固定資産税の課税標準額（第六節四の1の①から⑤まで、同五の1の①又は同六の1の③の規定により当該土地の宅地等調整固定資産税額、商業地等据置固定資産税額、商業地等調整固定資産税額、農地調整固定資産税額又は市街化区域農地調整固定資産税額を算定する場合の前年度分の固定資産税の課税標準額をいう。）及び次の各号に掲げる土地の区分に応じ、当該各号に定める額を課税明細書に記載しなければならない。（法附27の5①）
(一)　調整対象宅地等　　第四節二の4《土地課税台帳等の登録事項等の特例》の(一)に定める額
(二)　調整対象農地　　第四節二の4の(二)に定める額
(三)　調整対象市街化区域農地　　第四節二の4の(三)に定める額

　　　（前年度分の固定資産税の課税標準額等の記載）
(1)　③の規定により課税明細書に記載しなければならないものとされる前年度分の固定資産税の課税標準額（③に規定する前年度分の固定資産税の課税標準額をいう。以下(1)において同じ。）は、次の各号に掲げる宅地等（第六節一の表の(二)に規定する宅地等をいう。以下(2)までにおいて同じ。）に係る固定資産税に限り、当該各号に定める額とする。（規附8の2①）
(一)　調整対象宅地等（地方税法附則第23条に規定する調整対象宅地等をいう。）である小規模住宅用地（第二節一の5の③に規定する小規模住宅用地をいう。以下(一)において同じ。）である部分、一般住宅用地（住宅用地で小規模住宅用地以外のものをいう。）である部分又は非住宅用宅地等（住宅用地以外の宅地等をいう。）である部分（以下(2)までにおいて「調整部分」という。）及び調整部分以外の部分（以下(2)までにおいて「非調整部分」という。）を併せ有する宅地等　　当該宅地等の調整部分に係る前年度分の固定資産税の課税標準額（二以上の調整部分を有する宅地等にあっては、当該宅地等のそれぞれの調整部分に係る前年度分の固定資産税の課税標準額。以下(一)において同じ。）及び当該宅地等の非調整部分に係る前年度分の固定資産税の課税標準額それぞれの額又は当該宅地等の調整部分に係る前年度分の固定資産税の課税標準額及び当該宅地等の非調整部分に係る前年度分の固定資産税の課税標準額の合計額
(二)　二以上の調整部分を有する宅地等で非調整部分を有しないもの　　当該宅地等のそれぞれの調整部分に係る前年度分の固定資産税の課税標準額又はこれらの合計額

　　　（固定資産税の課税標準となるべき額の記載）
(2)　③の規定により課税明細書に記載しなければならないものとされる③の(一)に定める額（以下(2)において「固定資産税の課税標準となるべき額」という。）は、次の各号に掲げる宅地等に係る固定資産税に限り、当該各号に定める額とする。（規附8の2②）
(一)　(1)の(一)に掲げる宅地等　　当該宅地等の調整部分に係る当該年度分の固定資産税の課税標準となるべき額（二以上の調整部分を有する宅地等にあっては、当該宅地等のそれぞれの調整部分に係る当該年度分の固定資産税の課税標準となるべき額。以下(一)において同じ。）及び当該宅地等の非調整部分に係る当該年度分の固定資産税の課税標準となるべき額それぞれの額又は当該宅地等の調整部分に係る当該年度分の固定資産税の課税標準となるべき額及び当該宅地等の非調整部分に係る当該年度分の固定資産税の課税標準となるべき額の合計額
(二)　(1)の(二)に掲げる宅地等　　当該宅地等のそれぞれの調整部分に係る当該年度分の固定資産税の課税標準となるべき額又はこれらの合計額

　　　（市街化区域農地に係る課税標準となるべき額の記載）
(3)　第六節六の1の③の規定の適用を受ける市街化区域農地（同1の④の規定の適用を受ける市街化区域農地を除く。）に係る各年度分の固定資産税に限り、市町村は、②又は同注の規定にかかわらず、①の(一)に定める事項のほか、当該市街化区域農地に係る第六節六の1の③（同③の(3)において準用する場合を含む。）に規定するその年度分の課税標準となるべき額を課税明細書に記載しなければならない。（法附27の5②）

　　　（商業地等に対する令和6年度から令和8年度までの各年度分の固定資産税の減額を受ける場合の記載事項の特例）
(4)　第六節七の1の規定の適用を受ける商業地等に係る令和6年度から令和8年度までの各年度分の固定資産税に限

り、市町村は、①の(一)若しくは②、同注又は③に定める事項のほか、同**七**の1の規定により減額する税額を固定資産税の課税明細書に記載しなければならない。(法附27の5③)

　　　(住宅用地等に対する令和6年度から令和8年度までの各年度分の固定資産税の減額を受ける場合の記載事項の特例)
(5)　第六節**八**の1の規定の適用を受ける商業地等に係る令和6年度から令和8年度までの各年度分の固定資産税に限り、市町村は、①の(一)若しくは②、同注又は③に定める事項のほか、同**八**の1の規定により減額する税額を固定資産税の課税明細書に記載しなければならない。(法附27の5④)

4　仮算定税額の徴収

① 関係市町村への価格配分がなかった場合の仮算定税額の徴収

　市町村は、第五節**二**の①の表の各号に掲げる固定資産《二以上の市町村にわたって使用され、又は所在する固定資産》(移動性償却資産又は可動性償却資産で総務省令で定めるもの《総務大臣の指定する船舶》を除く。)に対して課する固定資産税については、当該固定資産について第五節**二**の⑥の規定に基づいて申告すべき者が同⑥に規定する期限〔毎年1月31日〕までに申告しなかったことその他やむを得ない理由があることにより2の納税通知書の交付期限までに当該固定資産に係る第五節**二**の①《道府県知事又は総務大臣による関係市町村への価格等の配分》の規定による通知が行われなかった場合には、当該通知が行われる日までの間に到来する納期において徴収すべき固定資産税に限り、当該固定資産に係る前年度の固定資産税の課税標準である価格(第二節**一**の3《用途による課税標準の特例》の**イ**、同5《住宅用地に対する課税標準の特例》又は同6の⑤《震災等により滅失等した償却資産等に対する固定資産税の課税標準の特例》の規定の適用を受ける固定資産にあっては、当該固定資産の価格にそれぞれこれらの規定に定める率を乗じて得た額とし、同7又は8《大規模償却資産又は新設大規模償却資産の課税標準の特例》の規定の適用を受ける償却資産にあっては、これらの規定により当該市町村が前年度の固定資産税の課税標準とすべき額とする。以下(4)の(一)において同じ。)を課税標準として仮に算定した額(以下4及び**三**において「**仮算定税額**」という。)を当該年度の納期の数で除して得た額の範囲内において、当該固定資産に係る固定資産税をそれぞれの納期において徴収することができる。ただし、当該徴収することができる額の総額は、仮算定税額の2分の1に相当する額を超えることができない。(法364⑤、規15の5)

　　　(留意事項)
(1)　①の規定によって固定資産税を徴収することができるのは、1月31日までに第五節**二**の⑥《道府県知事又は総務大臣によって評価される固定資産の申告》の規定に基づく申告が行われない場合、申告書に脱漏した固定資産がある場合、法令の改廃に伴い総務大臣又は道府県知事がする固定資産の価格等の決定が遅延する場合その他これらに類するやむを得ない理由がある場合に限られるものであるが、一般に納税通知書の交付期限までに同①の規定による通知が行われない場合においては、やむを得ない理由があるものとして取り扱って差し支えないものであること。(市通3-28)

　　　(本算定税額の確定による清算)
(2)　市町村は、①の規定により固定資産税を賦課した後において価格配分等の通知が行われ、当該通知に基づいて算定した当該年度分の固定資産税額(以下(2)及び(4)の(二)において「**本算定税額**」という。)に既に賦課した固定資産税額が満たない場合には、当該通知が行われた日以後の納期においてその不足税額を徴収し、既に徴収した固定資産税額が本算定税額を超える場合には、法第17条又は第17条の2の規定の例によりその過納額を還付し、又は当該納税義務者の未納に係る地方団体の徴収金に充当しなければならない。(法364⑥)

　　　(仮算定税額に係る納税通知書)
(3)　市町村は、①の規定により固定資産税を徴収する場合において納税者に交付する納税通知書は、2の規定にかかわらず①の固定資産以外の固定資産と区分して、交付しなければならない。この場合においては、①の固定資産に対して課する固定資産税及び①の固定資産以外の固定資産に対して課する固定資産税については、それぞれ一の地方税とみなして、法第20条の4の2《端数計算規定》を適用する。(法364⑦)

　　　(納税通知書の記載事項)
(4)　(3)の納税通知書には、総務省令の定めるところにより、次の各号に掲げる事項その他必要な事項を記載しなけ

ればならない。（法364⑧）
- （一）納税通知書に記載された①の固定資産の課税標準額及び税額は、それぞれ当該固定資産に係る前年度の固定資産税の課税標準である価格及びこれを課税標準として仮に算定した税額であること。
- （二）既に賦課した仮算定税額が本算定税額に満たない場合には、価格配分等の通知が行われた日以後の納期において、その不足税額を徴収し、既に徴収した仮算定税額が本算定税額を超える場合には、その過納額を還付し、又は当該納税義務者の未納に係る地方団体の徴収金に充当するものであること。

② 仮算定税額に係る修正の申出等

①の固定資産に係る当該年度分の固定資産税額が仮算定税額の２分の１に相当する額に満たないこととなると認められる場合においては、①の規定によって当該固定資産に係る固定資産税を徴収されることとなる者は、①の(3)の納税通知書の交付を受けた日から30日以内に市町村長に①の規定によって徴収される固定資産税額の修正を申し出ることができる。（法364の2①）

　　（修正の申出手続と決定）
（1）②の規定による修正の申出は、文書をもってしなければならない。（法364の2②）

　　（決定の期限）
（2）②の修正の申出に対する市町村長の決定は、その申出を受理した日から30日以内にしなければならない。（法364の2③）

　　（決定の手続）
（3）②の修正の申出に対する決定は、文書で行い、かつ、理由を付けてその申出をした者に交付しなければならない。この場合において、当該申出について相当の理由があると認められるときは、市町村長は、当該固定資産に係る当該年度分の固定資産税額の見積額を基礎として、①の規定によって徴収する固定資産税額を修正しなければならない。（法364の2④）

　　（郵送等による申出書の提出）
（4）②の修正の申出に関する書類を郵便又は信書便で提出した場合における②の期間の計算については、送付に要した日数は、算入しない。（法364の2⑤）

　　（決定に対する不服申立ての適用除外）
（5）（2）の規定による決定については、行政不服審査法による不服申立てをすることができない。（法364の2⑥）

5　納税通知書・課税明細書の交付期限

２若しくは４の①の(3)の納税通知書又は３の①の課税明細書は、遅くとも納期限前10日までに納税者に交付しなければならない。（法364⑨）

6　都市計画税の徴収

市町村は、固定資産税を賦課し、及び徴収する場合には、当該納税者に係る都市計画税を併せて賦課し、及び徴収することができる。（法364⑩）

三　納期前の納付

固定資産税の納税者は、納税通知書に記載された納付額のうち到来した納期に係る納付額に相当する金額の税金を納付しようとする場合においては、当該納期の後の納期に係る納付額に相当する金額の税金をあわせて納付することができる。（法365①）

　　（前納報奨金）
（1）三の規定によって固定資産税の納税者が当該納期の後の納期に係る納付額に相当する金額の税金を納付した場合においては、市町村は、当該市町村の条例で定める金額の報奨金をその納税者に交付することができる。ただし、当該納税者の未納に係る地方団体の徴収金がある場合においては、この限りでない。（法365②）

(前納報奨金の限度)
（２）　（１）の報奨金の額は、三の規定によって納期前に納付した税額の100分の１に、納期前に係る月数（１月未満の端数がある場合においては、14日以下は切り捨て、15日以上は１月とする。）を乗じて得た額を超えることができない。(法365③)

四　減　　免

　市町村長は、天災その他特別の事情がある場合において固定資産税の減免を必要とすると認める者、貧困により生活のため公私の扶助を受ける者その他特別の事情がある者に限り、当該市町村の条例の定めるところにより、固定資産税を減免することができる。(法367)

五　不足税額及び延滞金

１　登記の不申請又は不申告等による不足税額及び延滞金の徴収

　市町村長は、不動産登記法第36条、第37条第１項若しくは第２項、第42条、第47条第１項、第51条第１項（共用部分である旨の登記又は団地共用部分である旨の登記がある建物の場合に係る部分を除く。）、第２項若しくは第３項若しくは第57条の規定によって登記所に登記の申請をする義務がある者、償却資産に関して市町村長若しくは道府県知事に申告をする義務がある者又は二以上の市町村にわたって使用され又は所在する固定資産について道府県知事若しくは総務大臣に申告をする義務がある者がそのすべき申請又は申告をしなかったこと又は虚偽の申請又は申告をしたことにより固定資産の価格等のすべてを登録した旨の公示の日以後に当該固定資産の価格（土地及び家屋にあっては基準年度の価格又は第二年度、第三年度における当該価格に比準するものとされる価格（以下「**比準価格**」と総称する。）を、償却資産にあっては賦課期日における価格をいう。以下同様とする。）を決定し、又は修正したことに基づいてその者に係る固定資産税額に不足税額があることを発見した場合においては、直ちにその不足税額のうちその決定があった日までの納期に係る分（以下「**不足税額**」という。）を追徴しなければならない。ただし、不足税額とすでに市町村長が徴収した固定資産税額との合計額が大規模償却資産又は新設大規模償却資産の課税標準の特例の規定によって当該市町村が固定資産税の課税標準とすべき金額に対する固定資産税額を超えることとなる場合においては、当該市町村長が追徴すべき不足税額は、当該固定資産税額とすでに徴収した固定資産税額との差額を限度としなければならない。(法368①)

(不足税額に係る延滞金の徴収)
（１）　１の場合においては、市町村の徴税吏員は、不足税額をその決定があった日までの納期の数で除して得た額に、一の２の納期限（納期限の延長があったときは、その延長された納期限とする。以下固定資産税について同様とする。）の翌日から納付の日までの期間の日数に応じ、年14.6パーセント（当該不足税額に係る納税通知書において納付すべきこととされる日までの期間又はその日の翌日から１月を経過する日までの期間については、年7.3パーセント）の割合を乗じて計算した金額に相当する延滞金額を加算して徴収しなければならない。(法368②)
　　(注)　（１）に規定する延滞金の年7.3パーセントの割合については特例規定が設けられているので、第一編第十章12の①《延滞金の割合の特例》を参照。(編者)

(延滞金の減免)
（２）　市町村長は、納税者が１の規定によって不足税額を追徴されたことについてやむを得ない事由があると認める場合においては、（１）の延滞金額を減免することができる。(法368③)

２　期限後納付に係る延滞金

　固定資産税の納税者は、納期限後にその税金を納付する場合においては、当該税額に、その納期限の翌日から納付の日までの期間の日数に応じ、年14.6パーセント（当該納期限の翌日から１月を経過する日までの期間については、年7.3パーセント）の割合を乗じて計算した金額に相当する延滞金額を加算して納付しなければならない。(法369①)
　　(注)　２に規定する延滞金の年7.3パーセントの割合については、特例規定が設けられているので、第一編第十章12の①《延滞金の割合の特例》を参照。(編者)

(延滞金の減免)
注　市町村長は、納税者が納期限までに納付しなかったことについてやむを得ない事由があると認める場合においては、

延滞金額を減免することができる。（法369②）

六　督促及び滞納処分

1　督　　促

　納税者が納期限までに固定資産税に係る地方団体の徴収金を完納しない場合においては、市町村の徴税吏員は、納期限後20日以内に、督促状を発しなければならない。ただし、繰上徴収をする場合においては、この限りでない。（法371①）

　　　（特別の事情がある場合の督促状の発付期限）
（１）　特別の事情がある市町村においては、当該市町村の条例で１に規定する期間と異なる期間を定めることができる。（法371②）

　　　（督促手数料の徴収）
（２）　市町村の徴税吏員は、督促状を発した場合においては、当該市町村の条例の定めるところによって、手数料を徴収することができる。（法372）

2　滞納処分

　固定資産税に係る滞納者が次の各号の一に該当するときは、市町村の徴税吏員は、当該固定資産税に係る地方団体の徴収金につき、滞納者の財産を差し押えなければならない。（法373①）

（一）	滞納者が督促を受け、その督促状を発した日から起算して10日を経過した日までにその督促に係る固定資産税に係る地方団体の徴収金を完納しないとき。
（二）	滞納者が繰上徴収に係る告知により指定された納期限までに固定資産税に係る地方団体の徴収金を完納しないとき。

　　　（第二次納税義務者又は保証人に対する催告）
（１）　第二次納税義務者又は保証人について２の規定を適用する場合には、２の（一）中「督促状」とあるのは、「納付の催告書」とする。（法373②）

　　　（繰上差押え）
（２）　固定資産税に係る地方団体の徴収金の納期限後２の（一）に規定する10日を経過した日までに、督促を受けた滞納者につき繰上徴収の起因となる事実が生じたときは、市町村の徴税吏員は、直ちにその財産を差し押えることができる。（法373③）

　　　（強制換価手続が行われた場合の交付要求）
（３）　滞納者の財産につき強制換価手続が行われた場合には、市町村の徴税吏員は執行機関（破産法第114条に掲げる請求権に係る固定資産税に係る地方団体の徴収金の交付要求を行う場合には、その交付要求に係る破産事件を取り扱う裁判所）に対し、滞納に係る固定資産税に係る地方団体の徴収金につき、交付要求をしなければならない。（法373④）

　　　（参加差押え）
（４）　市町村の徴税吏員は、２から（２）までの規定により差押えをすることができる場合において、滞納者の財産で国税徴収法第86条第１項各号に掲げるものにつき、すでに他の地方団体の徴収金若しくは国税の滞納処分又はこれらの滞納処分の例による差押えがされているときは、当該財産についての交付要求は、参加差押えによりすることができる。（法373⑤）

　　　（仮算定税額に係る滞納処分における換価の制限）
（５）　二の４の規定によって徴収する固定資産税について滞納処分をする場合においては、当該固定資産について価格配分等の通知が行われる日までの間は、財産の換価は、することができない。（法373⑥）

(国税徴収法の例による滞納処分)
（６） 前各項に定めるものその他固定資産税に係る地方団体の徴収金の滞納処分については、国税徴収法に規定する滞納処分の例による。（法373⑦）

(市町村の区域外における処分)
（７） 前各項の規定による処分は、当該市町村の区域外においても行うことができる。（法373⑧）

3　滞納処分に関する罪

①　滞納処分を免れる目的の財産隠ぺい等の罪
固定資産税の納税者が滞納処分の執行を免れる目的でその財産を隠蔽し、損壊し、若しくは市町村の不利益に処分し、その財産に係る負担を偽って増加する行為をし、又はその現状を改変して、その財産の価額を減損し、若しくはその滞納処分に係る滞納処分費を増大させる行為をしたときは、その者は、３年以下の懲役若しくは250万円以下の罰金に処し、又はこれを併科する。（法374①）

(財産占有者に対する罰則)
（１） 納税者の財産を占有する第三者が納税者に滞納処分の執行を免れさせる目的で①の行為をしたときも、また①と同様とする。（法374②）

(情を知った違反行為の相手方に対す罰則)
（２） 情を知って①又は（１）の行為につき納税者又はその財産を占有する第三者の相手方となったときは、その相手方としてその違反行為をした者は、２年以下の懲役若しくは150万円以下の罰金に処し、又はこれを併科する。（法374③）

(両罰規定)
（３） 法人の代表者又は法人若しくは人の代理人、使用人その他の従業者がその法人又は人の業務又は財産に関して①から（２）までの違反行為をした場合には、その行為者を罰する外、その法人又は人に対し、当該各項の罰金刑を科する。（法374④）

②　滞納処分に関する検査拒否等の罪
次の各号のいずれかに該当する場合には、その違反行為をした者は、１年以下の懲役又は50万円以下の罰金に処する。（法375①）

(一)	国税徴収法第141条の規定の例により行う市町村の徴税吏員の質問に対して答弁をせず、又は偽りの陳述をしたとき。
(二)	国税徴収法第141条の規定の例により行う市町村の徴税吏員の同条に規定する帳簿書類（同条に規定する帳簿書類をいう。（三）において同じ。）その他の物件の検査を拒み、妨げ、又は忌避したとき。
(三)	2の（６）の場合において、国税徴収法第141条の規定の例により行う市町村の徴税吏員の物件の提示又は提出の要求に対し、正当な理由がなくこれに応じず、又は偽りの記載若しくは記録をした帳簿書類その他の物件（その写しを含む。）を提示し、若しくは提出したとき。

(両罰規定)
注　法人の代表者又は法人若しくは人の代理人、使用人その他の従業者がその法人又は人の業務又は財産に関して②の違反行為をした場合には、その行為者を罰する外、その法人又は人に対し、②の罰金刑を科する。（法375②）

③　国税徴収法の例による固定資産税に係る滞納処分に関する虚偽の陳述の罪
2の（６）の場合において、国税徴収法第99条の２（同法第109条第４項において準用する場合を含む。）の規定の例により市町村長に対して陳述すべき事項について虚偽の陳述をした者は、６月以下の懲役又は50万円以下の罰金に処する。（法376）

第四節　固定資産課税台帳

一　固定資産課税台帳の備付け

　市町村は、固定資産の状況及び固定資産税の課税標準である固定資産の価格を明らかにするため、固定資産課税台帳を備えなければならない。（法380①）

　　　　（電磁的記録による固定資産課税台帳の備付け）
（1）　市町村は、総務省令で定めるところにより、一の固定資産課税台帳の全部又は一部の備付けを**電磁的記録**（電子式方式、磁気的方式その他の人の知覚によっては認識することができない方式で作られる記録であって、電子計算機による情報処理の用に供されるものをいう。以下において同じ。）の備付けをもって行うことができる。（法380②）

　　　　（固定資産課税台帳の備付けを電磁的記録の備付けをもって行う場合に講ずべき措置）
（2）　市町村は、（1）の規定により固定資産課税台帳の全部又は一部の備付けを電磁的記録の備付けをもって行う場合においては、当該固定資産課税台帳に記録をされている事項がその市町村の固定資産税に関する事務に従事している者以外の者に知られること及び当該固定資産課税台帳が滅失し又はき損することを防止するために必要な措置を講じなければならない。（規15の5の2①）

　　　　（地籍図等の備付け）
（3）　市町村は、固定資産課税台帳のほか、当該市町村の条例の定めるところによって、地籍図、土地使用図、土壌分類図、家屋見取図、固定資産売買記録簿その他固定資産の評価に関して必要な資料を備えて逐次これを整えなければならない。（法380③）

二　固定資産課税台帳の登録事項

1　登録事項

①　土地課税台帳の登録事項
　市町村長は、土地課税台帳に、総務省令で定めるところにより、登記簿に登記されている土地について不動産登記法第27条第3号及び第34条第1項各号に掲げる登記事項、所有権、質権及び100年より長い存続期間の定めのある地上権の登記名義人の住所及び氏名又は名称並びに当該土地の基準年度の価格又は比準価格（所有者として登記又は登録がされている個人が賦課期日前に死亡しているとき、若しくは所有者として登記又は登録がされている法人が同日前に消滅しているとき、又は所有者として登記されている国並びに都道府県、市町村、特別区、これらの組合、財産区、地方開発事業団及び合併特例区が同日前に所有者でなくなっているため、同日において当該土地又は家屋を現に所有している者に固定資産税を課税する場合、又は当該土地の所有者の所在が震災、風水害、火災その他の事由によって不明であるため、その使用者を所有者とみなして固定資産税を課税する場合、相当な努力が払われたと認められる方法により探索を行ってもなお所有者の存在が不明である場合にその使用者を所有者とみなして固定資産税を課税する場合には、これらの規定により固定資産税を課されることとなる者の住所及び氏名又は名称並びにその基準年度の価格又は比準価格）を登録しなければならない。（法381①）

　　　　（土地補充課税台帳の登録事項）
（1）　市町村長は、土地補充課税台帳に、総務省令で定めるところにより、登記簿に登記されていない土地で地方税法の規定により固定資産税を課することができるものの所有者の住所及び氏名又は名称並びにその所在、地番、地目、地積及び基準年度の価格又は比準価格を登録しなければならない。（法381②）

　　　　（土地課税台帳及び②の家屋課税台帳の留意事項）
（2）　土地課税台帳とは、登記簿に登記されている土地について不動産登記法第27条第3号及び第34条第1項各号に掲

げる登記事項（当該土地の所在する市、区、郡、町、村及び字、地番、地目、地積、所有権の登記がない土地については所有者の氏名又は名称及び住所並びに所有者が２人以上であるときはその所有者ごとの持分）、所有権、質権及び百年より長い存続期間の定めのある地上権の登記名義人の住所及び氏名又は名称並びに当該土地の基準年度の価格若しくは比準価格を登録した帳簿をいい、家屋課税台帳とは、登記簿に登記されている家屋（区分所有に係る家屋の専有部分が登記簿に登記されている場合においては、当該区分所有に係る家屋）について不動産登記法第27条第3号及び第44条第1項各号に掲げる登記事項（建物の所在する市、区、郡、町、村、字及び土地の地番、家屋番号、建物の種類、構造及び床面積。建物の名称があるときはその名称。附属建物があるときはその所在する市、区、郡、町、村、字及び土地の地番並びに種類、構造及び床面積。建物が共用部分又は団地共用部分であるときはその旨。区分所有に係る家屋にあっては、一棟の建物の所在する市、区、郡、町、村、字及び土地の地番、一棟の建物の構造及び床面積、一棟の建物の名称があるときはその名称、敷地権があるときはその敷地権。所有権の登記がない建物については所有者の氏名又は名称及び住所並びに所有者が２人以上であるときはその所有者ごとの持分。）、所有権の登記名義人の住所及び氏名又は名称並びに当該土地の基準年度の価格又は比準価格を登録した帳簿をいうものであること。（市通3－33）

② **家屋課税台帳の登録事項**
　市町村長は、家屋課税台帳に、総務省令で定めるところにより、登記簿に登記されている家屋について不動産登記法第27条第3号及び第44条第1項各号に掲げる登記事項、所有権の登記名義人の住所及び氏名又は名称並びに当該家屋の基準年度の価格又は比準価格（所有者として登記又は登録がされている個人が賦課期日前に死亡しているとき、若しくは所有者として登記又は登録がされている法人が同日前に消滅しているとき、又は所有者として登記されている国並びに都道府県、市町村、特別区、これらの組合、財産区及び地方開発事業団が同日前に所有者でなくなっているため、同日において当該家屋を現に所有している者に固定資産税を課税する場合又は当該家屋の所有者の所在が震災、風水害、火災その他の事由によって不明であるため、その使用者を所有者とみなして固定資産税を課税する場合、相当な努力が払われたと認められる方法により探索を行ってもなお所有者の存在が不明である場合にその使用者を所有者とみなして固定資産税を課税する場合には、これらの規定により固定資産税を課されることとなる者の住所及び氏名又は名称並びにその基準年度の価格又は比準価格）を登録しなければならない。（法381③）

　　　（家屋補充課税台帳の登録事項）
　注　市町村長は、家屋補充課税台帳に、総務省令で定めるところによって、登記簿に登記されている家屋以外の家屋で地方税法の規定により固定資産税を課することができるものの所有者の住所及び氏名又は名称並びにその所在、家屋番号、種類、構造、床面積及び基準年度の価格又は比準価格を登録しなければならない。（法381④）

③ **償却資産課税台帳の登録事項**
　市町村長は、償却資産課税台帳に、総務省令で定めるところにより、償却資産の所有者（次の(一)及び(二)の場合には、これらの規定により所有者とみなされる者とする。五の１において同じ。）の住所及び氏名又は名称並びにその所在、種類、数量及び価格を登録しなければならない。（法381⑤、343⑨⑩）
(一)　信託会社（信託業務を営む金融機関を含む。）が信託の引受けをした償却資産で、その信託行為の定めるところに従い当該信託会社が他の者にこれを譲渡することを条件として当該他の者に賃貸し、当該償却資産が当該他の者の事業の用に供するものであるときは、当該他の者とする。
(二)　家屋の附帯設備であって、当該家屋の所有者以外の者がその事業の用に供するため取り付けたものであり、かつ、当該家屋に付合したことにより当該家屋の所有者が所有することとなったものについては、当該取り付けた者の事業の用に供することができる資産である場合に限り、当該取り付けた者を所有者とみなすことができる。

④ **課税標準の特例の適用を受ける固定資産の登録事項**
　市町村長は、①から③までに定めるもののほか、用途による課税標準の特例、日本国有鉄道の改革に伴う固定資産税等の課税標準の特例又は住宅用地に対する課税標準の特例〖第二節一の3～5〗の規定の適用を受ける固定資産についてはこれらの規定により固定資産税の課税標準とされる額を、大規模償却資産又は新設大規模償却資産に対する課税標準の特例〖第二節一の7・8〗の規定の適用を受ける償却資産についてはこれらの規定により市町村が固定資産税の課税標準とすべき金額を固定資産課税台帳に登録しなければならない。（法381⑥、法附15の5、平6法律15号附9⑥）

2　登記の修正等の申出
　市町村長は、登記簿に登記されるべき土地又は家屋が登記されていないため、又は地目その他登記されている事項が事

実と相違するため課税上支障があると認める場合には、当該土地又は家屋の所在地を管轄する登記所にそのすべき登記又は登記されている事項の修正その他の措置をとるべきことを申し出ることができる。この場合において、当該登記所は、その申出を相当と認めるときは、遅滞なく、その申出に係る登記又は登記されている事項の修正その他の措置をとり、その申出を相当でないと認めるときは、遅滞なく、その旨を市町村長に通知しなければならない。(法381⑦)

　　　(留意事項)
　注　市町村長は、登記簿に登記されるべき土地又は家屋が登記されていないため、又は登記事項が事実と相違するために課税上支障があると認める場合には、登記所に必要な措置をとるべきことを申し出ることができるものとされているが、これは、従来事実上行われてきた方法を特に法律に規定しているのであって、固定資産税徴収の円滑なる運営のために特にその趣旨を明白にする必要があると考えられたためであり、その申出が客観的に相当と認められるものであれば、登記所は、当然これに拘束されるのであって、その認定に自由裁量の余地はないと解すべきものであること。(市通3-34)

3　仮換地等の所有者とみなされる者に係る登録事項の添付等
　　市町村長は、第一節三の2の④の規定に基づいて仮換地等、仮使用地、保留地又は換地に係る所有者とみなされる者に対して固定資産税を課する場合には、総務省令で定めるところにより、当該仮換地等、仮使用地、保留地又は換地の所有者とみなされる者の住所、氏名又は名称並びにその所在、地目、地積及び基準年度の価格又は比準価格を別紙に登録して、これを当該仮換地等若しくは換地に対応する従前の土地又は仮使用地若しくは保留地が登録されている土地課税台帳又は土地補充課税台帳に添付しなければならない。この場合において、当該従前の土地又は仮使用地若しくは保留地については、1の①及び同(1)の規定にかかわらず、土地課税台帳又は土地補充課税台帳に基準年度の価格又は比準価格を登録することを要しないものとし、当該土地課税台帳又は土地補充課税台帳に添付した別紙は、地方税法の規定の適用については、土地補充課税台帳とみなす。(法381⑧)

　　　(電磁的記録による別紙の作成)
　(1)　市町村は、総務省令で定めるところにより、3の別紙の作成を電磁的記録の作成をもって行うことができる。(法381⑨)

　　　(別紙の作成を電磁的記録の作成をもって行う場合に講ずべき措置)
　(2)　市町村は、(1)の規定により土地課税台帳又は土地補充課税台帳に添付する別紙の作成を電磁的記録の作成をもって行う場合においては、当該別紙に記録をされている事項がその市町村の固定資産税に関する事務に従事している者以外の者に知られること及び当該別紙が滅失し又はき損することを防止するために必要な措置を講じなければならない。(規15の5の2②)

4　土地課税台帳等の登録事項等の特例
　　第六節四の1の①から⑤まで、同節五の1の①又は同節六の1の③の規定の適用を受ける土地に係る令和6年度から令和8年度までの各年度分の固定資産税に限り、市町村長は、1から3までに定めるもののほか、次の各号に掲げる土地の区分に応じ、当該各号に定める額を土地課税台帳等に登録するほか、当該土地が当該年度において新たに固定資産税を課されることとなる場合又は当該年度に係る賦課期日において当該土地につき地目の変換等がある場合には、当該年度においては、当該土地の比準課税標準額(当該土地に係る比準課税標準額が二以上ある場合には、これらの合算額)を土地課税台帳等に登録しなければならない。(法附28①)
(一)　調整対象宅地等《第六節四の1の①から⑤までの規定の適用を受ける宅地等》　当該調整対象宅地等に係る当該年度分の同①に規定する宅地等調整固定資産税額、商業地等据置固定資産税額又は商業地等調整固定資産税額の算定の基礎となる課税標準となるべき額
(二)　調整対象農地《第六節五の1の①の規定の適用を受ける農地》　当該調整対象農地に係る当該年度分の同①に規定する農地調整固定資産税額の算定の基礎となる課税標準となるべき額
(三)　調整対象市街化区域農地《第六節六の1の③の規定の適用を受ける市街化区域農地》　当該調整対象市街化区域農地に係る当該年度分の同③に規定する市街化区域農地調整固定資産税額の算定の基礎となる課税標準となるべき額

　　　(宅地等に調整部分と非調整部分とがある場合等)
　(1)　4の場合において、次の各号に掲げる宅地等に係る固定資産税については、市町村長は、4の(一)に定める額に

代えて、次の各号に掲げる宅地等の区分に応じ当該各号に定める合算額を土地課税台帳等に登録するものとする。(法附28②)
- (一) 調整対象宅地等である小規模住宅用地である部分、一般住宅用地である部分又は非住宅用宅地等である部分(以下(1)において「調整部分」という。)及び調整部分以外の部分(以下(1)において「非調整部分」という。)を併せ有する宅地等　当該年度分の当該宅地等の調整部分に係る4の(一)に定める額(二以上の調整部分を有する宅地等にあっては、当該調整部分に係る同(一)に定める額を合算した額)及び当該年度分の当該宅地等の非調整部分に係る固定資産税の課税標準額の合算額
- (二) 二以上の調整部分を有する宅地等で非調整部分を有しないもの　当該年度分の当該調整部分に係る4の(一)に定める額の合算額

(平成6年度以降の年度分について負担調整措置の適用を受ける市街化区域農地に係る課税標準の登録)
(2) 第六節**六**の1の③の規定の適用を受ける市街化区域農地(同1の④の規定の適用を受ける市街化区域農地を除く。)に係る各年度分の固定資産税に限り、市町村長は、1から3までに定めるもののほか、当該市街化区域農地については、同**六**の1の③(同③の(3)において準用する場合を含む。)に規定するその年度分の課税標準となるべき額を土地課税台帳等に登録しなければならない。(法附28③)

(価格の特例が適用される土地の表示)
(3) 令和7年度分又は令和8年度分の固定資産税に限り、市町村長は、土地課税台帳等に登録された土地のうち当該年度分の固定資産税について第六節**二**の1の規定の適用を受けるものについては、土地課税台帳等にその旨を明らかにする表示をしなければならない。(法附28④)

(土地課税台帳への登録事項)
(4) 負担調整措置の対象となる土地については、令和6年度から令和8年度までの各年度において、1から3までに定めるもののほか、調整固定資産税額又は据置固定資産税額(商業地等に係る部分に限る。)の算定の基礎となった額を土地課税台帳等に登録すべきものとされているが、これは、これらの年度において、納税者の便に資するため併記することとしているものであり、当該額についての固定資産評価審査委員会に対する審査の申出はできないものであること。(市通3－46)

(地目の変換等があった場合の比準課税標準額の登録)
(5) 当該年度に係る賦課期日において地目の変換等がある年度又は新たに固定資産税を課することとなる年度にあっては、1から3までに定めるもののほか、負担調整措置の対象となる土地については、比準課税標準額を土地課税台帳等に登録すべきものとされているのであるが、これは、当該額が負担調整措置の基礎となる額であることを考慮し、納税者の便に資するため併記することとしているものであり、当該額についての固定資産評価審査委員会に対する審査の申出はできないものであること。(市通3－47)

三　登記所の通知義務及び固定資産課税台帳への登録

1　登記所の通知義務

①　表示に関する登記事項の通知

登記所は、土地又は建物の表示に関する登記をしたときは、10日以内に、その旨その他注で定める事項を当該土地又は家屋の所在地の市町村長に通知しなければならない。(法382①)

(総務省令で定める事項)
注　①に規定する注で定める事項は、次の各号に掲げる場合の区分に応じ、当該各号に定める事項とする。(規15の5の3)
- (一) 土地の表示に関する登記をした場合　不動産登記法(平成16年法律第123号)第14条第1項の地図若しくは同条第4項の地図に準ずる図面又は不動産登記令(平成16年政令第379号)第2条第2号に規定する土地所在図若しくは同条第3号に規定する地積測量図
- (二) 建物の表示に関する登記をした場合　不動産登記令第2条第5号に規定する建物図面又は同条第6号に規定

する各階平面図
　(三)　不動産登記法第119条第6項の申出をした者の住所が記録されている登記簿の表題部について土地又は建物の表示に関する登記をした場合当該住所に係る不動産登記規則第202条の10に規定する公示用住所(以下「公示用住所」という。)

② **所有権、質権、地上権に係る登記事項の通知**
　①の規定は、次に掲げる場合について準用する。(法382②)
(一)　所有権、質権若しくは100年より長い存続期間の定めのある地上権の登記又はこれらの登記の抹消、これらの権利の登記名義人の氏名若しくは名称若しくは住所についての変更の登記若しくは更正の登記若しくは100年より長い存続期間を100年より短い存続期間に変更する地上権の変更の登記をした場合(登記簿の表題部に記録した所有者のために所有権の保存の登記をした場合又は当該登記を抹消した場合を除く。)
(二)　登記簿の表題部に記録した所有者又は所有権、質権若しくは100年より長い存続期間の定めのある地上権の登記名義人その他総務省令で定める者から不動産登記法第119条第6項の申出を受けた場合
(三)　(一)及び(二)に掲げるもののほか、総務省令で定める場合
　(注)　②を以下のように改める令和4年度改正規定は、民法等の一部を改正する法律(令和3年法律第24号)附則第1条第3号に掲げる規定の施行の日以後適用する。改正後の②((二)に係る部分に限る。)の規定は、民法等の一部を改正する法律(令和3年法律第24号)附則第1条第3号に掲げる規定の施行の日以後にされる不動産登記法第76条の3第3項の規定による付記について適用する。(令4改法附1十一、15)
　　①の規定は、次に掲げる場合について準用する。(法382②)
　(一)　所有権、質権若しくは100年より長い存続期間の定めのある地上権の登記又はこれらの登記の抹消、これらの権利の登記名義人の氏名若しくは名称若しくは住所についての変更の登記若しくは更正の登記若しくは100年より長い存続期間を100年より短い存続期間に変更する地上権の変更の登記をした場合(登記簿の表題部に記録した所有者のために所有権の保存の登記をした場合又は当該登記を抹消した場合を除く。)
　(二)　不動産登記法第76条の3第3項の規定による付記をした場合
　(三)　不動産登記法第76条の4の規定による符号の表示をした場合
　(四)　登記簿の表題部に記録した所有者又は所有権、質権若しくは100年より長い存続期間の定めのある地上権の登記名義人その他総務省令で定める者から不動産登記法第119条第6項の申出を受けた場合
　(五)　(一)から(四)に掲げるもののほか、総務省令で定める場合

　　(総務省令で定める者)
(1)　②の(二)に規定する総務省令で定める者は、登記簿の表題部に記録した所有者であった者又は所有権、質権若しくは100年より長い存続期間の定めのある地上権の登記名義人であった者とする。(規15の5の4)

　　(総務省令で定める場合)
(2)　②の(三)に規定する総務省令で定める場合は、公示用住所(登記簿の表題部に記録した所有者若しくは所有権、質権若しくは100年より長い存続期間の定めのある地上権の登記名義人又は(1)に規定する者((3)において「登記名義人等」という。)に係るものに限る。以下同じ。)について不動産登記規則第202条の15第1項の規定による撤回又は同令第202条の16第1項の規定による申出があったことその他の事由により同令第202条の2第1項に規定する公示用住所管理ファイル(以下「公示用住所管理ファイル」という。)に公示用住所若しくは公示用住所の変更が記録され、又は公示用住所管理ファイルから公示用住所が削除された場合とする。(規15の5の5)

　　(総務省令で定める事項)
(3)　②((一)に係る部分に限る。)において準用する①に規定する①の注で定める事項は、②の(一)の登記又は登記の抹消に係る権利の登記名義人等の公示用住所とする。(規15の5の6①)

　　(総務省令で定める事項)
(4)　②((二)及び(三)に係る部分に限る。)において準用する①に規定する①の注で定める事項は、登記名義人等の公示用住所(公示用住所管理ファイルから公示用住所が削除された場合にあっては、その旨)とする。(規15の5の6②)

2　固定資産課税台帳への登記事項の記載
　市町村長は、1の①(②((一)に係る部分に限る。)において準用する場合を含む。)の規定による登記所からの通知を受けた場合には、遅滞なく、当該土地又は家屋についての異動を土地課税台帳又は家屋課税台帳に記載(当該土地課税台帳又は家屋課税台帳の備付けが一の(1)の規定により電磁的記録の備付けをもって行われている場合にあっては、記録)

以下２において同じ。）をし、又はこれに記載をされた事項を訂正しなければならない。（法382③）

四　固定資産課税台帳の閲覧

①　固定資産課税台帳の閲覧

市町村長は、納税義務者その他の(1)で定める者の求めに応じ、固定資産課税台帳のうちこれらの者に係る固定資産として(1)で定めるものに関する事項が記載（当該固定資産課税台帳の備付けが一の(1)の規定により電磁的記録の備付けをもって行われている場合には、記録。①、(3)及び第五節二の⑥において同じ。）をされている部分又はその写し（当該固定資産課税台帳の備付けが一の(1)の規定により電磁的記録の備付けをもって行われている場合には、当該固定資産課税台帳に記録をされている事項を記載した書類。(3)及び六の②において同じ。）をこれらの者の閲覧に供しなければならない。ただし、当該部分に記載をされている住所が明らかにされることにより人の生命又は身体に危害を及ぼすおそれがあると認められる場合その他当該部分又はその写しを閲覧に供することが適当でないと認められる場合には、当該部分に総務省令で定める措置を講じたもの又はその写し（当該固定資産課税台帳の備付けが一の(1)の規定により電磁的記録の備付けをもって行われている場合には、当該総務省令で定める措置を講じたものに記録をされている事項を記載した書類）を閲覧に供することができる。（法382の2①）

　　　　（(1)で定める者及び固定資産）
（1）　①に規定する納税義務者その他の者は、次の表の左欄に掲げる者とし、①に規定するこれらの者に係る固定資産は、同表の左欄に掲げる者について、それぞれ同表の右欄に掲げる固定資産とする。（令52の14）

(一)	固定資産税の納税義務者	当該納税義務に係る固定資産
(二)	土地について賃借権その他の使用又は収益を目的とする権利（対価が支払われるものに限る。）を有する者	当該権利の目的である土地
(三)	家屋について賃借権その他の使用又は収益を目的とする権利（対価が支払われるものに限る。）を有する者	当該権利の目的である家屋及びその敷地である土地
(四)	固定資産の処分をする権利を有する者として総務省令で定める者	当該権利の目的である固定資産

　　　　（総務省令で定める者）
（2）　(1)の表の(四)に規定する総務省令で定める者は、次に掲げる者とする。（規12の4）
　（一）　所有者
　（二）　破産法第74条の規定により破産管財人に選任された者及び同法第91条第2項の規定により保全管理人に選任された者
　（三）　会社更生法第30条第2項の規定により保全管理人に選任された者及び同法第42条第1項の規定により管財人に選任された者
　（四）　預金保険法第77条第2項の規定により金融整理管財人に選任された者
　（五）　農水産業協同組合貯金保険法第85条第2項の規定により管理人に選任された者
　（六）　保険業法第242条第2項の規定により保険管理人に選任された者
　（七）　金融機能の再生のための緊急措置に関する法律第11条第2項の規定により金融整理管財人に選任された者
　（八）　民事再生法第64条第2項の規定により管財人に選任された者及び同法第79条第2項の規定により保全管理人に選任された者
　（九）　外国倒産処理手続の承認援助に関する法律第32条第2項の規定により承認管財人に選任された者及び同法第51条第2項の規定により保全管理人に選任された者

　　　　（映像表示による閲覧）
（3）　市町村長は、①の規定により固定資産課税台帳（①ただし書の規定による措置を講じたものを含む。以下(3)及び③において同じ。）又はその写しを閲覧に供する場合には、固定資産課税台帳に記載をされている事項を映像面に表示して閲覧に供することができる。（法382の2②）

（総務省令で定める措置）
（4） ①ただし書に規定する総務省令で定める措置は、次に掲げる措置のいずれかとする。（規15の5の7）
　（一） 住所の削除
　（二） 住所に代わるものとして市町村長が適当と認める事項の記載
　（三） 前二号に掲げるもののほか、市町村長が適当と認める措置

② 固定資産課税台帳の記載事項の証明書の交付
　市町村長は、第一編第十章13《納税証明書の交付》によるもののほか、（1）で定める者の請求があったときは、これらの者に係る固定資産として（1）で定めるものに関して固定資産課税台帳に記載をされている事項のうち（1）で定めるものについての証明書を交付しなければならない。ただし、当該証明書に記載されている住所が明らかにされることにより人の生命又は身体に危害を及ぼすおそれがあると認められる場合その他当該証明書を交付することが適当でないと認められる場合には、当該証明書に総務省令で定める措置を講じたものを交付することができる。（法382の3）

　　　（（1）で定める者、固定資産及び記載事項）
（1） ②に規定する者は、次の表の左欄に掲げる者とし、②に規定するこれらの者に係る固定資産は、同表の左欄に掲げる者について、それぞれ同表の中欄に掲げる固定資産とし、②に規定する固定資産課税台帳に記載をされている事項は、同表の左欄に掲げる者について、それぞれ同表の右欄に掲げる事項とする。（令52の15）

（一）	土地について賃借権その他の使用又は収益を目的とする権利（対価が支払われるものに限る。）を有する者	当該権利の目的である土地	地方税法に規定するすべての登録事項
（二）	家屋について賃借権その他の使用又は収益を目的とする権利（対価が支払われるものに限る。）を有する者	当該権利の目的である家屋及びその敷地である土地	地方税法に規定するすべての登録事項
（三）	固定資産の処分をする権利を有する者として総務省令で定める者	当該権利の目的である固定資産	地方税法に規定するすべての登録事項
（四）	民事訴訟費用等に関する法律別表第1の1の項から7の項まで、10の項、11の2の項ロ、13の項及び14の項の上欄に掲げる申立てをしようとする者	当該申立ての目的である固定資産	二の1の①から③までに規定する登録事項

　　　（総務省令で定める者）
（2） （1）の表の（三）に規定する総務省令で定める者は、①の（2）各号に掲げる者とする。（規12の5）

　　　（総務省令で定める措置）
（3） ②ただし書に規定する総務省令で定める措置は、次に掲げる措置のいずれかとする。（規15の5の7）
　（一） 住所の削除
　（二） 住所に代わるものとして市町村長が適当と認める事項の記載
　（三） 前二号に掲げるもののほか、市町村長が適当と認める措置

③ 固定資産課税台帳の閲覧等の特例
　市町村長は、①の規定により固定資産課税台帳若しくはその写しを閲覧に供し、若しくは六の②若しくは同②の注の規定により土地名寄帳若しくは家屋名寄帳若しくはそれらの写しを閲覧に供し、又は第一編第十章の13若しくは②の規定により証明書（②ただし書の規定による措置を講じたものを含む。）を交付する場合において、当該閲覧又は交付に係る固定資産課税台帳又は土地名寄帳若しくは家屋名寄帳に記載（当該固定資産課税台帳又は土地名寄帳若しくは家屋名寄帳の備付けが一の（1）又は六の①の（1）の規定により電磁的記録の備付けをもって行われている場合には、記録。以下③において同じ。）をされている住所が三の1の②（（二）に係る部分に限る。）において準用する三の1の①の規定による通知に係る者の住所（総務省令で定めるものに限る。）であるとき（総務省令で定める場合に限る。）は、第一編第十章の13、①、②並びに六の②若しくは同②の注の規定にかかわらず、総務省令で定めるところにより、当該固定資産課税台帳若しくは土地名寄帳若しくは家屋名寄帳に当該住所に代わるものとして総務省令で定める事項の記載をしたもの若しくはその写し（当該固定資産課税台帳又は土地名寄帳若しくは家屋名寄帳の備付けが一の（1）又は六の①の（1）の規定により電磁的記

録の備付けをもって行われている場合には、当該総務省令で定める事項の記載をしたものに記録をされている事項を記載した書類）を閲覧に供し、又は当該証明書に当該住所に代わるものとして総務省令で定める事項を記載したものを交付しなければならない。（法382の４）

（注）　③中「（二）に係る部分に限る。」を「（四）に係る部分に限る。」に改める令和４年度改正規定は、民法等の一部を改正する法律（令和３年法律第24号）附則第１条第３号に掲げる規定の施行の日以後適用する。（令４改法附１十一）

（総務省令で定めるもの）
（１）　③に規定する総務省令で定めるものは、不動産登記法第119条第６項の申出がされた土地又は家屋に係る当該申出をした者の登記簿上の住所とする。（規15の５の８①）

（総務省令で定める場合）
（２）　③に規定する総務省令で定める場合は、三の１の②（（二）又は（三）に係る部分に限る。）において準用する三の１の①の規定により公示用住所が通知された場合（法第三の１の②（（三）に係る部分に限る。）において準用する三の１の①の規定により公示用住所管理ファイルから当該公示用住所が削除された旨が通知された場合を除く。）とする。（規15の５の８②）

（閲覧及び交付）
（３）　③の閲覧及び交付は、不動産登記法第119条第６項の申出をした者又はその相続人から求めがあった場合には、固定資産課税台帳若しくは土地名寄帳若しくは家屋名寄帳に当該者の登記簿上の住所を記載したものを閲覧に供し、又は②に規定する証明書に当該住所を記載したものを交付することにより行うものとする。（規15の５の８③）

（総務省令で定める事項）
（４）　③に規定する住所に代わるものとして総務省令で定める事項は、当該住所に係る公示用住所とする。（規15の５の８④）

五　固定資産の申告

１　償却資産に係る申告

固定資産税の納税義務がある償却資産の所有者（第五節二の①の規定によって道府県知事若しくは総務大臣が評価すべき償却資産又は大規模の償却資産に対する道府県の課税権の規定によって道府県知事が課税すべきものとして指定した償却資産の所有者を除く。）は、総務省令の定めるところによって、毎年１月１日現在における当該償却資産について、その所在、種類、数量、取得時期、取得価額、耐用年数、見積価額その他償却資産課税台帳の登録及び当該償却資産の価格の決定に必要な事項を１月31日までに当該償却資産の所在地の市町村長に申告しなければならない。（法383）

（注）　１の償却資産の所有者については、二の１の③を参照。（編者）

２　住宅用地の所有者に係る申告

市町村長は、住宅用地の所有者に、当該市町村の条例の定めるところによって、当該年度に係る賦課期日現在における当該住宅用地について、その所在及び面積、その上に存する家屋の床面積及び用途、その上に存する住居の数その他固定資産税の賦課徴収に関し必要な事項を申告させることができる。ただし、当該年度の前年度に係る賦課期日における当該住宅用地の所有者が引続き当該住宅用地を所有し、かつ、その申告すべき事項に異動がない場合は、この限りでない。（法384①）

（注）　２において「住宅用地」とは、第二節一の５《住宅用地に対する課税標準の特例》の①に規定する住宅用地をいい、「住居の数」とは、同５の③の表の（二）に規定する住居の数をいう。（編者）

３　住宅用地から非住宅用地への変更に係る申告

市町村長は、当該年度に係る賦課期日において住宅用地から住宅用地以外の土地への変更があり、かつ、当該土地の所有者が当該年度の前年度に係る賦課期日から引き続き当該土地を所有している場合には、当該土地の所有者に、当該市町村の条例の定めるところによって、その旨を申告させることができる。（法384②）

４　被災住宅用地等に対する課税標準の特例の適用を受ける場合の申告

市町村長は、次に掲げる場合には、その者に、当該市町村の条例の定めるところにより、その旨を申告させることがで

きる。（法384の2）
- （一） 被災住宅用地の所有者等が、第二節一の6の①《被災住宅用地の課税標準の特例》の規定の適用を受けようとする場合
- （二） 被災住宅用地の共有者等が、第二節一の6の②《特定被災住宅用地の課税標準の特例》において準用する同①の規定の適用を受けようとする場合
- （三） 特定仮換地等に対応する従前の土地の所有者である被災住宅用地の所有者等が、第二節一の6の③《被災住宅用地の所有者等をもって特定仮換地等の所有者とみなされた場合の課税標準の特例》の規定により読み替えて適用される同①の規定の適用を受けようとする場合
- （四） 特定仮換地等に対応する従前の土地の所有者若しくは共有者である被災住宅用地の共有者等が、第二節一の6の④《特定被災住宅用地の所有者等をもって特定仮換地等の所有者とみなされた場合の課税標準の特例》において準用する同③の規定により読み替えて適用される同①の規定の適用を受けようとする場合

5 現所有者の住所及び氏名又は名称その他固定資産税の賦課徴収に関し必要な事項の申告

市町村長は、その市町村内の土地又は家屋について、登記簿又は土地補充課税台帳若しくは家屋補充課税台帳に所有者として登記又は登録がされている個人が死亡している場合における当該土地又は家屋を所有している者（以下5及び6の②において「現所有者」という。）に、当該市町村の条例で定めるところにより、現所有者であることを知った日の翌日から3月を経過した日以後の日までに、当該現所有者の住所及び氏名又は名称その他固定資産税の賦課徴収に関し必要な事項を申告させることができる。（法384の3）

6 固定資産の申告に関する罪

① 虚偽の申告等に関する罪

1から5までの規定により申告すべき事項について虚偽の申告をしたときは、その違反行為をした者は、1年以下の懲役又は50万円以下の罰金に処する。（法385①）

（両罰規定）
注 法人の代表者又は法人若しくは人の代理人、使用人その他の従業者がその法人又は人の業務又は財産に関して①の違反行為をした場合には、その行為者を罰するほか、その法人又は人に対し、①の罰金刑を科する。（法385②）

② 不申告に関する過料

市町村は、固定資産の所有者（第一節三の2の⑥及び⑦の場合には、これらの規定により所有者とみなされる者とする。以下同じ。）が1から3までの規定により、又は現所有者が5の規定により申告すべき事項について正当な事由がなくて申告をしなかった場合には、その者に対し、当該市町村の条例で10万円以下の過料を科する旨の規定を設けることができる。（法386）

六 土地名寄帳及び家屋名寄帳

① 土地名寄帳及び家屋名寄帳の備付け

市町村は、その市町村内の土地及び家屋について、固定資産課税台帳に基づいて、総務省令で定めるところによって、土地名寄帳及び家屋名寄帳を備えなければならない。（法387①）

（電磁的記録による備付け）
（1） 市町村は、総務省令で定めるところにより、①の土地名寄帳又は家屋名寄帳の備付けを電磁的記録の備付けをもって行うことができる。（法387②）

（土地名寄帳又は家屋名寄帳の備付けを電磁的記録の備付けをもって行う場合に講ずべき措置）
（2） 市町村は、（1）の規定により土地名寄帳又は家屋名寄帳の備付けを電磁的記録の備付けをもって行う場合においては、当該土地名寄帳又は家屋名寄帳に記録をされている事項がその市町村の固定資産税に関する事務に従事している者以外の者に知られること及び当該土地名寄帳又は家屋名寄帳が滅失し又はき損することを防止するために必要な措置を講じなければならない。（規15の5の2③）

② 固定資産課税台帳の閲覧に代えてする土地名寄帳又は家屋名寄帳の閲覧
　市町村長は、納税義務者から四の①の規定による求めがあったときは、土地名寄帳又は家屋名寄帳に固定資産課税台帳の登録事項と同一の事項が記載（当該土地名寄帳又は家屋名寄帳の備付けが①の（1）の規定により電磁的記録の備付けをもって行われている場合にあっては、記録。注において同じ。）をされている場合に限り、四の①の規定により当該納税義務者の閲覧に供するものとされる固定資産課税台帳又はその写しに代えて、土地名寄帳若しくはその写し（当該土地名寄帳の備付けが①の（1）の規定により電磁的記録の備付けをもって行われている場合にあっては、当該土地名寄帳に記録をされている事項を記載した書類。注において同じ。）又は家屋名寄帳若しくはその写し（当該家屋名寄帳の備付けが①の（1）の規定により電磁的記録の備付けをもって行われている場合にあっては、当該家屋名寄帳に記録をされている事項を記載した書類。注において同じ。）を当該納税義務者の閲覧に供することができる。（法387③）

　　（映像表示による閲覧）
　注　市町村長は、②の規定により土地名寄帳若しくはその写し又は家屋名寄帳若しくはその写しを閲覧に供する場合においては、土地名寄帳又は家屋名寄帳に記載をされている事項を映像面に表示して閲覧に供することができる。（法387④）

第五節　固定資産の評価及び価格の決定

一　総務大臣及び道府県知事の任務

1　総務大臣の任務

① **固定資産評価基準の制定**
　総務大臣は、固定資産の評価の基準並びに評価の実施の方法及び手続（以下**「固定資産評価基準」**という。）を定め、これを告示しなければならない。この場合において、固定資産評価基準には、その細目に関する事項について道府県知事が定めなければならない旨を定めることができる。（法388①）
　　（注）　上記の「固定資産評価基準」は、昭和38年12月25日自治省告示第158号による。（編者）

② **地方財政審議会の意見の聴取**
　総務大臣は、①の固定資産評価基準を定めようとするときは、地方財政審議会の意見を聴かなければならない。（法388②）

③ **固定資産評価資料の標準様式の制定**
　総務大臣は、地籍図、土地使用図、土壌分類図、家屋見取図、固定資産売買記録簿その他固定資産の評価に関する資料及び固定資産税の統計を作成するための標準様式を定めて、これを市町村長に示さなければならない。（法388③）

④ **市町村に対する技術的援助**
　総務大臣は、固定資産の評価に関して市町村長に対し、次の各号に掲げる技術的援助を与えなければならない。（法388④）
（一）　市町村の固定資産評価員が固定資産を評価するために必要な評価の手引その他の資料を作成すること。
（二）　市町村の固定資産評価員が評価をすることが著しく困難である固定資産の評価について市町村長から助言を求められた場合において助言を与えること。

2　道府県知事の任務
　道府県知事は、市町村長に対し、固定資産の評価に関して、次に掲げる援助を与えなければならない。（法401）

（一）	固定資産評価基準について助言をすること。
（二）	固定資産評価員の研修を行うこと。
（三）	総務大臣が作成した資料の使用方法について助言をすること。

(四)	市町村の固定資産評価員が評価することが著しく困難である固定資産の評価について市町村長から助言を求められた場合において助言を与えること。
(五)	法第73条の21第4項の規定によって固定資産の価格の決定について助言をすること。

3 道府県固定資産評価審議会

① 審議会の設置
道府県に、道府県固定資産評価審議会を設置する。（法401の2①）

② 審議会の機能
道府県固定資産評価審議会は、次の各号に掲げる事項その他固定資産の評価に関する事項で道府県知事がその意見を求めたものについて調査審議する。（法401の2②）
道府県知事は、次の各号に掲げる事項については、道府県固定資産評価審議会の意見をきかなければならない。（法401の2③）

(一)	道府県知事が定める固定資産評価基準の細目に関すること。
(二)	固定資産の価格等の修正に関する道府県知事の勧告

③ 審議会の組織及び運営
道府県固定資産評価審議会は、委員12人以内で組織する。（法401の2④）
委員は、国の関係地方行政機関の職員、当該道府県の職員及び当該道府県の区域内の市町村の職員並びに固定資産の評価について学識経験を有する者のうちから、道府県知事が任命する。（法401の2⑤）
以上に定めるもののほか、道府県固定資産評価審議会の組織及び運営に関し必要な事項は、当該道府県の条例で定める。（法401の2⑥）

4 総務大臣及び道府県知事の任務に関する規定の解釈
1又は2の規定は、総務大臣又は道府県知事に、市町村の徴税吏員又は固定資産評価員を指揮する権限を与えるものと解釈してはならない。（法402）

二 道府県知事又は総務大臣による固定資産の評価等

① 二以上の市町村にわたって使用され、又は所在する固定資産の評価及び価格配分
道府県知事（次に掲げる固定資産について関係市町村が二以上の道府県に係るときは、総務大臣。以下①及び③において同じ。）は、次に掲げる固定資産について、固定資産評価基準により、三の2の③から同（3）までの規定の例により評価を行った後、総務省令で定めるところにより、当該固定資産が所在するものとされる市町村並びにその価格及び第二節一の3《用途による課税標準の特例》、同5《住宅用地に対する課税標準の特例》又は同6の⑤《震災等により滅失等した償却資産等に対する固定資産税の課税標準の特例》の規定の適用を受ける固定資産についてはその価格にそれぞれこれらの規定に定める率を乗じて得た額（以下固定資産税について「価格等」という。）を決定し、決定した価格等を当該市町村に配分し、毎年3月31日までに当該市町村の長に通知しなければならない。ただし、災害その他特別の事情がある場合には、4月1日以後に通知することができる。（法389①）

(一)	総務省令で定める船舶、車両その他の移動性償却資産又は可動性償却資産で二以上の市町村にわたって使用されるもののうち総務大臣が指定するもの
(二)	鉄道、軌道、発電、送電、配電若しくは電気通信の用に供する固定資産又は二以上の市町村にわたって所在する固定資産で、その全体を一の固定資産として評価しなければ適正な評価ができないと認められるもののうち総務大臣が指定するもの

(注) ①の(一)の規定によって総務大臣が指定する償却資産は、船舶、車両その他総務大臣が必要と認めるものとする。（規15の6①）

(価格配分に関する市町村長の申請)
（１） 市町村長は、移動性償却資産若しくは可動性償却資産で当該市町村を含む二以上の市町村にわたって使用されるもの又は鉄道、軌道、発電、送電、配電若しくは電気通信の用に供する償却資産若しくは二以上の市町村にわたって所在する償却資産で、その全体を一の償却資産として評価しなければ適正な評価ができないと認められるものについて、翌年度分の固定資産税に係る当該償却資産の価格の配分を受けようとする場合においては、当該配分について所有者の住所及び氏名又は名称その他必要と認める事項を記載した申請書を道府県知事を経由して10月31日までに総務大臣に提出してその指定を求めることができる。（規15の6②）

(申請書の総務大臣への送付)
（２） （１）の申請書を受け取った道府県知事は、遅滞なく、意見書を添えて、これを総務大臣に送付しなければならない。（規15の6③）

(総務大臣による指定の告示)
（３） 総務大臣は、①の各号の規定による指定をした場合においては、その旨を官報によって告示するものとする。（規15の6④）

② 異議申立ての手続における地方財政審議会の意見の聴取
　総務大臣は、①の規定による固定資産の価格等の決定又は配分についての異議申立てに対する決定をしようとするときは、地方財政審議会の意見を聴かなければならない。（法390）

③ 価格配分等の通知を受けた市町村長の処理
　市町村長は、①の規定による通知を受けた場合には、遅滞なく、当該市町村に配分された固定資産の価格等を固定資産課税台帳に登録しなければならない。（法389②）
　上記において、①の(一)の償却資産に係る価格等の配分の通知を受けた市町村長は、当該償却資産がその通知のあった日前に登録されていなかったときは、新たに第四節二の1の③に規定する登録事項を登録しなければならない。（法389③）

(価格配分に関する調整の申出)
（１） 市町村長は、①の規定により道府県知事がした価格等の配分が当該市町村に著しく不利益であると認める場合には、道府県知事に対して、事由を具してその配分の調整を申し出ることができる。（法389④）

(価格配分の調整に対する道府県知事の権限)
（２） 道府県知事は、市町村における固定資産の評価が固定資産評価基準により行われていないと認める場合には、①の規定により当該市町村に配分される当該固定資産の価格等について必要な調整を加えることができる。（法389⑤）

④ 地方財政審議会の意見の聴取
　総務大臣は、次に掲げる場合には、地方財政審議会の意見を聴かなければならない。（法389⑥）
（一） ①の(一)又は(二)の規定による固定資産の指定をしようとするとき。
（二） ①の規定による固定資産の価格等の決定及び配分をしようとするとき。
（三） ③の(１)の規定による固定資産の価格等の配分の調整の申出を受けたとき。
（四） ③の(２)の規定による固定資産の価格等の配分の調整をしようとするとき。

⑤ 所有者に対する価格等の通知
　道府県知事又は総務大臣は、①の規定により、固定資産の価格等を決定した場合には、遅滞なく、その価格等を当該固定資産の所有者〚第四節五の6②参照〛に通知しなければならない。（法393①）

(電磁的方法による所有者への通知)
（１） 道府県知事又は総務大臣は、⑥の規定による申告をした固定資産の所有者（当該申告を第一編第十一章一の規定により行った者に限る。以下（１）において同じ。）が、⑤の規定により当該所有者に通知すべき価格等について、電磁的方法（電子情報処理組織を使用する方法その他の情報通信の技術を利用する方法であって総務省令で定めるものをいう。以下（１）において同じ。）により通知を受けることを希望する旨の申出をした場合には、当該価格等を電磁的方

法により当該所有者に通知しなければならない。（法393②）

(注) ⑤中（1）から（3）を追加する令和5年度改正規定は、令和7年1月1日以後適用する。改正後の規定は、令和7年度以後の年度分の固定資産税について適用し、令和6年度分までの固定資産税については、なお従前の例による。（令5改法附1三、16③、令5改規附1三）

（総務省令で定める電子情報処理組織を使用する方法）
（2）（1）に規定する電子情報処理組織を使用する方法その他の情報通信の技術を利用する方法であって総務省令で定めるものは、電子情報処理組織を使用する方法のうち、送信者等（送信者又は当該送信者との契約によりファイルを自己の管理する電子計算機に備え置き、これを受信者若しくは当該送信者の用に供する者をいう。）の使用に係る電子計算機と受信者等（受信者又は当該受信者との契約により受信者ファイル（専ら当該受信者の用に供せられるファイルをいう。以下同じ。）を自己の管理する電子計算機に備え置く者をいう。以下同じ。）の使用に係る電子計算機とを接続する電気通信回線を通じてその通知すべき事項に係る情報を送信し、受信者等の使用に係る電子計算機に備えられた受信者ファイルに記録する方法とする。（規15の6の2）

（通知の到達時期）
（3）（1）の規定により行われた通知は、（1）に規定する固定資産の所有者の使用に係る電子計算機（入出力装置を含む。）に備えられたファイルへの記録がされた時に当該所有者に到達したものとみなす。（法393③）

⑥ 道府県知事又は総務大臣によって評価される固定資産の申告
①の規定によって道府県知事又は総務大臣が評価すべき固定資産の所有者〚第四節五の6②参照〛で固定資産税の納税義務があるものは、総務省令の定めるところによって、毎年1月1日現在における当該固定資産について、固定資産課税台帳に登録されるべき事項及びこれに記載（当該固定資産課税台帳の備付けが第四節一の（1）《電磁的記録による固定資産課税台帳の備付け》の規定により電磁的記録の備付けをもって行われている場合にあっては、記録）〚第四節四①参照〛をされている事項その他固定資産の評価に必要な事項を1月31日までに、道府県知事又は総務大臣に申告しなければならない。（法394）

（申告義務違反の罪）
（1）⑥の規定により申告すべき事項について申告をせず、又は虚偽の申告をしたときは、その違反行為をした者は、1年以下の懲役又は50万円以下の罰金に処する。（法395①）

（両罰規定）
（2）法人の代表者又は法人若しくは人の代理人、使用人その他の従業者がその法人又は人の業務又は財産に関して（1）の違反行為をした場合には、その行為者を罰する外、その法人又は人に対し、（1）の罰金刑を科する。（法395②）

⑦ 道府県及び総務省職員の質問検査権
①の規定による固定資産の価格等の決定に関する調査、その他固定資産評価に関する道府県知事の助言又は勧告のために必要がある場合には道府県の職員で道府県知事が指定する者（以下⑦において「道府県指定職員」という。）、①の規定による固定資産の価格等の決定に関する調査又は固定資産評価に関する総務大臣の助言又は指示のために必要がある場合には総務省の職員で総務大臣が指定する者（以下⑦において「総務省指定職員」という。）は、それぞれ次に掲げる者に質問し、又は（一）から（三）までの者の事業に関する帳簿書類（その作成に代えて電磁的記録（電子的方式、磁気的方式その他の人の知覚によっては認識することができない方式で作られる記録であって、電子計算機による情報処理の用に供されるものをいう。）の作成がされている場合における当該電磁的記録を含む。⑳の（一）及び（二）において同じ。）その他の物件を検査し、若しくは当該物件（その写しを含む。）の提示若しくは提出を求めることができる。（法396①、353①）
（一）納税義務者又は納税義務があると認められる者
（二）（一）に掲げる者に金銭又は物品を給付する義務があると認められる者
（三）（一）に掲げる者にその者の所有に係る家屋を引き渡したと認められる者
（四）（一）から（三）に掲げる者以外の者で当該固定資産税の賦課徴収に関し直接関係があると認められる者

（分割承継法人及び分割法人に対する質問検査権）
（1）⑦の（一）に掲げる者を分割法人（分割によりその有する資産及び負債の移転を行った法人をいう。以下（1）において同じ。）とする分割に係る分割承継法人（分割により分割法人から資産及び負債の移転を受けた法人をいう。以下

(1)において同じ。)及び同(一)に掲げる者を分割承継法人とする分割に係る分割法人は、⑦の(二)に規定する金銭又は物品を給付する義務があると認められる者に含まれるものとする。(法396②、353②)

　　　(身分証明証の提示)
(2)　⑦の場合には、当該道府県指定職員又は総務省指定職員は、その身分を証明する証票を携帯し、関係人の請求があったときは、これを提示しなければならない。(法396③)

　　　(提出物件の留置き)
(3)　道府県指定職員又は総務省指定職員は、(4)で定めるところにより、⑦の規定により提出を受けた物件を留め置くことができる。(法396④)

　　　(提出物件に関する書面の交付)
(4)　⑦に規定する道府県指定職員(以下「道府県指定職員」という。)又は同⑦に規定する総務省指定職員(以下「総務省指定職員」という。)は、(3)の規定により物件を留め置く場合には、当該物件の名称又は種類及びその数量、当該物件の提出年月日並びに当該物件を提出した者の氏名及び住所又は居所その他当該物件の留置きに関し必要な事項を記載した書面を作成し、当該物件を提出した者にこれを交付しなければならない。(令52の16①)

　　　(提出物件の返還)
(5)　道府県指定職員又は総務省指定職員は、(3)の規定により留め置いた物件につき留め置く必要がなくなったときは、遅滞なく、これを返還しなければならない。(令52の16②)

　　　(提出物件の管理義務)
(6)　道府県指定職員又は総務省指定職員は、(5)に規定する物件を善良な管理者の注意をもって管理しなければならない。(令52の16③)

　　　(質問検査権の解釈)
(7)　⑦又は(3)の規定による道府県指定職員又は総務省指定職員の権限は、犯罪捜査のために認められたものと解釈してはならない。(法396⑤)

　　　(総務省指定職員の固定資産税に関する調査の事前通知等)
(8)　総務大臣は、総務省指定職員に⑦の(一)に掲げる者(以下「納税義務者」という。)に対し実地の調査において⑦の規定による質問、検査又は提示若しくは提出の要求(以下「質問検査等」という。)を行わせる場合には、あらかじめ、当該納税義務者(当該納税義務者について税務代理人(税理士法第30条(同法第48条の16において準用する場合を含む。)の書面を提出している税理士若しくは同法第48条の2に規定する税理士法人又は同法第51条第1項の規定による通知をした弁護士若しくは同条第3項の規定による通知をした弁護士法人をいう。以下において同じ。)がある場合には、当該税務代理人を含む。)に対し、その旨及び次に掲げる事項を通知するものとする。(法396の2①)
　(一)　質問検査等を行う実地の調査(以下単に「調査」という。)を開始する日時
　(二)　調査を行う場所
　(三)　調査の目的
　(四)　固定資産税に関する調査である旨
　(五)　調査の対象となる期間
　(六)　調査の対象となる帳簿書類その他の物件
　(七)　その他調査の適正かつ円滑な実施に必要なものとして(9)で定める事項

　　　(調査の事前通知等に係る通知事項)
(9)　(8)の(七)に規定する(9)で定める事項は、次に掲げる事項とする。(令52の17①)
　(一)　調査((8)の(一)に規定する調査をいう。以下同じ。)の相手方である(8)に規定する納税義務者の氏名及び住所又は居所
　(二)　調査を行う総務省指定職員の氏名(総務省指定職員が複数であるときは、総務省指定職員を代表する者の氏名)
　(三)　(8)の(一)又は(二)に掲げる事項の変更に関する事項

(四)　(12)の規定の趣旨

　　　(調査の事前通知等に係る通知事項の併記事項)
(10)　(8)の各号に掲げる事項のうち、同(二)に掲げる事項については調査を開始する日時において(8)に規定する質問検査等を行おうとする場所を、同(三)に掲げる事項については一の1の④の(二)の助言のための調査、①の規定による固定資産の価格等の決定に関する調査又は三の11の指示のための調査である旨を、それぞれ通知するものとし、(8)の(六)に掲げる事項については、同(六)に掲げる物件が地方税に関する法令の規定により備付け又は保存をしなければならないこととされているものである場合にはその旨を併せて通知するものとする。(令52の17②)

　　　(調査開始日時や場所の変更要求があった場合の協議)
(11)　総務大臣は、(8)の規定による通知を受けた納税義務者から合理的な理由を付して同(一)又は(二)に掲げる事項について変更するよう求めがあった場合には、当該事項について協議するよう努めるものとする。(法396の2②)

　　　(調査の事前通知等に関する不適用事項)
(12)　(8)の規定は、総務省指定職員が、当該調査により当該調査に係る同(三)から(六)までに掲げる事項以外の事項について一の1の④の(二)の助言、①の規定による固定資産の価格等の決定に関する調査又は三の11の指示のために必要があることとなった場合において、当該事項に関し質問検査等を行うことを妨げるものではない。この場合において、(8)の規定は、当該事項に関する質問検査等については、適用しない。(法396の2③)

　　　(納税義務者に税務代理人がある場合)
(13)　納税義務者について税務代理人がある場合において、当該納税義務者の同意がある場合として(14)で定める場合に該当するときは納税義務者への(8)の規定による通知は、当該税務代理人に対してすれば足りる。(法396の2④)

　　　(税務代理権限証書の必要記載事項)
(14)　(13)に規定する(14)で定める場合は、税理士法施行規則第15条の税務代理権限証書((16)において「税務代理権限証書」という。)に、(8)に規定する納税義務者への調査の通知は税務代理人に対してすれば足りる旨の記載がある場合とする。(規15の6の3①)

　　　(納税義務者に税務代理人が数人ある場合)
(15)　納税義務者について税務代理人が数人ある場合において、当該納税義務者がこれらの税務代理人のうちから代表する税務代理人を定めた場合として(16)で定める場合に該当するときは、これらの税務代理人への(8)の規定による通知は、当該代表する税務代理人に対してすれば足りる。(法396の2⑤)

　　　(税務代理権限証書の必要記載事項)
(16)　(15)に規定する(16)で定める場合は、税務代理権限証書に、当該税務代理権限証書を提出する者を(15)の代表する税務代理人として定めた旨の記載がある場合とする。(規15の6の3②)

　　　(事前通知を要しない場合)
(17)　(8)の規定にかかわらず、総務大臣が調査の相手方である納税義務者の過去の調査結果の内容又はその営む事業内容に関する情報その他総務大臣が保有する情報に鑑み、違法又は不当な行為を容易にし、正確な事実の把握を困難にするおそれその他固定資産税に関する調査の適正な遂行に支障を及ぼすおそれがあると認める場合には、(8)の規定による通知を要しない。(法396の3)

　　　(助言のための調査の終了の際の通知)
(18)　総務大臣は、調査が一の1の④の(二)の助言のための調査である場合には、当該調査の終了時において、当該納税義務者に対し、当該調査が終了した旨を書面により通知するものとする。(法396の4①)

　　　(価格等の決定等をすべきと認められない旨の書面による通知)
(19)　総務大臣は、①の規定による固定資産の価格等の決定に関する調査である場合であって、実地の調査を行った結果、価格等の決定又は決定された価格等の修正(以下(19)及び(20)において「価格等の決定等」という。)をすべきと

認められないときは、納税義務者であって当該実地の調査において質問検査等の相手方となった者に対し、その時点において価格等の決定等をすべきと認められない旨を書面により通知するものとする。（法396の4②）

（調査の結果、価格等の決定等をすべきと認められるときの理由説明等）
(20)　総務大臣は、(19)に規定する場合であって、当該調査の結果、価格等の決定等をすべきと認められるときは、当該納税義務者に対し、その時点において価格等の決定等をすべきと認められる旨及びその理由を説明するものとする。（法396の4③）

（固定資産の価格の決定が固定資産評価基準によって行われていると認められる場合の通知）
(21)　総務大臣は、調査が三の11の指示のための調査である場合であって、実地の調査を行った結果、市町村における固定資産の価格の決定が固定資産評価基準により行われていると認められるときは、納税義務者であって当該実地の調査において質問検査等の相手方となった者に対し、その時点において市町村における固定資産の価格の決定が固定資産評価基準により行われていると認められる旨を書面により通知するものとする。（法396の4④）

（固定資産の価格の決定が固定資産評価基準によって行われていないと認められる場合の通知）
(22)　総務大臣は、(21)に規定する場合であって、当該調査の結果、市町村における固定資産の価格の決定が固定資産評価基準により行われていないと認められるときは、当該納税義務者に対し、その時点において市町村における固定資産の価格の決定が固定資産評価基準により行われていないと認められる旨及びその理由を説明するものとする。（法396の4⑤）

（税務代理人への通知又は説明）
(23)　実地の調査により質問検査等を行った納税義務者について税務代理人がある場合において、当該納税義務者の同意がある場合には、当該納税義務者への(18)から(22)までの規定による通知又は説明に代えて、当該税務代理人へのこれらの規定による通知又は説明を行うことができる。（法396の4⑥）

（固定資産の調査に係る検査拒否等に関する罪）
(24)　次の各号のいずれかに該当する場合には、その違反行為をした者は、1年以下の懲役又は50万円以下の罰金に処する。（法397①、353）
　(一)　⑦の規定による帳簿書類その他の物件の検査を拒み、妨げ、又は忌避したとき。
　(二)　⑦の規定による物件の提示又は提出の要求に対し、正当な理由がなくこれに応ぜず、又は偽りの記載若しくは記録をした帳簿書類その他の物件（その写しを含む。）を提示し、若しくは提出したとき。
　(三)　⑦の規定による道府県指定職員又は総務省指定職員の質問に対し答弁をしないとき、又は虚偽の答弁をしたとき。

（両罰規定）
(25)　法人の代表者又は法人若しくは人の代理人、使用人その他の従業者がその法人又は人の業務又は財産に関して(24)の違反行為をした場合には、その行為者を罰する外、その法人又は人に対し、(24)の罰金刑を科する。（法397②）

⑧　異議申立てに対する道府県知事等の決定の通知
　道府県知事又は総務大臣は、①の規定による価格等の決定又は配分についての異議申立てに対する決定をした場合においては、その決定をした日から10日以内にその旨を関係市町村の長に通知しなければならない。（法399）

（異議決定による価格等の登録）
(1)　市町村長は、⑧の規定による通知を受けた場合においては、その通知を受けた日から10日以内に道府県知事又は総務大臣の決定に係る当該価格等を固定資産課税台帳に登録しなければならない。（法400①）

（異議決定に係る固定資産の税額修正）
(2)　市町村長は、(1)の規定によって固定資産の価格等を登録した場合においては、固定資産税の賦課後であっても、その登録した価格等に基づいて、既に決定した賦課額を更正しなければならない。（法400②）

⑨ 大規模償却資産に係る価格の登録

市町村長は、道府県が課税権を有するものとされる大規模償却資産について、道府県知事の価格の決定又は当該決定に係る不服申立てに対する決定又は裁決の通知を受けた場合においては、遅滞なく、当該通知に係る償却資産の価格等及び市町村が課する固定資産税の課税標準となるべき金額を固定資産課税台帳に登録し、又は登録されているこれらの事項を修正して登録しなければならない。（法400の2①）

（価格修正に係る償却資産の税額修正）
注　市町村長は、⑨の規定によって市町村が課する固定資産税の課税標準となるべき金額を修正して登録した場合においては、固定資産税の賦課後であっても、その登録した金額に基づいて、すでに決定した賦課額を更正しなければならない。（法400の2②）

三　市町村長による固定資産の評価

1　市町村長による固定資産の評価

①　市町村長の評価に関する権限
市町村長は、道府県知事又は総務大臣が固定資産を評価する場合を除く外、固定資産評価基準によって、固定資産の価格を決定しなければならない。（法403①）

②　公正な評価の原則
固定資産の評価に関する事務に従事する市町村の職員は、総務大臣及び道府県知事の助言によって、かつ、納税者とともにする実地調査、納税者に対する質問、納税者の申告書の調査等のあらゆる方法によって、公正な評価をするように努めなければならない。（法403②）

2　固定資産評価員

①　固定資産評価員の設置
市町村長の指揮を受けて固定資産を適正に評価し、かつ、市町村長が行う価格の決定を補助するため、市町村に、固定資産評価員を設置する。（法404①）
（注）　固定資産評価員の数は、評価の適正統一を期する上から1人とすること。（市通3－38）

（選　任）
（1）　固定資産評価員は、固定資産の評価に関する知識及び経験を有する者のうちから、市町村長が、当該市町村の議会の同意を得て、選任する。（法404②）

（二以上の市町村の評価員の兼任）
（2）　二以上の市町村の長は、当該市町村の議会の同意を得て、その協議によって協同して同一の者を当該各市町村の固定資産評価員に選任することができる。この場合の選任については、（1）の規定による議会の同意を要しないものとする。（法404③）

（設置省略）
（3）　市町村は、固定資産税を課される固定資産が少ない場合においては、①の規定にかかわらず、固定資産評価員を設置しないで、地方税法の規定による固定資産評価員の職務を市町村長に行わせることができる。（法404④）

（固定資産評価補助員）
（4）　市町村長は、必要があると認める場合においては、固定資産の評価に関する知識及び経験を有する者のうちから、固定資産評価補助員を選任して、これに固定資産評価員の職務を補助させることができる。（法405）

（固定資産評価員の兼職禁止等）
（5）　固定資産評価員は、次の各号に掲げる職を兼ねることができない。（法406①）

（一）　国会議員及び地方団体の議会の議員
　　　（二）　農業委員会の農地部会の委員（農地部会を置かない農業委員会にあっては委員）
　　　（三）　固定資産評価審査委員会の委員

　　　（請負業者等の欠格）
（６）　固定資産評価員は、当該市町村に対して請負をし、又は当該市町村において経費を負担する事業について当該市町村の長若しくは当該市町村の長の委任を受けた者に対して請負をする者及びその支配人又は主として同一の行為をする法人の無限責任社員、取締役、執行役若しくは監査役又はこれらに準ずべき者、支配人及び清算人であることができない。（法406②）

　　　（固定資産評価員の欠格事項）
（７）　次の各号のいずれかに該当する者は、固定資産評価員であることができない。（法407）
　　　（一）　成年被後見人若しくは被保佐人又は破産者で復権を得ない者
　　　（二）　固定資産評価員の職務に関して罪を犯し刑に処せられた者
　　　（三）　（二）に規定する者を除くほか、禁錮以上の刑に処せられた者であってその執行を終わってから、又は執行を受けることがなくなってから、２年を経過しない者
　　　（四）　国家公務員又は地方公共団体の職員で、懲戒免職の処分を受け、当該処分の日から２年を経過しない者

②　固定資産評価員による実地調査
　市町村長は、固定資産評価員又は固定資産評価補助員に当該市町村所在の固定資産の状況を毎年少なくとも１回実地に調査させなければならない。（法408）

③　固定資産評価員による評価
　固定資産評価員は、②の規定による実地調査の結果に基づいて当該市町村に所在する土地又は家屋の評価をする場合においては、次の表の左欄に掲げる土地又は家屋の区分に応じ、それぞれ、同表の中欄に掲げる年度において、同表の右欄に掲げる価格によって、当該土地又は家屋の評価をしなければならない。（法409①）

土地又は家屋の区分	年　度	価　格
基準年度の土地又は家屋	基準年度	当該土地又は家屋の基準年度の価格
基準年度の土地又は家屋で第二年度に地目の変換、家屋の改築、損壊、又は市町村の廃置分合等の事情があるため前年度の価格と異なった価格を決定すべきもの	第二年度	当該土地又は家屋に類似する土地又は家屋の基準年度の価格に比準する価格
基準年度の土地又は家屋で第三年度に地目の変換、家屋の改築、損壊、又は市町村の廃置分合等の事情があるため前年度の価格と異なった価格を決定すべきもの	第三年度	当該土地又は家屋に類似する土地又は家屋の基準年度の価格に比準する価格
第二年度の土地又は家屋	第二年度	当該土地又は家屋に類似する土地又は家屋の基準年度の価格に比準する価格
第二年度の土地又は家屋で第三年度に地目の変換、家屋の改築、損壊、又は市町村の廃置分合等の事情があるため前年度の価格と異なった価格を決定すべきもの	第三年度	当該土地又は家屋に類似する土地又は家屋の基準年度の価格に比準する価格
第三年度の土地又は家屋	第三年度	当該土地又は家屋に類似する土地又は家屋の基準年度の価格に比準する価格

　　　（不動産取得税における評価との統一評価）
（１）　固定資産評価員は、③の規定によって土地又は家屋の評価をする場合において、道府県知事が不動産取得税の課税に当って決定し、当該土地又は家屋の所在地の市町村長に通知した価格があるときは、当該土地又は家屋について地目の変換、改築、損壊その他特別の事情があるため当該通知に係る価格により難い場合を除くほか、当該通知に係る価格に基づいて、当該土地又は家屋の評価をしなければならない。（法409②）

(統一評価についての留意事項)
(2) 道府県税である不動産取得税も固定資産税と同様に適正な時価を課税標準とし、総務大臣が定める固定資産評価基準によって価格を決定するものであるから、道府県及び市町村は相互に協調して評価に不均衡を来すことのないよう留意すること。この趣旨から、法律においても不動産取得税に係る申告は市町村長を通じて行うものとし、市町村長は当該不動産について固定資産課税台帳に登録された価格その他評価上参考となる事項を当該申告書に添附して道府県知事に送付し、道府県知事は固定資産課税台帳に価格の登録されていない不動産その他特別の事由のあるものを除いては登録された価格に基づいて評価を行うこととされており、また市町村の評価においても固定資産評価員は、固定資産課税台帳に価格の登録されていない不動産その他特別の事由のあるもので道府県知事が自ら価格を決定したものについては、地目の変換、改築、損壊その他特別の事情があるため当該決定に係る価格により難い場合を除くほか、道府県知事の決定した価格に基づいて評価を行うものとされていること。従って市町村長は、固定資産課税台帳に価格の登録されていない不動産の申告書を道府県知事に送付する場合においても、道府県の要請があるときは、当該市町村における評価見込額を通知する等、相互の評価に不均衡を生じないよう措置すること。(市通3－36)

(償却資産の評価)
(3) 固定資産評価員は、②の規定による実地調査の結果に基づいて当該市町村に所在する償却資産の評価をする場合においては、当該償却資産に係る賦課期日における価格によって、当該償却資産の評価をしなければならない。(法409③)

(評価調書の作成、提出)
(4) 固定資産評価員は、③、(1)及び(3)の規定による評価をした場合においては、総務省令で定めるところによって、遅滞なく、評価調書を作成し、これを市町村長に提出しなければならない。(法409④)

(価格の特例の適用を受ける土地を評価する場合の令和7年度分又は令和8年度分の読替え)
(5) 第六節二の1又は2の規定の適用を受ける土地(令和8年度分の固定資産税について同1の規定の適用を受けるに至った場合の当該土地を除く。)に対して課する令和7年度分又は令和8年度分の固定資産税に限り、③の表は、次のとおり読み替えるものとする。(法附17の2③)

土地の区分	年度	価格
第六節二の1の表(以下この表において「1の表」という。)の(一)に掲げる土地	令和7年度	当該土地に係る令和6年度分の固定資産税の課税標準の基礎となった価格を第六節二の1に規定する修正基準(以下この表において「修正基準」という。)により修正した価格
1の表の(二)に掲げる土地	令和7年度	当該土地の類似土地(第六節一の表の(七)に規定する類似土地をいう。以下この表において同じ。)に係る令和6年度分の固定資産税の課税標準の基礎となった価格を修正基準により修正した価格に比準する価格
1の表の(三)に掲げる土地	令和8年度	当該土地の類似土地に係る令和7年度分の固定資産税の課税標準の基礎となった価格に比準する価格
1の表の(四)に掲げる土地	令和7年度	当該土地の類似土地に係る令和6年度分の固定資産税の課税標準の基礎となった価格を修正基準により修正した価格に比準する価格
1の表の(五)に掲げる土地	令和8年度	当該土地の類似土地に係る令和7年度分の固定資産税の課税標準の基礎となった価格に比準する価格
1の表の(六)に掲げる土地	令和8年度	当該土地の類似土地に係る令和7年度分の固定資産税の課税標準の基礎となった価格に比準する価格

(令和8年度分の固定資産税について価格の特例の適用を受ける土地を評価する場合の読替え)
(6) 令和8年度分の固定資産税について第六節二の1の規定の適用を受ける土地に対して課する令和8年度分の固定資産税に限り、③の表は、次のとおり読み替えるものとする。(法附17の2④)

土地の区分	年度	価格
第六節二の1の表(以下この表において「1の表」という。)の(一)に掲げる土地	令和8年度	当該土地に係る令和7年度分の固定資産税の課税標準の基礎となった価格を第六節二の1に規定する修正基準(以下この表において「修正基準」という。)により修正した価格
1の表の(二)に掲げる土地	令和8年度	当該土地に係る令和7年度分の固定資産税の課税標準の基礎となった価格を修正基準により修正した価格
1の表の(三)に掲げる土地	令和8年度	当該土地の類似土地(第六節一の表の(七)に規定する類似土地をいう。以下この表において同じ。)に係る令和7年度分の固定資産税の課税標準の基礎となった価格を修正基準により修正した価格に比準する価格
1の表の(四)に掲げる土地	令和8年度	当該土地に係る令和7年度分の固定資産税の課税標準の基礎となった価格を修正基準により修正した価格
1の表の(五)に掲げる土地	令和8年度	当該土地の類似土地に係る令和7年度分の固定資産税の課税標準の基礎となった価格を修正基準により修正した価格に比準する価格
1の表の(六)に掲げる土地	令和8年度	当該土地の類似土地に係る令和7年度分の固定資産税の課税標準の基礎となった価格を修正基準により修正した価格に比準する価格

3 固定資産の価格等の決定等

市町村長は、評価調書を受理した場合においては、これに基づいて固定資産の価格等を毎年3月31日までに決定しなければならない。(法410①)

(地域ごとの宅地の標準的な価格を記載した書面の閲覧)
(1) 市町村長は、3の規定によって固定資産の価格等を決定した場合においては、遅滞なく、総務省令で定めるところにより、地域ごとの宅地の標準的な価格を記載した書面を一般の閲覧に供しなければならない。(法410②)

(地域ごとの宅地の標準的な価格を記載した書面)
(2) (1)の書面には、次の各号に掲げる地域の区分に応じ、当該各号に定める事項を図面により表示するものとする。(規15の6の4)
(一) 一の1の①の規定に基づく固定資産評価基準第1章第3節二に規定する市街地宅地評価法が適用される地域　当該地域に係る標準宅地(固定資産評価基準第1章第3節二(一)2の規定により選定された標準宅地をいう。)の位置及び街路ごとの路線価(固定資産評価基準第1章第3節二(一)3の規定により付設された路線価に固定資産評価基準第1章第3節三の規定により算定された評点1点当たりの価額((二)において「評点1点当たりの価額」という。)を乗じたものをいう。)
(二) 固定資産評価基準第1章第3節二に規定するその他の宅地評価法が適用される地域　当該地域に係る標準宅地(固定資産評価基準第1章第3節二(二)3の規定により選定された標準宅地をいう。)の位置及び単位地積当たりの価格(固定資産評価基準第1章第3節二(二)4の規定により付設された評点数を当該標準宅地の地積で除したものに評点1点当たりの価額を乗じたものをいう。)

4　固定資産の価格等の登録

市町村長は、3の規定によって固定資産の価格等を決定した場合においては、直ちに当該固定資産の価格等を固定資産課税台帳に登録しなければならない。（法411①）

（登録した旨の公示）

（1）市町村長は、4の規定によって固定資産課税台帳に登録すべき固定資産の価格等のすべてを登録した場合においては、直ちに、その旨を公示しなければならない。（法411②）

（前年度の価格により評価する場合のみなし登録）

（2）第二年度又は第三年度において基準年度の土地又は家屋に対して課する固定資産税の課税標準について基準年度の価格による場合にあっては、土地課税台帳等又は家屋課税台帳等に登録されている基準年度の価格をもって第二年度又は第三年度において土地課税台帳等又は家屋課税台帳等に登録された価格とみなし、第三年度において基準年度の土地若しくは家屋又は第二年度の土地若しくは家屋に対して課する固定資産税の課税標準について比準価格による場合にあっては、土地課税台帳等又は家屋課税台帳等に登録されている当該比準価格をもって第三年度において土地課税台帳等又は家屋課税台帳等に登録された比準価格とみなす。（法411③）

（土地の価格の特例の適用を受ける土地に係るみなし登録）

（3）第六節二の1又は2の規定の適用を受ける土地（令和8年度分の固定資産税について同1の規定の適用を受けるに至った場合の当該土地を除く。）に対して課する令和7年度分又は令和8年度分の固定資産税に限り、（2）の規定は、次のとおり読み替えるものとする。（法附17の2⑤）

「令和8年度において第六節二の1に規定する令和6年度の土地又は令和7年度の土地に対して課する固定資産税の課税標準について令和7年度分の固定資産税の課税標準の基礎となった価格による場合にあっては、土地課税台帳等に登録されている令和7年度分の固定資産税の課税標準の基礎となった価格をもって令和8年度において土地課税台帳等に登録された価格とみなす。」

5　土地価格等縦覧帳簿及び家屋価格等縦覧帳簿

① 土地価格等縦覧帳簿及び家屋価格等縦覧帳簿の作成

市町村長は、総務省令で定めるところによって、土地課税台帳等に登録された土地（この法律の規定により固定資産税を課することができるものに限る。）の所在、地番、地目、地積（第一節四《非課税の範囲》の規定の適用を受ける土地にあっては、同四の規定の適用を受ける部分の面積を除く。）及び当該年度の固定資産税に係る価格を記載した帳簿（5において「土地価格等縦覧帳簿」という。）並びに家屋課税台帳等に登録された家屋（この法律の規定により固定資産税を課することができるものに限る。）の所在、家屋番号、種類、構造、床面積（第一節四の規定の適用を受ける家屋にあっては、同四の規定の適用を受ける部分の面積を除く。）及び当該年度の固定資産税に係る価格を記載した帳簿（5において「家屋価格等縦覧帳簿」という。）を、毎年3月31日までに作成しなければならない。（法415①）

（電磁的記録による作成）

注　市町村長は、総務省令で定めるところにより、①の土地価格等縦覧帳簿又は家屋価格等縦覧帳簿の作成を電磁的記録の作成をもって行うことができる。（法415②）

② 土地価格等縦覧帳簿及び家屋価格等縦覧帳簿の縦覧

市町村長は、固定資産税の納税者が、その納付すべき当該年度の固定資産税に係る土地又は家屋について土地課税台帳等又は家屋課税台帳等に登録された価格と当該土地又は家屋が所在する市町村内の他の土地又は家屋の価格とを比較することができるよう、毎年4月1日から、4月20日又は当該年度の最初の納期限の日のいずれか遅い日以後の日までの間、その指定する場所において、土地価格等縦覧帳簿又はその写し（当該土地価格等縦覧帳簿の作成が①の注の規定により電磁的記録の作成をもって行われている場合にあっては、当該土地価格等縦覧帳簿に記録をされている事項を記載した書類。（1）において同じ。）を当該市町村内に所在する土地に対して課する固定資産税の納税者の縦覧に供し、かつ、家屋価格等縦覧帳簿又はその写し（当該家屋価格等縦覧帳簿の作成が①の注の規定により電磁的記録の作成をもって行われている場合にあっては、当該家屋価格等縦覧帳簿に記録をされている事項を記載した書類。（1）において同じ。）を当該市町村内に所在する家屋に対して課する固定資産税の納税者の縦覧に供しなければならない。ただし、災害その他特別の事情がある

場合においては、4月2日以後の日から、当該日から20日を経過した日又は当該年度の最初の納期限の日のいずれか遅い日以後の日までの間を縦覧期間とすることができる。(法416①)

　　　(映像面に表示して行う縦覧)
(1) 市町村長は、②の規定により土地価格等縦覧帳簿若しくはその写し又は家屋価格等縦覧帳簿若しくはその写しを当該市町村内に所在する土地又は家屋に対して課する固定資産税の納税者の縦覧に供する場合においては、土地価格等縦覧帳簿又は家屋価格等縦覧帳簿に記載(当該土地価格等縦覧帳簿又は家屋価格等縦覧帳簿の作成が①の注の規定により電磁的記録の作成をもって行われている場合にあっては、記録)をされている事項を映像面に表示して縦覧に供することができる。(法416②)

　　　(縦覧の場所及び期間の公示)
(2) 市町村長は、②の縦覧の場所及び期間を、あらかじめ、公示しなければならない。(法416③)

6　固定資産の価格等のすべてを登録した旨の公示の日以後における価格等の決定又は修正等

市町村長は4の(1)の規定による公示の日以後において固定資産の価格等の登録がなされていないこと又は登録された価格等に重大な錯誤があることを発見した場合においては、直ちに固定資産課税台帳に登録された類似の固定資産の価格と均衡を失しないように価格等を決定し、又は決定された価格等を修正して、これを固定資産課税台帳に登録しなければならない。この場合においては、市町村長は、遅滞なく、その旨を当該固定資産に対して課する固定資産税の納税義務者に通知しなければならない。(法417①)

　　　(留意事項)
注　市町村長は、固定資産課税台帳に価格等のすべてが登録された旨の公示の日以後において固定資産の価格等の登録がなされていないこと又は登録された価格等に重大な錯誤があることを発見した場合においては、直ちに価格等を決定し、又は登録された価格等を修正することができるものとされているのであるが、特に価格等の修正については、虚偽の申請又は申告による誤算、課税台帳に登録する際の誤記、評価調書における課税客体の明瞭な誤認等客観的に明らかに重大な錯誤と認められる場合に限り行われ得るものであること。(市通3-40)

7　道府県知事等の価格決定及び価格配分の通知後における価格等の決定及び修正

道府県知事又は総務大臣は、二の①の規定による通知をした後において固定資産の価格等の決定がなされていないこと又は決定された価格等に重大な錯誤があることを発見した場合においては、直ちに、類似の固定資産の価格と均衡を失しないように価格等を決定し、又は決定された価格等を修正するとともに、当該決定又は修正に係る固定資産が所在するものとされる市町村を決定し、及び当該決定又は修正に係る価格等を当該市町村に配分し、その配分に係る固定資産及びその配分した価格等を当該市町村の長に通知しなければならない。この場合においては、道府県知事又は総務大臣は、遅滞なく、その旨を当該固定資産の所有者に通知しなければならない。(法417②)

　　　(道府県知事等の処理)
(1) 二の③から同(2)まで及び同④((一)に係る部分を除く。)の規定は、7の場合に準用する。(法417③)

　　　(異議申立てに対する決定等に係る地方財政審議会の意見の聴取及び関係市町村長への通知)
(2) 二の②の規定は総務大臣が7の規定による価格等の決定又は配分についての異議申立てに対する決定をしようとする場合に、二の⑧の規定は道府県知事又は総務大臣が7の規定による価格等の決定又は配分についての異議申立てに対する決定をした場合に準用する。(法417④)

8　道府県知事に対する固定資産の価格等の概要調書の送付

市町村長は、3の規定によって固定資産の価格等を決定した場合又は二の③の規定によって固定資産の価格等を登録した場合においては、総務省令の定めるところによって、その結果の概要調書を作成し、毎年4月中に、これを道府県知事に送付しなければならない。(法418)

　　(注)　8の概要調書は、納税義務者の数、決定価格及び課税標準額の総額、課税標準の特例措置に関する事項その他必要な事項に関して、総務大臣の定める様式により作成するものとする。(規15の7)

9　固定資産の価格等の修正に関する道府県知事の勧告

　道府県知事は、市町村における固定資産の価格の決定が固定資産評価基準によって行われていないと認める場合においては、当該市町村の長に対し、固定資産課税台帳に登録された価格を修正して登録するように勧告するものとする。(法419①)

　　（市町村長の処理）
（１）　９の勧告を受けた市町村長は、その勧告について、固定資産の価格等を修正する必要があると認める場合においては、遅滞なく、その価格等を修正して登録しなければならない。(法419②)

　　（修正した旨の公示）
（２）　市町村長は、（１）の規定によって、固定資産の価格等を修正して登録した場合においては、直ちに、その旨を公示しなければならない。(法419③)

　　（修正に伴う土地価格等縦覧帳簿又は家屋価格等縦覧帳簿の作成）
（３）　市町村長は、（１）の規定によって、土地又は家屋の価格等を修正して登録した場合においては、直ちに、土地価格等縦覧帳簿〖５の①参照〗又は家屋価格等縦覧帳簿〖５の①参照〗を作成しなければならない。(法419④)

　　（修正に伴う土地価格等縦覧帳簿又は家屋価格等縦覧帳簿の電磁的記録による作成）
（４）　市町村長は、総務省令で定めるところにより、（３）の土地価格等縦覧帳簿又は家屋価格等縦覧帳簿の作成を電磁的記録の作成をもって行うことができる。(法419⑤)

　　（修正後の土地価格等縦覧帳簿又は家屋価格等縦覧帳簿の縦覧）
（５）　市町村長は、（３）の規定によって、土地価格等縦覧帳簿又は家屋価格等縦覧帳簿を作成した場合においては、その作成の日から20日以上の期間、その指定する場所において、当該土地価格等縦覧帳簿若しくはその写し（当該土地価格等縦覧帳簿の作成が（４）の規定により電磁的記録の作成をもって行われている場合にあっては、当該土地価格等縦覧帳簿に記録をされている事項を記載した書類。（６）において同じ。）を当該市町村内に所在する土地に対して課する固定資産税の納税者の閲覧に供し、又は家屋価格等縦覧帳簿若しくはその写し（当該家屋価格等縦覧帳簿の作成が（４）の規定により電磁的記録の作成をもって行われている場合にあっては、当該家屋価格等縦覧帳簿に記録をされている事項を記載した書類。（６）において同じ。）を当該市町村内に所在する家屋に対して課する固定資産税の納税者の縦覧に供しなければならない。(法419⑥)

　　（映像面に表示して行う縦覧）
（６）　市町村長は、（５）の規定により土地価格等縦覧帳簿若しくはその写し又は家屋価格等縦覧帳簿若しくはその写しを当該市町村内に所在する土地又は家屋に対して課する固定資産税の納税者の縦覧に供する場合においては、土地価格等縦覧帳簿又は家屋価格等縦覧帳簿に記載（当該土地価格等縦覧帳簿又は家屋価格等縦覧帳簿の作成が（４）の規定により電磁的記録の作成をもって行われている場合にあっては、記録）をされている事項を映像面に表示して縦覧に供することができる。(法419⑦)

　　（縦覧に関する公示）
（７）　市町村長は、（５）の縦覧の場所及び期間を、あらかじめ、公示しなければならない。(法419⑧)

　　（固定資産の価格等の修正に基づく賦課額の更正）
（８）　市町村長は、（１）の規定によって固定資産の価格等を修正して登録した場合においては、固定資産税の賦課後であっても、修正して登録された価格等に基づいて、既に決定したその賦課額を更正しなければならない。(法420)

　　（道府県知事に対する修正登録した固定資産の価格等の概要調書の送付等）
（９）　市町村長は、（１）の規定によって固定資産の価格等を修正して登録した場合において、新たに概要調書を作成して、勧告を受けた日から40日以内に、これを道府県知事に送付しなければならない。(法421①)
　　　（注）　（９）の概要調書は、納税義務者の数、決定価格及び課税標準額の総額、課税標準の特例措置に関する事項その他必要な事項に関して、総務大臣の定める様式により作成するものとする。(規15の7)

(修正しない旨の報告)
(10) 9の勧告を受けた市町村長は、(1)の規定による修正をする必要がないと認めた場合においては、その勧告を受けた日から20日以内に、その旨を道府県知事に報告しなければならない。(法421②)

10 総務大臣に対する固定資産の価格等の概要調書の送付

道府県知事は、8の規定による概要調書若しくは9の(9)の規定による概要調書又は同(10)の規定による報告に基づいて、かつ、すべての概要調書の送付及び同(10)の規定による報告を受けた後、1月以内に、道府県内の固定資産の価格等の概要調書を作成して、これを総務大臣に送付しなければならない。(法422)

11 固定資産の価格の修正に関する総務大臣の指示

総務大臣は、市町村における固定資産の価格の決定が固定資産評価基準によって行われていないと認める場合においては、道府県知事に対し、当該市町村の長に9の勧告をするように指示するものとする。(法422の2①)

(地方財政審議会の意見の聴取)
(1) 総務大臣は、11の指示をしようとするときは、地方財政審議会の意見を聴かなければならない。(法422の2②)

(道府県知事の措置報告)
(2) 11の指示を受けた道府県知事は、当該指示を受けた日から30日以内に、当該指示に基づいてした措置について総務大臣に報告しなければならない。(法422の2③)

12 土地又は家屋の基準年度の価格又は比準価格の登記所への通知

市町村長は、3、6、7、9の(1)又は四の3の④の注の規定によって、土地及び家屋の基準年度の価格又は比準価格を決定し、又は修正した場合においては、その基準年度の価格又は比準価格その他総務省令で定める事項を、遅滞なく、当該決定又は修正に係る土地又は家屋の所在地を管轄する登記所に通知しなければならない。(法422の3)

(土地の価格の特例の適用を受ける土地に係る通知事項)
(1) 第六節二の1又は2の規定の適用を受ける土地(令和8年度分の固定資産税について同1の規定の適用を受けるに至った場合の当該土地を除く。)に対して課する令和7年度分又は令和8年度分の固定資産税に限り、12の規定中次表の左欄に掲げる字句は、それぞれ同表の右欄に掲げる字句に読み替えるものとする。(法附17の2⑤)

土地及び家屋の基準年度の価格又は比準価格	土地の修正価格又は修正された価格
その基準年度の価格又は比準価格	その修正価格又は修正された価格

(令和8年度分の固定資産税について土地の価格の特例の適用を受ける土地に係る通知事項)
(2) 令和8年度分の固定資産税について第六節二の1の規定の適用を受ける土地に対して課する令和8年度分の固定資産税に限り、12の規定中次表の左欄に掲げる字句は、それぞれ同表の右欄に掲げる字句に読み替えるものとする。(法附17の2⑥)

土地及び家屋の基準年度の価格又は比準価格	土地の修正価格
その基準年度の価格又は比準価格	その修正価格

四 固定資産の価格に係る不服審査

1 固定資産評価審査委員会の設置、選任等

① 委員会の設置

固定資産課税台帳に登録された価格に関する不服を審査決定するために、市町村に、固定資産評価審査委員会を設置する。(法423①)

(留意事項)
注　固定資産課税台帳に登録された価格に関する不服を審査決定するために市町村に固定資産評価審査委員会を設置することとされているのは、課税要件の早期安定を期するとともに審査の中立性を担保するためであることから、その事務局は原則として固定資産税の評価・賦課を担当する課以外の課等において行うなど、その組織運営についてその趣旨を充分踏まえて対応すること。（市通３－41）

② 委員の定員

固定資産評価審査委員会の委員の定数は３人以上とし、当該市町村の条例で定める。（法423②）

③ 委員の選任及び罷免

固定資産評価審査委員会の委員は、当該市町村の住民、市町村税の納税義務がある者又は固定資産の評価について学識経験を有する者のうちから、当該市町村の議会の同意を得て、市町村長が選任する。（法423③）

(欠員の補充)
（１）市町村長は、固定資産評価審査委員会の委員が欠けた場合においては、遅滞なく、当該委員の補欠の委員を選任しなければならない。この場合において当該市町村の議会が閉会中であるときは、市町村長は、③の規定にかかわらず、議会の同意を得ないで補欠委員を選任することができる。（法423④）

(補充の事後承認)
（２）市町村長は、補欠の委員を選任した場合においては、選任後最初の議会においてその選任について事後の承認を得なければならない。この場合において事後の承認を得ることができないときは、市町村長は、その委員を罷免しなければならない。（法423⑤）

(委員の罷免)
（３）市町村長は、固定資産評価審査委員会の委員が心身の故障のため職務の執行ができないと認める場合又は委員に職務上の義務違反その他委員たるに適しない非行があると認める場合においては、当該市町村の議会の同意を得てその任期中にこれを罷免することができる。（法427）

(新設市町村の長の選挙前における委員会)
（４）市町村の設置があった場合においては、当該市町村の長が選挙されるまでの間当該市町村の長の職務を行う者は、当該市町村の長が選挙されるまでの間は、従来当該市町村の地域の属していた関係市町村の固定資産評価審査委員会の委員であった者のうちから選任したものをもって当該市町村の固定資産評価審査委員会の委員に充てることができる。（法423⑧）

(新設市町村の議会招集前における委員会)
（５）市町村の設置があった場合においては、当該市町村の設置後最初に招集される議会の同意を得て固定資産評価審査委員会の委員が選任されるまでの間は、当該市町村の長は、従来当該市町村の地域の属していた関係市町村の固定資産評価審査委員会の委員であった者のうちから選任したものをもって当該市町村の固定資産評価審査委員会の委員に充てることができる。（法423⑨）

(委員の任期)
（６）固定資産評価審査委員会の委員の任期は、３年とする。ただし、補欠の委員の任期は、前任者の残任期間とする。（法423⑥）

(手当の支給)
（７）固定資産評価審査委員会の委員は、当該市町村の条例の定めるところによって、委員会の会議への出席日数に応じ、手当を受けることができる。（法423⑦）

(委員の兼職禁止)
（８）固定資産評価審査委員会の委員は、次の各号に掲げる職を兼ねることができない。（法425①）

(一) 国会議員及び地方団体の議会の議員
(二) 地方団体の長
(三) 農業委員会の農地部会の委員（農地部会を置かない農業委員会にあっては委員）
(四) 固定資産評価員

　　　（請負業者等の欠格）
（９）　固定資産評価審査委員会の委員は、当該市町村に対して請負をし、又は当該市町村において経費を負担する事業について当該市町村の長若しくは当該市町村の長の委任を受けた者に対して請負をする者及びその支配人又は主として同一の行為をする法人の無限責任社員、取締役、執行役若しくは監査役又はこれらに準ずべき者、支配人及び清算人であることができない。（法425②）

　　　（委員の欠格事項）
（10）　次の各号のいずれかに該当する者は、固定資産評価審査委員会の委員であることができない。（法426）
(一) 破産者で復権を得ない者
(二) 固定資産評価審査委員会の委員の職務に関して罪を犯し刑に処せられた者
(三) (二)に規定する者を除くほか、禁錮以上の刑に処せられた者であってその執行を終わってから、又は執行を受けることがなくなってから、２年を経過しない者
(四) 国家公務員又は地方公共団体の職員で、懲戒免職の処分を受け、当該処分の日から２年を経過しない者

２　固定資産課税台帳に登録された価格に関する審査の申出

　固定資産税の納税者は、その納付すべき当該年度の固定資産税に係る固定資産について固定資産課税台帳に登録された価格（道府県知事又は総務大臣が決定し、又は修正し市町村長に通知したものを除く。）について不服がある場合においては、三の４の（１）の規定による公示の日から納税通知書の交付を受けた日後60日まで若しくは同９の（２）《修正した旨の公示》の規定による公示の日から同日後60日（同（８）《固定資産の価格等の修正に基づく賦課額の更正》の更正に基づく納税通知書の交付を受けた者にあっては、当該納税通知書の交付を受けた日後60日）までの間において、又は同６の通知を受けた日から60日以内に、文書をもって、固定資産評価審査委員会に審査の申出をすることができる。ただし、当該固定資産のうち同４の（２）《前年度の価格により評価する場合のみなし登録》の規定によって土地課税台帳等又は家屋課税台帳等に登録されたものとみなされる土地又は家屋の価格については、当該土地又は家屋について地目の変換、家屋の改築、損壊その他これらに類する特別の事情があるため、前年度の価格と異なった価格により評価されるべきものであることを申し立てる場合を除いては、審査の申出をすることができない。（法432①）

(注)　令和７年度分及び令和８年度分の固定資産税に限り、２中「を申し立てる場合」とあるのは、「、又は令和７年度分若しくは令和８年度分の固定資産税について当該土地が第六節二の１の規定の適用を受けるべきものであることを申し立てる場合」とする。（法附17の２⑨）

　　　（行政不服審査法の準用）
（１）　行政不服審査法第10条から第13条まで、第14条第１項ただし書、第２項及び第４項並びに第21条の規定は、２の審査の申出の手続について準用する。（法432②）

　　　（賦課についての不服申立てへの援用禁止）
（２）　固定資産税の賦課についての不服申立てにおいては、２の規定により審査を申し出ることができる事項についての不服を当該固定資産税の賦課についての不服の理由とすることができない。（法432③）

　　　（土地の価格の特例の適用を受ける土地に係る審査の申出）
（３）　第六節二の１又は２の規定の適用を受ける土地（令和８年度分の固定資産税について同１の規定の適用を受けるに至った場合の当該土地を除く。）に対して課する令和７年度分又は令和８年度分の固定資産税に限り、２の規定中「当該土地又は家屋について地目の変換、家屋の改築、損壊その他これらに類する特別の事情があるため、前年度の価格と異なった価格により評価されるべきものであること」とあるのは、「当該土地が第六節二の２に規定する令和７年度適用土地（以下「令和７年度適用土地」という。）であって当該令和７年度適用土地について令和８年度に係る賦課期日において地目の変換、損壊その他これらに類する特別の事情があるため同２の規定により当該令和７年度適用土地の類似土地（同節一の表の（七）に規定する類似土地をいう。以下同じ。）に係る令和７年度分の固定資産税の課税標準の基礎となった価格に比準する価格によるべきものであること、若しくは当該土地が同二の２に規定する令和７年度

類似適用土地（以下「令和7年度類似適用土地」という。）であって当該令和7年度類似適用土地について令和8年度に係る賦課期日において地目の変換、損壊その他これらに類する特別の事情があるため同2の規定により当該令和7年度類似適用土地の類似土地に係る令和7年度分の固定資産税の課税標準の基礎となった価格に比準する価格によるべきものであること、又は令和8年度分の固定資産税について当該土地が同1の規定の適用を受けるべきものであること」と読み替えるものとする。（法附17の2⑤）

（価格の特例の適用を受ける土地に係る審査の申出理由の制限）
（4）　固定資産税の納税者は、その納付すべき令和7年度分又は令和8年度分の固定資産税に係る第六節二の1の規定の適用を受ける土地について土地課税台帳等に登録された修正価格について2の規定により審査の申出をする場合においては、当該土地に係る当該年度の前年度分の固定資産税の課税標準の基礎となった価格についての不服を審査の申出の理由とすることができない。（法附17の2⑧）

3　固定資産評価審査委員会の審査手続

①　合議体による審査
　固定資産評価審査委員会は、委員のうちから固定資産評価審査委員会が指定する者3人をもって構成する合議体で、審査の申出の事件を取り扱う。（法428①）

　　（審査長の指定）
（1）　①の合議体を構成する者のうちから固定資産評価審査委員会が指定する者1人を審査長とする。（法428②）

　　（会議の開催及び議決の要件）
（2）　①の合議体は、当該合議体を構成する委員の過半数の出席がなければ、会議を開き、及び議決をすることができない。（法428③）

　　（議事の決定）
（3）　①の合議体の議事は、当該合議体を構成する委員の過半数をもって決する。（法428④）

②　委員会の審査手続
　固定資産評価審査委員会は、2の審査の申出を受けた場合においては、直ちにその必要と認める調査その他事実審査を行い、その申出を受けた日から30日以内に審査の決定をしなければならない。（法433①）

　　（書面による審理の原則）
（1）　不服の審理は、書面による。ただし、審査を申し出た者の求めがあった場合には、固定資産評価審査委員会は、当該審査を申し出た者に口頭で意見を述べる機会を与えなければならない。（法433②）

　　（審査に必要な資料の提出の請求）
（2）　固定資産評価審査委員会は、審査のために必要がある場合においては、職権に基づいて、又は関係人の請求によって審査を申し出た者及びその者の固定資産の評価に必要な資料を所持する者に対し、審査に関し必要な資料の提出を求めることができる。（法433③）

　　（固定資産評価員に対する説明の請求）
（3）　固定資産評価審査委員会は、審査のために必要がある場合においては、固定資産評価員に対し、評価調書に関する事項についての説明を求めることができる。（法433④）

　　（審査を申し出た者の市町村長に対する照会）
（4）　審査を申し出た者は、市町村長に対し、当該申出に係る主張に理由があることを明らかにするために必要な事項について、相当の期間を定めて、書面で回答するよう、書面で照会をすることができる。ただし、その照会が次の各号のいずれかに該当するときは、この限りでない。（法433⑤）
　（一）　具体的又は個別的でない照会

(二) 既にした照会と重複する照会
(三) 意見を求める照会
(四) 回答するために不相当な費用又は時間を要する照会
(五) 当該審査を申し出た者以外の者が所有者である固定資産に関する事項についての照会

(公開による口頭審理の特例)
(5) 固定資産評価審査委員会は、審査のために必要がある場合においては、(1)の規定にかかわらず、審査を申し出た者及び市町村長の出席を求めて、公開による口頭審理を行うことができる。(法433⑥)

(口頭審理の方法)
(6) (5)の口頭審理を行う場合には、固定資産評価審査委員会は、固定資産評価員その他の関係者の出席及び証言を求めることができる。(法433⑦)

(口頭審理の指揮)
(7) (5)の口頭審理の指揮は、審査長が行う。(法433⑧)

(記録の作成)
(8) 固定資産評価審査委員会は、当該市町村の条例の定めるところによって、審査の議事及び決定に関する記録を作成しなければならない。(法433⑨)

(記録及び資料の保存等)
(9) 固定資産評価審査委員会は、(2)の規定によって提出させた資料又は(8)の記録を保存し、その定めるところによって、これを関係者の閲覧に供しなければならない。(法433⑩)

(行政不服審査法の準用)
(10) 行政不服審査法第22条、第23条、第26条、第27条、第29条、第30条、第33条、第36条、第37条、第39条、第40条第1項及び第2項、第41条第1項、第42条第1項から第3項まで並びに第44条の規定は、②の審査の決定について準用する。(法433⑪)

(審査の決定の通知及びみなし却下)
(11) 固定資産評価審査委員会は、②の規定による決定をした場合においては、その決定のあった日から10日以内に、これを審査を申し出た者及び市町村長に文書をもって通知しなければならない。この場合において②の期限までに決定がないときは、その審査の申出を却下する旨の決定があったものとみなすことができる。(法433⑫)

③ 争訟の方式
　固定資産税の納税者は、固定資産評価審査委員会の決定に不服があるときは、その取消しの訴えを提起することができる。(法434①)
　固定資産評価審査委員会に審査を申し出ることができる事項について不服がある固定資産税の納税者は、2の規定及び上記の規定によることによってのみ争うことができる。(法434②)

(抗告訴訟の取扱い)
注　固定資産評価審査委員会は、固定資産評価審査委員会の行政事件訴訟法第3条第2項に規定する処分又は同条第3項に規定する裁決に係る同法第11条第1項(同法第38条第1項において準用する場合を含む。)の規定による市町村を被告とする訴訟について、当該市町村を代表する。(法434の2)

④ 審査の決定に基づく価格等の修正及び賦課額の更正
　市町村長は、②の(11)の規定による通知を受けた場合において固定資産課税台帳に登録された価格等を修正する必要があるときは、その通知を受けた日から10日以内にその価格等を修正して登録し、その旨を当該納税者に通知しなければならない。(法435①)

(決定した賦課額の更正)
注　市町村長は、④の規定によって価格等を修正した場合においては、固定資産税の賦課後であっても、その修正した価格等に基づいて、既に決定した賦課額を更正しなければならない。(法435②)

4　固定資産評価審査委員会に関する条例又は規程事項

地方税法に規定するもののほか、固定資産評価審査委員会の審査の手続、記録の保存その他審査に関し必要な事項は、当該市町村の条例で定める。(法436①)

(固定資産評価審査委員会の規程による定め)
注　4の条例で定めるべき事項は、当該条例の定めるところによって、固定資産評価審査委員会の規程で定めることができる。(法436②)

第六節　土地に対する固定資産税及び都市計画税の負担調整措置

一　令和6年度分から令和8年度分までの特例に関する用語の意義

一から九までにおいて、次の各号に掲げる用語の意義は、それぞれ当該各号に定めるところによる。(法附17)

(一)	農　地	田又は畑をいう。ただし、農地法第4条第1項又は第5条第1項の規定により許可を受けた田若しくは畑又は田若しくは畑のうち田及び畑以外のものにすることについて同法第4条第1項又は第5条第1項の許可を受けることを要しないもので次のイからルまでに定めるものを除く。(令附13、規附8) イ　耕作以外の用に供するため土地収用法その他の法律によって収用され、又は使用された田又は畑(これらに関する農地法第3条第1項に規定する権利(所有権を除く。)が収用され、又は使用されたものを含む。) ロ　都市計画法第7条第1項の市街化区域(以下「**市街化区域**」という。)内にある田又は畑で農地法第4条第1項第5号又は第5条第1項第3号の届出がされたもの ハ　耕作以外の用に供するため農地法第73条第1項の規定による許可を受けた田又は畑 ニ　農地法第78条第1項の規定による農林水産大臣の管理に係る土地で耕作又は養畜の事業以外の事業に供するための貸付けに係る田又は畑 ホ　耕作以外の用に供するため農地法第80条第1項の規定による売払いを受けた田又は畑 ヘ　土地改良法に基づく土地改良事業を行う者がその事業に供するため取得した田又は畑(これらに関する農地法第3条第1項に規定する権利(所有権を除き、以下「**使用収益権**」という。)が取得され、又は使用されたものを含む。) ト　独立行政法人水資源開発機構がダム、堰、堤防、水路若しくは貯水池の敷地又はこれらの施設の建設のために必要な道路の敷地若しくはこれらの施設の建設に伴い廃止される道路に代わるべき道路の敷地に供するため取得した田又は畑(これらに関する使用収益権が取得されたものを含む。) チ　独立行政法人鉄道建設・運輸施設整備支援機構又は東京地下鉄株式会社が鉄道建設の敷地又は鉄道施設の建設のために必要な道路若しくは線路若しくは鉄道施設の建設に伴い廃止される道路に代わるべき道路の敷地に供するため取得した田又は畑(これらに関する使用収益権が取得されたものを含む。) リ　成田国際空港株式会社が成田国際空港の敷地若しくは当該空港の建設のために必要な道路若しくは線路若しくは当該空港の建設に伴い廃止される道路に代わるべき道路の敷地に供するため、又は航空法第55条の3第1項の規定によって認可を受けた工事実施計画において航空法施行規則第1条に規定する航空保安無線施設若しくは航空灯火の設置予定地とされている土地の区域内において航空保安無線施設若しくは航空灯火を設置するため取得した田又は畑(これらに関する使用収益権が取得されたものを含む。) ヌ　都市計画法第4条第15項の都市計画事業に供するため、同法第56条第1項、第57条第3項若しくは第67条第2項の規定によりその所有権が移転され、又は同法第68条第1項の規定による請求によ

(二)	宅地等	農地以外の土地をいう。
(三)	住宅用地	宅地等のうち第二節一の5の①《住宅用地に対する課税の特例》に規定する住宅用地をいう。
(四)	商業地等	宅地等のうち住宅用地以外の宅地及び宅地比準土地（宅地以外の土地で当該土地に対して課する当該年度分の固定資産税の課税標準となるべき価格が、当該土地とその状況が類似する宅地の固定資産税の課税標準とされる価格に比準する価格により決定されたものをいう。）をいう。
(五)	地目の変換等	地目の変換その他これに類する特別の事情をいう。
(六)	前年度課税標準額	当該年度の前年度に係る賦課期日において所在する土地に係る固定資産税にあっては、イに掲げる額をいい、当該土地に係る都市計画税にあっては、ロに掲げる額をいう。 イ　次の表の左欄に掲げる土地の区分に応じ、同表の右欄に掲げる額 ｜ (イ) ｜ (ロ)に掲げる土地以外の土地 ｜ 当該年度の前年度分の固定資産税の課税標準の基礎となった価格（当該土地が令和4年度分の固定資産税について地方税法等の一部を改正する法律（令和5年法律第1号）第1条の規定による改正前の地方税法（以下「令和5年改正前の地方税法」という。）第二節一の5又は六の1の②若しくは九の4の(1)イの規定の適用を受ける土地であるときは、当該価格に第二節一の5又はこの節六の1の②本文若しくは九の4の(1)イに定める率を乗じて得た額とする。） ｜ ｜ (ロ) ｜ 当該年度の前年度分の固定資産税について四の1の①から④まで、五の1の①（九の4の(1)の(注)により読み替えて適用される場合を含む。）又は六の1の③の規定（当該年度が令和6年度である場合には、地方税法等の一部を改正する法律（令和6年法律第4号）第1条の規定による改正前の地方税法（以下「令和6年改正前の地方税法」という。）附則第18条、第19条第1項（九の4の(1)の(注)の規定により読み替えて適用される場合を含む。）又は第19条の4の規定）の適用を受ける土地 ｜ これらの規定に規定する当該年度の前年度分の固定資産税の課税標準となるべき額（当該年度が令和6年度である場合であって、当該土地が令和5年度分の固定資産税について令和6年改正前の地方税法第349条の3又は附則第15条から第15条の3まで《固定資産税等の課税標準の特例》の規定の適用を受ける土地であるときは、当該額をこれらの規定に定める率で除して得た額とし、当該年度が令和7年度又は8年度である場合であって、当該土地が当該年度の前年度分の固定資産税について第349条の3又は附則第15条から第15条の3までの規定の適用を受ける土地であるときは、当該額をこれらの規定に定める率で除して得た額とする。） ｜ ロ　次の表の左欄に掲げる土地の区分に応じ、同表の右欄に掲げる額 ｜ (イ) ｜ (ロ)に掲げる土地以外の土地 ｜ 当該年度の前年度分の固定資産税の課税標準の基礎となった価格（当該土地が当該年度の前年度分の都市計画税について第四章4又は六の2の①若しくは九の4の(1)ロの規定の適用を受ける土地であるときは、当該価格に第四章4又はこの節六の2の①の規定により読み替えられた同1の②《平成6年度以降の市街化区域農地に係る固定資産税の負担調整措置》本文若しくは九の4の(1)ロに定める率を乗じて得た額とする。） ｜ ｜ (ロ) ｜ 当該年度の前年度分の都市計 ｜ これらの規定に規定する当該年度の前年度分の都市計画税の ｜

		画税について四の2の①から⑤まで、五の2の①（九の4の（1）の（注）により読み替えて適用される場合を含む。）又は六の2の②の規定（当該年度が令和6年度である場合には、令和6年改正前の地方税法附則第25条、第26条第1項又は第27条の2の規定）の適用を受ける土地（当該年度の前年度において都市計画税を課されなかった土地で同年度において都市計画税を課すべきであったものとみなした場合においてこれらの規定の適用を受けることとなるものを含む。）	課税標準となるべき額（当該年度が令和6年度である場合であって、当該土地が令和5年度分の固定資産税について令和6年改正前の地方税法第349条の3（第18項を除く。）又は附則第15条から第15条の3までの規定の適用を受ける土地であるときは、当該額をこれらの規定に定める率で除して得た額とし、当該年度が令和7年度又は令和8年度である場合であって、当該土地が当該年度の前年度分の固定資産税について第349条の3（第18項を除く。）又は附則第15条から第15条の3までの規定の適用を受ける土地であるときは、当該額をこれらの規定に定める率で除して得た額とする。）
（七）	比準課税標準額	土地について、当該土地に係る当該年度分の固定資産税の課税標準となるべき価格に、当該土地に類似する土地で当該年度の前年度に係る賦課期日に所在するもの（以下「**類似土地**」という。）の前年度課税標準額（固定資産税にあっては、当該類似土地に係る固定資産税に係る前年度課税標準額とし、都市計画税にあっては、当該類似土地に係る都市計画税に係る前年度課税標準額とする。）を当該類似土地の当該年度分の固定資産税の課税標準となるべき価格で除して得た数値を乗じて得た額をいう。	
（八）	負担水準	土地に係る当該年度分の固定資産税にあってはイに掲げる数値をいい、当該土地に係る当該年度分の都市計画税にあってはロに掲げる数値をいう。 イ　土地に係る固定資産税に係る前年度課税標準額（令和6年度から令和8年度までの各年度において新たに固定資産税を課することとなる土地及び当該各年度に係る賦課期日において地目の変換等がある土地（令和7年度又は令和8年度に係る賦課期日において地目の変換等があるものについては、第二節一の1の①の表の（二）の右欄のただし書、同表（三）の右欄ただし書若しくは同1の②の表の（二）の右欄ただし書又は二の1若しくは2の規定により当該土地に対して課する当該年度分の固定資産税の課税標準となるべき価格が、当該土地の類似土地に係る当該年度分の固定資産税の課税標準となるべき価格に比準する価格により決定されるものに限る。）については、当該土地の比準課税標準額）を、当該土地に係る当該年度分の固定資産税の課税標準となるべる価格（第二節一の5又は六の1の③若しくは九の4の（1）イの規定の適用を受ける土地に係る当該年度分の固定資産税にあっては、当該価格に第二節一の5又は六の1の③本文若しくは九の4の（1）イに定める率を乗じて得た額）で除して得た数値 ロ　土地に係る都市計画税に係る前年度課税標準額（令和6年度から令和8年度までの各年度において新たに固定資産税を課することとなる土地及び当該各年度に係る賦課期日において地目の変換等がある土地（令和7年度又は令和8年度に係る賦課期日において地目の変換等があるものについては、第二節一の1の①の表の（二）の右欄ただし書、同（三）の右欄ただし書若しくは同②の表の（二）の右欄ただし書又は二の1若しくは2の規定により当該土地に対して課する当該年度分の固定資産税の課税標準となるべき価格が、当該土地の類似土地に係る当該年度分の固定資産税の課税標準となるべき価格に比準する価格により決定されるものに限る。）については、当該土地の比準課税標準額）を、当該土地に係る当該年度分の都市計画税の課税標準となるべき価格（当該土地に係る固定資産税の課税標準となるべき価格をいい、第四章4又は六の2の①若しくは九の4の（1）ロの規定の適用を受ける土地に係る当該年度分の都市計画税にあっては、当該価格に第四章4又は六の2の①の規定により読み替えられた同1の③本文若しくは九の4の（1）ロに定める率を乗じて得た額）で除して得た数値	

二 令和7年度又は令和8年度における土地の価格の特例

1 令和7年度分又は令和8年度分の固定資産税の課税標準の修正

当該市町村の区域内の自然的及び社会的条件からみて類似の利用価値を有すると認められる地域において地価が下落し、かつ、市町村長が次の表の左欄に掲げる土地の区分に応じ、それぞれ、同表の中欄に掲げる年度において、同表の右欄に掲げる価格（以下1において「**修正前の価格**」という。）を当該地域に所在する土地に対して課する当該年度分の固定資産税の課税標準とすることが固定資産税の課税上著しく均衡を失すると認める場合における当該土地に対して課する当該年度分の固定資産税の課税標準は、第二節一の1《土地又は家屋の課税標準》の規定にかかわらず、令和7年度分又は令和8年度分の固定資産税に限り、当該土地の修正前の価格を総務大臣が定める基準（以下「**修正基準**」という。）により修正した価格（当該土地が次の表の（二）若しくは（四）に掲げる土地である場合における令和7年度分の固定資産税又は当該土地が次の表の（三）、（五）若しくは（六）に掲げる土地である場合における令和8年度分の固定資産税にあっては、当該土地の類似土地の当該年度の修正前の価格を修正基準により修正した価格に比準する価格とする。以下「**修正価格**」という。）で土地課税台帳等に登録されたものとする。（法附17の2①）

土 地 の 区 分	年　度	価　　格
（一） 令和6年度に係る賦課期日に所在する土地（（二）又は（三）に掲げる土地のいずれかに該当するに至った場合の当該土地を除く。）	令和7年度	当該土地に係る令和6年度分の固定資産税の課税標準の基礎となった価格
	令和8年度	当該土地に係る令和7年度分の固定資産税の課税標準の基礎となった価格
（二） 令和6年度に係る賦課期日に所在する土地（以下「令和6年度の土地」という。）で令和7年度に係る賦課期日において第二節一の1の①の表の（二）の右欄イ又はロに掲げる事情があるため、令和6年度分の固定資産税の課税標準の基礎となった価格によることが不適当であるか又は当該市町村を通じて固定資産税の課税上著しく均衡を失すると市町村長が認めるもの（（三）に掲げる令和6年度の土地に該当するに至った場合の当該令和6年度の土地を除く。）	令和7年度	当該令和6年度の土地の類似土地に係る令和6年度分の固定資産税の課税標準の基礎となった価格に比準する価格
	令和8年度	当該令和6年度の土地に係る令和7年度分の固定資産税の課税標準の基礎となった価格
（三） 令和6年度の土地で令和8年度に係る賦課期日において第二節一の1の①の表の（二）の右欄イ又はロに掲げる事情があるため、令和7年度分の固定資産税の課税標準の基礎となった価格によることが不適当であるか又は当該市町村を通じて固定資産税の課税上著しく均衡を失すると市町村長が認めるもの	令和8年度	当該令和6年度の土地の類似土地に係る令和7年度分の固定資産税の課税標準の基礎となった価格に比準する価格
（四） 令和7年度において新たに固定資産税を課することとなる土地（（五）に掲げる土地に該当するに至った場合の当該土地を除く。）	令和7年度	当該土地の類似土地に係る令和6年度分の固定資産税の課税標準の基礎となった価格に比準する価格
	令和8年度	当該土地に係る令和7年度分の固定資産税の課税標準の基礎となった価格
（五） 令和7年度において新たに固定資産税を課することとなる土地（以下「令和7年度の土地」という。）で令和8年度に係る賦課期日において第二節一の1の①の表の（二）の右欄イ又はロに掲げる事情があるため、令和7年度分の固定資産税の課税標準の基礎となった価格によることが不適当であるか又は当該市町村を通じて固定資産税の課税上著しく均衡を失すると市町村長が認めるもの	令和8年度	当該令和7年度の土地の類似土地に係る令和7年度分の固定資産税の課税標準の基礎となった価格に比準する価格

(六)	令和8年度において新たに固定資産税を課することとなる土地(以下「令和8年度の土地」という。)	令和8年度	当該令和8年度の土地の類似土地に係る令和7年度分の固定資産税の課税標準の基礎となった価格に比準する価格

(修正基準の告示)
(1) 総務大臣は、1の修正基準を定めたときは、これを告示しなければならない。(法附17の2⑦)
　　(注)　上記の修正基準は、下記《参考》参照。(編者)

(修正価格を当該年度分の固定資産税の課税標準とする場合の納税義務者への周知義務)
(2) 市町村長は、令和7年度分又は令和8年度分の固定資産税について、1の規定により当該市町村内の土地の全部又は一部について修正価格で土地課税台帳等に登録されたものを当該年度分の固定資産税の課税標準とする場合には、その旨を納税義務者に周知するよう努めるものとする。(法附17の2⑩)

《参考》

令和4年度又は令和5年度における土地の価格に関する修正基準

(令和3年7月1日総務省告示第220号)

　地方税法(昭和25年法律第226号)附則第17条の2第1項の規定に基づき、同項に規定する総務大臣が定める基準を次のとおり定めたので、同条第7項の規定に基づき告示する。

第1節　通則
一　令和4年度分又は令和5年度分の固定資産税における地方税法附則第17条の2第1項の規定に基づく土地の価格の修正は、以下に定める方法によって行うものとする。
二　市街化区域農地その他の宅地の価格を評価の基礎として価格を求めることとされている土地について修正を行う場合の価格は、当該土地とその状況が類似する宅地の価格を次節又は第3節によって修正した価格を基礎として求めるものとする。

第2節　令和4年度における宅地の価格の修正
一　令和4年度における宅地の価格の修正の順序
　　令和4年度における宅地の価格の修正は、次によるものとする。
　(1)　宅地の価格の下落状況を把握する。
　(2)　固定資産評価基準(昭和38年自治省告示第158号。以下「評価基準」という。)第1章第3節二㈠2(1)に規定する商業地区、住宅地区、工業地区、観光地区等(これらを必要に応じ、更に繁華街、高度商業地区(Ⅰ、Ⅱ)、普通商業地区、高級住宅地区、普通住宅地区、併用住宅地区、大工場地区、中小工場地区、家内工業地区等に区分した場合には、当該区分した後の地区)(以下「用途地区」という。)を基本に宅地を区分し、その区分ごとに修正率を適用する。
　(3)　令和3年度において価格の修正を行った宅地について所要の調整を行う。
二　宅地の価格の下落状況の把握
　　宅地の価格について、国土利用計画法施行令(昭和49年政令第387号)による都道府県地価調査及び不動産鑑定士又は不動産鑑定士補による鑑定評価を活用し、令和2年1月1日から令和3年7月1日までの下落状況を把握するものとする。
三　宅地の区分及び修正率の適用
　　宅地の区分及び修正率の適用は、評価基準第1章第3節二㈠に規定する市街地宅地評価法により評点数を付設する地域及び評価基準第1章第3節二㈡に規定するその他の宅地評価法により評点数を付設する地域の区分に応じ、次によるものとする。
　㈠　評価基準第1章第3節二㈠に基づき市街地宅地評価法により評点数を付設する地域
　　(1)　用途地区を基本とするが、市町村長は、用途地区内の宅地の価格の下落状況に幅があり、用途地区ごとに修正率を適用することが不適当であると認める場合には、用途地区を更に区分することができる。
　　(2)　(1)の区分ごとに、評価基準第1章第3節一から三まで及び第12節一によって求めた価格に、市町村長が本節

二によって把握した下落状況からみて最も適切であると判断した修正率を乗じる。
　㈡　評価基準第1章第3節二㈡に基づきその他の宅地評価法により評点数を付設する地域
　　⑴　評価基準第1章第3節二㈡2に規定する状況類似地区（以下「状況類似地区」という。）を基本とするが、市町村長は、状況類似地区内の宅地の価格の下落状況に幅があり、状況類似地区ごとに修正率を適用することが不適当であると認める場合には、状況類似地区を更に区分することができる。
　　⑵　⑴の区分ごとに、評価基準第1章第3節一から三まで及び第12節一によって求めた価格に、市町村長が本節二によって把握した下落状況からみて最も適切であると判断した修正率を乗じる。
四　令和3年度において価格の修正を行った宅地についての調整
　評価基準第1章第12節二による価格の修正（以下「令和3年度における修正」という。）を行った宅地については、次に掲げる⑴又は⑵のいずれか低い価格によってその価格を求めるものとする。
　⑴　令和3年度における修正を行った後の価格
　⑵　本節二及び三によって修正を行った後の価格

第3節　令和5年度における宅地の価格の修正

一　令和5年度における宅地の価格の修正の順序
　令和5年度における宅地の価格の修正は、次によるものとする。
　⑴　宅地の価格の下落状況を把握する。
　⑵　用途地区等を基本に宅地を区分し、その区分ごとに修正率を適用する。
　⑶　令和3年度又は令和4年度において価格の修正を行った宅地について所要の調整を行う。
二　宅地の価格の下落状況の把握
　宅地の価格について、国土利用計画法施行令による都道府県地価調査及び不動産鑑定士又は不動産鑑定士補による鑑定評価を活用し、令和2年1月1日から令和4年7月1日までの下落状況を把握するものとする。
三　宅地の区分及び修正率の適用
　宅地の区分及び修正率の適用は、評価基準第1章第3節二㈠に規定する市街地宅地評価法により評点数を付設する地域及び評価基準第1章第3節二㈡に規定するその他の宅地評価法により評点数を付設する地域の区分に応じ、次によるものとする。
　㈠　評価基準第1章第3節二㈠に基づき市街地宅地評価法により評点数を付設する地域
　　⑴　用途地区を基本とするが、市町村長は、用途地区内の宅地の価格の下落状況に幅があり、用途地区ごとに修正率を適用することが不適当であると認める場合には、用途地区を更に区分することができる。
　　⑵　⑴の区分ごとに、評価基準第1章第3節一から三まで及び第12節一によって求めた価格に、市町村長が本節二によって把握した下落状況からみて最も適切であると判断した修正率を乗じる。
　㈡　評価基準第1章第3節二㈡に基づきその他の宅地評価法により評点数を付設する地域
　　⑴　状況類似地区を基本とするが、市町村長は、状況類似地区内の宅地の価格の下落状況に幅があり、状況類似地区ごとに修正率を適用することが不適当であると認める場合には、状況類似地区を更に区分することができる。
　　⑵　⑴の区分ごとに、評価基準第1章第3節一から三まで及び第12節一によって求めた価格に、市町村長が本節二によって把握した下落状況からみて最も適切であると判断した修正率を乗じる。
四　令和3年度又は令和4年度において価格の修正を行った宅地についての調整
　令和3年度における修正又は前節の価格の修正（以下「令和4年度における修正」という。）を行った宅地については、次に掲げる⑴、⑵又は⑶のいずれか低い価格によってその価格を求めるものとする。
　⑴　令和3年度における修正を行った後の価格
　⑵　令和4年度における修正を行った後の価格
　⑶　本節二及び三によって修正を行った後の価格

2　令和7年度分の固定資産税について課税標準の修正がないこととなる令和7年度適用土地又は令和7年度類似適用土地の課税標準

　令和7年度分の固定資産税について1の規定の適用を受けた土地（以下2において「**令和7年度適用土地**」という。）又は1の表の㈢、㈤若しくは㈥に掲げる土地でこれらの土地の類似土地が令和7年度適用土地であるもの（以下2において「**令和7年度類似適用土地**」という。）であって、令和8年度分の固定資産税について1の規定の適用を受けないこ

ととなるものに対して課する同年度分の固定資産税の課税標準は、第二節一の1《土地又は家屋の課税標準》の規定にかかわらず、修正された価格（令和7年度適用土地にあっては当該令和7年度適用土地に係る令和7年度分の固定資産税の課税標準の基礎となった価格（当該令和7年度適用土地が1の表の(三)又は(五)に掲げる土地に該当するに至った場合においては、当該令和7年度適用土地の類似土地に係る同年度分の固定資産税の課税標準の基礎となった価格に比準する価格）をいい、令和7年度類似適用土地にあっては当該令和7年度類似適用土地の類似土地に係る同年度分の固定資産税の課税標準の基礎となった価格に比準する価格をいう。）で土地課税台帳等に登録されたものとする。（法附17の2②）

三　平成29年度以降の勧告遊休農地の価格の特例

1　平成29年度以降の第二年度又は第三年度に係る賦課期日において特別の事情がある勧告遊休農地に対して課する第二年度分の固定資産税の課税標準

　平成29年度以降の第二年度又は第三年度に係る賦課期日（平成29年度にあっては、当該年度に係る賦課期日以前）において、新たに勧告遊休農地（農地のうち農地法第36条第1項の規定による勧告があったものをいう。以下三において同じ。）となり、又は勧告遊休農地であった土地が勧告遊休農地以外の農地となる事情がある土地については、当該事情がある賦課期日に係る年度分の固定資産税に限り、第二節一の1《土地又は家屋の課税標準》の①の(二)のイに掲げる事情があるものとみなす。この場合における同①の(二)から同③までの規定の適用については、次の表の左欄に掲げる同①から同③までの規定中同表の中欄に掲げる字句は、それぞれ同表の右欄に掲げる字句とする。（法附17の3①）

第二節一の1の①の(二)	次の各号に掲げる事情があるため、基準年度の固定資産税の課税標準の基礎となった価格によることが不適当であるか又は当該市町村を通じて固定資産税の課税上著しく均衡を失すると市町村長が認める	1に規定する事情がある
	当該土地又は家屋に対して	勧告遊休農地（1に規定する勧告遊休農地をいう。以下三において同じ。）に対して
	土地又は家屋に類似する土地又は家屋の基準年度の価格に比準する価格で土地課税台帳等又は家屋課税台帳等	勧告遊休農地について農地法第36条第1項の規定による勧告がなかった場合における課税標準となるべき価格に相当する額を第五節一の1の①《固定資産評価基準の判定》に規定する固定資産評価基準（勧告遊休農地に係る部分に限る。以下三において「勧告遊休農地固定資産評価基準」という。）により修正した価格（当該土地が勧告遊休農地以外の農地となった土地である場合には、当該土地に類似する農地の当該年度分の固定資産税の課税標準とされる価格に比準する価格）で土地課税台帳等
第二節一の1の①の(三)	第二節一の1の①の(二)のイ及びロに掲げる事情があるため、基準年度の固定資産税の課税標準の基礎となった価格によることが不適当であるか又は当該市町村を通じて固定資産税の課税上著しく均衡を失すると市町村長が認める	1に規定する事情がある
	、当該土地又は家屋に対して	、勧告遊休農地に対して
	土地又は家屋に類似する土地又は家屋の基準年度の価格に比準する価格で土地課税台帳等又は家屋課税台帳等	勧告遊休農地について農地法第36条第1項の規定による勧告がなかった場合における課税標準となるべき価格に相当する額を勧告遊休農地固定資産評価基準により修正した価格（当該土地が勧告遊休農地以外の農地となった土地である場合には、当該土地に類似する農地の当該年度分の固定資産税の課税標準とされる価格に比準する価格）で土地課税台帳等
第二節一の1の②の	に対して	について第二年度の固定資産税の賦課期日において1に規定する事情がある場合においては、勧告遊休農地に対

第三編第三章《固定資産税》第六節《土地に対する負担調整措置》

（一）		して
	土地又は家屋に類似する土地又は家屋の基準年度の価格に比準する	勧告遊休農地について農地法第36条第1項の規定による勧告がなかった場合における課税標準となるべき価格に相当する額を勧告遊休農地固定資産評価基準により修正した
	土地課税台帳等又は家屋課税台帳等	土地課税台帳等
第二節一の1の②の（二）	第二節一の1の①の（二）のイ及びロに掲げる事情があるため、第二年度の固定資産税の課税標準の基礎となった価格によることが不適当であるか又は当該市町村を通じて固定資産税の課税上著しく均衡を失すると市町村長が認める	1に規定する事情がある
	当該土地又は家屋に対して	勧告遊休農地に対して
	土地又は家屋に類似する土地又は家屋の基準年度の価格に比準する価格で土地課税台帳等又は家屋課税台帳等	勧告遊休農地について農地法第36条第1項の規定による勧告がなかった場合における課税標準となるべき価格に相当する額を勧告遊休農地固定資産評価基準により修正した価格（当該土地が勧告遊休農地以外の農地となった土地である場合には、当該土地に類似する農地の当該年度分の固定資産税の課税標準とされる価格に比準する価格）で土地課税台帳等
第二節一の1の③	に対して	について第三年度の固定資産税の賦課期日において1に規定する事情がある場合においては、勧告遊休農地に対して
	土地又は家屋に類似する土地又は家屋の基準年度の価格に比準する	勧告遊休農地について農地法第36条第1項の規定による勧告がなかった場合における課税標準となるべき価格に相当する額を勧告遊休農地固定資産評価基準により修正した
	土地課税台帳等又は家屋課税台帳等	土地課税台帳等

（固定資産評価員による評価の読替規定）
（1）　平成29年度以降の第二年度又は第三年度の固定資産税について1の規定により読み替えて適用される第二節一の1の①の（二）から同③までの規定の適用を受ける土地に対して課する当該第二年度又は第三年度の固定資産税に限り、第五節三の2の③《固定資産評価員による評価》の表は、次のとおり読み替えるものとする。（法附17の3③）

土地の区分	年度	価格
基準年度に係る賦課期日に所在する土地（以下この表において「基準年度の土地」という。）で1の規定により読み替えられた第二節一の1の①の（二）ただし書の規定の適用を受けることとなるもの	第二年度	当該勧告遊休農地（1に規定する勧告遊休農地をいう。以下この表において同じ。）である土地について農地法第36条第1項の規定による勧告がなかった場合における課税標準となるべき価格に相当する額を第五節一の1の①に規定する固定資産評価基準（勧告遊休農地に係る部分に限る。以下この表において「勧告遊休農地固定資産評価基準」という。）により修正した価格（当該土地が勧告遊休農地以外の農地となった土地である場合には、当該土地に類似する農地の当該年度分の固定資産税の課税標準とされる価格に比準する価格）
基準年度の土地で1の規定により読み替えられた第二節一の1の①の（三）ただし書の規定の適用を受けることとなるもの	第三年度	当該勧告遊休農地である土地について農地法第36条第1項の規定による勧告がなかった場合における課税標準となるべき価格に相当する額を勧告遊休農地固定資産評価基準により修正した価格（当該土地が勧告遊休農地以外の農地となった土

		地である場合には、当該土地に類似する農地の当該年度分の固定資産税の課税標準とされる価格に比準する価格)
第二年度において新たに固定資産税を課することとなる土地(以下この表において「第二年度の土地」という。)で1の規定により読み替えられた第二節一の1の②の(一)の規定の適用を受けることとなるもの	第二年度	当該勧告遊休農地である土地について農地法第36条第1項の規定による勧告がなかった場合における課税標準となるべき価格に相当する額を勧告遊休農地固定資産評価基準により修正した価格
第二年度の土地で1の規定により読み替えられた第二節一の1の②の(二)ただし書の規定の適用を受けることとなるもの	第三年度	当該勧告遊休農地である土地について農地法第36条第1項の規定による勧告がなかった場合における課税標準となるべき価格に相当する額を勧告遊休農地固定資産評価基準により修正した価格(当該土地が勧告遊休農地以外の農地となった土地である場合には、当該土地に類似する農地の当該年度分の固定資産税の課税標準とされる価格に比準する価格)
第三年度において新たに固定資産税を課することとなる土地で1の規定により読み替えられた第二節一の1の③の規定の適用を受けることとなるもの	第三年度	当該勧告遊休農地である土地について農地法第36条第1項の規定による勧告がなかった場合における課税標準となるべき価格に相当する額を勧告遊休農地固定資産評価基準により修正した価格

(勧告遊休農地に対して課する固定資産税及び都市計画税の負担調整措置の適用除外)
(2) 賦課期日に所在する勧告遊休農地に対して課する固定資産税及び都市計画税については、五の1及び五の2の規定は、適用しない。(法附17の4)

2 平成29年度以降の第二年度又は第三年度に係る賦課期日において市町村の廃置分合若しくは境界変更等の事情がある勧告遊休農地に対して課する第二年度分の固定資産税の課税標準

平成29年度以降の第二年度又は第三年度に係る賦課期日において、勧告遊休農地である田若しくは畑が勧告遊休農地である畑若しくは田となる地目の変換(これに類する特別の事情として(1)で定めるものを含む。)又は勧告遊休農地に係る市町村の廃置分合若しくは境界変更の事情がある土地については、これらの事情がある賦課期日に係る年度分の固定資産税に限り、第二節一の1の①の(二)、(三)及び同②の(二)の規定の適用については、次の表の左欄に掲げる第二節一の1の規定中同表の中欄に掲げる字句は、それぞれ同表の右欄に掲げる字句とする。(法附17の3②)

第二節一の1の①の(二)	次の各号に掲げる	2に規定する
	当該土地又は家屋に対して	勧告遊休農地(1に規定する勧告遊休農地をいう。以下三において同じ。)に対して
	土地又は家屋に類似する土地又は家屋の基準年度の価格に比準する	勧告遊休農地について農地法第36条第1項の規定による勧告がなかった場合における課税標準となるべき価格に相当する額を第五節一の1の①に規定する固定資産評価基準(勧告遊休農地に係る部分に限る。以下三において「勧告遊休農地固定資産評価基準」という。)により修正した
	土地課税台帳等又は家屋課税台帳等	土地課税台帳等
第二節一の1の①の(三)	第二節一の1の①の(二)の各号に掲げる	2に規定する
	、当該土地又は家屋に対して	、勧告遊休農地に対して
	土地又は家屋に類似する土地又は家屋の基準年度の価格に比準する	勧告遊休農地について農地法第36条第1項の規定による勧告がなかった場合における課税標準となるべき価格に相当する額を勧告遊休農地固定資産評価基準により修正した

第二節一の1の②の（二）	土地課税台帳等又は家屋課税台帳等	土地課税台帳等
	第二節一の1の①の（二）の各号に掲げる	2に規定する
	当該土地又は家屋に対して	勧告遊休農地に対して
	土地又は家屋に類似する土地又は家屋の基準年度の価格に比準する	勧告遊休農地について農地法第36条第1項の規定による勧告がなかった場合における課税標準となるべき価格に相当する額を勧告遊休農地固定資産評価基準により修正した
	土地課税台帳等又は家屋課税台帳等	土地課税台帳等

　　（勧告遊休農地に係る特別の事情）
（1）　2に規定する特別の事情として（1）で定めるものは、1に規定する勧告遊休農地に係る次に掲げる事情とする。
　　（令附13の2）
　　（一）　分筆又は合筆その他これらに類する事情
　　（二）　震災、風水害その他の災害による区画又は形質の著しい変動

　　（固定資産評価員による評価の読替規定）
（2）　平成29年度以降の第二年度又は第三年度の固定資産税について2の規定により読み替えて適用される第二節一の1の①の（二）、（三）又は同②の（二）の規定の適用を受ける土地に対して課する当該第二年度又は第三年度の固定資産税に限り、第五節三の2の③の表は、次のとおり読み替えるものとする。（法附17の3④）

土地の区分	年度	価格
基準年度に係る賦課期日に所在する土地（以下この表において「基準年度の土地」という。）で2の規定により読み替えられた第二節一の1の①の（二）ただし書の規定の適用を受けることとなるもの	第二年度	当該勧告遊休農地（1に規定する勧告遊休農地をいう。以下この表において同じ。）である土地について農地法第36条第1項の規定による勧告がなかった場合における課税標準となるべき価格に相当する額を第五節一の1の①に規定する固定資産評価基準（勧告遊休農地に係る部分に限る。以下この表において「勧告遊休農地固定資産評価基準」という。）により修正した価格
基準年度の土地で2の規定により読み替えられた第二節一の1の①の（三）ただし書の規定の適用を受けることとなるもの	第三年度	当該勧告遊休農地である土地について農地法第36条第1項の規定による勧告がなかった場合における課税標準となるべき価格に相当する額を勧告遊休農地固定資産評価基準により修正した価格
第二年度において新たに固定資産税を課することとなる土地で2の規定により読み替えられた第二節一の1の②の（二）ただし書の規定の適用を受けることとなるもの	第三年度	当該勧告遊休農地である土地について農地法第36条第1項の規定による勧告がなかった場合における課税標準となるべき価格に相当する額を勧告遊休農地固定資産評価基準により修正した価格

四　宅地等に対する令和6年度分から令和8年度分までの負担調整措置

1　固定資産税の負担調整措置

① 宅地等に対して課する令和6年度から令和8年度までの各年度分の固定資産税の特例

　宅地等に係る令和6年度から令和8年度までの各年度分の固定資産税の額は、当該宅地等に係る当該年度分の固定資産税額が、当該宅地等の当該年度分の固定資産税に係る前年度分の固定資産税の課税標準額に、当該宅地等に係る当該年度分の固定資産税の課税標準となるべき価格（当該宅地等が当該年度分の固定資産税について第二節一の5《住宅用地に対する課税標準の特例》の規定の適用を受ける宅地等であるときは、当該価格に同5に定める率を乗じて得た額。以下1に

おいて同じ。）に100分の5を乗じて得た額を加算した額（当該宅地等が当該年度分の固定資産税について第二節一の3又は4《固定資産税等の課税標準の特例》の規定の適用を受ける宅地等であるときは、当該額にこれらの規定に定める率を乗じて得た額）を当該宅地等に係る当該年度分の固定資産税の課税標準となるべき額とした場合における固定資産税額（以下「**宅地等調整固定資産税額**」という。）を超える場合には、当該宅地等調整固定資産税額とする。（法附18①）

　　　　（宅地等調整固定資産税額の上限）
（1）　①の規定の適用を受ける商業地等に係る令和6年度分及び令和8年度分の宅地等調整固定資産税額は、当該宅地等調整固定資産税額が、当該商業地等に係る当該年度分の固定資産税の課税標準となるべき価格に10分の6を乗じて得た額（当該商業地等が当該年度分の固定資産税について第二節一の3又は4の規定の適用を受ける商業地等であるときは、当該額にこれらの規定に定める率を乗じて得た額）を当該商業地等に係る当該年度分の固定資産税の課税標準となるべき額とした場合における固定資産税額を超える場合には、①の規定にかかわらず、当該固定資産税額とする。（法附18②）

　　　　（宅地等調整固定資産税額の下限）
（2）　①の規定の適用を受ける宅地等に係る令和6年度分及び令和8年度分の宅地等調整固定資産税額は、当該宅地等調整固定資産税額が、当該宅地等に係る当該年度分の固定資産税の課税標準となるべき価格に10分の2を乗じて得た額（当該宅地等が当該年度分の固定資産税について第二節一の3又は4の規定の適用を受ける宅地等であるときは、当該額にこれらの規定に定める率を乗じて得た額）を当該宅地等に係る当該年度分の固定資産税の課税標準となるべき額とした場合における固定資産税額に満たない場合には、①の規定にかかわらず、当該固定資産税額とする。（法附18③）

② **負担水準が0.6以上0.7以下の商業地等に対する固定資産税額の特例**
　商業地等のうち当該商業地等の当該年度の負担水準が0.6以上0.7以下のものに係る令和6年度から令和8年度までの各年度分の固定資産税の額は、①の規定にかかわらず、当該商業地等に係る当該年度分の固定資産税に係る前年度分の固定資産税の課税標準額（当該商業地等が当該年度分の固定資産税について第二節一の3又は4の規定の適用を受ける商業地等であるときは、前年度分の固定資産税の課税標準額にこれらの規定に定める率を乗じて得た額）を当該商業地等に係る当該年度分の固定資産税の課税標準となるべき額とした場合における固定資産税額（以下「**商業地等据置固定資産税額**」という。）とする。（法附18④）

③ **負担水準が0.7を超える商業地等に対する固定資産税額の特例**
　商業地等のうち当該商業地等の当該年度の負担水準が0.7を超えるものに係る令和6年度から令和8年度までの各年度分の固定資産税の額は、①の規定にかかわらず、当該商業地等に係る当該年度分の固定資産税の課税標準となるべき価格に10分の7を乗じて得た額（当該商業地等が当該年度分の固定資産税について第二節一の3又は4の規定の適用を受ける商業地等であるときは、当該額にこれらの規定に定める率を乗じて得た額）を当該商業地等に係る当該年度分の固定資産税の課税標準となるべき額とした場合における固定資産税額（以下「**商業地等調整固定資産税額**」という。）とする。（法附18⑤）

④ **「前年度分の固定資産税の課税標準額」の意義**
　①及び②の「前年度分の固定資産税の課税標準額」とは、次の各号に掲げる宅地等の区分に応じ、当該各号に定める額をいう。（法附18⑥）

(一)	令和5年度に係る固定資産税の賦課期日に所在する宅地等（(二)から(四)までに掲げる宅地等のいずれかに該当するに至った場合における当該宅地等を除く。）	当該宅地等の当該年度の前年度課税標準額		
(二)	令和6年度において新たに固定資産税を課することとなる宅地等又は同年度に係る賦課期日において地目の変換等がある宅地等（(三)又は(四)に掲げる宅地等のいずれかに該当するに至った場合における当該宅地等を除く。）	次に掲げる年度の区分に応じ、それぞれ次に定める額		
		イ	令和6年度	当該宅地等の同年度の比準課税標準額
		ロ	令和7年度又は令和8	当該宅地等の当該年度の前年度課税標準額

			年度	
(三)	令和7年度において新たに固定資産税を課することとなる宅地等又は同年度に係る賦課期日において地目の変換等がある宅地等（(四)に掲げる宅地等に該当するに至った場合における当該宅地等を除くものとし、当該地目の変換等がある宅地等にあっては、第二節一の1の①の表の(二)の右欄ただし書又は二の1の規定により当該土地に対して課する同年度分の固定資産税の課税標準となるべき価格が、当該土地の類似土地に係る同年度分の固定資産税の課税標準となるべき価格に比準する価格により決定されるものに限る。）	次に掲げる年度の区分に応じ、それぞれ次に定める額			
		イ	令和7年度	当該宅地等の同年度の比準課税標準額
		ロ	令和8年度	当該宅地等の同年度の前年度課税標準額
(四)	令和8年度において新たに固定資産税を課することとなる宅地等又は同年度に係る賦課期日において地目の変換等がある宅地等（第二節一の1の①の表の(三)の右欄ただし書若しくは同②の表の(二)の右欄ただし書又は二の1若しくは2の規定により当該土地に対して課する同年度分の固定資産税の課税標準となるべき価格が、当該土地の類似土地に係る同年度分の固定資産税の課税標準となるべき価格に比準する価格により決定されるものに限る。）	当該宅地等の同年度の比準課税標準額			

⑤ 用途変更宅地等に係る令和6年度から令和8年度までの各年度分の固定資産税における前年度課税標準額の特例

　④の表の(一)から(三)までに掲げる宅地等で令和6年度から令和8年度までの各年度に係る賦課期日において次の表の左欄に掲げる宅地等に該当するもの（⑥の規定の適用を受ける宅地等を除く。）のうち、当該各年度の前年度に係る賦課期日においてそれぞれ同表の右欄に掲げる宅地等に該当したもの（以下⑤において「**用途変更宅地等**」という。）に係る当該各年度分の固定資産税については、一の(六)に規定する前年度課税標準額は、同イの規定にかかわらず、当該用途変更宅地等に係る当該各年度の前年度分の固定資産税の課税標準の基礎となった価格に、当該用途変更宅地等が当該各年度に係る賦課期日において該当した次の表の左欄に掲げる宅地等に当該各年度の前年度に係る賦課期日において該当した土地のうち同年度において固定資産税を課されたもの（以下⑤及び注において「**特定用途宅地等**」という。）で同年度に係る賦課期日において当該市町村内に所在したものに係る特定用途前年度課税標準額の総額を当該特定用途宅地等で同年度に係る賦課期日において当該市町村内に所在したものに係る同年度分の固定資産税の課税標準の基礎となった価格の総額で除して得た数値を乗じて得た額とする。（法附18の3①）

小規模住宅用地（第二節一の5の③に規定する小規模住宅用地をいう。以下同じ。）	小規模住宅用地以外の宅地等又は小規模住宅用地である部分及び小規模住宅用地以外である部分を併せ有する宅地等
一般住宅用地（住宅用地で小規模住宅用地以外のものをいう。以下同じ。）	一般住宅用地以外の宅地等又は一般住宅用地である部分及び一般住宅用地以外である部分を併せ有する宅地等
非住宅用宅地等（住宅用地以外の宅地等をいう。以下同じ。）	非住宅用宅地等以外の宅地等又は非住宅用宅地等である部分及び非住宅用宅地等以外である部分を併せ有する宅地等

（特定用途前年度課税標準額）
注　⑤の「特定用途前年度課税標準額」とは、次の各号に掲げる年度の区分に応じ、当該各号に定める額をいう。（法附18の3②）

		次に掲げる宅地等の区分に応じ、それぞれ次に定める額		
(一)	令和6年度	イ	ロに掲げる特定用途宅地等以外の特定用途宅地等	当該特定用途宅地等に係る令和5年度分の固定資産税の課税標準の基礎となった価格（当該特定用途宅地等が同年度分の固定資産税について地方税法第349条の3の2

				《住宅用地に対する課税標準の特例》の規定の適用を受ける土地であるときは、当該価格に同条に定める率を乗じて得た額)
			ロ	令和5年度分の固定資産税について令和6年改正前の地方税法附則第18条の規定の適用を受ける特定用途宅地等	当該特定用途宅地等に係る左欄に規定する同年度分の固定資産税の課税標準となるべき額（当該特定用途宅地等が同年度分の固定資産税について令和6年改正前の地方税法第349条の3又は附則第15条から第15条の3まで《固定資産税等の課税標準の特例》の規定の適用を受ける土地であるときは、当該額をこれらの規定に定める率で除して得た額
(二)	令和7年度	次に掲げる宅地等の区分に応じ、それぞれ次に定める額		
		イ	ロに掲げる特定用途宅地等以外の特定用途宅地等	当該特定用途宅地等に係る令和6年度分の固定資産税の課税標準の基礎となった価格（当該特定用途宅地等が同年度分の固定資産税について地方税法第349条の3又は附則第15条から第15条の3までの規定の適用を受ける土地であるときは、当該価格に同条に定める率を乗じて得た額)
		ロ	令和6年度分の固定資産税について①から⑤までの規定の適用を受ける特定用途宅地等	当該特定用途宅地等に係る同条に規定する同年度分の固定資産税の課税標準となるべき額（当該特定用途宅地等が同年度分の固定資産税について第349条の3又は附則第15条から第15条の3まで規定の適用を受ける土地であるときは、当該額をこれらの規定に定める率で除して得た額)
(三)	令和8年度	次に掲げる宅地等の区分に応じ、それぞれ次に定める額		
		イ	ロに掲げる特定用途宅地等以外の特定用途宅地等	当該特定用途宅地等に係る令和7年度分の固定資産税の課税標準の基礎となった価格（当該特定用途宅地等が同年度分の固定資産税について地方税法第349条の3の2の規定の適用を受ける土地であるときは、当該価格に同条に定める率を乗じて得た額)
		ロ	令和7年度分の固定資産税について①から⑤までの規定の適用を受ける特定用途宅地等	当該特定用途宅地等に係る同条に規定する同年度分の固定資産税の課税標準となるべき額（当該特定用途宅地等が同年度分の固定資産税について第349条の3又は附則第15条から第15条の3までの規定の適用を受ける土地であるときは、当該額をこれらの規定に定める率で除して得た額)

⑥ **類似用途変更宅地等に係る令和6年度から令和8年度までの各年度分の固定資産税における比準課税標準額の特例**

④の表の(二)に掲げる宅地等で令和6年度に係る賦課期日において⑤の表の左欄に掲げる宅地等に該当するもののうち当該宅地等の類似土地が令和5年度に係る賦課期日においてそれぞれ同表の右欄に掲げる宅地等に該当したもの（以下⑥において「令和6年度類似用途変更宅地等」という。）、④の表の(三)に掲げる宅地等で令和7年度に係る賦課期日において⑤の表の左欄に掲げる宅地等に該当するもののうち当該宅地等の類似土地が令和6年度に係る賦課期日においてそれぞれ同表の右欄に掲げる宅地等に該当したもの（以下⑥において「令和7年度類似用途変更宅地等」という。）又は④の表の(四)に掲げる宅地等で令和8年度に係る賦課期日において⑤の表の左欄に掲げる宅地等に該当するもののうち当該宅地等の類似土地が令和7年度に係る賦課期日においてそれぞれ同表の右欄に掲げる宅地等に該当したもの（以下⑥において「令和8年度類似用途変更宅地等」という。）に係る一の(七)に規定する比準課税標準額は、同(七)の規定にかかわらず、令和6年度類似用途変更宅地等に係る令和6年度分の固定資産税にあっては、(一)に掲げる額、令和7年度類似用途変更宅地等に係る令和7年度分の固定資産税にあっては(二)に掲げる額、令和8年度類似用途変更宅地等に係る令和8年度分の固定資産税にあっては(三)に掲げる額とする。（法附18の3③）

(一)	当該令和6年度類似用途変更宅地等の類似土地に係る令和5年度分の固定資産税の課税標準の基礎となった価格に比準する価格に、当該令和6年度類似用途変更宅地等が令和6年度に係る賦課期日において該当した⑤の表の左欄に掲げる宅地等に令和5年度に係る賦課期日において該当した土地のうち同年度において固定資産税を課されたもの（以下（一）及び注の（一）において「令和5年度類似特定用途宅地等」という。）で同年度に係る賦課期日において当該市町村内に所在したものに係る令和5年度類似課税標準額の総額を当該令和5年度類似特定用途宅地等で同年度に係る賦課期日において当該市町村内に所在したものに係る同年度分の固定資産税の課税標準の基礎となった価格の総額で除して得た数値を乗じて得た額
(二)	当該令和7年度類似用途変更宅地等の類似土地に係る令和6年度分の固定資産税の課税標準の基礎となった価格に比準する価格に、当該令和7年度類似用途変更宅地等が令和7年度に係る賦課期日において該当した⑤の表の左欄に掲げる宅地等に令和6年度に係る賦課期日において該当した土地のうち同年度において固定資産税を課されたもの（以下（二）及び注の（二）において「令和6年度類似特定用途宅地等」という。）で同年度に係る賦課期日において当該市町村内に所在したものに係る令和6年度類似課税標準額の総額を当該令和6年度類似特定用途宅地等で同年度に係る賦課期日において当該市町村内に所在したものに係る同年度分の固定資産税の課税標準の基礎となった価格の総額で除して得た数値を乗じて得た額
(三)	当該令和8年度類似用途変更宅地等の類似土地に係る令和7年度分の固定資産税の課税標準の基礎となった価格に比準する価格に、当該令和8年度類似用途変更宅地等が令和8年度に係る賦課期日において該当した⑤の表の左欄に掲げる宅地等に令和7年度に係る賦課期日において該当した土地のうち同年度において固定資産税を課されたもの（以下（三）及び注の（三）において「令和7年度類似特定用途宅地等」という。）で同年度に係る賦課期日において当該市町村内に所在したものに係る令和7年度類似課税標準額の総額を当該令和7年度類似特定用途宅地等で同年度に係る賦課期日において当該市町村内に所在したものに係る同年度分の固定資産税の課税標準の基礎となった価格の総額で除して得た数値を乗じて得た額

（各年度の類似課税標準額の意義）
注　⑥において、次の各号に掲げる用語の意義は、当該各号に定めるところによる。（法附18の3④）

(一)	令和5年度類似課税標準額	次に掲げる宅地等の区分に応じ、それぞれ次に定める額		
		イ	ロに掲げる令和5年度類似特定用途宅地等以外の令和5年度類似特定用途宅地等	当該令和5年度類似特定用途宅地等に係る令和5年度分の固定資産税の課税標準の基礎となった価格（当該令和5年度類似特定用途宅地等が同年度分の固定資産税について地方税法第349条の3の2《住宅用地に対する課税標準の特例》の規定の適用を受ける土地であるときは、当該価格に同条に定める率を乗じて得た額）
		ロ	令和5年度分の固定資産税について令和6年改正前の地方税法附則第18条の規定の適用を受ける令和5年度類似特定用途宅地等	当該令和5年度類似特定用途宅地等に係る左欄に規定する同年度分の固定資産税の課税標準となるべき額（当該令和5年度類似特定用途宅地等が同年度分の固定資産税について令和6年改正前の地方税法第349条の3又は附則第15条から第15条の3まで《固定資産税等の課税標準の特例》の規定の適用を受ける土地であるときは、当該額をこれらの規定に定める率で除して得た額）
(二)	令和6年度類似課税標準額	次に掲げる宅地等の区分に応じ、それぞれ次に定める額		
		イ	ロに掲げる令和6年度類似特定用途宅地等以外の令和6年度類似特定用途宅地等	当該令和6年度類似特定用途宅地等に係る令和6年度分の固定資産税の課税標準の基礎となった価格（当該令和6年度類似特定用途宅地等が同年度分の固定資産税について地方税法第349条の3の2の規定の適用を受ける土地であるときは、当該価格に同条に定める率を乗じて得た額）
		ロ	令和6年度分の固定資産税について四の1の①から⑤まで	当該令和6年度類似特定用途宅地等に係る同条に規定する同年度分の固定資産税の課税標準となるべき額（当該令和

		の規定の適用を受ける令和6年度類似特定用途宅地等	6年度類似特定用途宅地等が同年度分の固定資産税について第349条の3又は附則第15条から第15条の3までの規定の適用を受ける土地であるときは、当該額をこれらの規定に定める率で除して得た額）
(三) 令和7年度類似課税標準額		次に掲げる宅地等の区分に応じ、それぞれに定める額	
	イ	ロに掲げる令和7年度類似特定用途宅地等以外の令和7年度類似特定用途宅地等	当該令和7年度類似特定用途宅地等に係る令和7年度分の固定資産税の課税標準の基礎となった価格（当該令和7年度類似特定用途宅地等が同年度分の固定資産税について地方税法第349条の3の2の規定の適用を受ける土地であるときは、当該価格に同条に定める率を乗じて得た額）
	ロ	令和7年度分の固定資産税について①から⑤までの規定の適用を受ける令和7年度類似特定用途宅地等	当該令和7年度類似特定用途宅地等に係る同条に規定する同年度分の固定資産税の課税標準となるべき額（当該令和7年度類似特定用途宅地等が同年度分の固定資産税について第349条の3又は附則第15条から第15条の3までの規定の適用を受ける土地であるときは、当該額をこれらの規定に定める率で除して得た額）

⑦　小規模住宅用地である部分、一般住宅用地である部分又は非住宅用宅地等である部分のうちいずれか二以上を併せ有する宅地等に係る規定の適用

　令和6年度から令和8年度までの各年度に係る賦課期日において小規模住宅用地である部分、一般住宅用地である部分又は非住宅用宅地等である部分のうちいずれか二以上を併せ有する宅地等に係る当該各年度分の固定資産税に係る一及び①から⑥までの規定の適用については、当該小規模住宅用地である部分、一般住宅用地である部分又は非住宅用宅地等である部分をそれぞれ一の宅地等とみなす。（法附18の3⑤）

⑧　用途変更宅地等及び類似用途変更宅地等に対して課する固定資産税等の特例に関する経過措置
（1）　市町村は、令和3年度から令和5年度までの各年度分の固定資産税及び都市計画税について、条例で定めるところにより、⑤から⑦（八の1の注において準用する場合を含む。）及び2の⑤から⑦（八の2の注において準用する場合を含む。）の規定を適用しないことができる。（令3改法附14①）
（2）　（1）の場合には、1の④の（一）から（三）までに掲げる宅地等で令和3年度から令和5年度までの各年度に係る賦課期日において⑤の表の左欄に掲げる宅地等に該当するもの（（3）の規定の適用を受ける宅地等を除く。）のうち、当該各年度の前年度に係る賦課期日においてそれぞれ同表の右欄に掲げる宅地等に該当したもの（以下「用途変更宅地等」という。）に係る当該各年度分の固定資産税については、当該用途変更宅地等が当該各年度の前年度に係る賦課期日においてそれぞれ同表の左欄に掲げる宅地等であったものとみなして、一及び1（八の1の注においてにおいて準用する場合を含む。）の規定を適用する。（令3改法附14②）
（3）　（1）の場合には、④の（二）に掲げる宅地等で令和3年度に係る賦課期日において⑤の表の左欄に掲げる宅地等に該当するもの（以下「令和3年度の宅地等」という。）、④の（三）に掲げる宅地等で令和4年度に係る賦課期日において同表の左欄に掲げる宅地等に該当するもの（以下「令和4年度の宅地等」という。）又は④の（四）に掲げる宅地等で令和5年度に係る賦課期日において同表の左欄に掲げる宅地等に該当するもの（以下「令和5年度の宅地等」という。）のうち、当該宅地等の類似土地（一の表の（七）に規定する類似土地をいう。）が令和3年度の宅地等にあっては令和2年度、令和4年度の宅地等にあっては令和3年度、令和5年度の宅地等にあっては令和4年度に係る賦課期日（以下「前年度に係る賦課期日」という。）においてそれぞれ同表の右欄に掲げる宅地等に該当したものに係る令和3年度の宅地等にあっては令和3年度分、令和4年度の宅地等にあっては令和4年度分、令和5年度の宅地等にあっては令和5年度分の固定資産税については、当該類似土地が前年度に係る賦課期日においてそれぞれ同表の左欄に掲げる宅地等であったものとみなして、一及び1（八の1の注においてにおいて準用する場合を含む。）の規定を適用する。（令3改法附14③）
（4）　（1）の場合には、令和3年度から令和5年度までの各年度に係る賦課期日において⑤に規定する小規模住宅用地である部分（以下「小規模住宅用地である部分」という。）、⑤に規定する一般住宅用地である部分（以下「一般住宅用地である部分」という。）又は⑤に規定する非住宅用宅地等である部分（以下「非住宅用宅地等である部分」という。）のうちいずれか二以上を併せ有する宅地等に係る当該各年度分の固定資産税に係る一及び1（八の1の注において準用す

る場合を含む。) 並びに (2) 及び (3) の規定の適用については、当該小規模住宅用地である部分、一般住宅用地である部分又は非住宅用宅地等である部分をそれぞれ一の宅地等とみなす。(令3改法附14④)
(注) (2) から (4) の規定は、令和3年度から令和5年度までの各年度分の都市計画税について準用する。(令3改法附14⑤抄)

2 都市計画税の負担調整措置

① **宅地等に対して課する令和6年度から令和8年度までの各年度分の都市計画税の特例**

宅地等に係る令和6年度から令和8年度までの各年度分の都市計画税の額は、当該宅地等に係る当該年度分の都市計画税額が、当該宅地等の当該年度分の都市計画税に係る前年度分の都市計画税の課税標準額に、当該宅地等に係る当該年度分の都市計画税の課税標準となるべき価格 (当該宅地等が当該年度分の都市計画税について第四章4《住宅用地等に対する都市計画税の課税標準の特例》の規定の適用を受ける宅地等であるときは、当該価格に同章4に定める率を乗じて得た額。以下2において同じ。) に100分の5を乗じて得た額を加算した額 (当該宅地等が当該年度分の固定資産税について第二節一の3 (イの⑲を除く。) 又は4《固定資産税等の課税標準の特例》の規定の適用を受ける宅地等であるときは、当該額にこれらの規定に定める率を乗じて得た額) を当該宅地等に係る当該年度分の都市計画税の課税標準となるべき額とした場合における都市計画税額 (以下2及び七の2において「**宅地等調整都市計画税額**」という。) を超える場合には、当該宅地等調整都市計画税額とする。(法附25①)

(宅地等調整都市計画税額の上限)
(1) ①の規定の適用を受ける商業地等に係る令和6年度分から令和8年度までの各年度分の宅地等調整都市計画税額は、当該宅地等調整都市計画税額が、当該商業地等に係る当該年度分の都市計画税の課税標準となるべき価格に10分の6を乗じて得た額 (当該商業地等が当該年度分の固定資産税について第二節一の3 (イの⑲を除く。) 又は4の規定の適用を受ける商業地等であるときは、当該額にこれらの規定に定める率を乗じて得た額) を当該商業地等に係る当該年度分の都市計画税の課税標準となるべき額とした場合における都市計画税額を超える場合には、①の規定にかかわらず、当該都市計画税額とする。(法附25②)

(宅地等調整都市計画税額の下限)
(2) ①の規定の適用を受ける宅地等に係る令和6年度分から令和8年度までの各年度分の宅地等調整都市計画税額は、当該宅地等調整都市計画税額が、当該宅地等に係る当該年度分の都市計画税の課税標準となるべき価格に10分の2を乗じて得た額 (当該宅地等が当該年度分の固定資産税について第二節一の3 (イの⑲を除く。) 又は4の規定の適用を受ける宅地等であるときは、当該額にこれらの規定に定める率を乗じて得た額) を当該宅地等に係る当該年度分の都市計画税の課税標準となるべき額とした場合における都市計画税額に満たない場合にあっては、①の規定にかかわらず、当該都市計画税額とする。(法附25③)

② **負担水準が0.6以上0.7以下の商業地等に対する都市計画税額の特例**

商業地等のうち当該商業地等の当該年度の負担水準が0.6以上0.7以下のものに係る令和6年度から令和8年度までの各年度分の都市計画税の額は、①の規定にかかわらず、当該商業地等の当該年度分の都市計画税に係る前年度分の都市計画税の課税標準額 (当該商業地等が当該年度分の固定資産税について第二節一の3 (イの⑲を除く。) 又は4の規定の適用を受ける商業地等であるときは、当該課税標準額にこれらの規定に定める率を乗じて得た額) を当該商業地等に係る当該年度分の都市計画税の課税標準となるべき額とした場合における都市計画税額 (七の2において「**商業地等据置都市計画税額**」という。) とする。(法附25④)

③ **負担水準が0.7を超える商業地等に対する都市計画税額の特例**

商業地等のうち当該商業地等の当該年度の負担水準が0.7を超えるものに係る令和6年度から令和8年度までの各年度分の都市計画税の額は、①の規定にかかわらず、当該商業地等に係る当該年度分の都市計画税の課税標準となるべき価格に10分の7を乗じて得た額 (当該商業地等が当該年度分の固定資産税について第二節一の3 (イの⑲を除く。) 又は4の規定の適用を受ける商業地等であるときは、当該額にこれらの規定に定める率を乗じて得た額) を当該商業地等に係る当該年度分の都市計画税の課税標準となるべき額とした場合における都市計画税額 (七の2において「**商業地等調整都市計画税額**」という。) とする。(法附25⑤)

④ 「前年度分の都市計画税の課税標準額」の意義

　1の④の規定は、①及び②の前年度分の都市計画税の課税標準額について準用する。この場合において、1の④中「①及び②」とあるのは「2の①及び②」と、「前年度分の固定資産税」とあるのは「前年度分の都市計画税」と読み替えるものとする。（法附25⑥）

⑤ 用途変更宅地等に係る令和6年度から令和8年度までの各年度分の都市計画税における前年度課税標準額の特例

　④において読み替えられた1の④の表の（一）から（三）までに掲げる宅地等で令和6年度から令和8年度までの各年度に係る賦課期日において次の表の左欄に掲げる宅地等に該当するもの（⑥の規定の適用を受ける宅地等を除く。）のうち、当該各年度の前年度に係る賦課期日においてそれぞれ同表の右欄に掲げる宅地等に該当したもの（以下⑤において「**用途変更宅地等**」という。）に係る当該各年度分の都市計画税については、一の（六）に規定する前年度課税標準額は、同（六）のロの規定にかかわらず、当該用途変更宅地等に係る当該各年度の前年度分の固定資産税の課税標準の基礎となった価格に、当該用途変更宅地等が当該各年度に係る賦課期日において該当した次の表の左欄に掲げる宅地等に当該各年度の前年度に係る賦課期日において該当した土地のうち同年度において都市計画税を課されたもの（以下⑤及び注において「**特定用途宅地等**」という。）で同年度に係る賦課期日において当該市町村内に所在したものに係る特定用途前年度課税標準額の総額を当該特定用途宅地等で同年度に係る賦課期日において当該市町村内に所在したものに係る同年度分の固定資産税の課税標準の基礎となった価格の総額で除して得た数値を乗じて得た額とする。（法附25の3①）

小規模住宅用地	小規模住宅用地以外の宅地等又は小規模住宅用地である部分及び小規模住宅用地以外である部分を併せ有する宅地等
一般住宅用地	一般住宅用地以外の宅地等又は一般住宅用地である部分及び一般住宅用地以外である部分を併せ有する宅地等
非住宅用宅地等	非住宅用宅地等以外の宅地等又は非住宅用宅地等である部分及び非住宅用宅地等以外である部分を併せ有する宅地等

（注）　令和3年度改正に係る用途変更宅地等及び類似用途変更宅地等に対して課する都市計画税の特例に関する経過措置について、1の⑧を参照。（編者）

（特定用途前年度課税標準額）
注　⑤の「特定用途前年度課税標準額」とは、次の表の各号に掲げる年度の区分に応じ、当該各号に定める額をいう。（法附25の3②）

		次に掲げる宅地等の区分に応じ、それぞれ次に定める額		
（一）	令和6年度	イ	ロに掲げる特定用途宅地等以外の特定用途宅地等	当該特定用途宅地等に係る令和5年度分の固定資産税の課税標準の基礎となった価格（当該特定用途宅地等が同年度分の都市計画税について第四章4《住宅用地等に対する課税標準の特例》の規定の適用を受ける土地であるときは、当該価格に同4に定める率を乗じて得た額）
		ロ	令和5年度分の都市計画税について令和6年改正前の地方税法附則第25条の規定の適用を受ける特定用途宅地等	当該特定用途宅地等に係る左欄に規定する同年度分の都市計画税の課税標準となるべき額（当該特定用途宅地等が同年度分の固定資産税について令和6年改正前の地方税法第349条の3（第18項を除く。）又は附則第15条から第15条の3まで《固定資産税等の課税標準の特例》の規定の適用を受ける土地であるときは、当該額をこれらの規定に定める率で除して得た額）
（二）	令和7年度		次に掲げる宅地等の区分に応じ、それぞれ次に定める額	
		イ	ロに掲げる特定用途宅地等以外の特定用途宅地等	当該特定用途宅地等に係る令和3年度分の固定資産税の課税標準の基礎となった価格（当該特定用途宅地等が同年度分の都市計画税について第四章4の規定の適用を受ける土地であるときは、当該価格に同4に定める率を乗じて得た額）

		ロ	令和6年度分の都市計画税について①から④までの規定の適用を受ける特定用途宅地等	当該特定用途宅地等に係る①から④までに規定する同年度分の都市計画税の課税標準となるべき額(当該特定用途宅地等が同年度分の固定資産税について第349条の3（第18項を除く。）又は附則第15条から第15条の3までの規定の適用を受ける土地であるときは、当該額をこれらの規定に定める率で除して得た額)
(三) 令和8年度	次に掲げる宅地等の区分に応じ、それぞれに定める額		
	イ	ロに掲げる特定用途宅地等以外の特定用途宅地等	当該特定用途宅地等に係る令和7年度分の固定資産税の課税標準の基礎となった価格(当該特定用途宅地等が同年度分の都市計画税について第四章4の規定の適用を受ける土地であるときは、当該価格に同4に定める率を乗じて得た額)
	ロ	令和7年度分の都市計画税について①から④までの規定の適用を受ける特定用途宅地等	当該特定用途宅地等に係る①から④までに規定する同年度分の都市計画税の課税標準となるべき額(当該特定用途宅地等が同年度分の固定資産税について第349条の3（第18項を除く。）又は附則第15条から第15条の3までの規定の適用を受ける土地であるときは、当該額をこれらの規定に定める率で除して得た額)

⑥ **類似用途変更宅地等に係る令和6年度から令和8年度までの各年度分の都市計画税における比準課税標準額の特例**

　④において読み替えられた1の④の表の(二)に掲げる宅地等で令和6年度に係る賦課期日において⑤の表の左欄に掲げる宅地等に該当するもののうち当該宅地等の類似土地が令和2年度に係る賦課期日においてそれぞれ⑤の表の右欄に掲げる宅地等に該当したもの（以下⑥において「令和6年度類似用途変更宅地等」という。）、1の④の表の(三)に掲げる宅地等で令和7年度に係る賦課期日において⑤の表の左欄に掲げる宅地等に該当するもののうち当該宅地等の類似土地が令和6年度に係る賦課期日においてそれぞれ⑤の表の右欄に掲げる宅地等に該当したもの（以下⑥において「令和7年度類似用途変更宅地等」という。）又は1の④の表の(四)に掲げる宅地等で令和8年度に係る賦課期日において⑤の表の左欄に掲げる宅地等に該当するもののうち当該宅地等の類似土地が令和7年度に係る賦課期日においてそれぞれ⑤の表の右欄に掲げる宅地等に該当したもの（以下⑥において「令和8年度類似用途変更宅地等」という。）に係る一の(七)に規定する比準課税標準額は、同(七)の規定にかかわらず、令和6年度類似用途変更宅地等に係る令和6年度分の都市計画税にあっては(一)に掲げる額、令和7年度類似用途変更宅地等に係る令和7年度分の都市計画税にあっては(二)に掲げる額、令和8年度類似用途変更宅地等に係る令和8年度分の都市計画税にあっては(三)に掲げる額とする。（法附25の3③）

(一)	当該令和6年度類似用途変更宅地等の類似土地に係る令和5年度分の固定資産税の課税標準の基礎となった価格に比準する価格に、当該令和6年度類似用途変更宅地等が令和6年度に係る賦課期日において該当した⑤の表の左欄に掲げる宅地等に令和5年度に係る賦課期日において該当した土地のうち同年度において都市計画税を課されたもの（以下(一)及び注の(一)において「令和5年度類似特定用途宅地等」という。）で同年度に係る賦課期日において当該市町村内に所在したものに係る令和5年度類似課税標準額の総額を当該令和5年度類似特定用途宅地等で同年度に係る賦課期日において当該市町村内に所在したものに係る同年度分の固定資産税の課税標準の基礎となった価格の総額で除して得た数値を乗じて得た額
(二)	当該令和7年度類似用途変更宅地等の類似土地に係る令和6年度分の固定資産税の課税標準の基礎となった価格に比準する価格に、当該令和7年度類似用途変更宅地等が令和7年度に係る賦課期日において該当した⑤の表の左欄に掲げる宅地等に令和6年度に係る賦課期日において該当した土地のうち同年度において都市計画税を課されたもの（以下(二)及び注の(二)において「令和6年度類似特定用途宅地等」という。）で同年度に係る賦課期日において当該市町村内に所在したものに係る令和6年度類似課税標準額の総額を当該令和6年度類似特定用途宅地等で同年度に係る賦課期日において当該市町村内に所在したものに係る同年度分の固定資産税の課税標準の基礎となった価格の総額で除して得た数値を乗じて得た額
(三)	当該令和8年度類似用途変更宅地等の類似土地に係る令和7年度分の固定資産税の課税標準の基礎となった価格に

比準する価格に、当該令和８年度類似用途変更宅地等が令和８年度に係る賦課期日において該当した⑤の表の左欄に掲げる宅地等に令和７年度に係る賦課期日において該当した土地のうち同年度において都市計画税を課されたもの（以下(三)及び注の(三)において「令和７年度類似特定用途宅地等」という。）で同年度に係る賦課期日において当該市町村内に所在したものに係る令和７年度類似課税標準額の総額を当該令和７年度類似特定用途宅地等で同年度に係る賦課期日において当該市町村内に所在したものに係る同年度分の固定資産税の課税標準の基礎となった価格の総額で除して得た数値を乗じて得た額

（各年度の類似課税標準額の意義）
注　⑥において、次の各号に掲げる用語の意義は、当該各号に定めるところによる。（法附25の３④）

(一)	令和５年度類似課税標準額	次に掲げる宅地等の区分に応じ、それぞれ次に定める額		
			イ	ロに掲げる令和５年度類似特定用途宅地等以外の令和５年度類似特定用途宅地等	当該令和５年度類似特定用途宅地等に係る令和５年度分の固定資産税の課税標準の基礎となった価格（当該令和５年度類似特定用途宅地等が同年度分の都市計画税について第四章４《住宅用地等に対する課税標準の特例》の規定の適用を受ける土地であるときは、当該価格に同４に定める率を乗じて得た額）
			ロ	令和５年度分の都市計画税について令和６年改正前の地方税法附則第25条の規定の適用を受ける令和５年度類似特定用途宅地等	当該令和５年度類似特定用途宅地等に係る左欄の規定に規定する同年度分の都市計画税の課税標準となるべき額（当該令和５年度類似特定用途宅地等が同年度分の固定資産税について令和６年改正前の地方税法第349条の３（第18項を除く。）又は附則第15条から第15条の３まで《固定資産税等の課税標準の特例》の規定の適用を受ける土地であるときは、当該額をこれらの規定に定める率で除して得た額）
(二)	令和６年度類似課税標準額	次に掲げる宅地等の区分に応じ、それぞれ次に定める額		
			イ	ロに掲げる令和６年度類似特定用途宅地等以外の令和６年度類似特定用途宅地等	当該令和６年度類似特定用途宅地等に係る令和６年度分の固定資産税の課税標準の基礎となった価格（当該令和６年度類似特定用途宅地等が同年度分の都市計画税について第四章４の規定の適用を受ける土地であるときは、当該価格に同４に定める率を乗じて得た額）
			ロ	令和６年度分の都市計画税について①から④までの規定の適用を受ける令和６年度類似特定用途宅地等	当該令和６年度類似特定用途宅地等に係る①から④までに規定する同年度分の都市計画税の課税標準となるべき額（当該令和６年度類似特定用途宅地等が同年度分の固定資産税について第349条の３（第18項を除く。）又は附則第15条から第15条の３までの規定の適用を受ける土地であるときは、当該額をこれらの規定に定める率で除して得た額）
(三)	令和７年度類似課税標準額	次に掲げる宅地等の区分に応じ、それぞれ次に定める額		
			イ	ロに掲げる令和７年度類似特定用途宅地等以外の令和７年度類似特定用途宅地等	当該令和４年度類似特定用途宅地等に係る令和４年度分の固定資産税の課税標準の基礎となった価格（当該令和４年度類似特定用途宅地等が同年度分の都市計画税について第四章４の規定の適用を受ける土地であるときは、当該価格に同４に定める率を乗じて得た額）
			ロ	令和７年度分の都市計画税について①から④までの規定の適用を受ける令和７年度類似特定用途宅地等	当該令和７年度類似特定用途宅地等に係る①から④までに規定する同年度分の都市計画税の課税標準となるべき額（当該令和７年度類似特定用途宅地等が同年度分の固定資産税について第349条の３（第18項を除く。）又は附則第15条から第15条の３までの規定の適用を受ける土地であるときは、当

			該額をこれらの規定に定める率で除して得た額）

⑦ 小規模宅地等である部分、一般住宅用地である部分又は非住宅用宅地等である部分のいずれか二以上を併せ有する宅地等に係る規定の適用

　令和6年度から令和8年度までの各年度に係る賦課期日において小規模住宅用地である部分、一般住宅用地である部分又は非住宅用宅地等である部分のうちいずれか二以上を併せ有する宅地等に係る当該各年度分の都市計画税に係る一及び①から⑦までの規定の適用については、当該小規模住宅用地である部分、一般住宅用地である部分又は非住宅用宅地等である部分をそれぞれ一の宅地等とみなす。（法附25の3⑤）

⑧ 都及び政令指定都市に対して準用等をする場合

　令和6年度から令和8年度までの各年度分の都市計画税について、⑤から⑦までの規定を都及び地方自治法第252条の19第1項の市に対して準用及び適用する場合においては、特別区及び同項の市の区の区域は、一の市の区域とみなす。（令附15⑤）

五　農地に対する令和6年度分から令和8年度分までの負担調整措置

1　固定資産税の負担調整措置

① 農地に対して課する令和6年度から令和8年度までの各年度分の固定資産税の特例

　農地に係る令和6年度から令和8年度までの各年度分の固定資産税の額は、当該農地に係る当該年度分の固定資産税額が、当該農地に係る当該年度分の固定資産税に係る前年度分の固定資産税の課税標準額（当該農地が当該年度分の固定資産税について第二節一の3又は4《固定資産税等の課税標準の特例》の適用を受ける農地であるときは、当該課税標準額にこれらの規定に定める率を乗じて得た額）に、当該農地の当該年度の次の表の左欄に掲げる負担水準の区分に応じ、同表の右欄に掲げる負担調整率を乗じて得た額を当該農地に係る当該年度分の固定資産税の課税標準となるべき額とした場合における固定資産税額（以下「**農地調整固定資産税額**」という。）を超える場合には、当該農地調整固定資産税額とする。（法附19①）

負　担　水　準　の　区　分	負　担　調　整　率
0.9以上のもの	1.025
0.8以上0.9未満のもの	1.05
0.7以上0.8未満のもの	1.075
0.7未満のもの	1.1

② 「前年度分の固定資産税の課税標準」の意義

　四の1の④の規定は、①の前年度分の固定資産税の課税標準額について準用する。この場合において、四の1の④中「①及び②」とあるのは「五の1の①」と、「宅地等」とあるのは「農地」と読み替えるものとする。（法附19②）

2　都市計画税の負担調整措置

① 農地に対して課する令和6年度から令和8年度までの各年度分の都市計画税の特例

　農地に係る令和6年度から令和8年度までの各年度分の都市計画税の額は、当該農地に係る当該年度分の都市計画税額が、当該農地に係る当該年度分の都市計画税に係る前年度分の都市計画税の課税標準額（当該農地が当該年度分の固定資産税について第二節一の3（**イ**の⑳を除く。）又は4《固定資産税等の課税標準の特例》の適用を受ける農地であるときは、当該課税標準額にこれらの規定に定める率を乗じて得た額）に、当該農地の当該年度の次の表の左欄に掲げる負担水準の区分に応じ、同表の右欄に掲げる負担調整率を乗じて得た額を当該農地に係る当該年度分の都市計画税の課税標準となるべき額とした場合における都市計画税額（以下①において「**農地調整都市計画税額**」という。）を超える場合には、当該農地調整都市計画税額とする。（法附26①）

負　担　水　準　の　区　分	負　担　調　整　率
0.9以上のもの	1.025
0.8以上0.9未満のもの	1.05
0.7以上0.8未満のもの	1.075
0.7未満のもの	1.1

② 「前年度分の都市計画税の課税標準額」の意義

　四の１の④の規定は、①の前年度分の都市計画税の課税標準額について準用する。この場合において、四の１の④中「①及び②」とあるのは「五の２の①」と、「前年度分の固定資産税」とあるのは「前年度分の都市計画税」と、「宅地等」とあるのは「農地」と読み替えるものとする。（法附26②）

六　市街化区域農地に対する負担調整措置

１　固定資産税の負担調整措置

① 通常市街化区域農地に対して課する令和元年度以降の各年度分の固定資産税の特例

　令和元年度以降の各年度に係る賦課期日に所在する市街化区域農地（農地のうち、都市計画法第７条第１項に規定する市街区域内のもの（次に掲げるものを除く。）をいう。以下同じ。）のうち、田園住居地域内市街化区域農地（市街化区域農地のうち、同法第８条第１項第１号に規定する田園住居地域内のものをいう。②において同じ。）以外のもの（以下①において「**通常市街化区域農地**」という。）に対して課する固定資産税の課税標準となるべき価格については、当該通常市街化区域農地とその状況が類似する宅地の固定資産税の課税標準とされる価格に比準する価格により定められるべきものとする。（法附19の２①）

(一)　生産緑地法第２条第３号に規定する生産緑地（以下（一）において「生産緑地」という。）である農地（生産緑地法の一部を改正する法律（平成３年法律第39号）の施行の日以後に都市計画法第８条第１項の規定により定められた生産緑地法第３条第１項に規定する生産緑地地区の区域内の生産緑地である農地のうち、同法第10条第１項に規定する申出基準日（以下（一）において「申出基準日」という。）までに同法第10条の２第１項の規定による指定がされなかったものであって、当該申出基準日の属する年の翌年の１月１日（当該申出基準日が１月１日である場合には、同日）を賦課期日とする年度以降の各年度に係る賦課期日に所在するものその他の(1)で定めるものを除く。）

(二)　都市計画法第11条第１項の規定により同法第４条第６項に規定する都市計画施策として定められた公園、緑地又は墓園の区域内の農地で同法第55条第１項の規定による同法第26条第１項に規定する都道府県知事等の指定を受けたものその他の(2)で定める農地

　　　（市街化区域内の農地のうち市街化区域農地以外の農地として取り扱う農地等）

(1)　①の（一）に規定する(1)で定める農地は、生産緑地法の一部を改正する法律の施行の日以後に都市計画法第８条第１項の規定により定められた生産緑地法第３条第１項に規定する生産緑地地区の区域内の同法第２条第３号に規定する生産緑地（②の(4)の(三)において「生産緑地」という。）である農地のうち、次に掲げるものとする。（令附14①）

(一)　生産緑地法第10条第１項に規定する申出基準日（以下（一）及び（三）において「申出基準日」という。）までに同法第10条の２第１項の規定による指定がされなかった農地であって、当該申出基準日の属する年の翌年の１月１日（当該申出基準日が１月１日である場合には、同日）を賦課期日とする年度以降の各年度に係る賦課期日に所在するもの

(二)　生産緑地法第10条の３第２項に規定する指定期限日までに同条第１項の規定による期限の延長がされなかった農地であって、当該指定期限日の属する年の翌年の１月１日（当該指定期限日が１月１日である場合には、同日）を賦課期日とする年度以降の各年度に係る賦課期日に所在するもの

(三)　生産緑地法第10条の６第１項の規定による特定生産緑地の指定の解除がされた農地であって、当該指定の解除の日（申出基準日前に当該指定の解除がされた場合には、当該申出基準日。以下（三）において同じ。）の属する年の翌年の１月１日（当該指定の解除の日が１月１日である場合には、同日）を賦課期日とする年度以降の各年度に係る賦課期日に所在するもの

(政令で定める都道府県知事等の指定を受けたその他の農地)
(2) ①の(二)に規定する(2)で定める農地は、次に掲げる農地とする。(令附14②)
- (一) 都市計画法第11条第1項の規定により同法第4条第6項に規定する都市計画施策として定められた公園、緑地又は墓園の区域内の農地で、同法第55条第1項の規定による同法第26条第1項に規定する都道府県知事等の指定を受けたもの又は同法第59条第1項から第4項までの規定による国土交通大臣若しくは都道府県知事の認可若しくは承認を受けた同法第4条第15項に規定する都市計画事業に係るもの
- (二) 古都における歴史的風土の保存に関する特別措置法第6条第1項に規定する歴史的風土特別保存地区の区域内の農地
- (三) 都市緑地法第12条第1項に規定する特別緑地保全地区の区域内の農地
- (四) 文化財保護法第109条第1項の規定による文部科学大臣の指定を受けた史跡、名勝又は天然記念物である農地
- (五) 非課税の規定により固定資産税を課されない農地

(令和元年度以降の第2年度又は第3年度に係る賦課期日において新たに通常市街化区域農地となる場合の読替え)
(3) 令和元年度以降の第2年度又は第3年度に係る賦課期日において、新たに通常市街化区域農地となり、又は通常市街化区域農地であった土地が市街化区域農地以外の農地となる事情がある土地については、当該事情がある賦課期日に係る年度分の固定資産税に限り、地方税法第349条第2項第1号に掲げる事情があるものとみなす。この場合における同項から同条第6項までの規定の適用については、次の表の左欄に掲げる同条の規定中同表の中欄に掲げる字句は、それぞれ同表の右欄に掲げる字句とする。(法附19の2②)

第2項	次の各号に掲げる事情があるため、基準年度の固定資産税の課税標準の基礎となった価格によることが不適当であるか又は当該市町村を通じて固定資産税の課税上著しく均衡を失すると市町村長が認める	(3)に規定する事情がある
	当該土地又は家屋に類似する土地又は家屋の基準年度の	通常市街化区域農地(①に規定する通常市街化区域農地をいう。)となった土地にあっては当該土地とその状況が類似する宅地の当該年度分の固定資産税の課税標準とされる価格に比準する価格で、市街化区域農地(①に規定する市街化区域農地をいう。)以外の農地となった土地にあっては当該土地に類似する農地の当該年度分の固定資産税の課税標準とされる
	比準する価格で土地課税台帳等又は家屋課税台帳等	比準する価格で土地課税台帳等
第3項	前項各号に掲げる事情があるため、基準年度の固定資産税の課税標準の基礎となった価格によることが不適当であるか又は当該市町村を通じて固定資産税の課税上著しく均衡を失すると市町村長が認める	(3)に規定する事情がある
	当該土地又は家屋に類似する土地又は家屋の基準年度の	通常市街化区域農地となった土地にあっては当該土地とその状況が類似する宅地の当該年度分の固定資産税の課税標準とされる価格に比準する価格で、市街化区域農地以外の農地となった土地にあっては当該土地に類似する農地の当該年度分の固定資産税の課税標準とされる
	価格で土地課税台帳等又は家屋課税台帳等	価格で土地課税台帳等
第4項	に対して	について第2年度の固定資産税の賦課期日において(3)に規定する事情がある場合においては、通常

		市街化区域農地となった土地に対して
	土地又は家屋に類似する土地又は家屋の基準年度の	土地とその状況が類似する宅地の当該年度分の固定資産税の課税標準とされる
	土地課税台帳等又は家屋課税台帳等	土地課税台帳等
第5項	第2項各号に掲げる事情があるため、第2年度の固定資産税の課税標準の基礎となった価格によることが不適当であるか又は当該市町村を通じて固定資産税の課税上著しく均衡を失すると市町村長が認める	(3)に規定する事情がある
	当該土地又は家屋に類似する土地又は家屋の基準年度の	通常市街化区域農地となった土地にあっては当該土地とその状況が類似する宅地の当該年度分の固定資産税の課税標準とされる価格に比準する価格で、市街化区域農地以外の農地となった土地にあっては当該土地に類似する農地の当該年度分の固定資産税の課税標準とされる
	比準する価格で土地課税台帳等又は家屋課税台帳等	比準する価格で土地課税台帳等
第6項	に対して	について第2年度の固定資産税の賦課期日において(3)に規定する事情がある場合においては、通常市街化区域農地となった土地に対して
	土地又は家屋に類似する土地又は家屋の基準年度の	土地とその状況が類似する宅地の当該年度分の固定資産税の課税標準とされる
	土地課税台帳等又は家屋課税台帳等	土地課税台帳等

（令和元年度以降の第2年度又は第3年度に係る賦課期日において通常市街化区域農地である田若しくは畑が地目の変換となる場合の読替え）

（4） 令和元年度以降の第2年度又は第3年度に係る賦課期日において、通常市街化区域農地である田若しくは畑が通常市街化区域農地である畑若しくは田となる地目の変換（これに類する特別の事情として(5)で定めるものを含む。）があり、又は通常市街化区域農地に係る市町村の廃置分合若しくは境界変更の事情がある土地については、これらの事情がある賦課期日に係る年度分の固定資産税に限り、地方税法第349条第2項、第3項及び第5項の規定の適用については、次の表の左欄に掲げる同条の規定中同表の中欄に掲げる字句は、それぞれ同表の右欄に掲げる字句とする。
（法附19の2③）

第2項	次の各号に掲げる	(4)に規定する
	当該土地又は家屋に類似する土地又は家屋の基準年度の	通常市街化区域農地（①に規定する通常市街化区域農地をいう。）である当該土地とその状況が類似する宅地の当該年度分の固定資産税の課税標準とされる
	比準する価格で土地課税台帳等又は家屋課税台帳等	比準する価格で土地課税台帳等
第3項	前項各号に掲げる	(4)に規定する
	当該土地又は家屋に類似する土地又は家屋の基準年度の	通常市街化区域農地である当該土地とその状況が類似する宅地の当該年分の固定資産税の課税標準とされる
	価格で土地課税台帳等又は家屋課税台帳等	価格で土地課税台帳等
第5項	第2項各号に掲げる	(4)に規定する

	当該土地又は家屋に類似する土地又は家屋の基準年度の	通常市街化区域農地である当該土地とその状況が類似する宅地の当該年分の固定資産税の課税標準とされる
	比準する価格で土地課税台帳等又は家屋課税台帳等	比準する価格で土地課税台帳等

（特別の事情として政令で定めるもの）
（5）（4）に規定する特別の事情として（5）で定めるものは、①に規定する通常市街化区域農地に係る次に掲げる事情とする。（令附14③）
 （一） 当該年度に係る賦課期日において、当該土地が新たに市街化区域農地である土地となり、又は市街化区域農地であった土地が市街化区域農地以外の農地となること。
 （二） 当該年度に係る賦課期日において、市街化区域農地である田若しくは畑が市街化区域農地である畑若しくは田となる地目の変換（分筆又は合筆、震災、風水害その他の災害による区画又は形質の著しい変動を含む。）があり、又は市街化区域農地に係る市町村の廃置分合若しくは境界変更があること。

（令和7年度に係る賦課期日において（3）に規定する事情がある土地に対する場合の読替え）
（6） 令和7年度に係る賦課期日において（3）に規定する事情がある土地（（8）又は（9）に規定する土地に該当するに至った場合における当該土地を除く。）に対する附則第17条の2第1項及び第2項の規定の適用については、次の表の左欄に掲げる同条の規定中同表の中欄に掲げる字句は、それぞれ同表の右欄に掲げる字句とする。（法附19の2④）

第1項	若しくは(四)に掲げる土地	又は(四)に掲げる土地で通常市街化区域農地（①に規定する通常市街化区域農地をいう。）となったもの
	固定資産税又は	固定資産税にあっては当該土地とその状況が類似する宅地の同年度の修正前の価格を修正基準により修正した価格に比準する価格とし、当該土地が同表の(二)に掲げる土地で市街化区域農地（①に規定する市街化区域農地をいう。）以外の農地となったものである場合における同年度分の固定資産税にあっては当該土地に類似する農地の同年度の修正前の価格を修正基準により修正した価格に比準する価格とし、
	若しくは(六)	又は(六)
	、当該土地の類似土地の当該年度	当該土地の類似土地の同年度
第1項の(二)	第349条第2項各号に掲げる事情があるため、令和6年度分の固定資産税の課税標準の基礎となった価格によることが不適当であるか又は当該市町村を通じて固定資産税の課税上著しく均衡を失すると市町村長が認める	（3）に規定する事情がある
	当該令和6年度の土地の類似土地に係る令和6年度分の固定資産税の課税標準の基礎となった価格に比準する価格	当該令和6年度の土地で通常市街化区域農地となったものにあっては当該令和6年度の土地とその状況が類似する宅地に係る令和6年度分の固定資産税の課税標準の基礎となった価格に比準する価格、当該令和6年度の土地で市街化区域農地以外の農地となったものにあっては当該令和6年度の土地に類似する農地に係る同年度分の固定資産税の課税標準の基礎となった価格に比準する価格
第1項の	当該土地の類似土地	通常市街化区域農地となった当該土地とその状況

(四)		が類似する宅地
第2項	(三)、(五)若しくは(六)	(三)若しくは(五)

(令和7年度に係る賦課期日において(4)に規定する事情がある土地に対する場合の読替え)
(7) 令和7年度に係る賦課期日において(4)に規定する事情がある土地((8)又は(9)に規定する土地に該当するに至った場合における当該土地を除く。)に対する附則第17条の2第1項及び第2項の規定の適用については、次の表の左欄に掲げる同条の規定中同表の中欄に掲げる字句は、それぞれ同表の右欄に掲げる字句とする。(法附19の2⑤)

第1項	若しくは(四)	又は(四)
	固定資産税又は	固定資産税にあっては通常市街化区域農地(①に規定する通常市街化区域農地をいう。)である当該土地とその状況が類似する宅地の同年度の修正前の価格を修正基準により修正した価格に比準する価格とし、
	若しくは(六)	又は(六)
	、当該土地の類似土地の当該年度	当該土地の類似土地の同年度
第1項の(二)	第349条第2項各号に掲げる	(4)に規定する
	当該令和6年度の土地の類似土地	通常市街化区域農地である当該令和6年度の土地とその状況が類似する宅地
第1項の(四)	当該土地の類似土地	通常市街化区域農地である当該の土地とその状況が類似する宅地
第2項	(三)、(五)若しくは(六)	(三)若しくは(五)

(令和8年度に係る賦課期日において(3)に規定する事情がある土地に対する場合の読替え)
(8) 令和8年度に係る賦課期日において(3)に規定する事情がある土地に対する附則第17条の2第1項及び第2項の規定の適用については、次の表の左欄に掲げる同条の規定中同表の中欄に掲げる字句は、それぞれ同表の右欄に掲げる字句とする。(法附19の2⑥)

第1項	若しくは(四)	又は(四)
	又は当該土地が同表の(三)、(五)若しくは(六)に掲げる土地である場合における令和8年度分の固定資産税にあっては	にあっては
	類似土地の当該年度	類似土地の同年度
	価格と	価格とし、当該土地が同表の(三)、(五)又は(六)に掲げる土地で通常市街化区域農地(①に規定する通常市街化区域農地をいう。)となったものである場合における令和8年度分の固定資産税にあっては当該土地とその状況が類似する宅地の同年度の修正前の価格を修正基準により修正した価格に比準する価格とし、当該土地が同表の(三)、(五)又は(六)に掲げる土地で市街化区域農地(①に規定する市街化区域農地をいう。)以外の農地となったものである場合における同年度分の固定資産税にあっては当該土地に類似する農地の同年度の修正前の価格を修正基準により修正した価格に比準する価格と
第1項の	第349条第2項各号に掲げる事情があるため、令和	(3)に掲げる事情がある

(三)	7年度分の固定資産税の課税標準の基礎となった価格によることが不適当であるか又は当該市町村を通じて固定資産税の課税上著しく均衡を失すると市町村長が認める	
	当該令和6年度の土地の類似土地に係る令和7年度分の固定資産税の課税標準の基礎となった価格に比準する価格	当該令和6年度の土地で通常市街化区域農地となったものにあっては当該令和6年度の土地とその状況が類似する宅地に係る令和7年度分の固定資産税の課税標準の基礎となった価格に比準する価格、当該令和6年度の土地で市街化区域農地以外の農地となったものにあっては当該令和6年度の土地に類似する農地に係る令和7年度分の固定資産税の課税標準の基礎となった価格に比準する価格
第1項の(五)	第349条第2項各号に掲げる事情があるため、令和7年度分の固定資産税の課税標準の基礎となった価格によることが不適当であるか又は当該市町村を通じて固定資産税の課税上著しく均衡を失すると市町村長が認める	(3)に掲げる事情がある
	当該令和7年度の土地の類似土地に係る令和7年度分の固定資産税の課税標準の基礎となった価格に比準する価格	当該令和7年度の土地で通常市街化区域農地となったものにあっては当該令和7年度の土地とその状況が類似する宅地に係る令和7年度分の固定資産税の課税標準の基礎となった価格に比準する価格、当該令和7年度の土地で市街化区域農地以外の農地となったものにあっては当該令和7年度の土地に類似する農地に係る同年度分の固定資産税の課税標準の基礎となった価格に比準する価格
第1項の(六)	当該令和8年度の土地の類似土地	通常市街化区域農地である当該令和8年度の土地とその状況が類似する宅地
第2項	これらの土地の類似土地	通常市街化区域農地となったものとその状況が類似する宅地若しくは同表の(三)若しくは(五)に掲げる土地で市街化区域農地以外の農地となったものに類似する農地
	の類似土地に係る同年度分の固定資産税の課税標準の基礎となった価格に比準する価格)	で通常市街化区域農地となったものにあっては当該令和7年度適用土地とその状況が類似する宅地に係る同年度分の固定資産税の課税標準の基礎となった価格に比準する価格とし、当該令和7年度適用土地で市街化区域農地以外の農地となったものにあっては当該令和7年度適用土地に類似する農地に係る同年度分の固定資産税の課税標準の基礎となった価格に比準する価格とする。)
	にあっては当該令和7年度類似適用土地の類似土地に係る同年度分の固定資産税の課税標準の基礎となった価格に比準する価格	で通常市街化区域農地となったものにあっては当該令和7年度類似適用土地とその状況が類似する宅地に係る同年度分の固定資産税の課税標準の基礎となった価格に比準する価格をいい、令和7年度類似適用土地で市街化区域農地以外の農地となったものにあっては当該令和7年度類似適用土地に類似する農地に係る同年度分の固定資産税の課税標準の基礎となった価格に比準する価格

(令和8年度に係る賦課期日において(4)に規定する事情がある土地に対する場合の読替え)
(9) 令和8年度に係る賦課期日において(4)に規定する事情がある土地に対する附則第17条の2第1項及び第2項の規定の適用については、次の表の左欄に掲げる同条の規定中同表の中欄に掲げる字句は、それぞれ同表の右欄に掲げる字句とする。(法附19の2⑦)

第1項	若しくは(四)	又は(四)
	又は当該土地が同表の(三)、(五)若しくは(六)に掲げる土地である場合における令和8年度分の固定資産税にあっては、	にあっては
	類似土地の当該年度	類似土地の同年度
	価格と	価格とし、当該土地が同表の(三)、(五)又は(六)に掲げる土地である場合における令和8年度分の固定資産税にあっては通常市街化区域農地(①に規定する通常市街化区域農地をいう。)である当該土地とその状況が類似する宅地の同年度の修正前の価格を修正基準により修正した価格に比準する価格と
第1項の(三)	第349条第2項各号に掲げる	(4)に掲げる
	当該令和6年度の土地の類似土地	通常市街化区域農地である当該令和6年度の土地とその状況が類似する宅地
第1項の(五)	第349条第2項各号に掲げる	(4)に掲げる
	当該令和7年度の土地の類似土地	通常市街化区域農地である当該令和7年度の土地とその状況が類似する宅地
第1項の(六)	当該令和8年度の土地の類似土地	通常市街化区域農地である当該令和8年度の土地とその状況が類似する宅地
第2項	土地でこれらの土地の類似土地	通常市街化区域農地である土地とその状況が類似する宅地
	当該令和7年度適用土地の類似土地	通常市街化区域農地である当該令和7年度適用土地とその状況が類似する宅地
	当該令和7年度類似適用土地の類似土地	通常市街化区域農地である当該令和7年度類似適用土地とその状況が類似する宅地

② 田園住居地域内市街化区域農地に対して課する令和元年度以降の各年度分の固定資産税の特例

令和元年度以降の各年度に係る賦課期日に所在する田園住居地域内市街化区域農地に対して課する固定資産税の課税標準となるべき価格については、当該田園住居地域内市街化区域農地とその状況が類似する宅地の固定資産税の課税標準とされる価格に比準する価格を固定資産評価基準(田園住居地域内市街化区域農地に係る部分に限る。)により補正した価格により定められるべきものとする。(法附19の2の2①)

(令和元年度以降の第2年度又は第3年度に係る賦課期日において新たに田園住居地域内市街化区域農地となる場合の読替え)
(1) 令和元年度以降の第2年度又は第3年度に係る賦課期日において、新たに田園住居地域内市街化区域農地となり、又は田園住居地域内市街化区域農地であった土地が市街化区域農地以外の農地となる事情がある土地については、当該事情がある賦課期日に係る年度分の固定資産税に限り、地方税法第349条第2項第1号に掲げる事情があるものとみなす。この場合における同項から同条第6項までの規定の適用については、次の表の左欄に掲げる同条の規定中同条の中欄に掲げる字句は、それぞれ同表の右欄に掲げる字句とする。(法附19の2の2②)

第2項	次の各号に掲げる事情があるため、基準年度の固定資産税の課税標準の基礎となった価格によること	(1)に規定する事情がある

	が不適当であるか又は当該市町村を通じて固定資産税の課税上著しく均衡を失すると市町村長が認める	
	当該土地又は家屋に類似する土地又は家屋の基準年度の	田園住居地域内市街化区域農地(①に規定する田園住居地域内市街化区域農地をいう。)となった土地にあっては当該土地とその状況が類似する宅地の当該年度分の固定資産税の課税標準とされる価格に比準する価格を地方税法第388条第1項に規定する固定資産評価基準(田園住居地域内市街化区域農地に係る部分に限る。以下「田園住居地域内市街化区域農地固定資産評価基準」という。)により補正した価格で、市街化区域農地(①に規定する市街化区域農地をいう。)以外の農地となった土地にあっては当該土地に類似する農地の当該年度分の固定資産税の課税標準とされる
	比準する価格で土地課税台帳等又は家屋課税台帳等	比準する価格で土地課税台帳等
第3項	前項各号に掲げる事情があるため、基準年度の固定資産税の課税標準の基礎となった価格によることが不適当であるか又は当該市町村を通じて固定資産税の課税上著しく均衡を失すると市町村長が認める	(1)に規定する事情がある
	当該土地又は家屋に類似する土地又は家屋の基準年度の	田園住居地域内市街化区域農地となった土地にあっては当該土地とその状況が類似する宅地の当該年度分の固定資産税の課税標準とされる価格に比準する価格を田園住居地域内市街化区域農地固定資産評価基準により補正した価格で、市街化区域農地以外の農地となった土地にあっては当該土地に類似する農地の当該年度分の固定資産税の課税標準とされる
	価格で土地課税台帳等又は家屋課税台帳等	価格で土地課税台帳等
第4項	に対して	について第2年度の固定資産税の賦課期日において(1)に規定する事情がある場合においては、田園住居地域内市街化区域農地となった土地に対して
	土地又は家屋に類似する土地又は家屋の基準年度の価格に比準する	土地とその状況が類似する宅地の当該年度分の固定資産税の課税標準とされる価格に比準する価格を田園住居地域内市街化区域農地固定資産評価基準により補正した
	土地課税台帳等又は家屋課税台帳等	土地課税台帳等
第5項	第2項各号に掲げる事情があるため、第2年度の固定資産税の課税標準の基礎となった価格によることが不適当であるか又は当該市町村を通じて固定資産税の課税上著しく均衡を失すると市町村長が認める	(1)に規定する事情がある
	当該土地又は家屋に類似する土地又は家屋の基準年度の	田園住居地域内市街化区域農地となった土地にあっては当該土地とその状況が類似する宅地の当該年度分の固定資産税の課税標準とされる価格に比

		準する価格を田園住居地域内市街化区域農地固定資産評価基準により補正した価格で、市街化区域農地以外の農地となった土地にあっては当該土地に類似する農地の当該年度分の固定資産税の課税標準とされる
	比準する価格で土地課税台帳等又は家屋課税台帳等	比準する価格で土地課税台帳等
第6項	に対して	について第3年度の固定資産税の賦課期日において(1)に規定する事情がある場合においては、田園住居地域内市街化区域農地となった土地に対して
	土地又は家屋に類似する土地又は家屋の基準年度の価格に比準する	土地とその状況が類似する宅地の当該年度分の固定資産税の課税標準とされる価格に比準する価格を田園住居地域内市街化区域農地固定資産評価基準により補正した
	土地課税台帳等又は家屋課税台帳等	土地課税台帳等

(令和2年度以降の第2年度又は第3年度に係る賦課期日において新たに田園住居地域内市街化区域農地である田若しくは畑が地目の変換となる場合の読替え)

(2) 令和2年度以降の第2年度又は第3年度に係る賦課期日において、田園住居地域内市街化区域農地である田若しくは畑が田園住居地域内市街化区域農地である畑若しくは田となる地目の変換(これに類する特別の事情として(6)で定めるものを含む。)があり、又は田園住居地域内市街化区域農地に係る市町村の廃置分合若しくは境界変更の事情がある土地については、これらの事情がある賦課期日に係る年度分の固定資産税に限り、地方税法第349条第2項、第3項及び第5項の規定の適用については、次の表の左欄に掲げる同条の規定中同条の中欄に掲げる字句は、それぞれ同表の右欄に掲げる字句とする。(法附19の2の2③)

第2項	次の各号に掲げる	(2)に規定する
	当該土地又は家屋に類似する土地又は家屋の基準年度の価格に比準する価格で土地課税台帳等又は家屋課税台帳等	田園住居地域内市街化区域農地(①に規定する田園住居地域内市街化区域農地をいう。)である当該土地とその状況が類似する宅地の当該年度分の固定資産税の課税標準とされる価格に比準する価格を地方税法第388条第1項に規定する固定資産評価基準(田園住居地域内市街化区域農地に係る部分に限る。以下「田園住居地域内市街化区域農地固定資産評価基準」という。)により補正した価格で土地課税台帳等
第3項	前項各号に掲げる	(2)に規定する
	当該土地又は家屋に類似する土地又は家屋の基準年度の価格に比準する価格で土地課税台帳等又は家屋課税台帳等	田園住居地域内市街化区域農地である当該土地とその状況が類似する宅地の当該年度分の固定資産税の課税標準とされる価格に比準する価格を田園住居地域内市街化区域農地固定資産評価基準により補正した価格で土地課税台帳等
第5項	第2項各号に掲げる	(2)に規定する
	当該土地又は家屋に類似する土地又は家屋の基準年度の価格に比準する価格で土地課税台帳等又は家屋課税台帳等	田園住居地域内市街化区域農地である当該土地とその状況が類似する宅地の当該年度分の固定資産税の課税標準とされる価格に比準する価格を田園住居地域内市街化区域農地固定資産評価基準により補正した価格で土地課税台帳等

(令和7年度に係る賦課期日において(1)に規定する事情がある土地に対する場合の読替え)
(3) 令和7年度に係る賦課期日において(1)に規定する事情がある土地((5)又は(6)に規定する土地に該当するに至った場合における当該土地を除く。)に対する附則第17条の2第1項及び第2項の規定の適用については、次の表の左欄に掲げる同条の規定中同条の中欄に掲げる字句は、それぞれ同表の右欄に掲げる字句とする。(法附19の2の2④)

第1項	若しくは(四)に掲げる土地	又は(四)に掲げる土地で田園住居地域内市街化区域農地(①に規定する田園住居地域内市街化区域農地をいう。)となったもの
	固定資産税又は	固定資産税にあっては当該土地とその状況が類似する宅地の同年度の修正前の価格を修正基準により修正した価格に比準する価格を固定資産評価基準(田園住居地域内市街化区域農地に係る部分に限る。以下「田園住居地域内市街化区域農地固定資産評価基準」という。)により補正した価格とし、当該土地が同表の(二)に掲げる土地で市街化区域農地(①に規定する市街化区域農地をいう。)以外の農地となったものである場合における同年度分の固定資産税にあっては当該土地に類似する農地の同年度の修正前の価格を修正基準により修正した価格に比準する価格とし、
	若しくは(六)	又は(六)
	、当該土地の類似土地の当該年度	当該土地の類似土地の同年度
第1項の(二)	第349条第2項各号に掲げる事情があるため、令和6年度分の固定資産税の課税標準の基礎となった価格によることが不適当であるか又は当該市町村を通じて固定資産税の課税上著しく均衡を失すると市町村長が認める	(1)に規定する事情がある
	当該令和6年度の土地の類似土地に係る令和6年度分の固定資産税の課税標準の基礎となった価格に比準する価格	当該令和6年度の土地で田園住居地域内市街化区域農地となったものにあっては当該令和6年度の土地とその状況が類似する宅地に係る令和6年度分の固定資産税の課税標準の基礎となった価格に比準する価格を田園住居地域内市街化区域農地固定資産評価基準により補正した価格、当該令和6年度の土地で市街化区域農地以外の農地となったものにあっては当該令和6年度の土地に類似する農地に係る同年度分の固定資産税の課税標準の基礎となった価格に比準する価格
第1項の(四)	当該土地の類似土地	田園住居地域内市街化区域農地となった当該土地とその状況が類似する宅地
	比準する価格	比準する価格を田園住居地域内市街化区域農地固定資産評価基準により補正した価格
第2項	(三)、(五)若しくは(六)	(三)若しくは(五)

(令和7年度に係る賦課期日において(2)に規定する事情がある土地に対する場合の読替え)
(4) 令和7年度に係る賦課期日において(2)に規定する事情がある土地((5)又は(6)に規定する土地に該当するに至った場合における当該土地を除く。)に対する附則第17条の2第1項及び第2項の規定の適用については、次の表の左欄に掲げる同条の規定中同表の中欄に掲げる字句は、それぞれ同表の右欄に掲げる字句とする。(法附19の2の2

⑤)

第1項	若しくは(四)	又は(四)
	固定資産税又は	固定資産税にあっては田園住居地域内市街化区域農地(附則第19条の2第1項に規定する田園住居地域内市街化区域農地をいう。以下この項において同じ。)である当該土地とその状況が類似する宅地の同年度の修正前の価格を修正基準により修正した価格に比準する価格を固定資産評価基準(田園住居地域内市街化区域農地に係る部分に限る。以下この項において「田園住居地域内市街化区域農地固定資産評価基準」という。)により補正した価格とし、
	若しくは(六)	又は(六)
	、当該土地の類似土地の当該年度	当該土地の類似土地の同年度
第1項の(二)	第349条第2項各号に掲げる	附則第19条の2の2第3項に規定する
	当該令和6年度の土地の類似土地	田園住居地域内市街化区域農地である当該令和6年度の土地とその状況が類似する宅地
	比準する価格	比準する価格を田園住居地域内市街化区域農地固定資産評価基準により補正した価格
第1項の(四)	当該土地の類似土地	田園住居地域内市街化区域農地である当該土地とその状況が類似する宅地
	比準する価格	比準する価格を田園住居地域内市街化区域農地固定資産評価基準により補正した価格
第2項	(三)、(五)若しくは(六)	(三)若しくは(五)

(令和8年度に係る賦課期日において(1)に規定する事情がある土地に対する場合の読替え)
(5) 令和8年度に係る賦課期日において(1)に規定する事情がある土地に対する附則第17条の2第1項及び第2項の規定の適用については、次の表の左欄に掲げる同条の規定中同条の中欄に掲げる字句は、それぞれ同表の右欄に掲げる字句とする。(法附19の2の2⑥)

第1項	若しくは(四)	又は(四)
	又は当該土地が同表の(三)、(五)若しくは(六)に掲げる土地である場合における令和8年度分の固定資産税にあっては、	にあっては
	類似土地の当該年度	類似土地の同年度
	価格と	価格とし、当該土地が同表の(三)、(五)又は(六)に掲げる土地で田園住居地域内市街化区域農地(①に規定する田園住居地域内市街化区域農地をいう。)となったものである場合における令和8年度分の固定資産税にあっては当該土地とその状況が類似する宅地の同年度の修正前の価格を修正基準により修正した価格に比準する価格を固定資産評価基準(田園住居地域内市街化区域農地に係る部分に限る。以下「田園住居地域内市街化区域農地固定資産評価基準」という。)により補正した価格とし、当該土地が同表の(三)又は(五)に掲げる土地で市街化区域農地(①に規定する市街化区域農地をい

			う。）以外の農地となったものである場合における同年度分の固定資産税にあっては当該土地に類似する農地の同年度の修正前の価格を修正基準により修正した価格に比準する価格と
第1項の(三)	第349条第2項各号に掲げる事情があるため、令和7年度分の固定資産税の課税標準の基礎となった価格によることが不適当であるか又は当該市町村を通じて固定資産税の課税上著しく均衡を失すると市町村長が認める		（1）に規定する事情がある
	当該令和6年度の土地の類似土地に係る令和7年度分の固定資産税の課税標準の基礎となった価格に比準する価格		当該令和6年度の土地で田園住居地域内市街化区域農地となったものにあっては当該令和6年度の土地とその状況が類似する宅地に係る令和7年度分の固定資産税の課税標準の基礎となった価格に比準する価格を田園住居地域内市街化区域農地固定資産評価基準により補正した価格、当該令和6年度の土地で市街化区域農地以外の農地となったものにあっては当該令和6年度の土地に類似する農地に係る令和7年度分の固定資産税の課税標準の基礎となった価格に比準する価格
第1項の(五)	第349条第2項各号に掲げる事情があるため、令和7年度分の固定資産税の課税標準の基礎となった価格によることが不適当であるか又は当該市町村を通じて固定資産税の課税上著しく均衡を失すると市町村長が認める		（1）に規定する事情がある
	当該令和7年度の土地の類似土地に係る令和7年度分の固定資産税の課税標準の基礎となった価格に比準する価格		当該令和7年度の土地で田園住居地域内市街化区域農地となったものにあっては当該令和7年度の土地とその状況が類似する宅地に係る令和7年度分の固定資産税の課税標準の基礎となった価格に比準する価格を田園住居地域内市街化区域農地固定資産評価基準により補正した価格、当該令和7年度の土地で市街化区域農地以外の農地となったものにあっては当該令和7年度の土地に類似する農地に係る令和7年度分の固定資産税の課税標準の基礎となった価格に比準する価格
第1項の(六)	当該令和8年度の土地の類似土地		田園住居地域内市街化区域農地となった当該令和8年度の土地とその状況が類似する宅地
	比準する価格		比準する価格を田園住居地域内市街化区域農地固定資産評価基準により補正した価格
第2項	これらの土地の類似土地		田園住居地域内市街化区域農地となったものとその状況が類似する宅地若しくは同表の(三)若しくは(五)に掲げる土地で市街化区域農地以外の農地となったものに類似する農地
	の類似土地に係る同年度分の固定資産税の課税標準の基礎となった価格に比準する価格）		で田園住居地域内市街化区域農地となったものにあっては当該令和7年度適用土地とその状況が類似する宅地に係る同年度分の固定資産税の課税標準の基礎となった価格に比準する価格を田園住居地域内市街化区域農地固定資産評価基準により補正した価格とし、当該令和7年度適用土地で市街化

	区域農地以外の農地となったものにあっては当該令和7年度適用土地に類似する農地に係る同年度分の固定資産税の課税標準の基礎となった価格に比準する価格とする。)
にあっては当該令和7年度類似適用土地の類似土地に係る同年度分の固定資産税の課税標準の基礎となった価格に比準する価格	で田園住居地域内市街化区域農地となったものにあっては当該令和7年度類似適用土地とその状況が類似する宅地に係る同年度分の固定資産税の課税標準の基礎となった価格に比準する価格を田園住居地域内市街化区域農地固定資産評価基準により補正した価格をいい、令和7年度類似適用土地で市街化区域農地以外の農地となったものにあっては当該令和7年度類似適用土地に類似する農地に係る同年度分の固定資産税の課税標準の基礎となった価格に比準する価格

(令和8年度に係る賦課期日において(2)に規定する事情がある土地に対する場合の読替え)
(6) 令和8年度に係る賦課期日において(2)に規定する事情がある土地に対する附則第17条の2第1項及び第2項の規定の適用については、次の表の左欄に掲げる同条の規定中同条の中欄に掲げる字句は、それぞれ同表の右欄に掲げる字句とする。(法附19の2の2⑦)

第1項	若しくは(四)	又は(四)
	当該土地が同表の(三)、(五)若しくは(六)に掲げる土地である場合における令和8年度分の固定資産税にあっては、	にあっては
	類似土地の当該年度	類似土地の同年度
	価格と	価格とし、当該土地が同表の(三)、(五)又は(六)に掲げる土地である場合における令和8年度分の固定資産税にあっては田園住居地域内市街化区域農地(①に規定する田園住居地域内市街化区域農地をいう。)である当該土地とその状況が類似する宅地の同年度の修正前の価格を修正基準により修正した価格に比準する価格を固定資産評価基準(田園住居地域内市街化区域農地に係る部分に限る。以下「田園住居地域内市街化区域農地固定資産評価基準」という。)により補正した価格と
第1項の(三)	第349条第2項各号に掲げる	(2)に規定する
	当該令和6年度の土地の類似土地	田園住居地域内市街化区域農地となった当該令和6年度の土地とその状況が類似する宅地
	比準する価格	比準する価格を田園住居地域内市街化区域農地固定資産評価基準により補正した価格
第1項の(五)	第349条第2項各号に掲げる	(2)に規定する
	当該令和7年度の土地の類似土地	田園住居地域内市街化区域農地となった当該令和7年度の土地とその状況が類似する宅地
	比準する価格	比準する価格を田園住居地域内市街化区域農地固定資産評価基準により補正した価格
第1項の(六)	当該令和8年度の土地の類似土地	田園住居地域内市街化区域農地となった当該令和8年度の土地とその状況が類似する宅地

第2項	比準する価格	比準する価格を田園住居地域内市街化区域農地固定資産評価基準により補正した価格
	土地でこれらの土地の類似土地	田園住居地域内市街化区域農地である土地とその状況が類似する宅地
	当該令和7年度適用土地の類似土地	田園住居地域内市街化区域農地となった当該令和7年度適用土地とその状況が類似する宅地
	比準する価格	比準する価格を田園住居地域内市街化区域農地固定資産評価基準により補正した価格
	当該令和7年度類似適用土地の類似土地	田園住居地域内市街化区域農地である当該令和7年度類似適用土地とその状況が類似する宅地

　　　（田園住居地域内市街化区域農地に係る政令で定める特別の事情）
（6）　（2）に規定する特別の事情として（6）で定めるものは、①に規定する田園住居地域内市街化区域農地に係る前項各号に掲げる事情とする。（令附14④）

③　市街化区域農地に対して課する平成6年度以降の各年度分の固定資産税の特例

　市街化区域農地に係る平成6年度以降の各年度分の固定資産税に限り、平成5年度に係る賦課期日に所在する市街化区域農地に対して課する固定資産税の額は、農地に対する固定資産税の負担調整措置の規定にかかわらず、当該市街化区域農地の固定資産税の課税標準となるべき価格の3分の1の額を課税標準となるべき額とした場合における税額とする。ただし、当該市街化区域農地のうち**平成5年度適用市街化区域農地**以外の市街化区域農地に対して課する次の表の左欄に掲げる各年度分の固定資産税の額は、当該市街化区域農地の当該各年度分の固定資産税の課税標準となるべき価格の3分の1の額に同表の右欄に掲げる率を乗じて得た額を課税標準となるべき額とした場合における税額とする。（法附19の3①）

年　　度	率
平成6年度	0.2
平成7年度	0.4
平成8年度	0.6
平成9年度	0.8

　（注）　九の4の適用除外規定を参照。（編者）

　　　（平成5年度適用市街化区域農地の意義）
（1）　③に規定する平成5年度適用市街化区域農地とは、地方税法等の一部を改正する法律（平成5年法律第4号）による改正前の地方税法（以下「平成5年改正前の地方税法」という。）附則第29条の6第1項《特定市街化区域農地以外の市街化区域農地への適用除外》に規定する都又は市の区域内に所在する市街化区域農地で、当該市街化区域農地に対して課する平成5年度分の固定資産税について地方税法及び国有資産等所在市町村交付金法の一部を改正する法律（平成3年法律第7号）附則第12条第1項の規定によりその例によることとされる同法第2条の規定による改正前の地方税法附則第19条の3第1項《昭和57年度以降の市街化区域農地に係る固定資産税の負担調整措置》（同条第2項《既適用市街化区域農地以外の市街化区域農地で単位評価額が3万円以上となったものへの適用》及び第4項《市街化区域の設定によって市街化区域農地となった農地への適用》において準用する場合を含む。）又は平成5年改正前の地方税法附則第19条の3第1項《平成4年度以降の市街化区域農地に係る固定資産税の負担調整措置》（同条第3項《新たに市街化区域農地となった農地への適用》において準用する場合を含む。）の規定の適用を受けたものをいう。
　（法附19の3④）
　　（注）　（1）に規定する平成5年度適用市街化区域農地には、（2）の規定により平成5年度に係る賦課期日に市街化区域農地として所在したものとみなされた土地のうち、当該みなされた土地に類似する市街化区域農地が当該市街化区域農地に係る平成5年度分の固定資産税について地方税法及び国有資産等所在市町村交付金法の一部を改正する法律（平成3年法律第7号）附則第12条第1項の規定によりその例によることとされる同法第2条の規定による改正前の地方税法附則第19条の3第1項（同条第2項及び第4項において準用する場合を含む。）又は平成5年改正前の地方税法附則第19条の3第1項（同条第3項において準用する場合を含む。）の規定の適用を受けたものである場合における当該みなされた土地を含むものとする。（法附19の3⑤）

（平成５年度の賦課期日後に市街化区域農地となった農地への適用）
（２）　市街化区域農地に係る平成６年度以降の各年度分の固定資産税に限り、平成５年度に係る賦課期日後において次に掲げる事情により新たに市街化区域農地となった土地に対して課する各年度分の固定資産税については、当該市街化区域農地となった土地に類似する市街化区域農地が③の規定の適用を受ける市街化区域農地であるときは、当該市街化区域農地となった土地が平成５年度に係る賦課期日に市街化区域農地として所在し、かつ、③の規定の適用があったものとみなして、③の規定を適用する。（法附19の３②、令附14の２①）
　（一）　地目の変換
　（二）　公有水面の埋立て又は干拓による土地の造成

　　　（新たに市街化区域農地となった農地への適用）
（３）　③及び（２）の規定は、平成５年度に係る賦課期日後に都市計画法及び建築基準法の一部を改正する法律（平成12年法律第73号）第１条の規定による改正前の都市計画法（九の３の①において「旧都市計画法」という。）第７条第１項に規定する市街化区域及び市街化調整区域に関する都市計画又は都市計画法第７条第１項に規定する区域区分に関する都市計画が当該市町村の区域について定められたことその他の（４）で定める事由により新たに市街化区域農地となった土地（（４）で定める事由の生じた日以後（２）で定める事情により新たに市街化区域農地となった土地を含む。）に係る固定資産税について準用する。この場合において、次の表の左欄に掲げる規定中同表の中欄に掲げる字句は、それぞれ同表の右欄に掲げる字句に読み替えるものとする。（法附19の３③、令附14の２③、④）

②中表以外の部分	平成６年度	市街化区域設定年度（都市計画法及び建築基準法の一部を改正する法律（平成12年法律第73号）第１条の規定による改正前の都市計画法第７条第１項に規定する市街化区域及び市街化調整区域に関する都市計画又は都市計画法第７条第１項に規定する区域区分に関する都市計画が当該市町村の区域について定められたことその他の（４）で定める事由の生じた日の属する年の翌年の１月１日（（４）で定める事由の生じた日が１月１日である場合には、同日）を賦課期日とする年度をいう。以下②において同じ。）
	平成５年度に	市街化区域設定年度に
②の表	平成６年度	市街化区域設定年度
	平成７年度	市街化区域設定年度の翌年度
	平成８年度	市街化区域設定年度の翌々年度
	平成９年度	市街化区域設定年度から起算して３年度を経過した年度
（２）	平成６年度	市街化区域設定年度
	平成５年度	市街化区域設定年度
	②	（３）において準用する②

　　　（新たに市街化区域農地となった事由）
（４）　（３）に規定する事由は、次に掲げる事由とする。（令附14の２②）
　（一）　都市計画法及び建築基準法の一部を改正する法律（平成12年法律第73号）第１条の規定による改正前の都市計画法第７条第１項に規定する市街化区域及び市街化調整区域に関する都市計画又は都市計画法第７条第１項に規定する区域区分に関する都市計画が当該市町村の区域について定められたこと。
　（二）　当該市町村の区域内において市街化区域の変更があったこと。
　（三）　生産緑地である農地に該当しないこととなったこと。
　（四）　①の（１）各号に掲げる農地に該当しないこととなったこと。
　（五）　①の（２）各号に掲げる農地に該当しないこととなったこと。

④　**市街化区域農地に対して課する令和６年度から令和８年度までの各年度分の固定資産税の負担調整措置の特例**
　市街化区域農地に係る令和６年度から令和８年度までの各年度分の固定資産税の額は、③の規定により算定した当該市街化区域農地に係る当該年度分の固定資産税額が、当該市街化区域農地の当該年度分の固定資産税に係る前年度分の固定資産税の課税標準額に、当該市街化区域農地に係る当該年度分の固定資産税の課税標準となるべき価格の３分の１の額に100分の５を乗じて得た額を加算した額（当該市街化区域農地が当該年度分の固定資産税について第二節一の３又は４《固

定資産税等の課税標準の特例》の規定の適用を受ける市街化区域農地であるときは、当該額にこれらの規定に定める率を乗じて得た額）を当該市街化区域農地に係る当該年度分の固定資産税の課税標準となるべき額とした場合における固定資産税額（以下「**市街化区域農地調整固定資産税額**」という。）を超える場合には、当該市街化区域農地調整固定資産税額とする。（法附19の４①）

　　（注）　九の４の適用除外規定を参照。（編者）

　　　　（市街化区域農地調整固定資産税額の下限）
（１）　④の規定の適用を受ける市街化区域農地に係る令和６年度から令和８年度までの各年度分の市街化区域農地調整固定資産税額は、当該市街化区域農地調整固定資産税額が、当該市街化区域農地に係る当該年度分の固定資産税の課税標準となるべき価格の３分の１の額に10分の２を乗じて得た額（当該市街化区域農地が当該年度分の固定資産税について第二節一の３又は４の規定の適用を受ける市街化区域農地であるときは、当該額にこれらの規定に定める率を乗じて得た額）を当該市街化区域農地に係る当該年度分の固定資産税の課税標準となるべき額とした場合における固定資産税額に満たない場合には、④の規定にかかわらず、当該固定資産税額とする。（法附19の４②）

　　　　（「前年度分の固定資産税の課税標準額」の意義）
（２）　四の１の④の規定は、④の前年度分の固定資産税の課税標準額について準用する。この場合において、四の１の④中「①及び②」とあるのは「六の１の③」と、「宅地等」とあるのは「市街化区域農地」と読み替えるものとする。（法附19の４③）

　　　　（各年度の前年度の賦課期日後において特定市街化区域農地となった農地への適用）
（３）　（２）の規定により読み替えられた四の１の④の表の（一）から（三）までに掲げる市街化区域農地で令和６年度から令和８年度までの各年度に係る賦課期日において②の規定の適用を受ける市街化区域農地（以下（５）まで及び２の②において「特定市街化区域農地」という。）に該当するもの（（４）の規定の適用を受ける市街化区域農地を除く。）のうち、当該各年度の前年度に係る賦課期日において特定市街化区域農地以外の農地に該当したものに係る当該各年度分の固定資産税については、当該市街化区域農地が当該各年度の前年度に係る賦課期日において特定市街化区域農地であったものとみなして、一及び③から（２）までの規定を適用する。（法附19の４④）

　　　　（市街化区域農地の類似土地が前年度の賦課期日において特定市街化区域農地に該当しなかった場合の適用）
（４）　（２）の規定により読み替えられた四の１の④の表の（二）に掲げる市街化区域農地で令和６年度に係る賦課期日において特定市街化区域農地に該当するもの（以下（４）において「令和６年度特定市街化区域農地」という。）、同表（三）に掲げる市街化区域農地で令和元年度に係る賦課期日において特定市街化区域農地に該当するもの（以下（４）において「令和７年度特定市街化区域農地」という。）又は同表（四）に掲げる市街化区域農地で令和８年度に係る賦課期日において特定市街化区域農地に該当するもの（以下（４）において「令和８年度特定市街化区域農地」という。）のうち、当該市街化区域農地の類似土地が令和６年度特定市街化区域農地にあっては令和５年度、令和７年度特定市街化区域農地にあっては令和６年度、令和８年度特定市街化区域農地にあっては令和７年度に係る賦課期日（以下（４）において「前年度に係る賦課期日」という。）において特定市街化区域農地以外の農地に該当したものに係る令和６年度特定市街化区域農地にあっては令和６年度分、令和７年度特定市街化区域農地にあっては令和７年度分、令和８年度特定市街化区域農地にあっては令和８年度分の固定資産税については、当該類似土地が前年度に係る賦課期日において特定市街化区域農地であったものとみなして、一及び③から（２）までの規定を適用する。（法附19の４⑤）

　　　　（前年度軽減適用市街化区域農地のうち前年度分の固定資産税について負担調整措置の特例の適用を受けなかったものに対する負担調整措置の適用）
（５）　令和６年度から令和８年度までの各年度分の固定資産税に限り、市街化区域農地（②の（３）において準用する②の（２）の規定により市街化区域設定年度（②の（３）の規定により読み替えられた②に規定する市街化区域設定年度をいう。以下（５）及び２の②の（７）において同じ。）に係る賦課期日に市街化区域農地として所在したものとみなされた土地を含む。以下（５）において同じ。）で当該各年度の前年度分の固定資産税について②の（３）において準用する②ただし書の規定の適用を受けたもの（以下（５）及び２の②の（７）において「前年度軽減適用市街化区域農地」という。）のうち、当該各年度の前年度分の固定資産税について③及び（１）までの規定（当該年度が令和６年度である場合には、令和６年改正前の地方税法附則第19条の４第１項から第４項までの規定）の適用を受けないものについては、当該前年度軽減適用市街化区域農地又は当該前年度軽減適用市街化区域農地の類似土地が市街化区域設定年度から当該各年

度の前年度までの各年度に係る賦課期日において、それぞれ②の(3)において準用する②本文の規定の適用を受け、かつ、②ただし書の規定の適用を受けない市街化区域農地（2の②の(7)において「軽減適用市街化区域農地」という。）であったものとみなして一及び③から(2)までの規定を適用する。(法附19の4⑥)

2　都市計画税の負担調整措置

①　平成6年度以降の市街化区域農地に係る都市計画税の負担調整措置

　五の2の規定にかかわらず、1の②の規定の適用を受ける市街化区域農地に係る各年度分の都市計画税の額は、同②中「固定資産税の課税標準となるべき価格の3分の1の額」とあるのは、「固定資産税の課税標準となるべき価格の3分の2の額」として、同②の規定の例により算定した税額とする。(法附27)

　　(注)　九の4の適用除外規定を参照。（編者）

②　市街化区域農地に対して課する令和6年度から令和8年度までの各年度分の都市計画税の負担調整措置の特例

　市街化区域農地に係る令和6年度から令和8年度までの各年度分の都市計画税の額は、①の規定により1の②の規定の例により算定した当該市街化区域農地に係る当該年度分の都市計画税額が、当該市街化区域農地の当該年度分の都市計画税に係る前年度分の都市計画税の課税標準額に、当該市街化区域農地に係る当該年度分の都市計画税の課税標準となるべき価格の3分の2の額に100分の5を乗じて得た額を加算した額（当該市街化区域農地が当該年度分の固定資産税について第二節一の3（イの⑲を除く。）又は4《固定資産税等の課税標準の特例》の規定の適用を受ける市街化区域農地であるときは、当該額にこれらの規定に定める率を乗じて得た額）を当該市街化区域農地に係る当該年度分の都市計画税の課税標準となるべき額とした場合における都市計画税額（以下②において「**市街化区域農地調整都市計画税額**」という。）を超える場合には、当該市街化区域農地調整都市計画税額とする。(法附27の2①)

　　(注)　九の4の適用除外規定を参照。（編者）

　　　　　（市街化区域農地調整都市計画税額の下限）
(1)　②の規定の適用を受ける市街化区域農地に係る令和6年度から令和8年度までの各年度分の市街化区域農地調整都市計画税額は、当該市街化区域農地調整都市計画税額が、当該市街化区域農地に係る当該年度分の都市計画税の課税標準となるべき価格の3分の2の額に10分の2を乗じて得た額（当該市街化区域農地が当該年度分の固定資産税について第二節一の3（イの⑲を除く。）又は4の規定の適用を受ける市街化区域農地であるときは、当該額にこれらの規定に定める率を乗じて得た額）を当該市街化区域農地に係る当該年度分の都市計画税の課税標準となるべき額とした場合における都市計画税額に満たない場合には、②の規定にかかわらず、当該都市計画税額とする。(法附27の2②)

　　　　　（「前年度分の都市計画税の課税標準額」の意義）
(2)　四の1の④の規定は、②の前年度分の都市計画税の課税標準額について準用する。この場合において、四の1の④中「①及び②」とあるのは「六の2の②」と、「前年度分の固定資産税」とあるのは「前年度分の都市計画税」と、「宅地等」とあるのは「市街化区域農地」と読み替えるものとする。(法附27の2③)

　　　　　（前年度の賦課期日後において特定市街化区域農地となった農地への適用）
(3)　(2)の規定により読み替えられた四の1の④の表の(一)から(三)までに掲げる市街化区域農地で令和6年度から令和8年度までの各年度に係る賦課期日において特定市街化区域農地に該当するもの（(4)の規定の適用を受ける市街化区域農地を除く。）のうち、当該各年度の前年に係る賦課期日において特定市街化区域農地以外の農地に該当したものに係る当該各年度分の都市計画税については、当該市街化区域農地が当該各年度の前年度に係る賦課期日において特定市街化区域農地であったものとみなして一及び②から(2)までの規定を適用する。(法附27の2④)

　　　　　（市街化区域農地の類似土地が前年度の賦課期日において特定市街化区域農地に該当しなかった場合の適用）
(4)　(2)の規定により読み替えられた四の1の④の表の(二)に掲げる市街化区域農地で令和6年度に係る賦課期日において特定市街化区域農地に該当するもの（以下(4)において「令和6年度特定市街化区域農地」という。）、同表(三)に掲げる市街化区域農地で令和7年度に係る賦課期日において特定市街化区域農地に該当するもの（以下(4)において「令和7年度特定市街化区域農地」という。）又は同表(四)に掲げる市街化区域農地で令和8年度に係る賦課期日において特定市街化区域農地に該当するもの（以下(4)において「令和8年度特定市街化区域農地」という。）のうち、当該市街化区域農地の類似土地が令和6年度特定市街化区域農地にあっては令和5年度、令和7年度特定市街化区域

農地にあっては令和6年度、令和8年度特定市街化区域農地にあっては令和7年度に係る賦課期日（以下（4）において「前年度に係る賦課期日」という。）において特定市街化区域農地以外の農地に該当したものに係る令和6年度特定市街化区域農地にあっては令和6年度分、令和7年度特定市街化区域農地にあっては令和7年度分、令和8年度特定市街化区域農地にあっては令和8年度分の都市計画税については、当該類似土地が前年度に係る賦課期日において特定市街化区域農地であったものとみなして一及び②から（2）までの規定を適用する。（法附27の2⑤）

（前年度軽減適用市街化区域農地のうち前年度分の都市計画税について負担調整措置の特例の適用を受けなかったものに対する負担調整措置の適用）
（5） 令和6年度から令和8年度までの各年度分の都市計画税に限り、前年度軽減適用市街化区域農地〖1③（5）参照〗のうち、当該各年度の前年度分の都市計画税について②までの規定（当該年度が令和6年度である場合には、令和6年改正前の地方税法附則第27条の2第1項から第4項までの規定）の適用を受けないものについては、当該前年度軽減適用市街化区域農地又は当該前年度軽減適用市街化区域農地の類似土地が市街化区域設定年度〖1③（5）参照〗から当該各年度の前年度までの各年度に係る賦課期日においてそれぞれ軽減適用外市街化区域農地〖1③（5）参照〗であったものとみなして一及び②から（2）までの規定を適用する。（法附27の2⑥）

七　商業地等に対する令和6年度分から令和8年度分までの特例

1　商業地等に対して課する令和6年度から令和8年度までの各年度分の固定資産税の減額

市町村は、令和6年度から令和8年度までの各年度分の固定資産税に限り、商業地等に係る当該年度分の固定資産税額（当該商業地等が当該年度分の固定資産税について四の1の①から④までの規定の適用を受ける商業地等であるときは、当該年度の宅地等調整固定資産税額、商業地等据置固定資産税額又は商業地等調整固定資産税額とする。以下1において同じ。）が、当該商業地等に係る当該年度分の固定資産税の課税標準となるべき価格に10分の6以上10分の7未満の範囲内において当該市町村の条例で定める割合を乗じて得た額（当該商業地等が当該年度分の固定資産税について第二節一の3又は4《固定資産税等の課税標準の特例》の規定の適用を受ける商業地等であるときは、当該額にこれらの規定に定める率を乗じて得た額）を当該商業地等に係る当該年度分の固定資産税の課税標準となるべき額とした場合における固定資産税額を超える場合には、その超えることとなる額に相当する額を、当該商業地等に係る固定資産税額から減額することができる。（法附21）

2　商業地等に対して課する令和6年度から令和8年度までの各年度分の都市計画税の減額

市町村は、令和6年度から令和8年度までの各年度分の都市計画税に限り、商業地等に係る当該年度分の都市計画税額（当該商業地等が当該年度分の都市計画税について四の2の①から④までの規定の適用を受ける商業地等であるときは、当該年度の宅地等調整都市計画税額〖四の2の①参照〗、商業地等据置都市計画税額又は商業地等調整都市計画税額〖同②参照〗とする。以下2において同じ。）が、当該商業地等に係る当該年度分の都市計画税の課税標準となるべき価格に10分の6以上10分の7未満の範囲内において当該市町村の条例で定める割合を乗じて得た額（当該商業地等が当該年度分の固定資産税について第二節一の3（イの⑲を除く。）又は4の規定の適用を受ける商業地等であるときは、当該額にこれらの規定に定める率を乗じて得た額）を当該商業地等に係る当該年度分の都市計画税の課税標準となるべき額とした場合における都市計画税額を超える場合には、その超えることとなる額に相当する額を、当該商業地等に係る都市計画税額から減額することができる。（法附27の4）

八　住宅用地等に対する令和6年度分から令和8年度分までの特例

1　住宅用地等に対して課する令和6年度から令和8年度までの各年度分の固定資産税の減額

市町村は、令和6年度から令和8年度までの各年度分の固定資産税に限り、当該市町村の区域（当該市町村の条例で定める区域を除く。）において、当該区域に所在する住宅用地等（住宅用地、商業地等及び市街化区域農地（六の1の②の（3）の規定により読み替えて適用される同②ただし書の適用を受ける市街化区域農地等を除く。）をいう。以下1において同じ。）に係る当該年度分の固定資産税額（当該住宅用地等が当該年度分の固定資産税について四の1の①から④まで又は六の1の③の規定の適用を受ける住宅用地等であるときは、当該年度分の宅地等調整固定資産税額、商業地等据置固定資産税額、商業地等調整固定資産税額又は市街化区域農地調整固定資産税額とする。以下1において同じ。）が、次の各号に掲げる年度の区分に応じ、当該各号に定める額を超える場合には、その超えることとなる額に相当する額を、当該住宅用地等に係る当該年度分の固定資産税額から減額することができる。（法附21の2①）

第三編第三章《固定資産税》第六節《土地に対する負担調整措置》

(一) 令和6年度　次に掲げる住宅用地等の区分に応じ、それぞれ次に定める額
　イ　ロに掲げる住宅用地等以外の住宅用地等　当該住宅用地等の当該年度分の固定資産税に係る前年度分の固定資産税の課税標準額に、100分の110以上の割合であって住宅用地、商業地等及び市街化区域農地の区分ごとに当該市町村の条例で定めるもの(以下1において「負担上限割合」という。)を乗じて得た額(当該住宅用地等が当該年度分の固定資産税について第349条の3又は附則第15条から第15条の3まで《固定資産税等の課税標準の特例》の規定の適用を受ける住宅用地等であるときは、当該額にこれらの規定に定める率を乗じて得た額)を当該住宅用地等に係る令和6年度分の固定資産税の課税標準となるべき額とした場合における固定資産税額
　ロ　令和5年度分の固定資産税について、令和6年改正前の地方税法附則第21条又は第21条の2第1項第3号イ若しくはロの規定の適用があった住宅用地等　当該商業地等に係る令和5年度分の固定資産税に係るこれらの規定に規定する固定資産税の課税標準となるべき額(当該商業地等が同年度分の固定資産税について令和6年改正前の地方税法第349条の3又は附則第15条から第15条の3までの規定の適用を受ける住宅用地等であるときは、当該額をこれらの規定に定める率で除して得た額)に、負担上限割合を乗じて得た額(当該住宅用地等が令和6年度分の固定資産税について第349条の3又は附則第15条から第15条の3までの規定の適用を受ける住宅用地等であるときは、当該額にこれらの規定に定める率を乗じて得た額)を当該住宅用地等に係る令和6年度分の固定資産税の課税標準となるべき額とした場合における固定資産税額

(二) 令和7年度　次に掲げる住宅用地等の区分に応じ、それぞれ次に定める額
　イ　ロに掲げる住宅用地等以外の住宅用地等　当該住宅用地等の当該年度分の固定資産税に係る前年度分の固定資産税の課税標準額に、負担上限割合を乗じて得た額(当該住宅用地等が当該年度分の固定資産税について第349条の3又は附則第15条から第15条の3までの規定の適用を受ける住宅用地等であるときは、当該額にこれらの規定に定める率を乗じて得た額)を当該住宅用地等に係る令和7年度分の固定資産税の課税標準となるべき額とした場合における固定資産税額
　ロ　令和6年度分の固定資産税について、(一)のイ又はロの規定の適用があった住宅用地等　当該住宅用地等に係る令和6年度分の固定資産税に係る同イ又はロに規定する固定資産税の課税標準となるべき額(当該住宅用地等が同年度分の固定資産税について第349条の3又は附則第15条から第15条の3までの規定の適用を受ける住宅用地等であるときは、当該額をこれらの規定に定める率で除して得た額)に、負担上限割合を乗じて得た額(当該住宅用地等が令和7年度分の固定資産税について第349条の3又は附則第15条から第15条の3までの規定の適用を受ける住宅用地等であるときは、当該額にこれらの規定に定める率を乗じて得た額)を当該住宅用地等に係る令和7年度分の固定資産税の課税標準となるべき額とした場合における固定資産税額

(三) 令和8年度　次に掲げる住宅用地等の区分に応じ、それぞれ次に定める額
　イ　ロに掲げる住宅用地等以外の住宅用地等　当該住宅用地等の当該年度分の固定資産税に係る前年度分の固定資産税の課税標準額に、負担上限割合を乗じて得た額(当該住宅用地等が令和8年度分の固定資産税について第二節一の3又は4の規定の適用を受ける住宅用地等であるときは、当該額にこれらの規定に定める率を乗じて得た額)を当該住宅用地等に係る令和8年度分の固定資産税の課税標準となるべき額とした場合における固定資産税額
　ロ　令和7年度分の固定資産税について、(二)のイ又はロの規定の適用があった住宅用地等　当該住宅用地等に係る令和7年度分の固定資産税に係る同イ又はロに規定する固定資産税の課税標準となるべき額(当該住宅用地等が同年度分の固定資産税について第349条の3又は附則第15条から第15条の3までの規定の適用を受ける住宅用地等であるときは、当該額をこれらの規定に定める率で除して得た額)に、負担上限割合を乗じて得た額(当該住宅用地等が令和8年度分の固定資産税について同3又は4の規定の適用を受ける住宅用地等であるときは、当該額にこれらの規定に定める率を乗じて得た額)を当該住宅用地等に係る令和8年度分の固定資産税の課税標準となるべき額とした場合における固定資産税額

　(読替規定)
注　四の1の④から⑦まで及び六の1の③の(3)から(5)までの規定は、1の前年度分の固定資産税の課税標準額について準用する。この場合において、次の表の左欄に掲げる規定中同表の中欄に掲げる字句は、それぞれ同表の右欄に掲げる字句に読み替えるものとする。(法附21の2②)

四の1の④	①及び②	八の1
	宅地等の区分	住宅用地等(八の1に規定する住宅用地等をいう。以下⑤において同じ。)の区分
四の1の④の表	宅地等	住宅用地等

四の1の④の表の(二)の右欄イ	同年度の比準課税標準額	同年度の固定資産税の課税標準となるべき価格に、当該住宅用地等の類似土地の前年度課税標準額（当該類似土地が令和5年度分の固定資産税について令和6年改正前の地方税法附則第21条又は第21条の2第1項第3号イ若しくはロの規定の適用を受ける土地である場合には、同年度分の固定資産税に係るこれらの規定に規定する固定資産税の課税標準となるべき額（当該類似土地が同年度分の固定資産税について令和6年改正前の地方税法第349条の3又は附則第15条から第15条の3まで《固定資産税等の課税標準の特例》の規定の適用を受ける土地であるときは、当該額をこれらの規定に定める率で除して得た額））を当該類似土地の令和6年度分の固定資産税の課税標準となるべき価格で除して得た数値を乗じて得た額
四の1の④の表の(三)の右欄イ	同年度の比準課税標準額	同年度の固定資産税の課税標準となるべき価格に、当該住宅用地等の類似土地の前年度課税標準額（当該類似土地が令和6年度分の固定資産税について八の1の(一)のイ又はロの規定の適用を受ける土地である場合には、同年度分の固定資産税に係るこれらの規定に規定する固定資産税の課税標準となるべき額（当該類似土地が同年度分の固定資産税について第349条の3又は附則第15条から第15条の3までの規定の適用を受ける土地であるときは、当該額をこれらの規定に定める率で除して得た額））を当該類似土地の令和7年度分の固定資産税の課税標準となるべき価格で除して得た数値を乗じて得た額
四の1の④の表の(四)	同年度の比準課税標準額	同年度の固定資産税の課税標準となるべき価格に、当該住宅用地等の類似土地の前年度課税標準額（当該類似土地が令和7年度分の固定資産税について八の1の(二)のイ又はロの規定の適用を受ける土地である場合には、同年度分の固定資産税に係るこれらの規定に規定する固定資産税の課税標準となるべき額（当該類似土地が同年度分の固定資産税について第349条の3又は附則第15条から第15条の3までの規定の適用を受ける土地であるときは、当該額をこれらの規定に定める率で除して得た額））を当該類似土地の令和8年度分の固定資産税の課税標準となるべき価格で除して得た数値を乗じて得た額
四の1の⑤の注の(一)のロ	なるべき額	なるべき額（当該特定用途宅地等が令和5年度分の固定資産税について令和6年改正前の地方税法附則第21条又は第21条の2第1項第3号イ若しくはロの規定の適用を受ける土地である場合には、同年度分の固定資産税に係るこれらの規定に規定する固定資産税の課税標準となるべき額）
四の1の⑤の注の(二)のロ	なるべき額	なるべき額（当該特定用途宅地等が令和6年度分の固定資産税について八の1の(一)のイ又はロの規定の適用を受ける土地である場合には、同年度分の固定資産税に係るこれらの規定に規定する固定資産税の課税標準となるべき額）
四の1の⑤の注の(三)のロ	なるべき額	なるべき額（当該特定用途宅地等が令和7年度分の固定資産税について八の1の(二)のイ又はロの規定の適用を受ける土地である場合には、同年度分の固定資産税に係るこれらの規定に規定する固定資産税の課税標準となるべき額）
四の1の⑥	一の(七)に規定する比準課税標準額は、同号の規定	④の表の(二)の右欄イ及び同(三)の右欄イに掲げる額並びに同(四)に定める額は、これらの規定
四の1の⑥の注の(一)のロ	なるべき額	なるべき額（当該令和5年度類似特定用途宅地等が令和5年度分の固定資産税について令和6年改正前の地方税法附則第21条又は第21条の2第1項第3号イ若しくはロの規定の適用を受ける土地である場合には、同年度分の固定資産税に係るこれらの規定に規定する固定資産税の課税標準となるべき額）
四の1の⑥の注の(二)のロ	なるべき額	なるべき額（当該令和6年度類似特定用途宅地等が令和6年度分の固定資産税について八の1の(一)のイ又はロの規定の適用を受ける土地である場合には、同年度分の固定資産税に係るこれらの規定に規定する固定資産税の課税標準と

		なるべき額)
四の1の⑥の注の(三)ロ	なるべき額	なるべき額(当該令和7年度類似特定用途宅地等が令和7年度分の固定資産税について八の1の(二)のイ又はロの規定の適用を受ける土地である場合には、同年度分の固定資産税に係るこれらの規定に規定する固定資産税の課税標準となるべき額)
六の1の③の(3)	(2)の規定により読み替えられた四の1の④の(一)	四の1の④の(一)
	③から(2)まで	四の1の④
六の1の③の(4)	(2)の規定により読み替えられた四の1の④の(二)	四の1の④の(二)
六の1の③の(4)及び(5)	③から(2)まで	四の1の④

2 住宅用地等に対して課する令和6年度から令和8年度までの各年度分の都市計画税の減額

　市町村は、令和6年度から令和8年度までの各年度分の都市計画税に限り、当該市町村の区域(当該市町村の条例で定める区域を除く。)において、当該区域に所在する住宅用地等(住宅用地、商業地等及び市街化区域農地(六の1の②の(3)の規定により読み替えて適用される同①ただし書の適用を受ける市街化区域農地を除く。)をいう。以下2において同じ。)に係る当該年度分の都市計画税(当該住宅用地等が当該年度分の都市計画税について四の2の①から④まで又は六の2の②の規定の適用を受ける住宅用地等であるときは、当該年度分の宅地等調整都市計画税額、商業地等据置都市計画税額、商業地等調整都市計画税額又は市街化区域農地調整都市計画税額とする。以下2において同じ。)が、次の各号に掲げる年度の区分に応じ、当該各号に定める額を超える場合には、その超えることとなる額に相当する額を、当該住宅用地等に係る当該年度分の都市計画税額から減額することができる。(法附27の4の2①)

(一) 令和6年度　次に掲げる住宅用地等の区分に応じ、それぞれ次に定める額
　イ　ロに掲げる住宅用地等以外の住宅用地等　当該住宅用地等の当該年度分の都市計画税に係る前年度分の都市計画税の課税標準額に、100分の110以上の割合であって住宅用地、商業地等及び市街化区域農地の区分ごとに当該市町村の条例で定めるもの(以下2において「負担上限割合」という。)を乗じて得た額(当該住宅用地等が当該年度分の固定資産税について第349条の3(第18項を除く。)又は附則第15条から第15条の3まで《固定資産税等の課税標準の特例》の規定の適用を受ける住宅用地等であるときは、当該額にこれらの規定に定める率を乗じて得た額)を当該住宅用地等に係る令和6年度分の都市計画税の課税標準となるべき額とした場合における都市計画税額
　ロ　令和5年度分の都市計画税について、令和6年改正前の地方税法附則第27条の4又は第27条の4の2第1項第3号イ若しくはロの規定の適用があった住宅用地等　当該住宅用地等に係る令和5年度分の都市計画税に係る同条に規定する都市計画税の課税標準となるべき額(当該住宅用地等が同年度分の固定資産税について令和6年改正前の地方税法第349条の3(第18項を除く。)又は附則第15条から第15条の3までの規定の適用を受ける住宅用地等であるときは、当該額をこれらの規定に定める率で除して得た額)に、負担上限割合を乗じて得た額(当該住宅用地等が令和6年度分の固定資産税について第349条の3(第18項を除く。)又は附則第15条から第15条の3までの規定の適用を受ける住宅用地等であるときは、当該額にこれらの規定に定める率を乗じて得た額)を当該住宅用地等に係る令和6年度分の都市計画税の課税標準となるべき額とした場合における都市計画税額

(二) 令和7年度　次に掲げる住宅用地等の区分に応じ、それぞれ次に定める額
　イ　ロに掲げる住宅用地等以外の住宅用地等　当該住宅用地等の当該年度分の都市計画税に係る前年度分の都市計画税の課税標準額に、負担上限割合を乗じて得た額(当該住宅用地等が当該年度分の固定資産税について第349条の3(第18項を除く。)又は附則第15条から第15条の3までの規定の適用を受ける住宅用地等であるときは、当該額にこれらの規定に定める率を乗じて得た額)を当該住宅用地等に係る令和7年度分の都市計画税の課税標準となるべき額とした場合における都市計画税額
　ロ　令和6年度分の都市計画税について、(一)のイ又はロの規定の適用があった住宅用地等　当該住宅用地等に係る

令和6年度分の都市計画税に係る同イ又はロに規定する都市計画税の課税標準となるべき額（当該住宅用地等が同年度分の固定資産税について第349条の3（第18項を除く。）又は附則第15条から第15条の3までの規定の適用を受ける住宅用地等であるときは、当該額をこれらの規定に定める率で除して得た額）に、負担上限割合を乗じて得た額（当該住宅用地等が令和7年度分の固定資産税について第349条の3（第18項を除く。）又は附則第15条から第15条の3までの規定の適用を受ける住宅用地等であるときは、当該額にこれらの規定に定める率を乗じて得た額）を当該住宅用地等に係る令和7年度分の都市計画税の課税標準となるべき額とした場合における都市計画税額

(三) 令和8年度　次に掲げる住宅用地等の区分に応じ、それぞれ次に定める額

イ　ロに掲げる住宅用地等以外の住宅用地等　当該住宅用地等の当該年度分の都市計画税に係る前年度分の都市計画税の課税標準額に、負担上限割合を乗じて得た額（当該住宅用地等が令和8年度分の固定資産税について地方税法第349条の3（第18項を除く。）又は附則第15条から第15条の3までの規定の適用を受ける住宅用地等であるときは、当該額にこれらの規定に定める率を乗じて得た額）を当該住宅用地等に係る令和8年度分の都市計画税の課税標準となるべき額とした場合における都市計画税額

ロ　令和7年度分の都市計画税について、(二)のイ又はロの規定の適用があった住宅用地等　当該住宅用地等に係る令和7年度分の都市計画税に係る同イ又はロに規定する都市計画税の課税標準となるべき額（当該住宅用地等が同年度分の固定資産税について第349条の3（第18項を除く。）又は附則第15条から第15条の3までの規定の適用を受ける住宅用地等であるときは、当該額をこれらの規定に定める率で除して得た額）に、負担上限割合を乗じて得た額（当該住宅用地等が令和8年度分の固定資産税について地方税法第349条の3（第18項を除く。）又は附則第15条から第15条の3までの規定の適用を受ける住宅用地等であるときは、当該額にこれらの規定に定める率を乗じて得た額）を当該住宅用地等に係る令和8年度分の都市計画税の課税標準となるべき額とした場合における都市計画税額

（準用規定）

注　四の1の④、同2の⑤から⑦まで及び六の2の②の(3)から(5)までの規定は、2の前年度分の都市計画税の課税標準額について準用する。この場合において、次の表の左欄に掲げる規定中同表の中欄に掲げる字句は、それぞれ同表の右欄に掲げる字句に読み替えるものとする。（法附27の4の2②）

四の1の④	①及び②	八の2
	前年度分の固定資産税	前年度分の都市計画税
	宅地等の区分	住宅用地等（八の2に規定する住宅用地等をいう。以下⑤において同じ。）の区分
四の1の④各号	宅地等	住宅用地等
四の1の④の表の(二)の右欄イ	同年度の比準課税標準額	同年度分の固定資産税の課税標準となるべき価格に、当該住宅用地等の類似土地の前年度課税標準額（当該類似土地が令和5年度分の都市計画税について令和6年改正前の地方税法附則第27条の4又は第27条の4の2第1項第3号イ若しくはロの規定の適用を受ける土地である場合には、同年度分の都市計画税に係るこれらの規定に規定する都市計画税の課税標準となるべき額（当該類似土地が同年度分の固定資産税について令和6年改正前の地方税法第349条の3（第18項を除く。）又は附則第15条から第15条の3まで《固定資産税等の課税標準の特例》の規定の適用を受ける土地であるときは、当該額をこれらの規定に定める率で除して得た額））を当該類似土地の令和3年度分の固定資産税の課税標準となるべき価格で除して得た数値を乗じて得た額
四の1の④の表の(三)の右欄イ	同年度の比準課税標準額	同年度分の固定資産税の課税標準となるべき価格に、当該住宅用地等の類似土地の前年度課税標準額（当該類似土地が令和6年度分の都市計画税について八の2の(一)のイ又はロの規定の適用を受ける土地である場合には、同年度分の都市計画税に係るこれらの規定に規定する都市計画税の課税標準となるべき額（当該類似土地が同年度分の固定資産税について第349条の3（第18項を除く。）又は附則第15条から第15条の3までの規定の適用を受ける土地であるときは、当該額をこれらの規定に定める率で除して得た額））を当該類似土地の令和7年度分の固定資産税の課税標準となるべき価格で除して得た数値を乗じて得た額

四の１の④の表の（四）	同年度の比準課税標準額	同年度分の固定資産税の課税標準となるべき価格に、当該住宅用地等の類似土地の前年度課税標準額（当該類似土地が令和７年度分の都市計画税について八の２の（二）のイ又はロの規定の適用を受ける土地である場合には、同年度分の都市計画税に係るこれらの規定に規定する都市計画税の課税標準となるべき額（当該類似土地が同年度分の固定資産税について第349条の３（第18項を除く。）又は附則第15条から第15条の３までの規定の適用を受ける土地であるときは、当該額をこれらの規定に定める率で除して得た額））を当該類似土地の令和８年度分の固定資産税の課税標準となるべき価格で除して得た数値を乗じて得た額
四の２の⑤の注の（一）のロ	なるべき額	なるべき額（当該特定用途宅地等が令和５年度分の都市計画税について令和６年改正前の地方税法附則第27条の４又は第27条の４の２第１項第３号イ若しくはロの規定の適用を受ける土地である場合には、同年度分の都市計画税に係るこれらの規定に規定する都市計画税の課税標準となるべき額）
四の２の⑤の注の（二）のロ	なるべき額	なるべき額（当該特定用途宅地等が令和６年度分の都市計画税について八の２の（一）のイ又はロの規定の適用を受ける土地である場合には、同年度分の都市計画税に係るこれらの規定に規定する都市計画税の課税標準となるべき額）
四の２の⑤の注の（三）のロ	なるべき額	なるべき額（当該特定用途宅地等が令和７年度分の都市計画税について八の２の（二）のイ又はロの規定の適用を受ける土地である場合には、同年度分の都市計画税に係るこれらの規定に規定する都市計画税の課税標準となるべき額）
四の２の⑥	④において読み替えられた１の④の表の（二）	１の④の表の（二）
	一の（七）に規定する比準課税標準額は、同（七）の規定	１の④の（二）のイ及び（三）のイに掲げる額並びに同（四）に定める額は、これらの規定
四の２の⑥の注の（一）のロ	なるべき額	なるべき額（当該令和５年度類似特定用途宅地等が令和５年度分の都市計画税について令和６年改正前の地方税法附則第27条の４又は第27条の４の２第１項第３号イ若しくはロの規定の適用を受ける土地である場合には、同年度分の都市計画税に係るこれらの規定に規定する都市計画税の課税標準となるべき額）
四の２の⑥の注の（二）のロ	なるべき額	なるべき額（当該令和６年度類似特定用途宅地等が令和６年度分の都市計画税について八の２の（一）のイ又はロの規定の適用を受ける土地である場合には、同年度分の都市計画税に係るこれらの規定に規定する都市計画税の課税標準となるべき額）
四の２の⑥の注の（三）のロ	なるべき額	なるべき額（当該令和７年度類似特定用途宅地等が令和７年度分の都市計画税について八の２の（二）のイ又はロの規定の適用を受ける土地である場合には、同年度分の都市計画税に係るこれらの規定に規定する都市計画税の課税標準となるべき額）
六の２の②の（3）	（2）の規定により読み替えられた四の１の④の（一）	四の１の④の（一）
	②から（2）まで	四の１の④
六の２の②の（4）	（2）の規定により読み替えられた四の１の④の（二）	四の１の④の（二）
六の２の②の	②から（2）まで	四の１の④

| （４）及び（５） | |

九 市街化区域農地等に係る固定資産税及び都市計画税の減額・徴収猶予・納税義務の免除等

1 市街化区域農地が市街化区域農地以外の農地となった場合における固定資産税及び都市計画税の減額

　市町村は、当該年度に係る賦課期日の翌日からその年の末日までの間において六の１の②の規定の適用を受ける市街化区域農地が市街化区域農地以外の農地となった場合には、当該市街化区域農地に係る固定資産税額又は都市計画税額と当該市街化区域農地について同１の②、③又は同２の規定の適用がなかったものとみなして算定した税額との差額に相当する額を当該市街化区域農地に係る固定資産税額又は都市計画税額からそれぞれ減額するものとする。（法附29の２）

　　（注）　１から３については、４の適用除外規定を参照。（編者）

　　（還付又は充当）
　注　市町村長は、１の規定により固定資産税額又は都市計画税額が減額された場合において、既に徴収された固定資産税額又は都市計画税額が減額後の固定資産税額又は都市計画税額を超えるときは、それぞれその超えることとなる額に相当する額を、還付し、又は還付を受ける者の未納に係る地方団体の徴収金に充当しなければならない。（法附29の３）
　　上記（４の（６）において準用する場合を含む。）の規定による税額の還付又は充当は、第一編《総則》第六章一の１及び２の規定の例による。この場合には、当該市街化区域農地が市街化区域農地以外の農地となった日又は５の規定の適用を受けるべき要件に該当することとなった日（これらの日が固定資産税及び都市計画税の納付の日以前である場合にあっては、その納付の日）を第一編第六章三の１の（四）に掲げる日とみなす。（令附14の３）

2 市街化区域農地に対して課する固定資産税及び都市計画税の徴収猶予

　市町村長は、農地法第20条第１項に規定する借賃等（以下、２において「借賃等」という。）を支払うこととなっている農地（（１）で定めるものを除く。）である市街化区域農地で六の１の③ただし書（同③の（３）において準用する場合を含む。）の規定の適用を受けるものにつき同１の③又は④の規定により算定した固定資産税額と六の２の①又は同２の②の規定により算定した都市計画税額との合算額が当該市街化区域農地の借賃等の額を超える場合において必要があると認めるときは、当該借賃等の額を超えることとなる金額を限度として、当該固定資産税又は都市計画税の納税者の申請に基づき、（２）の一定の期間を限り、その徴収を猶予することができる。（法附29の４①）

　　（注）　法第15条第４項、第15条の２、第15条の３、第15条の９第１項（事業の廃止等による徴収の猶予に係る部分に限る。）、第16条、第16条の２並びに第16条の５第１項及び第２項の規定は、市町村長が２の規定によって徴収猶予をする場合について準用する。（法附29の４②）

　　（市街化区域農地に係る徴収猶予の特例を適用しない農地）
（１）　２の徴収猶予の適用のない農地は、農地法第20条第１項に規定する借賃等を支払うこととなっている農地（以下（１）において「賃借農地」という。）のうち、次に掲げるものとする。（令附14の４）
　（一）　昭和47年１月１日までの間に当該市町村の区域について定められた市街化区域内の賃借農地にあっては、地方税法の一部を改正する法律（昭和46年法律第11号）の公布の日後に賃借農地となったもの
　（二）　昭和47年１月２日以後において当該市町村の区域について定められた市街化区域内の賃借農地にあっては、当該市街化区域が定められた日後に賃借農地となったもの
　（三）　前２号の市街化区域が変更されたことにより市街化区域となった区域内の賃借農地にあっては、当該市街化区域が変更された日後に賃借農地となったもの

　　（徴収猶予の期間）
（２）　２に定める徴収猶予の期間は、当該市街化区域農地に係る固定資産税又は都市計画税の納期限の翌日から平成11年３月31日（当該市街化区域農地のうち六の１の③の（３）の規定の適用を受けるものにあっては、同（３）の表に規定する市街化区域設定年度から起算して４年度を経過した年度の末日）までとする。（規附８の２の２）

3　宅地化農地に対して課する固定資産税及び都市計画税の納税義務の免除等

① 宅地化農地について市街化区域設定年度の翌年度の初日の属する年の末日までに計画策定等がなされたことの確認を受けた場合の納税義務の免除

　市町村は、**市街化区域設定年度**（旧都市計画法〘六の１②(3)参照〙第７条第１項に規定する市街化区域及び市街化調整区域に関する都市計画又は都市計画法第７条第１項に規定する区域区分に関する都市計画が当該市町村の区域について定められたことその他の(1)で定める事由の生じた日（以下３において「**市街化区域設定日**」という。）の属する年の翌年の１月１日（当該市街化区域設定日が１月１日である場合には、同日）を賦課期日とする年度をいう。以下３において同じ。）分及び市街化区域設定年度の翌年度分の固定資産税及び都市計画税に限り、市街化区域設定年度に係る賦課期日に所在する市街化区域農地で当該市街化区域農地の所有者が市街化区域設定日から市街化区域設定年度の初日の属する年の12月31日までの間に当該市街化区域農地につき同法第29条第１項に規定する開発行為の許可（以下①において「開発許可」という。）の申請その他の計画的な宅地化のための手続で(2)で定めるものを開始し、かつ、当該手続が開始されたことにつき市町村長の認定を受けたもの（以下３において「**宅地化農地**」という。）に対してその者（その相続人を含む。以下３において「**宅地化農地所有者**」という。）に課する固定資産税及び都市計画税については、当該宅地化農地について市街化区域設定日から市街化区域設定年度の翌年度の初日の属する年の12月31日までの間に開発許可その他の(3)で定める宅地化のための計画策定等がなされたことにつき市町村長の確認を受けた場合には、市街化区域設定年度分及び市街化区域設定年度の翌年度分（市街化区域設定年度に当該確認を受けたときにあっては、市街化区域設定年度分）の当該宅地化農地に係る固定資産税額又は都市計画税額のそれぞれ10分の９に相当する額に係る地方団体の徴収金に係る納税義務を免除するものとする。（法附29の５①）

　　　（事　由）
(1)　①に規定する事由は、**六の１の②の(4)**《新たに市街化区域農地となった事由》各号に掲げる事由とする。（令附14の５①）

　　　（計画的な宅地化のための手続）
(2)　①に規定する計画的な宅地化のための手続は、次に掲げる手続とする。（令附14の５②）

(一)	都市計画法第29条第１項に規定する開発行為の許可の申請
(二)	土地区画整理法第４条第１項の土地区画整理事業の施行の認可、同法第14条第１項の土地区画整理組合の設立の認可、同条第３項の事業計画の認可又は同法第51条の２第１項の土地区画整理事業の施行の認可の申請
(三)	特定市街化区域農地の固定資産税の課税の適正化に伴う宅地化促進臨時措置法第３条第１項の土地区画整理事業の施行の要請
(四)	大都市地域における住宅及び住宅地の供給の促進に関する特別措置法（以下(2)及び(3)において「大都市地域住宅等供給促進法」という。）第11条第２項の特定土地区画整理事業の施行の要請又は大都市地域住宅等供給促進法第30条第２項の住宅街区整備事業の施行の要請
(五)	大都市地域住宅等供給促進法第33条第１項の住宅街区整備事業の施行の認可又は大都市地域住宅等供給促進法第37条第１項の住宅街区整備組合の設立の認可の申請
(六)	農住組合法第67条第１項の農住組合の設立の認可の申請
(七)	都市計画法第29条第１項に規定する開発行為の許可を要しない宅地の造成に係る計画が次に掲げる事項につき注で定める書類により国土交通大臣の定める基準に適合していることについての市町村長の認定（(3)の(十)において「優良な宅地化計画の認定」という。）の申請 イ　宅地としての安全性に関する事項 ロ　道路、給水施設、排水施設その他宅地に必要な施設に関する事項 ハ　その他優良な宅地の供給に必要な事項

　　　　　（優良な宅地化計画の認定申請書類）
　　　　注　(七)に規定する書類は、次に掲げる書類とする。（規附８の３①）
　　　　　イ　(七)に規定する宅地の造成に係る設計説明書及び設計図で都市計画法施行規則第16条第３項の設計説明書及び同条第４項の設計図に準ずるもの（これを作成した者が記名したものに限る。）

	ロ　(七)に規定する宅地の造成に係る区域の位置及び概要を示す書面で都市計画法施行規則17条第1項第1号の開発区域位置図及び同項第2号の開発区域区域図に準ずるもの
(八)	前各号に掲げる手続を行うために都道府県知事又は市町村長に対して行う当該市街化区域農地の計画的な宅地化に係る協議で当該協議が開始されたことについて都道府県知事又は市町村長の証明を受けたもの

　　　（宅地化のための計画策定等）
（3）　①に規定する計画策定等は、次に掲げる計画策定等とする。（令附14の5③）

(一)	都市計画法第29条第1項に規定する開発行為の許可
(二)	土地区画整理法第4条第1項の土地区画整理事業の施行の認可、同法第14条第1項の土地区画整理組合の設立の認可、同条第3項の事業計画の認可又は同法第51条の2第1項の土地区画整理事業の施行の認可
(三)	土地区画整理法第52条第1項又は第66条第1項の規定による事業計画の決定
(四)	土地区画整理法第71条の2第1項の規定による施行規程及び事業計画の認可
(五)	大都市地域住宅等供給促進法33条第1項の住宅街区整備事業の施行の認可又は大都市地域住宅等供給促進法第37条第1項の住宅街区整備組合の設立の認可
(六)	大都市地域住宅等供給促進法第52条第1項の規定による事業計画の決定
(七)	大都市地域住宅等供給促進法第58条第1項の規定による施行規程及び事業計画の認可
(八)	農住組合法第67条第1項の農住組合の設立の認可
(九)	都市計画法第12条の5第2項第3号に規定する地区整備計画（同条第3項に規定する再開発等促進区（以下(九)において「再開発等促進区」という。）におけるものを除く。）についての都市計画の決定又は再開発等促進区若しくは幹線道路の沿道の整備に関する法律第9条第3項に規定する沿道再開発等促進区についての都市計画の決定（当該宅地化農地（①に規定する宅地化農地をいう。）が、都市計画法第8条第1項第1号に規定する第一種低層住居専用地域、第二種低層住居専用地域、第一種中高層住居専用地域又は第二種中高層住居専用地域内にある場合に限る。）
(十)	都市計画法第29条第1項に規定する開発行為の許可を要しない宅地の造成に係る計画についての優良な宅地化計画の認定

② 　宅地化農地の認定申告
　　①の認定を受けようとする者は、市街化区域設定年度の初日から同年度の翌年度の初日の属する年の1月31日までの間にその旨を市町村長に申告しなければならない。ただし、市町村長がやむを得ない理由があると認める場合は、この限りでない。（法附29の5②）

　　　（認定申告の手続）
（1）　②の申告は、当該市町村の条例で定めるところにより、①の認定を受けようとする土地の所在及び地積その他当該認定に必要な事項を記載した申告書によりしなければならない。（令附14の5④）

　　　（申告書の添付書類）
（2）　(1)の申告書には、次に掲げる計画的な宅地化のための手続の区分に応じ、それぞれに定める書類を添付しなければならない。（令附14の5⑦、規附8の3②一）
　(一)　①の(2)の(一)から(七)までに掲げる手続　　都道府県知事又は市町村長のこれらの規定に規定する申請又は要請を受理したことを証する書類
　(二)　①の(2)の(八)に掲げる協議　　都道府県知事又は市町村長の同(八)に規定する宅地化に係る協議が開始されたことを証する書類

③ 　宅地化農地について市街化区域設定年度から起算して3年度を経過した年度の初日の属する年の末日までに計画策定等がなされたことの確認を受けた場合の納税義務の免除
　　市町村は、市街化区域設定年度の翌年度の初日の属する年の12月31日までの間に宅地化農地について①に規定する計画

策定等がなされないことについて、宅地化農地所有者の申請に基づきやむを得ない理由があると市町村長が認定するときに限り、市街化区域設定年度の翌々年度の初日の属する年の1月1日から同年度の翌年度の初日の属する年の12月31日までの間に当該宅地化農地について計画策定等がなされたことにつき市町村長の確認を受けた場合には、市街化区域設定年度分及び市街化区域設定年度の翌年度分の当該宅地化農地に係る固定資産税額又は都市計画税額のそれぞれ10分の9に相当する額並びに市街化区域設定年度の翌々年度分及び市街化区域設定年度から起算して3年度を経過した年度分(市街化区域設定年度の翌年度に当該確認を受けたときにあっては、市街化区域設定年度の翌々年度分)の当該宅地化農地に係る固定資産税額又は都市計画税額のそれぞれ3分の2に相当する額(市街化区域設定年度の翌々年度の初日の属する年の1月1日から同年3月31日までの間に当該確認を受けたときにあっては、市街化区域設定年度分及び市街化区域設定年度の翌年度分の当該宅地化農地に係る固定資産税額又は都市計画税額のそれぞれ10分の9に相当する額)に係る地方団体の徴収金に係る納税義務を免除するものとする。(法附29の5③)

　　　　(認定申請の期限)
(1)　③の認定を受けようとする者は、市街化区域設定年度の翌々年度の初日の属する年の1月31日までの間にその旨を市町村長に申請しなければならない。ただし、市町村長がやむを得ない理由があると認める場合は、この限りでない。(法附29の5④)

　　　　(認定申請の手続)
(2)　(1)の申請は、当該市町村の条例で定めるところにより、③の認定を受けようとする土地の所在及び地積その他当該認定に必要な事項を記載した申請書によりしなければならない。(令附14の5⑤)

　　　　(申請書の添付書類)
(3)　(2)の申請書には、当該申請書に記載した事項についての事実を証する書類を添付しなければならない。(令附14の5⑦、規附8の3②二)

④　宅地化のための計画策定等に係る確認申請
　①の確認を受けようとする宅地化農地所有者は市街化区域設定年度の初日から同年度の翌々年度の初日の属する年の1月31日までの間に、③の確認を受けようとする宅地化農地所有者は同年1月1日から同日の属する年の翌々年の1月31日までの間に、その旨を市町村長に申請しなければならない。ただし、市町村長がやむを得ない理由があると認める場合は、この限りでない。(法附29の5⑤)

　　　　(確認申請の手続)
(1)　④の申請は、当該市町村の条例で定めるところにより、①又は③の確認を受けようとする土地の所在及び地積その他当該確認に必要な事項を記載した申請書によりしなければならない。(令附14の5⑥)

　　　　(申請書の添付書類)
(2)　(1)の申請書には、次に掲げる計画策定等の区分に応じ、それぞれに定める書類を添付しなければならない。(令附14の5⑦、規附8の3②三)
　(一)　①の(3)の(一)に掲げる開発行為の許可　　都市計画法第35条第2項に規定する通知の文書の写し及び当該通知に係る開発行為の区域内に申請に係る土地が所在することを証する書類
　(二)　①の(3)の(二)、(四)、(五)、(七)又は(八)に掲げる計画策定等　　これらの規定に規定する認可を受けたことを証する書類及び当該認可に係る区域内に申請に係る土地が所在することを証する書類
　(三)　①の(3)の(三)、(六)又は(九)に掲げる計画策定等　　これらの規定に規定する事業計画の決定の公告又は都市計画の決定の告示の写し及び当該事業計画又は都市計画に係る区域内に申請に係る土地が所在することを証する書類
　(四)　①の(3)の(十)に掲げる優良な宅地化計画の認定　　申請に係る土地について同(十)に規定する認定を受けたことを証する書類

　　　　(確認に係る市町村長の通知)
(3)　市町村長は、①若しくは③の確認をしたとき、又は当該確認をしない旨の決定をしたときは、遅滞なくその旨を当該宅地化農地所有者に通知しなければならない。(法附29の5⑥)

⑤ 宅地化農地に係る①の認定があった場合の徴収猶予
　市町村長は、①の認定をした場合には、市街化区域設定年度の翌々年度の初日の属する年の３月31日までの期間、当該認定に係る宅地化農地に係る市街化区域設定年度分及び市街化区域設定年度の翌年度分の固定資産税額又は都市計画税額のそれぞれ10分の９に相当する額に係る地方団体の徴収金の徴収を猶予するものとする。この場合において、市町村長は、(１)で定める要件に該当して担保を徴する必要がないと認めるときを除き、その猶予に係る金額に相当する担保で第一編第五章第二節―《担保の徴取》各号に掲げるものを、(２)で定めるところにより徴しなければならない。(法附29の５⑦)

　　(担保不徴取の要件)
(１)　⑤後段及び⑥後段に規定する要件は、①に規定する宅地化農地所有者が当該認定の日前３年以内において固定資産税及び都市計画税に係る地方団体の徴収金について滞納処分を受けたことがなく、かつ、最近における固定資産税及び都市計画税に係る地方団体の徴収金の納付状況からみて当該徴収の猶予に係る固定資産税及び都市計画税を納付する資力を有することが確実であると認められることとする。(令附14の５⑨)

　　(徴収猶予及び担保の提供等の手続)
(２)　法第15条第４項《徴収猶予の通知》、第15条の２第１項《徴収猶予に係る徴収金についての滞納処分等の禁止》及び第15条の３第３項《徴収猶予の取消しの通知》並びに第16条の２第１項から第３項まで《納付又は納入の委託》の規定は、⑤又は⑥の規定による徴収の猶予について、法第11条《第二次納税義務の通則》、第16条第３項《増担保、保証人の変更等の要求》、第16条の２第４項《委託に係る有価証券の提供による担保》並びに第16条の５第１項《担保の処分》及び第２項《担保財産の処分代金が徴収金等の額に不足する場合の滞納処分》の規定は、⑤後段又は⑥後段の規定による担保の提供及び処分について準用する。(法附29の５⑩)

　　(担保の提供命令)
(３)　⑤後段又は⑥後段の規定により担保を徴する場合には、期限を指定して、その提供を命ずるものとする。この場合においては、令第６条の10《担保の提供手続》並びに第６条の11第１項《保全担保の提供命令等の手続》及び第２項《保全担保の提供期限の繰上げ》の規定を準用する。(令附14の５⑩)

⑥ 計画策定等の遅延につき市町村長の認定を受けた場合の徴収猶予
　市町村長は、③の認定をした場合には、市街化区域設定年度の翌々年度の初日から同年度の翌々年度の初日の属する年の３月31日までの間、当該認定に係る宅地化農地に係る市街化区域設定年度分及び市街化区域設定年度の翌年度分の固定資産税額又は都市計画税額のそれぞれ10分の９に相当する額並びに市街化区域設定年度の翌々年度分及び市街化区域設定年度から起算して３年度を経過した年度分の固定資産税額又は都市計画税額のそれぞれ３分の２に相当する額に係る地方団体の徴収金の徴収を猶予するものとする。この場合において、市町村長は、⑤の(１)で定める要件に該当して担保を徴する必要がないと認めるときを除き、その猶予に係る金額に相当する担保で第一編第五章第二節―《担保の徴取》各号に掲げるものを、⑤の(３)で定めるところにより徴しなければならない。(法附29の５⑧)
　(注)　⑥の徴収猶予及び担保の提供等の手続については、⑤の(２)を参照。(編者)

⑦ 宅地化農地に係る徴収猶予の取消し等
　市町村長は、⑤又は⑥の規定による徴収の猶予をした場合において、当該徴収の猶予に係る固定資産税又は都市計画税について①（③の認定をした場合にあっては、③）の規定の適用がないことが明らかとなったときは、当該徴収の猶予に係る固定資産税又は都市計画税に係る地方団体の徴収金の全部又は一部についてその徴収の猶予を取り消さなければならない。この場合において、徴収の猶予を取り消された者は、直ちに当該徴収の猶予の取消しに係る固定資産税又は都市計画税に係る地方団体の徴収金を納付しなければならない。(法附29の５⑨)

⑧ 徴収金の徴収後に①の宅地化農地に係る納税義務の免除の規定の適用があることとなった場合の還付
　市町村は、固定資産税又は都市計画税に係る地方団体の徴収金を徴収した場合において、当該固定資産税又は都市計画税の課された土地について①の規定の適用があることとなったときは、当該固定資産税又は都市計画税の納税義務者の申請に基づいて、当該土地に係る固定資産税額又は都市計画税額のそれぞれ10分の９に相当する額に係る地方団体の徴収金を還付するものとする。(法附29の５⑪)

(未納の徴収金がある場合の充当)
（１）　市町村長は、⑧又は⑨の規定により固定資産税又は都市計画税に係る地方団体の徴収金を還付する場合において、還付を受ける者の未納に係る地方団体の徴収金があるときは、当該還付すべき額をこれに充当しなければならない。（法附29の５⑬）

(充当適状)
（２）　第一編第六章一の２の④の(１)《政令で定める過誤納金等の充当適状のとき》の規定は、(１)の規定による充当について準用する。（令附14の５⑪）

(還付加算金)
（３）　⑧、(１)又は⑨の規定により固定資産税又は都市計画税に係る地方団体の徴収金を還付し、又は充当する場合には、⑧又は⑨の規定による還付の申請があった日から起算して10日を経過した日を第一編第六章三の１《過誤納金の還付加算金》の表の(四)に掲げる日とみなして、同１（表の(一)から(三)までを除く。）の規定を適用する。（法附29の５⑭）

⑨　徴収金の徴収後に③の宅地化農地に係る納税義務の免除の規定の適用があることとなった場合の還付
　市町村は、固定資産税又は都市計画税に係る地方団体の徴収金の徴収をした場合において、当該固定資産税又は都市計画税の課された土地について③の規定の適用があることとなったときは、当該固定資産税又は都市計画税の納税義務者の申請に基づいて、当該土地に係る固定資産税額又は都市計画税額のそれぞれ３分の２（市街化区域設定年度分及び市街化区域設定年度の翌年度分の固定資産税又は都市計画税については、10分の９）に相当する額に係る地方団体の徴収金を還付するものとする。（法附29の５⑫）

⑩　市街化区域設定年度の翌年度までに宅地化のための計画策定等に係る市町村長の①の確認を受けた場合の減額
　市町村は、市街化区域設定年度の翌年度までに①の確認を受けた土地に対して①の納税義務の免除を受けた宅地化農地所有者に課する固定資産税又は都市計画税については、市街化区域設定年度の翌々年度分（市街化区域設定年度に当該確認を受けた場合にあっては、市街化区域設定年度の翌年度分及び市街化区域設定年度の翌々年度分）及び市街化区域設定年度から起算して３年度を経過した年度分の固定資産税又は都市計画税に限り、当該確認に係る土地に係る固定資産税額又は都市計画税額のそれぞれ10分の９（市街化区域設定年度から起算して３年度を経過した年度分については、３分の２）に相当する額を当該確認に係る土地に係る固定資産税額又は都市計画税額から減額するものとする。（法附29の５⑯）

⑪　市街化区域設定年度の翌々年度までに宅地化のための計画策定等に係る市町村長の③の確認を受けた場合の減額
　市町村は、市街化区域設定年度の翌々年度までに③の確認を受けた土地に対して③の納税義務の免除を受けた宅地化農地所有者に課する固定資産税又は都市計画税については、市街化区域設定年度から起算して３年度を経過した年度分（市街化区域設定年度の翌々年度の初日の属する年の１月１日から同年３月31日までの間に当該確認を受けたときにあっては、市街化区域設定年度の翌々年度分及び市街化区域設定年度から起算して３年度を経過した年度分）の固定資産税又は都市計画税に限り、当該確認に係る土地に係る固定資産税額又は都市計画税額のそれぞれ３分の２に相当する額を当該確認に係る土地に係る固定資産税額又は都市計画税額から減額するものとする。（法附29の５⑰）

⑫　⑩又は⑪の規定の適用がある場合の新築貸家住宅の敷地の用に供する土地の税額の減額の年度
　⑩又は⑪の規定の適用がある場合において、市街化区域設定年度の翌年度から同年度の翌々年度までに第二節二の３の⑥《新築貸家住宅の敷地の用に供する旧特定市街化区域農地等の税額の減額》の規定の適用を受けることとなったときにおける同⑥の適用については、同⑥中「当該貸家住宅に対して新たに固定資産税が課されることとなった年度」とあるのは、「第六節九の３に規定する市街化区域設定年度から起算して４年度を経過した年度」とする。（法附29の５⑱）

⑬　宅地化農地に係る納税義務の免除、徴収猶予又は減額の適用を受ける土地についての負担調整措置の不適用
　①、③、⑤、⑥、⑩又は⑪の規定の適用を受ける土地に係る固定資産税又は都市計画税については、六の１の②《平成６年度以降の市街化区域農地に係る固定資産税の負担調整措置》のただし書（同(３)《新たに市街化区域農地となった農地への適用》において準用する場合を含む。）の規定は、適用しない。ただし、⑤又は⑥の規定の適用を受けた土地につき⑦の規定の適用を受けることとなる場合は、この限りでない。（法附29の５⑲）

4　特定市街化区域農地以外の市街化区域農地への適用除外

　六の1の②、③及び同2、八並びに九の1から3までの規定は、平成6年度以降の各年度に係る賦課期日において都の区域（特別区の存する区域に限る。）、首都圏整備法第2条第1項に規定する首都圏、近畿圏整備法第2条第1項に規定する近畿圏若しくは中部圏開発整備法第2条第1項に規定する中部圏内にある指定都市の区域又はその他の市でその区域の全部若しくは一部が首都圏整備法第2条第3項に規定する既成市街地若しくは同条第4項に規定する近郊整備地帯、近畿圏整備法第2条第3項に規定する既成都市区域若しくは同条第4項に規定する近郊整備区域若しくは中部圏開発整備法第2条第3項に規定する都市整備区域内にあるものの区域内に所在する市街化区域農地〔**特定市街化区域農地**〕以外の市街化区域農地については、当分の間、適用しない。（法附29の7①）

〈参考〉　三大都市圏の特定市（214市）（平成31年1月1日現在）

都道府県名		市　名
首都圏（113市）	茨城県（7市）	龍ケ崎市、常総市、取手市、坂東市、牛久市、守谷市、つくばみらい市
	埼玉県（37市）	川口市、川越市、さいたま市、行田市、所沢市、飯能市、加須市、東松山市、春日部市、狭山市、羽生市、鴻巣市、上尾市、草加市、越谷市、蕨市、戸田市、志木市、和光市、桶川市、新座市、朝霞市、入間市、久喜市、北本市、ふじみ野市、富士見市、八潮市、蓮田市、三郷市、坂戸市、幸手市、鶴ケ島市、日高市、吉川市、熊谷市、白岡市
	東京都（27市）	特別区、武蔵野市、三鷹市、八王子市、立川市、青梅市、府中市、昭島市、調布市、町田市、小金井市、小平市、日野市、東村山市、国分寺市、国立市、福生市、多摩市、稲城市、狛江市、武蔵村山市、東大和市、清瀬市、東久留米市、西東京市、あきる野市、羽村市
	千葉県（23市）	千葉市、市川市、船橋市、木更津市、松戸市、野田市、成田市、佐倉市、習志野市、柏市、市原市、君津市、富津市、八千代市、浦安市、鎌ケ谷市、流山市、我孫子市、四街道市、袖ケ浦市、印西市、白井市、富里市
	神奈川県（19市）	横浜市、川崎市、横須賀市、平塚市、鎌倉市、藤沢市、小田原市、茅ケ崎市、逗子市、相模原市、三浦市、秦野市、厚木市、大和市、海老名市、座間市、伊勢原市、南足柄市、綾瀬市
中部圏（38市）	静岡県（2市）	静岡市、浜松市
	愛知県（33市）	名古屋市、岡崎市、一宮市、瀬戸市、半田市、春日井市、津島市、碧南市、刈谷市、豊田市、安城市、西尾市、犬山市、常滑市、江南市、小牧市、稲沢市、東海市、尾張旭市、知立市、高浜市、大府市、知多市、岩倉市、豊明市、日進市、愛西市、清須市、北名古屋市、弥富市、みよし市、あま市、長久手市
	三重県（3市）	四日市市、桑名市、いなべ市
近畿圏（63市）	京都府（10市）	京都市、宇治市、亀岡市、向日市、長岡京市、城陽市、八幡市、京田辺市、南丹市、木津川市
	大阪府（33市）	大阪市、守口市、東大阪市、堺市、岸和田市、豊中市、池田市、吹田市、泉大津市、高槻市、貝塚市、枚方市、茨木市、八尾市、泉佐野市、富田林市、寝屋川市、河内長野市、松原市、大東市、和泉市、箕面市、柏原市、羽曳野市、門真市、摂津市、泉南市、藤井寺市、交野市、四條畷市、高石市、大阪狭山市、阪南市
	兵庫県（8市）	神戸市、尼崎市、西宮市、芦屋市、伊丹市、宝塚市、川西市、三田市
	奈良県（12市）	奈良市、大和高田市、大和郡山市、天理市、橿原市、桜井市、五條市、御所市、生駒市、香芝市、葛城市、宇陀市

（注）　この表は、地方税法附則第29条の7に規定する都の特別区、首都圏、近畿圏又は中部圏内にある指定都市又は首都圏の既成市街地若しくは近郊整備地帯、近畿圏の既成都市区域若しくは近郊整備区域若しくは中部圏の都市整備区域にその全部若しくは一部が含まれる市を示す。

　（適用除外措置の適用を受ける市街化区域農地に係る固定資産税及び都市計画税の額）
（1）イ　4の規定の適用を受ける市街化区域農地に係る固定資産税の額は、当該市街化区域農地の固定資産税の課税標準となるべき価格の3分の1の額を課税標準となるべき額とした場合における税額とする。（法附29の7②）
　　　ロ　4の規定の適用を受ける市街化区域農地に係る都市計画税の額は、当該市街化区域農地の固定資産税の課税標準となるべき価格の3分の2の額を課税標準となるべき額とした場合における税額とする。（法附29の7③）
　　　（注）　（1）の適用を受ける市街化区域農地に対する五の1の①及び2の①《農地に対して課する平成27年度から平成29年度までの各年度分の固定資産税及び都市計画税の特例》その他の規定の適用についての読替え規定（法附29の7④）は省略。（編者）

　（平成7年度以降の賦課期日において特定市街化区域農地となった場合）
（2）　4の規定の適用を受ける市街化区域農地が平成7年度以降の各年度に係る賦課期日において4の規定の適用を受けないこととなった場合における当該市街化区域農地に対して課する固定資産税及び都市計画税の額の算定に係る六

の1の②、③、同2の①、②及び九の3の適用に関し必要な事項は(3)から(6)までに定める。(法附29の7⑤)

(新たに特定市街化区域農地となった場合の固定資産税及び都市計画税の負担調整措置)
(3) (2)に規定する市街化区域農地に対して課する固定資産税及び都市計画税の額の算定に係る六の1の②(同2の①の規定によりその例によることとされる場合を含む。)の規定の適用については、次の表の左欄に掲げる規定中同表の中欄に掲げる字句は、それぞれ同表の右欄に掲げる字句に読み替えるものとする。(令附14の6①)

六の1の②中表以外の部分	平成5年度に	特定市となった年度(平成7年度以降の各年度に係る賦課期日において九の4の規定の適用を受けないこととなった場合における当該年度をいう。以下②において同じ。)に
六の1の②の表	平成6年度	特定市となった年度
	平成7年度	特定市となった年度の翌年度
	平成8年度	特定市となった年度の翌々年度
	平成9年度	特定市となった年度から起算して3年度を経過した年度

(注) (2)に規定する市街化区域農地について、(3)の規定により読み替えられた六の1の②(同2の①の規定によりその例によることとされる場合を含む。)の規定を適用する場合においては、同1の②の(2)及び(3)の規定は適用せず、八の1及び2中「六の1の②の(3)」とあるのは「九の4の(3)」と、「同②ただし書」とあるのは「六の1の②ただし書」とする。(令附14の6②)

(新たに市街化区域農地となった前年度軽減適用市街化区域農地の固定資産税及び都市計画税の負担調整措置)
(4) (2)に規定する市街化区域農地に対して課する固定資産税及び都市計画税の額の算定に係る六の1の③の(5)《前年度軽減適用市街化区域農地のうち前年度分の固定資産税について負担調整措置の特例の適用を受けなかったものに対する負担調整措置の適用》及び同2の②の(5)《前年度軽減適用市街化区域農地のうち前年度分の都市計画税について負担調整措置の適用を受けなかったものに対する負担調整措置の適用》の規定の適用については、次の表の左欄に掲げる規定中同表の中欄に掲げる字句は、それぞれ同表の右欄に掲げる字句に読み替えるものとする。(令附14の6③)

六の1の③の(5)	市街化区域農地(②の(3)において準用する②の(2)の規定により市街化区域設定年度(②の(3)の規定により読み替えられた②に規定する市街化区域設定年度をいう。以下(5)及び2の②の(5)において同じ。)に係る賦課期日に市街化区域農地として所在したものとみなされた土地を含む。以下(5)において同じ。)	市街化区域農地
	②の(3)において準用する②ただし書	九の4の(3)の規定により読み替えられた②ただし書
	市街化区域設定年度から	特定市となった年度(平成7年度以降の各年度に係る賦課期日において九の4の規定の適用を受けないこととなった場合における当該年度をいう。2の②の(5)において同じ。)から
	②の(3)において準用する②本文	九の4の(3)の規定により読み替えられた②本文
六の2の②の(5)	市街化区域設定年度	特定市となった年度

(新たに特定市街化区域農地となった場合の宅地化農地に係る納税義務の免除等)
(5) (2)に規定する市街化区域農地に対して課する固定資産税及び都市計画税の額の算定に係る3の①から⑬までの規定の適用については、次の表の左欄に掲げる規定中同表の中欄に掲げる字句は、それぞれ同表の右欄に掲げる字句に読み替えるものとする。(令附14の6④)

3の①	市町村は、市街化区域設定年度(旧都市計画法第7	市町村は、特定市となった年度(平成7年度以降の

		条第1項に規定する市街化区域及び市街化調整区域に関する都市計画又は都市計画法第7条第1項に規定する区域区分に関する都市計画が当該市町村の区域について定められたことその他の(1)で定める事由の生じた日（以下3において「市街化区域設定日」という。）の属する年の翌年の1月1日（当該市街化区域設定日が1月1日である場合には、同日）を賦課期日とする年度をいう。以下3において同じ。）分	各年度に係る賦課期日において5の規定の適用を受けないこととなった場合における当該年度をいう。以下3において同じ。）分
		市街化区域設定年度の翌年度分	特定市となった年度の翌年度分
		市街化区域設定年度に	特定市となった年度に
		所有者が市街化区域設定日	所有者が特定市となった日（当該市街化区域農地が都の区域（特別区の存する区域に限る。）、首都圏整備法第2条第1項に規定する首都圏、近畿圏整備法第2条第1項に規定する近畿圏若しくは中部圏開発整備法第2条第1項に規定する中部圏内にある地方自治法第252条の19第1項の市の区域又はその他の市でその区域の全部若しくは一部が首都圏整備法第2条第3項に規定する既成市街地若しくは同条第4項に規定する近郊整備地帯、近畿圏整備法第2条第3項に規定する既成都市区域若しくは同条第4項に規定する近郊整備区域若しくは中部圏開発整備法第2条第3項に規定する都市整備区域内にあるものの区域内に所在する土地となった日をいう。以下①において同じ。）
		市街化区域設定年度の初日の属する年の12月31日	特定市となった年度の初日の属する年の12月31日
		宅地化農地について市街化区域設定日	宅地化農地について特定市となった日
		市街化区域設定年度の翌年度の初日の属する年の12月31日	特定市となった年度の翌年度の初日の属する年の12月31日
		場合には、市街化区域設定年度分	場合には、特定市となった年度分
		市街化区域設定年度分）	特定市となった年度分）
	3の②	市街化区域設定年度の初日	特定市となった年度の初日
	3の③	市街化区域設定年度の翌年度の初日の属する年の12月31日	特定市となった年度の翌年度の初日の属する年の12月31日
		市街化区域設定年度の翌々年度の初日の属する年の1月1日	特定市となった年度の翌々年度の初日の属する年の1月1日
		市街化区域設定年度分	特定市となった年度分
		市街化区域設定年度の翌年度分	特定市となった年度の翌年度分
		市街化区域設定年度の翌々年度分	特定市となった年度の翌々年度分
		市街化区域設定年度から起算して3年度を経過した年度分	特定市となった年度から起算して3年度を経過した年度分
		市街化区域設定年度の翌々年度に	特定市となった年度の翌々年度に
	3の③の(1)	市街化区域設定年度の翌々年度の初日の属する年の1月31日	特定市となった年度の翌々年度の初日の属する年の1月31日
	3の④	市街化区域設定年度の初日	特定市となった年度の初日

3の⑤	市街化区域設定年度の翌々年度の初日の属する年の3月31日	特定市となった年度の翌々年度の初日の属する年の3月31日
	市街化区域設定年度分	特定市となった年度分
	市街化区域設定年度の翌年度分	特定市となった年度の翌年度分
3の⑥	市街化区域設定年度の翌々年度の初日	特定市となった年度の翌々年度の初日
	市街化区域設定年度分	特定市となった年度分
	市街化区域設定年度の翌年度分	特定市となった年度の翌年度分
	市街化区域設定年度の翌々年度分	特定市となった年度の翌々年度分
	市街化区域設定年度から起算して3年度を経過した年度分	特定市となった年度から起算して3年度を経過した年度分
3の⑨	市街化区域設定年度分	特定市となった年度分
	市街化区域設定年度の翌年度分	特定市となった年度の翌年度分
3の⑩	市街化区域設定年度の翌年度まで	特定市となった年度の翌年度まで
	市街化区域設定年度の翌々年度分	特定市となった年度の翌々年度分
	市街化区域設定年度に	特定市となった年度に
	市街化区域設定年度の翌年度分	特定市となった年度の翌年度分
	市街化区域設定年度から起算して3年度を経過した年度分	特定市となった年度から起算して3年度を経過した年度分
3の⑪	市街化区域設定年度の翌々年度まで	特定市となった年度の翌々年度まで
	市街化区域設定年度から起算して3年度を経過した年度分	特定市となった年度から起算して3年度を経過した年度分
	市街化区域設定年度の翌々年度の初日の属する年の1月1日	特定市となった年度の翌々年度の初日の属する年の1月1日
	市街化区域設定年度の翌々年度分	特定市となった年度の翌々年度分
3の⑫	市街化区域設定年度の翌年度	特定市となった年度の翌年度
	第六節八の3に規定する市街化区域設定年度から起算して4年度を経過した年度	第六節八の3に規定する特定市となった年度から起算して4年度を経過した年度

十 負担調整措置の実施に伴う関係規定の調整

① 固定資産の価格等のすべてを登録した旨の公示の日以後における価格等の決定又は修正等〚法417①〛の読替規定（法附22①）
② 固定資産評価員による固定資産の評価〚法409①〛の読替規定（法附22②～⑪）
③ 免税点の適用及び納税通知書の記載事項の特例（法附23）
④ 固定資産の価格等の修正に基づく賦課額の更正〚法420、435〛の特例（法附24）
⑤ 令和4年度又は令和5年度における土地の価格の特例〚法附17の2①②〛の適用がある場合の読替規定（法附17の2⑤⑥、19の2③④）
⑥ 市街化区域農地の負担調整に関する税額算定方法の通知（法附29）

｝省略

第七節　固定資産税の特例

1　大規模償却資産に対する道府県の課税権

　大規模の償却資産（新設大規模償却資産を含む。以下この節において同じ。）が所在する市町村（二以上の市町村にわたって所在する固定資産の価格配分〘第五節二①〙の規定による配分の結果大規模の償却資産が所在することとなる市町村を含む。以下1において同じ。）を包括する道府県は、普通税として、地方税法第4条第2項各号に掲げるものを課するほか、当該大規模の償却資産に対し、当該大規模の償却資産の価額（第二節一の2又は3《課税標準及び課税標準の特例》の規定により固定資産税の課税標準となるべき額をいう。）のうち同7又は8《大規模償却資産及び新設大規模償却資産の課税標準の特例》の規定により当該大規模の償却資産が所在する市町村が課することができる固定資産税の課税標準となるべき金額を超える部分の金額を課税標準として、固定資産税を課するものとする。（法740①）

2　道府県が課する固定資産税の税率

　大規模の償却資産に対して道府県が課する固定資産税の標準税率は、100分の1.4とする。（法741）

3　大規模償却資産の指定等

　道府県知事は、1の規定によって道府県が固定資産税を課すべきものと認められる償却資産については、当該償却資産が第五節二の①の規定によって総務大臣が指定したものである場合を除き、これを指定し、遅滞なく、その旨を当該償却資産の所有者（償却資産を信託会社から賃借し、事業の用に供する者で第四節二の1の③の規定によって当該償却資産の所有者とみなされる者を含む。（2）において同じ。）及び当該償却資産の所在地の市町村長に通知しなければならない。（法742①、381⑤）

　　　　（市町村長の道府県知事への通知）
（1）　市町村長が、3の規定による通知に係るもの以外になお1の規定によって道府県が固定資産税を課すべき償却資産があると認める場合においては、遅滞なく、その旨を道府県知事に通知しなければならない。（法742②）

　　　　（道府県知事の処理）
（2）　道府県知事は、（1）の規定による市町村長の通知に基づいて、3の規定による指定に追加して道府県が固定資産税を課すべきものと認められる償却資産を指定することができる。この場合においては、道府県知事は、遅滞なく、その旨を当該償却資産の所有者及び当該償却資産の所在地の市町村長に通知しなければならない。（法742③）

4　大規模償却資産の価格の決定等

　道府県知事は、3又は同（2）の規定によって指定した償却資産については、その指定した日の属する年の翌年以降、毎年1月1日現在における時価による評価を行った後、その価格等を決定し、決定した価格等及び道府県が課する固定資産税の課税標準となるべき金額を毎年3月31日までに納税義務者及び当該償却資産の所在地の市町村長に通知しなければならない。ただし、災害その他特別の事情がある場合においては、4月1日以後に通知することができる。（法743①）

　　　　（通知後における価格等の修正と通知）
（1）　道府県知事は、4の規定によって決定した価格等に重大な錯誤があることを発見した場合においては、直ちに、当該価格等を修正し、遅滞なく、修正した価格等及び道府県が課する固定資産税の課税標準となるべき金額を納税義務者及び当該償却資産の所在地の市町村長に通知しなければならない。（法743②）

　　　　（総務大臣への概要調書の送付）
（2）　道府県知事は、4の規定によって償却資産の価格等を決定した場合においては、総務省令の定めるところによりその結果の概要調書を作成し、毎年4月中にこれを総務大臣に送付しなければならない。ただし、4のただし書の規定により4月1日以後に通知した場合にあっては、その通知した日から1月以内に送付しなければならない。（法743③）
　　　　（注）　（2）の概要調書は、納税義務者の数、決定価格及び課税標準額の総額、課税標準の特例措置に関する事項その他必要な事項に関して、総務大臣の定める様式により作成するものとする。（規15の7）

(不服申立てに対する決定又は裁決の通知)
（3）　道府県知事は、4又は（1）の規定による価格等の決定についての不服申立てに対する決定又は裁決をしたときは、遅滞なく、その旨を関係市町村長に通知しなければならない。（法744）

(留意事項)
（4）　大規模の償却資産として道府県知事の指定したものについては、その指定をした日の属する年の翌年以降の評価は道府県知事が行うものであること。この指定があった場合においては、評価を行った結果道府県に課税権がないこととなったものについても、道府県知事の決定した価格は有効に成立し、課税標準の基礎とされるものであること。
（市通3－37）

5　道府県が課する固定資産税の賦課徴収等

①　市町村の課する固定資産税関係規定の準用

　大規模の償却資産に対して道府県が課する固定資産税の賦課徴収等に関しては、この節に特別の定めがあるものを除くほか、次の各規定を準用する。この場合において、これらの規定中「市町村」とあるのは「道府県」と、「市町村長」とあるのは「道府県知事」と読み替えるものとする。（法745①）

　法第341条第4号《償却資産の意義》及び第5号《価格の意義》、法第343条第1項《納税義務者》
　法第353条から第359条まで《質問検査権、検査拒否の罪、納税管理人、脱税の罪、賦課期日》、法第362条《納期》
　法第364条《徴収の方法等》（第3項、第4項及び第10項を除く。）
　法第364条の2から第367条まで《仮算定税額に係る修正の申出、納期前の納付、減免》
　法第369条《延滞金》、法第371条から第376条まで《督促及び滞納処分》、法第383条《償却資産の申告》
　法第385条及び第386条《虚偽の申告に係る罪、不申告に関する過料》、法第403条《評価事務に従事する職員の任務》

②　虚偽の申告があった場合等の不足税額の徴収

　道府県知事は、償却資産に関する申告の規定によって市町村長若しくは道府県知事に申告をする義務がある者又は第五節二の⑥の規定によって道府県知事若しくは総務大臣に申告をする義務がある者がそのすべき申告をしなかったこと又は虚偽の申告をしたことにより同節三の6又はこの節4の（1）の規定によって当該償却資産の価格を決定し、又は修正したことに基づいてその者に係る固定資産税額に不足税額があることを発見した場合においては、直ちにその不足税額を追徴しなければならない。この場合において、不足税額のうち、市町村長が追徴することができる額があるときは、道府県知事の追徴すべき額は、当該不足税額から当該市町村長が追徴することができる額を控除した額とする。この場合においては、第三節五の1の規定を準用する。（法745②、③）

6　指定都市の指定があった年の特例

　第二節一の7又は8《大規模償却資産及び新設大規模償却資産の課税標準の特例》及び1から5までの規定は、1月2日以後4月1日以前において地方自治法第252条の19第1項の規定により指定された市に所在する大規模の償却資産に対して課する固定資産税については、当該指定された日（以下「指定日」という。）の属する年の4月1日の属する年度分の固定資産税に限り、適用しないものとする。この場合において、指定日前に当該固定資産税について4若しくは同（1）又は5の規定により道府県知事又は道府県の徴税吏員がした行為及び納税義務者が道府県知事に対してした行為は当該市の長又は徴税吏員がした行為及び当該市の長に対してした行為と、指定日前における当該償却資産の価格等の決定又は修正に対する審査請求は第五節四の2の規定による審査の申出と、指定日前における当該審査請求に対する裁決は第五節四の3の②の規定による審査の決定とみなす。（法747）

第八節　都等の特例

1　都における普通税の特例

　都は、その特別区の存する区域において、普通税として、法第4条第2項《道府県の普通税》に掲げるものを課するほか、法第1条第2項《道府県及び市町村に関する規定の都及び特別区への準用》の規定にかかわらず、法第5条第2項第2号《固定資産税》及び第6号《特別土地保有税》に掲げるものを課するものとする。この場合には都を市とみなして固定資産税及び特別土地保有税に関する規定を準用する。（法734①）

　　　（大規模償却資産の課税標準の特例の適用除外）
（1）　都が1の規定によってその特別区の存する区域において、固定資産税を課する場合には、第二節―の7又は8《大規模償却資産又は新設大規模償却資産の課税標準の特例》の規定は、適用しない。（法734⑤）

　　　（固定資産税及び特別土地保有税に関する地方税法施行令の都への準用）
（2）　1及び2の規定により都がその特別区の存する区域内において課する固定資産税及び特別土地保有税については、地方税法施行令中、これらの税に関する部分の規定を準用する。（令57の3）

　　　（固定資産税に関する地方税法施行規則の都への準用）
（.3）　1により都がその特別区の存する区域内において課する固定資産税については、都を市とみなして次に掲げる規定を準用する。（規1の3）
　　　規第10条の3《地方鉄道等の市街地に係るトンネルに対する固定資産税が非課税となる市街地の区域》から第12条の2《小規模住宅用地に対する固定資産税の課税標準の特例における住居の数の認定等》まで
　　　規第14条《固定資産税に係る書類の様式》
　　　規第15条の3《区分所有に係る家屋に対する固定資産税における所有割合の補正》から第15条の6《総務大臣による固定資産の指定等》まで

2　都における目的税の特例

　都は、その特別区の存する区域において、目的税として、道府県が課することができる目的税を課することができるほか、法第1条第2項の規定にかかわらず、入湯税、事業所税及び都市計画税を課することができる。この場合においては、都を市（事業所税については、指定都市等）とみなして市町村の目的税に関する部分の規定を準用する。（法735①）

3　特別区における特例

　法第1条第2項の規定によって、地方税法中市町村に関する規定を特別区に準用する場合においては、法第5条第2項《市町村の普通税》中固定資産税及び特別土地保有税の各号はないものと、同条第6項《市町村の目的税》中都市計画税の号はないものと読み替えるものとする。（法736①）

4　特別区及び指定都市の区に関する特例

　固定資産税に関する規定の都及び地方自治法第252条の19第1項の市（以下「指定都市」という。）に対する準用及び適用については、特別区並びに指定都市の区及び総合区の区域は、一の市の区域とみなし、なお、特別の必要がある場合には、政令で特別の定めを設けることができる。（法737①）

第九節　特定の災害に係る固定資産税及び都市計画税の特例

1　原子力発電所の事故に関して住民に対し避難指示等を行うことの指示の対象となった区域内の土地及び家屋に係る固定資産税及び都市計画税の課税免除等

　市町村長は、当分の間各年度において、原子力発電所の事故に関して原子力災害対策特別措置法第20条第3項又は第5項の規定により原子力災害対策本部長が当該各年度の末日までに市町村長又は都道府県知事に対して行った次に掲げる指示の対象となった区域（当該各年度の初日の属する年の1月1日前にこれらの指示の対象でなくなった区域を除く。）のうち、住民の退去又は避難の実施状況、土地及び家屋の使用状況、市町村による役務の提供の状況その他当該区域内の状況を総合的に勘案し、土地及び家屋に対して当該各年度分の固定資産税又は都市計画税を課することが公益上その他の事由により不適当と認める区域を指定して公示するとともに、遅滞なく、総務大臣に届け出なければならない。（法附55①）

（一）　住民に対し避難のための立退きを行うことを求める指示、勧告、助言その他の行為を行うことの指示

（二）　（一）に掲げるもののほか、これに類するものして政令で定める指示

　　　　（土地及び家屋に対する各年度分の固定資産税及び都市計画税の課税免除）

（1）　市町村は、各年度の課税免除区域（1の規定により公示された区域をいう。以下（1）及び（2）において同じ。）内に所在する土地及び当該各年度の課税免除区域内に当該各年度に係る賦課期日において所在する家屋に対しては、第一節二又は第四章1の規定にかかわらず、当該各年度分の固定資産税又は都市計画税を課さないものとする。（法附55②）

　　　　（課税免除区域内の状況等の総務大臣への届出）

（2）　市町村長は、各年度において、当該各年度の前年度の課税免除区域であって当該各年度の課税免除区域に該当しない区域のうち、住民の退去又は避難の実施状況、土地及び家屋の使用状況、市町村による役務の提供の状況その他当該区域内の状況を総合的に勘案し、土地及び家屋に係る固定資産税額（第二節二の⑥《新築貸家住宅の敷地の用に供する旧特定市街化区域農地等の税額の減額》又は第六節3の⑩《市街化区域設定年度の翌年度までに宅地化のための計画策定等に係る市町村長の確認を受けた場合の減額》若しくは同⑪《市街化区域設定年度の翌々年度までに宅地化のための計画策定等に係る市町村長の確認を受けた場合の減額》の規定の適用を受ける土地にあってはこれらの規定の適用後の額とし、第二節二の3《新築住宅等に対する固定資産税の減額》の②から⑬まで又は2《東日本大震災に係る被災住宅用地等に対する固定資産税及び都市計画税の特例》の(32)若しくは(45)の規定の適用を受ける家屋にあってはこれらの規定の適用後の額とする。以下1において同じ。）又は都市計画税額（第六節3の⑩又は⑪の規定の適用を受ける土地にあってはこれらの規定の適用後の額とし、2の(32)又は(45)の規定の適用を受ける家屋にあってはこれらの規定の適用後の額とする。以下1において同じ。）のそれぞれ2分の1に相当する額を当該土地及び家屋に係る固定資産税額又は都市計画税額から減額して当該各年度分の固定資産税又は都市計画税を課することが適当と認める区域を指定して公示するとともに、遅滞なく、総務大臣に届け出なければならない。（法附55③）

　　　　（減額課税初年度区域内の土地及び家屋に対する固定資産税及び都市計画税の減額）

（3）　市町村は、各年度の減額課税初年度区域（（2）の規定により公示された区域をいう。以下（3）及び（4）において同じ。）内に所在する土地及び当該各年度の減額課税初年度区域内に当該各年度に係る賦課期日において所在する家屋に係る固定資産税額又は都市計画税額のそれぞれ2分の1に相当する額を当該土地及び家屋に係る当該各年度分の固定資産税額又は都市計画税額から減額するものとする。（法附55④）

　　　　（減額課税初年度区域内の状況等の総務大臣への届出）

（4）　市町村長は、各年度において、当該各年度の前年度の減額課税初年度区域のうち、住民の退去又は避難の実施状況、土地及び家屋の使用状況、市町村による役務の提供の状況その他当該区域内の状況を総合的に勘案し、土地及び家屋に係る固定資産税額又は都市計画税額のそれぞれ2分の1に相当する額を当該土地及び家屋に係る固定資産税額又は都市計画税額から減額して当該各年度分の固定資産税又は都市計画税を課することが適当と認める区域を指定して公示するとともに、遅滞なく、総務大臣に届け出なければならない。（法附55⑤）

(減額課税第二年度区域内の土地及び家屋に対する固定資産税及び都市計画税の減額)
（５）　市町村は、各年度の減額課税第二年度区域（（４）の規定により公示された区域をいう。以下（５）及び（６）において同じ。）内に所在する土地及び当該各年度の減額課税第二年度区域内に当該各年度に係る賦課期日において所在する家屋に係る固定資産税額又は都市計画税額のそれぞれ２分の１に相当する額を当該土地及び家屋に係る当該各年度分の固定資産税額又は都市計画税額から減額するものとする。（法附55⑥）

(減額課税第二年度区域内の状況等の総務大臣への届出)
（６）　市町村長は、各年度において、当該各年度の前年度の減額課税第二年度区域のうち、住民の退去又は避難の実施状況、土地及び家屋の使用状況、市町村による役務の提供の状況その他当該区域内の状況を総合的に勘案し、土地及び家屋に係る固定資産税額又は都市計画税額のそれぞれ２分の１に相当する額を当該土地及び家屋に係る固定資産税額又は都市計画税額から減額して当該各年度分の固定資産税又は都市計画税を課すことが適当と認める区域を指定して公示するとともに、遅滞なく、総務大臣に届け出なければならない。（法附55⑦）

(減額課税第三年度区域内の土地及び家屋に対する固定資産税及び都市計画税の減額)
（７）　市町村は、各年度の減額課税第三年度区域（（４）の規定により公示された区域をいう。以下（７）において同じ。）内に所在する土地及び当該各年度の減額課税第三年度区域内に当該各年度に係る賦課期日において所在する家屋に係る固定資産税額又は都市計画税額のそれぞれ２分の１に相当する額を当該土地及び家屋に係る当該各年度分の固定資産税額又は都市計画税額から減額するものとする。（法附55⑧）

２　東日本大震災に係る被災住宅用地等に対する固定資産税及び都市計画税の特例

　東日本大震災により滅失し、又は損壊した家屋の敷地の用に供されていた土地で平成23年度分の固定資産税について第二節一の５の①《住宅用地に対する課税標準の特例》の規定の適用を受けたもの（以下２において「被災住宅用地」という。）のうち、平成24年度から令和８年度までの各年度に係る賦課期日において家屋又は構築物の敷地の用に供されている土地以外の土地の全部又は一部で平成23年度に係る賦課期日における当該被災住宅用地の所有者その他の（１）で定める者（(20)及び(21)において、「被災住宅用地の所有者等」という。）が所有するものに対して課す平成24年度から令和８年度までの各年度分の固定資産税又は都市計画税については、当該土地を平成24年度から令和８年度までの各年度に係る賦課期日において第二節一の５の①に規定する住宅用地（以下２において「住宅用地」という。）として使用することができないと市町村長が認める場合に限り、当該土地を住宅用地とみなして、この法律の規定（第二節一の５の③《小規模住宅用地に対する課税標準の特例》の各号及び第四節五の２《住宅用地の所有者に係る申告》の規定を除く。）を適用する。この場合において、第二節一の５の③中「住宅用地のうち、次の各号に掲げる区分に応じ、当該各号に定める住宅用地に該当するもの」とあるのは、「２の規定により住宅用地とみなされた土地のうち（２）で定めるもの」とする。（法附56①）

　　　(被災住宅用地の所有者の範囲等)
（１）　３に規定する（１）で定める者は、次に掲げる者とする。（令附33①）
　（一）　平成23年度に係る賦課期日における被災住宅用地（以下（５）、(10)、(22)及び(29)から(31)までにおいて「被災住宅用地」という。）の所有者
　（二）　平成23年１月２日から同年３月10日までの間に被災住宅用地の全部又は一部を取得した者
　（三）　（一）、（二）に掲げる者（（三）の規定により相続によって被災住宅用地の全部又は一部を取得した者を含む。）が個人である場合において平成23年３月11日以後にその者についての相続によりその者が所有していた被災住宅用地の全部又は一部を取得した者
　（四）　（一）又は（二）に掲げる者が個人である場合において平成23年３月11日以後にその者から被災住宅用地の全部又は一部を取得したその者の三親等内の親族（（三）に該当する者を除く。）
　（五）　（一）又は（二）に掲げる者（（五）の規定により合併又は分割によって被災住宅用地の全部又は一部を取得した者を含む。）が法人である場合において平成23年３月11日以後に当該法人をその当事者とする合併又は分割により当該法人が所有していた被災住宅用地の全部又は一部を取得した法人

　　　(住宅用地とみなされた土地のうち政令で定めるもの)
（２）　２の規定により読み替えて適用される第二節一の５の③に規定する住宅用地とみなされた土地のうち（２）で定めるものは、２の規定により第二節一の５の①に規定する住宅用地とみなされた土地（以下（２）において「住宅用地とみなされた土地」という。）の面積に当該住宅用地とみなされた土地に係る被災住宅用地のうち平成23年度分の固定資

産税について第二節一の５の③の規定の適用を受けたものの面積の当該被災住宅用地の面積に対する割合を乗じて得た面積に相当する土地とする。（令附33②）

　　　　（被災住宅用地の全部若しくは一部を所有し、又はその全部若しくは一部について共有持分を有している場合）
（３）　平成23年度に係る賦課期日において被災住宅用地を所有し、又はその共有持分を有していた者その他の（４）で定める者（以下（３）及び(20)において「被災住宅用地の共有者等」という。）が、平成24年度から令和８年度までの各年度に係る賦課期日において、当該被災住宅用地の全部若しくは一部を所有し、又はその全部若しくは一部について共有持分を有している場合（２の規定の適用がある場合を除く。）には、平成24年度から令和８年度までの各年度に係る賦課期日において当該被災住宅用地の共有者等が所有し、又は共有持分を有している当該被災住宅用地の全部又は一部のうち（５）で定めるもの（(23)において「特定被災住宅用地」という。）で家屋又は構築物の敷地の用に供されている土地以外の土地に対して課する平成24年度から令和８年度までの各年度分の固定資産税又は都市計画税については、２の規定を準用する。この場合において、２中「２」とあるのは「（２）において準用する２」と読み替えるものとする。（法附56②）

　　　　（共有持分を有している当該被災住宅用地の全部又は一部のうち政令で定めるもの）
（４）　（３）に規定する（４）で定める者は、次に掲げる者とする。（令附33③）
　（一）　平成23年度に係る賦課期日において被災住宅用地を所有し、又はその共有持分を有していた者
　（二）　平成23年１月２日から同年３月10日までの間に被災住宅用地の全部若しくは一部又は被災住宅用地の全部若しくは一部の共有持分を取得した者
　（三）　（一）、（二）に掲げる者（（三）の規定により相続によって被災住宅用地の全部若しくは一部又は被災住宅用地の全部若しくは一部の共有持分を取得した者を含む。）が個人である場合において平成23年３月11日以後にその者についての相続によりその者が所有し、又は共有持分を有していた被災住宅用地の全部又は一部について、その全部若しくは一部を取得し、又はその全部若しくは一部の共有持分を取得した者
　（四）　（一）又は（二）に掲げる者が個人である場合において平成23年３月11日以後にその者から被災住宅用地の全部又は一部について、その全部若しくは一部を取得し、又はその全部若しくは一部の共有持分を取得したその者の三親等内の親族（（三）に該当する者を除く。）
　（五）　（一）又は（二）に掲げる者（（五）の規定により合併又は分割によって被災住宅用地の全部若しくは一部又は被災住宅用地の全部若しくは一部の共有持分を取得した者を含む。）が法人である場合において平成23年３月11日以後に当該法人をその当事者とする合併又は分割により当該法人が所有し、又は共有持分を有していた被災住宅用地の全部又は一部について、その全部若しくは一部を取得し、又はその全部若しくは一部の共有持分を取得した法人

　　　　（被災住宅用地の全部又は一部のうち政令で定めるもの）
（５）　（３）に規定する被災住宅用地の全部又は一部のうち（５）で定めるものは、次の各号に掲げる土地の区分に応じ、当該各号に定める土地とする。（令附33④）
　（一）　(13)に規定する被災共用土地又は(19)に規定する特定被災共用土地（（二）及び（８）において「被災共用土地等」という。）である土地以外の土地　　次に掲げる場合の区分に応じ、それぞれ次に定める土地
　　イ　（４）の（一）又は（二）に掲げる者（以下（一）及び（８）において「従前所有者等」という。）が平成23年３月10日において被災住宅用地の全部又は一部について共有持分を有しており、かつ、当該従前所有者等又は当該従前所有者等に係る（４）の（三）から（五）までに掲げる者（以下（一）及び（８）において「相続人等」という。）が平成24年度から令和８年度までの各年度に係る賦課期日において当該被災住宅用地の全部又は一部を所有している場合　　その所有している当該被災住宅用地の全部又は一部（その所有している当該被災住宅用地の全部又は一部の面積が当該従前所有者等が平成23年３月10日において共有持分を有していた当該被災住宅用地の全部又は一部に係る当該共有持分の割合に応ずる被災住宅用地の面積（相続人等が当該被災住宅用地の全部又は一部を所有している場合には、（４）の（三）から（五）までの規定により当該相続人等が取得した当該被災住宅用地の一部の面積又はこれらの規定により当該相続人等が取得した当該被災住宅用地の全部若しくは一部に係る共有持分の割合に応ずる被災住宅用地の面積のうち、（６）で定めるもの）を超える場合は、当該面積に相当する土地）
　　ロ　従前所有者等が平成23年３月10日において被災住宅用地の全部又は一部を所有しており、かつ、当該従前所有者等又は相続人等が平成24年度から令和８年度までの各年度に係る賦課期日において当該被災住宅用地の全部又は一部について共有持分を有している場合　　従前所有者等又は各相続人等が共有持分を有している当該被災住宅用地の全部又は一部に係る当該共有持分の割合に応ずる被災住宅用地の面積（当該面積が当該従前所有者等が

平成23年３月10日において所有していた当該被災住宅用地の全部又は一部の面積（相続人等が当該被災住宅用地の全部又は一部について共有持分を有している場合には、（４）の（三）から（五）までの規定により当該相続人等が取得した当該被災住宅用地の全部若しくは一部の面積又はこれらの規定により当該相続人等が取得した当該被災住宅用地の全部若しくは一部に係る共有持分の割合に応ずる被災住宅用地の面積のうち、（７）で定めるもの）を超える場合には、当該面積）の合計に相当する土地

ハ　従前所有者等が平成23年３月10日において被災住宅用地の全部又は一部について共有持分を有しており、かつ、当該従前所有者等又は相続人等が平成24年度から令和８年度までの各年度に係る賦課期日において当該被災住宅用地の全部又は一部について共有持分を有している場合　　各従前所有者等又は各相続人等が共有持分を有している当該被災住宅用地の全部又は一部に係る当該共有持分の割合に応ずる被災住宅用地の面積（当該面積が当該従前所有者等が平成23年３月10日において共有持分を有していた当該被災住宅用地の全部又は一部に係る当該共有持分の割合に応ずる被災住宅用地の面積（相続人等が当該被災住宅用地の全部又は一部について共有持分を有している場合には、（４）の（三）から（五）までの規定により当該相続人等が取得した当該被災住宅用地の全部若しくは一部の面積又はこれらの規定により当該相続人等が取得した当該被災住宅用地の全部若しくは一部に係る共有持分の割合に応ずる被災住宅用地の面積のうち、（７）で定めるもの）を超える場合には、当該面積）の合計に相当する土地

(二)　被災共用土地等である土地　　次の表の左欄に掲げる当該土地に係る被災区分所有家屋（（13）に規定する被災区分所有家屋をいう。以下(二)、（８）及び（10）において同じ。）の区分及び同表の中欄に掲げる当該被災区分所有家屋に係る居住部分に相当する部分の割合の区分に応じ、同表の右欄に掲げる率を当該土地の面積（当該面積が当該被災区分所有家屋の床面積の10倍の面積を超える場合には、当該10倍の面積）に乗じて得た面積に相当する土地（当該被災区分所有家屋に係る居住部分に相当する部分の割合が４分の１未満である被災区分所有家屋に係る土地を除く。）

被災区分所有家屋	被災区分所有家屋に係る居住部分に相当する部分の割合	率
イ　ロに掲げる被災区分所有家屋以外の被災区分所有家屋	４分の１以上２分の１未満	0.5
	２分の１以上	1.0
ロ　地上階数５以上を有する耐火建築物であった被災区分所有家屋	４分の１以上２分の１未満	0.5
	２分の１以上４分の３未満	0.75
	４分の３以上	1.0

（被災住宅用地の全部若しくは一部に係る共有持分の割合に応ずる面積のうち総務省令で定める面積）
（６）　（５）の（一）のイに規定する（６）で定める面積は、次の各号に掲げる場合の区分に応じ、当該各号に定める面積とする。（規附24①）

(一)　（４）の（三）から（五）までの規定により（５）の（一）のイに規定する相続人等（(二)及び（７）において「相続人等」という。）が同(一)のイに規定する従前所有者等（(二)及び（７）において「従前所有者等」という。）から２に規定する被災住宅用地（以下（６）、（７）及び（42）において「被災住宅用地」という。）の一部又は被災住宅用地の全部若しくは一部に係る共有持分（(二)において「被災住宅用地の一部等」という。）を取得した場合　　その取得した当該被災住宅用地の一部の面積又はその取得した当該被災住宅用地の全部若しくは一部に係る共有持分の割合に応ずる被災住宅用地の面積

(二)　（４）の（三）又は（五）の規定により相続人等が（４）の（三）又は（五）に掲げる者（以下(二)及び（７）の(二)までにおいて「前相続人等」という。）から被災住宅用地の一部等を取得した場合　　（４）の（三）又は（五）の規定により前相続人等が従前所有者等（これらの規定により前相続人等が前相続人等から当該被災住宅用地の一部等を取得した場合における当該被災住宅用地の一部等を取得した前相続人等に係る前相続人等を含む。）から取得した当該被災住宅用地の一部等のうち、（４）の（三）又は（五）の規定により当該相続人等が当該前相続人等から取得した当該被災住宅用地の一部の面積又はこれらの規定により当該相続人等が当該前相続人等から取得した当該被災住宅用地の全部若しくは一部に係る共有持分の割合に応ずる被災住宅用地の面積

（被災住宅用地の全部若しくは一部に係る共有持分の割合に応ずる面積のうち総務省令で定める面積）
（７）　（５）の（一）のロ及びハに規定する（７）で定める面積は、次の各号に掲げる場合の区分に応じ、当該各号に定める

面積とする。(規附24②)
(一) (4)の(三)から(五)までの規定により相続人等が従前所有者等から被災住宅用地の全部若しくは一部又は被災住宅用地の全部若しくは一部に係る共有持分((二)において「被災住宅用地の全部等」という。)を取得した場合　その取得した当該被災住宅用地の全部若しくは一部の面積又はその取得した当該被災住宅用地の全部若しくは一部に係る共有持分の割合に応ずる被災住宅用地の面積
(二) (4)の(三)又は(五)の規定により相続人等が前相続人等から被災住宅用地の全部等を取得した場合　(4)の(三)又は(五)の規定により前相続人等が従前所有者等(これらの規定により前相続人等が前相続人等から当該被災住宅用地の全部等を取得した場合における当該被災住宅用地の全部等を取得した前相続人等に係る前相続人等を含む。)から取得した当該被災住宅用地の全部等のうち、(4)の(三)又は(五)の規定により相続人等が当該前相続人等から取得した当該被災住宅用地の全部若しくは一部の面積又はこれらの規定により当該相続人等が当該前相続人等から取得した当該被災住宅用地の全部若しくは一部に係る共有持分の割合に応ずる被災住宅用地の面積

(被災区分所有家屋に係る居住部分に相当する部分の割合)
(8) (5)の(二)に規定する被災区分所有家屋に係る居住部分に相当する部分の割合とは、平成24年度から令和8年度までの各年度に係る賦課期日において平成23年3月10日において有していた被災共用土地等に係る共有持分を引き続き有している従前所有者等(平成24年度から令和8年度までの各年度に係る賦課期日において(4)の(三)から(五)までの規定により取得した被災共用土地等に係る共有持分を引き続き有している相続人等に係る従前所有者等を含む。)が平成23年3月10日において所有していた被災区分所有家屋の専有部分((13)に規定する専有部分をいう。(34)及び(47)において同じ。)((10)において「特定専有部分」という。)のうち、平成23年度に係る賦課期日において人の居住の用に供する部分(別荘の用に供する部分を除く。)であった部分の床面積の合計の当該被災区分所有家屋の床面積に対する割合をいう。(令附33⑤)

(耐火建築物の意義の読替え規定)
(9) 第二節一の5の②の(4)《耐火建築物の意義》の規定は、(5)の(二)の規定の適用がある場合について準用する。この場合において、第二節一の5の②の(4)中「前項」とあるのは「(5)の(二)」と、「同項」とあるのは「同号」と読み替えるものとする。(令附33⑥)

(住宅用地とみなされた土地のうち政令で定めるもの)
(10) (3)において準用する2の規定により読み替えて適用される第二節一の5の①に規定する住宅用地とみなされた土地のうち(10)で定めるものは、次の各号に掲げる土地の区分に応じ、当該各号に定める土地とする。(令附33⑦)
(一) (5)の(一)の規定の適用がある土地　(3)において準用する2の規定により第二節一の5の①に規定する住宅用地とみなされた土地(以下(10)において「住宅用地とみなされた土地」という。)の面積に当該住宅用地とみなされた土地に係る被災住宅用地のうち平成23年度分の固定資産税について第二節一の5の③の規定の適用を受けたものの面積の当該被災住宅用地の面積に対する割合を乗じて得た面積に相当する土地
(二) (5)の(二)の規定の適用がある土地　次に掲げる土地の区分に応じ、それぞれに定める土地
イ　住宅用地とみなされた土地でその面積が200平方メートル以下であるもの　当該住宅用地とみなされた土地
ロ　住宅用地とみなされた土地でその面積が200平方メートルを超えるもの　当該住宅用地とみなされた土地の面積を当該住宅用地とみなされた土地に係る被災区分所有家屋の特定専有部分に存した住居でその全部が別荘の用に供されていた住居以外の住居の数(以下(二)において「特例適用住居数」という。)で除して得た面積が200平方メートル以下であるものにあっては当該住宅用地とみなされた土地、当該除して得た面積が200平方メートルを超えるものにあっては200平方メートルに当該特例適用住居数を乗じて得た面積に相当する土地

(特例適用住居数の認定その他必要な事項)
(11) (10)に規定する特例適用住居数の認定その他(10)の規定の適用に関し必要な事項は、(12)で定める。(令附33⑧)

(特例適用住居数の認定その他総務省令で定める事項)
(12) (10)の(二)のロに規定する特例適用住居数は、同ロのその全部が別荘の用に供されていた住居以外の住居が、家屋のうち人の居住の用に供するため独立的に区画された部分又はその一部であった場合には、当該部分の数による。(規附24③)

第三編第三章《固定資産税》第九節《特定の災害に係る特例》

　　　　（被災区分所有家屋の敷地の用に供されていた土地で被災共用土地納税義務者の適用を受けたもの）
(13)　東日本大震災により滅失し、又は損壊した区分所有に係る家屋（以下(13)及び(19)において「被災区分所有家屋」という。）の敷地の用に供されていた土地で平成23年度分の固定資産税について第一節三の⑤の規定の適用を受けたもの（平成23年3月11日以後に分割された土地を除く。以下(13)及び(25)において「被災共用土地」という。）に対して課する平成24年度から令和8年度までの各年度分の固定資産税については、当該被災共用土地に係る納税義務者（当該被災共用土地に係る被災区分所有家屋に係る一の専有部分（建物の区分所有等に関する法律第2条第3項に規定する専有部分をいう。(19)において同じ。）で二以上の者が共有していたものがあった場合には、これらの二以上の者を当該被災共用土地に係る一の納税義務者であるものとする。以下(13)において「被災共用土地納税義務者」という。）は、第一編第二章二の2の規定にかかわらず、当該被災共用土地に係る固定資産税額を当該被災共用土地に係る各被災共用土地納税義務者の当該被災共用土地に係る持分の割合（当該被災共用土地が2（(3)において準用する場合を含む。）の規定により住宅用地とみなされる部分及び住宅用地とみなされる部分以外の部分を併せ有する土地である場合その他の(14)で定める場合には、(15)で定めるところにより当該持分の割合を補正した割合）により按分した額を、当該各被災共用土地納税義務者の当該被災共用土地に係る固定資産税として納付する義務を負う。（法附56③）

　　　　（住宅用地とみなされた土地及び非住宅用地を併せ有する土地である場合その他の総務省令で定める場合）
(14)　(13)に規定する(14)で定める場合は、次に掲げる場合とする。（規附24④）
　（一）　(13)に規定する被災共用土地（以下「被災共用土地」という。）が2（(3)において準用する場合を含む。(二)において同じ。）の規定により住宅用地とみなされた土地（以下(14)において「住宅用地とみなされた土地」という。）である部分及び住宅用地とみなされた土地以外の土地（以下「非住宅用地」という。）である部分を併せ有する土地である場合
　（二）　被災共用土地が2の規定により読み替えて適用される第二節一の5の③の規定の適用を受ける土地（以下(二)、(15)及び(18)において「小規模住宅用地」という。）である部分及び小規模住宅用地以外の住宅用地とみなされた土地（(15)、(18)及び(26)において「一般住宅用地」という。）である部分を併せ有する土地である場合

　　　　（被災共用土地の面積が被災区分所有家屋の床面積の10倍の面積以下の場合の持分の割合の補正）
(15)　被災共用土地の面積が当該被災共用土地に係る被災区分所有家屋（(13)に規定する被災区分所有家屋をいう。(16)、(18)及び(26)において同じ。）の床面積の10倍の面積以下である場合における(13)の規定による当該被災共用土地に係る持分の割合の補正は、当該持分の割合に、当該被災共用土地に係る次の表の左欄に掲げる被災共用土地納税義務者（(13)に規定する被災共用土地納税義務者をいう。(17)までにおいて同じ。）の区分に応じ、同表の右欄に定める算式により計算した数値を乗じて行うものとする。（規附24⑤）

被災共用土地納税義務者の区分	算　式
（一）　次に掲げる各被災共用土地納税義務者 　イ　平成23年度に係る賦課期日においてその全部が人の居住の用に供されていた専有部分（その全部又は一部が別荘の用に供されていたものを除く。以下(一)及び(二)において同じ。）を平成23年3月10日において所有していた者（以下(15)において「特例対象者」という。）で平成24年度から令和8年度までの各年度に係る賦課期日において当該被災共用土地の面積にその者の当該被災共用土地に係る共有持分（平成23年3月11日以後にその者が取得した当該被災共用土地に係る共有持分を除く。以下イにおいて同じ。）の割合を乗じて得た面積が200平方メートル（当該専有部分が2以上の部分に独立的に区画されていた場合には、200平方メートルに当該専有部分に存した住居の数を乗じて得た面積とする。以下(15)及び(16)において同じ。）以下となる当該共有部分を有しているもの 　ロ　(4)の(三)から(五)までの規定により特例対象	$\dfrac{1}{A} \times \dfrac{B \times C}{D}$ （算式の符号） 　A　当該被災共用土地に係る固定資産税の課税標準となるべき額 　B　当該被災共用土地に係る小規模住宅用地である部分に係る固定資産税の課税標準に相当する額 　C　当該被災共用土地の面積 　D　当該被災共用土地に係る小規模住宅用地である部分の面積

者からその者が平成23年3月10日において有していた当該被災共用土地に係る共有持分（以下(15)及び(16)において「特定共有持分」という。）を取得した(5)の(一)イに規定する相続人等（(4)の(三)又は(五)の規定により相続人等から特定共有持分を取得した相続人等を含む。以下(15)において「相続人等」という。）で平成24年度から令和8年度までの各年度に係る賦課期日において当該被災共用土地の面積にその者の当該被災共用土地に係る特定共有持分の割合（当該相続人等に係る特例対象者につき相続人等が複数ある場合には、当該特例対象者に係る各相続人等の当該被災共用土地に係る特定共有持分の割合を合算したものとする。以下(15)において「相続等に係る特定共有持分の割合」という。）を乗じて得た面積が200平方メートル以下となる当該特定共有持分を有しているもの	
(二) 次に掲げる各被災共用土地納税義務者 イ 特例対象者で平成24年度から令和8年度までの各年度に係る賦課期日において当該被災共用土地の面積にその者の当該被災共用土地に係る共有持分（平成23年3月11日以後にその者が取得した当該被災共用土地に係る共有持分を除く。以下イにおいて同じ。）の割合を乗じて得た面積が200平方メートルを超えることとなる当該共有持分を有しているもの ロ 相続人等で平成24年度から令和8年度までの各年度に係る賦課期日において当該被災共用土地の面積に相続等に係る特定共有持分の割合を乗じて得た面積が200平方メートルを超えることとなる当該特定共有持分を有しているもの	イ $\frac{1}{A} \times \left\{ B \times \frac{C + (200\text{平方メートル} \times D - E \times F) \times \frac{E \times G - C}{E \times H - 200\text{平方メートル} \times I}}{J} + K \times \frac{E \times G - C - (200\text{平方メートル} \times D - E \times F) \times \frac{E \times G - C}{E \times H - 200\text{平方メートル}}}{L} \times I \right\} \times \frac{1}{G}$ ロ $\frac{1}{A} \times \frac{B \times E}{J}$ $J < E \times (F + H)$ である場合にあってはイの算式を用い、$J \geqq E \times (F + H)$ である場合にあってはロの算式を用いる。 （算式の符号） A 当該被災共用土地に係る固定資産税の課税標準となるべき額 B 当該被災共用土地に係る小規模住宅用地である部分に係る固定資産税の課税標準に相当する額 C 200平方メートル（(一)のイに掲げる被災共用土地納税義務者又は(一)のロに掲げる相続人等に係る特例対象者（Dにおいて「専有部分の従前所有者」という。）が所有していた専有部分が2以上の部分に独立的に区画されていた場合には、200平方メートルに当該専有部分に存した住居の数（D及びIにおいて「専有部分の住居数」という。）を乗じて得た面積とする。） D 各専有部分の従前所有者が所有していた専有部分の数（2以上の部分に独立的に区画されていた専有部分を所有していた専有部分の従前所有者にあってはその所有していた当該専有部分の数に専有部分の住居数を乗じたものとする。）を合算したもの E 当該被災共用土地の面積

	F （一）に掲げる各被災共用土地納税義務者の平成24年度から令和８年度までの各年度に係る賦課期日における当該被災共用土地に係る(一)の共有持分又は特定共有持分の割合を合算したもの
	G （二）に掲げる各被災共用土地納税義務者の平成24年度から令和８年度までの各年度に係る賦課期日における当該被災共用土地に係る(二)の共有持分又は特定共有持分の割合
	H （二）に掲げる各被災共用土地納税義務者の平成24年度から令和８年度までの各年度に係る賦課期日における当該被災共用土地に係る(二)の共有持分又は特定共有持分の割合を合算したもの
	I （二）イに掲げる被災共用土地納税義務者又は同ロに掲げる相続人等に係る特例対象者(以下Ⅰにおいて「専有部分の従前所有者」という。）がそれぞれ所有していた専有部分の数（２以上の部分に独立的に区画されていた専有部分を所有していた専有部分の従前所有者にあっては、その所有していた当該専有部分の数に専有部分の住居数を乗じたものとする。）を合算したもの
	J 当該被災共用土地に係る小規模住宅用地である部分の面積
	K 当該被災共用土地に係る一般住宅用地である部分に係る固定資産税の課税標準に相当する額
	L 当該被災共用土地に係る一般住宅用地である部分の面積
（三） 次に掲げる被災共用土地納税義務者 イ 平成23年度に係る賦課期日において人の居住の用に供する部分（別荘の用に供する部分を除く。(16)において同じ。）を有しない専有部分を有していた者 ロ 平成23年３月11日以後に当該被災共用土地に係る共有持分を取得した者（相続人等を除く。）	$$\frac{A-(B+C)}{A\times D}$$ （算式の符号） A 当該被災共用土地に係る固定資産税の額 B （一）に掲げる各被災共用土地納税義務者の当該被災共用土地に係る固定資産税の額を合算したもの C （二）に掲げる各被災共用土地納税義務者の当該被災共用土地に係る固定資産税の額を合算したもの D （三）に掲げる各被災共用土地納税義務者の平成24年度から令和８年度までの各年度に係る賦課期日における当該被災共用土地に係る共有持分の割合を合算したもの

（併用専有部分の特例対象者で被災共用土地納税義務者の有していた特例適用共有持分）
(16) 被災共用土地に係る被災区分所有家屋の専有部分で平成23年度に係る賦課期日において人の居住の用に供する部分及び人の居住の用に供する部分以外の部分を併せ有していたもの（以下(16)において「併用専有部分」という。）を平成23年３月10日において所有していた者（以下(16)において「特例対象者」という。）で被災共用土地納税義務者であるもの又は(4)の(三)から(五)までの規定により特例対象者からその者が平成23年３月10日において有していた当該被災共用土地に係る共有持分（以下(16)において「特例適用共有持分」という。）を取得した(5)の(一)イに規定する相続人等（(4)の(三)又は(五)の規定により相続人等から特例適用共有持分を取得した相続人等を含む。以下(16)において「相続人等」という。）がある場合には、当該被災共用土地納税義務者であるもの又は当該相続人等（以下(16)及び(17)において「併用専有部分に係る被災共用土地納税義務者」という。）の平成24年度から令和８年度までの各年度に係る賦課期日における当該被災共用土地に係る特例適用共有持分の割合（当該相続人等に係る特例対象者につき相続人等が複数ある場合には、当該特例対象者に係る各相続人等の当該被災共用土地に係る特例適用共有持分の割合

を合算したものとする。以下(16)において「特定割合」という。)に当該人の居住の用に供する部分の床面積の当該専有部分の床面積に対する割合(以下(16)において「居住割合」という。)を乗じて得た数値を当該被災共用土地の面積に乗じて得た面積が200平方メートル以下であるときは当該併用専有部分に係る被災共用土地納税義務者をもって(15)の表の(一)及び(三)に掲げる各被災共用土地納税義務者とみなし、当該面積が200平方メートルを超えるときは当該併用専有部分に係る被災共用土地納税義務者をもって同表の(二)及び(三)に掲げる各被災共用土地納税義務者とみなし、特定割合に居住割合を乗じて得た数値をもって当該(一)又は(二)に掲げる各被災共用土地納税義務者の平成24年度から令和8年度までの各年度に係る賦課期日における当該被災共用土地に係る共有持分又は特定共有持分の割合とみなし、特定割合に当該人の居住の用に供する部分以外の部分の床面積の当該専有部分の床面積に対する割合を乗じて得た数値をもって当該(三)に掲げる各被災共用土地納税義務者の平成24年度から令和8年度までの各年度に係る賦課期日における当該被災共用土地に係る共有持分の割合とみなして、(15)の規定を適用する。この場合において、当該併用専有部分に係る被災共用土地納税義務者については、次の算式により計算した数値をもって当該併用専有部分に係る被災共用土地納税義務者の当該被災共用土地に係る持分の割合に乗ずるべき数値とする。(規附24⑥)

算式

$\alpha \times K + \beta \times (1-K)$

(算式の符号)

- α (15)の表の(一)又は(二)に定める算式により計算した数値
- β (15)の表の(三)に定める算式により計算した数値
- K 居住割合

((15)の表の(一)若しくは(二)に掲げる被災共用土地納税義務者が新たな共有持分を取得した場合)

(17) (15)の表の(一)若しくは(二)に掲げる被災共用土地納税義務者又は併用専有部分に係る被災共用土地納税義務者が平成23年3月11日以後に当該被災共用土地に係る共有持分((4)の(三)から(五)までの規定によりその者が取得した共有持分を除く。以下(17)において「新たな共有持分」という。)を取得した場合には、当該新たな共有持分については、当該新たな共有持分を取得した被災共用土地納税義務者をもって(15)の表の(三)に掲げる被災共用土地納税義務者の一人とみなし、当該新たな共有持分の面積の当該被災共用土地の面積に対する割合を(15)の表の(三)に掲げる各被災共用土地納税義務者の当該被災共用土地に係る共有持分の割合とみなして、(15)の規定を適用する。(規附24⑦)

(被災共用土地の面積が被災区分所有家屋の床面積の10倍の面積を超える場合における持分の割合の補正についての準用)

(18) (15)から(17)までの規定は、被災共用土地の面積が当該被災共用土地に係る被災区分所有家屋の床面積の10倍の面積を超える場合における(13)の規定による当該被災共用土地に係る持分の割合の補正について準用する。この場合において、次の表の左欄に掲げる規定中同表の中欄に掲げる字句又は算式は、それぞれ同表の右欄に掲げる字句又は算式に読み替えるものとする。(規附24⑧)

(15)の表の(一)	当該被災共用土地の面積	当該被災共用土地に係る被災区分所有家屋の床面積の10倍の面積
	$\dfrac{1}{A} \times \dfrac{B \times C}{D}$	$\dfrac{1}{A} \times \left(\dfrac{B \times E}{D} + F \times \dfrac{C-E}{G} \right)$
	D 当該被災共用土地に係る小規模住宅用地である部分の面積	D 当該被災共用土地に係る小規模住宅用地である部分の面積 E 当該被災共用土地に係る被災区分所有家屋の床面積の10倍の面積 F 当該被災共用土地に係る非住宅用地である部分に係る固定資産税の課税標準に相当する額 G 当該被災共用土地に係る非住宅用地である部分の面積
(15)の表の(二)	当該被災共用土地の面積	当該被災共用土地に係る被災区分所有家屋の床面積の10倍の面積

	$\dfrac{1}{A} \times \left\{ B \times \dfrac{C+(200平方メートル \times D - E \times F)}{J} \right.$ $\times \dfrac{E \times G - C}{E \times H - 200平方メートル \times I} + K \times \dfrac{E \times G - C}{E \times H -}$ $-(200平方メートル \times D - E \times F) \times \dfrac{}{L}$ $\left. \dfrac{E \times G - C}{200平方メートル \times I} \times \dfrac{1}{G} \right\}$	$\dfrac{1}{A} \times \left[\left\{ B \times \dfrac{C+(200平方メートル \times D - M \times F)}{J} \right. \right.$ $\times \dfrac{M \times G - C}{M \times H - 200平方メートル \times I} + K \times \dfrac{M \times G - C}{M \times H -}$ $-(200平方メートル \times D - M \times F) \times \dfrac{}{L}$ $\left. \left. \dfrac{M \times G - C}{200平方メートル \times I} \times \dfrac{1}{G} + N \times \dfrac{E - M}{O} \right\} \right]$
	$\dfrac{1}{A} \times \dfrac{B \times E}{J}$	$\dfrac{1}{A} \times \left[\dfrac{B \times M}{J} + N \times \dfrac{E - M}{O} \right]$
	$E \times (F+H)$	$M \times (F+H)$
	L 当該被災共用土地に係る一般住宅用地である部分の面積	L 当該被災共用土地に係る一般住宅用地である部分の面積 M 当該被災共用土地に係る被災区分所有家屋の床面積の10倍の面積 N 当該被災共用土地に係る非住宅用地である部分に係る固定資産税の課税標準に相当する額 O 当該被災共用土地に係る非住宅用地である部分の面積
(16)	当該被災共用土地の面積	当該被災共用土地に係る被災区分所有家屋の床面積の10倍の面積

(特定被災共用土地納税義務者の合意による特定被災共用土地に係る固定資産税額の按分)
(19) 被災区分所有家屋の敷地の用に供されていた土地で平成23年度分の固定資産税について第一節三の1の⑤の(2)の規定の適用を受けたもの（平成23年3月11日以後に分割された土地を除く。以下(19)及び(27)において「特定被災共用土地」という。）に対して課する平成24年度から令和8年度までの各年度分の固定資産税については、当該特定被災共用土地に係る納税義務者（当該特定被災共用土地に係る被災区分所有家屋に係る一の専有部分で二以上の者が共有していたものがあった場合には、これらの二以上の者を当該特定被災共用土地に係る一の納税義務者であるものとする。以下(19)において「特定被災共用土地納税義務者」という。）全員の合意により(13)の規定により按分する場合に用いられる割合に準じて定めた割合により当該特定被災共用土地に係る固定資産税額を按分することを、当該市町村の条例で定めるところにより、市町村長に申し出た場合において、市町村長が(13)の規定による按分の方法を参酌し、当該割合により按分することが適当であると認めたときは、当該特定被災共用土地に係る各特定被災共用土地納税義務者は、第一編第二章二の2《共有物等に係る徴収金の連帯納税義務》の規定にかかわらず、当該特定被災共用土地に係る固定資産税額を当該割合により按分した額を、当該各特定被災共用土地納税義務者の当該特定被災共用土地に係る固定資産税として納付する義務を負う。（法附56④）

(被災住宅用地の所有者等又は被災住宅用地の共有者等が2又は(3)の規定の適用を受ける場合の申告)
(20) 市町村長は、被災住宅用地の所有者等又は被災住宅用地の共有者等が2又は(3)の規定の適用を受けようとする場合には、これらの者に、当該市町村の条例で定めるところにより、その旨を申告させることができる。（法附56⑤）

(仮換地等に対応する従前の土地の全部又は一部が被災住宅用地である場合)
(21) 第一節三の2の④に規定する仮換地等（平成23年1月2日以後に使用し、又は収益することができることとなったものに限る。以下(21)から(27)までにおいて「特定仮換地等」という。）に対応する従前の土地の全部又は一部が被災住宅用地である場合において、平成24年度から令和8年度までの各年度分の固定資産税について同④の規定により当該被災住宅用地につき登記簿又は土地補充課税台帳に所有者として登記又は登録がされている被災住宅用地の所有者等をもって当該特定仮換地等に係る第一節三の1《固定資産の所有者に対する課税》の所有者とみなされたときは、当該特定仮換地等に対して課する平成24年度から令和8年度までの各年度分の固定資産税又は都市計画税については、

当該特定仮換地等のうち、従前の土地のうちの被災住宅用地に相当する土地を被災住宅用地とみなして、2及び(20)の規定を適用する。この場合において、2中「土地以外の土地の全部又は一部で平成23年度に係る賦課期日における当該被災住宅用地の所有者その他の(1)で定める者((20)及び(21)において「被災住宅用地の所有者等」という。)が所有するもの」とあるのは「土地以外の土地」と、「2」とあるのは「(21)の規定により読み替えて適用される2」と、(20)中「被災住宅用地の所有者等又は被災住宅用地の共有者等が2又は(3)」とあるのは「(21)に規定する特定仮換地等に対応する従前の土地の所有者である被災住宅用地の所有者等」と、「2又は(3)」とあるのは「(21)の規定により読み替えて適用される2」とする。(法附56⑥)

　　　(小規模住宅用地に対する課税標準の特例とみなされた土地のうち政令で定めるもの)
(22)　(21)の規定により読み替えて適用される2の規定により読み替えて適用される第二節一の5の③に規定する住宅用地とみなされた土地のうち(22)で定めるものは、(21)の規定により読み替えて適用される2の規定により第二節一の5の③に規定する住宅用地(以下(22)において「住宅用地」という。)とみなされた土地に対応する従前の土地のうちの被災住宅用地が2の規定により住宅用地とみなされるとしたならば2の規定により読み替えて適用される第二節一の5の③の規定の適用を受けることとなる土地に相当する土地とする。(令附33⑨)

　　　(特定仮換地等に対して課する平成24年度から令和8年度までの各年度分の固定資産税の(21)の規定の準用)
(23)　特定仮換地等に対応する従前の土地の全部又は一部が特定被災住宅用地である場合において、平成24年度から令和8年度までの各年度分の固定資産税について第一節三の2の④の規定により当該特定被災住宅用地につき登記簿又は土地補充課税台帳に所有者として登記又は登録がされている者をもって当該特定仮換地等に対して課する平成24年度から令和8年度までの各年度分の固定資産税又は都市計画税については、(21)の規定を準用する。この場合において、(21)中「従前の土地のうちの被災住宅用地に相当する土地」とあるのは「従前の土地のうちの特定被災住宅用地に相当する土地」と、「(21)」とあるのは「(23)において準用する(21)」と、「(25)」とあるのは「(23)において準用する(25)」と、「である(25)に規定する被災住宅用地の所有者等」とあるのは「又は共有者である被災住宅用地の共有者等」と読み替えるものとする。(法附56⑦)

　　　(小規模住宅用地に対する課税標準の特例とみなされた土地の規定の(23)の規定の準用)
(24)　(22)の規定は、(23)の規定の適用がある場合について準用する。この場合において、(22)中「(21)」とあるのは「(23)において準用する(21)」と、「被災住宅用地が2」とあるのは「(3)に規定する特定被災住宅用地が(3)において準用する2」と読み替えるものとする。(令附33⑩)

　　　(特定仮換地等を被災共用土地とみなす(13)の規定の準用)
(25)　特定仮換地等に対応する従前の土地が被災共用土地である場合において、平成24年度から令和8年度までの各年度分の固定資産税について第一節三の2の④の規定により当該特定被災住宅用地につき登記簿又は土地補充課税台帳に所有者として登記又は登録がされている者をもって当該特定仮換地等に係る第一節三の1の所有者とみなされたときは、当該特定仮換地等に対して課する平成24年度から令和8年度までの各年度分の固定資産税については、当該特定仮換地等を被災共用土地とみなして、(13)の規定を準用する。この場合において、(13)中「被災共用土地に係る被災区分所有家屋」とあるのは「特定仮換地等に対応する従前の土地である被災共用土地に係る被災区分所有家屋」と、「被災共用土地納税義務者」とあるのは「特定仮換地等納税義務者」と、「被災共用土地に係る持分の割合」とあるのは「特定仮換地等に対応する従前の土地である被災共用土地に係る持分の割合」と、「2((23)において準用する場合を含む。)」とあるのは「(21)((23)において準用する場合を含む。)の規定により読み替えて適用される2」とする。(法附56⑧)

　　　(被災共用土地に係る規定の仮換地等に係る規定の読替え規定)
(26)　(25)の規定の適用がある場合における(14)から(18)までの規定の適用については、これらの規定中「被災共用土地納税義務者」とあるのは「仮換地等納税義務者」と読み替えるほか、次の表の左欄に掲げる規定中同表の中欄に掲げる字句は、それぞれ同表の右欄に掲げる字句に読み替えるものとする。(規附24⑨)

| (14)各号列記以外の部分 | (13) | | (25)の規定により読み替えて適用される(13) |

(14)の(一)	(13)	(25)の規定により読み替えて適用される(13)
	被災共用土地	仮換地等
	2 ((3)において準用する場合を含む。(二)において同じ。)	(21) ((23)において準用する場合を含む。(二)において同じ。)の規定により読み替えて適用される2
(14)の(二)	被災共用土地	仮換地等
	2	(21)の規定により読み替えて適用される2
(15)の表以外の部分	被災共用土地の面積	仮換地等の面積
	被災共用土地に係る被災区分所有家屋	仮換地等に対応する従前の土地である被災共用土地に係る被災区分所有家屋
	(13)	(25)の規定により読み替えて適用される(13)
	被災共用土地に係る持分の割合	仮換地等に対応する従前の土地である被災共用土地に係る持分の割合
	被災共用土地に係る次の	仮換地等に係る次の
(15)の表の(一)	被災共用土地の面積	仮換地等の面積
	被災共用土地に係る共有持分	仮換地等に対応する従前の土地である被災共用土地に係る共有持分
	被災共用土地に係る特定共有持分	仮換地等に対応する従前の土地である被災共用土地に係る特定共有持分
	被災共用土地に係る固定資産税	仮換地等に係る固定資産税
	被災共用土地に係る小規模住宅用地	仮換地等に係る小規模住宅用地
	被災共用土地の面積	仮換地等の面積
(15)の表の(二)	被災共用土地の面積	仮換地等の面積
	被災共用土地に係る共有持分	仮換地等に対応する従前の土地である被災共用土地に係る共有持分
	被災共用土地に係る固定資産税	仮換地等に係る固定資産税
	被災共用土地に係る小規模住宅用地	仮換地等に係る小規模住宅用地
	被災共用土地納税義務者	仮換地等納税義務者
	被災共用土地の面積	仮換地等の面積
	被災共用土地に係る(二)の共有持分又は特定共有持分の割合	仮換地等に対応する従前の土地である被災共用土地に係る(二)の共有持分又は特定共有持分の割合
	被災共用土地に係る一般住宅用地	仮換地等に係る一般住宅用地
(15)の表の(三)	被災共用土地に係る共有持分	仮換地等に対応する従前の土地である被災共用土地に係る共有持分
	被災共用土地に係る固定資産税	仮換地等に係る固定資産税
	被災共用土地納税義務者	仮換地等納税義務者
	被災共用土地に係る共有持分	仮換地等に対応する従前の土地である被災共用土地に係る共有持分
(16)	被災共用土地に係る被災区分所有家屋	仮換地等に対応する従前の土地である被災共用土地に係る被災区分所有家屋
	被災共用土地に係る共有持分	仮換地等に対応する従前の土地である被災共用土地に係る共有持分
	被災共用土地に係る特例適用共有持分	仮換地等に対応する従前の土地である被災共用土地

		に係る特例適用共有持分
	被災共用土地の面積	特定仮換地等の面積
	被災共用土地に係る持分の割合	仮換地等に対応する従前の土地である被災共用土地に係る持分の割合
(17)	被災共用土地の面積	仮換地等の面積
	被災共用土地に係る共有持分	仮換地等に対応する従前の土地である被災共用土地に係る共有持分
(18)の表以外の部分	被災共用土地の面積	仮換地等の面積
	被災共用土地に係る被災区分所有家屋	仮換地等に対応する従前の土地である被災共用土地に係る被災区分所有家屋
	被災共用土地に係る持分の割合	仮換地等に対応する従前の土地である被災共用土地に係る持分の割合
(18)の表の(15)の表の(一)の項	被災共用土地の面積	仮換地等の面積
	被災共用土地に係る被災区分所有家屋	仮換地等に対応する従前の土地である被災共用土地に係る被災区分所有家屋
	被災共用土地に係る小規模住宅用地	仮換地等に係る小規模住宅用地
	被災共用土地に係る被災区分所有家屋	仮換地等に対応する従前の土地である被災共用土地に係る被災区分所有家屋
	被災共用土地に係る非住宅用地	仮換地等に係る非住宅用地
(18)の表の(15)の表の(二)の項	被災共用土地の面積	仮換地等の面積
	被災共用土地に係る被災区分所有家屋	仮換地等に対応する従前の土地である被災共用土地に係る被災区分所有家屋
	被災共用土地に係る一般住宅用地	仮換地等に係る一般住宅用地
	被災共用土地に係る被災区分所有家屋	仮換地等に対応する従前の土地である被災共用土地に係る被災区分所有家屋
	被災共用土地に係る非住宅用地	仮換地等に係る非住宅用地
(18)の表の(16)の項	被災共用土地の面積	仮換地等の面積
	被災共用土地に係る被災区分所有家屋	仮換地等に対応する従前の土地である被災共用土地に係る被災区分所有家屋

(特定仮換地等を特定被災共用土地とみなす(19)の規定の準用)
(27) 特定仮換地等に対応する従前の土地が特定被災共用土地である場合において、平成24年度から令和8年度までの各年度分の固定資産税について第一節三の2の④の規定により当該特定被災住宅用地につき登記簿又は土地補充課税台帳に所有者として登記又は登録がされている者をもって当該特定仮換地等に係る第一節三の1の所有者とみなされたときは、当該特定仮換地等に対して課する平成24年度から令和8年度までの各年度分の固定資産税については、当該特定仮換地等を特定被災共用土地とみなして、(19)の規定を準用する。この場合において、(19)中「特定被災共用土地に係る被災区分所有家屋」とあるのは「特定仮換地等に対応する従前の土地である特定被災共用土地に係る被災区分所有家屋」と、「特定被災共用土地納税義務者」とあるのは「特定仮換地等納税義務者」とする。(法附56⑨)

(被災住宅用地の所有者が被災住宅用地に代わるものと市町村長が認める土地を取得した場合)
(28) 被災住宅用地の所有者(当該被災住宅用地が共有物である場合には、その持分を有する者を含む。)その他の(29)で定める者が、平成23年3月11日から令和8年3月31日までの間に、当該被災住宅用地に代わるものと市町村長が認める土地の取得(共有持分の取得を含む。以下(28)において同じ。)を行った場合における当該取得が行われた土地で新たに固定資産税又は都市計画税が課されることとなった年度、翌年度又は翌々年度に係る賦課期日において家屋又は構築物の敷地の用に供されている土地以外の土地に対して課する当該各年度分の固定資産税又は都市計画税につい

ては、当該取得が行われた土地のうち被災住宅用地に相当する土地として(30)で定めるものを住宅用地とみなして、この法律の規定（第二節—の５の③各号の規定を除く。）を適用する。この場合において、第二節—の５の③中「住宅用地のうち、次の各号に掲げる区分に応じ、当該各号に定める住宅用地に該当するもの」とあるのは「(28)の規定により住宅用地とみなされた土地のうち(31)で定めるもの」とする。（法附56⑩）

(被災住宅用地の所有者その他政令で定める者)
(29)　(28)に規定する(29)で定める者は、次に掲げる者とする。（令附33⑪）
(一)　(28)に規定する被災住宅用地の所有者（当該土地が共有物である場合には、その持分を有する者を含む。）
(二)　(一)に掲げる者（(二)に規定する相続人を含む。）が個人である場合においてその者について相続があったときにおけるその者の相続人
(三)　個人である(一)に掲げる者（以下(三)において「従前土地所有者」という。）の三親等内の親族で、(28)に規定する取得が行われた土地（(30)において「代替土地」という。）の上に新築される家屋に当該従前土地所有者と同居する予定であると市町村長が認める者
(四)　(一)に掲げる者（(四)に規定する合併後存続する法人若しくは合併により設立された法人又は分割承継法人（法人税法第２条第12号の３に規定する分割承継法人をいう。以下同じ。）を含む。）が法人である場合において、当該法人が合併により消滅したときにおけるその合併に係る合併後存続する法人若しくは合併により設立された法人又は当該法人が分割により被災住宅用地に係る事業を承継させたときにおけるその分割に係る分割承継法人

(被災住宅用地に相当する土地として政令で定めるもの)
(30)　(28)に規定する(30)で定めるものは、次の各号に掲げる代替土地の区分に応じ、当該各号に定める土地とする。（令附33⑫）
(一)　共有物である土地以外の土地　従前土地所有者（(29)の(一)に掲げる者又は同(二)から(四)までに掲げる者に係る同(一)に掲げる者をいう。(二)において同じ。）が有していた被災住宅用地の面積（当該被災住宅用地が共有物である場合には、その持分の割合に応ずる被災住宅用地の面積とし、代替土地の面積を超える場合には、当該代替土地の面積とする。）に相当する土地
(二)　共有物である土地　(29)の各号に掲げる者が有している持分の割合に応ずる代替土地の面積（従前土地所有者が有していた被災住宅用地の面積（当該被災住宅用地が共有物である場合には、従前土地所有者が有していた持分の割合に応ずる被災住宅用地の面積）を超える場合には、当該面積）の合計に相当する土地

(住宅用地とみなされた土地のうち政令で定めるもの)
(31)　(28)の規定により読み替えて適用される第二節—の５の③に規定する住宅用地とみなされた土地のうち(31)で定めるものは、(28)の規定により第二節—の５の①に規定する住宅用地とみなされた土地（以下(31)において「住宅用地とみなされた土地」という。）の面積に当該住宅用地とみなされた土地に係る被災住宅用地のうち平成23年度分の固定資産税について第二節—の５の③の規定の適用を受けたものの面積の当該被災住宅用地の面積に対する割合を乗じて得た面積に相当する土地とする。（令附33⑬）

(家屋の所有者が滅失若しくは損壊した家屋に代わるものと市町村長が認める家屋を取得し又は改築した場合)
(32)　市町村は、東日本大震災により滅失し、又は損壊した家屋の所有者（当該家屋が共有物である場合には、その持分を有する者を含む。）その他の(33)で定める者が、平成23年３月11日から令和８年３月31日までの間に、当該滅失し、若しくは損壊した家屋に代わるものと市町村長が認める家屋を取得し、又は当該損壊した家屋を最初に改築した場合における当該取得され、又は改築された家屋に対して課する固定資産税又は都市計画税については、当該家屋が取得され、又は改築された日（当該家屋が平成23年３月11日以後において２回以上改築された場合には、その最初に改築された日。以下(32)において同じ。）の属する年の翌年の１月１日（当該家屋が取得され、又は改築された日が１月１日である場合には、同日）を賦課期日とする年度から４年度分の固定資産税又は都市計画税については、当該家屋に係る固定資産税額（第二節二の３《新築住宅等に対する固定資産税の減額》の②から⑬までの規定の適用を受ける家屋にあっては、これらの規定の適用後の額。以下(32)において同じ。）又は都市計画税額（同②から⑬までの規定の適用を受ける家屋にあっては、これらの規定の適用後の額。以下(32)において同じ。）のうち、(32)の規定の適用を受ける部分に係る税額として(34)で定めるところにより算定した額（当該家屋が区分所有に係る家屋である場合又は共有物である家屋である場合には、(32)の規定の適用を受ける部分に係る税額として各区分所有者又は各共有者ごとに(35)で定めるところにより算定した額の合算額。以下(32)において「適用部分の税額」という。）のそれぞれ２分の１

に相当する額を当該家屋に係る固定資産税額又は都市計画税額から減額し、その後２年度分の固定資産税又は都市計画税については、当該家屋に係る固定資産税額又は都市計画税額のうち、適用部分の税額のそれぞれ３分の１に相当する額を当該家屋に係る固定資産税額又は都市計画税額から減額するものとする。（法附56⑪）

　　　（滅失し、又は損壊した家屋の所有者その他の政令で定める者）
(33)　(32)に規定する(33)で定める者は、次に掲げる者とする。（令附33⑭）
　(一)　(32)に規定する滅失し、又は損壊した家屋（(四)、(34)及び(35)において「被災家屋」という。）の所有者（当該家屋が共有物である場合には、その持分を有する者を含む。）
　(二)　(一)に掲げる者（(二)に規定する相続人を含む。）が個人である場合においてその者について相続があったときにおけるその者の相続人
　(三)　(32)に規定する取得され、又は改築された家屋に個人である(一)に掲げる者と同居するその者の三親等内の親族
　(四)　(一)に掲げる者（(四)に規定する合併後存続する法人若しくは合併により設立された法人又は分割承継法人を含む。）が法人である場合において、当該法人が合併により消滅したときにおけるその合併に係る合併後存続する法人若しくは合併により設立された法人又は当該法人が分割により被災家屋に係る事業を承継させたときにおけるその分割に係る分割承継法人

　　　（(32)の規定の適用を受ける部分に係る税額として政令で定めるところにより算定した額）
(34)　(32)に規定する(34)で定めるところにより算定した額は、次の各号に掲げる家屋の区分に応じ、当該各号に定める額とする。（令附33⑮）
　(一)　区分所有に係る家屋（第一節一の(十二)に規定する区分所有に係る家屋をいう。以下２において同じ。）及び共有物である家屋以外の家屋　　当該家屋（以下(一)において「特例適用家屋」という。）に係る固定資産税額（特例適用家屋が第二節二の３の②から⑬までの規定の適用を受ける家屋であるときは、これらの規定の適用後の額）又は都市計画税額（特例適用家屋がこれらの規定の適用を受ける家屋であるときは、これらの規定の適用後の額）に、被災家屋の床面積（当該被災家屋が区分所有に係る家屋であるときは、(33)の(一)に掲げる者が所有していた当該被災家屋の専有部分の床面積とし、当該被災家屋が共有物であるときは、同(一)に掲げる者が有していた当該被災家屋に係る持分の割合を当該被災家屋の床面積に乗じて得た面積とする。(二)及び(三)において同じ。）を当該特例適用家屋の床面積で除して得た数値（当該数値が１を超える場合には、１）をそれぞれ乗じて得た額
　(二)　区分所有に係る家屋　　当該家屋（以下(二)において「特例適用家屋」という。）の専有部分に係る区分所有者（第一節三の１の④《区分所有に係る家屋の納税義務者》に規定する区分所有者をいう。以下(二)及び(47)において同じ。）が第一節三の１の④又は第四章９の規定によりその例によることとされる第一節三の１の④の規定により納付する義務を負うものとされる固定資産税額（特例適用家屋が第二節二の３の②から⑬までの規定の適用を受ける家屋であり、かつ、当該専有部分がこれらの規定の適用を受ける部分であるときは、これらの規定の適用後に当該区分所有者が納付する義務を負うものとされる額）又は都市計画税額（特例適用家屋が同⑬の規定の適用を受ける家屋であり、かつ、当該専有部分が同規定の適用を受ける部分であるときは、同規定の適用後に当該区分所有者が納付する義務を負うものとされる額）に、被災家屋の床面積を当該特例適用家屋の専有部分の床面積で除して得た数値（当該数値が１を超える場合には、１）をそれぞれ乗じて得た額
　(三)　共有物である家屋　　当該家屋（以下(三)において「特例適用家屋」という。）に係る固定資産税額（特例適用家屋が第二節二の３の②から⑬までの規定の適用を受ける家屋であるときは、これらの規定の適用後の額）又は都市計画税額（特例適用家屋が同規定の適用を受ける家屋であるときは、これらの規定の適用後の額）に、被災家屋の床面積（当該被災家屋の床面積が(33)の各号に掲げる者がそれぞれ有している特例適用家屋に係る持分の割合を当該特例適用家屋の床面積に乗じて得た面積を超える場合には、当該面積）を当該特例適用家屋の床面積で除して得た数値をそれぞれ乗じて得た額

　　　（床面積等の算定に関し政令で定める事項）
(35)　(34)に定めるもののほか、被災家屋で区分所有に係る家屋であるもの又は(34)の(二)に掲げる区分所有に係る家屋に共用部分があるときの(34)の床面積等の算定に関し必要な事項は、(36)で定める。（令附33⑯）

　　　（床面積の算定に関し必要な事項）
(36)　(34)の規定の適用について、(34)中被災家屋（(33)の(一)に規定する被災家屋をいう。(42)において同じ。）で区分

所有に係る家屋であるもの又は(34)の(二)に掲げる区分所有に係る家屋の専有部分の床面積の算定に関しては、これらの家屋に共用部分がある場合には、その部分の床面積をこれを共用していた又は共用すべき各区分所有者の専有部分の床面積の割合により配分して、それぞれの各区分所有者の専有部分の床面積に算入するものとする。(規附24⑩)

　　(償却資産の所有者が滅失若しくは損壊した償却資産に代わるものと市町村長等が認める償却資産を取得し又は改良した場合)
(37)　東日本大震災により滅失し、又は損壊した償却資産の所有者(当該償却資産が共有物である場合には、その持分を有する者を含む。)その他の(38)で定める者が、(39)で定める区域内に平成28年4月1日から令和8年3月31日までの間に、当該滅失し、若しくは損壊した償却資産に代わるものと市町村長(第五節二の①の規定の適用を受ける償却資産にあっては、当該償却資産の価格等を決定する総務大臣又は道府県知事)が認める償却資産の取得(共有持分の取得を含む。以下(37)において同じ。)又は当該損壊した償却資産の改良を行った場合における当該取得又は改良が行われた償却資産(改良が行われた償却資産にあっては、当該償却資産の当該改良が行われた部分とし、当該滅失し、若しくは損壊した償却資産又は当該取得若しくは改良が行われた償却資産が共有物である場合には、当該償却資産のうち滅失し、又は損壊した償却資産に代わるものとして(40)で定める部分とする。)に対して課する固定資産税の課税標準は、第二節一の2の規定にかかわらず、当該償却資産の取得又は改良が行われた日後最初に固定資産税を課することとなった年度から4年度分の固定資産税に限り、当該償却資産に係る固定資産税の課税標準となるべき価格の2分の1の額(第二節一の3のイ又はロ(㉒を除く。)から同4までの規定の適用を受ける償却資産にあっては、これらの規定により課税標準とされる額の2分の1の額)とする。(法附56⑫)

　　(償却資産の所有者で政令で定める者)
(38)　(37)に規定する(38)で定める者は、次に掲げる者とする。(令附33⑰)
(一)　(37)に規定する滅失し、又は損壊した償却資産((二)、(四)及び(40)において「被災償却資産」という。)の所有者(当該償却資産が共有物である場合には、その持分を有する者を含む。)
(二)　被災償却資産が第一節三の1の②の規定により共有物とみなされたものである場合における当該被災償却資産の買主
(三)　(一)及び(二)に掲げる者((三)に規定する相続人を含む。)が個人である場合においてその者について相続があったときにおけるその者の相続人
(四)　(一)又は(二)に掲げる者((四)に規定する合併後存続する法人若しくは合併により設立された法人又は分割承継法人を含む。)が法人である場合において、当該法人が合併により消滅したときにおけるその合併に係る合併後存続する法人若しくは合併により設立された法人又は当該法人が分割により被災償却資産に係る事業を承継させたときにおけるその分割に係る分割承継法人

　　(政令で定める区域)
(39)　(37)に規定する(39)で定める区域は、東日本大震災に際し災害救助法が適用された市町村の区域(東京都の区域を除く。)とする。(令附33⑱)

　　(滅失し又は損壊した償却資産に代わるものとして政令で定めるもの)
(40)　(37)に規定する(40)で定める部分は、次の各号に掲げる場合の区分に応じ、当該各号に定める部分とする。(令附33⑲)
(一)　被災償却資産が共有物である場合((三)に掲げる場合を除く。)　　(38)の(一)に掲げる者が有していた被災償却資産に係る持分の割合により(37)に規定する取得又は改良が行われた償却資産(以下(40)において「代替償却資産」という。)の共有持分を有しているとした場合における代替償却資産に係る持分の割合に応ずる部分
(二)　代替償却資産が共有物である場合((三)に掲げる場合を除く。)　　(38)の各号に掲げる者((三)において「特例対象者」という。)が有している代替償却資産に係る持分の割合の合計に応ずる部分
(三)　被災償却資産及び代替償却資産がいずれも共有物である場合　　各特例対象者が有している代替償却資産に係る持分の割合(当該持分の割合が(38)の(一)に掲げる者が有していた被災償却資産に係る持分の割合を超える場合には、被災償却資産に係る持分の割合)の合計に応ずる部分

　　(対象区域内住宅用地の所有者が対象区域内住宅用地に代わるものと市町村長が認める土地を取得した場合)
(41)　居住困難区域を指定する旨の公示があった日において当該居住困難区域内に所在していた家屋の敷地の用に供さ

れていた土地で平成23年度分の固定資産税について第二節一の5の①の規定の適用を受けたもの（以下(41)において「対象区域内住宅用地」という。）の同日における所有者（当該対象区域内住宅用地が共有物である場合には、その持分を有する者を含む。）その他の(42)で定める者が、同日から当該居住困難区域の指定を解除する旨の公示があった日から起算して３月を経過する日までの間に、当該対象区域内住宅用地に代わるものと市町村長が認める土地の取得（共有持分の取得を含む。以下(41)において同じ。）を行った場合における当該取得が行われた土地で新たに固定資産税又は都市計画税が課されることとなった年度、翌年度又は翌々年度に係る賦課期日において家屋又は構築物の敷地の用に供されている土地以外の土地に対して課す当該各年度分の固定資産税又は都市計画税については、当該取得が行われた土地のうち対象区域内住宅用地に相当する土地として(43)で定めるものを住宅用地とみなして、この法律の規定（第二節一の5の②各号及び第四節五の2の規定を除く。）を適用する。この場合において、第二節一の5の②中「住宅用地のうち、次の各号に掲げる区分に応じ、当該各号に定める住宅用地に該当するもの」とあるのは、「(41)の規定により住宅用地とみなされた土地のうち(44)で定めるもの」とする。（法附56⑬）

　　　（対象区域内住宅用地の所有者その他政令で定める者）
(42)　(41)に規定する(42)で定める者は、次に掲げる者とする。（令附33⑳）
　（一）　対象区域内住宅用地（(41)に規定する対象区域内住宅用地をいう。以下(42)から(44)までにおいて同じ。）の(41)に規定する居住困難区域を指定する旨の公示があった日における所有者（当該対象区域内住宅用地が共有物である場合には、その持分を有する者を含む。）
　（二）　（一）に掲げる者（（二）に規定する相続人を含む。）が個人である場合においてその者について相続があったときにおけるその者の相続人
　（三）　個人である（一）に掲げる者（以下（三）において「従前土地所有者」という。）の三親等内の親族で、(41)に規定する取得が行われた土地（(43)において「代替土地」という。）の上に新築される家屋に当該従前土地所有者と同居する予定であると市町村長が認める者
　（四）　（一）に掲げる者（（四）に規定する合併後存続する法人若しくは合併により設立された法人又は分割承継法人を含む。）が法人である場合において、当該法人が合併により消滅したときにおけるその合併に係る合併後存続する法人若しくは合併により設立された法人又は当該法人が分割により対象区域内住宅用地に係る事業を承継させたときにおけるその分割に係る分割承継法人

　　　（対象区域内住宅用地に相当する土地として政令で定める土地）
(43)　(41)に規定する(43)で定めるものは、次の各号に掲げる代替土地の区分に応じ、当該各号に定める土地とする。（令附33㉑）
　（一）　共有物である土地以外の土地　　従前土地所有者（(42)の（一）に掲げる者又は(42)の（二）から（四）までに掲げる者に係る(42)の（一）に掲げる者をいう。（二）において同じ。）が有していた対象区域内住宅用地の面積（当該対象区域内住宅用地が共有物である場合には、その持分の割合に応ずる対象区域内住宅用地の面積とし、代替土地の面積を超える場合には、当該代替土地の面積とする。）に相当する土地
　（二）　共有物である土地　　(42)の各号に掲げる者が有している持分の割合に応ずる代替土地の面積（従前土地所有者が有していた対象区域内住宅用地の面積（当該対象区域内住宅用地が共有物である場合には、従前土地所有者が有していた持分の割合に応ずる対象区域内住宅用地の面積）を超える場合には、当該面積）の合計に相当する土地

　　　（住宅用地とみなされた土地のうち政令で定める土地）
(44)　(41)の規定により読み替えて適用される第二節一の5の②に規定する住宅用地とみなされた土地のうち(44)で定めるものは、(41)の規定により第二節一の5の①に規定する住宅用地とみなされた土地（以下(44)において「住宅用地とみなされた土地」という。）の面積に当該住宅用地とみなされた土地に係る対象区域内住宅用地のうち平成23年度分の固定資産税について(3)の規定の適用を受けたものの面積の当該対象区域内住宅用地の面積に対する割合を乗じて得た面積に相当する土地とする。（令附33㉒）

　　　（対象区域内家屋の所有者が対象区域内家屋に代わるものと市町村長が認める家屋を取得した場合）
(45)　市町村は、居住困難区域を指定する旨の公示があった日において当該居住困難区域内に所在していた家屋（以下(45)において「対象区域内家屋」という。）の同日における所有者（当該対象区域内家屋が共有物である場合には、その持分を有する者を含む。）その他の(46)で定める者が、当該対象区域内家屋に代わるものと市町村長が認める家屋を同日から当該居住困難区域の指定を解除する旨の公示があった日から起算して３月（当該対象区域内家屋に代わるも

のと市町村長が認める家屋が同日後に新築されたものであるときは、1年)を経過する日までの間に取得した場合における当該取得された家屋に対して課する固定資産税又は都市計画税については、当該家屋が取得された日の属する年の翌年の1月1日(当該家屋が取得された日が1月1日である場合には、同日)を賦課期日とする年度から4年度分の固定資産税又は都市計画税については、当該家屋に係る固定資産税額(第二節二の3の②から⑬までの規定の適用を受ける家屋にあっては、これらの規定の適用後の額。以下(45)において同じ。)又は都市計画税額(同規定の適用を受ける家屋にあっては、同規定の適用後の額。以下(45)において同じ。)のうち、(45)の規定の適用を受ける部分に係る税額として(47)で定めるところにより算定した額(当該家屋が区分所有に係る家屋である場合又は共有物である家屋である場合には、(45)の規定の適用を受ける部分に係る税額として各区分所有者又は各共有者ごとに(48)で定めるところにより算定した額の合算額。以下(45)において「適用部分の税額」という。)のそれぞれ2分の1に相当する額を当該家屋に係る固定資産税額又は都市計画税額から減額し、その後2年度分の固定資産税又は都市計画税については、当該家屋に係る固定資産税額又は都市計画税額のうち、適用部分の税額のそれぞれ3分の1に相当する額を当該家屋に係る固定資産税額又は都市計画税額から減額するものとする。(法附56⑭)

　　　(対象区域内家屋の所有者その他政令で定める者)
(46)　(45)に規定する(46)で定める者は、次に掲げる者とする。(令附33㉓)
　(一)　対象区域内家屋((45)に規定する対象区域内家屋をいう。以下(46)から(48)までにおいて同じ。)の(45)に規定する居住困難区域を指定する旨の公示があった日における所有者(当該対象区域内家屋が共有物である場合には、その持分を有する者を含む。)
　(二)　(一)に掲げる者((二)に規定する相続人を含む。)が個人である場合においてその者について相続があったときにおけるその者の相続人
　(三)　(45)に規定する取得された家屋に個人である(一)に掲げる者と同居するその者の三親等内の親族
　(四)　(一)に掲げる者((四)に規定する合併後存続する法人若しくは合併により設立された法人又は分割承継法人を含む。)が法人である場合において、当該法人が合併により消滅したときにおけるその合併に係る合併後存続する法人若しくは合併により設立された法人又は当該法人が分割により対象区域内家屋に係る事業を承継させたときにおけるその分割に係る分割承継法人

　　　(規定の適用を受ける部分に係る税額として政令で定めるところにより算定した額)
(47)　(45)に規定する(47)で定めるところにより算定した額は、次の各号に掲げる家屋の区分に応じ、当該各号に定める額とする。(令附33㉔)
　(一)　区分所有に係る家屋及び共有物である家屋以外の家屋　当該家屋(以下(一)において「特例適用家屋」という。)に係る固定資産税額(特例適用家屋が第二節二の3の②から⑬までの規定の適用を受ける家屋であるときは、これらの規定の適用後の額)又は都市計画税額(特例適用家屋が同規定の適用を受ける家屋であるときは、同規定の適用後の額)に、対象区域内家屋の床面積(当該対象区域内家屋が区分所有に係る家屋であるときは、(46)の(一)に掲げる者が所有していた当該対象区域内家屋の専有部分の床面積とし、当該対象区域内家屋が共有物であるときは、同(一)に掲げる者が有していた当該対象区域内家屋に係る持分の割合を当該対象区域内家屋の床面積に乗じて得た面積とする。(二)及び(三)において同じ。)を当該特例適用家屋の床面積で除して得た数値(当該数値が1を超える場合には、1)をそれぞれ乗じて得た額
　(二)　区分所有に係る家屋　当該家屋(以下(二)において「特例適用家屋」という。)の専有部分に係る区分所有者が第一節三の1の④《区分所有に係る家屋の納税義務者》又は第四章9《賦課徴収等》の規定によりその例によることとされる第一節三の1の④の規定により納付する義務を負うものとされる固定資産税額(特例適用家屋が第二節二の3の②から⑬までの規定の適用を受ける家屋であり、かつ、当該専有部分がこれらの規定の適用を受ける部分であるときは、これらの規定の適用後に当該区分所有者が納付する義務を負うものとされる額)又は都市計画税額(特例適用家屋が同⑬の規定の適用を受ける家屋であり、かつ、当該専有部分が同規定の適用を受ける部分であるときは、同規定の適用後に当該区分所有者が納付する義務を負うものとされる額)に、対象区域内家屋の床面積を当該特例適用家屋の専有部分の床面積で除して得た数値(当該数値が1を超える場合は、1)をそれぞれ乗じて得た額
　(三)　共有物である家屋　当該家屋(以下(三)において「特例適用家屋」という。)に係る固定資産税額(特例適用家屋が第二節二の3の②から⑬までの規定の適用を受ける家屋であるときは、これらの規定の適用後の額)又は都市計画税額(特例適用家屋が同規定の適用を受ける家屋であるときは、同規定の適用後の額)に、対象区域内家屋の床面積(当該対象区域内家屋の床面積が(46)の各号に掲げる者がそれぞれ有している特例適用家屋に係る持分の

割合を当該特例適用家屋の床面積に乗じて得た面積を超える場合には、当該面積）を当該特例適用家屋の床面積で除して得た数値をそれぞれ乗じて得た額

　　　（対象区域内家屋で区分所有に係る家屋）
(48)　(47)に定めるもののほか、対象区域内家屋で区分所有に係る家屋であるもの又は(47)の(二)に掲げる家屋に共用部分があるときの(47)の床面積等の算定に関し必要な事項は、(49)で定める。（令附33㉕）

　　　（区分所有に係る家屋又は区分所有に係る家屋の専有部分の床面積の算定）
(49)　(48)の規定の適用について、(48)中対象区域内家屋（(46)の(一)に規定する対象区域内家屋をいう。(56)の(四)において同じ。）で区分所有に係る家屋であるもの又は(47)の(二)に掲げる区分所有に係る家屋の専有部分の床面積の算定に関しては、これらの家屋に共用部分がある場合には、その部分の床面積をこれを共用していた又は共用すべき各区分所有者の専有部分の床面積の割合により配分して、それぞれの各区分所有者の専有部分の床面積に算入するものとする。（規附24⑪）

　　　（対象区域内償却資産の所有者が対象区域内償却資産に代わるものと市町村長が認める償却資産を取得した場合）
(50)　居住困難区域を指定する旨の公示があった日において当該居住困難区域内に所在していた償却資産（以下(50)において「対象区域内償却資産」という。）の同日における所有者（当該対象区域内償却資産が共有物である場合には、その持分を有する者を含む。）その他の(51)で定める者が、(52)で定める区域内に平成28年４月１日から当該居住困難区域の指定を解除する旨の公示があった日から起算して３月を経過する日までの間に、当該対象区域内償却資産に代わるものと市町村長（第五節二の①の規定の適用を受ける償却資産にあっては、当該償却資産の価格等を決定する総務大臣又は道府県知事）が認める償却資産の取得（共有持分の取得を含む。以下(50)において同じ。）を行った場合における当該取得が行われた償却資産（当該対象区域内償却資産又は当該取得が行われた償却資産が共有物である場合にあっては、当該償却資産のうち対象区域内償却資産に代わるものとして(53)で定める部分とする。）に対して課する固定資産税の課税標準は、第二節一の２の規定にかかわらず、当該償却資産が取得された日後最初に固定資産税を課することとなった年度から４年度分の固定資産税に限り、当該償却資産に係る固定資産税の課税標準となるべき価格の２分の１の額（第二節一の３のイ又はロ（㉒を除く。）から同４までの規定の適用を受ける償却資産にあっては、これらの規定により課税標準とされる額の２分の１の額）とする。（法附56⑮）

　　　（対象区域内償却資産の所有者その他政令で定める者）
(51)　(50)に規定する(51)で定める者は、次に掲げる者とする。（令附33㉖）
　(一)　対象区域内償却資産（(50)に規定する対象区域内償却資産をいう。以下(51)及び(53)において同じ。）の(50)に規定する居住困難区域を指定する旨の公示があった日における所有者（当該対象区域内償却資産が共有物である場合には、その持分を有する者を含む。）
　(二)　対象区域内償却資産が共有物とみなされたものである場合における当該対象区域内償却資産の買主
　(三)　(一)及び(二)に掲げる者（(三)に規定する相続人を含む。）が個人である場合においてその者について相続があったときにおけるその者の相続人
　(四)　(一)又は(二)に掲げる者（(四)に規定する合併後存続する法人若しくは合併により設立された法人又は分割承継法人を含む。）が法人である場合において、当該法人が合併により消滅したときにおけるその合併に係る合併後存続する法人若しくは合併により設立された法人又は当該法人が分割により対象区域内償却資産に係る事業を承継させたときにおけるその分割に係る分割承継法人

　　　（政令で定める対象区域）
(52)　(50)に規定する(52)で定める区域は、東日本大震災に際し災害救助法が適用された市町村の区域（東京都の区域を除く。）とする。（令附33㉗）

　　　（対象区域内償却資産に代わるものとして政令で定める部分）
(53)　(50)に規定する(53)で定める部分は、次の各号に掲げる場合の区分に応じ、当該各号に定める部分とする。（令附33㉘）
　(一)　対象区域内償却資産が共有物である場合（(三)に掲げる場合を除く。）　(51)の(一)に掲げる者が有していた対象区域内償却資産に係る持分の割合により(50)に規定する取得が行われた償却資産（以下(53)において「代替償

却資産」という。）の共有持分を有しているとした場合の代替償却資産に係る持分の割合に応ずる部分
- （二） 代替償却資産が共有物である場合（（三）に掲げる場合を除く。）　(51)の各号に掲げる者（（三）において「特例対象者」という。）が有している代替償却資産に係る持分の割合の合計に応ずる部分
- （三） 対象区域内償却資産及び代替償却資産がいずれも共有物である場合　各特例対象者が有している代替償却資産に係る持分の割合（当該持分の割合が(51)の（一）に掲げる者が有していた対象区域内償却資産に係る持分の割合を超える場合には、対象区域内償却資産に係る持分の割合）の合計に応ずる部分

　　　（(37)又は(50)の規定の適用がある場合の読替え規定）
(54)　(37)又は(50)の規定の適用がある場合には、法附則第15条の5中「法附則第15条から第15条の3の2まで」とあるのは、「法附則第15条から第15条の3の2まで又は(37)若しくは(50)」とする。（法附56⑯）

　　　（(29)、(33)、(38)、(42)、(46)又は(51)に規定する者が(28)、(32)、(37)、(41)、(45)又は(50)の規定の適用を受けようとする場合）
(55)　(29)、(33)、(38)、(42)、(46)又は(51)に規定する者が(28)、(32)、(37)、(41)、(45)又は(50)の規定の適用を受けようとする場合には、(56)で定める書類をこれらの項に規定する市町村長（第五節二の①の規定の適用を受ける償却資産にあっては、当該償却資産の価格等（同①に規定する価格等をいう。）を決定する総務大臣又は道府県知事）に提出しなければならない。（令附33㉙）

　　　（(55)に規定する総務省令で定める書類）
(56)　(55)に規定する(56)で定める書類は、次の各号に掲げる場合に応じ、当該各号に掲げる書類とする。（規附24⑫）
- （一）　(28)の規定の適用を受けようとする場合　次に掲げる書類
  - イ　被災住宅用地の所有者の氏名又は名称及び住所又は本店若しくは主たる事務所の所在地、当該被災住宅用地に代わるものとして(25)の規定の適用を受けようとする土地（以下（一）において「代替土地」という。）の所有者の氏名又は名称、住所又は本店若しくは主たる事務所の所在地及び個人番号又は法人番号（行政手続における特定の個人を識別するための番号の利用等に関する法律第2条第15項に規定する法人番号をいう。以下同じ。）（個人番号又は法人番号を有しない者にあっては、氏名又は名称及び住所又は本店若しくは主たる事務所の所在地）並びに当該被災住宅用地及び当該代替土地の所在地を記載した書類並びに当該被災住宅用地に存する第二節一の5の①に規定する家屋（以下（一）において「被災住宅」という。）が東日本大震災により被害を受けたことについて当該被災住宅用地の所在地の市町村長が証する書類その他の当該被災住宅が東日本大震災により滅失し、又は損壊した旨を証する書類
  - ロ　被災住宅用地が平成23年度分の固定資産税について第二節一の5の規定の適用を受けたことを証する書類及び代替土地を同5の①に規定する住宅用地として使用する予定であることを約する書類
  - ハ　被災住宅用地の面積（当該被災住宅用地が共有物であるときは、(29)の（一）に掲げる者が有していた当該被災住宅用地に係る持分の割合に応ずる被災住宅用地の面積）及び代替土地の面積（当該代替土地が共有物であるときは、(29)の各号に掲げる者が有している持分の割合に応ずる代替土地の面積）を証する書類
  - ニ　(29)の（二）から（四）までに掲げる者（以下（一）において「相続人等」という。）が、(28)の規定の適用を受けようとする場合にあっては、（一）のイからハまでに掲げるもののほか、戸籍の謄本又は法人に係る登記事項証明書その他のその適用を受けようとする者が相続人等に該当する旨を証する書類
  - ホ　(29)の（三）に掲げる者が、(28)の規定の適用を受けようとする場合にあっては、（一）のイからニまでに掲げるもののほか、(29)の（一）に掲げる者と同居する予定であることを約する書類
- （二）　(32)又は(37)の規定の適用を受けようとする場合　次に掲げる書類
  - イ　被災家屋又は(38)の（一）に規定する被災償却資産（以下（二）において「被災償却資産」という。）を所有していた者の氏名又は名称及び住所又は本店若しくは主たる事務所の所在地並びに当該被災家屋又は被災償却資産の所在地を記載した書類並びに当該被災家屋又は被災償却資産が東日本大震災により被害を受けたことについて当該被災家屋又は被災償却資産の所在地の市町村長が証する書類その他の当該被災家屋又は被災償却資産が東日本大震災により滅失し、又は損壊した旨を証する書類
  - ロ　被災家屋又は被災償却資産が平成23年度分の固定資産税に係る固定資産課税台帳に登録されていた旨を証する書類その他の被災家屋又は被災償却資産が存したことを証する書類及び被災家屋又は被災償却資産に代わるものとして(32)又は(37)の規定の適用を受けようとする家屋又は償却資産の詳細を明らかにする書類
  - ハ　(33)の（二）から（四）までに掲げる者又は(38)の（二）から（四）までに掲げる者（以下（二）において「相続人等」

という。）が、(32)又は(37)の規定の適用を受けようとする場合にあっては、(二)のイ及びロに掲げるもののほか、(33)の(二)から(四)まで又は(38)の(三)若しくは(四)に掲げる者にあっては戸籍の謄本又は法人に係る登記事項証明書、(38)の(二)に掲げる者にあっては被災償却資産に係る売買契約書その他のその適用を受けようとする者が相続人等に該当する旨を証する書類

(三) (41)の規定の適用を受けようとする場合　次に掲げる書類

イ　対象区域内住宅用地（(41)に規定する対象区域内住宅用地をいう。以下(三)において同じ。）及び当該対象区域内住宅用地に代わるものとして(41)の規定の適用を受けようとする土地（以下(三)において「代替土地」という。）の所有者の氏名又は名称及び住所又は本店若しくは主たる事務所の所在地並びに当該対象区域内住宅用地及び当該代替土地の所在地を記載した書類並びに当該対象区域内住宅用地を(41)に規定する居住困難区域を指定する旨の公示があった日において(41)に規定する当該居住困難区域内に所有していた旨を証する書類

ロ　対象区域内住宅用地が平成23年度分の固定資産税について第二節一の5の規定の適用を受けたことを証する書類及び代替土地を同5の①に規定する住宅用地として使用する予定であることを約する書類

ハ　対象区域内住宅用地の面積（当該対象区域内住宅用地が共有物であるときは、(42)の(一)に掲げる者が有していた当該対象区域内住宅用地に係る持分の割合に応ずる対象区域内住宅用地の面積）及び代替土地の面積（当該代替土地が共有物であるときは、(42)の各号に掲げる者が有している持分の割合に応ずる代替土地の面積）を証する書類

ニ　(42)の(二)から(四)までに掲げる者（以下(三)において「相続人等」という。）が、(41)の規定の適用を受けようとする場合にあっては、(三)のイからハまでに掲げるもののほか、戸籍の謄本又は法人に係る登記事項証明書その他のその適用を受けようとする者が相続人等に該当する旨を証する書類

ホ　(42)の(三)に掲げる者が、(41)の適用を受けようとする場合にあっては、(三)のイからニまでに掲げるもののほか、(42)の(一)に掲げる者と同居する予定であることを約する書類

(四) (45)又は(50)の規定の適用を受けようとする場合　次に掲げる書類

イ　対象区域内家屋又は(50)に規定する対象区域内償却資産（以下(四)において「対象区域内償却資産」という。）の所有者の氏名又は名称及び住所又は本店若しくは主たる事務所の所在地並びに当該対象区域内家屋及び当該対象区域内償却資産の所在地を記載した書類並びに当該対象区域内家屋を(45)に規定する居住困難区域を指定する旨の公示があった日において(45)に規定する当該居住困難区域内に所有していた旨を証する書類又は当該対象区域内償却資産を(50)に規定する居住困難区域を指定する旨の公示があった日において(45)に規定する当該居住困難区域内に所有していた旨を約する書類

ロ　対象区域内家屋又は対象区域内償却資産が平成23年度分の固定資産税に係る固定資産課税台帳に登録されていた旨を証する書類その他の対象区域内家屋又は対象区域内償却資産が存したことを証する書類及び対象区域内家屋又は対象区域内償却資産に代わるものとして(45)又は(50)の規定の適用を受けようとする家屋又は償却資産の詳細を明らかにする書類

ハ　(46)の(二)から(四)までに掲げる者又は(51)の(二)から(四)までに掲げる者（以下(四)において「相続人等」という。）が、(45)又は(50)の規定の適用を受けようとする場合にあっては、(四)のイ及びロに掲げるもののほか、(46)の(二)から(四)まで又は(51)の(三)若しくは(四)に掲げる者にあっては戸籍の謄本又は法人に係る登記事項証明書、(51)の(二)に掲げる者にあっては対象区域内償却資産に係る売買契約書その他のその適用を受けようとする者が相続人等に該当する旨を証する書類

3　新型コロナウイルス感染症等に係る中小事業者等の家屋及び償却資産に対する固定資産税及び都市計画税の課税標準の特例

租税特別措置法第10条第8項第6号に規定する中小事業者又は同法第42条の4第19項第7号に規定する中小企業者（以下3において「中小事業者等」という。）（風俗営業等の規制及び業務の適正化等に関する法律第2条第5項に規定する性風俗関連特殊営業を営む者を除く。（1）において同じ。）が所有し、かつ、その事業の用に供する家屋（その減価償却額又は減価償却費が法人税法又は所得税法の規定による所得の計算上損金又は必要な経費に算入されるもの（これに類する家屋で法人税又は所得税を課されない者が所有するものを含む。）に限る。）及び償却資産（以下3において「特例対象資産」という。）に対して課する固定資産税又は都市計画税の課税標準は、第二節一の1、同2又は第四章の1の規定にかかわらず、令和3年度分の固定資産税又は都市計画税に限り、当該特例対象資産に係る固定資産税又は都市計画税の課税標準となるべき価格に、次の各号に掲げる場合に応じ、当該各号に定める割合を乗じて得た額とする。（法附63①）

(一)　新型コロナウイルス感染症及びそのまん延防止のための措置の影響により当該中小事業者等の事業収入割合（令和2年2月から10月までの間における連続する3月の期間の当該中小事業者等の収入の合計額（当該中小事業者等が行う

全ての事業に係る収入の合計額をいう。以下（一）において同じ。）を当該期間の初日の1年前の日から起算して3月を経過する日までの期間の当該中小事業者等の収入の合計額で除して得た割合をいう。（二）において同じ。）が100分の50以下となる場合　　　零
（二）　新型コロナウイルス感染症及びそのまん延防止のための措置の影響により当該中小事業者等の事業収入割合が100分の70以下となる場合（（一）に掲げる場合を除く。）　　　2分の1

（新型コロナウイルス感染症等に係る中小事業者等の家屋等に対する課税標準の特例の適用規定）
（1）　3の規定は、中小事業者等から、令和3年1月31日までに、（2）で定める書類を添付して、市町村長（特例対象資産が第五節二の①及び同③及び同④の規定の適用を受ける場合には、当該特例対象資産の価格等を決定する総務大臣又は道府県知事。（3）において同じ。）に当該特例対象資産につき3の規定の適用があるべき旨の申告がされた場合に限り、適用するものとする。（法附63②）

（総務省令で定める書類）
（2）　（1）に規定する（2）で定める書類は、次に掲げる書類とする。（規附29）
　（一）　3の各号に掲げる場合のいずれかに該当する旨を証する書類
　（二）　3に規定する特例対象資産の一覧表

（宥恕規定）
（3）　市町村長は、（1）に規定する期間の経過後に（1）の申告がされた場合において、当該期間内に申告がされなかったことについてやむを得ない理由があると認めるときは、当該申告に係る特例対象資産につき3の規定を適用することができる。（法附63③）

（虚偽申告の罰則）
（4）　（1）の規定により申告すべき事項について虚偽の申告をしたときは、その違反行為をした者は、1年以下の懲役又は50万円以下の罰金に処する。（法附63④）

（違反行為の罰則の範囲）
（5）　法人の代表者又は法人若しくは人の代理人、使用人その他の従業者がその法人又は人の業務又は財産に関して（4）の違反行為をした場合には、その行為者を罰するほか、その法人又は人に対し、（4）の罰金刑を科する。（法附63⑤）

4　固定資産税の課税標準に係る課税明細書の記載事項の特例

　3の規定の適用がある場合には、第三節二の3の②の注中「第二節一の3のロ及び同4」とあるのは、「第二節一の3のロ及び同4又は3」とする。（法附64の2）

5　固定資産課税台帳の登録事項の特例

　3の規定の適用がある場合には、第四節二の1の④中「〘第二節一の3〜5〙」とあるのは、「〘第二節一の3〜5〙又は3」とする。（法附64の3）

第四章　都市計画税

1　課税客体等

　市町村は、都市計画法に基づいて行う都市計画事業又は土地区画整理法に基づいて行う土地区画整理事業に要する費用に充てるため、当該市町村の区域で都市計画法第5条の規定により都市計画区域として指定されたもの（以下1において「都市計画区域」という。）のうち同法第7条第1項に規定する市街化区域（当該都市計画区域について同項に規定する区域区分に関する都市計画が定められていない場合には、当該都市計画区域の全部又は一部の区域で条例で定める区域）内に所在する土地及び家屋に対し、その価格を課税標準として、当該土地又は家屋の所有者に都市計画税を課することができる。当該都市計画区域のうち同項に規定する市街化調整区域内に所在する土地及び家屋の所有者に対して都市計画税を課さないことが当該市街化区域内に所在する土地及び家屋の所有者に対して都市計画税を課することとの均衡を著しく失すると認められる特別の事情がある場合には、当該市街化調整区域のうち条例で定める区域内に所在する土地及び家屋についても、同様とする。（法702①）

2　課税標準及び納税義務者

　1の「価格」とは、当該土地又は家屋に係る固定資産税の課税標準となるべき価格（第三章第二節一の3《用途による固定資産税の課税標準の特例》のイの⑩から⑫まで、㉒から㉔まで、㉖、㉘から㉛まで、㉝又は㉞の規定の適用を受ける土地又は家屋にあっては、その価格にそれぞれ当該各項に定める率を乗じて得た額）をいい、1の「所有者」とは、当該土地又は家屋に係る固定資産税について第三章第一節三《固定資産税の納税義務者》（償却資産に限って適用される規定を除く。）において所有者とされ、又は所有者とみなされる者をいう。（法702②）

　（注1）　都市計画税に係る課税標準の特例については、固定資産税と併せて規定されているので、第三章第二節及び第十節を参照。（編者）
　（注2）　土地に対する都市計画税の負担調整措置については、第三章第六節に、都等における都市計画税の特例については、第三章第八節2以下に、固定資産税と併記して収録。（編者）

3　非課税の範囲

①　国等に対する非課税

　市町村は、国、非課税独立行政法人、国立大学法人等及び日本年金機構並びに都道府県、市町村、特別区、これらの組合、財産区、地方開発事業団、合併特例区及び地方独立行政法人に対しては、都市計画税を課することができない。（法702の2①）

　（注）　地方独立行政法人については、第三章第一節四の8を参照。

②　用途による非課税

　①に規定するもののほか、市町村は、第三章第一節四の2から5まで、7若しくは9《固定資産税の非課税》又は同章第二節三《固定資産税の免税点》の規定により固定資産税を課することができない土地又は家屋に対しては、都市計画税を課することができない。（法702の2②）

4　住宅用地等に対する課税標準の特例

①　住宅用地等に対する課税標準の特例

　第三章《固定資産税》第二節一の5の①《住宅用地に対する課税標準の特例》又は同6の①《被災住宅用地の課税標準の特例》（同②において準用する場合及び同③（同④において準用する場合を含む。）の規定により読み替えて適用される場合を含む。②において同じ。）の規定の適用を受ける土地に対して課する都市計画税の課税標準は、1の規定にかかわらず、当該土地に係る都市計画税の課税標準となるべき価格の3分の2の額とする。（法702の3①）

② 小規模住宅用地等に対する課税標準の特例

第三章第二節一の5の③《小規模住宅用地に対する課税標準の特例》の規定又は同6の①の規定により読み替えて適用される同5の③の規定の適用を受ける土地に対して課する都市計画税の課税標準は、1及び①の規定にかかわらず、当該土地に係る都市計画税の課税標準となるべき価格の3分の1の額とする。(法702の3②)

5 税率

都市計画税の税率は、100分の0.3を超えることができない。(法702の4)

6 震災等により滅失等した家屋に代わる家屋等に対する都市計画税の減額

市町村は、震災、風水害、火災その他の災害(以下6において「震災等」という。)により滅失し、又は損壊した家屋の所有者(当該家屋が共有物である場合には、その持分を有する者を含む。)その他(1)で定める者が、(2)で定める区域内に当該震災等の発生した日から同日の属する年の翌年の3月31日から起算して4年を経過する日までの間に、当該滅失し、若しくは損壊した家屋に代わるものと市町村長が認める家屋を取得し、又は当該損壊した家屋を改築した場合における当該取得され、又は改築された家屋に対して課する都市計画税については、当該家屋が取得され、又は改築された日(当該家屋が当該震災等の発生した日以後において2回以上改築された場合には、その最初に改築された日。以下6において同じ。)の属する年の翌年の1月1日(当該家屋が取得され、又は改築された日が1月1日である場合には、同日)を賦課期日とする年度から4年度分の都市計画税に限り、政令で定めるところにより、当該家屋に係る都市計画税額のうち、6の規定の適用を受ける部分に係る税額として(3)で定めるところにより算定した額(当該家屋が区分所有に係る家屋である場合又は共有物である家屋である場合には、6の規定の適用を受ける部分に係る税額として各区分所有者(建物の区分所有等に関する法律第2条第2項に規定する区分所有者をいう。)又は各共有者ごとに政令で定めるところにより算定した額の合算額)の2分の1に相当する額を当該家屋に係る都市計画税額から減額するものとする。(法702の4の2)

　　　　　(政令で定める者)
(1)　6に規定する(1)で定める者は、次に掲げる者とする。(令56の84の2①)
　(一)　6に規定する滅失し、又は損壊した家屋(以下「被災家屋」という。)の所有者(当該被災家屋が共有物である場合には、その持分を有する者を含む。)
　(二)　(一)に掲げる者((二)に規定する相続人を含む。)が個人である場合においてその者について相続があったときにおけるその者の相続人
　(三)　6に規定する取得され、又は改築された家屋((3)において「特例適用家屋」という。)に個人である(一)に掲げる者と同居するその者の三親等内の親族
　(四)　(一)に掲げる者((四)に規定する合併後存続する法人若しくは合併により設立された法人又は分割承継法人(法人税法第2条第12号の3に規定する分割承継法人をいう。以下同じ。)を含む。)が法人である場合において、当該法人が合併により消滅したときにおけるその合併に係る合併後存続する法人若しくは合併により設立された法人又は当該法人が分割により被災家屋に係る事業を承継させたときにおけるその分割に係る分割承継法人

　　　　　(政令で定める区域)
(2)　6に規定する(2)で定める区域は、6に規定する震災等に際し被災者生活再建支援法が適用された市町村(特別区を含み、地方自治法第252条の19第1項の市にあっては、当該市又は当該市の区若しくは総合区とする。)の区域とする。(令56の84の2②)

　　　　　(政令で定めるところにより算定した金額)
(3)　6に規定する(3)で定めるところにより算定した額は、次の各号に掲げる特例適用家屋の区分に応じ、当該各号に定める額とする。(令56の84の2③)
　(一)　区分所有に係る特例適用家屋(第三章第一節一の表中(十二)に規定する区分所有に係る家屋(以下 (一)及び(5)において「区分所有に係る家屋」という。)である特例適用家屋をいう。以下(3)及び(5)において同じ。)及び共有物である特例適用家屋以外の特例適用家屋　当該特例適用家屋に係る都市計画税額に、被災家屋の床面積(当該被災家屋が区分所有に係る家屋であるときは、(1)の(一)に掲げる者が所有していた当該被災家屋の専有部分(建物の区分所有等に関する法律第2条第3項に規定する専有部分をいう。(二)において同じ。)の床面積とし、当該被災家屋が共有物であるときは、(1)の(一)に掲げる者が有していた当該被災家屋に係る持分の割合を当該被災家屋の床面積に乗じて得た面積とする。(二)及び(三)において同じ。)を当該特例適用家屋の床面積で除して得た

数値（当該数値が１を超える場合には、１）を乗じて得た額
　（二）　区分所有に係る特例適用家屋　　当該特例適用家屋の専有部分に係る６に規定する区分所有者が10の規定によりその例によることとされる第三章第一節三の④の規定により納付する義務を負うものとされる都市計画税額に、被災家屋の床面積を当該特例適用家屋の専有部分の床面積で除して得た数値（当該数値が１を超える場合には、１）を乗じて得た額
　（三）　共有物である特例適用家屋　　当該特例適用家屋に係る都市計画税額に、被災家屋の床面積（当該被災家屋の床面積が（１）の各号に掲げる者（（７）において「特例対象者」という。）がそれぞれ有している特例適用家屋に係る持分の割合を当該特例適用家屋の床面積に乗じて得た面積を超える場合には、当該面積）を当該特例適用家屋の床面積で除して得た数値を乗じて得た額

　　（区分所有に係る家屋の床面積の算定）
（４）　（３）の規定の適用について、（３）中被災家屋（（１）の（一）に規定する被災家屋をいう。（６）の（一）及び同（二）において同じ。）で区分所有に係る家屋であるもの又は（３）の（二）に掲げる区分所有に係る特例適用家屋の専有部分の床面積の算定に関しては、これらの家屋に共用部分がある場合には、その部分の床面積をこれを共用していた又は共用すべき各区分所有者の専有部分の床面積の割合により配分して、それぞれの各区分所有者の専有部分の床面積に算入するものとする。（規24の29の２①）

　　（床面積その他の事項の算定に関し必要な事項）
（５）　（３）に定めるもののほか、被災家屋で区分所有に係る家屋であるもの又は（３）の（二）に掲げる区分所有に係る特例適用家屋に共用部分があるときの（３）の各号の床面積その他の事項の算定に関し必要な事項は、（６）で定める。（令56の84の２④）

　　（総務省令で定める書類）
（６）　（５）に規定する（６）で定める書類は、次に掲げる書類とする。（規24の29の２②）
　（一）　被災家屋を所有していた者の氏名又は名称及び住所又は本店若しくは主たる事務所の所在地、被災家屋に代わるものとして６の規定の適用を受けようとする家屋（以下（一）及び（二）において「代替家屋」という。）の所有者の氏名又は名称、住所又は本店若しくは主たる事務所の所在地及び個人番号（行政手続における特定の個人を識別するための番号の利用等に関する法律第２条第５項に規定する個人番号をいう。以下（一）において同じ。）又は法人番号（同法第２条第15項に規定する法人番号をいう。以下（一）において同じ。）（個人番号又は法人番号を有しない者にあっては、氏名又は名称及び住所又は本店若しくは主たる事務所の所在地）並びに当該被災家屋及び当該代替家屋の所在地を記載した書類並びに当該被災家屋が震災等（６に規定する震災等をいう。以下（一）及び（二）において同じ。）により被害を受けたことについて当該被災家屋の所在地の市町村長が証する書類その他の当該被災家屋が当該震災等により滅失し、又は損壊した旨を証する書類
　（二）　被災家屋が震災等の発生した日の属する年の１月１日（当該震災等の発生した日が１月１日である場合には、当該震災等の発生した日の属する年の前年の１月１日）を賦課期日とする年度の固定資産税に係る固定資産課税台帳に登録されていた旨を証する書類その他の被災家屋が存したことを証する書類及び代替家屋の詳細を明らかにする書類
　（三）　（１）の（二）から（四）までに掲げる者（以下（三）において「相続人等」という。）が、６の規定の適用を受けようとする場合には、（一）及び（二）に掲げるもののほか、戸籍の謄本又は法人に係る登記事項証明書その他のその適用を受けようとする者が相続人等に該当する旨を証する書類

　　（総務省令で定める書類の提出）
（７）　特例対象者が６の規定の適用を受けようとする場合には、総務省令で定める書類を６に規定する市町村長に提出しなければならない。（令56の84の２⑤）

7　納税管理人
　第三章第一節五の４《固定資産税の納税管理人》の規定により定められた固定資産税の納税管理人は、当該納税義務者に係る都市計画税の納税管理人として、納税に関する一切の事項を処理しなければならない。（法702の５）

8　賦課期日
都市計画税の賦課期日は、当該年度の初日の属する年の1月1日とする。（法702の6）

9　納期
都市計画税の納期は、4月、7月、12月及び2月中において、当該市町村の条例で定める。ただし、特別の事情がある場合においては、これと異なる納期を定めることができる。（法702の7①）

　　（少額税額の一括徴収の特例）
　注　都市計画税額（固定資産税をあわせて徴収する場合にあっては、都市計画税額と固定資産税額との合算額とする。）が市町村の条例で定める金額以下であるものについては、当該市町村は、9の規定によって定められた納期のうちいずれか一の納期において、その全額を徴収することができる。（法702の7②）

10　賦課徴収等
都市計画税の賦課徴収は、固定資産税の賦課徴収の例によるものとし、特別の事情がある場合を除くほか、固定資産税の賦課徴収とあわせて行うものとする。この場合において、還付加算金、納期前の納付に対する報奨金又は延滞金の計算については、都市計画税及び固定資産税の額の合算額によって第一編《総則》及び固定資産税について定められたこれらの計算規定を適用するものとする。（法702の8①）

　　（不服申立て）
(1)　都市計画税の賦課徴収に関する修正の申出及び不服申立て並びに出訴については、固定資産税の賦課徴収に関する修正の申出及び不服申立て並びに出訴の例によるものとする。（法702の8②）

　　（納付方法）
(2)　都市計画税の納税義務者は、都市計画税に係る地方団体の徴収金を、固定資産税に係る地方団体の徴収金の納付の例により納付するものとし、特別の事情がある場合を除くほか、固定資産税に係る地方団体の徴収金とあわせて納付しなければならない。（法702の8③）

　　（徴収金の区分）
(3)　10の規定によって都市計画税を固定資産税とあわせて賦課徴収する場合において、都市計画税及び固定資産税に係る地方団体の徴収金の納付があったときは、その納付額から督促手数料及び滞納処分費を控除した額を都市計画税及び固定資産税の額にあん分した額に相当する都市計画税又は固定資産税に係る地方団体の徴収金の納付があったものとする。（法702の8④）

　　（納税通知書等の併用）
(4)　10の前段の規定によって都市計画税を固定資産税とあわせて賦課徴収する場合においては、当該都市計画税の賦課徴収に用いる納税通知書、納期限変更告知書、督促状その他の文書は、固定資産税の賦課徴収に用いるそれらの文書とあわせて作成するものとする。（法702の8⑤）

　　（納期限の延長）
(5)　10の規定によって都市計画税を固定資産税とあわせて賦課徴収する場合において、市町村長が当該固定資産税の納期限を延長したときは、当該納税者に係る都市計画税の納期限についても、同一期間延長されたものとする。（法702の8⑥）

　　（減免）
(6)　10の前段の規定によって都市計画税を固定資産税とあわせて賦課徴収する場合において、市町村長が固定資産税又は当該固定資産税に係る延滞金額を減免したときは、当該納税者に係る都市計画税又は当該都市計画税に係る延滞金額についても、当該固定資産税又は当該固定資産税に係る延滞金額に対する減免額の割合と同じ割合によって減免されたものとする。（法702の8⑦）

(固定資産税の賦課徴収に関する罰則の準用)
(7) 固定資産税に関する脱税の罪、滞納処分に関する罪、滞納処分に関する検査拒否の罪及び滞納処分に関する虚偽の陳述の罪の規定は、10の規定によって固定資産税の賦課徴収の例により賦課徴収を行う都市計画税について準用する。(法702の8⑧)

11 都市計画税に関する取扱い（市通9－4）

① 目的及び課税客体等に関する事項

(都市計画事業)
(1) 「都市計画法に基づいて行う都市計画事業」とは、都市計画法第59条の規定による認可又は承認を受けて行う都市計画施設の整備に関する事業及び市街地開発事業をいうものであること。

(土地区画整理事業)
(2) 「土地区画整理法に基づいて行う土地区画整理事業」とは、土地区画整理法第3条の規定に基づいて行う事業であって、土地の区画形質の変更のための換地処分等の事業及び公共施設の新設又は変更に関する事業を指すものであること。

(都市計画事業等に要する費用)
(3) 都市計画税を課することのできる「事業に要する費用」とは、次の各号によるべきものであること。
 イ 既に実施した事業並びに現に実施中の事業及び今後実施することを決定せられた事業のために必要な直接、間接の費用をいうものであること。したがって、例えば、当該事業の実施のため借入れた借入金の償還費等は含まれるのであるが、当該事業に関連して行われる事業のための費用は含まれないものであること。
 ロ 事業の実施主体のいかんにかかわらず市町村の都市計画区域内において行われる都市計画事業又は土地区画整理事業の実施に必要とする費用であるべきこと。したがって国又は都道府県の実施するこれらの事業に要する費用の一部として、都市計画法第75条第1項若しくは土地区画整理法第119条第1項の規定に基づいて市町村の負担する費用又は市町村の都市計画区域内において土地区画整理組合等が行う土地区画整理事業に対する市町村の補助金の財源として都市計画税を起すことは差し支えないものであること。
 ハ 都市計画税にその財源を求める部分は、都市計画事業又は土地区画整理事業に要する費用のうち、国の負担金、受益者負担金等特定収入のあるものについては、これを控除した額によるものであること。

(既存の住宅に代えて住宅が建築中である土地及び被災住宅用地の取扱い)
(4) 住宅用地については固定資産税と同様の趣旨から課税標準の特例措置が認められているものであり、既存の住宅に代えて住宅が建築中である土地の取扱いについても、固定資産税と同様のものであること。また、法第349条の3の3に規定する被災住宅用地の取扱いについても、固定資産税と同様のものであること。

(課税区域)
(5) 都市計画法第7条第1項の区域区分に関する都市計画が当該市町村の区域について定められていない場合にあっては、都市計画区域の全部又は一部の区域で当該市町村の条例で定める区域内に所在する土地及び家屋に対して課税することができるものであるが、課税区域を定めるに当たっては、次の諸点に留意すること。
 (一) 農業振興地域の整備に関する法律第8条の規定により定められた農用地区域については、特に当該区域の利益となる都市計画事業又は土地区画整理事業が施行される場合を除き、課税区域から除外することが適当であること。
 (二) 市街地から著しく離れたへんぴな地域に所在する山林等のように一般に都市計画事業又は土地区画整理事業による受益が全くないと認められるものがある場合は、当該山林等の地域を課税区域から除外することが適当であること。

(6) 「地域決定型地方税制特例措置（通称：わがまち特例）」については、次の事項に留意すること。
 イ わがまち特例の対象が区域内に存在する地方団体にあっては、当該対象に係る都市計画税を賦課徴収するために、参酌基準による場合も含め、特例割合を定める条例を制定することが必要であること。
 ロ 特例割合を定める条例については、地域の実情に応じた政策を展開するというわがまち特例導入の趣旨に沿って、

十分な検討・議論のための期間、納税義務者等への周知期間等を総合的に勘案した上で、可能な限り速やかに制定することが望ましいこと。

② 賦課徴収に関する事項

（固定資産税との一括徴収）
（1） 都市計画税は、都市計画税を課すべき土地又は家屋に係る固定資産税の課税標準となるべき価格を課税標準とし、都市計画税を課すべき土地又は家屋に係る固定資産税の納税義務者を納税義務者として課するものであるので、その賦課徴収については、年度途中で都市計画税を賦課徴収する等固定資産税と併せて徴収することが困難である場合を除いては、両者を併せて賦課徴収すべきものであること。

（共用土地納税義務者の持分の割合の補正）
（2） 法第352条の2第1項に規定する共用土地で同項各号に掲げる要件を満たすものに対して課する都市計画税については、各共用土地納税義務者は、当該共用土地に係る持分の割合によってあん分した額を納付する義務を負うものであるが、都市計画税についても、固定資産税と同様に、住宅用地に係る課税標準の特例措置が設けられているので、地方税法施行規則第15条の4の持分の割合の補正の例により所要の補正を行うものであること。また、法第352条の2第5項の規定により固定資産税額をあん分することを市町村長に申し出る場合においては、固定資産税に係る割合と併せて都市計画税に係る割合も申し出るものであること。

（被災共用土地納税義務者の納付義務）
（3） 法第352条の2第3項に規定する被災共用土地に対して課する被災年度の翌年度又は翌々年度の都市計画税については、各被災共用土地納税義務者は、当該被災共用土地に係る持分の割合によってあん分した額を納付する義務を負うものであるが、都市計画税についても、固定資産税と同様に、被災住用地に係る特例措置が設けられているので、地方税法施行規則第15条の4の持分の割合の補正の例により所要の補正を行うものであること。また、法第352条の2第6項の規定により固定資産税額をあん分することを市町村長に申し出る場合においては、固定資産税に係る割合と併せて都市計画税に係る割合も申し出るものであること。

なお、これらの取扱いは、同条第4項に規定する従前の土地が被災共用土地である特定仮換地等における取扱いについても同様であること。

（一人別徴収簿等の処理）
（4） 都市計画税を固定資産税と併せて徴収する場合において交付する納税通知書には、納税者に対し都市計画事業又は土地区画整理事業に要する経費を分担する趣旨を明らかにするために、都市計画税決定の明細を付することを要するが、総額及び各納期ごとに徴収すべき額についてはこれを区別することを要しないものであること。したがって一人別徴収簿等の課税台帳についても同様に取り扱うこと。

③ 歳入処理に関する事項

（一般会計に繰り入れる場合）
（1） 都市計画税は、都市計画事業又は土地区画整理事業に要する費用に充てるものであることを明らかにする必要があるので、特別会計を設置しないで、一般会計に繰り入れる場合においては、都市計画税をこれらの事業に要する費用に充てるものであることが明らかになるような予算書、決算書の事項別明細書あるいは説明資料等において明示することにより議会に対しその使途を明らかにするとともに、住民に対しても周知することが適当であること。

（余剰金が生じた場合）
（2） 都市計画税を都市計画事業又は土地区画整理事業に要する費用に充てた後にやむを得ず余剰金が生じた場合には、これを後年度においてこれらの事業に充てるために留保し、特別会計を設置している場合には繰越しをし、設置していない場合にはこのための基金を創設することが適当であること。

（余剰金が数年にわたって生じた場合）
（3） 余剰金が数年にわたって生じるような状況となった場合においては、税率の見直し等の適切な措置を講ずべきも

のであること。

④ **負担調整措置に関する事項**

　　（土地に対する負担調整措置）
（１）　土地に係る令和６年度から令和８年度までの各年度分の都市計画税については、激変緩和措置としての税負担の調整措置は固定資産税と同様に講ずることとされていること。

　　（市街化区域農地に対する負担調整措置）
（２）　特定市の市街化区域内の農地に対して課する都市計画税については、周辺宅地との課税の均衡を図ることとし、固定資産税と同様の措置を講ずることとされているものであること。〘第三章第六節**六～九**参照〙

第五章　軽自動車税

第一節　通　則

1　用語の意義

軽自動車税について、次の各号に掲げる用語の意義は、それぞれ当該各号に定めるところによる。（法442）

(一)	環境性能割	三輪以上の軽自動車のエネルギー消費効率の基準エネルギー消費効率に対する達成の程度その他の環境への負荷の低減に資する程度に応じ、三輪以上の軽自動車に対して課する軽自動車税をいう。
(二)	種別割	軽自動車等の種別、用途、総排気量、定格出力その他の諸元の区分に応じ、軽自動車等に対して課する軽自動車税をいう。
(三)	軽自動車等	原動機付自転車、軽自動車、小型特殊自動車及び二輪の小型自動車をいう。
(四)	原動機付自転車	道路運送車両法第2条第3項に規定する原動機付自転車のうち、原動機により陸上を移動させることを目的として製作したものをいう。
(五)	軽自動車	道路運送車両法第3条に規定する軽自動車（軽自動車に付加して一体となっている物として(1)で定めるものを含む。）をいう。
(六)	小型特殊自動車	道路運送車両法第3条に規定する小型特殊自動車をいう。
(七)	二輪の小型自動車	道路運送車両法第3条に規定する小型自動車のうち、二輪のもの（側車付二輪自動車を含む。）をいう。
(八)	エネルギー消費効率	エネルギーの使用の合理化等に関する法律第147条第1号イに規定するエネルギー消費効率をいう。
(九)	基準エネルギー消費効率	エネルギーの使用の合理化等に関する法律第145条第1項の規定により定められるエネルギー消費機器等製造事業者等の判断の基準となるべき事項を勘案して(6)で定めるエネルギー消費効率をいう。

　　（軽自動車の付加物）
（1）　1の(五)に規定する軽自動車に付加して一体となっている物として(1)で定めるものは、次に掲げる物とする。
　　（令52の18）
　（一）　ラジオ、ヒーター、クーラーその他の軽自動車に取り付けられる軽自動車の附属物
　（二）　特殊の用途にのみ用いられる軽自動車に装備される特別な機械又は装置のうち、人又は物を運送するために用いられるもの

　　（軽自動車等の範囲）
（2）　軽自動車税の課税客体である原動機付自転車、軽自動車、小型特殊自動車及び二輪の小型自動車とは、それぞれ道路運送車両法にいう原動機付自転車（被けん引車を除く。）、軽自動車、小型特殊自動車及び二輪の小型自動車（以下第五章において「軽自動車等」という。）をいうものであり、したがって被けん引車に該当する原動機付自転車に対しては、軽自動車税を課することができないものであること。（市通4－1）

　　（「軽自動車に取り付けられる軽自動車の附属物」の意義）
（3）　(1)の(一)に規定する「軽自動車に取り付けられる軽自動車の附属物」には、軽自動車の付属用品のうち通常軽

自動車の取付用品といわれているものがこれに該当するものであること。また、(1)の(二)に規定する「特殊の用途にのみ用いられる軽自動車」とは、いわゆる特種用途軽自動車(検査対象軽自動車の車両番号の分類番号が80から89まで及び800から899までの軽自動車)をいい、当該軽自動車に装備されている特別な機械又は装置については、人又は物を運送するために用いられる物のみが軽自動車に含まれるものであること。
　ただし、電動キックボード等原動機付自転車の形状によって現行の標識を掲示することにより安全性が確保できない場合には、この様式によらないことを妨げないこと。(市通4－3)

　　(原動機付自転車又は小型特殊自動車の所有者が転出届をして他の市町村に転出した場合)
(4) 原動機付自転車又は小型特殊自動車の所有者が住民基本台帳法第24条の規定による転出届をして他の市町村に転出した場合その他の原動機付自転車又は小型特殊自動車の主たる定置場が他の市町村へ異動したと認められる場合においては、異動前の市町村は当該原動機付自転車又は小型特殊自動車の所有者に対して標識の返納を求めることとなるが、なお標識の返納がなされないときは、異動前後の市町村が連携し、適正な課税を行うこと。(市通4－5)

　　(原動機付自転車等の標識)
(5) 原動機付自転車及び小型特殊自動車については、徴収の確保を期するため、その車体に標識を付するものとすることが適当であるが、この場合、標識の様式は、全国的に統一することが望ましいと考えられるから、別途「原動機付自転車等の標識について」(昭和60年4月1日自治市第30号)に定める様式によられたいこと。
　なお、軽自動車及び二輪の小型自動車については、道路運送車両法の規定により車両番号標をその車体に表示しなければならないものとされていることに留意すること。(市通4－25)

　　(エネルギー消費効率)
(6) 1の(九)に規定するエネルギーの使用の合理化及び非化石エネルギーへの転換等に関する法律第149条第1項の規定により定められるエネルギー消費機器等製造事業者等の判断の基準となるべき事項を勘案して(6)で定めるエネルギー消費効率は、次の各号に掲げる自動車の区分に応じ、当該各号に定めるエネルギー消費効率とする。(規15の8)

(一)	エネルギーの使用の合理化及び非化石エネルギーへの転換等に関する法律施行令第18条第1号に掲げる乗用自動車	乗用自動車のエネルギー消費性能の向上に関するエネルギー消費機器等製造事業者等の判断の基準等に定める基準エネルギー消費効率
(二)	エネルギーの使用の合理化及び非化石エネルギーへの転換等に関する法律施行令第18条第8号に掲げる貨物自動車	貨物自動車のエネルギー消費性能の向上に関するエネルギー消費機器等製造事業者等の判断の基準等に定める基準エネルギー消費効率

2　納税義務者等

①　所有者の納税義務

　軽自動車税は、三輪以上の軽自動車に対し、当該三輪以上の軽自動車の取得者に環境性能割によって、軽自動車等に対し、当該軽自動車等の所有者に種別割によって、それぞれ当該三輪以上の軽自動車及び当該軽自動車等の主たる定置場所在の市町村が課する。(法443①)

　　(「主たる定置場」の意義)
(1) ①に規定する「主たる定置場」とは、軽自動車等の運行を休止した場合において主として駐車する場所をいうものであり、その具体的認定に当たっては、明確な反証がない限り、次によるものとすること。(市通4－4)
　(一) 原動機付自転車及び小型特殊自動車については、その所有者(所有権留保付売買に係るものにあっては②の規定により所有者とみなされる買主をいう。以下同じ。)の住所地(その者が法人である場合においては、その使用の本拠とされる事務所の所在地とする。以下同じ。)にその主たる定置場があるものとして取り扱うこと。
　(二) 軽自動車については、道路運送車両法第58条の自動車検査証(以下第五章において「自動車検査証」という。)を交付されたものである場合にあってはこれに記載された使用の本拠の位置に、道路運送車両法施行規則(昭和26年運輸省令第74号)第63条の2第3項の軽自動車届出済証を交付されたものである場合にあってはこれに記載された使用の本拠の位置に、その他の場合にあってはその所有者の住所地に、それぞれその主たる定置場があるものと

(三) 二輪の小型自動車については、自動車検査証を交付されたものである場合にあってはこれに記載された使用の本拠の位置に、その他の場合にあってはその所有者の住所地に、それぞれの主たる定置場があるものとして取り扱うこと。

　　　（三輪以上の軽自動車の取得者の範囲）
(2) ①に規定する三輪以上の軽自動車の取得者には、製造により三輪以上の軽自動車を取得した自動車製造業者、販売のために三輪以上の軽自動車を取得した自動車販売業者その他運行（道路運送車両法第2条第5項に規定する運行をいう。②の(3)及び(4)において同じ。）以外の目的に供するために三輪以上の軽自動車を取得した者として(3)で定めるものを含まないものとする。（法443②）

　　　（運行等以外の目的に供するために三輪以上の軽自動車を取得した者）
(3) (2)に規定する運行以外の目的に供するために三輪以上の軽自動車を取得した者として(3)で定めるものは、道路（道路運送車両法第2条第6項に規定する道路をいう。）以外の場所のみにおいてその用い方に従い用いられる三輪以上の軽自動車その他(2)に規定する運行の用に供されない三輪以上の軽自動車を取得した者とする。（令52の19）

　　　（「三輪以上の軽自動車の取得者」の意義）
(4) 環境性能割における三輪以上の軽自動車の取得者とは、三輪以上の軽自動車の所有権を取得した者をいうが、製造により自動車製造業者が取得した三輪以上の軽自動車及び自動車販売業者等が販売のために三輪以上の軽自動車を取得した場合については、これに含まないこととされているものであること。（市通4－6）
　なお、これについては次の諸点に留意すること。
(一) 自動車販売業者（以下「販売業者」という。）とは、自動車を販売することを業とする者をいい、自動車製造業者又は自動車修理業者が自動車を販売することを業とする場合には、これらの者もここにいう販売業者に含まれるものであること。
　なお、中古車の販売をすることを業とする者は、すべて古物営業法第3条の許可を受けなければならないものとされていること。
(二) 販売業者が販売のために取得した三輪以上の軽自動車とは、販売業者が商品として取得した三輪以上の軽自動車のことをいうものであること。したがって、販売業者が自己の使用に供するために取得した三輪以上の軽自動車は、販売のために取得した三輪以上の軽自動車に含まれないこと。
　なお、販売業者が販売のために取得した三輪以上の軽自動車であっても、後日、自己の使用に供することとなったときは、三輪以上の軽自動車の取得者として環境性能割が課されるものであること。
(三) いわゆる下取りによって取得された中古車は、通常、販売業者が販売のために取得した三輪以上の軽自動車に該当するものであること。
(四) (3)における運行の用に供されない三輪以上の軽自動車を例示すれば、次のような三輪以上の軽自動車であるが、これらの三輪以上の軽自動車に該当するかどうかは原則として自動車検査証の交付又は使用の届出の有無によって判定するよう取り扱うこと。
　イ　自動車教習所の敷地内でのみ用いられる教習用の三輪以上の軽自動車
　ロ　工場等の敷地内でのみ用いられる三輪以上の軽自動車
　ハ　展示用に、又は店舗として用いられる三輪以上の軽自動車
　ニ　スクラップにされる三輪以上の軽自動車
　また、三輪以上の軽自動車の自動車検査証の交付又は軽自動車の使用の届出がされた場合には、三輪以上の軽自動車が取得されたものと推定されるが、当該三輪以上の軽自動車の自動車検査証又は軽自動車届出済証の返納をした者が同一の三輪以上の軽自動車について自動車検査証の交付を受け、又は使用の届出をしたような場合には、新たに三輪以上の軽自動車が取得されたものではないことから、環境性能割は課税できないものであること。

　　　（所有者が種別割を課することができない者である場合）
(5) 軽自動車等の所有者が3の①の規定により種別割を課することができない者である場合には、①の規定にかかわらず、当該軽自動車等の使用者に種別割を課する。ただし、公用又は公共の用に供する軽自動車等については、この限りでない。（法443③）

② 所有権留保権付軽自動車等の買主の納税義務
　軽自動車等の売買契約において売主が当該軽自動車等の所有権を留保している場合には、軽自動車税の賦課徴収については、買主を①に規定する三輪以上の軽自動車の取得者（以下「三輪以上の軽自動車の取得者」という。）又は軽自動車等の所有者とみなして、軽自動車税を課する。（法444①）

　　　（売買契約に係る軽自動車等について買主の変更があったとき）
（1）　②の規定の適用を受ける売買契約に係る軽自動車等について、買主の変更があったときは、新たに買主となる者を三輪以上の軽自動車の取得者又は軽自動車等の所有者とみなして、軽自動車税を課する。（法444②）

　　　（みなし課税についての留意点）
（2）　みなし課税については、次の点に留意すること。（市通4－7）
　（一）　②に規定する「軽自動車等の売買契約において売主が当該軽自動車等の所有権を留保している場合」とは、例えば所有権留保付割賦販売の場合をいい、この場合には、当該軽自動車等について現実に使用又は収益をしている買主を三輪以上の軽自動車の取得者又は軽自動車等の所有者とみなして、軽自動車税を課するものとされていること。
　（二）　（1）に規定する「②の規定の適用を受ける売買契約に係る軽自動車等について、買主の変更があったとき」とは、所有権留保付で売買され、買主への所有権の移転がなお完了していない軽自動車等について、①代金の残金は新買主が支払う、②代金の支払いの後の軽自動車等の使用収益は新買主が行う、③代金の残金の支払いが完了すれば、売主から新買主に所有権が移転する形態等の契約によって買主の変更が行われる場合をいうものであること。

　　　（運行以外の目的に供するため取得した三輪以上の軽自動車について車両番号の指定を受けた場合）
（3）　自動車製造業者、自動車販売業者又は①の（3）で定める三輪以上の軽自動車を取得した者（以下（3）において「販売業者等」という。）が、その製造により得した三輪以上の軽自動車又はその販売のためその他運行以外の目的に供するため取得した三輪以上の軽自動車について、当該販売業者等、道路運送車両法第60条第1項後段の規定による車両番号の指定（以下（3）及び第二節二の2の（一）において「車両番号の指定」という。）を受けた場合（当該車両番号の指定前に②の規定の適用を受ける売買契約の締結が行われた場合を除く。）には、当該販売業者等を三輪以上の軽自動車の取得者とみなして、環境性能割を課する。（法444③）

　　　（地方税法の施行地外で三輪以上の軽自動車を取得し同法の施行地内に持ち込んで運行の用に供した場合）
（4）　この法律の施行地外で三輪以上の軽自動車を取得した者が、当該三輪以上の軽自動車をこの法律の施行地内に持ち込んで運行の用に供した場合には、当該三輪以上の軽自動車を運行の用に供する者を三輪以上の軽自動車の取得者とみなして、環境性能割を課する。（法444④）

3　非課税の範囲

① 公共団体に対する非課税
　市町村は、国、非課税独立行政法人、国立大学法人等及び日本年金機構並びに都道府県、市町村、特別区、これらの組合、財産区、地方開発事業団、合併特例区及び地方独立行政法人に対しては、軽自動車税を課することができない。（法445①）
　（注）　上記の地方独立行政法人については、第三章第一節四の8参照。（編者）

② 日本赤十字社の所有する救急用軽自動車等に対する非課税
　市町村は、日本赤十字社が所有する軽自動車等のうち直接その本来の事業の用に供する救急用のものその他これに類するもので市町村の条例で定めるものに対しては、軽自動車税を課することができない。（法445②）

　　　（オーストラリア軍隊が所有する自動車で公用に供するものの非課税措置）
　注　市町村は、オーストラリア軍隊（日本国の自衛隊とオーストラリア国防軍との間における相互のアクセス及び協力の円滑化に関する日本国とオーストラリアとの間の協定第一条（ｃ）に規定する訪問部隊として日本国内に所在するオーストラリアの軍隊をいう。）が所有する軽自動車等のうち公用に供するものに対しては、軽自動車税を課することができない。（法445③）

③ 環境への負荷の低減に著しく資する三輪以上の軽自動車に対する環境性能割の非課税
　市町村は、次に掲げる三輪以上の軽自動車に対しては、環境性能割を課することができない。(法446①)
(一)　電気軽自動車(電気を動力源とする軽自動車で内燃機関を有しないものをいう。)
(二)　次に掲げる天然ガス軽自動車(専ら可燃性天然ガスを内燃機関の燃料として用いる軽自動車で(1)で定めるものをいう。イ及びロにおいて同じ。)
　イ　道路運送車両法第41条の規定により平成30年10月1日以降に適用されるべきものとして定められた自動車排出ガスに係る保安上又は公害防止その他の環境保全上の技術基準(ロ及び次号イ(イ)において「排出ガス保安基準」という。)で(2)で定めるものに適合する天然ガス軽自動車
　ロ　道路運送車両法第41条の規定により平成21年10月1日以降に適用されるべきものとして定められた排出ガス保安基準で(3)で定めるもの(以下このロにおいて「平成21年天然ガス車基準」という。)に適合し、かつ、窒素酸化物の排出量が平成21年天然ガス車基準に定める窒素酸化物の値の10分の9を超えない天然ガス軽自動車で(4)で定めるもの
(三)　次に掲げるガソリン軽自動車(ガソリンを内燃機関の燃料として用いる軽自動車をいう。第二節一の2の①及び同①の(3)において同じ。)
　イ　乗用車のうち、次のいずれにも該当するもので(5)で定めるもの
　　(イ)　次のいずれかに該当すること。
　　　(ⅰ)　道路運送車両法第41条の規定により平成30年10月1日以降に適用されるべきものとして定められた排出ガス保安基準で(6)で定めるもの(以下「平成30年ガソリン軽中量車基準」という。)に適合し、かつ、窒素酸化物の排出量が平成30年ガソリン軽中量車基準に定める窒素酸化物の値の2分の1を超えないこと。
　　　(ⅱ)　道路運送車両法第41条の規定により平成17年10月1日以降に適用されるべきものとして定められた排出ガス保安基準で(7)で定めるもの(以下「平成17年ガソリン軽中量車基準」という。)に適合し、かつ、窒素酸化物の排出量が平成17年ガソリン軽中量車基準に定める窒素酸化物の値の4分の1を超えないこと。
　　(ロ)　エネルギー消費効率が基準エネルギー消費効率であって令和12年度以降の各年度において適用されるべきものとして定められたもの(以下「令和12年度基準エネルギー消費効率」という。)に100分の75を乗じて得た数値以上であること。
　　(ハ)　エネルギー消費効率が基準エネルギー消費効率であって令和2年度以降の各年度において適用されるべきものとして定められたもの(以下「令和2年度基準エネルギー消費効率」という。)以上であること。
　ロ　車両総重量(道路運送車両法第40条第3号に規定する車両総重量をいう。第二節一の2の①の(二)及び同①の(3)の(二)において同じ。)が2.5トン以下のトラックのうち、次のいずれにも該当するもので(8)で定めるもの
　　(イ)　次のいずれかに該当すること。
　　　(ⅰ)　平成30年ガソリン軽中量車基準に適合し、かつ、窒素酸化物の排出量が平成30年ガソリン軽中量車基準に定める窒素酸化物の値の2分の1を超えないこと。
　　　(ⅱ)　平成17年ガソリン軽中量車基準に適合し、かつ、窒素酸化物の排出量が平成17年ガソリン軽中量車基準に定める窒素酸化物の値の4分の1を超えないこと。
　　(ロ)　エネルギー消費効率が基準エネルギー消費効率であって令和4年度以降の各年度において適用されるべきものとして定められたもの(以下「令和4年度基準エネルギー消費効率」という。)に100分の105を乗じて得た数値以上であること。

　　　(専ら可燃性天然ガスを内燃機関の燃料として用いる軽自動車等)
(1)　③の(二)に規定する専ら可燃性天然ガスを内燃機関の燃料として用いる軽自動車で(1)で定めるものは、内燃機関の燃料として可燃性天然ガスを用いる軽自動車で当該軽自動車に係る道路運送車両法第58条に規定する自動車検査証(以下「自動車検査証」という。)において燃料が可燃性天然ガスである旨が明らかにされているもの(可燃性天然ガス以外の燃料を用いる旨が併せて明らかにされているものを除く。)とする。(規15の9①)

　　　(③の(二)のイに規定する平成30年10月1日以降に適用される排出ガス保安基準で総務省令で定めるもの)
(2)　③の(二)のイに規定する平成30年10月1日以降に適用されるべきものとして定められた排出ガス保安基準で(2)で定めるものは、道路運送車両の保安基準の細目を定める告示(以下「細目告示」という。)第41条第1項第11号の基準とする。(規15の9②)

　　　(平成21年10月1日以降に適用されるべきものとして定められた排出ガス保安基準で総務省令で定めるもの)
(3)　③の(二)のロに規定する平成21年10月1日以降に適用されるべきものとして定められた排出ガス保安基準で(3)

で定めるものは、道路運送車両の保安基準の細目を定める告示及び道路運送車両の保安基準第２章及び第３章の規定の適用関係の整理のため必要な事項を定める告示の一部を改正する告示（平成30年国土交通省告示第528号）による改正前の細目告示（以下「旧細目告示」という。）第41条第１項第11号イの基準又は道路運送車両の保安基準第２章及び第３章の規定の適用関係の整理のため必要な事項を定める告示（以下「適用関係告示」という。）第28条第133項の基準とする。（規15の９③）

　　　　（窒素酸化物の排出量が平成21年天然ガス車基準に定める窒素酸化物の値の10分の９を超えない天然ガス軽自動車で総務省令で定めるもの）
（４）③の（二）のロに規定する窒素酸化物の排出量が平成21年天然ガス車基準に定める窒素酸化物の値の10分の９を超えない天然ガス軽自動車で（４）で定めるものは、窒素酸化物の排出量が旧細目告示第41条第１項第11号イの表の（１）又は（４）に掲げる軽自動車の種別に応じ、同表の窒素酸化物の欄に掲げる値の10分の９を超えない軽自動車で、かつ、低排出ガス車認定実施要領第５条の規定による認定（以下「低排出ガス車認定」という。）を受けた軽自動車とする。（規15の９④）

　　　　（③の（三）のイに規定する乗用車で総務省令で定めるもの）
（５）③の（三）のイに規定する乗用車で（５）で定めるものは、次に掲げる要件に該当する軽自動車とする。（規15の９⑤）
　（一）　次に掲げる軽自動車の区分に応じ、それぞれ次に定める要件に該当すること。
　　イ　平成30年ガソリン軽中量車基準（３の③の（三）のイの（イ）の（ⅰ）に規定する平成30年ガソリン軽中量車基準をいう。以下同じ。）に適合する軽自動車　窒素酸化物の排出量が細目告示第41条第１項第３号イの表の（１）の窒素酸化物の欄に掲げる値の２分の１を超えない軽自動車で、かつ、低排出ガス車認定を受けたものであること。
　　ロ　平成17年ガソリン軽中量車基準（３の③の（三）のイの（イ）の（ⅱ）に規定する平成17年ガソリン軽中量車基準をいう。以下同じ。）に適合する軽自動車　窒素酸化物の排出量が旧細目告示第41条第１項第３号イの表の（１）の窒素酸化物の欄に掲げる値の４分の１を超えない軽自動車で、かつ、低排出ガス車認定を受けたものであること。
　（二）　自動車の燃費性能の評価及び公表に関する実施要領（以下「燃費評価実施要領」という。）第４条の５に規定する令和12年度燃費基準達成・向上達成レベル（以下「令和12年度燃費基準達成レベル」という。）が80以上であること及び当該軽自動車に係る自動車検査証においてその旨が明らかにされていること。
　（三）　燃費評価実施要領第４条の２に規定する令和２年度燃費基準達成・向上達成レベル（以下「令和２年度燃費基準達成レベル」という。）が100以上であること及び当該軽自動車に係る自動車検査証においてその旨が明らかにされていること。

　　　　（③の（三）のイの（イ）の（ⅰ）に規定する平成30年10月１日以降に適用される排出ガス保安基準）
（６）③の（三）のイの（イ）の（ⅰ）に規定する平成30年10月１日以降に適用されるべきものとして定められた排出ガス保安基準で（６）で定めるものは、細目告示第41条第１項第３号イ（粒子状物質に係る部分を除く。）の基準とする。（規15の９⑥）

　　　　（③の（三）のイの（ⅱ）に規定する平成17年10月１日以降に適用される排出ガス保安基準）
（７）③の（三）のイの（ⅱ）に規定する平成17年10月１日以降に適用されるべきものとして定められた排出ガス保安基準で（５）で定めるものは、旧細目告示第41条第１項第３号イ（粒子状物質に係る部分を除く。）の基準又は適用関係告示第28条第108項の基準とする。（規15の９⑦）

　　　　（③の（三）のロに規定する車両総重量が2.5トン以下のトラックで総務省令で定めるもの）
（８）③の（三）のロに規定する車両総重量が2.5トン以下のトラックで（８）で定めるものは、次に掲げる要件に該当する軽自動車とする。（規15の９⑧）
　（一）　次に掲げる軽自動車の区分に応じ、それぞれ次に定める要件に該当すること。
　　イ　平成30年ガソリン軽中量車基準に適合する軽自動車　窒素酸化物の排出量が細目告示第41条第１項第３号イの表の（４）の窒素酸化物の欄に掲げる値の２分の１を超えない軽自動車で、かつ、低排出ガス車認定を受けたものであること。
　　ロ　平成17年ガソリン軽中量車基準に適合する軽自動車　窒素酸化物の排出量が旧細目告示第41条第１項第３号

イの表の(4)の窒素酸化物の欄に掲げる値の4分の1を超えない軽自動車で、かつ、低排出ガス車認定を受けたものであること。

(二) 燃費評価実施要領第4条の3に規定する令和4年度燃費基準達成・向上達成レベル(以下「令和4年度燃費基準達成レベル」という。)が105以上であること及び当該軽自動車に係る自動車検査証においてその旨が明らかにされていること。

(読替規定)
(9) ③((三)に係る部分に限る。)の規定は、令和12年度基準エネルギー消費効率を算定する方法として(10)で定める方法並びに令和4年度基準エネルギー消費効率及び令和2年度基準エネルギー消費効率を算定する方法として(11)で定める方法によりエネルギー消費効率を算定していない三輪以上の軽自動車であって、基準エネルギー消費効率であって平成22年度以降の各年度において適用されるべきものとして定められたものを算定する方法として(12)で定める方法によりエネルギー消費効率を算定している三輪以上の軽自動車(第二節の2の①の(6)において「平成22年度基準エネルギー消費効率算定軽自動車」という。)について準用する。この場合において、次の表の左欄に掲げる規定中同表の中欄に掲げる字句は、それぞれ同表の右欄に掲げる字句に読み替えるものとする。(法446②)

③の(三)のイの(ロ)	令和12年度以降の各年度において適用されるべきものとして定められたもの(以下「令和12年度基準エネルギー消費効率」という。)に100分の80	平成22年度以降の各年度において適用されるべきものとして定められたもの(イの(ハ)及びロの(ロ)において「平成22年度基準エネルギー消費効率」という。)に100分の173
③の(三)のイの(ハ)	基準エネルギー消費効率であって令和2年度以降の各年度において適用されるべきものとして定められたもの(以下「令和2年度基準エネルギー消費効率」という。)	平成22年度基準エネルギー消費効率に100分の150を乗じて得た数値
③の(三)のロの(ロ)	基準エネルギー消費効率であって令和4年度以降の各年度において適用されるべきものとして定められたもの(以下「令和4年度基準エネルギー消費効率」という。)に100分の105	平成22年度基準エネルギー消費効率に100分の163

(令和12年度基準エネルギー消費効率を算定する方法)
(10) (9)に規定する令和12年度基準エネルギー消費効率を算定する方法として(10)で定める方法は、自動車のエネルギー消費効率の算定等に関する省令に規定する国土交通大臣が告示で定める方法(以下「エネルギー消費効率算定告示」という。)第1条第1項第3号に掲げる方法とする。(規15の9⑨)

(令和2年度基準エネルギー消費効率及び平成27年度基準エネルギー消費効率を算定する方法)
(11) (9)に規定する令和4年度基準エネルギー消費効率及び令和2年度基準エネルギー消費効率を算定する方法として(11)で定める方法は、エネルギー消費効率算定告示第1条第1項第2号に掲げる方法とする。(規15の9⑩)

(平成22年度以降の各年度に適用すべきものとして定められたものを算定する方法として総務省令で定める方法)
(12) (9)に規定する基準エネルギー消費効率であって平成22年度以降の各年度において適用されるべきものとして定められたものを算定する方法として(12)で定める方法は、エネルギー消費効率算定告示第1条第1項第1号に掲げる方法とする。(規15の9⑪)

(読替規定)
(13) (9)において準用する③((三)に係る部分に限る。)の規定の適用がある場合における(5)及び(8)の規定の適用については、次の表の左欄に掲げる規定中同表の中欄に掲げる字句は、それぞれ同表の右欄に掲げる字句とする。(規15の9⑫)

| (5)の(二) | 第4条の5に規定する令和12年度燃費 | 第3条に規定する10・15モード燃費値((8)の(二)において |

	基準達成・向上達成レベル（以下「令和12年度燃費基準達成レベル」という。）が80以上であること及び	「10・15モード燃費値」という。）が(8)の(一)に規定する平成22年度基準エネルギー消費効率（(三)及び(8)の(二)において「平成22年度基準エネルギー消費効率」という。）に100分の173を乗じて得た数値以上であること並びに
	その旨	その旨並びに自動車のエネルギー消費効率の算定等に関する省令に規定する国土交通大臣が告示で定める方法第1条第1項第2号及び第3号に掲げる方法（(三)及び(8)の(二)において「ＪＣ08モード法及びＷＬＴＣモード法」という。）により当該軽自動車のエネルギー消費効率が算定されていない旨
(5)の(三)	燃費評価実施要領第4条の2に規定する令和2年度燃費基準達成・向上達成レベル（以下「令和2年度燃費基準達成レベル」という。）が100以上であること及び	10・15モード燃費値が平成22年度基準エネルギー消費効率に100分の150を乗じて得た数値以上であること並びに
	その旨	その旨並びにＪＣ08モード法及びＷＬＴＣモード法により当該軽自動車のエネルギー消費効率が算定されていない旨
(8)の(二)	燃費評価実施要領第4条の3に規定する令和4年度燃費基準達成・向上達成レベル（以下「令和4年度燃費基準達成レベル」という。）が105以上であること及び	10・15モード燃費値が平成22年度基準エネルギー消費効率に100分の163を乗じて得た数値以上であること並びに
	その旨	その旨並びにＪＣ08モード法及びＷＬＴＣモード法により当該軽自動車のエネルギー消費効率が算定されていない旨

（読替規定）
(14) ③（③の(三)のイに係る部分に限る。）の規定は、令和12年度基準エネルギー消費効率を算定する方法として(15)で定める方法によりエネルギー消費効率を算定していない三輪以上の軽自動車であって、令和2年度基準エネルギー消費効率及び基準エネルギー消費効率であって平成27年度以降の各年度において適用されるべきものとして定められたものを算定する方法として(16)で定める方法によりエネルギー消費効率を算定している三輪以上の軽自動車（第二節―2の(9)において「令和2年度基準エネルギー消費効率等算定軽自動車」という。）について準用する。この場合において、同(三)のイの(ロ)中「令和12年度以降の各年度において適用されるべきものとして定められたもの（以下「令和12年度基準エネルギー消費効率」という。）に100分の80」とあるのは、「令和2年度以降の各年度において適用されるべきものとして定められたものに100分の116」と読み替えるものとする。（法446③）

（令和12年度基準エネルギー消費効率を算定する方法として総務省令で定める方法）
(15) (14)に規定する令和12年度基準エネルギー消費効率を算定する方法として(15)で定める方法は、エネルギー消費効率算定告示第1条第1項第3号に掲げる方法とする。（規15の9⑬）

（令和2年度基準エネルギー消費効率及び平成27年度基準エネルギー消費効率を算定する方法として総務省令で定める方法）
(16) (14)に規定する令和2年度基準エネルギー消費効率及び基準エネルギー消費効率であって平成27年度以降の各年度において適用されるべきものとして定められたものを算定する方法として(16)で定める方法は、エネルギー消費効率算定告示第1条第1項第2号に掲げる方法とする。（規15の9⑭）

（読替規定）
(17) (14)において準用する③（③の(三)のイに係る部分に限る。）の規定の適用がある場合における(5)の規定の適用については、(5)の(二)中「第4条の5に規定する令和12年度燃費基準達成・向上達成レベル（以下「令和12年度燃

費基準達成レベル」という。）が80以上であること及び」とあるのは「第4条の2に規定する令和2年度燃費基準達成・向上達成レベルが116以上であること並びに」と、「その旨」とあるのは「その旨及び自動車のエネルギー消費効率の算定等に関する省令に規定する国土交通大臣が告示で定める方法第1条第1項第3号に掲げる方法により当該軽自動車のエネルギー消費効率が算定されていない旨」とする。（規15の9⑮）

　　　（読替規定）
(18)　国土交通大臣の認定等（第二節四の1の(4)に規定する国土交通大臣の認定等をいう。以下(18)及び第二節一の2の①の(11)において同じ。）の申請をした者が偽りその他不正の手段（当該申請をした者に当該申請に必要な情報を直接又は間接に提供した者の偽りその他不正の手段を含む。第二節一の2の①の(11)において同じ。）により国土交通大臣の認定等を受けたことを事由として国土交通大臣が当該国土交通大臣の認定等を取り消した場合であって、当該取消し後にその対象となった軽自動車が新たに受けた国土交通大臣の認定等が軽自動車検査ファイル（道路運送車両法第72条第1項に規定する軽自動車検査ファイルをいう。第二節一の2の①の(11)において同じ。）に記録されてから、当該新たに受けた国土交通大臣の認定等が当該軽自動車に係る自動車検査証において明らかにされるまでの間においては、当該軽自動車に対する(5)及び(8)（これらの規定を(13)及び(17)の規定により読み替えて適用する場合を含む。）の規定の適用については、これらの規定中「当該軽自動車に係る自動車検査証」とあるのは「道路運送車両法第72条第1項に規定する軽自動車検査ファイル」と読み替えるものとする。（規15の9⑯）

　　　（三輪以上の軽自動車の範囲の見直し）
(19)　③、(9)及び(14)の規定の適用を受ける三輪以上の軽自動車の範囲については、2年ごとに見直しを行うものとする。（法446④）

④　形式的な所有権の移転により取得した三輪以上の軽自動車に対する環境性能割の非課税
　市町村は、次に掲げる三輪以上の軽自動車に対しては、環境性能割を課することができない。（法447①）
(一)　相続（被相続人から相続人に対してされた遺贈を含む。）により取得した三輪以上の軽自動車
(二)　法人の合併又は(1)で定める分割により取得した三輪以上の軽自動車
(三)　法人が新たに法人を設立するために現物出資（現金出資をする場合における当該出資の額に相当する資産の譲渡を含む。）を行う場合（(2)で定める場合に限る。）における当該新たに設立された法人が取得した三輪以上の軽自動車
(四)　会社更生法第183条（金融機関等の更生手続の特例等に関する法律（以下(四)において「更生特例法」という。）第104条又は第273条において準用する場合を含む。）、更生特例法第103条第1項（更生特例法第346条において準用する場合を含む。）又は更生特例法第272条（更生特例法第363条において準用する場合を含む。）の規定により更生計画において株式会社、更生特例法第2条第2項に規定する協同組織金融機関又は同条第6項に規定する相互会社から会社更生法第183条第1号に規定する新会社（以下(四)において「新会社」という。）、更生特例法第103条第1項第1号に規定する新協同組織金融機関（以下(四)において「新協同組織金融機関」という。）又は更生特例法第272条第1号に規定する新相互会社（以下(四)において「新相互会社」という。）に移転すべき三輪以上の軽自動車を定めた場合における当該新会社、新協同組織金融機関又は新相互会社が取得した三輪以上の軽自動車
(五)　委託者から受託者に信託財産を移す場合における当該受託者が取得した三輪以上の軽自動車
(六)　信託の効力が生じた時から引き続き委託者のみが信託財産の元本の受益者である信託により受託者から当該受益者（当該信託の効力が生じた時から引き続き委託者である者に限る。以下(六)において同じ。）に信託財産を移す場合における当該受益者が取得した三輪以上の軽自動車
(七)　信託の受託者の変更があった場合における新たな受託者が取得した三輪以上の軽自動車
(八)　保険業法の規定により保険会社がその保険契約の全部を他の保険会社に移転した場合における当該他の保険会社が取得した三輪以上の軽自動車
(九)　譲渡により担保の目的となっている財産（以下「譲渡担保財産」という。）により担保される債権の消滅により当該譲渡担保財産の設定の日から6月以内に譲渡担保財産の権利者（以下「譲渡担保権者」という。）から譲渡担保財産の設定者（設定者が交代した場合に新たに設定者となる者を除く。以下同じ。）に当該譲渡担保財産を移転する場合における当該譲渡担保財産の設定者が取得した三輪以上の軽自動車

　　　（政令で定める法人の分割等）
（1）　第二編第七章第一節四の7の(1)の規定は、④の(二)に規定する(1)で定める分割について準用する。（令52の20①）

（準用規定）
（２）　第二編第七章第一節**四**の７の（２）の規定は、④の（三）に規定する（２）で定める場合について準用する。（令52の20②）

　　　（売買契約に基づき三輪以上の軽自動車の所有権が移転したとき）
（３）　市町村は、２の②又は２の②の（１）の規定の適用を受ける売買契約に基づき三輪以上の軽自動車の所有権がこれらの規定に規定する買主に移転したときは、当該買主が取得した三輪以上の軽自動車に対しては、重ねて環境性能割を課することができない。（法447②）

⑤　**東日本大震災による被災自動車等の代替軽自動車等に対する軽自動車税の環境性能割の非課税等**
　市町村は、東日本大震災により滅失し、又は損壊した第二編第十章第一節の１の（三）に規定する自動車又は軽自動車のうち三輪以上のもの（以下「被災自動車等」という。）の所有者（第二編第十章第一節の３又は２の②に規定する場合には、これらの規定に規定する買主）その他の（１）で定める者が、被災自動車等に代わるものと道府県知事が認める三輪以上の軽自動車（以下⑤において「代替軽自動車」という。）の取得をした場合には、当該代替軽自動車の取得が令和３年３月31日までに行われたときに限り、２の①の規定にかかわらず、当該代替軽自動車に対しては、軽自動車税の環境性能割を課することができない。（法附57①）

　　　（東日本大震災に係る軽自動車税の環境性能割の特例の適用を受ける者の範囲等）
（１）　⑤に規定する（１）で定める者は、次に掲げる者とする。（令附34①）
（一）　被災自動車等（⑤に規定する被災自動車等をいう。（三）において同じ。）の所有者（第二編第十章第一節の３又は２の②に規定する場合には、これらの規定に規定する買主）
（二）　（一）に掲げる者（（二）に規定する相続人を含む。）が個人である場合においてその者について相続があったときにおけるその者の相続人
（三）　（一）に掲げる者（（三）に規定する合併後存続する法人若しくは合併により設立された法人又は分割承継法人を含む。）が法人である場合において、当該法人が合併により消滅したときにおけるその合併に係る合併後存続する法人若しくは合併により設立された法人又は当該法人が分割により被災自動車等に係る事業を承継させたときにおけるその分割に係る法人税法第２条12号の３に規定する分割承継法人（以下「分割承継法人」という。）

　　　（対象区域内用途廃止等自動車等を取得した場合の非課税）
（２）　市町村は、次の各号に掲げる第二編第十章第一節の１の（三）に規定する自動車又は軽自動車のうち三輪以上のもの（以下（２）及び（５）において「自動車等」という。）で（３）で定めるもの（以下「対象区域内用途廃止等自動車等」という。）の当該各号に規定する自動車等持出困難区域を指定する旨の公示があった日における所有者（第二編第十章第一節の３又は２の②に規定する場合には、これらの規定に規定する買主）その他の（４）で定める者が、対象区域内用途廃止等自動車等に代わるものと道府県知事が認める三輪以上の軽自動車（以下（２）において「代替軽自動車」という。）の取得をした場合には、当該代替軽自動車の取得が同日から令和３年３月31日までの間に行われたときに限り、２の①の規定にかかわらず、当該代替軽自動車に対しては、軽自動車税の環境性能割を課することができない。（法附57②）
（一）　第二編第十章第一節の４の④の（２）の（一）に規定する自動車等持出困難区域（以下（２）及び（５）において「自動車等持出困難区域」という。）内に当該自動車等持出困難区域を指定する旨の公示があった日から継続してあった自動車等で、当該自動車等持出困難区域内にある間に用途を廃止したもの
（二）　自動車等持出困難区域を指定する旨の公示があった日から当該自動車等持出困難区域の指定を解除する旨の公示があった日までの間継続して当該自動車等持出困難区域内にあった自動車等で、次に掲げる自動車等の区分に応じそれぞれ次に定めるもの
　　イ　自動車等であって、使用済自動車の再資源化等に関する法律第２条第１項に規定する自動車に該当するもの　当該自動車等持出困難区域の指定を解除する旨の公示があった日から２月以内に用途を廃止し、又は同条第11項に規定する引取業者（（三）において「引取業者」という。）に引き渡したもの
　　ロ　イに掲げる自動車等以外の自動車等　当該自動車等持出困難区域の指定を解除する旨の公示があった日から２月以内に用途を廃止したもの又は同日から９月以内に解体したもの
（三）　自動車等持出困難区域を指定する旨の公示があった日から当該自動車等持出困難区域の外に移動させた日までの間継続して当該自動車等持出困難区域内にあった自動車等で、次に掲げる自動車等の区分に応じそれぞれ次に定

めるもの
　　イ　自動車等であって、使用済自動車の再資源化等に関する法律第２条第１項に規定する自動車に該当するもの　当該移動させた日から２月以内に用途を廃止し、又は引取業者に引き渡したもの
　　ロ　イに掲げる自動車等以外の自動車等　当該移動させた日から２月以内に用途を廃止したもの又は同日から９月以内に解体したもの

　　（政令で定める自動車等）
（３）　（２）に規定する（３）で定めるものは、次に掲げる同項に規定する自動車等とする。（令附34②）
　（一）　第二編第十章第一節の１の（三）に規定する自動車であって、用途の廃止又は解体を事由として道路運送車両法第15条の規定により永久抹消登録がされたもの又は同法第16条第２項の規定による届出がされたもの
　（二）　軽自動車のうち三輪以上のものであって用途の廃止又は解体を事由として道路運送車両法第69条の２第１項の規定による届出がされたもの

　　（政令で定める者）
（４）　（２）に規定する（４）で定める者は、次に掲げる者とする。（令附34③）
　（一）　対象区域内用途廃止等自動車等（（２）に規定する対象区域内用途廃止等自動車等をいう。（三）において同じ。）の（２）各号に規定する自動車等持出困難区域を指定する旨の公示があった日における所有者（第二編第十章第一節の３又は２の②に規定する場合には、これらの規定に規定する買主）
　（二）　（一）に掲げる者（（二）に規定する相続人を含む。）が個人である場合において、その者について相続があったときにおけるその者の相続人
　（三）　（一）に掲げる者（（三）に規定する合併後存続する法人若しくは合併により設立された法人又は分割承継法人を含む。）が法人である場合において、当該法人が合併により消滅したときにおけるその合併に係る合併後存続する法人若しくは合併により設立された法人又は当該法人が分割により対象区域内用途廃止等自動車等に係る事業を承継させたときにおけるその分割に係る分割承継法人

　　（対象区域内用途廃止等自動車等を取得した場合の地方団体の徴収金に係る納税義務の免除）
（５）　市町村は、自動車等持出困難区域内の自動車等（以下「対象区域内自動車等」という。）の当該自動車等持出困難区域を指定する旨の公示があった日における所有者（第二編第十章第一節の３又は２の②に規定する場合には、これらの規定に規定する買主）その他の（６）で定める者が対象区域内自動車等以外の三輪以上の軽自動車（以下「他の三輪以上の軽自動車」という。）の取得をした場合において、当該他の三輪以上の軽自動車の取得をした後に、対象区域内自動車等が対象区域内用途廃止等自動車等に該当することとなり、かつ、当該取得した他の三輪以上の軽自動車を対象区域内用途廃止等自動車等に代わるものと道府県知事が認めるときは、当該他の三輪以上の軽自動車の取得が同日から令和３年３月31日までの間に行われたときに限り、当該他の三輪以上の軽自動車に対して課する軽自動車税の環境性能割に係る地方団体の徴収金に係る納税義務を免除するものとする。（法附57③）

　　（政令で定める者）
（６）　（５）に規定する（６）で定める者は、次に掲げる者とする。（令附34④）
　（一）　対象区域内自動車等（（５）に規定する対象区域内自動車等をいう。（三）において同じ。）の（５）に規定する自動車等持出困難区域を指定する旨の公示があった日における所有者（第二編第十章第一節の３又は２の②に規定する場合には、これらの規定に規定する買主）
　（二）　（一）に掲げる者（（二）に規定する相続人を含む。）が個人である場合において、その者について相続があったときにおけるその者の相続人
　（三）　（一）に掲げる者（（三）に規定する合併後存続する法人若しくは合併により設立された法人又は分割承継法人を含む。）が法人である場合において、当該法人が合併により消滅したときにおけるその合併に係る合併後存続する法人若しくは合併により設立された法人又は当該法人が分割により対象区域内自動車等に係る事業を承継させたときにおけるその分割に係る分割承継法人

　　（道府県知事への提出書類）
（７）　（１）、（４）又は（６）に規定する者が⑤、（２）、（５）の規定の適用を受けようとする場合には、総務省令で定める書類をこれらの規定に規定する道府県知事に提出しなければならない。（令附34⑤）

(地方団体の徴収金の還付)
(8) 第二節四の1に規定する定置場所在道府県(以下「定置場所在道府県」という。)は、第二節四の1の規定により賦課徴収を行う軽自動車税の環境性能割に係る地方団体の徴収金を徴収した場合において、当該軽自動車税の環境性能割について(5)の規定の適用があることとなったときは、(6)で定める者の申請に基づいて、当該地方団体の徴収金を還付するものとする。(法附57④)

(徴収金の還付額の充当)
(9) 定置場所在道府県の知事は、(8)の規定により軽自動車税の環境性能割に係る地方団体の徴収金を還付する場合において、還付を受ける者の未納に係る地方団体の徴収金があるときは、当該還付すべき額をこれに充当しなければならない。(法附57⑤)

(みなし規定)
(10) (8)及び(9)の規定により軽自動車税の環境性能割に係る地方団体の徴収金を還付し、又は充当する場合には、(8)の規定による還付の申請があった日から起算して10日を経過した日を第一編第六章三の1の各号に掲げる日とみなして、(8)及び(9)の規定を適用する。(法附57⑥)

⑥ 東日本大震災による被災自動車等の代替軽自動車等に対する軽自動車税の種別割の非課税等

市町村は、⑤の(1)で定める者が、被災自動車等に代わるものと市町村長が認める三輪以上の軽自動車を次の各号に掲げる期間に取得した場合における当該取得された三輪以上の軽自動車に対しては、2の①の規定にかかわらず、それぞれ当該各号に定める年度分の軽自動車税の種別割を課することができない。(法附58①)

| (一) | 平成31年4月1日から令和2年3月31日までの期間 | 令和2年度分 |
| (二) | 令和2年4月1日から令和3年3月31日までの期間 | 令和2年度分及び令和3年度分 |

(東日本大震災に係る軽自動車税の種別割の特例)
(1) 市町村は、原動機付自転車、軽自動車(二輪のものに限る。)及び二輪の小型自動車(以下「二輪自動車等」という。)であって東日本大震災により滅失し、又は損壊したもの(以下「被災二輪自動車等」という。)の所有者(2の②に規定する場合には、2の②に規定する買主)その他の(2)で定める者が、被災二輪自動車等に代わるものと市町村長が認める二輪自動車等を⑥の各号に掲げる期間に取得した場合における当該取得された二輪自動車等に対しては、2の①の規定にかかわらず、それぞれ⑥の各号に定める年度分の軽自動車税の種別割を課することができない。(法附58②)

(東日本大震災に係る軽自動車税の種別割の特例の適用を受ける者の範囲等)
(2) (1)に規定する(2)で定める者は、次に掲げる者とする。(令附35①)
(一) 被災二輪自動車等((1)に規定する被災二輪自動車等をいう。(三)において同じ。)の所有者(2の②に規定する場合には、2の②に規定する買主)
(二) (一)に掲げる者((二)に規定する相続人を含む。)が個人である場合においてその者について相続があったときにおけるその者の相続人
(三) (一)に掲げる者((三)に規定する合併後存続する法人若しくは合併により設立された法人又は分割承継法人を含む。)が法人である場合において、当該法人が合併により消滅したときにおけるその合併に係る合併後存続する法人若しくは合併により設立された法人又は当該法人が分割により被災二輪自動車等に係る事業を承継させたときにおけるその分割に係る分割承継法人

(東日本大震災により滅失等した場合の小型特殊自動車の非課税)
(3) 市町村は、小型特殊自動車であって東日本大震災により滅失し、又は損壊したもの(以下「被災小型特殊自動車」という。)の所有者(2の②に規定する場合には、2の②に規定する買主)その他の(4)で定める者が、被災小型特殊自動車に代わるものと市町村長が認める小型特殊自動車を⑥の各号に掲げる期間に取得した場合における当該取得された小型特殊自動車に対しては、2の①の規定にかかわらず、それぞれ⑥の各号に定める年度分の軽自動車税の種別割を課することができない。(法附58③)

　　　　（政令で定める者）
（４）　（３）に規定する（４）で定める者は、次に掲げる者とする。（令附35②）
　（一）　被災小型特殊自動車（（３）に規定する被災小型特殊自動車をいう。（三）において同じ。）の所有者（２の②に規定する場合には、２の②に規定する買主）
　（二）　（一）に掲げる者（（二）に規定する相続人を含む。）が個人である場合において、その者について相続があったときにおけるその者の相続人
　（三）　（一）に掲げる者（（三）に規定する合併後存続する法人若しくは合併により設立された法人又は分割承継法人を含む。）が法人である場合において、当該法人が合併により消滅したときにおけるその合併に係る合併後存続する法人若しくは合併により設立された法人又は当該法人が分割により被災小型特殊自動車に係る事業を承継させたときにおけるその分割に係る分割承継法人

　　　　（一定期間に取得した三輪以上の軽自動車の非課税）
（５）　市町村は、⑤の（４）で定める者が、対象区域内用途廃止等自動車等に代わるものと市町村長が認める三輪以上の軽自動車を⑥の各号に掲げる期間に取得した場合における当該取得された三輪以上の軽自動車に対しては、２の①の規定にかかわらず、それぞれ⑥の各号に定める年度分の軽自動車税の種別割を課することができない。（法附58④）

　　　　（地方団体の徴収金に係る納税義務の免除）
（６）　市町村は、⑤の（６）で定める者が、他の三輪以上の軽自動車を⑥の各号に掲げる期間に取得した場合において、当該他の三輪以上の軽自動車を取得した後に、対象区域内自動車等が対象区域内用途廃止等自動車等に該当することとなり、かつ、当該取得した他の三輪以上の軽自動車を対象区域内用途廃止等自動車等に代わるものと市町村長が認めるときは、当該他の三輪以上の軽自動車に対する⑥の各号に定める年度分の軽自動車税の種別割に係る地方団体の徴収金に係る納税義務を免除するものとする。（法附58⑤）

　　　　（二輪自動車等で政令で定めるもの）
（７）　市町村は、次の各号に掲げる二輪自動車等で（８）で定めるもの（以下「対象区域内用途廃止等二輪自動車等」という。）の当該各号に規定する自動車等持出困難区域を指定する旨の公示があった日における所有者（２の②に規定する場合には、２の②に規定する買主）その他の（９）で定める者が、対象区域内用途廃止等二輪自動車等に代わるものと市町村長が認める二輪自動車等を⑥の各号に掲げる期間に取得した場合における当該取得された二輪自動車等に対しては、２の①の規定にかかわらず、それぞれ当該各号に定める年度分の軽自動車税の種別割を課することができない。（法附58⑥）
　（一）　自動車等持出困難区域を指定する旨の公示があった日から継続して当該自動車等持出困難区域内にあった二輪自動車等で、当該自動車等持出困難区域内にある間に用途を廃止したもの
　（二）　自動車等持出困難区域を指定する旨の公示があった日から当該自動車等持出困難区域の指定を解除する旨の公示があった日までの間継続して当該自動車等持出困難区域内にあった二輪自動車等で、同日から２月以内に用途を廃止し又は解体したもの
　（三）　自動車等持出困難区域を指定する旨の公示があった日から当該自動車等持出困難区域の外に移動させた日までの間継続して当該自動車等持出困難区域内にあった二輪自動車等で、同日から２月以内に用途を廃止し又は解体したもの

　　　　（政令で定める二輪自動車等）
（８）　（７）に規定する（８）で定める二輪自動車等は、次に掲げる（１）に規定する二輪自動車等とする。（令附35③）
　（一）　原動機付自転車であって第三節二の３の①の規定により用途を廃止し、又は解体した旨の申告書又は報告書が提出されたもの
　（二）　軽自動車（二輪のものに限る。）であって、用途の廃止又は解体を事由として軽自動車届出済証（軽自動車の使用者が道路運送車両法第97条の３第１項の規定により届け出たことを証する書類をいう。）が地方運輸局長又はその権限の委任を受けた運輸監理部長若しくは運輸支局長に返納されたもの
　（三）　二輪の小型自動車であって、用途の廃止又は解体を事由として道路運送車両法第69条第１項の規定により自動車検査証が返納されたもの

（政令で定める者）
(9)　(7)に規定する(9)で定める者は、次に掲げる者とする。（令附35④）
　（一）　対象区域内用途廃止等二輪自動車等（(7)に規定する対象区域内用途廃止等二輪自動車等をいう。（三）において同じ。）の(7)の各号に規定する自動車等持出困難区域を指定する旨の公示があった日における所有者（2の②に規定する場合には、2の②に規定する買主）
　（二）　（一）に掲げる者（（二）に規定する相続人を含む。）が個人である場合において、その者について相続があったときにおけるその者の相続人
　（三）　（一）に掲げる者（（三）に規定する合併後存続する法人若しくは合併により設立された法人又は分割承継法人を含む。）が法人である場合において、当該法人が合併により消滅したときにおけるその合併に係る合併後存続する法人若しくは合併により設立された法人又は当該法人が分割により対象区域内用途廃止等二輪自動車等に係る事業を承継させたときにおけるその分割に係る分割承継法人

　　　（地方団体の徴収金に係る納税義務の免除）
(10)　市町村は、自動車等持出困難区域内の二輪自動車等（以下「対象区域内二輪自動車等」という。）の当該自動車等持出困難区域を指定する旨の公示があった日における所有者（2の②に規定する場合には、2の②に規定する買主）その他の(11)で定める者が対象区域内二輪自動車等以外の二輪自動車等（以下(10)において「他の二輪自動車等」という。）を⑥の各号に掲げる期間に取得した場合において、当該他の二輪自動車等を取得した後に、対象区域内二輪自動車等が対象区域内用途廃止等二輪自動車等に該当することとなり、かつ、当該取得した他の二輪自動車等を対象区域内用途廃止等二輪自動車等に代わるものと市町村長が認めるときは、当該他の二輪自動車等に対する当該各号に定める年度分の軽自動車税の種別割に係る地方団体の徴収金に係る納税義務を免除するものとする。（法附58⑦）

　　　（政令で定める者）
(11)　(10)に規定する(11)で定める者は、次に掲げる者とする。（令附35⑤）
　（一）　対象区域内二輪自動車等（(10)に規定する対象区域内二輪自動車等をいう。（三）において同じ。）の(10)に規定する自動車等持出困難区域を指定する旨の公示があった日における所有者（2の②に規定する場合には、2の②に規定する買主）
　（二）　（一）に掲げる者（（二）に規定する相続人を含む。）が個人である場合において、その者について相続があったときにおけるその者の相続人
　（三）　（一）に掲げる者（（三）に規定する合併後存続する法人若しくは合併により設立された法人又は分割承継法人を含む。）が法人である場合において、当該法人が合併により消滅したときにおけるその合併に係る合併後存続する法人若しくは合併により設立された法人又は当該法人が分割により対象区域内二輪自動車等に係る事業を承継させたときにおけるその分割に係る分割承継法人

　　　（小型特殊自動車を一定期間の間に取得した場合の非課税）
(12)　市町村は、次の各号に掲げる小型特殊自動車で(13)で定めるもの（以下「対象区域内用途廃止等小型特殊自動車」という。）の当該各号に規定する自動車等持出困難区域を指定する旨の公示があった日における所有者（2の②に規定する場合には、2の②に規定する買主）その他の(14)で定める者が、対象区域内用途廃止等小型特殊自動車に代わるものと市町村長が認める小型特殊自動車を⑥の各号に掲げる期間に取得した場合における当該取得された小型特殊自動車に対しては、2の①の規定にかかわらず、それぞれ当該各号に定める年度分の軽自動車税の種別割を課することができない。（法附58⑧）
　（一）　自動車等持出困難区域を指定する旨の公示があった日から継続して当該自動車等持出困難区域内にあった小型特殊自動車で、当該自動車等持出困難区域内にある間に用途を廃止したもの
　（二）　自動車等持出困難区域を指定する旨の公示があった日から当該自動車等持出困難区域の指定を解除する旨の公示があった日までの間継続して当該自動車等持出困難区域内にあった小型特殊自動車で、同日から2月以内に用途を廃止し又は解体したもの
　（三）　自動車等持出困難区域を指定する旨の公示があった日から当該自動車等持出困難区域の外に移動させた日までの間継続して当該自動車等持出困難区域内にあった小型特殊自動車で、同日から2月以内に用途を廃止し、又は解体したもの

(政令で定める小型特殊自動車)
(13) (12)に規定する(13)で定める小型特殊自動車は、小型特殊自動車であって第三節二の3の①の規定により用途を廃止し、又は解体した旨の申告書又は報告書が提出されたものとする。(令附35⑥)

(政令で定める者)
(14) (12)に規定する(14)で定める者は、次に掲げる者とする。(令附35⑦)
(一) 対象区域内用途廃止等小型特殊自動車((12)に規定する対象区域内用途廃止等小型特殊自動車をいう。(三)において同じ。)の(12)の各号に規定する自動車等持出困難区域を指定する旨の公示があった日における所有者(2の②に規定する場合には、2の②に規定する買主)
(二) (一)に掲げる者((二)に規定する相続人を含む。)が個人である場合において、その者について相続があったときにおけるその者の相続人
(三) (一)に掲げる者((三)に規定する合併後存続する法人若しくは合併により設立された法人又は分割承継法人を含む。)が法人である場合において、当該法人が合併により消滅したときにおけるその合併に係る合併後存続する法人若しくは合併により設立された法人又は当該法人が分割により対象区域内用途廃止等小型特殊自動車に係る事業を承継させたときにおけるその分割に係る分割承継法人

(地方団体の徴収金に係る納税義務の免除)
(15) 市町村は、自動車等持出困難区域内の小型特殊自動車(以下「対象区域内小型特殊自動車」という。)の当該自動車等持出困難区域を指定する旨の公示があった日における所有者(2の②に規定する場合には、2の②に規定する買主)その他の(16)で定める者が対象区域内小型特殊自動車以外の小型特殊自動車(以下(15)において「他の小型特殊自動車」という。)を⑥の各号に掲げる期間に取得した場合において、当該他の小型特殊自動車を取得した後に、対象区域内小型特殊自動車が対象区域内用途廃止等小型特殊自動車に該当することとなり、かつ、当該取得した他の小型特殊自動車を対象区域内用途廃止等小型特殊自動車に代わるものと市町村長が認めるときは、当該他の小型特殊自動車に対する当該各号に定める年度分の軽自動車税の種別割に係る地方団体の徴収金に係る納税義務を免除するものとする。(法附58⑨)

(政令で定める者)
(16) (15)に規定する政令で定める者は、次に掲げる者とする。(令附35⑧)
(一) 対象区域内小型特殊自動車((15)に規定する対象区域内小型特殊自動車をいう。(三)において同じ。)の(15)に規定する自動車等持出困難区域を指定する旨の公示があった日における所有者(2の②に規定する場合には、2の②に規定する買主)
(二) (一)に掲げる者((二)に規定する相続人を含む。)が個人である場合において、その者について相続があったときにおけるその者の相続人
(三) (一)に掲げる者((三)に規定する合併後存続する法人若しくは合併により設立された法人又は分割承継法人を含む。)が法人である場合において、当該法人が合併により消滅したときにおけるその合併に係る合併後存続する法人若しくは合併により設立された法人又は当該法人が分割により対象区域内小型特殊自動車に係る事業を承継させたときにおけるその分割に係る分割承継法人

(提出書類)
(17) ⑤の(1)、同(4)若しくは同(6)又は(2)、(4)、(9)、(11)、(14)若しくは(16)に規定する者が⑥、(1)、(3)、(5)、(6)、(7)、(10)、(12)、(15)の規定の適用を受けようとする場合には、(18)から(23)で定める書類をこれらの規定に規定する市町村長に提出しなければならない。(令附35⑨)

(総務省令で定める書類)
(18) ⑤の(1)に規定する者が⑥の規定の適用を受けようとする場合における(17)に規定する(18)で定める書類は、次に掲げる書類とする。(規附26①)
(一) 次に掲げる事項を記載した書類
　イ 被災自動車等の所有者の氏名又は名称及び住所又は本店若しくは主たる事務所の所在地、当該被災自動車等の自動車登録番号又は車両番号及び主たる定置場並びに当該被災自動車等が営業用又は自家用のいずれであるかの別

ロ ⑥の規定の適用を受けようとする三輪以上の軽自動車（以下(18)において「申請軽自動車」という。）の所有者の氏名又は名称、住所又は本店若しくは主たる事務所の所在地及び個人番号又は法人番号（個人番号又は法人番号を有しない者にあっては、氏名又は名称及び住所又は本店若しくは主たる事務所の所在地。以下同じ。）、当該申請軽自動車の車両番号、車台番号、種別及び主たる定置場並びに当該申請軽自動車が営業用又は自家用のいずれであるかの別

ハ 当該被災自動車等の所有者につき、次に掲げる自動車等がある場合には、その台数、自動車登録番号又は車両番号及び車台番号

(イ) 既に第二編第十章第一節4の④の規定の適用を受けた同項に規定する代替自動車
(ロ) 既に第二編第十章第一節4の④の(2)の規定の適用を受けた同項に規定する代替自動車
(ハ) 既に第二編第十章第一節4の④の(5)の規定の適用を受けた同項に規定する他の自動車
(ニ) 既に⑤の規定の適用を受けた同項に規定する代替軽自動車
(ホ) 既に⑤の(2)の規定の適用を受けた同項に規定する代替軽自動車
(ヘ) 既に⑤の(5)の規定の適用を受けた同項に規定する他の三輪以上の軽自動車
(ト) 既に元年10月旧法附則第52条第1項の規定の適用を受けた同項に規定する代替自動車
(チ) 既に元年10月旧法附則第52条第2項の規定の適用を受けた同項に規定する代替自動車
(リ) 既に元年10月旧法附則第52条第3項の規定の適用を受けた同項に規定する他の自動車
(ヌ) 既に平成24年改正前の地方税法附則第52条第2項の規定の適用を受けた同項に規定する代替自動車
(ル) 平成24年改正前の地方税法附則第52条第3項の規定の適用を受けた同項に規定する他の自動車

ニ イからハまでに規定するもののほか、申請軽自動車が被災自動車等に代わるものと認めるに際し、⑥に規定する市町村長が必要と認める事項

(二) 申請軽自動車について⑥の規定の適用を受けたことを道府県知事が証する書類又は道路運送車両法第22条第1項に規定する登録事項等証明書（(21)の(二)のニにおいて「登録事項等証明書」という。）若しくは同法第72条の3に規定する軽自動車検査ファイルに記録されている事項を証明した書面（(21)の(二)のニにおいて「軽自動車検査記録事項等証明書」という。）であって滅失し、又は損壊した自動車等が被災自動車等であることを証するもの

(三) (二)に規定する書類をやむを得ない理由により提出することができない場合には、滅失し、若しくは損壊した自動車等が被災自動車等であることについて当該自動車等が滅失し、若しくは損壊した場所の所在地若しくは当該自動車等の主たる定置場所在地の道府県知事若しくは市町村長が証する書類、被災自動車等の所有者が第三節二の3の①の規定に基づき条例の定めるところにより第三節二の3の①に規定する申告書若しくは報告書（当該所有者が被災自動車等の所有者でなくなった旨の記載があるものに限る。）を提出した際に交付される受付書又は被災自動車等の主たる定置場所在地の市町村長が当該所有者が被災自動車等の所有者でなくなったことについて証する書類

(四) 3の⑤の(1)の(二)及び同(三)に掲げる者（以下(四)において「相続人等」という。）が、⑥の規定の適用を受けようとする場合には、(二)の道府県知事が証する書類を提出する場合を除き、(一)から(三)までに掲げるもののほか、戸籍の謄本又は法人に係る登記事項証明書その他のその適用を受けようとする者が相続人等に該当する旨を証する書類

（総務省令で定める書類）

(19) （2）に規定する者が(1)の規定の適用を受けようとする場合における(17)に規定する(19)で定める書類は、次に掲げる書類とする。（規附26②）

(一) 次に掲げる事項を記載した書類

イ 被災二輪自動車等（(1)に規定する被災二輪自動車等をいう。以下同じ。）の所有者（2の②に規定する場合には、2の②に規定する買主。以下同じ。）の氏名又は名称及び住所又は本店若しくは主たる事務所の所在地並びに当該被災二輪自動車等の車両番号又は標識番号及び主たる定置場

ロ (1)の規定の適用を受けようとする(1)に規定する二輪自動車等（以下(19)において「申請二輪自動車等」という。）の所有者の氏名又は名称、住所又は本店若しくは主たる事務所の所在地及び個人番号又は法人番号並びに当該申請二輪自動車等の車両番号又は標識番号、車台番号、種別及び主たる定置場

ハ 当該被災二輪自動車等の所有者につき、既に(1)の規定の適用を受けた被災二輪自動車等に代わるものと市町村長が認める(1)に規定する二輪自動車等、(7)（平成24年改正法附則第15条第2項の規定により読み替えて適用される場合を含む。以下ハ及び(22)の(一)ハにおいて同じ。）の規定の適用を受けた(7)に規定する対象区域内用途廃止等二輪自動車等に代わるものと市町村長が認める二輪自動車等若しくは(10)（平成24年改正法附則第15条第2項の規定により読み替えて適用される場合を含む。以下ハ及び(22)の(一)ハにおいて同じ。）の規定の適用

を受けた(10)に規定する他の二輪自動車等又は平成24年改正前の地方税法附則第57条第6項（地方税法等改正法附則第2条の規定により読み替えて適用される場合又は平成24年改正法附則第12条第3項の規定によりなお従前の例によることとされる場合を含む。以下ハ及び(22)の(一)ハにおいて同じ。）の規定の適用を受けた平成24年改正前の地方税法附則第57条第6項に規定する対象区域内用途廃止等二輪自動車等に代わるものと市町村長が認める二輪自動車等若しくは同条第7項（地方税法等改正法附則第2条の規定により読み替えて適用される場合又は平成24年改正法附則第12条第4項の規定によりなお従前の例によることとされる場合を含む。以下ハ及び(22)の(一)ハにおいて同じ。）の規定の適用を受けた平成24年改正前の地方税法附則第57条第7項に規定する他の二輪自動車等がある場合にはその台数、車両番号又は標識番号及び車台番号

　　ニ　イからハまでに規定するもののほか、申請二輪自動車等が被災二輪自動車等に代わるものと認めるに際し、(1)に規定する市町村長が必要と認める事項

　(二)　被災二輪自動車等が二輪の小型自動車の場合には、道路運送車両法第72条の3に規定する二輪自動車検査ファイルに記録されている事項を証明した書面（以下「二輪自動車検査記録事項等証明書」という。）であって滅失し、又は損壊した二輪の小型自動車が被災二輪自動車等であることを証するもの

　(三)　(二)に規定する書類をやむを得ない理由により提出することができない場合又は被災二輪自動車等が原動機付自転車及び軽自動車（二輪のものに限る。）の場合には、滅失し、若しくは損壊した(1)に規定する二輪自動車等が被災二輪自動車等であることについて当該二輪自動車等が滅失し、若しくは損壊した場所の所在地若しくは当該二輪自動車等の主たる定置場所在地の市町村長が証する書類、被災二輪自動車等の所有者が第三節二の3の①の規定に基づき条例で定めるところにより第三節二の3の①に規定する申告書若しくは報告書（当該所有者が被災二輪自動車等の所有者でなくなった旨の記載があるものに限る。）を提出した際に交付される受付書又は被災二輪自動車等の主たる定置場所在地の市町村長が当該所有者が被災二輪自動車等の所有者でなくなったことについて証する書類

　(四)　(2)の(二)及び(三)に掲げる者（以下(四)において「相続人等」という。）が、(1)の規定の適用を受けようとする場合には、(一)から(三)までに掲げるもののほか、戸籍の謄本又は法人に係る登記事項証明書その他のその適用を受けようとする者が相続人等に該当する旨を証する書類

　　（総務省令で定める書類）
(20)　(2)に規定する者が(3)の規定の適用を受けようとする場合における(17)に規定する(20)で定める書類は、次に掲げる書類とする。（規附26③）

　(一)　次に掲げる事項を記載した書類

　　イ　被災小型特殊自動車（(3)に規定する被災小型特殊自動車をいう。以下同じ。）の所有者（2の②に規定する場合には、2の②に規定する買主。以下同じ。）の氏名又は名称及び住所又は本店若しくは主たる事務所の所在地並びに当該被災小型特殊自動車の標識番号及び主たる定置場

　　ロ　(3)の規定の適用を受けようとする小型特殊自動車（以下(20)において「申請小型特殊自動車」という。）の所有者の氏名又は名称、住所又は本店若しくは主たる事務所の所在地及び個人番号又は法人番号並びに当該申請小型特殊自動車の標識番号、車台番号、種別及び主たる定置場

　　ハ　当該被災小型特殊自動車の所有者につき、既に(3)の規定の適用を受けた被災小型特殊自動車に代わるものと市町村長が認める小型特殊自動車、(12)（平成24年改正法附則第15条第2項の規定により読み替えて適用される場合を含む。以下ハ及び(23)の(一)ハにおいて同じ。）の規定の適用を受けた(12)に規定する対象区域内用途廃止等小型特殊自動車に代わるものと市町村長が認める小型特殊自動車若しくは(15)（平成24年改正法附則第15条第2項の規定により読み替えて適用される場合を含む。以下ハ及び(23)の(一)ハにおいて同じ。）の規定の適用を受けた(15)に規定する他の小型特殊自動車又は平成24年改正前の地方税法附則第57条第8項（地方税法等改正法附則第2条の規定により読み替えて適用される場合又は平成24年改正法附則第12条第5項の規定によりなお従前の例によることとされる場合を含む。以下ハ及び(23)の(一)ハにおいて同じ。）の規定の適用を受けた平成24年改正前の地方税法附則第57条第8項に規定する対象区域内用途廃止等小型特殊自動車に代わるものと市町村長が認める小型特殊自動車若しくは同条第9項（地方税法等改正法附則第2条の規定により読み替えて適用される場合又は平成24年改正法附則第12条第6項の規定によりなお従前の例によることとされる場合を含む。以下ハ及び(23)の(一)ハにおいて同じ。）の規定の適用を受けた平成24年改正前の地方税法附則第57条第9項に規定する他の小型特殊自動車がある場合にはその台数、標識番号及び車台番号

　　ニ　イからハまでに規定するもののほか、申請小型特殊自動車が被災小型特殊自動車に代わるものと認めるに際し、(3)に規定する市町村長が必要と認める事項

　(二)　滅失し、若しくは損壊した小型特殊自動車が被災小型特殊自動車であることについて当該小型特殊自動車が滅

失し、若しくは損壊した場所の所在地若しくは当該小型特殊自動車の主たる定置場所在地の市町村長が証する書類、被災小型特殊自動車の所有者が第三節二の3の①の規定に基づき条例で定めるところにより第三節二の3の①に規定する申告書若しくは報告書（当該所有者が被災小型特殊自動車の所有者でなくなった旨の記載があるものに限る。）を提出した際に交付される受付書又は被災小型特殊自動車の主たる定置場所在地の市町村長が当該所有者が被災小型特殊自動車の所有者でなくなったことについて証する書類
- （三）　（4）の（二）及び同（三）に掲げる者（以下（三）において「相続人等」という。）が、⑤の（5）の規定の適用を受けようとする場合にあっては、（一）及び（二）に掲げるもののほか、戸籍の謄本又は法人に係る登記事項証明書その他のその適用を受けようとする者が相続人等に該当する旨を証する書類

　　（総務省令で定める書類）
(21)　⑤の（4）又は同（6）に規定する者が（5）又は（6）の規定の適用を受けようとする場合における(17)に規定する(21)で定める書類は、次に掲げる書類とする。（規附26④）
- （一）　次に掲げる事項を記載した書類
  - イ　対象区域内用途廃止等自動車等の⑤の（2）の各号又は同（5）に規定する自動車等持出困難区域を指定する旨の公示があった日における所有者（2の②に規定する場合には、2の②に規定する買主。以下（一）において同じ。）の氏名又は名称及び住所又は本店若しくは主たる事務所の所在地、当該対象区域内用途廃止等自動車等の自動車登録番号又は車両番号、車台番号及び主たる定置場並びに当該対象区域内用途廃止等自動車等が営業用又は自家用のいずれであるかの別
  - ロ　（5）又は（6）の規定の適用を受けようとする軽自動車（二輪のものを除く。以下(21)において「申請軽自動車」という。）の所有者の氏名又は名称、住所又は本店若しくは主たる事務所の所在地及び個人番号又は法人番号、当該申請軽自動車の車両番号、車台番号、種別及び主たる定置場並びに当該申請軽自動車が営業用又は自家用のいずれであるかの別
  - ハ　当該対象区域内用途廃止等自動車等の所有者につき、次に掲げる自動車等がある場合には、その台数、自動車登録番号又は車両番号及び車台番号
    - （イ）　既に第二編第十章第一節4の④の規定の適用を受けた同項に規定する代替自動車
    - （ロ）　既に第二編第十章第一節4の④の（2）の規定の適用を受けた同項に規定する代替自動車
    - （ハ）　既に第二編第十章第一節4の④の（5）の規定の適用を受けた同項に規定する他の自動車
    - （ニ）　既に⑤の規定の適用を受けた同項に規定する代替軽自動車
    - （ホ）　既に⑤の（2）の規定の適用を受けた同項に規定する代替軽自動車
    - （ヘ）　既に⑤の（5）の規定の適用を受けた同項に規定する他の三輪以上の軽自動車
    - （ト）　既に元年10月旧法附則第52条第1項の規定の適用を受けた同項に規定する代替自動車
    - （チ）　既に元年10月旧法附則第52条第2項の規定の適用を受けた同項に規定する代替自動車
    - （リ）　既に元年10月旧法附則第52条第3項の規定の適用を受けた同項に規定する他の自動車
    - （ヌ）　既に平成24年改正前の地方税法附則第52条第2項の規定の適用を受けた同項に規定する代替自動車
    - （ル）　平成24年改正前の地方税法附則第52条第三項の規定の適用を受けた同項に規定する他の自動車
  - ニ　当該対象区域内用途廃止等自動車等の⑤の（2）の各号又は同（5）に規定する自動車等持出困難区域を指定する旨の公示があった日における所在地
  - ホ　当該対象区域内用途廃止等自動車等が⑤の（2）の（二）に掲げる自動車等に該当する場合にあっては、同（二）に規定する自動車等持出困難区域の指定を解除する旨の公示があった日
  - ヘ　当該対象区域内用途廃止等自動車等が⑤の（2）の（三）に掲げる自動車等に該当する場合には、同（三）に規定する移動させた日
  - ト　当該対象区域内用途廃止等自動車等の用途を廃止し、⑤の（2）の（二）のイ若しくは同（三）のイに規定する引取業者に引き渡し又は解体した日
  - チ　イからトまでに規定するもののほか、申請軽自動車が対象区域内用途廃止等自動車等に代わるものと認めるに際し、（5）又は（6）に規定する市町村長が必要と認める事項
- （二）　次に掲げるいずれかの書類
  - イ　申請軽自動車について⑤の（2）又は同（5）の規定の適用を受けたことを⑤の（2）又は同（5）に規定する道府県知事が証する書類
  - ロ　第二編第十章第一節の4の⑤の（9）に規定する主たる定置場所在の道府県の知事が第二編第十章第一節の4の⑤の（8）に規定する対象区域内自動車等が対象区域内用途廃止等自動車等に該当することとなったことを証する

書類
ハ (28)に規定する主たる定置場所在の市町村の長が(27)に規定する対象区域内自動車等が対象区域内用途廃止等自動車等に該当することとなったことを証する書類
ニ 次に掲げる場合の区分に応じ、次に定める書類
(イ) 当該対象区域内用途廃止等自動車等が⑤の(2)の(二)に掲げる自動車等(用途を廃止したものを除く。)に該当する場合　登録事項等証明書であって解体した自動車等が対象区域内用途廃止等自動車等に該当することとなったことを証するもの(以下(二)において「解体登録事項等証明書」という。)又は軽自動車検査記録事項等証明書であって解体した自動車等が対象区域内用途廃止等自動車等に該当することとなったことを証するもの(以下「解体軽自動車検査記録事項等証明書」という。)及び当該自動車等を第二編第十章第一節4の④の(2)(二)のイに規定する引取業者に引き渡したことを証する書類又は当該自動車等を解体したことを証する書類
(ロ) 当該対象区域内用途廃止等自動車等が⑤の(2)の(三)に掲げる自動車等(用途を廃止したものに限る。)に該当する場合　登録事項等証明書であって用途を廃止した自動車等が対象区域内用途廃止等自動車等に該当することとなったことを証するもの(以下(二)において「用途廃止登録事項等証明書」という。)及び同(三)に規定する移動させた日を証する書類(当該移動させた日を証する書類をやむを得ない理由により提出することができない場合には、当該移動させた日を確認するため⑥の(5)又は同(6)に規定する市町村長が適当と認める書類)(以下(二)において「持出日証明書類」という。)又は軽自動車検査記録事項等証明書であって用途を廃止した自動車等が対象区域内用途廃止等自動車等に該当することとなったことを証するもの(以下「用途廃止軽自動車検査記録事項等証明書」という。)のうち用途を廃止した日の記載がされているもの及び持出日証明書類
(ハ) 当該対象区域内用途廃止等自動車等が⑤の(2)の(三)に掲げる自動車等(用途を廃止したものを除く。)に該当する場合　解体登録事項等証明書又は解体軽自動車検査記録事項等証明書、持出日証明書類及び当該自動車等を同(三)のイに規定する引取業者に引き渡したことを証する書類又は当該自動車等を解体したことを証する書類
(ニ) (イ)から(ハ)までに掲げる場合以外の場合　用途廃止等登録事項等証明書又は用途廃止軽自動車検査記録事項等証明書のうち用途を廃止した日の記載がされているもの
(三) ⑤の(4)の(二)及び同(三)又は同(6)の(二)及び同(三)に掲げる者(以下(三)において「相続人等」という。)が、⑥の(5)又は同(6)の規定の適用を受けようとする場合には、(一)及び(二)に掲げるもののほか、戸籍の謄本又は法人に係る登記事項証明書その他のその適用を受けようとする者が相続人等に該当する旨を証する書類

(総務省令で定める書類)
(22) (9)又は(11)に規定する者が(7)又は(10)の規定の適用を受けようとする場合における(17)に規定する(22)で定める書類は、次に掲げる書類とする。(規附26⑤)
(一) 次に掲げる事項を記載した書類
イ 対象区域内用途廃止等二輪自動車等((7)に規定する対象区域内用途廃止等二輪自動車等をいう。以下同じ。)の(7)の各号又は(10)に規定する自動車等持出困難区域を指定する旨の公示があった日における所有者(2の②に規定する場合には、2の②に規定する買主。以下(一)において同じ。)の氏名又は名称及び住所又は本店若しくは主たる事務所の所在地並びに当該対象区域内用途廃止等二輪自動車等の車両番号又は標識番号、車台番号及び主たる定置場(当該対象区域内用途廃止等二輪自動車等が原動機付自転車又は軽自動車(二輪のものに限る。)であった場合には、当該対象区域内用途廃止等二輪自動車等の車両番号又は標識番号及び主たる定置場)
ロ (7)又は(10)の規定の適用を受けようとする(7)又は(10)に規定する二輪自動車等(以下(一)において「申請二輪自動車等」という。)の所有者の氏名又は名称、住所又は本店若しくは主たる事務所の所在地及び個人番号又は法人番号並びに当該申請二輪自動車等の車両番号又は標識番号、車台番号、種別及び主たる定置場
ハ 当該対象区域内用途廃止等二輪自動車等の所有者につき、既に(1)の規定の適用を受けた(1)に規定する被災二輪自動車等に代わるものと市町村長が認める二輪自動車等、(7)の規定の適用を受けた(7)に規定する対象区域内用途廃止等二輪自動車等に代わるものと市町村長が認める二輪自動車等若しくは(10)の規定の適用を受けた(10)に規定する他の二輪自動車等又は平成24年改正前の地方税法附則第57条第6項の規定の適用を受けた同項に規定する対象区域内用途廃止等二輪自動車等に代わるものと市町村長が認める二輪自動車等若しくは同条第7項の規定の適用を受けた同項に規定する他の二輪自動車等がある場合にはその台数、車両番号又は標識番号及び車台番号

ニ　当該対象区域内用途廃止等二輪自動車等の(7)の各号又は(10)に規定する自動車持出困難区域を指定する旨の公示があった日における所在地

ホ　当該対象区域内用途廃止等二輪自動車等が(7)の(二)に掲げる二輪自動車等に該当する場合には、同(二)に規定する自動車等持出困難区域の指定を解除する旨の公示があった日

ヘ　当該対象区域内用途廃止等二輪自動車等が(7)の(三)に掲げる二輪自動車等に該当する場合には、同(三)に規定する移動させた日

ト　当該対象区域内用途廃止等二輪自動車等の用途を廃止し又は解体した日

チ　イからトまでに規定するもののほか、申請二輪自動車等が対象区域内用途廃止等二輪自動車等に代わるものと認めるに際し、(7)又は(10)に規定する市町村長が必要と認める事項

(二) 原動機付自転車及び軽自動車(二輪のものに限る。)について(7)又は(10)の規定の適用を受けようとする場合には、次に掲げる場合の区分に応じ次に定める書類

イ　対象区域内用途廃止等二輪自動車等が(7)の(一)に掲げる二輪自動車等に該当する場合　(28)に規定する主たる定置場所在の市町村の長が(27)に規定する対象区域内二輪自動車等が対象区域内用途廃止等二輪自動車等に該当することとなったことを証する書類(以下「対象区域内用途廃止等二輪自動車等証明書」という。)又は対象区域内用途廃止等二輪自動車等について用途を廃止した日以後再使用及び譲渡しないことを約する書面(以下(二)において「誓約書」という。)

ロ　対象区域内用途廃止等二輪自動車等が(7)の(二)に掲げる二輪自動車等に該当する場合　次に掲げる場合の区分に応じ次に定める書類

(イ)　当該二輪自動車等の用途を廃止した場合　対象区域内用途廃止等二輪自動車等証明書又は誓約書

(ロ)　当該二輪自動車等を解体した場合　対象区域内用途廃止等二輪自動車等証明書又は当該二輪自動車等を解体したことを証する書類

ハ　対象区域内用途廃止等二輪自動車等が(7)の(三)に掲げる二輪自動車等に該当する場合　次に掲げる場合の区分に応じ次に定める書類

(イ)　当該二輪自動車等の用途を廃止した場合　対象区域内用途廃止等二輪自動車等証明書又は誓約書及び(7)の(三)に規定する移動させた日を証する書類(当該移動させた日を証する書類をやむを得ない理由により提出することができない場合にあっては、当該移動させた日を確認するため(7)又は(10)に規定する市町村長が適当と認める書類)(以下(ロ)及び(三)のハにおいて「持出日証明書類」という。)

(ロ)　当該二輪自動車等を解体した場合　対象区域内用途廃止等二輪自動車等証明書又は当該二輪自動車等を解体したことを証する書類及び持出日証明書類

(三) 二輪の小型自動車について(7)又は(10)の規定の適用を受けようとする場合には、次に掲げる場合の区分に応じ次に定める書類

イ　対象区域内用途廃止等二輪自動車等が(7)の(一)に掲げる二輪自動車等に該当する場合　対象区域内用途廃止等二輪自動車等証明書又は二輪自動車検査記録事項等証明書であって用途を廃止した二輪の小型自動車が対象区域内用途廃止等二輪自動車等に該当することとなったことを証するもの(以下(三)及び(30)の(三)において「用途廃止二輪自動車検査記録事項等証明書」という。)のうち用途を廃止した日の記載がされているもの

ロ　対象区域内用途廃止等二輪自動車等が(7)の(二)に掲げる二輪自動車等に該当する場合　次に掲げる場合の区分に応じ、次に定める書類

(イ)　当該二輪自動車等の用途を廃止した場合　対象区域内用途廃止等二輪自動車等証明書又は用途廃止二輪自動車検査記録事項等証明書のうち用途を廃止した日の記載がされているもの

(ロ)　当該二輪自動車等を解体した場合　対象区域内用途廃止等二輪自動車等証明書又は用途廃止二輪自動車検査記録事項等証明書であって解体した二輪の小型自動車が対象区域内用途廃止等二輪自動車等に該当することとなったことを証するもの(以下(三)及び(30)の(三)において「解体二輪自動車検査記録事項等証明書」という。)及び当該二輪自動車等を解体したことを証する書類

ハ　対象区域内用途廃止等二輪自動車等が(7)の(三)に掲げる二輪自動車等に該当する場合　次に掲げる場合の区分に応じ次に定める書類

(イ)　当該二輪自動車等の用途を廃止した場合　対象区域内用途廃止等二輪自動車等証明書又は用途廃止二輪自動車検査記録事項等証明書のうち用途を廃止した日の記載がされているもの及び持出日証明書類

(ロ)　当該二輪自動車等を解体した場合　対象区域内用途廃止等二輪自動車等証明書又は解体二輪自動車検査記録事項等証明書、当該二輪自動車等を解体したことを証する書類及び持出日証明書類

(四)　(9)の(二)及び同(三)又は(11)の(二)及び同(三)に掲げる者(以下(四)において「相続人等」という。)が、(7)

又は(10)の規定の適用を受けようとする場合には、(一)から(三)までに掲げるもののほか、戸籍の謄本又は法人に係る登記事項証明書その他のその適用を受けようとする者が相続人等に該当する旨を証する書類

(総務省令で定める書類)
(23)　(14)又は(16)に規定する者が(12)又は(15)の規定の適用を受けようとする場合における(17)に規定する(23)で定める書類は、次に掲げる書類とする。(規附26⑥)
(一)　次に掲げる事項を記載した書類
　　イ　対象区域内用途廃止等小型特殊自動車((12)に規定する対象区域内用途廃止等小型特殊自動車をいう。以下同じ。)の(12)の各号又は(15)に規定する自動車等持出困難区域を指定する旨の公示があった日における所有者(2の②に規定する場合には、2の②に規定する買主。以下(一)において同じ。)の氏名又は名称及び住所又は本店若しくは主たる事務所の所在地並びに当該対象区域内用途廃止等小型特殊自動車の標識番号並びに主たる定置場
　　ロ　(12)又は(15)の規定の適用を受けようとする小型特殊自動車(以下(一)において「申請小型特殊自動車」という。)の所有者の氏名又は名称、住所又は本店若しくは主たる事務所の所在地及び個人番号又は法人番号並びに当該申請小型特殊自動車の標識番号、車台番号、種別及び主たる定置場
　　ハ　対象区域内用途廃止等小型特殊自動車の所有者につき、既に(3)の規定の適用を受けた(3)に規定する被災小型特殊自動車に代わるものと市町村長が認める小型特殊自動車、(12)の規定の適用を受けた(12)に規定する対象区域内用途廃止等小型特殊自動車に代わるものと市町村長が認める小型特殊自動車若しくは(15)の規定の適用を受けた(15)に規定する他の小型特殊自動車又は平成24年改正前の地方税法附則第57条第8項の規定の適用を受けた同項に規定する対象区域内用途廃止等小型特殊自動車に代わるものと市町村長が認める小型特殊自動車若しくは同条第9項の規定の適用を受けた同項に規定する他の小型特殊自動車がある場合にはその台数、標識番号及び車台番号
　　ニ　当該対象区域内用途廃止等小型特殊自動車の(12)の各号又は(15)に規定する自動車等持出困難区域を指定する旨の公示があった日における所在地
　　ホ　当該対象区域内用途廃止等小型特殊自動車が(12)の(二)に掲げる小型特殊自動車に該当する場合には、同(二)に規定する自動車等持出困難区域の指定を解除する旨の公示があった日
　　ヘ　当該対象区域内用途廃止等小型特殊自動車が(12)の(三)に掲げる小型特殊自動車に該当する場合には、同(三)に規定する移動させた日
　　ト　当該対象区域内用途廃止等小型特殊自動車の用途を廃止し又は解体した日
　　チ　イからトまでに規定するもののほか、申請小型特殊自動車が対象区域内用途廃止等小型特殊自動車に代わるものと認めるに際し、(12)又は(15)に規定する市町村長が必要と認める事項
(二)　対象区域内用途廃止等小型特殊自動車が(12)の(一)に掲げる小型特殊自動車に該当する場合には、(28)に規定する主たる定置場所在の市町村の長が(27)に規定する対象区域内小型特殊自動車が対象区域内用途廃止等小型特殊自動車に該当することとなったことを証する書類(以下「対象区域内用途廃止等小型特殊自動車証明書」という。)又は対象区域内用途廃止等小型特殊自動車について用途を廃止した日以後再使用及び譲渡しないことを約する書面(以下「誓約書」という。)
(三)　対象区域内用途廃止等小型特殊自動車が(12)の(二)に掲げる小型特殊自動車に該当する場合で、当該小型特殊自動車の用途を廃止したときにあっては対象区域内用途廃止等小型特殊自動車証明書又は誓約書、当該小型特殊自動車を解体したときにあっては対象区域内用途廃止等小型特殊自動車証明書又は当該小型特殊自動車を解体したことを証する書類
(四)　対象区域内用途廃止等小型特殊自動車が(12)の(三)に掲げる小型特殊自動車に該当する場合で、当該小型特殊自動車の用途を廃止したときにあっては対象区域内用途廃止等小型特殊自動車証明書又は誓約書及び同(三)に規定する移動させた日を証する書類(当該移動させた日を証する書類をやむを得ない理由により提出することができない場合にあっては、当該移動させた日を確認するため(12)又は(15)に規定する市町村長が適当と認める書類)(以下(四)において「持出日証明書類」という。)、当該小型特殊自動車を解体したときにあっては対象区域内用途廃止等小型特殊自動車証明書又は当該小型特殊自動車を解体したことを証する書類及び持出日証明書類
(五)　(14)の(二)及び同(三)又は(16)の(二)及び同(三)に掲げる者(以下(五)において「相続人等」という。)が、(12)又は(15)の規定の適用を受けようとする場合にあっては、(一)から(四)までに掲げるもののほか、戸籍の謄本又は法人に係る登記事項証明書その他のその適用を受けようとする者が相続人等に該当する旨を証する書類

　　　　　（地方団体の徴収金の還付）
(24)　市町村は、軽自動車税の種別割に係る地方団体の徴収金を徴収した場合において、当該軽自動車税の種別割について(6)、(10)又は(15)の規定の適用があることとなったときは、これらの規定の政令で定める者の申請に基づいて、当該地方団体の徴収金を還付するものとする。（法附58⑩）

　　　　　（地方団体の徴収金の還付額の充当）
(25)　市町村長は、(24)の規定により軽自動車税の種別割に係る地方団体の徴収金を還付する場合において、還付を受ける者の未納に係る地方団体の徴収金があるときは、当該還付すべき額をこれに充当しなければならない。（法附58⑪）

　　　　　（みなし規定）
(26)　(24)及び(25)の規定により軽自動車税の種別割に係る地方団体の徴収金を還付し、又は充当する場合には、(24)の規定による還付の申請があった日から起算して10日を経過した日を第一編第六章三の1の各号に掲げる日とみなして、(24)の規定を適用する。（法附58⑫）

　　　　　（みなし規定）
(27)　対象区域内自動車等（三輪以上の軽自動車に限る。）、対象区域内二輪自動車等又は対象区域内小型特殊自動車（以下「対象区域内軽自動車等」という。）が、対象区域内用途廃止等自動車等、対象区域内用途廃止等二輪自動車等又は対象区域内用途廃止等小型特殊自動車に該当することとなった場合には、当該対象区域内軽自動車等は、2の①の規定の適用については、当該対象区域内軽自動車等に係る自動車等持出困難区域を指定する旨の公示があった日以後軽自動車等でなかったものとみなす。（法附58⑬）

　　　　　（市町村長への提出書類）
(28)　(27)に規定する場合には、(27)に規定する対象区域内軽自動車等の所有者（2の②に規定する場合には、2の②に規定する買主）は、(29)から(31)で定める書類を当該対象区域内軽自動車等の主たる定置場所在の市町村の長に提出しなければならない。（令附35⑩）

　　　　　（総務省令で定める書類）
(29)　対象区域内軽自動車等（(27)に規定する対象区域内軽自動車等をいう。以下同じ。）のうち軽自動車（二輪のものを除く。以下(29)において同じ。）の所有者（2の②に規定する場合には、2の②に規定する買主。以下(29)において同じ。）が当該対象区域内軽自動車等の主たる定置場所在の市町村の長に提出しなければならない(28)に規定する(29)で定める書類は、次に掲げる書類とする。（規附26⑦）
　(一)　次に掲げる事項を記載した書類
　　　イ　対象区域内用途廃止等自動車等（三輪以上の軽自動車に限る。以下(29)において同じ。）の所有者の氏名又は名称、住所又は本店若しくは主たる事務所の所在地及び個人番号又は法人番号、当該対象区域内用途廃止等自動車等の車両番号、車台番号及び主たる定置場並びに当該対象区域内用途廃止等自動車等が営業用又は自家用のいずれであるかの別
　　　ロ　当該対象区域内用途廃止等自動車等の(27)に規定する自動車等持出困難区域を指定する旨の公示があった日における所在地
　　　ハ　当該対象区域内用途廃止等自動車等が⑤の(2)の(二)に掲げる自動車に該当する場合には、同(二)に規定する自動車等持出困難区域の指定を解除する旨の公示があった日
　　　ニ　当該対象区域内用途廃止等自動車等が⑤の(2)の(三)に掲げる自動車に該当する場合には、同(三)に規定する移動させた日
　　　ホ　当該対象区域内用途廃止等自動車等の用途を廃止し、⑤の(2)の(二)のイ若しくは同(三)のイに規定する引取業者に引き渡し又は解体した日
　　　ヘ　イからホまでに規定するもののほか、(27)に規定する対象区域内自動車等が対象区域内用途廃止等自動車等に該当することとなったと認めるに際し、当該対象区域内自動車等の主たる定置場所在の市町村の長が必要と認める事項
　(二)　対象区域内用途廃止等自動車等が⑤の(2)の(一)の規定に該当する自動車等であった場合には、用途廃止軽動車検査記録事項等証明書

(三) 対象区域内用途廃止等自動車等が⑤の(2)の(二)に掲げる自動車等に該当する場合で、当該自動車等の用途を廃止したときにあっては用途廃止軽自動車検査記録事項等証明書、当該自動車等を同(二)のイに規定する引取業者(以下(三)において「引取業者」という。)に引き渡したときにあっては解体軽自動車検査記録事項等証明書及び当該自動車を引取業者に引き渡したことを証する書類((四)において「引取証明書」という。)、当該自動車等を解体したときにあっては解体軽自動車検査記録事項等証明書及び当該自動車等を解体したことを証する書類

(四) 対象区域内用途廃止等自動車等が⑤の(2)の(三)に掲げる自動車等に該当する場合で、当該自動車等の用途を廃止したときにあっては用途廃止軽自動車検査記録事項等証明書及び同(三)に規定する移動させた日を証する書類(当該移動させた日を証する書類をやむを得ない理由により提出することができない場合には、当該移動させた日を確認するため当該自動車等の主たる定置場所在の市町村の長が適当と認める書類)(以下(四)において「持出日証明書類」という。)、当該自動車等を⑤の(2)の(三)のイに規定する引取業者に引き渡したときにあっては解体軽自動車検査記録事項等証明書、引取証明書及び持出日証明書類、当該自動車等を解体したときにあっては解体軽自動車検査記録事項等証明書、当該自動車等を解体したことを証する書類及び持出日証明書類

(総務省令で定める書類)
(30) 対象区域内軽自動車等のうち二輪自動車等((1)に規定する二輪自動車等をいう。以下同じ。)の所有者(2の②に規定する場合には、2の②に規定する買主。以下(30)において同じ。)が当該対象区域内軽自動車等の主たる定置場所在の市町村の長に提出しなければならない(28)に規定する(30)で定める書類は、次に掲げる書類とする。(規附26⑧)
(一) 次に掲げる事項を記載した書類
  イ 対象区域内用途廃止等二輪自動車等の所有者の氏名又は名称、住所又は本店若しくは主たる事務所の所在地及び個人番号又は法人番号並びに当該対象区域内用途廃止等二輪自動車等の車両番号又は標識番号、車台番号及び主たる定置場(当該対象区域内用途廃止等二輪自動車等が原動機付自転車又は軽自動車(二輪のものに限る。)であった場合には、当該対象区域内用途廃止等二輪自動車等の車両番号又は標識番号及び主たる定置場)
  ロ 当該対象区域内用途廃止等二輪自動車等の(27)に規定する自動車持出困難区域を指定する旨の公示があった日における所在地
  ハ 当該対象区域内用途廃止等二輪自動車等が(7)の(二)に掲げる二輪自動車等に該当する場合には、同(二)に規定する自動車等持出困難区域の指定を解除する旨の公示があった日
  ニ 当該対象区域内用途廃止等二輪自動車等が(7)の(三)に掲げる二輪自動車等に該当する場合には、同(三)に規定する移動させた日
  ホ 当該対象区域内用途廃止等二輪自動車等の用途を廃止し又は解体した日
  ヘ イからホまでに規定するもののほか、(27)に規定する対象区域内二輪自動車等が対象区域内用途廃止等二輪自動車等に該当することとなったと認めるに際し、当該対象区域内二輪自動車等の主たる定置場所在の市町村の長が必要と認める事項
(二) 当該二輪自動車等が原動機付自転車又は軽自動車(二輪のものに限る。)である場合には、次に掲げる場合の区分に応じ次に定める書類
  イ 対象区域内用途廃止等二輪自動車等が(7)の(一)に掲げる二輪自動車等に該当する場合　対象区域内用途廃止等二輪自動車等について用途を廃止した日以後再使用及び譲渡しないことを約する書面(以下(二)において「誓約書」という。)
  ロ 対象区域内用途廃止等二輪自動車等が(7)の(二)に掲げる二輪自動車等に該当する場合で、当該二輪自動車等の用途を廃止したときにあっては誓約書、当該二輪自動車等を解体したときにあっては当該二輪自動車等を解体したことを証する書類
  ハ 対象区域内用途廃止等二輪自動車等が(7)の(三)に掲げる二輪自動車等に該当する場合で、当該二輪自動車等の用途を廃止したときにあっては誓約書及び同(三)に規定する移動させた日を証する書類(当該移動させた日を証する書類をやむを得ない理由により提出することができない場合には、当該移動させた日を確認するため当該二輪自動車等の主たる定置場所在の市町村の長が適当と認める書類)(以下ハにおいて「持出日証明書類」という。)、当該二輪自動車等を解体したときにあっては当該二輪自動車等を解体したことを証する書類及び持出日証明書類
(三) 当該二輪自動車等が二輪の小型自動車である場合には、次に掲げる場合の区分に応じ次に定める書類
  イ 対象区域内用途廃止等二輪自動車等が(7)の(一)に掲げる二輪自動車等に該当する場合　用途廃止二輪自動車検査記録事項等証明書
  ロ 対象区域内用途廃止等二輪自動車等が(7)の(二)に掲げる二輪自動車等に該当する場合で、当該二輪自動車等

の用途を廃止したときにあっては用途廃止二輪自動車検査記録事項等証明書、当該二輪自動車等を解体したときにあっては解体二輪自動車検査記録事項等証明書及び当該二輪自動車等を解体したことを証する書類

　ハ　対象区域内用途廃止等二輪自動車等が（7）の（三）に掲げる二輪自動車等に該当する場合で、当該二輪自動車等の用途を廃止したときにあっては用途廃止二輪自動車検査記録事項等証明書及び同（三）に規定する移動させた日を証する書類（当該移動させた日を証する書類をやむを得ない理由により提出することができない場合には、当該移動させた日を確認するため当該二輪自動車等の主たる定置場所在の市町村の長が適当と認める書類）（以下ハにおいて「持出日証明書類」という。）、当該二輪自動車等を解体したときにあっては解体二輪自動車検査記録事項等証明書、当該二輪自動車等を解体したことを証する書類及び持出日証明書類

　　（総務省令で定める書類）
(31)　対象区域内軽自動車等のうち小型特殊自動車の所有者（2の②に規定する場合には、2の②に規定する買主。以下(31)において同じ。）が当該対象区域内軽自動車等の主たる定置場所在の市町村の長に提出しなければならない(28)に規定する(31)で定める書類は、次に掲げる書類とする。（規附26⑨）
　（一）　次に掲げる事項を記載した書類
　　イ　対象区域内用途廃止等小型特殊自動車の所有者の氏名又は名称、住所又は本店若しくは主たる事務所の所在地及び個人番号又は法人番号並びに当該対象区域内用途廃止等小型特殊自動車の標識番号及び主たる定置場
　　ロ　当該対象区域内用途廃止等小型特殊自動車の(27)に規定する自動車等持出困難区域を指定する旨の公示があった日における所在地
　　ハ　当該対象区域内用途廃止等小型特殊自動車が(12)の（二）に掲げる小型特殊自動車に該当する場合にあっては、同（二）に規定する自動車等持出困難区域の指定を解除する旨の公示があった日
　　ニ　当該対象区域内用途廃止等小型特殊自動車が(12)の（三）に掲げる小型特殊自動車に該当する場合には、同（三）に規定する移動させた日
　　ホ　当該対象区域内用途廃止等小型特殊自動車の用途を廃止し又は解体した日
　　ヘ　イからホまでに規定するもののほか、(27)に規定する対象区域内小型特殊自動車が対象区域内用途廃止等小型特殊自動車に該当することとなったと認めるに際し、当該対象区域内小型特殊自動車の主たる定置場所在の市町村の長が必要と認める事項
　（二）　対象区域内用途廃止等小型特殊自動車が(12)の（一）に掲げる小型特殊自動車に該当する場合には、対象区域内用途廃止等小型特殊自動車について用途を廃止した日以後再使用及び譲渡しないことを約する書面（以下(31)において「誓約書」という。）
　（三）　対象区域内用途廃止等小型特殊自動車が(12)の（二）に掲げる小型特殊自動車に該当する場合で、当該小型特殊自動車の用途を廃止したときにあっては誓約書、当該小型特殊自動車を解体したときにあっては当該小型特殊自動車を解体したことを証する書類
　（四）　対象区域内用途廃止等小型特殊自動車が(12)の（三）に掲げる小型特殊自動車に該当する場合で、当該小型特殊自動車の用途を廃止したときにあっては誓約書及び同（三）に規定する移動させた日を証する書類（当該移動させた日を証する書類をやむを得ない理由により提出することができない場合には、当該移動させた日を確認するため当該小型特殊自動車の主たる定置場所在の市町村の長が適当と認める書類）（以下（四）において「持出日証明書類」という。）、当該小型特殊自動車を解体したときにあっては当該小型特殊自動車を解体したことを証する書類及び持出日証明書類

4　徴税吏員の軽自動車税に関する調査に係る質問検査権等

① 　徴税吏員の軽自動車税に関する調査に係る質問検査権
　　市町村の徴税吏員は、軽自動車税の賦課徴収に関する調査のために必要がある場合には、納税義務者又は納税義務があると認められる者に質問し、又はこれらの者の事業に関する帳簿書類（その作成又は保存に代えて電磁的記録（電子的方式、磁気的方式その他の人の知覚によっては認識することができない方式で作られる記録であって、電子計算機による情報処理の用に供されるものをいう。）の作成又は保存がされている場合における当該電磁的記録を含む。②の（一）及び同（二）において同じ。）その他の物件を検査し、若しくは当該物件（その写しを含む。）の提示若しくは提出を求めることができる。（法448①）

(身分を証明する証票の携帯・提示)
（１）　①の場合には、当該徴税吏員は、その身分を証明する証票を携帯し、関係人の請求があったときは、これを提示しなければならない。（法448②）

(提出を受けた物件の留置)
（２）　市町村の徴税吏員は、（３）で定めるところにより、①の規定により提出を受けた物件を留め置くことができる。（法448③）

(提出物件に関する書面の交付)
（３）　市町村の徴税吏員は、（２）の規定により物件を留め置く場合には、当該物件の名称又は種類及びその数量、当該物件の提出年月日並びに当該物件を提出した者の氏名及び住所又は居所その他当該物件の留置きに関し必要な事項を記載した書面を作成し、当該物件を提出した者にこれを交付しなければならない。（令52の21①）

(提出物件の返還)
（４）　市町村の徴税吏員は、（２）の規定により留め置いた物件につき留め置く必要がなくなったときは、遅滞なく、これを返還しなければならない。（令52の21②）

(留置物件の管理)
（５）　市町村の徴税吏員は、（２）の規定により留め置いた物件を善良な管理者の注意をもって管理しなければならない。（令52の21③）

(滞納処分に関する調査)
（６）　軽自動車税に係る滞納処分に関する調査については、①の規定にかかわらず、第二節三の３の（５）及び第三節三の２の（５）に定めるところによる。（法448④）

(市町村の徴税吏員の権限)
（７）　①又は（２）の規定による市町村の徴税吏員の権限は、犯罪捜査のために認められたものと解釈してはならない。（法448⑤）

② **軽自動車税に係る検査拒否等に関する罪**
　次の各号のいずれかに該当する場合には、その違反行為をした者は、30万円以下の罰金に処する。（法449①）

(一)	①の規定による徴税吏員の帳簿書類その他の物件の検査を拒み、妨げ、又は忌避したとき。
(二)	①の規定による徴税吏員の物件の提示又は提出の要求に対し、正当な理由がなくこれに応じず、又は偽りの記載若しくは記録をした帳簿書類その他の物件（その写しを含む。）を提示し、若しくは提出したとき。
(三)	①の規定による徴税吏員の質問に対し答弁をしないとき、又は虚偽の答弁をしたとき。

(両罰規定)
注　法人の代表者又は法人若しくは人の代理人、使用人その他の従業者がその法人又は人の業務又は財産に関して②の違反行為をした場合には、その行為者を罰するほか、その法人又は人に対し、②の刑を科する。（法449②）

第二節　環境性能割

一　課税標準及び税率

1　環境性能割の課税標準

　環境性能割の課税標準は、三輪以上の軽自動車の取得のために通常要する価額として（１）で定めるところにより算定し

た金額（2の①の（9）において「通常の取得価額」という。）とする。（法450）

　　　　（三輪以上の軽自動車の取得のために通常要する価額）
（1）　1に規定する三輪以上の軽自動車の取得のために通常要する価額として（1）で定めるところにより算定した金額は、次の各号に掲げる三輪以上の軽自動車の区分に応じ、当該各号に定める金額とする。（規15の10）
　（一）　初めて道路運送車両法第60条第1項後段の規定による車両番号の指定を受ける三輪以上の軽自動車　　当該三輪以上の軽自動車を通常の取引の条件に従って自動車等の販売業者から取得するとした場合における当該三輪以上の軽自動車の販売価額に相当する金額
　（二）　（一）に掲げる三輪以上の軽自動車以外の三輪以上の軽自動車　　当該三輪以上の軽自動車が初めて（一）に規定する車両番号の指定（以下（二）において「初回車両番号指定」という。）を受けたときにおける（一）に定める金額に、初回車両番号指定を受けた日の属する年の1月1日から起算した期間に応じて総務大臣が定める割合を乗じて得た額

　　　　（留意事項）
（2）　環境性能割の課税標準である三輪以上の軽自動車の通常の取得価額とは、三輪以上の軽自動車の取得のために通常要する価額をいうものであるが、次の点に留意すること。（市通4－8）
　（一）　最初の車両番号の指定（以下「初回車両番号指定」という。）を受ける三輪以上の軽自動車（いわゆる新車をいう。）については、当該三輪以上の軽自動車を通常の取引の条件に従って販売業者等から取得するとした場合における対価として支払うべき金額をいうものであり、その算定に当たっては、下取り車の有無や契約の方法（割賦販売契約等）にかかわらないものであること。
　　　なお、いわゆる公表小売価格のある三輪以上の軽自動車については、現実の取引価額（実勢価額）が、公表小売価格を若干下回っていることが通例であることに留意すること。
　（二）　初回車両番号指定を受ける三輪以上の軽自動車以外の三輪以上の軽自動車（いわゆる中古車をいう。）については、初回車両番号指定からの経過年数や使用状況等により同種の三輪以上の軽自動車であっても取引価額が異なることから、（一）に基づき算定した当該三輪以上の軽自動車が初回車両番号指定を受けたときにおける通常の取得価額に、初回車両番号指定からの経過年数に応じて別に総務大臣が定める割合を乗じることとしていること。
　（三）　取得された三輪以上の軽自動車について、第一節の1の（1）に規定する「軽自動車の付加物」に該当しない付属物があるときは、当該付属物の価額は課税標準には算入されないものであること。

2　環境性能割の税率

①　環境性能割の税率が100分の1となる自動車
　次に掲げるガソリン軽自動車のうち三輪以上のもの（第一節の3の③（同③の（9）又は（14）において準用する場合を含む。（3）及び（5）において同じ。）の規定の適用を受けるものを除く。）に対して課する環境性能割の税率は、100分の1とする。（法451①）
（一）　乗用車のうち、次のいずれにも該当するもので（1）で定めるもの
　イ　次のいずれかに該当すること。
　　（イ）　平成30年ガソリン軽中量車基準に適合し、かつ、窒素酸化物の排出量が平成30年ガソリン軽中量車基準に定める窒素酸化物の値の2分の1を超えないこと。
　　（ロ）　平成17年ガソリン軽中量車基準に適合し、かつ、窒素酸化物の排出量が平成17年ガソリン軽中量車基準に定める窒素酸化物の値の4分の1を超えないこと。
　ロ　エネルギー消費効率が令和12年度基準エネルギー消費効率に<u>100分の70</u>を乗じて得た数値以上であること。
　ハ　エネルギー消費効率が令和2年度基準エネルギー消費効率以上であること。
（二）　車両総重量が2.5トン以下のトラックのうち、次のいずれにも該当するもので（2）で定めるもの
　イ　次のいずれかに該当すること。
　　（イ）　平成30年ガソリン軽中量車基準に適合し、かつ、窒素酸化物の排出量が平成30年ガソリン軽中量車基準に定める窒素酸化物の値の2分の1を超えないこと。
　　（ロ）　平成17年ガソリン軽中量車基準に適合し、かつ、窒素酸化物の排出量が平成17年ガソリン軽中量車基準に定める窒素酸化物の値の4分の1を超えないこと。
　ロ　エネルギー消費効率が令和4年度基準エネルギー消費効率以上であること。

第三編第五章《軽自動車税》第二節《環境性能割》

(注) ①中____部分「100分の70」を「100分の75」に改める令和5年度改正規定は、令和7年4月1日以後に取得された三輪以上の軽自動車に対して課すべき軽自動車税の環境性能割について適用し、同日前に取得された三輪以上の軽自動車に対して課する軽自動車税の環境性能割については、なお従前の例による。(令5改法附1四、18①)

　　(①の乗用車等で総務省令で定めるもの)
(1)　①に規定する乗用車で(1)で定めるものは、次に掲げる要件に該当する軽自動車とする。(規15の11①)
　(一)　次に掲げる軽自動車の区分に応じ、それぞれ次に定める要件に該当すること。
　　イ　平成30年ガソリン軽中量車基準に適合する軽自動車　　窒素酸化物の排出量が細目告示第41条第1項第3号イの表の(1)の窒素酸化物の欄に掲げる値の2分の1を超えない軽自動車で、かつ、低排出ガス車認定を受けたものであること。
　　ロ　平成17年ガソリン軽中量車基準に適合する軽自動車　　窒素酸化物の排出量が旧細目告示第41条第1項第3号イの表の(1)の窒素酸化物の欄に掲げる値の4分の1を超えない軽自動車で、かつ、低排出ガス車認定を受けたものであること。
　(二)　令和12年度燃費基準達成レベルが70以上80未満であること及び当該軽自動車に係る自動車検査証においてその旨が明らかにされていること。
　(三)　令和2年度燃費基準達成レベルが100以上であること及び当該軽自動車に係る自動車検査証においてその旨が明らかにされていること。
　　(注)　(1)中____部分「70以上80未満」を「75以上80未満」に改める令和5年度改正規定は、令和7年4月1日以後適用する。(令5総務省令第37号附1)

　　(①の(二)に規定する車両総重量が2.5トン以下のトラックで総務省令で定めるもの)
(2)　①の(二)に規定する車両総重量が2.5トン以下のトラックで(2)で定めるものは、次に掲げる要件に該当する軽自動車とする。(規15の11②)
　(一)　次に掲げる軽自動車の区分に応じ、それぞれ次に定める要件に該当すること。
　　イ　平成30年ガソリン軽中量車基準に適合する軽自動車　　窒素酸化物の排出量が細目告示第41条第1項第3号イの表の(4)の窒素酸化物の欄に掲げる値の2分の1を超えない軽自動車で、かつ、低排出ガス車認定を受けたものであること。
　　ロ　平成17年ガソリン軽中量車基準に適合する軽自動車　　窒素酸化物の排出量が旧細目告示第41条第1項第3号イの表の(4)の窒素酸化物の欄に掲げる値の4分の1を超えない軽自動車で、かつ、低排出ガス車認定を受けたものであること。
　(二)　令和4年度燃費基準達成レベルが100以上105未満であること及び当該軽自動車に係る自動車検査証においてその旨が明らかにされていること。

　　(環境性能割の税率が100分の2となるガソリン軽自動車)
(3)　次に掲げるガソリン軽自動車のうち三輪以上のもの(第一節の3の③及び⑪((7)及び(9)において準用する場合を含む。)の規定の適用を受けるものを除く。)に対して課する環境性能割の税率は、100分の2とする。(法451②)
　(一)　乗用車のうち、次のいずれにも該当するもので(4)で定めるもの
　　イ　次のいずれかに該当すること。
　　　(イ)　平成30年ガソリン軽中量車基準に適合し、かつ、窒素酸化物の排出量が平成30年ガソリン軽中量車基準に定める窒素酸化物の値の2分の1を超えないこと。
　　　(ロ)　平成17年ガソリン軽中量車基準に適合し、かつ、窒素酸化物の排出量が平成17年ガソリン軽中量車基準に定める窒素酸化物の値の4分の1を超えないこと。
　　ロ　エネルギー消費効率が令和12年度基準エネルギー消費効率に100分の60を乗じて得た数値以上であること。
　　ハ　エネルギー消費効率が令和2年度基準エネルギー消費効率以上であること。
　(二)　車両総重量が2.5トン以下のトラックのうち、次のいずれにも該当するもので(5)で定めるもの
　　イ　次のいずれかに該当すること。
　　　(イ)　平成30年ガソリン軽中量車基準に適合し、かつ、窒素酸化物の排出量が平成30年ガソリン軽中量車基準に定める窒素酸化物の値の2分の1を超えないこと。
　　　(ロ)　平成17年ガソリン軽中量車基準に適合し、かつ、窒素酸化物の排出量が平成17年ガソリン軽中量車基準に定める窒素酸化物の値の4分の1を超えないこと。

第三編第五章《軽自動車税》第二節《環境性能割》

  ロ　エネルギー消費効率が令和4年度基準エネルギー消費効率に100分の95を乗じて得た数値以上であること。
  （注）　(3)中＿＿部分「100分の60」を「100分の70」に改める令和5年度改正規定は、令和7年4月1日以後に取得された三輪以上の軽自動車に対して課すべき軽自動車税の環境性能割について適用し、同日前に取得された三輪以上の軽自動車に対して課する軽自動車税の環境性能割については、なお従前の例による。（令5改法附1四、18①）

 （(3)の(一)に規定する乗用車で総務省令で定めるもの）
(4)　(3)の(一)に規定する乗用車で(4)で定めるものは、次に掲げる要件に該当する軽自動車とする。（規15の11③）
 (一)　次に掲げる軽自動車の区分に応じ、それぞれ次に定める要件に該当すること。
  イ　平成30年ガソリン軽中量車基準に適合する軽自動車　窒素酸化物の排出量が細目告示第41条第1項第3号イの表の(1)の窒素酸化物の欄に掲げる値の2分の1を超えない軽自動車で、かつ、低排出ガス車認定を受けたものであること。
  ロ　平成17年ガソリン軽中量車基準に適合する軽自動車　窒素酸化物の排出量が旧細目告示第41条第1項第3号イの表の(1)の窒素酸化物の欄に掲げる値の4分の1を超えない軽自動車で、かつ、低排出ガス車認定を受けたものであること。
 (二)　令和12年度燃費基準達成レベルが60以上70未満であること及び当該軽自動車に係る自動車検査証においてその旨が明らかにされていること。
 (三)　令和2年度燃費基準達成レベルが100以上であること及び当該軽自動車に係る自動車検査証においてその旨が明らかにされていること。
 （注）　(4)中＿＿部分「60以上70未満」を「70以上75未満」に改める令和5年度改正規定は、令和7年4月1日以後適用する。（令5総務省令第37号附1）

 （(3)の(二)に規定する乗用車又は車両総重量が2.5トン以下のトラックで総務省令で定めるもの）
(5)　(3)の(二)に規定する乗用車又は車両総重量が2.5トン以下のトラックで(4)で定めるものは、次に掲げる要件に該当する軽自動車とする。（規15の11④）
 (一)　次に掲げる軽自動車の区分に応じ、それぞれ次に定める要件に該当すること。
  イ　平成30年ガソリン軽中量車基準に適合する軽自動車　窒素酸化物の排出量が細目告示第41条第1項第3号イの表の(4)に掲げる軽自動車の種別に応じ、同表の窒素酸化物の欄に掲げる値の2分の1を超えない軽自動車で、かつ、低排出ガス車認定を受けたものであること。
  ロ　平成17年ガソリン軽中量車基準に適合する軽自動車　窒素酸化物の排出量が旧細目告示第41条第1項第3号イの表の(4)に掲げる軽自動車の種別に応じ、同表の窒素酸化物の欄に掲げる値の4分の1を超えない軽自動車で、かつ、低排出ガス車認定を受けたものであること。
 (二)　令和4年度燃費基準達成レベルが95以上100未満であること及び当該軽自動車に係る自動車検査証においてその旨が明らかにされていること。

 （環境性能割の税率が100分の3となる軽自動車）
(6)　第一節の3の③及び①、(3)（これらの規定を(6)又は(9)において準用する場合を含む。）の規定の適用を受ける三輪以上の軽自動車以外の三輪以上の軽自動車に対して課する環境性能割の税率は、100分の3とする。（法451③）

 （読替規定）
(7)　①及び(3)の規定は、平成22年度基準エネルギー消費効率算定軽自動車について準用する。この場合において、次の表の左欄に掲げる規定中同表の中欄に掲げる字句は、それぞれ同表の右欄に掲げる字句に読み替えるものとする。（法451④）

①の(一)のロ	令和12年度基準エネルギー消費効率に100分の70	第一節の3の③の(9)に規定する基準エネルギー消費効率であって平成22年度以降の各年度において適用されるべきものとして定められたもの（以下「平成22年度基準エネルギー消費効率」という。）に100分の151
①の(一)のハ	令和2年度基準エネルギー消費効率	平成22年度基準エネルギー消費効率に100分の150を乗じて得た数値
①の(二)の	令和4年度基準エネルギー消費効率	平成22年度基準エネルギー消費効率に100分の155を乗じて得

ロ			た数値
（3）の（一）のロ	令和12年度基準エネルギー消費効率に100分の60		平成22年度基準エネルギー消費効率に100分の130
（3）の（一）のハ	令和２年度基準エネルギー消費効率		平成22年度基準エネルギー消費効率に100分の150を乗じて得た数値
（3）の（二）のロ	令和４年度基準エネルギー消費効率に100分の95		平成22年度基準エネルギー消費効率に100分の147

(注)　(7)中＿＿部分「100分の70」を「100分の75」に、「100分の151」を「100分の162」に、「100分の60」を「100分の70」に、「100分の130」を「100分の151」に改める令和５年度改正規定は、令和７年４月１日以後に取得された三輪以上の軽自動車に対して課すべき軽自動車税の環境性能割について適用し、同日前に取得された三輪以上の軽自動車に対して課する軽自動車税の環境性能割については、なお従前の例による。（令５改法附１四、18①）

（読替規定）
（8）　(6)において準用する①又は(2)の規定の適用がある場合における(1)、(2)、(4)、(5)の規定の適用については、次の表の左欄に掲げる規定中同表の中欄に掲げる字句は、それぞれ同表の右欄に掲げる字句とする。（規15の11⑤）

（1）の（二）	令和12年度燃費基準達成レベルが70以上80未満であること及び	自動車の燃費性能の評価及び公表に関する実施要領第３条に規定する10・15モード燃費値（以下「10・15モード燃費値」という。）が同条第１号に規定する平成22年度基準エネルギー消費効率（以下「平成22年度基準エネルギー消費効率」という。）に100分の151を乗じて得た数値以上であること並びに
	その旨	その旨並びに自動車のエネルギー消費効率の算定等に関する省令に規定する国土交通大臣が告示で定める方法第１条第１項第２号及び第３号に掲げる方法（以下「ＪＣ08モード法及びＷＬＴＣモード法」という。）により当該軽自動車のエネルギー消費効率が算定されていない旨
（1）の（三）	令和２年度燃費基準達成レベルが100以上であること及び	10・15モード燃費値が平成22年度基準エネルギー消費効率に100分の150を乗じて得た数値以上であること並びに
	その旨	その旨並びにＪＣ08モード法及びＷＬＴＣモード法により当該軽自動車のエネルギー消費効率が算定されていない旨
（2）の（二）	令和４年度燃費基準達成レベルが100以上105未満であること及び	10・15モード燃費値が平成22年度基準エネルギー消費効率に100分の155を乗じて得た数値以上であること並びに
	その旨	その旨並びにＪＣ08モード法及びＷＬＴＣモード法により当該軽自動車のエネルギー消費効率が算定されていない旨
（4）の（二）	令和12年度燃費基準達成レベルが60以上70未満であること及び	10・15モード燃費値が平成22年度基準エネルギー消費効率に100分の130を乗じて得た数値以上であること並びに
	その旨	その旨並びにＪＣ08モード法及びＷＬＴＣモード法により当該軽自動車のエネルギー消費効率が算定されていない旨
（3）の（三）	令和２年度燃費基準達成レベルが100以上であること及び	10・15モード燃費値が平成22年度基準エネルギー消費効率に100分の150を乗じて得た数値以上であること並びに
	その旨	その旨並びにＪＣ08モード法及びＷＬＴＣモード法により当該軽自動車のエネルギー消費効率が算定されていない旨
（4）の（二）	令和４年度燃費基準達成レベルが95以上100未満であること及び	10・15モード燃費値が平成22年度基準エネルギー消費効率に100分の147を乗じて得た数値以上であること並びに
	その旨	ＪＣ08モード法及びＷＬＴＣモード法により当該軽自動車

| | | | のエネルギー消費効率が算定されていない旨 |

(注) (8)中＿＿部分「70以上80未満」を「75以上80未満」に、「100分の151」を「100分の162」に、「60以上70未満」を「70以上75未満」に、「100分の130」を「100分の151」に、改める令和5年度改正規定は、令和7年4月1日以後適用する。(令5総務省令第37号附1)

(読替規定)
(9) ①(①の(一)に係る部分に限る。)及び(3)((3)の(一)に係る部分に限る。)の規定は、令和2年度基準エネルギー消費効率等算定軽自動車について準用する。この場合において、①の(一)のロ中「令和12年度基準エネルギー消費効率に100分の70」とあるのは「令和2年度基準エネルギー消費効率に100分の102」と、(3)の(一)のロ中「令和12年度基準エネルギー消費効率に100分の60」とあるのは「令和2年度基準エネルギー消費効率に100分の87」と読み替えるものとする。(法451⑤)

(注) (9)中＿＿部分「100分の70」を「100分の75」に、「100分の102」を「100分の109」に、「100分の60」を「100分の70」に、「100分の87」を「100分の102」に改める令和5年度改正規定は、令和7年4月1日以後に取得された三輪以上の軽自動車に対して課すべき軽自動車税の環境性能割について適用し、同日前に取得された三輪以上の軽自動車に対して課する軽自動車税の環境性能割については、なお従前の例による。(令5改法附1四、18①)

(読替規定)
(10) (9)において準用する①(①の(一)に係る部分に限る。)又は(3)((3)の(一)に係る部分に限る。)の規定の適用がある場合における(1)及び(4)の規定の適用については、次の表の左欄に掲げる規定中同表の中欄に掲げる字句は、それぞれ同表の右欄に掲げる字句とする。(規15の11⑥)

(1)の(二)	令和12年度燃費基準達成レベルが70以上80未満であること及び	令和2年度燃費基準達成レベルが102以上であること並びに
	その旨	その旨及び自動車のエネルギー消費効率の算定等に関する省令に規定する国土交通大臣が告示で定める方法第1条第1項第3号に掲げる方法((4)の(二)において「WLTCモード法」という。)により当該軽自動車のエネルギー消費効率が算定されていない旨
(4)の(二)	令和12年度燃費基準達成レベルが60以上70未満であること及び	令和2年度燃費基準達成レベルが87以上であること並びに
	その旨	その旨及びWLTCモード法により当該軽自動車のエネルギー消費効率が算定されていない旨

(注) (10)中＿＿部分「70以上80未満」を「75以上80未満」に、「102以上」を「109以上」に、「60以上70未満」を「70以上75未満」に、「87以上」を「102以上」に改める令和5年度改正規定は、令和7年4月1日以後適用する。(令5総務省令第37号附1)

(読替規定)
(11) 国土交通大臣の認定等の申請をした者が偽りその他不正の手段により国土交通大臣の認定等を受けたことを事由として国土交通大臣が当該国土交通大臣の認定等を取り消した場合であって、当該取消し後にその対象となった軽自動車が新たに受けた国土交通大臣の認定等が軽自動車検査ファイルに記録されてから、当該新たに受けた国土交通大臣の認定等が当該軽自動車に係る自動車検査証において明らかにされるまでの間においては、当該軽自動車に対する(1)、(2)、(4)、(5)(これらの規定を(8)及び(10)の規定により読み替えて適用する場合を含む。)の規定の適用については、これらの規定中「当該軽自動車に係る自動車検査証」とあるのは「道路運送車両法第72条第1項に規定する軽自動車検査ファイル」と読み替えるものとする。(規15の11⑦)

(三輪以上の軽自動車の範囲の見直し)
(12) ①、(3)、(6)、(7)、(9)の規定の適用を受ける三輪以上の軽自動車の範囲については、2年ごとに見直しを行うものとする。(法451⑥)

(環境性能割の免税点)
(13) 市町村は、通常の取得価額が50万円以下である三輪以上の軽自動車に対しては、環境性能割を課することができない。(法452)

② 軽自動車税の環境性能割の非課税

市町村は、①の(一)(①の(6)において準用する場合を含む。)に掲げる三輪以上の軽自動車(自家用のものに限る。以下同じ。)に対しては、当該三輪以上の軽自動車の取得が令和元年10月1日から令和3年12月31日までの間(以下「特定期間」という。)に行われたときに限り、第一節2の①の規定にかかわらず、軽自動車税の環境性能割を課することができない。(法附29の8の2)

③ 軽自動車税の環境性能割の税率の特例

営業用の三輪以上の軽自動車に対する①及び①の(3)(これらの規定を①の(7)又は(9)において準用する場合を含む。)並びに①の(5)の規定の適用については、当分の間、次の表の左欄に掲げる同条の規定中同表の中欄に掲げる字句は、それぞれ同表の右欄に掲げる字句とする。(法附29の18①)

①(①の(7)又は(9)において準用する場合を含む。)	100分の1	100分の0.5
①の(3)(①の(7)又は(9)において準用する場合を含む。)	100分の2	100分の1
①の(5)	100分の3	100分の2

(読替規定)
注 自家用の三輪以上の軽自動車に対する①の(5)の規定の適用については、当分の間、①の(5)中「100分の3」とあるのは、「100分の2」とする。(法附29の18②)

二 申告納付並びに更正及び決定等

1 環境性能割の徴収の方法

環境性能割の徴収については、申告納付の方法によらなければならない。(法453)

(環境性能割の徴収方法が申告納付とされている理由)
(1) 環境性能割の徴収方法が申告納付とされているのは、軽自動車検査協会における車両番号の指定等の手続の際に原則として環境性能割の課税関係の事務をすべて終了させることによって、徴収の簡素化及び納税者の便宜を図るためであること。(市通4-9)

(環境性能割の徴収)
(2) 環境性能割の徴収については、以下の点に留意すること。(市通4-11)
(一) 環境性能割の証紙徴収の取扱方法としては、環境性能割の申告書に証紙を貼付する方法と、これに代えて環境性能割の申告書に証紙の額面金額に相当する金額を証紙代金収納計器で表示する方法又は証紙の額面金額に相当する現金の納付を受けた後環境性能割の申告書に納税済印を押す方法とあるが、申告窓口における納付の便宜の観点から、原則として申告書に証紙を貼付する方法によることとしていることに留意すること。

なお、証紙代金収納計器による払込みの方法は、納税義務者が証紙代金収納計器の取扱人に証紙の額面金額に相当する現金を支払って環境性能割の申告書に当該金額の表示を受けることにより、環境性能割を払い込むものであること。この場合、証紙代金収納計器の取扱人は、証紙代金収納計器の取扱いにつき市町村長の承認を受けた者とし、証紙代金収納計器により表示することができる金額を市町村に納付するとともに、当該金額を限度として証紙代金収納計器を取り扱うものであること。
(二) 証紙徴収の方法による場合の経理その他の手続については次によること。
イ 納税義務者の租税債務は、証紙が市町村の印で消されたとき、証紙代金収納計器によって金額を表示させた申告書が受理されたとき又は納税済印の押印を受けたときに履行されたものとするものであること。
ロ 証紙による払込み又は証紙代金収納計器による払込みに代えて現金で納付する場合に小切手による納付を受けるときは、地方自治法施行令第156条第1項第1号に掲げる小切手に該当し、その支払地が軽自動車検査協会の所在地であり、その提示期間の到来しているものであって、かつ、支払いが確実であると認められるものに限り納付を認めるものとすること。
ハ 証紙による払込み又は証紙代金収納計器による払込みに過誤納があった場合は、当該過誤納に係る現年度の還付金は、一般会計より歳入戻出するものとし、還付加算金は一般会計の歳出から支出するものとすること。

2　環境性能割の申告納付

環境性能割の納税義務者は、次の各号に掲げる三輪以上の軽自動車の区分に応じ、当該各号に定める時又は日までに、(2)で定める様式により、環境性能割の課税標準額、環境性能割額その他必要な事項を記載した申告書を市町村長に提出するとともに、その申告に係る環境性能割額を当該市町村に納付しなければならない。(法454①)

(一)　車両番号の指定を受ける三輪以上の軽自動車　　当該車両番号の指定の時

(二)　(一)に掲げる三輪以上の軽自動車以外の三輪以上の軽自動車で、道路運送車両法第67条第1項の規定による自動車検査証の記入を受けるべき三輪以上の軽自動車　　当該記入を受けるべき事由があった日から15日を経過する日（その日前に当該記入を受けたときは、当該記入の時）

(三)　(一)及び(二)に掲げる三輪以上の軽自動車以外の三輪以上の軽自動車　　当該三輪以上の軽自動車の取得の日から15日を経過する日

　　（報告書の提出）

(1)　三輪以上の軽自動車の取得者（環境性能割の納税義務者を除く。以下(1)において同じ。）は、2の各号に掲げる区分に応じ、当該各号に定める時又は日までに、(2)で定める様式により、当該三輪以上の軽自動車の取得者が取得した三輪以上の軽自動車について必要な事項を記載した報告書を市町村長に提出しなければならない。(法454②)

　　（環境性能割に係る申告書等の様式）

(2)　2の規定により提出すべき申告書又は(1)の規定により提出すべき報告書の様式は、第33号の4様式によるものとする。(規15の12)

　　（留意事項）

(3)　三輪以上の軽自動車の取得がされる場合には通常車両番号の指定等がされるものであるから、環境性能割の申告納付期限は車両番号の指定等を基準として定められているのであるが、次の点に留意すること。(市通4－10)

(一)　次に掲げる場合は、いずれも2の(一)に該当し、自動車検査証の交付又は使用の届出の時が申告納付期限となるものであること。

イ　自動車検査証の交付又は使用の届出のされていない三輪以上の軽自動車について所有権留保付売買契約の締結があった場合

ロ　自動車検査証の交付又は使用の届出のされていない三輪以上の軽自動車について販売業者等が自動車検査証の交付を受け、又は使用の届出をした場合

ハ　三輪以上の軽自動車を国内に持ち込んで運行の用に供する場合

(二)　次に掲げる場合は、2の(二)に該当し、自動車検査証の記入又は軽自動車届出済証の記入の時が申告納付期限となるものであること。

イ　既に自動車検査証の交付又は使用の届出のされている三輪以上の軽自動車について所有権留保付売買契約の締結があった場合

ロ　所有権留保付売買に係る三輪以上の軽自動車について買主の変更があった場合

　　（報告）

(4)　三輪以上の軽自動車の取得者で納税義務者以外の者についても、(1)で定めるところにより報告書を提出しなければならないこととされているが、これは、通常の取得価額が免税点以下である三輪以上の軽自動車を取得した者及び非課税とされる三輪以上の軽自動車を取得した者についてその旨の確認をするためのものであること。(市通4－12)

3　環境性能割の期限後申告及び修正申告納付

2の規定により2に規定する申告書（以下「申告書」という。）を提出すべき者は、2の各号に規定する申告書の提出期限（以下「申告書の提出期限」という。）後においても、9の(3)の規定による決定の通知があるまでの間は、2の規定により申告納付することができる。(法455①)

　　（修正申告書の提出）

(1)　2若しくは3若しくは(1)の規定により申告書若しくは修正申告書を提出した者又は9から9の(2)までの規定による更正若しくは決定を受けた者は、当該申告書若しくは修正申告書又は当該更正若しくは決定に係る課税標準額

又は環境性能割額について不足額がある場合には、遅滞なく、(2)で定める事項を記載した修正申告書を市町村長に提出するとともに、その修正により増加した環境性能割額を当該市町村に納付しなければならない。(法455②)

　　　　(環境性能割の修正申告書の記載事項)
(2)　(1)に規定する(2)で定める事項は、次に掲げる事項とする。(規15の13)
　(一)　納税義務者の氏名又は名称及び住所
　(二)　三輪以上の軽自動車を譲渡した者の氏名又は名称及び住所
　(三)　三輪以上の軽自動車の取得がされた年月日
　(四)　三輪以上の軽自動車の取得の原因
　(五)　三輪以上の軽自動車の種別、用途、車名及び型式
　(六)　三輪以上の軽自動車の定置場
　(七)　既に納付の確定した環境性能割額
　(八)　環境性能割の課税標準額及び環境性能割額
　(九)　(八)の環境性能割額に相当する金額から(七)の環境性能割額に相当する金額を控除した金額
　(十)　(一)から(九)までに掲げるもののほか市町村の条例で定める事項

4　環境性能割の納付の方法

環境性能割の納税義務者は、2又は3及び同(1)の規定により環境性能割額を納付する場合(10の(3)及び同(4)の規定により当該環境性能割額に係る延滞金額を納付する場合を含む。(1)において同じ。)には、申告書又は3の(1)に規定する修正申告書(以下「修正申告書」という。)に市町村が発行する証紙を貼ってしなければならない。ただし、当該市町村の条例で当該環境性能割額(当該環境性能割額に係る延滞金額を含む。(1)において同じ。)に相当する金額を証紙代金収納計器で表示させる納付の方法が定められている場合には、これによることができる。(法456①)

　　　　(証紙に代えた現金の納付)
(1)　市町村は、環境性能割の納税義務者が2又は3及び同(1)の規定により環境性能割額を納付する場合において、当該市町村の条例で、4の証紙に代えて、当該環境性能割額に相当する現金を納付することができる旨を定めることができる。(法456②)

　　　　(証紙の処理)
(2)　市町村は、4の規定により納税義務者が証紙を貼った場合には、当該証紙を貼った紙面と当該証紙の彩紋とにかけて当該市町村の印で判明にこれを消さなければならない。(法456③)

　　　　(証紙の取扱い)
(3)　4の証紙の取扱いに関しては、当該市町村の条例で定めなければならない。(法456④)

5　環境性能割に係る不申告等に関する過料

市町村は、環境性能割の納税義務者が2及び同(1)の規定により申告し、又は報告すべき事項について正当な事由がなくて申告又は報告をしなかった場合には、その者に対し、当該市町村の条例で10万円以下の過料を科する旨の規定を設けることができる。(法457)

　　　　(留意事項)
　注　軽自動車税の環境性能割に関する不申告に関する過料については、徴収委託の対象とはならず、市町村が条例で過料を科する旨の規定を定めた場合に限り、科することができるものであること。(市通4－16)

6　譲渡担保財産に対して課する環境性能割の納税義務の免除等

市町村は、譲渡担保権者が譲渡担保財産として三輪以上の軽自動車の取得をした場合において、当該譲渡担保財産により担保される債権の消滅により当該取得の日から6月以内に譲渡担保権者から譲渡担保財産の設定者に当該譲渡担保財産を移転したときは、譲渡担保権者が取得した当該譲渡担保財産に対する環境性能割に係る地方団体の徴収金に係る納税義務を免除するものとする。(法458①)

(地方団体の徴収金の徴収猶予)
(1) 市町村長は、三輪以上の軽自動車の取得者から環境性能割について6の規定の適用があるべき旨の申告があり、当該申告が真実であると認めるときは、当該取得の日から6月以内の期間を限って、当該三輪以上の軽自動車に対する環境性能割に係る地方団体の徴収金の徴収を猶予するものとする。(法458②)

(徴収猶予期間の延滞金額の免除)
(2) 市町村長は、(1)の規定による徴収の猶予をした場合には、当該徴収の猶予がされた環境性能割額に係る延滞金額のうち当該徴収を猶予した期間に対応する部分の金額を免除するものとする。(法458③)

(徴収猶予の取消し)
(3) 市町村長は、(1)の規定による徴収の猶予をした場合において、当該徴収の猶予に係る環境性能割について6の規定の適用がないことが明らかとなったときは、当該徴収の猶予を取り消さなければならない。この場合において、徴収の猶予を取り消された者は、直ちに当該徴収の猶予がされた環境性能割に係る地方団体の徴収金を納付しなければならない。(法458④)

(準用規定)
(4) 第一編第五章第一節二の3及び同4の①の規定は(1)の規定による徴収の猶予について、第一編第五章第一節二の5の(2)の規定は(3)の規定による徴収の猶予の取消しについて、それぞれ準用する。(法458⑤)

(地方団体の徴収金の還付)
(5) 市町村が環境性能割に係る地方団体の徴収金を徴収した場合において、当該環境性能割について6の規定の適用があることとなったときは、市町村長は、6の譲渡担保権者の申請に基づいて、当該地方団体の徴収金を還付するものとする。(法458⑥)

(還付額の充当)
(6) 市町村長は、(5)の規定により環境性能割に係る地方団体の徴収金を還付する場合において、還付を受けるべき者の未納に係る地方団体の徴収金があるときは、当該還付すべき額をこれに充当しなければならない。(法458⑦)

(還付金の起算日)
(7) (5)及び(6)の規定により環境性能割に係る地方団体の徴収金を還付し、又は充当する場合には、(5)の規定による還付の申請があった日から起算して10日を経過した日を第一編第六章三の1の各号に定める日とみなして、同1の規定を適用する。(法458⑧)

7 三輪以上の軽自動車の返還があった場合の環境性能割の納税義務の免除等

市町村は、自動車販売業者から三輪以上の軽自動車の取得をした者(以下7及び(2)において「三輪以上の軽自動車の取得をした者」という。)が、当該三輪以上の軽自動車の性能が良好でないことその他これに類する理由で(1)で定めるものにより、当該三輪以上の軽自動車の取得の日から1月以内に当該三輪以上の軽自動車を当該自動車販売業者に返還した場合には、当該三輪以上の軽自動車の取得をした者が取得した三輪以上の軽自動車に対する環境性能割に係る納税義務を免除するものとする。(法459①)

(三輪以上の軽自動車の性能が良好でないことに類する理由)
(1) 7に規定する(1)で定める理由は、三輪以上の軽自動車の車体の塗色等が当該三輪以上の軽自動車の取得に係る契約の内容と異なることとする。(規15の14)

(環境性能割相当額の還付)
(2) 市町村が環境性能割を徴収した場合において、当該環境性能割について7の規定の適用があることとなったときは、市町村長は、三輪以上の軽自動車の取得をした者の申請に基づいて、当該環境性能割額に相当する額を還付するものとする。(法459②)

　　　　（準用規定）
（3）　6の（6）の規定は、（2）の規定により環境性能割額を還付する場合について準用する。（法459③）

　　　　（納付義務の免除）
（4）　三輪以上の軽自動車の返還があった場合の環境性能割の還付又は納付義務の免除については、次の点に留意すること。（市通4－13）
　（一）　7及び同（2）、同（3）の規定による納付義務の免除等は、7の規定に該当する三輪以上の軽自動車の返還があった場合にはすべて適用されるものであり、それが売買契約の解除によるものであると、単なる三輪以上の軽自動車の取換えであるとを問わないものであること。
　　　なお、三輪以上の軽自動車の売買契約が解除された場合であっても、7に規定する場合に該当しない限り、同条の課税免除の適用はないものであること。
　（二）　課税免除されるのは、返還の理由が専ら販売業者の責めに帰すべき場合であり、買主の使用が適正でないことにより性能が良好でなくなったような場合は、これに含まれないものであること。
　（三）　既に納付されている税額を還付する場合は、その還付する金額に還付加算金を加算しないものであること。

8　雑　　則

①　環境性能割の脱税に関する罪
　偽りその他不正の行為により環境性能割の全部又は一部を免れたときは、その違反行為をした者は、5年以下の懲役若しくは100万円以下の罰金に処し、又はこれを併科する。（法460①）

　　　　（不正行為による脱税額が100万円を超える場合）
（1）　①の免れた税額が100万円を超える場合には、情状により、①の罰金の額は、①の規定にかかわらず、100万円を超える額でその免れた税額に相当する額以下の額とすることができる。（法460②）

　　　　（申告書の不提出に対する罰則）
（2）　①に規定するもののほか、申告書を申告書の提出期限までに提出しないことにより、環境性能割の全部又は一部を免れたときは、その違反行為をした者は、3年以下の懲役若しくは50万円以下の罰金に処し、又はこれを併科する。（法460③）

　　　　（申告書の不提出による脱税額が50万円を超える場合）
（3）　（2）の免れた税額が50万円を超える場合には、情状により、（2）の罰金の額は、（2）の規定にかかわらず、50万円を超える額でその免れた税額に相当する額以下の額とすることができる。（法460④）

　　　　（法人の代表者又はその代理人等が法人の業務又は財産に関して違反行為をした場合）
（4）　法人の代表者又は法人若しくは人の代理人、使用人その他の従業者がその法人又は人の業務又は財産に関して①又は（2）の違反行為をした場合には、その行為者を罰するほか、その法人又は人に対し、当該各項の罰金刑を科する。（法460⑤）

　　　　（罰金刑を科する場合における時効の期間）
（5）　（4）の規定により①の違反行為につき法人又は人に罰金刑を科する場合における時効の期間は、①の罪についての時効の期間による。（法460⑥）

②　環境性能割の減免
　市町村長は、天災その他特別の事情がある場合において環境性能割の減免を必要とすると認める者その他特別の事情がある者に限り、当該市町村の条例で定めるところにより、環境性能割を減免することができる。（法461）

9　環境性能割の更正及び決定
　市町村長は、申告書又は修正申告書の提出があった場合において、当該申告書又は修正申告書に係る課税標準額又は環境性能割額がその調査したところと異なるときは、これを更正する。（法462①）

(申告書を提出すべき者が当該申告書を提出しなかった場合)
(1) 市町村長は、申告書を提出すべき者が当該申告書を提出しなかった場合には、その調査により、申告すべき課税標準額及び環境性能割額を決定する。(法462②)

(課税標準額又は環境性能割額について過不足額があることを知ったとき)
(2) 市町村長は、9若しくは(2)の規定により更正し、又は(1)の規定により決定した課税標準額又は環境性能割額について過不足額があることを知ったときは、その調査により、これを更正する。(法462③)

(課税標準額又は環境性能割額の更正・決定の通知)
(3) 市町村長は、9及び(1)、(2)の規定により課税標準額又は環境性能割額を更正し、又は決定した場合には、遅滞なく、これを納税者に通知しなければならない。(法462④)

10　環境性能割の不足税額及びその延滞金の徴収

市町村の徴税吏員は、9及び同(1)、同(2)の規定による更正又は決定があった場合において、不足税額(更正による不足税額又は決定による税額をいう。以下同じ。)があるときは、9の(3)の通知をした日から1月を経過する日を納期限として、これを徴収しなければならない。(法463①)

(不足税額に係る延滞金)
(1) 10の場合においては、その不足税額に2の各号に規定する納期限(納期限の延長があったときは、その延長された納期限。以下同じ。)の翌日から納付の日までの期間の日数に応じ、年14.6%(10の納期限までの期間又は当該納期限(6の(1)の規定により徴収を猶予した税額にあっては、当該猶予した期間の末日)の翌日から1月を経過する日までの期間については、年7.3%)の割合を乗じて計算した金額に相当する延滞金額を加算して徴収しなければならない。(法463②)

(不足税額に係る延滞金の減免)
(2) 市町村長は、納税者が9及び同(1)、同(2)の規定による更正又は決定を受けたことについてやむを得ない理由があると認める場合には、(1)の延滞金額を減免することができる。(法463③)

(納期限後に申告納付する環境性能割の延滞金)
(3) 環境性能割の納税者は、2の各号に規定する納期限後にその税金を納付する場合には、当該税額に、当該納期限の翌日から納付の日までの期間の日数に応じ、年14.6%(次の各号に掲げる税額の区分に応じ、当該各号に定める日までの期間については、年7.3%)の割合を乗じて計算した金額に相当する延滞金額を加算して納付しなければならない。(法463の2①)
　(一)　申告書の提出期限までに提出した申告書に係る税額（(四)に掲げる税額を除く。(二)及び(三)において同じ。)　当該税額に係る納期限の翌日から1月を経過する日
　(二)　申告書の提出期限後に提出した申告書に係る税額　当該提出した日又はその日の翌日から1月を経過する日
　(三)　修正申告書に係る税額　修正申告書を提出した日又はその日の翌日から1月を経過する日
　(四)　6の(1)の規定により徴収を猶予した税額　当該猶予した期間の末日の翌日から1月を経過する日

(納期限後納付に係る延滞金の減免)
(4) 市町村長は、納税者が2の各号に規定する納期限までに税金を納付しなかったことについてやむを得ない理由があると認める場合には、(3)の延滞金額を減免することができる。(法463の2②)

11　環境性能割の過少申告加算金及び不申告加算金

申告書の提出期限までに申告書の提出があった場合(申告書の提出期限後に申告書の提出があった場合において、(1)ただし書又は(8)の規定の適用があるときを含む。以下11において同じ。)において、9若しくは同(2)の規定による更正があったとき、又は修正申告書の提出があったときは、市町村長は、当該更正又は修正申告前の申告又は修正申告に係る税額に誤りがあったことについて正当な理由がないと認める場合には、当該更正による不足税額又は当該修正申告により増加した税額(以下11において「対象不足税額等」という。)に100分の10の割合を乗じて計算した金額(当該対象不足税額等(当該更正又は修正申告前にその更正又は修正申告に係る環境性能割について更正又は修正申告書の提出があった場

合には、その更正による不足税額又は修正申告により増加した税額の合計額（当該更正又は修正申告前の申告又は修正申告に係る税額に誤りがあったことについて正当な理由があると認めるときは、その更正による不足税額又は修正申告により増加した税額を控除した金額とし、当該環境性能割についてその納付すべき税額を減少させる更正又は更正に係る審査請求若しくは訴えについての裁決若しくは判決による原処分の異動があったときは、これらにより減少した部分の税額に相当する金額を控除した金額とする。）を加算した金額とする。）が申告書の提出期限までに申告書の提出があった場合における当該申告書に係る税額に相当する金額と50万円とのいずれか多い金額を超えるときは、その超える部分に相当する金額（当該対象不足税額等が当該超える部分に相当する金額に満たないときは、当該対象不足税額等）に100分の5の割合を乗じて計算した金額を加算した金額とする。）に相当する過少申告加算金額を徴収しなければならない。ただし、修正申告書の提出があった場合において、その提出が当該修正申告書に係る環境性能割について9又は同（2）の規定による更正があるべきことを予知してされたものでないときは、この限りでない。（法463の3①）

　　　（不申告加算金額の徴収）
（1）　次の各号のいずれかに該当する場合には、市町村長は、当該各号に規定する申告、決定又は更正により納付すべき税額に100分の15の割合を乗じて計算した金額に相当する不申告加算金額を徴収しなければならない。ただし、申告書の提出期限までに申告書の提出がなかったことについて正当な理由があると認める場合は、この限りでない。（法463の3②）
　（一）　申告書の提出期限後に申告書の提出があった場合又は9の（1）の規定による決定があった場合
　（二）　申告書の提出期限後に申告書の提出があった後において修正申告書の提出又は9若しくは9の（1）の規定による更正があった場合
　（三）　9の（1）の規定による決定があった後において修正申告書の提出又は同（2）の規定による更正があった場合

　　　（不申告加算金額が50万円を超える場合）
（2）　（1）の規定に該当する場合（（1）ただし書又は（8）の規定の適用がある場合を除く。（3）及び（4）において同じ。）において、（1）に規定する納付すべき税額（（1）の（二）又は同（三）に該当する場合には、これらの規定に規定する修正申告又は更正前にされた当該環境性能割に係る申告書の提出期限後の申告又は9及び同（1）、同（2）の規定による更正若しくは決定により納付すべき税額の合計額（当該納付すべき税額を減少させる更正又は更正に係る審査請求若しくは訴えについての裁決若しくは判決による原処分の異動があったときは、これらにより減少した部分の税額に相当する金額を控除した金額とする。（3）において「累積納付税額」という。）を加算した金額。（3）において「加算後累積納付税額」という。）が50万円を超えるときは、（1）に規定する不申告加算金額は、（1）の規定にかかわらず、（1）の規定により計算した金額に、その超える部分に相当する金額（（1）に規定する納付すべき税額が当該超える部分に相当する金額に満たないときは、当該納付すべき税額）に100分の5の割合を乗じて計算した金額を加算した金額とする。（法463の3③）

　　　（過去5年間に不申告加算金又は重加算金を徴収されたことがある場合）
（3）　（1）の規定に該当する場合において、加算後累積納付税額（当該加算後累積納付税額の計算の基礎となった事実のうちに（1）各号に規定する申告、決定又は更正前の税額（還付金の額に相当する税額を含む。）の計算の基礎とされていなかったことについて当該納税者の責めに帰すべき事由がないと認められるものがあるときは、その事実に基づく税額として政令で定めるところにより計算した金額を控除した税額）が300万円を超えるときは、（1）に規定する不申告加算金額は、11及び（1）の規定にかかわらず、加算後累積納付税額を次の各号に掲げる金額に区分してそれぞれの金額に当該各号に定める割合を乗じて計算した金額の合計額から累積納付税額を当該各号に掲げる金額に区分してそれぞれの金額に当該各号に定める割合を乗じて計算した金額の合計額を控除した金額とする。（法463の3④）
　（一）　50万円以下の部分に相当する金額　　　100分の15の割合
　（二）　50万円を超え300万円以下の部分に相当する金額　　　100分の20の割合
　（三）　300万円を超える部分に相当する金額　　　100分の30の割合

　　　（政令で定めるところにより計算した金額）
（4）　（3）に規定する（4）で定めるところにより計算した金額は、（3）に規定する当該納税者の責めに帰すべき事由がないと認められる事実のみに基づいて（3）の各号に規定する申告、決定又は更正があったものとした場合におけるその申告、決定又は更正により納付すべき税額とする。（令52の21の2）

　　　　（不申告加算金額の計算）
（５）　（１）の規定に該当する場合において、次の各号のいずれかに該当するときは、（１）に規定する不申告加算金額は、11及び（１）及び（２）の規定にかかわらず、これらの規定により計算した金額に、（１）に規定する納付すべき税額に100分の10の割合を乗じて計算した金額を加算した金額とする。（法463の３⑤）
　（一）　申告書の提出期限後の申告書の提出若しくは修正申告書の提出（当該申告書又は修正申告書に係る環境性能割について９及び同（１）及び同（２）の規定による更正又は決定があるべきことを予知してされたものに限る。（二）において同じ。）又は９及び同（１）及び同（２）の規定による更正若しくは決定があった日の前日から起算して５年前の日までの間に、環境性能割について、不申告加算金（（６）の規定の適用があるものを除く。（二）において同じ。）又は重加算金（（６）の（一）において「不申告加算金等」という。）を徴収されたことがある場合
　（二）　申告書の提出期限後の申告書の提出若しくは修正申告書の提出又は９及び同（１）及び同（２）９及び同（１）及び同（２）の規定による更正若しくは決定に係る環境性能割の納税義務が成立した日の属する年の前年及び前々年に納税義務が成立した環境性能割について、不申告加算金若しくは重加算金（12の（３）の規定の適用があるものに限る。）（以下（二）及び12の（３）の（二）において「特定不申告加算金等」という。）を徴収されたことがあり、又は特定不申告加算金等に係る決定をすべきと認める場合

　　　　（更正又は決定があることを予知せず納期限後申告等を行った場合）
（６）　申告書の提出期限後に申告書の提出があった場合又は修正申告書の提出があった場合において、その提出が当該申告書又は修正申告書に係る環境性能割について９及び同（１）、同（２）の規定による更正又は決定があるべきことを予知してされたものでないときは、当該申告書又は修正申告書に係る税額に係る（１）に規定する不申告加算金額は、（１）から（３）の規定にかかわらず、当該税額に100分の５の割合を乗じて計算した金額に相当する額とする。（法463の３⑥）

　　　　（納税者への通知）
（７）　市町村長は、11の規定により徴収すべき過少申告加算金額又は（１）の規定により徴収すべき不申告加算金額を決定した場合には、遅滞なく、納税者に通知しなければならない。（法463の３⑦）

　　　　（申告書の提出期限までに提出する意思があったと認められる場合）
（８）　（１）の規定は、（６）の規定に該当する申告書の提出があった場合において、その提出が、申告書の提出期限までに提出する意思があったと認められる場合として（９）で定める場合に該当して行われたものであり、かつ、申告書の提出期限から１月を経過する日までに行われたものであるときは、適用しない。（法463の３⑧）

　　　　（申告書の提出期限までに提出する意思があったと認められるものとして政令で定める場合）
（９）　（８）に規定する申告書の提出期限までに提出する意思があったと認められる場合として（９）で定める場合は、次の各号のいずれにも該当する場合とする。（令52の22）
　（一）　（８）に規定する申告書の提出があった日の前日から起算して５年前の日までの間に、環境性能割について、（１）の（一）に該当することにより不申告加算金額又は重加算金額を課されたことがない場合であって、（８）の規定の適用を受けていないとき。
　（二）　（一）に規定する申告書に係る納付すべき税額の全額が、次に掲げる場合の区分に応じ、それぞれ次に定める期限又は日までに納付されていた場合
　　イ　ロに掲げる場合以外の場合　　当該納付すべき税額に係る２の各号に規定する納期限（納期限の延長があったときは、その延長された納期限）
　　ロ　市町村長が当該申告書に係る納付について口座振替の方法による旨の申出を受けていた場合　　当該申告書の提出があった日

12　環境性能割の重加算金
　11の規定に該当する場合において、納税者が課税標準額の計算の基礎となるべき事実の全部又は一部を隠蔽し、又は仮装し、かつ、その隠蔽し、又は仮装した事実に基づいて申告書又は修正申告書を提出したときは、市町村長は、（１）で定めるところにより、（１）に規定する過少申告加算金額に代えて、その計算の基礎となるべき更正による不足税額又は修正申告により増加した税額に100分の35の割合を乗じて計算した金額に相当する重加算金額を徴収しなければならない。（法463の４①）

(注) 12中____部分「又は修正申告書」を「、修正申告書又は第一編第十章の10の④に規定する更正請求書（（２）において「更正請求書」という。）」に改める令和６年度改正規定は、令和７年１月１日以後適用する。（令６改法附１二）

（環境性能割の重加算金額を徴収する場合の過少申告加算金額の取扱い）
（１） 12又は（３）（12の重加算金に係る部分に限る。以下（１）において同じ。）の規定により、過少申告加算金額に代えて、重加算金額を徴収する場合には、12又は（３）の規定による重加算金額の算定の基礎となるべき税額に相当する金額を、11に規定する対象不足税額等から控除して計算するものとした場合における過少申告加算金額以外の部分の過少申告加算金額に代えて、重加算金額を徴収するものとする。（令52の23）

（重加算金額の徴収）
（２） 11の（１）の規定に該当する場合（11の（１）ただし書の規定の適用がある場合を除く。）において、納税者が課税標準額の計算の基礎となるべき事実の全部又は一部を隠蔽し、又は仮装し、かつ、その隠蔽し、又は仮装した事実に基づいて、申告書の提出期限までに申告書を提出せず、又は申告書の提出期限後に申告書の提出をし、<u>若しくは修正申告書を</u>提出したときは、市町村長は、11の（１）に規定する不申告加算金額に代えて、その計算の基礎となるべき税額に100分の40の割合を乗じて計算した金額に相当する重加算金額を徴収しなければならない。（法463の４②）
　　（注） （２）中____部分「若しくは修正申告書を」を「修正申告書を提出し、若しくは更正請求書を」に改める令和６年度改正規定は、令和７年１月１日以後適用する。（令６改法附１二）

（過去５年間に不申告加算金を徴収されたことがある場合）
（３） 12又は（２）の規定に該当する場合において、次の各号のいずれか（12の規定に該当する場合にあっては、（一））に該当するときは、12又は（２）に規定する重加算金額は、これらの規定にかかわらず、これらの規定により計算した金額に、12の規定に該当するときは12に規定する計算の基礎となるべき更正による不足税額又は修正申告により増加した税額に、（２）の規定に該当するときは（２）に規定する計算の基礎となるべき税額に、それぞれ100分の10の割合を乗じて計算した金額を加算した金額とする。（法463の４③）
　（一） 12及び（２）に規定する課税標準額の計算の基礎となるべき事実で隠蔽し、又は仮装されたものに基づき申告書の提出期限後の申告書の提出、修正申告書の提出又は９及び同（１）及び同（２）の規定による更正若しくは決定があった日の前日から起算して５年前の日までの間に、環境性能割について、不申告加算金等を徴収されたことがある場合
　（二） 申告書の提出期限後の申告書の提出、修正申告書の提出又は９及び同（１）及び同（２）の規定による更正若しくは決定に係る環境性能割の納税義務が成立した日の属する年の前年及び前々年に納税義務が成立した環境性能割について、特定不申告加算金等を徴収されたことがあり、又は特定不申告加算金等に係る決定をすべきと認める場合

（更正又は決定があることを予知せず申告書又は修正申告書の提出を行った場合）
（４） 市町村長は、12又は（２）、（３）の規定に該当する場合において、申告書又は修正申告書の提出について11ただし書又は同（６）に規定する理由があるときは、当該申告により納付すべき税額又は当該修正申告により増加した税額を基礎として計算した重加算金額を徴収しない。（法463の４④）

（納税者への通知）
（５） 市町村長は、12又は（２）の規定により徴収すべき重加算金額を決定した場合には、遅滞なく、納税者に通知しなければならない。（法463の４⑤）

三　督促及び滞納処分

1　環境性能割に係る督促

納税者が納期限（更正又は決定があった場合には、不足税額の納期限。以下１及び３の（２）において同じ。）までに環境性能割に係る地方団体の徴収金を完納しない場合には、市町村の徴税吏員は、納期限後20日以内に、督促状を発しなければならない。ただし、繰上徴収をする場合は、この限りでない。（法463の５①）

（特別な事情がある場合の期間の特例）
注　特別の事情がある市町村においては、当該市町村の条例で１に規定する期間と異なる期間を定めることができる。

(法463の5②)

2　環境性能割に係る督促手数料
　市町村の徴税吏員は、督促状を発した場合には、当該市町村の条例で定めるところにより、手数料を徴収することができる。（法463の6）

3　環境性能割に係る滞納処分
　環境性能割に係る滞納者が次の各号のいずれかに該当するときは、市町村の徴税吏員は、当該環境性能割に係る地方団体の徴収金につき、滞納者の財産を差し押さえなければならない。（法463の7①）
(一)　滞納者が督促を受け、その督促状を発した日から起算して10日を経過した日までにその督促に係る環境性能割に係る地方団体の徴収金を完納しないとき。
(二)　滞納者が繰上徴収に係る告知により指定された納期限までに環境性能割に係る地方団体の徴収金を完納しないとき。

　　　（読替規定）
(1)　第二次納税義務者又は保証人について3の規定を適用する場合には、3の(一)中「督促状」とあるのは、「納付の催告書」とする。（法463の7②）

　　　（財産の差押え）
(2)　環境性能割に係る地方団体の徴収金の納期限後3の(一)に規定する10日を経過した日までに、督促を受けた滞納者につき第一編第三章二の1の各号のいずれかに該当する事実が生じたときは、市町村の徴税吏員は、直ちにその財産を差し押さえることができる。（法463の7③）

　　　（地方団体の徴収金の交付要求）
(3)　滞納者の財産につき強制換価手続が行われた場合には、市町村の徴税吏員は、執行機関（破産法第114条第1号に掲げる請求権に係る環境性能割に係る地方団体の徴収金の交付要求を行う場合には、その交付要求に係る破産事件を取り扱う裁判所）に対し、滞納に係る環境性能割に係る地方団体の徴収金につき、交付要求をしなければならない。（法463の7④）

　　　（参加差押えによる交付要求）
(4)　市町村の徴税吏員は、3及び(1)、(2)の規定により差押えをすることができる場合において、滞納者の財産で国税徴収法第86条第1項各号に掲げるものにつき、既に他の地方団体の徴収金若しくは国税の滞納処分又はこれらの滞納処分の例による処分による差押えがされているときは、当該財産についての交付要求は、参加差押えによりすることができる。（法463の7⑤）

　　　（地方団体の徴収金の滞納処分）
(5)　3から(4)までに定めるもののほか、環境性能割に係る地方団体の徴収金の滞納処分については、国税徴収法に規定する滞納処分の例による。（法463の7⑥）

　　　（滞納処分の区域）
(6)　3から(5)までの規定による処分は、当該市町村の区域外においても行うことができる。（法463の7⑦）

4　環境性能割に係る滞納処分に関する罪
　環境性能割の納税者が滞納処分の執行を免れる目的でその財産を隠蔽し、損壊し、若しくは市町村の不利益に処分し、その財産に係る負担を偽って増加する行為をし、又はその現状を改変して、その財産の価額を減損し、若しくはその滞納処分に係る滞納処分費を増大させる行為をしたをしたときは、その者は、3年以下の懲役若しくは250万円以下の罰金に処し、又はこれを併科する。（法463の8①）

　　　（納税者の財産を占有する第三者が財産の隠蔽等を行った場合）
(1)　納税者の財産を占有する第三者が納税者に滞納処分の執行を免れさせる目的で(1)の行為をしたときも、(1)と同様とする。（法463の8②）

（罰則規定）
（２）　情を知って４及び（１）の行為につき納税者又はその財産を占有する第三者の相手方となったときは、その相手方としてその違反行為をした者は、２年以下の懲役若しくは150万円以下の罰金に処し、又はこれを併科する。（法463の８③）

（両罰規定）
（３）　法人の代表者又は法人若しくは人の代理人、使用人その他の従業者がその法人又は人の業務又は財産に関して４及び（１）、（２）の違反行為をした場合には、その行為者を罰するほか、その法人又は人に対し、当該各項の罰金刑を科する。（法463の８④）

5　国税徴収法の例による環境性能割に係る滞納処分に関する検査拒否等の罪

次の各号のいずれかに該当する場合には、その違反行為をした者は、１年以下の懲役又は50万円以下の罰金に処する。（法463の９①）

（一）　３の（５）の場合において、国税徴収法第141条の規定の例により行う市町村の徴税吏員の質問に対して答弁をせず、又は偽りの陳述をしたとき。
（二）　３の（５）の場合において、国税徴収法第141条の規定の例により行う市町村の徴税吏員の帳簿書類（同条に規定する帳簿書類をいう。（三）において同じ。）その他の物件の検査を拒み、妨げ、又は忌避したとき。
（三）　３の（５）の場合において、国税徴収法第141条の規定の例により行う市町村の徴税吏員の物件の提示又は提出の要求に対し、正当な理由がなくこれに応じず、又は偽りの記載若しくは記録をした帳簿書類その他の物件（その写しを含む。）を提示し、若しくは提出したとき。

（両罰規定）
注　法人の代表者又は法人若しくは人の代理人、使用人その他の従業者がその法人又は人の業務又は財産に関して５の違反行為をした場合には、その行為者を罰するほか、その法人又は人に対し、５の罰金刑を科する。（法463の９②）

6　国税徴収法の例による環境性能割に係る滞納処分に関する虚偽の陳述の罪

３の（５）の場合において、国税徴収法第99条の２（同法第109条第４項において準用する場合を含む。）の規定の例により市町村長に対して陳述すべき事項について虚偽の陳述をした者は、６月以下の懲役又は50万円以下の罰金に処する。（法463の10）

四　環境性能割の特例

1　環境性能割の賦課徴収の特例

軽自動車税の環境性能割の賦課徴収は、当分の間、（３）及び２及び同（２）の規定を除くほか、第一節の４の①、二の６から同６の（７）まで（同（５）を除く。）、二の７及び同７の（３）、二の９、二の10、二の10の（４）、二の11、二の12、三の１、三の３の規定にかかわらず、軽自動車税の環境性能割を課する三輪以上の軽自動車の主たる定置場所在の道府県（以下「定置場所在道府県」という。）が、自動車税の環境性能割の賦課徴収の例により、行うものとする。（法附29の９①）

（軽自動車税の環境性能割に係る地方団体の徴収金の払込みに係る通知）
（１）　１に規定する定置場所在道府県（以下「定置場所在道府県」という。）の知事は、４の（１）の規定による払込みを行う場合には、４の（１）の規定により払い込む軽自動車税の環境性能割に係る地方団体の徴収金として納付された額その他必要な事項を定置場所在市町村の長に通知するものとする。（令附15の２の２）

（留意事項）
（２）　軽自動車税の環境性能割については、当分の間、定置場所在道府県が賦課徴収等を行うこととしているが、次の諸点に留意すること。（市通４－14）
（一）　軽自動車税の環境性能割の賦課徴収については、徴収の便宜や納税者の利便性、市町村の事務負担等を考慮し、当分の間、定置場所在道府県が自動車税の環境性能割の賦課徴収の例により行うこととしていること。
（二）　軽自動車税の環境性能割の賦課徴収については、当分の間、定置場所在道府県が行うものであるが、軽自動車税の環境性能割は、他の市町村税と同様、法律の定めるところによって、税目、課税客体、課税標準、税率、その

他賦課徴収について当該市町村の条例で定めることにより課する市町村税であることから、当該市町村の税条例等において、納税義務者や課税標準、税率などの規定を設けることにより、納税義務者が負うこととなる税負担を明確にする必要があること。

　　　（地方団体の徴収金に係る督促状を発した場合）
（３）　定置場所在道府県の徴税吏員は、当分の間、前項の規定によりその例によることとされた第二編第十章第二節三の１の規定により軽自動車税の環境性能割に係る地方団体の徴収金に係る督促状を発した場合には、三の２の規定にかかわらず、第二編第十章第二節三の２の規定により当該定置場所在道府県の条例で定める自動車税の環境性能割に係る督促手数料に相当する金額を軽自動車税の環境性能割に係る督促手数料として徴収することができる。（法附29の９②）

　　　（規定の適用を受ける三輪以上の軽自動車に該当するか否かの判断）
（４）　定置場所在道府県の知事は、当分の間、１の規定により当該定置場所在道府県が行う軽自動車税の環境性能割の賦課徴収に関し、三輪以上の軽自動車が第一節の３の③（第一節の３の③の（９）又は同③の(14)において準用する場合を含む。以下（４）において同じ。）又は第一節の２の①若しくは同①の（３）（これらの規定を同①の（７）又は同①の（９）において準用する場合を含む。以下（４）において同じ。）に規定する窒素酸化物の排出量又はエネルギー消費効率についての基準（以下（４）において「窒素酸化物排出量等基準」という。）につき第一節の３の③又は第一節の２の①若しくは同①の（３）の規定の適用を受ける三輪以上の軽自動車（以下（４）において「非課税対象車等」という。）に該当するかどうかの判断をするときは、国土交通大臣の認定等（申請に基づき国土交通大臣が行った三輪以上の軽自動車についての認定又は評価であって、当該認定又は評価の事実に基づき三輪以上の軽自動車が窒素酸化物排出量等基準につき非課税対象車等に該当するかどうかの判断をすることが適当であるものとして（５）で定めるものをいう。（６）及び（７）において同じ。）に基づき当該判断をするものとする。（法附29の９③）

　　　（総務省令で定める認定又は評価）
（５）　（４）に規定する（５）で定める認定又は評価は、低排出ガス車認定実施要領第五条の規定による認定（以下「低排出ガス車認定」という。）又は自動車の燃費性能の評価及び公表に関する実施要領（以下「燃費評価実施要領」という。）第３条から第４条の３までの規定による評価とする。（規附８の３の３）

　　　（みなし規定）
（６）　定置場所在道府県の知事は、当分の間、１の規定により当該定置場所在道府県が賦課徴収を行う軽自動車税の環境性能割につき、その納付すべき額について不足額があることを４の規定により読み替えられた二の２の納期限（納期限の延長があったときは、その延長された納期限）後において知った場合において、当該事実が生じた原因が、国土交通大臣の認定等の申請をした者が偽りその他不正の手段（当該申請をした者に当該申請に必要な情報を直接又は間接に提供した者の偽りその他不正の手段を含む。）により国土交通大臣の認定等を受けたことを事由として国土交通大臣が当該国土交通大臣の認定等を取り消したことによるものであるときは、当該申請をした者又はその一般承継人を当該不足額に係る三輪以上の軽自動車について３の規定によりその例によることとされた第二編第十章第二節二の３に規定する申告書を提出すべき当該三輪以上の軽自動車の取得者とみなして、１の規定によりその例によることとされた第二編第十章第二節二の９の（１）の規定その他の軽自動車税の環境性能割に関する規定（１の規定によりその例によることとされた第二編第十章第二節二の11及び同12の規定を除く。）を適用する。（法附29の９④）

　　　（環境性能割の加算額）
（７）　（６）の規定の適用がある場合における１の規定によりその例によることとされた第二編第十章第二節二の９の（１）の規定による決定により納付すべき軽自動車税の環境性能割の額は、（６）の不足額に、これに100分の35の割合を乗じて計算した金額を加算した金額とする。（法附29の９⑤）

　　　（読替規定）
（８）　（６）の規定の適用がある場合における第一編第七章一の２の①及び同二の１の規定の適用については、第一編第七章一の２の①中「５年」とあるのは「７年」と、第一編第七章二の１中「５年間」とあるのは「７年間」とする。（法附29の９⑥）

(読替規定)
（９）　（６）の規定の適用を受けた国土交通大臣の認定等の申請をした者又はその一般承継人に対する法人税法の規定の適用については、同法第55条第４項中「次に掲げるもの」とあるのは、「次に掲げるもの及び地方税法附則第29条の９第４項の規定による軽自動車税の環境性能割」とする。（法附29の９⑦）

２　環境性能割の減免の特例

　軽自動車税の環境性能割を課する三輪以上の軽自動車の主たる定置場所在の市町村（以下「定置場所在市町村」という。）が二の８の②の規定に基づく条例を定めた場合には、軽自動車税の環境性能割の減免に関する事務は、当分の間、二の８の②の規定にかかわらず、定置場所在道府県の知事が行うものとする。この場合において、当該事務について規定する条例又は規則中定置場所在市町村に関する規定は、当該事務の範囲内において、当該定置場所在道府県に関する規定として当該定置場所在道府県に適用があるものとする。（法附29の10①）

(環境性能割に係る減免)
（１）　軽自動車税の環境性能割に係る減免については、定置場所在市町村が減免に関する条例又は規則を定めた場合には、減免に関する事務については、当分の間、定置場所在道府県の知事が行うこととしていること。この場合においては、次の諸点に留意すること。（市通４－15）
　（一）　道府県が行う減免に関する事務への影響や、納税者の混乱を招かないようにする観点から、減免の対象となる三輪以上の軽自動車の範囲については、当分の間、道府県内の市町村で同一のものとすることが望ましいと考えられること。
　（二）　市町村が軽自動車税の環境性能割の減免について規定する条例又は規則を制定し、又は改廃する場合には、定置場所在市町村の長は、あらかじめ、定置場所在道府県の知事に協議しなければならないこと。
　（三）　軽自動車税の環境性能割の減免の対象となる三輪以上の軽自動車の範囲については、道府県が自動車税の環境性能割において行う減免の対象となる登録車の範囲との整合性にも留意し、協議すること。

(条例又は規則を制定・改廃する場合の協議)
（２）　８の条例又は規則を制定し、又は改廃する場合には、定置場所在市町村の長は、あらかじめ、定置場所在道府県の知事に協議しなければならない。（法附29の10②）

３　環境性能割の申告等の特例

　軽自動車税の環境性能割の申告又は報告は、当分の間、二の２の規定を除くほか、二の３の規定にかかわらず、自動車税の環境性能割の申告の例により、定置場所在道府県の知事にしなければならない。この場合において、二の２の規定による申告については、第二編第十章第二節二の３中「前条第一項」とあるのは「二の２」と、二の２中「市町村長」とあるのは「軽自動車税の環境性能割を課する三輪以上の軽自動車の主たる定置場所在の道府県の知事」とする。（法附29の11）

(留意事項)
　注　軽自動車税の環境性能割に係る申告書を提出する義務がある者は、環境性能割の課税標準額及び環境性能割額等を記載した申告書を、定置場所在道府県の知事に提出するものであること。その際の申告書の様式については、施行規則第33号の４様式に準じて、定置場所在道府県において適切に定める必要があること。（市通４－17）

４　環境性能割に係る地方団体の徴収金の納付の特例等

　軽自動車税の環境性能割の納税義務者は、当分の間、二の２の規定を除くほか、二の３、二の４、二の６の（３）及び二の10の（３）の規定にかかわらず、自動車税の環境性能割に係る地方団体の徴収金の納付の例により、軽自動車税の環境性能割に係る地方団体の徴収金を定置場所在道府県に納付しなければならない。この場合において、二の２の規定による納付については、第二編第十章第二節二の３中「前条第一項」とあるのは「二の２」と、二の２中「当該市町村」とあるのは「軽自動車税の環境性能割を課する三輪以上の軽自動車の主たる定置場所在の道府県」とする。（法附29の12①）

(地方団体の徴収金の納付があった場合の定置場所在市町村への払込み)
（１）　定置場所在道府県は、軽自動車税の環境性能割に係る地方団体の徴収金の納付があった場合には、当該納付があった月の翌々月の末日までに、政令で定めるところにより、軽自動車税の環境性能割に係る地方団体の徴収金として納付された額を定置場所在市町村に払い込むものとする。（法附29の12②）

(留意事項)
（２）定置場所在道府県に軽自動車税の環境性能割に係る地方団体の徴収金の納付があった場合には、定置場所在道府県は、軽自動車税の環境性能割に係る地方団体の徴収金を当該納付のあった月の翌々月の末日までに定置場所在市町村に払い込むものとしていること。定置場所在市町村に払い込むまでの間における軽自動車税の環境性能割に係る地方団体の徴収金の取扱いについては、歳入歳出外現金に繰り入れてこれを保管するものとし、軽自動車税の環境性能割を証紙徴収の方法によって徴収した場合における証紙売りさばき代金についても、歳入歳出外現金として取り扱うこと。

また、定置場所在市町村における払込金の歳入年度については、納税義務者が定置場所在道府県に納付した日の属する年度ではなく、定置場所在道府県から定置場所在市町村に対して払込みがあった日の属する年度の歳入となること。（市通４－18）

5 環境性能割の還付の特例

軽自動車税の環境性能割に係る過誤納金の還付は、当分の間、二の６の（５）及び同（７）並びに二の７の（２）の規定にかかわらず、定置場所在道府県が、自動車税の環境性能割の還付の例により、行わなければならない。（法附29の13）

(留意事項)
注 軽自動車税の環境性能割に係る過誤納金の還付については、当分の間、定置場所在道府県が、自動車税の環境性能割の還付の例により、行わなければならないものであるが、この場合において、軽自動車税の環境性能割に係る過誤納金の還付又は充当については、当該年度前の各年度において収入されたものについてのみ定置場所在道府県の予算を通じて支出すべきものであり、現年度において収入したものに係るものについては定置場所在道府県が保管する歳入歳出外現金から支出すべきものであること。（市通４－19）

6 軽自動車税の環境性能割に係る犯則事件の調査及び処分の特例

軽自動車税の環境性能割に関する犯則事件については、当分の間、自動車税の環境性能割に関する犯則事件とみなして、第一編第十章の18及び19の規定を適用する。（法附29の14）

7 軽自動車税の環境性能割の賦課徴収又は申告納付に関する報告等

定置場所在道府県の知事は、（１）で定めるところにより、定置場所在市町村の長に対し、軽自動車税の環境性能割の申告の件数、軽自動車税の環境性能割額その他必要な事項を報告するものとする。（法附29の15①）

(軽自動車税の環境性能割の賦課徴収又は申告納付に関する報告の方法)
（１）定置場所在道府県の知事は、毎年６月30日までに、定置場所在市町村の長に対し、前年度の軽自動車税の環境性能割の申告及び決定の件数、当該申告及び決定に係る納付すべき軽自動車税の環境性能割額、前年度の軽自動車税の環境性能割に係る滞納の状況その他必要な事項を報告するものとする。（令附15の２の３）

(関係書類の閲覧・記録)
（２）定置場所在市町村の長が定置場所在道府県の知事に対し、軽自動車税の環境性能割の賦課徴収に関する書類を閲覧し、又は記録することを請求した場合には、当該定置場所在道府県の知事は、関係書類を当該定置場所在市町村の長又はその指定する職員に閲覧させ、又は記録させるものとする。（法附29の15②）

8 軽自動車税の環境性能割に係る徴収取扱費の交付

定置場所在市町村は、定置場所在道府県が軽自動車税の環境性能割の賦課徴収に関する事務を行うために要する費用を補償するため、次に掲げる金額の合計額を、徴収取扱費として当該定置場所在道府県に交付しなければならない。（法附29の16①）
（一）軽自動車税の環境性能割に係る地方団体の徴収金として払い込まれた額に（１）で定める率を乗じて得た金額
（二）定置場所在道府県に納付された軽自動車税の環境性能割に係る地方団体の徴収金を第一編第六章一の１又は同２の①の規定により定置場所在道府県が還付し、又は充当した場合における当該地方団体の徴収金に係る過誤納金に相当する金額として（２）で定める金額
（三）第一編第六章三の１の規定により定置場所在道府県が加算した（二）の過誤納金に係る還付加算金に相当する金額

（軽自動車税の環境性能割に係る徴収取扱費の交付）
（１）　８の（一）に規定する（１）で定める率は、100分の５とする。（令附15の２の４①）

　　　（政令で定める金額）
（２）　８の（二）に規定する地方団体の徴収金に係る過誤納金に相当する金額として（３）で定める金額は、定置場所在道府県に納付された軽自動車税の環境性能割に係る地方団体の徴収金に係る過誤納金について歳出予算から還付金を支出した場合における当該還付金に相当する金額とする。（令附15の２の４②）

　　　（前年度の軽自動車税の環境性能割の賦課徴収に係る金額の通知）
（３）　定置場所在道府県の知事は、毎年６月30日までに、定置場所在市町村の長に対し、前年度の軽自動車税の環境性能割の賦課徴収に係る８の各号に掲げる金額を通知するものとする。（令附15の２の４③）

　　　（徴収取扱費の定置場所在道府県への交付）
（４）　定置場所在市町村は、（３）の規定による通知があった日から30日以内に、８に規定する徴収取扱費を定置場所在道府県に交付するものとする。（令附15の２の４④）

　　　（徴収取扱費の交付）
（５）　定置場所在市町村は、定置場所在道府県が軽自動車税の環境性能割の賦課徴収に関する事務を行うために要する費用を補償するために、以下の金額の合算額を、徴収取扱費として定置場所在道府県に交付しなければならないものであること。（市通４－20）
（一）　軽自動車税の環境性能割に係る地方団体の徴収金として払い込まれた額に100分の５を乗じて得た金額
（二）　定置場所在道府県に納付された軽自動車税の環境性能割に係る地方団体の徴収金を第一編第六章一の１又は同２の①の規定により定置場所在道府県が還付し、又は充当した場合における過誤納金に相当する金額
（三）　第一編第六章三の１の規定により定置場所在道府県が加算した（二）の過誤納金に係る還付加算金に相当する金額なお、（二）における徴収取扱費の算定の基礎となる過誤納金に係る還付又は充当金額は、道府県がその予算を通じて支出した場合における当該還付金に相当する金額に限定されるものであること。

第三節　種　別　割

一　税　　率

１　種別割の標準税率

　次の各号に掲げる軽自動車等に対して課する種別割の標準税率は、１台について、それぞれ当該各号に定める額とする。（法463の15①）

（一）	原動機付自転車	イ　総排気量が0.05リットル以下のもの又は定格出力が0.6キロワット以下のもの（ニに掲げるものを除く。）　年額2,000円 ロ　二輪のもので、総排気量が0.05リットルを超え、0.09リットル以下のもの又は定格出力が0.6キロワットを超え、0.8キロワット以下のもの　年額2,000円 ハ　二輪のもので、総排気量が0.09リットルを超えるもの又は定格出力が0.8キロワットを超えるもの　年額2,400円 ニ　三輪以上のもの（（１）で定めるものを除く。）で、総排気量が0.02リットルを超えるもの又は定格出力が0.25キロワットを超えるもの　年額3,700円
（二）	軽自動車及び小型特殊自動車	イ　二輪のもの（側車付のものを含む。）　年額3,600円 ロ　三輪のもの　年額3,900円 ハ　四輪以上のもの 　（イ）　乗用のもの 　　（ⅰ）　営業用　年額　6,900円

		（ⅱ）　自家用　　年額10,800円
		（ロ）　貨物用のもの
		（ⅰ）　営業用　　年額 3,800円
		（ⅱ）　自家用　　年額 5,000円
（三）	二輪の小型自動車	年額6,000円

　　　（総務省令で定める原動機付自転車）
（1）　1の（一）のニに規定する（1）で定める原動機付自転車は、次のいずれかに該当する原動機付自転車とする。（規15の15）
　（一）　車室を備えず、かつ、輪距（二以上の輪距を有するものにあっては、その輪距のうち最大のもの）が0.5メートル以下の原動機付自転車
　（二）　側面が構造上開放されている車室を備え、かつ、輪距が0.5メートル以下の三輪の原動機付自転車
　（三）　道路運送車両の保安基準第1条第1項第13号の6に規定する特定小型原動機付自転車

　　　（「営業用の軽自動車」の意義）
（2）　営業用の軽自動車とは、道路運送法第2条第3項に規定する旅客自動車運送事業及び同条第4項に規定する貨物自動車運送事業の用に供する軽自動車をいい、この具体的判定に当たっては、自動車検査証に事業用と記載されたものをいい、自家用の軽自動車とは、営業用の軽自動車以外の軽自動車をいうものであること。（市通4－2）

　　　（軽自動車等の種別による区分の認定）
（3）　種別割の税率は、軽自動車等の種別により区分を設け、原動機付自転車については、さらにその総排気量又は定格出力の区分に応じて異なるものとされているが、これらの区分は、通常その車体に取り付けられている型式認定番号標の有無及びその表示内容によって判定することができるものであること。（市通4－21）

　　　（三輪以上の原動機付自転車の規格）
（4）　1の（一）のニに掲げる三輪以上の原動機付自転車は、車室（三輪の原動機付自転車にあっては、側面が構造上開放されている車室を除く。）を備え、又は輪距が0.5メートルを超えるものであり、道路交通法施行規則別表第2に掲げるミニカーがこれに該当するものであること。（市通4－22）

　　　（読替規定）
（5）　平成27年3月31日以前に初めて道路運送車両法第60条第1項後段の規定による車両番号の指定（以下「車両番号の指定」という。）を受けた三輪以上の軽自動車に対して課する種別割については、地方税法等の一部を改正する法律（平成26年法律第4号。以下「平成26年改正法」という。）附則第15条第1項の表の各項により読み替えられた1の（二）に規定する標準税率が適用されること。（市通4－23）

2　制限税率

　市町村は、1に定める標準税率を超える税率で種別割を課する場合には、1の各号の税率に、それぞれ1.5を乗じて得た率を超える税率で課することができない。（法463の15②）

3　標準税率の区分により難い軽自動車等の税率

　市町村は、1の各号に掲げる軽自動車等以外の軽自動車等及び1の（二）に掲げる軽自動車及び小型特殊自動車のうち三輪の小型特殊自動車で農耕作業用のものその他の同号の区分により難いものについては、1の各号の区分とは別に、用途、総排気量、定格出力その他の軽自動車等の諸元により区分を設けて、種別割の税率を定めることができる。この場合においては、1及び2の規定を適用して定められる税率と均衡を失しないようにしなければならない。（法463の15③）

　　　（留意事項）
　注　以下の点に留意すること。（市通4－24）
　（一）　市町村は、標準税率が規定されていない軽自動車等又は標準税率の区分により難い軽自動車等については、軽

自動車等の用途、総排気量、定格出力その他の軽自動車等の諸元によって区分を設けて、種別割の税率を定めることができるものであるが、ここでいう「その他の軽自動車等の諸元」とは、用途、総排気量、定格出力のほか、軽自動車等の構造（長さ、幅、高さ等）、装置等軽自動車等を構成している諸要素をいうものであり、具体的には、自動車型式指定規則（昭和26年運輸省令第85号）第3条第2項第1号に規定する諸元表に掲げる項目がこれに該当するものであること。また、その税率の設定に当たっては、他の区分に係る種別割の税率と均衡を失しないようにしなければならないことに留意すること。

　　（二）　小型特殊自動車で農耕作業用のものについては、その構造及び用途からみて、道路において運行の用に供される場合が一般的に少ないと認められることにかんがみ、これらの軽自動車等に係る種別割の負担を軽減するよう税率を定めることが適当であること。なお、この場合も、他の区分に係る種別割の税率と均衡を失しないようにしなければならないことに留意すること。

4　軽自動車税の種別割の税率の特例

　三輪以上の軽自動車（電気軽自動車（第一節の3の③の（一）に規定する電気軽自動車をいう。（5）の（一）に規定する電気軽自動車をいう。（5）の（一）において同じ。）、天然ガス軽自動車（第一節の3の③の（二）に規定する天然ガス軽自動車をいう。（5）の（二）において同じ。）、メタノール軽自動車（専らメタノールを内燃機関の燃料として用いる軽自動車で（1）で定めるものをいう。）、混合メタノール軽自動車（メタノールとメタノール以外のものとの混合物で（1）で定めるものを内燃機関の燃料として用いる軽自動車で（2）で定めるものをいう。）及びガソリンを内燃機関の燃料として用いる電力併用軽自動車（内燃機関を有する軽自動車で併せて電気その他の（3）で定めるものを動力源として用いるものであって、廃エネルギーを回収する機能を備えていることにより大気汚染防止法第2条第17項に規定する自動車排出ガスの排出の抑制に資するもので（4）で定めるものをいう。）並びに被けん引自動車を除く。）に対する当該軽自動車が最初の第一節の2の②の（3）に規定する車両番号の指定（以下「初回車両番号指定」という。）を受けた月から起算して14年を経過した月の属する年度以後の年度分の軽自動車税の種別割に係る1の規定の適用については、当分の間、次の表の左欄に掲げる1の規定中同表の中欄に掲げる字句は、それぞれ同表の右欄に掲げる字句とする。（法附30①）

（二）のロ	3,900円	4,600円
（二）のハ（イ）（ⅰ）	6,900円	8,200円
（二）のハ（イ）（ⅱ）	10,800円	12,900円
（二）のハ（ロ）（ⅰ）	3,800円	4,500円
（二）のハ（ロ）（ⅱ）	5,000円	6,000円

　　　（専らメタノールを内燃機関の燃料として用いる軽自動車で総務省令で定めるもの）
（1）　4に規定する専らメタノールを内燃機関の燃料として用いる軽自動車で（1）で定めるもの及びメタノールとメタノール以外のものとの混合物を内燃機関の燃料として用いる軽自動車で（1）で定めるものは、当該燃料による走行が可能となるよう内燃機関に着火性、耐腐食性等を高めるための所要の改良を施した軽自動車で当該軽自動車に係る第一編第五章第一節六の1の①に規定する自動車検査証（以下「自動車検査証」という。）において主燃料がメタノールである旨が明らかにされているものとする。（規附8の3の4①）

　　　（メタノールとメタノール以外のものとの混合物で総務省令で定めるもの）
（2）　4に規定するメタノールとメタノール以外のものとの混合物で（2）で定めるものは、温度15度かつ1,013ヘクトパスカルの気圧において、当該燃料に混合されたメタノールの容積を当該燃料に混合されたメタノール以外のものの容積で除して得た数値が4以上となるものとする。（規附8の3の4②）

　　　（総務省令で定める動力源）
（3）　4に規定する（3）で定める動力源は、電気及び蓄圧器に蓄えられた圧力とする。（規附8の3の4③）

　　　（自動車排出ガスの排出の抑制に資する軽自動車で総務省令で定めるもの）
（4）　4に規定する自動車排出ガスの排出の抑制に資する軽自動車で（4）で定めるものは、当該軽自動車に係る自動車検査証においてハイブリッド自動車である旨が明らかにされている軽自動車とする。（規附8の3の4④）

(電気軽自動車等の軽自動車税の軽減)
(5) 次に掲げる三輪以上の軽自動車に対する1の規定の適用については、当該軽自動車が令和4年4月1日から令和8年3月31日までの間に初回車両番号指定を受けた場合には、当該初回車両番号指定を受けた日の属する年度の翌年度分の軽自動車税の種別割に限り、次の表の左欄に掲げる1の規定中同表の中欄に掲げる字句は、それぞれ同表の右欄に掲げる字句とする。(法附30②)
(一) 電気軽自動車
(二) 天然ガス軽自動車のうち、道路運送車両法第41条の規定により平成30年10月1日以降に適用されるべきものとして定められた第一節の3の③の(二)のイに規定する排出ガス保安基準で(6)で定めるものに適合するもの又は同号ロに規定する平成21年天然ガス車基準(以下(二)において「平成21年天然ガス車基準」という。)に適合し、かつ、窒素酸化物の排出量が平成21年天然ガス車基準に定める窒素酸化物の値の10分の9を超えないもので(7)で定めるもの

(二)のロ	3,900円	1,000円
(二)のハ(イ)(ⅰ)	6,900円	1,800円
(二)のハ(イ)(ⅱ)	10,800円	2,700円
(二)のハ(ロ)(ⅰ)	3,800円	1,000円
(二)のハ(ロ)(ⅱ)	5,000円	1,300円

((5)の(二)に規定する平成30年10月1日以降に適用される排出ガス保安基準で総務省令で定めるもの)
(6) (5)の(二)に規定する平成30年10月1日以降に適用されるべきものとして定められた排出ガス保安基準で(6)で定めるものは、道路運送車両の保安基準の細目を定める告示(以下「細目告示」という。)第41条第1項第11号の基準とする。(規附8の3の5①)

((5)の(二)に規定する窒素酸化物の排出量が平成21年天然ガス車基準に定める窒素酸化物の値の10分の9を超えない天然ガス軽自動車で総務省令で定めるもの)
(7) (5)の(二)に規定する窒素酸化物の排出量が平成21年天然ガス車基準に定める窒素酸化物の値の10分の9を超えない天然ガス軽自動車で(7)で定めるものは、窒素酸化物の排出量が道路運送車両の保安基準の細目を定める告示及び道路運送車両の保安基準第2章及び第3章の規定の適用関係の整理のため必要な事項を定める告示の一部を改正する告示(平成30年国土交通省告示第528号)による改正前の細目告示(以下「旧細目告示」という。)第41条第1項第11号イの表の(1)又は(4)に掲げる軽自動車の種別に応じ、同表の窒素酸化物の欄に掲げる値の10分の9を超えない軽自動車で、かつ、低排出ガス車認定を受けた軽自動車とする。(規附8の3の5②)

(三輪以上のガソリン軽自動車の軽自動車税の軽減)
(8) 三輪以上の第一節3の③の(三)に規定するガソリン軽自動車(以下「ガソリン軽自動車」という。)(営業用の乗用のものに限る。)のうち、窒素酸化物の排出量が第一節3の③の(三)のイの(イ)の(ⅰ)に規定する平成30年ガソリン軽中量車基準(以下「平成30年ガソリン軽中量車基準」という。)に定める窒素酸化物の値の2分の1を超えないもの又は窒素酸化物の排出量が第一節3の③の(三)のイの(イ)の(ⅱ)に規定する平成17年ガソリン軽中量車基準(以下「平成17年ガソリン軽中量車基準」という。)に定める窒素酸化物の値の4分の1を超えないものであって、エネルギー消費効率が第一節3の③の(三)のイの(ロ)に規定する令和12年度基準エネルギー消費効率(以下「令和12年度基準エネルギー消費効率」という。)に100分の90を乗じて得た数値以上かつ第一節3の③の(三)のイの(ハ)に規定する令和2年度基準エネルギー消費効率(以下「令和2年度基準エネルギー消費効率」という。)以上のもので総務省令で定めるものに対する1の規定の適用については、当該ガソリン軽自動車が令和4年4月1日から令和8年3月31日までの間に初回車両番号指定を受けた場合には、当該初回車両番号指定を受けた日の属する年度の翌年度分の軽自動車税の種別割に限り、1の(二)のロ中「3,900円」とあるのは「2,000円」と、1の(二)のハの(イ)の(ⅰ)中「6,900円」とあるのは「3,500円」とする。(法附30③)

((8)に規定する三輪以上のガソリン軽自動車で総務省令で定めるもの)
(9) (8)に規定する三輪以上のガソリン軽自動車で(9)で定めるものは、次に掲げる要件に該当する三輪以上のガソリン軽自動車とする。(規附8の3の5③)

（一）　次に掲げる要件のいずれかに該当すること。
　　　イ　窒素酸化物の排出量が細目告示第41条第１項第３号イの表の(1)の窒素酸化物の欄に掲げる値の２分の１を超えない軽自動車で、かつ、低排出ガス車認定を受けたものであること。
　　　ロ　窒素酸化物の排出量が旧細目告示第41条第１項第３号イの表の(1)の窒素酸化物の欄に掲げる値の４分の１を超えない軽自動車で、かつ、低排出ガス車認定を受けたものであること。
　　（二）　第一節の３の(5)の（二）に規定する令和12年度燃費基準達成レベル（(23)の（二）において「令和12年度燃費基準達成レベル」という。）が90以上である軽自動車であること及び当該軽自動車に係る自動車検査証においてその旨が明らかにされていること。
　　（三）　令和２年度燃費基準達成レベルが100以上である軽自動車であること及び当該軽自動車に係る自動車検査証においてその旨が明らかにされていること。

　　（一定のエネルギー消費効率以上の三輪以上の軽自動車税の軽減）
(10)　三輪以上のガソリン軽自動車（(8)の規定の適用を受けるものを除き、営業用の乗用のものに限る。）のうち、窒素酸化物の排出量が平成30年ガソリン軽中量車基準に定める窒素酸化物の値の２分の１を超えないもの又は窒素酸化物の排出量が平成17年ガソリン軽中量車基準に定める窒素酸化物の値の４分の１を超えないものであって、エネルギー消費効率が令和12年度基準エネルギー消費効率に100分の70を乗じて得た数値以上かつ令和２年度基準エネルギー消費効率以上のもので(11)で定めるものに対する１の規定の適用については、当該ガソリン軽自動車が令和４年４月１日から令和７年３月31日までの間に初回車両番号指定を受けた場合には、当該初回車両番号指定を受けた日の属する年度の翌年度分の軽自動車税の種別割に限り、１の（二）のロ中「3,900円」とあるのは「3,000円」と、１の（二）のハの(イ)の（ⅰ）中「6,900円」とあるのは「5,200円」とする。（法附30④）

　　((10)に三輪以上のガソリン軽自動車で総務省令で定めるもの)
(11)　(10)に規定する三輪以上のガソリン軽自動車で(11)で定めるものは、次に掲げる要件に該当する三輪以上のガソリン軽自動車とする。（規附８の３の５④）
　　（一）　次に掲げる要件のいずれかに該当すること。
　　　イ　窒素酸化物の排出量が細目告示第41条第１項第３号イの表の(1)の窒素酸化物の欄に掲げる値の２分の１を超えない軽自動車で、かつ、低排出ガス車認定を受けたものであること。
　　　ロ　窒素酸化物の排出量が旧細目告示第41条第１項第３号イの表の(1)の窒素酸化物の欄に掲げる値の４分の１を超えない軽自動車で、かつ、低排出ガス車認定を受けたものであること。
　　（二）　令和12年度燃費基準達成レベルが70以上90未満である軽自動車であること及び当該軽自動車に係る自動車検査証においてその旨が明らかにされていること。
　　（三）　令和２年度燃費基準達成レベルが100以上である軽自動車であること及び当該軽自動車に係る自動車検査証においてその旨が明らかにされていること

　　（読替規定）
(12)　国土交通大臣の認定等（二の２に規定する国土交通大臣の認定等をいう。以下(24)において同じ。）の申請をした者が偽りその他不正の手段（当該申請をした者に当該申請に必要な情報を直接又は間接に提供した者の偽りその他不正の手段を含む。）により国土交通大臣の認定等を受けたことを事由として国土交通大臣が当該国土交通大臣の認定等を取り消した場合であって、当該取消し後にその対象となった軽自動車が新たに受けた国土交通大臣の認定等が軽自動車検査ファイル（道路運送車両法第72条第１項に規定する軽自動車検査ファイルをいう。）に記録されてから、当該新たに受けた国土交通大臣の認定等が当該軽自動車に係る自動車検査証において明らかにされるまでの間においては、当該軽自動車に対する(9)、(11)の規定の適用については、これらの規定中「当該軽自動車に係る自動車検査証」とあるのは「道路運送車両法第72条第１項に規定する軽自動車検査ファイル」と読み替えるものとする。（規附８の３の５⑤）

　　（留意事項）
(13)　令和４年４月１日、令和５年４月１日又は令和６年４月１日に初めて車両番号の指定を受けた三輪以上の軽自動車に係る(5)、(8)、(10)の特例措置（軽自動車税の種別割のグリーン化特例（軽課））については当該初回車両番号指定を受けた日の属する年度の翌年度分の軽自動車税の種別割に、令和７年４月１日に初めて車両番号の指定を受けた三輪以上の(5)、(8)の特例措置については令和８年度分の軽自動車税の種別割に適用されることに留意すること。

(市通4-33)

二　賦課及び徴収

1　種別割の賦課期日及び納期

① 賦課期日
　種別割の賦課期日は、4月1日とする。（法463の16）

② 納期
　種別割の納期は、4月中において、当該市町村の条例で定める。ただし、特別の事情がある場合には、これと異なる納期を定めることができる。（法463の17）

　　　（納税証明書の取扱い）
注　道路運送車両法第59条第1項に規定する検査対象軽自動車及び二輪の小型自動車については、徴収の確保を図るため、同法第62条の規定による継続検査において自動車検査証の返付を受けようとする際、当該検査対象軽自動車又は二輪の小型自動車の使用者は、当該検査対象軽自動車又は二輪の小型自動車について現に種別割の滞納（天災その他やむを得ない事由によるものを除く。）がないことを証するに足る書面を検査対象軽自動車にあっては軽自動車検査協会に、二輪の小型自動車にあっては地方運輸局運輸支局長（運輸監理部長を含む。）に提示しなければならないものとされ、提示がない場合においては、軽自動車検査協会又は地方運輸局運輸支局長（運輸監理部長を含む。）が自動車検査証の返付をしないものとされているのであるが、「現に種別割の滞納がないことを証するに足る書面」とは当該検査対象軽自動車若しくは二輪の小型自動車に係る滞納がない旨の証明書（以下「納税証明書」という。）又は種別割の領収証書をいうものであること。
　なお、納税証明書の取扱いについては、次の点に留意し、関係機関とも協議の上運用の円滑を期するものとすること。（市通4-27）
（一）　納税証明書の様式については、種別割が完納済である旨の確認について国土交通省当局からの希望もあり、全国的に統一することが望ましいと考えられるので、別途「検査対象軽自動車等に係る軽自動車税納税証明書の様式等について」（平成22年3月30日総税市第17号）によられたいこと。
（二）　納税証明書の交付手数料については、納税証明書の交付が種別割の徴収の確保の必要上行われるものであることにかんがみ、これを徴収しないものとされたいこと。

2　種別割の賦課徴収の特例

　市町村長は、軽自動車税の種別割の賦課徴収に関し、三輪以上の軽自動車が一の4の(2)、(8)、(11)に規定する窒素酸化物の排出量又はエネルギー消費効率についての基準（以下「窒素酸化物排出量等基準」という。）につき同4の(2)、(8)、(11)の規定の適用を受ける三輪以上の軽自動車（以下「減税対象車」という。）に該当するかどうかの判断をするときは、国土交通大臣の認定等（申請に基づき国土交通大臣が行った三輪以上の軽自動車についての認定又は評価であって、当該認定又は評価の事実に基づき三輪以上の軽自動車が窒素酸化物排出量等基準につき減税対象車に該当するかどうかの判断をすることが適当であるものとして(1)で定めるものをいう。(3)及び(5)において同じ。）に基づき当該判断をするものとする。（法附30の2①）

　　　（2に規定する総務省令で定める認定又は評価）
（1）　2に規定する(1)で定める認定又は評価は、低排出ガス車認定又は燃費評価実施要領第3条から第4条の2までの規定による評価とする。（規附8の4）

　　　（納付すべき種別割の額について不足額があることを納期限後に知った場合）
（2）　市町村長は、納付すべき軽自動車税の種別割の額について不足額があることを1の②の納期限（納期限の延長があったときは、その延長された納期限）後において知った場合において、当該事実が生じた原因が、国土交通大臣の認定等の申請をした者が偽りその他不正の手段（当該申請をした者に当該申請に必要な情報を直接又は間接に提供した者の偽りその他不正の手段を含む。）により国土交通大臣の認定等を受けたことを事由として国土交通大臣が当該国土交通大臣の認定等を取り消したことによるものであるときは、当該申請をした者又はその一般承継人を賦課期日現

— (1609) —

在における当該不足額に係る三輪以上の軽自動車の所有者とみなして、軽自動車税の種別割に関する規定（4及び5の規定を除く。）を適用する。（法附30の2②）

（（2）の場合における加算額）
（3）（2）の規定の適用がある場合における納付すべき軽自動車税の種別割の額は、（2）の不足額に、これに100分の35の割合を乗じて計算した金額を加算した金額とする。（法附30の2③）

（読替規定）
（4）（2）の規定の適用がある場合における第一編第七章一の2の③、同第七章二の1及び6の③の規定の適用については、同2の③中「3年」とあるのは「7年」と、同1中「5年間」とあるのは「7年間」と、6の③中「納期限の延長があった場合には、その延長された納期限とする。以下同じ」とあるのは「（2）の規定の適用がないものとした場合の当該三輪以上の軽自動車の所有者についての軽自動車税の種別割の納期限とし、当該納期限の延長があった場合には、その延長された納期限とする。以下同じ」とする。（法附30の2④）

（読替規定）
（5）（2）の規定の適用を受けた国土交通大臣の認定等の申請をした者又はその一般承継人に対する法人税法の規定の適用については、同法第55条第4項中「次に掲げるもの」とあるのは、「次に掲げるもの及び地方税法附則第30条の2第2項の規定による軽自動車税の種別割」とする。（法附30の2⑤）

3　種別割の徴収の方法

①　普通徴収

種別割の徴収については、普通徴収の方法によらなければならない。（法463の18①）

（納税通知書の交付）
注　種別割を普通徴収の方法によって徴収しようとする場合において納税者に交付すべき納税通知書は、遅くとも、その納期限前10日までに納税者に交付しなければならない。（法463の18②）

②　証紙徴収

市町村は、当該市町村の条例で、軽自動車等に当該市町村の交付する標識を付すべき旨を定めている場合には、①の規定にかかわらず、当該市町村の条例で定めるところにより、当該軽自動車等の所有者に標識を交付するときに、証紙徴収の方法によって、種別割を徴収することができる。（法463の18③）

（証紙徴収の手続）
（1）市町村は、②の規定により種別割を証紙徴収の方法によって徴収しようとする場合には、納税者に当該市町村が発行する証紙をもってその税金を払い込ませなければならない。この場合においては、市町村は、種別割を納付する義務が発生することを証する書類に証紙を貼らせることにより、又は証紙の額面金額に相当する現金の納付を受けた後納税済印を押すことにより、証紙に代えることができる。（法463の18④）

（証紙を貼った場合の消印）
（2）市町村は、納税者が証紙を貼った場合には、当該証紙を貼った紙面と当該証紙の彩紋とにかけて当該市町村の印又は署名で判明にこれを消さなければならない。（法463の18⑤）

（証紙の取扱いについての条例への委任）
（3）（1）の証紙の取扱いに関しては、当該市町村の条例で定めなければならない。（法463の18⑥）

4　種別割の賦課徴収に関する申告又は報告の義務

①　納税義務者の申告又は報告の義務

種別割の納税義務者は、当該市町村の条例で定めるところにより、（1）で定める様式により、種別割の賦課徴収に関し

必要な事項を記載した申告書又は報告書を市町村長に提出しなければならない。(法463の19①)

　　　　(種別割に係る申告書等の様式)
(1) ①の規定により提出すべき次の表の左欄に掲げる申告書又は報告書の様式は、それぞれその右欄に掲げるところによるものとする。(規16)

申告書等の種類	様式
(一)　軽自動車税(種別割)申告(報告)書(軽自動車及び二輪の小型自動車に係る申告(報告)書)	第33号の4の2様式
(二)　軽自動車税(種別割)申告(報告)書兼標識交付申請書(原動機付自転車・小型特殊自動車)(原動機付自転車及び小型特殊自動車に係る新規又は変更申告(報告)書)	第33号の5様式
(三)　軽自動車税(種別割)廃車申告書兼標識返納書(原動機付自転車・小型特殊自動車)(原動機付自転車及び小型特殊自動車に係る廃車申告書)	第34号様式

　　　　(軽自動車税に関する事務についての道府県との協議等)
(2) 軽自動車及び二輪の小型自動車に係る種別割の申告書等の取りまとめ、地方運輸局運輸支局(運輸監理部を含む。)等に備え付けられた軽自動車等に関する帳簿書類の閲覧、各市町村と地方運輸局運輸支局(運輸監理部を含む。)その他関係機関又は関係団体との間の事務の連絡調整等各市町村における種別割に関する事務は、同税の賦課徴収の円滑を期するため、道府県単位で統一的に行うことが適当であること。(市通4-28)

② 所有権留保付軽自動車等の売主の報告義務
　　第一節の2の②に規定する軽自動車等の売主は、当該市町村の条例で定めるところにより、当該市町村長から当該軽自動車等の買主の住所又は居所が不明であることを理由として請求があった場合には、当該軽自動車等の買主の住所又は居所その他当該軽自動車等に対して課する種別割の賦課徴収に関し必要な事項を報告しなければならない。(法463の19②)

　　　　(留意事項)
　　注　所有権留保付軽自動車等については、当該軽自動車等の買主を所有者とみなして種別割を課することとされているが、買主の住所又は居所が不明である場合には、市町村長は、売主に対して当該市町村の条例の定めるところにより、当該買主の住所又は居所その他当該軽自動車等に対して課する種別割の賦課徴収に関し必要な事項の報告を求めることができるものであるが、この報告は売主に対して現に知り得ている事実の報告義務を課しているものであり、新たな調査義務を課しているものではないことに留意すること。
　　　なお、その円滑な運営を図るため、売主等と緊密な連絡を保つことが望ましいこと。(市通4-26)

5　種別割に係る申告等に関する罪

① 種別割に係る虚偽の申告等に関する罪
　　4の規定により申告し、又は報告すべき事項について虚偽の申告又は報告をしたときは、その相手方としてその違反行為をした者は、30万円以下の罰金に処する。(法463の20①)

　　　　(両罰規定)
　　注　法人の代表者又は法人若しくは人の代理人、使用人その他の従業者がその法人又は人の業務又は財産に関して①の違反行為をした場合には、その行為者を罰するほか、その法人又は人に対し、①の刑を科する。(法463の20②)

② 種別割に係る不申告等に関する過料
　　市町村は、種別割の納税義務者又は第一節の2の②に規定する軽自動車等の売主が3の規定により申告し、又は報告すべき事項について正当な事由がなくて申告又は報告をしなかった場合には、その者に対し、当該市町村の条例で10万円以下の過料を科する旨の規定を設けることができる。(法463の21)

6 雑　　則

① 種別割の脱税に関する罪
　偽りその他不正の行為により種別割の全部又は一部を免れたときは、その相手方としてその違反行為をした者は、100万円以下の罰金に処する。（法463の22①）

　　（脱税額が100万円を超える場合の罰金額の加重）
（1）　①の免れた税額が100万円を超える場合には、情状により、①の罰金の額は、①の規定にかかわらず、100万円を超える額でその免れた税額に相当する額以下の額とすることができる。（法463の22②）

　　（申告又は報告義務を怠った場合の罰金額）
（2）　①に規定するもののほか、3の規定により申告し、又は報告すべき事項について申告又は報告をしないことにより、種別割の全部又は一部を免れたときは、その相手方としてその違反行為をした者は、50万円以下の罰金に処する。（法463の22③）

　　（脱税額が50万円を超える場合の罰金額の加重）
（3）　（2）の免れた税額が50万円を超える場合には、情状により、（2）の罰金の額は、（2）の規定にかかわらず、50万円を超える額でその免れた税額に相当する額以下の額とすることができる。（法463の22④）

　　（両罰規定）
（4）　法人の代表者又は法人若しくは人の代理人、使用人その他の従業者がその法人又は人の業務又は財産に関して①又は（2）の違反行為をした場合には、その行為者を罰するほか、その法人又は人に対し、当該各項の刑を科する。（法463の22⑤）

② 種別割の減免
　市町村長は、天災その他特別の事情がある場合において種別割の減免を必要とすると認める者、貧困により生活のため公私の扶助を受ける者その他特別の事情がある者に限り、当該市町村の条例で定めるところにより、種別割を減免することができる。（法463の23）

③ 納期限後に納付する種別割の延滞金
　種別割の納税者は、1の②の納期限（納期限の延長があった場合には、その延長された納期限とする。以下同じ。）後にその税金を納付する場合には、当該税額に、その納期限の翌日から納付の日までの期間の日数に応じ、年14.6％（当該納期限の翌日から1月を経過する日までの期間については、年7.3％）の割合を乗じて計算した金額に相当する延滞金額を加算して納付しなければならない。（法463の24①）

　　（延滞金の減免）
　注　市町村長は、納税者が1の②の納期限までに税金を納付しなかったことについてやむを得ない事由があると認める場合には、③の延滞金額を減免することができる。（法463の24②）

三　督促及び滞納処分

1　督　　促
　納税者が納期限までに種別割に係る地方団体の徴収金を完納しない場合には、市町村の徴税吏員は、納期限後20日以内に、督促状を発しなければならない。ただし、繰上徴収をする場合には、この限りでない。（法463の25①）

　　（特別の事情がある場合の督促状の発付期限）
（1）　特別の事情がある市町村においては、当該市町村の条例で1に規定する期間と異なる期間を定めることができる。（法463の25②）

(督促手数料の徴収)
(2) 市町村の徴税吏員は、督促状を発した場合には、当該市町村の条例で定めるところにより、手数料を徴収することができる。(法463の26)

2 滞納処分

種別割に係る滞納者が次の各号のいずれかに該当するときは、市町村の徴税吏員は、当該種別割に係る地方団体の徴収金につき、滞納者の財産を差し押さえなければならない。(法463の27①)

(一)	滞納者が督促を受け、その督促状を発した日から起算して10日を経過した日までにその督促に係る種別割に係る地方団体の徴収金を完納しないとき。
(二)	滞納者が繰上徴収に係る告知により指定された納期限までに種別割に係る地方団体の徴収金を完納しないとき。

(第二次納税義務者又は保証人に対する催告)
(1) 第二次納税義務者又は保証人について2の規定を適用する場合には、2の表の(一)中「督促状」とあるのは、「納付の催告書」とする。(法463の27②)

(繰上差押え)
(2) 種別割に係る地方団体の徴収金の納期限後2の(一)に規定する10日を経過した日までに、督促を受けた滞納者につき第一編第三章二の1の各号のいずれかに該当する事実が生じたときは、市町村の徴税吏員は、直ちにその財産を差し押さえることができる。(法463の27③)

(強制換価手続が行われた場合の交付要求)
(3) 滞納者の財産につき強制換価手続が行われた場合には、市町村の徴税吏員は、執行機関(破産法第114条第1号に掲げる請求権に係る種別割に係る地方団体の徴収金の交付要求を行う場合には、その交付要求に係る破産事件を取り扱う裁判所)に対し、滞納に係る種別割に係る地方団体の徴収金につき、交付要求をしなければならない。(法463の27④)

(参加差押え)
(4) 市町村の徴税吏員は、2、(1)、(2)の規定により差押えをすることができる場合において、滞納者の財産で国税徴収法第86条第1項各号に掲げるものにつき、既に他の地方団体の徴収金若しくは国税の滞納処分又はこれらの滞納処分の例による処分による差押えがされているときは、当該財産についての交付要求は、参加差押えによりすることができる。(法463の27⑤)

(国税徴収法の例による滞納処分)
(5) 2から(4)までに定めるものその他種別割に係る地方団体の徴収金の滞納処分については、国税徴収法に規定する滞納処分の例による。(法463の27⑥)

(市町村の区域外における処分)
(6) 2から(5)までの規定による処分は、当該市町村の区域外においても行うことができる。(法463の27⑦)

3 滞納処分に関する罪

種別割の納税者が滞納処分の執行を免れる目的でその財産を隠蔽し、損壊し、若しくは市町村の不利益に処分し、その財産に係る負担を偽って増加する行為をし、又はその現状を改変して、その財産の価額を減損し、若しくはその滞納処分に係る滞納処分費を増大させる行為をしたをしたときは、その者は、3年以下の懲役若しくは250万円以下の罰金に処し、又はこれを併科する。(法463の28①)

(財産占有者に対する罰則)
(1) 納税者の財産を占有する第三者が納税者に滞納処分の執行を免れさせる目的で3の行為をしたときも、上記と同様とする。(法463の28②)

(情を知った違反行為の相手方に対する罰則)
（2） 情を知って3及び（1）の行為につき納税者又はその財産を占有する第三者の相手方となったときは、その相手方としてその違反行為をした者は、2年以下の懲役若しくは150万円以下の罰金に処し、又はこれを併科する。（法463の28③）

(両罰規定)
（3） 法人の代表者又は法人若しくは人の代理人、使用人その他の従業者がその法人又は人の業務又は財産に関して3から（2）までの違反行為をした場合には、その行為者を罰するほか、その法人又は人に対し、当該各項の罰金刑を科する。（法463の28④）

4　滞納処分に関する検査拒否等の罪

次の各号のいずれかに該当する場合には、その違反行為をした者は、30万円以下の罰金に処する。（法463の29①）

(一)	2の（5）の場合において、国税徴収法第141条の規定の例により行う市町村の徴税吏員の質問に対して答弁をせず、又は偽りの陳述をしたとき。
(二)	2の（5）の場合において、国税徴収法第141条の規定の例により行う市町村の徴税吏員の帳簿書類（同条に規定する帳簿書類をいう。（三）において同じ。）その他の物件の検査を拒み、妨げ、又は忌避したとき。
(三)	2の（5）の場合において、国税徴収法第141条の規定の例により行う市町村の徴税吏員の物件の提示又は提出の要求に対し、正当な理由がなくこれに応じず、又は偽りの記載若しくは記録をした帳簿書類その他の物件（その写しを含む。）を提示し、若しくは提出したとき。

(両罰規定)
注　法人の代表者又は法人若しくは人の代理人、使用人その他の従業者がその法人又は人の業務又は財産に関して4の違反行為をした場合には、その行為者を罰するほか、その法人又は人に対し、4の刑を科する。（法463の29②）

5　国税徴収法の例による種別割に係る滞納処分に関する虚偽の陳述の罪

2の（5）の場合において、国税徴収法第99条の2（同法第109条第4項において準用する場合を含む。）の規定の例により市町村長に対して陳述すべき事項について虚偽の陳述をした者は、6月以下の懲役又は50万円以下の罰金に処する。（法463の30）

第六章　事業所税

◆令和６年度改正事項◆

（１）　特定農産加工業経営改善臨時措置法に規定する特定農産加工業者等が承認を受けた経営改善措置に関する計画に基づき実施する事業の用に供する一定の施設に対する資産割の課税標準の特例措置について、以下の措置を講ずることとした。
　ア　適用期限を法人については令和８年３月31日まで、個人については令和７年分まで延長すること。（法附33⑤）
　イ　特例の対象に特定農産加工業経営改善臨時措置法の一部を改正する法律による改正後の特定農産加工業経営改善等臨時措置法に規定する調達安定化措置に関する計画に基づき実施する事業の用に供する一定の施設を加えること。（法附33⑤、令附16の２の８⑥、規附12の３③）
（２）　児童福祉法に規定する児童福祉事業の用に供する施設に係る非課税措置について、対象に里親支援センターを追加することとした。（令56の26の３）
（３）　社会福祉法に規定する社会福祉事業の用に供する施設に係る非課税措置について、対象に親子再統合支援事業、社会的養護自立支援拠点事業、意見表明等支援事業、妊産婦等生活援助事業、子育て世帯訪問支援事業、児童育成支援拠点事業及び親子関係形成支援事業の用に供する施設を追加することとした。（令56の26の５）

第一節　通　　則

一　課税団体及び目的等

1　課税団体及び目的

　指定都市等は、都市環境の整備及び改善に関する事業に要する費用に充てるため、事業所税を課するものとする。（法701の30）

2　新たに指定都市等となった場合等の事業所税に関する規定の適用

① 　新たに指定都市等となった場合
　指定都市等に該当しない市が昭和50年10月１日後新たに指定都市等となった場合における当該市に係る地方税法の規定中事業所税に関する部分の適用については、当該市が新たに指定都市等となった日の翌日から６月を経過する日の属する月の初日（以下①において「適用日」という。）以後に終了する事業年度分の法人の事業及び適用日の属する年以後の年分の個人の事業について適用する。この場合において、適用日以後に最初に終了する事業年度分の法人の事業又は適用日の属する年分の個人の事業に対して課する事業所税については、第二節一の１《課税標準》の（１）中「次の各号に掲げる事業所等」とあるのは「次の各号に掲げる事業所等（その所在する市が新たに指定都市等となった日の翌日から６月を経過する日の属する月の初日前に廃止された事業所等を除く。）」と、第三節二の１《申告納付》の①の（１）及び同②の（１）中「各事業所等」とあるのは「各事業所等（その所在する市が新たに指定都市等となった日の翌日から６月を経過する日の属する月の初日前に廃止された事業所等を除く。）」とする。（法701の74、令56の83①）

② 　市町村の廃置分合又は境界変更があった場合
　市町村の廃置分合又は境界変更により指定都市等でない市町村の区域の全部又は一部が昭和50年10月１日後新たに指定都市等の区域に属することとなった場合における当該市町村の区域の全部又は一部に係る地方税法の規定中事業所税に関する部分の適用については、指定都市等でない市町村の区域の全部又は一部が新たに指定都市等の区域に属することとなった日の翌日から６月を経過する日の属する月の初日（以下②において「適用日」という。）以後に終了する事業年度分の法人の事業及び適用日の属する年以後の年分の個人の事業について適用する。この場合において、適用日以後に最初に終

了する事業年度分の法人の事業又は適用日の属する年分の個人の事業に対して課する事業所税については、第二節一の1《課税標準》の（1）中「次の各号に掲げる事業所等」とあるのは「次の各号に掲げる事業所等（その所在する指定都市等でない市町村の区域の全部又は一部が新たに指定都市等の区域に属することとなった日の翌日から6月を経過する日の属する月の初日前に廃止された事業所等を除く。）」と、第三節二の1《申告納付》の①の（1）及び同②の（1）中「各事業所等」とあるのは「各事業所等（その所在する市が新たに指定都市等となった日の翌日から6月を経過する日の属する月の初日前に廃止された事業所等を除く。）」とする。（法701の74、令56の83②）

3　指定都市等に該当しなくなった場合等の事業所税に関する規定の適用

①　指定都市等に該当しなくなった場合

指定都市等であった市が指定都市等に該当しなくなった場合における次に掲げる事業所税に係る地方団体の徴収金（当該市が指定都市等に該当しなくなった日（二の表の（一）のハに掲げる市であった市が、官報で公示された最近の国勢調査の結果による人口が30万未満となることにより指定都市等に該当しなくなった場合には当該人口が官報で公示された日とし、同（一）の（1）に規定する人口が30万未満となることにより指定都市等に該当しなくなった場合には当該該当しなくなった日の属する年の1月2日とする。以下①において「非適用日」という。）前に収入されているものを除く。）については、当該市を指定都市等とみなして地方税法の規定中事業所税に関する部分を適用する。（法701の74、令56の84①）

（一）	非適用日の属する事業年度の直前の事業年度分までの法人の事業に対して課する事業所税
（二）	非適用日前に終了した個人に係る課税期間についての個人の事業に対して課する事業所税

②　廃置分合又は境界変更があった場合

①の規定は、廃置分合又は境界変更により指定都市等である市の区域の全部又は一部が指定都市等でない市町村の区域に属することとなった場合における当該区域の全部又は一部に係る事業所等において法人又は個人の行う事業に対して課する事業所税に係る地方団体の徴収金について準用する。この場合において、①中「当該市が指定都市等に該当しなくなった日……年の1月2日とする。以下」とあるのは「指定都市等である市の区域の全部又は一部が指定都市等でない市町村の区域に属することとなった日。以下」と、「当該市を指定都市等」とあるのは「当該市町村を指定都市等」と読み替えるものとする。（法701の74、令56の84②）

二　用語の意義

事業所税について、次の各号に掲げる用語の意義は、それぞれ当該各号に定めるところによる。（法701の31①）

（一）	指定都市等		都（特別区の存する区域に限る。）及び次に掲げる市をいう。（市通9-3(2)）
		イ	地方自治法第252条の19第1項《指定都市》の市（大阪市、名古屋市、京都市、横浜市、神戸市、北九州市、札幌市、川崎市、福岡市、広島市、仙台市、千葉市、さいたま市、静岡市、堺市、新潟市、浜松市、岡山市、相模原市及び熊本市）
		ロ	イに掲げる市以外の市で首都圏整備法第2条第3項に規定する既成市街地又は近畿圏整備法第2条第3項に規定する既成都市区域を有するもの（武蔵野市、三鷹市、川口市、守口市、東大阪市、尼崎市、西宮市及び芦屋市）
		ハ	イ及びロに掲げる市以外の市で人口（官報で公示された最近の国勢調査の結果による人口その他これに準ずるものとして（1）の政令で定める人口をいう。）30万以上のもののうち（2）の政令で指定するもの

（政令で定める人口）
（1）　ハに規定する政令で定める人口は、最近の1月1日現在において住民基本台帳法に基づき住民基本台帳に記録されている者の数とする。（令56の14）

（政令で指定する市）
（2）　ハに規定する政令で指定する市は、旭川市、秋田市、郡山市、いわき市、宇都宮市、前橋

		市、高崎市、川越市、所沢市、越谷市、市川市、船橋市、松戸市、柏市、八王子市、町田市、横須賀市、藤沢市、富山市、金沢市、長野市、岐阜市、豊橋市、岡崎市、一宮市、春日井市、豊田市、四日市市、大津市、豊中市、吹田市、高槻市、枚方市、姫路市、明石市、奈良市、和歌山市、倉敷市、福山市、高松市、松山市、高知市、久留米市、長崎市、大分市、宮崎市、鹿児島市及び那覇市とする。(令56の15)
(二)	資　産　割	事業所床面積を課税標準として課する事業所税をいう。
(三)	従 業 者 割	従業者給与総額を課税標準として課する事業所税をいう。
(四)	事業所床面積	事業所用家屋の床面積として次の注で定める床面積をいう。 （床面積） 注　上記の床面積は、事業所用家屋の延べ面積とする。ただし、事業所用家屋である家屋（第三章《固定資産税》第一節一《用語の意義》の(三)に規定する家屋をいう。以下この章において同じ。）に専ら事業所等（(五)に規定する事業所等をいう。）の用に供する部分（以下「**事業所部分**」という。）に係る共同の用に供する部分がある場合には、次の各号に掲げる面積の合計面積とする。(令56の16) (一)　当該事業所部分の延べ面積 (二)　当該各共同の用に供する部分の延べ面積に、当該事業所部分の延べ面積の当該家屋の共同の用に供する部分以外の部分で当該各共同の用に供する部分に係るものの延べ面積に対する割合を乗じて得た面積
(五)	従業者給与総額	事務所又は事業所（以下この章において「**事業所等**」という。）の従業者（役員を含むものとし、(1)で定める障害者（(3)において障害者という。）及び年齢65歳以上の者（役員を除く。）を除く。以下(五)及び第二節三《免税点》において同じ。）に対して支払われる俸給、給料、賃金及び賞与並びにこれらの性質を有する給与（以下(五)において「**給与等**」という。）の総額（事業所等の従業者のうちに、個人の市町村民税における事業専従者がある場合には、その者に係る同税における事業専従者控除額を含むものとし、年齢55歳以上65歳未満の者のうち雇用保険法その他の法令の規定に基づく国の雇用に関する助成に係る者で(2)で定めるもの（以下「**雇用改善助成対象者**」という。）がある場合には、その者の給与等の額の2分の1に相当する額を除く。）をいう。 （障害者） (1)　上記の障害者は、次に掲げる者とする。(令56の17) (一)　精神上の障害により事理を弁識する能力を欠く常況にある者又は児童相談所、知的障害者福祉法第9条第6項に規定する知的障害者更生相談所、精神保健及び精神障害者福祉に関する法律第6条第1項に規定する精神保健福祉センター、障害者職業センター若しくは精神保健指定医の判定により知的障害者とされた者 (二)　第二編第一章第一節一の1の(七)《障害者》のロからトまでに掲げる者 （雇用改善助成対象者） (2)　上記の国の雇用に関する助成に係る者（雇用改善助成対象者）は、次表の左欄に掲げる者のうち同表の右欄の総務省令で定めるものとする。(令56の17の2) {table2}

(一)	雇用保険法第62条第1項第3号若しくは第5号又は雇用対策法施行令第2条第2号の規定に基づき高年齢者、障害者その他就職が特に困難な者の雇用機会を増大させるために行われる労働者の雇入れの促進に関する助成に係る者	雇用保険法施行規則第109条又は雇用対策法施行規則第6条の2第1項に規定する特定求職者雇用開発助成金の支給に係るもののうち、当該助成金の支給に係る雇入れの日において年齢55歳以上65歳未満の者（規24の2一）
(二)	雇用保険法第63条第1項第3号又は雇用対策法第18条第5号に規定する作業環境に適応させるための訓練を受けた者	公共職業安定所長の指示により雇用保険法施行規則第130条又は雇用対策法第18条第5号に規定する作業環境に適応させるため

				の訓練を受けたもののうち、当該公共職業安定所長の指示を受けた日において年齢55歳以上65歳未満の者（規24の2二）
		（三）	本州四国連絡橋の建設に伴う一般旅客定期航路事業等に関する特別措置法施行令第10条第3号に規定する雇用奨励金の支給に係る者	左欄に掲げる雇用奨励金の支給に係る雇入れの日において年齢55歳以上65歳未満のもの（規24の2三）

　　　　（障害者等の判定の時期）
（3）（五）の場合において、障害者、年齢65歳以上の者又は雇用改善助成対象者であるかどうかの判定は、その者に対して給与等が支払われる時の現況によるものとする。（法701の31②）

（六）	事業所用家屋	家屋（第三章《固定資産税》第一節一《用語の意義》の（三）の家屋をいう。以下この章において同じ。）の全部又は一部で現に事業所等の用に供するものをいう。		
（七）	事 業 年 度	法人事業税の事業年度『第二編第五章第二節二』に規定する事業年度をいう。		
（八）	個人に係る課税期間	個人の行う事業に対して課する事業所税の課税標準の算定の基礎となる期間をいい、次に掲げる場合の区分に応じ、それぞれ次に掲げる期間とする。		
		イ	ロからニまでに掲げる場合以外の場合	その年の1月1日から12月31日まで
		ロ	年の中途において事業を廃止した場合（ニの場合を除く。）	その年の1月1日から当該廃止の日まで
		ハ	年の中途において事業を開始した場合（ニの場合を除く。）	当該開始の日からその年の12月31日まで
		ニ	年の中途において事業を開始し、その年の中途において事業を廃止した場合	当該開始の日から当該廃止の日まで

三　納税義務者

1　納税義務者及び課税客体

　事業所税は、事業所等において法人又は個人の行う事業に対し、当該事業所等所在の指定都市等において、当該事業を行う者に資産割額及び従業者割額の合算額によって課する。（法701の32①）

　　　（課税客体）
（1）　事業所税の課税客体は、事務所又は事業所（以下「事業所等」という。）において法人又は個人の行う事業であるが、この場合における事業所等の範囲については、（3）の事務所又は事業所の範囲と同様であること。ただし、建設業における現場事務所等臨時的かつ移動性を有する仮設建築物でその設置期間が1年未満のものについては、事業所税の性格にかんがみ、事業所等の範囲には含めないことが適当であること。（市通9－3(3)）

　　　（納税義務者）
（2）　事業所税の納税義務者は、事業所等において事業を行う法人又は個人であるが、いわゆる貸ビル等にあっては当該貸ビル等の全部又は一部を借りて事業を行う法人又は個人であること。
　なお、清算中の法人も、その清算の業務を行う範囲内において事業を行う法人と認められるものであること。（市通9－3(4)ア）
　また、民法第667条に規定する組合が行う事業については、当該組合を構成する法人又は個人が行う事業として、当該法人又は個人が納税義務者となるものであること。なお、有限責任事業組合契約に関する法律第2条に規定する有限責任事業組合（ＬＬＰ）についても同様であること。（市通9－3(4)イ）

(事業所等の意義)
(3) 事業所等とは、それが自己の所有に属するものであるか否かにかかわらず、事業の必要から設けられた人的及び物的設備であって、そこで継続して事業が行われる場所をいうものであること。この場合において事業所等において行われる事業は、当該個人又は法人の本来の事業の取引に関するものであることを必要とせず、本来の事業に直接、間接に関連して行われる附随的事業であっても社会通念上そこで事業が行われていると考えられるものについては、事業所等として取扱って差支えないものであるが、宿泊所、従業員詰所、番小屋、監視所等で番人、小使等のほかに別に事務員を配置せず、専ら従業員の宿泊、監視等の内部的、便宜的目的のみに供されるものは、事業所等の範囲に含まれないものであること。

なお、事業所等と認められるためには、その場所において行われる事業がある程度の継続性をもったものであることを要するから、たまたま2、3か月程度の一時的な事業の用に供する目的で設けられる現場事務所、仮小屋等は事業所等の範囲に入らないものであること。(市通1-6)

2 特殊関係者の行う事業の通算

特殊関係者(親族その他の特殊の関係のある個人又は同族会社(これに類する法人を含む。)で(1)で定めるものをいう。以下2において同じ。)を有する者《判定対象者》がある場合において、当該特殊関係者が行う事業について(2)で定める特別の事情があるときは、事業所税の賦課徴収については、当該事業は、その者及び当該特殊関係者の共同事業とみなす。(法701の32②)

(特殊関係者)
(1) 2に規定する特殊関係者は、次の各号のいずれかに該当することとなる者とする。(令56の21①、5①)
(一) 判定対象者の配偶者、直系血族及び兄弟姉妹
(二) 前号に掲げる者以外の判定対象者の親族で、判定対象者と生計を一にし、又は判定対象者から受ける金銭その他の財産により生計を維持しているもの
(三) 前2号に掲げる者以外の判定対象者の使用人その他の個人で、判定対象者から受ける特別の金銭その他の財産により生計を維持しているもの
(四) 判定対象者に特別の金銭その他の財産を提供してその生計を維持させている個人((一)及び(二)に掲げる者を除く。)及びその者と前3号の一に該当する関係がある個人
(五) 判定対象者が同族会社である場合には、その判定の基礎となった株主又は社員である個人及びその者と前4号の一に該当する関係がある個人
(六) 判定対象者を判定の基礎として同族会社に該当する会社
(七) 判定対象者が同族会社である場合において、その判定の基礎となった株主又は社員(これらの者と(一)から(四)までに該当する関係がある個人及びこれらの者を判定の基礎として同族会社に該当する他の会社を含む。)の全部又は一部を判定の基礎として同族会社に該当する他の会社

(特別の事情)
(2) 2に規定する特別の事情は、2に規定する特殊関係者の行う事業が当該特殊関係者を有する者《判定対象者》又はその者の他の特殊関係者が事業を行う事業所等の存する家屋において行われている場合(当該特殊関係者を有する者と意思を通じて行われているものでなく、かつ、事業所税の負担を不当に減少させる結果にならない場合を除く。)における当該事業であることとする。(令56の21②)

(二以上の共同グループがある場合)
(3) (2)の事情があることにより2の規定により共同事業とみなされる事業について二以上の共同グループが存することとなった場合には、当該事業は、当該二以上の共同グループに属している者全員の共同事業とみなす。(令56の21③)
(注) (3)に規定する共同グループとは、2の規定により共同事業とみなされる事業に係る特殊関係者を有する者《判定対象者》及び当該特殊関係者をいう。(令56の21④)

(判定の時期)
(4) 2の規定を適用する場合において、特殊関係者を有する者であるかどうか及び当該特殊関係者であるかどうかの判定は、課税標準の算定期間(法人に係るものにあっては、事業年度とし、個人に係るものにあっては、個人に係る

課税期間とする。）の末日の現況によるものとする。（令56の21⑤）

　　（留意事項）
（5）　親族その他の特殊関係者が行う事業について特別の事情があるときは、当該事業は、当該特殊関係者を有する者と当該特殊関係者との共同事業とみなすこととされており、したがって、当該特殊関係者を有する者及び当該特殊関係者は、当該事業に係る事業所税については、法第10条の2第1項の規定により連帯納税義務者となるものであること。（市通9－3(4)ウ）

3　人格のない社団等に対する適用

　法人でない社団又は財団で代表者又は管理人の定めがあるもの（以下この章において「**人格のない社団等**」という。）は、法人とみなして、この章中法人に関する規定を適用する。（法701の32③）

4　事業を行う者が名義人である場合の事業所税の納税義務者

　法律上事業所等において事業を行うとみられる者が単なる名義人であって、他の者が事実上当該事業を行っていると認められる場合には、当該事業に対して課する事業所税は、当該他の者に課するものとする。（法701の33）

四　非課税の範囲

1　国等及び公共法人の非課税

　指定都市等は、国及び非課税独立行政法人並びに法人税法第2条第5号の公共法人（非課税独立行政法人であるものを除く。）に対しては、事業所税を課することができない。（法701の34①）

2　公益法人等及び人格のない社団等の非収益事業に係る非課税

　指定都市等は、法人税法第2条第6号の公益法人等（防災街区整備事業組合、管理組合法人及び団地管理組合法人、マンション建替組合、マンション敷地売却組合及び敷地分割組合、地方自治法第260条の2第7項に規定する認可地縁団体、政党交付金の交付を受ける政党等に対する法人格の付与に関する法律第7条の2第1項に規定する法人である政党等並びに特定非営利活動促進法第2条第2項に規定する法人を含む。）又は人格のない社団等が事業所等において行う事業のうち収益事業以外の事業に対しては、事業所税を課することができない。（法701の34②）
　（注）　非課税の判定時期については、3の④を参照。（編者）

　　　　　　（旧民法第34条の法人から移行した法人等に係る特例）
（1）イ　一般社団法人及び一般財団法人に関する法律及び公益社団法人及び公益財団法人の認定等に関する法律の施行に伴う関係法律の整備等に関する法律（平成18年法律第50号。以下(1)において「整備法」という。）第40条第1項の規定により存続する一般社団法人又は一般財団法人であって整備法第106条第1項（整備法第121条第1項において読み替えて準用する場合を含む。）の登記をしていないもの（整備法第131条第1項の規定により整備法第45条の認可を取り消されたもの《認可取消社団法人又は認可取消財団法人》にあっては、法人税法第2条第9号の2に規定する非営利型法人に該当するものに限る。）については、法人税法第2条第6号の公益法人等とみなして、2の規定を適用する。（法附41⑤）
　　　ロ　平成20年11月30日において現に所得税法等の一部を改正する法律（平成20年法律第23号）第2条の規定による改正前の法人税法別表第2第2号の指定を受けている外国法人《外国公益法人等》については、平成25年11月30日までに開始する事業年度分の事業に対して課する事業所税に限り、法人税法第2条第6号の公益法人等とみなして、2の規定を適用する。（法附41⑧）

　　　　　　（収益事業の範囲）
（2）　2の収益事業は、法人税法施行令第5条に規定する事業で継続して事業場を設けて行われるものとする。ただし、当該事業のうち、学校法人（私立学校法<u>第64条第4項</u>の規定により設立された法人を含む。）が学生又は生徒のために行う事業を含まないものとする。（令56の22）
　　（注）　(2)中___部分「第64条第4項」を「第152条第5項」に改める令和6年度改正規定は、令和7年4月1日以後適用する。（令6政令第137号附①）

(収益事業とその他の事業とを併せ行う場合の事業所床面積等の算定)
（３）　２に規定する公益法人等若しくは人格のない社団等（以下「**公益法人等**」という。）が同一の事業所等において収益事業と収益事業以外の事業とを併せ行う場合において、当該事業所等に係る事業所床面積若しくは従業者給与総額について、２の規定の適用を受けるものと受けないものとを区分することができないときは、当該公益法人等が法人税法施行令第６条の規定により区分して行う経理（（２）ただし書に規定する法人については、同ただし書に規定する事業を同令第６条の収益事業以外の事業とみなして同条の規定により区分して行う経理）に基づき、２の規定の適用を受ける事業所床面積又は従業者給与総額を算定するものとする。（令56の23）

(事業所税の非課税)
（４）　農業協同組合法等の一部を改正する等の法律（平成27年法律第63号）附則第12条に規定する存続都道府県中央会から同条の規定による組織変更をした農業協同組合連合会であって、同法附則第18条の規定により引き続きその名称中に農業協同組合中央会という文字を用いるもの（第二節２の①の注において「特定農業協同組合連合会」という。）は、２の規定の適用については、法人税法第２条第６号の公益法人等とみなす。（法附32の３①）

(国際博覧会に関して行う事業の特例)
（５）　指定都市等は、国際博覧会に関する条約の適用を受けて令和７年に開催される国際博覧会（以下「博覧会」という。）の会場内において設置される公益社団法人2025年日本国際博覧会協会との間に博覧会への出展参加契約を締結した者（博覧会に参加する外国政府、外国の地方公共団体及び国際機関を除く。）が博覧会に関して行う事業で（６）で定めるものの用に供する施設に係る事業所等において行う事業に対しては、令和９年３月31日までに終了する事業年度分に限り、１の規定にかかわらず、事業所税を課すことができない。この場合においては、３の④の規定を準用する。（法附32の４①）

(政令で定める事業)
（６）　（５）に規定する（６）で定める事業は、2025年日本国際博覧会に関する特権及び免除に関する日本国政府と博覧会国際事務局との間の協定第１条(ｊ)に規定する博覧会に関連する非商業的活動に係る事業とする。（令16の２の７①）

3　用途による非課税

①　特定施設に係る事業所用家屋の非課税

指定都市等は、次の表に掲げる施設に係る事業所等において行う事業に対しては事業所税を課すことができない。（法701の34③）

1	削　除	
2	削　除	
3	博物館法第２条第１項に規定する博物館その他右欄の注で定める教育文化施設（10の４に該当するものを除く。）	（教育文化施設） 注　左欄に規定する教育文化施設は、次に掲げる施設とする。（令56の24） （一）　図書館法第２条第１項に規定する図書館 （二）　学校教育法附則第６条の規定により設置された幼稚園
4	公衆浴場法第１条第１項に規定する公衆浴場で右欄の注で定めるもの	（対象となる公衆浴場） 注　左欄に規定する公衆浴場は、物価統制令第４条の規定に基づき道府県知事が入浴料金を定める公衆浴場とする。（令56の25）
5	と畜場法第３条第２項に規定すると畜場	
6	化製場等に関する法律第１条第３項に規定する死亡獣畜取扱場	
7	水道法第３条第８項に規定する水道施設	
8	廃棄物の処理及び清掃に関する法律	

	第7条第1項若しくは第6項の規定による許可若しくは同法第9条の8第1項の規定による認定を受けて、又は同法第7条第1項ただし書若しくは同条第6項ただし書の規定により市町村の委託を受けて行う一般廃棄物の収集、運搬又は処分の事業の用に供する施設	
9	医療法第1条の5第1項に規定する病院及び同条第2項に規定する診療所、介護保険法第8条第27項に規定する介護老人保健施設で右欄(1)で定めるもの及び同条第29項に規定する介護医療院で右欄(2)で定めるもの並びに看護師、准看護師、歯科衛生士その他右欄(2)で定める医療関係者の養成所	（介護老人保健施設） （1） 左欄に規定する介護老人保健施設は、介護保険法第8条第28項に規定する介護老人保健施設のうち医療法人が開設するものとする。（令56の26①） （介護医療院） （2） 左欄に規定する介護医療院は、介護保険法第8条第29項に規定する介護医療院のうち医療法人が開設するものとする。（令56の26②） （医療関係者） （3） 左欄に規定する医療関係者は、保健師、助産師、診療放射線技師、歯科技工士、臨床検査技師、理学療法士、作業療法士、視能訓練士、あん摩マッサージ指圧師、はり師、きゅう師及び柔道整復師とする。（令56の26③）
10	生活保護法第38条第1項に規定する保護施設で右欄の注で定めるもの	（保護施設） 注　左欄に規定する保護施設は、生活保護法第38条第2項に規定する救護施設、同条第3項に規定する更生施設、同条第4項に規定する医療保護施設、同条第5項に規定する授産施設及び同条第6項に規定する宿所提供施設とする。（令56の26の2）
10の2	児童福祉法第6条の3第10項に規定する小規模保育事業の用に供する施設	
10の3	児童福祉法第7条第1項に規定する児童福祉施設で右欄の注で定めるもの（10の4に該当するものを除く。）	（児童福祉施設） 注　左欄に規定する児童福祉施設は、児童福祉法第36条に規定する助産施設、同法第37条に規定する乳児院、同法第38条に規定する母子生活支援施設、同法第39条に規定する保育所、同法第40条に規定する児童厚生施設、同法第41条に規定する児童養護施設、同法第42条に規定する障害児入所施設、同法第43条に規定する児童発達支援センター、同法第43条の2に規定する児童心理治療施設、同法第44条に規定する児童自立支援施設、同法第44条の2第1項に規定する児童家庭支援センター<u>及び同法第44条の3第1項に規定する里親支援センター</u>とする。（令56の26の3） 　　（注）　注中____部分を加える令和6年度改正規定は、令和6年4月1日以後に終了する事業年度分の法人の事業及び令和6年以後の年分の個人の事業（同日前に廃止された個人の事業を除く。）に対して課すべき事業所税について適用し、同日前に終了した事業年度分の法人の事業並びに令和6年前の年分の個人の事業及び令和6年分の個人の事業で同日前に廃止されたものに対して課する事業所税については、なお従前の例による。（令6改令附6）
10の4	就学前の子どもに関する教育、保育等の総合的な提供の推進に関する法律第2条第6項に規定する認定こども園	

10の5	老人福祉法第5条の3に規定する老人福祉施設で右欄の注で定めるもの	（老人福祉施設） 注　左欄に規定する老人福祉施設は、老人福祉法第20条の2の2に規定する老人デイサービスセンター、同法第20条の3に規定する老人短期入所施設、同法20条の4に規定する養護老人ホーム、同法第20条の5に規定する特別養護老人ホーム、同法第20条の6に規定する軽費老人ホーム、同法第20条の7に規定する老人福祉センター及び同法第20条の7の2に規定する老人介護支援センターとする。（令56の26の4）
10の6	障害者の日常生活及び社会生活を総合的に支援するための法律第5条第11項に規定する障害者支援施設	
10の7	10から10の6までに掲げる施設のほか、社会福祉法第2条第1項に規定する社会福祉事業の用に供する施設で右欄（1）で定めるもの	（社会福祉事業の用に供する施設） （1）　左欄に規定する社会福祉事業の用に供する施設は、社会福祉法第2条第2項第1号に掲げる生計困難者に対して助葬を行う事業、同項第6号若しくは第7号に掲げる事業、同条第3項第1号若しくは第1号の2に掲げる事業、同項第2号に掲げる障害児通所支援事業、障害児相談支援事業、児童自立生活援助事業、放課後児童健全育成事業、子育て短期支援事業、乳児家庭全戸訪問事業、養育支援訪問事業、地域子育て支援拠点事業、一時預かり事業、小規模住居型児童養育事業、病児保育事業、子育て援助活動支援事業、親子再統合支援事業、社会的養護自立支援拠点事業、意見表明等支援事業、妊産婦等生活援助事業、子育て世帯訪問支援事業、児童育成支援拠点事業、親子関係形成支援事業若しくは児童の福祉の増進について相談に応ずる事業、同項第2号の3に掲げる事業、同項第3号に掲げる事業、同項第4号に掲げる老人居宅介護等事業、老人デイサービス事業、老人短期入所事業、小規模多機能型居宅介護事業、認知症対応型老人共同生活援助事業若しくは複合型サービス福祉事業又は同項第4号の2から第6号まで若しくは第8号から第13号までに掲げる事業の用に供する施設とする。（令56の26の5） 　　（注）　（1）中＿＿部分を加える令和6年度改正規定は、令和6年4月1日以後に終了する事業年度分の法人の事業及び令和6年以後の年分の個人の事業（同日前に廃止された個人の事業を除く。）に対して課すべき事業所税について適用し、同日前に終了した事業年度分の法人の事業並びに令和6年前の年分の個人の事業及び令和6年分の個人の事業で同日前に廃止されたものに対して課する事業所税については、なお従前の例による。（令6改令附6） （介助犬訓練事業及び聴導犬訓練事業の用に供する施設） （2）　社会福祉事業の用に供する施設については、事業所税を課税することができないこととされているのであるが、このうち介助犬訓練事業及び聴導犬訓練事業の用に供する施設とは、第三章第一節四の2《固定資産税の用途による非課税》の表の10の6の（3）の（二）に規定する証明を受けた施設をいうものであること。（市通9－3（5）ア）
10の8	介護保険法第115条の46第1項に規定する包括的支援事業の用に供する施設	
10の9	児童福祉法第6条の3第9項に規定する家庭的保育事業、同条第11項に規定する居宅訪問型保育事業又は同条第12項に規定する事業所内保育事業の用に供する施設	

11	農業、林業又は漁業を営む者が直接その生産の用に供する施設で右欄（1）で定めるもの	（農林漁業用生産施設） （1）　左欄に規定する生産施設は、農作物育成管理用施設、蚕室、畜舎その他農業、林業又は漁業を営む者が直接その生産の用に供する施設で（2）の総務省令で定めるものとする。（令56の27） （総務省令で定める施設） （2）　（1）に規定する総務省令で定める施設は、家畜飼養管理用施設、農舎、農産物乾燥施設、農業生産資材貯蔵施設、たい肥舎、サイロ及びきのこ栽培施設とする。（規24の3）
12	農業協同組合、水産業協同組合、森林組合その他右欄（1）で定める法人が農林水産業者の共同利用に供する施設で右欄（2）で定めるもの	（対象に含まれる法人） （1）　左欄に規定する法人は、次に掲げる法人とする。（令56の28①） 　（一）　農事組合法人 　（二）　農業協同組合連合会（医療法第31条に規定する公的医療機関に該当する病院又は診療所を設置する農業協同組合連合会で法人税法別表第二に規定する農業協同組合連合会に該当するもの及び農業協同組合法等の一部を改正する等の法律（平成27年法律第63号）附則第12条に規定する存続都道府県中央会から同条の規定による組織変更をした農業協同組合連合会で同法附則第18条の規定により引き続きその名称中に農業協同組合中央会という文字を用いるものを除く。） 　（三）　生産森林組合 　（四）　森林組合連合会 （共同利用施設） （2）　左欄に規定する共同利用に供する施設は、次に掲げる施設とする。（令56の28②） 　（一）　農林水産業者の共同利用に供する施設で生産の用に供するもの 　（二）　（一）に掲げる施設以外の農林水産業者の共同利用に供する施設のうち、国の補助金若しくは交付金の交付又は株式会社日本政策金融公庫の資金（株式会社日本政策金融公庫法別表第1第8号から第13号までの下欄に掲げる資金に限る。）、沖縄振興開発金融公庫の資金、農業近代化資金若しくは漁業近代化資金の貸付を受けて設置される施設で保管、加工又は流通の用に供するもの、農林水産業者の研修のための施設その他農林水産業の経営の近代化又は合理化のための施設で総務省令で定めるもの （総務省令で定める施設） （3）　（2）の（二）に規定する総務省令で定める施設は、農林水産業に関する試験研究のための施設とする。（規24の4）
13	削　除	
14	卸売市場法第2条第2項に規定する卸売市場及びその機能を補完するものとして右欄（1）で定める施設	（補完施設） （1）　左欄に規定する施設は、次に掲げる施設とする。（令56の29） 　（一）　株式会社日本政策金融公庫法別表第1第9号の中欄に規定する付設集団売場の施設又は同号の下欄に規定する卸売若しくは仲卸しの業務に必要な施設で（2）の総務省令で定めるもの 　（二）　卸売市場法第4条第1項の規定により農林水産大臣の認定を受けた中央卸売市場において業務を行う同法第2条第4項に規定する卸売業者の卸売の用に供する同条第1項に規定する生鮮食料品等を保管する施設で（3）の総務省令で定めるもの

		（総務省令で定める施設） （2）　（1）の（一）に規定する総務省令で定める施設は、倉庫、冷蔵庫、処理加工施設、配達センター及び計算センターとする（規24の5①） （総務省令で定める施設） （3）　（1）の（二）に規定する総務省令で定める施設は、卸売業者が生鮮食料品等を保管する施設のうち卸売市場法施行規則第7条第5項の規定により事業報告書において開設者に報告された施設とする。（規24の5②）
15	削　除	
16	電気事業法第2条第1項第8号に規定する一般送配電事業、同項第10号に規定する送電事業、配電事業、同項第14号に規定する発電事業又は同項第15号の3に規定する特定卸供給事業の用に供する施設で右欄（1）で定めるもの	（電気事業用施設） （1）　左欄に規定する施設は、電気事業法第2条第1項第18号に規定する電気工作物並びに当該施設の工事、維持及び運用に関する保安のための巡視、点検、検査又は操作のために必要な施設とする。（令56の32） （電気工作物等の取扱い） （2）　一般送配電事業、送電事業、配電事業、発電事業又は特定卸供給事業（以下「電気事業」という。）の用に供する施設で政令で定めるもの（以下「電気工作物等」という。）については、事業所税を課税することができないこととされているのであるが、営業所等の電気工作物等以外の施設に係る事業所等については課税対象となるものであり、主として電気事業以外の事業を営む納税義務者が併せて電気事業を行う場合についても、非課税の対象となる施設が電気工作物等に限られることについては、専ら電気事業のみを営む納税義務者に係る取扱いと同様であること。（市通9－3（5）イ）
17	ガス事業法第2条第1項に規定する一般ガス事業又は同条第3項に規定する簡易ガス事業の用に供する施設で右欄（1）で定めるもの	（ガス事業用施設） （1）　左欄に規定する施設は、ガス事業法第2条第13項に規定するガス工作物並びに当該施設の工事、維持及び運用に関する保安のための巡視、点検、検査又は操作のために必要な施設とする。（令56の33） （納税義務者が営むガス製造事業が非課税の適用を受ける事業であるかどうかの確認） （2）　一般ガス導管事業又はガス製造事業（当該ガス製造事業により製造されたガスが、直接又は間接に一般ガス導管事業者が維持し、及び運用する導管により受け入れられるものに限る。）の用に供する施設で（1）で定めるものについては、事業所税を課税することができないこととされているのであるが、ガス製造事業を営む納税義務者について、当該納税義務者が営むガス製造事業が非課税の適用を受ける事業であるかどうかの確認は、原則としてガス事業法（昭和29年法律第51号）第36条第2項に規定する供給区域の図面等又は同法第72条第2項に規定する書類により行われることが適当であること。（市通9－3（5）ウ）
18	独立行政法人中小企業基盤整備機構法第15条第1項第3号ロに規定する連携等又は中小企業の集積の活性化に寄与する事業で右欄（1）で定めるものを行う者が都道府県又は独立行政法人中小企業基盤整備機構から同号ロの資金の貸付を受けて設置する施設のうち、当該事業又は当該事業に係るものとして右欄（2）で定める	（連携集積活性化事業） （1）　左欄に規定する独立行政法人中小企業基盤整備機構法第15条第1項第3号ロに規定する連携等又は中小企業の集積の活性化に寄与する事業は、独立行政法人中小企業基盤整備機構法施行令（平成16年政令第182号）第3条第1項第2号から第4号までに掲げる事業（次に掲げるものを除く。）とする。（令56の34①、規24の5の2） （一）　中小企業等協同組合法第9条の2第1項第4号又は第9条の9第1項第6号に掲げる事業 （二）　商店街振興組合法第13条第1項第4号若しくは第5号又は第19条第

	事業の用に供する施設で右欄(3)で定めるもの	１項第６号若しくは第７号に掲げる事業 （三） 協同組合連合会が実施する独立行政法人中小企業基盤整備機構法施行令第３条第１項第３号に掲げる事業（当該協同組合連合会の所属員が一の建物に集合して事業を行うため、工場、事業場、店舗その他の施設を整備する事業に限る。） （四） 事業協同小組合又は協同組合連合会でその組合員又は所属員の３分の２以上が独立行政法人中小企業基盤整備機構法施行令第３条第１項第３号に規定する特定中小事業者（小売商業又はサービス業を行う者に限る。）であるものが実施する同項第２号に掲げる事業（同号イに掲げる事業のうち、独立行政法人中小企業基盤整備機構の産業基盤整備業務を除く業務に係る業務運営、財務及び会計並びに人事管理に関する省令第28条第１項第１号イに掲げる要件に適合する同項に規定する共同化計画に基づき実施されるものの用に供するために施設を整備する事業に限る。） （五） 独立行政法人中小企業基盤整備機構法施行令第３条第１項第２号ハ及びニに掲げる事業（独立行政法人中小企業基盤整備機構の産業基盤整備業務を除く業務に係る業務運営、財務及び会計並びに人事管理に関する省令第30条第２項第１号に規定する合併会社又は同省令第31条第４項第１号に規定する出資会社（合併又は出資をしようとする者の３分の２以上が独立行政法人中小企業基盤整備機構法施行令第３条第１項第３号に規定する特定中小事業者（小売商業又はサービス業を行う者に限る。）であるものに限る。）が実施する同省令第30条第１項第１号又は第31条第１項第２号に規定する事業を除く。） （連携集積活性化事業に係る事業） （２） 左欄に規定する連携集積活性化事業に係る事業は、（１）に規定する連携集積活性化事業により左欄に規定する資金の貸付を受けて設置された施設を当該連携集積活性化事業の趣旨に沿って利用して行う事業とする。（令56の34②） （連携集積活性化事業用施設） （３） 左欄に規定する施設は、工場、研究施設、情報サービス業を行う事業場、店舗、倉庫及び共同施設並びにこれらの附属設備で、独立行政法人中小企業基盤整備機構法第２条第１項に規定する中小企業者が行う（１）又は（２）に規定する事業の用に供するものとする。（令56の34③）
19	次のイ又はロに掲げる施設 イ 総合特別区域法第２条第２項第５号イに規定する事業（右欄(2)で定めるものを除く。）を行う者が市町村（特別区を含む。ロにおいて同じ。）から同号イの資金の貸付けを受けて設置する施設のうち、当該事業又は当該事業に係るものとして事業の用に供する施設で右欄(1)で定めるもの ロ 総合特別区域法第２条第３項第５号イに規定する事業（右欄(3)で定めるものを除く。）を行う者が市町村から同号イの資金の貸付けを受けて設置する施設のうち、当該事業又は当該事業に係るものと	（設置施設） （１） 左欄のイ及びロに規定する（１）で定める施設は、工場、研究施設、情報サービス業を行う事業場、店舗、倉庫及び共同施設並びにこれらの附属設備とする。（令56の35） （左欄のイに規定する事業） （２） 左欄のイに規定する事業は、次に掲げる事業とする。（規24の５の３） （一） 中小企業等協同組合法第９条の２第１項第４号又は第９条の９第１項第６号に掲げる事業 （二） 商店街振興組合法第13条第１項第４号若しくは第５号又は第19条第１項第６号若しくは第７号に掲げる事業 （三） 協同組合連合会の所属員が実施する総合特別区域法第２条第２項第５号イに掲げる一の建物に集合して行う事業 （四） 事業協同小組合又は協同組合連合会でその組合員又は所属員の３分の２以上が経済産業省関係総合特別区域法施行規則第１条第１項第２号イに規定する特定中小企業者（小売商業又はサービス業を行う者に限

	して事業の用に供する施設で右欄（1）で定めるもの	る。）であるものが実施する総合特別区域法第2条第2項第5号イに掲げる共同して行う事業 （五）　合弁会社、出資会社、承認合併会社又は承認出資会社が実施する総合特別区域法第2条第2項第5号イに掲げる共同して行う事業 （左欄のロに規定する事業） （3）　左欄のロに規定する事業は、次に掲げる事業とする。（規24の5の4） （一）　中小企業等協同組合法第9条の2第1項第4号又は第9条の9第1項第6号に掲げる事業 （二）　商店街振興組合法第13条第1項第4号若しくは第5号又は第19条第1項第6号若しくは第7号に掲げる事業 （三）　協同組合連合会の所属員が実施する総合特別区域法第2条第3項第5号イに掲げる一の建物に集合して行う事業 （四）　事業協同小組合又は協同組合連合会でその組合員又は所属員の3分の2以上が経済産業省関係総合特別区域法施行規則第1条第1項第2号イに規定する特定中小企業者（小売商業又はサービス業を行う者に限る。）であるものが実施する総合特別区域法第2条第3項第5号イに掲げる共同して行う事業 （五）　合弁会社、出資会社、承認合併会社又は承認出資会社が実施する総合特別区域法第2条第3項第5号イに掲げる共同して行う事業
20	鉄道事業法第7条第1項に規定する鉄道事業者又は軌道法第4条に規定する軌道経営者がその本来の事業の用に供する施設で右欄の注で定めるもの	（鉄道軌道事業用施設） 注　左欄に規定する施設は、鉄道事業法第7条第1項に規定する鉄道事業者又は軌道法第4条に規定する軌道経営者がその本来の事業の用に供する施設のうち次に掲げる施設以外の施設とする。（令56の36） （一）　事務所 （二）　発電施設
21	道路運送法第3条第1号イに規定する一般乗合旅客自動車運送事業（路線を定めて定期に運行する自動車により乗合旅客を運送するものに限る。）若しくは貨物自動車運送事業法第2条第2項に規定する一般貨物自動車運送事業又は貨物利用運送事業法第2条第6項に規定する貨物利用運送事業のうち同条第4項に規定する鉄道運送事業者の行う貨物の運送に係るもの若しくは同条第8項に規定する第2種貨物利用運送事業のうち同条第3項に規定する航空運送事業者の行う貨物の運送に係るもの（当該第2種貨物利用運送事業に係る貨物の集貨又は配達を自動車を使用して行う事業（特定の者の需要に応じてするものを除く。）に係る部分に限る。）を経営する者がその本来の事業の用に供する施設で右欄の注で定めるもの	（運送事業用施設） 注　左欄に規定する施設は、道路運送法第3条第1号イに規定する一般乗合旅客自動車運送事業（路線を定めて定期に運行する自動車により乗合旅客を運送するものに限る。）若しくは貨物自動車運送事業法第2条第2項に規定する一般貨物自動車運送事業又は貨物利用運送事業法第2条第6項に規定する貨物利用運送事業のうち同条第4項に規定する鉄道運送事業者の行う貨物の運送に係るもの若しくは同条第8項に規定する第2種貨物利用運送事業のうち同条第3項に規定する航空運送事業者の行う貨物の運送に係るもの（当該第2種貨物利用運送事業に係る貨物の集貨又は配達を自動車を使用して行う事業（特定の者の需要に応じてするものを除く。）に係る部分に限る。）を経営する者がその本来の事業の用に供する施設のうち事務所以外の施設とする。（令56の37）
22	自動車ターミナル法第2条第6項に規定するバスターミナル又はトラッ	（ターミナル用施設） 注　左欄に規定する施設は、自動車ターミナル法第2条第6項に規定するバ

	クターミナルの用に供する施設で右欄の注で定めるもの	スターミナル又はトラックターミナルの用に供する施設のうち事務所以外の施設とする。（令56の38）
23	国際路線に就航する航空機が使用する公共の飛行場に設置される施設で当該国際路線に係るものとして右欄（1）で定める施設	（公共飛行場用国際路線施設） （1） 左欄に規定する施設は、航空法第100条の許可を受けた者がその事業の用に供する施設のうち、国際路線に就航する航空機の使用する公共の飛行場に設置される格納庫、運航管理施設、航空機の整備のための施設その他国際路線に係る同法第2条第18項に規定する航空運送事業（以下（1）及び第二節一の2の①の表の16の（1）において「航空運送事業」という。）の用に供する施設で（2）の総務省令で定めるもの（これらの施設が国際路線に係る航空運送事業の用と国内路線に係る航空運送事業の用とに併せ供される場合には、これらの施設のうち国際路線に係る航空運送事業に係るものとして（3）で定める部分に限る。）とする。（令56の39） （総務省令で定める施設） （2） （1）に規定する総務省令で定める施設は、次に掲げる施設とする。（規24の6①） 　（一）　貨物取扱施設、航空機部品の整備及び保管のための施設、整備用資材の保管のための施設、地上作業用機材の整備のための施設、車庫、変電所及び配電所 　（二）　旅客カウンター、チケットロビー、キャッシャールーム、遺失物保管室及び手荷物取扱施設 　（三）　待合室、ロビー及び通路、階段等無償で旅客又は一般公衆の用に供する施設（②の（2）に規定する消防用設備等又は②の（3）に規定する防災に関する施設若しくは設備に係る部分を除く。） （国際路線に係る部分） （3） （1）に規定する国際路線に係る部分は、当該施設のうち当該施設に係る事業所床面積に当該施設を使用する国際路線に就航する各航空機の客席時間数（当該航空機の客席数（貨物の運送の用に供する航空機にあっては、同じ型式の旅客の運送の用に供する航空機と同数の客席数を有するものとみなす。）に当該航空機の最近の1年間における航行時間を乗じて得た数値をいう。以下（3）において同じ。）の合計数の当該施設を使用する国際路線又は国内路線に就航する各航空機の客席時間数の合計数に対する割合を乗じて得た事業所床面積に相当する部分とする。（規24の6②）
24	専ら公衆の利用を目的として電気通信回線設備（送信の場所と受信の場所との間を接続する伝送路設備及びこれと一体として設置される交換設備並びにこれらの附属設備をいう。）を設置して電気通信事業法第2条第3号に規定する電気通信役務を提供する同条第4号に規定する電気通信事業（携帯電話用装置、自動車電話用装置その他の無線通話装置を用いて同条第3号に規定する電気通信役務を提供する事業を除く。以下24において同じ。）を営む者で右欄（1）で定めるものが当該電気通信事業の用に供する施設で右欄（3）で定める	（電気通信事業を営む者） （1） 左欄に規定する電気通信事業を営む者は、電気通信事業法第117条第1項の規定による認定を受けた者のうち、同法第33条第2項に規定する第1種指定電気通信設備を設置する者及びこれに類する者として総務省令で定める要件に該当する者で、総務大臣が指定するものとする。（令56の40①） 　（注）（1）に規定する総務大臣が指定するものは、次に掲げる者である。（平成16年総務省告示第497号・改正平成27年総務省告示第129号）） 　　東日本電信電話株式会社 　　西日本電信電話株式会社 　　ＫＤＤＩ株式会社 　　ソフトバンクモバイル株式会社 　　エヌ・ティ・ティ・コミュニケーションズ株式会社 　　フュージョン・コミュニケーションズ株式会社 （総務省令で定める要件） （2） （1）に規定する総務省令で定める要件は、電気通信事業法第33条第2

	もの	項に規定する第1種指定電気通信設備を設置する者から第1種指定電気通信設備接続料規則第4条に規定する優先接続機能の提供を受ける電気通信事業者であって、その事業の規模が当該第1種指定電気通信設備を設置する者と同程度以上とする。（規24の6の2） （電気通信事業の用に供する施設） （3）　左欄に規定する電気通信事業の用に供する施設は、左欄に規定する電気通信回線設備を設置して電気通信事業法第2条第3号に規定する電気通信役務を提供する同条第4号に規定する電気通信事業の用に供する施設のうち次に掲げる施設以外の施設とする。（令56の40②） 　（一）　事務所 　（二）　研究施設 　（三）　研修施設
25	民間事業者による信書の送達に関する法律第2条第6項に規定する一般信書便事業者がその本来の事業の用に供する施設で右欄（1）で定めるもの	（一般信書便事業用の施設） （1）　左欄の施設は、民間事業者による信書の送達に関する法律第2条第6項に規定する一般信書便事業者がその本来の事業の用に供する施設のうち信書便物（同条第3項に規定する信書便物をいう。以下（1）、（2）及び第二節一の2の①の表の19の注において同じ。）の引受け及び配達の用に供する施設その他信書便物の送達の用に供する施設で総務省令で定めるものとする。（令56の40の2） （総務省令で定める施設） （2）　（1）に規定する総務省令で定める施設は、信書便物（民間事業者による信書の送達に関する法律第2条第3項に規定する信書便物をいう。第二節一の2の①《用途による課税標準の特例》の表の19の注において同じ。）の表示、区分、転送、還付及び管理の用に供する施設とする。（規24の6の3）
25の2	郵便事業株式会社が郵便事業株式会社法第3条第1項各号に掲げる業務の用に供する施設で右欄（1）で定めるもの及び郵便局株式会社が郵便局株式会社法第4条第1項各号に掲げる業務の用に供する施設で右欄（3）で定めるもの	（郵便事業の業務の用に供する施設） （1）　左欄に規定する郵便事業株式会社の業務の用に供する施設は、次に掲げる施設とする。（令56の40の3①） 　（一）　郵便物の送達の用に供する施設で総務省令で定めるもの 　（二）　郵便切手類販売所等に関する法律第1条に規定する郵便切手類の販売又は印紙の売りさばきの用に供する施設 （総務省令で定める施設） （2）　（1）の（一）に規定する総務省令で定める施設は、郵便物の引受け、配達、表示、区分、転送、還付及び保管の用に供する施設とする。（規24の6の4①） （郵便局の業務の用に供する施設） （3）　左欄に規定する郵便局株式会社の業務の用に供する施設は、郵便窓口業務の委託等に関する法律第2条に規定する郵便窓口業務又は印紙の売りさばき（以下（3）において「郵便窓口業務等」という。）の用に供する施設（当該施設が郵便窓口業務等の用と郵便窓口業務等以外の業務の用とに併せて供される場合には、当該施設のうち郵便窓口業務等の用に供するものとして総務省令で定める部分に限る。）とする。（令56の40の3②） （総務省令で定める部分） （4）　（3）に規定する総務省令で定める部分は、当該施設のうち当該施設に

		係る事業所床面積に当該施設における郵便窓口業務等を処理するための端末機（電子計算機及び電気通信回線により郵便窓口業務等を処理するための端末機のうち当該業務に従事する者が窓口カウンターにおいて使用するために設置するものに限る。）の合計数の当該施設における郵便窓口業務等、銀行業及び生命保険業の代理業務並びに金融商品仲介業の業務を処理するための端末機（電子計算機及び電気通信回線によりこれらの業務を処理するための端末機（銀行業の代理業務を処理するための端末機のうち郵便振替の業務のみに使用するものを除く。）のうちこれらの業務に従事する者が窓口カウンターにおいて使用するために設置するもの（これらの端末機と同様の機能を有する端末機を当該施設の窓口カウンター以外においても使用するために設置している場合には、当該同様の機能を有する端末機を含む。）に限る。）の合計数に対する割合を乗じて得た事業所床面積に相当する部分とする。（規24の6の4②）
26	勤労者の福利厚生施設で右欄(1)で定めるもの	（福利厚生施設） （1） 左欄に規定する勤労者の福利厚生施設は、次に掲げる施設とする。（令56の41） （一） 事業を行う者又は事業を行う者で組織する団体が経営する専ら当該事業を行う者又は当該団体の構成員である事業を行う者が雇用する勤労者の利用に供する福利又は厚生のための施設 （二） 国民健康保険組合、国民健康保険団体連合会、健康保険組合、健康保険組合連合会、国家公務員共済組合、国家公務員共済組合連合会、地方公務員共済組合、全国市町村職員共済組合連合会又は日本私立学校振興・共済事業団が経営する専らこれらの組合若しくはこれらの連合会を構成する組合の組合員又は私立学校教職員共済法の規定による私立学校教職員共済制度の加入者の利用に供する福利又は厚生のための施設 （三） （一）及び（二）に掲げるもののほか、専ら勤労者の利用に供する福利又は厚生のための施設で次の総務省令で定めるもの （総務省令で定める施設） （2） （1）の（三）に規定する総務省令で定める専ら勤労者の利用に供する福利又は厚生のための施設は、次に掲げる施設とする。（規24の7） （一） 農業協同組合、消費生活協同組合、消費生活協同組合連合会、厚生年金基金、企業年金連合会、農業者年金基金、法人である労働組合、職員団体等に対する法人格の付与に関する法律による法人である職員団体等その他これらに類する組合又は団体が経営する専らこれらの組合又は団体の構成員の利用に供する福利又は厚生のための施設 （二） 公益社団法人若しくは公益財団法人、一般社団法人（非営利型法人（法人税法第2条第9号の2に規定する非営利型法人をいう。以下（二）において同じ。）に該当するものに限る。）若しくは一般財団法人（非営利型法人に該当するものに限る。）又は人格のない社団等が経営する専ら勤労者の利用に供する福利又は厚生のための施設 （三） （二）に掲げる施設のほか、（1）の（一）及び（二）並びに前2号に規定するものから経営の委託を受けて行う事業に係る施設で専ら勤労者の利用に供する福利又は厚生のための施設 （旧民法第34条の法人から移行した法人等に係る特例） （3） 地方税法附則第41条《旧民法第34条の法人から移行した法人等に係る地方税の特例》第3項に規定する特定一般社団法人又は特定一般財団法人（同条第1項に規定する認可取消社団法人又は認可取消財団法人にあって

		は、同条第2項に規定する非営利型法人に該当するものに限る。)については、公益社団法人又は公益財団法人とみなして、(2)の(二)の規定を適用する。(規附22②) (福利厚生施設の意義) (4) 勤労者の福利厚生施設については、事業所税を課することができないこととされているのであるが、この福利厚生施設とは、従業員の福利又は厚生のために設置される美容室、理髪室、喫茶室、食堂、娯楽教養室等をいうものであること。(市通9―3(5)エ)
27	駐車場法第2条第2号に規定する路外駐車場で右欄(1)で定めるもの	(路外駐車場) (1) 左欄に規定する路外駐車場は、次に掲げる路外駐車場とする。(令56の42) (一) 駐車場法第2条第2号に規定する路外駐車場(以下(1)において「特定路外駐車場」という。)で都市計画において定められたもの (二) 特定路外駐車場で駐車場法第12条の規定により届出がなされたもの((一)に掲げるものを除く。) (三) その他(2)で定める特定路外駐車場 (総務省令で定める特定路外駐車場) (2) (1)の(三)に規定する総務省令で定める特定路外駐車場は、一般公共の用に供されるものとして指定都市等の長が認めた(1)の(一)に規定する特定路外駐車場とする。(規24の8)
28	道路交通法第2条第1項第10号に規定する原動機付自転車又は同項第11号の2に規定する自転車の駐車のための施設で都市計画法第11条第1項第1号に掲げる駐車場として都市計画に定められたもの	
29	東日本高速道路株式会社、首都高速道路株式会社、中日本高速道路株式会社、西日本高速道路株式会社、阪神高速道路株式会社又は本州四国連絡高速道路株式会社が、高速道路株式会社法第5条第1項第1号、第2号又は第4号に規定する事業(本州四国連絡高速道路株式会社にあっては、同項第1号、第2号、第4号又は第5号に規定する事業)の用に供する施設で右欄の注で定めるもの	(事業の用に供する施設) 注 左欄で定める施設は、東日本高速道路株式会社、首都高速道路株式会社、中日本高速道路株式会社、西日本高速道路株式会社、阪神高速道路株式会社又は本州四国連絡高速道路株式会社が、高速道路株式会社法第5条第1項第1号、第2号又は第4号に規定する事業(本州四国連絡高速道路株式会社にあっては、同項第1号、第2号、第4号又は第5号に規定する事業)の用に供する施設のうち事務所以外の施設とする。(令56の42の2)

② 消防用設備及び防災用設備等に対する資産割の非課税

　指定都市等は、百貨店、旅館その他の消防法第17条第1項に規定する防火対象物で多数の者が出入するものとして(1)で定めるものに設置される同項に規定する消防用設備等で(2)で定めるもの(以下②において「消防用設備等」という。)及び同条第3項に規定する特殊消防用設備等(以下②において「特殊消防用設備等」という。)並びに当該防火対象物に設置される建築基準法第35条に規定する避難施設その他の(3)で定める防災に関する施設又は設備(消防用設備等及び特殊消防用設備等を除く。)のうち(5)で定める部分に係る事業所床面積に対しては資産割を課することができない。(法701の34④)

(防火対象物等)
（1） ②に規定する多数の者が出入する防火対象物は、消防法施行令別表第一（一）項から（四）項まで、（五）項イ、（六）項、（九）項イ、（十六）項イ、（十六の二）項及び（十六の三）項に掲げる防火対象物とする。（令56の43①）

(消防用設備等)
（2） ②に規定する消防用設備等は、消防法第17条第1項に規定する消防用設備等（これに附置される非常電源を含む。）で、同条の技術上の基準に適合するもの又は同法第17条の2の5第1項若しくは第17条の3第1項の規定の適用があるものとする。（令56の43②）

(防災に関する施設又は設備)
（3） ②に規定する防災に関する施設又は設備は、次に掲げる施設又は設備（（一）から（四）までに掲げる施設又は設備にあっては、建築基準法若しくはこれに基づく命令若しくは条例の規定に適合するもの又は同法第3条第2項（同法第86条の9第1項において準用する場合を含む。）の規定の適用がある建築物若しくは建築物の部分に設置されているもの（同法第87条第3項の規定の適用があるものを除く。）に限る。）とする。（令56の43③）

（一）	建築基準法第35条に規定する施設又は設備のうち次に掲げるもの イ　階段（建築基準法施行令第123条の規定による避難階段又は特別避難階段（ロにおいて「**避難階段等**」という。）に限る。）、排煙設備（これに附置される予備電源を含む。）並びに非常用の照明装置（これに附置される予備電源を含む。）及び進入口（バルコニーを含む。） ロ　廊下、階段（避難階（直接地上へ通ずる出入口のある階をいう。以下（一）及び（二）において同じ。）又は地上へ通ずる直通階段（避難階段等を除くものとし、傾斜路を含む。）に限る。）及び避難階における屋外への出入口
（二）	建築基準法施行令第20条の2第2号に規定する中央管理室（次に掲げる設備又は装置を設置しているものに限るものとし、ハに掲げる設備に係る部分を除く。） イ　排煙設備の制御及び作動の状態の監視に係る設備 ロ　建築基準法第34条第2項に規定する建築物に設置されるものにあっては、建築基準法施行令第129条の13の3第2項に規定する非常用エレベーター（以下（二）及び（四）において「**非常用エレベーター**」という。）のかごを呼戻す装置（各階の乗降ロビー及び非常用エレベーターのかご内に設けられた通常の制御装置の機能を停止させ、かごを避難階又はその直上階若しくは直下階に呼戻す装置をいう。）の作動に係る設備及び非常用エレベーターのかご内と連絡する電話装置 ハ　消防法施行令第23条第1項の規定の適用がある防火対象物に設置されるものにあっては、同令第7条第3項第3号に規定する消防機関へ通報する火災報知設備
（三）	建築基準法施行令第112条第9項に規定する建築物の部分のうち、吹抜きとなっている部分、階段の部分、昇降機の昇降路の部分、ダクトスペースの部分その他これらに類する部分で、同項の規定により区画されているもの（（一）のイ及びロ並びに（四）に掲げる施設又は設備に係るものを除く。）
（四）	非常用エレベーター（これに附置される予備電源を含む。）
（五）	（2）に規定するもの及び前各号に掲げるもののほか、次に掲げる施設又は設備 イ　指定都市等の条例の規定に基づき設置する避難通路（ロにおいて「避難通路」という。）で、スプリンクラー設備（消防法施行令第12条に定める技術上の基準に従い、又は当該技術上の基準の例により設置されたものに限る。）の有効範囲内に設置するもの ロ　避難通路（イに該当するものを除く。）その他防災に関する施設又は設備で（4）の総務省令で定めるもの

(総務省令で定める防災に関する施設又は設備)
（4） （3）の（五）に規定する総務省令で定める防災に関する施設又は設備は、次に掲げる施設又は設備とする。（規24の9）
　（一）　指定都市等の条例の規定に基づき設置する喫煙所
　（二）　前号に掲げるもののほか、指定都市等の条例又は消防組織法第12条第1項に規定する消防長若しくは同法第13条第1項に規定する消防署長若しくは建築基準法第2条第33号に規定する特定行政庁の命令に基づき設置する施設又は設備で、火災又は地震等の災害による被害を予防し、又は軽減するために有効に管理されていると指定都市等

の長が認めるもの

　　　　（防災に関する施設又は設備のうちの非課税部分）
（５）　②に規定する非課税部分は、（３）の（一）のイ、（四）及び（五）のイに掲げる施設又は設備にあっては、その全部とし、（３）の（一）のロ、（二）、（三）及び（五）のロに掲げる施設又は設備にあっては、当該施設又は設備に係る事業所床面積の２分の１の面積に対応する部分とする。（令56の43④）

③　港湾運送事業者の労働者詰所に係る従業者割の非課税
　指定都市等は、港湾運送事業法第９条第１項に規定する港湾運送事業者がその本来の事業の用に供する施設で（１）に定めるものに係る従業者給与総額に対しては、従業者割を課することができない。（法701の34⑤）

　　　　（非課税施設）
（１）　③に規定する施設は、港湾運送事業法第２条第１項に規定する港湾運送の業務に従事する労働者の詰所で次の総務省令で定めるものとする。（令56の46）

　　　　（総務省令で定める施設）
（２）　（１）の総務省令で定める労働者の詰所は、労働者詰所及び現場事務所とする。（規24の10）

④　非課税の判定時期
　２及び①から③までに規定する場合において、これらの規定の適用を受ける事業であるかどうかの判定は**課税標準の算定期間**（法人に係るものにあっては、事業年度とし、個人に係るものにあっては、個人に係る課税期間とする。以下この章において同じ。）の末日の現況によるものとする。（法701の34⑥）

　　　　（留意事項）
　注　２及び①から③までに規定する場合において、これらの規定の適用を受ける事業であるかどうかの判定は、課税標準の算定期間の末日の現況によるものとされているが、課税標準の算定期間の中途において事業所等が廃止された場合（当該廃止が事業の廃止によるものである場合を除く。）においては、当該廃止の直前に行われていた事業がこれらの規定の適用を受ける事業であるかどうかにより判定することが適当であること。（市通９－３（５）オ）

４　収益事業と収益事業以外の事業とを行う場合の非課税規定の適用の範囲等
　２の法人が同一の事業所等において収益事業と収益事業以外の事業とを併せて行う場合における事業所床面積又は従業者給与総額についての２の規定の適用を受けるものと受けないものとの区分に関し必要な事項、２の収益事業の範囲その他１、２及び３の①から③までの規定の適用に関し必要な事項は、注に定めるところによる。（法701の34⑦）

　　　　（従業者給与総額の区分計算）
　注　３の①又は③の規定の適用を受ける施設に係る事業所等において当該施設に係る事業とその他の事業とがあわせ行われている場合における当該施設に係る事業の従業者（二の（五）に規定する従業者をいう。以下同じ。）で当該その他の事業にも従事しているものの当該事業所等における勤務に係る同（五）に規定する給与等（同（五）に規定する事業専従者控除額を含む。以下「給与等」という。）の額のうち当該施設に係る従業者給与総額の算定の基礎とすべき額は、当該給与等の額に当該従業者が当該施設に係る事業に従事した分量の当該分量と当該その他の事業に従事した分量との合計量に対する割合を乗じて計算した額とする。ただし、その分量が明らかでない場合は、当該施設に係る事業と当該その他の事業とに均等に従事したものとして計算した額によるものとする。（令56の49）

五　雑　　　則

１　徴税吏員の調査に係る質問検査権
　指定都市等の徴税吏員は、事業所税の賦課徴収に関する調査のために必要がある場合には、次に掲げる者に質問し、又は（一）若しくは（二）の者の帳簿書類（その作成又は保存に代えて電磁的記録（電子的方式、磁気的方式その他の人の知覚によっては認識することができない方式で作られる記録であって、電子計算機による情報処理の用に供されるものをいう。）の作成又は保存がされている場合における当該電磁的記録を含む。２の表の（一）及び（二）において同じ。）その他の

物件を検査し、若しくは当該物件（その写しを含む。）の提示若しくは提出を求めることができる。（法701の35①）

(一)	納税義務者又は納税義務があると認められる者
(二)	(一)に掲げる者に金銭若しくは物品を給付する義務があると認められる者又は(一)に掲げる者から金銭若しくは物品を受け取る権利があると認められる者
(三)	(一)及び(二)に掲げる者以外の者で当該事業所税の賦課徴収に関し直接関係があると認められるもの

　　　　　（分割承継法人及び分割法人に対する質問検査権）
（１）　１の表の(一)に掲げる者を分割法人（分割によりその有する資産及び負債の移転を行った法人をいう。以下（１）において同じ。）とする分割に係る分割承継法人（分割により分割法人から資産及び負債の移転を受けた法人をいう。以下（１）において同じ。）は同表の(二)に規定する物品を受け取る権利があると認められる者に、同表の(一)に掲げる者を分割承継法人とする分割に係る分割法人は、同表の(二)に規定する物品を給付する義務があると認められる者にそれぞれ含まれるものとする。（法701の35②）

　　　　　（身分証明証の提示）
（２）　１の場合には、当該徴税吏員は、その身分を証明する証票を携帯し、関係人の請求があったときは、これを提示しなければならない。（法701の35③）

　　　　　（提出物件の留置き）
（３）　指定都市等の徴税吏員は、（４）で定めるところにより、１の規定により提出を受けた物件を留め置くことができる。（法701の35④）

　　　　　（提出物件に関する書面の交付）
（４）　指定都市等の徴税吏員は、（３）の規定により物件を留め置く場合には、当該物件の名称又は種類及びその数量、当該物件の提出年月日並びに当該物件を提出した者の氏名及び住所又は居所その他当該物件の留置きに関し必要な事項を記載した書面を作成し、当該物件を提出した者にこれを交付しなければならない。（令56の49の２①）

　　　　　（提出物件の返還）
（５）　指定都市等の徴税吏員は、（３）の規定により留め置いた物件につき留め置く必要がなくなったときは、遅滞なく、これを返還しなければならない。（令56の49の２②）

　　　　　（提出物件の管理義務）
（６）　指定都市等の徴税吏員は、（５）に規定する物件を善良な管理者の注意をもって管理しなければならない。（令56の49の２③）

　　　　　（滞納処分に関する調査についての不適用）
（７）　事業所税に係る滞納処分に関する調査については、１の規定にかかわらず、第三節六の２の①の（５）に定めるところによる。（法701の35⑤）

　　　　　（質問検査権の解釈）
（８）　１又は（３）の規定による指定都市等の徴税吏員の権限は、犯罪捜査のために認められたものと解釈してはならない。（法701の35⑥）

２　質問検査等に関する罪

次の各号のいずれかに該当する場合には、その違反行為をした者は、１年以下の懲役又は50万円以下の罰金に処する。（法701の36①）

(一)	１の規定による帳簿書類その他の物件の検査を拒み、妨げ、又は忌避したとき。
(二)	１の規定による物件の提示又は提出の要求に対し、正当な理由がなくこれに応ぜず、又は偽りの記載若しくは記録

	をした帳簿書類その他の物件（その写しを含む。）を提示し、若しくは提出したとき。
(三)	1の規定による徴税吏員の質問に対し答弁をしないとき、又は虚偽の答弁をしたとき。

　　　（両罰規定）
（1）　法人の代表者（人格のない社団等の管理人を含む。以下この章において「**法人の代表者等**」という。）又は法人若しくは人の代理人、使用人その他の従業者がその法人又は人の業務又は財産に関して2の違反行為をした場合には、その行為者を罰するほか、その法人又は人に対して、2の罰金刑を科する。（法701の36②）

　　　（人格のない社団等に対する刑事訴訟法の準用）
（2）　人格のない社団等について（1）の規定の適用がある場合には、その代表者又は管理人がその訴訟行為につき当該人格のない社団等を代表するほか、法人を被告人又は被疑者とする場合の刑事訴訟に関する法律の規定を準用する。（法701の36③）

3　納税管理人

①　納税管理人の申告
　事業所税の納税義務者は、納税義務を負う指定都市等の区域内に住所、居所又は事業所等（以下①において「住所等」という。）を有しない場合には、納税に関する一切の事項を処理させるため、当該指定都市等の条例で定める地域内に住所等を有する者のうちから納税管理人を定めてこれを指定都市等の長に申告し、又は当該地域外に住所等を有する者のうち当該事項の処理につき便宜を有するものを納税管理人として定めることについて指定都市等の長に申請してその承認を受けなければならない。納税管理人を変更し、又は変更しようとする場合においても、また、同様とする。（法701の37①）

　　（納税管理人を定めることを要しない場合）
　注　①の規定にかかわらず、当該納税義務者は、当該納税義務者に係る事業所税の徴収の確保に支障がないことについて指定都市等の長に申請してその認定を受けたときは、納税管理人を定めることを要しない。（法701の37②）

②　納税管理人に係る虚偽の申告等に関する罪
　①の規定により申告すべき納税管理人について虚偽の申告をし、又は偽りその他不正の手段により①の承認若しくは①の注の認定を受けたときは、その相手方としてその違反行為をした者は、30万円以下の罰金に処する。（法701の38①）

　　　（両罰規定）
（1）　法人の代表者等又は法人若しくは人の代理人、使用人その他の従業者がその法人又は人の業務又は財産に関して②の違反行為をした場合には、その行為者を罰するほか、その法人又は人に対し②の刑を科する。（法701の38②）

　　　（人格のない社団等に対する刑事訴訟法の準用）
（2）　人格のない社団等について（1）の規定の適用がある場合には、その代表者又は管理人がその訴訟行為につき当該人格のない社団等を代表するほか、法人を被告人又は被疑者とする場合の刑事訴訟に関する法律の規定を準用する。（法701の38③）

　　　（不申告に係る過料）
（3）　指定都市等は、①の注の認定を受けていない事業所税の納税義務者で①の承認を受けていないものが①の規定によって申告すべき納税管理人について正当な理由がなくて申告をしなかった場合には、その者に対し、当該指定都市等の条例で10万円以下の過料を科する旨の規定を設けることができる。（法701の39）

第二節　課税標準、税率及び免税点

一　課　税　標　準

1　課　税　標　準

事業所税の課税標準は、次による。（法701の40①）

資　産　割	課税標準の算定期間〖第一節四の3の④参照〗の末日現在における事業所床面積（当該課税標準の算定期間の月数が12月に満たない場合には、当該事業所面積を12で除して得た面積に当該課税標準の算定期間の月数を乗じて得た面積。（1）において同じ。）
従業者割	課税標準の算定期間中に支払われた従業者給与総額

　　　（課税標準の算定期間中に新設又は廃止された事業に係る課税標準の特例）
（1）　次の各号に掲げる事業所等において行う事業に対して課する資産割の課税標準は、1の規定にかかわらず、それぞれ当該各号に定める面積とする。（法701の40②）

(一)	課税標準の算定期間の中途において新設された事業所等（(三)の事業所等を除く。）	当該課税標準の算定期間の末日における事業所床面積に当該新設の日の属する月の翌月から当該課税標準の算定期間の末日の属する月までの月数の当該課税標準の算定期間の月数に対する割合を乗じて得た面積
(二)	課税標準の算定期間の中途において廃止された事業所等（(三)の事業所等を除く。）	当該廃止の日における事業所床面積に当該課税標準の算定期間の開始の日の属する月から当該廃止の日の属する月までの月数の当該課税標準の算定期間の月数に対する割合を乗じて得た面積
(三)	課税標準の算定期間の中途において新設された事業所等で当該課税標準の算定期間の中途において廃止されたもの	当該廃止の日における事業所床面積に当該新設の日の属する月の翌月から当該廃止の日の属する月までの月数の当該課税標準の算定期間の月数に対する割合を乗じて得た面積

　　（注）　新たに指定都市等となった場合等については、第一節一の2を参照。（編者）

　　　（課税標準の算定期間の端数計算）
（2）　1及び（1）の課税標準の算定期間の月数は、暦に従って計算し、1月に満たない端数を生じたときは、これを1月とする。（法701の40③）

　　　（事業所等が二以上の市町村の区域にわたって所在する場合の特例）
（3）　事業所等が一の指定都市等の区域とその他の市町村の区域とにわたって所在する場合における当該事業所等において行われる事業に対して当該指定都市等が課する事業所税に係る1及び（1）の規定の適用については、当該事業所等に係る事業所床面積は、当該事業所等のうち当該指定都市等の区域内に所在する部分に係る事業所床面積（以下（3）において「指定都市等所在部分の事業所床面積」という。）に相当する面積とし、当該事業所等に係る従業者給与総額は、当該従業者給与総額に当該指定都市等所在部分の事業所床面積の当該事業所等に係る事業所床面積に対する割合を乗じて得た額とする。（令56の50）

　　　（共同事業である事業に係る課税標準の特例）
（4）　事業所等において行う共同事業である事業（第一節三の2の規定により共同事業とみなされる事業を除く。）に係る各共同事業者ごとの事業所税の課税標準となるべき事業所床面積又は従業者給与総額は、当該事業をその者が単独で行うものとみなした場合において当該事業に係る当該事業所税の課税標準となるべき事業所床面積又は従業者給与総額に、当該事業に係るその者の**損益分配の割合**（当該割合が定められていない場合には、その者の出資の価額に応

ずる割合をいう。）を乗じて得た面積又は金額とする。（令56の51①）

　　（特殊関係者の事業の特例）
（５）　事業所等において行う第一節三の２の規定により共同事業とみなされる事業に係る１及び（１）の規定の適用については、当該事業は、同節三の２に規定する特殊関係者が単独で行うものとみなす。（令56の51②）

　　（留意事項）
（６）　事業所税のうち資産割の課税標準は、課税標準の算定期間の末日現在における事業所床面積とされているものであるが、課税標準の算定期間とは、法人にあっては事業年度、個人にあっては第一節二の表の（八）に掲げる個人に係る課税期間をいうものであり、また、事業所床面積とは、事業所用家屋の床面積として同表の（四）の注に規定する床面積をいうものであること。なお、課税標準の算定期間の月数が12月に満たない場合には、当該事業所床面積を12で除して得た面積に当該期間の月数を乗じて得た面積が課税標準となるものであること。（市通９－３（６）ア）

　　（従業者給与総額）
（７）　事業所税のうち従業者割の課税標準は、課税標準の算定期間中に支払われた従業者給与総額とされているものであるが、この従業者給与総額とは、事業所等に勤務すべき者に対して課税標準の算定期間中に支払われた又は支払われるべき俸給、給料、賃金及び賞与並びにこれらの性質を有する給与の総額とされているものであるが、次の諸点に留意すること。（市通９－３（６）イ）
　（一）　「これらの性質を有する給与」とは、扶養手当、住居手当、通勤手当、時間外勤務手当、現物給与等をいうものであり、退職給与金、年金、恩給等は含まれないものであること。
　（二）　外交員その他これらに類する者の業務に関する報酬等で所得税法第28条第１項に規定する給与等に該当しないものは含まれないものであること。
　（三）　給与の支払を受けるべき者であっても、その勤務すべき施設が事業所等に該当しない場合の当該施設の従業者（例えば常時船舶の乗組員である者）に対して支払われる給与については含まれないものであること。

２　課税標準の特例

①　用途による課税標準の特例

　次の表の各号の左欄に掲げる施設に係る事業所等において行う事業に対して課する資産割又は従業者割の課税標準となるべき事業所床面積又は従業者給与総額の算定については、当該資産割又は従業者割につき、それぞれ当該各号の中欄又は右欄に割合が定められている場合には、当該施設に係る事業所等に係る事業所床面積又は従業者給与総額（第一節四《非課税の範囲》の１から４までの規定の適用を受けるものを除く。以下①において同じ。）から当該施設に係る事業所床面積又は従業者給与総額にそれぞれ当該各号の中欄又は右欄に掲げる割合を乗じて得た面積又は金額を控除するものとする。（法701の41①）

号	施　　　　　設	資産割に係る割合	従業者割に係る割合
1	法人税法第２条第７号の協同組合等がその本来の事業の用に供する施設	$\frac{1}{2}$	$\frac{1}{2}$
2	学校教育法第124条に規定する専修学校又は同法第134条第１項に規定する各種学校（学校法人又は私立学校法第64条第４項の法人が設置する専修学校又は各種学校を除く。）において直接教育の用に供する施設 　（注）　２中___部分「第64条第４項」を「第152条第５項」に改める令和６年度改正規定は、令和７年４月１日以後適用する。（令６改法附１三）	$\frac{1}{2}$	$\frac{1}{2}$
3	事業活動に伴って生ずるばい煙、汚水、廃棄物等の処理その他公害の防止又は資源の有効な利用のための施設で次に掲げるもの（専ら当該施設の用に供する事業所用家屋内に設置されるものに限る。）（４に掲げるものを除く。）（令56の53） 　イ　水質汚濁防止法第２条第２項に規定する特定施設又は同条第３項に規定する指定地域特定施設（瀬戸内海環境保全特別措置法第12条の２の規定により当該指定地	$\frac{3}{4}$	

域特定施設とみなされる施設を含む。)を設置する工場又は事業場の汚水又は廃液の処理施設及び下水道法第12条第1項に規定する公共下水道を使用する者が設置する除害施設で、総務省令で定めるもの

  (総務省令で定める施設)
 注 上記の総務省令で定める汚水又は廃液の処理施設及び除害施設は、沈澱又は浮上装置、油水分離装置、汚泥処理装置、濾過装置、バーク処理装置、濃縮又は燃焼装置、蒸発洗浄又は冷却装置、中和装置、酸化又は還元装置、凝集沈澱装置、脱有機酸装置、イオン交換装置、生物化学的処理装置、脱フェノール装置、脱アンモニア装置、貯溜装置及び輸送装置並びにこれらに附属する電動機、ポンプ、配管、計測器その他の附属設備(汚水、廃液若しくは下水の有用成分を回収すること又は汚水、廃液若しくは下水を工業用水として再利用することを専らその目的とするものを除く。)とする。(規24の11①、16の6①)

大気汚染防止法第2条第2項に規定するばい煙発生施設から発生するばい煙の処理施設及び同条第5項に規定する揮発性有機化合物排出施設から排出される同条第4項に規定する揮発性有機化合物の排出の抑制に資する施設(ハに掲げる施設を除く。)で、総務省令で定めるもの

  (ばい煙の処理施設)
(1) 上記の総務省令で定めるばい煙の処理施設は、次表の左欄に掲げるばい煙の処理施設のうち、それぞれ当該右欄に掲げる機械その他の設備(いおう酸化物又は有害物質のうちガス状のものを処理する施設に係るいおう酸化物又は有害物質のうちガス状のものを還元の方法により処理するための装置並びにこれに附属する機械その他の設備で専らいおう酸化物又は有害物質のうちガス状のものの処理の用に供される蒸発器、ポンプ及びタンク(還元剤を供給するためのものに限る。)にあっては、昭和52年6月18日以後において新設されたものに限る。)又は大気汚染防止法第2条第1項に規定するばい煙を処理するための煙突で高さが70メートル以上のものとする。(規24の11②、16の6③)

ロ

ばい煙の処理施設の種類	機械その他の設備
ばいじん又は有害物質のうち粒子状のものを処理する施設	(一) ばいじん又は有害物質のうち粒子状のものを重力沈降、慣性分離、遠心力分離、濾過、洗浄、電気捕集又は音波凝集の方法により集じん又は除じんするための装置 (二) (一)の装置に附属する次に掲げる機械その他の設備で、専ら集じん又は除じんの用に供されるもの イ ガス導管(煙突に連なるガス導管を除く。) ロ ガス冷却器 ハ 通風機 ニ 空気圧縮機(バッグフィルターに付着したじんを除くためのものに限る。) ホ 変圧器及び整流器(電気捕集の方法により集じんするための装置に附属するものに限る。) ヘ ダスト取出機 ト ダスト運搬機 チ ダスト貯溜器 リ 水管(ばい煙を処理するための水又は蒸気を通ずる

	ためのものに限る。） ヌ　水路、ポンプ、池及び槽（洗浄廃液を処理するためのものに限る。）並びに計測器
いおう酸化物又は有害物質のうちガス状のものを処理する施設	（一）　いおう酸化物又は有害物質のうちガス状のものを洗浄（吸収を含む。）、中和、吸着又は還元の方法により処理するための装置 （二）　（一）の装置に附属する次に掲げる機械その他の設備で、専らいおう酸化物又は有害物質のうちガス状のものの処理の用に供されるもの イ　ガス導管（煙突に連なるガス導管を除く。） ロ　ガス冷却器 ハ　通風機 ニ　水管（ばい煙を処理するための水又は蒸気を通ずるためのものに限る。） ホ　塔及び槽（洗浄液を供給するためのものに限る。） ヘ　洗浄液再生装置 ト　吸着剤再生装置 チ　ミスト除去装置（これに附属する変圧器及び整流器を含む。） リ　水路、ポンプ、池及び槽（洗浄廃液を処理するためのものに限る。）並びに計測器 ヌ　蒸発器、ポンプ及びタンク（還元剤を供給するためのものに限る。）

　　（揮発性有機化合物の排出の抑制に資する施設）
（２）　上記の総務省令で定める揮発性有機化合物の排出の抑制に資する施設は、次に掲げる施設とする。（規24の11③）
（一）　吸着、分解又は分離の方法により大気汚染防止法第２条第４項に規定する揮発性有機化合物（以下（２）において「揮発性有機化合物」という。）の排出を抑制する機能を有する装置で次に掲げるもの
　　イ　吸着装置（揮発性有機化合物を吸着剤に吸着させて処理する装置をいう。）
　　ロ　分解装置（揮発性有機化合物を直接燃焼、触媒燃焼、蓄熱燃焼、放電又は微生物に接触させ生物的作用を利用する方法により当該揮発性有機化合物を分解して処理する装置をいう。）
　　ハ　分離装置（揮発性有機化合物を冷却して液化する方法、水、油若しくはアルコールに吸収させる方法、蒸留する方法、分離膜を用いる方法又はこれらを組み合わせた方法により当該揮発性有機化合物を分離して処理する装置をいう。）
（二）　（一）に掲げる装置に附属する次に掲げる機械その他の設備で、専ら揮発性有機化合物の排出の抑制の用に供されるもの
　　イ　ガス導管（煙突に連なるガス導管を除く。）
　　ロ　冷却装置
　　ハ　送風機
　　ニ　熱交換機
　　ホ　加熱器
　　ヘ　圧縮機
　　ト　凝縮器
　　チ　ばっき装置

	リ　中和装置 ヌ　ミスト除去装置 ル　計測器及び自動調整装置 ヲ　変圧器及び整流器 ワ　電動機 カ　ボイラー ヨ　分離器 タ　ポンプ、配管及びタンク
ハ	大気汚染防止法附則第９項に規定する指定物質排出施設から排出され、又は飛散する同項に規定する指定物質の排出又は飛散の抑制に資する施設で総務省令で定めるもの 　　　　（指定物質の排出又は飛散の抑制に資する施設） 　　注　上記の総務省令で定める施設は、地方税法施行規則第16条の６第５項に規定する施設（同項第１号ホからトまでに掲げる装置及びこれらに附属する同項第２号に掲げる機械その他の設備を除く。）とする。（規24の11④） 　　　　（注）　地方税法施行規則第16条の６第５項は、第三章第二節一の３の口の④の(注)を参照。（編者）
ニ	廃棄物の処理及び清掃に関する法律第８条第１項に規定するごみ処理施設及び同法第15条第１項に規定する産業廃棄物処理施設で、総務省令で定めるもの（４の(2)の(一)に掲げるものを除く。） 　　　　（ごみ処理施設） 　（１）　上記の総務省令で定めるごみ処理施設は、地方税法施行規則第16条の６第６項第１号に掲げる施設（廃棄物の処理及び清掃に関する法律第８条第１項の許可に係るもの（廃棄物の処理及び清掃に関する法律施行の一部を改正する政令（平成９年政令第269号。(2)において「廃掃法改正令」という。）附則第２条第１項の規定の適用を受けるものを除く。）に限る。）とする。（規24の11⑤） 　　　　（注）　地方税法施行規則第16条の６第６項及び第７項は、第三章第二節一の３の口の④の(注)を参照。（編者） 　　　　（産業廃棄物処理施設） 　（２）　上記の総務省令で定める産業廃棄物処理施設は、地方税法施行規則第16条の６第７項第１号に掲げる施設（廃棄物の処理及び清掃に関する法律第15条第１項の許可に係るもの（廃掃法改正令附則第２条第２項の規定の適用を受けるものを除く。）に限る。）とする。（規24の11⑥） 　　　　（注）　（１）の(注)に同じ。（編者）
ホ	海洋汚染等及び海上災害の防止に関する法律第３条第14号に規定する廃油処理施設（４の(2)の(四)に掲げるものを除く。）
ヘ	ダイオキシン類対策特別措置法第２条第２項に規定する特定施設から発生し、又は排出されるダイオキシン類（同条第１項に規定するダイオキシン類をいう。）の処理施設で総務省令で定めるもの 　　　　（ダイオキシン類の処理施設） 　　注　上記の総務省令で定めるダイオキシン類の処理施設は、次の各号に掲げる処理施設の区分に応じ、当該各号に定める機械その他の設備とする。（規24の11⑦、16の６⑫） 　　（一）　ダイオキシン類対策特別措置法第２条第２項に規定する特定施設

	((二)において「特定施設」という。)から発生するダイオキシン類(同条第1項に規定するダイオキシン類をいう。以下注において同じ。)の処理施設　重力沈降、慣性分離、遠心力分離、濾過、電気捕集、吸着、燃焼分解、触媒分解、冷却その他の方法によりダイオキシン類を処理するための装置及びこれらに附属する機械その他の設備(専らダイオキシン類の処理の用に供されるガス導管(煙突に連なるガス導管を除く。)、ガス冷却器、変圧器、整流器、吸着剤再生装置、加熱器、ダスト取出機、ダスト運搬機、ダスト貯溜器、空気圧縮機、通風機、ミスト除去装置、貯水タンク、電動機、ポンプ、配管、計測器その他の附属設備に限る。) (二)　特定施設から排出されるダイオキシン類を含む汚水又は廃液の処理施設　沈澱、浮上、油水分離、汚泥処理、濾過、バーク処理、濃縮、燃焼、蒸発洗浄、冷却、中和、酸化、還元、凝集沈澱、脱有機酸、イオン交換、生物化学的処理、脱アンモニア、貯溜、輸送、吸着、紫外線照射及びオゾン注入による分解、逆浸透膜による除去その他の方法によりダイオキシン類を含む汚水又は廃液を処理するための装置並びにこれらに附属する機械その他の設備(専らダイオキシン類を含む汚水又は廃液の処理の用に供される電動機、ポンプ、配管、計測器その他の附属設備(汚水若しくは廃液の有用成分を回収すること又は汚水若しくは廃液を工業用水として再利用することを専らその目的とするものを除く。)に限る。)		
4	廃棄物の処理及び清掃に関する法律第14条第1項若しくは第6項若しくは第14条の4第1項若しくは第6項の規定による許可又は同法第15条の4の2第1項の規定による認定を受けて行う産業廃棄物の収集、運搬又は処分の事業その他公害の防止又は資源の有効な利用のための事業で(1)で定めるものの用に供する施設で(2)で定めるもの 　　　(特例対象事業) 　(1)　上記の特例対象事業は、次に掲げる事業とする。(令56の53の2①) 　　(一)　広域臨海環境整備センター法第19条に規定する業務として行う産業廃棄物の収集、運搬又は処分の事業 　　(二)　浄化槽法第35条第1項の規定による許可を受けて行う浄化槽の清掃の事業 　　(三)　海洋汚染等及び海上災害の防止に関する法律第20条第1項の規定による許可を受けて行う廃油処理事業 　　　(特例対象施設) 　(2)　上記の特例対象施設は、次の各号に掲げる事業の区分に応じ、当該各号に定める施設とする。(令56の53の2②) 　　(一)　廃棄物の処理及び清掃に関する法律第14条第1項若しくは第6項若しくは第14条の4第1項若しくは第6項の規定による許可又は同法第15条の4の2第1項の規定による認定を受けて行う産業廃棄物の収集、運搬又は処分の事業　同法第14条第1項若しくは第6項若しくは第14条の4第1項若しくは第6項の規定による許可又は同法第15条の4の2第1項の規定による認定を受けて行う産業廃棄物の収集、運搬又は処分の事業の用に供する施設のうち事務所以外の施設 　　(二)　(1)の(一)に掲げる事業　広域臨海環境整備センター法第19条に規定する業務として行う産業廃棄物の収集、運搬又は処分の事業の用に供する施設のうち事務所以外の施設 　　(三)　(1)の(二)に掲げる事業　浄化槽法第35条第1項の規定による許可を受けて行う浄化槽の清掃の事業の用に供する施設のうち事務所以外の施設 　　(四)　(1)の(三)に掲げる事業　海洋汚染等及び海上災害の防止に関する法律第20条第1項の規定による許可を受けて行う廃油処理事業の用に供する施設のうち事務所以外の施設	$\dfrac{3}{4}$	$\dfrac{1}{2}$

5	家畜取引法第2条第3項に規定する家畜市場	$\frac{3}{4}$
6	生鮮食料品の価格安定に資することを目的として設置される施設で(1)で定めるもの 　　　（特例対象施設） 　（1）　上記の特例対象施設は、消費地食肉冷蔵施設で総務省令で定めるものとする。（令56の54） 　　　（総務省令で定める施設） 　（2）　（1）の総務省令で定める施設は、国若しくは地方公共団体の補助又は株式会社日本政策金融公庫若しくは沖縄振興開発金融公庫の資金若しくは農業近代化資金の貸付を受けて設置される消費地食肉冷蔵施設とする。（規24の12）	$\frac{3}{4}$
7	みそ、しょうゆ若しくは食用酢又は酒類（酒税法第2条第1項に規定する酒類をいう。）の製造業者が直接これらの製造の用に供する施設で注で定めるもの 　　　（特例対象施設） 　注　上記の特例対象施設は、みそ、しょうゆ若しくは食用酢又は酒類（酒税法第2条に規定する酒類をいう。）の製造業者が直接これらの製造の用に供する施設のうち、包装、びん詰、たる詰その他これらに類する作業のための施設以外の施設とする。（令56の56）	$\frac{3}{4}$
8	木材取引のために開設される市場で(1)で定めるもの又は製材、合板の製造その他の木材の加工を業とする者で(2)で定めるもの若しくは木材の販売を業とする者がその事業の用に供する木材の保管施設で(4)で定めるもの 　　　（木材市場） 　（1）　上記の市場は、木材取引のために開設される市場で、売場を設けて定期に又は継続して開場され、かつ、その売買が原則としてせり売り又は入札の方法により行われるものとする。（令56の57①） 　　　（木材の加工を業とする者） 　（2）　上記の木材の加工を業とする者は、製材業、合板製造業、床板製造業、パーティクルボード製造業又は木材防腐処理業（総務省令で定める要件を満たすものに限る。）を営む者とする。（令56の57②） 　　　（総務省令で定める要件） 　（3）　（2）に規定する総務省令で定める要件は、工業標準化法に基づく日本工業規格A9002（木質材料の加圧式保存処理方法）に適合する処理方法により行われるものであることとする。（規24の14） 　　　（木材保管施設） 　（4）　上記の保管施設は、専ら木材の保管の用に供される施設とする。（令56の57③）	$\frac{3}{4}$
9	旅館業法第2条第2項に規定するホテル営業又は同条第3項に規定する旅館営業の用に供する施設で(1)で定めるもの（10に掲げるものを除く。） 　　　（特例対象施設） 　（1）　上記の特例対象施設は、客室、食堂（専ら宿泊客の利用に供する施設に限る。）、広間（主として宿泊客以外の者の利用に供する施設を除く。）その他宿泊に係る施設で次の総務省令で定めるもの（これらの施設のうち風俗営業等の規制及び業務の適正化等に関する法律第2条第6項第4号に掲げる営業の用に供されるものを除く。）	$\frac{1}{2}$

	とする。(令56の60) 　　（総務省令で定める施設） （2）（1）及び10の注の（二）に規定する総務省令で定める施設は、ロビー、浴室、厨房、機械室その他これらに類する施設（第一節四の3の②の（2）又は同（3）に規定する消防用設備等又は防災に関する施設若しくは設備に係る部分を除く。）で宿泊に係るものとする。(規24の19) 　　（その他これらに類する施設で宿泊に係るもの） （3）上記（2）の「その他これらに類する施設で宿泊に係るもの」とは、玄関、玄関帳場、フロント、クローク、配膳室、サービスステーション、便所、階段、昇降機、リネン室及びランドリー室を指すものであること。(市通9-3(7)ア)		
10	港湾法第2条第5項に規定する港湾施設のうち同項第5号、第7号又は第8号の2に掲げる施設で注で定めるもの 　　（特例対象施設） 注　上記の特例対象施設は、次に掲げる施設とする。(令56の61) （一）港湾法第2条第5項第5号に掲げる施設のうち港務通信施設 （二）港湾法第2条第5項第7号に掲げる施設（宿泊所にあっては、客室、食堂（専ら宿泊客の利用に供する施設に限る。）、広間（主として宿泊客以外の者の利用に供する施設を除く。）その他宿泊に係る施設で9の（2）の総務省令で定めるものに限る。） （三）港湾法第2条第5項第8号の2に掲げる施設	$\frac{1}{2}$	$\frac{1}{2}$
11	港湾法第2条第5項に規定する港湾施設のうち同項第6号又は第8号に掲げる施設で注で定めるもの 　　（特例対象施設） 注　上記の特例対象施設は、上屋及び倉庫（倉庫業法第7条第1項に規定する倉庫業者がその本来の事業の用に供する倉庫に限る。）とする。(令56の62)	$\frac{3}{4}$	$\frac{1}{2}$
12	外国貿易のため外国航路に就航する船舶により運送されるコンテナー貨物に係る荷さばきの用に供する施設（11に掲げるものを除く。）	$\frac{1}{2}$	
13	港湾運送事業法第2条第2項に規定する港湾運送事業のうち同法第3条第1号又は第2号に掲げる一般港湾運送事業又は港湾荷役事業の用に供する上屋（11に掲げるものを除く。）	$\frac{1}{2}$	
14	倉庫業法第7条第1項に規定する倉庫業者（18において「倉庫業者」という。）がその本来の事業の用に供する倉庫（11及び18に掲げるものを除く。）	$\frac{3}{4}$	
15	道路運送法第3条第1号ハに掲げる事業（タクシー業務適正化特別措置法第2条第3項に規定するタクシー事業に限る。）の用に供する施設で注で定めるもの 　　（特例対象施設） 注　上記の特例対象施設は、タクシー業務適正化特別措置法第2条第4項に規定するタクシー事業者がその本来の事業の用に供する施設のうち事務所以外の施設とする。(令56の63)	$\frac{1}{2}$	$\frac{1}{2}$
16	公共の飛行場に設置される施設（第一節四の3《用途による非課税》の①の表の23に掲げるものを除く。）で（1）で定めるもの 　　（特例対象施設） （1）上記の特例対象施設は、公共の飛行場に設置される施設（第一節四の3の①の表	$\frac{1}{2}$	$\frac{1}{2}$

の23に掲げるものを除く。）のうち、格納庫、運航管理施設、航空機の整備のための施設その他航空運送事業〖第一節四の3①表23の右欄（1）参照〗の用に供する施設で次の総務省令で定めるものとする。（令56の64）

　　　（総務省令で定める施設）
（２）　（１）の総務省令で定める施設は、次の各号に掲げる施設とする。（規24の20、24の6①）
　（一）　貨物取扱施設、航空機部品の整備及び保管のための施設、整備用資材の保管のための施設、地上作業用機材の整備のための施設、車庫、変電所及び配電所
　（二）　旅客カウンター、チケットロビー、キャッシャールーム、遺失物保管室及び手荷物取扱施設
　（三）　待合室、ロビー及び通路、階段等無償で旅客又は一般公衆の用に供する施設（第一節四の3《用途による非課税》の②の（2）及び（3）に規定する消防用設備等又は防災に関する施設若しくは設備に係る部分を除く。）

17	流通業務市街地の整備に関する法律第4条第1項に規定する流通業務地区内に設置される同法第5条第1項第1号、第3号から第5号まで又は第9号に掲げる施設で注で定めるもの（18に掲げるものを除く。） 　　（特例対象施設） 　注　上記の特例対象施設は、流通業務市街地の整備に関する法律第5条第1項第1号、第3号及び第4号に掲げる施設、同項第5号に掲げる施設のうち事務所以外の施設並びにこれらの施設に附帯する同項第9号に掲げる施設とする。（令56の65）	$\frac{1}{2}$	$\frac{1}{2}$
18	流通業務市街地の整備に関する法律第4条第1項に規定する流通業務地区内に設置される倉庫で倉庫業者〖14参照〗がその本来の事業の用に供するもの	$\frac{3}{4}$	$\frac{1}{2}$
19	民間事業者による信書の送達に関する法律第2条第9項に規定する特定信書便事業者がその本来の事業の用に供する施設で注で定めるもの 　　（特定信書便事業用施設） 　注　上記の施設は、民間事業者による信書の送達に関する法律第2条第9項に規定する特定信書便事業者がその本来の事業の用に供する施設のうち信書便物事業〖第一節四の3の①の表の25の右欄の（1）参照〗の引受け及び配達の用に供する施設その他信書便物の送達の用に供する施設で総務省令で定めるもの（信書便物の表示、区分、転送、還付及び管理の用に供する施設）とする。（令56の66、規24の21）	$\frac{1}{2}$	$\frac{1}{2}$

　（事業所税の非課税）
　注　特定農業協同組合連合会は、①（①の表第1号に係る部分に限る。）の規定の適用については、法人税法第2条第7号の協同組合等に該当しないものとみなす。（法附32の2②）

②　心身障害者多数雇用事業所の課税標準の特例

　心身障害者を多数雇用するものとして(1)で定める事業所等（障害者の雇用の促進等に関する法律第49条第1項第6号の助成金の支給に係る施設又は設備に係るものに限る。）において行う事業に対して課する資産割の課税標準となるべき事業所床面積の算定については、当該事業に係る事業所床面積（第一節四《非課税の範囲》の1から4までの規定の適用を受けるものを除く。以下②において同じ。）から当該事業所床面積の2分の1に相当する面積を控除するものとする。（法701の41②）

　　　（特例適用事業所等）
（１）　②の特例の適用される事業所等は、常時雇用する心身障害者（短時間労働者を除く。）の数と重度心身障害者である短時間労働者（以下(1)において「短時間労働重度心身障害者」という。）の数を合計した数に心身障害者である短

時間労働者（短時間労働重度心身障害者を除く。以下（１）において「短時間労働心身障害者」という。）の数に２分の１を乗じて得た数を加算した数が10以上であり、かつ、常時雇用する労働者（短時間労働者を除く。）の総数に短時間労働者の総数に２分の１を乗じて得た数を加算した数に対する常時雇用する心身障害者（短時間労働者を除く。）の数（当該心身障害者のうちに重度心身障害者がある場合には、当該心身障害者の数に当該重度心身障害者の数を加算した数）と短時間労働重度心身障害者の数を合計した数に短時間労働心身障害者の数に２分の１を乗じて得た数を加算した数の割合が２分の１以上である事業所等とする。（令56の68①）

　　　（心身障害者等の意義）
（２）（１）において、次の各号に掲げる用語の意義は、それぞれ当該各号に定めるところによる。（令56の68②）
（一）　心身障害者　　障害者の雇用の促進等に関する法律第37条第２項に規定する対象障害者をいう。
（二）　短時間労働者　　障害者の雇用の促進等に関する法律第43条第３項に規定する短時間労働者をいう。
（三）　重度心身障害者　　障害者の雇用の促進等に関する法律第２条第３号に規定する重度身体障害者又は同条第５号に規定する重度知的障害者をいう。

③　課税標準の特例の適用判定時期
　①及び②の場合において、これらの規定の適用を受ける事業であるかどうかの判定は課税標準の算定期間の末日の現況によるものとする。（法701の41③）

　　　（留意事項）
　注　①及び②に規定する場合において、これらの規定の適用を受ける事業であるかどうかの判定は、課税標準の算定期間の末日の現況によるものとされているが、課税標準の算定期間の中途において事業所等が廃止された場合（当該廃止が事業の廃止によるものである場合を除く。）においては、当該廃止の直前に行われていた事業がこれらの規定の適用を受ける事業であるかどうかにより判定することが適当であること。（市通９－３(7)イ）

④　非特例対象事業を併せ営む場合の課税標準の特例の調整
　①の表の各号の左欄に掲げる施設に係る事業所等において①の規定の適用を受ける事業と受けない事業とを併せて行う場合における事業所床面積又は従業者給与総額についての①の規定の適用を受けるものと受けないものとの区分に関し必要な事項その他①及び②の規定の適用に関し必要な事項は、次による。（法701の41④）

イ　①の特例対象施設に係る事業とその他の事業とを併せ行う場合の従業者給与総額の配分計算
　①の規定（従業者割に関する部分に限る。）の適用を受ける施設に係る事業所等において当該施設に係る事業とその他の事業とが併せ行われている場合における当該施設に係る事業の従業者で当該その他の事業にも従事しているものの当該事業所等における勤務に係る給与等の額のうち当該施設に係る従業者給与総額の算定の基礎とすべき額は、当該給与等の額に当該従業者が当該施設に係る事業に従事した分量の当該分量と当該その他の事業に従事した分量との合計量に対する割合を乗じて計算した額とする。ただし、その分量が明らかでない場合は、当該施設に係る事業と当該その他の事業とに均等に従事したものとして計算した額によるものとする。（令56の67）

ロ　①と②の課税標準の特例の適用がある場合の調整
　事業所等において行われる事業につき①及び②の規定の適用がある場合における②の規定の適用については、②中「当該事業所床面積」とあるのは、「①の規定により控除すべき面積を当該事業所床面積から控除して得た面積」とする。（令56の71）

3　附則による課税標準の特例

①　沖縄振興特別措置法に規定する提出観光地形成促進計画で定められた観光地形成促進地域において設置される特定民間観光関連施設の事業所床面積の特例
　沖縄振興特別措置法第７条第１項に規定する提出観光地形成促進計画において定められた同法第６条第２項第２号に規定する観光地形成促進地域において設置される同法第８条第１項に規定する特定民間観光関連施設（（１）で定めるものに限る。）に係る事業所等のうち令和７年３月31日までに新設されたものにおいて行う事業に対して課する事業所税のうち資産割の課税標準となるべき事業所床面積の算定については、当該事業が法人の事業である場合には当該特定民間観光関連

施設に係る事業所等が新設された日から5年を経過する日以後に最初に終了する事業年度分まで、当該事業が個人の事業である場合には当該特定民間観光関連施設に係る事業所等が新設された日から5年を経過する日の属する年分までに限り、当該特定民間観光関連施設に係る事業所等に係る事業所床面積(第一節四《非課税の範囲》の1から4までの規定の適用を受けるものを除く。以下①において同じ。)から当該特定民間観光関連施設に係る事業所床面積の2分の1に相当する面積を控除するものとする。この場合においては、2の③の規定を準用する。(法附33①)

（特定民間観光関連施設）
（１）　①に規定する特定民間観光関連施設は、沖縄振興特別措置法第8条第1項に規定する特定民間観光関連施設で総務省令で定めるもの（以下（１）において「対象施設」という。）の用に供する家屋又は構築物（当該対象施設に含まれる部分に限るものとし、当該対象施設の用に供する事務所、宿舎その他その利用について対価又は負担として支払うべき金額の定めのあるもので総務省令で定めるものを除く。（一）において同じ。）で次に掲げる要件に該当するものをその用に供する施設とする。(令附16の2の8①)
（一）　当該家屋又は構築物を構成する減価償却資産（所得税法施行令第6条第1号及び第2号又は法人税法施行令第13条第1号及び第2号に掲げるものに限る。）の取得価額の合計額が1億円を超えるものであること。
（二）　当該対象施設に係る家屋につき当該対象施設に含まれない部分がある場合には当該家屋の床面積（機械室、廊下、階段その他共用に供されるべき部分の床面積（以下（二）において「共用部分の床面積」という。）を除く。）のうちに当該対象施設に含まれる部分の床面積（共用部分の床面積を除く。）の占める割合が2分の1以上のものであり、当該対象施設に係る構築物につき当該対象施設に含まれない部分がある場合には当該構築物を構成する減価償却資産（所得税法施行令第6条第2号又は法人税法施行令第13条第2号に掲げるものに限る。以下（二）において同じ。）の取得価額の合計額のうちに当該対象施設に含まれる部分を構成する減価償却資産の取得価額の合計額の占める割合が2分の1以上のものであること。

（総務省令で定める特定民間観光関連施設）
（２）　（１）に規定する特定民間観光関連施設で総務省令で定めるものは、次の各号に掲げる施設の区分に応じ、それぞれ当該各号に定める施設のうち、会員その他の当該施設を一般の利用客に比して有利な条件で利用する権利を有する者が存するもの又は風俗営業等の規制及び業務の適正化等に関する法律第2条第1項に規定する風俗営業若しくは同条第5項に規定する性風俗関連特殊営業の用に供するもの以外のものとする。(規附12の3①)
（一）　スポーツ又はレクリエーション施設　　次に定める施設
　　イ　水泳場
　　ロ　スケート場
　　ハ　トレーニングセンター（主として重量挙げ及びボディービル用具を用い室内において健康管理及び体力向上を目的とした運動を行う施設をいう。）
　　ニ　ゴルフ場
　　ホ　ボーリング場
　　ヘ　テーマパーク（文化、歴史、科学その他の特定の主題に基づいて施設全体の環境を整備し、その主題に関連する遊戯施設その他の設備を設け、当該設備により客に娯楽を提供する施設をいう。）
（二）　教養文化施設　　次に定める施設
　　イ　劇場（観客を収容し、劇、音楽、映画等を鑑賞させる施設をいう。）
　　ロ　動物園
　　ハ　植物園
　　ニ　水族館
　　ホ　文化紹介体験施設
（三）　休養施設　　次に定める施設
　　イ　展望施設（高台等の地形を利用し、峡谷、海岸、夜景等の景観を鑑賞させるための施設をいう。）
　　ロ　温泉保養施設（温泉を利用して心身の健康の増進を図ることを目的とする施設（宿泊の用に供する施設を備えたものを除く。）で、温泉浴場、健康相談室（医師、保健師又は看護師が配置されているものに限る。）及び休憩室を備えたものをいう。）
　　ハ　スパ施設（浴場施設であって、海水、海藻、海泥その他の海洋資源、沖縄振興特別措置法第3条第1号に規定する沖縄（以下このハにおいて「沖縄」という。）の泥岩その他の堆積岩又は沖縄の農物その他の植物の有する美容・痩身効果その他の健康増進効果を利用し、マッサージその他手技又は機器を用いて心身の緊張を弛緩させる

　　　　（四）　集会施設　　次に定める施設
　　　　　イ　研修施設
　　　　　ロ　会議場施設
　　　　　ハ　展示施設
　　　　　ニ　結婚式場
　　　　（五）　販売施設　　沖縄振興特別措置法第8条第1項の規定により沖縄県知事が指定する販売施設のうち、沖縄振興特別措置法施行令第7条第1号に規定する小売施設及び飲食施設

　　　　（利用料金の定めのある施設で総務省令で定めるもの）
　（3）　（1）に規定する金額の定めのあるもので総務省令で定めるものは、宿泊施設、駐車施設及び遊技施設並びに飲食店、喫茶店及び物品販売施設（（2）の（五）に掲げるものを除く。）とする。（規附12の3②）

　　　　（本則に定める特例の適用がある場合の調整）
　（4）　事業所等（第一節二の表中（五）に規定する事業所等をいう。以下同じ。）において行われる事業につき2の①又は②及び3の①の規定の適用がある場合における同①の規定の適用については、同①中「当該特定民間観光関連施設に係る事業所床面積」とあるのは「2の①又は②の規定により控除すべき面積を当該特定民間観光関連施設に係る事業所床面積から控除して得た面積」と、「2の③」とあるのは「同③」とする。（令附16の2の10）

② 沖縄振興特別措置法に規定する提出情報通信産業振興計画において定められた情報通信産業振興地域として指定された地域において設置される情報通信産業又は情報通信技術利用事業用施設の事業所床面積の特例
　沖縄振興特別措置法第29条第1項に規定する提出情報通信産業振興計画において定められた同法第28条第2項第2号に規定する情報通信産業振興地域において設置される同法第3条第6号に規定する情報通信産業又は同条第8号に規定する情報通信技術利用事業の用に供する施設（（1）で定めるものに限る。）に係る事業所等のうち令和7年3月31日までに新設されたものにおいて行う事業に対して課する事業所税のうち資産割の課税標準となるべき事業所床面積の算定については、当該事業が法人の事業である場合には当該施設に係る事業所等が新設された日から5年を経過する日以後に最初に終了する事業年度分まで、当該事業が個人の事業である場合には当該施設に係る事業所等が新設された日から5年を経過する日の属する年分までに限り、当該施設に係る事業所等に係る事業所床面積（第一節四《非課税の範囲》の1から4までの規定の適用を受けるものを除く。以下②において同じ。）から当該施設に係る事業所床面積の2分の1に相当する面積を控除するものとする。この場合においては、2の③の規定を準用する。（法附33②）

　　　　（対象事業の用に供する施設）
　（1）　②に規定する施設は、次に掲げる要件を満たす施設とする。（令附16の2の8②）
　　　　（一）　当該施設に設置される機械及び装置並びに器具及び備品の取得価額の合計額が1,000万円以上であること。
　　　　（二）　当該施設に係る建物及びその附属設備の取得価額の合計額が1億円以上であること。

　　　　（本則に定める特例の適用がある場合の調整）
　（2）　事業所等において行われる事業につき2の①又は②及び3の②の規定の適用がある場合における同②の規定の適用については、同②中「当該施設に係る事業所床面積」とあるのは「2の①又は②の規定により控除すべき面積を当該施設に係る事業所床面積から控除して得た面積」と、「2の③」とあるのは「同③」とする。（令附16の2の10）

③ 沖縄振興特別措置法に規定する提出産業イノベーション促進計画において定められた産業高度化・事業革新促進地域において設置される製造業等又は産業高度化・事業革新促進事業用施設の事業所床面積の特例
　沖縄振興特別措置法第35条の2第1項に規定する提出産業イノベーション促進計画において定められた同法第35条第2項第2号に規定する産業イノベーション促進地域において設置される同法第3条第9号に規定する製造業等又は同条第10号に規定する産業高度化・事業革新促進事業で（1）で定めるものの用に供する施設（（2）で定めるものに限る。）に係る事業所等のうち令和7年3月31日までに新設されたものにおいて行う事業に対して課する事業所税のうち資産割の課税標準となるべき事業所床面積の算定については、当該事業が法人の事業である場合には当該施設に係る事業所等が新設された日から5年を経過する日以後に最初に終了する事業年度分まで、当該事業が個人の事業である場合には当該施設に係る事業所等が新設された日から5年を経過する日の属する年分までに限り、当該施設に係る事業所等に係る事業所床面積（第

一節四《非課税の範囲》の1から4までの規定の適用を受けるものを除く。以下③において同じ。）から当該施設に係る事業所床面積の2分の1に相当する面積を控除するものとする。この場合においては、2の③の規定を準用する。（法附33③）

　　　（政令で定めるもの）
（１）　③に規定する産業高度化・事業革新促進事業で（１）で定めるものは、沖縄振興特別措置法施行令（平成14年政令第102号）第４条各号（第９号を除く。）に掲げる業種に属する事業とする。（令附16の２の18③）

　　　（産業高度化事業用施設）
（２）　③に規定する施設は、次に掲げる要件を満たす施設とする。（令附16の２の８④）
　　（一）　当該施設に設置される機械及び装置並びに器具及び備品の取得価額の合計額が1,000万円以上であること。
　　（二）　当該施設に係る建物及びその附属設備の取得価額の合計額が１億円以上であること。

　　　（本則に定める特例の適用がある場合の調整）
（３）　事業所等において行われる事業につき２の①又は②及び３の③の規定の適用がある場合における同③の規定の適用については、同③中「当該施設に係る事業所床面積」とあるのは「２の①又は②の規定により控除すべき面積を当該施設に係る事業所床面積から控除して得た面積」と、「２の③」とあるのは「同③」とする。（令附16の２の10）

④　沖縄振興特別措置法に規定する提出国際物流拠点産業集積計画において定められた国際物流拠点産業集積地域として指定された地域において設置される国際物流拠点産業用施設の事業所床面積の特例
　　沖縄振興特別措置法第42条第１項に規定する提出国際物流拠点産業集積計画において定められた同法第41条第２項第２号に規定する国際物流拠点産業集積地域において設置される同法第３条第11号に規定する国際物流拠点産業の用に供する施設（（１）で定めるものに限る。）に係る事業所等のうち令和７年３月31日までに新設されたものにおいて行う事業に対して課する事業所税のうち資産割の課税標準となるべき事業所床面積の算定については、当該事業が法人の事業である場合には当該施設に係る事業所等が新設された日から５年を経過する日以後に最初に終了する事業年度分まで、当該事業が個人の事業である場合には当該施設に係る事業所等が新設された日から５年を経過する日の属する年分までに限り、当該施設に係る事業所等に係る事業所床面積（第一節四《非課税の範囲》の1から4までの規定の適用を受けるものを除く。以下④において同じ。）から当該施設に係る事業所床面積の２分の１に相当する面積を控除するものとする。この場合においては、２の③の規定を準用する。（法附33④）

　　　（国際物流拠点産業の用に供する施設）
（１）　④に規定する（１）で定める施設は、次に掲げる要件を満たす施設とする。（令附16の２の８⑤）
　　（一）　当該施設に設置される機械及び装置並びに器具及び備品の取得価額の合計額が1,000万円以上であること。
　　（二）　当該施設に係る建物及びその附属設備の取得価額の合計額が１億円以上であること。

　　　（本則に定める特例の適用がある場合の調整）
（２）　事業所等において行われる事業につき２の①又は②及び３の④の規定の適用がある場合における同④の規定の適用については、同④中「当該施設に係る事業所床面積」とあるのは「２の①又は②の規定により控除すべき面積を当該施設に係る事業所床面積から控除して得た面積」と、「２の③」とあるのは「同③」とする。（令附16の２の10）

⑤　特定農産加工業者等が経営改善措置に係る事業の用に供する施設における事業所床面積又は従業者給与総額の特例
　　特定農産加工業経営改善臨時措置法第３条第１項の規定による承認を受けた同法第２条第２項に規定する特定農産加工業者又は同法第３条第１項に規定する特定事業協同組合等が同法第４条第２項に規定する承認計画に従って実施する同法第３条第１項に規定する経営改善措置に係る事業の用に供する施設で（１）で定めるものに係る事業所等において行う事業に対して課する事業所税のうち資産割の課税標準となるべき事業所床面積の算定については、当該事業が法人の事業である場合には令和６年６月30日までに終了する事業年度分、当該事業が個人の事業である場合には令和５年分までに限り、当該施設に係る事業所等に係る事業所床面積（第一節四《非課税の範囲》の1から4までの規定の適用を受けるものを除く。以下⑤において同じ。）から当該施設に係る事業所床面積の４分の１に相当する面積を控除するものとする。この場合においては、２の③の規定を準用する。（法附33⑤）
　　（注）　⑤を以下のように改める令和６年度改正規定は、特定農産加工業経営改善臨時措置法の一部を改正する法律（令和６年法律第15号）の施行

の日以後適用する。（令6改法附1⑰）

特定農産加工業経営改善等臨時措置法第3条第1項の規定による承認を受けた同法第2条第3項に規定する特定農産加工業者（同条第2項第1号に掲げる業種に属する事業を行う者に限る。）若しくは同条第4項に規定する特定事業協同組合等（同号に掲げる業種に属する事業を行う者に限る。）が同法第3条第1項の承認に係る計画（同法第4条第1項の規定による変更の承認があったときは、その変更後のもの）に従って実施する同法第3条第1項に規定する経営改善措置に係る事業又は同法第5条第1項の規定による承認を受けた同法第2条第3項に規定する特定農産加工業者（同条第2項第2号に掲げる業種に属する事業を行う者に限る。）若しくは同条第4項に規定する特定事業協同組合等（同号に掲げる業種に属する事業を行う者に限る。）が同法第5条第1項の承認に係る計画（同法第5条において読み替えて準用する同法第4条第1項の規定による変更の承認があったときは、その変更後のもの）に従って実施する同法第5条第1項に規定する調達安定化措置に係る事業の用に供する施設で政令で定めるものに係る事業所等において行う事業に対して課する事業所税のうち資産割の課税標準となるべき事業所床面積の算定については、当該事業が法人の事業である場合には令和8年3月31日までに終了する事業年度分、当該事業が個人の事業である場合には令和7年分までに限り、当該施設に係る事業所等に係る事業所床面積（第一節四《非課税の範囲》の1から4までの規定の適用を受けるものを除く。以下⑤において同じ。）から当該施設に係る事業所床面積の4分の1に相当する面積を控除するものとする。この場合においては、2の③の規定を準用する。（法附33⑤）

（施設の範囲）
（1）⑤に規定する施設は、特定農産加工業経営改善等臨時措置法第2条第1項に規定する農産加工品の生産の用に供する施設で次の表の左欄に掲げる業種の区分に応じ、それぞれ右欄に掲げる施設とする。（令附16の2の8⑥、規附12の3③）

	業　　種	施　　　　　設
（一）	かんきつ果汁製造業	搾汁設備を有する施設
（二）	非かんきつ果汁製造業	搾汁設備を有する施設
（三）	パインアップル缶詰製造業	剥皮芯抜設備を有する施設
（四）	こんにゃく粉製造業	こんにゃく粉の生産の用に供する設備を有する施設
（五）	トマト加工品製造業	搾汁設備を有する施設
（六）	甘しょでん粉製造業	でん粉の生産の用に供する設備を有する施設
（七）	馬鈴しょでん粉製造業	でん粉の生産の用に供する設備を有する施設
（八）	米加工品製造業	米穀粉、包装もち、加工米飯、米菓生地及び和生菓子（米を原材料とするものに限る。）の生産の用に供する設備を有する施設
（九）	麦加工品製造業	精選設備を有する施設
（十）	砂糖製造業	砂糖の生産の用に供する設備を有する施設
（十一）	菓子製造業	チョコレート、キャンデー又はビスケットの生産の用に供する設備を有する施設
（十二）	乳製品製造業	乳製品の生産の用に供する設備を有する施設（チーズ製造業にあっては、凝乳設備を有する施設）
（十三）	牛肉調製品製造業	急速冷凍設備を有する施設
（十四）	豚肉調製品製造業	急速冷凍設備を有する施設
（十五）	小麦若しくは大豆又はこれらを使用して生産された農産加工品を原材料として使用する食品製造業	小麦若しくは大豆又はこれらを使用して生産された農産加工品（特定農産加工業経営改善等臨時措置法第5条第1項に規定する代替原材料を含む。）を原材料として使用して生産される農産加工品の生産の用に供する設備を有する施設

（本則に定める特例の適用がある場合の調整）
（2）事業所等において行われる事業につき2の①又は②及び3の⑤の規定の適用がある場合における同⑤の規定の適用については、同⑤中「当該施設に係る事業所床面積」とあるのは「2の①又は②の規定により控除すべき面積を当該施設に係る事業所床面積から控除して得た面積」と、「2の③」とあるのは「同③」とする。（令附16の2の10）

⑥ 児童福祉法に規定する業務を目的とする施設における事業所床面積又は従業者給与総額の特例

　平成29年４月１日から令和７年３月31日までの期間（以下⑥において「補助開始対象期間」という。）に政府の補助で（１）で定めるものを受けた者が児童福祉法第６条の３第12項に規定する業務を目的とする同法第59条の２第１項に規定する施設（同項の規定による届出がされたものに限る。）のうち当該政府の補助に係るもの（以下⑥において「特定事業所内保育施設」という。）に係る事業所等において行う事業に対して課する事業所税のうち資産割又は従業者割の課税標準となるべき事業所床面積又は従業者給与総額の算定については、当該事業が法人の事業である場合にはその者が補助開始対象期間内に最初に当該政府の補助を受けた日（以下⑥において「補助開始日」という。）の属する事業年度から当該政府の補助を受けなくなった日前に終了した事業年度分まで、当該事業が個人の事業である場合にはその者が補助開始日の属する年から当該補助を受けなくなった日の属する年前の年分までに限り、当該特定事業所内保育施設に係る事業所等に係る事業所床面積又は従業者給与総額（第一節四の１の規定の適用を受けるものを除く。以下⑥において同じ。）から当該特定事業所内保育施設に係る事業所床面積又は従業者給与総額のそれぞれ４分の３に相当する面積又は金額を控除するものとする。この場合においては、２の③の規定を準用する。（法附33⑥）

　　　（⑥に規定する政府の補助で総務省令で定めるもの）
（１）　⑥に規定する政府の補助で（１）で定めるものは、子ども・子育て支援法第59条の２第１項に規定する仕事・子育て両立支援事業のうち企業主導型保育事業の運営費に係る補助とする。（規附12の３④）

　　　（本則に定める特例の適用がある場合の調整）
（２）　事業所等において行われる事業につき２の①又は同②及び⑥の規定の適用がある場合における⑥の規定の適用については、⑥中「当該特定事業所内保育施設に係る事業所床面積又は従業者給与総額」とあるのは「２の①又は同②の規定により控除すべき面積又は金額を当該特定事業所内保育施設に係る事業所床面積又は従業者給与総額から控除して得た面積又は金額」とする。（令附16の２の10②）

　　　（準用規定）
（３）　２の④のイの規定は、⑥の規定の適用を受ける⑥に規定する特定事業所内保育施設に係る事業所等において当該特定事業所内保育施設に係る事業とその他の事業とを併せて行う場合における従業者給与総額の算定について準用する。（令附16の２の10③）

二　税　　率

事業所税の税率は、次による。（法701の42）

資　産　割	１平方メートルにつき600円
従業者割	100分の0.25

三　免　税　点

1　事業所税の免税点

① 一般事業所の免税点

　指定都市等は、同一の者が当該指定都市等の区域内において行う事業に係る各事業所等（②に規定する事業所等に該当するものを除く。）について、次の各号に掲げる場合には、それぞれ当該各号に掲げる事業所税を課することができない。（法701の43①）
（一）　当該各事業所等に係る事業所床面積（第一節四《非課税の範囲》の１から４までの規定の適用を受けるものを除く。）の合計面積が1,000平方メートル以下である場合　　資産割
（二）　当該各事業所等の従業者（第一節四の１から４までの規定の適用に係る者を除く。）の数の合計数が100人以下である場合　　従業者割

② 企業組合及び協業組合の免税点の特例
　指定都市等は、中小企業団体の組織に関する法律第3条第1項第6号に規定する企業組合又は同項第7号に規定する協業組合（以下において「**企業組合等**」という。）が当該指定都市等の区域内において行う事業に係る各事業所等《**特例事業所等**》のうち、当該事業所等に係る事業所用家屋が当該企業組合等の組合員が組合員となった際その者の事業の用に供されていたものであり、かつ、その者がその後引き続き当該事業所等において行われる事業の主宰者として当該企業組合等の事業に従事しているものその他これに準ずるものとして(1)に定める事業所等《**特例適用事業所等**》に該当するものについては、事業所床面積（第一節四《非課税の範囲》の1から4までの規定の適用を受けるものを除く。）が1,000平方メートル以下であるものにあっては資産割を、従業者（同1から4までの規定の適用に係る者を除く。）の数が100人以下であるものにあっては従業者割を課することができない。（法701の43②）

　　　（特例適用事業所等）
（1）②に規定する特例適用事業所等は、企業組合等が指定都市等の区域内において行う事業に係る各事業所等のうち、次に掲げる事業所等とする。（令56の72）
　（一）②の特例事業所等において行われる事業の主宰者である組合員の死亡により、当該死亡した組合員の死亡時における持分についての権利義務を承継した組合員（当該死亡した組合員の相続人であるものに限る。）が当該権利義務を承継した後引き続き当該事業所等において行われる事業の主宰者として当該企業組合等の事業に従事している場合における当該事業所等
　（二）特例事業所等において行われる事業の主宰者である組合員（以下(2)までにおいて「**従前の組合員**」という。）からその者の持分の譲渡しを受けて組合員となった者（当該従前の組合員の配偶者、子又はその他の親族で(2)の総務省令で定めるものに限る。）が当該譲渡しを受けた後引き続き当該事業所等において行われる事業の主宰者として当該企業組合等の事業に従事している場合における当該事業所等
　（三）特例事業所等に代わるものと認められる他の事業所等で(3)の総務省令で定める要件に該当するものが当該特例事業所等に係る事業の用に供された場合であって、かつ、当該特例事業所等において行われていた企業組合等の事業の主宰者であった組合員が、当該他の事業所等が当該特例事業所等に係る事業の用に供された後引き続き当該他の事業所等において行われる事業の主宰者として当該企業組合等の事業に従事している場合における当該他の事業所等

　　　（総務省令で定める親族）
（2）（1）の（二）に規定する総務省令で定める親族は、従前の組合員の配偶者及び子以外の親族で、当該従前の組合員と生計を一にしているものとする。（規24の25）

　　　（特例事業所等に代わる事業所等の要件）
（3）（1）の（三）に規定する総務省令で定める要件は、特例事業所等に代わるものと認められる他の事業所等において、当該特例事業所等において行われていた事業と同種の事業を行うこととする。（規24の26）

2　免税点の判定時期
　1の①又は②の場合において、1の①に規定する事業所床面積の合計面積及び1の②に規定する事業所床面積が1,000平方メートル以下であるかどうか並びに1の①に規定する従業者の数の合計数及び1の②に規定する従業者の数が100人以下であるかどうかの判定は課税標準の算定期間の末日の現況によるものとする。（法701の43③）

3　従業者数に著しい変動がある事業所等に対する免税点の適用
　2の場合において、1の①に規定する従業者の数の合計数及び1の②に規定する従業者の数が100人以下であるかどうかの判定の基礎となる事業所等のうち、課税標準の算定期間中を通じて従業者の数に著しい変動がある事業所等として(1)で定めるもの（当該課税標準の算定期間の中途において廃止された事業所等を除く。）については、当該課税標準の算定期間に属する各月の末日現在における従業者の数を合計した数を当該課税標準の算定期間の月数で除して得た数をもって2の課税標準の算定期間の末日現在の従業者の数とみなす。（法701の43④）
　（注）上記の月数は、暦に従って計算し、1月に満たない端数を生じたときは、これを1月とする。（法701の43⑤）

　　　（従業者数に著しい変動がある事業所等）
（1）3の従業者数に著しい変動がある事業所等は、課税標準の算定期間に属する各月の末日現在における従業者の数

のうち最大であるものの数値が、当該従業者の数のうち最小であるものの数値に2を乗じて得た数値を超える事業所等とする。（令56の73①）

　　　（課税標準の算定期間の中途に新設された事業所等に対する3の適用）
（2）　課税標準の算定期間の中途において新設された事業所等に係る3及び（1）の規定の適用については、3中「課税標準の算定期間中」とあるのは、「当該事業所等の新設の日から同日の属する課税標準の算定期間の末日までの期間中」と、「当該課税標準の算定期間」とあるのは「当該期間」と、（1）中「課税標準の算定期間」とあるのは「当該事業所等の新設の日から同日の属する課税標準の算定期間の末日までの期間」とする。（令56の73②）

4　二以上の市町村にわたって所在する事業所等に対する免税点の適用

　事業所等が一の指定都市等の区域とその他の市町村の区域とにわたって所在する場合における当該事業所等において行われる事業に対して当該指定都市等が課する事業所税に係る1の①又は②の規定の適用については、当該事業所等に係る事業所床面積（第一節四《非課税の範囲》の1から4までの規定の適用を受けるものを除く。以下4において同じ。）は、当該事業所等のうち当該指定都市等の区域内に所在する部分に係る事業所床面積（以下4において「**指定都市等所在部分の事業所床面積**」という。）に相当する面積とし、当該事業所等の従業者（同1から4までの規定の適用に係る者を除く。以下4において同じ。）の数は、当該事業所等の従業者の数に当該指定都市等所在部分の事業所床面積の当該事業所等に係る事業所床面積に対する割合を乗じて得た数とする。（令56の74）

5　共同事業者に対する免税点の適用

①　事業所税の免税点

　事業所等において行う共同事業である事業（第一節三の2《特殊関係者の行う事業の通算》の規定により共同事業とみなされる事業を除く。以下①において同じ。）に係る各共同事業者の行う事業に係る1の①の規定の適用については、その者は、当該共同事業である事業のうち当該共同事業である事業に係るその者の損益分配の割合（一の1の（4）に規定する損益分配の割合をいう。以下同じ。）に応ずるものを単独で行うものとみなす。この場合において、その者が単独で行うものとみなされる事業に係る事業所等に係る事業所床面積又は従業者の数は、当該共同事業である事業に係る事業所等に係る事業所床面積又は従業者の数に当該損益分配の割合を乗じて得た面積又は数とする。（令56の75①）

②　みなし共同事業者別の適用

　事業所等において行う第一節三の2《特殊関係者の行う事業の通算》の規定により共同事業とみなされる事業に係る各共同事業者の行う事業に係る1の①の規定の適用については、その者は、当該共同事業とみなされる事業を単独で行うものとみなす。（令56の75②）

第三節　申告納付、更正又は決定等

一　徴収の方法

　事業所税の徴収については、申告納付の方法によらなければならない。（法701の45）

二　申告納付

1　申告納付

①　法人に対して課する事業所税の申告納付

　事業所等において法人が行う事業に対して課する事業所税の納税義務者は、各事業年度終了の日から2月以内（外国法人（この法律の施行地に本店又は主たる事務所等を有しない法人をいう。）が第一節五の3の①に規定する納税管理人を定めないでこの法律の施行地に事業所等を有しないこととなる場合（同3の①の注の認定を受けた場合を除く。）には、当該事業年度終了の日から2月を経過した日の前日と当該事業所等を有しないこととなる日とのいずれか早い日まで）に、当

該各事業年度に係る事業所税の課税標準額及び税額その他必要な事項を記載した総務省令で定める様式による申告書を当該事業所等所在の指定都市等の長に提出するとともに、その申告した税額を当該指定都市等に納付しなければならない。（法701の46①）

　　　　（課税標準額）
（１）　①の課税標準額は、資産割にあっては、当該事業年度中において当該法人が当該指定都市等の区域内に有し、又は有していた各事業所等に係る資産割の課税標準となるべき事業所床面積の合計面積とし、従業者割にあっては、当該各事業所等に係る従業者割の課税標準となるべき従業者給与総額の合計額とする。（法701の46②）
　　　（注）　新たに指定都市等となった場合等については、第一節一の2を参照。（編者）

　　　　（納付税額がない法人の申告義務）
（２）　指定都市等の長は、事業所等において事業を行う法人で各事業年度について納付すべき事業所税額がないものに、当該指定都市等の条例の定めるところにより、①の規定に準じて申告書を提出させることができる。（法701の46③）

　　　　（事業所税に係る申告書の様式）
（３）　事業所税について、①及び②の申告書並びにこれらの申告書に係る2の②の修正申告書の様式は、第44号様式（別表一から別表四まで）によるものとする。（規24の29①）

② 個人に対して課する事業所税の申告納付

　事業所等において個人が行う事業に対して課する事業所税の納税義務者は、その年の翌年3月15日までに（年の中途において事業を廃止した場合には、当該事業の廃止の日から1月以内（当該事業の廃止が納税義務者の死亡によるときは、4月以内）に）、個人に係る課税期間に係る事業所税の課税標準額及び税額その他必要な事項を記載した総務省令で定める様式による申告書を当該事業所等所在の指定都市等の長に提出するとともに、その申告した税額を当該指定都市等に納付しなければならない。（法701の47①）

　　　　（課税標準額）
（１）　②の課税標準額は、資産割にあっては、当該個人に係る課税期間中においてその者が当該指定都市等の区域内に有し、又は有していた各事業所等に係る資産割の課税標準となるべき事業所床面積の合計面積とし、従業者割にあっては、当該各事業所等に係る従業者割の課税標準となるべき従業者給与総額の合計額とする。（法701の47②）
　　　（注）　新たに指定都市等となった場合等については、第一節一の2を参照。（編者）

　　　　（納付税額がない個人の申告義務）
（２）　指定都市等の長は、事業所等において事業を行う個人で各個人に係る課税期間について納付すべき事業所税額がないものに、当該指定都市等の条例の定めるところにより、②の規定に準じて申告書を提出させることができる。（法701の47③）

2　期限後申告及び修正申告

① 期限後申告と納付

　1の規定によって申告書を提出すべき者は、当該申告書の提出期限後においても、三の1の③の注の規定による決定の通知があるまでは、1の規定によって申告納付することができる。（法701の49①）

② 修正申告と納付

　1若しくは①若しくは②の規定によって申告書若しくは修正申告書を提出した者又は三の1の規定による更正若しくは決定を受けた者は、当該申告書若しくは修正申告書又は当該更正若しくは決定に係る課税標準額（1の①の（1）又は同②の(1)の課税標準額をいう。以下この章において同じ。）又は税額について不足額がある場合には、遅滞なく、総務省令で定める様式による修正申告書を指定都市等の長に提出するとともに、その修正により増加した税額を当該指定都市等に納付しなければならない。（法701の49②）

③ 不申告に関する過料

　指定都市等は、事業所税の納税義務者が正当な事由がなくて1の①若しくは同①の（2）又は同②若しくは同②の（2）の

規定による申告書をこれらの項に規定する申告書の提出期限までに提出しなかった場合においては、その者に対し、当該指定都市等の条例で10万円以下の過料を科する旨の規定を設けることができる。(法701の49の2)

3 賦課徴収に関する申告の義務

① 事業所等を新設又は廃止した者の申告
指定都市等の区域内において事業所等を新設し、又は廃止した者は、当該指定都市等の条例の定めるところにより、その旨その他必要な事項を当該事業所等所在の指定都市等の長に申告しなければならない。(法701の52①)

② 事業所用家屋を貸し付けている者の申告
事業所税の納税義務者に事業所用家屋を貸し付けている者は、当該指定都市等の条例の定めるところにより、当該事業所用家屋の床面積その他必要な事項を当該事業所用家屋所在の指定都市等の長に申告しなければならない。(法701の52②)

③ 虚偽の申告に関する罪
①又は②の規定により申告すべき事項について虚偽の申告をしたときは、その違反行為をした者は、1年以下の懲役又は50万円以下の罰金に処する。(法701の53①)

　　　（両罰規定）
（1）法人の代表者（人格のない社団等の管理人を含む。以下この節において「**法人の代表者等**」という。）又は法人若しくは人の代理人、使用人その他の従業者がその法人又は人の業務又は財産に関して③の違反行為をした場合には、その行為者を罰するほか、その法人又は人に対し、③の罰金刑を科する。(法701の53②)

　　　（人格のない社団等に対する刑事訴訟法の準用）
（2）人格のない社団等について(1)の規定の適用がある場合には、その代表者又は管理人がその訴訟行為につき当該人格のない社団等を代表するほか、法人を被告人又は被疑者とする場合の刑事訴訟に関する法律の規定を準用する。(法701の53③)

④ 不申告に関する過料
指定都市等は、①又は②の規定により申告をすべき者がこれらの規定によって申告すべき事項について正当な理由がなくて申告をしなかった場合には、その者に対し、当該指定都市等の条例で10万円以下の過料を科する旨の規定を設けることができる。(法701の54)

三 更正又は決定と不足税額の徴収

1 更正又は決定

① 更　正
指定都市等の長は、二の1の①又は②の規定による申告書（以下において「**申告書**」という。）又は同2の②の規定による修正申告書（以下において「**修正申告書**」という。）の提出があった場合において、当該申告書又は修正申告書に係る課税標準額又は税額がその調査したところと異なるときは、これを更正する(法701の58①)

② 決　定
指定都市等の長は、申告書を提出すべき者が当該申告書を提出しなかった場合には、その調査によって、申告すべき課税標準額及び税額を決定する。(法701の58②)

③ 再更正
指定都市等の長は、①若しくは③の規定によって更正し、又は②の規定によって決定した課税標準額又は税額について過不足額があることを知ったときは、その調査によってこれを更正する。(法701の58③)

第三編第六章《事業所税》第三節《申告納付、更正又は決定等》

（更正又は決定の通知）
注　指定都市等の長は、①から③までの規定によって更正し、又は決定した場合には、遅滞なく、これを納税者に通知しなければならない。（法701の58④）

2　不足税額の徴収

指定都市等の徴税吏員は、1の①から③までの規定による更正又は決定があった場合において、**不足税額**（更正による不足税額又は決定による税額をいう。以下において同じ。）があるときは、1の③の注の通知をした日から1月を経過する日を納期限として、これを徴収しなければならない。（法701の59①）

四　延滞金及び加算金

1　更正又は決定の場合の延滞金

三の2の場合には、その不足税額に二の1の①又は②の納期限（納期限の延長があったときは、その延長された納期限。2において、「**事業所税の納期限**」という。）の翌日から納付の日までの期間の日数に応じ、年14.6パーセント（三の2の納期限までの期間又は当該納期限の翌日から1月を経過する日までの期間については、年7.3パーセント）の割合を乗じて計算した金額に相当する延滞金額を加算して徴収しなければならない。（法701の59②）

(注)　1に規定する延滞金の年7.3パーセントの割合については特例規定が設けられているので、第一編第十章12の①《延滞金の割合の特例》を参照。（編者）

（延滞金の減免）
注　指定都市等の長は、納税者が三の1の①から③までの規定による更正又は決定を受けたことについてやむを得ない理由があると認める場合には、1の延滞金額を減免することができる。（法701の59③）

2　期限後納付の場合の延滞金

事業所税の納税者は、事業所税の納期限後にその税金を納付する場合には、当該税額に、事業所税の納期限の翌日から納付の日までの期間の日数に応じ、年14.6パーセント（次表に掲げる税額の区分に応じ、同表に掲げる期間については、年7.3パーセント）の割合を乗じて計算した金額に相当する延滞金額を加算して納付しなければならない。（法701の60①）

(一)	その提出期限までに提出した申告書に係る税額	当該税額に係る事業所税の納期限の翌日から1月を経過する日までの期間
(二)	その提出期限後に提出した申告書に係る税額	当該提出した日までの期間又はその日の翌日から1月を経過する日までの期間
(三)	修正申告書に係る税額	修正申告書を提出した日までの期間又はその日の翌日から1月を経過する日までの期間

(注)　2に規定する延滞金の年7.3パーセントの割合については特例規定が設けられているので、第一編第十章12の①《延滞金の割合の特例》を参照。（編者）

（延滞金の減免）
注　指定都市等の長は、納税者が事業所税の納期限までに税金を納付しなかったことについてやむを得ない理由があると認める場合には、2の延滞金額を減免することができる。（法701の60②）

3　過少申告加算金

申告書の提出期限までにその提出があった場合（申告書の提出期限後にその提出があった場合において、4ただし書又は同(6)の規定の適用があるときを含む。以下3において同じ。）において、三の1の①若しくは③の規定による更正があったとき、又は修正申告書の提出があったときは、指定都市等の長は、当該更正又は修正申告前の申告又は修正申告に係る税額に誤りがあったことについて正当な理由があると認める場合を除き、当該更正による不足税額又は当該修正申告書により増加した税額（以下3において「対象不足税額等」という。）に100分の10の割合を乗じて計算した金額（当該対象不足税額等（当該更正又は修正申告前にその更正又は修正申告に係る事業所税について更正又は修正申告書の提出があった場合には、その更正による不足税額又は修正申告書により増加した税額の合計額（当該更正又は修正申告前の申告又は修正申告に係る税額に誤りがあったことについて正当な理由があると認められたときは、その更正による不足税額又は修

正申告書により増加した税額を控除した金額とし、当該事業所税についてその納付すべき税額を減少させる更正又は更正に係る不服申立て若しくは訴えについての決定、裁決若しくは判決による原処分の異動があったときは、これらにより減少した部分の税額に相当する金額を控除した金額とする。）を加算した金額とする。）が申告書の提出期限までにその提出があった場合における当該申告書に係る税額に相当する金額と50万円とのいずれか多い金額を超えるときは、その超える部分に相当する金額（当該対象不足税額等が当該超える部分に相当する金額に満たないときは、当該対象不足税額等）に100分の５の割合を乗じて計算した金額を加算した金額とする。）に相当する過少申告加算金額を徴収しなければならない。ただし、修正申告書の提出があった場合において、その提出が当該修正申告書に係る事業所税額について三の１の①又は③の規定による更正があるべきことを予知してされたものでないときは、この限りでない。（法701の61①）

4　不申告加算金

　次の表の各号のいずれかに該当する場合には、指定都市等の長は、当該各号に規定する申告、決定又は更正により納付すべき税額に100分の15の割合を乗じて計算した金額に相当する不申告加算金額を徴収しなければならない。ただし、申告書の提出期限までにその提出がなかったことについて正当な理由があると認められる場合は、この限りでない。（法701の61②）

（一）	申告書の提出期限後にその提出があった場合又は三の１の②の規定による決定があった場合
（二）	申告書の提出期限後にその提出があった後において修正申告書の提出又は三の１の①若しくは③の規定による更正があった場合
（三）	三の１の②の規定による決定があった後において修正申告書の提出又は三の１の③の規定による更正があった場合

　　　（納付すべき税額が50万円を超える場合の加算）
（１）　４の規定に該当する場合（４ただし書又は（６）の規定の適用がある場合を除く。（２）及び（５）において同じ。）において、４に規定する納付すべき税額（４の（二）又は（三）に該当する場合には、これらの規定に規定する修正申告又は更正前にされた当該事業所税に係る申告書の提出期限後の申告又は三の１の①から③までの規定による更正若しくは決定により納付すべき税額の合計額（当該納付すべき税額を減少させる更正又は更正に係る不服申立て若しくは訴えについての決定、裁決若しくは判決による原処分の異動があったときは、これらにより減少した部分の税額に相当する金額を控除した金額とする。）を加算した金額）が50万円を超えるときは、４に規定する不申告加算金額は、４の規定にかかわらず、４の規定により計算した金額に、その超える部分に相当する金額（４に規定する納付すべき税額が当該超える部分に相当する金額に満たないときは、当該納付すべき税額）に100分の５の割合を乗じて計算した金額を加算した金額とする。（法701の61③）

　　　（更正等があった日の前日から起算して５年前の日までの間に不申告加算金等を徴収されたことがある場合の不申告加算金額の計算）
（２）　４の規定に該当する場合において、加算後累積納付税額（当該加算後累積納付税額の計算の基礎となった事実のうちに４各号に規定する申告、決定又は更正前の税額の計算の基礎とされていなかったことについて当該納税者の責めに帰すべき事由がないと認められるものがあるときは、その事実に基づく税額として（３）で定めるところにより計算した金額を控除した税額）が300万円を超えるときは、４に規定する不申告加算金額は、４及び（１）の規定にかかわらず、加算後累積納付税額を次の各号に掲げる金額に区分してそれぞれの金額に当該各号に定める割合を乗じて計算した金額の合計額から累積納付税額を当該各号に掲げる金額に区分してそれぞれの金額に当該各号に定める割合を乗じて計算した金額の合計額を控除した金額とする。（法701の61④）
　　（一）　50万円以下の部分に相当する金額　　　100分の15の割合
　　（二）　50万円を超え300万円以下の部分に相当する金額　　　100分の20の割合
　　（三）　300万円を超える部分に相当する金額　　　100分の30の割合

　　　（政令で定めるところにより計算した金額）
（３）　（２）に規定する（３）で定めるところにより計算した金額は、（３）に規定する当該納税者の責めに帰すべき事由がないと認められる事実のみに基づいて（３）の各号に規定する申告、決定又は更正があったものとした場合におけるその申告、決定又は更正により納付すべき税額とする。（令56の79）

(不申告加算金額の計算)
（４）　４の規定に該当する場合において、次の各号のいずれかに該当するときは、４に規定する不申告加算金額は、３及び４及び（１）の規定にかかわらず、これらの規定により計算した金額に、４に規定する納付すべき税額に100分の10の割合を乗じて計算した金額を加算した金額とする。（法701の61⑤）
　（一）　申告書の提出期限後の申告書の提出若しくは修正申告書の提出（当該申告書又は修正申告書に係る環境性能割について三の１の①から③までの規定による更正又は決定があるべきことを予知してされたものに限る。（二）及び（三）において同じ。）又は三の１の①から③までの規定による更正若しくは決定があった日の前日から起算して５年前の日までの間に、事業所税について、不申告加算金（（６）の規定の適用があるものを除く。（二）において同じ。）又は重加算金（以下「不申告加算金等」という。）を徴収されたことがある場合
　（二）　申告書の提出期限後のその提出若しくは修正申告書の提出又は三の１の①から③までの規定による更正若しくは決定に係る事業年度の開始の日の属する年の前年及び前々年に開始した事業年度に係る法人の行う事業に対して課する事業所税について、不申告加算金若しくは重加算金（５の②の規定の適用があるものに限る。）（以下「特定不申告加算金等」という。）を徴収されたことがあり、又は特定不申告加算金等に係る決定をすべきと認める場合
　（三）　申告書の提出期限後のその提出若しくは修正申告書の提出又は三の１の①から③までの規定による更正若しくは決定に係る個人に係る課税期間の初日の属する年の前年及び前々年に個人に係る課税期間が開始した個人の行う事業に対して課する事業所税について、特定不申告加算金等を徴収されたことがあり、又は特定不申告加算金等に係る決定をすべきと認める場合

(申告書等の提出が更正又は決定があることを予知してされたものでない場合の軽減)
（５）　申告書の提出期限後にその提出があった場合又は修正申告書の提出があった場合において、その提出が当該申告書又は修正申告書に係る事業所税について三の１の①から③まで規定による更正又は決定があるべきことを予知してされたものでないときは、当該申告書又は修正申告書に係る税額に係る４に規定する不申告加算金額は、同項から第４項までの規定にかかわらず、当該税額に100分の５の割合を乗じて計算した金額に相当する額とする。（法701の61⑥）

(不申告加算金を徴収されない場合)
（６）　４の規定は、（３）の規定に該当する申告書の提出があった場合において、その提出が、申告書の提出期限までに提出する意思があったと認められる場合として（５）で定める場合に該当して行われたものであり、かつ、申告書の提出期限から１月を経過する日までに行われたものであるときは、適用しない。（法701の61⑧）

(申告書の提出期限までに提出する意思があったと認められる場合)
（７）　（４）に規定する申告書の提出期限までに提出する意思があったと認められる場合は、次の各号のいずれにも該当する場合とする。（令56の80）
　（一）　（４）に規定する申告書の提出があった日の前日から起算して５年前の日までの間に、事業所税について、４の表の（一）に該当することにより不申告加算金額又は重加算金額を課されたことがない場合であって、（４）の規定の適用を受けていないとき。
　（二）　（一）に規定する申告書に係る納付すべき税額の全額が、次に掲げる場合の区分に応じ、それぞれ次に定める期限又は日までに納付されていた場合
　　イ　ロに掲げる場合以外の場合　　当該納付すべき税額に係る１に規定する事業所税の納期限
　　ロ　指定都市等の長が当該申告書に係る納付について口座振替の方法による旨の申出を受けていた場合　　当該申告書の提出があった日

(過少申告加算金額又は不申告加算金額の決定の通知)
（８）　指定都市等の長は、３の規定により徴収すべき過少申告加算金額又は４の規定により徴収すべき不申告加算金額を決定した場合には、遅滞なく、納税者に通知しなければならない。（法701の61⑦）

５　重加算金

①　過少申告加算金に代えて徴収する重加算金

３の規定に該当する場合において、納税者が課税標準額の計算の基礎となるべき事実の全部又は一部を隠蔽し、又は仮

第三編第六章《事業所税》第三節《申告納付、更正又は決定等》

装し、かつ、その隠蔽し、又は仮装した事実に基づいて申告書又は修正申告書を提出したときは、指定都市等の長は、次の注で定めるところにより3に規定する過少申告加算金額に代えて、その計算の基礎となるべき更正による不足税額又は修正申告により増加した税額に100分の35の割合を乗じて計算した金額に相当する重加算金額を徴収しなければならない。（法701の62①）

(注) ①中___部分「又は修正申告書」を「、修正申告書又は第一編第十章の10の④に規定する更正請求書（②において「更正請求書」という。）」に改める令和6年度改正規定は、令和7年1月1日以後適用する。（令6改法附1二）

　　　（重加算金額の計算）
注　①又は②の（1）（①の重加算金に係る部分に限る。以下同じ。）の規定により、過少申告加算金額に代えて、重加算金額を徴収する場合には、①又は②の（1）の規定による重加算金額の算定の基礎となるべき税額に相当する金額を、3に規定する対象不足税額等から控除して計算するものとした場合における過少申告加算金額以外の部分の過少申告加算金額に代えて、重加算金額を徴収するものとする。（令56の81）

② **不申告加算金に代えて徴収する重加算金**
　4の規定に該当する場合（4ただし書の規定の適用がある場合を除く。）において、納税者が課税標準額の計算の基礎となるべき事実の全部又は一部を隠蔽し、又は仮装し、かつ、その隠蔽し、又は仮装した事実に基づいて、申告書の提出期限までにこれを提出せず、又は申告書の提出期限後にその提出をし、若しくは修正申告書を提出したときは、指定都市等の長は、4に規定する不申告加算金額に代えて、その計算の基礎となるべき税額に100分の40の割合を乗じて計算した金額に相当する重加算金額を徴収しなければならない。（法701の62②）

(注) ②中___部分「若しくは修正申告書を」を「修正申告書を提出し、若しくは更正請求書を」に改める令和6年度改正規定は、令和7年1月1日以後適用する。（令6改法附1二）

　　　（更正等があった日の前日から起算して5年前の日までの間に不申告加算金等を徴収されたことがある場合の重加算金額の計算）
（1）①又は②の規定に該当する場合において、次の各号のいずれか（①の規定に該当する場合にあっては、（一））に該当するときは、①又は②に規定する重加算金額は、これらの規定にかかわらず、これらの規定により計算した金額に、①の規定に該当するときは①に規定する計算の基礎となるべき更正による不足税額又は修正申告により増加した税額に、②の規定に該当するときは②に規定する計算の基礎となるべき税額に、それぞれ100分の10の割合を乗じて計算した金額を加算した金額とする。（法701の62③）
（一）①及び②に規定する課税標準額の計算の基礎となるべき事実で隠蔽し、又は仮装されたものに基づき申告書の提出期限後のその提出、修正申告書の提出又は三の1の①から③までの規定による更正若しくは決定があった日の前日から起算して5年前の日までの間に、事業所税について、不申告加算金等を徴収されたことがある場合
（二）申告書の提出期限後のその提出、修正申告書の提出又は三の1の①から③までの規定による更正若しくは決定に係る事業年度の開始の日の属する年の前年及び前々年に開始した事業年度に係る法人の行う事業に対して課する事業所税について、特定不申告加算金等を徴収されたことがあり、又は特定不申告加算金等に係る決定をすべきと認める場合
（三）申告書の提出期限後のその提出、修正申告書の提出又は三の1の①から③までの規定による更正若しくは決定に係る個人に係る課税期間の初日の属する年の前年及び前々年に個人に係る課税期間が開始した個人の行う事業に対して課する事業所税について、特定不申告加算金等を徴収されたことがあり、又は特定不申告加算金等に係る決定をすべきと認める場合

　　　（申告書等の提出が更正又は決定があることを予知してされたものでない場合の不徴収）
（2）指定都市等の長は、①又は②又は同（1）の規定に該当する場合において、申告書又は修正申告書の提出について3ただし書又は4の（3）に規定する理由があるときは、当該申告により納付すべき税額又は当該修正申告により増加した税額を基礎として計算した重加算金額を徴収しない。（法701の62④）

　　　（重加算金額の決定の通知）
（3）指定都市等の長は、①又は②の規定により徴収すべき重加算金額を決定した場合には、遅滞なく、納税者に通知しなければならない。（法701の62⑤）

五 雑　　則

1 所得税又は法人税に関する書類の閲覧等

① 所得税又は法人税に関する書類の閲覧等
　指定都市等の長が事業所税の賦課徴収について、政府に対し、事業所税の納税義務者で所得税若しくは法人税の納税義務があるものが政府に提出した申告書若しくは修正申告書又は政府が当該納税義務者の所得税若しくは法人税に係る課税標準若しくは税額についてした更正若しくは決定に関する書類を閲覧し、又は記録することを請求した場合には、政府は、関係書類を指定都市等の長又はその指定する職員に閲覧させ、又は記録させるものとする。（法701の55①）

② 事業税又は不動産取得税に関する書類の閲覧等
　指定都市等の長が事業所税の賦課徴収について、道府県知事に対し、事業所税の納税義務者で事業税の納税義務があるものが道府県知事に提出した申告書若しくは修正申告書又は道府県知事が当該納税義務者に係る事業税についてした更正、決定若しくは賦課決定若しくは事業所税の納税義務者で不動産取得税の納税義務があるものに係る不動産取得税についてした賦課決定に関する書類を閲覧し、又は記録することを請求した場合には、道府県知事は、関係書類を指定都市等の長又はその指定する職員に閲覧させ、又は記録させるものとする。（法701の55②）

2 脱税に関する罪
　偽りその他不正の行為によって事業所税の全部又は一部を免れた者は、5年以下の懲役若しくは100万円以下の罰金に処し、又はこれを併科する。（法701の56①）

　　　　（脱税額が100万円を超える場合の罰金額の加重）
（1）　2の免れた税額が100万円を超える場合には、情状により、2の罰金の額は、2の規定にかかわらず、100万円を超える額でその免れた税額に相当する額以下の額とすることができる。（法701の56②）

　　　　（不申告による脱税に関する罪）
（2）　2に規定するもののほか、二の1の①又は②の規定による申告書を当該各項に規定する申告書の提出期限までに提出しないことにより、事業所税の全部又は一部を免れた者は、3年以下の懲役若しくは50万円以下の罰金に処し、又はこれを併科する。（法701の56③）

　　　　（脱税額が50万円を超える場合の罰金額の加重）
（3）　（2）の免れた税額が50万円を超える場合には、情状により、（2）の罰金の額は、（2）の規定にかかわらず、50万円を超える額でその免れた税額に相当する額以下の額とすることができる。（法701の56④）

　　　　（両罰規定）
（4）　法人の代表者又は法人若しくは人の代理人、使用人その他の従業者がその法人又は人の業務又は財産に関して2又は（2）の違反行為をした場合には、その行為者を罰するほか、その法人又は人に対し、当該各項の罰金刑を科する。（法701の56⑤）

　　　　（罰金刑を科する場合の時効の期間）
（5）　（4）の規定により2の違反行為につき法人又は人に罰金刑を科する場合における時効の期間は、2の罪についての時効の期間による。（法701の56⑥）

　　　　（人格のない社団等に対する刑事訴訟法の準用）
（6）　人格のない社団等について（4）の規定の適用がある場合には、その代表者又は管理人がその訴訟行為につき当該人格のない社団等を代表するほか、法人を被告人又は被疑者とする場合の刑事訴訟に関する法律の規定を準用する。（法701の56⑦）

3 減　　免
　指定都市等の長は、天災その他特別の事情がある場合において事業所税の減免を必要とすると認める者その他特別の事

情がある者に限り、当該指定都市等の条例の定めるところにより、事業所税を減免することができる。（法701の57）

六　督促及び滞納処分

1　督　　促

納税者が納期限（更正又は決定があった場合には、不足税額の納期限。以下 1 及び 2 の①の（2）において同じ。）までに事業所税に係る地方団体の徴収金を完納しない場合には、指定都市等の徴税吏員は、納期限後20日以内に、督促状を発しなければならない。ただし、繰上徴収をする場合は、この限りでない。（法701の63①）

　　　　（特別の事情がある場合の督促状の発付期限）
（1）　特別の事情がある指定都市等においては、当該指定都市等の条例で、1に規定する期間と異なる期間を定めることができる。（法701の63②）

　　　　（督促手数料の徴収）
（2）　指定都市等の徴税吏員は、督促状を発した場合には、当該指定都市等の条例の定めるところによって、手数料を徴収することができる。（法701の64）

2　滞 納 処 分

①　滞納処分

事業所税に係る滞納者が次の各号の一に該当するときは、指定都市等の徴税吏員は、当該事業所税に係る地方団体の徴収金につき、滞納者の財産を差し押えしなければならない。（法701の65①）

（一）	滞納者が督促を受け、その督促状を発した日から起算して10日を経過した日までにその督促に係る事業所税に係る地方団体の徴収金を完納しないとき。
（二）	滞納者が繰上徴収に係る告知により指定された納期限までに事業所税に係る地方団体の徴収金を完納しないとき。

　　　　（第二次納税義務者又は保証人に対する催告）
（1）　第二次納税義務者又は保証人について①の規定を適用する場合には、①の表の（一）中「督促状」とあるのは、「納付の催告書」とする。（法701の65②）

　　　　（繰上差押え）
（2）　事業所税に係る地方団体の徴収金の納期限後①の表の（一）に規定する10日を経過した日までに、督促を受けた滞納者につき法第13条の2第1項《繰上徴収》各号の一に該当する事実が生じたときは、指定都市等の徴税吏員は、直ちにその財産を差し押えることができる。（法701の65③）

　　　　（強制換価手続が行われた場合の交付要求）
（3）　滞納者の財産につき強制換価手続が行われた場合には、指定都市等の徴税吏員は、執行機関（破産法第114条第1号に掲げる請求権に係る事業所税に係る地方団体の徴収金の交付要求を行う場合には、その交付要求に係る破産事件を取り扱う裁判所）に対し、滞納に係る事業所税に係る地方団体の徴収金につき、交付要求をしなければならない。（法701の65④）

　　　　（参加差押え）
（4）　指定都市等の徴税吏員は、①から（2）までの規定により差押えをすることができる場合において、滞納者の財産で国税徴収法第86条第1項《参加差押え》各号に掲げるものにつき、既に他の地方団体の徴収金若しくは国税の滞納処分又はこれらの滞納処分の例による処分による差押えがされているときは、当該財産についての交付要求は、参加差押えによりすることができる。（法701の65⑤）

(国税徴収法の例による滞納処分)
（５）（４）までに定めるもののほか、事業所税に係る地方団体の徴収金の滞納処分については、国税徴収法に規定する滞納処分の例による。（法701の65⑥）

(指定都市等の区域外における処分)
（６）（５）までの規定による処分は、当該指定都市等の区域外においても行うことができる。（法701の65⑦）

② 滞納処分に関する罪
　事業所税の納税者が滞納処分の執行を免れる目的でその財産を隠蔽し、損壊し、若しくは指定都市等の不利益に処分し、その財産に係る負担を偽って増加する行為をし、又はその現状を改変して、その財産の価額を減損し、若しくはその滞納処分に係る滞納処分費を増大させる行為をしたをしたときは、その者は、3年以下の懲役若しくは250万円以下の罰金に処し、又はこれを併科する。（法701の66①）

(財産占有者に対する罰則)
（１）納税者の財産を占有する第三者が納税者に滞納処分の執行を免れさせる目的で②の行為をしたときも、②と同様とする。（法701の66②）

(情を知った違反行為の相手方に対する罰則)
（２）情を知って②又は（１）の行為につき納税者又はその財産を占有する第三者の相手方となったときは、その相手方としてその違反行為をした者は、2年以下の懲役若しくは150万円以下の罰金に処し、又はこれを併科する。（法701の66③）

(両罰規定)
（３）法人の代表者又は法人若しくは人の代理人、使用人その他の従業者がその法人又は人の業務又は財産に関して①から（２）までの違反行為をした場合には、その行為者を罰するほか、その法人又は人に対し、当該各項の罰金刑を科する。（法701の66④）

(人格のない社団等に対する刑事訴訟法の準用)
（４）人格のない社団等について（３）の規定の適用がある場合には、その代表者又は管理人がその訴訟行為につき当該人格のない社団等を代表するほか、法人を被告人又は被疑者とする場合の刑事訴訟に関する法律の規定を準用する。（法701の66⑤）

③ 滞納処分に関する検査拒否等の罪
　次の各号のいずれかに該当する場合には、その違反行為をした者は、1年以下の懲役又は50万円以下の罰金に処する。（法701の67①）

(一)	①の（５）の場合において、国税徴収法第141条の規定の例により行う指定都市等の徴税吏員の質問に対して答弁をせず、又は偽りの陳述をしたとき。
(二)	①の（５）の場合において、国税徴収法第141条の規定の例により行う指定都市等の徴税吏員の帳簿書類（同条に規定する帳簿書類をいう。（三）において同じ。）その他の物件の検査を拒み、妨げ、又は忌避したとき。
(三)	①の（５）の場合において、国税徴収法第141条の規定の例により行う指定都市等の徴税吏員の物件の提示又は提出の要求に対し、正当な理由がなくこれに応じず、又は偽りの記載若しくは記録をした帳簿書類その他の物件（その写しを含む。）を提示し、若しくは提出したとき。

(両罰規定)
（１）法人の代表者又は法人若しくは人の代理人、使用人その他の従業者がその法人又は人の業務又は財産に関して③の違反行為をした場合には、その行為者を罰するほか、その法人又は人に対し、③の罰金刑を科する。（法701の67②）

(人格のない社団等に対する刑事訴訟法の準用)
(2) 人格のない社団等について(1)の規定の適用がある場合には、その代表者又は管理人がその訴訟行為につき当該人格のない社団等を代表するほか、法人を被告人又は被疑者とする場合の刑事訴訟に関する法律の規定を準用する。(法701の67③)

④ 国税徴収法の例による事業所税に係る滞納処分に関する虚偽の陳述の罪

①の(5)の場合において、国税徴収法第99条の2《暴力団員等に該当しないこと等の陳述》(同法第109条第4項において準用する場合を含む。)の規定の例により指定都市等の長に対して陳述すべき事項について虚偽の陳述をした者は、6月以下の懲役又は50万円以下の罰金に処する。(法701の68)

第四節　事業所税の使途

　指定都市等は、当該指定都市等に納付された事業所税額に相当する額から事業所税の徴収に要する費用として当該年度の歳入に所属する事業所税の額の100分の5に相当する額を控除して得た額を、次に掲げる事業に要する費用に充てなければならない。(法701の73、令56の82、規24の28)

(一)	道路、都市高速鉄道、駐車場その他の交通施設の整備事業
(二)	公園、緑地その他の公共空地の整備事業
(三)	水道、下水道、廃棄物処理施設その他の供給施設又は処理施設の整備事業
(四)	河川その他の水路の整備事業
(五)	学校、図書館その他の教育文化施設の整備事業
(六)	病院、保育所その他の医療施設又は社会福祉施設の整備事業
(七)	公害防止に関する事業
(八)	防災に関する事業
(九)	前各号に掲げるもののほか、市街地開発事業その他の都市環境の整備及び改善に必要な事業で次に掲げるもの イ　都市計画法第12条第1項各号に掲げる事業 ロ　市場、と畜場又は火葬場の整備事業 ハ　一団地の住宅施設(住宅に附帯する通路その他の施設を含む。)の整備事業 ニ　流通業務団地の整備事業

第五節　都等の特例

1　都における目的税の特例

　都は、その特別区の存する区域において、目的税として、道府県が課することができる目的税を課することができるほか、法第1条第2項の規定にかかわらず、事業所税を課することができる。この場合においては、都を指定都市等とみなして市町村の目的税に関する部分の規定を準用する。(法735①)

　　(事業所税に関する地方税法施行令の都への準用)
(1) 1の規定により都がその特別区の存する区域内において課する事業所税については、地方税法施行令中、事業所税に関する部分の規定を準用する。(令57の3)

　　(事業所税に関する地方税法施行規則の都への準用)
(2) 1の規定により都がその特別区の存する区域内において課する事業所税については、都を市とみなして地方税法施行規則第24条の2《国の雇用に関する助成に係る者》から第24条の29《事業所税に係る申告書等の様式》までの規定を準用する。(規1の3の3)

2　特別区に関する特例

事業所税に関する規定の都に対する準用については、特別区の存する区域は、指定都市等の区域とみなす。（法737③）

第七章　国民健康保険税

◆令和6年度改正事項◆
（1）　感染症の予防及び感染症の患者に対する医療に関する法律等の改正に伴い、流行初期医療確保拠出金等の納付に要する費用を含めて国民健康保険税を課する措置を講ずることとした。（法703の4①一）
（2）　後期高齢者支援金等課税額に係る課税限度額を24万円（改正前22万円）に引き上げることとした。（令56の88の2②）
（3）　低所得者に対し被保険者均等割額及び世帯別平等割額を減額する基準について、5割（4割・3割）減額の対象となる所得の算定において被保険者等の数に乗ずべき金額を29万5,000円（改正前29万円）に、2割減額の対象となる所得の算定において被保険者等の数に乗ずべき金額を54万5,000円（改正前53万5,000円）に引き上げることとした。（令56の89①②二）

一　課税団体及び納税義務者

　国民健康保険を行う市町村（一部事務組合又は広域連合を設けて国民健康保険を行う場合には、当該一部事務組合又は広域連合に加入している市町村）は、当該市町村の国民健康保険に関する特別会計において負担する次に掲げる費用に充てるため、国民健康保険の被保険者（以下第七章において「被保険者」という。）である世帯主（当該市町村の区域内に住所を有する世帯主に限る。）に対し、国民健康保険税を課することができる。（法703の4①）
（一）　国民健康保険法の規定による国民健康保険事業費納付金（以下「国民健康保険事業費納付金」という。）の納付に要する費用（当該市町村を包括する都道府県の国民健康保険に関する特別会計において負担する高齢者の医療の確保に関する法律の規定による前期高齢者納付金等、同法の規定による後期高齢者支援金等（以下「後期高齢者支援金等」という。）及び同法の規定による出産育児関係事務費拠出金並びに介護保険法の規定による納付金（以下「介護納付金」という。）の納付に要する費用を含む。以下同じ。）
（二）　国民健康保険法の規定による財政安定化基金拠出金（三の1の（一）のハにおいて「財政安定化基金拠出金」という。）の納付に要する費用
（三）　その他国民健康保険事業に要する費用
（注）　一中＿＿＿部分「並びに介護保険法の規定による納付金（以下「介護納付金」という。）」を、「介護保険法の規定による納付金（以下「介護納付金」という。）並びに感染症の予防及び感染症の患者に対する医療に関する法律の規定による流行初期医療確保拠出金等」に改める令和6年度改正規定は、令和6年4月1日以後適用する。改正後の規定は、令和6年度以後の年度分の国民健康保険税について適用し、令和5年度分までの国民健康保険税については、なお従前の例による。（令6改法附1一、30）

（国民健康保険を行う市町村の意義）
（1）　国民健康保険を行う市町村とは、国民健康保険法第3条第1項《保険者》の規定によって国民健康保険を行う市町村をいうものであること。（市通9－7（1））

（一部事務組合又は広域連合を設けて国民健康保険を行う場合の課税関係）
（2）　一部事務組合又は広域連合を設けて国民健康保険を行う場合には、当該一部事務組合又は広域連合に加入している市町村が、国民健康保険に関する特別会計において負担する国民健康保険事業に要する費用に充てるため、国民健康保険税を課することができるものであること。（市通9－7（2））

（世帯主の意義）
（3）　世帯主とは一戸を構えている者又は一戸を構えなくとも独立の生計を営んでいる者をいうこと。（市通9－7（3））

二 課　税　額

　国民健康保険税の納税義務者に対する課税額は、当該納税義務者及びその世帯に属する被保険者につき算定した次に掲げる額の合算額とする。(法703の4②)
(一)　基礎課税額(国民健康保険税のうち、国民健康保険を行う市町村の国民健康保険に関する特別会計において負担する国民健康保険事業に要する費用(国民健康保険事業費納付金の納付に要する費用のうち、当該市町村を包括する都道府県の国民健康保険に関する特別会計において負担する後期高齢者支援金等及び介護納付金の納付に要する費用に充てる部分を除く。三の1の(一)のヘ及び同ニにおいて同じ。)に充てるための国民健康保険税の課税額をいう。以下国民健康保険税について同じ。)
(二)　後期高齢者支援金等課税額(国民健康保険税のうち、国民健康保険事業費納付金の納付に要する費用(当該市町村を包括する都道府県の国民健康保険に関する特別会計において負担する後期高齢者支援金等の納付に要する費用に充てる部分に限る。)に充てるための国民健康保険税の課税額をいう。以下国民健康保険税について同じ。)
(三)　介護納付金課税被保険者(被保険者のうち、介護保険法第9条第2号に規定する第2号被保険者であるものをいう。以下同じ。)につき算定した介護納付金課税額(国民健康保険税のうち、国民健康保険事業費納付金の納付に要する費用(当該市町村を包括する都道府県の国民健康保険に関する特別会計において負担する介護納付金の納付に要する費用に充てる部分に限る。)に充てるための国民健康保険税の課税額をいう。以下同じ。)

三 基礎課税額

1 標準基礎課税総額の意義

　国民健康保険税の標準基礎課税総額(七の1に規定する基準に従い1の規定に基づき算定される被保険者均等割額又は世帯別平等割額を減額するものとした場合には、その減額することとなる額を含む。2及び3において「標準基礎課税総額」という。)は、(一)に掲げる額の見込額から(二)に掲げる額の見込額を控除した額とする。ただし、地方税法第717条(水利地益税等の減免)の規定による国民健康保険税の減免を行う場合には、(一)に掲げる額の見込額から(二)に掲げる額の見込額を控除した額に(三)に掲げる額の見込額を合算した額とすることができる。(法703の4③)
(一)　当該年度における次に掲げる額の合算額
　イ　被保険者に係る国民健康保険法の規定による療養の給付に要する費用の額から当該給付に係る一部負担金に相当する額を控除した額並びに入院時食事療養費、入院時生活療養費、保険外併用療養費、療養費、訪問看護療養費、特別療養費、移送費、高額療養費及び高額介護合算療養費の支給に要する費用の額の合算額
　ロ　国民健康保険事業費納付金の納付に要する費用(当該市町村を包括する都道府県の国民健康保険に関する特別会計において負担する後期高齢者支援金等及び介護納付金の納付に要する費用に充てる部分を除く。)の額
　ハ　財政安定化基金拠出金の納付に要する費用の額
　ニ　国民健康保険法第81条の2第9項第2号に規定する財政安定化基金事業借入金の償還に要する費用の額
　ホ　保健事業に要する費用の額
　ヘ　その他当該市町村の国民健康保険に関する特別会計において負担する国民健康保険事業に要する費用(国民健康保険の事務の執行に要する費用を除く。)の額
(二)　当該年度における次に掲げる額の合算額
　イ　国民健康保険法第74条の規定による補助金の額
　ロ　国民健康保険法第75条の規定により交付を受ける補助金(国民健康保険事業費納付金の納付に要する費用(当該市町村を包括する都道府県の国民健康保険に関する特別会計において負担する後期高齢者支援金等及び介護納付金の納付に要する費用に充てる部分に限る。以下ロにおいて同じ。)に係るものを除く。)及び同条の規定により貸し付けられる貸付金(国民健康保険事業費納付金の納付に要する費用に係るものを除く。)の額
　ハ　国民健康保険法第75条の2第1項の国民健康保険保険給付費等交付金の額
　ニ　その他当該市町村の国民健康保険に関する特別会計において負担する国民健康保険事業に要する費用(国民健康保険の事務の執行に要する費用を除く。)のための収入(国民健康保険法第72条の3第1項の規定による繰入金を除く。)の額
(三)　当該年度における地方税法第717条(水利地益税等の減免)の規定による基礎課税額の減免の額の総額

　　　(標準基礎課税総額等に関する留意事項)
　注　被保険者に係る標準基礎課税総額及び標準後期高齢者支援金等課税総額並びに標準介護納付金課税総額が、当該年

度の初日における見積額等によることとされていることにかんがみ、年度途中において課税総額を変更することをなるべく避けるよう留意すべきであること。（市通９－７（４））

2　標準基礎課税総額に対する標準割合

標準基礎課税総額は、次に掲げる額のいずれかによるものとする。（法703の４④）
（一）　所得割総額、資産割総額、被保険者均等割総額及び世帯別平等割総額
（二）　所得割総額、被保険者均等割総額及び世帯別平等割総額の合計額
（三）　所得割総額及び被保険者均等割総額の合計額

3　基礎課税額の算定

国民健康保険税の納税義務者に対する課税額のうち基礎課税額は、２の各号に掲げる標準基礎課税総額の区分に応じ、当該納税義務者及びその世帯に属する被保険者につき算定した所得割額、資産割額、被保険者均等割額又は世帯別平等割額の合算額〔５参照〕とする。（法703の４⑤）

　　　　（所得割額の算定）
（１）　３の所得割額は、２の各号の所得割総額を第一章第三節一《所得控除》に規定する総所得金額及び山林所得金額の合計額から同条第２項《基礎控除》の規定による控除をした後の総所得金額及び山林所得金額の合計額（以下「基礎控除後の総所得金額等」という。）に按分して算定する。ただし、当該市町村における被保険者の所得の分布状況その他の事情に照らし、３、（１）の本文、（３）の本文、（４）及び（５）の規定に基づき３の基礎課税額を算定するものとしたならば、当該基礎課税額が４の規定に基づき定められる当該基礎課税額の限度額（（３）ただし書において「基礎課税限度額」という。）を上回ることが確実であると見込まれる場合には、総務省令で定めるところにより、基礎控除後の総所得金額等を補正するものとする。（法703の４⑥）

　　　　（雑損失の金額の控除前の金額による所得割額の算定）
（２）　（１）の場合における法第314条の２第１項《所得控除》に規定する総所得金額又は山林所得金額の算定については、法第313条第９項《被災事業用資産及び雑損失の繰越控除》中雑損失の金額に係る部分の規定を適用しないものとする。（法703の４⑦）

　　　　（資産割額の算定）
（３）　３の資産割額は、２の（一）の資産割総額を固定資産税額又は固定資産税額のうち土地及び家屋に係る部分の額（以下「固定資産税額等」という。）に按分して算定する。ただし、当該市町村における被保険者の資産の分布状況その他の事情に照らし、３、（１）の本文、（３）の本文、（４）及び（５）の規定に基づき３の基礎課税額を算定するものとしたならば、当該基礎課税額が基礎課税限度額を上回ることが確実であると見込まれる場合には、総務省令で定めるところにより、固定資産税額等を補正するものとする。（法703の４⑧）

　　　　（被保険者均等割額の算定）
（４）　３の被保険者均等割額は、２の各号の被保険者均等割総額を被保険者の数に按分して算定する。（法703の４⑨）

　　　　（世帯別平等割額の算定）
（５）　３の世帯別平等割額は、次の各号に掲げる世帯の区分に応じ、それぞれ当該各号に定める額とする。（法703の４⑩）
（一）　特定世帯（特定同一世帯所属者（国民健康保険法第６条第８号の規定により被保険者の資格を喪失した者であって、当該資格を喪失した日の前日以後継続して同一の世帯に属するものをいう。以下国民健康保険税について同じ。）と同一の世帯に属する被保険者が属する世帯であって同日の属する月（以下（一）において「特定月」という。）以後５年を経過する月までの間にあるもの（当該世帯に他の被保険者がいない場合に限る。）をいう。以下（５）及び四の３の（４）において同じ。）及び特定継続世帯（特定同一世帯所属者と同一の世帯に属する被保険者が属する世帯であって特定月以後５年を経過する月の翌月から特定月以後８年を経過する月までの間にあるもの（当該世帯に他の被保険者がいない場合に限る。）をいう。以下（５）及び四の３の（４）において同じ。）以外の世帯　　２の（一）及び（二）の世帯別平等割総額を被保険者が属する世帯の数から特定世帯の数に２分の１を乗じて得た数と特定継続世帯の数に４分の１を乗じて得た数の合計数を控除した数に按分して算定した額
（二）　特定世帯　　（一）に定める額に２分の１を乗じて得た額

（三）　特定継続世帯　　（一）に定める額に4分の3を乗じて得た額

4　基礎課税額の制限
　　3の基礎課税額は、納税義務者間の負担の衡平を考慮して65万円を超えることができない。（法703の4⑪、令56の88の2①）

四　後期高齢者支援金等課税額

1　標準後期高齢者支援金等課税総額の意義
　　国民健康保険税の標準後期高齢者支援金等課税総額（七の1に規定する基準に従い1の規定に基づき算定される被保険者均等割額又は世帯別平等割額を減額するものとした場合には、その減額することとなる額を含む。2及び3において「標準後期高齢者支援金等課税総額」という。）は、（一）に掲げる額の見込額から（二）に掲げる額の見込額を控除した額とする。ただし、地方税法第717条（水利地益税等の減免）の規定による国民健康保険税の減免を行う場合には、（一）に掲げる額の見込額から（二）に掲げる額の見込額を控除した額に（三）に掲げる額の見込額を合算した額とすることができる。（法703の4⑫）
（一）　当該年度における国民健康保険事業費納付金の納付に要する費用（当該市町村を包括する都道府県の国民健康保険に関する特別会計において負担する後期高齢者支援金等の納付に要する費用に充てる部分に限る。（二）のイ及び同ロにおいて同じ。）の額
（二）　当該年度における次に掲げる額の合算額
　イ　国民健康保険法第75条の規定により交付を受ける補助金（国民健康保険事業費納付金の納付に要する費用に係るものに限る。）及び同条の規定により貸し付けられる貸付金（国民健康保険事業費納付金の納付に要する費用に係るものに限る。）の額
　ロ　その他当該市町村の国民健康保険に関する特別会計において負担する国民健康保険事業に要する費用（国民健康保険事業費納付金の納付に要する費用に限る。）のための収入（国民健康保険法第72条の3第1項の規定による繰入金を除く。）の額
（三）　当該年度における地方税法第717条（水利地益税等の減免）の規定による後期高齢者支援金等課税額の減免の額の総額

2　標準後期高齢者支援金等課税総額に対する標準割合
　　標準後期高齢者支援金等課税総額は、次に掲げる額のいずれかによるものとする。（法703の4⑬）
（一）　所得割総額、資産割総額、被保険者均等割総額及び世帯別平等割総額の合計額
（二）　所得割総額、被保険者均等割総額及び世帯別平等割総額の合計額
（三）　所得割総額及び被保険者均等割総額の合計額

3　後期高齢者支援金等課税額の算定
　　国民健康保険税の納税義務者に対する課税額のうち後期高齢者支援金等課税額は、2の各号に掲げる標準後期高齢者支援金等課税総額の区分に応じ、当該納税義務者及びその世帯に属する被保険者につき算定した所得割額、資産割額、被保険者均等割額又は世帯別平等割額の合算額とする。（法703の4⑭）

　　　　（所得割額の算定）
（1）　3の所得割額は、2の各号の所得割総額を基礎控除後の総所得金額等に按分して算定する。ただし、当該市町村における被保険者の所得の分布状況その他の事情に照らし、3、（1）の本文、（2）の本文、（3）及び（4）の規定に基づき3の後期高齢者支援金等課税額を算定するものとしたならば、当該後期高齢者支援金等課税額が4の規定に基づき定められる当該後期高齢者支援金等課税額の限度額（（2）ただし書において「後期高齢者支援金等課税限度額」という。）を上回ることが確実であると見込まれる場合には、総務省令で定めるところにより、基礎控除後の総所得金額等を補正するものとする。（法703の4⑮）

　　　　（資産割額の算定）
（2）　3の資産割額は、2の（一）の資産割総額を固定資産税額等に按分して算定する。ただし、当該市町村における被保険者の資産の分布状況その他の事情に照らし、3、（1）の本文、（2）本文、（3）及び（4）の規定に基づき3の後期

高齢者支援金等課税額を算定するものとしたならば、当該後期高齢者支援金等課税額が後期高齢者支援金等課税限度額を上回ることが確実であると見込まれる場合には、総務省令で定めるところにより、固定資産税額等を補正するものとする。（法703の4⑯）

（被保険者均等割額の算定）
（３）　３の被保険者均等割額は、２の各号の被保険者均等割総額を被保険者の数に按分して算定する。（法703の4⑰）

（世帯別平等割額の算定）
（４）　３の世帯別平等割額は、次の各号に掲げる世帯の区分に応じ、それぞれ当該各号に定める額とする。（法703の4⑱）
（一）　特定世帯及び特定継続世帯以外の世帯　　２の（一）及び（二）の世帯別平等割総額を被保険者が属する世帯の数から特定世帯の数に２分の１を乗じて得た数と特定継続世帯の数に４分の１を乗じて得た数の合計数を控除した数に按分して算定した額
（二）　特定世帯　　（一）に定める額に２分の１を乗じて得た額
（三）　特定継続世帯　　（一）に定める額に４分の３を乗じて得た額

4　後期高齢者支援金等課税額の制限
　３の後期高齢者支援金等課税額は、納税義務者間の負担の衡平を考慮して24万円を超えることができない。（法703の4⑲、令56の88の2②）

五　介護納付金課税額

1　標準介護納付金課税総額の意義
　国民健康保険税の標準介護納付金課税総額（七の１に規定する基準に従い１の規定に基づき算定される被保険者均等割額又は世帯別平等割額を減額するものとした場合には、その減額することとなる額を含む。２及び３において「標準介護納付金課税総額」という。）は、（一）に掲げる額の見込額から（二）に掲げる額の見込額を控除した額とする。ただし、地方税法第717条（水利地益税等の減免）の規定による国民健康保険税の減免を行う場合には、（一）に掲げる額の見込額から（二）に掲げる額の見込額を控除した額に（三）に掲げる額の見込額を合算した額とすることができる。（法703の4⑳）
（一）　当該年度における国民健康保険事業費納付金の納付に要する費用（当該市町村を包括する都道府県の国民健康保険に関する特別会計において負担する介護納付金の納付に要する費用に充てる部分に限る。（（二）のイ及びロにおいて同じ。）の額
（二）　当該年度における次に掲げる額の合算額
　イ　国民健康保険法第75条の規定により交付を受ける補助金（国民健康保険事業費納付金の納付に要する費用に係るものに限る。）及び同条の規定により貸し付けられる貸付金（国民健康保険事業費納付金の納付に要する費用に係るものに限る。）の額
　ロ　その他当該市町村の国民健康保険に関する特別会計において負担する国民健康保険事業に要する費用（国民健康保険事業費納付金の納付に要する費用に限る。）のための収入（国民健康保険法第72条の3第1項の規定による繰入金を除く。）の額
（三）　当該年度における地方税法第717条（水利地益税等の減免）の規定による介護納付金課税額の減免の額の総額

2　標準介護納付金課税総額に対する標準割合
　標準介護納付金課税総額は、次に掲げる額のいずれかによるものとする。（法703の4㉑）
（一）　所得割総額、資産割総額、被保険者均等割総額及び世帯別平等割総
（二）　所得割総額、被保険者均等割総額及び世帯別平等割総額の合計額
（三）　所得割総額及び被保険者均等割総額の合計額

3　介護納付金課税額の算定
　国民健康保険税の納税義務者に対する課税額のうち介護納付金課税額は、２の各号に掲げる標準介護納付金課税総額の区分に応じ、介護納付金課税被保険者である納税義務者及び納税義務者の世帯に属する介護納付金課税被保険者につき算定した所得割額、資産割額、被保険者均等割額又は世帯別平等割額の合算額とする。（法703の4㉒）

　　　　（所得割額の算定）
（１）　３の所得割額は、２の各号の所得割総額を介護納付金課税被保険者に係る基礎控除後の総所得金額等に按分して算定する。ただし、当該市町村における介護納付金課税被保険者の所得の分布状況その他の事情に照らし、３、（１）の本文、（２）の本文、（３）及び（４）の規定に基づき３の介護納付金課税額を算定するものとしたならば、当該介護納付金課税額が４の規定に基づき定められる当該介護納付金課税額の限度額（（２）ただし書において「介護納付金課税限度額」という。）を上回ることが確実であると見込まれる場合には、総務省令で定めるところにより、基礎控除後の総所得金額等を補正するものとする。（法703の4㉓）

　　　　（資産割額の算定）
（２）　３の資産割額は、２の(一)の資産割総額を介護納付金課税被保険者に係る固定資産税額等に按分して算定する。ただし、当該市町村における介護納付金課税被保険者の資産の分布状況その他の事情に照らし、３、（１）の本文、（２）の本文、（３）及び（４）の規定に基づき３の介護納付金課税額を算定するものとしたならば、当該介護納付金課税額が介護納付金課税限度額を上回ることが確実であると見込まれる場合には、総務省令で定めるところにより、固定資産税額等を補正するものとする。（法703の4㉔）

　　　　（被保険者均等割額の算定）
（３）　３の被保険者均等割額は、２の各号の被保険者均等割総額を介護納付金課税被保険者の数に按分して算定する。（法703の4㉕）

　　　　（世帯別平等割額の算定）
（４）　３の世帯別平等割額は、２の(一)及び(二)の世帯別平等割総額を介護納付金課税被保険者が属する世帯の数に按分して算定する。（法703の4㉖）

４　介護納付金課税額の制限

　３の介護納付金課税額は、17万円を超えることができない。（法703の4㉗、令56の88の2③）

六　みなし課税

　被保険者である資格がない世帯主の属する世帯内に被保険者がある場合には、当該世帯主を一《課税団体及び納税義務者》の被保険者である世帯主とみなして国民健康保険税を課する。この場合における三の３《基礎課税額の算定》、四の３及び五の３の規定の適用については、三の３及び四の３中「及びその世帯に属する被保険者」とあるのは「の世帯に属する被保険者（世帯主を除く。）」と、五の３中「介護納付金課税被保険者である納税義務者及び納税義務者の世帯に属する介護納付金課税被保険者」とあるのは「当該納税義務者の世帯に属する介護納付金課税被保険者（世帯主を除く。）」とする。（法703の4㉘）

　　　　（被保険者資格のない世帯主に係る所得割額等の不算入）
　　注　国民健康保険の被保険者である資格がない世帯主の属する世帯内に国民健康保険の被保険者がある場合においては、当該世帯主に対して国民健康保険税を課すものであるが、当該課税額の算定に当たっては、当該世帯主に係る所得割額、資産割額及び被保険者均等割額は算入しないものであること。（市通9－7(5)）

七　減　額

１　所得基準による被保険者均等割額又は世帯別平等割額の減額

　市町村は、国民健康保険税の納税義務者並びにその世帯に属する被保険者及び特定同一世帯所属者につき算定した法第314条の2第1項《所得控除》に規定する総所得金額（青色専従者給与額又は事業専従者控除額については、法第313条第3項《青色専従者給与額》、第4項《事業専従者控除額》又は第5項《事業専従者の給与所得とみなす収入金額》の規定を適用せず、また、所得税法第57条第1項《青色事業専従者給与額》、第3項《事業専従者控除額》又は第4項《事業専従者の給与所得とみなす収入金額》の規定の例によらないものとする。以下この章中山林所得金額の算定について同じ。）及び山林所得金額の合算額が、低所得者世帯の負担能力を考慮して、（１）で定める金額を超えない場合には、（２）で定める基準に従い当該市町村の条例で定めるところにより、当該納税義務者に対して課する被保険者均等割額又は世帯別平等割額

を減額するものとする。(法703の5①)

　　　　(政令で定める金額)
(1)　1に規定する(1)で定める金額は、43万円（納税義務者並びにその世帯に属する国民健康保険の被保険者及び特定同一世帯所属者（三の3の(5)の(一)に規定する特定同一世帯所属者をいう。以下本章において同じ。）のうち給与所得を有する者（前年中に1に規定する総所得金額に係る所得税法第28条第1項に規定する給与所得について同条第3項に規定する給与所得控除額の控除を受けた者（同条第1項に規定する給与等の収入金額が55万円を超える者に限る。）をいう。以下(1)において同じ。）の数及び公的年金等に係る所得を有する者（前年中に1に規定する総所得金額に係る所得税法第35条第3項に規定する公的年金等に係る所得について同条第4項に規定する公的年金等控除額の控除を受けた者（年齢65歳未満の者にあっては当該公的年金等の収入金額が60万円を超える者に限り、年齢65歳以上の者にあっては当該公的年金等の収入金額が110万円を超える者に限る。）をいい、給与所得を有する者を除く。）の数の合計数（以下(1)及び(2)において「給与所得者等の数」という。）が2以上の場合にあっては、43万円に当該給与所得者等の数から一を減じた数に10万円を乗じて得た金額を加算した金額）に当該世帯に属する国民健康保険の被保険者の数と特定同一世帯所属者の数の合計数に54万5,000円を乗じて得た金額を加算した金額（(2)の(三)又は(四)の規定による減額を行う場合には、43万円（納税義務者並びにその世帯に属する国民健康保険の被保険者及び特定同一世帯所属者のうち給与所得者等の数が2以上の場合にあっては、43万円に当該給与所得者等の数から1を減じた数に10万円を乗じて得た金額を加算した金額）に当該世帯に属する国民健康保険の被保険者の数と特定同一世帯所属者の数の合計数に29万5,000円を乗じて得た金額を加算した金額）とする。(令56の89①)

　　　　(政令で定める基準)
(2)　1に規定する(2)で定める基準は、次のとおりとする。(令56の89②)
(一)　減額は、被保険者均等割額及び世帯別平等割額（世帯別平等割額を課さない市町村においては、被保険者均等割額）について行うこと。
(二)　減額する額として条例で定める額は、当該市町村の当該年度分の国民健康保険税に係る被保険者均等割額又は世帯別平等割額に、イからハまでに掲げる世帯の区分に応じ、それぞれイからハまでに定める割合を乗じて得た額を基準として定めた額とすること。
　　イ　1に規定する総所得金額及び山林所得金額の合算額が43万円（納税義務者並びにその世帯に属する国民健康保険の被保険者及び特定同一世帯所属者のうち給与所得者等の数が2以上の場合にあっては、43万円に当該給与所得者等の数から1を減じた数に10万円を乗じて得た金額を加算した金額）を超えない世帯　　10分の7
　　ロ　1に規定する総所得金額及び山林所得金額の合算額が43万円（納税義務者並びにその世帯に属する国民健康保険の被保険者及び特定同一世帯所属者のうち給与所得者等の数が2以上の場合にあっては、43万円に当該給与所得者等の数から1を減じた数に10万円を乗じて得た金額を加算した金額）に当該世帯に属する国民健康保険の被保険者の数と特定同一世帯所属者の数の合計数に29万5,000円を乗じて得た金額を加算した金額を超えない世帯（イに掲げる世帯を除く。）　　10分の5
　　ハ　1に規定する総所得金額及び山林所得金額の合算額が43万円（納税義務者並びにその世帯に属する国民健康保険の被保険者及び特定同一世帯所属者のうち給与所得者等の数が2以上の場合にあっては、43万円に当該給与所得者等の数から1を減じた数に10万円を乗じて得た金額を加算した金額）に当該世帯に属する国民健康保険の被保険者の数と特定同一世帯所属者の数の合計数に54万5,000円を乗じて得た金額を加算した金額を超えない世帯（イ又はロに掲げる世帯を除く。）　　10分の2
(三)　(二)の規定による減額を行うことが困難であると認める市町村においては、(二)の規定にかかわらず、当該市町村の当該年度分の国民健康保険税に係る被保険者均等割額又は世帯別平等割額に、イ又はロに掲げる世帯の区分に応じ、それぞれイ又はロに定める割合を乗じて得た額の減額を行うことができること。
　　イ　(二)のイに掲げる世帯　　10分の6
　　ロ　(二)のロに掲げる世帯　　10分の4
(四)　(二)及び(三)の規定による減額を行うことが困難であると認める市町村においては、これらの規定にかかわらず、当該市町村の当該年度分の国民健康保険税に係る被保険者均等割額又は世帯別平等割額に、イ又はロに掲げる世帯の区分に応じ、それぞれイ又はロに定める割合を乗じて得た額の減額を行うことができること。
　　イ　(二)のイに掲げる世帯　　10分の5
　　ロ　(二)のロに掲げる世帯　　10分の3

(応益割合が100分の35未満の市町村の特例)
(3) 前年度及び当該年度における応益割合が100分の35未満の市町村は、1の(二)の規定にかかわらず、当分の間、同(二)のイの(ロ)に規定する割合を10分の6と、同ロの(ロ)に規定する割合を10分の4とすることができる。(平7政令150号附10)

(減額の趣旨)
(4) 国民健康保険税の減額は、低所得者の国民健康保険税の負担の軽減を図るため、国民健康保険税の納税義務者並びにその世帯に属する被保険者及び特定同一世帯所属者(三の3の(5)の(一)に規定する特定同一世帯所属者をいう。)の所得の合算額が一定額以下の場合には、当該納税義務者に課する被保険者均等割額及び世帯別平等割額を減額するものとし、また、子育て世帯の国民健康保険税の負担の軽減を図るため、国民健康保険税の納税義務者の属する世帯内の被保険者に未就学児(6歳に達する日以後の最初の3月31日以前である者をいう。)がある場合には、当該未就学児につき算定した被保険者均等割額を減額するものとする制度である。したがって、国民健康保険税の減免とはその性格を異にするものであり、かつ、当該減額に伴う国民健康保険税の減収額を補てんするため別途国民健康保険法の規定するところにより国及び都道府県の負担金が交付されるものであること。(市通9-7(6))

(6歳に達する日以後最初の3月31日以前である被保険者がある場合の被保険者均等割額の減額)
(5) 市町村は、国民健康保険税の納税義務者の属する世帯内に6歳に達する日以後の最初の3月31日以前である被保険者がある場合には、(6)で定める基準に従い当該市町村の条例で定めるところにより、当該納税義務者に対して課する被保険者均等割額を減額するものとする。(法703の5②)

((5)に規定する政令で定める基準)
(6) (5)に規定する政令で定める基準は、次のとおりとする。(令56の89③)
 (一) 減額は、被保険者均等割額(納税義務者の世帯に属する6歳に達する日以後の最初の3月31日以前である国民健康保険の被保険者につき算定した被保険者均等割額((2)に規定する基準に従い当該被保険者均等割額を減額するものとした場合にあっては、その減額後の被保険者均等割額)に限る。(二)において同じ。)について行うこと。
 (二) 減額する額として条例で定める額は、当該市町村の当該年度分の国民健康保険税に係る被保険者均等割額に10分の5を乗じて得た額を基準として定めた額とすること。

(国民健康保険税の納税義務者等が出産する場合等の所得割額等の減額)
(7) 市町村は、国民健康保険税の納税義務者又はその世帯に属する被保険者が出産する予定の場合又は出産した場合には、政令で定める基準に従い当該市町村の条例で定めるところにより、当該納税義務者に対して課する所得割額及び被保険者均等割額を減額するものとする。(法703の5③)

((7)に規定する政令で定める基準)
(8) (7)に規定する政令で定める基準は、次のとおりとする。(令56の89④)
 (一) 減額は、所得割額(納税義務者の世帯に属する出産する予定の国民健康保険の被保険者又は出産した国民健康保険の被保険者(以下「出産被保険者」という。)につき算定した所得割額に限る。以下同じ。)及び被保険者均等割額(出産被保険者につき算定した被保険者均等割額((2)に規定する基準に従い当該被保険者均等割額を減額するものとした場合にあっては、その減額後の被保険者均等割額)に限る。以下同じ。)について行うこと。
 (二) 減額する額として条例で定める額は、当該市町村の当該年度分の国民健康保険税に係る所得割額及び被保険者均等割額のうち、出産被保険者の出産の予定日((9)で定める場合には、出産の日)の属する月(以下「出産予定月」という。)の前月(多胎妊娠の場合には、3月前)から出産予定月の翌々月までの期間に係る額を基準として定めた額とすること。

((8)に規定する総務省令で定める場合)
(9) (8)の(二)に規定する(9)で定める場合は、次の各号のいずれかに該当する場合とする。(規24の30の5)
 (一) 被保険者が出産した後に、その者の属する世帯の納税義務者が、市町村長に対し、(8)の(一)に規定する所得割額及び被保険者均等割額の減額の実施に必要な事項を届け出た場合
 (二) 被保険者が出産した後に、その者の属する世帯の納税義務者による(一)の届出が行われていない場合であって、市町村長が、当該減額の実施に必要な事項を確認することができた場合

2　特例対象被保険者等に係る国民健康保険税の課税の特例

(一)　国民健康保険税の納税義務者又はその世帯に属する被保険者若しくは特定同一世帯所属者が特例対象被保険者等である場合における三の3の(1)及び1の規定の適用については、三の3の(1)中「規定する総所得金額」とあるのは「規定する総所得金額（本項に規定する特例対象被保険者等の総所得金額に給与所得が含まれている場合には、当該給与所得については、所得税法第28条《給与所得》第２項の規定により計算した金額の100分の30に相当する金額によるものとする。(2)において同じ。）」と、「同条第２項」とあるのは「第314条の２第２項」と、1中「総所得金額（」とあるのは「総所得金額（次条第２項に規定する特例対象被保険者等の総所得金額に給与所得が含まれている場合には、当該給与所得については、所得税法第28条第２項の規定により計算した金額の100分の30に相当する金額によるものとし、」と、「所得税法」とあるのは「同法」とする。（法703の５の２①）

(二)　(一)に規定する特例対象被保険者等とは、被保険者又は特定同一世帯所属者のうち次の各号のいずれかに該当する者（これらの者の雇用保険法第14条第２項第１号に規定する受給資格（以下この項において「受給資格」という。）に係る同法第４条第２項に規定する離職の日の翌日の属する年度の翌年度の末日までの間にある者に限る。）をいう。（法703の５の２②）

| ① | 雇用保険法第23条第２項に規定する特定受給資格者 |
| ② | 雇用保険法第13条第３項に規定する特定理由離職者であって受給資格を有するもの |

八　質問検査権

1　徴税吏員の調査に係る質問検査権

地方団体の徴税吏員は、国民健康保険税の賦課徴収に関する調査のために必要がある場合においては、次に掲げる者に質問し、又は(一)から(三)までの者の事業に関する帳簿書類（その作成又は保存に代えて電磁的記録（電子的方式、磁気的方式その他の人の知覚によっては認識することができない方式で作られる記録であって、電子計算機による情報処理の用に供されるものをいう。）の作成又は保存がされている場合における当該電磁的記録を含む。2の(一)及び(二)において同じ。）その他の物件を検査し、若しくは当該物件（その写しを含む。）の提示若しくは提出を求めることができる。（法707①）

(一)　納税義務者又は納税義務があると認められる者
(二)　特別徴収義務者
(三)　(一)又は(二)に掲げる者に金銭又は物品を給付する義務があると認められる者
(四)　(一)から(三)までに掲げる者以外の者で当該国民健康保険税の賦課徴収に関し直接関係があると認められる者

　　（分割承継法人及び分割法人に対する質問検査権）
(１)　1の(一)又は(二)に掲げる者を分割法人（分割によりその有する資産及び負債の移転を行った法人をいう。以下(１)において同じ。）とする分割に係る分割承継法人（分割により分割法人から資産及び負債の移転を受けた法人をいう。以下(１)において同じ。）及び1の(一)又は(二)に掲げる者を分割承継法人とする分割に係る分割法人は、同(三)に規定する金銭又は物品を給付する義務があると認められる者に含まれるものとする。（法707②）

　　（身分証明証の提示）
(２)　1の場合においては、当該徴税吏員は、その身分を証明する証票を携帯し、関係人の請求があったときは、これを提示しなければならない。（法707③）

　　（提出物件の留置き）
(３)　地方団体の徴税吏員は、(４)で定めるところにより、1の規定により提出を受けた物件を留め置くことができる。（法707④）

　　（提出物件に関する書面の交付）
(４)　地方団体の徴税吏員は、(３)の規定により物件を留め置く場合には、当該物件の名称又は種類及びその数量、当該物件の提出年月日並びに当該物件を提出した者の氏名及び住所又は居所その他当該物件の留置きに関し必要な事項を記載した書面を作成し、当該物件を提出した者にこれを交付しなければならない。（令56の89の３①）

(提出物件の返還)
（5） 地方団体の徴税吏員は、（3）の規定により留め置いた物件につき留め置く必要がなくなったときは、遅滞なく、これを返還しなければならない。（令56の89の3②）

(提出物件の管理義務)
（6） 地方団体の徴税吏員は、（5）に規定する物件を善良な管理者の注意をもって管理しなければならない。（令56の89の3③）

(滞納処分に関する調査についての不適用)
（7） 国民健康保険税に係る滞納処分に関する調査については、1の規定にかかわらず、十六の2の（6）《国税徴収法の例による滞納処分》の定めるところによる。（法707⑤）

(質問検査権の解釈)
（8） 1又は（3）の規定による地方団体の徴税吏員の権限は、犯罪捜査のために認められたものと解釈してはならない。（法707⑥）

2 検査拒否等に関する罪
次の各号のいずれかに該当する場合には、その違反行為をした者は、1年以下の懲役又は50万円以下の罰金に処する。（法708①）
（一） 1の規定による帳簿書類その他の物件の検査を拒み、妨げ、又は忌避したとき。
（二） 1の規定による物件の提示又は提出の要求に対し、正当な理由がなくこれに応ぜず、又は偽りの記載若しくは記録をした帳簿書類その他の物件（その写しを含む。）を提示し、若しくは提出したとき。
（三） 1の規定による徴税吏員の質問に対し答弁をしないとき、又は虚偽の答弁をしたとき。

(両罰規定)
注 法人の代表者又は法人若しくは人の代理人、使用人その他の従業者がその法人又は人の業務又は財産に関して2の違反行為をした場合には、その行為者を罰する外、その法人又は人に対し、同項の罰金刑を科する。（法708②）

九 納税管理人

1 納税管理人
国民健康保険税の納税義務者（特別徴収に係る国民健康保険税の納税義務者を除く。注及び3において同じ。）又は特別徴収義務者は、納付義務又は納入義務を負う市町村内に住所、居所、事務所又は事業所（以下1において「住所等」という。）を有しない場合においては、納付又は納入に関する一切の事項を処理させるため、当該市町村の条例で定める地域内に住所等を有する者のうちから納税管理人を定めてこれを市町村長に申告し、又は当該地域外に住所等を有する者のうち当該事項の処理につき便宜を有するものを納税管理人として定めることについて市町村長に申請してその承認を受けなければならない。納税管理人を変更し、又は変更しようとする場合においても、また、同様とする。（法709①）

(納税管理人を定めることを要しない場合)
注 1の規定にかかわらず、当該納税義務者又は特別徴収義務者は、当該納税義務者又は特別徴収義務者に係る国民健康保険税の徴収の確保に支障がないことについて市町村長に申請してその認定を受けたときは、納税管理人を定めることを要しない。（法709②）

2 納税管理人に係る虚偽の申告等に関する罪
1の規定により申告すべき納税管理人について虚偽の申告をし、又は偽りその他不正の手段により1の承認若しくは1の注の認定を受けたときは、その違反行為をした者は、30万円以下の罰金に処する。（法710①）

(両罰規定)
注 法人の代表者又は法人若しくは人の代理人、使用人その他の従業者がその法人又は人の業務又は財産に関して2の違反行為をした場合には、その行為者を罰するほか、その法人又は人に対し、同項の刑を科する。（法710②）

3 納税管理人に係る不申告等に関する過料

市町村は、1の注の認定を受けていない国民健康保険税の納税義務者又は特別徴収義務者で1の承認を受けていないものが1の規定によって申告すべき納税管理人について正当な事由がなくて申告をしなかった場合においては、その者に対し、当該市町村の条例で30万円以下の過料を科する旨の規定を設けることができる。（法711）

十 賦課徴収

1 賦課期日及び納期

① 納期

国民健康保険税の納期（2の②及び③、5の⑦及び同（1）並びに同⑧の規定による特別徴収の方法による場合の納期を除く。）は、当該市町村の条例で定める。（法705①）

② 賦課期日

国民健康保険税の賦課期日は、4月1日とする。（法705②）

2 徴収の方法

① 徴収の方法

国民健康保険税の徴収については、徴収の便宜に従い、当該市町村の条例で定めるところにより、普通徴収又は特別徴収の方法によらなければならない。（法706①）

(収入区分及び市町村の徴税吏員による徴収)
注 国民健康保険税の収入区分は、国民健康保険特別会計へ直接全額収入するものとすること。この場合においても本税の徴収については、市町村の徴税吏員がこれを行うものであること。（市通9－7（8））

② 特別徴収対象被保険者に対する特別徴収

①の規定にかかわらず、市町村は、当該年度の初日において、当該市町村の国民健康保険税の納税義務者が**老齢等年金給付**（国民年金法による老齢基礎年金その他の同法又は厚生年金保険法による老齢、障害又は死亡を支給事由とする年金たる給付であって政令で定めるもの及びこれらの年金たる給付に類する老齢若しくは退職、障害又は死亡を支給事由とする年金たる給付であって政令で定めるものをいう。以下この章において同じ。）の支払を受けている年齢65歳以上の被保険者である世帯主（災害その他の特別の事情があることにより、特別徴収の方法によって国民健康保険税を徴収することが著しく困難であると認めるものその他注で定めるものを除く。以下この章において「**特別徴収対象被保険者**」という。）である場合には、当該世帯主に対して課する国民健康保険税を特別徴収の方法によって徴収するものとする。ただし、特別徴収対象被保険者が少ないことその他の特別の事情があることにより、特別徴収を行うことが適当でないと認められる市町村においては、この限りでない。（法706②）

(特別徴収対象被保険者から除かれる世帯主)
注 ②に規定する注で定める世帯主は、次の各号に掲げる場合のいずれかに該当する者とする。（令56の89の2③）
(一) 当該世帯主の老齢等年金給付の年額（当該年度分の老齢等年金給付の額の総額として総務省令で定めるところにより算定した額をいう。(二)において同じ。）が18万円未満である場合その他の当該世帯主が当該市町村の行う介護保険の介護保険法第135条第5項に規定する特別徴収対象被保険者でない場合
(二) 当該世帯主が当該市町村の行う介護保険の介護保険法第135条第5項に規定する特別徴収対象被保険者である場合であって、当該世帯主に係るイ及びロに掲げる額の合計額が老齢等年金給付の年額を6で除して得た額の2分の1に相当する額を超えるとき。
 イ ②、③、5の⑦又は同⑧の規定により国民健康保険税を特別徴収の方法によって徴収するものとして、5の③の注（同⑥において準用する場合を含む。）又は同⑧の（1）の規定を適用して算定した支払回数割保険税額、支払回数割保険税額に相当する額又は支払回数割保険税額の見込額
 ロ 介護保険法第135条第3項、第136条第1項（介護保険法施行令第45条の2第1項及び第45条の3第1項において準用する場合を含む。）又は第140条第1項若しくは第2項に規定する支払回数割保険料額の見込額、支払回数

　　　　割保険料額又は支払回数割保険料額に相当する額
　(三)　当該世帯主の属する世帯に65歳未満の国民健康保険の被保険者が属する場合
　(四)　前3号に掲げる場合のほか、国民健康保険税について、普通徴収の方法による納付の実績が相当程度ある当該世帯主から口座振替の方法により納付する旨の申出があったことその他の事情を考慮した上で、特別徴収の方法によって徴収するよりも普通徴収の方法によって徴収することが国民健康保険税の徴収を円滑に行うことができると市町村長が認める場合

③　4月2日から8月1日までの間に特別徴収対象被保険者となった場合
　市町村(②ただし書に規定する市町村を除く。以下において同じ。)は、当該年度の初日の属する年の4月2日から8月1日までの間に、当該市町村の国民健康保険税の納税義務者が特別徴収対象被保険者となった場合には、当該特別徴収対象被保険者に対して課する国民健康保険税を、特別徴収の方法によって徴収することができる。(法706③)

3　徴収の特例

①　仮算定税額による徴収
　市町村は、国民健康保険税の所得割額の算定の基礎に用いる三の3の(1)《所得割額の算定》に規定する控除後の総所得金額及び山林所得金額の合計額が確定しないため当該年度分の国民健康保険税額を確定することができない場合においては、その確定する日までの間において到来する納期において普通徴収の方法によって徴収すべき国民健康保険税に限り、国民健康保険税の納税義務者について、その者の前年度の国民健康保険税額を当該年度の納期の数で除して得た額又はその者の前年度の国民健康保険税の最後の納期の税額に相当する額の範囲内において、それぞれの納期に係る国民健康保険税を徴収することができる。ただし、当該徴収することができる額の総額は、前年度の国民健康保険税額の2分の1に相当する額を超えることができない。(法706の2①)

　　(徴収の特例に関する留意事項)
　注　当該年度分の国民健康保険税額を確定することができない場合においては、普通徴収の方法によって徴収すべき国民健康保険税に限り、前年度の国民健康保険税の額を当該年度の納期の数で除して得た額又は前年度の国民健康保険税の最後の納期の税額に相当する額の範囲内で徴収の特例に係るそれぞれの納期の国民健康保険税を徴収することができるものであるが、そのいずれの方法によって徴収するかは、市町村がその実情に応じて条例で定めるものであること。(市通9－7(7))

②　不足税額の徴収及び過納額の還付又は充当
　市町村は、①の規定によって国民健康保険税を賦課した場合において、当該国民健康保険税額が当該年度分の国民健康保険税額に満たないこととなるときは、当該年度分の国民健康保険税額が確定した日以後の納期においてその不足税額を徴収し、既に徴収した国民健康保険税額が当該年度分の国民健康保険税額を超えることとなるときは、法第17条《過誤納金の還付》又は第17条の2《過誤納金の充当》の規定の例によって、その過納額を還付し、又は当該納税義務者の未納に係る地方団体の徴収金に充当しなければならない。(法706の2②)

③　徴収の特例に係る税額の修正の申出
　①の規定によって国民健康保険税を賦課した場合において、当該年度分の国民健康保険税額が前年度の国民健康保険税額の2分の1に相当する額に満たないこととなると認められるときは、①の規定によって国民健康保険税を徴収されることとなる者は、条例で定める期限までに、市町村長に①の規定によって徴収される国民健康保険税額の修正を申し出ることができる。(法706の3①)

④　市町村長の税額の修正
　③の規定による修正の申出があった場合において、当該申出について相当の理由があると認められるときは、市町村長は、当該年度分の国民健康保険税額の見積額を基礎として、①の規定によって徴収する国民健康保険税額を修正しなければならない。(法706の3②)

　　(修正の申出等に係る準用規定)
　注　法第364条の2第2項、第3項、第5項及び第6項《仮算定税額に係る固定資産税の修正の申出等》の規定は、③又

4 普通徴収の手続

　国民健康保険税を普通徴収によって徴収しようとする場合において納税者に交付すべき納税通知書は、遅くとも、その納期限前10日までに納税者に交付しなければならない。（法713）

5 特別徴収の手続等

① 特別徴収の手続

　国民健康保険税を特別徴収（2の②及び③、下記⑦及び同（1）並びに⑧の規定による特別徴収を除く。）によって徴収しようとする場合においては、当該国民健康保険税の徴収の便宜を有する者を当該市町村の条例によって特別徴収義務者として指定し、これに徴収させなければならない。（法718①）

　　　（納入金の申告・納入）
（1）②の特別徴収義務者は、当該国民健康保険税の納期限までにその徴収すべき国民健康保険税に係る課税標準額、税額その他同条例で定める事項を記載した納入申告書を市町村長に提出し、及びその納入金を当該市町村に納入する義務を負う。（法718②）

　　　（納税者に対する求償権）
（2）（1）の規定によって納入した納入金のうち国民健康保険税の納税者が特別徴収義務者に支払わなかった税金に相当する部分については、特別徴収義務者は、当該納税者に対して求償権を有する。（法718③）

　　　（求償権に基づく訴えに対する援助義務）
（3）特別徴収義務者が（2）の求償権に基づいて訴えを提起した場合においては、徴税吏員は、職務上の秘密に関する場合を除く外、証拠の提供その他必要な援助を与えなければならない。（法718④）

② 年金保険者の特別徴収義務

　市町村は、2の②及び③、下記⑦及び同（1）並びに⑧の規定により特別徴収の方法によって国民健康保険税を徴収しようとする場合においては、当該特別徴収対象被保険者に係る老齢等年金給付の支払をする者（以下この章において「**年金保険者**」という。）を特別徴収義務者として当該国民健康保険税を徴収させなければならない。（法718の2①）

　　　（老齢等年金給付が二以上ある場合の特別徴収）
　注　市町村は、同一の特別徴収対象被保険者について老齢等年金給付が二以上ある場合においては、政令で定めるところにより、一の老齢等年金給付（以下この章において「**特別徴収対象年金給付**」という。）について国民健康保険税を徴収させるものとする。（法718の2②）

③ 特別徴収税額の通知等

　市町村は、2の②の規定により特別徴収の方法によって特別徴収対象被保険者に対して課する国民健康保険税を徴収しようとする場合においては、当該国民健康保険税を特別徴収の方法によって徴収する旨、当該特別徴収対象被保険者に係る支払回数割保険税額その他総務省令で定める事項を、当該年金保険者に対しては当該年度の初日の属する年の7月31日（政令で定める年金保険者については、政令で定める日）までに、当該特別徴収対象被保険者に対しては当該年の9月30日までに通知しなければならない。（法718の3①）

　　　（支払回数割保険税額）
　注　③の支払回数割保険税額は、総務省令で定めるところにより、当該特別徴収対象被保険者につき、特別徴収の方法によって徴収する国民健康保険税額（当該特別徴収対象被保険者に対して課する当該年度分の国民健康保険税額から普通徴収の方法によって徴収される額を控除して得た額とする。⑨及び⑩の注において「特別徴収対象保険税額」という。）を、当該年度の初日の属する年の10月1日から翌年の3月31日までの間における当該特別徴収対象被保険者に係る特別徴収対象年金給付の支払の回数で除して得た額とする。（法718の3②）

④ 特別徴収の方法によって徴収した国民健康保険税額の納入の義務
　年金保険者は③の規定による通知を受けた場合においては、③の注に規定する支払回数割保険税額を、総務省令で定めるところにより、当該年度の初日の属する年の10月１日から翌年の３月31日までの間において特別徴収対象年金給付の支払をする際徴収し、その徴収した日の属する月の翌月の10日までに、これを当該市町村に納入する義務を負う。（法718の４）

⑤ 被保険者資格喪失等の場合の通知等
　市町村は、③の規定により③の注に規定する支払回数割保険税額を年金保険者に通知した後に当該通知に係る特別徴収対象被保険者が被保険者である資格を喪失した場合その他総務省令で定める場合には、総務省令で定めるところにより、その旨を当該年金保険者及び当該特別徴収対象被保険者に通知しなければならない。（法718の５①）

　　（年金保険者が被保険者資格喪失等の通知を受けた場合の手続）
　注　年金保険者が⑤の規定による通知を受けた場合には、その通知を受けた日以降、③の注に規定する支払回数割保険税額を徴収して納入する義務を負わない。この場合において、年金保険者は、直ちに当該通知に係る特別徴収対象被保険者に係る国民健康保険税徴収の実績その他必要な事項を当該通知をした市町村に通知しなければならない。（法718の５②）

⑥ 特別徴収の手続規定の準用
　③から⑤までの規定は、２の③の規定による特別徴収について準用する。この場合における読替えは次の表のとおりとするほか、これらの規定に関し必要な技術的読替えは、政令で定める。（法718の６）

読み替える規定	読み替えられる字句	読み替える字句	
		４月２日から６月１日までの間に特別徴収対象被保険者となった場合	６月２日から８月１日までの間に特別徴収対象被保険者となった場合
③	７月31日	９月30日	11月30日
	当該年の９月30日	当該年の11月30日	その翌年の１月31日
③の注	10月１日から翌年の３月31日まで	12月１日から翌年の３月31日まで	翌年の２月１日から３月31日まで
④	10月１日から翌年の３月31日まで	12月１日から翌年の３月31日まで	翌年の２月１日から３月31日まで

⑦ 既に特別徴収対象被保険者であった者に係る仮徴収
　市町村は、当該年度の初日に属する年の前年の10月１日からその翌年の３月31日までの間における特別徴収対象年金給付の支払の際、２の②及び③の規定により上記③の注に規定する支払回数割保険税額を徴収されていた特別徴収対象被保険者について、当該支払回数割保険税額の徴収に係る特別徴収対象年金給付が当該年度の初日からその日の属する年の９月30日までの間において支払われる場合においては、その支払に係る国民健康保険税額として、当該支払回数割保険税額に相当する額を、総務省令で定めるところにより、特別徴収の方法によって徴収するものとする。（法718の７①）

　　（支払回数割保険税額相当額を徴収することが適当でないと認められる特別な事情がある場合）
（１）市町村は、⑦に規定する特別徴収対象被保険者について、当該年度の初日の属する年の６月１日から９月30日までの間において、⑦に規定する支払回数割保険税額に相当する額を徴収することが適当でないと認められる特別な事情がある場合においては、⑦の規定にかかわらず、それぞれの支払に係る国民健康保険税額として、所得の状況その他の事情を勘案して市町村が定める額を、総務省令で定めるところにより、特別徴収の方法によって徴収することができる。（法718の７②）

　　（特別徴収の手続規定の準用）
（２）③、④及び⑤の規定は、⑦及び（１）の規定による特別徴収についてそれぞれ準用する。この場合における読替えは次の表のとおりとするほか、これらの規定に関し必要な技術的読替えは、政令で定める。（法718の７③）

読み替える規定	読み替えられる字句	読み替える字句	
		⑦の規定による特別徴収に係る場合	(1)の規定による特別徴収に係る場合
③	7月31日	1月31日	4月30日
	9月30日	3月31日	5月31日
④	10月1日から翌年の3月31日まで	4月1日から9月30日まで	6月1日から9月30日まで

（年金保険者又は特別徴収対象被保険者に対する通知）
（3） 市町村は、（2）において準用する③の規定による年金保険者又は特別徴収対象被保険者に対する通知については、当該年度の前年度分の国民健康保険税に係る③（⑥において準用する場合を含む。）の規定による年金保険者又は特別徴収対象被保険者に対する通知とそれぞれ併せて行うことができる。（法718の7④）

（当該年度の初日から9月30日までの間において既に特別徴収対象被保険者であった者に係る仮徴収が行われた場合の手続規定の適用）
（4） 当該年度の初日からその日の属する年の9月30日までの間において⑦又は(1)の規定による特別徴収が行われた特別徴収対象被保険者について、2の②の規定の適用がある場合における③から⑤までの規定の適用については、③の注中「という。」とあるのは、「という。」から、⑦又は同注の規定により当該年度の初日からその日の属する年の9月30日までの間に徴収された額の合計額を控除して得た額」とする。（法718の7⑤）

（前年の10月1日から翌年の3月31日までの間において支払回数割保険税額を徴収する場合における⑦の規定の適用）
（5） 当該年度の初日の属する年の前年の10月1日からその翌年の3月31日までの間において、2の②又は③の規定により(4)の規定により読み替えて適用される③の注に規定する支払回数割保険税額を徴収する場合における⑦の規定の適用については、⑦中「③の注（⑥において準用する場合を含む。）」とあるのは、「(4)の規定により読み替えて適用される③の注」とする。（法718の7⑥）

⑧ **新たに特別徴収対象被保険者となった者に係る仮徴収**
　市町村は、次の各号に掲げる者について、それぞれ当該各号に定める期間において特別徴収対象年金給付が支払われる場合においては、その支払に係る国民健康保険税額として、支払回数割保険税額の見込額（当該額によることが適当でないと認められる特別な事情がある場合においては、所得の状況その他の事情を勘案して市町村が定める額とする。）を、総務省令で定めるところにより、特別徴収の方法によって徴収するものとする。（法718の8①）

(一)	2の③に規定する特別徴収対象被保険者の国民健康保険税について同③の規定による特別徴収の方法によって徴収が行われなかった場合の当該特別徴収対象被保険者又は当該年度の初日の属する年の前年の8月2日から10月1日までの間に当該市町村の特別徴収対象被保険者となった者	当該年度の初日からその日の属する年の9月30日までの間
(二)	当該年度の初日の属する年の前年の10月2日から12月1日までの間に当該市町村の特別徴収対象被保険者となった者	当該年度の初日の属する年の6月1日から9月30日までの間
(三)	当該年度の初日の属する年の前年の12月2日からその翌年の2月1日までの間に当該市町村の特別徴収対象被保険者となった者	当該年度の初日の属する年の8月1日から9月30日までの間

（支払回数割保険税額の見込額）
（1） ⑧の支払回数割保険税額の見込額は、当該特別徴収対象被保険者に対して課する当該年度の前年度分の国民健康保険税額に相当する額として政令で定めるところにより算定した額を当該特別徴収対象被保険者に係る特別徴収対象年金給付の当該年度における支払の回数で除して得た額（当該金額に100円未満の端数があるとき、又は当該金額の全額が100円未満であるときは、その端数金額又はその全額を切り捨てた金額）とする。（法718の8②）

(特別徴収の手続規定の準用)
(2) ③、④及び⑤の規定は、⑧の規定による特別徴収について準用する。この場合における読替えは次の表のとおりとするほか、これらの規定に関し必要な技術的読替えは、政令で定める。(法718の8③)

読み替える規定	読み替えられる字句	読み替える字句		
		⑧の(一)に掲げる者に係る場合	⑧の(二)に掲げる者に係る場合	⑧の(三)に掲げる者に係る場合
③	7月31日	1月31日	3月31日	5月31日
	9月30日	3月31日	5月31日	7月31日
④	10月1日から翌年の3月31日まで	4月1日から9月30日まで	6月1日から9月30日まで	8月1日から9月30日まで

(当該年度の初日から9月30日までの間において新たに特別徴収対象被保険者となった者に係る仮徴収が行われた場合の手続規定の適用)
(3) 当該年度の初日からその日の属する年の9月30日までの間において⑧の規定による特別徴収が行われた特別徴収対象被保険者について、2の②の規定の適用がある場合における③から⑤までの規定の適用については、③の注中「という。」とあるのは、「という。)から、⑧の規定により当該年度の初日からその日の属する年の9月30日までの間に徴収された額の合計額を控除して得た額」とする。(法718の8④)

(前年の10月1日から翌年の3月31日までの間において支払回数割保険税額を徴収する場合における⑦の規定の適用)
(4) 当該年度の初日の属する年の前年の10月1日からその翌年の3月31日までの間において、2の②の規定により(3)の規定により読み替えて適用される③の注に規定する支払回数割保険税額を徴収する場合における⑦の規定の適用については、⑦中「③の注(⑥において準用する場合を含む。)」とあるのは、「⑧の(3)の規定により読み替えて適用される③の注」とする。(法718の8⑤)

⑨ 特別徴収対象年金給付の支払を受けなくなった場合の取扱い

年金保険者は、当該年金保険者が2の②若しくは③、上記⑦若しくは同(1)又は⑧の規定により徴収すべき特別徴収対象保険税額に係る特別徴収対象被保険者が当該年金保険者から特別徴収対象年金給付の支払を受けないこととなった場合その他総務省令で定める場合においては、その事由が発生した日の属する月の翌月以降徴収すべき特別徴収対象保険税額は、これを徴収して納入する義務を負わない。(法718の9①)

(特別徴収対象年金給付の支払を受けなくなった場合の手続)
注 ⑨に規定する場合においては、年金保険者は、総務省令で定めるところにより、特別徴収対象年金給付の支払を受けないこととなった特別徴収対象被保険者その他総務省令で定める者の氏名、当該特別徴収対象被保険者に係る国民健康保険税徴収の実績その他必要な事項を、特別徴収に係る納入金を納入すべき市町村に通知しなければならない。(法718の9②)

⑩ 普通徴収国民健康保険税額への繰入れ

市町村は、特別徴収対象被保険者が特別徴収対象年金給付の支払を受けなくなったこと等により国民健康保険税を特別徴収の方法によって徴収されないこととなった場合においては、特別徴収の方法によって徴収されないこととなった額に相当する国民健康保険税額を、その特別徴収の方法によって徴収されないこととなった日以後において到来する1の①の納期がある場合においてはそのそれぞれの納期において、その日以後に到来する同①の納期がない場合においては直ちに、普通徴収の方法によって徴収しなければならない。(法718の10①)

(既に年金保険者から納入された特別徴収対象保険税額が徴収すべき特別徴収対象保険税額を超える場合の取扱い)
注 市町村は、特別徴収対象被保険者について、既に年金保険者から納入された特別徴収対象保険税額が当該特別徴収対象被保険者から徴収すべき特別徴収対象保険税額を超える場合(徴収すべき特別徴収対象保険税額がない場合を含む。)においては、当該過納又は誤納に係る税額は、法第17条《過誤納金の還付》の規定の例によって当該特別徴収対

象被保険者に還付しなければならない。ただし、当該特別徴収対象被保険者の未納に係る地方団体の徴収金がある場合においては、法第17条の2《過誤納金の充当》の規定の例によってこれに充当することができる。この場合においては、当該年金保険者について法第17条及び第17条の2の規定の適用はないものとする。（法718の10②）

十一　課税の特例

1　公的年金等に係る所得がある場合の課税の特例

当分の間、世帯主又はその世帯に属する国民健康保険の被保険者若しくは特定同一世帯所属者が、前年中に所得税法第35条第3項に規定する公的年金等に係る所得について同条第4項に規定する公的年金等控除額（年齢65歳以上である者に係るものに限る。）の控除を受けた場合における七の1《所得基準による被保険者均等割額又は世帯別平等割額の減額》の規定の適用については、同1中「総所得金額（」とあるのは「総所得金額（所得税法第35条第3項に規定する公的年金等に係る所得については、同条第2項第1号の規定によって計算した金額から15万円を控除した金額によるものとし、」と、「所得税法」とあるのは「同法」とする。（法附35の5①、令附18の8）

2　上場株式等に係る配当所得がある場合の課税の特例

世帯主又はその世帯に属する国民健康保険の被保険者若しくは特定同一世帯所属者が法附則第33条の2第5項《上場株式等に係る配当所得に係る市町村民税の課税の特例》の事業所得又は雑所得を有する場合における一から六まで、七《減額》並びに十の3の①《仮算定税額による徴収》及び②《不足税額の徴収及び過納額の還付又は充当》の規定の適用については、三の3の(1)、七の1及び十の3の①中「及び山林所得金額」とあるのは「及び山林所得金額並びに法附則第33条の2第5項《上場株式等に係る配当所得に係る市町村民税の課税の特例》に規定する上場株式等に係る配当所得の金額」と、三の3の(1)中「同条第2項」とあるのは「法第314条の2第2項《基礎控除》」と、同(2)中「又は山林所得金額」とあるのは「若しくは山林所得金額又は法附則第33条の2第5項《上場株式等に係る配当所得に係る市町村民税の課税の特例》に規定する上場株式等に係る配当所得の金額」とする。（法附35の6、令附18の9）

3　土地の譲渡等に係る事業所得等がある場合の課税の特例

世帯主又はその世帯に属する国民健康保険の被保険者若しくは特定同一世帯所属者が法附則第33条の3第5項《土地の譲渡等に係る事業所得等に係る市町村民税の課税の特例》の事業所得又は雑所得を有する場合における一から六まで、七《減額》並びに十の3の①《仮算定税額による徴収》及び②《不足税額の徴収及び過納額の還付又は充当》の規定の適用については、三の3の(1)、七の1及び十の3の①中「及び山林所得金額」とあるのは「及び山林所得金額並びに法附則第33条の3第5項《土地の譲渡等に係る事業所得等に係る市町村民税の課税の特例》に規定する土地等に係る事業所得等の金額」と、三の3の(1)中「同条第2項」とあるのは「法第314条の2第2項《基礎控除》」と、同(2)中「又は山林所得金額」とあるのは「若しくは山林所得金額又は法附則第33条の3第5項《土地の譲渡等に係る事業所得等に係る市町村民税の課税の特例》に規定する土地等に係る事業所得等の金額」と、七の1中「この章中山林所得金額」とあるのは「この章中山林所得金額又は法附則第33条の3第5項《土地の譲渡等に係る事業所得等に係る市町村民税の課税の特例》に規定する土地等に係る事業所得等の金額」とする。（法附35の7、令附19）

4　分離長期・短期譲渡所得がある場合の課税の特例

①　分離長期譲渡所得がある場合の課税の特例

世帯主又はその世帯に属する国民健康保険の被保険者若しくは特定同一世帯所属者が法附則第34条第4項《長期譲渡所得に係る市町村民税の課税の特例》の譲渡所得を有する場合における一から六まで、七《減額》並びに十の3の①《仮算定税額による徴収》及び②《不足税額の徴収及び過納額の還付又は充当》の規定の適用については、三の3の(1)中「及び山林所得金額の合計額から同条第2項」とあるのは「及び山林所得金額並びに法附則第34条第4項《長期譲渡所得に係る市町村民税の課税の特例》に規定する長期譲渡所得の金額（租税特別措置法第33条の4第1項若しくは第2項、第34条第1項、第34条の2第1項、第34条の3第1項、第35条第1項、第35条の2第1項、第35条の3第1項又は第36条の規定に該当する場合には、これらの規定の適用により同法第31条第1項に規定する長期譲渡所得の金額から控除する金額を控除した金額。以下(1)及び十の3の①において「控除後の長期譲渡所得の金額」という。）の合計額から法第314条の2第2項」と、「及び山林所得金額の合計額（」とあるのは「及び山林所得金額並びに控除後の長期譲渡所得の金額の合計額（」と、同(2)中「又は山林所得金額」とあるのは「若しくは山林所得金額又は法附則第34条第4項《長期譲渡所得に係る市町村民税の課税の特例》に規定する長期譲渡所得の金額」と、同七中「及び山林所得金額」とあるのは「及び山林所得金

額並びに法附則第34条第4項に規定する長期譲渡所得の金額」と、十の3の①中「及び山林所得金額」とあるのは「及び山林所得金額並びに控除後の長期譲渡所得の金額」とする。(法附36①、令附19の2①)

② 分離短期譲渡所得がある場合の課税の特例
　世帯主又はその世帯に属する国民健康保険の被保険者若しくは特定同一世帯所属者が法附則第35条第5項《短期譲渡所得に係る市町村民税の課税の特例》の譲渡所得を有する場合における一から六まで、七並びに十の3の①及び②の規定の適用については、三の3の(1)中「及び山林所得金額の合計額から同条第2項」とあるのは「及び山林所得金額並びに法附則第35条第5項に規定する短期譲渡所得の金額（租税特別措置法第33条の4第1項若しくは第2項、第34条第1項、第34条の2第1項、第34条の3第1項、第35条第1項又は第36条の規定に該当する場合には、これらの規定の適用により同法第32条第1項に規定する短期譲渡所得の金額から控除する金額を控除した金額。以下(1)及び十の3の①において「控除後の短期譲渡所得の金額」という。）の合計額から法第314条の2第2項」と、「及び山林所得金額の合計額（」とあるのは「及び山林所得金額並びに控除後の短期譲渡所得の金額の合計額（」と、同(2)中「又は山林所得金額」とあるのは「若しくは山林所得金額又は法附則第35条第5項に規定する短期譲渡所得の金額」と、七中「及び山林所得金額」とあるのは「及び山林所得金額並びに法附則第35条第5項に規定する短期譲渡所得の金額」と、十の3の①中「及び山林所得金額」とあるのは「及び山林所得金額並びに控除後の短期譲渡所得の金額」とする。(法附36②、令附19の2②)

5　株式等に係る譲渡所得等がある場合の課税の特例

① 一般株式等に係る譲渡所得等がある場合の課税の特例
　世帯主又はその世帯に属する国民健康保険の被保険者若しくは特定同一世帯所属者が附則第35条の2第5項の一般株式等に係る譲渡所得等を有する場合における一から六まで、七の1及び十の3の①及び②の規定の適用については、三の3の(1)、七の1及び十の3の①中「及び山林所得金額」とあるのは「及び山林所得金額並びに法附則第35条の2第5項に規定する一般株式等に係る譲渡所得等の金額」と、三の3の(1)中「同条第2項」とあるのは「第314条の2第2項」と、三の3の(2)中「又は山林所得金額」とあるのは「若しくは山林所得金額又は法附則第35条の2第5項に規定する一般株式等に係る譲渡所得等の金額」と、七の1中「この章中山林所得金額」とあるのは「この章中山林所得金額又は法附則第35条の2第5項に規定する一般株式等に係る譲渡所得等の金額」とする。(法附37、令附20)

② 上場株式等に係る譲渡所得等がある場合の課税の特例
　世帯主又はその世帯に属する国民健康保険の被保険者若しくは特定同一世帯所属者が第三編第一章第五節五の2の上場株式等に係る譲渡所得等を有する場合における一から六まで、七の1及び十の3の①及び②の規定の適用については、三の3の(1)、七の1及び十の3の①中「及び山林所得金額」とあるのは「及び山林所得金額並びに法附則第35条の2の2第5項に規定する上場株式等に係る譲渡所得等の金額」と、三の3の(1)中「同条第二項」とあるのは「第三百十四条の二第二項」と、三の3の(2)中「又は山林所得金額」とあるのは「若しくは山林所得金額又は法附則第35条の2の2第5項に規定する上場株式等に係る譲渡所得等の金額」と、七の1中「この章中山林所得金額」とあるのは「この章中山林所得金額又は法附則第35条の2の2第5項に規定する上場株式等に係る譲渡所得等の金額」とする。(法附37の2、令附21)

6　先物取引に係る雑所得等がある場合の課税の特例

　世帯主又はその世帯に属する国民健康保険の被保険者若しくは特定同一世帯所属者が法附則第35条の4第4項《先物取引に係る雑所得等に係る市町村民税の課税の特例》の事業所得、譲渡所得又は雑所得を有する場合における一から六まで、七《減額》並びに十の3の①《仮算定税額による徴収》及び②《不足税額の徴収及び過納額の還付又は充当》の規定の適用については、三の3の(1)、七の1及び十の3の①中「及び山林所得金額」とあるのは「及び山林所得金額並びに法附則第35条の4第4項《先物取引に係る雑所得等に係る市町村民税の課税の特例》に規定する先物取引に係る雑所得等の金額」と、三の3の(1)中「同条第2項」とあるのは「法第314条の2第2項」と、同(2)中「又は山林所得金額」とあるのは「若しくは山林所得金額又は法附則第35条の4第4項《先物取引に係る雑所得等に係る市町村民税の課税の特例》に規定する先物取引に係る雑所得等の金額」と、七の1中「この章中山林所得金額」とあるのは「この章中山林所得金額又は法附則第35条の4第4項《先物取引に係る雑所得等に係る市町村民税の課税の特例》に規定する先物取引に係る雑所得等の金額」とする。(法附37の3、令附22)

7　病床転換支援金等に係る特例

　高齢者の医療の確保に関する法律附則第2条に規定する政令で定める日までの間、一、二、三の1及び四の1の規定の

適用については、次の表の左欄に掲げる規定中同表の中欄に掲げる字句は、それぞれ同表の右欄に掲げる字句とする。（法附38）

一の(一)	及び同法	、同法
	、介護保険法	及び同法の規定による病床転換支援金等（以下「病床転換支援金等」という。）、介護保険法
二の(一)	介護納付金	病床転換支援金等並びに介護納付金
二の(二)	の納付に要する費用に	及び病床転換支援金等の納付に要する費用に
三の1の(一)ロ及び三の1の(二)ロ	介護納付金	病床転換支援金等並びに介護納付金
四の1の(一)	後期高齢者支援金等	後期高齢者支援金等及び病床転換支援金等

十二　申　　告

1　申告又は報告義務

　国民健康保険税の納税義務者は、当該市町村の条例の定めるところによって、当該国民健康保険税の賦課徴収に関し同条例で定める事項を申告し、又は報告しなければならない。（法714）

2　虚偽の申告等に関する罪

　1の規定により申告し、又は報告すべき事項について虚偽の申告又は報告をしたときは、その違反行為をした者は、1年以下の懲役又は50万円以下の罰金に処する。（法715①）

　　（両罰規定）
　注　法人の代表者又は法人若しくは人の代理人、使用人その他の従業者がその法人又は人の業務又は財産に関して2の違反行為をした場合には、その行為者を罰する外、その法人又は人に対し、2の罰金刑を科する。（法715②）

3　不申告等に関する過料

　市町村は、国民健康保険税の納税義務者が1《申告又は報告義務》の規定によって申告し、又は報告すべき事項について正当な事由がなくて申告又は報告をしなかった場合においては、その者に対し、当該市町村の条例で10万円以下の過料を科する旨の規定を設けることができる。（法716）

十三　減　　免

　市町村長は、天災その他特別の事情がある場合において国民健康保険税の減免を必要とすると認める者、貧困により生活のため公私の扶助を受ける者その他特別の事情がある者に限り、当該市町村の条例の定めるところにより、当該国民健康保険税を減免することができる。ただし、特別徴収義務者については、この限りでない。（法717）

十四　更正又は決定及び延滞金等

1　更正又は決定

①　更　正

　市町村長は、十の5の①の（1）《納入金の申告・納入》の規定による納入申告書の提出があった場合において、当該納入申告に係る課税標準額又は税額がその調査したところと異なるときは、これを更正することができる。（法719①）

② 決定

市町村長は、特別徴収義務者が①の納入申告書を提出しなかった場合においては、その調査によって、納入申告すべき課税標準額及び税額を決定することができる。(法719②)

③ 再更正

市町村長は、①又は②の規定によって更正し、又は決定した課税標準額又は税額について、調査によって、過大であることを発見した場合、又は過少であり、かつ、過少であることが特別徴収義務者の詐偽その他不正の行為によるものであることを発見した場合に限り、これを更正することができる。(法719③)

④ 更正又は決定の通知

市町村長は、①から③までの規定によって更正し、又は決定した場合においては、遅滞なく、これを特別徴収義務者に通知しなければならない。(法719④)

2 不足金額及びその延滞金の徴収

① 不足金額の徴収

徴税吏員は、1の①から③までの規定による更正又は決定があった場合において、不足金額（更正による納入金の不足額又は決定による納入金額をいう。以下この章について同様とする。）があるときは、1の④の通知をした日から1月を経過した日を納期限として、これを徴収しなければならない。(法720①)

② 延滞金の徴収

①の場合においては、その不足金額に十の5の①の（1）《納入金の申告・納入》の納期限（納期限の延長があったときは、その延長された納期限とする。以下この章について同様とする。）の翌日から納入の日までの期間の日数に応じ、年14.6パーセント（①の納期限までの期間又は当該納期限の翌日から1月を経過する日までの期間については、年7.3パーセント）の割合を乗じて計算した金額に相当する延滞金額を加算して徴収しなければならない。(法720②)

（注） ②に規定する延滞金の年7.3パーセントの割合については特例規定が設けられているので、第一編第十章12の①《延滞金の割合の特例》を参照。（編者）

③ 延滞金の減免

市町村長は、特別徴収義務者が1の①又は②の規定による更正又は決定を受けたことについてやむを得ない事由があると認める場合においては、②の延滞金額を減免することができる。(法720③)

3 過少申告加算金及び不申告加算金

① 過少申告加算金

納入申告書の提出期限までにその提出があった場合（納入申告書の提出期限後にその提出があった場合において、②のただし書又は⑧の規定の適用があるときを含む。以下①において同じ。）において、1の①又は③の規定による更正があったときは、地方団体の長は、当該更正前の納入申告に係る課税標準額又は税額に誤りがあったことについて正当な事由がないと認める場合には、当該更正による不足金額（以下①において「対象不足金額」という。）に100分の10の割合を乗じて計算した金額（当該対象不足金額（当該更正前にその更正に係る国民健康保険税について更正があった場合には、その更正による不足金額の合計額（当該更正前の納入申告に係る課税標準額又は税額に誤りがあったことについて正当な事由があると認められたときは、その更正による不足金額を控除した金額とし、当該国民健康保険税についてその納入すべき金額を減少させる更正又は更正に係る不服申立て若しくは訴えについての決定、裁決若しくは判決による原処分の異動があったときは、これらにより減少した部分の金額に相当する金額を控除した金額とする。）を加算した金額とする。）が納入申告書の提出期限までにその提出があった場合における当該納入申告書に係る税額に相当する金額と50万円とのいずれか多い金額を超えるときは、その超える部分に相当する金額（当該対象不足金額が当該超える部分に相当する金額に満たないときは、当該対象不足金額）に100分の5の割合を乗じて計算した金額を加算した金額とする。）に相当する過少申告加算金額を徴収しなければならない。(法721①)

第三編第七章《国民健康保険税》

② 不申告加算金
　次の各号のいずれかに該当する場合には、市町村長は、当該各号に規定する納入申告、決定又は更正により納入すべき税額に100分の15の割合を乗じて計算した金額に相当する不申告加算金額を徴収しなければならない。ただし、納入申告書の提出期限までにその提出がなかったことについて正当な理由があると認められる場合には、この限りでない。(法721②)
(一)　納入申告書の提出期限後にその提出があった場合又は1の②の規定による決定があった場合
(二)　納入申告書の提出期限後にその提出があった後において1の①又は③の規定による更正があった場合
(三)　1の②の規定による決定があった後において1の③の規定による更正があった場合

③ 納付すべき税額が50万円を超える場合の加算
　②の規定に該当する場合（②ただし書又は⑧の規定の適用がある場合を除く。）において、②に規定する納入すべき税額（②の(二)又は(三)に該当する場合には、これらの規定に規定する更正前にされた当該国民健康保険税に係る納入申告書の提出期限後の納入申告又は1の①から③までの規定による更正若しくは決定により納入すべき税額の合計額（当該納入すべき税額を減少させる更正又は更正に係る不服申立て若しくは訴えについての決定、裁決若しくは判決による原処分の異動があったときは、これらにより減少した部分の税額に相当する金額を控除した金額とする。）を加算した金額）が50万円を超えるときは、②に規定する不申告加算金額は、②の規定にかかわらず、②の規定により計算した金額に、その超える部分に相当する金額（②に規定する納入すべき税額が当該超える部分に相当する金額に満たないときは、当該納入すべき税額）に100分の5の割合を乗じて計算した金額を加算した金額とする。(法721③)

④ 更正等があった日の前日から起算して5年前の日までの間に不申告加算金等を徴収されたことがある場合の不申告加算金額の計算
　②の規定に該当する場合において、加算後累積納入税額（当該加算後累積納入税額の計算の基礎となった事実のうちに②各号に規定する納入申告、決定又は更正前の税額（還付金の額に相当する税額を含む。）の計算の基礎とされていなかったことについて当該特別徴収義務者の責めに帰すべき事由がないと認められるものがあるときは、その事実に基づく税額として政令で定めるところにより計算した金額を控除した税額）が300万円を超えるときは、②に規定する不申告加算金額は、②及び③の規定にかかわらず、加算後累積納付税額を次の各号に掲げる金額に区分してそれぞれの金額に当該各号に定める割合を乗じて計算した金額の合計額から累積納入税額を当該各号に掲げる金額に区分してそれぞれの金額に当該各号に定める割合を乗じて計算した金額の合計額を控除した金額とする。(法721④)
(一)　50万円以下の部分に相当する金額　　　100分の15の割合
(二)　50万円を超え300万円以下の部分に相当する金額　　　100分の20の割合
(三)　300万円を超える部分に相当する金額　　　100分の30の割合

　　　(政令で定めるところにより計算した金額)
　注　④に規定する政令で定めるところにより計算した金額は、④に規定する当該特別徴収義務者の責めに帰すべき事由がないと認められる事実のみに基づいて②の各号に規定する納入申告、決定又は更正があったものとした場合におけるその納入申告、決定又は更正により納付すべき税額とする。(令56の89の12)

⑤ 不申告加算金額の計算
　②の規定に該当する場合において、次の各号のいずれかに該当するときは、②に規定する不申告加算金額は、②から④の規定にかかわらず、これらの規定により計算した金額に、②に規定する納入すべき税額に100分の10の割合を乗じて計算した金額を加算した金額とする。(法721⑤)
(一)　納入申告書の提出期限後のその提出（当該納入申告書に係る水利地益税等について地方団体の長の調査による決定があるべきことを予知してされたものに限る。(二)において同じ。）又は1の①から③までの規定による更正若しくは決定があった日の前日から起算して5年前の日までの間に、水利地益税等について、不申告加算金（⑥の規定の適用があるものを除く。(二)において同じ。）又は重加算金（4の③の(一)において「不申告加算金等」という。）を徴収されたことがある場合
(二)　納入申告書の提出期限後のその提出又は1の①から③までの規定による更正若しくは決定に係る水利地益税等の特別徴収義務が成立した日の属する年の前年及び前々年に特別徴収義務が成立した水利地益税等について、不申告加算金若しくは重加算金（4の②の規定の適用があるものに限る。）（以下(二)及び4の③の(二)において「特定不申告加算金等」という。）を徴収されたことがあり、又は特定不申告加算金等に係る決定をすべきと認める場合

― (1684) ―

⑥ 申告書の提出が決定があることを予知してされたものでない場合の軽減

納入申告書の提出期限後にその提出があった場合において、その提出が当該納入申告書に係る水利地益税等について市町村長の調査による決定があるべきことを予知してされたものでないときは、当該納入申告書に係る税額に係る②に規定する不申告加算金額は、同項から第4項の規定にかかわらず、当該税額に100分の5の割合を乗じて計算した金額に相当する額とする。（法721⑥）

⑦ 過少申告加算金額又は不申告加算金額の決定の通知

市町村長は、①の規定により徴収すべき過少申告加算金額又は②の規定により徴収すべき不申告加算金額を決定した場合には、遅滞なく、これを特別徴収義務者に通知しなければならない。（法721⑦）

⑧ 不申告加算金を徴収されない場合

②の規定は、⑥の規定に該当する納入申告書の提出があった場合において、その提出が、納入申告書の提出期限までに提出する意思があったと認められる場合として注で定める場合に該当して行われたものであり、かつ、納入申告書の提出期限から1月を経過する日までに行われたものであるときは、適用しない。（法721⑧）

　　（申告書の提出期限までに提出する意思があったと認められる場合）
注　⑧に規定する納入申告書の提出期限までに提出する意思があったと認められる場合は、次の各号のいずれにも該当する場合とする。（令56の90）
（一）⑧に規定する納入申告書の提出があった日の前日から起算して1年前の日までの間に、十の2《徴収の方法》に規定する国民健康保険税について、②の（一）に該当することにより不申告加算金額又は重加算金額を課されたことがない場合であって、⑧の規定の適用を受けていないとき。
（二）（一）に規定する納入申告書に係る納入すべき税額の全額が、次に掲げる場合の区分に応じ、それぞれ次に定める期限又は日までに納入されていた場合
　　イ　ロに掲げる場合以外の場合　　当該納入すべき税額に係る十の5の①の（1）《納入金の申告・納入》の納期限（納期限の延長があったときは、その延長された納期限）
　　ロ　市町村長が当該納入申告書に係る納入について口座振替の方法による旨の申出を受けていた場合　　当該納入申告書の提出があった日

4　重加算金

① 過少申告加算金に代えて徴収する重加算金

3の①《過少申告加算金》の規定に該当する場合において、特別徴収義務者が課税標準額の計算の基礎となるべき事実の全部又は一部を隠蔽し、又は仮装し、かつ、その隠蔽し、又は仮装した事実に基づいて納入申告書又は<u>第一編第十章の10の④に規定する更正請求書（②において「更正請求書」という。）</u>を提出したときは、市町村長は、注で定めるところにより、同①に規定する過少申告加算金額に代えて、その計算の基礎となるべき更正による不足金額に100分の35の割合を乗じて計算した金額に相当する重加算金額を徴収しなければならない。（法722①）
　（注）①中＿＿＿部分を加える令和6年度改正規定は、令和7年1月1日以後適用する。（令6改法附1二）

　　（重加算金額の計算）
注　①又は③（①の重加算金に係る部分に限る。以下同じ。）の規定により、過少申告加算金額に代えて、重加算金額を徴収する場合には、①又は③の規定による重加算金額の算定の基礎となるべき①又は③に規定する不足金額に相当する金額を、3の①に規定する対象不足金額から控除して計算するものとした場合における過少申告加算金額以外の部分の過少申告加算金額に代えて、重加算金額を徴収するものとする。（令56の90の2）

② 不申告加算金に代えて徴収する重加算金

3の②《不申告加算金》の規定に該当する場合（同②ただし書の規定の適用がある場合を除く。）において、特別徴収義務者が課税標準額の計算の基礎となるべき事実の全部又は一部を隠蔽し、又は仮装し、かつ、その隠蔽し、又は仮装した事実に基づいて納入申告書の提出期限までにこれを提出せず、又は納入申告書の提出期限後にその提出を<u>した</u>ときは、市町村長は、同項に規定する不申告加算金額に代えて、その計算の基礎となるべき税額に100分の40の割合を乗じて計算した金額に相当する重加算金額を徴収しなければならない。（法722②）

(注) ②中＿＿部分「をした」を「をし、若しくは更正請求書を提出した」に改める令和６年度改正規定は、令和７年１月１日以後適用する。（令６改法附１二）

③ **更正等があった日の前日から起算して５年前の日までの間に不申告加算金等を徴収されたことがある場合の重加算金額の計算**
　①又は②の規定に該当する場合において、次の各号のいずれか（①の規定に該当する場合にあっては、（一））に該当するときは、①又は②に規定する重加算金額は、これらの規定にかかわらず、これらの規定により計算した金額に、①の規定に該当するときは①に規定する計算の基礎となるべき更正による不足金額に、②の規定に該当するときは②に規定する計算の基礎となるべき税額に、それぞれ100分の10の割合を乗じて計算した金額を加算した金額とする。（法722③）
（一）　①及び②に規定する課税標準額の計算の基礎となるべき事実で隠蔽し、又は仮装されたものに基づき納入申告書の提出期限後のその提出又は１の①から③までの規定による更正若しくは決定があった日の前日から起算して５年前の日までの間に、水利地益税等について、不申告加算金等を徴収されたことがある場合
（二）　納入申告書の提出期限後のその提出又は１の①から③までの規定による更正若しくは決定に係る水利地益税等の特別徴収義務が成立した日の属する年の前年及び前々年に特別徴収義務が成立した水利地益税等について、特定不申告加算金等を徴収されたことがあり、又は特定不申告加算金等に係る決定をすべきと認める場合

④ **申告書の提出が決定があることを予知してされたものでない場合の不徴収**
　市町村長は、②又は③の規定に該当する場合において、納入申告書の提出について３の⑥に規定する事由があるときは、当該納入申告に係る税額を基礎として計算した重加算金額を徴収しない。（法722④）

⑤ **重加算金額の決定の通知**
　市町村長は、①又は②の規定により徴収すべき重加算金額を決定した場合には、遅滞なく、これを特別徴収義務者に通知しなければならない。（法722⑤）

5　期限後納入等に係る延滞金
　国民健康保険税の納税者又は特別徴収義務者は、納期限（納期限の延長があった場合においては、その延長された納期限とする。以下国民健康保険税について同様とする。）後にその税金を納付し、又は納入金を納入する場合においては、当該税額又は納入金額に、その納期限の翌日から納付又は納入の日までの期間の日数に応じ、年14.6パーセント（当該納期限の翌日から１月を経過する日までの期間については、年7.3パーセント）の割合を乗じて計算した金額に相当する延滞金額を加算して納付し、又は納入しなければならない。（法723①）
　　（注）　５に規定する延滞金の年7.3パーセントの割合については特例規定が設けられているので、第一編第十章12の①《延滞金の割合の特例》を参照。（編者）

　（延滞金の減免）
　注　市町村長は、納税者又は特別徴収義務者が納期限までに税金を納付しなかったこと、又は納入金を納入しなかったことについてやむを得ない事由があると認める場合においては、５の延滞金額を減免することができる。（法723②）

十五　脱税に関する罪

1　納税者に対する懲罰
　偽りその他不正の行為により国民健康保険税の全部又は一部を免れたときは、その違反行為をした者は、３年以下の懲役若しくは100万円以下の罰金に処し、又はこれを併科する。（法724①）

2　特別徴収義務者に対する懲罰
　十の５の①の（１）《納入金の申告・納入》又は同④《特別徴収の方法により徴収した国民健康保険税の納入の義務》（同⑥、同⑦の（２）又は同⑧の（２）において準用する場合を含む。）の規定により徴収して納入すべき国民健康保険税に係る納入金の全部又は一部を納入しなかったときは、その違反行為をした者は、３年以下の懲役若しくは100万円以下の罰金に処し、又はこれを併科する。（法724②）

(脱税額が100万円を超える場合の罰金額の加重)
（１）　１の免れた税額又は２の納入しなかった金額が100万円を超える場合には、情状により、当該各項の罰金の額は、当該各項の規定にかかわらず、100万円を超える額でその免れた税額又は納入しなかった金額に相当する額以下の額とすることができる。(法724③)

(不申告の納税者に対する懲罰)
（２）　１に規定するもののほか、十二の１の規定により申告し、又は報告すべき事項について申告又は報告をしないことにより、国民健康保険税の全部又は一部を免れたときは、その違反行為をした者は、１年以下の懲役若しくは50万円以下の罰金に処し、又はこれを併科する。(法724④)

(脱税額が50万円を超える場合の罰金額の加重)
（３）　（２）の免れた税額が50万円を超える場合には、情状により、（２）の罰金の額は、50万円を超える額でその免れた税額に相当する額以下の額とすることができる。(法724⑤)

(両罰規定)
（４）　法人の代表者又は法人若しくは人の代理人、使用人その他の従業者がその法人又は人の業務又は財産に関して１、２又は（２）の違反行為をした場合には、その行為者を罰するほか、その法人又は人に対し、当該各項の罰金刑を科する。(法724⑥)

十六　督促及び滞納処分

１　督　　促

納税者又は特別徴収義務者が納期限（更正又は決定があった場合においては、不足金額の納期限をいう。以下この章について同様とする。）までに国民健康保険税に係る地方団体の徴収金を完納しない場合においては、徴税吏員は、納期限後20日以内に、督促状を発しなければならない。ただし、繰上徴収をする場合においては、この限りでない。(法726①)

(特別の事情がある場合の督促状の発付期限)
（１）　特別の事情がある市町村においては、当該市町村の条例で１に規定する期間と異なる期間を定めることができる。(法726②)

(督促手数料の徴収)
（２）　徴税吏員は、督促状を発した場合においては、当該市町村の条例の定めるところによって、手数料を徴収することができる。(法727)

２　滞納処分

国民健康保険税に係る滞納者が次の各号の一に該当するときは、市町村の徴税吏員は、当該国民健康保険税に係る地方団体の徴収金につき、滞納者の財産を差し押えなければならない。(法728①)
（一）　滞納者が督促を受け、その督促状を発した日から起算して10日を経過した日までにその督促に係る国民健康保険税に係る地方団体の徴収金を完納しないとき。
（二）　滞納者が繰上徴収に係る告知により指定された納期限までに国民健康保険税に係る地方団体の徴収金を完納しないとき。

(第二次納税義務者又は保証人に対する催告)
（１）　第二次納税義務者又は保証人について２の規定を適用する場合には、同(一)中「督促状」とあるのは、「納付又は納入の催告書」とする。(法728②)

(繰上差押え)
（２）　国民健康保険税に係る地方団体の徴収金の納期限後２の（一）に規定する10日を経過した日までに、督促を受けた滞納者につき法第13条の２第１項各号《繰上徴収》の一に該当する事実が生じたときは、市町村の徴税吏員は、直ちにその財産を差し押えることができる。(法728③)

(強制換価手続が行われた場合の交付要求)
（３）　滞納者の財産につき強制換価手続が行われた場合には、市町村の徴税吏員は、執行機関に対し、滞納に係る国民健康保険税に係る地方団体の徴収金につき、交付要求をしなければならない。（法728④）

(参加差押え)
（４）　市町村の徴税吏員は、２、（１）又は（２）の規定により差押えをすることができる場合において、滞納者の財産で国税徴収法第86条第１項各号《参加差押えの手続》に掲げるものにつき、既に他の地方団体の徴収金若しくは国税の滞納処分又はこれらの滞納処分の例による処分による差押えがされているときは、当該財産についての交付要求は、参加差押えによりすることができる。（法728⑤）

(税額確定日までの間の財産換価手続の禁止)
（５）　十の３の①《仮算定税額による徴収》又は②《不足税額の徴収及び過納額の還付又は充当》の規定によって徴収する国民健康保険税について滞納処分を行う場合においては、当該年度分の国民健康保険税額が確定する日までの間は、財産の換価は、することができない。（法728⑥）

(国税徴収法の例による滞納処分)
（６）　２及び（１）から（５）までに定めるものその他国民健康保険税に係る地方団体の徴収金の滞納処分については、国税徴収法に規定する滞納処分の例による。（法728⑦）

(市町村の区域外における処分)
（７）　２及び（１）から（４）まで並びに（６）の規定による処分は、当該市町村の区域外においても行うことができる。（法728⑧）

３　滞納処分に関する罪

　国民健康保険税の納税者又は特別徴収義務者が滞納処分の執行を免れる目的でその財産を隠蔽し、損壊し、若しくは地方団体の不利益に処分し、その財産に係る負担を偽って増加する行為をし、又はその現状を改変して、その財産の価額を減損し、若しくはその滞納処分に係る滞納処分費を増大させる行為をしたときは、その者は、３年以下の懲役若しくは250万円以下の罰金に処し、又はこれを併科する。（法729①）

(財産占有者に対する罰則)
（１）　納税者又は特別徴収義務者の財産を占有する第三者が納税者又は特別徴収義務者に滞納処分の執行を免れさせる目的で３の行為をしたときも、３と同様とする。（法729②）

(情を知った違反行為の相手方に対する罰則)
（２）　情を知って３又は（１）の行為につき納税者若しくは特別徴収義務者又はその財産を占有する第三者の相手方となったときは、その相手方としてその違反行為をした者は、２年以下の懲役若しくは150万円以下の罰金に処し、又はこれを併科する。（法729③）

(両罰規定)
（３）　法人の代表者又は法人若しくは人の代理人、使用人その他の従業者がその法人又は人の業務又は財産に関して３、（１）又は（２）の違反行為をした場合には、その行為者を罰する外、その法人又は人に対し、当該各項の罰金刑を科する。（法729④）

４　滞納処分に関する検査拒否等の罪

　次の各号のいずれかに該当する場合には、その違反行為をした者は、１年以下の懲役又は50万円以下の罰金に処する。（法730①）
（一）　２の（６）《国税徴収法の例による滞納処分》の場合において、国税徴収法第141条《質問及び検査》の規定の例により行う市町村の徴税吏員の質問に対して答弁をせず、又は偽りの陳述をしたとき。
（二）　２の（６）の場合において、国税徴収法第141条の規定の例により行う市町村の徴税吏員の帳簿書類（同条に規定する帳簿書類をいう。（三）において同じ。）その他の物件の検査を拒み、妨げ、又は忌避したとき。

（三） 2の(6)の場合において、国税徴収法第141条の規定の例により行う市町村の徴税吏員の物件の提示又は提出の要求に対し、正当な理由がなくこれに応じず、又は偽りの記載若しくは記録をした帳簿書類その他の物件（その写しを含む。）を提示し、若しくは提出したとき。

　　（両罰規定）
　注　法人の代表者又は法人若しくは人の代理人、使用人その他の従業者がその法人又は人の業務又は財産に関して4の違反行為をした場合には、その行為者を罰する外、その法人又は人に対し、同項の罰金刑を科する。（法730②）

十七　都等の特例

　第一編第一章一の2《都及び特別区への準用》の規定によって地方税法中市町村に関する規定を特別区に準用する場合においては、特別区は目的税として、同章三の2の④の注《市町村の任意課税の目的税》に掲げる国民健康保険税を課することができる。（法736①）

第八章　その他の市町村税の概要

以下に掲げる市町村税については、その概要のみを収録している。

一　特別土地保有税

1	課税停止	①　土地の保有に対する課税停止 　平成15年以後の各年の1月1日において土地の所有者が所有する土地に対しては、2の①にかかわらず、当分の間、平成15年度以後の年度分の土地に対して課する特別土地保有税を課さない。（法附31①） ②　土地の取得に対する課税停止 　平成15年1月1日以後に取得された土地の取得に対しては、2の①にかかわらず、当分の間、土地の取得に対して課する特別土地保有税を課さない。（法附31②） ③　遊休土地に対する課税停止 　平成15年以後の各年の1月1日において土地の所有者が所有する遊休土地に対しては、11にかかわらず、当分の間、平成15年度以後の年度分の遊休土地に対して課する特別土地保有税を課さない。（法附31③） 　（注）　現下の経済情勢等にかんがみ、平成15年度以降特別土地保有税を課税しないこととしていること。このため平成15年度以後の年度分の土地に対して課する特別土地保有税（保有分）及び遊休土地に対して課する特別土地保有税（遊休土地分）並びに平成15年1月1日以降取得する土地に係る土地の取得に対して課する特別土地保有税（取得分）については、申告義務が生じないものであること。なお、徴収猶予中の納税義務については、課税停止による影響を受けないこと。（市通7－29）
2	納税義務者等	①　納税義務者及び課税客体 　特別土地保有税は、土地又はその取得に対し、当該土地所在の市町村において、当該土地の所有者又は取得者に課する。（法585①） ②　土地の意義 　「土地」とは、田、畑、宅地、塩田、鉱泉地、池沼、山林、牧場、原野その他の土地をいう。（法585②） ③　取得後10年を経過した土地に対する不適用 　土地に対して課する特別土地保有税に関する規定は、土地の所有者が所有する土地で申告納付すべき日の属する年の1月1日において当該土地の取得をした日以後10年を経過したものについては、適用しない。（法585③） ④　特殊関係者が取得した、又は所有する土地に対する課税関係 　特殊関係者（親族その他の特殊の関係のある個人又は同族会社等で政令（令54の12①）で定めるものをいう。）を有する者がある場合において、当該特殊関係者が取得した、又は所有する土地について政令（令54の12②③）で定める特別の事情があるときは、特別土地保有税の賦課徴収については、当該土地は、その者及び当該特殊関係者の共有物とみなす。（法585④）
3	非課税の範囲	①　国等に対する非課税 　市町村は、国、非課税独立行政法人及び国立大学法人等並びに都道府県、市町村、特別区、これらの組合、財産区、非課税地方独立行政法人（地方独立行政法人（公立大学法人を除く。）であってその成立の日の前日において現に地方公共団体が行っている業務に相当する業務を当該地方独立行政法人の成立の日以後行うものとし総務省令で定めるもののうちその成立の日の前日において現に地方公共団体が行っている業務に相当する業務のみを当該成立の日以後引き続き行うものをいう。）及び公立大学法人（地方独立行政法人法第61条に規定する移行型地方独立行政法人でその成立の日の前日において現に設立団体（同法第6条第3項に規定する設立団体をいう。）が行っている業務に相当する業務のみを当該成立の日以後引き続き行うものに限る。）に対しては、特

別土地保有税を課することができない。(法586①)
② 用途による非課税
　市町村は、次に掲げる土地又はその取得に対しては、特別土地保有税を課することができない。(法586②)
(1) 新産業都市等における工業用設備等の敷地の用に供する土地
　市町村は、次の表に掲げる区域、地区又は地域《指定地域》において製造の事業の用に供する設備で政令(令54の13①)で定める要件に該当するもの《工業用設備等》を新設し、又は増設した者で政令(令54の13②)で定めるもの《指定期間内の新増設者》が当該設備に係る工場用の建物の敷地の用に供する土地(これと一体的に使用される土地で政令(令54の13③)で定めるもの《附帯施設の用に供する土地》を含む。)又はその取得に対しては、特別土地保有税を課することができない。(法586②一)

(一)	首都圏整備法第25条第1項の規定により都市開発区域として指定された区域
(二)	低開発地域工業開発促進法第2条第1項の規定により低開発地域工業開発地区として指定された地区
(三)	近畿圏整備法第12条第1項の規定により都市開発区域として指定された区域
(四)	中部圏開発整備法第14条第1項の規定により都市開発区域として指定された区域

(2) 公害防止設備の用に供する土地
　市町村は、次に掲げる施設で公共の危害防止のために設置されるものの用に供する土地又はその取得に対しては、特別土地保有税を課することができない。(法586②二)

(一)	鉱山保安法第8条第1号の粉じん、鉱さい、坑水、廃水及び鉱煙の処理に係る施設
(二)	水質汚濁防止法第2条第2項に規定する特定施設若しくは同条第3項に規定する指定地域特定施設(瀬戸内海環境保全特別措置法第12条の2又は湖沼水質保全特別措置法第14条の規定により当該指定地域特定施設とみなされる施設を含む。)を設置する工場若しくは事業場の汚水若しくは廃液の処理施設又は下水道法第12条第1項若しくは第12条の10第1項に規定する公共下水道を使用する者が設置する除害施設で、総務省令で定めるもの
(三)	水質汚濁防止法第2条第5項に規定する特定事業場(以下「特定事業場」という。)の設置者(同法第14条の3第3項に規定する特定事業場の設置者をいう。)又は特定事業場の設置者であった者(同法第14条の3第2項に規定する特定事業場の設置者であった者をいう。)が設置する同法第2条第2項第1号に規定する物質を含む地下水の水質を浄化するための施設で総務省令で定めるもの
(四)	大気汚染防止法第2条第2項に規定するばい煙発生施設から発生するばい煙の処理施設及び同条第10項に規定する一般粉じん発生施設から発生する粉じんの処理施設で、総務省令で定めるもの
(五)	大気汚染防止法附則第9項に規定する指定物質排出施設から排出され、又は飛散する同項に規定する指定物質の排出又は飛散の抑制に資する施設で総務省令で定めるもの
(六)	廃棄物の処理及び清掃に関する法律第8条第1項に規定する一般廃棄物処理施設又は同法第15条第1項に規定する産業廃棄物処理施設で、総務省令で定めるもの
(七)	悪臭防止法第2条第1項に規定する特定悪臭物質の排出防止設備で総務省令で定めるもの
(八)	騒音規制法第2条第1項に規定する特定施設(鉱山保安法第2条第2項に規定する鉱山に設置される同種の施設を含む。)において発生する騒音を防止するための施設で総務省令で定めるもの
(九)	湖沼水質保全特別措置法第3条第2項の指定地域内に設置される同法第15条第1項に規定する指定施設で政令(令54の14)で定めるものから生ずる汚水の処理施設で総務省令

第三編第八章《その他の市町村税の概要》

	(十)	で定めるもの
	(十)	特定水道利水障害の防止のための水道水源水域の水質の保全に関する特別措置法第2条第5項に規定する水道水源特定施設を設置する同条第6項に規定する水道水源特定事業場の汚水又は廃液の処理施設で総務省令で定めるもの
	(十一)	ダイオキシン類対策特別措置法第2条第2項に規定する特定施設から発生し、又は排出されるダイオキシン類（同条第1項に規定するダイオキシン類をいう。）の処理施設で総務省令で定めるもの
	(十二)	土壌の特定有害物質（土壌汚染対策法第2条第1項に規定する特定有害物質をいう。）による汚染を除去するための施設（同法第6条第4項に規定する要措置区域及び同法第11条第2項に規定する形質変更時要届出区域以外の区域内に設置されるものにあっては、同法第3条第1項に規定する有害物質使用特定施設に係る工場又は事業場の敷地又は敷地であった土地の所有者、管理者又は占有者が設置するものに限る。）で総務省令で定めるもの

（3） 用途による固定資産税の非課税規定の適用がある土地
　　市町村は、第三章《固定資産税》第一節四の2《用途による非課税》、5《旅客会社が借受け等をする固定資産の非課税》及び7《特定の非課税独立行政法人が民法第34条の法人から無償で借り受けて業務の用に供する土地の非課税》の規定の適用がある土地（法586②四の五及び五に掲げるものを除く。）又はその取得に対しては、特別土地保有税を課すことができない。（法586②二十八）

（4） その取得について用途による不動産取得税の非課税規定が適用される土地
　　市町村は、土地でその取得が第二編第七章《不動産取得税》第一節四の2《用途による非課税》及び5《農地法の規定によって国から土地を売り渡された場合等における非課税》の適用がある取得に該当するもの（法586②四の五、五、二十一、二十三、二十六及び（3）に掲げるものを除く。）又はその取得に対しては、特別土地保有税を課すことができない。（法586②二十九）

（5） 市町村の議会の議決により定められた土地利用の基本構想に適合した用途に供される土地
　　市町村は、法586②各号に掲げるものを除くほか、当該市町村の議会の議決を経て定められた市町村の建設に関する基本構想に即する用途であるとして当該市町村の条例で定める用途に供する土地又はその取得に対しては、特別土地保有税を課すことができない。（法586②三十）

　（注）　上記以外に住宅用地、病院用土地その他の非課税規定が設けられている。（編者）

4	課税標準	課税標準は、土地の取得価額とする。（法593①）
		① 土地の取得価額
		上記に規定する土地の取得価額は、②の規定の適用がある場合を除き、次の各号に掲げる土地の区分に応じ、当該各号に定める金額とする。（令54の33）

	(一)	購入した土地	当該土地の購入の代価（購入手数料その他当該土地の購入のために要した費用がある場合には、その費用の額を加算した金額）
	(二)	購入以外の方法により取得した土地	その取得の時における当該土地の取得のために通常要する価額

② 無償又は低額による取得その他特別の事情がある場合の課税標準の特例
　無償又は著しく低い価額による土地の取得その他特別の事情がある場合における土地の取得で政令（令54の34①）で定めるものについては、当該土地の取得価額として政令（令54の34②）で定めるところにより算定した金額を①の土地の取得価額とみなす。（法593②）

5	税率及び税額計算	① 税率
		特別土地保有税の税率は次による。（法594）

土地に対して課する特別土地保有税（保有分）	100分の1.4
土地の取得に対して課する特別土地保有税（取得分）	100分の3

② 税額計算

特別土地保有税の税額は、次の表の左欄に掲げる区分に応じ、それぞれ同表の中欄に掲げる課税標準額に応ずるそれぞれ同表の右欄に定める額とする。（法596、599①②、法附31の2の2①後段）

区分（申告期限）		課税標準額	税　額
（一）	1月1日において6の①の基準面積以上の土地を所有する者に係る土地に対して課する特別土地保有税 （申告期限　その年の5月31日）	左欄に規定する者が1月1日において所有する土地（3の非課税の範囲の規定の適用がある土地を除く。）の取得価額の合計額	中欄の課税標準額に①の税率を乗じて得た額から、当該額を限度として、同欄の土地に対して市町村が課すべき当該年度分の固定資産税の課税標準となるべき価格に100分の1.4を乗じて得た額の合計額を控除した額
（二）	1月1日前1年以内に基準面積以上の土地を取得した者に係る土地の取得に対して課する特別土地保有税 （申告期限　その年の2月末日）	左欄に規定する者が左欄に規定する期間内に取得した土地（3の非課税の範囲の規定の適用があるもの及び土地の取得に対して課する特別土地保有税を既に申告納付した、又は申告納付すべきであったものを除く。（三）の中欄において同じ。）の取得価額の合計額	それぞれ、（二）又は（三）の中欄の課税標準額に①の税率を乗じて得た額から、当該額を限度として、（二）又は（三）の中欄の土地の取得に対して道府県が課すべき不動産取得税の課税標準となるべき価格（（二）又は（三）の左欄の申告期限までに当該不動産取得税の額が確定していない場合には、当該不動産取得税の課税標準となるべき価格として政令（令54の38①）で定める額）に100分の4を乗じて得た額の合計額を控除した額
（三）	7月1日前1年以内に基準面積以上の土地を取得した者に係る土地の取得に対して課する特別土地保有税 （申告期限　その年の8月31日）	左欄に規定する者が左欄に規定する期間内に取得した土地の取得価額の合計額	

6　免税点（基準面積）

市町村は、同一の者について、当該市町村の区域（次の表の（一）に掲げる市にあっては、当該市の区の区域）内において、土地に対して課する特別土地保有税にあってはその者が1月1日に所有する土地（3の非課税の範囲の規定の適用がある土地を除く。）の合計面積が、土地の取得に対して課する特別土地保有税にあってはその者が1月1日前1年以内に取得した土地（当該土地の取得について3の非課税の範囲の規定の適用がある土地を除く。以下同じ。）の合計面積又は7月1日前1年以内に取得した土地の合計面積が、それぞれ次の表の（一）から（三）までに掲げる区域の区分に応じ、当該各号に定める面積（以下「基準面積」という。）に満たない場合には、特別土地保有税を課することができない。（法595）

（一）	地方自治法第252条の19第1項の市《指定都市》の区の区域	2,000平方メートル
（二）	都市計画法第5条に規定する都市計画区域を有する市町村の区域（（一）の区域を除く。）	5,000平方メートル
（三）	その他の市町村の区域	10,000平方メートル

7　申告納付、更正又は決定等

① 徴収の方法及び申告納付の手続

徴収は、申告納付の方法によらなければならない。（法598）

納税義務者は、5の②《税額計算》の表の各号に掲げる特別土地保有税の区分に応じ、当該各号に定める申告納付期限までに、当該特別土地保有税の課税標準額及び税額その他の事項を記載

第三編第八章《その他の市町村税の概要》

		した申告書を市町村長に提出するとともに、その申告した税額を当該市町村に納付しなければならない。（法599①②、法附31の2の2①後段） ② 期限後申告 　①の規定によって申告書を提出すべき者は、当該申告書の提出期限後においても、④の決定の通知があるまでは、①の規定によって申告納付することができる。（法600①） ③ 修正申告 　①若しくは②若しくは③の規定によって申告書若しくは修正申告書を提出した者又は④の更正若しくは決定を受けた者は、当該申告書若しくは修正申告書又は当該更正若しくは決定に係る課税標準額又は税額について不足額がある場合には、遅滞なく、修正申告書を市町村長に提出するとともに、その修正により増加した税額を当該市町村に納付しなければならない。（法600②） ④ 更正又は決定 　市町村長は、①の申告書又は③の修正申告書の提出があった場合において、その記載された課税標準額又は税額がその調査したところと異なるときは、これを更正する。（法606①） 　また、市町村長は、申告書を提出すべき者が提出しなかった場合には決定し、更正又は決定した課税標準額又は税額について過不足額があるときは、再更正する。（法606②③） 　上記の場合には、遅滞なく納税者に通知しなければならない。（法606④） ⑤ 延滞金及び加算金 　更正又は決定の場合、期限後納付の場合又は過少申告など一定の場合には、延滞金、過少申告加算金などが課される。（法607～610）
8	雑　　則	① 脱税に関する罪 　偽りその他不正の行為によって特別土地保有税の全部又は一部を免れた者は、5年以下の懲役若しくは100万円以下の罰金に処し、又はこれを併科する。（法604①） （1） 脱税額が100万円を超える場合の罰金額の加重 　　上記の免れた税額が100万円を超える場合には、情状により、上記の罰金の額は、上記の規定にかかわらず、100万円を超える額でその免れた税額に相当する額以下の額とすることができる。（法604②） （2） 不申告に関する罪 　　①に規定するもののほか、法第599条第1項の規定による申告書を提出期限までに提出しないことにより、特別土地保有税の全部又は一部を免れた者は、3年以下の懲役若しくは50万円以下の罰金に処し、又はこれを併科する。（法604③） （3） 脱税額が50万円を超える場合の罰金額の加重 　　（2）の免れた税額が50万円を超える場合には、情状により、（2）の罰金の額は、（2）の規定にかかわらず、50万円を超える額でその免れた税額に相当する額以下の額とすることができる。（法604④） （4） 両罰規定 　　法人の代表者又は法人若しくは人の代理人、使用人その他の従業者がその法人又は人の業務又は財産に関して①又は（2）の違反行為をした場合には、その行為者を罰するほか、その法人又は人に対し、当該各項の罰金刑を科する。（法604⑤） ② 所得税又は法人税に関する書類の供覧等 　市町村長が特別土地保有税の賦課徴収について、政府に対し、特別土地保有税の納税義務者で所得税若しくは法人税の納税義務がある個人若しくは法人が政府に提出した申告書若しくは修正申告書又は政府が当該個人若しくは法人の課税標準若しくは税額についてした更正若しくは決定に関する書類を閲覧し、又は記録することを請求した場合には、政府は関係書類を市町村長又はその指定する職員に閲覧させ、又は記録させるものとする。（法605） ③ 減　免 　市町村長は、天災その他特別の事情がある場合において特別土地保有税の減免を必要とすると認める者その他特別の事情がある者に限り、当該市町村の条例の定めるところにより、特別土地保有税を減免することができる。（法605の2）

9 督促及び滞納処分	① 督　　促 　納税者が納期限（更正又は決定があった場合には、不足税額の納期限。以下①において同じ。）までに特別土地保有税に係る地方団体の徴収金を完納しない場合には、市町村の徴税吏員は、納期限後20日以内に、督促状を発しなければならない。ただし、繰上徴収をする場合は、この限りでない。（法611①） ② 滞納処分 （1）滞納処分 　特別土地保有税に係る滞納者が次の各号の一に該当するときは、市町村の徴税吏員は、当該特別土地保有税に係る地方団体の徴収金につき、滞納者の財産を差し押さえなければならない。（法613①）	

		(一)	滞納者が督促を受け、その督促状を発した日から起算して10日を経過した日までにその督促に係る特別土地保有税に係る地方団体の徴収金を完納しないとき。
		(二)	滞納者が繰上徴収に係る告知により指定された納期限までに特別土地保有税に係る地方団体の徴収金を完納しないとき。

（2）滞納処分に関する罪
　特別土地保有税の納税者が滞納処分の執行を免れる目的でその財産を隠ぺいし、損壊し、市町村の不利益に処分し、又はその財産に係る負担を偽って増加する行為をしたときは、その者は、3年以下の懲役若しくは50万円以下の罰金に処し又はこれを併科する。（法614①）

（3）滞納処分に関する検査拒否等の罪
　次の各号のいずれかに該当する者は、10万円以下の罰金に処する。（法615①）

(一)	国税徴収法第141条の規定の例によって行う市町村の徴税吏員の質問に対して答弁をせず、又は偽りの陳述をした者
(二)	国税徴収法第141条の規定の例によって行う市町村の徴税吏員の同条に規定する帳簿書類の検査を拒み、妨げ、若しくは忌避し、又はその帳簿書類で偽りの記載若しくは記録をしたものを提示した者

10 納税義務の免除、徴収猶予及び還付	① 非課税土地として使用予定の土地に係る納税義務の免除等 （1）納税義務の免除 　市町村は、土地の所有者等が、その所有する土地を3の②《用途による非課税》の規定の適用がある土地（法586②に掲げる土地のうち次の表の各号に掲げる土地を除く。以下「非課税土地」という。）として使用し、又は使用させようとする場合において、市町村長が当該事実を認定したところに基づいて定める日から2年を経過する日までの期間（工場、事務所その他の建物若しくは構築物の建設又は農用地の造成その他の用地の造成に要する期間が通常2年を超えることその他その期間を延長することにつきやむを得ない理由があると市町村長が認める場合には、土地の所有者等の申請に基づき市町村長が定める相当の期間。以下①において「納税義務の免除に係る期間」という。）内に当該土地を非課税土地として使用し、又は使用させ、かつ、これらの使用が開始されたことにつき市町村長の確認を受けたときは、当該土地に係る特別土地保有税に係る地方団体の徴収金（納税義務の免除に係る期間に係るものに限る。（2）及び（4）において同じ。）に係る納税義務を免除するものとする。（法601①）

適　用　除　外　土　地	
(一)	法586②二十三（成田国際空港株式会社が障害防止等のために買い入れて保有する土地）
(二)	〃　　二十五（地方交付税法第14条の2の土地《天然記念物、特別保存地区の土地等》）
(三)	法586②二十五の二（緑地保全地区内の土地）
(四)	法586②二十八に掲げる土地のうち、次に掲げるもの イ　国並びに都道府県、市町村、特別区、これらの組合及び財産区が公用又は公共の用に供する土地（法348②一） ロ　保安林に係る土地（森林の保健機能の増進に関する特別措置法第2条第2項第2号に

第三編第八章《その他の市町村税の概要》

	規定する施設の用に供する土地で森林の保健機能の増進に関する特別措置法施行令各号に掲げる施設の用に供する土地で政令（令49の8）で定めるものを除く。）（法348②七）
	ハ　自然公園法第20条第1項に規定する国立公園又は国定公園の特別地域のうち同法第21条第1項に規定する特別保護地区その他総務省令で定める地域内の土地で総務省令で定めるもの（法348②七の二）
	ニ　文化財保護法の規定によって国宝、重要文化財、重要有形民俗文化財、特別史蹟、史蹟、特別名勝、名勝、特別天然記念物若しくは天然記念物として指定され、若しくは旧重要美術品等の保存に関する法律第2条第1項の規定により認定された家屋の敷地（法348②八）
(五)	法586②二十九に掲げる土地のうち、法73の5①の適用がある取得に該当するもの 農地法第36条、第61条若しくは第80条第2項の規定によって国から土地を売り渡され、若しくは売り払われた場合における当該土地の取得又は土地改良法第94条の8第5項の規定により埋立地若しくは干拓地を取得する場合若しくは同法第87条の2第1項の規定により都道府県が行う同項第2号の事業により造成された埋立地若しくは干拓地を当該都道府県から取得する場合における当該埋立地若しくは干拓地の取得（法73の5①）
(六)	法586②三十に掲げる土地のうち当該市町村の条例で定めるもの

（2）　徴収猶予

　　市町村長は、（1）の認定をした場合には、納税義務の免除に係る期間を限って、当該土地に係る特別土地保有税に係る地方団体の徴収金の徴収を猶予するものとする。この場合において、市町村長は、政令（令54の44①）で定める要件に該当して担保を徴する必要がないと認めるときを除き、その猶予に係る金額に相当する担保で法第16条第1項《担保の徴取》各号に掲げるものを、政令（令54の44②）で定めるところにより徴しなければならない。（法601③）

　　　（注）　災害等により納税義務の免除に係る期間内に当該土地を非課税土地として使用できない場合は、納税義務の免除に係る期間を延長できる。（法601②）
　　　　　　この場合、延長された期間を限って徴収猶予の期間が延長される。（法601④）

（3）　徴収猶予の取消し

　　市町村長は、（2）による徴収の猶予をした場合において、当該徴収の猶予に係る特別土地保有税について（1）の規定の適用がないことが明らかとなったとき、又は徴収の猶予の理由の一部に変更があることが明らかとなったときは、当該徴収の猶予に係る特別土地保有税に係る地方団体の徴収金の全部又は一部についてその徴収の猶予を取り消さなければならない。この場合において、徴収の猶予を取り消された者は、直ちに当該徴収の猶予の取り消しに係る特別土地保有税に係る地方団体の徴収金を納付しなければならない。（法601⑤）

（4）　還　付

　　市町村は、特別土地保有税に係る地方団体の徴収金を徴収した場合において、当該特別土地保有税について（1）の規定の適用があることとなったときは、当該特別土地保有税の納税義務者の申請に基づいて、当該土地に係る特別土地保有税に係る地方団体の徴収金を還付するものとする。（法601⑦）

② **特例譲渡の場合の納税義務の免除等**

（1）　納税義務の免除

　　市町村は、次の表の各号に掲げる者が、当該各号に定める土地の譲渡《**特例譲渡**》をしようとする場合において、市町村長が当該事実を認定したところに基づいて定める日（以下「事実認定日」という。）から2年を経過する日までの期間（大規模な宅地の造成でその造成に要する期間が通常2年を超えることその他その期間を延長することにつきやむを得ない理由があると市町村長が認める場合には、納税義務者の申請に基づき市町村長が定める相当の期間とし、同表の（二）又は（三）に定める土地の譲渡（同（二）に定める土地の譲渡にあっては、土地収用法第82条の規定により土地をもって損失を補償するために行われる場合の土地の譲渡を除く。）で、当該土地の譲渡に係る事実認定日がこれらの号に定める日後の日であるもの（以下「特定譲渡」

という。)にあっては、当該事実認定日からこれらの号に定める日以後2年を経過する日までの期間とする。以下②において「納税義務の免除に係る期間」という。)内に当該土地の譲渡をし、かつ、当該土地の譲渡があったことにつき市町村長の確認を受けたときは、当該土地に係る特別土地保有税に係る地方団体の徴収金(納税義務の免除に係る期間に係るものに限る。)に係る納税義務を免除するものとする。(法602①)

			次に掲げる土地の譲渡
(一)	土地の所有者等	イ	土地の譲渡で国又は地方公共団体に対するもの(ロに掲げるものを除く。)
		ロ	土地の贈与による譲渡であって、法人税法第37条第3項第1号に規定する寄附金に係る寄附に該当するもので政令(令54の45①)で定めるもの
		ハ	土地の譲渡で独立行政法人都市再生機構、土地開発公社その他これらに準ずる法人で宅地若しくは住宅の供給又は土地の先行取得の業務を行うことを目的とするものとして政令(令54の45②)で定めるものに対するものであって、当該譲渡に係る土地が当該業務を行うために直接必要であると認められるもの(土地開発公社に対する土地の譲渡である場合には、政令(令54の45③)で定める土地の譲渡を除く。)
		ニ	宅地供給に資する土地の譲渡で政令(令54の45④)で定めるもの (注) 平成17年4月1日以後におけるニに係る①の規定の適用については、(1)中「当該土地の譲渡をし」とあるのは「当該土地の譲渡をするための公募をし」と、「当該土地の譲渡があったこと」とあるのは「当該土地の譲渡をするための公募あったこと」とする。
		ホ	土地の譲渡で民間都市開発の推進に関する特別措置法第3条第1項の民間都市開発推進機構に対するものであって、当該譲渡に係る土地が同法附則第14条第2項第1号に規定する業務を行うために直接必要であると認められるもの
(二)	土地又は家屋を収用することができる事業(以下「公共事業」という。)を行う者		当該公共事業の用に供するため不動産を収用された者、当該公共事業を行う者に当該公共事業の用に供するため不動産を譲渡した者又は当該公共事業の用に供するため収用され、若しくは譲渡した土地の上に建築されていた家屋について移転補償金を受けた者に対する当該収用され、譲渡し、又は移転補償金を受けた不動産(以下(二)において「被収用不動産等」という。)に代わるものと市町村長が認める土地(当該被収用不動産等に対応するものとして政令(令54の45⑦)で定める土地に限る。)の譲渡(土地収用法第82条の規定により土地をもって損失を補償するために行われる場合以外の場合には、当該不動産を収用され、若しくは譲渡し、又は当該家屋についての移転補償金に係る契約をした日から2年以内に行われる土地の譲渡に限る。)
(三)	土地開発公社又は独立行政法人都市再生機構		土地開発公社又は独立行政法人都市再生機構が公共事業を行う者に代わって当該公共事業の用に供する不動産を取得する場合においてこれらの者に当該公共事業の用に供する不動産を譲渡した者又は当該譲渡に係る土地の上に建築されていた家屋について移転補償金を受けた者に対する当該譲渡し、又は移転補償金を受けた不動産(以下(三)において「被買収不動産等」という。)に代わるものと市町村長が認める土地(当該被買収不動産等に対応するものとして政令(令54の45⑦)で定める土地に限る。)の譲渡(当該不動産を譲渡し、又は当該家屋についての移転補償金に係る契約をした日から2年以内に

| | 行われる土地の譲渡に限る。） |

（2） 徴収猶予、徴収猶予の取消し及び還付
　①《非課税土地として使用予定の土地に係る納税義務の免除等》の（2）から（4）までの規定は②の場合について準用する。（法602②）
　上記にかかわらず、上記において準用する①の（2）の(注)《災害等の場合の期間延長》の規定は、特定譲渡については、適用しない。（法602③）

③　被収用土地の代替土地、譲渡担保財産等に係る納税義務の免除等
（1）　土地に対する納税義務の免除
　市町村は、土地の所有者が所有する土地で、その取得が次の表の各号の規定《不動産取得税の納税義務の免除》の適用がある取得その他これらに類するものとして政令（令54の46①）で定める取得に該当するもののうち政令（令54の46②）で定めるもの《代替土地等》に対しては、土地に対して課する特別土地保有税に係る地方団体の徴収金に係る納税義務を免除するものとする。（法603①）

(一)	法73の27の3　（被収用不動産等の代替不動産の取得に対する不動産取得税の減額等）
(二)	法73の27の4　（譲渡担保財産の取得に対して課する不動産取得税の納税義務の免除等）
(三)	法73の27の5　（再開発会社の取得に対して課する不動産取得税の納税義務の免除等）

（2）　土地の取得に対する納税義務の免除
　市町村は、土地の取得で（1）の表の各号の規定の適用がある取得その他これらに類するものとして政令（令54の46①）で定める取得に該当するものに対しては、土地の取得に対して課する特別土地保有税に係る地方団体の徴収金に係る納税義務を免除するものとする。（法603②、令54の46④）

（3）　徴収猶予
　市町村長は、土地の所有者等から（1）又は（2）の規定の適用があるべき旨の申告があり、当該申告が真実であると認められるときは、当該土地の取得の日から5年以内で政令（令54の46⑥）で定める期間を限って、当該土地に係る特別土地保有税に係る地方団体の徴収金の徴収を猶予するものとする。（法603③）

（4）　徴収猶予の取消し及び還付
　①《非課税土地として使用予定の土地に係る納税義務の免除等》の（3）及び（4）の規定は、③について準用する。（法603④）

④　恒久的な施設の用に供する土地の納税義務の免除等
（1）　納税義務の免除
　市町村は、土地の所有者等が所有する土地が次表の各号に掲げる土地のいずれかに該当し、かつ、当該土地の利用が当該市町村に係る土地利用基本計画（国土利用計画法第9条第1項の土地利用基本計画をいう。）、都市計画その他の土地利用に関する計画に照らし、当該土地を含む周辺の地域における計画的な土地利用に適合するものであることについて、市町村長が認定した場合には、当該土地に係る特別土地保有税に係る地方団体の徴収金に係る納税義務を免除するものとする。（法603の2①）

| (一) | 事務所、店舗その他の建物又は構築物で、その構造、利用状況等が恒久的な利用に供される建物又は構築物に係る基準として政令（令54の47①）で定める基準に適合するものの敷地の用に供する土地（（二）に該当するものを除く。） |
| (二) | 工場施設、競技場施設その他の施設（建物、構築物その他の工作物及びこれらと一体的に利用されている土地により構成されているものに限る。以下④及び⑤において「特定施設」という。）で、その整備状況、利用状況等が恒久的な利用に供される特定施設に係る基準として政令（令54の47②）で定める基準に適合するものの用に供する土地
　（注）　三大都市圏の特定市の区域内の土地については適用除外規定が設けられているので、⑩を参照。（編者） |

第三編第八章《その他の市町村税の概要》

（2） 徴収猶予

市町村長は、土地の所有者等から納税義務免除の適用を受ける旨の申請があった場合又は既に（1）の認定若しくは⑤の（1）の確認を受けた土地について当該認定若しくは確認に係る事情に変更がなく、かつ、当該土地の所有者に変更のない場合には、7の①の納期限から（1）の認定をする日（（1）の認定をしない旨の決定をしたときは土地所有者等にその旨の通知をする日）までの期間、当該土地の所有者等から納税義務免除の適用を受ける旨の申請に係る土地又は既に（1）の認定若しくは⑤の（1）の確認を受けた土地に係る特別土地保有税に係る地方団体の徴収金（①から③までの規定により徴収を猶予されている部分を除く。）の徴収を猶予するものとする。ただし、当該土地が（1）の表の各号に掲げる土地のいずれにも該当しないことが明らかである場合は、この限りでない。（法603の2⑤）

（3） 還 付

①《非課税土地として使用予定の土地に係る納税義務の免除》の（4）の規定は、④について準用する。（法603の2⑥）

⑤ 免除土地として使用予定の土地の納税義務の免除等

（1） 納税義務の免除

市町村は、土地の所有者等が、その所有する土地を④の（1）の規定に該当する土地（以下⑤において「免除土地」という。）として使用し、又は使用させようとする場合において、市町村長が当該事実を認定したところに基づいて定める日から2年を経過する日までの期間（当該認定に係る建物若しくは構築物の建設又は特定施設〖④参照〗の整備に要する期間が通常2年を超えることその他その期間を延長することにつきやむを得ない理由があると市町村長が認める場合には、土地の所有者等の申請に基づき5年を超えない範囲内で市町村長が定める相当の期間。以下⑤において「納税義務の免除に係る期間」という。）内に当該土地を免除土地として使用し、又は使用させ、かつ、これらの使用が開始されたことにつき市町村長の確認を受けたときは、当該土地に係る特別土地保有税に係る地方団体の徴収金（納税義務の免除に係る期間に係るものに限るものとし、市町村長の確認を受けた日後の当該期間に係るもの〖令54の48の2②参照〗を除く。）に係る納税義務を免除するものとする。（法603の2の2①）

（2） 徴収猶予、徴収猶予の取消し及び還付

①《非課税土地として使用予定の土地に係る納税義務の免除》の（2）から（4）までの規定は⑤について準用する。ただし、①の（2）の(注)《災害等の場合の期間延長》の規定は、次による。（法603の2の2②）

「災害等により納税義務の免除に係る期間内に当該土地を免除土地として使用できない場合は、5年を超えない範囲内で納税義務の免除に係る期間を1回に限り延長できる。

　　この場合、延長された期間を限って徴収猶予の期間が延長される。」

⑥ 徴収猶予に係る土地の譲渡が非課税土地等予定地のための譲渡に該当する場合の納税義務の免除等

（1） 納税義務の免除

市町村は、①《非課税土地として使用予定の土地に係る納税義務の免除等》の（1）に規定する納税義務の免除に係る期間（同（2）の(注)により納税義務の免除に係る期間を延長した場合における当該延長された期間を含む。）、②《特例譲渡の場合の納税義務の免除等》の（1）に規定する納税義務の免除に係る期間（同（2）の準用規定により納税義務の免除に係る期間を延長した場合における当該延長された期間を含む。）又は⑤《免除土地として使用予定の土地の納税義務の免除等》の（1）に規定する納税義務の免除に係る期間（同（2）の準用規定により納税義務の免除に係る期間を延長した場合における当該延長された期間を含む。）（以下（1）において「免除期間」という。）が定められている土地の所有者等が、平成13年4月1日から免除期間の末日までの期間内に当該土地を譲渡した場合において、当該譲渡が非課税土地等予定地（当該譲渡の日から2年を経過する日までの期間（工場、事務所その他の建物若しくは構築物の建設又は大規模な宅地の造成に要する期間が通常2年を超えることその他の政令（令附15の4①）で定める理由がある場合には、政令（令附15の4②）で定める期間とする。以下⑥において「予定期間」という。）内に、当該譲渡を受けた者（以下⑥において「譲受者」という。）が、当該土地を法586②〖3②参照〗各号に掲げる土地（同項二十三、二十五及び二十五の二に掲げる土

地、同項二十八〖3②(4)参照〗に掲げる土地のうち第三章《固定資産税》第一節四の2《用途による非課税》の表の1又は7から8までに掲げる土地に該当するもの及び同項三十〖3②(6)参照〗に掲げる土地のうち当該市町村の条例で定めるものを除く。以下(1)において「非課税土地」という。）として使用し、若しくは使用させる予定であること、当該土地について②の(1)の表の各号に掲げる者の区分に応じ当該各号に定める土地の譲渡（以下⑥において「特例譲渡」という。）をする予定であること又は当該土地を④の(1)の規定に該当する土地（以下⑥において「免除土地」という。）として使用し、若しくは使用させる予定であることにつき市町村長の認定を受けた土地をいう。）のための譲渡に該当し、かつ、譲受者が、予定期間内に、当該土地を非課税土地として使用し、若しくは使用させたこと、当該土地について特例譲渡をしたこと又は当該土地を免除土地として使用し、若しくは使用させたことにつき市町村長の確認を受けたときは、当該土地の所有者等の当該土地に係る特別土地保有税に係る地方団体の徴収金（免除期間に係るものに限る。以下⑥において同じ。）に係る納税義務を免除するものとする。（法附31の3の2①）

（2） 徴収猶予、徴収猶予の取消し及び還付

①《非課税土地として使用予定の土地に係る納税義務の免除等》の(2)から(4)までの規定は、所要の読替えをした上で、⑥について準用する。（法附31の3の2④）

（3） 土地の所有者等の申出があった場合の徴収の猶予の取消しと当該取消しに係る徴収金の徴収の猶予

市町村長は、土地の所有者等から(1)の納税義務の免除の適用を受ける旨の申出があった場合には、直ちに当該申出に係る土地に係る①の(2)（これらの規定を準用した②の(2)又は⑤の(2)を含む。）の規定による徴収の猶予を取り消し、かつ、当該徴収の猶予の取消しの日から(1)の認定をする日までの期間（当該徴収の猶予の取消しの日から6月以内に(1)の認定を求める旨の申請がないときは、当該徴収の猶予の取消しの日から6月を経過する日までの期間とし、(1)の認定しない旨の決定をしたときは、政令（令附15の4③）で定める日までの期間とする。）、当該土地に係る特別土地保有税に係る地方団体の徴収金（既に徴収したものを除く。）の徴収を猶予するものとする。ただし、当該土地について、(1)の規定の適用がないことが明らかである場合は、この限りでない。（法附31の3の2③）

⑦ 徴収猶予に係る土地について、徴収猶予の理由の変更の申出をし、かつ当該土地を非課税土地として使用し、若しくは使用させ、特例譲渡をし、又は免除土地として使用し、若しくは使用させた場合の納税義務の免除等

（1） 納税義務の免除

市町村は、①《非課税土地として使用予定の土地に係る納税義務の免除等》の(1)に規定する納税義務の免除に係る期間（同(2)の(注)により納税義務の免除に係る期間を延長した場合における当該延長された期間を含む。）、②《特例譲渡の場合の納税義務の免除等》の(1)に規定する納税義務の免除に係る期間（同(2)の準用規定により納税義務の免除に係る期間を延長した場合における当該延長された期間を含む。）又は⑤《免除土地として使用予定の土地の納税義務の免除等》の(1)に規定する納税義務の免除に係る期間（同(2)の準用規定により納税義務の免除に係る期間を延長した場合における当該延長された期間を含む。）（以下⑦及び⑧において「免除期間」という。）が定められている土地の所有者等が、平成13年4月1日から免除期間の末日までの期間内に、当該免除期間に係る①の(2)《徴収猶予》又は同(注)（これらの規定を②の(2)及び⑤の(2)において準用する場合を含む。以下同じ。）の規定による徴収の猶予の理由の全部又は一部の変更の申出をし、かつ、当該申出に係る土地を法586②〖3②参照〗各号に掲げる土地（同項二十三、二十五及び二十五の二に掲げる土地、同項二十八〖3②(4)参照〗に掲げる土地のうち第三章《固定資産税》第一節四の2《用途による非課税》の表の1又は7から8までに掲げる土地に該当するもの及び同項三十〖3②(6)参照〗に掲げる土地のうち当該市町村の条例で定めるものを除く。以下(1)及び⑧において「非課税土地」という。）として使用し、若しくは使用させる予定であること、当該土地について②の(1)の表の各号に掲げる者の区分に応じ当該各号に定める土地の譲渡（以下(1)及び⑧において「特例譲渡」という。）をする予定であること又は当該土地を④の(1)の規定に該当する土地（以下(1)及び⑧において「免除土地」という。）として使用し、若しくは使用させる予定であることにつき市町村

長の認定を受け、当該認定の日から2年を経過する日までの期間（工場、事務所その他の建物若しくは構築物の建設又は大規模な宅地の造成に要する期間が通常2年を超えることその他の政令（令附16①）で定める理由がある場合には、政令（令附16②）で定める期間とする。以下⑦及び⑧において「予定期間」という。）内に、当該土地を非課税土地として使用し、若しくは使用させたこと、当該土地について特例譲渡をしたこと又は当該土地を免除土地として使用し、若しくは使用させたことにつき市町村長の確認を受けたときは、当該土地に係る特別土地保有税に係る地方団体の徴収金（免除期間又は予定期間に係るものに限る。以下⑦において同じ。）に係る納税義務を免除するものとする。（法附31の3の3①）

（2）　徴収猶予、徴収猶予の取消し及び還付

①《非課税土地として使用予定の土地に係る納税義務の免除等》の（2）から（4）までの規定は、所要の読替えをした上で、⑦について準用する。（法附31の3の3③）

（3）　土地の所有者等の申出があった場合の徴収の猶予の取消しと当該取消しに係る徴収金の徴収の猶予

市町村長は、（1）の申出があった場合には、直ちに当該申出に係る土地に係る①の（2）の規定による徴収の猶予を取り消し、かつ、当該徴収の猶予の取消しの日から（1）の認定をする日までの期間（当該徴収の猶予の取消しの日の属する月の翌々月の末日までに（1）の認定を求める旨の申請がないときは、当該徴収の猶予の取消しの日から同日の属する月の翌々月の末日までの期間とし、（1）の認定しない旨の決定をしたときは、政令（令附16③）で定める日までの期間とする。）、当該土地に係る特別土地保有税に係る地方団体の徴収金（免除期間に係るものに限り、既に徴収したものを除く。）の徴収を猶予するものとする。ただし、当該土地について、（1）の規定の適用がないことが明らかである場合は、この限りでない。（法附31の3の3②）

⑧　予定期間内に徴収猶予の理由の変更の申出をし、かつ、当該土地を変更後予定期間内に非課税土地として使用等をした場合の納税義務の免除

（1）　納税義務の免除

市町村は、予定期間（⑦の（2）の規定により読み替えて準用する①の（2）の(注)の規定により予定期間を延長した場合における当該延長された期間を含む。以下⑧において同じ。）が定められている土地の所有者等が、平成17年4月1日から予定期間の末日までの期間内に、当該予定期間に係る⑦の（2）の規定により読み替えて準用する①の（2）の規定による徴収の猶予の理由の全部又は一部の変更の申出をし、かつ、当該申出に係る土地を非課税土地として使用し、若しくは使用させる予定であること、当該土地について特例譲渡をする予定であること又は当該土地を免除土地として使用し、若しくは使用させる予定であることにつき市町村長の認定を受け、当該認定の日から2年を経過する日までの期間（工場、事務所その他の建物若しくは構築物の建設又は大規模な宅地の造成に要する期間が通常2年を超えることその他の政令（令附16の2の2①）で定める理由がある場合には、政令（令附16の2の2②）で定める期間とする。以下⑧において「変更後予定期間」という。）内に、当該土地を非課税土地として使用し、若しくは使用させたこと、当該土地について特例譲渡をしたこと又は当該土地を免除土地として使用し、若しくは使用させたことにつき市町村長の確認を受けたときは、当該土地に係る特別土地保有税に係る地方団体の徴収金（免除期間、予定期間又は変更後予定期間に係るものに限る。以下同じ。）に係る納税義務を免除するものとする。（法附31の3の4①）

（2）　変更後予定期間の延長

災害その他やむを得ない理由により変更後予定期間内に当該土地を非課税土地として使用等をすることができないと認められる場合には、申請に基づき市町村長が定める相当の期間（免除土地として使用できないと認める場合は、5年を超えない範囲内の相当の期間）を限って、変更後予定期間を延長することができる。（法附31の3の4③）

⑨　**納税義務の免除期間等の末日**

市町村長は、平成17年4月1日以後において①の（2）の(注)（②の（2）及び⑤の（2）において準用する場合を含む。）の規定により①の（1）に規定する納税義務の免除に係る期間（以下「免除期間」という。）を延長する場合、⑥の（1）若しくは⑦の（1）の規定によりこれらの規定に規定する予定期間（以下「予定期間」という。）を定める場合、⑧の（1）の規定により同（1）

	に規定する変更後予定期間（以下「変更後予定期間」という。）を定める場合、⑥の(2)若しくは⑦の(2)において準用する①の(2)の(注)の規定により予定期間を延長する場合又は⑧の(2)の規定により変更後予定期間を延長する場合においては、これらの規定にかかわらず、同日以後において延長し、又は定める期間の合計が10年を超えない範囲内で当該免除期間、予定期間又は変更後予定期間の末日を定めなければならない。ただし、免除期間、予定期間又は変更後予定期間が定められている土地が土地区画整理法による土地区画整理事業の施行に係るもの又は都市再開発法による市街地再開発事業の施行に係るものであり、かつ、当該土地区画整理事業又は市街地再開発事業の事業施行期間の終了の時が免除期間、予定期間又は変更後予定期間の末日において当該末日後に定められているときは、免除期間、予定期間又は変更後予定期間の末日を当該事業施行期間の終了の時までとすることができる。（法附31の3の5①） 　(注)　災害等が発生した場合においては、2年を超えない範囲内で1回に限り、上記の期間を延長することができる。（法附31の3の5②）
11　遊休土地に係る特別土地保有税	①　納税義務者 　都市計画法第10条の3第1項に規定する遊休土地転換利用促進地区（⑤において「遊休土地転換利用促進地区」という。）の区域内に所在する土地で同一の者が申告納付すべき日の属する年の1月1日に所有する一団の土地の面積が1,000平方メートル以上であるもの（以下「遊休土地」という。）に対しては、土地に対して課する特別土地保有税のほか、当該遊休土地所在の市町村において、当該遊休土地の所有者に特別土地保有税を課する。（法621） ②　課税標準 　遊休土地に対して課する特別土地保有税の課税標準は、遊休土地の時価又は遊休土地である土地の取得価額のいずれか高い金額（③において「時価等」という。）とする。（法622①） ③　税率及び税額計算 　税率は、100分の1.4とする。（法623） 　税額は、課税標準額（納税義務者が1月1日において所有する遊休土地の時価等の合計額）に税率を乗じて得た額から、その遊休土地に対して固定資産税の課税標準額に100分の1.4を乗じて得た額の合計額を控除した額とする。（法624、625②） ④　申告納付 　①の納税義務者は、その年の5月31日までに、課税標準額及び税額その他の事項を記載した申告書を市町村長に提出するとともに、その申告した税額を当該市町村に納付しなければならない。（法625①） ⑤　納税義務の免除等 （1）　遊休土地に係る土地に対して課する特別土地保有税の納税義務の免除等の特例 　　遊休土地に対して課する特別土地保有税が課される土地（(2)の規定の適用を受けるものを除く。）に対して課する特別土地保有税については、10の①から⑤までの規定は、適用しない。 　　（法626） （2）　遊休土地に対して課する特別土地保有税の納税義務の免除等 　　市町村は、遊休土地について次の各号のいずれかに掲げる事情があることにつき市町村長が認定した場合には、当該遊休土地に対して課する特別土地保有税に係る地方団体の徴収金に係る納税義務を免除するものとする。（法629①） （一）　当該遊休土地に関する都市計画についてその目的が達成されたと認められる場合において、遊休土地転換利用促進地区に関する都市計画の変更により当該遊休土地を遊休土地転換利用促進地区の区域外としたならば変更後の遊休土地転換利用促進地区が都市計画法第10条の3第1項第2号から第4号までの規定に該当しなくなることが明らかであること。 （二）　当該遊休土地を遊休土地転換利用促進地区の区域外とすることについて、都市計画法第17条第4項の規定により意見を聴取したこと。 　　（注）　徴収猶予（法629⑤）及び還付（法629⑧）の規定の適用あり。（編者）

二 市町村たばこ税

1 納税義務者等	① 小売販売業者に売り渡す場合の課税
	市町村たばこ税（以下「たばこ税」という。）は、製造たばこの製造者、特定販売業者又は卸売販売業者（以下「卸売販売業者等」という。）が製造たばこを小売販売業者に売り渡す場合（当該小売販売業者が卸売販売業者等である場合においては、その卸売販売業者等に卸売販売用として売り渡すときを除く。）において、当該売渡しに係る製造たばこに対し、当該小売販売業者の営業所所在の市町村において、当該売渡しを行う卸売販売業者等に課する。（法465①）
	② 消費者等に売渡しをし、又は消費等をする場合の課税
	たばこ税は、①に規定する場合のほか、卸売販売業者等が製造たばこにつき、卸売販売業者等及び小売販売業者以外の者（以下「消費者等」という。）に売渡しをし、又は消費その他の処分（以下「消費等」という。）をする場合においては、当該売渡し又は消費等に係る製造たばこに対し、当該卸売販売業者等の事務所又は事業所で当該売渡し又は消費等に係る製造たばこを直接管理するものが所在する市町村において、当該卸売販売業者等に課する。（法465②）
2 みなし課税	① 卸売販売業者等が委託者に製造たばこを引き渡した場合のみなし課税
	卸売販売業者等が、小売販売業者又は消費者等からの買受けの委託により他の卸売販売業者等から製造たばこの売渡しを受けた場合において、当該卸売販売業者等が当該委託をした者に当該製造たばこの引渡しをしたときは、当該卸売販売業者等が当該引渡しの時に当該製造たばこを当該委託をした者に売り渡したものとみなして、1の①又は②の規定を適用する。（法466①）
	② 卸売販売業者等が代物弁済等により製造たばこを引き渡した場合のみなし課税
	卸売販売業者等が、小売販売業者又は消費者等に対し、民法第482条《代物弁済》に規定する他の給付又は同法第549条《贈与》若しくは第553条《負担附贈与》に規定する贈与若しくは同法第586条第1項《交換》に規定する交換に係る財産権の移転として製造たばこの引渡しをした場合には、当該卸売販売業者等が当該引渡しの時に当該製造たばこを当該引渡しを受けた者に売り渡したものとみなして、1の①又は②の規定を適用する。（法466②）
	③ 特定販売業者又は卸売販売業者が営業を廃止し、又は登録を取り消された場合のみなし課税
	特定販売業者又は卸売販売業者がその営業を廃止し、又はたばこ事業法第11条第1項若しくは第20条の規定による登録を取り消された時に製造たばこを所有している場合においては、当該廃止又は取消しの時に当該特定販売業者又は卸売販売業者が当該製造たばこにつき、消費者等に対する売渡し又は消費等をしたものとみなして、1の②の規定を適用する。（法466③）
	④ 卸売販売業者等が所有する製造たばこを他の者が売渡し又は消費等をした場合のみなし課税
	卸売販売業者等が所有している製造たばこにつき、当該卸売販売業者等以外の者が売渡し又は消費等をした場合においては、当該卸売販売業者等が売渡し又は消費等をしたものとみなして、1の①又は②の規定を適用する。ただし、その売渡し又は消費等がされたことにつき、当該卸売販売業者等の責めに帰することができない場合には、当該売渡し又は消費等をした者を卸売販売業者等とみなして、1の①又は②の規定を適用する。（法466④）
	⑤ 製造たばことみなす場合
	加熱式たばこの喫煙用具であって加熱により蒸気となるグリセリンその他の物品又はこれらの混合物を充填したもの（たばこ事業法第3条第1項に規定する会社その他の政令で定める者により売渡し、消費等又は引渡しがされたもの及び輸入されたものに限る。以下「特定加熱式たばこ喫煙用具」という。）は、製造たばことみなして、二の規定を適用する。この場合において、特定加熱式たばこ喫煙用具に係る製造たばこの区分は、加熱式たばことする。（法466の2）
3 課税標準	① 課税標準
	たばこ税の課税標準は、1の①の売渡し又は同②の売渡し若しくは消費等（③において「売渡し等」という。）に係る製造たばこの本数とする。（法467①）
	② 製造たばこの本数
	①の製造たばこ（加熱式たばこを除く。）の本数は、紙巻たばこの本数によるものとし、次の表の左欄に掲げる製造たばこの本数の算定については、同欄の区分に応じ、それぞれ同表の右欄に定める重量をもって紙巻たばこの1本に換算するものとする。ただし、1本当たりの重量が1グラム未満の葉巻たばこの本数の算定については、当該葉巻たばこの1本をもって紙巻たばこの1

本に換算するものとする。(法467②)

区　　分	重　　量
(一)　喫煙用の製造たばこ	
イ　葉巻たばこ	1グラム
ロ　パイプたばこ	1グラム
ハ　刻みたばこ	2グラム
(二)　かみ用の製造たばこ	2グラム
(三)　かぎ用の製造たばこ	2グラム

③　加熱式たばこに係る標準税率の製造たばこの本数
　　加熱式たばこに係る①の製造たばこの本数は、次に掲げる方法により換算した紙巻たばこの本数の合計数によるものとする。(法74の4③)
(一)　加熱式たばこの重量（フィルターその他の総務省令で定めるものに係る部分の重量を除く。）の0.4グラムをもって紙巻たばこの0.5本に換算する方法
(二)　次に掲げる加熱式たばこの区分に応じ、それぞれ次に定める金額の紙巻たばこの1本の金額に相当する金額として政令で定めるところにより計算した金額をもって紙巻たばこの0.5本に換算する方法
　(イ)　売渡し等の時における小売定価（たばこ事業法第33条第1項又は第2項の認可を受けた小売定価をいう。）が定められている加熱式たばこ　当該小売定価に相当する金額（消費税法の規定により課されるべき消費税に相当する金額及び第6章《地方消費税》の規定により課されるべき地方消費税に相当する金額を除く。）
　(ロ)　(イ)に掲げるもの以外の加熱式たばこ　たばこ税法第10条第3項第2号ロ及び第4項の規定の例により算定した金額

4　税　　率	①　税　　率

たばこ税の税率は、1,000本につき6,552円とする。(法468)

②　旧3級品の紙巻たばこに係る税率の特例の平成27年度改正に伴う経過措置
　　下表の左欄に掲げる期間内に、1の①に規定する売渡し又は1の②に規定する売渡し若しくは消費等が行われる紙巻たばこ3級品に係る市町村たばこ税の税率は、①の規定にかかわらず、下表の右欄に定める税率とする。(平27改法附20②)

平成28年4月1日から平成29年3月31日まで	1,000本につき2,925円
平成29年4月1日から平成30年3月31日まで	1,000本につき3,355円
平成30年4月1日から令和元年9月30日まで	1,000本につき4,000円

5　課税免除	①　課税免除の対象となる売渡し又は消費等

市町村は、卸売販売業者等が次に掲げる製造たばこの売渡し又は消費等をする場合には、当該売渡し又は消費等に係る製造たばこに対しては、たばこ税を免除する。(法469①)

(一)	製造たばこの本邦からの輸出又は輸出の目的で行われる輸出業者（他から購入した製造たばこの販売を業とする者で常時製造たばこの輸出を行うものをいう。）に対する売渡し
(二)	本邦と外国との間を往来する本邦の船舶（これに準ずる遠洋漁業船その他の船舶で政令（令53の2）で定めるものを含む。）又は航空機に船用品又は機用品（関税法第2条第1項第9号又は第10号に規定する船用品又は機用品をいう。）として積み込むための製造たばこの売渡し
(三)	品質が悪変し、又は包装が破損し、若しくは汚染した製造たばこその他販売に適しないと認められる製造たばこの廃棄
(四)	既にたばこ税を課された製造たばこ（8の①又は②の規定による控除又は還付が行われた、又は行われるべき製造たばこを除く。）の売渡し又は消費等

		② 課税免除に該当することを証する書類の保存 　①（(一)又は(二)に係る部分に限る。）の規定は、卸売販売業者等が、①の(一)又は同(二)に掲げる製造たばこの売渡し又は消費等について、7の①又は同②の規定による申告書に①（(一)又は(二)に係る部分に限る。）の適用を受けようとする製造たばこに係るたばこ税額を記載し、かつ、総務省令で定めるところにより当該製造たばこの売渡し又は消費等が①の(一)又は同(二)に掲げる製造たばこの売渡し又は消費等に該当することを証するに足りる書類を保存している場合に限り、適用する。（法469②） ③　課税免除に該当することを証する書類の提出 　①（(三)又は(四)に係る部分に限る。）の規定は、卸売販売業者等が、①の(三)又は同(四)に掲げる製造たばこの売渡し又は消費等について7の①又は同②の規定による申告書を提出すべき市町村長に対し、総務省令（規16の2の3）で定めるところにより、当該製造たばこの売渡し又は消費等が①の(三)又は同(四)に掲げる製造たばこの売渡し又は消費等に該当することを証するに足りる書類を提出している場合に限り、適用する。（法469③） ④　輸出業者に対するみなし課税 　①の表の(一)の規定によりたばこ税を免除された製造たばこにつき、①に規定する輸出業者が小売販売業者若しくは消費者等に売渡しをし、又は消費等をした場合には、当該製造たばこについて、当該輸出業者を卸売販売業者等とみなして、1の規定を適用する。（法469④）
6	徴収の方法	たばこ税の徴収については、申告納付の方法によらなければならない。ただし、2の④のただし書の規定によって卸売販売業者等とみなされた者に対したばこ税を課する場合における徴収は、普通徴収の方法によるものとする。（法472）
7	申告納付の手続	①　申告納付 　6の規定によってたばこ税を申告納付すべき者（以下「申告納税者」という。）は、総務省令（規16の2の4①）で定める様式によって、毎月末日までに、前月の初日から末日までの間における当該市町村の区域内に所在する小売販売業者の営業所に係る1の①の売渡し又は当該市町村の区域内に所在する卸売販売業者等の事務所又は事業所が直接管理する製造たばこに係る1の②の売渡し若しくは消費等に係る製造たばこの品目ごとの課税標準たる本数の合計数（以下「課税標準数量」という。）及び当該課税標準数量に対するたばこ税額、5の①の規定により免除を受けようとする場合にあっては同①の適用を受けようとする製造たばこに係るたばこ税額並びに8の①の規定により控除を受けようとする場合にあっては同①の適用を受けようとするたばこ税額その他必要な事項を記載した申告書を当該市町村長に提出するとともに、その申告書により納付すべき税額を当該市町村に納付しなければならない。（法473①前段） ②　申告書の提出期限の特例 　卸売販売業者等で、製造たばこの取扱数量が政令（令53の3）で定める数量以下であることその他の政令（令53の3）で定める要件に該当するものとして、総務省令（規16の3）で定めるところにより、総務大臣が指定したものが、申告納税者である場合には、①の規定によって次の表の左欄に掲げる月に提出すべき申告書の提出期限は、①の規定にかかわらず、同欄に掲げる区分に応じ、同表の右欄に掲げる月に①の規定によって提出すべき申告書の提出期限と同一の期限とする。（法473②） | 1月及び2月 | 3月 | 7月及び8月 | 9月 | |---|---|---|---| | 4月及び5月 | 6月 | 10月及び11月 | 12月 | ③　還付を受けるための申告書の提出 　8の①の製造たばこの返還を受けた卸売販売業者等のうち、同①の規定による控除を受けるべき月において①又は②の規定による申告書の提出を要しない者で、8の①の規定による控除を受けるべき金額に相当する金額の還付を受けようとするものは、総務省令（規16の4）で定めるところにより、当該還付を受けようとする金額その他の事項を記載した申告書を当該返還を受けた製造たばこに係る小売販売業者の営業所所在地の市町村長に提出することができる。（法473④前段）
8	製造たばこの返還があった場合の	①　製造たばこの返還があった場合の控除 　卸売販売業者等が、販売契約の解除その他やむを得ない理由により、当該市町村の区域内に小

	控除等	売卸売販売業者の営業所の所在する小売販売業者に売り渡した製造たばこの返還を受けた場合には、当該卸売販売業者等が当該返還を受けた日の属する月の翌月以後に当該市町村長に提出すべき7の①又は②の規定による申告書（これらの規定に規定する期限内に提出するものに限る。）に係る課税標準数量に対するたばこ税額（5の①の規定により免除を受ける場合には、同①の適用を受ける製造たばこに係るたばこ税額を控除した後の金額とする。②において同じ。）から当該返還に係る製造たばこにつき納付された、又は納付されるべきたばこ税額（当該たばこ税額につきこの①の規定による控除が行われている場合には、その控除前の金額とする。）に相当する金額を控除する。（法477①） ② 控除額又は控除不足額の還付 　①に規定する場合において、市町村長は、①の規定による控除を受けるべき月の課税標準数量に対するたばこ税額から①の規定により控除を受けようとする金額を控除してなお不足額があるとき、又は①の規定による控除を受けるべき月において当該返還を受けた製造たばこに係る小売販売業者の営業所所在地の市町村長に申告すべき課税標準数量に対するたばこ税額がないときは、それぞれ、7の①から③までの規定による申告書に記載された当該不足額又は①の規定による控除を受けるべき金額に相当する金額を還付する。（法477②）
9	道府県に対する交付	市町村（特別区を含む。）は、当該市町村に納付された当該年度のたばこ税（特別区たばこ税を含む。）の額に相当する額が、たばこ税に係る課税定額を超える場合には、当該超える部分に相当する額を、当該市町村を包括する道府県に対して当該年度の翌年度の7月31日までに交付する。（法485の13①、令53の7①） （一）　たばこ税に係る課税定額　　当該年度の前々年度の全国の市町村たばこ税の額の合計額に当該市町村のたばこ消費基礎人口に2を乗じて得た数を全国のたばこ消費基礎人口の合計で除して得た割合を乗じて得た額 （二）　たばこ消費基礎人口　　公表された最近の国勢調査の結果による当該市町村の20歳以上の人口及び当該市町村以外の市町村に居住する者であって当該市町村において従業し、又は当該市町村へ通学する者のうち20歳以上のものの人口の合計（特別区にあっては、都内地区からの昼間流入人口を含む。）

三　鉱　産　税

1	納税義務者等	鉱産税は、鉱物の掘採の事業に対し、その鉱物の価格を課税標準として、当該事業の作業場所在の市町村において、その鉱業者に課する。（法519）
2	税　　率	①　標準税率 　鉱産税の標準税率は、100分の1とする。ただし、鉱物の掘採の事業の作業場において4に定める期間内に掘採された鉱物の価格が、当該事業の作業場所在の市町村ごとに200万円以下である場合においては、当該期間に係る鉱産税の標準税率は、100分の0.7とする。（法520①） ②　制限税率 　①の標準税率を超えて課する場合においても、100分の1.2（①ただし書の場合にあっては、100分の0.9）を超えることができない。（法520②）
3	納　　期	鉱産税の納期は、毎月10日から末日までの間において当該市町村の条例で定める。（法521）
4	申告納付	鉱産税の納税者は、毎月1日から末日までの間における課税標準額、税額その他当該市町村の条例で定める事項を記載した申告書を3の納期限までに市町村長に提出し、及びその申告した税金を納付しなければならない。（法522）

四　市町村法定外普通税

1	新設・変更	①　総務大臣の同意 　市町村は、市町村法定外普通税の新設又は変更（市町村法定外普通税の税率の引下げ、廃止その他の政令（令54の58）で定める変更を除く。）をしようとする場合においては、あらかじめ、総務大臣に協議し、その同意を得なければならない。（法669①）

		② 財務大臣に対する通知義務 　総務大臣は、①の規定による協議の申出を受けた場合においては、その旨を財務大臣に通知しなければならない。（法670①） ③ 財務大臣の異議の申出 　財務大臣は、②の通知を受けた場合において、その協議の申出に係る市町村法定外普通税の新設又は変更について異議があるときは、総務大臣に対してその旨を申し出ることができる。（法670②） ④ 地方財政審議会の意見の聴取 　総務大臣は、①の同意については、地方財政審議会の意見を聴かなければならない。（法670の2）
2	総務大臣の同意	総務大臣は、1の①の規定による協議の申出を受けた場合には、当該協議の申出に係る市町村法定外普通税について次に掲げる事由のいずれかがあると認める場合を除き、これに同意しなければならない。（法671） （一）　国税又は他の地方税と課税標準を同じくし、かつ、住民の負担が著しく過重となること。 （二）　地方団体間における物の流通に重大な障害を与えること。 （三）　（一）又は（二）に掲げるものを除くほか、国の経済施策に照らして適当でないこと。
3	非課税の範囲	市町村は、次に掲げるものに対しては、市町村法定外普通税を課することができない。（法672） （一）　市町村外に所在する土地、家屋、物件及びこれらから生ずる収入 （二）　市町村外に所在する事務所及び事業所において行われる事業並びにこれらから生ずる収入 （三）　公務上又は業務上の事由による負傷又は疾病に基因して受ける給付で政令（令54の59）で定めるもの
4	徴収の方法	市町村法定外普通税の徴収については、徴収の便宜に従い、当該市町村の条例の定めるところによって、普通徴収、申告納付、特別徴収又は証紙徴収の方法によらなければならない。（法673）
5	申告又は報告の義務	市町村法定外普通税の納税義務者は、当該市町村の条例の定めるところによって、当該市町村法定外普通税の賦課徴収に関し同条例で定める事項を申告し、又は報告しなければならない。（法681）
6	申告納付の手続	市町村法定外普通税を申告納付すべき納税者は、当該市町村の条例で定める期間内における課税標準額、税額その他同条例で定める事項を記載した申告書を同条例で定める納期限までに市町村長に提出し、及びその申告した税額を当該市町村に納付しなければならない。（法684の2①）
7	特別徴収の手続	① 特別徴収義務者の指定 　市町村法定外普通税を特別徴収によって徴収しようとする場合においては、当該市町村法定外普通税の徴収の便宜を有する者を当該市町村の条例によって特別徴収義務者として指定し、これに徴収させなければならない。（法685①） ② 特別徴収義務者の納入金の納入義務 　①の特別徴収義務者は、当該市町村法定外普通税の納期限までにその徴収すべき市町村法定外普通税に係る課税標準額、税額その他同条例で定める事項を記載した納入申告書を市町村長に提出し、及びその納入金を当該市町村に納入する義務を負う。（法685②）
8	証紙徴収の手続	市町村は、市町村法定外普通税を証紙徴収によって徴収しようとする場合においては、納税者に当該市町村が発行する証紙をもってその税金を払い込ませなければならない。この場合においては、市町村は、当該市町村法定外普通税を納付する義務が発生することを証する書類その他の物件に証紙をはらせ、又は証紙の額面全額に相当する現金の納付を受けた後納税済印を押すことによって、証紙に代えることができる。（法698①）

五　入　湯　税

1	納税義務者等	鉱泉浴場所在の市町村は、環境衛生施設、鉱泉源の保護管理施設及び消防施設その他消防活動に必要な施設の整備並びに観光の振興（観光施設の整備を含む。）に要する費用に充てるため、鉱泉浴場における入湯に対し、入湯客に入湯税を課するものとする。（法701）

2	税　　率	入湯税の税率は、入湯客１人１日について、150円を標準とするものとする。（法701の２）
3	徴収の方法	入湯税の徴収については、特別徴収の方法によらなければならない。（法701の３）
4	特別徴収の手続	①　特別徴収義務者の指定 　入湯税を特別徴収によって徴収しようとする場合においては、浴場の経営者その他徴収の便宜を有する者を当該市町村の条例によって特別徴収義務者として指定し、これに徴収させなければならない。（法701の４①） ②　特別徴収義務者の申告納入義務 　①の特別徴収義務者は、当該市町村の条例で定める納期限までにその徴収すべき入湯税に係る課税標準額、税額その他条例で定める事項を記載した納入申告書を市町村に提出し、及びその納入金を当該市町村に納入する義務を負う。（法701の４②）

六　水利地益税

1	納税義務者等	道府県又は市町村は、水利に関する事業、都市計画法に基づいて行う事業、林道に関する事業その他土地又は山林の利益となるべき事業の実施に要する費用に充てるため、当該事業により特に利益を受ける土地又は家屋に対し、その価格又は面積を課税標準として、水利地益税を課することができる。（法703①）
2	課税額の制限	水利地益税の課税額（数年にわたって課する場合においては、各年の課税額の総額）は、当該土地又は家屋が１の事業により特に受ける利益の限度を超えることができない。（法703②）
3	課税の免除	市町村は、第四章１《都市計画税の課税客体等》の規定によって都市計画税を課する場合においては、１の都市計画法に基づいて行う事業の実施に要する費用に充てるための水利地益税を課することができない。（法703③）
4	非課税の範囲	地方団体は、国、非課税独立行政法人及び国立大学法人等並びに都道府県、市町村、特別区、これらの組合、財産区、地方開発事業団、合併特例区、非課税地方独立行政法人及び公立大学法人に対しては、水利地益税を課することができない。（法704①） 　（注）　上記の非課税独立行政法人及び非課税地方独立行政法人については、第二編第二章第一節四の１の表の（一）及び同１の（注２）を参照。（編者）
5	賦課期日及び納期	水利地益税の賦課期日及び納期は、当該地方団体の条例で定める。（法705①）
6	徴収の方法	水利地益税の徴収については、徴収の便宜に従い、当該地方団体の条例で定めるところにより、普通徴収又は特別徴収の方法によらなければならない。（法706①）
7	特別徴収の手続	水利地益税を特別徴収によって徴収しようとする場合においては、当該水利地益税の徴収の便宜を有する者を当該地方団体の条例によって特別徴収義務者として指定し、これに徴収させなければならない。（法718①）
8	申告又は報告義務	水利地益税の納税義務者は、当該地方団体の条例の定めるところによって、当該水利地益税の賦課徴収に関し同条例で定める事項を申告し、又は報告しなければならない。（法714）
9	都等の特例	第一編第一章一の２《都及び特別区への準用》の規定によって地方税法中市町村に関する規定を特別区に準用する場合においては、特別区は目的税として、同章三の２の④の注《市町村の任意課税の目的税》に掲げる水利地益税を課することができる。（法736①）

七　共同施設税

1	納税義務者等	市町村は、共同作業場、共同倉庫、共同集荷場、汚物処理施設その他これらに類する施設に要する費用に充てるため、当該施設により特に利益を受ける者に対し、共同施設税を課することができる。（法703の２①）
2	課税額の制限	共同施設税の課税額（数年にわたって課する場合においては、各年の課税額の総額）は、当該納税者が１の施設により特に受ける利益の限度を超えることができない。（法703の２②）

3	非課税の範囲	市町村は、国、非課税独立行政法人及び国立大学法人等並びに都道府県、市町村、特別区、これらの組合、財産区、地方開発事業団、合併特例区、非課税地方独立行政法人及び公立大学法人に対しては、共同施設税を課することができない。(法704①) (注) 上記の非課税独立行政法人及び非課税地方独立行政法人については、第二編第二章第一節四の1の表の(一)及び同1の(注2)を参照。(編者)
4	賦課期日及び納期	共同施設税の賦課期日及び納期は、当該市町村の条例で定める。(法705①)
5	徴収の方法	共同施設税の徴収については、徴収の便宜に従い、当該市町村の条例で定めるところにより、普通徴収又は特別徴収の方法によらなければならない。(法706①)
6	特別徴収の手続	共同施設税を特別徴収によって徴収しようとする場合においては、当該共同施設税の徴収の便宜を有する者を当該市町村の条例によって特別徴収義務者として指定し、これに徴収させなければならない。(法718①)
7	申告又は報告義務	共同施設税の納税義務者は、当該市町村の条例の定めるところによって、当該共同施設税の賦課徴収に関し同条例で定める事項を申告し、又は報告しなければならない。(法714)
8	都等の特例	第一編第一章一の2《都及び特別区への準用》の規定によって地方税法中市町村に関する規定を特別区に準用する場合においては、特別区は目的税として、同章三の2の④の注《市町村の任意課税の目的税》に掲げる共同施設税を課することができる。(法736①)

八 宅地開発税

1	納税義務者等	市町村は、宅地開発(宅地以外の土地の区画形質を変更することにより当該土地を宅地とすること又は宅地以外の土地を宅地に転用することをいう。以下八において同じ。)に伴い必要となる道路、水路その他の公共施設で次に掲げるもの(以下八において「公共施設」という。)の整備に要する費用に充てるため、当該市町村の区域で都市計画法第5条の規定により都市計画区域として指定されたもの(以下1において「都市計画区域」という。)のうち同法第7条第1項に規定する市街化区域(当該都市計画区域について同項に規定する区域区分に関する都市計画が定められていない場合にあっては、旧住宅地造成事業に関する法律(昭和39年法律第160号)第3条第1項の規定により住宅地造成事業規制区域として指定された区域)内において公共施設の整備が必要とされる地域として当該市町村の条例で定める区域内で権原に基づき宅地開発を行う者に対し、当該宅地開発に係る宅地の面積(公共の用に供される部分の面積を除く。)を課税標準として、宅地開発税を課することができる。(法703の3①、令56の85) (一) 幅員12メートル未満の道路 (二) 公共下水道以外の排水路 (三) 敷地面積が0.5ヘクタール未満の公園、緑地又は広場
2	非課税の範囲	市町村は、国及び非課税独立行政法人並びに都道府県、市町村、特別区、これらの組合、財産区、地方開発事業団、合併特例区、非課税地方独立行政法人及び公立大学法人に対しては、宅地開発税を課することができない。(法704②) (注) 上記の非課税独立行政法人及び非課税地方独立行政法人については、第二編第二章第一節四の1の表の(一)及び同1の(注2)を参照。(編者)
3	税率	宅地開発税の税率は、宅地開発に伴い必要となる公共施設の整備に要する費用、当該公共施設による受益の状況等を参酌して、当該市町村の条例で定める。(法703の3②)
4	課税免除	宅地開発税の納税義務者が当該宅地開発に伴い必要となる公共施設又はその用に供する土地で1に規定する区域に係る公共施設の整備に関する市町村の計画において定められた1の(一)から(三)までの公共施設又はその用に供する土地を当該市町村の条例の定めるところにより当該市町村に無償で譲渡する場合その他次に掲げる場合に該当する場合には、市町村長は、宅地開発税を免除するものとし、又は、既に宅地開発税額が納付されているときは、これに相当する額を還付するものとする。(法703の3③、令56の86、56の87、規24の30) (一) 土地区画整理法による土地区画整理事業(農住組合法第8条第1項の規定により土地区画

	(二)	都市計画法第29条第1項《開発行為の許可》の規定の適用について国又は地方公共団体とみなされる者が宅地開発を行う場合
	(三)	鉄道施設、軌道施設、自動車ターミナル、港湾施設その他次に掲げる交通施設（一般交通の用に供されないものを除く。）の用に供するために宅地開発を行う場合 イ　飛行場及び航空保安施設（これらに附帯する施設を含む。） ロ　一般旅客自動車運送事業の用に供する施設
	(四)	1の(一)から(三)までの公共施設の整備に要する費用に相当すると認められる金額を当該施設の整備に充てるものとして当該市町村に寄附する場合
5　納　　期		宅地開発税の納期は、当該市町村の条例で定める。（法705①）
6　徴収の方法		宅地開発税の徴収については、徴収の便宜に従い、当該市町村の条例で定めるところにより、普通徴収又は特別徴収の方法によらなければならない。（法706①）
7　特別徴収の手続		宅地開発税を特別徴収によって徴収しようとする場合においては、当該宅地開発税の徴収の便宜を有する者を当該市町村の条例によって特別徴収義務者として指定し、これに徴収させなければならない。（法718①）
8　申告又は報告義務		宅地開発税の納税義務者は、当該市町村の条例の定めるところによって、当該宅地開発税の賦課徴収に関し同条例で定める事項を申告し、又は報告しなければならない。（法714）
9　都等の特例		第一編第一章一の2《都及び特別区への準用》の規定によって地方税法中市町村に関する規定を特別区に準用する場合においては、特別区は目的税として、同章三の2の④の注《市町村の任意課税の目的税》に掲げる宅地開発税を課することができる。（法736①）

九　法定外目的税

1　新設・変更	①　新　　設 　道府県又は市町村は、条例で定める特定の費用に充てるため、法定外目的税を課することができる。（法731①） ②　総務大臣の同意 　道府県又は市町村は、法定外目的税の新設又は変更（法定外目的税の税率の引下げ、廃止その他の政令（令56の91）で定める変更を除く。）をしようとする場合においては、あらかじめ、総務大臣に協議し、その同意を得なければならない。（法731②） ③　財務大臣に対する総務大臣の通知義務 　総務大臣は、②の規定による協議の申出を受けた場合においては、その旨を財務大臣に通知しなければならない。（法732①） ④　財務大臣の異議の申出 　財務大臣は、③の通知を受けた場合において、その協議の申出に係る法定外目的税の新設又は変更について異議があるときは、総務大臣に対してその旨を申し出ることができる。（法732②） ⑤　地方財政審議会の意見の聴取 　総務大臣は、②の同意については、地方財政審議会の意見を聴かなければならない。（法732の2）
2　総務大臣の同意	総務大臣は、1の②の規定による協議の申出を受けた場合には、当該協議の申出に係る法定外目的税について次に掲げる事由のいずれかがあると認める場合を除き、これに同意しなければならない。（法733） （一）　国税又は他の地方税と課税標準を同じくし、かつ、住民の負担が著しく過重となること。 （二）　地方団体間における物の流通に重大な障害を与えること。 （三）　（一）及び（二）に掲げるものを除くほか、国の経済施策に照らして適当でないこと。
3　非課税の範囲	地方団体は、次に掲げるものに対しては、法定外目的税を課することができない。（法733の2）

		(一) 当該地方団体の区域外に所在する土地、家屋、物件及びこれらから生ずる収入
		(二) 当該地方団体の区域外に所在する事務所及び事業所において行われる事業並びにこれらから生ずる収入
		(三) 公務上又は業務上の事由による負傷又は疾病に基因して受ける給付で政令（令56の92）で定めるもの
4	徴収の方法	法定外目的税の徴収については、徴収の便宜に従い、当該地方団体の条例の定めるところによって、普通徴収、申告納付、特別徴収又は証紙徴収の方法によらなければならない。（法733の3）
5	申告又は報告の義務	法定外目的税の納税義務者は、当該地方団体の条例の定めるところによって、当該法定外目的税の賦課徴収に関し同条例で定める事項を申告し、又は報告しなければならない。（法733の10）
6	申告納付の手続	法定外目的税を申告納付すべき納税者は、当該地方団体の条例で定める期間内における課税標準額、税額その他同条例で定める事項を記載した申告書を同条例で定める納期限までに地方団体の長に提出し、及びその申告した税額を当該地方団体に納付しなければならない。（法733の14①）
7	特別徴収の手続	① 特別徴収義務者の指定 　法定外目的税を特別徴収によって徴収しようとする場合においては、当該法定外目的税の徴収の便宜を有する者を当該地方団体の条例によって特別徴収義務者として指定し、これに徴収させなければならない。（法733の15①） ② 特別徴収義務者の納入金の納入義務 　①の特別徴収義務者は、当該法定外目的税の納期限までにその徴収すべき法定外目的税に係る課税標準額、税額その他当該地方団体の条例で定める事項を記載した納入申告書を地方団体の長に提出し、及びその納入金を当該地方団体に納入する義務を負う。（法733の15②）
8	証紙徴収の手続	地方団体は、法定外目的税を証紙徴収によって徴収しようとする場合においては、納税者に当該地方団体が発行する証紙をもってその税金を払い込ませなければならない。この場合においては、地方団体は、当該法定外目的税を納付する義務が発生することを証する書類その他の物件に証紙をはらせ、又は証紙の額面金額に相当する現金の納付を受けた後納税済印を押すことによって、証紙に代えることができる。（法733の27①）

令和6年10月改訂 地方税取扱いの手引

2024年10月22日　発行

編　者　　地方税制度研究会 ©

発行者　　新木 敏克

発行所　　公益財団法人 納税協会連合会
　　　　　〒540-0012 大阪市中央区谷町1−5−4　電話（編集部）06(6135)4062

発売所　　株式会社 清文社
　　　　　大阪市北区天神橋2丁目北2−6（大和南森町ビル）
　　　　　〒530-0041　電話 06(6135)4050　FAX 06(6135)4059
　　　　　東京都文京区小石川1丁目3−25（小石川大国ビル）
　　　　　〒112-0002　電話 03(4332)1375　FAX 03(4332)1376
　　　　　URL https://www.skattsei.co.jp/

印刷：㈱広済堂ネクスト

■著作権法により無断複写複製は禁止されています。落丁本・乱丁本はお取り替えします。
■本書の内容に関するお問い合わせは編集部までFAX(06-6135-4063)又はe-mail(edit-w@skattsei.co.jp)でお願いします。
＊本書の追録情報等は、発売所（清文社）のホームページ（https://www.skattsei.co.jp）をご覧ください。

ISBN978-4-433-70514-5

令和6年版
法人税の決算調整と申告の手引

早子 忠 編　☆Web版サービス付き

実務家必携！令和6年度税制改正事項を収録した、法人税の百科辞典！

一般法人の確定申告のために必要な、各事業年度の所得の金額及び法人税額の計算、並びに申告納付のための実務手引書として、法人税に関する法律・政令・省令及び通達を体系的に整理収録。

■B5判1,936頁／定価 6,600円（税込）

令和6年版
申告所得税取扱いの手引

公益財団法人 納税協会連合会 編集部　編　☆Web版サービス付き

所得税に関する規定をできるだけわかり易いものとするため、最新の法令を中心に、政令・省令・告示さらに通達等を一同に掲載し、一覧性・有機的関連性をもたせて整理編集。

■B5判2,088頁／定価 6,160円（税込）

令和6年版
源泉所得税取扱いの手引

公益財団法人 納税協会連合会 編集部　編　☆Web版サービス付き

課税対象が多岐にわたり、数多くの関係法令及び政省令、個別通達等から構成されている源泉所得税について、所得の種類別に法令、通達等をわかりやすく体系的にまとめて収録。

■B5判1,080頁／定価 6,380円（税込）

令和6年版
消費税の取扱いと申告の手引

大谷靖洋　編　☆Web版サービス付き

消費税の取扱いについて、最新の税制改正及び法令等を中心に関係通達の改正事項なども網羅し、体系的に整理編集。設例による各種申告書・届出書の作成要領と記載例を収録した実務手引書。

■B5判1,144頁／定価 5,500円（税込）